RÖMPP
LEXIKON

Lang Kurt

Chemie

10., völlig überarbeitete Auflage

Herausgeber:
Jürgen Falbe
Manfred Regitz

Band 1	**A – Cl**	1996
Band 2	**Cm – G**	1997
Band 3	**H – L**	1997
Band 4	**M – Pk**	1998
Band 5	**Pl – S**	1998
Band 6	**T–Z**	1999

Biotechnologie
1992

Umwelt
1993

Lebensmittelchemie
1995

Naturstoffe
1997

Lacke und Druckfarben
1997

Xi	Xn	T	T+		N
Reizend	Gesundheits-schädlich	Giftig	Sehr Giftig	Radioaktiv	Umweltgefährlich

Lsm.	Lösemittel	Selbsteinst.	Klassifizierung in WGK gemäß
MAK	Maximale Arbeitsplatz-Konzentration		Konzept zur Selbsteinstufung des VCI
max.	maximal	sog.	sogenannt(e)
Meth.	Methode	Subl.	Sublimation
MHK	minimale Hemmkonzentration	subl.	sublimiert
MIK	Maximale Immissions-Konzentration	Synth.	Synthese
		Syst.	System
min	Minute	SZ	Säure-Zahl
mind.	mindestens	Tab.	Tabelle
Mio.	Million	teilw.	teilweise
Modif.	Modifikation	Temp.	Temperatur
mol.	molekular	tert.	tertiär
Mol.	Molekül	TH	Technische Hochschule
M_R	Molekulargewicht = Molmasse	Tl.	Teil, Teile
Mrd.	Milliarde	TRgA	Technische Regeln für gefährliche Arbeitsstoffe
Nachw.	Nachweis		
n	Brechungsindex	TRK	Technische Richtkonzentration
neg.	negativ	TU	Technische Universität
od.	oder	u.	und
Oxid.	Oxidation	unlösl.	unlöslich
p.o.	peroral, per os	v.a.	vor allem
pos.	positiv	Vak.	Vakuum
ppb	parts per billion = 10^{-9}	Verb.	Verbindung
ppm	parts per million = 10^{-6}	verd.	verdünnt
ppt	parts per trillion = 10^{-12}	Verf.	Verfahren
Präp.	Präparat	Verl.	Verlag
prim.	primär	Verw.	Verwendung
qual.	qualitativ	vgl. (Vgl.)	vergleiche, Vergleich(e)
quant.	quantitativ	VO	Verordnung
®	Marke, Warenzeichen	Vol.	Volumen
Red.	Reduktion	Vork.	Vorkommen
Rp	verschreibungspflichtig	VZ	Verseifungszahl
S	spanische Bezeichnung	wäss.	wäßrig
S.	Seite	WGK	Wasser-Gefährdungs-Klasse
s	Sekunde	WHO	World Health Organization
s. (S.)	siehe	Zers.	Zersetzung
s.c.	subcutan		
Schmp.	Schmelzpunkt (Fusionspunkt)	*	als Stichwort in diesem Werk behandelt
Sdp.	Siedepunkt (Kochpunkt)		
sek.	sekundär	°C	Grad Celsius

RÖMPP

L E X I K O N

Chemie

10., völlig überarbeitete Auflage

Herausgeber

Prof. Dr. Jürgen Falbe
Prof. Dr. Manfred Regitz

Bearbeitet von

Dr. Eckard Amelingmeier
Dr. Michael Berger
Dr. Uwe Bergsträßer
Prof. Dr. Alfred Blume
Prof. Dr. Henning Bockhorn
Prof. Dr. Peter Botschwina
Dr. Jörg Falbe
Dr. Jürgen Fink
Dr. Hans-Jochen Foth
Dr. Burkhard Fugmann
Prof. Dr. Susanne Grabley
Dr. Ubbo Gramberg
Dr. Herta Hartmann
Prof. Dr. Hermann G. Hauthal
PD Dr. Hans-Wolfgang Helb
Dr. Heinrich Heydt
Dr. Claudia Hinze
Dr. Kurt Hussong
Cornelia Imming

PD Dr. Peter Imming
Dr. Martin Jager
Dr. Margot Janzen
Prof. Dr. Claus Klingshirn
Dr. Herbert Lamp
Dr. Susanne Lang-Fugmann
Dr. Michael Lindemann
Dr. Gisela Lück
Dr. Thomas Neumann
Dr. Gustav Penzlin
Dr. Reinhard Philipp
Dr. Matthias Rehahn
Dr. Karsten Schepelmann
PD Dr. Eberhard Schweda
Dr. Helmut Sitzmann
PD Dr. Ralf Thiericke
Dr. Christa Wagner-Klemmer
Dr. Bernd Weber
Dr. Gotthelf Wolmershäuser

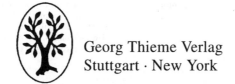

Georg Thieme Verlag
Stuttgart · New York

Redaktion:
Dr. Martina Bach
Ute Rohlf
Dr. Barbara Frunder
Georg Thieme Verlag
Rüdigerstraße 14
70469 Stuttgart

Übersetzungen:
Karina Gobbato
Jean-Louis Servant
Dr. Salvatore Venneri

Zolltarif-Codenummern:
Karl Kettnaker

Grafik:
Hanne Haeusler
Kornelia Wagenblast
Ruth Hammelehle

Einbandgestaltung: Dominique Loenicker

Die Deutsche Bibliothek – CIP-Einheitsaufnahme

Römpp-Lexikon Chemie / Hrsg.: Jürgen Falbe ;
Manfred Regitz. Bearb. von Eckard Amelingmeier ... –
Stuttgart ; New York : Thieme.
    9. Aufl. u.d.T.: Römpp-Chemie-Lexikon
Bd. 3. H–L / [Red.: Martina Bach ... Übers.:
Karina Gobbato ...]. – 10., völlig überarb. Aufl. – 1997

1.–5. Auflage (1947–1962) Dr. H. Römpp
6. Auflage (1966) Dr. E. Ühlein
7. u. 8. Auflage (1972/1979) Dr. O.-A. Neumüller
9. Auflage (1992) Prof. Dr. J. Falbe u. Prof. Dr. M. Regitz

© 1997 Georg Thieme Verlag
Rüdigerstraße 14, D-70469 Stuttgart
Printed in Germany

Gesamtherstellung:
Konrad Triltsch GmbH
Graphischer Betrieb, Würzburg

Gedruckt auf Permaplan, archivierfähiges Werkdruck-
papier aus chlorfrei gebleichtem Zellstoff von Gebrüder
Buhl Papierfabriken, Ettlingen.

In diesem Lexikon sind zahlreiche Gebrauchs- und
Handelsnamen, Marken, Firmenbezeichnungen
sowie Angaben zu Vereinen und Verbänden, DIN-
Vorschriften, Codenummern des Zolltarifs, MAK- und
TRK-Werten, Gefahrklassen, Patenten, Herstellungs-
und Anwendungsverfahren aufgeführt. Alle Angaben
erfolgten nach bestem Wissen und Gewissen.
Herausgeber und Verlag machen ausdrücklich darauf
aufmerksam, daß vor deren gewerblicher Nutzung
in jedem Falle die Rechtslage sorgfältig geprüft werden
muß.

ISBN 3-13-734810-2 (Band 3)
ISBN 3-13-107830-8 (Band 1–6)

1 2 3 4 5 6

Hinweise für die Benutzung

Alphabet
Im Römpp Chemie Lexikon folgt die Einordnung der Stichwörter dem ABC der DIN-Norm 5007 (11/1962), d.h. Umlaute werden wie ae, oe, ue behandelt. Griechische Buchstaben gehen den lateinischen, klein geschriebene den Großbuchstaben voraus (*Beisp.*: rh, rH, Rh, RH). Bei Eigennamen werden Adelsprädikate u. ähnliche Namensbestandteile im allgemeinen bei der Einordnung unberücksichtigt gelassen. Vorsilben wie primär-, cis-, endo- u. dgl. werden in der alphabetischen Einordnung der Stammverbindungen zunächst übergangen; sie werden ebenso wie α- (alpha), o- (ortho), N- (Stickstoff) u. dgl. als Sortiermerkmale erst innerhalb der Einzelwörter wirksam. Ziffern bleiben bei der Einreihung eines Stichworts zunächst ebenfalls unberücksichtigt.

Schreibweise
Als Schreibweise der Fachbegriffe wird jeweils die derzeit im wissenschaftlichen Schrifttum gebräuchlichste gewählt. Wird ein Wort mit k oder z nicht an der erwarteten Stelle gefunden, so sehe man unter c nach und umgekehrt, das gleiche gilt für Ä.- bzw. Ö- und E-Schreibweise.

Abkürzungen
Die in der aufgeführten Zusammenstellung nicht enthaltenen Abkürzungen sind im Buch an den betreffenden Stellen des Alphabets erläutert. Wird ein Stichwort im darauffolgenden Text wiederholt, so ist als Abkürzung vielfach nur der Anfangsbuchstabe (also etwa A., B. usw.) od. ein geläufiges Akronym (z.B. GDCh) eingesetzt. Die adjektivische Endung „isch" ist häufig abgekürzt und durch einen Punkt ersetzt worden.

Marken (Warenzeichen) und Bezugsquellen
Im Chemie Lexikon sind die eingetragenen Marken nach bestem Wissen mit dem nachgestellten Symbol ® gekennzeichnet. Fehlt dieser Hinweis, so kann daraus *nicht* geschlossen werden, daß die betreffende Bezeichnung im Sinne der Warenzeichen- und Markenschutz-Gesetzgebung als frei zu betrachten wäre und daher von jedermann benutzt werden dürfte. Umgekehrt können aus der irrtümlichen Kennzeichnung einer Benennung mit ® in diesem Werk keine Schutzrechte abgeleitet werden.
Die 10. Auflage des Chemie Lexikons nennt Bezugsquellen nur für eingetragene *Marken *(®). Lieferanten- und Herstellerverzeichnisse für andere Chemikalien befinden sich bei den Stichworten *Bezugsquellenverzeichnisse u. *Chemikalien.

Literaturzitate
Die im Stichworttext zu einem speziellen Aspekt der Abhandlung erwähnten Fremdzitate sind mit einem Index versehen und im zugehörigen Literaturteil (z.B. *Lit.*[1]) aufgeführt; anschließend folgen in alphabetischer Ordnung diejenigen Zitate, die sich mit dem besprochenen Begriff insgesamt beschäftigen (*allg.:*). Die Zitierweise erfolgt in Anlehnung an Chemical Abstracts Service. Herausgeberwerke sind unter dem Personennamen aufgenommen u. nicht unter dem Sachtitel, da dieser meist nicht so einprägsam ist (Landolt-Börnstein statt: Zahlenwerte und Funktionen…). Bei mehr als zwei Autoren ist zumeist nur der erste mit dem Zusatz „et al." aufgeführt.

Codenummern des Zolltarifs
Bei der Mehrzahl der chemischen Verbindungen bzw. Waren finden sich am Schluß des Literaturteils die *kursiv* gesetzte, in eckige Klammern eingeschlossene und mit *HS* gekennzeichnete Angabe des Codes der Nomenklatur des im Januar 1988 in Kraft getretenen Harmonisierten Systems zur internationalen Bezeichnung und Codierung von Waren. Die Angaben erfolgen nach bestem Wissen und Gewissen, aber ohne Gewähr.

Gefahrenklassen
Für den Transport *gefährlicher Güter auf der Straße, auf Schienen-, Wasser- u. Luftwegen existieren eine Reihe von Bestimmungen (s.a. das Stichwort *Transportbestimmungen). In der BRD sind die wichtigsten dieser Bestimmungen die GGVE (Gefahrgutverordnung Eisenbahn = Verordnung über die innerstaatliche und grenzüberschreitende Beförderung gefährlicher Güter mit Eisenbahnen) und die GGVS (Gefahrgutverordnung Straßen = Verordnung über die innerstaatliche und grenzüberschreitende Beförderung gefährlicher Güter auf Straßen). Allen gemeinsam ist die Einteilung der Güter in sog. Gefahrklassen. Die hier ebenfalls nach bestem Wissen u. Gewissen, aber ohne Gewähr gemachten Angaben der Gefahrenklassen finden sich am Ende des Literaturteils, ggf. hinter der CAS-Nr., in eckige Klammern eingeschlossen u. durch *G* gekennzeichnet.

MAK- und TRK-Werte
Die im Chemie Lexikon gemachten Angaben über die Einstufung giftiger Stoffe und Zubereitungen nach der *Gefahrstoffverordnung wie *MAK-, *BAT-, *TRK-Wert sowie LD_{50} (s. Letale Dosis), nach oraler Gabe, erfolgen nach bestem Wissen und Gewissen. Soweit zugänglich wurden auch wichtige Umweltparameter wie Wasser-Gefährdungs-Klasse (*WGK), Angaben zur *biologischen Abbaubarkeit und *Lipid-Löslichkeit aufgenommen.

Häufig zitierte Werke

ACHEMA-Jahrb. **1988**, 2172	Achema-Jahrbuch 88, Frankfurt: DECHEMA 1988 (hier Nr. 2172 des Teiles „Wer weiß über was Bescheid?"; analog **1991** für die Ausgabe 91 bzw. **1994** für die Ausgabe 1994; erscheint alle 3 Jahre)
Analyt.-Taschenb. **5**, 100	Analytiker-Taschenbuch, Berlin: Springer seit 1980 (hier Bd. 5, S. 100)
ApSimon **1**, 100	ApSimon (Hrsg.), The Total Synthesis of Natural Products, Bd. 1–9, New York: Wiley 1973–1992 (hier Bd. 1, S. 100)
Arzneimittelchemie II, 100	Schröder et al., Arzneimittelchemie (3 Bd.), Stuttgart: Thieme 1976 (hier Bd. II, S. 100)
ASP	Dinnendahl u. Fricke (Hrsg.), Arzneistoffprofile, Basisinformation über arzneiliche Wirkstoffe im Auftrag der Arbeitsgemeinschaft für Pharmazeutische Information (API), Loseblattsammlung, das Werk ist alphabetisch geordnet; Stammlieferung 1982 mit 1.–11. Ergänzungslieferung Januar 1996
Barton-Ollis **1**, 100	Barton u. Ollis, Comprehensive Organic Chemistry, Vol. 1–6, Oxford: Pergamon Press 1979 (hier Bd. 1, S. 100)
Batzer **3**, 100	Batzer, Polymere Werkstoffe, Bd. 1–3, Stuttgart: Thieme 1984/1985 (hier Bd. 3, S. 100)
Beilstein E IV **7**, 5000	Beilsteins Handbuch der Organischen Chemie, 4. Aufl., Berlin: Springer seit 1918 [hier 4. Ergänzungswerk, Bd. 7, 1969, S. 5000; analog E III/IV **17** für das 3./4. u. E V **17/11** für das 5. Ergänzungswerk]
Belitz-Grosch (4.), S. 100	Belitz u. Grosch, Lehrbuch der Lebensmittelchemie, 4. Aufl., Berlin: Springer 1992 (hier S. 100)
Blaue Liste, S. 100	Blaue Liste, Inhaltsstoffe kosmetischer Mittel (Hrsg.: Fiedler et al.), Aulendorf: Editio Cantor 1989 (hier S. 100)
Brauer **1**, 100	Brauer, Handbuch der Präparativen Anorganischen Chemie, Bd. 1–2, Stuttgart: Enke 1960, 1962 [hier Bd. 1, S. 100; analog (3.) für die 3. Aufl. 1975–1981; Nachfolgewerk ab 1996 s. Herrmann-Brauer]
Braun-Frohne (5.), S. 100	Braun (Hrsg.), Heilpflanzen-Lexikon für Ärzte und Apotheker, 4. Aufl., Stuttgart: Fischer 1981 [hier S. 100; analog Braun-Frohne (5.) für die 5. Aufl. 1987 bzw. Braun-Frohne (6.) für die 6. Aufl. 1994]
Braun-Dönhardt, S. 100	Braun u. Dönhardt, Vergiftungsregister, Stuttgart: Thieme 1975 (hier S. 100)
Büchner et al. (2), S. 100	Büchner et al., Industrielle Anorganische Chemie, 2. Aufl., Weinheim: VCH Verlagsges. 1986 (hier S. 100).
Carey-Sundberg, S. 100	Carey u. Sundberg, Organische Chemie, Weinheim: VCH Verlagsges. 1995 (hier S. 100)
Compr. Polym. Sci. **5**, 100	Allen u. Bevington, Comprehensive Polymer Science, Vol. 1–7, Oxford: Pergamon Press 1989 (hier Bd. 5, S. 100)
Crueger-Crueger (3.), S. 100	Crueger u. Crueger, Biotechnologie-Lehrbuch der angewandten Mikrobiologie, 3. Aufl., München: Oldenbourg 1989 (hier S. 100)
DAB **10** (bzw. **1996**) u. Komm.	Deutsches Arzneibuch, 10. Ausgabe, mit Ergänzungen (Stand: 4. Ergänzung 05/1995), Frankfurt: Govi 1991 (analog DAB **10/1** für die 1. Ergänzung der 10. Ausgabe; analog Komm. **10** für den Kommentar zur 10. Ausgabe; alphabetisch)
Deer et al. (2.), S. 100	Deer, Howie u. Zussmann, An Introduction to the Rock Forming Minerals, 2. Aufl., Harlow (England): Longman Scientific & Technical 1992 (hier S. 100)
Ehrhart-Ruschig, S. 100	Ehrhart u. Ruschig, Arzneimittel, Weinheim: Verl. Chemie 1968 [hier S. 100; analog (2.) **1** für Bd. 1 der 2. Aufl., Bd. 1–5, 1972]
Elias, S. 100	Elias, Makromoleküle, 4. Aufl., Basel: Hüthig u. Wepf 1981 (hier S. 100; analog Elias (5.) **1**, 100 für Bd. 1 der 5. Aufl., 2 Bd., 1990/1992)

Elsevier **14**, 100	Elsevier's Encyclopaedia of Organic Chemistry, Series III: Carboisocyclic Condensed Compounds (Bd. 12, 13 u. 14 mit Teilbänden u. Supplementen), Amsterdam: Elsevier 1940–1954, Berlin: Springer 1954–1969 [hier Bd. 14 (1949) S. 100; analog 14 S, S. 5000 S für Supplement 14]
Encycl. Gaz, S. 100	Encyclopédie des gaz (L'Air Liquide, Hrsg.), Amsterdam: Elsevier 1976 (hier S. 100)
Encycl. Polym. Sci. Eng. **7**, 100	Mark et al., Encyclopedia of Polymer Science and Engineering, New York: Wiley-Interscience 1985–1990 (hier Bd. 7, 1987, S. 100)
Encycl. Polym. Sci. Technol. **12**, 230	Mark, Gaylord u. Bikales, Encyclopedia of Polymer Sciences and Technology (18 Bd.), New York: Wiley-Interscience 1964–1978 (hier Bd. 12, 1971, S. 230; analog **S 1**, 100 für Supplement 1, 1977, S. 100; analog **S 2**, 1978)
Farm	Farm Chemicals Handbook, 37841 Enclid Ave., Meister Publishing Co., Willoughby, Ohio 44094 (erscheint jährlich in aktualisierter Aufl.)
Florey **6**, 100	Florey u. Brittain (Hrsg.), Analytical Profiles of Drug Substances and Excipients (23 Bd.), New York: Academic Press 1972–1992 (hier Bd. 6, S. 100)
Forth et al. (6.), S. 100	Forth, Henschler u. Rummel (Hrsg.), Allgemeine und spezielle Pharmakologie u. Toxikologie, 6. Aufl., Mannheim: BI Wissenschaftsverl. 1992 [hier S. 100; analog (7.) für die 7. Aufl. 1996 Spektrum Verlag].
Fries-Getrost, S. 100	Fries u. Getrost, Organische Reagenzien für die Spurenanalyse, Darmstadt: Merck 1975 (hier S. 100)
Giftliste	Roth u. Daunderer, Giftliste (mit Ergänzungen), Landsberg: ecomed seit 1981
Gildemeister **3a**, 100	Gildemeister u. Hoffmann, Die ätherischen Öle, 4. Aufl. (7 Bd. u. Teilbände), Berlin: Akademie-Verl. 1956–1968 (hier Bd. 3a, 1960, S. 100)
Gmelin	Gmelins Handbuch der Anorganischen Chemie, 8. Aufl., Weinheim: Verl. Chemie seit 1922, Berlin: Springer seit 1974
Gräfe, S. 100	Gräfe, Biochemie der Antibiotika, Heidelberg: Spektrum Akadem. Verl. 1992 (hier S. 100)
Hager (4.) **7b**, 100	Hagers Handbuch der Pharmazeutischen Praxis (List u. Hörhammer, Hrsg.), 4. Aufl., 1967–1989; Bruchhausen et al., 5. Aufl., 9 Bd., Berlin: Springer 1993–1995 [hier Bd. 7b, S. 100; analog (5.), S. 100 für die 5. Aufl.]
Handbook **56**, F 50	Handbook of Chemistry and Physics, Boca Raton: CRC Press (hier 56. Aufl., 1975, Abschnitt F, S. 50; analog 66. Aufl., 1985)
Hassner-Stumer, S. 100	Hassner u. Stumer, Organic Syntheses Based on Name Reactions and Unnamed Reactions, Oxford: Pergamon Press 1994 (hier S. 100)
Helwig-Otto II/100	Arzneimittel. Ein Handbuch für Ärzte und Apotheker, 8. Aufl., 1995, Stuttgart: Wissenschaftliche Verlagsges. (hier Bd. II/100)
Herrmann-Brauer **1**, 100	Herrmann u. Brauer, Synthetic Methods of Organometallic and Inorganic Chemistry, Vol. 1–8, Stuttgart: Thieme 1996 (hier Band 1, S. 100)
Hollemann-Wiberg (101.), S. 100	Hollemann u. Wiberg, Lehrbuch der Anorganischen Chemie, 101. Aufl., Berlin: de Gruyter 1995 (hier S. 100)
Hommel, Nr. 100	Hommel, Handbuch der gefährlichen Güter, 2. Aufl., Berlin: Springer seit 1983 [hier Nr. 100; analog für die 3., 4. Aufl. 1988, 5. Aufl. 1995]
Houben-Weyl **5/1a**, 100	Houben u. Weyl, Methoden der organischen Chemie, 4. Aufl., Stuttgart: Thieme seit 1952 (hier Bd. 5, Teilband 1a, 1970, S. 100; analog **E2** für den Erweiterungsband 2, 1982)
Hutzinger **1A**, 100	Hutzinger (Hrsg.), The Handbook of Environmental Chemistry, Berlin: Springer seit 1980 (hier Bd. 1A, 1980, S. 100)
Janistyn (3.) **1**, 100	Janistyn, Handbuch der Kosmetika und Riechstoffe, 3. Aufl., 3 Bd., Heidelberg: Hüthig 1978 (hier Bd. 1, S. 100)
Karrer, Nr. 100	Karrer et al., Konstitution und Vorkommen der organischen Pflanzenstoffe (exklusive Alkaloide), Basel: Birkhäuser 1958 (Hauptwerk), 1977 (Ergänzungs-Bd. 1), 1981 (Ergänzungs-Bd. 2/1), 1985 (Ergänzungs-Bd. 2/2) (hier Nr. 100)
Katritzky et al. **4**, 100	Katritzky, Meth-Cohn u. Rees, Comprehensive Organic Group Transformation, Vol. 1–10, Oxford: Elsevier Science 1995 (hier Bd. 4, S. 100)

Katritzky-Rees (2.) **1**, 100

Katritzky u. Rees, Comprehensive Heterocyclic Chemistry, 2. Aufl., Vol. 1–9, Oxford: Pergamon Press 1996 (hier Bd. 1, S. 100)

Kirk-Othmer (2.) **17**, 100

Kirk-Othmer (Hrsg.), Encyclopedia of Chemical Technology, 24 Bd., 2. Aufl., New York: Interscience 1963–1972; 3. Aufl., 26 Bd., New York: Wiley 1978–1984; 4. Aufl. seit 1992 [hier Bd. 17, S. 100; analog **S** für das Supplement; analog (3.) **1** für Bd. 1 der 3. Aufl. bzw. (4.) **1** für Bd. 1 der 4. Aufl.]

Kleemann-Engel (2.), S. 100

Kleemann u. Engel, Pharmazeutische Wirkstoffe, 2. Aufl., Stuttgart: Thieme 1982 (hier S. 100)

Knippers (6.), S. 100

Knippers, Molekulare Genetik, 6. Aufl., Stuttgart: Thieme 1995 (hier S. 100)

Korte (3.), S. 100

Korte, Lehrbuch der Ökologischen Chemie, Grundlagen u. Konzepte für die ökologische Beurteilung von Chemikalien, 3. Aufl., Stuttgart: Thieme 1992 (hier S. 100)

Krafft, S. 100

Krafft, Große Naturwissenschaftler, Düsseldorf: VCI 1986 (hier S. 100)

Kürschner (15.), S. 100

Kürschners Deutscher Gelehrten-Kalender, Berlin: De Gruyter (hier 15. Aufl., 1986, S. 100; analog 12. Aufl. 1976; 14. Aufl. 1983; 16. Aufl. 1992; 17. Aufl. 1996)

Laue-Plagens, S. 100

Laue u. Plagens, Namen- u. Schlagwortreaktionen in der Organischen Synthese, Stuttgart: Teubner 1995 (hier S. 100)

Lexikon der Naturwissenschaftler, S. 100

Lexikon der Naturwissenschaftler, Heidelberg: Spektrum Akad. Verlag 1996.

Luckner (3.), S. 100

Luckner, Secondary Metabolism in Microorganisms, Plants and Animals, 3. Aufl., Berlin: Springer 1990 (hier S. 100)

MAK-Werte-Liste 1996

Deutsche Forschungsgemeinschaft, Senatskommission zur Prüfung gesundheitsschädlicher Arbeitsstoffe (Hrsg.), MAK- u. BAT-Werte-Liste 1996, Weinheim: VCH Verlagsges. 1996

Manske **11**, 100

The Alkaloids, Chemistry and Pharmacology, 45 Bd. bis 1994, Hrsg.: Manske u. Holmes, Bd. 1–4; Manske, Bd. 5–16; Manske u. Rodrigo, Bd. 17; Rodrigo, Bd. 18–20; Brossi, Bd. 21–40; Brossi u. Cordell, Bd. 41; Cordell, Bd. 42–44; Cordell u. Brossi, Bd. 45, New York: Academic Press seit 1950 (hier Bd. 11, S. 100)

March (4.), S. 100

March, Advanced Organic Chemistry, 4. Aufl., New York: Wiley 1992 (hier S. 100)

Martindale (29.), S. 100

Martindale, The Extra Pharmacopoeia (Reynolds, Hrsg.), 29. Aufl., London: The Pharmaceutical Press 1989 [hier S. 100; analog (30.) für die 30. Aufl. von 1993]

McKetta **24**, 100

McKetta, Encyclopedia of Chemical Processing and Design, New York: Dekker seit 1976 (hier Bd. 24, 1986, S. 100)

Merck-Index (12.), Nr. 1328

The Merck Index, An Encyclopedia of Chemicals, Drugs, and Biologicals, 12. Aufl., Whitehouse Station, N.J.: Merck & Co., Inc. 1996 (hier Nr. 1328)

Methodicum Chimicum **1**, 100

Methodicum Chimicum (Korte, Hrsg.), Bd. 1, 4–8, Stuttgart: Thieme 1976 (hier Bd. 1, S. 100)

Mutschler (7.), S. 100

Arzneimittelwirkungen. Lehrbuch der Pharmakologie und Toxikologie, 7. Aufl., Stuttgart: Wissenschaftliche Verlagsges. 1996 (hier S. 100)

Nachmansohn, S. 100

Nachmansohn u. Schmid, Die große Ära der Wissenschaft in Deutschland 1900–1933. Stuttgart: Wissenschaftliche Verlagsges. 1988 (hier S. 100)

Negwer (6.), Nr. 100

Negwer, Organic-Chemical Drugs and their Synonyms, 6. Aufl., Berlin: Akademie-Verl. 1987; New York: VCH Publishers 1987 [hier Nr. 100; auch Angabe der Seitenzahl möglich; analog (7.) für die 7. Aufl. 1994]

Neufeldt, S. 100

Neufeldt, Chronologie der Chemie 1800–1980, Weinheim: Verl. Chemie 1987 (hier S. 100)

Odian (3.), S. 100

Odian, Principles of Polymerization, 3. Aufl., New York: J. Wiley & Sons, Inc. 1991 (hier S. 100)

Ohloff, S. 100

Ohloff, Riechstoffe u. Geruchssinn, Berlin: Springer 1990 (hier S. 100)

Organikum, S. 100

Organikum, 19. Aufl., Leipzig: Barth Verlagsges. 1993 (hier S. 100)

Paquette **1**, 100

Paquette, Encyclopedia of Reagents for Organic Synthesis, Vol. 1–8, Chichester: Wiley 1995 (hier Bd. 1, S. 100)

Pelletier **1**, 100

Pelletier (Hrsg.), Alkaloids, Chemical and Biological Perspectives, New York: Wiley 1983, Oxford: Pergamon 1994 (hier Bd. 1, S. 100)

Perkow	Perkow, Wirksubstanzen der Pflanzenschutz- und Schädlingsbekämp-fungsmittel, Berlin: Parey seit 1971 (Loseblattwerk)
Pesticide Manual	The Pesticide Manual, A World Compendium (Incorporating the Agro-chemical Handbook) (Worthing u. Hance, Hrsg.), 10. Aufl., Farnham: The British Crop Protection Council 1994
Pharm. Biol. **2**, 100	Pharmazeutische Biologie (Bd. 2–4), Stuttgart: Fischer [hier Bd. 2, 1980, S. 100); analog (2.) **3** bzw. (3.) **2** für die 2. bzw. 3. Aufl. 1984, 1985]
Pötsch, S. 100	Pötsch, Lexikon bedeutender Chemiker, Leipzig: VEB Bibliograph. In-stitut 1988 (hier S. 100)
Poggendorff **7b/3**, 100	Poggendorff, Biographisch-literarisches Handwörterbuch der exakten Na-turwissenschaften, Leipzig: Barth seit 1863, Berlin: Akademie-Verl. (hier Bd. 7b, Teil 3, 1988, S. 100)
Präve et al. (4.), S. 100	Präve et al., Handbuch der Biotechnologie, 4. Aufl., München: Oldenburg 1994 (hier S. 100)
Ramdohr-Strunz, S. 100	Ramdohr u. Strunz, Klockmann's Lehrbuch der Mineralogie, 16. Aufl., Stuttgart: Enke 1978 (hier S. 100)
R.D.K. (3.), S. 100	Roth, Daunderer u. Kormann (Hrsg.), Giftpflanzen, Pflanzengifte, 3. Aufl., Landsberg: ecomed 1988 [hier S. 100; analog (4.) für die 4. Aufl. von 1994]
Rehm-Reed (2.), S. 100	Rehm et al., Biotechnology: a Multi-Volume Comprehensive Treatise, 2. Aufl., Weinheim: VCH Verlagsges. seit 1991 (hier S. 100)
Rippen	Rippen, Handbuch Umweltchemikalien, Landsberg: ecomed, seit 1984
Römpp Lexikon Biotechnologie, S. 100	Dellweg, Schmidt u. Trommer (Hrsg.), Römpp Lexikon Biotechnologie, Stuttgart: Thieme 1992 (hier S. 100)
Römpp Lexikon Lebensmittelchemie, S. 100	Eisenbrandt u. Schreier (Hrsg.), Römpp Lexikon Lebensmittelchemie, Stuttgart: Thieme 1995 (hier S. 100)
Römpp Lexikon Naturstoffe, S. 100	Steglich, Fugmann u. Lang-Fugman (Hrsg.), Römpp Lexikon Naturstoffe, Stuttgart: Thieme 1997 (hier S. 100)
Römpp Lexikon Umwelt, S. 100	Hulpke, Koch u. Wagner (Hrsg.), Römpp Lexikon Umwelt, Stuttgart: Thieme 1993 (hier S. 100)
Sax (8.), Nr. 100	Lewis (Hrsg.), Sax's Dangerous Properties of Industrial Materials, 8. Aufl., 3 Bd., New York: Van Nostrand Reinhold 1992 (hier Nr. 100; auch Angabe der Seitenzahl möglich)
Scheuer I **1**, 100	Scheuer, Marine Natural Products – Chemical and Biological Perspec-tives, Bd. 1–5, New York: Academic Press 1978–1983 (hier Bd. 1, S. 100)
Scheuer II **1**, 100	Scheuer, Bioorganic Marine Chemistry, 6 Bd., Berlin: Springer 1987–1992 (hier Bd. 1, S. 100)
Schlee, S. 100	Schlee, Ökologische Biochemie, Berlin: Springer 1986 (hier S. 100)
Schlegel (7.), S. 100	Schlegel, Allgemeine Mikrobiologie, 7. Aufl., Stuttgart: Thieme 1992 (hier S. 100)
Schormüller, S. 100	Schormüller, Lehrbuch der Lebensmittelchemie, Berlin: Springer 1974 (hier S. 100)
Schröcke-Weiner, S. 100	Schröcke u. Weiner, Mineralogie, Berlin: de Gruyter 1981 (hier S. 100)
Schweppe, S. 100	Schweppe, Handbuch der Naturfarbstoffe. Vorkommen, Verwendung, Nachweis, Landsberg: ecomed 1992 (hier S. 100)
Skeist, S. 100	Skeist, Handbook of Adhesive, 2. Aufl., New York: Van Nostrand Rein-hold 1977 (hier S. 100)
Snell-Ettre **18**, 100	Snell u. Hilton (ab Band 8: Snell u. Ettre), Encyclopedia of Industrial Chemical Analysis (20 Bd.), New York: Interscience 1966–1975 (hier Bd. 18, 1973, S. 100)
Strube **2**, 100	Strube, Der historische Weg der Chemie, Leipzig: Grundstoffindustrie 1986 (hier Bd. 2, S. 100)
Strube et al., S. 100	Strube et al., Geschichte der Chemie, Berlin: Dtsch. Verl. der Wissen-schaften 1986 (hier S. 100)
Stryer (5.), S. 100	Stryer, Biochemie, 5. Aufl., Heidelberg: Spektrum der Wissenschaft Ver-lagsges. 1990 (hier S. 100)
Stryer 1996, S. 100	Stryer, Biochemistry, 4. Aufl. (engl.), Heidelberg: Spektrum Akadem. Verl. 1996 (hier S. 100)
Synthetica **2**, 100	Jonas et al., Synthetica Merck, 2 Bd., Darmstadt: Merck 1969, 1974 (hier Bd. 2, 1974, S. 100)
The International Who's Who, S. 100	The International Who's, Who, 16. Aufl., London: Europe Publications 1996 (hier S. 100)
Trost-Fleming **3**, 100	Comprehensive Organic Synthesis, Vol. 1–9, New York: Pergamon Press 1991 (hier Vol. 3, S. 100)

Turner **1**, 100 — Turner bzw. Turner u. Aldrige, Fungal Metabolites, Bd. 1 u. 2, London: Academic Press 1971, 1983 (hier Bd. 1, S. 100)

Ullmann (3.) **7**, 100 — Ullmanns Enzyklopädie der Technischen Chemie, 3. Aufl., München: Urban und Schwarzenberg 1951–1970; 4. Aufl., Weinheim: Verl. Chemie 1972–1984; 5. Aufl. in Englisch, 1985–1995 [hier Bd. 7 der 3. Aufl., S. 100; analog **E** für den Ergänzungs-Bd.; analog (4.) für die 4. Aufl. bzw. (5.) für die 5. (englische) Aufl., z.B. Ullmann (5.) **A12**, 100]

Voet-Voet (2.), S. 100 — Voet u. Voet, Biochemie, Weinheim: VCH Verlagsges. 1992; 2. Aufl., Chichester: Wiley 1995 [hier S. 100; analog (2.) für die 2. Aufl.]

Weissberger **14/3**, 100 — Weissberger (Hrsg.), The Chemistry of Heterocyclic Compounds, New York: Interscience seit 1950 (hier Bd. 14, Teil 3, 1962, S. 100)

Weissermel-Arpe (4.), S. 100 — Weissermel u. Arpe, Industrielle organische Chemie, 4. Aufl., Weinheim: VCH Verlagsges. 1994 (hier S. 100)

Wer ist wer, S. 100 — Wer ist wer? Das Deutsche Who's Who, 35. Ausgabe, Lübeck: Schmidt-Römhild 1996 (hier S. 100)

Who's Who in America, S. 100 — Who's Who in America, 50. Ausgabe, New Providence (USA): Marquis Who's Who 1997 (hier S. 100).

Who's Who in the World, S. 100 — Who's Who in the World, 58. Ausgabe, London: Europe Publications Limited 1995 (hier S. 100)

Wichtl (2.), S. 100 — Wichtl, Teedrogen, 2. Aufl., Stuttgart: Wissenschaftliche Verlagsges. mbH 1989 (hier S. 100)

Wilkinson-Stone-Abel **1**, 100; II **1**, 100 — Wilkinson, Stone u. Abel, Comprehensive Organometallic Chemistry, Vol. 1–9, Oxford: Pergamon Press 1981; II 1995 (hier Bd. 1, S. 100 1981, analog II, Bd. 1, S. 100 1995)

Winnacker-Küchler (3.) **6**, 100 — Winnacker u. Küchler, Chemische Technologie, 3. Aufl., 7 Bd., München: Hanser 1970–1975 [hier Bd. 6, 1973, S. 100; analog (4.) für die 4. Aufl., 1981–1986]

Wirkstoffe iva (2.), S. 100 — Industrieverband Agrar e.V. (Hrsg.), Wirkstoffe in Pflanzenschutz- u. Schädlingsbekämpfungsmitteln. Physikalisch-chemische u. toxikologische Daten, 2. Aufl., München: BLV Verlagsges. 1990 (hier S. 100)

Zechmeister **35**, 100 — Zechmeister (Hrsg.), Fortschritte der Chemie organischer Naturstoffe, Berlin: Springer seit 1938 (hier Bd. 35, S. 100)

Zipfel, C 100 — Zipfel, Lebensmittelrecht, Kommentar der gesamten Lebensmittel- u. weinrechtlichen Vorschriften sowie des Arzneimittelrechts, München: Becksche Verlagsbuchhandlung, Loseblattsammlung, Neuausgabe seit 1982 [hier Kommentar 100 zum Lebensmittelrecht; analog A (Text zum Lebensmittelrecht), D (Text u. Kommentar zum Arzneimittelgesetz)]

H

h. Symbol für das *Plancksche Wirkungsquantum (s. dort auch $\hbar$ = „h quer"), für den Vorsatz *Hekto..., für die Einheit Stunde (latein., griech.: hora; französ.: heure; engl.: hour) od. (hochgestellt) für Uhr (Uhrzeit, Zeitpunkt in der Astronomie), für die Höhe, den Wärmeübertragungskoeffizienten u. einen der *Millerschen Indizes (s. a. Kristallgeometrie).

H. 1. Chem. Symbol für das Element *Wasserstoff (Isotope: ^{1}H; ^{2}H = D; ^{3}H = T). – 2. In Namen von hydroaromat. od. nahezu perhalogenierten Verb. zur Bez. des *indizierten Wasserstoffs, der verschiedene Positionen einnehmen kann; *Beisp.:* 1H-*Inden, 1H,1H-Undecafluor-1-hexanol = F_3C–$(CF_2)_4$–CH_2OH. Ein H im Sechseck wurde früher oft verwendet, um in Strukturformeln Cyclohexan-Ringe anzuzeigen. – 3. In der Ein-Buchstaben-Notation der *Aminosäuren steht H für *Histidin. – 4. In der Wasseraufbereitungstechnik u. *Härteprüfung ist H eine häufige Abk. für *Härte. – 5. H ist ferner Kurzz. für *Heizwert (als H_u = unterer Heizwert) od. *Brennwert (als H_o = oberer Heizwert), in der physikal. Chemie Symbol für *Enthalpie. – 6. In der Physik Symbol für *Henry (= Einheit der Induktivität) u. die magnet. Feldstärke, auch Abk. für *Hefner... vor den Kurzz. der veralteten photometr. Einheiten Lumen, Lux, Phot, Stilb (z. B. Hlm, Hlx, Hph, Hsb). Außerdem bedeuten H_{coll} *Kollektivdosis, H_E effektive Äquivalent-Dosis u. H_T mittlere Äquivalent-Dosis. – 7. In mathemat. Formeln u. Gleichungen steht H für den *Hamilton-Operator.

Ha1301... s. Halone.

HA. Nach DIN 60001 Tl. 4 (08/1991) Kurzz. für *Bastfasern aus *Hanf.

Haar. Aus *Keratin (einem hornartigen *Skleroprotein) bestehendes Anhangsgebilde der *Haut, das beim Säugetier als *Pelz od. *Fell* die Körperoberfläche schützend bedeckt; beim Menschen ist diese Schutzfunktion weitgehend verloren gegangen. Das H. (s. Abb. bei Haut) ist in der *Cutis* (Lederhaut) mit seinem *Follikel* (bindegewebiger Haarbalg) schräg angeordnet u. reicht gelegentlich bis in die *Subcutis* (Unterhaut). Der aus der Haut herausragende Teil des H. ist der *Haarschaft*, der in der Haut befindliche Teil die *Haarwurzel*, die von der inneren u. der äußeren Wurzelscheide umschlossen ist u. sich am unteren Ende zwiebelförmig erweitert zum sog. *Bulbus* (H.-Zwiebel). In diesen stülpt sich von unten her die mit Blutgefäßen u. Nerven versehene H.-Papille, die das H. mit Nährstoffen versorgt. Der Bulbus enthält die Keimzellen für das Wachstum der H. u. die Bildung von Keratin. In den oberen Teil des H.-Balges münden Talgdrüsen, deren Sekrete das H. geschmeidig machen sollen u. im unteren Teil setzt die Haarbalgmuskel (*Musculus arrector pili*) an, der das H. aufrichten kann (H.-sträuben bei Tieren, „Gänsehaut" beim Menschen). Er fehlt z. B. an Nase, Wimpern u. Brauen; beim Mann soll man durch Reizung der Arrectores mit sog. *Pilomotorika* das Aufrichten der Barthaare erreichen können, was deren Abrasieren erleichtert. Im Aufbau des H.-Schaftes sind von außen nach innen zu unterscheiden: Die Schuppenzellschicht (Oberhäutchen, *Cuticula), die Rindenschicht (Faserstamm od. *Cortex*) u. – je nach Tierart verschieden ausgebildet u. nur bei gröberem H. vorhanden (was auch für Humanhaar gilt) – der Markkanal (*Medulla*). Die Cuticula-Struktur, variabel in Form, Stärke, Anordnung, ändert sich beim Wachstum der H.: Es entstehen charakterist. Cuticula-Schuppenmuster. Je nach Tierart wird das H. von 1–14 Schuppenzellen umschlossen. Die Cuticula Erwachsener, 3–7,5 µm dick, zeigt 5–10 parallel u. dachziegelartig übereinander gelagerte flache Zellen, ca. 0,35–0,45 µm dick, 30–40 µm lang. Eine Cuticula-Zelle bedeckt die andere bis auf ca. ein Siebentel ihrer Länge. Auch Humanhaar weist ein charakterist. Cuticula-Muster auf.

Der Cortex von tier. H., der den Hauptbestandteil der Faser darstellt, ist aus fibrillären Spindelzellen aufgebaut, die in einer amorphen Matrix eingebettet sind u. sich durch chem. od. enzymat. Behandlung isolieren lassen. Elektronenopt. Aufnahmen zeigen eine weitere Gliederung in Makro- u. Mikrofibrillen u. 7–8 nm dicke Filamente. Die natürliche Kräuselung von H. kommt durch einen bilateralen Aufbau des Cortex – in der Art einer *Bikomponentenfaser vom Seite-an-Seite-Typ – zustande: Die Außenseite der Faserkrümmung wird von dem basophilen *Paracortex* gebildet, die Innenseite von dem acidophilen *Orthocortex*. Beide sollen sich durch ihren Gehalt an Tyrosin, Glycin, Leucin, Phenylalanin, Histidin u. Cystin/Cystein unterscheiden.

Der Faserstamm normalen Humanhaares besteht in der Regel aus Orthocortex. Im unbehandelten normalen Humanhaar gibt es Übergangsformen zum Paracortex (sog. *Metacortex*). Die natürlichen H.-Formen, glatt bis kraus, kann man temporär u. permanent mit *Haarbehandlungs-Mitteln (*Heißwell-* bzw. *Kaltwell-Präp.*) künstlich verändern. Trockenes H. neigt aufgrund seiner Isolator-Eigenschaften zur *elektrostatischen Aufladung, z. B. durch die beim Kämmen entstehende Reibung (vgl. Triboelektrizität).

Das Haarmark (*Medulla*) entsteht aus den Markzellen über der Papillenkuppe. Mit wachstumsbedingter Entfernung von dieser schrumpfen die Zellen, deren Kerne verschwinden; anstelle der Zellen soll Luft eintreten. Völlig verschwindende Markzellen hinterlassen eine evtl. unterbrochene Röhre, von deren Luftfüllung angenommen wird, daß sie das weiße Aussehen der Faser verursacht. Beim Menschen zeigt sich Variabilität der Medulla hinsichtlich Alter, Geschlecht u. Rasse. Schwarze Kinder z. B. haben mehr Medulla-haltiges H. als Kinder von Weißen, Mädchen etwas mehr als Knaben im Alter von ca. 6–14 Jahren. Die Markzellen sollen im Gegensatz zum Keratin wenig od. gar kein Cystin enthalten. Manche Substanzen lagern sich bevorzugt im H. ab, z. B. Arsen, Blei.

Die Haarfarbe wird durch in Markzellen u. Faserstamm während des Wachstums eingelagerte Pigmente hervorgerufen. Vorzugsweise handelt es sich hierbei um Granula von *Melaninen. Hierbei unterscheidet man die schwarzen bis braunen, unlösl., Stickstoff-haltigen *Eumelanine*, die durch enzymat. Oxid. von *Tyrosin gebildet werden u. die vornehmlich für dunkle H.-Farben verantwortlich sind, von den rötlich-braunen, Alkali-lösl., Schwefel-haltigen *Phäomelaninen*, die hauptsächlich hellere Farben verursachen. Diese finden sich auch in roten Vogelfedern (sog. *Gallophäomelanine*) u. entstehen ebenfalls aus Tyrosin durch Oxid., der sich jedoch eine Reaktion mit Cystein anschließt. Zu den Phäomelaninen zählen auch die gelben, roten (hier oft *Erythromelanine* genannten) od. violetten *Trichochrome, die in roten H. vorkommen u. wesentlich kleinere Molmassen als die vorgenannten hochmol. Pigmente besitzen. „Graues H." ist ein Gemisch pigmentierter u. pigmentloser H. zu verschiedenen Anteilen. Weißes H. wächst nicht nur infolge altersbedingten Pigmentierungsausfalls, sondern kann auch infolge Erbanlage verfrüht auftreten od. Folge einer Erkrankung (wie *Vitiligo) bzw. Stoffwechselstörung (*Albinismus) sein. Medikamente bewirken keine Repigmentierung, aber manche können gelegentlich die Pigmentierung wachsenden H. verändern. Man unterscheidet beim Menschen 3 Arten von H.: das nur vor der Geburt vorhandene Lanugo- od. Wollhaar des Foetus (kurz, dünn, Pigment-arm), das Vellus- od. Flaumhaar (fein, kurz u. farblos), das nach der Geburt hauptsächlich die allg. Körperoberflächen-H. bildet, u. das Terminalhaar (dicker u. kräftiger, reichlich pigmentiert), das nach der Geburt zunächst meist nur auf dem Schädel, an Augenbrauen u. Wimpern auftritt. In der Pubertät werden in bestimmten Körperregionen die Flaum- durch Terminal-H. ersetzt (Achselhöhlen-, Pubes-, Barthaar); letztere u. Kopfhaar zählen zu den Langhaaren, Brauen u. Wimpern zu den Borstenhaaren. Die Anzahl der Follikel, aus denen H. wachsen können – ca. 5 Mio., davon etwa 1 Mio. auf der Kopfhaut, d. h. ca. 1000/cm^2 – ist bei der Geburt bereits festgelegt, u. neue werden während des Lebens normalerweise nicht mehr gebildet. Die Zahl der H. auf dem Kopf liegt zwischen 80 000 u. 150 000 u. diejenige des Körpers zwischen 20 000 u. 30 000. Die unterschiedliche Verteilung der H. ergibt verschiedene Behaarungstypen, sog. Haarströme, -wirbel u. -kreuze. Das H.-Wachstum entspricht einem Cyclus. Bei Tieren erfolgt der Haarwechsel meist rhythm. u. ist oft auch mit Pigmentänderungen verbunden (Sommer- u. Winterfell). Von den Kopf-H. befinden sich ca. 80% in der Wachstumsphase (Anagen, 2–6 Jahre) u. ca. 20% in der Ruhephase (Telogen, 3–4 Monate) mit einer ca. 2 Wochen dauernden Zwischenphase (Katagen). Über die Wachstumsgeschw. des Human-H. gibt es verschiedene Angaben: Für den Kopfbereich 0,1–0,35 mm/Tag bis zu 12 cm/Jahr, abhängig von inneren u. äußeren Faktoren. Lebensdauer verschiedener H. beim Menschen: Brauen u. Wimpern ca. 100 bis 150 Tage u. Kopf-H. 3–5 Jahre. *Haarausfall* wird physiolog.-normal mit 30–100 H./Tag angegeben. Telogener H.-Ausfall ist Folge bes. zahlreich in das Ruhestadium gelangender H., etwa bei Infektionen od. nach Gravidität. Auch krankhaft modifiziertes Wachstum der H. kann Ursache sein. Ferner ist H.-Ausfall bei Mangelzuständen, nach Medikamentenapplikation (z. B. von Cytostatika, Antikoagulantien) u. bei Vergiftungen (z. B. mit Thallium-Salzen) möglich. Schäden der H. (Depigmentierung, Brüchigkeit, spärliches Wachstum) können durch Eiweiß-Mangel auftreten, u. auch patholog. Störungen des Aminosäure-Stoffwechsels wirken sich auf das H. aus.

Der männliche H.-Ausfall, der zur Bildung einer *Glatze* führt, ist hormonellen Ursprungs (sog. *androgenet. Alopezie*), wobei allerdings auch die Erbanlage eine Rolle spielt. Dabei wird das Terminal-H. wieder durch (kaum sichtbares) Flaum-H. ersetzt. Glatzenbildung beginnt beim Mann mit dem Erscheinen von „Geheimratsecken". Davon sind die krankhaften Formen des Haarausfalls (Effluvium) zu unterscheiden, wie sie u. a. bei der Alopecia areata, einer Krankheit mit vermutlich durch *Autoimmunität hervorgerufenen kahlen Hautstellen u. bei verschiedenen Infektionskrankheiten (*Syphilis, Pilzerkrankungen) auftreten. –
E hair – *F* cheveux – *I* capello, pelo – *S* cabello
Lit.: Orfanos u. Happle, Hair and Hair Diseases, New York: Springer 1990 ▪ Steigleder, Dermatologie u. Venerologie, S. 468–489, Stuttgart: Thieme 1992.

von der Haar, Friedrich (geb. 1939), Prof. für Biochemie, Biotechnologie u. Biomedizin. Technik, TU Berlin. Geschäftsbereichsleiter Medizintechnik B. Braun Melsungen AG. *Arbeitsgebiete:* Spezifität Nucleinsäure-abhängiger Enzyme, Proofreading-Mechanismen, apparategestützte Medikation, extrakorporale Blutbehandlungsverfahren.
Lit.: Kürschner (16.), S. 1177.

Haarbehandlung. Dieser Begriff betrifft, als ein Teil der *Kosmetik, nur das menschliche Kopfhaar; zur „Behandlung" tier. Haare s. Gerberei, Pelze, insbes. Wolle von Schafen. Die – heute oft als „Keralogie" umschriebene – Haarpflege umfaßt die Reinigung von Kopfhaut u. -haar (einschließlich der Barthaare), die Ordnung (Frisur) der Haare u. die Veränderung der Haarfarbe; eingeschlossen werden im allg. auch Meth. zur Entfernung von Haaren u. zur Beeinflussung der Kopfhaut bzw. des Haarbodens. Die generelle Körperbehaarung erfährt eine gezielte Behandlung z. B. durch Wasch- bzw. Bademittel (*Badezusätze). Wegen der Vielfalt der auf dem Markt befindlichen Mittel zur H. kann hier nur ein allg. Überblick gegeben werden. Einzelheiten zum chem. Aufbau u. zur Struktur der Haare s. dort. Man kann die gebräuchlichsten H.-Mittel einteilen in Haarwaschmittel, -pflegemittel, -verfestigungsmittel, -verformungsmittel, -färbemittel u. -entfernungsmittel.

1. **Haarwaschmittel** (*Shampoos*): Bis weit in das 20. Jh. hinein standen zur Wäsche der Haare nur *Seifen-Präp. zur Verfügung, die wegen ihres alkal. pH-Wertes nur wenig verträglich für Kopf- u. Augenschleimhaut sind; wegen der Bildung von *Kalkseifen wurde das Haar stumpf u. glanzlos, eine saure Spülung im Anschluß an die Haarwäsche, z.B. auf der Basis von *Essig- od. *Citronensäure, war prakt. unerläßlich. 1933 kamen die ersten „alkalifreien" Haarwaschmittel auf den Markt mit *Alkylsulfaten als waschaktive Substanz (*WAS, *Tensid). Heute besteht ein Shampoo aus 10 bis 20, in Einzelfällen bis zu 30 Rezepturbestandteilen. Haarwaschmittel werden meist in flüssig-pastöser Form angeboten.

Inhaltsstoffe: Für die wichtigste Inhaltsstoff-Gruppe, die WAS, werden überwiegend *Fettalkoholpolyglykolethersulfate (Ethersulfate, Alkylethersulfate) eingesetzt, z.T. in Kombination mit anderen meist anion. Tensiden. Eine Übersicht über Shampoo-Tenside findet man in *Lit.*[1], S. 223–226. Sie sollen außer guter Reinigungskraft u. Unempfindlichkeit gegen Wasserhärte (*Härte des Wassers) Haut- u. Schleimhautverträglichkeit aufweisen. Entsprechend den gesetzlichen Regelungen muß gute *biologische Abbaubarkeit gegeben sein. Eine weitere Gruppe von Inhaltsstoffen wird unter dem Begriff Hilfsstoffe zusammengefaßt u. ist sehr vielfältig: Z.B. erhöhen Zusätze von *nichtionischen Tensiden wie ethoxylierten *Sorbitanestern od. von *Eiweiß-Hydrolysaten die Verträglichkeit bzw. wirken reizmindernd, z.B. in Baby-Shampoos; als *Rückfetter* zur Vorbeugung zu starker Entfettung bei der Haarwäsche dienen z.B. natürliche Öle od. synthet. Fettsäureester; als Feuchthaltemittel dienen *Glycerin, *Sorbit, Propylenglykol (s. Propandiole), *Polyethylenglykole u.a. *Polyole. Zur Verbesserung der Naßkämmbarkeit u. Verminderung *elektrostatischer Aufladung der Haare nach dem Trocknen können den Shampoos *Kationtenside wie z.B. *quartäre Ammonium-Verbindungen zugesetzt werden; der Erzeugung angenehmer Duftnoten dienen Parfümöle, für ein farbiges, brillantes Erscheinungsbild werden *Farbstoffe bzw. *Perlglanzpigmente zugesetzt. Zur Einstellung der gewünschten *Viskosität können *Verdickungsmittel verschiedener Stoffklassen verwendet werden, eine pH-Stabilität wird durch *Puffer z.B. auf der Basis von Citrat, Lactat od. Phosphat erzielt. Um eine ausreichende Haltbarkeit u. Lagerfähigkeit zu gewährleisten, werden *Konservierungsmittel wie z.B. 4-*Hydroxybenzoesäureester zugesetzt; oxidationsempfindliche Inhaltsstoffe können durch Zusatz von *Antioxidantien wie *Ascorbinsäure, *Butylmethoxyphenol od. *Tocopherol geschützt werden.
Eine dritte Gruppe von Inhaltsstoffen bilden spezielle Wirkstoffe für Spezial-Shampoos, z.B. Öle, Kräuterextrakte, Proteine, Vitamine u. Lecithine in Shampoos für schnell fettendes, für bes. trockenes, für strapaziertes od. geschädigtes Haar. Wirkstoffe in Shampoos zur Bekämpfung von *Schuppen haben meist eine breite wachstumshemmende Wirkung gegen Pilze u. Bakterien. Insbes. die fungistat. Eigenschaften z.B. von *Pyrithion-Salzen konnten als Ursache guter An-

tischuppen-Wirkung nachgewiesen werden. Es sind Shampoos mit die Haarfarbe aufhellender od. verändernder Wirkung auf dem Markt, hierzu s. weiter unten bei Haarfärbemittel (5.). Rezepturbeisp. für verschiedene Shampoo-Typen finden sich in *Lit.*[1], S. 235 ff.

Die sog. *Trockenshampoos* sind keine Haarwaschmittel im eigentlichen Sinne; sie enthalten keine Waschsubstanzen. Ihre Reinigungswirkung beruht auf der Adsorptionsfähigkeit u. z.T. zusätzlich auf der abrasiven Wirkung verschiedener Pulver-Bestandteile wie Stärke, Kieselgel, Bentonit, Magnesiumcarbonat od. Talkum; sie werden als Streupulver od. Aerosol angeboten, müssen auf das Haar aufgetragen u. einmassiert u. nach Aufsaugen der fettigen Verunreinigungen sorfältig ausgebürstet werden.

2. **Haarpflegemittel**: Die Haarpflege hat zum Ziel, den Naturzustand des frisch nachgewachsenen Haares möglichst lange zu erhalten bzw. bei Schädigung wiederherzustellen. Merkmale natürlichen gesunden Haares sind seidiger Glanz, geringe Porosität, spannkräftige u. dabei weiche Fülle u. angenehm glattes Gefühl (guter „Griff"). Eine wichtige Voraussetzung hierfür ist eine saubere, schuppenfreie u. nicht überfettete Kopfhaut. Zu den Haarpflegemitteln zählt man heute eine Vielzahl verschiedener Produkte, deren wichtigste Vertreter als *Vorbehandlungsmittel, Haarwässer, Frisierhilfsmittel, Haarspülungen* u. *Kurpackungen* bezeichnet werden, u. deren Zusammensetzung wie bei den *Haarwaschmitteln* grob in Grundstoffe, Hilfsstoffe u. spezielle Wirkstoffe aufgegliedert ist.
Als Grundstoffe dienen *Fettalkohole, v.a. Cetylalkohol (*1-Hexadecanol) u. Stearylalkohol (*1-Octadecanol), *Wachse wie *Bienenwachs, Wollwachs (*Lanolin), *Walrat u. synthet. Wachse, *Paraffine, *Vaseline, Paraffinöl sowie als Lsm. v.a. *Ethanol, 2-*Propanol u. Wasser. Hilfsstoffe sind *Emulgatoren, Verdickungsmittel, Konservierungsmittel, Antioxidantien, Farbstoffe u. *Parfüm-Öle. Die heute wichtigste Gruppe spezieller *Wirkstoffe* in den *Haarpflegemitteln* sind die quartären Ammonium-Verbindungen. Man unterscheidet monomere (z.B.: Alkyltrimethylammoniumhalogenid mit v.a. der Lauryl-, Cetyl- od. Stearyl-Gruppe als Alkyl-Rest) u. polymere quartäre Ammonium-Verb. [z.B.: quartäre *Celluloseether-Derivate od. Poly(*N,N*-dimethyl-3,4-methylenpyrrolidiniumchlorid)]. Ihre Wirkung in *Haarpflegemitteln* beruht darauf, daß die pos. Ladung der Stickstoff-Atome dieser Verb. sich an die neg. Ladungen des Haar-Keratins anlagern kann; geschädigte Haare enthalten wegen ihres höheren Cysteinsäure-Gehalts mehr neg. geladene Säure-Gruppen u. können daher mehr quartäre Ammonium-Verb. aufnehmen. Diese, wegen ihres kationaktiven Charakters auch als „*kationaktive Pflegestoffe*" bezeichnet, wirken glättend auf die Haar, verbessern die Kämmbarkeit, vermindern die elektrostat. Aufladung, verbessern Griff u. Glanz. Die polymeren quartären Ammonium-Verb. haften so gut am Haar, daß ihre Wirkung noch nach mehreren Wäschen nachgewiesen werden kann. Organ. Säuren wie Citronensäure, *Weinsäure od. *Milchsäure werden häufig zur Einstellung eines sauren Milieus eingesetzt. Die wasserlösl. Eiweiß-Hydrolysate ziehen wegen ihrer

engen chem. Verwandtschaft gut auf das Haar-Keratin auf. Die größte Gruppe spezieller Wirkstoffe in *Haarpflegemitteln* bilden diverse Pflanzenextrakte u. Pflanzenöle, die meist bereits seit langem verwendet werden, ohne daß ihre Wirksamkeit auf den ausgelobten Effekt in allen Fällen wissenschaftlich einwandfrei nachgewiesen wurde. Auch die Wirksamkeit von in Haarpflegemitteln verwendeten Vitaminen ist umstritten. Zur Vermeidung einer zu schnellen Rückfettung enthalten einige Haarwässer Substanzen wie gewisse *Teer-Inhaltsstoffe, Cysteinsäure-Derivate od. *Glycyrrhizin; die beabsichtigte Verminderung der Talgdrüsenproduktion ist ebenfalls noch nicht eindeutig bewiesen. Dagegen ist die Wirksamkeit von Antischuppen-Wirkstoffen (s. Schuppen) einwandfrei belegt (s. a. bei Haarwaschmitteln). Sie werden daher in entsprechenden *Haarwässern* u. a. *Pflegemitteln* eingesetzt. Präp. mit pharmazeut. Wirkstoffen gegen Erkrankungen der Kopfhaut od. des Haarwuchses sind den Arzneimitteln zugeordnet u. gelten daher nicht als Haarpflegemittel im Sinne von *Kosmetika.

Verw.: Zur Anw. verschiedener Haarpflegemittel gibt die Tab. eine grobe Übersicht.

Tab.: Anw. verschiedener Haarpflegemittel (*Lit.*[1], S. 254).

Anwendung	ohne sonstige haarkosmet. Behandlung	nach der Haarwäsche (ohne weitere Behandlung)	in Kombination mit Dauerwelle od. Haarfärbung od. Blondierung		in Kombination mit Haarfestiger	
			vorher	nachher	vorher	nachher
Vorbehandlungsmittel	–	–	+	–	–	–
Haarwasser	+	+	–	–	+	–
Frisiercreme	+	+	–	+	–	–
Frisiergel	+	+	–	+	–	–
Pomade	+	+	–	+	–	–
Haarspülung	–	+	–	+	+	–
Kurpackung	–	+	–	+	+	–

+ = zu empfehlen; – = nicht zu empfehlen

Vorbehandlungsmittel dienen der Vorbereitung der Haare auf eine nachfolgende Verformung od. Färbung; sie werden hauptsächlich vor *Dauerwell*-Behandlungen angewendet u. bestehen aus wäss. Präp. mit polymeren quartären Ammonium-Verb. als Hauptwirkstoff. *Haarwässer* gibt es seit langem; sie hatten ursprünglich die Förderung des Haarwuchses od. die Vorbeugung des Haarausfalls zum Ziel. Heute werden sie außer zur gezielten Bekämpfung von Schuppen zur allg. nicht näher abgegrenzten Haarpflege verwendet. Es handelt sich überwiegend um wäss.-alkohol. Lsg., die in das trockene od. vorgetrocknete Haar gegeben u. kräftig in die Kopfhaut einmassiert werden mit durchblutungsfördernder u. erfrischender Wirkung. Pflegende Zusätze erleichtern das Frisieren. Die früher viel verwendeten *Haaröle* (z. B. *Klettenwurzel-Öl)

haben heute nur noch geringe Bedeutung. Bei den *Frisierhilfsmitteln* wird unterschieden zwischen *Frisiercremes, Frisiergelen* u. *Pomaden (Brillantinen)*. Mit zunehmender Verw. von Haarspülungen sowie von Haarfestigern u. Haarsprays (s. nächster Abschnitt) war die Bedeutung von Frisierhilfsmitteln merklich zurückgegangen. Modebedingt hat sich der Verbrauch wieder etwas belebt. *Frisiercremes* werden als O/W- od. als W/O-*Emulsionen angeboten. *Frisierlotionen* sind etwas dünnflüssiger eingestellte Frisiercremes. *Frisiergele* sind gelförmig angedickte Präp. auf wäss. Basis mit meist zusätzlich festigender Wirkung. Eine mod. Besonderheit sind die sog. Glittergele mit Zusätzen farbiger, Kunststoff-beschichteter Al-Teilchen, die sich mit Glitzer-Effekt auf den Haaren ablagern. *Pomaden (Brillantinen)* sind wasserfreie Frisierhilfsmittel auf der Basis von Vaseline u. Paraffin. *Haarspülungen*, auch *Haarbalsam* od. *Haarkonditionierer* genannt, haben als Haarpflegemittel weltweit große Bedeutung erlangt. Es handelt sich um O/W-Emulsionen aus Fettalkoholen, Emulgatoren, quartären Ammonium-Verb. in Wasser mit weiteren speziellen Wirkstoffen, meist mit geringen Zusätzen organ. Säuren mild sauer eingestellt. Ihre Formulierungen sind auf die verschiedenen Haartypen unterschiedlich abgestimmt. Sie werden im gewaschenen, noch feuchten Haar gleichmäßig verteilt u. nach einigen min Einwirkungszeit sorgfältig ausgespült. *Kurpackungen*, auch als *Intensiv-Haarkuren* bezeichnet, sind ähnlich aufgebaut wie Haarspülungen. Sie sollen nach Einarbeitung in das feuchte Haar mind. 10 min einwirken u. werden vorzugsweise zur Pflege strapazierter Haare eingesetzt. Rezepturbeisp. für die verschiedenen Haarpflegemittel finden sich in *Lit.*[1], S. 247–250.

3. *Haarverfestigungsmittel* (*Haarfestiger*): Grundsätzlich wird unterschieden zwischen solchen Mitteln zur Haarfestigung, die vorzugsweise nach der Haarwäsche im frottierfeuchten Haar verteilt werden, das Formen der Frisur erleichtern u. nach dem Trocknen der Frisur Halt verleihen, u. solchen Mitteln, die die fertige Frisur zusätzlich fixieren. Die erste Kategorie ist als flüssige *Haarfestiger* od. *Fönwell-Lotion* im Handel u. wird z. T. auch in *Aerosol-Form als *Schaumfestiger* angeboten. Hauptbestandteile sind polymere Filmbildner wie *Polyvinylpyrrolidon/Vinylacetat-Copolymere, Polyole als Weichmacher, quartäre Ammonium-Verb. zur Verbesserung der Kämmbarkeit u. Konditionierung der Haare, Parfümöle für angenehme Duftnoten sowie evtl. Farbstoffe in wäss.-alkohol. Lösung. Als Treibmittel in Schaumfestigern dienen vorzugsweise Kohlenwasserstoffe wie *Propan, *Butan, Isobutan; Chlorfluorkohlenstoffe (*FCKW) werden nicht mehr verwendet. Die Haarfestiger werden in diversen Rezepturvarianten angeboten einerseits mit abgestuft festigender Wirkung, andererseits abgestimmt auf die verschiedenen Haartypen. Ihre Anw. erleichtert das Formen der Frisur durch Kämmen u. Trocknen auf Wicklern unter der Trockenhaube od. an der Luft od. durch Formen mit der Fönbürste u. Trocknen unter dem Fön. Da sich die Wirkungsweise von Haarspülungen (s. voriger Abschnitt) u. *Haarfestigern* z. T. überschneidet, kann die Kombination von Spülung u. Festiger u. U. zu einer Überbelastung der Haare führen u. sich nachteilig auf die Frisur auswirken. Rezepturbeisp. für verschiedene Haarfestiger-Typen sowie Schaumfestiger-Varianten finden sich in *Lit.*[1], S. 278 f.

Die zweite Kategorie ist bekannt als *Haarspray* u. findet breite Anwendung. Hauptbestandteile sind wie bei den Haarfestigern Filmbildner meist auf der Basis von Polyvinylpyrrolidon/Vinylacetat-Copolymeren, z. T. auch Vinylacetat/Crotonsäure-Copolymeren, in wäss.-alkohol. Lsg., leicht parfümiert u. ggf. mit weiteren Zusätzen versehen. Als Treibmittel dienen auch hier Kohlenwasserstoffe, z. T. auch *Dimethylether. Die früher vielfach eingesetzten FCKW wurden inzwischen vollständig substituiert. Auch die Haarsprays werden in verschiedenen Rezepturvarianten hergestellt, z. B. für klass. Einlegefrisuren in verschiedenen Festigungsgraden, für spezielle Frisier-Techniken, für trockene, fettige od. bes. stark strapazierte Haare, für Witterungs-Beanspruchungen, für mod. Effekte durch Zusätze von Farbstoffen od. Glitzer-Pigmenten. Haarsprays mit bes. hohen Gehalten an Filmbildnern werden auch als *Haarlack* od. „flüssiges Haarnetz" bezeichnet. Rezepturbeisp. für verschiedene Haarspray-Typen finden sich in *Lit.*[1], S. 283.

4. *Haarverformungsmittel*: Die *Haardauerverformung* von schlichtem Haar ist Voraussetzung für die Haltbarkeit der Frisur. Während bei der tempörären *Wasserwelle* nur *Wasserstoff-Brückenbindungen durch Wasser geöffnet werden, sind zum *Dauerwellen* zusätzlich die quervernetzenden Cystin- od. *Disulfid-Brücken des Keratins im Haar zu spalten. Bei den prakt. nur noch histor. Interesse besitzenden, heiß (>100 °C) anzuwendenden *Heißwellpräp.* arbeitete man mit alkal. reagierenden Salzen wie Borax od. bevorzugt mit den reduzierenden Sulfiten. Die alkal. reagierenden Salze öffnen die Disulfid-Bindung zwischen Peptid-Ketten des Keratins hydrolyt., worauf v. a. beständige erneut quervernetzende Thioether-Bindungen (Lanthionin-Brücke) entstehen. Sulfit spaltet die Disulfid-Bindung durch Anlagerung nach dem Schema

$$-S-S- + NaHSO_3 \text{ (bzw. } Na_2SO_3) \rightarrow -SNa + -S-SO_3H$$
$$\text{(bzw. } -S-SO_3Na).$$

Die heute allg. verwendeten *Kaltwellpräp.* enthalten Thio-Verb., insbes. Salze der *Thioglykolsäure u. der Thiomilchsäure (s. Mercaptopropionsäuren). Das techn. bedeutendste Salz ist Ammoniumthioglykolat, das bei der Neutralisation der Thioglykolsäure mit Ammoniak entsteht; der pH-Wert der Präp. wird meist auf 8–8,6 eingestellt. Diese Verb. reduzieren die Disulfid-Brücken in der in der Abb. vereinfacht wiedergegebenen Weise, wobei die Red.-Mittel zu Dithiodiglykolaten $^-OOC-CH_2-S-S-CH_2-COO^-$ oxidiert werden.

In dieser reduzierten Form ist das Keratin des Haars weich u. plast.-mechan. verformbar; hinzu kommt ein Quellungseffekt, unter dem der Durchmesser des Haars um ca. 100% zunehmen kann. Selbst bei erheblichem Überschuß an Thioglykolat lassen sich jedoch nur max. 50% der Disulfid-Brücken lösen, was darauf zurückgeführt wird, daß die Red.-Prozesse nur in der amorphen Matrix, nicht aber im fibrillären Teil des Keratins stattfinden. Für die Behandlung wird das Haar auf zylindr. Körper aufgewickelt u. nach einer bis zu etwa 20 min dauernden Einwirkung bei 20 °C od. ca. 5 min bei 40–50 °C mit Wasser gespült u. „fixiert". Hierbei wird mit Oxidationsmitteln (Wasserstoffperoxid, Percarbamid u. a. Peroxo-Verb. od. Alkalibromate) dehydriert, d. h. in Umkehrung des obigen Schemas werden die Disulfid-Brücken zurückgebildet. Daneben entstehen vereinzelt auch gemischte Disulfide aus Keratin-Cystein u. Thioglykolat, durch Oxid. des ersteren ggf. auch Cysteinsäure, so daß der Disulfid-Brücken-Gehalt nach der Behandlung geringer ist als vorher. Hierauf u. auf ein zunehmendes „Auseinanderrücken" der zu neuen Disulfid-Brücken oxidierbaren SH-Gruppen infolge Quellung ist es auch zurückzuführen, daß die Verformbarkeit gebleichten Haars ebenso abnimmt wie die des mehrfach verformten Haars. Neben diesen schwach alkal. werden auch schwach saure (pH 6–7) Lsg., z. B. von Glycerinmonothioglykolat, benutzt (sog. *Sauerdauerwelle*). Diese wirken milder, sind haarschonender u. werden daher vorzugsweise bei porösen, gefärbten od. blondierten Haaren angewendet, sind jedoch etwas umständlicher zu handhaben u. erfordern längere Einwirkungszeiten. *Haarglättungsmittel* haben analoge Zusammensetzung wie die Dauerwellenmittel u. entformen früher verformtes od. naturkrauses Haar, das geglättet werden soll: Entformung ist auch Verformung. Rahmenrezepturen für verschiedene Dauerwell- u. Haarglättungs-Präp. finden sich in *Lit.*[1], S. 269 ff., 275.

5. *Haarfärbemittel:* Das Bestreben des Menschen, die natürliche Farbe seiner Haare zu verändern, ist bereits seit der Antike bekannt. Natürliche Mittel zur Haarfärbung wie *Henna od. *Reng werden z. T. heute noch angewendet (z. B. im Orient). Auch die aufhellende, blondierende Wirkung von *Kamille-Extrakten ist seit langem bekannt. Heute gibt es eine Vielzahl von Haarfärbemitteln. Es wird unterschieden in Mittel zur Aufhellung der Haarfarbe (*Blondiermittel, Haarbleichmittel), *temporäre Färbemittel, semipermanente Färbemittel* u. *permanente Färbemittel*.

Wirkstoffe: Die Wirkung von *Blondier-* u. *Haarbleichmitteln* beruht auf der oxidativen Zerstörung der *Melanin-Pigmente der Haare. Meist verwendetes Agens hierfür ist *Wasserstoffperoxid in bis zu 12%iger Lsg., meist stabilisiert mit z. B. *Phosphorsäure, *Phenacetin, *Acetanilid, *Ethylendiamintetraessigsäure od. *Stannat. Die Wasserstoffperoxid-Lsg. wird in der Regel unmittelbar vor der Anw. einem Ammoniak-haltigen Basis-Präp. beigemischt. Der aufhellende Effekt hängt ab von der Wasserstoffperoxid-Konz., der Einwirkungszeit u. der Anwendungsform. Für schwache Aufhellungen benutzt man Pflege- od. Festiger-Lotionen, ammoniakal. eingestellt u. mit ca. 1,8 bis 3% Wasserstoffperoxid versetzt; leichte bis mittlere Aufhellungen erzielt man mit Mischungen von ammoniakal. Shampoos od. Cremes mit 6 bis 9% Wasserstoffperoxid; starke Aufhellungen werden mit *Blon-*

dierölen od. *Blondier-Pulvern* bzw. *-Breien* mit Zusätzen von 9 bis 12% Wasserstoffperoxid erreicht. *Blondieröle* sind Ammoniak-haltige Zubereitungen öliger Konsistenz aus z. B. *Ethylenoxid-Addukten, *Polyglykolen u. ä., welche mit Wasserstoffperoxid-Lsg. einfach aufzutragende Gele bilden. Sie werden z. T. in Kombination mit „Verstärker-Pulvern" aus alkal. Peroxodisulfaten (s. Peroxodischwefelsäure) u. Na-Metasilicat (s. Silicate) verwendet. *Blondierpulver* bestehen aus Kalium-, Natrium- od. Ammonium-Peroxodisulfat, manchmal auch Magnesium- od. Barium-*Peroxid, mit Metasilicaten od. *Phosphaten alkal. eingestellt (pH-Wert 9–9,5). Sie enthalten ferner fein gemahlene mineral. Produkte wie Magnesiumcarbonat, Magnesiumoxid sowie Quellmittel wie Carboxymethylcellulose od. pflanzliche Gummen. Direkt vor der Anw. wird durch Zumischen von ca. 12% Wasserstoffperoxid-Lsg. ein geschmeidiger Brei erhalten, der leicht auf das Haar aufgetragen werden kann u. nicht abläuft. Die Einwirkungszeit der verschiedenen Blondiermittel differieren von ca. 15 min bis zu 60 min. Es ist unerläßlich, die Behandlung mit einer milden, schwach sauer eingestellten Shampoo-Wäsche zu beenden. Als *Abziehen bezeichnet man die Beseitigung einer permanenten od. semipermanenten Haarfärbung. Als *Abziehmittel* werden einerseits Reduktionsmittel wie *Hydrogensulfite bzw. Formaldehyd-*Sulfoxylate in saurer Lsg. verwendet, andererseits können auch *Blondiermittel* eingesetzt werden. Eine Schädigung der Haare durch das Abziehen ist zu erwarten.

Temporäre Färbemittel sollen die vorhandene Haarfarbe nur vorübergehend verändern. Die verwendeten Farbstoffe besitzen nur schwache Affinität zum Haar-Keratin, sie sollen ausreichend lichtbeständig sein, eine gute Abriebfestigkeit soll Verschmutzung von Kleidung u. Bettwäsche verhindern, u. die Haarfärbung soll durch normales Shampoo auswaschbar sein. Die verwendeten Farbstoffe haben relativ hohe Molmassen u. gehören verschieden chem. Verb.-Klassen an, z. B. *Azo-, Triphenylmethan- (s. Triarylmethan-), *Anthrachinon-Farbstoffe, *Indamin-Farbstoffe. Anw.-Formen sind wäss.-alkohol. Lotionen mit Zusätzen von Filmbildnern (Vinylacetat/Crotonsäure-Copolymeren) sowie ggf. polymeren quartären Ammonium-Verbindungen. Diese Lsg. werden auch als Schaum-Aerosole angeboten. Sie werden auf das Haar aufgetragen u. unter gleichzeitiger Formung der Frisur getrocknet. Auch die vorher erwähnten Effekt-Haarsprays mit färbendem Charakter können den temporären Färbemitteln zugeordnet werden.

Semipermanente Färbemittel geben dem Haar stärker ausgeprägte u. etwas dauerhaftere Farbnuancen, beständig gegen bis zu 5–6 Haarwäschen. Die verwendeten Farbstoffe müssen demgemäß eine hohe Affinität zum Keratin besitzen u. relativ tief in die Oberfläche der Haarfaser eindringen. Wichtigste Vertreter dieser Farbstoff-Gruppe sind *2-Nitro-1,4-phenylendiamin- u. *Nitroanilin-Derivate. Bei den ebenfalls verwendeten sog. „Arianor-Farbstoffen" handelt es sich um Azo- od. *Chinonimin-Farbstoffe mit quartären Ammonium-Gruppen. Die Ggw. von *Glykolethern, *Cyclohexanol od. *Benzylalkohol im Lsm.-Syst. fördert die Keratin-Affinität der Farbstoffe. Die

Formulierungen dieser *„direkt ziehenden Haarfärbemittel"* basieren meist auf Shampoo- od. Creme-Grundlage. Sie werden auf das gewaschene, feuchte Haar aufgetragen u. nach Einwirkungszeiten von 15 bis 30 min wieder ausgespült.

Permanente Färbemittel haben weite Verbreitung gefunden. Ihr Marktanteil an allen Haarfärbemitteln beträgt ca. 80%. Die permanente Haarfärbung ist weitestgehend beständig gegen Licht- u. Witterungseinflüsse sowie alle üblichen Haarbehandlungsmeth. u. braucht nur ca. monatlich erneuert zu werden, bedingt durch das Nachwachsen der Haare. Wichtigste Gruppe permanenter Haarfärbemittel sind die *Oxidationsfarbstoffe, die durch chem. Reaktion ungefärbter Vorprodukte erst auf dem bzw. im Haar entstehen. Die Vorprodukte werden eingeteilt in die „Oxid.-Basen" („Entwickler") u. die „Nuancierer" bzw. „Modifier" („Kuppler"). Bei der Farbstoff-Bildung laufen Oxid.- u. Kondensationsreaktionen bzw. Kupplungsvorgänge ab. Als Oxid.-Basen dienen aromat. Verb., die am *Benzol-, *Pyridin-, *Indol-, *Chinolin- od. auch aromat. od. heterocycl. Ringsyst. mind. zwei elektronenabgebende (Amino- u./od. Hydroxy-) Gruppen besitzen u. damit leicht oxidierbar sind. Dominierend als Farbbasen-Vorstufen sind p-*Phenylendiamin u. p-Toluoldiamin. Als Oxid.-Mittel wird bevorzugt Wasserstoffperoxid in Ggw. von Ammoniak od. Monoethanolamin verwendet. Als Nuancierer (Modifier) bzw. Kuppler werden ebenfalls aromat. Verb. mit leicht oxidierbaren Seitengruppen – jedoch in m-Stellung – eingesetzt. Wichtige Vertreter sind m-Phenylendiamin, m-*Aminophenol u. m-Dihydroxybenzol (*Resorcin). Der Mechanismus der Farbstoff-Bildung verläuft in mehreren Stufen u. wird – ausgehend von p-Phenylendiamin – in der Abb. schemat. dargestellt.

Zunächst bildet sich durch Oxid. mit Wasserstoffperoxid ein Chinondiimin, das in zweiter Stufe mit einem Kuppler zu Diphenylaminen reagiert, die anschließend zu Farbstoffen oxidiert werden. Die intermediär gebildeten Diphenylamine können ihrerseits auch als Kuppler fungieren u. sich mit dem Chinondiimin der Ausgangsbase verbinden. Nach Oxid. entstehen dann Indamine mit drei Ringen, die eine weitere Gruppe von Oxidationsfarbstoffen darstellen. Durch weitere Kondensations-Reaktionen können schließlich noch höhermol. Farbpigmente entstehen.

Es existieren zahlreiche Möglichkeiten zur Formulierung von Oxidationsfarben mit einer breiten Palette zu erzielender Farbnuancen. Die Oxid.-Reaktionen lassen sich durch genau dosierte Zusätze von Antioxidantien (z. B. *Sulfite, *Thioglykolsäure od. Ascorbinsäure) entsprechend steuern. Meist verwendete Anw.-Formen sind Präp. auf Creme- od. Gel-Basis, die leicht u. gezielt aufgetragen werden können u. meist noch pflegende u. die Kämmbarkeit verbessernde Zusätze enthalten. Da bei der Anw. von Oxidationsfarbstoffen allerg. Reaktionen nicht völlig auszuschließen sind (gemäß in den letzten Jahren durchgeführten Untersuchungen wurden Haarfarbstoff-Allergien äußerst selten beobachtet), wird die Durchführung eines Allergie-Tests vor erster Anw. angeraten.

Eine weitere Gruppe von Farbstoffen für permanente Haarfärbungen sind die sog. *selbstoxidierenden Haar-*

Chinondiimin (CDI)

CDI

blau

CDI

rot

CDI

rot

"polymerbraun"

braun

blauviolett

grün

Abb.: Mechanismus der Farbstoffbildung bei Oxidationsfarbstoffen; nach *Lit.*[1], S. 299.

farbstoffe. Es handelt sich um aromat. bzw. heterocycl. Verb. mit mehr als zwei Substituenten am Ring, die wegen ihres geringen *Redox-Potentials bereits vom Luftsauerstoff oxidiert werden können. Wichtigste Vertreter sind 5,6-Dihydroxy-indol, 1,2,4-Trihydroxy-benzol (s. Phenole), Amino-Resorcin, Amino-hydrochinon sowie *Diaminophenol. Die erhaltenen Färbungen sind sehr stabil, haben jedoch den Nachteil, daß einige Zeit nach ihrer Anw. auf dem Haar Gelb- od. Rot-Reflexe auftreten können. Fast alle Maßnahmen zur Farbänderung der Haare strapazieren die Haarstruktur u. erfordern ggf. eine pflegende Nachbehandlung.

6. **Haarentfernungsmittel:** Zur Entfernung unerwünschten Haarwuchses unterscheidet man physikal. *(Epilation)* u. chem. (*Depilation) Methoden. Übermäßiger Haarwuchs wird als *Hypertrichose* bezeichnet. Physikal. (mechan.) Meth. zur Haarentfernung sind:
– Rasieren (Schneiden), wobei „Naßrasur" mit Messer od. Klingenapparat u. „Trockenrasur" mit elektr. Geräten unterschieden wird. Zur Vor- u. Nachbehandlung von Haar u. Haut wird eine Vielzahl von Rasiermitteln angeboten (s. dort);
– Abschleifen der Haare mit z.B. Bimsstein, Schmirgelpapier u. dgl., vorzugsweise nach chem.-oxidativer Vorbehandlung;
– Ausreißen der Haare (im engeren Sinne auch „*Epilation"* od. „*Epilieren"* genannt) z.B. mittels geeigneter Pinzetten; dieses mühsame Verf. bleibt auf Einzelhaare od. kleinere Körperpartien beschränkt (z.B. Korrektur von Augenbrauen-Formen); größere Hautpartien können mittels sog. *Epilierwachs* enthaart werden, in geschmolzenem Zustand aufgestriche

klebrige Harz-Wachs-Mischungen, die nach dem Erkalten mit den darin eingebetteten Haaren ruckartig abgezogen werden;
– Zerstörung der Haarwurzeln durch elekt. betriebene „*Epiliernadeln"*, wobei die Haarwurzeln entweder mittels Gleichstrom elektrolyt. od. mit hochfrequentem Wechselstrom „diatherm." verödet werden.
Nur mit der letztgenannten Meth. wird ein Nachwachsen der entfernten Haare weitgehend verhindert. Die chem. Meth. der Haarentfernung erfolgt mit *Depilatorien u. ist dort näher erläutert.
Herst., Vertrieb u. berufsmäßige Anw. von H.-Mitteln ist in den meisten Ländern gesetzlich geregelt. In der BRD gelten übergeordnet das „Lebensmittel- u. Bedarfsgegenstände-Gesetz" (*LMBG) sowie speziell die Kosmetik-VO (s. Kosmetika).

Wirtschaft: Das Umsatzvol. von H.-Mitteln in der BRD betrug 1995 mit 3235 Mio. DM ca. 20,9% vom Gesamtmarkt kosmet. bzw. Körperpflege-Mittel (*Lit.*[2]). Nach Rückgängen seit 1993 wird für 1996 ein leichter Zuwachs um +0,5% gemeldet (*Lit.*[3]). – *E* hair treatment, hair care – *F* soins de cheveux, soins de la chevelure – *I* trattamento dei capelli – *S* tratamiento del cabello, cuidado del cabello

Lit.: [1] Umbach (Hrsg.), Kosmetik, 2. Aufl., S. 179–183, 220–310, Stuttgart: Thieme 1995. [2] Tätigkeitsbericht 1995/96 des Industrieverbandes Körperpflege u. Waschmittel. [3] Nachr. Chem. Tech. Lab. **45**, 43 (1997).
allg.: Kirk-Othmer (3.) **7**, 163–166; **12**, 80–117; (4.) **7**, 608–614; **12**, 881–918 ▪ Ullmann (4.) **12**, 429–457; (5.) **A 12**, 571–601 ▪ Vollmer u. Franz, Chemie in Bad u. Küche, S. 101–127, Stuttgart: Thieme 1991 ▪ s.a. Haar, Kosmetik, Kosmetika.

Haarbleichmittel s. Haarbehandlung.

Haarentfernungsmittel s. Depilatorien, Haarbehandlung.

Haarer, Dietrich (geb. 1938), Prof. für Experimentalphysik, Univ. Bayreuth. *Arbeitsgebiete:* Opt. u. photoelektr. Eigenschaften von Polymeren, Laserspektroskopie.
Lit.: Kürschner (16.), S. 1177 ▪ Wer ist wer (35.), S. 492.

Haarfärbemittel, Haarfärben s. Haarbehandlung.

Haarfasern. Die H. bilden neben den sog. Sekretionsfasern (Spinnenfäden, echte Seide) die zweite Gruppe tier. Fasern. Sie sind aus Proteinen des α-Keratin-Typs aufgebaut u. werden in einigen Fällen (z. B. von Schaf, Kamel, Ziege od. Hase) als *Wolle zu Textilien verarbeitet. – *E* filament – *F* filaments, fils – *I* filamenti – *S* filamento
Lit.: Elias (5.) **2**, 501.

Haarfestiger, Haarverfestigungsmittel s. Haarbehandlung.

Haargarn. Bez. für *Teppich-Garn aus Kuhhaaren od. Wildhaaren, evtl. mit Schafwolle u. Chemiefasern gemischt. Nach *RAL-Qualitätsrichtlinien soll die Materialzusammensetzung aus 70% Wolle u. a. Tierhaaren u. 30% Cellulose-Chemiefasern bestehen. Festigkeit, Farbechtheit, Mottenechtausrüstung sind weitere Qualitätskriterien. – *E* hair carpet – *F* filé de poil – *I* filato di crine – *S* hilo de pelo

Haargips. Mörtelgips mit Haarzusatz, dient zur Herst. u. Bearbeitung von *Rabitz-Wänden.

Haarhygrometer s. Hygrometer.

Haarkies s. Millerit.

Haarkristalle s. Whiskers.

Haarlack s. Haarbehandlung.

Haarmann & Reimer. Kurzbez. für die 1874 gegr. Haarmann & Reimer GmbH, 37603 Holzminden, eine 100%ige Tochterges. der Bayer AG. *Daten* (1995): ca. 1700 Beschäftigte, ca. 1,5 Mrd. DM Umsatz. *Produktion:* Parfümöle, Aromen, natürliche u. künstliche Riech- u. Geschmacksstoffe, natürliche u. rekonstituierte ether. Öle, Extrakte aus Früchten, Pflanzen u. Drogen, Fruchtsaftkonzentrate, Fruchtpulver, Fruchtzubereitungen, Grundstoffe, Essenzen, Würzungen, kosmet. Wirkstoffe, parfümist. Basen u. Spezialitäten.

Haarnadelschleife (Haarnadelstruktur). Bez. für einzelsträngige *Desoxyribo- od. *Ribonucleinsäure-Sequenzen, die sich unter Ausbildung einer Schleife in sich zurückfalten u. durch intramol. Basenpaarung stabilisiert werden. H. sind wichtig für die Sekundärstruktur von RNA u. können regulator. Funktionen haben.

```
     U
   U  G  G
   U GC G
     AU
     CG
     CG
     GC
     CG
     CG
5'-----UAAUCCACGGCAUUUU-3'
```

Abb.: Haarnadelschleife: RNA kann sich in sich selbst zurückfalten u. Doppelhelixregionen ausbilden.

ben. – *E* stemloop – *F* boucle en épingle à cheveux – *I* ansa (loop) della forcina – *S* bucle de la horquilla
Lit.: Lewin, Gene. Lehrbuch der molekularen Genetik, Weinheim: VCH Verlagsges. 1988 ▪ Stryer 1996, S. 106.

Haarpflegemittel s. Haarbehandlung.

Haarsalz s. Halotrichit.

Haarschutz. Durch das Tragen von Haarnetzen u. Hauben soll verhindert werden, daß lange Haare in bewegte Maschinenteile geraten, wodurch schwere Verletzungen entstehen können (z. B. Haarausrisse, Kopfhautverletzungen, Skalpierungen). Hauben werden vielfach auch zum Schutz gegen Staub, Dämpfe u. Flüssigkeiten getragen. – *E* hair protection – *F* protection capillaire – *S* protección para el cabello
Lit.: UVV „Allgemeine Vorschriften" (VBG 1) in der Fassung vom 1.4.1992 (Bezugsquelle Carl Heymanns Verl. KG, Köln od. Jedermann-Verl., Heidelberg).

Haarsprays, Haarspülungen s. Haarbehandlung.

Haarverformungsmittel s. Haarbehandlung.

Haarwaschmittel, Haarwasser s. Haarbehandlung.

HAB. 1. Abk. für Homöopath. Arzneibuch (s. Homöopathie u. Deutsches Arzneibuch). – 2. Abk. für heterogene anorgan. *Builder (s. Natriumaluminiumsilicat, Waschmittel u. Zeolithe).

Haber, Fritz (1868–1934), Prof. für Chemie, Karlsruhe u. KWI Berlin. *Arbeitsgebiete:* Chem. Vorgänge in Flammen, elektrolyt. Red. von Nitrobenzol, Glaselektrode, Gasreaktionen, Gasgleichgew., Autoxid., Synth. von Stickstoffoxiden im elektr. Lichtbogen, Entwicklung der Ammoniak-Synth. (*Haber-Bosch-Verfahren; hierfür 1918 Nobelpreis für Chemie). Die BASF führte unter der Leitung von von Bruck u. *Mittasch die großtechn. Produktion von Ammoniak durch; ab 1913 diente es als Ausgangsstoff für Sprengstoffe. 1914 regte H. die Verw. von Chlor als chem. Kampfmittel an; er war auch verantwortlich für die Einführung der Grünkreuz-(Phosgen-) u. Blaukreuzgeschosse (Chlor-Arsen-Kampfstoffe). Obwohl er auf die Liste der auszuliefernden Kriegsverbrecher gesetzt worden war, wurde ihm 1919 nachträglich der Chemienobelpreis von 1918 verliehen.
Lit.: Chem. Unserer Zeit **2**, 144–148 (1968) ▪ Günther, Fritz Haber, Ein Mann der Jahrhundertwende, Düsseldorf: VDI 1969 ▪ Haber, Mein Leben mit Fritz Haber, Düsseldorf: Econ 1970 ▪ Krafft, S. 151 f. ▪ Lexikon der Naturwissenschaftler, S. 189 ▪ Nachmansohn, S. 176–200 ▪ Neufeldt, S. 121, 141, 341, 365 ▪ Pötsch, S. 183 ▪ Strube, S. 150–156.

Haber-Bosch-Verfahren. Nach den Erfindern benanntes großtechn. Verf. zur Synth. von *Ammoniak aus Stickstoff u. Wasserstoff. Aufgrund der von *Nernst geschaffenen theoret. Voraussetzungen entwickelte *Haber (1905–1910) ein Herst.-Verf. für Ammoniak im Labormaßstab, das von den Elementen ausgeht. Die großtechn. Ausgestaltung erfolgte durch *Bosch (1908–1913).
Ammoniak ist ein großtechn. Produkt mit einer Jahresproduktion in der BRD von gegenwärtig ungefähr 1,5 Mt berechnet als Stickstoff. Ammoniak ist Ausgangsprodukt für viele Düngemittel, z. B. Ammoniumsulfat, Kalkammonsalpeter od. Dünger auf Harn-

stoff-Basis. Ammoniak wird heterogen katalysiert zu Stickstoffoxiden oxidiert u. ist somit Ausgangsstoff für Salpetersäure u. Kunstdünger auf Nitrat-Basis. Weiterhin geht Ammoniak in die Produktion von vielen Kunststoffen u. Kunstfasern ein, z. B. Nylon, Harnstoff-Formaldehyd-Harze, Polyacrylnitril, Melaminharze. Schließlich findet Ammoniak als Kältemittel Anw., vgl. Ammoniak (Bd. 1, S. 168).

Im H.-B.-V. wird Ammoniak durch die Umsetzung von Stickstoff mit Wasserstoff erzeugt. Die Umsatzgleichung ist

$$3/2\,H_2 + 1/2\,N_2 \rightleftarrows NH_3, \quad \Delta_R h_{298}^0 = -45,93 \text{ kJ mol}^{-1}.$$

Die Reaktion ist exotherm u. verläuft unter Vol.-Verminderung:

$$\Delta_R v_i = \textstyle\sum_i v_i = -1.$$

Aufgrund dieser Eigenschaften lassen sich mit Hilfe des Prinzips von Le Chatelier niedrige Temp. u. hohe Drücke als Reaktionsbedingungen angeben, bei denen das Gleichgew. der Reaktion auf der Seite von Ammoniak liegt. Bei der techn. Ammoniak-Synth. stößt man dabei auf das folgende Problem: Bei niedrigen Temp. ist die Reaktionsgeschw. der homogenen Reaktion von Stickstoff mit Wasserstoff für die techn. Durchführung zu niedrig. Die Reaktion wird daher heterogen katalysiert bei Temp. zwischen 400 °C u. 500 °C u. Drücken von 30 MPa durchgeführt. Techn. Katalysatoren sind Eisen-Katalysatoren, deren aktive Phase α-Eisen *in situ* aus Magnetit (Fe_3O_4) durch Red. mit Wasserstoff hergestellt wird.

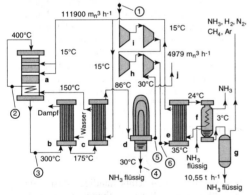

a Reaktor   **e** Wärmeaustauscher   **i** Frischgaskompressor
b Dampferzeuger   **f** Tiefkühlung   **j** Ballastgasausschleusung
c Wärmeaustauscher   **g** Entspannungsbehälter
d Kondensator   **h** Kreisgaspumpe

Abb.: Schema einer modernen Anlage für die techn. Ammoniak-Synth. nach dem H.-B.-V. mit einem Betriebsdruck von 30 MPa u. einer Leistung von 900 t/d. Die Volumenangabe m_n^3 ist auf 0 °C u. $1,013 \cdot 10^5$ Pa bezogen; ①–⑥ s. Tabelle.

Die Abb. gibt einen Überblick über eine Anlage zur techn. Herst. von Ammoniak nach einer Variante des H.-B.-V. (andere Verfahrensvarianten finden sich in *Lit.*[1]). In dem Schema sind an einigen Stellen die Größen u. Temp. der Stoffströme für eine Produktionsleistung von 100 t/d angegeben. Für sechs Bilanzpunkte (①–⑥ in Abb.) in der Anlage sind die Zusammensetzungen der Stoffströme in der Tab. zusammengefaßt.

Das Synthesegasgemisch, das Wasserstoff u. Stickstoff entsprechend der Umsatzgleichung im Volumenver-

Tab.: Größe u. Zusammensetzung der Stoffströme an den in der Abb. angegebenen Bilanzpunkten; die Angaben sind in % Volumenanteilen; die Volumenangabe m_n^3 auf 0 °C u. $1,013 \cdot 10^5$ Pa bezogen.

Bilanzpunkt ①	②	③	④	⑤	⑥
Stoffstrom [$m_n^3 \ h^{-1}$]	105 870	332 100	384 030			
Stoffstrom [$t\,h^{-1}$]			26,7			
NH_3	0,0	3,41	16,87	97,05	8,34	6,37
H_2	73,99	62,09	50,65	1,25	55,98	60,18
N_2	24,66	20,49	16,66	0,96	18,38	19,87
CH_4	1,1	10,24	12,26	1,1	13,44	10,53
Ar	0,25	3,15	3,56	0,16	3,93	3,06

hältnis 3 : 1 enthält, wird durch eine vierstufige Kompressorenbatterie auf den Druck von 30 MPa gebracht. Aus dem Herstellungsprozeß des Synthesegases enthält das Gemisch geringe Anteile von Methan u. Argon. In die Niederdruckseite der vierten Kompressorstufe wird Produktgas eingespeist, dessen Partialdruck an Ammoniak im Hochdruckabscheider (d) auf etwa 8,3% abgesenkt wurde. Dieser Wert entspricht dem Dampfdruck von Ammoniak bei 30 °C u. 30 MPa Gesamtdruck. Das Gemisch wird zunächst im Wärmeaustauscher (e) vorgekühlt, bevor in der Tieftemperaturabscheidung (f) der Restammoniak durch verdampfenden Ammoniak verflüssigt wird. Gleichzeitig werden in der Tieftemperaturabscheidung Spuren von Wasser, die in dem Synthesegas vorhanden sind, abgeschieden. Dies ist der Grund dafür, daß das gesamte Frischgas durch die Tieftemperaturabscheidung geführt wird. Aus der Tieftemperaturabscheidung gelangt die gasf. Mischung über den Wärmeaustauscher (e) in den heterogen katalyt. Reaktor. Dabei nimmt ein Teilstrom im Wärmeaustauscher (c) die fühlbare Wärme des Reaktionsproduktes auf u. wird dadurch vorgewärmt. Die Aufheizung auf die Reaktionstemp. zwischen 400 °C u. 500 °C geschieht in Wärmeaustauschern, die dem Reaktor direkt nachgeschaltet sind. Der Reaktor besteht bei der Ammoniak-Herst. aus mehreren Katalysatorschichten, in denen die Reaktion autotherm abläuft. Die Rückkühlung erfolgt bei der in der Abb. gezeigten Verfahrensvariante durch die Einmischung von kaltem Synthesegas zwischen den einzelnen Stufen. Neben der Einhaltung eines günstigen Temperaturfensters für die Reaktion hat dies auch die Absenkung des Partialdrucks an Ammoniak zur Folge. Hierdurch wird die Reaktionsgeschw. der heterogen katalysierten Reaktion erhöht.

Das Produktgemisch verläßt mit einem Stoffmengenanteil von etwa 16,8% Ammoniak den Reaktor u. wird durch zwei Wärmeaustauscher (b) u. (c) auf etwa 86 °C abgekühlt. Die weitere Abkühlung im Abscheider (d) auf etwa 30 °C führt zur Verflüssigung des größeren Anteils an Ammoniak. Nach dem Abscheider (d) gelangt das Restgasgemisch in den Synthesekreislauf zurück.

Für die in der Abb. schemat. dargestellte Verfahrensvariante mit einer Produktionsleistung von 900 t NH_3/d werden ungefähr 100 000 $m^3 h^{-1}$ Synthesegas zugeführt. Das im Kreislauf geführte Gasvol. beträgt mit

330 000 m^3 h^{-1} etwa das Dreifache. Methan u. Argon werden aus der Synthesegas-Herst. mit in den Synthesekreislauf eingeschleppt. Da sich beide Komponenten inert verhalten, sammeln sie sich im Synthesekreislauf an. Dies wird durch Ballastgasausschleusung vor der Niederdruckseite der vierten Kompressionsstufe vermieden.

Das zur NH$_3$-Synth. benötigte H$_2$/N$_2$-Gemisch (Synthesegas) wird gegenwärtig fast ausschließlich durch die partielle Oxid. von Kohlenwasserstoffen hergestellt[2], z. B. bei der Shell-Druckvergasung u. dem Texaco-Verf. (s. Synthesegas). Hierbei wird Erdgas od. Chemie-Benzin mit Sauerstoff unter Wasserdampfzusatz partiell oxidiert, so daß das Produktgas hauptsächlich aus CO u. H$_2$ besteht. Man ist hierbei bestrebt, die Vergasungsdrücke schon so hoch einzustellen, daß die nachfolgende Kompression auf Synthesedruck ohne großen Aufwand zu erreichen ist. Das CO wird nach der Vergasung u. Abtrennung des CO$_2$ heterogen katalysiert mit Wasser zu CO$_2$ umgesetzt: $CO + H_2O \rightleftarrows CO_2 + H_2$. Diese als Konvertierung bezeichnete Reaktion erfolgt bei relativ niedrigen Temp., ca. 200 °C, an Eisenoxid/Chromoxid-Katalysatoren. Anschließend entfernt man wiederum das CO$_2$ in Absorptionskolonnen mit chem. wirkenden Absorptionsmitteln, z. B. durch die Heißpottasche- od. Amin-Wäsche, den Rectisol-, Purisol- od. Sulfinol-Prozeß od. das Fluor-Solventverfahren. Die letzten Spuren von CO werden durch die sog. Methanisierung ($CO/CO_2 + H_2 \rightarrow CH_4 + H_2O$) entfernt. Bei den Druckvergasungsverf. wird hierfür auch eine „Wäsche" mit flüssigem Stickstoff aus der Luftzerlegung (Sauerstoff wird für die Oxid. benötigt) eingesetzt, bei der gleichzeitig das gewünschte Verhältnis N$_2$/H$_2$=1 : 3 eingestellt wird. Die Entwicklung des H.-B.-V. war von bes. Auswirkung auf die techn. Chemie. Sie befruchtete die Entwicklung der Hochdruck-, Meß- u. Regeltechnik sowie der *Katalyse. Gleichzeitig wurden dabei die Grundlagen für eine Anzahl neuer Synth. erarbeitet, z. B. des Methanols, der Gewinnung von Treibstoffen aus Kohle u. der Salpetersäure-Herstellung. Für die Düngemittelversorgung erlangte das H.-B.-V. entscheidende Bedeutung. – *E* Haber-Bosch process – *F* procédé de Haber et Bosch – *I* processo Haber-Bosch – *S* procedimiento Haber-Bosch

Lit.: [1] Ullmann (5.) A 2, 143 ff. [2] Ullmann (5.) A 2, 175 ff., 204. *allg.:* s. Ammoniak.

Haber-Haugaard-Schicht. 5 bis 500 nm dicke Quellschicht, die bei der Benetzung der Oberfläche von Glas mit Wasser entsteht. Innerhalb dieser Schicht werden die im SiO$_2$-Netzwerk gebundenen Kationen gegen Wasserstoff-Ionen ausgetauscht. Z. B. bildet sich auf beiden Seiten der Glasmembran einer *Glaselektrode eine H.-H.-S. aus. Das *Asymmetriepotential wird durch unterschiedliche H$^+$-Aktivitäten in den beiden H.-H.-S. verursacht. – *E* Haber-Haugaard's layer – *F* couche de Haber-Haugaard – *I* strato di Haber-Haugaard – *S* capa de Haber-Haugaard

Lit.: Hamann u. Vielstich, Elektrochemie I, 2. Aufl., S. 139 ff., Weinheim: VCH Verlagsges. 1985.

Haber-Luggin-Kapillare. Potentialsonde, mit deren Hilfe der Potentialsprung an der Doppelschicht einer Elektrode bestimmt wird. Sie ist mit einer Referenzelektrode versehen u. mit einem Elektrolyt gefüllt. Ihre Öffnung befindet sich in unmittelbarer Nähe der Elektrodenoberfläche, z. B. in einer Zelle zur Messung der elektr. Leitfähigkeit. – *E* salt bridges, Haber-Luggin capillars – *F* ponts de sel, capillaires de Haber-Luggin – *I* ponti salini, capillari di Haber-Luggin – *S* puentes salinos, capilares de Haber-Luggin

Lit.: Kohlrausch, Praktische Physik 2, S. 812, Stuttgart: Teubner 1996.

Habitat (von latein. habitare = wohnen). Der artspezif. Lebensraum einer Organismenart wie Standort, Lebensstätte od. Aufenthaltsbereich (vgl. ökologische Nische). Im Gegensatz zur autökolog. Bez. H. ist die synökolog. Bez. *Biotop (häufig als Synonym verwendet) auf einen charakterist. Lebensraum (Moor, Düne, See usw.) anzuwenden. – *E = F = I* habitat – *S* hábitat

Lit.: Bell et al. (Hrsg.), Habitat Structure – The Physical Arrangement of Objects in Space, London: Chapmann & Hall 1991 ▪ DIN 38410, Tl. 1, S. 2 (12/1987) ▪ Rodiek u. Bolen (Hrsg.), Wildlife and Habitats in Managed Landscapes, Washington: Island Press 1991.

Habitus s. Kristallmorphologie.

HACCP (Abk. für *E* *H*azard *A*nalysis *C*ritical *C*ontrol *P*oint, krit. Punktanalyse). Ziel des HACCP-Konzepts ist es, alle hygien. krit. Punkte bei der Herst. eines Lebensmittels od. Lebensmittelzusatzstoffes zu erkennen u. ständig zu kontrollieren. Das HACCP-Konzept umfaßt u. a. die Darst. der einzelnen Produktionsstufen bei der Herst. eines Lebensmittels, die Analyse produkt- u. prozeßspezif. Risiken sowie die Auswahl geeigneter Untersuchungs-Verf., mit denen die Überwachung in der Praxis durchgeführt werden soll. HACCP gewinnt als präventive Maßnahme im Rahmen eines ganzheitlichen Qualitätsmanagementsyst. ständig an Bedeutung. – *E* hazard analysis critical control point

Lit.: Fleischwirtschaft **69**, 1328–1337 (1989) ▪ Food Microbiol. **12**, 81–90 (1995) ▪ Int. J. Food Microbiol. **4**, 227–247 (1987); **15**, 33–44 (1992); **16**, 1–23 (1992).

Hadacidin (*N*-Formyl-*N*-hydroxyglycin).

C$_3$H$_5$NO$_4$, M$_R$ 119,08. Unbeständige Krist., Schmp. 119–120 °C, lösl. in Wasser, Ethanol, Aceton u. Ether. Antitumor-Antibiotikum, das zuerst aus *Penicillium frequentans* isoliert wurde. H., ein *Antimetabolit der L-Asparaginsäure, wirkt als kompetitiver Inhibitor des Enzyms Adenylsuccinat-Synthase u. unterdrückt damit die Biosynth. von Adeninnucleotiden bei Bakterien sowie in tier. u. pflanzlichen Zellen. H. wirkt in Gewebekultur gegen Adenocarcinome des Menschen. – *E* hadacidin – *F* hadacidine – *I* adacidina – *S* hadacidina

Lit.: Chem. Pharm. Bull. **34**, 3202 (1986) ▪ J. Cell Physiol. **140**, 186 (1989) ▪ Shigeura, in Gottlieb u. Shaw (Hrsg.), Antibiotics, Vol. I, S. 451–456, New York: Springer 1967. – [HS 2941 90; CAS 689-13-4]

Hadamard-Spektroskopie s. IR-Spektroskopie.

Hadern. Von althochdtsch.: hadara = Lappen abgeleitete Bez. für Stoffreste od. Lumpen, die u. a. als Rohstoff für *Papier dienen. Papier aus 100% H. wird als *Dokumentenpapier* verwendet; hadernhaltiges Papier muß nach DIN 6730 (05/1996) mind. 10% H. enthalten. – *E* rags – *F* chiffons – *I* stracci – *S* trapos

Hadronen (von griech.: hadrós = stark). *Elementarteilchen, die einer starken Wechselwirkung (s. a. Elementarteilchen u. Kernkräfte) unterliegen. Hierzu gehören *Baryonen, *Mesonen u. ihre *Resonanzen. – *E = F* had=rons – *I* adroni – *S* hadrones

HÄFFNER. Kurzbez. für das 1903 gegr. Chemikalien-Handelsunternehmen HUGO HÄFFNER GmbH & Co. KG, 71679 Asperg. *Daten* (1996): 198 Beschäftigte, 125 Mio. DM Umsatz. *Vertrieb:* Säuren, Laugen, Lsm., Spezialprodukte.

Hähne. Flüssigkeits- od. Gasventile, deren Wirkungsweise auf einer Drehbewegung eines meist kon. od. zylindr. Hahnkükens in einem entsprechend geformten Ventilsitz beruht. Für Laborarmaturen erfolgt je nach Art des Durchflußstoffes eine farbige Kennzeichnung der Hahngriffe (s. DIN 12920). Bei Kugel-H. erfolgt die Abdichtung an einer Kugelkalottenfläche. H. weisen im allg. geringe Druckverluste u. kurze Schaltzeiten auf. – *E* taps – *F* robinets – *I* rubinetti – *S* llaves, grifos

Lit.: ACHEMA-Jahrb. **1991**, 1669 ▪ Ullmann (4.) **3**, 176.

Häm (von griech.: haima = Blut). Im allg. Sinn ist H. ein beliebiger Eisen-Porphyrin-Koordinations-Komplex [1]. Hier soll unter H., unter Protohäm u. unter Ferrohäm gleichbedeutend das *Protoferrohäm* [Protoporphyrinatoeisen(II), Eisen(II)-Komplex des *Protoporphyrins IX] verstanden werden.

Abb.: Häm u. Derivate (zu R[1], R[2] s. Tab.).

$C_{34}H_{32}FeN_4O_4$, M_R 616,50 (Abb. ohne R[1], R[2]). Dünne, braune, leicht zu *Hämatin oxidierbare Nadeln mit dunkelviolettem Schimmer. H. ist die *prosthetische Gruppe des Blutfarbstoffs *Hämoglobin u. verwandter *Häm-Proteine (z.B. *Cytochrome b, *Myoglobin) u. ist für deren rote Farbe verantwortlich.

Biosynth.[2] u. Abbau: Die Biosynth. des Häm geht von *5-Amino-4-oxovaleriansäure aus u. führt über *Porphobilinogen u. Uroporphyrinogen III in mehreren Schritten schließlich zu Protoporphyrin IX. Die weitere Synth. erfolgt durch Chelatisierung eines Eisen(II)-Ions unter Katalyse des Enzyms *Ferrochelatase* (Protohäm-Ferrolyase, EC 4.99.1.1). Das H. der roten Blutkörperchen (Erythrocyten), die eine mittlere Lebensdauer von ca. 120 d besitzen, wird durch oxidative Spaltung (durch *Hämoxygenase*, EC 1.14.99.3, eine mischfunktionelle *Oxygenase, die gleichzei-

tig *Nicotinamid-Adenin-Dinucleotid-Phosphat oxidiert) zu *Biliverdin, Kohlenmonoxid u. Eisen(III) abgebaut. Die Biosynth. von Häm-Proteinen, von gewissen Enzymen der *Atmungskette u. seine eigene Biosynth. wird durch H. reguliert. Zur Regulation der Biosynth. u. des Abbaus von H. s. a. *Lit.*[3].

Derivate: An den apikalen Koordinationsstellen des Eisens können zusätzliche Liganden gebunden werden (R[1] u. R[2] in der Abb.). Über die Art dieser Liganden u. die Oxid.-Stufe des Eisens in den jeweiligen Verb. gibt die Tab. Auskunft.

Tab.: Substituenten von Häm-Derivaten (in wäss. Lsg).

Häm-Derivat od. Häm-Protein	Zentral-Ion	R[1]	R[2]
Häm (Ferrohäm)		H_2O	H_2O
Hämoglobin, Myoglobin		*Globin (His)	Globin
Oxyhämoglobin	Fe^{2+}	O_2	Globin
Carbonylhämoglobin		CO	Globin
*Hämin (Ferrihämchlorid)		Cl^-	–
*Hämatin (Ferrihämhydroxid)		OH^-	–
*Methämoglobin (Hämiglobin)	Fe^{3+}	Globin (His)	Globin (His)
Methämoglobin-Hydroxid		OH^-	Globin

Trotz abweichender Substitutionsmuster werden noch weitere Eisen-Porphyrin-Proteine zu den Häm-Proteinen gerechnet. Diese haben biolog. sehr verschiedene Funktionen, die auf die jeweilige spezif. Struktur der Proteine u. deren Bindungsart an die prosthet. Gruppe zurückgehen, z.B. die Cytochrome a, c u. d, *Cytochrom-c-Oxidase (enthält *Cytohämin), *Hämthiolat-Proteine, *Peroxidase, *Katalase, *Leghämoglobin. Im *Sirohäm* der *Nitrit-Reduktasen liegen die Ringe C u. D des Porphyrin-Gerüsts teilw. gesätt. vor. Strukturverwandte Metallporphyrine sind die Chlorophylle. *Nicht* zu den H.-Derivaten gehören – trotz der Namens-Ähnlichkeit – *Hämerythrin, *Hämocyanin, Hämocuprein u. *Hämovanadin. – *E* h(a)eme – *F* hème – *I* eme – *S* hemo

Lit.: [1] Pure Appl. Chem. **59**, 820 (1987). [2] Biospektrum **2**, Nr. 5, 22–27 (1996). [3] Prog. Nucl. Acid Res. Mol. Biol. **51**, 1–51 (1995).
allg.: Beilstein E V **26/15**, 285 ▪ Drug Metab. Rev. **25**, 49–152 (1993) ▪ Stryer 1996, S. 156, 771–774. – *[CAS 14875-96-8]*

Häm..., Haem... Ebenso wie Hämo... u. Hämat(o)... von griech.: haima (Genitiv: haimatos) = Blut abgeleiteter Namensbestandteil von Begriffen, die mit Blut in Zusammenhang stehen (z.B. *Hämatopoese, *Hämatokrit), von Handelsnamen (z.B. für *Blutersatzmittel od. *Hämorrhoidenmittel), von Derivaten des *Häms, sowie von nicht strukturverwandten, aber blutrot gefärbten Substanzen (z.B. *Hämalaun, *Hämatit). – *E* h(a)em... – *F* hém... – *I* em... – *S* hem...

Hämagglutinine. Substanzen, meist *Glykoproteine, mit der Fähigkeit, *Erythrocyten zu agglutinieren (zu verklumpen, vgl. Agglutination u. Agglutinine). H. kommen als *Antikörper gegen Erythrocyten, als Phytagglutinine (s. Lektine) in Pflanzen od. als Bestandteile gewisser *Viren (z.B. in Grippeviren) vor. – *E* h(a)emagglutinins – *F* hémagglutinines – *I* emagglutinine – *S* hemaglutininas

Hämalaun. Aus Hämatin (s. Hämatoxylin) u. Alaun hergestellter Farbstoff, der in der Mikroskopie (v. a. zur Kernfärbung) Verw. findet. – *E* hemalum – *F* hémalun – *I* emallume – *S* hemalumbre
Lit.: Romeis, Mikroskopische Technik, München: Oldenbourg 1968.

Hämapoese s. Hämatopoese.

Hämat...., Haemat... s. Häm...

Hämatein s. Hämatoxylin.

Hämatin (Ferrihämhydroxid, Protohämatin). $C_{34}H_{33}FeN_4O_5$, M_R 633,50 (s. Abb. bei Häm, $R^1 = OH^-$, R^2 unbesetzt). Lsm.-haltige Krist., lösl. in Essigsäure, verd. Laugen u. Ether. Das aus *Häm durch Oxid. des Eisens hervorgehende H. findet sich im Blut nur unter patholog. Bedingungen wie *Hyperchromie infolge *perniziöser Anämie, bei Phosgen-Vergiftung etc. od. nach Magenblutungen im Erbrochenen; *Hämozoin*, das Pigment von Plasmodium (Malaria-Erreger) besteht aus polymerem H.[1] u. bildet sich unter dem Einfluß Histidin-reicher Proteine[2]. – *E* h(a)ematin – *F* hématine – *I* ematina – *S* hematina
Lit.: [1]Nature (London) **374**, 269 ff. (1995). [2]Science **271**, 219–222 (1996).
allg.: Beilstein E V **26/15**, 285. – *[HS 293490; CAS 15489-90-4]*

Hämatinsäure (3-Penten-1,3,4-tricarbonsäure).

HOOC   COOH
$H_3C-C=C-CH_2-CH_2-COOH$

Hämatinsäure

Hämatinsäureanhydrid

Biliverdinsäure

$C_8H_{10}O_6$, M_R 202,16. Bildet sich aus *Hämin, *Hämatin, *Hämatoporphyrin, *Bilirubin od. *Biliverdin bei Oxid. mit Natriumdichromat in Eisessig in Form ihres Anhydrids. Durch dessen Auflösen in Alkalien erhält man Salze der instabilen Hämatinsäure. In der oben genannten Oxid.-Reaktion entsteht als Nebenprodukt das Imid *Biliverdinsäure*[1] (*Hämatininsäure*, $C_8H_9NO_4$, M_R 183,16, monokline Prismen, Schmp. 114 °C, lösl. in Wasser, Alkohol u. Ether). – *E* h(a)ematic acid – *F* acide hématique – *I* acido ematico – *S* ácido hemático
Lit.: [1]Beilstein E III/IV **22**, 3175.
allg.: Beilstein H **2**, 854. – *[CAS 577-53-7 (H.); 487-65-0 (Biliverdinsäure)]*

Hämatit (Eisenglanz, Specularit, Roteisenstein). α-Fe_2O_3. Wichtiges Erzmineral, krist. ditrigonal-skalenoedr., Krist.-Klasse $\bar{3}m$-D_{3d}, *Struktur* wie *Korund; zur Elektronendichte-Verteilung in H. s. *Lit.*[1]; Krist. oft flächenreich (s. Abb.), Untersuchung der mit 0001 [oft auch: (001)] bezeichneten Fläche mit dem *Tunnelmikroskop s. *Lit.*[2], zu ihrer Oberflächenchemie s. *Lit.*[3].
Zahlreiche Formen, z. B. als *„Eisenrosen"* auf den sog. alpinen Klüften; als körnige, blättrige u. schuppige Aggregate; radialstrahlig mit *Glaskopf-artigen, stark glänzenden, niedrig-traubigen Oberflächen als *Roter*

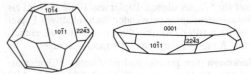

Abb.: Typ. Krist.-Formen von Hämatit; nach Matthes (*Lit.*), S. 58.

Glaskopf. Weitere H.-Varietäten sind: *Eisenglanz* u. *Specularit*, *Eisenglimmer*, *Roteisenerz*, *Rötel* u. *Blutstein*. *Turgit* (Hydro-H.) ist ein rötlich-schwarzes od. dunkelrotes faseriges Mineral aus Fe_2O_3 mit adsorbiertem Wasser. Als *Farbpigment* ist H. Ursache der roten Farbe von Mineralien (z. B. Kali-*Feldspäte) u. Gesteinen, z. B. *Laterit, *Sandstein; daraus resultierten geolog. Bez. wie Rotliegendes od. Buntsandstein für bestimmte *Erdzeitalter.
H. kann gemäß $4\,Fe_3O_4 + O_2 \rightarrow 6\,Fe_2O_3$ durch Oxid. aus *Magnetit entstehen (*Martitisierung*); als *Martit* werden *Pseudomorphosen von H. nach Magnetit bezeichnet. Beim Erhitzen wandelt sich H. bei ca. 1390 °C in Magnetit (wird vor dem Lötrohr magnet.!) um; die Umwandlungstemp. wird durch Titan-Gehalte (bis hin zum *Titano-H.*) erhöht. H. kann ferner bis zu 10 Gew.-% Al_2O_3 (Untersuchung solcher H. mit *Mößbauer-Spektroskopie s. *Lit.*[4]) u. bis 1 Gew.-% Germanium[5] enthalten. Gehalte an [4]He, U u. Th in manchen nierig-traubigen Speculariten[6] können zur *Altersbestimmung mit der *Helium-Methode benützt werden.
Eigenschaften: H. 5,5–6,5, in erdigen Massen bis <1 absinkend; D. 5,2–5,3. Auf Krist.-Flächen u. frischem Bruch metall. Glanz, sonst matt. Farbe rötlichgrau bis eisenschwarz od. stahlgrau mit blauem Stich, oft bunte Anlauffarben; Strichfarbe kirschrot bis rotbraun. Reiner H. enthält ca. 70% Fe. H. ist antiferromagnet. mit schwachem Ferromagnetismus, der durch Gehalte an γ-Fe_2O_3 (*Maghemit*) verstärkt wird. Unter dem Mikroskop zeigt H. häufig Entmischungskörper von *Ilmenit (s. Ramdohr, *Lit.*); zur komplizierten magnet. Struktur von H.-Ilmenit-*Mischkristallen s. *Lit.*[7].
Vork.: Verbreitet; in *gebänderten Eisensteinen; als Exhalationsprodukt (*Fumarolen) auf vulkan. Gesteinen; in oolith. (*Oolithe) Roteisenstein-Lagerstätten, z. B. Wabana/Neufundland; hydrothermal in *Gängen (z. B. Harz); in *Skarn-Erzen, z. B. Insel Elba/Italien, Rumänien, Gora Magnitnaja/Ural. Der Abbau der Roteisenerz-Lagerstätten im Lahn-Dill-Gebiet/Hessen ist eingestellt.
Verw.: Als neben Magnetit wichtigstes Eisenerz; als *Eisenoxid-Pigment (*Spanischrot, Persischrot*); als Poliermittel (*Polierrot*); als Schmuckstein; in der Antike als Amulett gegen Blutungen (griech.: haimatites lithos = Blutstein). – *E* hematite – *F* hématite – *I* ematite – *S* hematita
Lit.: [1]Acta Crystallogr., Sect. B **50**, 435–441 (1994). [2]Am. Mineral. **77**, 911–922 (1992). [3]Geochim. Cosmochim. Acta **60**, 305–314 (1996). [4]Clays Clay Miner. **34**, 1–6 (1986). [5]Geochim. Cosmochim. Acta **51**, 623–630 (1987). [6]Phys. Chem. Miner. **20**, 415–418 (1993). [7]Am. Miner. **78**, 941–951 (1993).
allg.: Lapis **22**, Nr. 5, 7–11 (1997) (Steckbrief) ▪ Matthes, Mineralogie (5.), S. 57 f., Berlin: Springer 1996 ▪ Pohl, Lagerstättenlehre (4.), S. 76 ff., 112 ff., Stuttgart: Schweizerbart 1992 ▪ Ramdohr, Die Erzmineralien u. ihre Verwachsungen, S. 1025–1036, Berlin: Akademie-Verl. 1975 ▪ Ramdohr-Strunz, S. 513 ff. – *[HS 260111, 282110; CAS 1317-60-8]*

Hämato..., Haemato... s. Häm...

Hämatoidin s. Bilirubin.

Hämatokrit. Von griech.: krinein = trennen u. *Häm hergeleitete Bez. für den prozentualen Vol.-Anteil der zellulären Elemente im Blut. Der H. wird meist durch Zentrifugation von Blut in heparinisierten Mikrokapillaren bestimmt. Der nach dem Zentrifugieren in der Erythrocytensäule verbleibende Plasmarest beträgt etwa 1–4%. Eine weitere Meth. zur H.-Bestimmung[1] ist die Messung der elektr. Leitfähigkeit des Plasmas in einer Vollblutprobe. Die Normalwerte betragen bei Frauen 35–47, bei Männern 40–52 Vol.-%. – *E* hematocrit – *F* hématocrite – *I* ematocrito – *S* hematócrito
Lit.: [1] DIN 12846 (11/1978).

Hämatologie. Lehre vom *Blut u. den Blutkrankheiten. Als Teilgebiet der Inneren Medizin befaßt sich die H. mit der Erforschung u. Behandlung von Erkrankungen des Blutes u. des blutbildenden Systems. – *E* hematology – *F* hématologie – *I* ematologia – *S* hematología

Hämatopan®. Dragée mit Eisen(II)-sulfat als Antianämikum. H. f zusätzlich mit *Folsäure. *B.:* Wolff.

Hämatopoese (Hämopoese, Blutbildung). Von *Häm... u. griech.: poiein = bilden abgeleitete Bez. für die Bildung der Blutzellen in Knochenmark, Milz u. Lymphknoten. Wegen der begrenzten Lebensspanne der Blutzellen (*Erythrocyten: beim Menschen ca. 120 Tage, *Leukocyten: 1–2 Tage) findet die H. während des gesamten Lebens statt. Normale tägliche Bildungsraten beim Erwachsenen: 250 Mrd. Erythrocyten, 15 Mrd. Leukocyten. Die Bildung der roten Blutkörperchen (Erythrocyten) bezeichnet man als *Erythropoese*. Die im Knochenmark stattfindende Erythropoese wird durch Sauerstoff-Mangel im Blut gesteigert u. hormonell durch das in der Niere gebildete *Erythropoietin gesteuert. Für die *Leukocyten-Bildung (*Leukopoese*), die im Knochenmark bzw. in Milz u. Lymphknoten stattfindet, sind andere *hämatopoetische Wachstumsfaktoren zuständig (vgl. dort u. Kolonie stimulierende Faktoren), die Bildung der Blutplättchen wird *Thrombopoese* genannt u. ist ebenfalls im Knochenmark lokalisiert. – *E* h(a)em(at)opoiesis – *F* hématopoïèse – *I* ematopoiesi – *S* hematopoyesis, hemopoyesis
Lit.: Begemann u. Rastetter, Klinische Hämatologie, Stuttgart: Thieme 1992.

Häm(at)opoetische Wachstumsfaktoren [häm(at)opoet. Hormone, Häm(at)opoietine]. Hormonartige Faktoren (*Wachstumsfaktoren, *Cytokine), die die Bildung der zellulären Bestandteile des Bluts (*Hämatopoese), deren Wachstum u. Differenzierung anregen, wie z.B. die *Kolonie-stimulierenden Faktoren, *Erythropoietin (früher Hämopoietin genannt), *Thrombopoietin u. der Stammzellenfaktor[1]. Die h. W. heften sich auf der Oberfläche ihrer Zielzellen an Membran-ständige *Rezeptoren[2], die daraufhin oligomerisieren u. mit *Protein-Kinasen der *Jak-Familie u. STAT-*Transkriptionsfaktoren assoziieren. Letztere werden phosphoryliert u. aktivieren im Zellkern die *Transkription bestimmter Antwort-*Gene. – *E*

h(a)em(at)opoietic growth factors – *F* facteurs de croissance hématopoïétiques – *I* fattori di crescita ematopoietici – *S* factores de crecimiento hematopoyéticos
Lit.: [1] Acta Haematol. **95**, 257–262 (1996). [2] Annu. Rev. Biochem. **65**, 609–634 (1996).
allg.: Curr. Biol. **3**, 573–581 (1993) ▪ Mertelsmann u. Herrmann, Hematopoietic Growth Factors in Clinical Applications, 2. Aufl., New York: Dekker 1994.

Hämatoporphyrin.

$C_{34}H_{38}N_4O_6$, M_R 598,70. Zerlegt man *Hämoglobin in *Häm u. *Globin, so entsteht bei vorsichtiger Abspaltung des Eisens nicht das natürliche *Protoporphyrin IX, sondern H., das sich von Protoporphyrin dadurch unterscheidet, daß die beiden Vinyl-Gruppen ($-CH=CH_2$) infolge Anlagerung von Wasser in 1-Hydroxyethyl-Reste ($-CHOH-CH_3$) übergegangen sind. H. bildet rote, längliche Blättchen, Schmp. über 300 °C (Zers.). In der *Photochemie wirkt H. als *Sensibilisator*; in der Medizin findet es als Zusatz in Tonika u. blutbildenden Präp. sowie bei Depressionen Verw., in der Chirurgie als Fluoreszenz-Indikator für Krebsgewebe. – *E* h(a)ematoporphyrin – *F* hématoporphyrine – *I* ematoporfirina – *S* hematoporfirina
Lit.: Beilstein E V **26/15**, 396 f. – *[HS 2933 90; CAS 14459-29-1]*

Hämatoxylin (Hydroxybrasilin, C. I. Natural black 1, C. I. 75290).

Hämatoxylin [(+)-Form]   Hämatein

$C_{16}H_{14}O_6 \cdot 3H_2O$, M_R 302,28, Trihydrat: Farblose bis gelbliche Krist., Schmp. 210–212 °C, $[\alpha]_D$ +0,9 (H_2O), die sich in kaltem Wasser schwer, in heißem Wasser, Alkohol u. Ether leicht lösen. Im Licht färben sie sich (auch bei Luftabschluß) ohne Änderung ihrer chem. Zusammensetzung rot, in Alkalien lösen sie sich mit purpurroter Farbe; die Lsg. wird an der Luft rasch blauviolett. Luftsauerstoff oxidiert das H. zum eigentlichen Farbstoff [*Hämatein*, $C_{16}H_{12}O_6$, M_R 300,26, Schmp. 250 °C (Zers.)], wobei 2 H-Atome unter Bildung von Wasser abgespalten werden. Hämatein bildet braunrote, dunkelgrün metall. glänzende Krist., die in kaltem Wasser fast nicht, in heißem Wasser, Alkohol u. Ether schwer lösl. sind. H. ist im lebenden *Blauholz in Form eines Glykosids enthalten.

Verw.: Früher zur Färbung von Naturfasern, Papier u. Leder, heute nur noch zur Färbung histolog. Präparate. H. ist als Indikator im pH-Bereich 5,0 (gelb) – 6,4 (violett) u. zur kolorimetr. Bestimmung von Aluminium in Böden geeignet [1]. – *E* hematoxylin – *F* hématoxyline – *I* ematoxilina – *S* hematoxilina
Lit.: [1] Plant Soil **36**, 223 (1972).
allg.: Beilstein E V **17/8**, 469 f. ■ Hager (5.) 1, 527 ff. ■ Romeis, Mikroskopische Technik, München: Oldenbourg 1968 ■ Schweppe, S. 413, 416 ff. – *[HS 320300; CAS 1621-46-1 ((±)-H.); 517-28-2 ((+)-H.); 475-25-2 (Hämatein)]*

Hämerythrin. Eisen-haltiger Blutfarbstoff verschiedener Meereswürmer (Sipunculus, Phascosoma) u. der bis ins Silur (ca. 400 Mio. Jahre) zurückreichenden Gattung *Lingula* der Brachiopoden (Armfüßer), die auch in den heutigen Meeren vorkommt. H. ist ein *Nichthäm*-*Eisenprotein (M_R 108 000) aus 8 Untereinheiten mit je 2 direkt an das Protein gebundenen Fe(II)-Ionen. Jede Untereinheit (M_R 13 500) besteht aus 113 Aminosäure-Resten u. vermag 1 Mol. O_2 zu binden. H. selbst ist farblos, während die oxidierte Form, das *Oxyhämerythrin*, rotviolette Krist. bildet. H. enthält etwa 3mal so viel Eisen wie *Hämoglobin. – *E* hemerythrin – *F* hémérythrine – *I* emeritrina – *S* hemeritrina
Lit.: Eckert, Tierphysiologie, 2. Aufl., Stuttgart: Thieme 1993.

Hämiglobin s. Methämoglobin.

Hämin (Chlorhämin, Ferrihämchlorid, Teichmannsche Krist.). $C_{34}H_{32}ClFeN_4O_4$, M_R 651,95, s. Abb. bei Häm (R^1 = Cl⁻, R^2 unbesetzt). Längliche, dünne Plättchen od. charakterist. abgeschrägte Prismen, die in Durchsicht braun, bei Auflicht stahlblau glänzend erscheinen, in Wasser u. verd. Säuren unlösl., in starken organ. Basen lösl. sind u. in Natronlauge sowie Ammoniak-Wasser in *Hämatin übergehen. H. ist das Chlorid, Hämatin das Hydroxid des sog. *Ferrihäms*, das entsteht, wenn das zweiwertige Eisen des *Häms zur dreiwertigen Stufe oxidiert wird. H. entsteht aus *Hämoglobin beim Teichmann-Test mit Kochsalz u. Eisessig zum Nachw. von Blutspuren. Ein grünes Derivat des H. ist das *Hämin a* od. *Cytohämin. – *E* h(a)emin – *F* hémine – *I* emina – *S* hemina
Lit.: Beilstein E V **26/15**, 285 f. – *[HS 293490; CAS 16009-13-5]*

Hämiton® (Rp). Ampullen u. Tabl. mit dem Antihypertonikum *Clonidin-Hydrochlorid. *B.:* AWM.

Haemocomplettan HS® (Rp). Trockensubstanz zur Infusion mit gerinnungsfähigem Fibrinogen. *B.:* Centeon Pharma.

Hämocuprein s. Superoxid-Dismutasen.

Hämocyanin. Blutfarbstoff vieler niederer Tiere (wie z. B. Tintenfische, Schnecken, Krebse, Muscheln), der die gleiche Aufgabe wie das *Hämoglobin der höheren Tiere hat. H. ist Eisen-frei u. enthält dafür Kupfer (vgl. Kupferproteine). Es ist als Sauerstoff-Verb. mit zweiwertigem Cu blau gefärbt, Sauerstoff-frei (mit einwertigem Kupfer) dagegen farblos. H. ist im Blut frei gelöst u. nicht an Blutkörperchen gebunden. Man erhält es durch Aussalzen des Blutes mit Ammoniumsulfat u. anschließende Dialyse. Die M_R von H. wurden beim Hummer zu 770 000, bei Seepolypen zu 2 780 000, bei der Weinbergschnecke zu 6,7 Mio. bestimmt, womit es eines der größten natürlich vorkommenden Mol. ist. Man kann das Cu aus Schnecken-H. durch einen Cyanid-Puffer bei einem pH-Wert von 8,4 in Ggw. von Ca-Ionen entfernen u. nachher wieder zuführen, wobei das Bindungsvermögen gegenüber O_2 wiederkehrt. – *E* hemocyanin – *F* hémocyanine – *I* emocianina – *S* hemocianina
Lit.: Eckert, Tierphysiologie, 2. Aufl., Stuttgart: Thieme 1993.

Hämodiafiltration s. Hämoperfusion.

Hämodialyse. Blutreinigungsverf. zur Elimination von Stoffwechselendprodukten, insbes. der normalerweise mit dem Harn ausgeschiedenen Substanzen u. Wasser aus dem Organismus nach dem Prinzip der *Dialyse. Angewandt wird die H. v. a. bei Menschen mit schwer gestörter od. fehlender Nierenfunktion. Über eine Gefäßpunktionsnadel wird das Blut des Patienten mit Hilfe von Blutpumpen in ein extrakorporales Dialysegerät (sog. künstliche Niere) geleitet. Dort fließen Blut u. Waschlsg. (Dialysat) in zwei, durch eine ca. 10 – 15 µm dicke semipermeable Membran voneinander getrennte, Kompartimenten, meist im Gegenstromprinzip, aneinander vorbei. Dabei werden die Stoffe entsprechend dem Konz.-Gefälle ausgetauscht. Blutfluß, Zusammensetzung, Temp. u. Durchflußmenge des Dialysats werden durch spezielle Regelsyst. kontrolliert. Im Fall einer dialysepflichtigen Nierenfunktionsstörung wird die H. als Langzeitbehandlung in Kliniken, in speziellen Dialysezentren od. auch zu Hause (Heimdialyse) durchgeführt. Eine bes. Form der Dialysebehandlung stellt die Peritonealdialyse dar, bei der ohne extrakorporales Verf. etwa 2 L des sterilen Dialysates über einen Katheter in die Bauchhöhle eingeführt werden. Der Stoffaustausch erfolgt über das gut durchblutete Bauchfell (Peritoneum). Wiederholtes Wechseln des Dialysates gewährleistet ein angemessen hohes Konz.-Gefälle. – *E* hemodialysis – *F* hémodialyse – *I* emodialisi – *S* hemodiálisis
Lit.: Franz, Blutreinigungsverfahren, Stuttgart: Thieme 1996.

Haemo-Exhirud S®. Salbe u. Suppositorien mit Extrakt aus Blutegeln (standardisiert auf *Hirudin), *Allantoin u. *Polidocanol zur Behandlung von Hämorrhoiden. *B.:* Sanofi Winthrop.

Hämoglobin (Kurzz.: Hb). Hb ist der rote *Blutfarbstoff* der Wirbeltiere, der in den *Erythrocyten (roten Blutkörperchen) des *Blutes enthalten ist u. 95% ihrer Trockenmasse ausmacht. Hb wird während der *Erythropoese* genannten Entstehung dieser Zellen in den Blutbildungszentren des Körpers (beim erwachsenen Menschen im Knochenmark) synthetisiert. Der Hb-Gehalt der Erythrocyten ist im erwachsenen Organismus eine Konstante, die auch im Tierreich weitgehend gültig ist: ca. 31 pg pro Zelle. Die Konz. an Hb beträgt bei erwachsenen Frauen ca. 140 g/L Vollblut gegenüber etwa 160 g/L beim Mann. Demnach stehen dem Körper bei 5 – 6 L Blut ca. 700 – 900 g Hb zur Verfügung. Da Hb 0,35% Eisen sind, ca. 3 g od. 70% des Gesamtkörper-Eisens darin gebunden. *Struktur:* Chem. ist Hb ein tetrameres *Eisen-Protein, dessen Monomere aus je einer *Globin-Kette mit einem Mol. *Häm als *prosthetischer Gruppe bestehen.

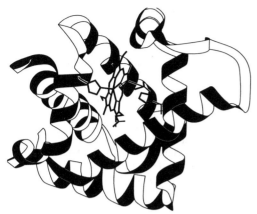

Abb.: Schemat. Aufbau eines Hb-Monomers mit der α-Globin-Kette in charakterist. Faltung u. mit der Häm-Gruppe in koordinativer Bindung an die Histidin-Reste 58 u. 87. Die Polypeptid-Kette ist durch ein Band dargestellt.

Untereinander sind die 4 Monomeren durch *zwischenmolekulare Kräfte verbunden u. bilden ein globuläres Makromol. mit M_R 64 500 u. einem Durchmesser von ca. 5–6 nm. Die 4 Häm-Einheiten liegen in „Taschen" nahe der Oberfläche des Moleküls. Je zwei Globin-Untereinheiten eines Tetrameren sind einander gleich: Beim erwachsenen Menschen tritt in der Hauptsache (zu 96,5–98,5%) das Hb A_1 auf, das aus 2 α-Ketten mit je 141 u. 2 β-Ketten mit je 146 Aminosäure-Resten gebildet wird u. somit durch die Stöchiometrie $\alpha_2\beta_2$ beschrieben werden kann. Daneben kommen noch 1,5–3,5% Hb A_2 vor, das δ- statt β-Globin enthält ($\alpha_2\delta_2$). Der Embryo synthetisiert kurz nach der Konzeption das embryonale Hb mit der Zusammensetzung $\xi_2\varepsilon_2$, im Fötalstadium findet sich HbF = $\alpha_2\gamma_2$ (vgl. Globine). Diese Hb besitzen erhöhte Sauerstoff-Affinität, so daß Sauerstoff aus dem mütterlichen Blut in den embryonalen bzw. fötalen Kreislauf abgegeben wird. Neben diesen Normal-Hb kennt man heute über 600 abnorme Hb, die durch Mutationen entstanden sind u. z. T. zu schweren *Anämien führen wie *Sichelzellenanämie, bei der der Austausch nur eines Aminosäure-Restes in der β-Kette zur Schwerlöslichkeit des Hb führt. Bei *Thalassämie ist die Biosynth. der α- od. β-Ketten gestört. Daß eine relativ große Varianz in der Globin-Struktur eines funktionierenden Hb im Prinzip möglich ist, zeigen die Untersuchungen der Hb verschiedener Tier-Arten, unter denen die Aminosäure-Sequenzen z. T. nur noch in wenigen Positionen übereinstimmen. Einander nahestehende Arten zeigen jedoch keine sequenziellen Verschiedenheiten ihrer Hb, so z. B. Mensch, Schimpanse u. Gorilla.

Vork.: Hb kommt außer in Wirbeltieren auch in anderen Organismen vor, wenn auch nicht immer an Erythrocyten gebunden, so z. B. in Insekten u. in den Wurzelknöllchen Stickstoff-bindender Schmetterlingsblütler (*Leghämoglobin); es wurden jedoch auch Hb-Gene in nicht-knöllchenbildenden Pflanzen gefunden. Das dem Hb sehr ähnliche *Erythrocruorin* (früher Insekten-H. genannt) kommt bei Schnecken u. Würmern sowie in manchen Insektenlarven als hochmol. (M_R 3 Mio., ca. 160 Untereinheiten) extra-

zelluläres, d. h. frei in der Blut-Flüssigkeit befindliches Atmungspigment vor, bei Seewalzen, Borstenwürmern, Muscheln, primitiven Wirbeltieren (Neunauge) aber auch relativ niedermol. (M_R 16 700 – 56 500), wie Myoglobin monomer u. zellgebunden.

Nachw.: Der Nachw. von Hb erfolgt durch den *Teichmann-Test*, bei dem man Blut vorsichtig mit Kochsalz u. Eisessig erwärmt, wobei sich *Hämin (Teichmannsche Krist.)* abscheidet, od. photometr. nach Überführung in Methämoglobin-Cyanid. Im Gegensatz zum Globin ist Häm (bzw. sein Oxid.-Produkt Hämin) eine sehr stabile Verb.: Man konnte z. B. mit dem Teichmann-Test aus mehrere hundert Jahre altem Blut Hämin-Krist. gewinnen. Allerdings gelang dies bei Mumien- u. Mammut-Blut nicht mehr. Zum Nachw. des Hb-Eisens muß ein Hb-Präp. erst völlig verascht u. mit Säure aufgenommen werden.

Biolog. Funktion: Die Hauptaufgabe des Hb (weitere Funktionen s. *Lit.*[1]) besteht in der Aufnahme des eingeatmeten Sauerstoffs in der Lunge u. dessen Transport zu den Muskeln (wo das *Myoglobin den Weitertransport übernimmt) u. zu anderen atmenden Geweben. Außerdem wird ein großer Teil (ca. 60%) des Kohlendioxids, das als Stoffwechsel-Endprodukt im peripheren Gewebe entsteht, durch Bindung an das Hb des Blutes zur Lunge geführt u. dort ausgeschieden. Das Kohlendioxid reagiert dabei mit den terminalen Amino-Gruppen der Globin-Ketten zum Carbamat. Die Bindung des Sauerstoffs findet an einer der Koordinations-Stellen des Eisens statt, die über bzw. unter der Ebene des Häm-Mol. liegen. Das Tetramer kann insgesamt 4 Sauerstoff-Mol. binden. Die Aufnahme eines Mol. Sauerstoff in den Verband eines Hb-Mol. bewirkt eine Konformations-Änderung des Makromol. (*Allosterie), die sich durch Kontakt-Wechselwirkungen von einer Untereinheit auf die andere fortpflanzt, so daß sich die folgenden Sauerstoff-Mol. leichter mit dem betreffenden Hb-Mol. verbinden können. Dieser Effekt wird als *Kooperativität bezeichnet; Näheres dazu s. *Lit.*[2]. Bei der Sauerstoff-Aufnahme wechselt die Farbe des Blutes von Purpurrot (venöses Blut) zu hellem Scharlachrot (arterielles Blut). Das mit Sauerstoff beladene Hb wird als *Oxyhämoglobin* (HbO$_2$) bezeichnet. Die theoret. Gesamt-Bindungskapazität des Hb für Sauerstoff in den 5–6 L Blut des Erwachsenen, die jedoch im allg. nur zu 25% ausgenutzt wird, liegt bei 1100–1400 mL; in der gleichen Menge Wasser lösen sich (bei 20 °C) dagegen nur 150–180 mL Sauerstoff. Das Eisen im Oxyhämoglobin bleibt bei der koordinativen Bindung des Sauerstoffs unverändert in der Oxid.-Stufe 2. Dies steht im Gegensatz zu den Verhältnissen im freien Häm, das durch Sauerstoff leicht oxidiert wird, u. ist als spezif. Effekt des Globins anzusehen. Das im Plasma vorhandene *Haptoglobin kann durch spezif. Bindung an Hb dieses aus dem Kreislauf entfernen.

Hb ist für seine Transportfunktion gerade durch die leichte Aufnahme u. Abgabe des Sauerstoffs geeignet. Diese Reaktionen sind vom jeweiligen Partialdruck (von der jeweiligen Konz.) des Sauerstoffs abhängig. In der an Sauerstoff reichen Umgebung der Lunge wird dieser aufgenommen u. in der Sauerstoff-ärmeren Umgebung der peripheren Gewebe wieder abgegeben.

Auslösend für die Sauerstoff-Abgabe wirkt auch die Anwesenheit von Kohlendioxid u. Milchsäure (niedriger pH-Wert) im Blut (sog. *Bohr-Effekt), was heute ebenfalls durch alloster. Mechanismen erklärt wird. Ein weiterer Regulator des Hb ist 2,3-Bisphosphoglycerat, das dessen Sauerstoff-Affinität herabsetzt, indem es die Sauerstoff-freie Form („Desoxy-Hb") stabilisiert. Die Sauerstoff-Reserven des Menschen sind nicht groß; nach einem Herzstillstand (z. B. bei Unfall) enthält die Lunge noch Sauerstoff für 100 s, das Blut für 140 s, u. das Gehirn bleibt noch weitere 180 s ohne Blutzirkulation funktionsfähig, ehe es irreversible Schädigungen erleidet. In neuerer Zeit wurde gefunden, daß Hb neben Sauerstoff auch Stickstoffmonoxid (NO, s. Stickstoffoxide), gebunden an Cystein-Reste, transportiert u. so zur Konstanthaltung des Blutdrucks beiträgt[3]; bei Reaktion mit der Oxyhäm-Gruppierung wird NO allerdings zerstört; vgl. a. unten zur Reaktion mit Hb. Mit *Antikörpern lassen sich durch *Glykation entstandene Alterungsprodukte (AGEs) des Hb nachweisen (normal: 0,42%, bei Diabetes mit erhöhtem Blutzucker: 0,75% des gesamten Hb)[4].

Blutgifte: Durch verschiedene Oxid.-Mittel – im Organismus wird Hb normalerweise durch die Wirkung der Glutathion-Peroxidase (s. Glutathion) geschützt – kann Hb leicht in *Methämoglobin (Hämiglobin, Ferrihämoglobin), das Eisen(III) enthält u. als Sauerstoff-Überträger ungeeignet ist, überführt werden.

Wird mit dem Luftsauerstoff *Kohlenmonoxid* (CO) eingeatmet, so verbindet sich dieses ähnlich wie das Sauerstoff-Mol. reversibel mit Hb; da jedoch die Affinität des Kohlenoxids zu Hb 325mal größer ist als die des Sauerstoffs, so wird dieser schon bei geringen Kohlenmonoxid-Konz. allmählich verdrängt, u. es tritt Erstickung der Gewebe infolge Sauerstoff-Mangels ein. Schüttelt man z. B. Blut mit Luft, die nur 0,1% Kohlenoxid enthält, so werden schon 42% des Hb in Kohlenmonoxidhämoglobin (*Carbonylhämoglobin, HbCO*) überführt. Beim Menschen tritt der Tod ein, wenn 60–70% des Hb infolge Bindung von Kohlenmonoxid für die Sauerstoff-Versorgung ausfallen. Enthält die Atemluft 0,01% Kohlenmonoxid, so kann die Leistungsfähigkeit (z. B. Fahrtüchtigkeit) beeinträchtigt werden; 0,4% Kohlenmonoxid wirken innerhalb 1 h tödlich. Die Behandlung der Kohlenmonoxid-Vergiftung besteht in einer längeren künstlichen Beatmung mit frischer Luft od. am besten mit reinem Sauerstoff; hierbei wird das Kohlenmonoxid allmählich wieder durch Sauerstoff verdrängt, u. zwar um so schneller, je höher der Partialdruck des Sauerstoffs ist. Bei der Einnahme von *Nitrit* (s. Natriumnitrit) kann sich als Zers.-Produkt des Nitrits Stickstoffoxid (NO) bilden, das mit Hb das für den Sauerstoff-Transport ungeeignete Stickstoffoxidhämoglobin (HbNO) ergibt; außerdem bewirkt Nitrit Oxid. zu Methämoglobin u. einen starken Blutdruck-Abfall (letzteres wahrscheinlich durch Bildung von Stickstoffoxid).

Dagegen beruht die Toxizität der *Blausäure u. der *Cyanide *nicht* auf einer Reaktion mit Hb, sondern auf einer Blockierung der *Cytochrom-c-Oxidase innerhalb der *Atmungskette. Unabhängig von der Wirkungsweise – ob durch Methämoglobin-Bildung, Blockierung aktiver Stellen od. durch *Hämolyse – bezeichnet man Kohlenmonoxid, Stickstoffoxid, aromat. Amine, Nitrite, Chlorate u. a. tox. Stoffe als *Blutgifte* u. *Hämotoxine*.

Abbau u. Neusynth.: Da ein Erythrocyt im Durchschnitt 120 d alt wird u. der Blutkreislauf des Erwachsenen 25–30 Billionen der roten Blutkörperchen enthält, sind Tag für Tag Mrd. von Erythrocyten in Neubildung u. Abbau begriffen. Das aus den zerfallenden Erythrocyten ausgetretene Hb wird in den Zellen des *retikulo-endothelialen Systems abgebaut. Dabei entsteht unter oxidativer Aufspaltung des Porphyrin-Ringes im Häm-Mol. (wobei ungünstigerweise auch Kohlenmonoxid frei wird) über *Verdoglobin* (das z. B. auch bei *Gangrän auftritt u. deren braunschwarze Farbe bedingt) u. *Biliverdin der *Gallenfarbstoff *Bilirubin; durch weiteren Abbau bilden sich die *Fäkalpigmente. Das freigesetzte Eisen wird zum geringeren Teil aus dem Körper ausgeschieden (ca. 7 mg/24 h), zum größeren Teil jedoch wird es – ergänzt durch Eisen aus der täglichen Nahrung, z. B. aus Brot, Gemüse u. Fleisch (bes. Leber) – über die Milz erneut in den Kreislauf zurückgebracht. Die Menge des während der *Hämatopoese im Knochenmark des Erwachsenen neugebildeten Hb liegt bei normalem Eisen-Stoffwechsel zwischen 3 u. 6 g/d.

Geschichte: Die heute als Teichmann-Test bezeichnete Spaltung des Hb in Globin u. den rotgefärbten Rest (Hämin) führte Teichmann (1823–1895, Professor für Anatomie, Krakau) bereits 1853 durch. Die erste Reinherst. von Häm aus Blut gelang *Hoppe-Seyler 1862. Von Häm u. verwandten Verb. wurde 1912 von Küster die Struktur-Formel aufgestellt. 1925 gelang es Adair, die Sauerstoff-Bindung des Hb durch ein kooperatives Modell zu erklären. Hans *Fischer konnte die Verwandtschaft von Hämin u. *Chlorophyll durch Abbau zu *Etioporphyrin III zeigen u. 1928 u. a. Hämin synthetisieren; diese Arbeit wurde aufgrund ihrer allg. Bedeutung 1930 mit dem Nobelpreis ausgezeichnet. Braunitzer u. Mitarbeiter ermittelten 1961 die Aminosäure-Sequenz der Polypeptid-Ketten des Globins, u. *Pauling u. Mitarbeiter fanden 1960, daß zwischen Hb vom Menschen, Gorilla u. Schimpansen keine Unterschiede bestehen. *Perutz u. Mitarbeiter ermittelten durch Röntgenstrukturanalyse die Raumstruktur des Hb, u. Perutz erhielt für diese Arbeiten 1962 den Nobelpreis für Chemie zusammen mit *Kendrew, der ähnliche Untersuchungen über das eng verwandte Myoglobin ausführte. – *E* h(a)emoglobin – *F* hémoglobine – *I* emoglobina – *S* hemoglobina

Lit.: [1]Crit. Rev. Biochem. Mol. Biol. **30**, 165–196 (1995). [2]FASEB J. **9**, 210–218 (1995). [3]Nature (London) **380**, 221–226 (1996). [4]Science **258**, 651 ff. (1992). *allg.:* Everse et al., Hemoglobins, Pt. B: Biochemical and Analytical Methods, Pt. C: Biophysical Methods, San Diego: Academic Press 1994 ■ Stryer, 1996, S. 155–190. – *[HS 3002 10]*

Hämolin (Protein P4). Ein *Glykoprotein (M_R 48 000) der *Immunglobulin-Superfamilie aus der Hämolymphe von Insekten, eine Komponente des bis jetzt wenig erforschten *Immunsystems der Insekten. H. wird als Antwort auf bakterielle Infektionen erzeugt, haftet an Bakterienoberflächen u. bildet in Anwesenheit von bakteriellem *Lipopolysaccharid (LPS) stabile Komplexe mit anderen Hämolymph-Proteinen. Die Insek-

ten-eigenen Hämocyten werden durch H. an der Aggregation gehindert u. zur *Phagocytose angeregt. Letztere Aktivität wird durch LPS verstärkt. Die Transduktion des H.-Signals in Hämocyten erfolgt offenbar unter Beteiligung sowohl von *Protein-Kinase C als auch von Protein-Tyrosin-*Phosphorylierung. – *E* hemolin – *F* hémoline – *I* emolina – *S* hemolina
Lit.: Cell Immunol. **169**, 47–54 (1996) ▪ Develop. Comp. Immunol. **17**, 195–200 (1993) ▪ Eur. J. Biochem. **230**, 920–925 (1995) ▪ Science **250**, 1729–1732 (1990). – *[CAS 134193-03-6]*

Hämolymphe s. Insekten.

Hämolyse. Irreversible Schädigung (*Cytolyse) von *Erythrocyten durch Zerstörung ihrer Zell-*Membran u. Austritt des *Hämoglobins. Die H. kann durch mechan., osmot., chem. od. serolog. Einwirkung zustande kommen. Osmot. H. läßt sich experimentell durch Einbringen von Blut in dest. Wasser od. hypoton. Salzlsg. demonstrieren. Dabei dringt Wasser durch die Erythrocyten-Membran ein u. dehnt sie so stark, daß sie schließlich zerreißt u. der rote Blutfarbstoff austritt. Macht man durch Zugabe von Salzen u. Temp.-Erhöhung auf 37 °C aus der hypoton. eine *isotonische Lösung, so schließen sich die Löcher in der Membran wieder. Dabei erhält man fast Hämoglobin-freie sog. *Geisterzellen*, die z. B. zum Einschluß von Enzymen od. Pharmaka befähigt sind.
Ether u. Chloroform lösen die *Lipide der Membran, gallensaure Salze (Cholate) lösen offenbar das *Cholesterin aus ihr heraus, u. Saponine verursachen eine Fällung desselben. *Lecithine u. *Kephaline werden durch *Schlangen- u. *Bienengift unter Abspaltung von Fettsäuren in sog. *Lysolecithine bzw. Lysokephaline überführt, die ebenfalls H. verursachen. Auch manche *Blutgifte* (*Hämotoxine*) wie Anilin, Kaliumchlorat, Phosgen, Kaliumcyanid, Arsenwasserstoff u. a. Substanzen wirken hämolysierend, wie auch die als *Hämolysine* bezeichneten Stoffe bestimmter Bakterien-Arten (z. B. Staphylokokken[1]) od. Nesselpflanzen u. -tiere (z. B. See-Anemonen). Ebenfalls als Hämolysine bezeichnet man *Antikörper, die gegen Bestandteile der Zellwand gerichtet sind u. die bei einer serolog. H. über eine *Antigen-Antikörper-Reaktion unter Beteiligung weiterer Plasma-Faktoren (*Komplement, vgl. a. Immunsystem) zu H. führen. Diese Erscheinung dient in Form des hämolyt. *Plaque-Tests (nach Jerne) zum labormäßigen Nachw. von Anti-Erythrocyten-Antikörper-bildenden Plasmazellen, um die herum Höfe hämolysierter Erythrocyten entstehen. Je nachdem, ob die Hämolysine für artfremde, arteigene od. körpereigene Erythrocyten-Antigene spezif. sind, spricht man auch von Heterolysinen, Isolysinen bzw. Autolysinen. – *E* h(a)emolysis – *F* hémolyse – *I* emolisi – *S* hemólisis
Lit.: [1] Science **274**, 1859–1866 (1996).

Hämolysine s. Hämolyse.

Hämolytischer Plaque-Test s. Plaque-Test.

Hämonectin. Protein mit M_R 60 000 aus der *extrazellulären Matrix des Knochenmarks, das spezif. die Adhäsion von unreifen Granulocyten (s. Leukocyten) an diese bewirkt. Es besteht Sequenz-Ähnlichkeit zu

*Fetuin. – *E* h(a)emonectin – *F* hémonectine – *I* emonectina – *S* hemonectina
Lit.: Eur. J. Biochem. **213**, 523–528 (1993).

Hämoperfusion (Hämodiafiltration, von *Häm u. latein.: perfundere = übergießen, durchströmen). Bez. für eine der *Dialyse ähnliche Meth. zur Eliminierung von Giftstoffen aus dem Blut. Dieses wird dabei in einem extrakorporalen Kreislauf durch Aktivkohle, Ionenaustauscher u. dgl. gepumpt. Dabei werden Gase u. gelöste Substanzen an der Oberfläche der Feststoffe gebunden. – *E* hemoperfusion – *F* hémoperfusion – *I* emoperfusione – *S* hemoperfusión
Lit.: Franz, Blutreinigungsverfahren, Stuttgart: Thieme 1996.

Hämophilie (griech.: haimo = Blut u. *...phil). Bluterkrankheit, X-chromosomal-rezessiv vererbbare u. daher fast ausschließlich bei Männern auftretende Störung der *Blutgerinnung durch Mangel an bestimmten plasmat. Gerinnungsfaktoren. Bei der H. A beruht die Blutungsneigung auf einem Mangel an Faktor VIII, bei der H. B auf einem Mangel an Faktor IX. Es kann dabei entweder die Synth. des Faktor-Proteins vermindert sein od. es wird ein defektes Mol. mit herabgesetzter Aktivität gebildet. Die H. kann in unterschiedlichen Schweregraden auftreten u. führt bei schweren Formen schon in der Kindheit zu Blutungen nach leichten Verletzungen v. a. in die Gelenke, Muskeln, den Darm u. die Blase. Die Behandlung erfolgt durch Ersatz des fehlenden Gerinnungsfaktors durch Faktorenkonzentrate aus Blutkonserven (s. a. Antihämophiler Faktor). – *E* hemophilia – *F* hémophilie – *I* emofilia – *S* hemofilia
Lit.: Hilgartner u. Pochedly, Hemophilia in the Child and Adult, New York: Raven Press 1989 ▪ Pediatr. Rev. **16**, 290–298 (1995).

Hämopoietine s. hämatopoetische Wachstumsfaktoren.

Hämoprotect®. Antianämikum mit Eisen(II)-sulfat (Kapseln). *B.:* Brenner-Efeka.

Hämoproteine s. Häm-Proteine.

Hämorrhoiden (griech.: haimorrhoidos = Blutfluß). Knotenförmige Erweiterungen der die Schleimhaut am Darmausgang versorgenden Arterien. H. treten in unterschiedlichen Schweregraden von der äußerlich nicht sichtbaren Vorwölbung bis zum nach außen vorfallenden Knoten auf u. führen zu Darmblutungen, Juckreiz u. Schmerzen. Zur Behandlung werden die Verödung der betroffenen Gefäße od. die chirurg. Entfernung vorgenommen. Die lokale Applikation von *Hämorrhoidenmitteln, wie entzündungshemmende Salben od. Suppositorien, mildern die Symptome der Hämorrhoiden. Außerdem ist eine ballaststoffreiche Ernährung mit ausreichender Flüssigkeitszufuhr sinnvoll. – *E* hemorrhoids, piles – *F* hémorroïdes – *I* emorroidi – *S* hemorroides

Hämorrhoiden-Mittel. Präp. gegen krampfartige Erweiterungen von Arterien im Afterkanal, die nur symptomat. wirken u. in der Regel äußerlich verabreicht werden. Neben diätet. Maßnahmen u. vermehrter Bewegung kommen Stoffe der folgenden Wirkgruppen zum Einsatz: *Adstringentien (Gerbstoffe, Aluminium-Verb. u. a.), *Antiphlogistika (*Kamille, Glucocorticoide u. a.), *Antiseptika (*Chlorcarvacrol, *Pe-rubalsam u. a.), *Anaesthetika (*Polidocanol u. a.), *Antikoagulantien (*Heparin-Derivate), *Lokalan-aesthetika (*Benzocain u. a.), *Rutin u. *Kastanien-Extrakte zur Kapillarabdichtung u. v. a. mehr, oft von sehr zweifelhafter Wirksamkeit. Die Gefahr allerg. Ne-benwirkungen ist bes. bei der Verw. von Naturstoffex-trakten sehr ausgeprägt. – *E* hemorrhoid cures – *F* pro-duits antihémorroïdal – *I* farmaci contro le emorroidi – *S* antihemorroidales

Lit.: Hamacher u. Bornkessel, Selbstmedikation, Bd. 4, S. 37–46, Stuttgart: Wiss. Verlagsges. 1996 ▪ Helwig-Otto I/15–13 f. ▪ Kurz et al., Venen- u. Hämorrhoidalmittel, Stutt-gart: Wiss. Verlagsges. 1987.

Hämosiderin. Heterogenes unlösl. Eisen-Speicher-Pigment mit ähnlicher Funktion wie *Ferritin, dessen Abbauprodukt es ist. Bildet bei Eisen-Überschuß gelbe bis braunrote Körnchen im Innern der Zellen von Le-ber, Milz u. Knochenmark; gibt Berliner-Blau-Reak-tion auf Eisen, Protein-Reaktionen u. pos. Periodsäure-Schiff-Reaktion; trotz des Namens *kein* *Häm-Protein. Enthält u. a. 37% Eisen, 9% Stickstoff, 1,6% Phosphor u. 1% Schwefel. – *E* h(a)emosiderin – *F* hémosidérine – *I* emosiderina – *S* hemosiderina

Lit.: Electron Microsc. Rev. **5**, 209–229 (1992). – *[CAS 9011-92-1]*

Hämostase (*Häm u. *...stase, Blutstillung). Gegen-regulation des Organismus bei Blutungen durch hä-modynam. Mechanismen (Gefäßverengung) u. durch biochem. Vorgänge (*Blutgerinnung). Künstlich kann eine H. durch *Hämostyptika herbeigeführt werden. – *E = S* hemostasis – *F* hémostase – *I* emostasi

Hämostyptika. Stoffe, die Blutungen zum Stillstand bringen. Der Begriff H. wird fast ausschließlich für äußerlich u. lokal angewendete Mittel gebraucht. Die Zufuhr von *Blutgerinnungs-Faktoren bei *Hämophi-lie, von *Vitamin C bei Skorbut, *Vitamin K bei Vit-amin-K-Mangel, von Fibrinogen bei Schock, Blutun-gen od. Operationen (s. a. Antifibrinolytika), von Glu-cocorticoiden od. *Corticotropin bei *Thrombocyten-Mangel dient jeweils auch einer Blutstillung od. Ver-minderung der Blutungsneigung.
Als eigentliche H. faßt man auf: *Adstringentien [z. B. *Alaun-Stifte, Eisen(III)-chlorid-Watte, Policresulen, ein Polykondensat aus *m*-Kresolsulfonsäure u. Formaldehyd], *Thromboplastine (Clauden® Watte/Gaze/Tupfer usw.), Wundauflagen aus *Cellulose, *Gelatine od. *Collagen. Nicht gesichert ist die Blu-tungsprophylaxe mittels *Carbazochrom u. *Fla-vonoiden (bes. *Rutin). *Adrenalin führt seiner vaso-konstriktor. Wirkung wegen ebenfalls zur Blutstillung u. wird deswegen Injektabilia zugesetzt. Bei Ösopha-gusvarizen- bzw. auch Uterusblutungen werden Hy-pophysenhinterlappen-Hormone eingesetzt (Ornipres-sin, Terlipressin, Vasopressin u. Oxytocin, letzteres nur bei Nachgeburtsblutungen), s. a. Hypophyse. – *E* he-mostyptics – *F* hémostyptiques – *I* emostatici – *S* he-mostípticos

Lit.: Hamacher u. Bornkessel, Selbstmedikation, Bd. 9, S. 17 ff., Stuttgart: Wiss. Verlagsges. 1996 ▪ Mutschler (7.), S. 418–423.

Hämotoxine s. Hämoglobin u. Hämolyse.

Hämovanadin. Ein grüner Bestandteil bestimmter Blutzellen von Meer-bewohnenden Tunicaten (Man-teltieren), der aus einem Polypeptid mit 24 Vanadium-Ionen (V^{3+}) im Mol. besteht. Das H. ist kein Überträ-ger mol. Sauerstoffs; die Funktion ist unbekannt, ver-mutet wird eine Beziehung zur Cellulose-Bildung. In 100 000 m^3 Meerwasser ist nur etwa 1 g V enthalten; dieses wird in den Tunicaten derart angereichert, daß man aus einigen Erdölsorten (mit Überresten früher le-bender Tunicaten) V techn. gewinnen kann. – *E* he-movanadium – *F* hémovanadium – *I* emovanadina – *S* hemovanadio

Lit.: Tardent, Meeresbiologie, 2. Aufl., Stuttgart: Thieme 1993.

Hämoxygenase s. Häm.

Hämozoin s. Hämatin.

Häm-Proteine [Hämoproteine; veraltet: Häm(o)pro-teide]. Sammelbez. für diejenigen *Chromoproteine, die *Häm als *prosthetische Gruppe enthalten; Beisp. s. Häm. Als Untergruppe der *Eisen-Proteine sind die H.-P. den sog. Nichthäm-Eisen-Proteinen mengen-mäßig weit überlegen. – *E* h(a)emoproteins – *F* hé-moprotéines – *I* emoproteine – *S* hemoproteínas

Hämthiolat-Proteine. *Häm-Proteine mit einem L-Cystein-Rest in der Thiolat-Form als Ligand am Eisen(III)-Ion des Ferri-*Häms. *Beisp.:* Cystathionin-β-Synthase (EC 4.2.1.22), *Cytochrom P-450, Prosta-cyclin-Synthase (EC 5.3.99.4), Thromboxan-Synthase (EC 5.3.99.5). – *E* heme-thiolate proteins – *F* protéi-nes à hème-thiolate – *I* proteine eme-tiolato – *S* pro-teínas hemo-tiolato

Hänsch-Laser s. Farbstoff-Laser.

Härtbar. Allg. eine Beschreibung der Fähigkeit von Werkstoffen, als Folge eines *Fertigungsverfahrens eine höhere Härte anzunehmen (s. a. Härte fester Kör-per). Insbes. ist hierbei an umwandlungsbedingte Här-tezunahme gedacht, z. B. bei *Stahl (*Martensit), *Aluminium-Legierungen (*Duralumin) u. *Blei-Le-gierungen (*Hartblei). Eine derartige Eigenschafts-veränderung kann im Hinblick auf bes. Gebrauchsei-genschaften von Vorteil sein. Bes. bei metall. Werk-stoffen werden über die Härte die Eigenschaften *Festigkeit u. *Verschleiß maßgeblich beeinflußt. – *E* hardenability – *F* aptitude à la trempe – *I* temprabilità – *S* templabilidad

Härtebildner s. Härte des Wassers.

Härte des Wassers. Das in der Natur vorkommende *Wasser, sei es Oberflächenwasser (See-, Teich-, Tal-sperren-, Flußwasser) od. Grundwasser (Quell-, Brun-nenwasser) sowie das gewöhnliche Leitungswasser sind nicht „chem. rein". Die Wässer enthalten neben gelösten Gasen (O_2, N_2, CO_2) eine Reihe von Salzen u. a. Verb., die aus den Böden u. Gesteinen herausgelöst wurden od. die im Fall von Oberflächenwässern teilw. auch aus Abwasserzuläufen stammen. Die wichtigsten Bestandteile sind die Salze des Calciums u. Magnesi-ums, insbes. die Chloride, Sulfate u. Hydrogencarbo-nate, die man als die sog. *Härtebildner* bezeichnet. Je nach Region können auch noch Spuren von Eisen, Kupfer u. Mangan enthalten sein. Da die Hydrogen-

carbonate in der Hitze in Carbonate umgewandelt werden, fällt beim Kochen ein Teil der Calcium-Salze als schwerlösl. $CaCO_3$ aus (Wasserstein, geht über in *Kesselstein). Bei sehr hohen Magnesium-Konz. können auch bas. Magnesiumcarbonate ausfallen. Diesen Teil der Härte, den man durch Kochen entfernen kann, bezeichnet man heute als *Carbonathärte* (KH), früher als temporäre Härte im Gegensatz zur bleibenden od. permanenten Härte, die bedingt ist durch die Sulfat- u. Chlorid-Ionen, deren Calcium- u. Magnesium-Salze nicht durch Kochen ausgefällt werden. Unter der *Gesamthärte* (GH) versteht man die Erdalkalimetall-, d. h. die Ca- u. Mg-Ionen; im allg. besteht die Gesamthärte zu 70–85% aus Ca- u. zu 30–15% aus Mg-Härte.
Zur Bestimmung der H. bedienten sich ältere Verf. der Tatsache, daß Seife mit Härtebildnern schwerlösl. Niederschläge bildet. Heute führt man die Bestimmung mit *Ethylendiamintetraessigsäure durch unter Verw. geeigneter Indikatoren (z. B. Eriochromschwarz T in schwach ammoniakal. Lsg.). Es gibt fertige Rezepturen mit genau eingestellten Tabl. od. Maßlösungen. Daneben lassen sich Ca u. Mg auch durch *Atomabsorptionsspektroskopie bestimmen. Einzelne H.-Bestimmungsmeth. sind Bestandteil von DIN-Normen u. der Dtsch. Einheitsverfahren. Für diese Analysen u. für andere Zwecke, z. B. die Prüfung des Schäumvermögens von Tensiden, benötigt man hartes Wasser definierter Carbonat-Härte, das man nach einem genormten Verf. herstellen kann.
Zur Kennzeichnung eines Wassers bzw. seiner Härte hatte man früher den Begriff des *Härtegrads* eingeführt u. als prakt. Maßeinheit für die H. den sog. Dtsch. Grad (°d, früher auch °dH) definiert: 1° d entspricht (jeweils im Liter) 10,00 mg CaO bzw. 7,19 mg MgO. Später benutzte man als Maßeinheit das Milligrammäquivalent je Liter (mval/L). Heute ist allein das Millimol pro Liter (mmol/L) zulässig. Auf dtsch. u. allen deutschsprachigen Endverbraucherpackungen von Waschmitteln etc. wird im Zusammenhang mit Dosierungsempfehlungen zusätzlich der Grad deutscher Härte angegeben. In den USA ist die Angabe in ppm üblich (vgl. die Tab.).
Qual. teilte man früher die Wässer in sehr weiche, weiche, mittelharte, ziemlich harte, harte u. sehr harte ein; als begrenzende Härtegrade wählte man 4°, 8°, 12°, 18° u. 30°. Sehr weich sind Regen-, Talsperren- u. Quellwasser in niederschlagsreichen Gegenden u. in regenreichen Zeiten, ferner das Wasser in Gesteinen von geringer Löslichkeit; so findet man z. B. in Gegenden mit einem Gesteinsuntergrund aus Granit, Gneis, Porphyr od. Sandstein (Schwarzwald) Wässer

mit 0,18–0,36 mmol/L GH (1–2° d). Umgekehrt ist das Wasser in niederschlagsarmen Gebieten od. Leitungswasser nach längerer Trockenheit fast regelmäßig härter. In Kalk- u. Gips-Gebieten löst das durchsickernde Wasser viele Mineralsubstanzen auf, so daß z. B. im Bereich des Muschelkalks u. Juras die H. regelmäßig auf etwa 3,6 mmol/L (20° d) ansteigen kann; einzelne Quellen im Gips-reichen mittleren Muschelkalk Württembergs od. im Gips-Keuper können sogar 17,5 (Hall) od. gar 28,9 mmol/L (162°) erreichen (Dietingen bei Rottweil). Die Verteilung der Wasserhärtebereiche in der BRD geht aus der Abb. hervor.

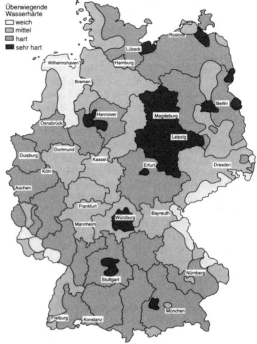

Abb.: Verteilung der Wasserhärtebereiche in der BRD (Stand 1995; Quelle: Benckiser GmbH, Ludwigshafen).

Auch jahreszeitlich schwankt die Härte (im gleichen Gebiet) unter Umständen erheblich. In den USA verfügen 80% der Haushalte über Wasser mit Härtegraden unterhalb 1,8 mmol/L, in Österreich dagegen nur 10%. Die Wasserwerke sind nach dem Waschmittelgesetz verpflichtet, den angeschlossenen Verbrauchern mind. einmal jährlich den H.-Bereich bekanntzugeben, wobei heute in die folgenden Bereiche eingeteilt wird:

Tab.: Härtegrade des Wassers.

	Erdalkali-metall-Ionen [mmol/L]	Erdalkali-metall-Ionen [mval/L]	Dtsch. Grad [°d]	Engl. Grad [°e]	Französ. Grad [°f]	ppm $CaCO_3$ [°US]
1 mmol/L Erdalkalimetall-Ionen	1,00	2,00	5,60	7,02	10,00	100,0
1 mval/L Erdalkalimetall-Ionen	0,50	1,00	2,80	3,51	5,00	50,0
1 Dtsch. Grad	0,18	0,357	1,00	1,25	1,78	17,8
1 ppm $CaCO_3$	0,01	0,020	0,056	0,0702	0,100	1,0
1 Engl. Grad	0,14	0,285	0,798	1,00	1,43	14,3
1 Französ. Grad	0,10	0,200	0,560	0,702	1,00	10,0

1 (weich, $< 7° = < 1,3$ mmol/L),
2 (mittelhart, $7 - 14° = 1,3 - 2,5$ mmol/L),
3 (hart, $14 - 21° = 2,5 - 3,8$ mmol/L),
4 (sehr hart, $> 21° = > 3,8$ mmol/L).

Früher, als vornehmlich *Seife od. Waschmittel mit hohem Seifen-Gehalt zum Waschen von Textilien verwandt wurde, erwies sich die H. als schädlich, da durch Bildung schwerlösl. Erdalkalimetall-Salze (Calcium-Seifen, Magnesium-Seifen) erhebliche Anteile der Seife unwirksam gemacht wurden. Durch Zugabe von Soda (s. Natriumcarbonat) wurden deswegen die Härtebildner teilw. als Carbonate ausgefällt. Moderne *Kompaktwaschmittel sind aufgrund ihrer Formulierung weniger härteempfindlich als früher übliche Waschpulver, doch lohnt in Gebieten mit sehr großer Wasserhärte (vgl. Abb.) der Einsatz der auf dem Markt als Granulat od. Tabl. angebotenen Wasserenthärter, die *Zeolith/*Polycarboxylat- – bzw. wasserlösl. – Schichtsilicat/Natriumcitrat-Syst. darstellen.

Für manche techn. Verw.-Zwecke sind ebenfalls nur bestimmte Wasserqualitäten geeignet, z. B. bestimmen Brauwässer den Charakter der Biere durch ihre Härte. Bei der Betonherst. sind sehr harte u. Salz-haltige, insbes. saure Wässer zu vermeiden. Bei der Verw. in der Textil-, Papier- u. Zellstoff-Ind. sollen die Wässer vornehmlich frei von Eisen- u. Mangan-Verb. sein. Von bes. Bedeutung ist die H. bei Kesselspeisewässern. Unter den Bedingungen, die im Dampfkessel herrschen (hohe Temp. u. hoher Druck), werden die *Hydrogencarbonate zu unlösl. Carbonaten zersetzt unter gleichzeitiger Bildung von CO_2. *Calciumcarbonat setzt sich in Form von *Aragonit als harter Stein (*Kesselstein) ab. Das Magnesiumcarbonat erleidet z. T. noch eine Hydrolyse:

$$MgCO_3 + H_2O \rightarrow Mg(OH)_2 + CO_2.$$

Durch die bei der Zers. der Hydrogencarbonate bzw. der Hydrolyse des $MgCO_3$ entstehende „Kohlensäure" wird das Wasser sauer. Dadurch ist für den Kessel die Gefahr von Korrosionen gegeben, zumal wenn das Speisewasser noch Sauerstoff enthält. Über Entstehung u. Problematik von Niederschlägen bei der Erhitzung von Wasser s. Kesselstein, über Meth. zu dessen Vermeidung od. Entfernung s. Wasserenthärtung. – *E* water hardness – *F* dureté de l'eau – *I* durezza dell' acqua – *S* dureza del agua

Lit.: Amavis et al., Hardness of Drinking Water and Public Health, Oxford: Pergamon 1976 ▪ Dokumentation zum Kolloquium „Waschen, Wasserhärte, Umwelt", Augsburg: Verl. chem. Ind. 1987 ▪ Dtsch. Einheitsverfahren zur Wasser-, Abwasser- und Schlamm-Untersuchung, Weinheim: Verl. Chemie bzw. VCH Verlagsges. (seit 1960) ▪ Industrieverb. Körperpflege- u. Waschmittel, Wäsche u. Pflege, Frankfurt a. M.: Selbstverl. 1996 ▪ Jakobi u. Löhr, Detergents and Textile Washing – Principles and Practice, Weinheim: VCH Verlagsges. 1987 ▪ SEPAWA-Kongreßschrift 1991, S. 29 ff., Augsburg: Verl. chem. Ind. 1991 ▪ Ullmann (5.) **A 8**, 315 ff.; **A 28**, 1 ff. ▪ Vom Wasser **63**, 267 ff., 441 ff.

Härte fester Körper. Allg. ein Maß für den Zusammenhalt von Festkörpern. Physikal. bedingt durch Art, Anordnung u. Bindungskräfte der Bausteine u. damit abhängig vom Typ des Festkörpers (elast., elastoplast., spröde). Die H. f. K. ist eine Bewertungsgröße für eine mechan. Eigenschaft u. wird definiert als der Widerstand, den der zu bewertende Festkörper dem Eindringen eines anderen Festkörpers höherer Härte entgegensetzt. Der Widerstand kann dabei reversibel (elast.) sein, plast. mit örtlicher Verfestigung od. kann die Summe lokaler Bruchvorgänge repräsentieren. In der *Mineralogie* wird die *Ritzhärte* nach Mohs, auch *Mohs-Härte* genannt, zur qual. Einordnung der Mineralien verwendet. So liegt die *Mohs-Härte* (M_h) eines Minerals B zwischen jener des Minerals A, von dem es geritzt wird, u. jener des Minerals C, das es selbst ritzt. Für den Wert der Mohs-Härte gilt dann $M_{hA} > M_{hB} > M_{hC}$. Die Mohs-Härte stellt einen dimensionslosen Vergleichswert ohne physikal. Hintergrund zwischen den *Mohsschen Härtegraden* 1 (Talkum) u. 10 (Diamant) dar.

Tab.: Mohssche Härteskala.

Härtestufe	Referenzmineral
1	Talkum
2	Gips, Steinsalz (Fingernagel)
3	Calcit (Kupfer)
4	Fluorit (Reineisen)
5	Apatit (Cobalt)
6	Orthoklas (Silicium, Wolfram)
7	Quarz (Tantal)
8	Topas (Chrom, gehärteter Stahl)
9	Korund, Saphir
10	Diamant

In der *Metallurgie* wird die Härte dagegen als Kennwert zur Charakterisierung einer mechan. Eigenschaft hinzugezogen. Da die H. f. K. mit wichtigen Gebrauchseigenschaften (wie *Verschleiß) od. Kennwerten der *Festigkeit (wie Zugfestigkeit) in engem Zusammenhang steht, kommt der *Härteprüfung von Massivwerkstoffen od. *Verbundsysteme (wie *Beschichtungen) eine erhebliche techn. Bedeutung zu. – *E* hardness – *F* dureté – *I* durezza – *S* dureza
Lit.: s. Härteprüfung.

Härten. Überführen von weichen od. durch Wärme erweichbaren plast. Stoffen in einen harten Zustand. Das H. kann durch *Temperaturbehandlung, *Strahlung od. chem. Veränderung, z. B. durch katalyt. Hydrierung ungesätt. Verb. od. Vernetzung von Polymeren durch *Härter bewirkt werden. Techn. von bes. Bedeutung sind die Fett-Härtung, *Härtung von Kunststoffen u. *Härtung von Stahl. – *E* hardening, tempering – *F* durcir – *I* tempra – *S* endurecimiento, templado
Lit.: Ullmann (5.) **A 10**, 267; **A 13**, 35; **A 16**, 415.

Härteöle. Bez. für Mineralöle od. -emulsionen, in denen Stähle nach ihrer Aufheizung mit dem Ziel einer *Umwandlungshärtung abgeschreckt werden. Die Geschw. des *Abschreckens kann durch entsprechende Abschreckmittel zwischen ca. 2 °C/s u. 3000 °C/s variiert werden. Für H. liegt sie in dem techn. interessanten Bereich von 30 °C/s bis 800 °C/s. – *E* quench oil – *I* oli induriti – *S* aceites de temple
Lit.: Ullmann (4.) **20**, 630–633; (5.) **A 15**, 468 ff. – *[HS 271 00]*

Härteprüfstab. Stabförmiges Gerät mit eingebauter Spiralfeder, Skala, Widia-Kugelspitze usw. zur raschen

Ermittlung der Härte von Materialien, insbes. von Anstrichen, Lackierungen, Kunststoffüberzügen. Prinzip der *Härteprüfung: Ermittlung der Kraft, mit der ein Gravierstift mit kugelförmiger Spitze auf eine Oberfläche wirken muß, um eine gerade sichtbar bleibende Spur zu hinterlassen. – *E* hardness testing rod – *F* duromètre – *I* durometro – *S* barra para pruebas de dureza

Härteprüfung. Gruppe der mechan. Prüfverf. mit dem Ziel, die Härte von Gebrauchswerkstoffen zu quantifizieren. Abgesehen vom qual. Verf. der *Ritz-Härte* (s. Härte fester Körper) wird bei der H. ein sehr harter Körper aus gehärtetem Stahl, Hartmetall od. Diamant mit bestimmter Geometrie sowie genormter Kraft bei einem zeitlich standardisierten Ablauf der Kraftaufbringung in die Oberfläche des zu bewertenden Körpers (mit deutlich geringerer Härte) eingedrückt. Der Eindringkörper – zumeist eine Kugel od. Pyramide – darf sich dabei nicht signifikant verformen. Der Eindringvorgang kann stat. od. dynam. erfolgen. Meßgrößen der Härte können Eindringtiefe, die vom Eindringkörper im zu bewertenden Körper erzeugte Fläche des Eindrucks od. – bei dynam. H. – auch die Rücksprunghöhe des Prüfkörpers sein. Die Verf. der H. sind überwiegend stoffspezif. genormt, da die Werkstoffreaktion auf das Einwirken einer hohen, nahezu punktförmigen Last abhängig vom Werkstofftyp ist, s. a. Härte fester Körper. In der Metallurgie werden im Laboratorium bevorzugt die stat. Verf. nach *Brinell*[1], *Vickers*[2] od. *Rockwell*[3] verwendet. Bei den beiden erstgenannten Verf. wird nach Entlastung der erzeugte Eindruck ausgemessen u. in einen Härtewert in N/mm^2 umgerechnet. Beim letztgenannten Verf. dient die Eindrucktiefe unter Last zur Ermittlung einer dimensionslosen Maßzahl der Härte; die *Rockwell-Härte ist wegen ihrer Mechanisierbarkeit bes. als Verf. Herst.-begleitender Qualitätssicherung geeignet. Die nach diesen drei Verf. ermittelten Härtewerte sind in folgender Tab.[4] für Stahl miteinander verglichen; zwischen der *Brinell-Härte u. der *Zugfestigkeit* besteht ein proportionaler Zusammenhang.

Tab.: Brinell-, Vickers- u. Rockwell-Härte u. Zugfestigkeit von Stahl.

Vickers-Härte $[N/mm^2]$	Brinell-Härte $[N/mm^2]$	Rockwell-C-Härte	Zugfestigkeit $[N/mm^2]$
980	980		343
1960	1960		667
2940	2940	30,3	1010
3430	3430	36,0	1177
3920	3842	40,7	1354
4410	4214	44,8	1462
4900		48,3	
5880		54,4	
6860		59,3	
7840		63,5	
8820		66,9	

Bei weicheren metall. Werkstoffen wird bevorzugt die Brinell-Härte angegeben, bei härteren die *Vickers-Härte u. bei sehr harten die Rockwell-Härte. Die Anw.-Grenzen sind dabei fließend. Bei der Vickers-Härte spricht man mit geringer werdender Kraft des Eindringkörpers von *Kleinlasthärte* u. von *Mikrohärte*.

Mit letzterer lassen sich wegen der extrem geringen Größe des erzeugten Eindrucks Härtewerte an Bestandteilen in metall. Gefügen ermitteln. Bei der *ambulanten* H. an metall. Bauteilen (Prüfung vor Ort) werden bevorzugt dynam. Verf. angewendet. Der Eindringkörper wird unter definierten Bedingungen auf das Bauteil geschlagen (*Schlag-H.*) od. fallen gelassen (*Rücksprung-H.*). Im ersteren Fall wird der erzeugte Eindruck zur Berechnung des Härtewertes verwendet, im letztgenannten die Rücksprunghöhe. Verf. der ambulanten H. dienen bevorzugt zur *Eingangsprüfung* (z. B. Verwechslungsprüfung) od. *Fertigungsüberwachung* (z. B. zur Qualitätsüberwachung des Schweißvorgangs). Allg. gelten die dabei ermittelten Härtewerte als weniger zuverlässig als die mit stationären Verf. im Laboratorium gemessenen. An polymeren Werkstoffen werden die *Kugeldruck-H.*[5] od. die H. nach *Shore*[6] durchgeführt. Eindringkörper ist im ersten Fall eine Kugel, im zweiten ein Kegelstumpf. Diese Messungen dienen in erster Linie einer Fertigungsüberwachung od. dem Nachweis einer Schädigung, weniger dagegen einer Charakterisierung der Gebrauchseigenschaften. Bei Gläsern u. Keramiken findet die H. nach *Knoop*[7] Anwendung. Die Belastung erfolgt hierbei über eine rhomb. geschliffene Diamantpyramide. – *E* hardness testing – *F* essai de dureté – *I* prova d'indurimento – *S* ensayo de dureza

Lit.: [1]DIN EN 10003 (01/1995). [2]DIN 50133 (02/1985). [3]DIN EN 10004 (05/1995). [4]DIN 50150 (12/1976). [5]DIN 53519 (05/1972). [6]DIN 53505 (06/1987). [7]DIN ISO 9385 (01/1991).
allg.: Siebel, Handbuch der Werkstoffprüfung, 2. Aufl., Bd. 2, Metallische Werkstoffe, S. 386ff., Berlin: Springer 1955 ▪ Weiler (Hrsg.), Härteprüfung an Metallen u. Kunststoffen, 2. Aufl., Ehningen: Expert 1990.

Härter. Als H. bezeichnet man Stoffe, die vernetzbaren *Harzen (Präpolymeren) zugesetzt werden, um deren *Härtung (*Vernetzung) zu bewirken. H. sind entweder katalyt. wirkende Verb. wie z. B. Chlorwasserstoff (für *Formaldehyd-Harze), Peroxide (für *ungesättigte Polyesterharze) od. Bortrifluorid-Komplexe (für Epoxid-Harze), die eine als Kettenreaktion verlaufende Vernetzung zum *Duroplasten auslösen. Zum anderen können H. niedermol. od. oligomere, polyfunktionelle Verb. sein, deren reaktive Zentren (z. B. Epoxy-, Isocyanat-, Amino- od. Hydroxy-Gruppen) hinsichtlich Art u. Anzahl so gewählt sind, daß sie mit den Amino-, Hydroxy-, Epoxy- od. Isocyanat-Funktionalitäten der Harze nach dem Polyadditionsmechanismus reagieren u. diese so vernetzen. Über H. für photograph. Schichten s. Photographie. – *E* hardeners – *F* durcisseurs – *I* indurente – *S* endurecedores
Lit.: Batzer **1**, 14; **2**, 172, 175; **3**, 178ff. ▪ Elias (5.) **2**, 460ff. ▪ Houben-Weyl **E 20**, 567–571.

Härtesalze (Gütesalze). Bez. für Salze od. Salzgemische, in denen zu härtende Stähle auf Härtetemp. erwärmt werden. Gegenüber einer Aufheizung im Ofen haben Salzbäder den Vorteil, daß die erforderliche Zeit zum An- u. Durchwärmen des zu härtenden Bauteils sehr gering ist u. daß die Härtetemp. ohne großen Steuerungsaufwand sehr genau eingehalten werden kann. – *E* salt melt – *F* fondu de sel – *I* sali indurenti – *S* sal fundida

Härtungsbeschleuniger. H. sind meist katalyt. aktive Hilfsstoffe in z.B. Anstrichmitteln, die die Härtung von *Harzen beschleunigen. So bewirkt beispielsweise *p*-Toluolsulfonsäure die protonenkatalysierte Verzung zwischen Polyestern u. Melaminharzen. – *E* hardening accelerator – *F* accélérateur de durcissage – *I* acceleratore di indurimento – *S* acelerador del endurecimiento
Lit.: Elias (5.) **2**, 690.

Härtung von Kunststoffen. Als H. v. K. wird im allg. die durch eine chem. Reaktion ausgelöste, irreversible Überführung eines flüssigen od. festen, aber noch schmelzbaren od. zumindest plast. verformbaren *Harzes in einen harten u. unschmelzbaren *Kunststoff bezeichnet. Sie wird meist durch Zugabe von *Härtern ausgelöst, die entweder eine als Kettenreaktion verlaufende Vernetzung der in den Harzen vorhandenen reaktiven Gruppen initiieren od. in stöchiometr. Mengen mit reaktiven Gruppen des Harzes in Polyadditions- od. Polykondensations-Reaktionen vernetzen. Die Härtung kann aber auch durch z.B. Luftfeuchtigkeit, Wärme (bei therm. nachvernetzbaren Produkten) od. Strahlung – *Lackhärtung mit ionisierenden Strahlen – erfolgen. Charakterist. Beisp. für härtbare Harze sind *Epoxid-, *Formaldehyd-, *Isocyanat- od. *ungesättigte Polyester-Harze. – *E* hardening of plastics – *F* durcissement des matières plastiques – *I* indurimento di prodotti sintetici – *S* endurecimiento de plásticos
Lit.: Batzer **3**, 158 ff. ■ Elias (5.) **2**, 460 ff. ■ Houben-Weyl E **20**, 567–571.

Härtung von Stahl. Erwünschte Auswirkung von *Fertigungsverfahren der Gruppe Stoffeigenschaftsänderungen mit dem Ziel einer (deutlichen) Härtezunahme. Im einzelnen sind dies Verf., bei denen der Härteanstieg als Folge einer Umlagerung od. eines Einbringens von Stoffteilchen auftritt. *Umlagerung von Stoffteilchen*: Hierzu gehört die *Umwandlungshärtung von Stahl. Sie ist möglich, da der Kohlenstoff-haltige Stahl bei 723 °C von einer austenit., kub.-flächenzentrierten Hochtemperaturphase umklappt (umwandelt) in eine ferrit., kub.-raumzentrierte Phase, wobei gleichzeitig die Löslichkeit für Kohlenstoff von 0,9% auf 0,02% abnimmt. Beim *Abschrecken verbleibt der Kohlenstoff in instabiler Lsg. im Gitter u. verzerrt dieses nach dem Umklappen tetragonal mit der Folge einer signifikanten Härtesteigerung, vgl. Martensit. In Abhängigkeit von der Zusammensetzung des Stahls u. von den Wärmebehandlungsbedingungen können Stähle durch- od. oberflächengehärtet werden. *Einbringen von Stoffteilchen*: Bei diesen Verf. diffundieren Stickstoff (*Nitrierung), Bor (*Borieren) od. Kohlenstoff (*Carburieren, *Aufkohlung) in die Oberfläche geeignet legierter Stähle ein u. führen dort zu erheblichen Härtesteigerungen. Stickstoff setzt sich dabei mit metall. Elementen um zu Nitriden, Bor entsprechend zu Boriden. Eindiffundierter Kohlenstoff schafft die Möglichkeit zur Umwandlungshärtung. Da die Härte wesentliche Gebrauchseigenschaften wie Festigkeit u. Verschleiß beeinflußt, kommt der H. v. S. in der Technik erhebliche Bedeutung zu. – *E* tempering of steel – *F* trempe de l'acier – *I* tempra d'acciaio – *S* templado del acero
Lit.: s. Stahl, Martensit, Härteöle.

HAES steril® (Rp). Infusionslsg. mit Poly(*O*-2-hydroxyethyl)-stärke zur Therapie u. Prophylaxe von Hypovolämie, Schock u. Hämodilution. *B.:* Fresenius-Klinik

Häufigkeit der Elemente s. Geochemie.

Häute s. Gerberei u. Leder.

Häutungshormon s. Ecdyson u. Insektenhormone.

Hafner, Klaus (geb. 1927), Prof. für Organ. Chemie, Univ. München u. TH Darmstadt. *Arbeitsgebiete:* Nichtbenzoide carbo- u. heterocycl. π-Elektronen-Syst., pentafulvenoide Verb., nichtbenzoide Phane u. deren Übergangsmetall-Komplexe.
Lit.: Chem. Ztg. **111**, 375 f. (1987) ■ Kürschner (16.), S. 1208 ■ Nachr. Chem. Tech. Lab. **28**, 243 f. (1980) ■ Wer ist wer (35.), S. 505.

Hafnium. Chem. Element, Symbol Hf, Ordnungszahl 72, Atomgew. 178,49. H. steht in der 4. Gruppe (4. Nebengruppe) u. 6. Periode des *Periodensystems. Natürliche Isotope (in Klammern Anteil im natürlichen H.) sind: 174 (0,2%), 176 (5,2%), 177 (18,6%), 178 (27,1%), 179 (13,7%), 180 (35,2%). Daneben sind künstliche Isotope ^{168}Hf bis ^{183}Hf mit HWZ zwischen 5 s u. 9 · 10^6 a bekannt. H. ist ein hochglänzendes, sehr dehnbares, in reinstem Zustand ziemlich weiches, aus der Luft Sauerstoff aufnehmendes u. dann spröde werdendes Metall. D. 13,31, Schmp. 2227 °C, Sdp. 4602 °C. H. krist. hexagonal; diese α-Modif. wandelt sich bei 1775 °C in kub. raumzentriertes β-H. um. Als Pulver od. Schwamm ist H. pyrophor, d.h. an Luft spontan entzündlich; MAK 0,5 mg/m^3. H.-Metall ist beständig gegen Basen u. Säuren mit Ausnahme von *Flußsäure. Mit trockenem Chlor reagiert H. unter Feuererscheinung. In seinen Verb. hat H. überwiegend die Oxid.-Zahl +4, doch kennt man auch Verb. mit H. in den Oxid.-Zahlen +3, +2, +1, 0, –1 u. –2. Wegen der gleichen Elektronenanordnung in der äußeren Schale wie im *Zirconium, das im period. Syst. über H. steht, u. der als Folge der *Lanthanoiden-Kontraktion nahezu ident. Atom- u. Ionenradien zeigen H. u. Zirkonium größere Ähnlichkeiten miteinander als irgendwelche anderen verwandten Elemente.
Nachw.: H. kann gravimetr. mit Kupferron od. *N*-Benzoyl-*N*-phenylhydroxylamin, photometr. mit Arsenazo III, Xylenolorange od. Morin sowie durch Röntgenfluoreszenz- od. Neutronenaktivierungsanalyse bestimmt werden [1]. In silicat. Gesteinen läßt sich H. neben Zr, Th u. Ce nach Extraktion mit HNO$_3$/Tributylphosphat u. Ionenaustausch mit spektroskop. Meth. nachweisen.
Vork.: Etwa 4,2 · 10^{-4}% der festen, obersten, 16 km dicken Erdkruste dürfte aus H. bestehen; dieses Element ist somit viel häufiger als z.B. Ar, U, Hg, Sb u. dergleichen. H. findet sich in allen Zirkonium-Mineralen zu 1–2,5%. Daneben kennt man auch Minerale mit erheblich höherem Anteil an H., z.B. die *Zirkone Malakon u. Alvit. *Hafnon* ist ein Silicat mit überwiegendem Prozentsatz an H. (HfSiO$_4$).
Herst.: Bedingt durch die große Ähnlichkeit von Zirkonium u. H. ist die H.-Gewinnung aus Zirkon-Erzen außerordentlich langwierig u. kostspielig. Zirkonium- u. H.-Salze werden voneinander getrennt: a) durch Ex-

traktionsverf., z. B. durch Behandlung des alkol. Lsg.-Gemischs von $ZrCl_4$ u. $HfCl_4$ mit Silicagel, wobei $HfCl_4$ absorbiert wird u. $ZrCl_4$ frei bleibt, bzw. mit Hilfe von Ammoniumthiocyanat in Methyl-isobutyl-keton, wobei H. bevorzugt in die organ. Phase übergeht; – b) durch Ionenaustauscher; – c) durch Dest. einer $KCl/AlCl_3/Zr,HfCl_4$-Schmelze bei Atmosphärendruck u. 350 °C.

H.-Metall erhält man durch Red. von $HfCl_4$ mit Magnesium als Schwamm (Kroll-Verf.) u. in noch reinerer Form durch Zers. von HfI_4 am Wolfram-Draht nach dem *Aufwachsverfahren. Heute wird H. nur als Nebenprodukt bei der Herst. von sog. *reactor grade*-Zirkonium für die Nuklear-Ind. gewonnen.

Verw.: In der Kerntechnik darf H. wegen seines großen Einfangquerschnitts für therm. Neutronen (600mal größer als bei Zr) im Hüllenmaterial für den Kernbrennstoff nicht anwesend sein; wohl aber wird es als Werkstoff für Regelstäbe in Kernreaktoren, z. B. in Atom-U-Booten, sowie als Neutronenabsorber bei der Wiederaufarbeitung bestrahlter Kernbrennstoffe [2] eingesetzt. Weiter wird H. als Getter in der Hochfrequenztechnik u. als festigkeitssteigernder Zusatz (ca. 2%) zu Leg. auf der Basis von Niob, Tantal, Molybdän u. Wolfram verwendet. In Blitzlichtwürfeln geben H.-Folien eine bes. hohe Lichtausbeute. Der weltweite H.-Verbrauch liegt bei 85 t/Jahr.

Geschichte: Niels Bohr prophezeite 1922 aufgrund seiner Atomtheorie, es müsse ein Element mit der Ordnungszahl 72 geben, das von den Seltenerdmetallen verschieden sei u. große Ähnlichkeit mit Zirkonium habe. Schon 1923 konnten D. Coster u. G. von Hevesy in Kopenhagen das prophezeite Element mit Hilfe der Röntgenspektroskopie in einem norweg. Zirkonium-Erz nachweisen; der Name ist von der latein. Bez. Hafnia für Kopenhagen hergeleitet. Über die Entdeckungsgeschichte u. Namensgebung von H., das ursprünglich *Celtium heißen sollte, s. *Lit.*[3]. – $E = F$ hafnium – I afnio – S hafnio

Lit.: [1] Townshend, Encyclopedia of Analytical Science, S. 5663–5668, London: Academic Press 1995. [2] GIT Fachz. Lab. **31** (2), 95–99 (1987). [3] J. Chem. Educ. **1968**, 820–823. *allg.:* Abel, Stone, Wilkinson (2.) **4**, 439–632 ▪ Adv. Organomet. Chem. **25**, 318–379 (1986) ▪ Brauer (3.) **2**, 1328–1333, 1353–1398 ▪ Gmelin, Syst.-Nr. 43, Hf, 1941; Erg.-Bd. 1958, Erg.-Werk Bd. 11, Hafnium-organ. Verb., 1973 ▪ Kirk-Othmer (4.) **12**, 863–881 ▪ Snell-Ettre **14**, 103–152 ▪ Ullmann (5.) A **12**, 559–569 ▪ Winnacker-Küchler (4.), **4**, 513–518 ▪ s. a. Zirconium. – *[HS 8112 91; CAS 7440-58-6]*

Hafnium-Verbindungen. Von den H.-V. sind nur wenige von Bedeutung, z. B. Hafniumborid, -carbid u. -nitrid als metall. leitende, hitzebeständige Materialien, die Tetrahalogenide ebenso wie Zwischenprodukte bei der Hafnium-Herst. u. -Reinigung wie das *Hafniumdioxid* (HfO_2, M_R 210,49, farblose Krist., D. 9,68, Schmp. 2812 °C, auch 2900 °C angegeben). Auch einige Hafnium-organ. Verb. sind bekannt. – E hafnium compounds – F composés d'hafnium – I composti di afnio – S compuestos de hafnio

Lit.: Cardin et al., Chemistry of Organo-Zirconium and -Hafnium Compounds, Chichester: Horwood 1986 ▪ Powder Metall. Int. **19** (1), 29–35, (2), 32–36, (6), 17 ff. (1987) ▪ s. a. Hafnium.

Hafnon s. Hafnium.

Haftfähigkeit s. Haftvermögen.

Haftfestigkeit. Die H. einer *Beschichtung wird nach DIN-EN 971-1 (09/1996) definiert als „Gesamtheit der Bindekräfte zwischen einer Beschichtung u. ihrem Untergrund". Die Verbesserung der H. von Werkstoffen im allg. Sinne ist mit *Haftgrundmitteln, *Haftmitteln u./od. *Haftvermittlern möglich. – E adhesive strength – F adhérence, résistance d'adhésion – I forza adesiva – S adherencia

Lit.: Gatz (Hrsg.), Lexikon der Anstrichtechnik, 8. Aufl., Bd. 1, S. 108, München: Callwey 1987 ▪ Glasurit-Handbuch Lacke u. Farben, S. 242–245, 306–310, Hannover: Vincentz 1984 ▪ Stoeckhert (Hrsg.), Kunststoff-Lexikon, 7. Aufl., S. 228, München: Hanser 1981.

Haftgrundmittel. Bez. für haftungsvermittelnde u. passivierende Mittel zur Metallvorbehandlung für *Anstrich od. *Beschichtung. H. bestehen zumeist aus zwei Komponenten: *Bindemittel (z. B. Polyvinylbutyral) u. Pigment (z. B. Zinktetrahydrochromat). Sie sind dünnflüssig, spritz- u. streichbar u. ergeben sehr geringe Schichtdicken (0,005–0,008 mm). Ihre passivierende u. haftungsvermittelnde Wirkung beruht auf der chem. Reaktion ihrer Komponenten untereinander u. mit den Metalloberflächen, weshalb auch die Bez. *Reaktionsprimer gebräuchlich ist. H. ergeben in der Regel eine lasierende Schicht, die einen deckenden u. füllenden *Grundanstrich nicht ersetzen soll. Bei wenig korrosionsgefährdetem Untergrund kann man ein einphasiges H. aus einem Polymerisat von z. B. 91% Vinylchlorid, 3% Vinylacetat u. 6% Vinylalkohol verwenden; dieses trocknet in wenigen min u. ergibt Filme von 0,0075–0,0125 mm Dicke, die für eine anschließende Lackierung einen guten Haftgrund bilden. Die sog. Wash-Primer enthalten aufrauhend u. inhibierend wirkende Phosphorsäure, vgl. a. Shop-Primer. Im erweiterten Sinne wird die Bez. H. auch verwendet für haftvermittelnde Vorstriche auf anderen Substraten, z. B. Holz. – $E = F = S$ wash primer – I agente aderente di base

Lit.: Encycl. Polym. Sci. Eng. **3**, 654 f. ▪ Gatz (Hrsg.), Lexikon der Anstrichtechnik, 8. Aufl., Bd. 1, S. 108 f., München: Callwey 1987 ▪ Kirk-Othmer (3.) **23**, 809.

Haftklebstoffe. Viskoelast. *Klebstoffe, die in Lsm.-freier Form bei 20 °C permanent klebrig u. klebfähig bleiben u. bei geringer Substratspezifität bei leichtem Anpreßdruck sofort auf fast allen Substraten haften. Mit H. hergestellte Klebverbunde können meistens ohne Zerstörung der verklebten Substrate gelöst werden. Basis-Polymere der modernen H. sind *Natur- u. *Synthese-Kautschuke, *Polyacrylate, *Polyester, *Polychloroprene, *Polyisobutene, *Polyvinylether u. *Polyurethane, die in Kombination mit Zusätzen wie *Harzen, *Weichmachern u./od. *Antioxidantien eingesetzt werden.

Verw.: Für Verklebungen, bei denen eine spätere Trennung gewünscht wird u. die keine sehr hohen Anforderungen an Festigkeiten stellen, z. B. für Heftpflaster, Klebebänder u. -folien, Selbstklebeetiketten u. a. – E pressure sensitive adhesives – F colles adhérentes – I adesivi a pressione – S autoadhesivo

Lit.: Habenicht, Kleben, S. 93–98, Berlin: Springer 1986 ▪ Jordan, Klebstoff-Monographien, Bd. 6 a, Haftklebstoffe; Bd. 6 b, Schmelz-Haftklebstoffe, München: Hinterwaldner 1989 ▪ Ullmann (5.) **A 1**, 235 ▪ s. a. Klebstoffe.

Haftkupfer. Kupferoxychlorid-Präp. der Zusammensetzung $3\,Cu(OH)_2 \cdot CuCl_2 \cdot xH_2O$, grünes Pulver, ab 200 °C Zers., LD_{50} (Ratte oral) >2000 mg/kg. Kontaktfungizid mit präventiver Wirkung gegen Pilzinfektionen in Obst-, Wein-, Gemüseanbau, z. B. gegen die Reben- u. Hopfen-*Peronospora* od. die Kraut- u. Knollenfäule an Kartoffeln u. Tomaten. Ebenso eingesetzt bei der Bekämpfung der Blasenkrankheit des Tees, des Kaffeerostes, der Kaffeekirschen- u. Kakaoschoten-Krankheit. – *E* copper oxychloride – *F* oxychlorure de cuivre – *I* rame crudo – *S* oxicloruro de cobre

Lit.: Perkow ▪ Pesticide Manual ▪ Wegler, Chemie der Pflanzenschutz- u. Schädlingsbekämpfungsmittel, Bd. 2 u. 4, Berlin: Springer 1970, 1977. – *[HS 380820; CAS 1332-40-7]*

Haftmittel. Sammelbez., die sich mit *Haftvermittler überschneidet, für Mittel zur Verbesserung der *Haftfestigkeit z. B. in der Gummi- u. Klebstoff-Ind. bzw. im Bautenschutz, Wasser- u. Straßenbau, wo man z. B. hochmol. Aminoamide (allg. Schreibweise: $R^1{-}CO{-}NH{-}R{-}NH{-}R{-}NH{-}CO{-}R^2$) zur Verbesserung der Haftung von bituminösen Bindemitteln an Gestein verwendet. In der Textil-Ind. benutzt man H. zur Verbesserung der Faserhaftung beim Verspinnen von Stapelfasern. H. für Zahnprothesen (*Haftpulver*) enthält *Alginate od. eine Mischung aus *Tragant u. *Gummi arabicum. Es gibt auch *Anti-Haftmittel*, worunter man Beschichtungen für Hauswände versteht, die das Ankleben von Plakaten verhindern bzw. deren Abfallen bewirken sollen. – *E* adhesion promoters – *F* adhésiphores – *I* agente aderente – *S* agentes adherentes

Lit.: Stoeckhert (Hrsg.), Kunststoff-Lexikon, 7. Aufl., S. 228, München: Hanser 1981.

Haftöle. Schmiermittel mit bes. Zusätzen, die eine Erhöhung der öleigenen Kohäsion bewirken, so daß z. B. bei kleineren rotierenden u. gleitenden Maschinenteilen (kleinen Lagern, Gelenken, Bolzen, Gleitführungen usw.) kein Abtropfen od. Abschleudern des Schmiermittels erfolgt. In anderem Zusammenhang benutzt man H. – hier *Stauböle* genannt – bei der Fußbodenpflege (z. B. in *Kehrpulvern) od. in verwandtem Sinne in Gewerbe u. Ind. als *Staubbindemittel* od. *Antistaubmittel*, z. B. in der Düngemittel-Industrie. – *E* adhesive oils – *F* huiles adhérentes – *I* oli aderenti – *S* aceites adherentes

Haftoxide s. Email.

Haftplatten s. Desmosomen.

Haftpulver s. Haftmittel.

Haftschalen s. Kontaktlinsen.

Haftung s. Produkthaftung, Umwelthaftung.

Haftvermittler. Sammelbez. für alle Stoffe, die – ähnlich wie *Haftmittel – der Verbesserung der *Haftfestigkeit miteinander zu kombinierender Werkstoffe (z. B. Kunstharze, PVC, Gummi, Metall, Kunststoffasern, Leder) dienen sollen. Solche H. sind häufig Verb. mit verschiedenen reaktiven Gruppen, wie z. B. Titanate, Silane u. Chrom-Komplexe ungesät. Carbonsäuren; andere, z. B. für *Klebstoffe, bestehen aus Ethylen/Acrylamid–Comonomeren, polymeren Isocyanaten od. reaktiven Silicium-organ. Verb., die durch *Trocknen od. *Polymerisation aushärten. – *E* adhesion promoters, coupling agents – *F* adhésiphores – *I* promotori di adesione – *S* agentes adherentes

Lit.: Gatz (Hrsg.), Lexikon der Anstrichtechnik, 8. Aufl., Bd. 1, S. 109, München: Callwey 1987 ▪ Habenicht, Kleben, S. 70–73, Berlin: Springer 1986 ▪ Stoeckhert (Hrsg), Kunststoff-Lexikon, 7. Aufl., S. 228 f., München: Hanser 1981 ▪ Ullmann (4.) **21**, 498 f.; (5.) **A 24**, 49 f.

Haftvermögen (Haftfähigkeit). Fähigkeit einer *Beschichtung, sich mit dem Untergrund zu verankern, mit der Folge guter *Haftfestigkeit.

Hagebutten (Fructus Cynosbati, Pseudofructus rosae). Scheinfrüchte der Hecken- od. Hundsrose (*Rosa canina* u. a., Rosaceae); die fleischigen Teile des Blütenbodens haben einen sehr hohen *Vitamin C-Gehalt (frisch: bis 1,7%, durchschnittlich 0,5%, Mindestgehalt getrocknet nach DAB 0,3%). Weitere Inhaltsstoffe des Blütenbodens sind *Äpfel- u. *Citronensäure (ca. 3%), *Pektine (ca. 11%, sind zusammen mit den *Fruchtsäuren für den leicht abführenden u. den leicht entwässernden Effekt der H. verantwortlich), *Gerbstoffe (2–3%, daher die Verw. als mildes *Adstringens bei Darm-Katarrhen), *Carotinoide (ca. 0,006%, für die Färbung verantwortlich), verschiedene Zucker (ca. 11–15%), außerdem *etherisches Öl (ca. 0,038%), fettes Öl (ca. 2,5%), andere Vitamine, *Tocopherole, *Flavone sowie *Leukoanthocyanidine (diese verhindern die Oxid. von Vitamin C).

Die Früchte (= Nüßchen, „Semen" Cynosbati) enthalten hauptsächlich fettes Öl (ca. 9%, wird in Kosmetika verwendet), ether. Öl (ca. 0,3%), *Lecithin, *Vitamin E (s. a. Tocopherole) u. Zucker. Vitamin C ist hier höchstens in Spuren vorhanden.

Die Sammlung der H. sollte bei trockenem Wetter zu Beginn der Vollreife erfolgen, d. h. wenn sie schon rot aber noch hart sind (bei Frost wird das Parenchym des Blütenbodens teilweise zerstört u. dadurch der Vitamin C-Gehalt gemindert). Dem inneren Teil des Blütenbodens sitzen viele, leicht abbrechbare verholzte Haare an, die zu Juckpulver verarbeitet werden können. Als Tee werden sowohl nur die Blütenböden als auch nur die Früchte („Kernlestee") als auch eine Mischung aus Blütenböden u. Früchten verwendet. Der Vitamingehalt des Blütenbodens ist in hohem Maß von der Sorte, dem Standort, dem Klima, der Erntezeit u. v. a. von der Trocknung (Temp., Dauer) abhängig. Die frischen H. werden zu Marmelade, Most, Saft usw. verarbeitet. – *E* (rose) hip, haw – *F* fruits d églantier, cynorrhodon – *I* coccole della rosa canina – *S* escaramujos, agavanzas

Lit.: DAB **1997** u. Komm. ▪ Hager (4.) **6 b**, 164–170 ▪ Helv. Chim. Acta **66**, 494–513 (1983) ▪ Wichtl (3.), S. 502 f. – *[HS 081090, 081340]*

Hagedorn. Kurzbez. für die Firma Hagedorn AG, 49078 Osnabrück. *Daten* (1995): 224 Beschäftigte, 5 Mio. DM Kapital, Umsatz 53,6 Mio. DM. *Produktion:* Techn. Collodiumwollen (Nitrocellulose), farblose NC-Chips, Pigment-Präparationen (NC-Farbchips), thermoplast. Kunststoffplatten u. Folien für die Vakuumformung u. a. Zwecke aus Polystyrol, ABS u. ASA.

Hagelzucker s. Saccharose.

Hageman-Faktor s. Kallikreine.

Hagenbach-Couette-Korrektur s. Viskosimetrie.

Hagen-Poiseuillesches Gesetz. Es besagt, daß das Vol. V, das in der Zeiteinheit Δt durch ein Rohr mit dem Radius r u. der Länge L strömt, durch

$$V / \Delta t = \frac{\pi \cdot \Delta p \cdot \Delta t}{8\eta \cdot L} \cdot r^4$$

gegeben ist, wobei $\Delta p = p_1 - p_2$ die Druckdifferenz an den beiden Enden des Rohrs u. η die *Viskosität des strömenden Stoffs (Fluids) sind.

Das H.-P.G. gilt für nicht-kompressible (Dichte $\rho = $ konst.) Flüssigkeiten bei *laminarer Strömung, die sich einstellt, solange die *Reynoldszahl kleiner als ein krit. Wert ist (für Rohrströmung z. B. Re ≤ 2320). Hierbei findet in der Strömung keine Vermischung benachbarter Strömungsschichten statt. Über den Querschnitt ist der stat. Druck konstant verteilt, u. bei Strömung durch ein kreisförmiges Rohr stellt sich ein parabol. Geschw.-Profil ein. Bei laminarer Strömung kompressibler Flüssigkeiten gelten andere Druck- u. Geschw.-Verteilungen. Ist die Reynoldszahl größer als der krit. Wert, schlägt die laminare in eine *turbulente Strömung um. Durch starke Vermischung benachbarter Schichten geht nun die kinet. Energie der Strömung in ungeordnete Bewegung über; der Strömungswiderstand steigt u. das Strömungsvol. V ist kleiner als durch das H.-P. G. beschrieben. Details s. *Lit.*[1]. Das H.-P. G. gilt nicht nur für strömende Flüssigkeiten, sondern auch für Gase, solange der Druck nicht zu gering ist. *Anw.*: Bestimmung der Viskosität (*Lit.*[2]), Regulierung von Strömungen in techn. Anlagen wird bei der Blutzirkulation im menschlichen Körper. Der r^4-Faktor bewirkt, daß bei einer Reduktion von r_0 auf $r_1 = r_0/4$ sich das Stömungsvol. V von V_0 auf $V_1 = V_0/256$ verringert. – *E* Hagen-Poiseuilles law – *F* loi de Hagen-Poiseuille – *I* legge di Hagen-Poiseuille – *S* ley de Hagen-Poiseuille

Lit.: [1] Bergmann u. Schäfer, Lehrbuch Experimentalphysik 1, S. 358 ff., Berlin: de Gruyter 1990. [2] Hanks, Fluid Dynamics (Chemical Engineering), Encyclopedia of Physical Science and Technology, Bd. 6, S. 493–520, San Diego: Academic Press 1992; Kohlrausch, Praktische Physik 1, S. 192 ff., Stuttgart: Teubner 1996.

Hager. In diesem Werk (vgl. Vorwort, häufig zitierte Werke) Kurzbez. für Hagers Handbuch der Pharmazeut. Praxis, dessen 5. Aufl. von 1990–1995 im Springer-Verl., Berlin, erschien. Die 5. Aufl. ist wie folgt aufgeteilt: Bd. 1 – Waren u. Dienste; Bd. 2 – Meth.; Bd. 3 – Gifte; Bd. 4, 5 u. 6 – Drogen; Bd. 7, 8 u. 9 – Stoffe u. Bd. 10 – Register. Zu jedem Bd. gehört ein Inhalts-, Gesamtabk.-, Standardlit.-, Speziallit.- u. Sachverzeichnis.

Hahn, Otto (1879–1968), Prof. für Chemie u. Physik, KWI für Chemie, Berlin; Präsident der Max-Planck-Ges. von 1948–1960. *Arbeitsgebiete:* Isolierung von Mesothorium, radioaktiver Zerfall von Thorium, Entdeckung von Radiothorium, Uran Z u. Protactinium (mit L. *Meitner), Aufstellung der Hahnschen Fällungsregel für radioaktive Elemente, Altersbestimmung mit der Rubidium-Strontium-Meth., 1938 zu-

sammen mit F. *Straßmann Entdeckung der Uran-Spaltung als Folge des Neutroneneinfangs; hierfür Nobelpreis für Chemie 1944, den er erst 1946 in Empfang nehmen konnte.

Lit.: Angew. Chem. **90**, 876–892 (1978); vgl. hierzu Nachr. Chem. Tech. Lab. **27**, 404–408 (1979) ▪ Baumer, Otto Hahn, Berlin: Colloqium 1974 ▪ Chem. Labor Betr. **30**, 92 ff. (1979) ▪ Hahn, Otto Hahn – Begründer des Atomzeitalters, München: List 1979 ▪ Krafft, S. 153 f. ▪ Lexikon der Naturwissenschaftler, S. 191 ▪ Nachmansohn, S. 134–138 ▪ Neufeldt, S. 122, 139, 143, 345 ▪ Pötsch, S. 185 ▪ Strube **2**, S. 111, 193 ▪ Z. Chem. **20**, 237–242 (1980).

Hahnenfußgewächse (Ranunculaceae). Pflanzenfamilie, deren Vertreter meist Kräuter, seltener Sträucher sind; Verbreitung außerhalb der Tropen auf der Nordhalbkugel. Bekannte Vertreter sind Zierpflanzen wie Akelei, Anemone u. *Rittersporn, Unkräuter wie die zahlreichen *Ranunculus*-Arten, sowie die giftigen – teilweise als Arzneipflanzen genutzten – *Adonisröschen, *Eisenhut u. *Küchenschelle. H. enthalten oft giftige Inhaltsstoffe, bes. *Isochinolin-Alkaloide, *Herzglykoside u. hautreizende Lactone kurzkettiger Carbonsäuren vom Typ des *Protoanemonins. – *E* buttercups – *F* renonculacées – *I* ranuncolacee – *S* ranunculáceas

Lit.: Frohne u. Pfänder, Giftpflanzen, S. 301–315, Stuttgart: Wiss. Verlagsges. 1997 ▪ Hegnauer, Chemotaxonomie der Pflanzen, Bd. 5, Basel: Birkhäuser 1969.

Hahnenkamm-Einheit u. -Test s. Hormone.

Hahnfett. Bez. für wachsartige Massen, die zum Schmieren u. Abdichten von Hähnen, *Schliffen u. dgl. gebraucht werden (z. B. *Kapsenberg-Schmiere, *Ramsay-Fett). Näheres s. bei Schliff-Fett. – *E* tap grease – *F* graisse à robinets – *I* grasso per rubinetto – *S* grasa para grifos, grasa para esmerilados

Hahnium. Name für die *chemischen Elemente 105 (Symbol Ha, amerikan. Vorschlag; russ. Vorschlag: Bohrium od. Nielsbohrium = Ns; IUPAC-Vorschlag 1994: Joliotium = Jl) u. 108 (Symbol Hn, IUPAC-Vorschlag 1994; deutscher Vorschlag: Hassium). Eindeutige systemat. Namen nach IUPAC-Regel I-3.3.5: 105 = Unnilpentium = Unp; 108 = Unniloctium = Uno; vgl. Transactinoide. – *E = F* hahnium – *I = S* hahnio

Lit.: s. Actinoide u. Transurane. – *[CAS 53850-35-4]*

Hahn-Meitner-Institut (HMI). Das HMI wurde 1957 mit Sitz in 14109 Berlin, Glienicker Str. 100, gegründet. Es ist seit 1971 als „HMI Berlin GmbH" eine *Großforschungseinrichtung für Grundlagenforschung mit den Schwerpunkten Struktur- u. Festkörperforschung sowie Solarenergieforschung. Als Großgeräte nutzt das HMI einen Forschungsreaktor sowie Beschleuniger. Im HMI arbeiten ca. 900 Personen. Das HMI ist Mitglied der *HGF. *Publikationsorgan:* HMI-Berichte. – INTERNET-Adresse: http://www.hmi.de

Hahnsche Regeln. Zwei von O. *Hahn aufgestellte Regeln, die im einzelnen als die *Hahnsche Fällungsregel* u. die *Hahnsche Adsorptionsregel* bezeichnet werden. Die *Fällungsregel* besagt: Ein Element wird aus beliebig großer Verdünnung mit einem krist. Niederschlag eines anderen, in großem Überschuß vorhandenen Elements dann ausgefällt, wenn es sich in das Krist.-Gitter des betreffenden Niederschlags einbauen läßt, d. h. wenn es mit ihm Mischkrist. bilden kann. Deshalb wird z. B. Radium trotz der in den Pechblende-Lsg. vorliegenden großen Verdünnung durch Zusatz von Bariumchlorid u. verd. Schwefelsäure mit ausgefällt (*Mitfällung).

Die *Adsorptionsregel* lautet: Ein Element wird aus beliebig großer Verdünnung an einem Niederschlag dann gut adsorbiert, wenn dem Niederschlag eine der Ladung des zu adsorbierenden Elements entgegengesetzte elektr. Oberflächenladung erteilt wurde u. die adsorbierte Verb. in dem vorliegenden Lsm. schwer lösl. ist. So reißt z. B. Gips, der durch Alkohol-Zusatz rasch in feiner Zerteilung (große adsorbierende Oberfläche) aus einer Lsg. mit überschüssigen SO_4^{2-}-Ionen gefällt wird, das pos. geladene Thorium B fast vollständig durch Adsorption mit, weil der Gips durch die SO_4^{2-}-Ionen eine neg. Oberflächenladung erhält. Fällt man dagegen den Gips aus einer Lsg. mit überschüssigen Ca-Ionen aus, so lädt sich der Gips pos. auf, u. es werden nur Spuren von Thorium B adsorbiert. – *E* Hahn('s) rules – *F* lois de Hahn – *I* regole di Hahn – *S* leyes de Hahn

Lit.: Absorption, Adsorption (Chem. Engineering), Encyclopedia of Physical Science and Technology, Bd. 1, S. 1–28, 289–312, San Diego: Academic Press 1992 ▪ Handbook **75**, I 6-24 bis 26 ▪ Weißmantel u. Hamann, Grundlagen der Festkörperphysik, 4. Aufl., S. 174, Heidelberg: Barth 1995.

Hainesche Lösung. Eine ähnlich der *Fehlingschen Lsg. zum Nachw. von Zuckern verwendete Reagenzlsg., die aus 2 g Kupfer(II)-sulfat, 15 g Glycerin u. 150 g KOH (5%) bereitet wird. – *E* Haine reagent – *F* réactif de Haine – *I* soluzione di Haine – *S* reactivo de Haine

Hai-Thao. Trockene, flache, etwa 30 cm lange Fasern aus einer asiat. Algenart, die in kaltem Wasser quellbar, in heißem Wasser lösl. sind. Die Lsg. gelatiniert beim Erkalten u. wird zum Appretieren feiner Gewebe verwendet. – *E* = *F* = *I* = *S* hai-thao

Hakaphos®. Von der ehem. Zusammensetzung aus *Harn*stoff, *Ka*li u. *Phos*phat abgeleitete Marke der BASF (1925) für einen NPK-Dünger. Die heutigen H.-Typen sind wasserlösl., Chlorid-freie Volldünger mit Ammonium- u. Nitrat-Stickstoff, Orthophosphat u. Kali, u. zwar im Verhältnis N + P + K (in Gew.-%) 20 + 5 + 10 (H. grün), 20 + 0 + 20 (H. gelb), 15 + 11 + 15 (H. blau) u. 8 + 12 + 16 (H. rot). Alle Typen enthalten 1 – 2% MgO sowie Spuren von Fe, Mn, Cu, B u. Mo. *B.:* COMPO.

Hakenwürmer (Grubenwürmer, Ancylostoma) s. Anthelmintika, Parasiten u. Würmer.

Halatopolymere. Bez. für *Polymere, die beim Tempern von Salzen zweiwertiger Metall-Ionen u. Dicarbonsäuren mit mehr als 8 C-Atomen – Azelain-, Sebacin-, Dodecandicarbonsäure u. Dimerfettsäure – oberhalb ihres Schmp. anfallen. So resultiert z. B. beim Erhitzen von Calciumsebacat auf Temp. >325 °C eine hochviskose Schmelze, die beim Abkühlen zu einer amorphen Masse erstarrt, die sich wie ein hochvernetzter Thermoplast verhält. Die sich bildenden Polymere enthalten

$$[CaOOC–(CH_2)_8–COO]_n$$

als Strukturelement mit – in der Schmelze – n = 10 – 15. Die CaO-Bindungen besitzen bis zu 80% ion. Charakter. Dadurch bedingt kommt es infolge hoher Dipol/Dipol-Wechselwirkungen zu einer starken Nebenvalenz-Vernetzung der Polymer-Moleküle. Der Polymer-Charakter der H. wurde u. a. über Viskositätsmessungen ihrer Lsg. nachgewiesen. Auf ähnliche Weise werden die sog. *Halato-Telechel-Polymere* erhalten. Diese sind zugänglich durch die Neutralisierung beidseitig Carboxy-terminierter *Polybutadien-Telecheler mit Metall-Alkoxiden in geeigneten Lösemitteln. Nach Entfernung aller niedermol. Komponenten zeigen sie ausgeprägte *Ionomer-Eigenschaften. – *E* halatopolymers – *F* halatopolymères – *I* polimeri alati – *S* halatopolímeros

Lit.: Holliday, Ionic Polymers, S. 261–280, London: Applied Science Publishers Ltd. 1979 ▪ J. Polym. Sci. **A 1**, 8, 2231 ff. (1970).

Halato-Telechel-Polymere s. Halatopolymere.

Halazon.

Kurzbez. für das desinfizierend wirkende *Chloramin-Derivat 4-(Dichlorsulfamoyl)benzoesäure. $C_7H_5Cl_2NO_4S$, M_R 270,09. – *E* = *F* halazone – *I* alazone – *S* halazona

Lit.: Kirk-Othmer (3.) **5**, 575; (4.) **5**, 922 ▪ Wallhäußer, Praxis der Sterilisation, 5. Aufl., S. 637, Stuttgart: Thieme 1995. – *[HS 293500; CAS 80-13-7]*

Halb... vgl. a. Hemi... u. Semi...

Halbacetale (Hemiacetale). Oft unbeständige, meist sogar nur auf physikal. Wege in Lsg. nachweisbare Additionsprodukte aus je 1 Mol. Alkohol u. Aldehyd, die als Zwischenprodukte bei der säurekatalysierten Bildung von *Acetalen entstehen (s. a. Acetalisierung).

Nach Haworth sind die Zucker (s. Kohlenhydrate) ringförmige H., die durch intramol. Reaktion einer Hydroxy-Gruppe mit der Carbonyl-Gruppe entstehen (*Halbacetal-Form* der Zucker), s. Aldosen. Den H. entsprechen die *Thiohalbacetale* (*O,S*-Halbacetale) u. die *Halbaminale* (*O,N*-Halbacetale), vgl. Thioacetale u. Aminale. – *E* hemiacetals – *F* semi-acétals – *I* semiacetale – *S* semiacetales, hemiacetales

Lit.: Patai, The Chemistry of the Ether Linkage, S. 311–314, New York: Wiley 1967 ▪ s. a. Acetale, Hydratisierung, Thioacetale. – *[HS 291100]*

Halbaminale. Bez. für die den *Halbacetalen entsprechenden Derivate der *Aminale.

Halb-Antigene s. Haptene.

Halbdurchlässige Membran s. Membranen, Osmose.

Halbedelmetalle s. Edelmetalle.

Halbedelsteine s. Edelsteine u. Schmucksteine.

Halbelement (galvan.) s. Halbzelle.

Halbfabrikate s. Zwischenprodukte.

Halbfettmargarine. Im Sinne des Margarinegesetzes vom 27. 2. 1986 (BGBl. I, S. 326) ist H. eine Emulsion aus pflanzlichen Fetten, deren Gesamtfettgehalt mind. 39% u. höchstens 41% beträgt. Der Anteil an Fettstoffen nicht-pflanzlicher Herkunft darf 2% nicht übersteigen, wobei der Anteil an Milchfett nicht höher als 1% sein darf.
Aufgrund ihres erhöhten Wasseranteils ist H. anfällig für den Befall durch Verderbniserreger u. darf daher mit *Sorbinsäure bzw. Kaliumsorbat (über die Wasserphase; max. 0,12%) konserviert werden. Der hohe Wassergehalt ist auch der Grund, weshalb H. nicht zum Braten u. Backen geeignet ist. – *E* medium fat margarine – *I* margarina semigrassa – *S* margarina semigrasa – *[HS 1517 10]*

Halbharte Schaumstoffe. Bez. (nach DIN 7726, 05/1982) für *Schaumstoffe, die Druckbeanspruchungen einen mittleren Verformungswiderstand entgegensetzen (Druckspannung bei 10% Stauchung bzw. Druckfestigkeit nach DIN 53 421 (06/1984): 15 kPa – <80 kPa). – *E* semirigid cellular materials – *F* mousses semi-rigides – *I* espansi semiduri – *S* plásticos celulares semirrígidos

Halbhydrate s. Hemihydrate.

Halbleinen. *RAL-Gütezeichen für die Rohstoffzusammensetzung von Geweben aus Leinen in Mischungen mit Baumwolle bei einem Gehalt von mindestens 38% Leinen in einer Gewebereichtung. – *E* halflinen – *F* basin – *I* mezza tela – *S* medio lino

Halbleiter. Die Gruppe der Festkörper, die man als H. bezeichnet, wurde ursprünglich über die *elektrische Leitfähigkeit definiert. Bei üblichen Temp. (Raumtemp.) liegt die Leitfähigkeit von H. zwischen der von gutleitenden *Metallen u. der von schlechtleitenden *Isolatoren. In neuerer Zeit definiert man die H. über ihre Bandstruktur, die nachfolgend erläutert wird.
Bandstruktur: Während das *Term-Schema von freien Atomen unterhalb des Ionisationskontinuums aus einer Folge von diskreten Energieniveaus besteht, treten im *Festkörper breite Bänder erlaubter Energiezustände auf, die u. U. durch verbotene energet. Zonen, sog. *Bandlücken*, E_g (von *E* gap) voneinander getrennt sind, in denen keine Zustände für Elektronen existieren.
Die Bänder entstehen aus den diskreten Zuständen der Atome beim Aufbau des Festkörpers durch Wechselwirkung zwischen den benachbarten Atomen (Überlappintegrale). Sie enthalten ca. 10^{23} Zustände für Elektronen pro Mol des Festkörpers u. haben eine Breite, die von der Größe des Überlappintegrals abhängt u. bis ca. 10 V betragen kann. Die Elektronen werden auf die Zustände gemäß der *Fermi-Dirac-Statistik verteilt. Am abs. Nullpunkt (T = 0 K) vollständig besetzte Bänder heißen *Valenzbänder* (VB), teilw. od. unbesetzte *Leitungsbänder* (LB). Ist, nachdem alle Elektronen untergebracht sind, bei T = 0 K wenigstens ein Band nur teilw. besetzt, so handelt es sich um ein *Metall. Dieser Zustand kann eintreten, wenn ein LB aus einem nur teilw. besetzten Atom-Orbital entstanden ist (z. B. Alkalimetalle, Abb. 1 a), od. wenn ein Band, das prinzipiell ganz gefüllt wäre, mit einem lee-

ren Band energet. überlappt. Es läuft dann ein Teil der Elektronen in das leere Band über, so daß man zwei teilw. besetzte Bänder hat (z. B. Erdalkalimetalle, Abb. 1 b). Geht die Verteilung der Elektronen so aus, daß man eine Reihe vollständig besetzter VB hat, darüber eine Lücke (E_g) u. dann vollständig unbesetzte LB (Abb. 1 c), so handelt es sich um einen *Isolator für $E_g \geq 4$ eV, um einen H. für 4 eV $\geq E_g \geq 0{,}1$ eV u. um ein *Halbmetall für 0,1 eV $\geq E_g \approx 0$ eV. Diese Einteilung wird verständlich, da ein vollständig gefülltes Band wegen des *Pauli-Prinzips u. ein vollständig leeres trivialerweise nicht zum Stromtransport beitragen.
Die Eigenzustände der Elektronen im period. Kristallpotential sind sog. Blochwellen, die sich als Produkt eines gitterperiod. Anteils mit einem ebenen Wellenfaktor $\exp(i\,\vec{k}\,\vec{r})$ schreiben lassen. Dementsprechend lassen sich die Eigenenergien E in den Bändern durch die sog. Dispersionsrelation $E(\vec{k})$ angeben.

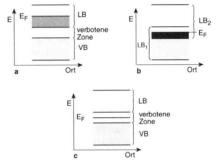

Abb. 1: Unterschiedliche Zustände für Elektronen im Festkörper. Die geschweiften Klammern bedeuten für Elektronen erlaubte Energiezustände (Leitungsband LB, Valenzband VB) od. verbotene Zonen. Die Schraffierung deutet besetzte Zustände an. Das ist das Fermi-Niveau (od. chem. Potential) E_F der Elektronen eingezeichnet. Die Abb. a) u. b) geben Bandstrukturen für Metalle an, wobei in b) zwei Bänder überlappen; c) ist für H. od. Isolatoren gültig, je nach Breite der verbotenen Zone.

Gängige Materialien: Es sind derzeit ca. 600 verschiedene H. bekannt, die wichtigsten sind tetraedr. koordiniert; ihre Bez. erfolgt noch nach der alten IUPAC-Nomenklatur. Es sind dies z. B. die Element-H. aus der IV. Gruppe des *Periodensystems Si u. Ge (Diamant ist ein Isolator, Graphit u. graues Zinn sind Halbmetalle), die III–V H. wie GaAs od. InP, die IIb–VI H., d. h. die Verb. von Zn od. Cd mit O, S, Se u. Te, (HgTe u. ä. sind Halbmetalle, die IIa–VI Verb. Isolatoren), die Ib–VII H. wie CuCl (die Ia–VII Verb. sind wiederum Isolatoren). Daneben gibt es viele weitere H. wie gewisse Modif. von S, Se, Te u. P u. Verb. wie Cu_2O, TiO_2, GaSe. Schließlich sind noch Leg.-H. (Mischkrist.) zu erwähnen wie $Ga_{1-y}Al_yAs$ od. $CdS_{1-x}Se_x$ sowie ternäre u. quarternäre H. wie $CuGaSe_2$. Die meisten H. werden in Form von möglichst perfekten Einkrist. verwendet, manche auch im amorphen Zustand wie α-Si. Man stellt im allg. fest, daß die Breite der Bandlücke für eine Gruppe von H. (z. B. die III–V H.) mit zunehmender Ordnungszahl der Konstituenten abnimmt.
Herst.: Die Herst.-Verf. für H. sind sehr vielfältig. Hervorzuheben sind Gastransportverf. sowie das *Zonenschmelzen zur Herst. hochreiner Si-Kristalle. Seit

kurzem gewinnen Verf. an Bedeutung, bei denen die Krist. gezielt atomlagenweise aufgebaut werden wie die *Molekülstrahl-Epitaxie (MBE), die metallorgan., chem. Dampfphasen-Epitaxie (MOVPE, *MOCVD), die Hot Wall- od. die Atomlagenepitaxie (HWE, ALE).

Elektr. Leitfähigkeit: In H. tragen zur *elektrischen Leitfähigkeit σ im allg. zwei Sorten von Ladungsträgern bei: Die *Elektronen* im weitgehend leeren Leitungsband mit der Konz. n u. die *Löcher* (Konz. p), d.h. die unbesetzten Zustände im fast völlig gefüllten Valenzband. Diese Löcher lassen sich wie Teilchen behandeln, die eine pos. Ladung tragen. Neben der Konz. wird die elektr. Leitfähigkeit auch durch die sog. *Beweglichkeit* μ der Ladungsträger bestimmt. Diese gibt an, welche zusätzliche, gerichtete, mittlere Driftgeschw. die Ladungsträger durch das angelegte elektr. Feld $\vec{E}$ erhalten, gemäß $\vec{v}_D = \mu \vec{E}$. Zusammenfassend gilt also: $\sigma = e\,(n\,\mu_e + p\,\mu_p)$.

In H. hängen sowohl n und p als auch $\mu_{e,p}$ von der Temp. ab, so daß die elektr. Leitfähigkeit mit zunehmender Temp. zu- od. abnehmen kann. Der erste Fall ist der häufigere. Die Beweglichkeit μ selbst hängt gemäß $\mu_{e,p} = e\,\tau m_{e,p}^{-1}$ ab von der Zeit zwischen zwei Stößen τ u. der effektiven Masse, mit der die Blochwellen auf ein äußeres Feld reagieren. Diese effektiven Massen sind gegeben durch $(m_{e,p})^{-1} = \hbar^{-2} d^2 E/dk^2$ u. liegen für Elektronen etwa im Bereich $0{,}5\ldots0{,}001\,m_o$, für Löcher bei $0{,}5\ldots5\,m_o$. Dabei ist m_o die Ruhemasse eines freien Elektrons im Vakuum.

In einem *perfekten* H. ohne Gitterfehler ist n=p, da Elektronen nur (therm.) aus dem VB ins LB angeregt werden können u. dort eine entsprechende Anzahl unbesetzter Zustände, d.h. Löcher, hinterlassen. Man spricht in diesem Fall von *Eigenleitern.* Diese sog. *Eigenleitungskonz.* n_i wächst exponentiell mit zunehmender Temp. u. abnehmender Bandlücke. Sie ist bei Raumtemp. in den gängigen H. (Si, Ge, GaAs, CdS) sehr klein ($10^9\ldots10^{13}$ cm^{-3}).

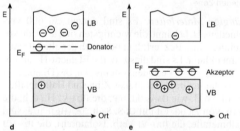

Abb. 2: Die Teilbilder d) u. e) zeigen die Zustände für dotierte Halbleiter; d) ist ein n-Halbleiter, der mit Donatoren dotiert ist (ca. $10^{16}..10^{21}$ cm^{-3}). Diese haben Energiezustände knapp unter dem LB, die bei tiefen Temp. mit Elektronen besetzt sind. In der schemat. Zeichnung ist ein Donatorniveau noch besetzt, die Elektronen der anderen drei sind therm. ins LB angeregt. Weiterhin ist ein unbesetzter Zustand (pos. geladenes Loch) im VB eingezeichnet. In e) ist die analoge Situation für einen mit Akzeptoren p-dotierten Halbleiter dargestellt. Drei der Akzeptoren haben Löcher ins VB abgegeben durch Aufnahme eines Elektrons aus diesem.

Bedeutung: Die techn. Bedeutung der H. beruht darauf, daß durch gezieltes Einbringen geeigneter Fremdatome durch sog. *Dotierung die Ladungsträgerkonz. über viele Größenordnungen variiert werden kann. Die

als *Donatoren* verwendeten Fremdatome besitzen ein schwach gebundenes Elektron, das bei Raumtemp. therm. leicht ins LB angeregt werden kann (Abb. 2 d). Dabei geht ein neutraler Donator D^o durch Abgabe eines Elektrons ins LB in einen pos. geladenen Donator D^+ über gemäß $D^o \rightleftarrows D^+ + e$.

Akzeptoren weisen einen unbesetzten Zustand knapp über dem VB auf, in den therm. ein Elektron aus dem VB angeregt, d.h. ein Loch erzeugt werden kann (Abb. 2 e). Dementsprechend geht ein neutraler Akzeptor A^o durch Aufnahme eines Elektrons aus dem VB od., was damit gleichbedeutend ist, durch Abgabe eines Loches h ins VB in einen neg. geladenen Akzeptor A^- über ($A^o \rightleftarrows A^- + h$). In allen Abb. ist noch die Lage des chem. Potentials od. Fermi-Niveaus E_F eingezeichnet.

Im thermodynam. Gleichgew. gilt stets $np = n_i^2(T)$, wobei n_i von der Temp. u. den Materialeigenschaften des betreffenden H. abhängt. Wenn man die Dichte einer Ladungsträgersorte (z. B. der Löcher im VB) durch Dotieren erhöht (Majoritätsträger), nimmt die Dichte der anderen (hier dann der Elektronen im LB) entsprechend ab (Minoritätsträger). Weiterhin gibt es noch tiefe Störstellen u. Rekombinationszentren in der verbotenen Zone, die mit dem LB u. dem VB im Ladungsträgeraustausch stehen. Der Beitrag der Ionenleitung zur elektr. Leitfähigkeit von H. ist im allg. vernachläßigbar. *Homogene H.* gehorchen bei konstanter Temp. u. nicht zu hohen elektr. Feldstärken ($\leq 10^4$ V/cm) im allg. dem *Ohmschen Gesetz.*

Bauelemente: Durch Kombination von unterschiedlich dotierten H. lassen sich viele H.-Bauelemente mit nichtlinearen Strom-Spannungskennlinien herstellen, von denen die wichtigsten nachfolgend kurz dargestellt werden:

Beim *pn-Übergang*(*Diode)-Gleichrichter* bringt man ein p-dotiertes u. ein n-dotiertes Gebiet in Kontakt. Durch Diffusion der Majoritätsträger in das jeweils andere Gebiet u. durch die dortige Rekombination entsteht eine an Ladungsträgern verarmte Zone, der pn-Übergang ist hochohmig. Schließt man an das p-Gebiet den Plus-Pol u. an das n-Gebiet den Minus-Pol einer Spannungsquelle an (Durchlaßrichtung), so werden zusätzliche Ladungsträger in die Verarmungszone getrieben, deren elektr. Widerstand sinkt, u. die Diode leitet. Bei entgegengesetzter Polung (Sperrichtung) werden noch mehr Ladungsträger aus der Verarmungszone abgezogen, diese wird noch hochohmiger u. sperrt. Eine ähnliche Gleichrichterwirkung haben auch manche Metall-H.-Kontakte (*Schottky-Diode*).

Es gibt viele verschiedene Ausführungsformen von Dioden für unterschiedliche Anwendungen. Bei hinreichend hoher Sperrspannung tritt in allen Dioden eine steile Zunahme des Stromes mit der Spannung auf, bedingt durch Stoßionisation u. Tunneleffekte in der Verarmungszone. *Zener-Dioden* sind so ausgelegt, daß dieser Bereich reversibel durchlaufen werden kann, u. dienen zur Spannungsstabilisierung.

**Photodioden* werden in Sperrichtung gepolt. Durch Absorption von Licht in der Verarmungszone erzeugte Ladungsträger werden schnell abgezogen. Die Photodiode dient damit zur Lichtmessung. Beim **Photoelement* wird ebenfalls (Sonnen-)Licht in der Verarmungszone absorbiert, jedoch wird keine äußere Spannungsquelle angeschlossen, sondern ein Verbraucher. Die in der Verarmungszone erzeugten Elektron-Loch-Paare werden in dem dort auch ohne äußere Spannung herrschenden elektr. Feld getrennt u. geben zu einer Photospannung u. einen Photostrom durch den Verbraucher Anlaß. Photoelemente dienen somit der direkten photo-elektr. Energieumwandlung. Ihr Wirkungsgrad liegt im Bereich von ca. 7% für α-Si u. erreicht Werte bis etwa 25% in einkrist. Solarzellen. *Lumineszenz- u. *Dioden-Laser (*Halbleiterlaser*) sind pn-Übergänge, die in Durchlaßrichtung gepolt werden. Die dabei in die Verarmungszone injizierten Ladungsträger rekombinieren in geeigneten Materialien (GaAs) zu einem merklichen Bruchteil strahlend u. führen so zu spontaner od. stimulierter Lichtemission.

Von den zahlreichen Ausführungsformen von *Transistoren sind derzeit überwiegend zwei Arten gebräuchlich. Bei den *pnp*- od. *npn-Bipolartransistoren* werden zwei gleichnamig dotierte Bereiche (Emitter u. Kollektor) durch eine dünne, entgegengesetzt dotierte Schicht (Basis) getrennt. Durch eine geeignete Spannung zwischen Emitter u. Basis werden Majoritätsträger vom Emitter in die Basis injiziert. Da diese sehr dünn ist, rekombiniert dort nur ein kleiner Teil; der größte Teil wird vom Basis-Kollektor-Kontakt abgezogen. Es ist somit möglich, durch einen kleinen Emitter-Basis-Strom einen großen Emitter-Kollektor-Strom zu steuern u. Verstärkung zu erzielen. Beim *Feldeffekttransistor* wird die Ladungsträgeranzahl in einem dünnen Leitfähigkeitskanal, der mit Quelle (source) u. Senke (drain) kontaktiert ist, durch ein elektr. Feld verändert, das über eine isolierende Schicht auf den Leitfähigkeitskanal einwirkt. Diese Steuerelektrode heißt gate.

Der *Thyristor* schließlich besteht aus vier hintereinander geschalteten Schichten alternierender Leitfähigkeit. Die äußeren Dioden sind als Kathode u. Anode kontaktiert, eine der inneren Schichten als Steuerelektrode. Für geeignete Polarität kann der Thyristor durch einen Stromimpuls an der Steuerelektrode gezündet werden u. bleibt dann gut leitend, bis die Polarität der Spannung zwischen Anode u. Kathode geändert wird. Der Thyristor eignet sich so als steuerbarer Leistungsgleichrichter mit Sperrspannungen bis zu einigen kV u. Durchlaßströmen bis in den kA-Bereich.

Während zunächst einzelne H.-Bauelemente von Bedeutung waren, versucht man in den letzten drei Jahrzehnten, zunehmend mehr Bauelemente in ein einziges Halbleiterscheibchen (chip) zu integrieren. Mit µm- u. sub-µm-Strukturierung erreicht man bei der „very large scale integration" (VLSI) Packungsdichten von einigen 10^6 Bauelementen pro chip.

Opt. Eigenschaften: Während die elektron. Eigenschaften von H. durch die Einelektronenzustände in LB und VB beschrieben werden, sind für die opt. Eigenschaften immer Zweiteilchenübergänge wichtig. Regt man z. B. ein Elektron vom VB ins LB an, so erzeugt man im ersten ein Loch, im zweiten ein Elektron. Ähnliches gilt für die Rekombination u. für Übergänge, an denen Störstellen beteiligt sind. Aufgrund ihrer Coulomb-Wechselwirkung bilden die Elektron-Loch-Paare eine Serie gebundener Zustände energet. unter-

halb der Bandlücke, die sog. *Excitonen. Im einfachsten Fall lassen sich diese Excitonen in Analogie zum Wasserstoff- od. Positronium-Atom verstehen, mit dem Unterschied, daß die *Rydberg-Energie aufgrund der effektiven Elektron- u. Lochmassen u. der Dielektrizitätskonstante ε des H. je nach Material im Bereich von 5 meV bis 200 meV liegt u. der Bohrsche Radius (s. Atombau) des Excitons bei 20 nm bis 0,5 nm (sog. *Wannierexcitonen*). Liegt das globale VB-Maximum an der gleichen Stelle im $\bar{k}$-Raum wie das LB-Minimum (im allg. bei $k = 0$), z. B. bei GaAs, CdS od. CuCl, so sind die Erzeugung od. Vernichtung eines Excitons u. die dem Ionisationskontinuum entsprechenden energet. darüberliegenden Band-Bandübergänge direkt durch Absorption od. Emission eines Photons möglich (*direkte H.*). Liegen diese Extrema an unterschiedlichen Stellen im $\bar{k}$-Raum (z. B. bei Si, Ge, GaP, AlAs), so ist für die opt. Übergänge die Beteiligung eines impulserhaltenden Phonons (Phononen = Quanten der Gitterschwingung) od. die Wechselwirkung mit einer Störstelle nötig (*indirekte H.*). Die Absorption u. die strahlende Rekombination ist in indirekten H. im allg. sehr viel schwächer als in direkten.

Die Farbe eines H. gibt im allg. groben Aufschluß über die Bandlücke. Liegt diese bzw. der tiefste Excitonen-Zustand oberhalb von ca. 3,3 eV, so ist der H. farblos (CuCl, ZnO). Für Werte von 3,3 bis herunter zu etwa 1,8 eV geht die Farbe von gelb über orange zu tiefem Rot (ZnSe, CdS, GaP, ZnTe, CdSe), unter 1,8 eV sind die H. undurchsichtig (schwarz) u. zeigen z. T. fast metall. Glanz (CdTe, GaAs, Si, Ge, InSb).

Forschungsgebiete der H.-Physik u. -Technik: Moderne Aspekte der Anw.-orientierten H.-Forschung u. -Entwicklung betreffen neben der zunehmenden Mikrostrukturierung bei der Integration die Herst. von H.-Syst. reduzierter Dimensionalität u. die nichtlinear-opt. sowie die elektroopt. Eigenschaften. Ein quasi-zweidimensionales Elektronensyst. läßt sich erzeugen, wenn man z. B. eine dünne (= 10 nm) Schicht eines Materials mit kleiner Bandlücke wie GaAs zwischen zwei Barrieren mit größerer Bandlücke, z. B. $Al_{1-y}Ga_yAs$, wächst. Die Bewegung der Elektronen od. Löcher ist senkrecht zur Schicht quantisiert, in der Schicht bewegen sie sich als freie Teilchen. Dieses Syst. wird als *Quantentrog* od. *Quantenfilm* (quantum well, QW) bezeichnet. Wächst man mehrere davon übereinander mit so breiten Barrieren, daß die QW unabhängig voneinander sind, so erhält man eine *Vielfachquantentrogstruktur* (MQW); sind die Barrieren so dünn, daß Tunnelprozesse auftreten, spricht man von einem *Übergitter* (superlattice). Durch weitere Strukturierung eines QW lassen sich quasi-eindimensionale *Quantendrähte* (quantum wires) u. *Quantentöpfe* (quantum dots) erzeugen.

Im Bereich der nichtlinearen Optik untersucht man die reversiblen Änderungen der opt. Eigenschaften, z. B. der Spektren der Transmission u. Reflexion, die durch Bestrahlung des H. mit intensivem (Laser-) Licht hervorgerufen werden, in der Elektrooptik Effekte, die durch die (zusätzliche) Anwesenheit eines elektr. Feldes bewirkt werden. Eine Anw. dieser Gebiete erwartet man sich im Bereich der Daten- u. Bildverarbeitung, die dann nicht mehr nur mit elektr. Strom- u.

Spannungsimpulsen arbeitet, sondern z. B. im Zusammenhang mit opt. Glasfaser-Übertragungsstrecken mit Lichtpulsen. – *E* semiconductors – *F* semiconducteurs – *I* semiconduttori – *S* semiconductores

Lit.: Tabellenwerk über Halbleiterdaten: *Landolt-Börnstein, Neue Serie Gruppe III, Bd. 17 a – i (1982); Bd. 22 a, b (1987). – *Einführungen in die Festkörper- u. Halbleiterphysik:* Ibach u. Lüth, Festkörperphysik (4.), Berlin: Springer 1996 ▪ Kittel, Festkörperphysik, München: Oldenbourg 1988 ▪ Kopitzki, Einführung in die Festkörperphysik (3.), Stuttgart: Teubner 1993. – *Einführung in die Theorie:* Ashcroft u. Mermin, Solid State Physics, New York: Holt-Sanders 1976 ▪ Heidelberger Taschenbücher **71**, Heidelberg: Springer 1970 ▪ Madelung, Introduction to Solid State Theory, Springer Series in Solid State Sciences (2.), Berlin: Springer 1997 ▪ Seeger, Semiconductor Physics, Springer Series in Solid State Sciences (6.), Bd. 40, Berlin: Springer 1997 ▪ Haug u. Koch, Quantum Theory of the Optical and Electronic Properties of Semiconductors, 3. Aufl., Singapore: World Scientific 1995. – *Opt. u. elektroopt. Halbleiterbauelemente:* Ebeling, Integrierte Optoelektronik (2.), Berlin: Springer 1992 ▪ Fraser, Halbleiterphysik, München: Oldenbourg 1981 ▪ Paul, Elektronische Halbleiterbauelemente, Studienskripten (3.), Nr. 112, Stuttgart: Teubner 1992 ▪ Paul, Optoelektronische Halbleiterbauelemente, Studienskripten (2.), Nr. 96, Stuttgart: Teubner 1992 ▪ Sze, Physics of Semiconductor Devices, New York: Wiley 1981. – *Halbleiterherst.:* Hermann u. Sitter, Molecular Beam Epitaxy, Berlin: Springer 1989 ▪ Pamplin (Hrsg.), Crystal Growth, Oxford: Pergamon Press 1975 ▪ Ruge, Halbleitertechnologie, HL-Elektronik 4, Berlin: Springer 1986 ▪ Wilke u. Bohm, Kristallzüchtung, Frankfurt: Harri Deutsch 1988. – *Lineare u. nichtlineare Halbleiteroptik u. Elektrooptik; Syst. reduzierter Dimensionalität:* Haug (Hrsg.), Optical Nonlinearities and Instabilities in Semiconductors, New York: Academic Press 1988 ▪ Haug u. Banyai (Hrsg.), Optical Switching in Low-Dimensional Systems, Plenum NATO ASI Series 194, New York: Academic Press 1989 ▪ Klingshirn, Semiconductor Optics, Berlin: Springer 1995 ▪ Mandel, Smith u. Wherrett (Hrsg.), From Optical Bistability towards Optical Computing, Amsterdam: North Holland 1987 ▪ McGill, Sotomayor-Torres u. Gebhardt (Hrsg.), Growth and Optical Properties of Wide-Gap II – VI Low-Dimensional Semiconductors, Plenum, NATO ASI Series B 100, New York: Academic Press 1989 ▪ Top. Appl. Phys. **65**, 201 (1989) ▪ Wherrett u. FAP Tooley (Hrsg.), Optical Computing, Proc. 34th Scottish Universities Summer School, NATO ASI, New York: Academic Press 1988 ▪ Yu u. Cardona, Fundamentals of Semiconductors, Berlin: Springer 1996.

Halbleiterlaser s. Diodenlaser, Halbleiter, LED.

Halbleiterpolymere s. Leiterpolymere.

Halbmetalle. Bez. für eine Reihe von krist. Festkörpern mit einer Bandlücke (s. Halbleiter), die Null ist od. einen Wert im Bereich der therm. Energie k_BT hat, wobei k_B die Boltzmann-Konstante u. T die abs. Temp. ist. Typ. Vertreter aus dem Bereich der Elemente sind die Kohlenstoff-Modif. Graphit od. graues Zinn. Bei den Verb. ist das Standardbeisp. $Cd_{1-y}Hg_yTe$. CdTe selbst ist ein Halbleiter mit einer Bandlücke von etwa 1,8 eV. Mit zunehmendem Hg-Gehalt nimmt die Breite der Bandlücke ab u. erreicht ab y = 0,15 den Wert Null. Etwas veraltet wird in der Chemie eine Reihe von Elementen als H. bezeichnet, die in der 3. bis 6. Gruppe des Periodensyst. stehen wie die Elemente Antimon, Arsen, Bismut, Bor, Germanium, Polonium, Selen, Silicium u. Tellur. Tatsächlich sind viele dieser Elemente klass. *Halbleiter wie Germanium, Selen, Silicium od. Tellur. Da die äußere Elektronenschale dieser Elemente mit 3 bis 6 Elektronen besetzt ist, können sie sowohl Elektronen abgeben als auch aufnehmen u. in Verb. sowohl als Kationen wie auch als Anionen auftreten. Oft weisen sie beim Übergang vom festen zum flüssigen Zustand eine Volumen-Kontraktion auf im Gegensatz zu Metallen. Als veraltete Bez. für diese Elemente findet man den Namen Metalloide. – *E* semimetals – *F* semi-métaux – *I* metalloidi – *S* semimetales

Lit.: Lovett, Semimetals and Narrow-Bandgap Semiconductors, New York: Academic Press 1976 ▪ Madelung, Grundlagen der Halbleiterphysik, Heidelberger Taschenbücher, Berlin: Springer 1970 ▪ Willardson u. Beer (Hrsg.), Semiconductors and Semimetals, New York: Academic Press (Reihe seit 1966).

Halbmikroanalyse (Semimikroanalyse, Centigramm-Meth.). Die Einteilung der quant. Analyseverf. erfolgt nach der Menge der Einwaage. Meth. mit einem Substanzbedarf von 1 – 100 mg bezeichnet man als Halbmikroanalyse. Sie liegt zwischen der *Makroanalyse* (>100 mg) u. der *Mikroanalyse* (1 µg – 1 mg). Beträgt die Einwaage weniger als 1 µg spricht man von einer *Ultramikroanalyse*. – *E* semimicro analysis – *F* semimicro-analyse – *I* semimicroanalisi – *S* semimicroanálisis, análisis semimicro

Lit.: DIN 32630 (10/1994).

Halbquantitativ. Bei Schnellanalysen, bes. in der klin. Chemie u. Diagnostik, viel benutzte Bez., die die Genauigkeit z. B. einer mengenabhängigen Farbreaktion zwischen qual. u. quant. einstuft. *Beisp.:* Blutzuckerbestimmung im Harn mit *Testpapieren u. -stäbchen, pH-Wert-Messungen mit *Reagenzpapieren, Gasanalysen mit *Prüfröhrchen. – *E* semiquantitative – *F* semiquantitatif – *I* semiquantitativo – *S* semicuantitativo

Halbrationalname s. Halbsystematischer Name.

Halbsessel-Konformation s. Konformation.

Halbstoff. Begriff aus der Papierherst. für einen aus verschiedenen Materialien, wie Laubholz, Nadelholz, einkeimblättrigen Pflanzen, Stroh, Lumpen usw., hergestellten Papierfaserstoff. – *E* half-stuff – *F* demi-pâte – *I* = *S* semipasta

Lit.: DIN 6730 (05/1996), S. 21.

Halbstufenpotential s. Polarographie.

Halbsynthetisches Nährmedium (halbdefiniertes Nährmedium). Bei Wachstum eines *Mikroorganismus in Kultur stellt man zunächst seine allg. Bedürfnisse, z. B. in bezug auf Temp. u. Licht, fest. Anschließend kann man in einer Serie von Experimenten die wichtigsten undefinierten Komponenten eines komplexen *Nährmediums durch bekannte ersetzen. Das Medium wird dann h. N. genannt. H. N. werden häufig zum Erzeugen mikrobieller Biomasse für Experimente verwendet. Bei einem h. N. sind gewöhnlich die meisten od. alle Hauptnährstoffe bekannt, die Spurenelemente u. Wachstumsfaktoren werden jedoch als Gemisch, beispielsweise in Form kleiner Mengen von *Hefeextrakt, *Casein-Hydrolysat od. bakteriellen *Peptonen hinzugefügt. Auf diese Weise kann in einem Nährmedium, das relativ leicht u. billig herzustellen ist, reproduzierbar Biomasse mit einheitlichen Eigenschaften erzeugt werden. – *E* semisynthetic/semi-defined nutrient broth, semisynthetic/semi-defined culture medium – *F* milieu nutritif semi-synthétique – *I* terreno di coltura semisintetico – *S* medio de cultivo semisintético (semidefinido)

Lit.: Isaac u. Jennings, Kultur von Mikroorganismen, S. 46 ff., Heidelberg: Spektrum Akadem. Verl. 1996 ▪ Schlegel (7.), S. 194.

Halbsystematischer Name (Halbrational-, Halbtrivial-, Semisystemat., Semitrivial-Name). Ein H. N. ist weder ein rein *systematischer Name noch ein *Trivialname. Entgegen extremen Definitionen, die nur Trivialnamen u. H. N. unterscheiden (IUPAC-Regel R-0.2.3) od. aber *Notationen, *Freinamen u. Abk. zu systemat. Namen zählen, versteht man unter H. N. im allg. Namen, die mit „halbsystemat." Naturstoff-Nomenklaturen u. „halbsystemat." *Stammnamen gebildet werden (IUPAC-Regeln F, IUPAC/IUB-Regeln, Chemical Abstracts, Beilstein's Handbuch). Der H. N. ist bei Naturstoffen meist kürzer u. klarer als ein „systemat." Name nach den IUPAC-Regeln A – E, H u. I; *Beisp.:* Jeder „systemat." Name zu den H. N. *Brevetoxin-A, -B od. -C ist > 500 Zeichen lang. – *E* semisystematic name, stereoparent name (C. A.) – *F* nom semi-systématique – *I* nome semisistematico – *S* nombre semisistemático

Halbtombak s. Gelbtombak.

Halbtrivialname s. Halbsystematischer Name.

Halbtrocknende Öle s. Fette u. Öle u. trocknende Öle.

Halbwertszeit (nach DIN 25 404, 01/1991; Abk.: HWZ, Symbol: $T_{1/2}$). Allg. Bez. für die Zeitspanne, in der die Hälfte eines Ausgangsmaterials zerfallen/umgewandelt ist. Der Begriff wird in verschiedenen Bereichen verwendet:
1. In der *Reaktionskinetik* (s. Kinetik) Bez. für diejenige Zeit, in der eine irreversible homogene Reaktion zur Hälfte abläuft.
2. Bei *radioaktiven Isotopen* ist die (physikal.) H. (= T_{ph}) die Zeit, innerhalb derer die Hälfte der ursprünglich vorhandenen Atome eines *Radionuklids sich umwandelt bzw. (bei Isomeren) in den Grundzustand übergeht. Parallel damit sinkt auch die von den radioaktiven Atomen herrührende *ionisierende Strahlung auf die Hälfte. Bei den Elementen mit nicht zu langer H. wird diese aus der allmählichen Strahlungsabnahme bestimmt. Nach einem Zeitraum, der etwa der zehnfachen H. entspricht, ist die Anzahl der radioaktiven Atome im Radioelement auf rund 0,1% der ursprünglichen Zahl gesunken. Radium 226 hat eine H. von 1600 a, Radon 222 von 3,823 d, Uran 238 von 4,51 Mrd. a; Zahlenwerte der H. von Nukliden s. in *Lit.*[1].
Aus den H. der in extraterrestr. Material nachgewiesenen Elemente lassen sich ggf. Rückschlüsse auf das Alter des Sonnensyst. bzw. der Sterne ziehen. Mit der *Lebensdauer* (τ) der Radionuklide ist die H. $T_{1/2}$ über die *Zerfallskonstante* λ verknüpft: $1/\tau = \lambda = \ln 2 / T_{1/2} \simeq 0,6931 / T_{1/2}$; Näheres s. Radioaktivität.
3. Unter der *(biolog.) H. einer körpereigenen Substanz* (z. B. *Antikörper od. *Enzyme) versteht man die Zeit, innerhalb derer die 50% davon im Organismus abgebaut, ausgeschieden od. neu gebildet wird. Diese beträgt (mit Radioindikatoren bestimmt) bei den Serum- u. Leber-Proteinen des Menschen 7 – 10 d, beim menschlichen Gesamtkörpereiweiß 80 d (Ratte 17 d), bei der Muskulatur 158 d, bei Depotfetten (Ratte) 58 d, s. *Lit.*[2].

4. Unter der *(biolog.) H.* (= T_{biol}) *eines Radionuklids* versteht man die Zeit, in der die Hälfte des inkorporierten radioaktiven chem. Elements wieder aus dem Körper ausgeschieden wird. Es gibt Strahler mit langer physikal., aber kurzer biolog. H.; so wird z. B. das Tritium mit einer physikal. H. von ca. 12,26 a schon nach 12 d zur Hälfte aus dem Körper ausgeschieden. Aus den H. nach 2. u. 4. resultiert deshalb eine „*effektive*" H. (= T_{eff}) der Form: $T_{eff} = T_{ph} \cdot T_{biol} / (T_{ph} + T_{biol})$, vgl. a. DIN 6814, Tl. 4 (03/1980).
5. In *übertragenem Sinne* spricht man von H. auch bei der Abtötung von Keimen durch Desinfektionsmittel, bei der Ausscheidung von Pharmaka aus dem Körper u. beim *biologischen u. *abiotischen Abbau von Stoffen in der Umwelt, selbst bei der *chemischen Literatur u. bei Informationen aus wissenschaftlichen Zeitschriften. – *E* half-life – *F* demi-vie – *I* vita media – *S* período de semidesintegración, período de vida media, semivida

Lit.: [1] Handbook **75**, 11-35-139; Pure Appl. Chem. **52**, 2349 – 2384 (1980); Kohlrausch, Praktische Physik, Bd. 3, S. 499 ff., Stuttgart: Teubner 1996. [2] Adam, Läuger u. Stark, Physikalische Chemie u. Biophysik, S. 384, Berlin: Springer 1995.
allg.: Büll et al., Nuklearmedizin, Stuttgart: Thieme 1996 ▪ Hoffmann u. Lieser, Methoden der Kern- u. Radiochemie, Weinheim: VCH Verlagsges. 1991.

Halbwolle. Frühere Bez. für ein Fasergemisch aus Wolle u. Baumwolle bzw. Kupferseide u./od. anderen Kunstfasern auf Cellulose-Basis. – *E* unions – *F* milaine – *I* mezza lana – *S* semilana, media lana

Halbwoll-Farbstoffe. Farbstoffe, die beide Bestandteile von *Halbwolle in gleicher Weise einfärben. Eine Liste von H. findet man in *Lit.*[1]. – *E* union dyes – *F* colorants pour demi-laine – *I* coloranti di semilana – *S* colorantes para media lana
Lit.: [1] Textilbetrieb **1978**, Nr. 4, 51 ff., Nr. 5, 65 ff.

Halbzelle (Halbelement). Bez. für eine in einen geeigneten Elektrolyten eintauchende *Elektrode; *Beisp.:* Kalomel-H., Chinhydron-H., ionenselektive Elektroden, Glaselektrode, Gaselektrode u. a. Manche H. werden als *Ableit-, insbes. als *Bezugselektroden eingesetzt. Zwei od. mehr H. können zu *galvanischen Elementen kombiniert werden. – *E* half-cell – *F* demi-pile – *I* semicella, semipila, semielemento – *S* semipila
Lit.: s. Bezugselektroden, Elektroden u. galvanische Elemente.

Halbzellstoff. Bez. für einen aus pflanzlichen Rohstoffen durch chem. Aufschluß erhaltenen *Halbstoff, bei dem die nicht-faserigen Bestandteile nur teilw. herausgelöst sind u. der mechan. nachbehandelt ist [DIN 6730 (05/1996, S. 21)]. H. liegt in den Eigenschaften zwischen *Holzstoff u. *Zellstoff u. kann in der *Papier-Herst. u. a. für Wellpappkisten, Rohdachpappe, Packpapiere, für Druck- u. Schreibpapiere eingesetzt werden. – *E* semichemical pulp – *F* pâte mi-chimique – *I* mezza cellulosa – *S* pasta semiquímica
Lit.: Ullmann (4.) **17**, 541 – 544, 581.

Halbzeug. In der Metallurgie allg. ein zur weiteren Verarbeitung bestimmtes Vorprodukt aus einem metall. Werkstoff. In der *metallschaffenden Ind.* Bez. für Formkörper, aus denen durch nachgeschaltete *Fertigungsverfahren (Umformung) Fertigerzeugnisse beliebiger Form u. Abmessungen hergestellt werden. Maßtoleranzen sind für H. dieser Art nicht festgelegt, ebenso sind keine Oberflächengüten spezifiziert[1]. In der *metallverarbeitenden Ind.*[2] Bez. für Erzeugnisformen mit einem über die Länge gleichbleibenden Querschnitt wie Profile, Rohre, Stangen, Drähte u. Bleche, aus denen durch weitere Fertigungsverf. wie Verformen u. Fügen das spezifizierte Bauteil hergestellt wird. Für Erzeugnisformen dieser Art sind sowohl Maßtoleranzen als auch Oberflächengüten in Normen festgelegt. – *E* semifinished product – *F* demi produit – *I* semilavorato – *S* semiproducto

Lit.: [1] EN 10 079 (02/1993). [2] DIN 1353 (04/1971).
allg.: Bundesverband Dtsch. Stahlhandel u. Stahl-Informations-Zentrum (Hrsg.), Stahllexikon, Düsseldorf: Stahleisen 1996.

Halcinonid (Rp).

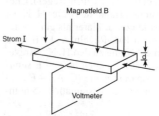

Internat. Freiname für das äußerlich angewendete, antiphlogist. u. antiallerg. wirkende Glucocorticoid (s. Corticosteroide) 21-Chlor-9-fluor-11β-hydroxy-16α, 17-isopropylidendioxy-4-pregnen-3,20-dion, $C_{24}H_{32}ClFO_5$, M_R 454,97, Schmp. 264–265 °C, λ_{max} (CH$_3$OH) 238 nm ($A_{1cm}^{1\%}$ 360), $[\alpha]_D^{25}$ +155° (CHCl$_3$), in Wasser unlösl., lösl. in Aceton, Chloroform u. DMSO. H. wurde 1972 u. 1975 von Squibb patentiert u. ist von Bristol Myers Squibb (Halcimat®, Halog®) im Handel. – *E* = *F* halcinonide – *I* alcinonide – *S* halcinonida

Lit.: Beilstein E V **19/6**, 301 ■ Florey **8**, 251–281 ■ Hager (5.) **8**, 401 f. – *[HS 293722; CAS 3093-35-4]*

Halcion®0,25 (Rp). Schlaftabl. mit *Triazolam. *B.:* Pharmacia & Upjohn.

Haldensche Reaktion. Von Halden entwickelte Meth. zur kolorimetr. Bestimmung von Vitamin D$_2$ durch Farbreaktion (violett) mit AlCl$_3$ in abs. Ethanol. – *E* Halden reaction – *F* réaction de Halden – *I* reazione di Halden – *S* reacción de Halden

Haldol®-Janssen (Rp). Tabl., Tropfen, Lsg. u. Injektionslsg. mit dem *Neuroleptikum *Haloperidol, zur Depot-Therapie als Decanoat-Ester. *B.:* Janssen/Cilag.

Haleite. Bez. für einen amerikan. Explosivstoff auf der Basis von Ethylendinitramin, der auch im Gemisch mit *2,4,6-Trinitrotoluol verwendet wird (*Ednatol).

Lit.: Meyer, Explosivstoffe, 8. Aufl., Weinheim: VCH Verlagsges. 1995 ■ Ullmann (4.) **21**, 666 ■ Winnacker-Küchler (4.) **7**, 382.

Halfan® (Rp). Tabl. u. Suspension mit dem Malariatherapeutikum *Halofantrin-Hydrochlorid. *B.:* Smith-Kline Beecham.

Halicar®. Salbe mit Cardiospermum-Urtinktur gegen Ekzeme u. Neurodermitis. *B.:* DHU.

Halide s. Halogenide.

Halit s. Steinsalz u. Natriumchlorid.

Hall. Kurzbez. für die 1946 gegr. The Hall Chemical Co., 28 960 Lakeland Blvd., Wickliffe, Ohio 44 092, die Metallsalze liefert.

Hall-Effekt. Von dem amerikan. Physiker Edwin Herbert Hall (1855–1938) beobachteter Effekt. Bringt man eine vom Strom I durchflossene Probe in ein transversales Magnetfeld B (s. Abb.), so werden aufgrund der *Lorentz-Kraft die Ladungsträger abgelenkt u. es bildet sich zwischen den Seitenflächen der Probe eine Spannung $U_H = A_H \cdot I \cdot B/d$, genannt *Hall-Spannung*, wobei d die Dicke der Probe längs der Magnetfeldlinien ist.

Abb.: Hall-Effekt.

Der *Hall-Koeff.* $A_H = r/(n \cdot e)$ ist gegeben durch die Dichte n der Ladungsträger u. die *Elementarladung e ($= 1,6 \cdot 10^{-19}$ C), sowie durch den Faktor r, der ein Maß für die Beweglichkeit der Ladungsträger ist (für starke Magnetfelder $\mu \cdot B \gg 1$ wird r = 1). Das Vorzeichen des Koeff. A_H hängt von der Art der Ladungsträger ab; bei freien Elektronen u. Metallen ist er neg. (Elektronenleitung), während er bei Löcherleitung, z.B. in *Halbleitern, pos. ist. Tragen Elektronen u. Löcher zum Ladungstransport bei, ist der Ausdruck für A_H komplizierter[1]. Da die Dichte der Ladungsträger in Halbleitern viel kleiner als in Metallen ist, erhält man bei ihnen größere Hall-Spannungen; deshalb werden sie als *Hall-Sonden* zur Messung von Magnetfeldern eingesetzt (z.B. Bismut). Die Größe $p_H = B \cdot A_H$ wird als *Hall-Widerstand* bezeichnet. Bei Halbleiterelementen mit sehr dünnen Leiterschichten wurde 1980 durch von *Klitzing eine sprunghafte Änderung des Hall-Widerstands entdeckt (*Quanten-Hall-Effekt, *von Klitzing-Effekt*), der zur präzisen Messung der *Sommerfeldschen Feinstrukturkonstante* u. Realisierung des elektr. Widerstands für die Meteorologie eingesetzt wird. Obwohl Photonen keine elektr. Ladung tragen, kann Licht in streuenden Medien durch ein Magnetfeld abgelenkt werden; dieser Effekt wird als *Photonen-H.-E.* bezeichnet[2]. – *E* Hall effect – *F* effet Hall – *I* effetto Hall – *S* efecto Hall

Lit.: [1] Kohlrausch, Praktische Physik, Bd. 2, S. 844, Stuttgart: Teubner 1996. [2] Physik Unserer Zeit **28**, 42 (1997).
allg.: Chien u. Westgate, The Hall Effect and its Applications, New York: Plenum 1980 ■ Handbook **75**, 4–114 bis 121 ■ Kirk-Othmer (4.), **3**, 631; **4**, 976 ■ Weißmantel u. Hamann, Grundlagen der Festkörperphysik, 4. Aufl., S. 423, Heidelberg: Barth 1995.

Haller-Bauer-Reaktion. Nicht enolisierbare Ketone der Form Ar–CO–CR$_3$ werden durch Natriumamid in einen aromat. Kohlenwasserstoff u. ein Amid einer ster.

$$Ar-\underset{\underset{O}{\|}}{C}-CR_3 \xrightarrow{\substack{1.\ NaNH_2 \\ 2.\ H_2O}} Ar-H \ + \ R_3C-\underset{\underset{O}{\|}}{C}-NH_2$$

aufwendig substituierten Carbonsäure gespalten. Diese sonst schwer zugänglichen Amide können auf diese Art hergestellt werden. – *E* Haller-Bauer reaction – *F* réaction de Haller-Bauer – *I* reazione di Haller-Bauer – *S* reacción de Haller-Bauer
Lit.: Hassner-Stumer, S. 156 ▪ March (4.), S. 633 ▪ Org. Prep. Proced. Int. **22**, 167–201 ▪ Org. React. **9**, 1–36 (1957).

Hall-Héroult-Verfahren s. Aluminium.

Halloysit. $Al_2[(OH)_4/Si_2O_5] \cdot 2H_2O$, zu den *Tonmineralen der *Kaolinit-Gruppe gehörendes, weiß od. verschieden gefärbtes, wachsartig glänzendes od. mattes Mineral, Kristallklasse m-C_s. Spiralförmige, im allg. erst unter dem Transmissions-Elektronenmikroskop erkennbare Röllchen aus miteinander wechsellagernden Kaolinit-Paketen u. Wasser-Schichten mit im Durchschnitt 570 Å äußerem u. 250 Å innerem Durchmesser; auch als eckige Röhrchen, Plättchen u. kugelige bis unregelmäßige Formen. H. 1–2, D. 2,0–2,2. Knollige, dichte Aggregate sowie feinkörnige u. erdige Massen. In Wasser quellfähig; zum Fließverhalten von H.-Suspensionen s. *Lit.*[1]. Beim Erhitzen auf 60°C wird die Wasserschicht vollständig ausgetrieben; dabei schrumpft der Basisabstand zwischen den Zweischicht-Paketen von rund 10 Å (*10 Å-H.*) auf etwa 7 Å (*7 Å-H.*, *Meta-H.*); die meisten natürlichen H.-Vork. enthalten Gemenge von 10 Å- u. 7 Å-Halloysiten. Organ. Mol. mit polaren Gruppen, z.B. Glycerin u. Alkalien, können zwischen die Kaolinit-Schichten austauschbar eingelagert werden. Zu Eisen-Gehalten in H. s. *Lit.*[2], zur Koordination von Al u. zu Unordnungs-Zuständen in der Struktur von H. s. *Lit.*[3].
Vork.: Verbreitet in *Tonen u. Böden (*Boden). In manchen Kupferlagerstätten, z.B. in Arizona/USA.
Verw.: In einigen Ländern, z.B. Japan, Südkorea, USA, für Porzellane bes. Güte mit hohem Weißheitsgrad. Geringere Qualitäten zu Feuerfeststoffen u. in Zement. – *E = F* halloysite – *I* alloysite – *S* halloysita
Lit.: [1] Clay Miner. **30**, 99–106 (1995). [2] Neues Jahrb. Mineral., Abh., **162**, 281–309 (1991). [3] Clay Miner. **29**, 305–312 (1994).
allg.: Bailey (Hrsg.), Hydrous Phyllosilicates (Reviews in Mineralogy Vol. 19), S. 53–60, Washington (D. C.): Mineralogical Society of America 1988 ▪ Jasmund u. Lagaly (Hrsg.), Tonminerale u. Tone, S. 33–41, 170 f., 214 f., 359, Darmstadt: Steinkopff 1993 ▪ s.a. Tone u. Tonminerale. – *[HS 250700; CAS 12244-16-5]*

Hall-Sonde s. Hall-Effekt.

Hall-Spannung s. Hall-Effekt.

Halluzinogene (Psychotomimetika, Psychodysleptika). Substanzen, die bei erhaltenem Bewußtsein Sinnestäuschungen u. ein verzerrtes Erleben von Raum, Zeit u. eigener Person bewirken. Die Wirkung hält bei den meisten H. einige Stunden an. Nach heutigem Wissensstand können sie eine psych., aber keine körperliche Abhängigkeit hervorrufen. Eine therapeut. Bedeutung besitzen sie nicht.
Gemäß ihrer Herkunft lassen sich drei Gruppen unterscheiden: *1. Naturstoffe*[1]: Dazu gehören z.B. *Haschisch u. *Marihuana, Tryptamin-Derivate (*Meskalin) u. viele Indolylalkylamin-Derivate (Bufotenin, *Ibogain, *Psilocybin u.a.). – *2. Teilsynthet. H:* Z.B.

Lysergsäurediethylamid. – 3. Vollsynthet. H.: Bes. Phenylalkylamine wie *2,5-Dimethoxy-4-methylamphetamin (DOM), *Ecstasy u. *Phencyclidin u. Indolylalkylamin-Derivate wie *N,N-Dimethyltryptamin. In hohen Dosen können auch andere Substanzen, nämlich organ. Lsm. (s. Schnüffelstoffe[2]), *Atropin u. -Derivate u. *Amphetamine, halluzinogene Wirkung zeigen, indem sie den Gehirnstoffwechsel massiv beeinträchtigen. Aufgrund von Strukturähnlichkeiten interferieren H. mit dem Stoffwechsel wichtiger Neurotransmitter, v.a. *Dopamin u. *Serotonin.
Da H. Geisteskrankheiten wie Schizophrenie u. Psychosen auslösen können, ist ihre Verw. untersagt, u. die Stoffe dürfen gemäß dem *Betäubungsmittel-Gesetz weder verschrieben noch vertrieben werden.
Analytik: Es finden die üblichen Nachweismeth. für organ. Substanzen Anw. (DC, HPLC, GC; ELISA usw.)[3]. – *E* hallucinogens – *F* hallucinogènes – *I* allucinogeni – *S* alucinógenos
Lit.: [1] Pharm. Unserer Zeit **12**, 75–79 (1983). [2] Dtsch. Apoth. Ztg. **129**, 1495–1498 (1989). [3] Dtsch. Apoth. Ztg. **122**, 3–22 (1982).
allg.: Lewin, Phantastika, Berlin: Volksverlag 1980 ▪ Mutschler (7.), S. 169 ff. ▪ Neuropsychopharmacology **14**, 285–298 (1996) ▪ Pharm. Ztg. **141**, 11–23 (1996) ▪ Pharm. Unserer Zeit **13**, 147–156 (1979) ▪ Schultes u. Hofmann, The Botany and Chemistry of Hallucinogens, Springfield/Ill.: C. C. Thomas 1973 ▪ s.a. Rauschgifte.

Halmfestiger. Bez. für Pflanzen-Wachstumsregulatoren wie *Chlormequatchlorid, die bes. bei Getreide zur Bildung kürzerer u. stärkerer Halme führen, die widerstandsfähiger gegen das Umknicken (Lagern) sind. – *E* culm stabilizer, stem stabilizer – *F* stabilisateur des tiges, fortifiant des tiges – *I* regolatore di crescita del gambo – *S* estabilizador del tallo
Lit.: Kirk-Othmer (4.) **12**, 815–841 ▪ Wegler, Chemie der Pflanzenschutz- u. Schädlingsmittel, Bd. 4, Berlin: Springer 1977.

Halmyrogen. Von griech.: halmyros = salzig u. ...*gen abgeleitete Bez. für die Entstehung von *Sedimentgesteinen durch *Ausfällen aus Meerwasser. Unter *Halmyrolyse* versteht man die *Verwitterung von Gesteinen unter dem Meerwasser. – *E* halmyrogenic – *F* halmyrogène – *I* almirogenico – *S* halmirógeno

Halmyrolyse s. Halmyrogen.

Halo. Röntgen-Aufnahmen teilkrist. od. völlig amorpher Polymerer zeigen neben den ggf. zu beobachtenden, relativ scharfen Reflexen der krist. Domänen stets stark verbreiterte Intensitätsmaxima, die sog. H.; diese haben ihren Ursprung in der auch in amorphen Polymeren vorhandenen Nahordnung. – *E* halo – *I* alone – *S* halo
Lit.: Elias (5.) **1**, 734.

Halo... Von griech.: hals (Genitiv: halós) = Salz, Meer abgeleiteter Namensbestandteil in Begriffen, die in irgendeiner Beziehung zu *Salzen stehen; *Beisp.:* Halophile Organismen, z.B. *Halobakterien, Halophyten*, *Halogene u. die folgenden Stichwörter. – *E = F = S* halo... – *I* alo...

Halobakterien. Die H. bilden die Gruppe der extrem halophilen *Archaea, die heute in sechs Gattungen unterteilt wird, u. gehören zu den *Halobionten. Die

Gram-neg. H. (*Gram-Färbung) sind je nach Gattung u. Art stäbchenförmig, kokkoid od. auch pleomorph gestaltet, die meisten sind obligat aerob u. haben einen chemoorganoheterotrophen Stoffwechsel (s. Heterotrophie). Charakterist. für die H. ist ihr Bedarf an hohen Kochsalz-Konz. in dem sie umgebenden Medium. Die meisten *Stämme wachsen optimal in einer 3–4 molaren Kochsalz-Lsg., einigen reicht eine 1,5 molare Lsg. zum Leben. Zu geringe Kochsalz-Konz. inaktivieren den Stoffwechsel, lassen die Protein-Zellwand zerfallen u. bringen so die Zellen zum Platzen. Ein weiteres typ. Merkmal der H. ist die durch *Carotinoide bedingte gelbe bis rote Farbe der Zellen. Außerdem sind H. bei niedrigen Sauerstoff-Konz. in der Lage, Lichtenergie für ihren Stoffwechsel zu nutzen. Hierzu bilden sie in ihrer Cytoplasmamembran rote Flecken aus (Purpurmembran), die *Bakteriorhodopsin enthalten. – *E* halobacteria – *F* halobactéries – *I* alobatteri – *S* halobacterias
Lit.: Schlegel (7.), S. 116, 426.

Halobionten (halophile Organismen). Organismen, die in salzreichen *Biotopen/*Habitaten leben. Man unterscheidet obligat halophile Organismen, die auf hohe Salzgehalte der Umwelt angewiesen sind, u. fakultativ halophile Organismen, die auf hohe Salzgehalte nicht angewiesen sind, diese aber tolerieren (*Halotoleranz*). Fakultative H. werden oft durch Konkurrenzdruck od. Verfolgung aus salzarmen, sonst aber vergleichbaren Habitaten verdrängt. Zu den H. zählen *Mikroorganismen wie die Halobakterien[1] (Vertreter der Archaebakterien), Vertreter der Eubakterien u. Cyanobakterien (früher: Blaualgen) sowie Crustaceen (Krebstiere), Insektenlarven, Fische u. *Halophyten. Zu den verschiedenen biochem. Anpassungsmechanismen s. *Lit.*[2,3]. Zufällig in salzreichen Biotopen vorhandene Organismen werden als *Haloxene* bezeichnet. – *E* halophilous organisms – *F* organismes halophiles – *I* organismi alofili – *S* organismos halófilos
Lit.: [1] Staley (Hrsg.), Bergey's Manual of Systematic Bacteriology, Bd. 3, S. 2216–2233, Baltimore: Williams u. Wilkins 1988. [2] Hochachka u. Somero, Strategien biochemischer Anpassung, S. 106–158, Stuttgart: Thieme 1980. [3] Schlee (2.), S. 170–187.

Halocarban (Cloflucarban).

Internat. Freiname für das *Antiseptikum/*Desinfektionsmittel *N*-(4-Chlorphenyl)-*N'*-[4-chlor-3-(trifluormethyl)phenyl]harnstoff, $C_{14}H_9Cl_2F_3N_2O$, M_R 349,14, Schmp. 214–215 °C, unlösl. in Wasser, gut lösl. in organ. Lösemitteln. H. wurde 1956 von Geigy, 1962 von Am. Cyanamid patentiert. – *E* halocarban – *F* halocarban – *I* alocarban – *S* halocarbán
Lit.: Beilstein E IV **12**, 1854 ▪ Merck-Index (12.), Nr. 2438. – *[HS 2924 21; CAS 369-77-7]*

Halochromie. Bez. aus der Farbstoffchemie für die Erscheinung, daß an sich farblose od. schwach farbige, v. a. ungesätt. Carbonyl-Verb. durch Bildung von *Molekül-Verbindungen mit farblosen Säuren (hier *Acichromie* genannt) od. Salzen farbig od. intensiver farbig werden. Die Bez. „H." geht darauf zurück, daß

die diese Erscheinung zeigenden Verb. mit Säuren Salzcharakter haben (z. B. Oxonium-Salze), obwohl H. auch bei der Bildung der nicht salzartigen Mol.-Verb. mit Zinntetrachlorid u. a. eintritt. Sie beruht darauf, daß bei der Bildung der Mol.-Verb. Elektronenkonfigurationen entstehen, die die Einstellung mesomerer Zustände im Mol. (sofern konjugierte Doppelbindungen od. aromat. Kerne vorliegen) begünstigen. – *E* halochromism – *F* halochromie – *I* alocromia – *S* halocromía, halocromismo
Lit.: Helv. Chim. Acta **62**, 171–184 (1979); **63**, 1264–1293 (1980) ▪ Z. Chem. **17**, 266 f. (1977); **18**, 183 f. (1978).

Halofantrin (Rp).

Internat. Freiname für (±)-3-(Dibutylamino)-1-[1,3-dichlor-6-(trifluormethyl)-9-phenanthryl]-1-propanol, $C_{26}H_{30}Cl_2F_3NO$, M_R 500,43. Verwendet wird das Hydrochlorid (zwei Modif.), Schmp. 93–96 °C u. Schmp. 203–204 °C. H. wurde als Protozoenmittel gegen Malaria 1985 von SmithKline Beecham (Halfan®) patentiert. – *E = F = I* halofantrine – *S* halofantrina
Lit.: ASP ▪ Hager (5.) **8**, 402 ff. – *[HS 2922 19; CAS 69756-53-2 (H.); 36167-63-2 (Hydrochlorid)]*

Haloforme (Trihalogenmethane). Gruppenbez. für die Halogen-Verb. der allg. Formel CHX_3, zu denen Fluoroform (X = F), Chloroform (X = Cl, s. Chlormethane), *Bromoform (X = Br) u. *Iodoform (X = I) gehören, u. die nützliche Ausgangsstoffe für die Synth. von Dihalogen-*Carbenen sind[1]. Ihre Herst. kann u. a. durch die *Haloform-Reaktion* erfolgen, bei der eine Verb. mit einer oxidierbaren Methyl-Gruppe, z. B. Methylketone, mit Hypohalogeniten umgesetzt wird[2].

Die *Iodoform-Reaktion* kann analyt. als Nachw. von Ethanol, Methylketonen u. solchen Alkoholen, die zu Methylketonen führen, herangezogen werden. Zur Bestimmung von H. in Trinkwasser – v. a. das potentiell carcinogene Chloroform kann sich dort bilden – s. Trinkwasser. – *E* haloforms – *F* haloformes – *I* aloformi – *S* haloformos
Lit.: [1] Houben-Weyl **E 19 b**, 1462 f. [2] Chakrabartty, in Trahanovsky, Oxidation in Organic Chemistry, S. 343–370, New York: Academic Press 1978. *allg.:* Laue-Plagens, S. 163 ff. ▪ March (4.), S. 632.

Haloform-Reaktion s. Haloforme.

Halogenaldehyde. Sammelbez. für Aldehyde, die in α-Stellung durch Halogene substituiert sind. Bedeutung haben v. a. die Trihalogen-Derivate des *Acetaldehyds erlangt. Wichtigster Vertreter ist *Chloral (Trichloracetaldehyd in Form des Hydrates, s. Chloralhydrat), das u. a. als Ausgangsverb. für reines Tri-

chlormethan (Chloroform) u. Deuterotrichlormethan (Deuterochloroform für die NMR-Spektroskopie) dient. Chloral ist auch Ausgangsverb. für das Insektizid *DDT (Gerasol). – *E* haloaldehydes – *F* halogéno-aldehydes – *I* alogenoaldeidi – *S* halogenoaldehídos
Lit.: House, Modern Synthetic Reactions, S. 459–478, Menlo Park, CA: W. A. Benjamin, Inc. 1972 ▪ Patai, The Chemistry of Halides, Pseudohalides and Azides, S. 814 ff., New York: Wiley 1983 ▪ Patai, The Chemistry of α-Haloketones, α-Haloaldehydes and α-Haloimines, Chichester: Wiley 1988.

Halogenamine. Sammelbez. für meist organ. Stickstoff-Verb., die N–X-Bindungen (X = Halogen) enthalten; *Beisp.:* *Chloramine, *N-Brom- od. N-*Chlorsuccinimid, *1,3-Dibrom-5,5-dimethylhydantoin. Die H. liefern häufig Halogen-Radikale, seltener -Kationen. – *E* haloamines – *F* halogéno-amines – *I* alogenoammine – *S* halogenoaminas

Halogencarbonsäuren. Man unterscheidet α-, β-, γ- ... H., je nachdem wie weit die Halogen-Substitutionsstelle von der Carboxy-Gruppe entfernt ist. Präparativ wichtig sind die α-Halogen-Derivate der Essigsäure, bei denen man Mono-, Di- u. Trihalogenessigsäuren unterscheidet, die gewöhnlich stärkere Säuren als die Essigsäure sind; zum Vgl. der Säurestärken in gasf. u. wäss. gelöstem Zustand s. *Lit.*[1]. Einzelne Vertreter dieser Gruppe, von denen die wichtigsten unter eigenen Stichwörtern abgehandelt werden, sind z. B. *Trichloressigsäure (pK$_a$ 0,65), *Trifluoressigsäure (pK$_a$ 0,23), Monochloressigsäure (pK$_a$ 1,29) usw. Zur Herst. der H. gibt es spezielle Meth.; man kann ggf. von *Cyanohydrinen ausgehen od. speziell für α-Brom- u. α-Chlorcarbonsäuren die *Hell-Volhard-Zelinsky-Reaktion benutzen. – *E* halogenated carboxylic acids – *F* acides carboxyliques halogenés – *I* acidi alogenocarbossilici – *S* ácidos halogenocarboxílicos

Lit.: [1] Norman u. Coxon, Principles of Organic Synthesis (3.), S. 44, London: Blackie Academic & Professional 1993; Sykes, Reaktionsmechanismen des Organischen Chemie (9.), S. 68, Weinheim: VCH Verlagsges. 1988.
allg.: Chem. Rev. **52**, 237 (1953) ▪ Kirk-Othmer (3.) **1**, 171–178; **10**, 891–896; (4.) **11**, 544 f.

Halogene (griech.: Salzbildner; d. h. chem. Elemente, die mit Metallen direkt Salze bilden). Als H. bezeichnet man die Elemente der 7. Hauptgruppe (17. Gruppe) des *Periodensystems mit den Ordnungszahlen 9, 17, 35, 53 u. 85, nämlich *Fluor, *Chlor, *Brom, *Iod u. *Astat. Wie die Tab. zeigt, nehmen bei den H. mit steigendem Atomgew. auch die D. (bei Fluor bis Brom für das verflüssigte Element angegeben) zu, die Schmp. u. die Sdp. erhöhen sich, die Farbe vertieft bzw. verstärkt

sich; Näheres über die physikal. Eigenschaften s. unter den Einzelelementen. Die H. sind einwertig u. stark elektroneg., da sie in ihren äußeren Schalen 7 Elektronen haben (s. Atombau u. Periodensystem), die sich unter Aufnahme von je einem Elektron u. Bildung der *Halogenide leicht zur Edelgasschale ergänzen. Chlor, Brom u. Iod treten daneben noch in den Oxid.-Stufen +1 bis +7 u. Astat in den Oxid.-Stufen 0, +1, +3, +5 u. +7 auf. Im Gegensatz zu den Hypohalogenigen Säuren HOCl, HOBr u. HOI (Oxid.-Stufe +1 am Halogen) besitzt F in der Hypofluorigen Säure die Oxid.-Stufe –1. In *Interhalogen-Verbindungen können sog. *hypervalente Moleküle vorliegen, insbes. mit Fluor. Die für die H. charakterist. Affinität zu Wasserstoff (s. a. Chlorknallgas u. Einzelelemente) nimmt von Fluor zu Iod hin ab; die sich in Wasser zu Säuren lösenden Wasserstoff-Verb. nennt man *Halogenwasserstoffe,* deren Salze *Halogenide. Ein Gemisch von Fluor u. Wasserstoff explodiert bereits im Dunkeln, dagegen erfolgt die Reaktion zwischen Iod u. Wasserstoff zu Iodwasserstoff nur bis zu einem bestimmten Gleichgew., vgl. a. chemische Gleichgewichte. Dieser Abnahme der Affinität zu elektropos. Elementen steht die Zunahme der Affinität zu elektroneg. Elementen gegenüber. So erklärt es sich, daß z. B. die Oxide des Iods die beständigsten Halogenoxide darstellen u. als einzige derartige Verb. exotherme Substanzen sind. Auch sonst nimmt die oxidierende Wirkung der H. vom Fluor zum Iod hin ab (vgl. die Normalpotentiale in der Tab.), die der entsprechenden Halogenwasserstoffe dagegen nimmt zu. Eine derartige stufenweise Änderung der chem. u. physikal. Eigenschaften läßt sich auch bei anderen H.-Verb. beobachten. So nimmt bei den Silberhalogeniden die Löslichkeit in Wasser vom Silberchlorid zum -iodid ab, die Intensität der Farbe zu; lediglich Silberfluorid nimmt eine Ausnahmestellung ein. Mit Stickstoff bilden die H. eine Reihe von *Stickstoffhalogeniden u. *Halogenaminen. In organ. Verb. vermögen die H. Wasserstoff-Atome (*Beisp.:* *Halogenkohlenwasserstoffe) od. auch einwertige funktionelle Gruppen (z. B. in den Carbonsäurehalogeniden) zu ersetzen.
Die H. wirken in unterschiedlichem Maße giftig u. ätzend, zu den MAK-Werten s. die Einzelelemente. In elementarer bzw. locker gebundener Form fanden od. finden sie noch Anw. als Desinfektionsmittel (*Lit.*[1]); korrosive u. nicht selten allergisierende Eigenschaften stehen weiterer Verw. im Weg.
Nachw.: Zum qual. u. quant. Nachw. der H. in organ. u. anorgan. Substanzen sind zahlreiche Meth. ent-

Tab.: Physikal. Eigenschaften der Halogene.

Element	Fluor	Chlor	Brom	Iod	Astat*
M$_R$	18,9984	35,4527	79,904	126,9045	(210)
D.	1,513[a]	1,57[a]	3,12	4,93	–
Schmp. [°C]	–219,62	–100,98	–7,2	+113,5	+244
Sdp. [°C]	–188,14	–34,6	+58,78	+184,35	+309
Aussehen	schwach grünlich-gelbes Gas	grüngelbes Gas	dunkelrotbraune Flüssigkeit	schwarzgraue Blättchen	metall.
Normalpotential [V]	+2,87	+1,3583	+1,065	+0,535	+0,2

*Schätzwerte, ( ) = längstlebiges Isotop, [a] am Sdp.

wickelt worden, die auf Überführung in Cu(I)-, Ag(I)-, andere Metallhalogenide od. Halogenwasserstoff beruhen. Sie sind häufig nach ihrem Entdecker benannt, z. B. *Beilstein-Test (eine wichtige *Vorprobe auf H.), *Carius-Methode. Lsg. von Halogeniden können gravimetr., titrimetr. od. mit elektrochem. Meth. bestimmt werden, organ. H.-Verb. lassen sich häufig direkt mit photometr., chromatograph. (*Papierchromatographie, DC, LC, HPLC, s. Chromatographie), massenspektrometr. od. immunochem. Meth. bestimmen[2].

Vork.: In der Erdrinde, wo die H. nicht im freien Zustand, sondern nur chem. gebunden vorkommen, beträgt der Gehalt an Fluor 0,07%, an Chlor 0,0314%, an Brom 0,00078% u. an Iod 0,000061%. Die wichtigsten natürlichen H.-Vork. sind – außer *Meerwasser – Flußspat (CaF_2), Kryolith (Na_3AlF_6), Fluorapatit [$Ca_5(PO_4)_3F$], Steinsalz (NaCl), Sylvin (KCl), Carnallit ($KMgCl_3 \cdot 6H_2O$), Bischofit ($MgCl_2 \cdot 6H_2O$), Bromcarnallit ($KMgBr_3 \cdot 6H_2O$), der im Chilesalpeter enthaltene Lautarit [$Ca(IO_3)_2$] u. Meeresalgen, die Iod in Form organ. Verb. enthalten. Astat kommt in der Natur nur in Spuren als radioaktives Zerfallsprodukt vor. Die Beobachtung der Belastung von Wasser, Boden u. Luft mit organ. H.-Verb. aus Aerosoltreibgasen, Pestiziden, Insektiziden, Flammschutzmitteln u. a. hat eine Suche nach umweltfreundlicheren Ersatzstoffen ausgelöst. Ein wichtiges Ergebnis dieser Entwicklung ist in den internat. Abkommen zum Produktionsstop für *Halone u. *FCKWs ab 1995 zu sehen[3].

Herst.: Die techn. Gewinnung der H. beruht teils auf elektrolyt. Verf. (F, Cl), teils auf chem. Oxid.-Reaktionen der entsprechenden Halogenide. Näheres darüber u. über die Herst. im Labormaßstab s. *Lit.*[4] u. unter den Einzelelementen.

Verw.: H. sind für organ. Synth. außerordentlich wichtig. Sie können sich an Doppelbindungen addieren u. gehen Substitutions-Reaktionen ein (*Halogenierung). Insbes. Chlor ist von enormer großtechn. Bedeutung, z. B. bei der Herst. von Kunststoffen, Schädlingsbekämpfungsmitteln, Farbstoffen, Pharmazeutika usw. u. als Bleich-, Desinfektionsmittel usw.

Geschichte: Die Bez. H. wurde bereits 1811 von Schweigger für das Chlor infolge seiner ausgeprägten Neigung zur Salzbildung vorgeschlagen, als Gruppenbez. für die damals bekannten Elemente Chlor, Iod u. Fluor jedoch 1825 von Berzelius eingeführt. – *E* halogens – *F* halogènes – *I* alogeni – *S* halógenos

Lit.: [1] Wallhäußer, Praxis der Sterilisation, Desinfektion, Konservierung, S. 591–603, Stuttgart: Thieme 1988. [2] Townshend, Encyclopedia of Analytical Science, S. 1974–1983, London: Academic Press 1995. [3] Angew. Chem. **108**, 1891 (1996). [4] Brauer (3.) **1**, 159–346.
allg.: Hollemann-Wiberg (101.), S. 432–501 ▪ s. a. Halogenide, Halogenierung u. die Einzelelemente.

Halogenessigsäuren s. Halogencarbonsäuren.

Halogenide (Halide). Verb. der *Halogene mit stärker elektropos. Elementen. Man unterscheidet hier zwischen salzartigen, kovalenten u. komplexen Halogeniden. Die *salzartigen H.* sind Metallsalze, v. a. die Alkali- u. Erdalkali-Salze (z. B. NaCl, KF, $CaBr_2$, SrI_2) u. Ammonium-Salze (z. B. NH_4Br) der Halogenwasserstoffsäuren (s. Halogenwasserstoffe). Diese bilden Ionengitter, haben hohe Schmp. u. Sdp., lösen sich in po-

laren Lsm. u. werden durch Fällungsanalyse od. mit elektrochem. Meth.[1] bestimmt. Salze (*Hydrohalogenide) sind auch die Verb. aus organ. Basen (z. B. Alkaloiden) u. Halogenwasserstoffen, die sich in nichtwäss. Lsm. titrieren lassen. Die *kovalenten H.* wie z. B. CCl_4, SiF_4, S_2Cl_2, $SOCl_2$, PCl_3 sind z. T. als Säure-H. aufzufassen; sie haben niedrige Schmp. u. Sdp., lösen sich in nichtpolaren Lsm. u. sind unlösl. in polaren Lsm., obwohl sie oft mit solchen reagieren (z. B. unter *Hydrolyse). Zu dieser Gruppe gehören auch *Interhalogen-Verbindungen, Halogenwasserstoffe u. *Alkylhalogenide (*Halogenkohlenwasserstoffe). In den *komplexen H.* treten H.-Ionen als einzähnige anion. Liganden (z. B. $Na[PdCl_4]$) auf; über gasf. H.-Komplexe s. *Lit.*[2]; vgl. a. Pseudohalogene. – *E* halides – *F* halogénures – *I* alogenuri – *S* halogenuros

Lit.: [1] Townshend, Encyclopedia of Analytical Science, S. 1974–1978, London: Academic Press 1995. [2] Curr. Top. Mat. Sci. **10**, 249–352 (1982).
allg.: Ehrenreich u. Turnbull (Hrsg.), Solid State Physics, Bd. 40, S. 247–325, London: Academic Press 1987 ▪ Patai u. Rappoport (Hrsg.), The Chemistry of Functional Groups, Supplement D: The Chemistry of Halides, Pseudo-Halides and Azides, Pt. 1 u. 2, Chichester: Wiley 1983 ▪ s. a. Halogene, die hier folgenden Stichwörter, Pseudohalogene u. die einzelnen Verbindungen.

Halogenierung. Bez. für die Überführung eines Elementes od. einer Verb. in ein *Halogenid od. Einführung von Halogen-Atomen in eine organ. Verb. durch Addition, Substitution od. doppelte Umsetzung (s. Reaktionen u. Reaktionsmechanismen). Hierbei kann das Halogen in freier Form od. als Säure, Sauerstoffsäure, Salz od. Nichtmetall-Verb. (z. B. S_2Cl_2, PCl_5) zur Anw. kommen. Während in der Regel die *Chlorierung u. *Bromierung nach einander ähnelnden Meth. erfolgen, sind für die *Fluorierung u. *Iodierung bes. Arbeitsweisen notwendig.

Die für organ. Synth. bes. wichtige H. kann z. B. in einer Addition von Halogenen (X_2) bzw. Halogenwasserstoffen (HX, *Hydrohalogenierung*) an eine C,C-Doppelbindung bestehen[1] (vgl. a. Markownikoffsche Regel) od. in der substituierenden Einführung von Halogen-Atomen in Alkane, wobei häufig photochem. Prozesse verbunden mit dem Auftreten von *Radikalen eine Rolle spielen (radikal. *Substitution)[2]. Die H. von aromat. Kohlenwasserstoffen verläuft ebenfalls unter Substitution, wobei als Katalysatoren in der Regel Lewis-Säuren zur Anw. kommen (vgl. a. elektrophile *Substitution)[3].

Abb.: Wichtige Meth. für die Halogenierung organ. Verbindungen.

Wichtige H.-Reaktionen sind z. B. die H. mit *N-Brom- od. N-*Chlorsuccinimid, Photohalogenierungen, die *Sandmeyer-Reaktion, *Hell-Volhard-Zelinsky-Reaktion usw. Die Umkehrung der H. ist die *Dehalogenierung. – *E* halogenation – *F* halogénation – *I* alogenazione – *S* halogenación

Lit.: [1] de la Mare u. Bolton, Electrophilic Additions to Unsaturated Systems (2.), New York: Elsevier 1982. [2] Houben-Weyl **E 19 a**, 268 f. [3] Taylor, Electrophilic Aromatic Substitution, New York: Wiley 1990.
allg.: s. Addition, Halogene u. Substitution.

Halogenketone. Sammelbez. für Ketone, die in α-Stellung durch Halogene substituiert sind. H. bilden sich leicht bei der *Chlorierung od. *Bromierung von Ketonen, wobei im bas. Medium im Falle von Aceton direkt das Trihalogenketon entsteht, ohne daß Zwischenstufen isoliert werden können (vgl. a. Haloforme).

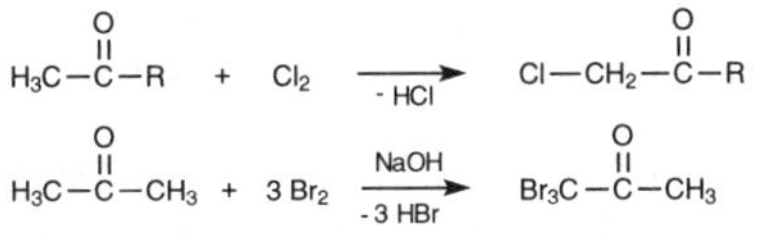

Monohalogenketone werden wegen ihrer augenreizenden Wirkung als chem. Kampfstoffe (*Tränengase, chem. Keule*) eingesetzt. – *E* halogen ketones – *F* halogéno-cétones – *I* alogenochetoni – *S* halogenocetonas
Lit.: s. chemische Waffen u. Halogenaldehyde.

Halogenkohlenstoffe s. Halogenkohlenwasserstoffe.

Halogenkohlenwasserstoffe. Sammelbez. für *Kohlenwasserstoffe, bei denen H-Atome durch *Halogene ersetzt sind.

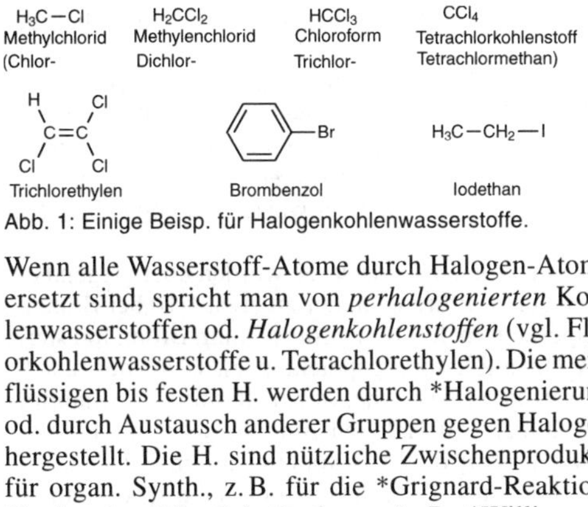

Abb. 1: Einige Beisp. für Halogenkohlenwasserstoffe.

Wenn alle Wasserstoff-Atome durch Halogen-Atome ersetzt sind, spricht man von *perhalogenierten* Kohlenwasserstoffen od. *Halogenkohlenstoffen* (vgl. Fluorkohlenwasserstoffe u. Tetrachlorethylen). Die meist flüssigen bis festen H. werden durch *Halogenierung od. durch Austausch anderer Gruppen gegen Halogen hergestellt. Die H. sind nützliche Zwischenprodukte für organ. Synth., z. B. für die *Grignard-Reaktion, für *nucleophile Substitutionen (z. B. *Williamson Synthese), für *Eliminierungen (*Dehydrohalogenierung), für elektrophile *Substitutionen (z. B. *Friedel-Crafts-Reaktionen). Außerdem finden sie Verw. als Lsm., Anästhetika, Feuerlösch-, Kälte- u. Treibmittel usw. (vgl. Bromkohlenwasserstoffe, Chlorkohlenwasserstoffe u. Chlormethane). Einige der flüchtigen H. werden gelegentlich als *Schnüffelstoffe mißbraucht, andere – bes. die *Chlorfluorkohlenstoffe* (s. FCKW) – sind wegen schädlicher Einflüsse auf die *Ozon-Schicht der Atmosphäre in Mißkredit gekommen.

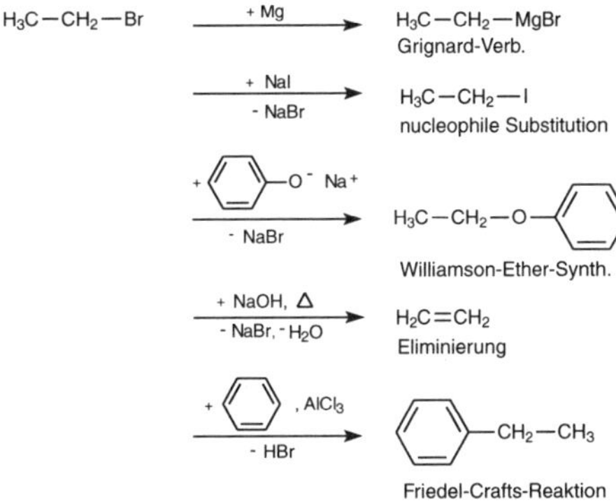

Abb. 2: Reaktionen von Halogenkohlenwasserstoffen.

Analytik: Die analyt. Bestimmung der leichtflüchtigen H. erfolgt nach Flüssig-Flüssig-Extraktion mittels Gaschromatographie [1].
Neben den leichtflüchtigen H. zählen auch die chlorierten Paraffine, die chlorierten Aromaten, von denen die polychlorierten Biphenyle (*PCB) zu den bekanntesten gehören, u. eine Reihe weiterer Chlor-organ. Stoffe zu den Halogenkohlenwasserstoffen. – *E* halogenated hydrocarbons – *F* hydrocarbures halogenés – *I* idrocarburi alogenati – *S* hidrocarburos halogenados
Lit.: [1] Hewlett-Packard (Hrsg.), Buch der Umweltanalytik, Darmstadt: GIT (1990); VDI-Richtlinie 3865, Blatt 5, 07/1988.
allg.: s. die zitierten Textstichwörter.

Halogenkohlenwasserstoff-Verordnung s. HKW-Verordnung.

Halogenlampen. Bez. für eine Spezialform von *Glühlampen mit Wolfram-Glühfäden. Die häufig *Iod-Quarz-Lampen* genannten H. enthalten in ihren kleinen Kolben neben einem Inertgas noch kleine Mengen Halogene (meist als flüchtiges Methyliodid od. -bromid). Diese verbinden sich mit dem Wolfram, das aus den Glühwendeln verdampft, bei einer inneren Wand-Temp. >250 °C, vorzugsweise ca. 600 °C, zu flüchtigen Wolframhalogeniden, die durch Wärmekonvektion zur Glühwendel zurückgelangen u. dort zerfallen: Das Wolfram schlägt sich wieder auf den heißesten u. somit dünnsten Stellen der Glühwendel u. der Stromzuführung nieder, während das freigewordene Halogen in den Kreislauf zurückkehrt. Aufgrund dieser *Transport-Reaktion, nach der auch das sog. *Aufwachsverfahren abläuft, wird die Wolfram-Wendel regeneriert, erhöhen sich Lebensdauer u. Lichtausbeute, der Innendruck kann verstärkt werden, u. die Quarz-Kolben haben sehr viel kleinere Abmessungen als normale Glühlampen.
Verw.: Ursprünglich v. a. für Autoscheinwerfer u. in der Reprotechnik, in zunehmendem Maß aber auch für allg. Beleuchtungszwecke bei Niederspannung. – *E* halogen lamps – *F* lampes halogènes – *I* proiettori alogeni – *S* lámparas de halógeno
Lit.: Kirk-Othmer (3.) **20**, 811 f.; (4.) **21**, 1066 f. ▪ Ullmann (4.) **2**, 382; **16**, 227 f. ▪ s. a. Glühlampen.

Halogen-Metall-Austausch s. Metall-organische Reaktionen.

Halogenolyse. Bez. für die unter Anlagerung von Halogenen verlaufende Spaltung von Bindungen. – *E* ha-

logenolysis – *F* halogénolyse – *I* alogenolisi – *S* halo-
genolisis

Halogen-organische Verbindungen (HOV, Organo-
halogen-Verb.). Organ. Verb., die mind. ein *Halogen-
Atom enthalten. Chem., techn., ökolog. od. anderweitig bedeutsame H.-o. V. sind in diesem Lexikon als
Einzelstoff (s. auch Stichwörter, die mit Halogenen in
Kombination mit Di-, Tri-... anfangen) bzw. Stoffgruppen (z. B. *Chloraromaten, *Chlorkohlenwasserstoffe, *Chlormethane, *Dioxine, *FCKW, *Halone,
*PCB) behandelt. – *E* haloorganic compounds – *F* composés halogéno-organiques – *S* compuestos haloorgá-
nicos
Lit.: Grimvall u. de Leer (Hrsg.), Naturally-produced Orga-
nohalogens, Dordrecht: Kluwer 1995 ■ Steger (Hrsg.), Chemie
u. Umwelt 5, Das Beispiel der chlororganischen Verbindungen,
Berlin: E. Schmidt 1991 ■ VDI-Kommission Reinhaltung der
Luft, Halogenorganische Verbindungen in der Umwelt,
Bd. 1+2, VDI-Bericht 745, Düsseldorf: VDI 1989.

Halogenwasserstoffe. Sammelbez. für die gasf. Wasserstoff-Verb. der Halogene, also *Brom-, *Chlor-,
*Fluor- u. *Iodwasserstoff, die ebenso wie ihre wäss.
Lsg. (*Halogenwasserstoffsäuren* bzw. *Fluß- u. *Salzsäure) in Einzelstichwörtern ausführlich behandelt
sind. Im Gegensatz zu den anderen H. ist Fluorwasserstoff in Wasser zwar stark polarisiert, aber nur
schwach dissoziiert (Ionenpaar H_3O^+ ... F^-). In der organ. Chemie dienen die H. u. a. zur Einführung der Ha-
logen-Funktion (*Hydrohalogenierung*, s. Halogenierung) u. zur Salzbildung bei organ. Basen, s. Hydrohalogenide. – *E* hydrogen halides – *F* halogénures
d'hydrogène – *I* idroalogenuri – *S* haluros de hidrógeno, halogenuros de hidrógeno
Lit.: Gerrard u. Clever, Hydrogen Halides in Non-Aqueous
Solvents, Oxford: Pergamon 1983 ■ J. Chem. Educ. **56,** 571
(1979).

Halogenwasserstoffsäuren s. Halogenwasserstoffe.

Halohydrine. Histor. Bez. für systemat. als 2-Halogen-
1-alkanole zu benennende aliphat. Verb., die sich von
1,2-Glykolen durch Ersatz einer Hydroxy-Gruppe
durch ein Halogen ableiten u. durch Addition von *Hy-
pobromiger bzw. *Hypochloriger Säure an Alkene hergestellt werden. Sie können durch Alkalien in Oxirane,
z. B. dem techn. wichtigen Methyloxiran (*Propylenoxid) umgewandelt werden, s. a. Bromhydrine u.
Chlorhydrine. – *E* halohydrins – *F* halohydrines – *I*
aloidrine – *S* halohidrinas

H₃C—CH=CH₂ (Propen) → H₃C—CH—CH₂—OH (2-Chlor-propanol) → (Propylenoxid)

Lit.: Russ. Chem. Rev. **41,** 740 (1972) u. die Textstichwörter.

Halolactonisierung s. Lactone.

Halometason (Rp).

Internat. Freiname für 2-Chlor-6α,9-difluor-16α-me-
thyl-prednisolon, $C_{22}H_{27}ClF_2O_5$, M_R 444,90, Schmp.
220–222 °C (Zers.). G. ist ein antiphlogist. Glucocorticoid, das in 0,05%iger Wirkstoffkonz. zur lokalen
Anw. kommt. Es wurde 1968, 1972 u. 1974 von Ciba-
Geigy patentiert u. ist von Zyma (Sicorten®) im Handel. – *E* halometasone – *F* halométasone – *I* alometa-
sone – *S* halometasona
Lit.: Hager (5.) **8,** 404f. – *[HS 291470; CAS 50629-82-8]*

Halone. Von *E* *hal*ogenated hydrocarb*on* abgeleitete
Kurzbez. für *Halogenkohlen(wasser)stoffe, die
früher als *Feuerlöschmittel Verw. fanden. Viele H.
enthalten mind. ein schweres Halogen (Brom, aus-
nahmsweise auch Iod) u. meist Fluor od./u. Chlor
(Flüchtigkeit). Zwecks Kurzbez. wird numeriert, wobei die 1., 2., 3., 4. u. 5. Ziffer die Zahl der Kohlen-
stoff-, Fluor-, Chlor, Brom- u. Iod-Atome angibt (s. a.
FCKW). *Beisp.:* Bromtrifluormethan (CF₃Br) = Halon 1301 bzw. Ha1301 (ungebräuchlich: FE 1301 von
Fire Extinguishant).
Herst.: In den Industriestaaten ist die Produktion der
zur Brandbekämpfung genutzten H. 1301, H. 1211 u.
H. 2402 (sowie einiger H.-Ersatzstoffe) seit 1. 1. 1994
eingestellt[1].
Toxikologie: H. 1211 u. H. 1301 sind physiolog. weit-
gehend unbedenklich. Dagegen sind die früher ge-
bräuchlichen H. z. B. Tetrachlormethan (Halon 104) u.
Methylbromid (Halon 1001) aufgrund ihrer giftigen
Wirkung in der BRD seit 1964 bzw. 1975 als Löschmittel verboten; s. a. FCKW-Halon-Verbots-Verordnung.
Beim kurzfristigen Inhalieren höherer Konz. der
H. 1211 u. 1301 kann zeitweise Benommenheit eintreten.
Verhalten in der Umwelt: H. wurden überwiegend bei
Übungen u. Prüfungen, nur zu etwa 1/10 bei Bränden
freigesetzt. In der Reihenfolge Chlor, Brom, Iod steigt
das Ozon-Zerstörungspotential (s. ODP) der aus H.
freisetzbaren Halogene, wobei allerdings die Stabilität
der Kohlenstoff-Halogen-Bindung abnimmt. Folglich
hängt das ODP der H. sowohl von ihrem Gehalt an diesen Halogenen als auch von ihrer Stabilität u. damit ihrer Wahrscheinlichkeit, die Stratosphäre zu erreichen,
ab. Als Abbauprodukte treten in der Atmosphäre (je
nach Ausgangsstoff) u. a. COF₂, COClF, CF₃COF u. a.
Verb. auf. Diese Abbauprodukte sind in der Gasphase
recht stabil, werden aber in der wäss. Phase von Wolken innerhalb weniger d, im Meer in wenigen Monaten abgebaut.
Verw.: Zur Löschwirkung u. zu den Vor- bzw. Nachteilen von H. als Löschmittel s. *Lit.*[1,2]. Als hochwertiger H.-Ersatz kann Wasser für die Brandbekämpfung
fein versprüht werden. Bes. bei Bränden in elektr. Anlagen ist in Europa Inergen®, eine Mischung aus Argon, Stickstoff u. Kohlendioxid, als H.-Ersatz im Ein-

Tab.: Daten von Halonen.

FCKW	Halon	Name	Strukturformel (Summenformel)	M_R	Schmp. [°C]	Sdp. [°C]	D.	CAS
11B2	1112	Dibromchlorfluormethan	CBr_2ClF	226,30		80		353-55-9
11B3	1103	Tribromfluormethan	CBr_3F	270,76	− 75	106	2,765	353-54-8
12B1	1211	Bromchlordifluormethan	$CBrClF_2$	165,38	−159	−4	1,899	353-59-3
12B2	1202	Dibromdifluormethan	CBr_2F_2	209,82	−146	25	2,215	75-61-6
13B1	1301	Bromtrifluormethan	$CBrF_3$	148,93	−168	−58	1,538	75-63-8
114B2	2402	1,2-Dibromtetrafluorethan	$BrF_2C{-}CBrF_2$ $(C_2Br_2F_4)$	259,85	−110	47	2,163	124-73-2
123B1	2311	1-Brom-2-chlor-1,1,2-trifluorethan	$BrF_2C{-}CHClF$ $(C_2HBrClF_3)$	197,40		52	1,864	354-06-3
123aB1	2311	2-Brom-2-chlor-1,1,1-trifluorethan	$F_3C{-}CHBrCl$ $(C_2HBrClF_3)$	197,40		50	1,861	151-67-7
132bB2	2202	1,2-Dibrom-1,1-difluorethan	$BrF_2C{-}CH_2Br$ $(C_2H_2Br_2F_2)$	223,86				

satz. Die bisher untersuchten chem. wirkenden Feuerlöschmittel u. H.-Ersatzstoffe wie viele *Fluorkohlenwasserstoffe, Fluorkohlenstoffe, Perfluoroalkyliodide, ungesätt. Halogen-Verb., halogenierte Ether u. Phosphorhalide sind teilw. sog. Treibhausgase, wirken tox. od. haben andere wesentliche Nachteile, so daß die Suche nach Ersatzstoffen u. -meth. weitergeht. Die Altbestände an H. werden für bestimmte Anw., in denen H. nicht ersetzbar sind (z. B. Weltraumfahrt), durch nicht-kommerzielle „H.-Banken" gehandelt. – $E = S$ halones – F halons – I aloni

Lit.: [1] Miziolek u. Tsang (Hrsg.), Halon Replacements (ACS Symp. Series 611), Washington: ACS 1995. [2] Gann (Hrsg.), Halogenated Fire Suppressants (ACS Symp. Series 16), Washington: ACS 1976.

allg.: Kirk-Othmer **S**, 375–378 ▪ Rempe u. Rodewald, Brandlehre, Stuttgart: Kohlhammer 1985 ▪ Tuve, Principles of Fire Protection Chemistry, Quincy: National Fire Protection Association 1982 ▪ Winnacker-Küchler (3.) **4**, 52 ff. ▪ s. a. FCKW. – [HS 2903 40]

Halonium-Verbindungen. Sammelbez. für organ. Halogen-Verb. der allg. Formel $R^1R^2X^+$; *Beisp.:* Bromonium-, Chloronium-, *Iodonium-Verbindungen (s. a. Onium-Verbindungen). – E halonium compounds – F composés d'halonium – I composti di alonio – S compuestos de halonio

Lit.: Olah, Halonium Ions, New York: Wiley 1975.

Haloperidol (Rp).

Internat. Freiname für das, auch bei Heroin- u. Alkohol-Entzug zur Linderung der Symptome eingesetzte, starke *Neuroleptikum 4-[4-(4-Chlorphenyl)-4-hydroxypiperidino]-4'-fluorbutyrophenon, $C_{21}H_{23}ClFNO_2$, M_R 375,87, Schmp. 148–149 °C, λ_{max} (9 : 1, 0,1 M HCl: Isopropanol): 245 nm ($A_{1cm}^{1\%}$ 330–365), pK_a 8,3; prakt. unlösl. in Wasser, leicht lösl. in Chloroform, Methanol, Aceton, Benzol u. verd. Säuren, LD_{50} (Ratte, oral) 165 mg/kg, (Maus, i.p.) 60 mg/kg. Als Depot-Neuroleptikum wird der Ester H.-Decanoat ($C_{31}H_{41}ClFNO_3$, M_R 530,12) verwendet. Die Lagerung muß licht- u. luftgeschützt erfolgen. – $E = S$ haloperidol – F halopéridol – I aloperidolo

Lit.: ASP ▪ Beilstein E V **21/2**, 377 ▪ DAB **1996** u. Komm. ▪ Florey **9**, 341–369 ▪ Hager (5.) **8**, 405 ff. – [HS 2933 39;

CAS 52-86-8 (H.); 74050-97-8 (Decanoat); 1511-16-6 (Hydrochlorid)]

Haloperoxidasen. In verschiedenen Organismen vorkommende *Enzyme, die die Einführung von Halogen-Atomen (X) in Kohlenwasserstoff-Reste (R) katalysieren:

$$RH + X^- + H_2O_2 + H^+ \rightarrow RX + 2H_2O.$$

Damit sind sie von Bedeutung für die Biosynth. Halogen-haltiger Naturstoffe wie z. B. des Schilddrüsen-*Hormons L-*Thyroxin in Säugern (hier beteiligte H.: Iodid-Peroxidase, EC 1.11.1.8, enthält *Häm) u. des *Purpurs der Meeresschnecken. Die H. aus Braunalgen enthalten Vanadium; in Bakterien findet man Häm- u. Nicht-Häm-Enzyme. – E haloperoxidases – F haloperoxydases – I aloperossidasi – S haloperoxidasas

Lit.: Nachr. Chem. Tech. Lab. **39**, 686–690 (1991).

Halophile Organismen s. Halobionten.

Halophyten (Salzpflanzen). Pflanzen salzreicher Standorte (Meeresküsten, Salzseen, versalzte Böden mit *Natriumchlorid, *Gips, *Natriumcarbonat, *Natriumsulfat u. a.), z. B. Queller (*Salicornia europaea*, „halophile" Keimung), Meersenf (*Cakile maritima*), Melden (*Atriplex* sp.), Salzkräuter (*Salsola* sp.); s. a. Halobionten.

In hoher Konz. erschweren Salze die Wasseraufnahme der Pflanzen, führen zu Störungen im Ionenhaushalt, verändern den Aminosäure- u. Protein-Stoffwechsel, hemmen die Photosynth. od. stören andere Stoffwechselvorgänge. H. schränken die Salzaufnahme durch die Wurzeln ein (Ultrafiltration, verminderter Wasserverbrauch durch Sukkulenz bzw. *diurnalen Säurerhythmus), scheiden Salz mit den abfallenden Blättern, mit Haaren od. durch Drüsen ab od. haben andere Schutzmechanismen entwickelt, z. B. Bildung von sog. kompatiblen Substanzen wie *Alkoholen, *Saccharose, *Aminosäuren (wie *Asparaginsäure, *Asparagin, *Glutaminsäure, *Glutamin, *Prolin) u. *Betain; sog. Trockenstress-induzierte Proteine (E desiccation stress-induced proteins) sowie Membran-stabilisierende Polyamine. Von einer *Haloserie* spricht man, wenn H.-Arten in Abhängigkeit vom Salzgehalt der Umwelt aufeinander folgen (Abb. z. B. *Lit.* [1]). Gegensatz: *Glykophyten*, die nur geringe Salzgehalte in der Bodenlsg., typischerweise max. 5 g Natriumchlorid/L, tolerieren. – $E = F$ halophytes – I alofite – S halofitas

Lit.: [1] Walter u. Breckle, Ökologie der Erde (2.), S. 103–109, Stuttgart: G. Fischer 1991.
allg.: Ann. Bot. **66**, 1–7 (1990) ▪ Harborne, Ökologische Biochemie, S. 26–31, Heidelberg: Spektrum Akadem. Verl. 1995 ▪ Reimold u. Queen, Ecology of Halophytes, New York: Academic 1974 ▪ Schlee (2.), S. 174–185.

Haloprogin.

Internat. Freiname für das *Antimykotikum (gegen Dermatophyten u. Hefen) 1,2,4-Trichlor-5-(3-iod-2-propinyloxy)benzol, $C_9H_4Cl_3IO$, M_R 361,39, Schmp. 113–114 °C, λ_{max} (Ethanol): 288,5, 298,5 nm, sehr schwer lösl. in Wasser, leicht lösl. in Ethanol u. Methanol; LD_{50} (Maus oral u. s.c.) >3000 mg/kg, (Maus, i.p.) 510 mg/kg. – *E* haloprogin – *F* haloprogine – *I* aloprogina – *S* haloprogina
Lit.: Hager (5.) **8**, 407 f. ▪ Merck-Index (12.), Nr. 4631. – *[HS 2909 30; CAS 777-11-7]*

Halorhodopsin. Wie das ähnliche *Bakteriorhodopsin (beide gehören zur 7-Transmembran-Helix-Familie der *Rezeptoren) ist H. ein *Retinal-haltiges Transportprotein (M_R 27000) aus der Purpur-Membran der Salz-liebenden Halobakterien, das mit Hilfe von Lichtenergie Chlorid-Ionen in die Zelle pumpt. – *E* halorhodopsin – *F* halorhodopsine – *I* alorodopsina – *S* halorrodopsina
Lit.: FEBS Lett. **265**, 1–6 (1990).

Halosulfuron. Common name für Methyl-3-chlor-5-

[(4,6-dimethoxypyrimidin-2-ylcarbamoyl)sulfamoyl]-1-methyl-1*H*-pyrazol-4-carboxylat.
$C_{13}H_{15}ClN_6O_7S$, M_R 434,8, Schmp. 172–173 °C, LD_{50} (Ratte oral) 8865 mg/kg, von Monsanto entwickeltes selektives *Herbizid gegen breitblättrige Unkräuter in Mais- u. a. Kulturen. – *E* = *F* halosulfuron – *I* halosulfurone – *S* halosulfurón
Lit.: Perkow. – *[CAS 135397-30-7]*

Halothan (Rp). Internat. Freiname für das *Inhalationsnarkotikum 2-Brom-2-chlor-1,1,1-trifluorethan, F_3C–CHClBr, M_R 197,39. Leicht flüchtige, nicht brennbare Flüssigkeit, D. 1,871, Sdp. 50 °C, n_D^0 1,3697, mischbar mit Petrolether u.a. Lsm. für Fette, MAK 40 mg/m³, Lagerung licht- u. luftgeschützt (Zers.-Gefahr). Es darf mit 0,01% Thymol stabilisiert werden. H. wird heute fast ausschließlich zusammen mit Lachgas (Distickstoffoxid) angewendet, um die Konz. von H. mit 0,5–1 Vol.% so niedrig zu halten, daß Narkosezwischenfälle u. bleibende Schädigungen des Patienten nur noch sehr selten vorkommen. H. wurde 1960 von I. C. I. (Fluothane®, heute Zeneca) u. Hoechst (Halothan Hoechst®) patentiert. – *E* = *F* halothane – *I* alotano – *S* halotano
Lit.: ASP ▪ Beilstein E IV **1**, 156 ▪ DAB **1996** u. Komm. ▪ Florey **1**, 119–147 ▪ Hager (5.) **8**, 409 ff. – *[HS 2903 49; CAS 151-67-7]*

Halotrichit (Eisenalaun, Haarsalz). $FeAl_2[SO_4]_4 \cdot 22 \cdot H_2O$, farbloses, gelblichweißes od. grünliches monoklines Mineral, Krist.-Klasse 2/m-C_{2h}, Struktur s. *Lit.* [1]. Haarförmig-faserige, zu Aggregaten vereinigte Krist., Krusten od. Ausblühungen; H. 1,5, D. 1,95, seidenartig glänzend, leicht in Wasser löslich.
Vork.: Als Verwitterungsprodukt von *Pyrit in Erzlagerstätten, Braunkohlen u. Pyrit-haltigen Schiefern; auch als *Fumarolen-Produkt. – *E* = *F* halotrichite – *I* alotrichite – *S* halotriquita
Lit.: [1] Acta Geol. Hung. **29**, 389–398 (1986).
allg.: Mineralien-Magazin **6**, 212 ff. (1982) ▪ Ramdohr-Strunz, S. 609 ▪ Roberts, Campbell u. Rapp, Encyclopedia of Minerals (2.), S. 345, New York: Van Nostrand Reinhold 1990. – *[HS 2833 30; CAS 15614-46-7]*

Haloxene s. Halobionten.

Haloxyfop-ethoxyethyl.

| R = CH_2—CH_2—OC_2H_5 : Haloxyfop-ethoxyethyl |
| R = CH_3 : Haloxyfop-methyl |

Common name für (±)-2-[4-(3-Chlor-5-trifluormethyl-2-pyridyloxy)phenoxy]propionsäure-2-ethoxyethylester, $C_{19}H_{19}ClF_3NO_5$, M_R 433,81, Schmp. 58–61 °C, LD_{50} (Ratte oral) 520 mg/kg, von Dow entwickeltes selektives *Herbizid gegen Flughafer u.a. Ungräser sowie Ausfallgetreide in dikotylen Kulturpflanzenarten. – *E* = *F* haloxyfop-ethoxyethyl – *I* alossifop-etossietile – *S* haloxifop-etoxietilo
Lit.: Perkow ▪ Pesticide Manual. – *[CAS 87237-48-7]*

Halquinol (Rp., ausgenommen zum äußerlichen Gebrauch). Kurzbez. für das *Antiseptikum 5,7-Dichlor-8-chinolinol (Dichlorhydroxychinolin), $C_9H_5Cl_2NO$, M_R 214,05 (Formel s. 8-Chinolinol), Schmp. 179–180 °C, λ_{max} (wäss. Säure): 258 nm ($A_{1cm}^{1\%}$ 218,7). H. wurde 1964 von Olin Mathieson patentiert. – *E* = *F* = *S* halquinol – *I* alquinolo
Lit.: Beilstein E V **21/3**, 286 f. ▪ Hager (5.) **8**, 411 f. – *[HS 2933 40; CAS 8067-69-4]*

Haltermann. Kurzbez. für die 1898 gegr. Firma Haltermann Aktienges. (Gruppenholding), 20095 Hamburg. *Daten* (1996): 453 Beschäftigte, ca. 338 Mio. DM Umsatz. *Produktion:* Petrochemikalien, Spezial-Lsm., des weiteren Auftragsverarbeitung von natürlichen, chem. u. Mineralölprodukten, Versuchs- u. Referenzkraftstoffe.

Hamamelis. Offizinell genutzter, im Spätherbst gelb blühender nordamerikan. Strauch *H. virginiana* L. (Hamamelidaceae) der als virginian. Zaubernuß od. Hexenhaselstaude auch in Europa angepflanzt wird. Blätter u. Rinden enthalten *Gerbstoffe, die Blätter außerdem *Flavon-Glykoside u. *etherische Öle, deren Zusammensetzung u. a. von Martelli [1] untersucht wurde. H.-Wasser, ein Destillat aus H.-Blättern u. Zweigen, wirkt wohl in erster Linie durch seinen Gehalt an ether. Ölen tonisierend auf die Haut; in den stark gefärbten H.-Extrakten sind Gerbstoffe enthalten. Typ. sind die Hamamelistannine, Galloylester, die bei der Hydrolyse *Gallussäure u. Hamamelose

$(C_6H_{12}O_6$, M_R 180,16) liefern, einen verzweigtkettigen Zucker.

D-Hamamelose

H.-Präp. finden Verw. zum Stillen kleinerer Blutungen, gegen Varizen, Hämorrhoiden, Blutergüsse, Krampfadern, Wundsein, Hautjucken, Verbrennungs- u. Frostschäden, in kosmet. Präp. (die behaupteten günstigen Wirkungen auf den Haarwuchs werden vielfach bezweifelt). Bei innerlicher Anw. wirkt H., wie andere Gerbstoff-haltige Drogen, gegen Durchfall. – *E* hamamelis, witch hazel – *F* hamamélis de Virginie, noisetier de sorcière – *I* amamelina – *S* hamamelis

Lit.: [1] Rivista Ital. Essenze Profumi Piante Off. **59**, 528–533 (1977); **60**, 261–264 (1978); **61**, 99–102 (1979). – *allg.:* Bundesanzeiger 154/21.08.85 u. 50/13.03.90 ▪ DAB **1997** u. Komm. ▪ Hager (5.) **5**, 367–384 ▪ Steinegger u. Hänsel, Lehrbuch der Pharmakognosie u. Phytopharmazie, 5. Aufl., Berlin: Springer 1992 ▪ Wichtl (3.), S. 270ff. – [HS 1302 19, 3301 90]

Hamamelose s. Hamamelis.

Hamburger Blau s. Kupfer(II)-carbonat.

Hamburger Weiß. Traditionelle Malerfarbe aus einer Mischung von 1 Tl. *Bleiweiß u. 2 Tl. *Bariumsulfat, heute nur noch von histor. Bedeutung.

Hametum®. Creme, Salbe, Suppositorien u. Flüssigkeit mit *Hamamelis virginiana*-Extrakt zur Wund- u. Hämorrhoiden-Therapie. *B.:* Schwabe/Spitzner.

Hamilton. Kurzbez. für die Hamilton Unternehmensgruppe mit Sitzen in USA (Hamilton Company, P. O. Box 10030, Reno, Nevada 89520) u. der Schweiz (Hamilton Bonaduz AG, P. O. 26, CH-7402 Bonaduz). *Produktion:* Präzisionsspritzen für Flüssigkeiten u. Gase, Dilutoren, Dispenser, Pipettierroboter, ELISA-Automaten, Mikrohähne u. Zubehör, HPLC-Säulen u. -Verpackungsmaterial auf Polymerbasis, pH-Meßketten u. a. elektrochem. Sensoren. *Vertretung* in der BRD: Hamilton Deutschland GmbH, Postfach 11 05 65, 64220 Darmstadt.

Hamilton-Operator (Symbol $\hat{H}$). Zur Gesamtenergie eines quantenmechan. Syst. gehörender *hermitescher Operator. Eigenwerte u. Eigenfunktionen (s. Eigenwertproblem) des H.-O. erhält man durch Lsg. der Schrödinger-Gleichung (s. Wellenmechanik u. Atombau). Der H.-O. für die Bewegung des Elektrons im Wasserstoff-Atom lautet:

$$\hat{H} = -\frac{\hbar^2}{2\mu}\Delta - \frac{e^2}{4\pi\,\varepsilon_0 r}$$

Der erste Term ist hierbei der Anteil der kinet. Energie (Δ: *Laplace-Operator), der zweite derjenige der potentiellen Energie (Coulomb-Anziehung zwischen Elektron u. Proton). Die Größen $\hbar$, μ, e u. ε_0 sind bei *Atombau erklärt. – *E* Hamilton operator – *F* opérateur hamiltonien – *I* operatore hamiltoniano, operatore dell'energia – *S* operador hamiltoniano

Hamiltons Metall. Histor. Bez. für eine *Kupfer-Legierung mit ca. 33–36% Zink, s. a. Messing. Die heutige Bez. für diese Leg.-Gruppe umfaßt die Leg. $CuZn_{33}$ (Verw. für kaltumgeformte Teile wie Bänder) u.

$CuZn_{36}$ [1] (Verw. als Ätzqualität, z. B. für Zifferblätter). – *E* Hamilton's metal – *F* metaux Hamilton – *I* metallo di Hamilton – *S* metal Hamilton
Lit.: [1] DIN 17660 (12/1983).

Hammerschlag s. Eisenoxide.

Hammerschlaglacke. Effektlacke für Metalloberflächen, deren Hammerschlagstruktur durch kleine Aluminium-Blättchen hervorgerufen wird, die in Silikonöl eingebettet sind. Da die Al-Blättchen im Silikonöl nicht regellos, sondern in abgegrenzten Bezirken, in denen sie entweder flach liegen od. hochkant stehen, verteilt sind, kommt eine ringförmige Struktur zustande. – *E* hammer finish – *F* laques à effet martelé – *I* vernice a colpo di martello – *S* esmaltes martelé
Lit.: Gatz (Hrsg.), Lexikon der Anstrichtechnik, 8. Aufl., Bd. 1, S. 109 f., München: Callwey 1987.

Hammett, Louis Plack (1894–1987), Prof. für Chemie, Columbia-Univ., New York. *Arbeitsgebiete:* Physikal. organ. Chemie, Reaktionsmechanismen, Reaktionsgeschw., Einfluß der Atomanordnung in organ. Mol. auf den Reaktionsverlauf; Entwicklung der modernen Säuretheorie aufgrund Messungen an organ. Substanzen. Die 1935 aufgestellte *Hammett-Gleichung beschreibt den Einfluß von Substituenten am aromat. Ring auf die Reaktivität der Verbindung.
Lit.: Chem. Eng. News **44**, Nr. 10, 101 (1966); **45**, Nr. 46, 23 (1967) ▪ Neufeldt, S. 195 ▪ Pötsch, S. 187 ▪ Poggendorff **7 b/3**, 1833 ff.

Hammett-Gleichung. Eine von *Hammett (*Lit.* [1]) 1935 aufgestellte Beziehung, die den Einfluß von Substituenten an aromat. Ringen auf die Reaktivität, z. B. der Seitenkette, in einer Gleichung mit empir. ermittelten Konstanten beschreibt: $\lg (k_{ij}/k_{oj}) = \rho_j \cdot \sigma_i$. Hierbei sind k_j die *Geschw.-* od. *Gleichgew.-Konstanten* der Reaktion j der substituierten (k_{ij}) u. unsubstituierten Verb. (k_{oj}). Die *Substituentenkonstante* σ_i ist definiert als: $\sigma_i = \lg K_i/K_o$, wobei K_o u. K_i die Aciditätskonstanten der unsubstituierten bzw. substituierten *Benzoesäure sind. Der Parameter ρ_j wird *Reaktionskonstante* der Reaktion j genannt. Die Werte für die Substituentenkonstanten einiger wichtiger Substituenten sind in der Tab. aufgeführt.

Tab.: σ_i-Werte wichtiger Substituenten.

Substituent i	σ_i (meta)	σ_i (para)
$C(CH_3)_3$	–0,10	–0,20
CH_3	–0,07	–0,17
H	0	0
OCH_3	0,12	–0,27
OH	0,12	–0,37
F	0,34	0,06
Cl	0,37	0,23
$COCH_3$	0,38	0,50
Br	0,39	0,23
CN	0,56	0,66
NO_2	0,71	0,78

Wasserstoff als Substituent erhält definitionsgemäß den Wert $\sigma_i = 0$. Man kann σ_i als Maß für den polaren Gesamteffekt betrachten, den der Substituent i auf das Reaktionszentrum ausübt; Näheres s. *Lit.* [2]. Das Vorzeichen von σ_i gibt die Richtung dieses Effekts an (neg.: elektronenliefernd, pos.: elektronenanziehend). Je nach Position des Substituenten (in meta- od. para-Stellung) können deutliche Unterschiede in den σ_i-Werten vorliegen; bes. ausgeprägt sind diese für OH od. OCH_3 (s. a. induktiver Effekt). Die Reaktionskonstante ρ_j variiert meist über den Bereich $-3 \leq \rho \leq 3$. Für die Standardreaktion, die Ionisation der *m-* u. *p*-substituierten Benzoesäuren in Wasser bei 25 °C, hat sie den Wert 1. Für die bas. *Hydrolyse von Phenylessigestern in wäss. Ethanol bei 25 °C ist sie mit 2,51 deutlich größer. Der Wert für ρ_j für eine bestimmte, unter definierten Bedingungen durchgeführte Reaktion ist näherungsweise konstant, d. h. unabhängig von der Natur der *m-* od. *p*-Substituenten.

Die H.-G. zählt zu den *linearen Freie-Enthalpie-Beziehungen* (LFEB); hierzu gehört auch die *Taft-Gleichung*. – *E* Hammett equation – *F* équation de Hammett – *I* equazione di Hammett – *S* ecuación de Hammett

Lit.: [1] Chem. Rev. **17**, 125 (1935). [2] Sykes, Reaktionsmechanismen der Organischen Chemie, 9. Aufl., Weinheim: VCH Verlagsges. 1988.
allg.: Chapman u. Shorter, Correlation Analysis in Chemistry, New York: Plenum 1978 ▪ Hammett, Physikalische Organische Chemie. Reaktionsgeschwindigkeiten – Gleichgewichte – Mechanismen, Weinheim: Verl. Chemie 1973 ▪ Johnson, The Hammett Equation, Cambridge: Univ. Press 1973 ▪ Wells, Linear Free Energy Relationships, New York: Academic 1968.

Hammett-Indikatoren. Von *Hammett erarbeitete Serie von bas. Indikatoren (meist Nitroaniline), die die einfache Bestimmung der *Acidität in beliebigen Lsm. erlauben. – *E* Hammett indicators – *F* indicateurs de Hammett – *I* indicatori di Hammett – *S* indicadores de Hammett

Hammond, George Simms (geb. 1921), Prof. (emeritiert) für Organ. Chemie, Caltech, Pasadena, California. *Arbeitsgebiete:* Reaktionsmechanismen, Photochemie, Materialwissenschaft.
Lit.: Chem. Eng. News **46**, Nr. 9, 68f. (1968) ▪ Pötsch, S. 187 ▪ Who's Who in America (50.), S. 1764.

Handbook. In diesem Werk Bez. für das Handbook of Chemistry and Physics (s. Vorwort, häufig zitierte Werke), das physikal. u. chem. Daten, Formeln etc. in tabellierter Form enthält, ferner Definitionen, Nomenklaturen etc., die ebenso wie die Daten laufend überprüft werden. Das H. ist ein *Tabellenwerk u. kein *Handbuch im engeren Sinn.

Handbücher. Nach *Ühlein (*Lit.*[1]) ist H. „die Bez. für ein Sammelwerk aus Monographien, durch das ein bestimmtes Wissensgebiet weitgehend vollständig u. homogen erfaßt wird. Die H. bilden die umfassendste wissenschaftliche Publikationsform. Sie sind systemat. aufgebaut, manchmal allerdings alphabet. angeordnet u. verwerten in der Regel ziemlich vollständig die in ihren Erfassungsbereich fallende Original-Lit., die sie auch aufführen." Über andere Definitionen s. Buschbeck et al. (*Lit.*[2]), Luckenbach u. Sunkel (*Lit.*[3]) u. zur Einordnung in die Arbeitsmittel der *Dokumentation s. chemische Literatur. Der Begriff „H." steht damit in unmittelbarer Nachbarschaft zu dem der *Enzyklopädien,* die alphabet. geordnete Darst. des gesamten Wissens (ggf. nur eines Sachgebietes) sein wollen, u. dem der Lexika, die ihrerseits näher bei den *Nachschlage-

werken u. *Wörterbüchern stehen. Im engl. Sprachgebrauch ist ein „Handbook" meist mehr ein *Tabellenwerk als ein H. im hier definierten Sinn (vgl. vorstehendes Stichwort). In englischsprachigen Buchkatalogen u. *Bibliographien findet man H. deshalb eher unter „treatises, compendia, encyclopedia, dictionaries, compilations, reference works" etc., in franzós. unter „traités encyclopédies, aide-mémoire, dictionnaires" etc. Leider sind die H. mit zwei systemat. Nachteilen behaftet: 1. Der Lit.-Schlußtermin des Inhalts liegt häufig einige Jahre vor dem Ausgabejahr; – 2. sie erscheinen in vielen Bd., deren Herausgabe sich oft über Jahrzehnte erstreckt, so daß der Inhalt der Anfangsbd. oft schon überholt ist, bevor die betreffende Aufl. des Werks vollständig vorliegt. Aus diesen Gründen ist das H. als literar. Gattung schon oft totgesagt worden. Dem H. dürfte jedoch das durch krit. Bearbeitung der Beiträge erreichbare Niveau auch gegen die kürzerlebigen Fortschrittsberichte etc. (s. chemische Literatur, 2.) eine Zukunft sichern. Einige der Werke (z. B. *Gmelin Handbook of Inorganic and Organometallic Chemistry) bemühen sich um eine Aktualisierung der Anfangsbd. durch die Herausgabe sog. Ergänzungsbd.; *Beilsteins Handbuch der Organischen Chemie löst das Problem durch sog. „Ergänzungswerke", die in allen Bd. die gleiche Lit.-Periode umfassen, s. Luckenbach (*Lit.*[4]). Um festzustellen, welches Syst. bei der Anordnung des Stoffes befolgt wird, ist es – zumal einige der H. keine Register haben – unbedingt notwendig, vor Benutzung stets das Vorwort od. die Einführung genau durchzulesen. Nachstehend sind einige für den Chemiker (bzw. seine *Bibliothek) wichtige H. aufgeführt, obwohl hier Vollständigkeit nicht erreicht werden kann. Die Aufstellung bedient sich ggf. der für dieses Werk gewählten u. in Einzelstichwörtern u./od. im Vorwort näher erläuterten Kurzbez. dieser Werke. Weitere Angaben zu H. findet man bei Klemm (*Lit.*[5]), Becke (*Lit.*[6]), Mücke (*Lit.*[7] u. *Lit. allg.*) u. Mullen (*Lit.*[8]), ferner bei den einzelnen Sachgebieten sowie – wegen der oftmals nur unvollkommenen terminolog. Abgrenzung – auch bei Nachschlagewerken u. Tabellenwerken (auch unter *chemischer Literatur.

Anorgan., Metallorgan. Chemie u. Mineralogie: *Brauer; Comprehensive Inorganic Chemistry, Oxford: Pergamon 1973; Synthetic Methods of Organometallic and Inorganic Chemistry, Stuttgart: Thieme 1996; Comprehensive Coordination Chemistry, Oxford: Pergamon 1987; Dictionary of Inorganic Compounds, London: Chapman & Hall 1995; Comprehensive Organometallic Chemistry I u. II, Oxford: Pergamon 1982 u. 1995; *Doelter; *Gmelin Handbook of Inorganic and Organometallic Chemistry; *Mellor; Pascal (Traité de Chimie Minérale).
Analyt. Chemie: Comprehensive Analytical Chemistry, Amsterdam: Elsevier (seit 1959); *Fresenius-Jander; *Kolthoff-Elving; *Snell-Ettre; Weissberger, Techniques of Chemistry, New York: Wiley (seit 1970); *Wilson-Wilson.
Organ. Chemie u. Naturstoffe: *Beilstein; Comprehensive Organic Chemistry, Oxford: Pergamon 1978; Comprehensive Organic Synthesis, Oxford: Pergamon 1991; Organic Synthesis, New York: Wiley (seit 1921); Organic Reactions, New York: Wiley (seit 1942); Theil-

heimer, Synthetic Methods of Organic Chemistry, Basel: Karger (seit 1946); Comprehensive Organic Functional Group Transformation, Oxford: Pergamon 1995; Dictionary of Organic Compounds, London: Eyre and Spottiswoods (1965–1979) u.: Chapman & Hall (seit 1982); Elsevier; Gildemeister; Grignard (Traité de Chimie Organique); *Houben-Weyl; *Karrer; *Manske; Methodicum Chimicum; Patai, The Chemistry of Functional Groups, New York: Wiley; *Rodd; *Weissberger (Chemistry of Heterocyclic Compounds).

Biochemie, Pharmazie u. verwandte Gebiete: *Florey; *Florkin-Stotz; *Hager; Handbuch der Lebensmittelchemie, Berlin: Springer (1965–1970); Roempp Lexikon Biotechnologie, Stuttgart: Thieme 1992; Comprehensive Biotechnology, Oxford: Pergamon 1985; Heffter-Heubner, Handbuch der experimentellen Pharmakologie, Berlin: Springer; *Hoppe-Seyler/Thierfelder; Janistyn; *Rehm-Reed.

Physikal. Chemie: Bamford u. Tipper, Comprehensive Chemical Kinetics, Amsterdam: Elsevier (seit 1969); Lange's Handbook of Chemistry, New York: McGraw-Hill 1992; CRC Handbook of Chemistry and Physics, Boca Raton: CRC Press 1997; Bard u. Lund, Encyclopedia of Electrochemistry of the Elements, New York: Dekker; Eyring et al., Physical Chemistry, New York: Academic Press (1967–1975); Flügge, Handbuch der Physik, Berlin: Springer (seit 1955); *Landolt-Börnstein (eigentlich mehr ein Tab.-Werk); Thewlis et al., Encyclopaedic Dictionary of Physics, Oxford: Pergamon; Tompkins u. Eley, The International Encyclopedia of Physical Chemistry and Chemical Physics, Oxford: Pergamon (seit 1963); Advances in Chemical Physics, New York: Wiley.

Techn. u. Makromol. Chemie: *Kirk-Othmer; Mark-Gaylord-Bikales; *McKetta; *Thorpe; *Ullmann; *Winnacker-Küchler; Comprehensive Polymer Science, Oxford: Pergamon 1996; Material Science & Technology, New York: Wiley.

Weitere H. sind ggf. bei den Spezialgebieten zitiert; eine Reihe von Werken, die als H. im oben definierten Sinne gelten können, erscheinen im Verl. CRC Press, Boca Raton. – *E* treatises, encyclopedias – *F* traités – *I* manuali – *S* manuales

Lit.: [1] Terminologie der Dokumentation (Nachr. Dok. Beiheft 14), Frankfurt: DGB 1966. [2] Naturwissenschaften **55**, 379–384 (1968). [3] Naturwissenschaften **68**, 53 ff. (1981). [4] Chem. Unserer Zeit **15**, 47–51 (1981); Angew. Chem. **93**, 876–885 (1981). [5] Nachr. Tech. Lab. **22**, 232–235 (1974). [6] Becke, in Gmelin-Inst., S. 13–19, Frankfurt: Carl-Bosch-Haus 1974. [7] Chem. Unserer Zeit **8**, 184–190 (1974). [8] Prax. Naturwiss. Tl. 3 **28**, 185–194 (1979).
allg.: Bottle, Information Sources in Chemistry, London: Bowker 1993 ∎ Kirk-Othmer (4.) **14**, 220–276 ∎ Mücke, Die chem. Literatur, Weinheim: Verl. Chemie 1982 ∎ Powell, Handbooks and Tables in Science and Technology, London: Mansell & Phoenix, Oryx 1994 ∎ Warr, Chemical Information Management, Weinheim: VCH Verlagsges. 1992 ∎ Wiggins, Chemical Information Sources, New York: McGraw-Hill 1991 ∎ s. a. Bibliographien, chemische Literatur, Dokumentation, Nachschlagewerke.

Handelschemiker. Vereidigte, meist freiberufliche *Chemiker, die in eigenen Laboratorien od. z. B. in chemischen Untersuchungsstellen in privatem od. öffentlichem Auftrag chem. Untersuchungen vornehmen. Die Bestallung als H. (Sachverständiger) unterliegt in der BRD bestimmten Regulativen. Die H. sind im Bundesverband der öffentlich angestellten u. vereidigten Chemiker (Handelschemiker) mit Sitz in 22761 Hamburg, Mendelssohnstr. 15, organisiert. Ferner gibt es innerhalb der *Gesellschaft Deutscher Chemiker eine Fachgruppe Freiberuflicher Chemiker u. Inhaber Freier Unabhängiger Laboratorien, der 151 Mitglieder (1996) angehören. – *E* consultant chemist – *F* chimiste conseiller – *I* chimico consultore – *S* químico consultor

Handelsdünger s. Düngemittel u. Düngung.

Handelsnamen. Bez. für Handelswaren können *Freinamen od. *Common Names sein. In der Regel sind es aber eingetragene *Marken. Es handelt sich dabei um Bez., die geeignet sind, auf den Geschäftsbereich des Herstellers hinzuweisen u. sich von den Waren anderer zu unterscheiden. Ihre Verw. ist gesetzlich innerhalb eines Staatsgebiets geschützt, wenn sie in die sog. Zeichenrolle beim zuständigen Patentamt eingetragen sind (in der BRD: *Deutsches Patentamt). Die Ausstattung einer Ware kann aber auch ohne Eintragung als sog. Ausstattungsrecht Schutz erlangen. Auskünfte über eingetragene Marken erteilt das Dtsch. Patentamt. – *E* trade names – *F* noms commerciaux – *I* nomi commerciali – *S* nombres comerciales
Lit.: Busse u. Starck, Warenzeichengesetz (6. Aufl.), Berlin: de Gruyter 1990.

Handhomogenisator. Es handelt sich dabei um röhrenförmige, kon. od. abgerundete Mörser (Vol. von 0,5–50 mL) mit einem kon. bzw. abgerundeten Pistill aus Glas od. Teflon, die zur *Homogenisation von Gewebeproben verwendet werden. Die grobe Zerkleinerung der Proben erfolgt im unteren Abschnitt des H., während die abschließende Homogenisation im oberen zylindr. Teil stattfindet, da dort der Abstand zwischen Pistill u. Mörserwand nur 0,1–0,15 mm beträgt. Man unterscheidet zwischen Potter-Elvehjem- u. Dounce-Handhomogenisator. – *E* homogenizer – *F* homogénisateur – *I* omogeneizzatore – *S* homogeneizador

Handreinigungsmittel. Bez. für feste, pulverige, pastenförmige od. flüssige Gemenge, die v. a. für die Reinigung stark verschmutzter Hände bestimmt sind. H. enthalten zusätzlich zu den natürlichen od. synthet. Tensiden (*Seifen od. *Syndets) meist Scheuermittel wie *Quarzmehl, *Holzmehl, *Bimsstein u. dgl. u./od. organ. Lsm. wie *Alkohole, *Aceton, *Benzin, *Hexalin, *Tetralin usw. Z. T. werden hautschonende Stoffe wie Wollwachs (*Lanolin) od. *Fettalkohole zugesetzt. Quellmittel wie *Methylcellulose, *Carboxymethylcellulose, *Stärke, *Polyacrylate u. dgl. wirken ebenfalls hautschonend, erleichtern die Verteilung der Scheuermittel u. unterstützen die reinigende Wirkung. Man unterscheidet:

1. Feste Handreinigungsseifen mit Scheuermittel-Zusätzen;

2. Handreinigungspulver mit meist nur geringen Tensid-Anteilen (ca. 5% Seife od. Syndet), dazu in größerer Menge sog. *Builder wie *Polyphosphate, *Phosphate, *Carbonate, *Silicate usw. sowie Quellmittel wie z. B. Methylcellulose u. Scheuermittel;

3. Handreinigungspasten (*Handwaschpasten*) aus Schmierseife od. Syndet-Pasten mit Quellmitteln,

Feuchthaltemitteln wie *Glycerin, Glykol od. *Sorbit, Scheuermitteln u. z. T. auch organ. Lsm.;
4. Handreinigungsflüssigkeiten (flüssige Handwaschmittel) aus Flüssig-Seifen bzw. -Syndets mit Beimengungen organ. Lsm. u. hautschonender Stoffe.
– *E* hand cleaning agents – *F* produits d'entretien des mains – *I* detergenti per le mani – *S* productos para lavar las manos
Lit.: Vollmer u. Franz, Chemie in Bad u. Küche, S. 25, Stuttgart: Thieme 1991. – *[HS 3402 20, 3402 90]*

Handschuhbox s. Glove Box.

Handschutz. H. soll bei Arbeiten u. Tätigkeiten getragen werden, bei denen Hautverletzungen auftreten können. Schutzhandschuhe können vor mechan. Gefährdungen (Schnitt-, Stichverletzungen, Quetschungen), chem. Gefährdungen beim Umgang mit *Gefahrstoffen (Verätzungen, *Berufskrankheiten durch Hautresorption), therm. Gefährdungen (Verbrühungen, Verbrennungen, Erfrierungen) od. elektr. Gefährdungen (elektr. Durchströmung) schützen. Schutzhandschuhe, die den Anforderungen der DIN 4841 genügen, tragen eine entsprechende Kennzeichnung; s. a. Hautschutzsalben. – *E* hand protection, handguard – *F* protège-mains – *I* paramano – *S* protección de la mano
Lit.: DIN EN 374, Tl. 1 – 3 (04/1994) ▪ DIN EN 388 (08/1994) ▪ DIN EN 407 (04/1994) ▪ DIN EN 420 (06/1994) ▪ Regeln für den Einsatz von Schutzhandschuhen (ZH 1/706), Ausgabe 04/1994; Fassung 1995 (Bezugsquelle: Jedermann-Verl. Postfach 10 31 40, 69021 Heidelberg).

Handwaschpasten s. Handreinigungsmittel.

Hanf. Zähe, dauerhafte, wasserfeste *Bastfaser [Kurzz. HA, nach DIN 60001, Tl. 4 (08/1991)] aus der in Zentralasien beheimateten, in Rußland, Norditalien, Ungarn, Serbien usw. vielfach kultivierten Hanfpflanze (*Cannabis sativa*, Cannabaceae, bis 3,5 m hohe Staude). Die einzelne Bastfaser ist 5–55 mm lang u. 15 bis 28 µm breit; sie besteht im wesentlichen aus *Cellulose. Man verarbeitet H.-Fasern zu Waren, die hohe Festigkeit u. Wasserbeständigkeit haben sollen (z. B. Seilerwaren, Schiffstaue, Säcke, Segeltuch usw.). Einige H.-Arten (insbes. *C. indica*) werden zur Gewinnung von Hanföl u. aufgrund ihres Gehalts an *Cannabinoiden zur Herst. von *Haschisch benutzt. *Nicht* zu den Hanfarten gehören *Manilahanf, Sisalhanf u. Wasserhanf (Eupatorium), wohl aber *Hopfen.
– *E* hemp – *F* chanvre – *I* canapa – *S* cáñamo
Lit.: Kirk-Othmer (3.) **10**, 183, 190; (4.) **10**, 728 – 732, 734 f. ▪ Ullmann (4.) **9**, 252 f.; (5.) **A 5**, 391, 399 ▪ s. a. Bastfasern, Faserpflanzen. – *[HS 5302 10, 5302 90]*

Hanikirsch-Reaktion. Meth. zur Sichtbarmachung ausgebleichter Schriftzüge von Chlorid-haltigen Tinten mit Hilfe einer AgNO₃-Lsg.; AgNO₃ bildet mit dem aus der Tinte ins Papier allmählich eingewanderten Chlorid schwerlösl. AgCl, das bei Belichtung als dunkles Ag sichtbar wird. – *E* Hanikirsch reaction – *F* réaction de Hanikirsch – *I* reazione di Hanikirsch – *S* reacción de Hanikirsch

Hannover-Metall. Histor. Bez. für eine *Zink-Leg.* mit 8% Antimon u. 5% Kupfer, die als *Lagermetall u. für Eßgeschirrzwecke verwendet wurde. – *E* Hannover metal – *S* metal hannoverano

Hansa®. Organ. *Pigmente zur Pigmentierung von lufttrocknenden Lacken, Druckfarben, Holzschutzmitteln u. Büroartikeln. *B.:* Hoechst.

Hansa extra®. Im indirekten Verf. hergestelltes *Zinkoxid (99,9% ZnO). H. ultra mit 99,5% ZnO. *B.:* Lehmann & Voss.

Hansamed®Spray. Sprühlsg. mit *Chlorhexidindigluconat zur Desinfektion bei Hautverletzungen. *B.:* Beiersdorf.

Hansaplast®. Blutstillender, bakterientötender, heilungsfördernder Wund-Schnellverband mit imprägnierter Mullauflage; auch als *H.-Sprühpflaster* mit *Polymethylmethacrylat u. *Menthol. *B.:* Beiersdorf.

Hansch-Analyse. Von dem amerikan. Chemiker Corwin Hansch (geb. 1918) anfangs der 60er Jahre entwickelte rechner. Meth., mit deren Hilfe Voraussagen zur biolog. Wirkung unbekannter, noch zu synthetisierender Verb. gemacht werden können. Die H.-A. stellt quant. Beziehungen her zwischen den beobachteten biolog. Effekten eines Mol. u. dessen Struktur, u. zwar über seine physikal.-chem. Eigenschaften, insbes. seinen hydrophoben Charakter gemäß der folgenden Beziehung: Biolog. Aktivität=*f* (mol. od. Fragment-Deskriptoren) z. B. in der folgenden Form:

$$\log 1/C \ (\text{od. } \log A) = -k_1 \ (\log P)^2 + k_2 \log P + k_3 \ \sigma + \dots k.$$

Dabei ist A der biolog. Effekt, C die Konz. des untersuchten Stoffes, log P der Octanol/Wasser-Verteilungskoeffizient (ein Maß für die Lipophilie), σ die Hammett-Konstante (s. Hammett-Gleichung) u. die übrigen Parameter weitere Kenngrößen des Mol. od. seiner Strukturfragmente. Wichtig sind insbes. ster. Parameter.

Man nennt die H.-A. auch „linear free energy relationship" (LFER) od. extrathermodynam. Meth., da die Deskriptoren aus Geschw.- od. Gleichgew.-Konstanten abgeleitet werden. Sie bedient sich der multiplen linearen, manchmal auch der nichtlinearen Regression. Zahlenwerte für Substituenten-Parameter finden sich nicht nur in Nachschlagewerken[1], sondern auch in EDV-Speichern, denn für eine eingehende mathemat. Analyse mit den Mitteln der Statistik[2] werden eine Vielzahl von Daten benötigt.
Solche Berechnungen stellt man heute überall da an, wo es um die gezielte Synth. neuer Wirkstoffe geht, z. B. in der Entwicklung von Arzneimitteln, von Pflanzenschutz- u. Schädlingsbekämpfungsmitteln, in Zukunft vielleicht auch von Pheromonen, Riechstoffen u. dgl. In jedem Einzelfall ist es das Ziel der H.-A. u. verwandter Meth. wie der Bocek-Kopecky-, der Fujita-Ban- u. der Free-Wilson-Analysen, quant. Struktur-Wirkungs-Beziehungen (*E* quantitative structure-activity relationships) herzustellen, weshalb sich bes. in der englischsprachigen Lit. die Abk. *QSAR als Oberbegriff für derartige Verf. durchgesetzt hat. Zur Geschichte des QSAR-Konzepts s. *Lit.*[3]. – *E* Hansch analysis – *F* analyse de Hansch – *I* analisi di Hansch – *S* análisis de Hansch
Lit.: [1] Hansch u. Leo, Substituent Constants for Correlation in Analysis in Chemistry and Biology, New York: Wiley 1979; J. Med. Chem. **16**, 1207 ff. (1973). [2] Pharm. Unserer Zeit **4**, 145–150 (1975). [3] Prog. Drug Res. **23**, 199–232 (1979).

allg.: Chem. Rev. **84**, 333–407 (1984) ▪ Chem. Unserer Zeit **20**, 191–202 (1986) ▪ Hansch u. Leo, Exploring QSAR – Fundamentals and Applications in Chemistry and Biology, 2 Bd., Washington: Am. Chem. Soc. 1995 ▪ Pharm. Unserer Zeit **23**, 158–168, 281–290 (1994) ▪ Seydel u. Schaper, Chemische Struktur u. biologische Aktivität von Wirkstoffen, Weinheim: Verl. Chemie 1979 ▪ s. a. Molecular Modelling u. QSAR.

Hansen, Kurt (geb. 1910), Dr. rer. nat., ehem. Vorsitzender des Vorstandes u. anschließend des Aufsichtsrates der Bayer AG, Honorarprof. für Chemie, Univ. Köln. *Arbeitsgebiete:* Photo, Farben, Pharma u. Pflanzenschutz.
Lit.: Chem. Ztg. **104**, 15 (1980) ▪ Kürschner (16.), S. 1246 ▪ Nachr. Chem. Tech. Lab. **18**, 27 f. (1970) ▪ Wer ist wer (35.), S. 520.

Hans-Knöll-Institut für Naturstoff-Forschung (HKI). Das nach dem dtsch. Arzt u. Wissenschaftler Hans Knöll (5. 1. 1913 – 26. 6. 1978) benannte HKI ist eine 1992 gegr. außeruniversitäre Forschungseinrichtung mit derzeit mehr als 200 Mitarbeitern (1997) u. Sitz in 07745 Jena, Beutenbergstr. 11. Es ist aus dem Zentralinstitut für Mikrobiologie u. Experimentelle Therapie (*ZIMET*) der ehem. DDR hervorgegangen. Aufgabe des HKI ist die Förderung von grundlagen- u. anwendungsorientierter Forschung u. Entwicklung bei der Suche nach neuen Natur- u. Wirkstoffen. Die Forschung erfolgt im wesentlichen in den vier Bereichen Mikrobiologie, Naturstoffchemie, Bioverfahrensentwicklung u. Wirkstoffsuche, die in einem engen Verbund zusammenarbeiten. Durch Kombination klass. Meth. der Mikrobiologie, Naturstoffchemie u. Bioverfahrenstechnik mit neuen innovativen Ansätzen u. Technologien, beispielsweise die Verw. moderner zell- u. molekularbiolog. Techniken, die Entwicklung u. Etablierung automatisierter High-Throughput-Screening-Syst. od. der Einsatz kombinator. Syst. zur Wirkstoffsuche, werden in enger Zusammenarbeit mit Partnern aus Wirtschaft u. Wissenschaft neue Produkte u. Verf. entwickelt.

Hantzsch, Arthur Rudolf (1857–1935), Prof. für Chemie, Zürich, Würzburg u. Leipzig. *Arbeitsgebiete:* Synth. von Pyridin, Cumaron, Thiazolen, Stereochemie des Stickstoffs, Oxim-Struktur, Diazo-Verb., Untersalpetrige Säure, Tautomerie, Indikatoren, Säurestruktur.
Lit.: Lexikon der Naturwissenschaftler, S. 195 ▪ Neufeldt, S. 73 ▪ Pötsch, S. 188 ▪ Strube et al., S. 55 ▪ Angew. Chem. **40**, 301 ff. (1927).

Hantzsch-Synthese. Auf *Hantzsch zurückgehende Synth. z. B. von *Pyrrol-Derivaten* aus 3-Oxocarbonsäureestern u. α-Chlorketonen mit NH_3 bzw. Aminen, bes. auch von *Dihydropyridin-Derivaten* durch mehrstufige Kondensation von je 1 Mol. Aldehyd u. NH_3 mit 2 Mol. Acetessigester. Dabei reagiert der Acetessigester einmal im Sinne einer *Knoevenagel-Kondensation u. zum anderen mit Ammoniak zu einem β-Aminoalkensäureester, der als *Enamin* mit dem Kondensationsprodukt der Knoevenagel-Kondensation im Sinne einer *Michael-Addition reagiert. Letztere Reaktion ist – mit 3-Oxoglutarsäureestern – auch analyt. zur photometr. Bestimmung von Aldehyden ausnutzbar [1]. Das Interesse an der H.-S. ist in jüngster Zeit stetig gewachsen, da Dihydropyridine wichtige

Leitstrukturen in der Arzeneimittelsynth. darstellen [2]. 1,4-Dihydropyridine sind auch Bausteine des Coen-

zyms *Nicotinamid-Adenin-Dinucleotid. – **E** Hantzsch synthesis – **F** synthèse de Hantzsch – **I** sintesi di Hantzsch – **S** síntesis de Hantzsch
Lit.: [1] Pure Appl. Chem. **51**, 1808 f. (1979). [2] Angew. Chem. **103**, 1587 (1991).
allg.: Angew. Chem. **93**, 755–763 (1981) ▪ Gilchrist, Heterocyclenchemie, S. 149, Weinheim: VCH Verlagsges. 1995 ▪ Hassner-Stumer, S. 157 ▪ Laue-Plagens, S. 166.

Hantzsch-Widman-System. Von Hantzsch (1887) u. Widman (1888) eingeführtes u. inzwischen modifiziertes Syst. (*Lit.* [1]) zur Benennung *heterocyclischer Verbindungen. Nach dem H.-W.-S. gebildete Namen setzen sich zusammen aus einem bei *Austauschnamen üblichen Präfix für die betreffenden Heteroatome (Oxa…, Aza… usw.) – evtl. unter Hinzufügung eines Vervielfachungsaffixes (Di…, Tri… usw.) – u. einem Namensstamm, der Ringgröße u. Sättigungszustand ausdrückt (s. Tab.).

Tab.: Hantzsch-Widman-System zur Benennung heterocycl. Verbindungen.

Zahl der Ringglieder	ungesätt. Ringe	gesätt. Ringe
3	iren, irin (N)	iran, iridin (N)
4	et	etan, etidin (N)
5	ol	olan, olidin (N)
6 a	in	an
6 b	in	inan
6 c	inin	inan
7	epin	epan
8	ocin	ocan
9	onin	onan
10	ecin	ecan

6 a: für die Elemente O, S, Se, Te, Bi, Hg
6 b: für die Elemente N, Si, Ge, Sn, Pb
6 c: für die Elemente F, Cl, Br, I, P, As, Sb, B

Die Stämme für die fünf- bzw. sechsgliedrigen Ringe (-ol u. -in) sind von den traditionellen Endungen der Trivialnamen dieser Ringe (Pyrrol, Pyridin) abgeleitet; die übrigen der Ringgrößen 3 bis 10 sind aus den betreffenden Zahlwörtern gebildet: „ir" von *tri*, „et" von *tetra*, „ep" von *hepta*, „oc" von *octa*, „on" von *nona* u. „ec" von *deca*; *Beisp.:* 1,2,4-Triazol, 1,3-Oxazin, Azepin. Bei gesätt. Stickstoff-haltigen Ringen werden die traditionellen Endungen „iridin", „etidin" u. „olidin" beibehalten. Auch werden die histor. Trivialnamen von fünf- u. sechsgliedrigen Ringen weiterhin bevorzugt; *Beisp.:* Pyran statt Oxin, Pyridin statt Azin, Pyrimidin statt 1,3-Diazin, Imidazol statt 1,3-Diazol. Ringe mit mehr als zehn Gliedern werden nach der Austauschnomenklatur (s. Aza...) benannt. – *E* Hantzsch-Widman system – *F* système de Hantzsch-Widman – *I* sistema di Hantz-Widman – *S* sistema de Hantzsch-Widman

Lit.: [1] Pure Appl. Chem. **55**, 409–416 (1983).

Hanuš-Reagenz. Lsg. von 10 g *Iodbromid in 500 mL reiner, Alkohol-freier Essigsäure (Aufbewahrung in brauner Flasche mit Schliffstopfen) zur Bestimmung der *Iod-Zahl von *Fetten u. Ölen. – *E* Hanuš solution – *F* réactif d'Hanuš – *I* reattivo di Hanuš – *S* reactivo de Hanuš

Hapalindole.

H$_3$C, 6a, CH$_3$, Cl, 9, 21, CH$_2$, 20, H, H$_3$C, 10a, NC, H, 3, N, 1, H

Gruppe von *Indol-Derivaten aus Cyanobakterien der Gattung *Hapalosiphon*. Die Verb. sind strukturell mit der *Lysergsäure verwandt u. von antibakterieller u. antimykot. Wirkung, z.B. *Hapalindol A* {$C_{21}H_{23}ClN_2$, M_R 338,87, gelbe Platten, Schmp. 160–167 °C, $[\alpha]_D$ –78° (CH$_2$Cl$_2$)}. Zur Synth. von H. s. *Lit.*[1], zur Biosynth. *Lit.*[2]. – *E = S* hapalindoles – *F* hapalindol(e)s – *I* apalindoli

Lit.: [1] J. Org. Chem. **57**, 857, 2018 (1992). [2] J. Org. Chem. **54**, 2092 (1989). – *[CAS 92219-95-9]*

Haploid s. Chromosomen.

Haptene (Halb-Antigene, unvollständige Antigene; von griech.: haptein = anheften). Bez. für Mol., die, z.B. wegen ihrer geringen Größe, als solche in einem bestimmten Organismus nicht immunogen sind, d.h. nicht als *Antigene wirken u. keine Bildung von *Antikörpern hervorrufen. Durch Koppelung mit als *Carrier wirkenden Proteinen od. Peptiden (daher Name) erwerben die H. jedoch die Immunogenität von Voll-Antigenen u. regen das *Immunsystem des betreffenden Organismus zur Antikörper-Produktion an. Mit dem entsprechenden Antikörper gehen die H. eine spezif. Bindung ein (*Antigen-Antikörper-Reaktion), so daß dessen Präzipitation mit dem Voll-Antigen nicht mehr möglich ist. Anw. erfahren die H. zur spezif. Blockierung von *Immunglobulinen bei *Allergien, z.B. bei Penicillin-Sensibilisierung, u. bei der Herst. von *Abzymen[1]. Zum Nachw. der H. bedient man sich der *Enzymimmunoassays. – *E* haptens – *F* haptènes – *I* apteni – *S* haptenos

Lit.: [1] Appl. Biochem. Biotechnol. **47**, 345–372 (1994). *allg.:* Int. Arch. Allergy Immunol. **104**, 10–16 (1994).

hapto-. Wort für das Symbol *η in der *Koordinationslehre; *Beisp.:* 5 π-Ligand-Atome am Metallatom gebunden = η^5-=„eta-fünf-" od. „pentahapto-". – *E* = *F* = *S* hapto- – *I* apto-

Haptogene Membranen (von griech.: haptein = befestigen u. *...gen). Bez. für aus hochmol. *Emulga-toren, insbes. Proteinen, gebildete Grenzflächenfilme, die ein mechan. Hindernis für die Vereinigung der emulgierten Tröpfchen bilden. Bei Milch besteht die h. M. aus Lipoproteinen. Bei natürlichen Olivenöl-emulsionen enthalten die h. M. 26–35% Proteine, 5–35% Lipoide, 15–24% Hemicellulosen u. Pektine, 5–10% Aschenbestandteile; diese h. M. werden durch *Demulgatoren (z.B. Alkylarylsulfonate usw.) zerstört. – *E* haptogenic membranes – *F* membranes haptogènes – *I* membrane aptogene – *S* membranas haptógenas

Haptoglobine (Kurzz. Hp). Gruppe chem. verwandter *Glykoproteine des Blutplasmas mit spezif. Bindungsfähigkeit für *Hämoglobin (Hb). Hp besitzen für alle Formen einheitliche glykosylierte β-Ketten (M_R 40000), jedoch unterschiedliche α-Ketten, α^1 (M_R 9000) u. α^2 (M_R 16000). Die α-Ketten weisen Sequenz-Ähnlichkeiten zu *Immunglobulinen auf, die β-Ketten zeigen *Homologie zu *Concanavalin A u. *Serin-Proteasen, ohne jedoch selbst Protease-Aktivität zu besitzen. Aus den Untereinheiten bilden sich beim Menschen folgende mol. Aggregate: $(\alpha^1 \beta)_2$ (Phänotyp Hp 1–1), $(\alpha^1 \beta)_2 (\alpha^2 \beta)_n$ (n = 1, 2, 3 ...; Phänotyp Hp 2-1) u. $(\alpha^2 \beta)_n$ (n = 3, 4, 5 ...; Phänotyp Hp 2-2). Normales Blutplasma enthält in 100 mL ca. 350 mg Hp, die bis zu 136 mg Hb binden können.

Biolog. Funktionen: Der Hp-Hb-Komplex wird in der Leber abgebaut. Die Hb-Bindung der Hp verhindert Eisen-Verlust u. Nierenschädigung u. wirkt anti-oxidativ. Hp inhibiert die Biosynth. der *Prostaglandine u. wirkt dadurch entzündungshemmend. Die Gefäß-relaxierende Wirkung von Stickstoffmonoxid (s. Stickstoffoxide) wird durch Hp-Hb-Komplexe aufgehoben. Weiterhin wirkt Hp unter bestimmten Umständen bakteriostat., agglutiniert *Streptococcus pyogenes*, spielt bei der Blutgefäß-Bildung eine Rolle, bindet das B-Zell-Oberflächen-Antigen CD22, inhibiert *Kathepsin B u. bewirkt Krist. von *Cholesterin in Galle. Bei Gewebs-Verletzungen, Entzündungen u. Infektions-Krankheiten ist der Hp-Gehalt des Blutes erhöht (*Akutphasen-Protein). – *E* haptoglobins – *F* haptoglobines – *I* aptoglobine – *S* haptoglobinas

Lit.: Clin. Chem. **42**, 1589–1600 (1996).

Haptomere s. Toxine.

Haptophore Gruppe s. Toxine.

Haptotropismus s. ...tropismus.

Harburger Fettchemie. Kurzbez. für Harburger Fettchemie Brinckman & Mergell GmbH, 21047 Hamburg. *Produktion:* Fettsäuren, Fettsäure-Derivate sowie Weichmacher auf Fettsäure-Basis u. Reaktivverdünner für Epoxid-Systeme.

Harcros. Kurzbez. für die brit. Firma Harcros Durham Chemicals Ltd., Durham DH3 1QX, die im Besitz der Holding Harrison & Crossfield PLC, London, EC3R 5AH (GB) ist. *Produktion:* Säuren u. anorgan. Anhydride, Alkalien u. anorgan. Hydroxide, Natrium-, Kalium- u. Ammonium-Verb., Eisen-Verb. u. Stahllegierungskomponenten, anorgan. Leichtmetall-Verb., Polyphenole, Ether, Aldehyde, Ketone, Chinone, Parfüm- u. Aromakompositionen, Pestizide u. Fungizide, Farben u. Pigmente, Chemikalien für die Lack-Ind.,

Chemikalien für die Textil-, Papier- u. Leder-Ind., Hilfsprodukte für die Kunststoff-Ind., Feuerschutzmittel, Katalysatoren.

Harden, Sir Arthur (1865–1940), Prof. für Biochemie, Univ. London. *Arbeitsgebiete:* Gärungsenzyme, Phosphorylierung von Zuckern als grundlegende biochem. Reaktion, z. B. bei der Gärung, der Energieerzeugung u. der Photosynth.; für diese Arbeiten erhielt er zusammen mit von *Euler-Chelpin 1929 den Nobelpreis für Chemie.
Lit.: Lexikon der Naturwissenschaftler, S. 196 ▪ Nachmansohn, S. 242, 297 ▪ Neufeldt, S. 111, 114 ▪ Pötsch, S. 188 ▪ Poggendorff **7 b/3**, 1842 ▪ Strube **2**, S. 171.

Hardt, Horst-Dietrich (geb. 1917), Prof. für Anorgan. u. Allg. Chemie, Univ. Saarbrücken. *Arbeitsgebiete:* Präparative anorgan. Chemie in nichtwäss. Lsm., Fluoreszenz-Thermochromie, period. Eigenschaften der chem. Elemente.
Lit.: Kürschner (16.), S. 1253 ▪ Wer ist wer (35.), S. 523.

Hardware. Sammelbez. für die in der Datenverarbeitung benutzten Geräte.

Hardy-Schulze-Regel s. Kolloidchemie.

Hargreaves-Verfahren. Von James Hargreaves (1834–1915) entwickeltes Verf. zur Herst. von Natriumsulfat (bzw. Kaliumsulfat) u. Salzsäure durch Einwirkung eines Gemischs aus Schwefeldioxid-haltigen Röstgasen, Luftsauerstoff u. Wasserdampf auf Kochsalz (bzw. Kaliumchlorid) bei 430–540 °C:

$$4\,NaCl + 2\,SO_2 + O_2 + 2\,H_2O \rightarrow 2\,Na_2SO_4 + 4\,HCl$$

Die techn. Bedeutung dieses Verf., das in den USA noch durchgeführt wird, ist gering. – *E* Hargreaves process – *F* procédé de Hargreaves – *I* processo Hargreave – *S* procedimiento de Hargreaves
Lit.: Ullmann (5.) **A 24**, 362.

Harkins-Regel s. Geochemie.

Harmalin (3,4-Dihydroharmin, Harmidin). $C_{13}H_{14}N_2O$, M_R 214,26 (Formel s. bei Harmane), Krist., Schmp. 250–251 °C (229–231 °C). Harman-Alkaloid aus Passifloraceae, Zygophyllaceae u. Malpighiaceae, wirkt blutdrucksteigernd, zentral stimulierend u. *halluzinogen. – *E = F* harmaline – *I* armalina – *S* harmalina
Lit.: Beilstein E V **23/12**, 148 f. ▪ Braun-Frohne (6.), S. 412 f. ▪ Hager (5.) **4**, 458 f. ▪ J. Chem. Soc., Perkin Trans. 2 **1992**, 1049 ▪ Martindale (30.), S. 1376. – *[HS 2939 90; CAS 304-21-2]*

Harman (Passiflorin, 1-Methyl-9*H*-pyrido[3,4-*b*]indol). $C_{12}H_{10}N_2$, M_R 182,22, Schmp. 237–238 °C. Grundverb. der Gruppe der Harmane (Formel s. dort). H. kommt zusammen mit anderen H. im Tabakrauch, durch Pyrolyse von *Tryptophan gebildet, u. in gerösteten Zichorien-Wurzeln vor[1]. Bei *Heroin-Abhängigen ist der H.-Plasmaspiegel um 200% erhöht[2].
Wirkung: Pflanzenwuchshemmend u. cytotox., wahrscheinlich durch Interkalation. H. steigert die Wirkung mutagener Amine[3], vgl. a. Harmane; zur Synth. s. *Lit.*[4]. – *E = I* harman – *S* harmán
Lit.: [1] Helv. Chim. Acta **59**, 203 (1976). [2] Ther. Umschau **50**, 178 (1993). [3] Bioorg. Chem. **15**, 213 (1987). [4] Justus Liebigs Ann. Chem. **1993**, 1335; Tetrahedron **49**, 3325 (1993). – *[HS 2939 90; CAS 486-84-0]*

Harmane (Harman-Alkaloide, β-*Carboline).

R = H	: Harman (**1**)
R = OH	: Harmol (**2**)
R = OCH₃	: Harmin (**3**)
R = H, 3-COOH	: Harman-3-carbonsäure (**4**)
3,4-Dihydroharmol	: Harmalol (**5**)
3,4-Dihydroharmin	: Harmalin (**6**)

H. sind Alkaloide aus der Passionsblume (Passifloraceen, z. B. *Passiflora incarnata*) u. Rubiaceen. *Harman* (1-Methyl-9*H*-pyrido[3,4-*b*]indol, Passiflorin, Aribin, Loturin, $C_{12}H_{10}N_2$, M_R 182,22, Krist., Schmp. 237–238 °C) ist die Basisverb. dieser Substanzklasse von Pyridoindolen u. kommen auch endogen in Säugern vor (Gehirn, Lunge, Plasma, Urin). *Verw., Wirkung:* H. werden in der pharmakolog. Forschung verwendet u. sind halluzinogen u. narkot. wirksam. H. finden Anw. in der Volksmedizin Zentralasiens u. Südamerikas, vgl. *Lit.*[1]. – *E* harmans – *F* harmane – *I* armani – *S* harmanos
Lit.: [1] J. Ethnopharmacol. **10**, 195 (1984).
allg.: Agric. Biol. Chem. **51**, 921 (1987) ▪ Beilstein E V **23/8**, 261 f. ▪ Eur. J. Pharmacol. **70**, 409 (1981) ▪ Hager (5.) **4**, 458 f. ▪ Manske **30**, 223–249 ▪ Pharm. Unserer Zeit **10**, 46 (1981); **23**, 303 (1994) ▪ Ullmann (5.) **A 1**, S. 384 f. – *[HS 2939 90; CAS 486-84-0 (1); 487-03-6 (2); 22329-38-0 (4); 525-57-5 (5)]*

Harmin (Banisterin, Telepathin, Yagein, 7-Methoxyharman, 7-Methoxy-1-methyl-9*H*-pyrido[3,4-*b*]indol). $C_{13}H_{12}N_2O$, M_R 212,25 (Formel s. bei Harmane), Prismen, Schmp. 262–264 °C (Zers.), wenig lösl. in Wasser, Ethanol, Ether u. Chloroform. H. gehört zu den *Harmanen (β-Carbolin-Alkaloide). Geringe Dosen von H. üben auf den Menschen euphorisierende Wirkung aus. Größere Dosen (~400 mg/kg p. o.) führen zu Übelkeit, Erbrechen, Kollaps. – *E = F* harmine – *I* armina – *S* harmina
Lit.: Beilstein E V **23/12**, 237 f. ▪ s. Harmane. – *[HS 2939 90; CAS 442-51-3]*

Harmonischer Oszillator. Wichtiges Modell zur Beschreibung von *Schwingungen, z. B. der Schwingungen von Atomkernen in Mol. od. Festkörpern. Der quantenmechan. eindimensionale h. O. wird durch die folgende Schrödinger-Gleichung (s. a. Wellenmechanik u. Atombau) beschrieben:

$$-\frac{\hbar^2}{2\mu}\frac{d^2\psi_v(x)}{dx^2} + \frac{1}{2}k\,x^2\psi_v(x) = E_v\psi_v(x).$$

Hierbei ist x die Auslenkungskoordinate aus der Gleichgew.-Position. Bei einem zweiatomigen Mol. ist dies die Differenz zwischen momentanem *Kernabstand u. dem Gleichgew.-Kernabstand. Die Parameter μ [reduzierte Masse; $\mu = m_1 \cdot m_2/(m_1 + m_2)$, wobei m_1 u. m_2 die Massen der beiden Atome sind] u. k (*Kraftkonstante) sind für den jeweiligen h. O. charakterist. Größen; $\hbar = h/2\,\pi$ ist eine *Fundamentalkonstante. Für die Eigenwerte (s. Eigenwertproblem) des eindimensionalen h. O. gilt:

$$E_v = \hbar\,\omega\,(v + \tfrac{1}{2}) \text{ mit der Kreisfrequenz } \omega = \sqrt{k/\mu}.$$

Die *Schwingungsquantenzahl* v nimmt hierbei die Werte 0, 1, 2 usw. an. Im untersten Schwingungszustand hat der h. O. eine endliche Energie, die sog. *Nullpunktsenergie*, die eine Folge der Heisenbergschen *Unschärfebeziehung ist. Die Eigenfunktionen ψ_v des h. O. sind Produkte aus einer *Gaußfunktion u. einem hermiteschen Polynom:

$$\psi_v(x) = N_v \cdot \exp(-\alpha^2 x^2/2) \cdot H_v(x).$$

N_v ist hierbei ein Normierungsfaktor, der die Eigenfunktionen auf 1 normiert, so daß ihre Quadrate im Sinne von *Born als Aufenthaltswahrscheinlichkeitsdichten interpretiert werden können. α ist ein von μ u. k abhängiger Parameter. Die ersten vier hermiteschen Polynome lauten $H_0 = 1$, $H_1(x) = 2\,x$, $H_2(x) = 4\,x^2 - 2$ u. $H_3(x) = 8\,x^3 - 12\,x$.
Eigenwerte u. Eigenfunktionen des h. O. sind für $v = 0$, 1, 2, 3 u. 28 in der Abb. dargestellt; auch das Parabel-Potential $\frac{1}{2}\,k\,x^2$ ist hierbei eingezeichnet.

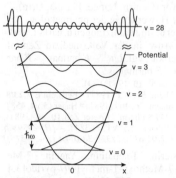

Abb.: Graph. Darst. von Potential, Eigenwerten u. Eigenfunktionen des harmonischen Oszillators.

Man erkennt (vor allem bei $v = 0$), daß die Eigenfunktionen auch links u. rechts von der Parabel, d. h. links u. rechts der klass. Umkehrpunkte, endliche Werte besitzen. Dies bedeutet, daß der quantenmechan. h. O. mit einer endlichen, wenn auch kleinen, Wahrscheinlichkeit in den klass. verbotenen Bereich schwingen kann (s. a. Tunneleffekt). – *E* harmonic oscillator – *F* oscillateur harmonique – *I* oscillatore armonico – *S* oscilador armónico
Lit.: Atkins, Physikalische Chemie, Weinheim: VCH Verlagsges. 1996 ▪ Wedler, Physikalische Chemie, 3. Aufl., Weinheim: VCH Verlagsges. 1987.

Harmonische Schwingung. *Schwingung, die einem linearen Kraftgesetz (*Hookesches Gesetz) gehorcht: $\bar{F}(x) = -k \cdot \bar{x}$. Hierbei ist $\bar{F}(x)$ die rücktreibende Kraft, $\bar{x}$ die Auslenkungskoordinate aus der Gleichgew.-Lage u. k ist die *Kraftkonstante. Das zugehörige Potential hat die Form einer Parabel: $V(x) = \frac{1}{2}\,k\,x^2$; s. a. harmonischer Oszillator. – *E* harmonic vibration – *F* oscillation harmonique – *I* oscillazione armonica – *S* vibración armónica

Harmonisiertes System (HS). Am 01. 01. 1988 ist das „Internat. Übereinkommen über das Harmonisierte System zur Bez. u. Codierung von Waren" in Kraft getreten. Sein Ziel ist es, ein internat. Warenschema anzubieten, das es erlaubt, die Waren für unterschiedliche Zwecke derart aufzugliedern, daß weltweit auf die bisher gebräuchlichen Warenschemata, z. B. Brüsseler Zolltarifschema, verzichtet werden kann. Das vom Rat für die Zusammenarbeit auf dem Gebiet des Zollwesens (RRZ) erarbeitete Syst. ist in 21 Abschnitte, 97 Kapitel, 1241 Positionen u. 5019 Unterpositionen gegliedert. Die Positionen sind bis zur vierten Stelle, die Unterpositionen bis zur sechsten Stelle durchcodiert.

Tab.: Beisp. für das Harmonisierte System zur Codierung von Waren.

Abschnitt	VI	Erzeugnisse der chem. Ind. u. verwandter Ind.
Kapitel	29	organ. chem. Erzeugnisse
Position	2901	acycl. Kohlenwasserstoffe
Unterposition	290110	gesätt. acycl. Kohlenwasserstoffe

Gemäß Artikel 3 des Übereinkommens hat die EG das sechsstellige HS-Syst. übernommen u. auf 8 Stellen erweitert. Von dieser sog. „Kombinierten Nomenklatur (KN)" werden ca. 9500 Positionen erfaßt. Im Dtsch. Gebrauchszolltarif werden die Waren noch zusätzlich auf zwölf Stellen genau eingruppiert. Im Chemie Lexikon sind die Unterpositionen grundsätzlich nach dem sechsstelligen Code, in Ausnahmefällen auf 4 Stellen genau, aufgeführt. – *E* harmonized commodity description and coding system – *I* sistema armonizzato – *S* sistema armonizado

Harmotom. $Ba_2[Al_4Si_{12}O_{32}] \cdot 12\,H_2O$, auch $Ba_2(Ca_{0,5}Na)$ $[Al_5Si_{11}O_{32}] \cdot 12\,H_2O$, zu den *Zeolithen mit Viererring-Ketten gehörendes Mineral, krist. monoklin, Krist.-Klasse $2/m$-C_{2h}, Struktur[1] wie *Phillipsit; zum Verhalten der Wassermol. in der Struktur s. *Lit.*[2]. Prismat. od. tafelige Krist., oft wie bei Phillipsit als *Zwillinge od. Vierlinge. Farblos, weiß, seltener auch grau, rosa od. gelblich, meist milchig trüb, Glasglanz, H. 4,5, D. 2,4 – 2,5. 1964 erstmals synthet. hergestellt (*Lit.*[3]).
Vork.: U. a. auf Erzgängen, z. B. Sankt Andreasberg/Harz, Batopilas/Mexiko u. in Hohlräumen *magmatischer Gesteine, z. B. im *Basalt von Antrim/Nordirland u. Idar-Oberstein/Rheinland-Pfalz u. im *Granit von Strontian/Schottland. – *E = F* harmotome – *I* armotome – *S* harmotoma
Lit.: [1]Eur. J. Mineral. **2**, 861 – 874 (1990); Phys. Chem. Miner. **15**, 461 – 464 (1988). [2]Ber. Bunsenges. Physikal. Chemie **92**, 1083 – 1089 (1988). [3]J. Chem. Soc., **1964**, 2296 – 2305. *allg.:* Anthony et al., Handbook of Mineralogy, Vol. II, Tl. 1, S. 316, Tucson (Arizona): Mineral Data Publishing 1995 ▪ Gottardi-Galli, Natural Zeolites, S. 134 – 155, Berlin: Springer 1985.

Harn (Urin). H. als flüssiges Exkrement ist das Exkret der *Niere. Er wird in dieser durch komplizierte Filtrations- u. Rückresorptions-Vorgänge, die u. a. durch *Vasopressin, den *atrionatriuretischen Faktor u. ein *Prostaglandin hormonell beeinflußt werden, gebildet, in der Harnblase gesammelt u. schließlich ausgeschieden (*Miktion:* Harnlassen). Physikal. stellt H. eine wäss. Lsg. zahlreicher organ. u. anorgan. Stoffe dar; D. 1,001 – 1,035, pH-Wert 5,0 – 6,4, Farbe hellgelb bis dunkelrot in Abhängigkeit von der Konz. der Inhaltsstoffe. Die täglich ausgeschiedene H.-Menge beträgt beim Erwachsenen ca. 1,5 L, ist jedoch erheblichen Schwankungen unterworfen, z. B. infolge Flüssigkeits-Aufnahme u. evtl. zusätzlicher Anregung der Nierentätigkeit durch Gewürze, Medikamente, Alkohol, Tee etc. Zur medikamentösen Förderung der H.-Abscheidung (*Diurese*) dienen die *Diuretika, u. gegen übermäßige H.-Ausscheidung (*Polyurie*, z. B. bei *Diabetes) können *Antidiuretika eingesetzt werden. Die unwillkürliche Miktion (sog. Bettnässen od. *Enu-*

resis) kann neben organ. auch – bes. im Kindesalter – psych. Ursachen haben.

Der Gehalt an H.-Inhaltsstoffen unterliegt physiolog. Schwankungen; manche Substanzen werden auch in tagesperiod. wechselnden Konz. ausgeschieden, so daß genauere Angaben über die Zusammensetzung des H. sich stets auf den sog. 24-h-H. beziehen. Dieser enthält beim gesunden Erwachsenen z. B. *Harnstoff (durchschnittlich 20 g), *Harnsäure (0,5 g), *Kreatinin (1,2 g), Ammoniak (0,5 g), Aminosäuren (2 g), Proteine (60 mg), reduzierende Substanzen (0,5 g, davon etwa 70 mg D-Glucose od. *Harnzucker*), Citronensäure (0,5 g) u. a. organ. Säuren sowie einige Vitamine (C, B_{12} u. a.). An anorgan. Ionen liegen vor: Na^+ (5,9 g), K^+ (2,7 g), NH_4^+ (0,8 g), Ca^{2+} (0,5 g), Mg^{2+} (0,4 g), Cl^- (8,9 g), PO_4^{3-} (4,1 g), SO_4^{2-} (2,4 g). Der Trocken-Gehalt liegt zwischen 50 u. 72 g. Als flüchtige Komponenten des H. wurden u. a. Alkylfurane, *Ketone, *Lactone, *Pyrrol, *Allylisothiocyanat u. *Dimethylsulfon erkannt.

Die normale Gelbfärbung des H. ist auf sog. *Urochrome* zurückzuführen, die Abbauprodukte des *Bilirubins wie z. B. *Urobilin u. *Stercobilin enthalten. Bei verschiedenen Krankheiten treten im H. anomale Bestandteile auf, so z. B. *Gallenfarbstoffe (insbes. *Propentdyopente, Abbauprodukte des Bilirubins) bei Leberentzündungen, Bakterien bei bakteriellen Infektionen der Harnwege u. der Niere, Iod bei Kropfbildung u. Leukocyten bei Mykosen u. *Harnsteinen. Auch kann sich die normale Zusammensetzung des H. mengenmäßig verändern; so deutet erhöhte Eiweiß-Ausscheidung auf Nierenschäden, vermehrter Glucose-Gehalt (*Glucosurie* od. Glykosurie) auf Diabetes hin. Auch das vermehrte od. neue Auftreten anderer Substanzen im H., das z. B. chromatograph. nachgewiesen wird, kann wertvolle Hinweise auf patholog. Veränderungen od. Vergiftungen des Organismus geben. Daher ist die H.-Analyse von erheblicher medizin.-diagnost. Bedeutung – schließlich ist der Harnweg die wichtigste Ausscheidungspforte für *Gifte u. Fremdstoffe. Je nachdem, ob Stoffwechselprodukte mit dem H. ausgeschieden werden können od. müssen, unterscheidet man zwischen H.-*fähigen* u. H.-*pflichtigen* Stoffen.

Verw.: Im Altertum wurde H. für die Küpenfärberei mit Purpur u. Indigo benutzt. Als *Jauche od. Gülle wird der H. von Stalltieren als Stickstoff-haltiges Düngemittel verwendet. – *E = F* urine – *I = S* orina

Harnsäure [7,9-Dihydro-1*H*-purin-2,6,8(3*H*)-trion, tautomere Form: 7*H*-Purin-2,6,8-triol].

$C_5H_4N_4O_3$, M_R 168,11. Farblose Krist., D. 1,893, Schmp. >300 °C, wird beim Erhitzen zersetzt, wobei Cyanwasserstoff entweicht; lösl. in Glycerin u. alkal. wäss. Lsg. sowie organ. Basen, unlösl. in Ethanol u. Ether. H. bildet infolge *Tautomerie verschiedene Derivate. Von den 4 Wasserstoff-Atomen der H. können ein od. zwei ion. abdissoziieren (s. Abb.); es entstehen zwei Reihen der harnsauren Salze od. *Urate*. Das Di-

natrium-Salz ist in Wasser viel leichter lösl. als das Mononatrium-Salz. H. kann aufgrund der Murexid-Reaktion (Bildung von *Murexid aus H., Salpetersäure u. Ammoniak) nachgewiesen werden. Die quant. Bestimmung kann enzymat. mit *Uricase (gibt *Allantoin u. Wasserstoffperoxid) od. mit Molybdat (Red. zu Molybdänblau) bzw. Phosphorwolframsäure (Red. zu blauen Verb.) erfolgen. Im Abwasser läßt sich H. durch spektroskop. Meth. bestimmen.

H. kommt im *Harn, in den *Nieren u. *Harnsteinen vor. Beim Menschen u. Menschenaffen ist H. das Endprodukt des *Purin-Stoffwechsels, während bei anderen Säugetieren u. bei einigen Reptilien H. mit Hilfe des Enzyms Uricase weiter zu *Allantoin abgebaut werden kann, bei Amphibien u. Fischen zu *Harnstoff u. Glyoxylsäure. Bei Vögeln u. Reptilien, die deshalb als *Urikotelier* bezeichnet werden, entsteht H. auch bei der Entgiftung des aus dem Eiweiß-Abbau entstehenden Ammoniaks; so bestehen z. B. die festen Ausscheidungsprodukte der Reptilien u. Vögel (*Guano) zu rund 90% aus dem Ammonium-Salz der Harnsäure. Vorteilhafte Wirkung besitzt H., ähnlich der L-*Ascorbinsäure, im Organismus als Antioxidans, da sie mit Sauerstoff-haltigen Radikalen u. Eisen-Verb. höherer Oxid.-Stufen reagiert. Bei der *Gicht (Arthritis urica) scheidet sich H. bes. in den Gelenken ab; auch in *Gallensteinen kann H. nachgewiesen werden. Manche Harnsteine bestehen aus reiner Harnsäure. Zu verstärkter H.-Ansammlung im Serum (*Hyperurikämie) u. a. Körperflüssigkeiten kann es bei hohem Fieber, Leukämie u. Leberzirrhose ebenso kommen wie bei Hefe- od. Fleisch-reicher, d. h. viel Purine enthaltender Ernährung. Eine bes. Rolle spielt dabei der pH-Wert, da sich in saurem Milieu die schwerer lösl. sauren Urate bilden. Zur Normalisierung des H.-Stoffwechsels dienen *Urikosurika* (bewirken vermehrte H.-Ausscheidung: Probenecid, Benzbromaron u. a.) u. *Urikostatika* (z. B. Allopurinol, ein Inhibitor der für die H.-Biosynth. zuständigen *Xanthin-Oxidase), während beim akuten Gicht-Anfall *Colchicin das Mittel der Wahl ist. Die H. wurde 1776 von Scheele u. unabhängig von Bergman entdeckt. – *E* uric acid – *F* acide urique – *I* acido urico – *S* ácido úrico

Lit.: Beilstein E V **26**/14, 466 f. ■ Free Radical Biol. Med. **14**, 615–631 (1993) ■ Stryer 1996, S. 796–799. – *[HS 293 59; CAS 69-93-2]*

Harnsteine. Sammelbez. für Konkremente (s. Konkretionen) der Harnorgane, u. zwar sowohl im harnbereitenden Syst. der *Nieren (Nierensteine) als auch im ableitenden Syst. des Harnleiters u. der Harnblase (sog. Blasensteine). Die H. bestehen aus einer organ. Grundsubstanz (Uro-Mucoproteine), in die krist. Steinbildner, d. h. bei gegebenem pH-Wert des *Harns schwer lösl. Verb., eingelagert sind. Nach ihrer chem. Zusammensetzung unterscheidet man organ. H. (mit *Harnsäure, seltener auch Xanthin od. Cystin) u. anorgan. H. (mit Calciumoxalat, Calciumphosphat u. Carbonatapatit); die Oxalat- u. Phosphat-H. stellen 70–85% aller Steine. Im einzelnen ist noch zu unterscheiden zwischen Harnsäure- u. Urat-Steinen bzw. bei den Oxalat- u. Phosphat-Steinen zwischen verschiedenen Hydraten u. Salz-Arten, wobei auch Mischsteine vorkommen. Gelegentlich treten auch Cholesterin-

Steine auf, Sulfonamid-Steine können sich nach Behandlung mit einigen dieser Medikamente bilden, u. das Entstehen von Cystin-Steinen ist durch einen erblichen Stoffwechsel-Defekt (*Cystinurie*) bedingt, bei dem die Rückresorption von L-Cystin, L-Ornithin, L-Lysin u. L-Arginin gestört ist. Die H. können sehr unterschiedliche Formen (rund, eckig, traubig, korallenartig usw.) u. Größen (von Sandkorn- bis Pampelmusen-groß) annehmen, u. je nach Aufenthaltsort, Form u. Größe reichen die Beschwerden bis zu Harnstau (z. B. bei Blockade des Harnleiters) u. schweren Nierenkoliken. Für die Entstehung von H. werden verschiedene Faktoren verantwortlich gemacht, wie Stoffwechsel-Störungen, pH-Veränderungen, Nieren-Erkrankungen, Ernährungs- u. auch Umwelteinflüsse. Meistens kann man einen Abgang der H. durch Zertrümmerung mit fokussierten Stoßwellen (Stoßwellen-*Lithotripsie*) erreichen. Die Steinauflösung auf chem. Weg (*Chemolitholyse*) ist bisher nur bei reinen Harnsäure- u. Cystin-Steinen möglich (Alkalisierung des Harns durch Natrium- u. Kaliumcitrate). Bei Phosphaten versucht man, eine Neubildung durch Ansäuern des Harns (salzsaure Aminosäuren, Ammoniumchlorid) u. Bindung des Phosphats (z. B. an Aluminiumhydroxid) zu verhindern, während bei Oxalat-Steinen eine Überführung in leichter lösl. Komplexe (z. B. mit Magnesium-Salzen) u. eine Verminderung der Calcium-Ausscheidung (z. B. durch Bindung an Ionenaustauscher) der Bildung entgegenwirken soll; letzteres wäre auch bei Calciumphosphat-Steinen nützlich. Allg. ist eine erhöhte Flüssigkeitszufuhr zur Verdünnung des Harns wichtig sowie eine der Art der H. angepaßte Diät. – *E* urinary calculi – *F* calculs urinaires – *I* uroliti – *S* cálculos urinarios

Lit.: Gross et al., Die Innere Medizin, Stuttgart: Schattauer 1996.

Harnstoff (Carbamid, Kohlensäurediamid). $H_2N-CO-NH_2$, CH_4N_2O, M_R 60,06. Farblose, geruchfreie Krist., D. 1,335, Schmp. 133 °C; WGK 1, LD_{50} (Ratte oral) 8471 mg/kg. Beim Erhitzen wird oberhalb des Schmp. unter NH_3-Abspaltung *Biuret gebildet. Ähnlich den Carbonsäureamiden ist auch das H.-Mol. durch folgende Mesomerie stabilisiert:

H. ist in Wasser, Methanol, Ethanol u. Glycerin mit neutraler Reaktion lösl., in Chloroform u. Ether dagegen unlösl., im Vak. sublimierbar. Er denaturiert in wäss. Lsg. Proteine u. Nucleinsäuren. Bei der Oxid. mit salpetriger Säure zerfällt H. in Kohlendioxid, Wasser u. Stickstoff:

$$H_2N-CO-NH_2 + 2\,HNO_2 \rightarrow CO_2 + 2\,N_2 + 3\,H_2O$$

Durch Urease-Einwirkung od. Erhitzen mit Säuren u. Alkalien wird er in Kohlendioxid u. Ammoniak gespalten:

$$H_2N-CO-NH_2 + H_2O \rightarrow CO_2 + 2\,NH_3$$

Außerdem ist H. zu vielen, auch zu Imidazol- od. Pyrimidin-Derivaten führenden Kondensationsreaktionen mit Aldehyden u. Ketonen befähigt, insbes. aber zu techn. wichtigen Polykondensationen, die *Konden-*

sationsharze (*Harnstoffharze), liefern. Durch Dehydratisierung 1,3-disubstituierter H. erhält man *Carbodiimide.

Physiologie: H. tritt bei den Ureoteliern (H.-Ausscheider; Mensch, Säugetiere) als Endprodukt des Eiweiß-Stoffwechsels u. der Ammoniak-Entgiftung auf. Eine Sonderstellung nehmen Wiederkäuer ein; sie vermögen den H. mit Hilfe der Bakterien des Pansens zu verdauen, weshalb er z. B. bei Rindern auch als Futtermittelzusatz geeignet ist. Der H. ist die bei weitem wichtigste Stickstoff-Verb. des Säugetier-*Harns; der Mensch scheidet täglich 20–30 g davon aus. Bei gemischter Kost werden 80–90% des mit der Nahrung (Eiweiß) aufgenommenen Stickstoffs in Form von H. ausgeschieden, u. zwar entsteht der H. vorwiegend in der Leber durch Synth. aus Ammoniak u. Kohlendioxid im sog. *Harnstoff-Cyclus.

Herst.: (a) Nach der Wöhlerschen Synth. durch Eindampfen einer wäss. Lsg. von Ammoniumcyanat:

(b) Im Laboratorium durch Einwirkung von Ammoniak auf Phosgen, Chlorameisensäureester, Urethane od. Kohlensäurediester nach der üblichen Säureamid-Synth., z. B.:

(c) Techn. aus Kohlendioxid u. Ammoniak über Ammoniumcarbamat, das bei 135–150 °C u. 35–40 bar (3,5–4 MPa) in Ggw. der dreifachen Menge Ammoniak in Harnstoff übergeht:

Unter diesen Bedingungen wird die als Nebenreaktion ablaufende Hydrolyse des Ammoniumcarbamats in Ammoniumcarbonat bzw. Ammoniak u. Kohlendioxid unterdrückt; Näheres zu techn. Synth. findet man in *Lit.*[1]. Zur Synth. von $(^{15}N_2)[^{17}O]$H. s. *Lit.*[2]. Bei der Aufarbeitung wird H. für Düngezwecke häufig durch *Prillen in eine streufähige Form gebracht u./od. zur Verzögerung der Auflösung mit Polymerfilmen od. mit Schwefel umhüllt. Meist wird H. jedoch durch Herst. von Addukten mit Formaldehyd, Crotonaldehyd od. Isobutyraldehyd (Crotyliden- bzw. *Isobutylidendiharnstoff) schwerer lösl. gemacht; s. a. Düngemittel.

Verw.: Der größte Teil des weltweit erzeugten H. wird in der Landwirtschaft als Düngemittel u. als Eiweiß-Supplement in Futtermitteln für Wiederkäuer verwendet. Als Düngemittel findet H. in Form von festem Dünger-H., Flüssigdünger (bes. als Blattdünger) u. Depotdünger (H.-Aldehyd-Kondensate) Verw. (Ureaform: Adduкt aus H. u. Formaldehyd, Calcurea: Komplexsalz aus 1 Mol. Calciumnitrat u. 4 Mol. H.). Der verbleibende Teil wird in der chem. Ind. verarbeitet, wobei die Herst. von Harnstoff-Formaldehyd-Harzen,

Melamin, Melamin-Formaldehyd-Harzen u. Melamin-Harnstoff-Formaldehyd-Harzen im Vordergrund steht. Diese zu den Aminoplasten zählenden, härtbaren Kondensationsprodukte werden zur Herst. von Klebstoffen, Lacken, Laminaten, Formteilen, Schaumstoffen, Papier-, Leder- u. Textilhilfsmitteln eingesetzt. In geringerem Umfang wird H. zur Synth. von Arzneimitteln (z. B. zur Herst. von Schlafmitteln der Ureid-Klasse) u. Farbstoffen sowie als Enteisungsmittel auf Flugplätzen u. als kosmet.-dermatolog. Wirkstoff eingesetzt. Eine Reihe von Phenyl-H.-Derivaten sind wirksame Herbizide (vgl. *Lit.*[3]).

Geschichte: H. wurde bereits im Jahre 1729 von Boerhave u. erneut 1733 von Rouelle im Harn entdeckt; Fourcroy u. Vauquelin stellten 1797 mit H. eingehendere chem. Untersuchungen an. Die erste H.-Synth. erfolgte – nachdem Döbereiner bereits 1819 die Zusammensetzung aus Cyanoxid, Ammoniak u. Wasser diskutiert hatte – 1828 durch F. *Wöhler, der H. durch Umlagerung von Ammoniumcyanat erhielt. Mit dieser Reaktion u. der 1825 vorangegangenen Oxalsäure-Synth. (zur Geschichte s. *Lit.*[4]) zeigte Wöhler, daß man Stoffe, die bisher nur von Organismen synthetisiert wurden, auch im Laboratorium aus anorgan. Material aufbauen kann. Diese H.-Synth. verknüpfte also die „anorgan." mit der „organ." Chemie; allerdings grenzte man damals die beiden Gebiete anders als heute ab. – *E=I=S* urea – *F* urée

Lit.: [1] Ullmann (5.) **A 27**, 333 ff. [2] Helv. Chim. Acta **79**, 244 (1996). [3] Hager (5.) **1**, 361. [4] Naturwissenschaften **67**, 1–6 (1980).

allg.: Beilstein E IV **3**, 94 ff. ▪ Beyer-Walter, Lehrbuch der organischen Chemie, S. 357 ff., Stuttgart: Hirzel 1991 ▪ Hager (5.) **8**, 412 ▪ Paquette **8**, 5472 ▪ Merck-Index (12.), Nr. 10005 ▪ Rippen **3** ▪ Ullmann **3**, 380–392; E, 209–213; (4.) **12**, 497–514; (5.) **A 2**, 127; **A 8**, 308, 310; **A 10**, 347 f. – [HS 3102 10; CAS 57-13-6]

Harnstoff-Cyclus (Ornithin-Cyclus, Krebs-Henseleit-Cyclus). Biochem. Katalyse-Cyclus, durch den in der Säugetier-Leber die Umwandlung von Ammoniak in Harnstoff bewirkt wird. Der Ammoniak entstammt dem Abbau von Aminosäuren (oxidative Desaminierung von L-Glutaminsäure); seine Überführung in Harnstoff, der über die Niere ausgeschieden wird, dient der Entgiftung (sowie auch der Regulierung des pH-Werts).

Wie der Abb. zu entnehmen ist, kondensiert Ammoniak (bei physiolog. pH-Wert überwiegend als NH_4^+ vorliegend) mit Kohlendioxid (als HCO_3^-) u. einer Phosphat-Gruppe aus ATP zu Carbamoylphosphat, wobei aus energet. Gründen ein weiteres Mol. ATP gespalten wird. Die Carbamoyl-Gruppe wird anschließend auf L-Ornithin übertragen, das entstehende L-Citrullin verbindet sich mit L-Aspartat zu L-Argininosuccinat; die letztgenannte Reaktion wird von der Hydrolyse zweier Phosphat-Gruppen eines ATP-Mol. begleitet. Nach Abspaltung von Fumarat entsteht L-Arginin, das neben Harnstoff die Ausgangsverb. L-Ornithin liefert. Man erkennt, daß das zweite Stickstoff-Atom dem L-Aspartat entstammt; dieses kann übrigens durch Reaktionen des *Citronensäure-Cyclus (Fumarat → L-Malat → Oxalacetat) u. eine *Transaminierungs-Reaktion (Oxalacetat + L-2-Aminosäure → L-Aspartat + 2-

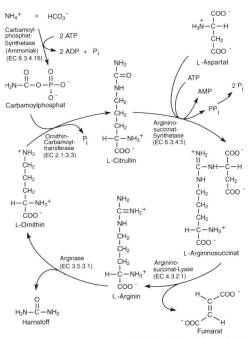

Abb.: Reaktionen des Harnstoff-Cyclus. Die Abk. bedeuten: AMP, ADP, ATP: Adenosin-5′-mono-, -di bzw. -triphosphat; P_i: anorgan. Phosphat; PP_i: anorgan. Diphosphat. Die Reaktionen der Carbamoylphosphat-Synthetase (Ammoniak) u. der Ornithin-Carbamoyltransferase werden in den *Mitochondrien der Leberzellen katalysiert, die übrigen Enzyme befinden sich im *Cytoplasma

Oxosäure) aus Fumarat rückgebildet werden. Außer der Ammoniak-Entgiftung dienen die Reaktionen des H. der Biosynth. des Protein-Bausteins L-Arginin aus L-Ornithin. Der H. wurde als erster cycl. Stoffwechselweg 1932 von Sir H. A. *Krebs u. K. Henseleit entdeckt. – *E* urea cycle – *F* cycle de l'urée – *I* ciclo ureico – *S* ciclo de la urea

Lit.: Biochem. J. **312**, 649–659 (1995) ▪ Stryer 1996, S. 668–671.

Harnstoff-Harze. Kurzz. UF; nach DIN 7728, Tl. 1, 01/1988 sind H.-H. zu den *Aminoplasten gehörende härtbare Kondensationsprodukte aus Harnstoffen u. Aldehyden, insbes. Formaldehyd. Für H.-H. ist folgende Gruppierung

charakterist., in der R^1 u. R^2 Wasserstoff-Atome od. gleiche bzw. verschiedene organ. Reste sein können. Zu ihrer Herst. werden Harnstoff (od. substituierte Harnstoffe) mit Formaldehyd in molarem Überschuß unter meist alkal. Bedingungen umgesetzt. Es entstehen Hydroxymethyl-Gruppen-haltige Oligomere, die entsprechend ihrem Verw.-Zweck unter Vernetzung gehärtet werden. Anstelle von Formaldehyd können auch andere Aldehyde, von denen aber nur wenige (z. B. Acetaldehyd od. Glyoxal) gewisse Bedeutung erlangt haben, eingesetzt werden. Auch Kondensate auf

der Basis modifizierter Harnstoffe spielen nur auf Spezialgebieten, u. a. als Textilhilfsmittel, eine gewisse Rolle. H.-H. können zur Eigenschaftsveränderung modifiziert werden, z. B. durch Umsetzung mit monood. polyfunktionellen Alkoholen, Ammoniak bzw. Aminen (kation. modifizierte H.-H.) od. mit (Hydrogen)sulfiten (anion. modifizierte H.-H).
Eigenschaften: Bes. Vorteile der H.-H. sind hohe Lichtechtheit, Schwerbrennbarkeit, Geruchs- u. Geschmacklosigkeit. H.-H. besitzen hohe mechan. Festigkeit, Oberflächenhärte u. -glanz. Gegen schwache Säuren u. Laugen, Lsm., Öle u. Fette sind sie beständig, gegen Einwirkung von starken Säuren u. Laugen, kochendem Wasser, oxidierenden u. reduzierenden Medien sind sie unbeständig.
Verw.: H.-H. werden sehr vielseitig eingesetzt. Zu über 85% werden sie als Bindemittel für Holzwerkstoffe (Sperrholz usw.) verwendet. Kleinere Mengen dienen u. a. zur Herst. von Formmassen, Lackharzen, Gießereiharzen od. *Schaumstoffen, z. B. für Wärme- u. Schallisolierungen auf dem Bausektor. Weiterhin dienen sie als Klebstoff-Rohstoffe, Lack-Rohstoffe, Leder- u. Textilhilfsmittel u. zur Herst. von Formteilen, u. a. von Sanitärgegenständen od. Elektroartikeln. Die aus Harnstoff u. Formaldehyd ohne weitere Zusätze entstehenden, sehr preiswerten u. im unvernetzten Zustand wasserlösl. Kondensationsprodukte werden als Leimharze, zur Knitterfestausrüstung von Baumwolle, als Füllstoffe u. Pigmente für Papier u. zur Erzeugung naßfester Papiere eingesetzt. – *E* urea resins – *F* résines d'urée, aminoplastes – *I* resine ureiche – *S* resinas de urea
Lit.: Baumann, UF-Schaumkunststoff-Bibliographie, Essen: Schaum-Chemie 1979 ▪ Becker u. Braun, Kunststoff Handbuch, Bd. 10, Duroplaste, S. 275–287, München: Hanser 1988 ▪ Elias (5.) **2**, 224, 459 ▪ Ullmann (4.) **7**, 406 ff.; (5.) **A 2**, 126–130 ▪ s. a. Aminoplaste u. synthetische Harze. – *[HS 3909 10]*

Harnstoffnitrat. $H_2N-CO-NH_2 \cdot HNO_3$, $CH_5N_3O_4$, M_R 123,07. Farblose Krist., Schmp. 152 °C (Zers.), in kaltem Wasser wenig, in heißem gut lösl., leicht haut- u. schleimhautreizend, neigt zum explosiven Zerfall. H. wird durch Zugabe von Salpetersäure zu einer Harnstoff-Lsg. hergestellt. Es wird als saures Metallreinigungs- u. Beizmittel (0,5–5%ige wäss. Lsg., evtl. Inhibitorzusatz) verwendet: Die in Lsg. freiwerdende Salpetersäure löst Oxide usw., ihre Aggressivität wird jedoch durch den Harnstoff gemildert. – *E* urea nitrate – *F* nitrate d'urée – *I* nitrato di urea – *S* nitrato de urea
Lit.: Beilstein E IV **3**, 102 ▪ Ullmann (4.) **12**, 498. – *[HS 2924 10; CAS 124-47-0]*

Harnstoffphosphat. $H_2N-CO-NH_2 \cdot H_3PO_4$, $CH_7N_2O_5P$, M_R 158,05. Farblose Krist., Schmp. 118–119 °C, lösl. in Wasser, Alkoholen, Essigsäure, Glycerin, Ethylenglykol; die wäss. Lsg. reagiert sauer (1%ige Lsg. pH-Wert 1,8). Aufgrund der Säure-Wirkung verwendbar in Lötmitteln, Schmelzflußmitteln, Beizen, Metallputz- u. Rostentfernungsmitteln, als saurer Katalysator zur Kunstharzherst., als Düngemittel. – *E* urea phosphate – *F* phosphate d'urée – *I* fosfato di urea – *S* fosfato de urea
Lit.: Beilstein E IV **3**, 103 ▪ Ullmann (4.) **12**, 498. – *[HS 2924 10; CAS 4861-19-2]*

Harnstoff-Polymere. Sammelbegriff für *Polymere mit dem Grundbaustein $\sim NH-CO-NH-R\sim$ (*Polyharnstoffe) sowie für aus Harnstoff u. seinen Derivaten abgeleitete Harze (*Aminoplaste, *Harnstoffharze). – *E* urea polymers – *F* polymères de l'urée – *I* polimeri di urea – *S* polímeros de urea

Harnstoff-Wasserstoffperoxid s. Percarbamid.

Harntee 400®. Granulat zur Teebereitung mit Trockenextrakten von Wacholderbeeren, Bärentrauben-, Birken-, u. Orthosiphonblättern, Ringelblumenblüten, Fenchelfrüchten, Schachtelhalm- u. Goldrutenkraut, Bohnenschalen, Süßholz- u. Hauhechelwurzel sowie Queckenwurzelstock gegen Nieren- u. Harnwegsinfekte. *B.:* TAD.

Harntreibende Mittel s. Diuretika.

Harpagid s. Harpagosid.

Harpagosid.

R = H : Harpagid

R = H_5C_6—CH=CH—C—— : Harpagosid

$C_{24}H_{30}O_{11}$, M_R 494,50, amorph, $[\alpha]_D$ –42,6° (CH_3OH), lösl. in Wasser u. Alkohol, von bitterem Geschmack.
Vork.: H. findet sich in der Wurzel der Schwarzen Königskerze (*Verbascum nigrum*) u. der südafrikan. Teufelskralle (*Harpagophytum procumbens*, Pedaliaceae). H. ist ein Zimtsäureester, dessen Alkohol-Komponente *Harpagid*, $C_{15}H_{24}O_{10}$, M_R 364,35 auch natürlich vorkommt.
Verw.: Die in Scheiben geschnittenen getrockneten Wurzeln der Teufelskralle als Teezubereitung von sehr bitterem Geschmack. Eine pharmakolog. Wirkung der in der Volksmedizin als „Wunderdroge" bezeichneten Teufelskralle konnte bisher nicht nachgewiesen werden. – *E = F* harpagoside – *I* arpagoside – *S* harpagosida
Lit.: Beilstein E V **17/7**, 584 f. ▪ Braun-Frohne (6.), S. 297 f. ▪ Dtsch. Apoth. Ztg. **130**, 71 ff. (1990) ▪ Hager (5.) **4**, 153 ff.; **5**, 385 f.; **6**, 930 ff. ▪ Helv. Chim. Acta **65**, 1678–1684 (1982) ▪ Phytochemistry **35**, 621 (1994) (Biosynth.) – *[HS 2938 90; CAS 19210-12-9 (H.); 6926-08-5 (Harpagid)]*

Harpers Legierung. Histor. Bez. für eine *niedrigschmelzende Leg.* aus 44% Bismut, je 25% Zink u. Zinn sowie 6% Cadmium mit einem Schmp. von 122 °C, s. a. Schmelzlegierungen. – *E* Harper's alloy – *F* alliage de Harper – *I* lega di Harper – *S* aleación de Harper

Harries, Carl Dietrich (1866–1923), Prof. für Organ. Chemie, Berlin u. Kiel. Aufsichtsratsmitglied in den Konzernen Siemens u. Halske. *Arbeitsgebiete:* Synth. von Ozoniden, Konstitutionsaufklärung des Kautschuks u. dessen Synth. aus Isopren, Nachw. von Doppelbindungen u. ihrer Lage durch die Harriessche Reaktion, bei der sich Ozon unter Bildung eines Ozonids anlagert.
Lit.: Ber. Dtsch. Chem. Ges. **A 59**, 123 ff. (1926) ▪ Lexikon der Naturwissenschaftler, S. 196 ▪ Neufeldt, S. 113 ▪ Pötsch, S. 190.

Harrisburg (Kernreaktorunfall bei H.) s. Kernreaktoren.

Harris-Verfahren. 1. Von den Harris Research Lab., Washington D.C., entwickeltes Verf. zur Entfärbung von Wolle mittels Natrium- od. Zinkdithionit od. Zinkformaldehydsulfoxylat (*Hydroxymethansulfinsäure-Zinksalz; *Harris-Strip-Verf.*). 2. Neben der selektiven Oxid. im Flammofen das bevorzugte Verf. zur Raffination stark verunreinigter Werkblei-Sorten. Arsen, Zinn u. Antimon werden bei 430 °C u. Raffinationszeiten bis 50 h durch eine Salzschmelze (NaOH; $NaNO_3$ als Oxid.-Mittel) in prakt. Bleifreie Salze überführt u. lassen sich als Metalle wiedergewinnen. – *E* Harris process – *F* procédés de Harris – *I* processo Harris – *S* procedimientos de Harris
Lit.: Ullmann (5.) A 15, 217 f.

Hartanodisation s. Eloxalverfahren.

Hartbenzin. Bez. für verfestigten Brennstoff, beispielsweise nach dem Carburolith-Verf. durch Aufnahme in Silicaten od. Alginaten. – *E* solid petrol – *S* gasolina sólida

Hartblei. *Blei-Legierungen mit 0,5 – 13 % Antimon zur Steigerung der Festigkeit. Die Festigkeitssteigerung ergibt sich dabei zum einen aus der eutekt. Kornfeinung – beide Metalle sind im festen Zustand prakt. nicht lösl. – u. zum anderen aus der mit sinkender Temp. abnehmenden Löslichkeit von Antimon in Blei: Hieraus folgt ein Aushärtungsprozeß derartiger Legierungen. Die ehemals erhebliche industrielle Bedeutung von H., z. B. für die Chemietechnik, hat deutlich abgenommen, da heute zumindest ähnlich beständige Leg. ohne vergleichbare Umweltproblematik verfügbar sind. – *E* hard lead – *F* plomb dur – *I* piombo duro – *S* plomo duro
Lit.: s. Blei-Legierungen.

Harte Basen s. Säure-Base-Begriff.

Harteck, Paul (1902 – 1985), Prof. für Physikal. Chemie, Univ. Hamburg u. Rensselaer Polytechnology Inst. Troy, New York. *Arbeitsgebiete:* Ortho- u. Parawasserstoff, Photoreaktionen, Knallgas-Explosionen, Wasserstoffperoxid-Isomere, Herst. von reinstem Stickstoff, aktivem Sauerstoff, Erprobung von Neutronenbremsen, Isolierung von U 235 mit Ultrazentrifugen, Verhalten von Mikroorganismen u. Pollenkörnern bei tiefsten Temperaturen.
Lit.: Neufeldt, S. 186 ▪ Pötsch, S. 190.

Harte Säuren s. Säure-Base-Begriff.

Hartfasern. Nach DIN 60001 Tl. 1 (10/1990) Bez. für Sklerenchymfasern u. Gefäßbündel(teile) aus den Blättern bzw. Blattscheiden od. Früchten monokotyler *Pflanzen. Hierzu gehören *Esparto(Alfagras)-, *Henequen-, *Kokos-, *Manilahanf(Abaka)-, *Mauritius(Fique)-, *Phormium- u. *Sisal-Fasern. Die H. können techn. od. textile Verw. finden. – *E* hard fibers – *F* fibres dures – *I* fibre dure – *S* fibras duras
Lit.: Encycl. Polym. Sci. Eng. **7**, 25 – 29 ▪ Kirk-Othmer (3.) **10**, 186 – 189; (4.) **10**, 737 ff. ▪ Ullmann (4.) **9**, 251; (5.) A **5**, 399.

Hartfaserplatten. Platten aus Schnitzeln von Holzabfällen, die unter Zusatz von *Duroplasten unter Druck erhitzt worden sind. Die H. werden nicht aus *Hartfasern gefertigt. – *E* hardboard – *F* panneaux durs – *I* masoniti – *S* placas de fibras prensadas

Lit.: Encycl. Polym. Sci. Eng. **17**, 879 f. ▪ Kirk-Othmer (3.) **14**, 25 ff. ▪ Ullmann (4.) **12**, 720 – 724; (5.) A **28**, 336 – 343.

Hartgas. Veraltete Bez. für durch Abkühlung verfestigtes *Kohlendioxid.

Hartgewebe. Bez. (nach DIN 7735, Tl. 1, 09/1975) für aus Harzen u. Geweben hergestellte *Schichtpreßstoffe.

Hartglas. 1. Bes. widerstandsfähiges *Glas, das durch rasche Abkühlung des geschmolzenen Glases erhalten wurde. – 2. Bei der Glasverformung übliche Bez. für ein Glas mit Wärmeausdehnungskoeff. $\alpha < 6 \cdot 10^{-6}/\mathrm{K}$, im Unterschied zu *Weichglas* mit $\geq 6 \cdot 10^{-6}/\mathrm{K}$. – *E* hard glass – *F* 1. verre trempé, 2. verre dur – *I* vetro temprato – *S* 1. vidrio templado, 2. vidrio duro
Lit.: Pfaender, Schott-Glaslexikon, S. 30, München: mvg Moderne Verlagsges. 1980 ▪ Winnacker-Küchler (4.) **3**, 106.

Hartgummi (hornisierter Kautschuk, Hartkautschuk, Ebonit). H. ist ursprünglich die Bez. für *Gummi aus *Natur- od. *Synthese-Kautschuk, der unter Zusatz hoher Schwefel-Mengen – 25 – 50 % bei Natur-, geringere Mengen bei Synth.-Kautschuk – vulkanisiert wurde. Der hohe Schwefel-Gehalt führt zu einer starken Quervernetzung des Kautschuks während der *Vulkanisation unter Ausbildung polysulfid. Schwefel-Brücken (I). Daneben liegen im H. 80 – 90 % des Schwefels in Form intramol. Ringe der allg. Strukturen (II) u. (III) vor, s. Abbildung.

Abb.: Schwefel-Brücken im Hartgummi

Die hohe Vernetzungsdichte u. die Tatsache, daß Strukturen vom Typ (II) u. (III) nicht zur Elastizität des Materials beitragen, bedingen die hohe Härte der *Vulkanisate. Als H. werden heute auch Schwefel-arme od. -freie Kautschuk-Derivate bezeichnet, die durch Zusatz von *Harzen „gehärtet" werden. Sie sind als *Pseudoebonite* bekannt. Basis der Ebonite sind neben Naturkautschuk synthet. *Polyisoprene, *Polybutadiene, *Styrol/Butadien- u. *Acrylnitril/Butadien-Kautschuke. Pseudoebonite basieren auf weniger ungesätt. Kautschuken wie *Neoprene® u. *Butylkautschuk u. chlorsulfoniertem Polyethylen, die mit thermoplast. (Styrol/Butadien- od. *Cyclo-Kautschuk) od. mit wärmehärtbaren Harzen, z. B. *Phenol- od. Phenol/Furfurylaldehyd-Harzen, abgemischt werden. Beide H.-Typen enthalten zusätzliche Komponenten – Vulkanisationsbeschleuniger, Füllstoffe (Ruß, mineral. Stoffe wie Kreide od. Silicate), zusätzliche *Härter (Hexamethylentetramin), *Weichmacher u. Pigmente – über die ihre mechan., opt., chem. u. elektrochem. Eigenschaften breit variiert werden können. H. läßt sich kalt wie Holz od. Horn bearbeiten, wird jedoch unterhalb –15 °C äußerst spröde. H. ist beständig ge-

genüber unpolaren Lsm., niedermol. Alkoholen u. Ölen, aggressiven Medien wie Chlor, Wasser, wäss. Alkalien u. den meisten Säuren, wird jedoch von konz. Salpeter- u. Schwefelsäure angegriffen. H. zeichnet sich durch hohe Zerreißfestigkeit aus, besitzt mit ca. 10% jedoch nur eine geringe Reißdehnung.
Verw.: U. a. zur chemikalienbeständigen Auskleidung von Behältern, Tanks u. Rohren; zur Herst. elektrotechn. Artikel, physikal. Geräte u. von Kämmen, Griffen u. Hähnen. – *E* hard rubber – *F* ébonite – *I* ebanite – *S* ebonita
Lit.: Elias (5.) **2**, 484 ▪ Encycl. Polym. Sci. Eng. **14**, 670–686 ▪ Encycl. Polym. Sci. Technol. **12**, 161–177. – *[HS 401700]*

Hartguß. Gußeisen, das ein Gefüge aus *Perlit u. *Ledeburit ohne den sonst für diese Werkstoffgruppe typ. freien Graphit aufweist. Wegen der Farbe seiner Bruchfläche wird H. auch als weißes Gußeisen bezeichnet. Die Entstehung von H. wird durch höhere Abkühlgeschw. der Schmelze u. durch höhere Anteile an *Austenit-stabilisierenden Leg.-Elementen, wie z. B. Mangan, begünstigt. H. weist eine deutlich höhere Härte auf als graues *Gußeisen u. ist daher für verschleißbeanspruchte Bauteile bes. geeignet. – *E* white iron, chilled cast iron – *F* fonte trempée – *I* ghisa temprata – *S* fundición templada
Lit.: s. Gußeisen.

Hartharze (Resinae). Ursprünglich Bez. für *Kolophonium, das durch Behandlung in der Schmelze mit Calciumhydroxid od. Zinkoxid unter Bildung von Calcium- bzw. Zinkresinat in höher schmelzende Derivate umgewandelt (gehärtet) wurde, die bei 20 °C hart u. spröde sind.
Im erweiterten Sinn versteht man unter H. allg. die aus *Harzsäuren zugänglichen, höher schmelzenden Produkte, d. h. auch die Veresterungsprodukte mit mehrwertigen Alkoholen (*Harzester), Dimerisierungsprodukte od. Maleinsäure-Addukte. H. werden im erheblichen Umfang für die Herst. von *Anstrichstoffen u. *Druckfarben eingesetzt. – *E* hard resins – *F* résines durcies – *I* resine indurite – *S* resinas endurecidas
Lit.: Elias (5.) **2**, 35.

Hartkaramellen. Hauptsächlich aus *Saccharose u. *Glucose bestehende *Zuckerware, die unter Verw. von geruch- u. geschmackgebenden, färbenden u. die Beschaffenheit beeinflussenden Stoffen hergestellt wird. Aufgrund des niedrigen Restwassergehalts von 1–3% besitzen H. eine harte, oft glasartige Konsistenz. H. werden auf Grund der kariogenen Eigenschaften heute zunehmend auch zuckerfrei unter Verw. von *Süßstoffen u. *Zuckeraustauschstoffen hergestellt; s. a. Karamellen. – *E* hard caramels – *F* caramels durs – *I* caramelle dure – *S* caramelos duros
Lit.: Hoffmann et al., Zucker u. Zuckerwaren, S. 132–159, Hamburg: Parey 1985 ▪ Süsswaren **33**, 424 ff., 501–504 (1989) ▪ Ullmann (4.) **24**, 795 ff. ▪ Zucker u. Süßwaren Wirtsch. **45**, 56 (1992). – *[HS 170490]*

Hartkautschuk s. Hartgummi.

Hartke, Klaus Siegfried Paul (geb. 1930), Prof. für Pharmazeut. Chemie, Univ. Marburg. *Arbeitsgebiete:* Dithio- u. Thionester, nicht-benzoide Aromaten, Acryl-Gruppenwanderungen, Carbodiimide.
Lit.: Kürschner (16.) S. 1260 f. ▪ Wer ist wer (35.), S. 527.

Hartline, Haldan Keffer (1903–1983), Prof. für Biophysik, Rockefeller Univ., New York. *Arbeitsgebiete:* Stoffwechsel von Nervenzellen, Physiolog. Grundlagen des Sehvorgangs. Für diese Arbeiten erhielt er zusammen mit *Wald u. *Granit 1967 den Nobelpreis für Physiologie od. Medizin.
Lit.: Lexikon der Naturwissenschaftler, S. 197 ▪ Naturwiss. Rundsch. **20**, 544 (1967) ▪ Umschau **68**, 3 (1968).

Hartlöten. Ein Verf. der Gruppe Stoffverb. in der Hauptgruppe Fügen der *Fertigungsverfahren. Durch H. werden metall. Teile untrennbar miteinander verbunden, ohne daß wie beim *Schweißen deren Schmelztemp. überschritten wird. Durch die verwendeten *Hartlote kommt es lediglich zur oberflächigen Leg.-Bildung. Für die Güte der Verbindung sind somit außer der Möglichkeit zur Bildung von Leg. zwischen Lot u. Grundwerkstoff auch die Löttemp. u. die Lötdauer sowie die Oberflächenvorbereitung (z. B. Reinigung mit Hilfe von Flußmitteln) von Bedeutung. Beim H. liegt die Arbeitstemp. oberhalb 450 °C, die Wärmeeinbringung ist zwar höher als beim Weichlöten, jedoch deutlich geringer als beim Schweißen. Durch H. können Verbindungen hergestellt werden, die durch Schweißen nicht realisierbar sind, s. a. Hartmetalle. – *E* hard soldering – *F* soudure forte – *I* brasatura – *S* soldar fuerte
Lit.: Ruge, Handbuch der Schweißtechnik, 2. Aufl., Bd. 2, Verfahren u. Fertigung, S. 168 ff., Berlin: Springer 1980 ▪ s. Löten.

Hartlote. Die zum *Hartlöten erforderlichen Zusatzwerkstoffe. Im wesentlichen werden die folgenden Gruppen unterschieden: Leg. auf Kupfer-Basis[1], Leg. mit Silber-Zusatz[2], Leg. auf Aluminium-Basis[3] u. Leg. auf Nickel-Basis (Hochtemp.-Anw.)[4]. – *E* hard solder – *F* soudure forte – *I* lega per brasatura – *S* soldadura fuerte
Lit.: [1] DIN 8513-1 (10/1979). [2] DIN 8513-2 (10/1979); 8513-3 (07/1986). [3] DIN 8513-4 (02/1981). [4] DIN 8513-5 (02/1983). *allg.:* s. Löten.

Hartmann. Kurzbez. für die 1818 gegr. Paul Hartmann AG, 89522 Heidenheim. *Daten* (1994): ca. 2400 Beschäftigte, ca. 1 Mrd. DM Umsatz. *Produktion:* Erzeugnisse für die Wundbehandlung, Binden u. Verbände, OP-Bedarf, Behandlung u. Krankenpflege, Kosmetik, Hygieneartikel, techn. Watte u. Vliesstoffe.

Hartmann, Guido (1929–1992), Prof. für Biochemie, Univ. Würzburg u. München. *Arbeitsgebiete:* RNA-Polymerase, Antibiotika, Rifampicin, Markierung von Enzymen, Cyanamid-Hydratase.
Lit.: Nachr. Chem. Tech. Lab. **40**, Nr. 4, 496 f. (1992).

Hartmann, Johannes (1568–1631), Prof. für Chymiatrie, Univ. Marburg. Gründete das erste chem. Universitätslabor, in dem Studenten prakt. arbeiten konnten. Führte als Iatrochemiker die pharmazeut. u. medizin. Chemie an der Universität ein.
Lit.: Pötsch, S. 190.

Hartmann, Thomas (geb. 1937), Prof. für Pharmazeut. Biologie u. Botanik, TU Braunschweig. *Arbeitsgebiete:* Pflanzlicher Sek.-Stoffwechsel, insbes. Physiologie u. Biochemie der Alkaloide, chem. Ökologie.
Lit.: Kürschner (16.), S. 1266 ▪ Wer ist wer (35.), S. 529.

Hartmann Druckfarben. Kurzbez. für die Firma Hartmann Druckfarben GmbH, 60388 Frankfurt. *Daten* (1995): 370 Beschäftigte, 12,7 Mio. DM Kapital, 170 Mio. DM Umsatz. *Produktion:* Druckfarben, Drucklacke, Druckhilfsmittel.

Hartmann-Rohr. Bez. für eine Apparatur zur Prüfung von Stäuben auf ihre Explosionsfähigkeit: In einem senkrecht stehenden Zylinder werden Stäube durch Luft verwirbelt u. elektr. gezündet. – *E* Hartmann apparatus – *F* tuyau de Hartmann – *I* apparecchiatura di Hartmann – *S* aparato de Hartmann
Lit.: Bartknecht, Explosionen, S. 38–45, Berlin: Springer 1980 ▪ Winnacker-Küchler (4.) **1**, 667 f. ▪ s. a. Staubexplosionen.

Hartmatten. Schichtpreßstoffe aus Glasfilamentmatten u. Kunstharzen.
Lit.: Encycl. Polym. Sci. Eng. **12**, 286–289.

Hartmetalle. Gruppe sehr harter metall. Verbundwerkstoffe, die in der Zerspanungstechnik [1] u. in geringerem Umfang auch zur Verschleißminderung angewendet werden. Hierzu zählen Zahnkränze für Ölbohrer ebenso wie Bohrer für die Zahnmedizin. H. sind gesinterte Werkstoffe aus den harten, spröden Carbiden der hochschmelzenden Übergangsmetalle u. einer vergleichsweise niedrigschmelzenden Matrix eines Elements der Eisen-Gruppe. Die Korngröße der eingesetzten Carbid-Pulver läßt sich heute bis hinunter zu 100 nm variieren. Durch die Metallmatrix werden die Carbide fixiert, wobei der Verbund selbst eine gewisse Zähigkeit aufweist. Die Zusammensetzung der H. kann mit 70–93% WC, bis 30% TaC+TiC sowie 4–30% Co angegeben werden; für bes. Festigkeitsanforderungen bei hohen Temp. wird als Carbid bevorzugt TiC verwendet, als Matrix Ni od. Ni–Cr. Die *Vickers-Härte von H. liegt >1000 kp/mm^2. Prakt. porenfreie H. werden durch *heißisostatisches Pressen erreicht. Wegen des vergleichsweise hohen Preises werden H. in Plättchenform durch *Hartlöten mit dem Trägerwerkstoff verbunden od. therm. auf diesen aufgespritzt. Die Verschleißbeständigkeit von H. kann durch Aufdampfen (*physical *vapor *deposition, PVD) von TiC, TiN od. Ti(C,N) bes. in Form eines Mehrschichtsyst. deutlich verbessert werden. – *E* hard metals – *F* métaux durs – *I* metalli duri – *S* metales duros
Lit.: [1] Witthoff, Die Hartmetallwerkzeuge in der spanabhebenden Fertigung, 2. Aufl., München: Hanser 1961. *allg.:* Ullmann (4.) **9**, 122 ff.; **12**, 515 ff.

Hartpapier. Bez. für Schichtpreßstoffe aus Kunstharz u. Papier. Die H. haben hohe Festigkeit, Wärmebeständigkeit u. ein außerordentliches Isolationsvermögen u. werden daher in der Elektro-Ind. verwendet. – *E* hard papers, paper-base laminate – *F* stratifié au papier – *I* carta compressa – *S* papel endurecido
Lit.: Encycl. Polym. Sci. Eng. **8**, 640 f.

Hartparaffin s. Paraffin.

Hartporzellane s. Porzellan.

Hart-PVC s. Polyvinylchloride.

Hartree, Douglas Rayner (1897–1958), Prof. für Angewandte Mathematik u. Theoret. Physik, Manchester u. Cambridge. *Arbeitsgebiete:* Quantenmechanik, Wellenmechanik, Atombau, SCF-Berechnungen (vgl. folgende Stichworte), Datenverarbeitung.

Lit.: Lexikon der Naturwissenschaftler, S. 197 ▪ Poggendorff **7 b/3**, 1868 ff.

Hartree-Fock-Verfahren. Auf *Hartree u. Fock zurückgehendes, weit verbreitetes Näherungsverf. der *Quantenchemie u. Theoret. Physik, das zur Bestimmung von *Wellenfunktionen u. Energieniveaus von Syst. mit mehreren *Elektronen (allgemeiner: *Fermionen), z. B. Atomen, Mol. od. Festkörpern, verwendet wird. Die *Wellenfunktion im H.-F.-V. ist ein antisymmetrisiertes Produkt (s. a. Antisymmetrieforderung u. Slater-Determinante) von Einelektronenfunktionen, sog. *Orbitalen (s. a. Atomorbitale u. Molekülorbitale).
Im Rahmen dieser Näherung bewegt sich ein Elektron im gemittelten Feld aller übrigen Elektronen; durch die *Elektronenkorrelation bewirkte Effekte werden vernachlässigt. In prakt. Anw. auf mehratomige Mol. werden die Orbitale durch eine Entwicklung nach Basisfunktionen (s. Basissatz) angenähert, deren Koeff. solange variiert werden (s. a. Energievariationsprinzip), bis Selbstkonsistenz erreicht ist; man spricht daher von dem „Self-Consistent-Field"-Verf. (abgekürzt SCF-Verf.).
Das H.-F.-V. eignet sich im allg. gut zur Bestimmung von *Gleichgewichtsgeometrien, die experimentell selbst bei kleinen Mol. nicht leicht zugänglich sind, von *Elektronendichten, *Dipolmomenten, *Inversionsbarrieren, Isomerisierungsenergien u. *Protonenaffinitäten. Hartree-Fock-Wellenfunktionen stellen oft den Ausgangspunkt für genauere Verf. dar, die die *Elektronenkorrelation berücksichtigen. – *E* Hartree-Fock method – *F* méthode Hartree-Fock – *I* metodo di Hartree-Fock – *S* método Hartree-Fock
Lit.: s. ab initio, Quantenchemie u. theoretische Chemie.

Hartsalz. Bergmänn. Bez. für ein Gemisch von *Sylvin (10–25%), *Steinsalz (30–75%) u. *Kieserit (8–50%) mit verschiedenen Gehalten an Salzen wie *Carnallit, *Langbeinit u. *Anhydrit. H. kommt in vielen *Kalisalzen u. in den Staßfurter *Abraumsalzen vor, ist hell- u. dunkelgrau u. wird zur Herst. von Kaliumchlorid, Kaliumsulfat, Düngemitteln usw. verwendet. – *E* hard salt – *F* sel dur – *I* sale duro – *S* „sal dura"
Lit.: Ullmann (5.) **A 22**, 57 f. ▪ Wirtschaftsvereinigung Bergbau (Hrsg.), Das Bergbau-Handbuch, S. 224, 230, 232, Essen: VGE Verl. Glückauf Essen 1994.

Hartschaumstoffe. Nach DIN 7726 (05/1982) *Schaumstoffe, die einer Verformung unter Druckbelastung einen relativ hohen Widerstand entgegensetzen (Druckspannung bei 10% Stauchung bzw. Druckfestigkeit nach DIN 53 421, 06/1984, ≥80 kPa). Basis-Polymere für H. sind u. a. *Formaldehyd-Harze, *Polyisocyanurate, *Polystyrol, *Polyurethane u. *Polyvinylchlorid. Charakterist. Eigenschaften von H. sind hohes Dämmvermögen, gute Feuchtigkeitsbeständigkeit, hohe mechan. Festigkeit u. (PVC) günstiges Brandverhalten.
Verw.: Insbes. in der Bau-, Kühlhaus-, Kühlgeräte- u. Hausgeräte-Ind.; z. B. zur Herst. von Dämmplatten für Dächer u. Wände, als Isoliermaterial in Containern u. Lagerhäusern für tiefgekühlte Ware sowie für Kühl- u. Gefriergeräte. – *E* rigid foam plastics – *F* mousses ri-

gides – *I* espansi induriti – *S* plásticos espumosos rígidos
Lit.: Chem. Unserer Zeit **5**, 78–81 (1971) ▪ Encycl. Polym. Sci. Eng. **3**, 7–9 ▪ Ullmann (4.) **20**, 417, 427 f.

Hartschrot (Schrotblei). Bez. für eine *Hartblei-Leg. aus 97,5% Pb, 2% Sb u. 0,5% As bes. Härte, vornehmlich verwendet zur Herst. von *Schrot-*Munition. – *E* hard shot – *F* petit plomb – *I* pallini duri – *S* plomo de perdigones
Lit.: Ullmann (4.) **8**, 597; (5.) **A 15**, 239.

Hartspiritus s. Ethanol.

Hartstoffe. Stoffe, die aufgrund ihres spezif. Bindungscharakters eine hohe Härte (Vickers-Härte >1000 kp/mm^2) aufweisen u. in der Regel im Verbund mit anderen, zumeist metall. Werkstoffen (Matrixwerkstoffe) in der Hartmetall- u. Schleifmittelind. sowie auch zum Verschleißschutz [1] angewendet werden. Der Schmp. von H. liegt zumeist >2000 °C, ihre chem. Beständigkeit ist recht gut u. die hohe Benetzbarkeit durch metall. Schmelzen gewährleistet einen hervorragenden Zusammenhalt des *Verbundsystems. *Metall. H.* (H. mit metall. Eigenschaften wie Glanz u. elektr. Leitfähigkeit): Hierzu zählen Carbide, Boride, Nitride u. Silicide der hochschmelzenden Übergangsmetalle Ti, Ta, W u. Mo einschließlich ihrer Mischkrist. u. Komplexverbindungen. Der gesinterte Verbund aus metall. H. u. einer metall. Matrix wird als *Hartmetall bezeichnet. *Nichtmetall. H.*: Hierzu zählen die natürlichen H. wie Diamant, Korund, Saphir u. ä. sowie Carbide u. Nitride der Elemente Al, B, Be u. Si. Der gesinterte Verbund der natürlichen H. mit Metallen wird als Oxid- od. Metallkeramik (*Cermets) bezeichnet. – *E* hard material – *F* matériel dur – *I* materiale duro – *S* material duro
Lit.: [1] DIN 1100 (10/1989).
allg.: Ullmann (4.) **12**, 523 ff.

Hartwachse. *Wachse, die durch Eigenhärte, Glanz u. Schwerlöslichkeit gekennzeichnet sind. Zu ihnen zählen natürliche u. synthet. Produkte, z. B. *Montanwachs-, *Carnaubawachs-, Ouricurywachs-Qualitäten usw. H. werden durch Oxid. od. andere chem. Umwandlungen aus Hartparaffinen (s. Paraffin) u. Polyethylenparaffinen gewonnen.
Verw.: Zur Herst. von Kerzenummantelungen, abriebfesten Beschichtungen, mechan. widerstandsfähigen Pflege-, Polier- u. Korrosionsschutzmitteln wie z. B. *Auto- u. *Fußbodenpflegemitteln, Möbelpolituren usw. – *E* hard waxes – *F* cires dures – *I* cere dure – *S* ceras duras
Lit.: s. Wachse. – *[HS 1521 10, 2712 90, 3404 10, 3404 90]*

Hartzerkleinerung. Bez. für die Zerkleinerung fester, harter, mineral. Stoffe im Gegensatz zur Weichzerkleinerung von weichem, organ. Material (z. B. diverse Naturprodukte, aber auch synthet. polymere Verb. u. a.); Näheres s. bei Brechern, Mahlen u. Mühlen sowie bes. bei Zerkleinern. Nicht zu den H.-Verf. gehört die sog. *Kaltmahlung. – *E* crushing hard materials – *F* concassage de matières dures, broyage de matières dures – *I* frantumazione di materiale duro – *S* trituración de materiales duros

Harzbildner (Selbstvernetzer). Bez. für oligomere Vorkondensate (UF-*Harze) aus Formaldehyd u. Harnstoff im Verhältnis (1,3–1,8):1, die für die Hochveredelung von Fasern u. Fäden aus *Cellulose verwendet werden. Als wäss. Lsg. angewendet dringen die H. in die intermicellaren Räume der Cellulose ein u. härten dort in der Wärme durch *Polykondensation aus. Das ausgehärtete Harz u. – in geringerem Umfang – auch die Vernetzung der Cellulose-Ketten durch bei der Härtung freigesetztes Formaldehyd verbessern die Knitterfestigkeit der Gewebe. Nachteilig ist die fehlende Kochwaschechtheit der so behandelten Gewebe. – *E* resin-formation agent, self cross-linking agent – *I* formatore della resina – *S* formadores de resinas
Lit.: Elias (5.) **2**, 552.

Harzburgit s. Peridotite.

Harze. Nach DIN 55958 (12/1988) ein technolog. Sammelbegriff für flüssige bis feste organ. Produkte, für die eine mehr od. weniger breite Verteilung der relativen Molmasse charakterist. ist. Sie weisen meist eine amorphe Struktur auf u. brechen als Folge ihrer recht niedrigen Molmassen u. verhältnismäßig hohen *Glasübergangstemperaturen in der Regel muschelartig. Im Zusammenhang mit *Duroplasten wird der Begriff H. häufig sowohl für das Ausgangsprodukt als auch für die „gehärteten" Reaktionsprodukte, d. h. für die Werkstoffe selbst, verwendet.
H. werden nach unterschiedlichen Kriterien unterteilt, z. B. nach der Provenienz in *natürliche u. *synthetische Harze (*Kunstharze); – nach dem Aggregatzustand in Flüssig-, Fest-, Weich- od. Hart-H.; – nach dem Reaktionsmechanismus bei ihrer Herst. od. Verw. in Polykondensations-, Polyadditions- od. Polymerisations-H.; – nach der chem. Zusammensetzung z. B. in Alkyd-, Epoxid-, Melamin-, Phenol-, Urethan-H. u. a.; – nach Verw.- u. Verarbeitungsart in Lack-, Klebstoff-, Gieß-, Imprägnier-, Laminier-H. u. a.; Eigenschaften, Verw. u. Lit. s. natürliche Harze. – *E* resins – *F* résines – *I* resine – *S* resinas – *[HS 1301 90, 3907 30, 3909 20, 3911 10]*

Harzester. Bez. für in *natürlichen Harzen vorkommende Ester von *Harzsäuren bzw. durch Veresterung dieser Säuren, z. B. mit Glycerin, zugängliche Ester; s. a. Harzlacke. – *E* resin esters, ester gums – *F* résine ester, gomme ester – *I* esteri resinosi – *S* ésteres de resinas
Lit.: s. Harzsäuren. – *[HS 3806 30]*

Harzfirnisse. *Firnisse aus Lsg. von Natur- u./od. Kunstharzen sowie sonstigen natürlichen od. synthet. Filmbildnern in Mineralölen, synthet. u./od. vegetabilen Ölen sowie Mischungen davon. – *E* resin varnishes – *F* vernis à résine – *I* vernici resinose – *S* barnices de resina

Harzgerbstoffe s. Gerbstoffe.

Harzlacke. *Lacke, die als Filmbildner *Lackharze enthalten. Als solche werden sowohl *natürliche Harze in nativer od. modifizierter Form, z. B. als *Harzester od. *Harzseifen, insbes. *Kolophonium u. dessen Derivate, als auch *synthetische Harze (Alkyd-, Acryl-, Epoxid-Harze) eingesetzt. Die wichtigsten Funktionen der Lackharze in den H. sind die Erhöhung des Fest-

stoffgehalts von Farblacken, Verbesserung der Haftfestigkeiten, des Glanzes u. der Härte der Lackfilme sowie in Kombination mit Sikkativen die Verkürzung der Trockenzeit der Harzlacke. – *E* resin lacquers – *F* vernis à résine – *I* gomma-lacca – *S* barnices de resina, lacas de resina
Lit.: Ullmann (4.) **15**, 594.

Harzöle. Bei der therm. Zers. unter Decarboxylierung (*Kolophonium*) od. der Fraktionierung (*Petroleumharze*) *natürlicher u. *synthetischer Harze anfallende Öle auf der Basis von Kohlenwasserstoffen. Kolophonium-H. ist eine dunkle viskose Flüssigkeit mit geringer SZ, die u. a. zur Herst. von Druckfarben verwendet wird. Aus im Temp.-Bereich von 200–225 °C überdestillierenden Kolophonium-H., dem sog. Harzstocköl, wurden früher Wagenschmieren gewonnen. Die beim Cracken von Rohbenzin od. Gasöl in Rohrreaktoren anfallenden H. stellen Gemische von C_8–C_{10}-Kohlenwasserstoffen dar, die sowohl inerte Kohlenwasserstoffe (Xylole, Naphthaline etc.) als auch polymerisierbare Verb. (Styrol, α-Methylstyrol, Vinyltoluole, Inden, Methylindene, Dicyclopentadien usw.) enthalten. Sie werden mit Friedel-Crafts-Katalysatoren zu H.-Harzen polymerisiert, wobei auch die inerten Kohlenwasserstoffe alkyliert werden. So wird die Harzausbeute größer, als sich aus der Summe der polymerisierbaren Komponenten berechnen läßt. Durch Copolymerisation mit trockenen Ölen werden leichttrocknende *Lackharze mit gutem Glanz u. guter Härte erhalten. – *E* resin oils – *F* huiles de résine – *I* oli resinosi – *S* aceites de resina
Lit.: Elias (5.) **2**, 153 ▪ Ullmann (4.) **12**, 536. – *[HS 3806 90]*

Harzol®. Kps. mit β-*Sitosterin gegen gutartige Prostata-Hyperplasie. *B.:* Hoyer GmbH & Co.

Harzpech. Rückstand bei der Dest. von Naturharzen (*Kolophonium*, Fichtenscharrharz); schwarze, spröde Massen von muscheligem Bruch, größtenteils verseifbar, D. 1,08–1,15, Schmelzbereich 50–95 °C, in CS_2 u. Benzin lösl., Ausbeute an H. bei der Harzdest. 16–20%. – *E* resin pitch – *F* résine d'arbre, poix-résine – *I* pece resinosa – *S* pez de resina – *[HS 3806 90]*

Harzsäuren. Früher auch als Resinolsäuren bezeichnet, sind Hauptbestandteile der *natürlichen Harze. Bes. stark vertreten sind sie in Koniferen- (Fichte, Kiefer) u. *Caesalpinia*-Harzen. In den Koniferen-Harzen dominieren H. auf der Basis von Diterpenen mit der Bruttoformel $C_{20}H_{30}O_2$, wie *Abietin-, *Neoabietin-, *Lävopimar-, Pimar- u. *Palustrinsäure. H. anderer Harze sind *Agathensäure* ($C_{20}H_{30}O_4$, M_R 334,46, im Agathokopal vorkommende Dicarbonsäure), *Illurin- u. *Podocarpinsäure.
Zu den H. werden auch *Triterpen-Derivate wie Elemisäure (*Elemi), *Sumaresinolsäure u. *Siaresinolsäure gerechnet.
Die teilw. recht gut krist. H. liegen in den Harzen meistens in der Säureform, teilw. aber auch verestert (*Harzester) vor. Sie schmelzen im Bereich von ca. 130–300 °C. Mit Basen (Natron-, Kalilauge, Calciumhydroxid u. a.) bilden sie Salze, die *Resinate (s. a. Hartharze u. Harzseifen). – *E* resin acids, rosin acids – *F* acides résiniques – *I* acidi resinici – *S* ácidos resínicos

Lit.: Encycl. Polym. Sci. Eng. **14**, 440 ff. ▪ Ullmann (5.) **A 23**, 107 – *[HS 3806 90]*

Harzseifen. *Harzsäuren u. *Harzester gehen bei längerem Kochen mit Alkalilauge in stark schäumende *Seifen über, die man ihrer Herkunft wegen als H., harzsaure Salze od. *Resinate bezeichnet. H. verfügen über ein begrenztes Reinigungsvermögen; *Kolophonium-Seifen dienen in Form 70–80%iger Pasten als Zusatz zu Seifen, zur Leimung von *Papier sowie zur Herst. von O/W-Emulsionen. Calcium- u. Zink-Resinate finden als *Hartharze in *Harzlacken, Blei- u. Mangan-Resinate als *Sikkative Verwendung. Natrium- u. Kalium-Seifen der *Abietinsäure, die vorwiegend auf der Basis von *Tallöl u. Tallharz gewonnen werden, dienen als *Emulgatoren bei der Herst. von Synth.-Kautschuk. – *E* resin soaps, rosin soaps – *F* savons de résine – *I* saponi resinici – *S* jabones de resina, resinatos
Lit.: Ullmann (5.) **A 23**, 73 ff. (1993) ▪ Winnacker-Küchler (3.) **3**, 503; **5**, 157. – *[HS 3401 19, 3401 20]*

Haschisch (Cannabisharz, BtMVV Anlage I). Mit dem arab. Wort H. (ursprünglich Kraut, Gras) bezeichnet man ein *Rauschgift, das aus dem Harz der Blütensprossen einer westasiat. Hanfvarietät (*Cannabis sativa* L. var. *indica* Lamarck) stammt. Es wird gewöhnlich für sich od. zusammen mit Tabak bzw. Opium geraucht, seltener verspeist od. in Form eines Absuds od. mit Tee getrunken. Der H.-Konsum hat im oriental. u. fernöstlichen Kulturkreis eine lange Tradition. Inzwischen wird H. weltweit benutzt. Es wird meist illegal unter vielen Namen gehandelt (z. B. Heu, Hasch, hash, grass, hemp, pot, Bhang, Charas, ganja, dagga, tea, weed, Kif, shit); die offizielle internat. Bez. ist Cannabis. Wegen seines psychoaktiven Inhaltsstoffs Δ^9-*Tetrahydrocannabinol (THC) wird Cannabis als Rauschgift mißbraucht. Es ist im *Betäubungsmittel-Gesetz als nicht verkehrs- u. verschreibungsfähiger Stoff gelistet. Die THC-Konz. variiert je nach Zubereitung: 1–3% in *Marihuana (vorwiegend zerkleinerte Pflanzenteile), 3–6% in H. (Harz der weiblichen Blütenstände) u. 30–50% in H.-Öl (Cannabis-Extrakt). Neben Tetrahydrocannabinol enthält Cannabis 60 andere *Cannabinoide sowie ca. 360 weitere Inhaltsstoffe wie Sterole, Terpene, Alkaloide, Flavinoide u. Furan-Derivate. Tetrahydrocannabinol ist ein lipophiles Mol., das sehr rasch in fetthaltigem Gewebe eingelagert wird. Seine biolog. HWZ liegt bei einer Woche, so daß die Elimination mind. 1 Monat benötigt[1]. Ein sog. Nachrausch (Flashback) kann durch Freisetzung des gespeicherten THCs in Fettgewebe auch noch mehrere Monate nach dem letzten Drogenkontakt auftreten[2]. Durch mehrfache Hydroxylierung entstehen psychoaktive u. -inaktive Metaboliten. Aufgrund seiner Lipophilie verschwindet es rasch aus dem Blut, so daß zu forens. Zwecken der Nachw. von Metaboliten im Urin herangezogen wird. Die Wirkung von H. ist individuell sehr verschieden u. kann zu gehobener Stimmung, Ruhelosigkeit, Antriebsverlust u. veränderten Sinneswahrnehmungen führen. Bei chron. Konsum treten Depressionen, Verwirrungszustände u. seel. Entwicklungsstörungen auf. Konz.- u. Leistungsfähigkeit lassen nach u. es kommt zu einem Persönlichkeitsabbau. Näheres s. *Lit.*[3]. Cannabis schädigt v. a. folgende Organe u. Organsyst.: Zentralnervensyst., Lunge, Gonaden u. Immunsystem. Bei Schwangeren wird auch der Fetus mitbetroffen. Bei Mensch u. Tier kommt es sehr rasch zu einer deutlichen Toleranzentwicklung gegenüber den meisten funktionellen u. psych. Wirkungen des THC. Bei chron. Konsum inhaliert ein Haschisch-Raucher bis zu 500 mg THC, während beim nicht Gewöhnten bereits 5 mg eine deutlich psychotrope Wirkung hervorrufen. Nach starkem Cannabis-Konsum sind Entzugssymptome wie Übelkeit, Erbrechen, Schwitzen, Tremor beschrieben worden. Dies kann als Indiz für die erhebliche Suchtpotenz dieser Droge gewertet werden. Man geht heute davon aus, daß H. für viele Konsumenten ein Vehikel zum Übergang auf andere Rauschgifte darstellt[4]. Zu neueren Erkenntnissen s. *Lit.*[5]. Im 1. Halbjahr 1996 wurden in der BRD 1142 kg H. sichergestellt. Gemessen an den Sicherstellungen ist der Konsum von H., einem dämpfenden *Halluzinogen, zurückgegangen, während stimulierende Rauschgifte vom *Amphetamin-Typ zunehmend mißbraucht werden. Cannabis wird v. a. in folgenden Ländern angebaut: Jamaika, Kolumbien, Türkei, Marokko, Libanon, Nigeria, Afghanistan, Pakistan u. Thailand. – *E* hashish – *F* ha(s)chi(s)ch – *I* hascisc, ascisc – *S* hachís

Lit.: [1]Med. J. Aust. **145**, 82–87 (1986). [2]Fortschr. Neurol. Psychiatr. **59**, 437–446 (1991). [3]Baudelaire, Die künstlichen Paradiese, Zürich: Manesse 1988; Schweiz. Med. Wochenschr. **119**, 1173–1176 (1989); Pharm. Unserer Zeit **10**, 65–74 (1981); Dtsch. Ärztebl. **78**, 117–126 (1981). [4]Suchtgefahren **36**, 1–17 (1990). [5]Science **276**, 1967 f. (1997). *allg.:* Dtsch. Apoth. Ztg. **128**, 1148–1152 (1988) ▪ Harvey (Hrsg.), Marihuana, Oxford: IRL Press 1984 ▪ Jahrbuch Sucht 97, Geesthacht: Dtsch. Hauptstelle gegen Suchtgefahren 1996 ▪ Mann, Hasch. Zerstörung einer Legende, Frankfurt: Fischer 1987 ▪ Prog. Drug. Res. **4**, 353–405 (1962) ▪ Täschner, Haschisch, Stuttgart: Hippokrates 1987 ▪ s. a. Cannabinoide, Halluzinogene, Marihuana u. Rauschgifte. – *[HS 5302 10, 5302 90]*

Haselnüsse. Meist einsamige Schalenfrüchte des in nördlichen Klimaten (Hauptanbaugebiete Italien, Spanien u. Türkei) kultivierten Haselstrauchs *Corylus avellana*, einem Birkengewächs. Die Fett- u. Vitamin-reichen Kerne (*Nüsse) werden in Back-, Schokoladen- u. a. Süßwaren u. zur Gewinnung des Ölsäure-reichen (85%) *Haselnußöls* (fettes Öl) genutzt. Die H. enthalten in der eßbaren Substanz ca. 58% Fett (davon 23% Polyenfettsäuren), 20% Eiweiß, 18% Kohlenhydrate, 6% Wasser sowie relativ viel Vitamine B, C u. E, Calcium u. Phosphor; Nährwert von 100 g ca. 2600 kJ (620 kcal). Ähnliche Zusammensetzung haben die *Lambert-* od. *Filbert-Nüsse* aus *Corylus maxima*. – *E* hazelnuts – *F* noisettes – *I* nocciole – *S* avellanas

Lit.: Franke, Nutzpflanzenkunde, 5. Aufl., Stuttgart: Thieme 1992. – *[HS 0802 21]*

Haselnußaroma. Das typ. Aroma der Haselnuß wird von *Filberton* [(2E,5S)-5-Methylhept-2-en-4-on, $C_8H_{14}O$, M_R 126,20, Öl, Sdp. 72 °C (2 kPa)] hervorgerufen. Das (*R*)-Enantiomer riecht weniger intensiv. –

E haselnut flavour – *F* arôme de noisette – *I* aroma della nocciola – *S* aroma de avellana

Lit.: Angew. Chem. **101**, 1039 ff. (1989) ▪ Z. Lebensm. Unters. Forsch. **192**, 108 (1991). – *[CAS 122440-59-9 (Filberton)]*

Hasilik, Andrej (geb. 1944), Prof. für Physiolog. Chemie, Univ. Münster. *Arbeitsgebiete:* Biosynth., Modifizierung, Erkennung, Segregation u. Transport lysosomaler Enzyme, Regulation der Expression.

Lit.: Annu. Rev. Biochem. **55**, 167–193 (1986) ▪ Kürschner (16.), S. 1274.

Hass, Henry Bohn (geb. 1902), Prof. (emeritiert) für Chemie, Purdue Univ., W. Lafayette, Indiana. *Arbeitsgebiete:* Grundlagen der Gaschromatographie, Chlorierung, Nitrierung u. Fluorierung von Kohlenwasserstoffen, Synth. von Cyclopropan, Hetron-Kunstharzen, Fettsäure-Rohrzucker-Estern.

Lit.: Chem. Eng. News **46**, Nr. 8, 48 ff. (1968) ▪ Oblad, The Chemist, S. 109 ff., New York 1963.

Hassel, Odd (1897–1981), Prof. für Physikal. Chemie, Univ. Oslo. *Arbeitsgebiete:* Stereochemie, Röntgenstrukturanalyse, Dipolmessung, Elektronenstreuung, Konformationsanalyse (dafür zusammen mit *Barton 1969 Nobelpreis für Chemie).

Lit.: J. Chem. Educ. **29**, 25 (1952) ▪ Lexikon der Naturwissenschaftler, S. 198 ▪ Nachr. Chem. Tech. Lab. **17**, 395 (1969) ▪ Neufeldt, S. 214 ▪ Nobel Prize Lectures Chemistry 1963–1970, Amsterdam: Elsevier 1972 ▪ Pötsch, S. 191 ▪ Poggendorff **7 b/3**, 1881–1884.

Hastelloy®. Handelsbez. der Firma Haynes Corp., Kokomo, Indiana (USA), für eine Gruppe von korrosionsbeständigen u./od. hochwarmfesten *Nickel-Legierungen.

Hastingsit s. Hornblenden.

Hasubanan-Alkaloide. Untergruppe der *Morphin-Alkaloide aus *Stephania*-Arten (Menispermaceae).

Lit.: Manske **16**, 393–430; **33**, 307–347 ▪ Ullmann (5.) **A 1**, 378. – *[HS 2939 90]*

Hatchettin s. Ozokerit.

Hatch-Slack-Cyclus (C_4-Cyclus, C_4-Dicarbonsäure-Cyclus). Stoffwechsel-Kreisprozeß, bei dem organ. Säuren, die 3 od. 4 C-Atome enthalten, zur Aufnahme u. Anreicherung von Kohlendioxid während der Photosynth. in *C_4-Pflanzen umgesetzt u. transportiert werden. Die Leitbündel in den Blättern typ. C_4-Pflanzen sind von 2 Zellschichten umschlossen, innen durch einen Kranz (Rohr) von Bündelscheidenzellen, die außen ihrerseits von Mesophyllzellen umgeben sind. In den Mesophyllzellen wird aus der Luft aufgenommenes Kohlendioxid gelöst u. Hydrogencarbonat mit einer C_3-Säure, Phosphoenolpyruvat (s. Ethanol), zu einer C_4-Verb., Oxalacetat (OAA, Salz der *Oxobernsteinsäure), umgesetzt. Aus OAA werden andere C_4-Verb. (s. Äpfelsäure u. Asparaginsäure) gebildet u. in die Bündelscheidenzellen transportiert, wo eine Spaltung in Kohlendioxid u. C_3-Verb. (*Pyruvat u. a.) stattfindet. Kohlendioxid wird über den Calvin-Cyclus (s. Photosynthese) assimiliert. Die C_3-Verb. gelangt zurück in die Mesophyllzellen, wo der Kohlendioxid-(bzw. Hydrogencarbonat-)Akzeptor regeneriert wird. Mit dem Transport von Kohlendioxid im H.-S.-C. ist ein Transport von *Reduktionsäquivalenten verbunden; die Chloroplasten der Kranzzellen haben meist die Fähigkeit zur Wasserspaltung u. damit zum photosynthet. Elektronentransport verloren (s. a. Photosynthese). Der in vielen C_4-Pflanzen stattfindende Transport von Asparaginsäure (bzw. Aspartat) vom Mesophyll in die Bündelscheiden entspricht in der Bilanz einem Ammonium-Transport u. gleicht vermutlich die auf *Photorespiration zurückzuführenden Ammonium-Verluste der Bündelscheidenzellen aus bzw. versorgt diese mit assimiliertem Stickstoff. Ein dem H.-S.-C. ähnelnder Kreisprozeß läuft auch in CAM-Pflanzen ab (s. diurnaler Säurerhythmus). – *E* Hatch-Slack-Cycle – *I* ciclo di Hatch-Slack, via metabolica C4 – *S* ciclo de Hatch-Slack

Lit.: Annu. Rev. Plant Physiol., Plant Mol. Biol. **43**, 25–47 (1992) ▪ Mohr u. Schopfer, Pflanzenphysiologie (4.), S. 235–268, Berlin: Springer 1992 ▪ s. a. C_3-Pflanzen.

Haüy, René-Juste (1743–1822), Prof. für Mineralogie, Paris. *Arbeitsgebiete:* Begründung der mathemat. Theorie der Krist.-Struktur. H. erkannte die Konstanz der Winkel, unter denen sich die Flächen eines Krist. ohne Rücksicht auf ihre Größe schneiden. Studium der Pyro- u. Piezoelektrizität von Mineralien.

Lit.: Krafft u. Meyer-Abich, Große Naturwissenschaftler, S. 151–152, Frankfurt: Fischer 1970 ▪ Krafft, S. 160f. ▪ Lexikon der Naturwissenschaftler, S. 199 ▪ Pötsch, S. 192.

Haufwerk s. Gemenge.

Hauhechel. Auf Wiesen u. Weiden in gemäßigten Zonen Europas vorkommender Schmetterlingsblütler *Ononis spinosa* L. (Fabaceae). H. ist eine dornige, rosa-weiß blühende Pflanze, deren Wurzeln wegen ihrer entwässernden, harntreibenden Wirkung v. a. in Tees Verw. finden. Die Wurzeln werden im Herbst ausgegraben u. getrocknet. An Inhaltsstoffen findet man u. a. Isoflavone, Sterole, Triterpene u. ether. Öle. Die Wirkung ist belegt, konnte aber nicht auf bestimmte Inhaltsstoffe zurückgeführt werden. – *E* restharrow – *F* ononis, bugrane – *I* ononide – *S* gatuña

Lit.: Bundesanzeiger 76/23. 04. 87 u. 50/13. 03. 90 ▪ Hager (4.) **6 a**, 312–315 ▪ Wichtl (3.), S. 410f.

Haul, Robert A. W. (geb. 1912), Prof. (emeritiert) für Physikal. Chemie u. Elektrochemie, Univ. Hannover. *Arbeitsgebiete:* Grenzflächenchemie, Adsorptionskinetik, Bestimmung von Oberflächengrößen, NMR-Relaxationsverhalten, Festkörperchemie, Therm. Zers., Sauerstoff-Diffusion in Oxiden, Isotopie-Effekte bei Transportvorgängen.

Lit.: Kürschner (16.), S. 1283 ▪ Nachr. Chem. Tech. Lab. **40**, Nr. 4, 499 (1992) ▪ Wer ist wer (35.), S. 536.

Hauptbestandteil s. Konzentration.

Hauptgruppenelemente. Sammelbez. für die *chemischen Elemente der 1. u. 2. Gruppe u. der Gruppen 13–18 des *Periodensystems. Dabei handelt es sich um die Elemente *Lithium, *Beryllium, *Bor, *Kohlenstoff, *Stickstoff, *Sauerstoff, *Fluor, *Neon, deren schwerere Homologe sowie *Wasserstoff u. *Helium, welche den Gruppen 1 bzw. 18 zugerechnet werden. Die übrigen Elemente nennt man *Übergangsmetalle, da es sich bei ihnen ausschließlich um Metalle handelt. – *E* main group elements – *F* éléments

des groupes principaux – *I* elementi dei gruppi principali – *S* elementos de los grupos principales

Lit.: s. Atombau, chemische Elemente u. Periodensystem.

Haupt-Histokompatibilitäts-Komplex s. Histokompatibilitäts-Antigene.

Hauptketten-LC-Polymere s. flüssigkristalline Polymere.

Hauptkristallisation s. magmatische Gesteine.

Hauptlauf s. Destillation.

Hauptman, Herbert Aaron (geb. 1917), Prof. für Biophysik, State Univ. of New York, Buffalo, Präsident der Medical Foundation of Buffalo. *Arbeitsgebiete:* Direkte Meth. zur Kristallstrukturbestimmung, wofür er 1985 zusammen mit *Karle, den Nobelpreis für Chemie erhielt. Mit diesen Meth. gelingt es, chem. Reaktionen auf mol. Ebene zu untersuchen u. zu beobachten, wie Mol. ihre Beschaffenheit unter verschiedenen Bedingungen verändern.

Lit.: Lexikon der Naturwissenschaftler, S. 199 ▪ Pötsch, S. 192 ▪ Who's Who in America (50.), S. 1835.

Hauptprodukt s. Reaktionen.

Hauptquantenzahl s. Atombau, Atommodelle u. Quantenzahlen.

Hauptsätze. Bez. für die Erfahrungssätze, die die theoret. Grundlagen der *Thermodynamik liefern. Der *1. H.* befaßt sich mit den Zustandsfunktionen *Innere Energie* (U) u. *Enthalpie* (H) u. macht Aussagen über deren Änderungen bei thermodynam. Prozessen. Er beschreibt quant. den Energieaustausch (z. B. von Wärme, mechan. Arbeit usw.) eines *thermodynamischen Systems mit seiner Umgebung – Mayer u. Helmholtz sprachen von der Äquivalenz von *Wärme (heutiges Symbol: q od. Q) u. Arbeit (Symbol: w od. W). Der 1. H. läßt sich als Gleichung durch $\Delta U = W + Q$ ausdrücken, wobei ΔU die Änderung der Inneren Energie ist. Der 1. H. besagt in einer anderen Formulierung, daß in einem abgeschlossenen thermodynam. Syst. die Summe aller *Energien konstant ist; man bezeichnet ihn daher auch als den Satz von der Unmöglichkeit eines *Perpetuum mobile 1. Art*, was besagt, daß es keine Maschine geben kann, die ständig z. B. mechan. Arbeit leistet, ohne daß ihr Energie von außen zugeführt wird. Seine mathemat. Formulierung findet der 1. H. für *isobare* Prozesse (Vol.-Änderungen bei konstantem Druck) in der Gleichung:

$$dU = \left(\frac{\partial U}{\partial T}\right)dT + \left(\frac{\partial U}{\partial V}\right)dV,$$

bei *isochoren* Vorgängen (Druckänderungen bei konstantem Vol.) in der Gleichung:

$$dH = \left(\frac{\partial H}{\partial T}\right)dT + \left(\frac{\partial H}{\partial P}\right)dP,$$

wenn die Stoffmenge konstant bleibt; T = abs. Temp., V = Vol., P = Druck. Durch diese mathemat. Fassung werden scheinbar unabhängige makroskop. Eigenschaften der Stoffe über sog. *Zustandsgleichungen miteinander verknüpft. Den sog. *Heßschen Satz kann man als Vorläufer des 1. H. ansehen. Da die Änderungen dieser Zustandsfunktionen unabhängig von dem Weg sind, auf dem sie erfolgen, macht der 1. H. keine

Aussagen über die Richtung, in die ein thermodynam. Vorgang erfolgt; er beschreibt also nicht, ob z. B. eine Wärmeübertragung von einem Körper höherer Temp. zu einem solchen von niedrigerer Temp. bzw. umgekehrt von alleine abläuft.

Diese Beschreibung liefert der *2. H.* (Clausius, 1850), für den ebenfalls verschiedene Formulierungen gefunden wurden. Nach Planck lautet er: „Es ist unmöglich, eine period. arbeitende Maschine zu konstruieren, die weiter nichts bewirkt als Hebung einer Last u. Abkühlung eines Wärmereservoirs." Nach W. Ostwald ist der 2. H. der Satz von der Unmöglichkeit eines *Perpetuum mobile 2. Art,* d. h. es ist unmöglich, den Wärmeinhalt eines abgeschlossenen Syst. in mechan. Arbeit zu überführen, ohne daß in der Umgebung eine Veränderung zurückbleibt (Thomson, 1851). In der Fassung von *Clausius lautet der 2. H.: „Die Wärme kann nicht von selbst aus einem kälteren in einen wärmeren Körper übergehen." Wegen seiner Verknüpfung mit der *Entropie (S) bei *irreversiblen thermodynam. Prozessen (*Beisp.* s. bei Entropie) heißt der 2. H. auch *Entropiesatz*; er findet seine Anw. z. B. in verschiedenen *Kreisprozessen* wie dem *Carnotschen Kreisprozeß. Eine mathemat. Formulierung verbindet die Entropieänderung mit der sog. reversibel abgegebenen Wärmemenge (Q$_{rev}$) u. den oben erwähnten Zustandsfunktionen:

$$dS = \frac{dQ_{rev}}{T} = \frac{dU}{T} + \frac{PdV}{T}.$$

Eng mit dem 2. H. sind die – bes. zur Beschreibung von *Zustandsänderungen wichtigen – Funktionen der *Gibbs-Energie* (G) u. der *Helmholtz-Energie* (A, früher F) verbunden, s. die Gleichung bei Freie Energie. Vom 2. H. leitet sich auch die sog. *thermodynam. *Temperaturskala* ab, s. a. absolute Temperatur.

Zu den H. wird als *3. H.* auch das *Nernstsche Wärmetheorem* (Nernst, 1906) gerechnet, das in der Form ausgedrückt werden kann: „Es kann keinen in endlichen Dimensionen verlaufenden Prozeß geben, mit Hilfe dessen ein Körper bis zum abs. Nullpunkt abgekühlt werden kann." Bei Annäherung an den (theoret. unerreichbaren) abs. Nullpunkt gehen sowohl die Entropieänderungen (dS) als auch die Entropie selbst (S) gegen 0, wenigstens soweit es reine, kondensierte Stoffe betrifft; die Entropie von Mischkrist., Gläsern u. dgl. verschwindet bei T gegen 0 nicht. Zur Entwicklungsgeschichte des 1. u. 2. H. s. *Lit.*[1]. – *E* laws of thermodynamcis – *F* lois de la thermodynamique – *I* principi fondamentali della termodinamica – *S* principios de la termodinámica

Lit.: [1] Chem. Ztg. **104**, 195–200 (1980). *allg.:* Atkins, Physikalische Chemie, 2. Aufl., Weinheim: VCH Verlagsges. 1996 ▪ Fitzer, Technische Chemie, Berlin: Springer 1989 ▪ Kirk-Othmer (3.) **21**, 509; **22**, 868 ▪ s. a. Enthalpie, Entropie u. Thermodynamik.

Hauptserie. Serie in den Spektren von Atomen; es handelt sich hierbei um Übergänge zwischen s- u. p-Elektronenzuständen (s. a. Atombau). Zu einer H. zählen z. B. die gelben D-Linien des Natrium-Atoms mit den Wellenlängen 588,9963 u. 589,5930 nm. Sie entsprechen den Übergängen zwischen dem elektron. *Grundzustand $^2S_{1/2}$ u. dem infolge *Spin-Bahn-Kopplung in 2 Terme aufgespaltenen ersten angereg-

ten Zustand $^2P_{1/2}$ (tieferliegend) u. $^2P_{3/2}$ (höherliegend). – *E* principal series – *F* série principale – *I* serie principale – *S* serie principal

Hauptvalenzbindung s. chemische Bindung.

Hauptvalenz-Netzwerke. Werden lineare od. verzweigte *Polymer-Ketten eines *makromolekularen Stoffes durch intermol. Bindungen zu „unendlich" großen Mol. verknüpft, so erhält man ein polymeres Netzwerk. Erfolgt die Verknüpfung der Einzelketten über chem. Reaktionen u. führt zu Vernetzungsstellen, an denen die zuvor unabhängigen Makromol. durch (kovalente) Hauptvalenzbindungen miteinander verbunden sind, so spricht man von Hauptvalenz-Netzwerken. Diese sind um ein Vielfaches beständiger als die *Nebenvalenz-Netzwerke, in denen die Vernetzung durch z. B. Wasserstoff-Brücken, Metallkomplexe od. physikal. Phänomene wie die Phasenseparation (*Block-Copolymere) erfolgt. H.-N. sind in allen Lsm. unlöslich. Sie quellen lediglich in Abhängigkeit von der Lsm.-Güte u. der Vernetzungsdichte unter weitgehendem Formerhalt mehr od. weniger auf. Auch sind H.-N. nicht mehr plast. verformbar. Eines der techn. bedeutendsten H.-N. ist der mit Schwefel vulkanisierte Kautschuk (*Gummi). – *E* primary valency network – *I* reticolati di valenza principale – *S* red polimérica de valencia principal

Lit.: Elias (5.) **1**, 46.

Hausenblase (Ichthyocollum). Innere Schwimmblasenhaut verschiedener russ. u. südamerikan. *Acipenser*-Arten (Beluga = Hausen, Stör, Sterlet). Die hauptsächlich *Glutin enthaltende u. in kaltem Wasser quellfähige H. liefert einen (teuren) *Fischleim u. wurde früher äußerlich gegen Blutungen, ferner als Weinklärmittel, Appreturmittel, Kitt- u. Klebstoffbestandteil u. dgl. verwendet. *Japan.* od. *Asiat. H.* ist ein Synonym für *Agar-Agar. – *E* isinglass – *F* colle de poisson, ichthyocolle – *I* ittiocolla – *S* colapez, ictiocola

Haushaltschemikalien. Im weitesten Sinne Sammelbez. für alle Chemikalien, die im Haushalt Verw. finden. Hier ist zu denken an Reinigungs-, Putz- u. Pflegemittel, an Wasch-, Spül- u. Geschirrspülmittel, Schuhcremes, Bohnerwachse, Fußbodenreinigungs- u. -pflegemittel, Metall-, Glas- u. Keramikreinigungsmittel, Textilpflegemittel, Mittel zur Entfernung von Rost, Farbe u. Flecken, Möbel- u. Mehrzweckpolituren, Motten- u. Mückenschutzmittel, Pflanzenbehandlungs- u. Ungeziefervernichtungsmittel, Desinfektionsmittel, Luftverbesserer u. viele andere, ebenfalls meist in Einzelstichwörtern abgehandelte Produkte. Manche der H. gehören zu den im *Chemikaliengesetz erwähnten gefährlichen Stoffen bzw. Arbeitsstoffen, durch die es bei unsachgemäßer Handhabung zu *Vergiftungen kommen kann. Die Ind. ist bemüht, möglichst Umwelt- u. Verbraucher-freundliche Produkte herzustellen u. anzubieten. – *E* household chemicals – *F* produits chimiques pour le ménage – *I* prodotti chimici di casa – *S* productos químicos para el hogar

Lit.: Grießhammer, Chemie im Haushalt, Hamburg: Rowohlt 1986 ▪ Ullmann (5.) **A 7**, 137–151 ▪ Vollmer u. Franz, Chemie in Bad u. Küche, Stuttgart: Thieme 1991 ▪ Vollmer u. Franz, Chemie in Hobby u. Beruf, Stuttgart: Thieme 1991 ▪ s. a. einzelne Produktgruppen.

Hausmannit. $Mn^{2+}Mn_2^{3+}O_4$, in Aussehen u. Kristallstruktur [1] den *Spinellen ähnliches tetragonales Mineral, Krist.-Klasse 4/mmm-D_{4h}. Bipyramidale bis prismat. Krist., häufiger jedoch derbe körnige bis dichte Massen sowie Verwachsungen mit anderen Mangan-Mineralien, z.B. dem Spinell Jakobsit [2]. Vollkommene Spaltbarkeit (Unterschied zu Spinell), unebener Bruch, H. 5–5,5. D. 4,8, halbmetall. Glanz; eisenschwarz mit braunem Stich, Strich rotbraun. Theoret. 72% Mangan, daneben bis zu 6,9 Gew.-% Fe_2O_3 u. etwas Ba, Ca, Mg u. Zn. Bei 20 °C paramagnet., unterhalb einer Curie-Temp. von 40–45 K ferrimagnet.; stark magnet. H. mit 3–11,3 Gew.-% Fe_2O_3 wurde in Südafrika gefunden [3].

Vork.: U. a. in hydrothermalen Mangan-Erzen, z.B. Ilmenau/Thüringen, Ilfeld/Harz, u. in durch *Metamorphose umgewandelten Mn-Vork., z.B. Jakobsberg u. Långban/Schweden, Indien, Kalahari-Manganfeld/Südafrika. Verw. zusammen mit anderen Mn-Mineralien als Mangan-Erz. – *E* = *F* = *I* hausmannite – *S* hausmannita

Lit.: [1] Mineralogy Petrology **37**, 15–23 (1987). [2] Mineralogy Petrology **37**, 109–116 (1987). [3] Min. Mag. **59**, 703–716 (1995).
allg.: Lapis **15**, Nr. 7/8, 8–11 (1990) („Steckbrief") ▪ Ramdohr-Strunz, S. 507f. – *[CAS 1309-55-3]*

Hausmüll. Sammelbegriff für feste *Abfälle hauptsächlich aus privaten Haushalten, die in ortsüblichen Abfallsammelbehältern zur Entsorgung bereitgestellt werden, z.B. Speisereste, Küchen- u. Papierabfälle, Haushaltsschrott sowie Hygieneartikel. Im H.-Begriff eingeschlossen sind u. a. *Wertstoffe, *Bioabfälle, schadstoffbelastete Produkte (Problemmüll) u. *Restmüll. Als *H.-ähnliche Gewerbeabfälle* bezeichnet man in Gewerbe- u. Dienstleistungsbetrieben, öffentlichen Einrichtungen u. in der Ind. anfallende Abfälle, die nach Art u. Menge gemeinsam mit H. od. wie H. entsorgt werden können, z.B. Kantinen-, Büro- u. *Verpackungsabfälle. Den Anteil der H.-ähnlichen Gewerbeabfälle, der gemeinsam mit H. durch die öffentliche Müllabfuhr entsorgt wird, bezeichnet man als *Geschäftsmüll*.
Für die BRD belief sich das H.-Aufkommen (einschließlich H.-ähnlicher Gewerbeabfälle, Sperrmüll u. Kehricht) 1990 auf 50 Mio. t, was einer H.-Menge von 350 kg je Einwohner entspricht; bis zum Jahr 1993 ging das H.-Aufkommen auf 43 Mio. t/a zurück [1]. – *E* municipal waste – *F* ordures ménagères – *I* residui domestici – *S* basuras domésticas
Lit.: [1] Statistisches Bundesamt (Hrsg.), Pressemitteilung vom 25.1.1996.

Hausmülldeponie s. Deponie.

Hausmüllentsorgung. Die H. umfaßt die Erfassung, Beförderung, Lagerung, Sortierung, Behandlung u. Ablagerung von *Hausmüll. Die im Hausmüll enthaltenen *Wertstoffe werden in der Regel getrennt erfaßt u. über Bring- (z.B. *Altglas-Container) od. Holsyst. (z.B. Wertstofftonne, „Gelber Sack") einer *Abfallverwertung zugeführt (s. a. Duales System).
Die Entsorgung des *Restmülls („Graue Tonne") erfolgt durch die entsorgungspflichtigen Körperschaften (s. Anschluß- und Benutzungszwang). Hierbei wird

durchweg im *Umleerverf.* gesammelt, d. h. der Inhalt der Abfallsammelbehälter (genormte Mülltonnen bzw. Müllgroßbehälter) wird mittels einer Schütteinrichtung in ein Sammelfahrzeug entleert. Ob die gesammelten Abfälle einer Aufbereitung (z.B. Zerkleinerung, Klassierung, Entwässerung, Sortierung) zugeführt werden, sowie die Wahl des Aufbereitungsverf. hängen v. a. vom nachfolgenden Entsorgungsweg ab. Derzeit werden in der BRD etwa zwei Drittel des Restmülls deponiert, ca. ein Drittel wird in einer *Hausmüllverbrennung therm. behandelt. Nach den Vorgaben der *TA Siedlungsabfall dürfen künftig mit Ausnahme der mineral. Abfälle (z.B. Bauabfälle) keine unbehandelten *Siedlungsabfälle mehr deponiert werden. Von den grundsätzlich für eine Behandlung von Haus- od. Restmüll sowie Siedlungsabfällen in Frage kommenden Verf. (s. Abfallbehandlung) werden die für eine *Deponierung erforderlichen Ablagerungskriterien nach derzeitigem Kenntnisstand nur durch eine therm. Behandlung, d. h. im Regelfall eine *Abfallverbrennung, erreicht. – *E* municipal waste management – *F* traitement des déchets ménagères – *I* smaltimento e trattamento dei residui domestici – *S* evacuación de basura doméstica
Lit.: Müller u. Schmitt-Gleser, Handbuch der Abfallentsorgung, Loseblatt-Sammlung, Tl. III-2, Lfg. 8/94, Landsberg: ecomed.

Hausmüllverbrennung (Müllverbrennung, Restmüllverbrennung). 1994 wurden in der BRD 25–30% der insgesamt ca. 40 Mio. t *Hausmüll einer therm. *Abfallbehandlung zugeführt, der restliche Müll wurde deponiert. Nach den Vorgaben der *TA Siedlungsabfall dürfen künftig nicht vermeid- u. nicht verwertbare *Abfälle nur noch in mineralisierter u. stabilisierter Form auf *Deponien abgelagert werden, um die aus der Ablagerung unbehandelter Abfälle resultierenden chem., physikal. u. mikrobiolog. Prozesse im Deponiekörper u. die damit verbundenen Belastungen (Deponiegas, *Sickerwasser) zu vermeiden.
Ziele der H. sind die therm.-oxidative Zerstörung der im Hausmüll enthaltenen organ. Verb. sowie die Aufkonzentrierung u. Ausschleusung anorgan. Stoffe zur sicheren Ablagerung od. Verwertung (Schadstoffsenke), die Verminderung von Menge u. Vol. der Abfälle u. die Nutzung der im Hausmüll enthaltenen Wärmeenergie. In der BRD waren in 1993 51 H.-Anlagen in Betrieb, die mittlere Anlagengröße lag bei ca. 200 000 t Jahresdurchsatz. Fast alle Anlagen werden mit Wärmenutzung betrieben, in vielen Fällen wird in Kraft-Wärme-Kopplung gleichzeitig Strom u. Fernwärme erzeugt. Der untere Heizwert von Hausmüll schwankt je nach regionalen Gegebenheiten zwischen 7 u. 11 MJ/kg (3–5 kg Abfall entsprechen dem Heizwert von 1 L Heizöl), so daß die H. selbstgängig u. ohne Fremdenergiebedarf erfolgt. Aus 1 t Hausmüll lassen sich ca. 2–2,5 t Dampf bzw. ca. 400–600 kWh Strom erzeugen; der Eigenbedarf einer H.-Anlage liegt bei 25–30%.
Technik: H.-Anlagen arbeiten fast ausschließlich nach dem Prinzip der Rostfeuerung u. können Hausmüll u. hausmüllähnliche Abfälle ohne Vorbehandlung u. Aussortierung verbrennen. Der Rost dient zum einen dem Transport, der Durchmischung sowie der gleich-

mäßigen Verteilung des Abfalls (Schüreffekt), zum anderen als Verteilungsorgan für die Zugabe von Verbrennungsluft, die durch Luftdurchtrittsöffnungen im Rost erfolgt. Bei den vorgeschriebenen Verbrennungstemp. von >850 °C, in der Regel um 1000 °C, werden die organ. Inhaltsstoffe im Abfall unter Freisetzung von Wärme therm. umgesetzt. Hierbei wird durch Verdampfen des Wasserballasts u. durch die therm. Umsetzung des organ. Anteils das ursprüngliche Abfallvol. um ca. 90%, das ursprüngliche Gewicht um ca. 70% reduziert. Die nicht als Staub ausgetragene verbrannte Substanz (Asche) u. die therm. nicht reduzierbaren mineral. Bestandteile des Abfalls werden als heiße *Schlacke aus dem Feuerraum ausgetragen u. in einem wassergefüllten Naßentschlacker abgeschreckt. Zu *Schadstoffen u. Emissionen* s. Abfallverbrennung. *Rückstände aus der H.*: Als Rückstände aus der H. fallen Schlacke, Kesselasche, Filterstäube u. Reaktionsprodukte aus der Rauchgasreinigung an. Im Mittel entstehen bei der Verbrennung von 1 t Hausmüll: ca. 300 kg Schlacke (inklusive Kesselasche), ca. 30 kg Filterstäube aus der Entstaubung, 0,52 kg trockene Reaktionsprodukte aus der trockenen od. quasitrockenen Rauchgasreinigung bzw. ca. 750 L Abwasser u. ca. 12 kg Reaktionsprodukte aus der nassen Rauchgasreinigung sowie ca. 90 g Staubemissionen. Zur Verwertung der Schlacke ist eine Vorbehandlung u. Aufarbeitung notwendig (z. B. Entwässerung, Alterung, Entschrottung, Siebklassierung). Die aufbereitete Schlacke kann deponiert od. als Baumaterial verwertet werden (z. B. Tragschicht im Straßen- u. Wegebau, Füllmaterial für Dämme u. Lärmschutzwälle, Zwischenabdeckung für Deponien), wobei die Vermarktung das Hauptproblem darstellt. Neben Schlacke fallen bei der H. Stäube an, die mit dem Abgasstrom aus dem Feuerraum ausgetragen u. an den Heizflächen des Dampfkessels (Kesselstäube, Kesselasche) sowie an Entstaubungseinrichtungen (Filterstäube) abgeschieden werden (s. a. Abfallverbrennung). Die Stäube weisen einen im Vgl. zur Schlacke erheblich höheren Anteil an wasserlösl. Bestandteilen, Schwermetallen sowie Dioxinen u. Furanen auf. Unbehandelt sind Filterstäube untertägig zu deponieren; eine Verwertung findet zum Teil im Bergbau (Untertage-Versatz) statt. Als weitere Rückstände aus der H. entstehen bei der Abgasreinigung je nach angewandter Abscheidetechnik u. eingesetztem Neutralisationsmittel unterschiedliche Reaktionsprodukte, z. B. Kochsalz, Natriumsulfat, Calciumchlorid od. Gips in unterschiedlichen Mischungsverhältnissen. Bei der trockenen u. quasitrockenen Rauchgasreinigung fallen Filterstäube u. Reaktionsprodukte in der Regel gemischt an, bei Anlagen, die nach Staubabscheidung ausschließlich mit Naßwäsche arbeiten, fallen Filterstäube u. Waschwässer getrennt an (s. a. Abfallverbrennung). Die Waschwässer enthalten die ausgewaschenen Gaskomponenten als gelöste Salze (Chloride, Sulfate, Hydroxide) u. werden in der Regel einer Abwasserreinigung od. Eindampfung zugeführt. Feste, nicht verwertbare Rückstände sind als *Sonderabfall untertägig zu deponieren. – *E* municipal waste incineration – *F* incinération de déchets ménagères – *I* inceneримento

dei residui domestici – *S* inconeración de basura(s) doméstica(s)

Lit.: Der Rat von Sachverständigen für Umweltfragen, Abfallwirtschaft, Ziff. 1312–1439, Stuttgart: Metzler-Poeschel 1990 ■ Entsorga-Magazin **12**, Nr. 5, 20–34 (1993) ■ Müll-Handbuch, Loseblatt-Sammlung, Kz. 7740, Berlin: E. Schmidt.

Haut (Integument). Organ aus verschiedenen Geweben, das den Organismus von der Außenwelt abgrenzt. Die H. besteht von außen nach innen aus 3 Hauptschichten: Epidermis (Oberhaut), Corium (Dermis, Lederhaut) u. Subcutis (Unterhautfettgewebe). Anhangsgebilde sind Haare, Nägel, Schweißdrüsen, Talgdrüsen, bei Tieren Horn, Hufe, Klauen, Geweihe, Gehörne, Schuppen, Federn u. Schnäbel.

Die Oberfläche der H. des Menschen beträgt ca. 2 m²; ihr Gew. einschließlich der Subcutis wird unterschiedlich mit Werten zwischen ca. 20 u. 7% des Gesamtkörpergew. angegeben. Bei mittlerer Gesamtdicke der menschlichen Haut von ca. 2 mm entfallen auf die Epidermis ca. 0,12 mm, auf das Corium ca. 1,8 mm. Der Wassergehalt der H. liegt bei 18–20% des gesamten Körperwassers; er ist von verschiedenen Faktoren wie Alter, Geschlecht, inneren u. äußeren Einflüssen abhängig u. ist auch in den einzelnen H.-Schichten unterschiedlich hoch (am höchsten mit ca. 60% im *Bindegewebe). An anorgan. Substanzen bildenden Elementen enthält die H. (in g/100 g fettfreie H.): 0,16 Na, 0,107 K, 0,02 Ca, 0,3 Cl u. 0,065 P. Die Eiweiß-Stoffe der H. sind hauptsächlich *Skleroproteine wie Collagen u. Keratin. An der Oberfläche treten aromat. Aminosäuren (als Abbauprodukte der Proteine) auf, die durch *Xanthoprotein-Reaktion nachweisbar sind.

An der *Epidermis* sind zu unterscheiden: Die Hornschicht [(Stratum (St.) corneum] mit der äußeren lockeren, ständig physiolog. abschilfernden Lage verhornter, also nicht mehr lebender Zellen (St. disjunctum) u. der darunter befindlichen, dichter gebauten Zellage (St. conjunctum od. compactum), deren Funktion die Erschwerung bzw. Verhinderung der *Penetration von Stoffen von außen ist. Das St. corneum enthält ca. 58% Keratin, 11% Lipoide u. 30% wasserlösl. u. -bindende Substanzen. Sein Wassergehalt, der von Menge u. Qualität der erwähnten Inhaltsstoffe abhängt, sichert ihm einerseits seine Elastizität u. bestimmt andererseits Menge sowie vielleicht auch Größe der an sich mikroskop. kleinen abgeschilferten Hornschuppen.

Nach innen schließt an das St. corneum die Intermediärzone (IZ) an, eine elektronenmikroskop. nachweisbare Schicht, darüber, bes. an Fußsohle u. Handteller, histochem. unterscheidbar das St. lucidum. Das nun anschließende St. granulosum, einer Verhornungsphase entsprechend, bildet die sog. Keratohyalin-Granula, sehr feste protoplasmat. Einschlußkörperchen. Es folgt das St. spinosum (Stachelzellenschicht) u. als tiefste Schicht das St. basale mit Pigment-bildenden Zellen. Beide zusammen heißen St. germinativum (Rete Malpighi), d. h. sie sind die Keimschicht der Epidermis. Diese fügt sich nach innen mit der nur elektronenmikroskop. feststellbaren Basalmembran an die manchmal unterbrochene, bindege-

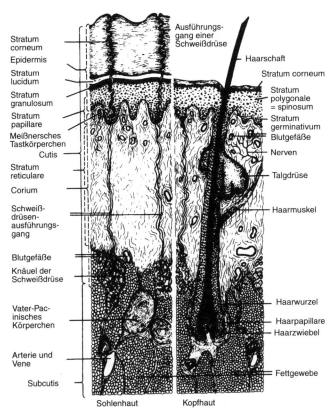

Stratum corneum
Epidermis
Stratum lucidum
Stratum granulosum
Stratum papillare
Meißnersches Tastkörperchen
Cutis
Stratum reticulare
Corium
Schweiß-drüsen-ausführungs-gang
Blutgefäße
Knäuel der Schweißdrüse
Vater-Pac-inisches Körperchen
Arterie und Vene
Subcutis

Ausführungs-gang einer Schweißdrüse
Haarschaft
Stratum corneum
Stratum polygonale = spinosum
Stratum germinativum
Blutgefäße
Nerven
Talgdrüse
Haarmuskel
Haarwurzel
Haarpapillare
Haarzwiebel
Fettgewebe

Sohlenhaut   Kopfhaut

Abb.: Schnitt durch die Haut des Menschen

webige Grenzschicht, in die Basalzellen mit Fortsätzen („Wurzelfüßchen") hineinragen.

Das anschließende *Corium* ist ein *Bindegewebe, das zu 98% aus collagenen Fasern besteht; diese liefern z. B. aus tier. H.-Abfällen den *Hautleim* (s. Leime). Zwischen den Fasern befindet sich die amorphe, mit einem Gel vergleichbare Grundsubstanz, die verschiedene *Glykosaminoglykane aufweist. Diese Schicht enthält auch Muskeln, Gefäße (Arterien, Venen, Lymphbahnen), Nerven, verschiedene Zellen wie Plasma- u. Mastzellen; in ihr eingebettet sind z. B. verschiedene Drüsen als Anhangsgebilde. Im schichtweisen Aufbau des Coriums unterscheidet man epidermiswärts das St. papillare, darunter das St. texticulare od. reticulare u. an die Subcutis grenzend das St. glandulo-vasculare.

Die *Subcutis* stellt ein lockeres Bindegewebe dar mit Einlagerungen von Fettzellengruppen (Fettläppchen). Ihrem Aufbau gemäß ist die Subcutis Verschiebe- u. Verbindungsschicht zwischen H. u. Unterlage, Nährstoff- u. Wasserspeicher, Sitz der Druckrezeptoren, Ort des Fett- u. Kohlenhydrat-Stoffwechsels u. Durchgangsgebiet für größere Gefäße zur H.-Oberfläche. Die Turgorminderung (Herabsetzung des osmot. Drucks in den Zellen) führt zu sog. Apfelsinen-(Orangen-)H., fälschlicherweise *Cellulitis* genannt.

Hautoberfläche: Die Oberfläche der H. (Epidermis) ist nicht durchgehend glatt, sondern lokal gefurcht, von kleinen Einziehungen durchsetzt, mit rhomb. Furchungen, Falten u. Runzeln versehen. Das H.-Relief ist bes. charakterist. an den Fingern, Handflächen u. Fußsohlen. Diese Papillarleisten bilden Liniensyst., die sich durch Ausscheidungsprodukte (*Schweiß, *Sebum, Aminosäuren bzw. Peptide) an Oberflächen abbilden. Die *Fingerabdrücke* (Muster aus Bögen, Wirbeln, Schleifen) sind streng individuell, selbst eineiige Zwillinge haben zwar ähnliche, aber keine ident. Fingerabdrücke.

Hautfärbung: Sie ergibt sich aus den Pigmenten, H.-Dicke, -Qualität u. -Zustand, Blutfarbe u. Durchblutung sowie evtl. krankheitsbedingten Verfärbungen (z. B. durch *Gallenfarbstoffe). Die hauptsächlich durch *Melanin bewirkte *Pigmentierung ist durch verschiedene Faktoren zu beeinflussen; sie ist genet. bestimmt u. erfolgt durch die *Melanocyten*, deren Aktivität, nicht jedoch Anzahl, für die Intensität der Färbung verantwortlich ist (vgl. a. Hautbräunung).

Hautsinnesorgane: In der H. befinden sich Sensoren für den Tastsinn (Mechanosensoren, s. a. Mechanorezeptoren), den Temp.-Sinn (Thermosensoren) u. den Schmerzsinn (Nozisensoren, s. a. Nozizeptoren). Über spezielle Endorgane mit histolog. unterschiedlicher Gestalt vermitteln die verschiedenen Mechanosensoren Informationen über die Außenwelt. Temp.- u. Schmerzsensoren besitzen keine spezialisierten Endorgane u. bestehen aus freien Endigungen dünner Nervenfasern.

Schweißdrüsen: Man unterscheidet je nach Art der *Schweiß-Sekretion ekkrine u. apokrine Drüsen

(Glandulae sudoriferae). Ihre Gesamtanzahl wird auf >2 Mio. geschätzt; sie sind regional unterschiedlich dicht verteilt, z. B. in der Ellbeuge in einer Konz. von 750/cm^2. *Ekkrine Schweißdrüsen* kommen überall vor. In der Tiefe des Coriums liegen sie knäuelartig im Fettgewebe, an manchen Stellen im Collagen eingebettet. Die Mündung des Ausführungsganges heißt Pore. Die ekkrinen Schweißdrüsen werden vom sympath. Nervensyst. innerviert. Als Überträgerstoff (*Neurotransmitter) dient dabei *Acetylcholin. Deshalb verursachen viele als *Hidrotika (*schweißtreibende Mittel* od. *Sudorifika*) eingesetzte *cholinerge Substanzen (*Beisp.:* *Pilocarpin, *Muscarin, *Physostigmin), aber auch Inhaltsstoffe von *Gewürzen sowie psych. Reize die Abgabe von Schweiß, hauptsächlich an Handtellern, Fußsohlen, Stirn u. Achselhöhlen. Die *apokrinen Schweißdrüsen* (Duftdrüsen) sind vorzugsweise in den Regionen der Axillen, der Genitalien, der Brustwarze mit Warzenhof, des Naseneingangs, des äußeren Gehörgangs u. in den Augenlidern (Mollschen Drüsen) vorhanden. Sie münden meistens in die Haarfollikel. Um die Schweißsekretion zu verringern od. gar zu unterbinden, bedient man sich der als *Parasympathikolytika wirkenden *Antihidrotika.

Talgdrüsen: Sie (Glandulae sebaceae) sind individuell u. regional verschieden verteilt, eng mit den Haarfollikeln verbunden u. sezernieren in den Haarkanal; wenige Talgdrüsen münden auf der H.-Oberfläche. Der *Talg entsteht durch Verfettung ganzer Zellen zum *Sebum (holokrine Sekretion). Man nimmt an, daß der Talg im Schweiß emulgiert wird u. daß diese Emulsion die H. vor Austrocknung (Versprödung) schützt. Die Sebummengen sind am reichlichsten auf Kopfhaut (*Schuppen) u. Stirn, Wangen u. Nase, geringer in den Axillen u. der Genitalregion. Handflächen u. Fußsohlen sind frei von Talgdrüsen.

Das Abschilfern der Hornschicht der Epidermis nach außen u. das Nachwachsen aus den unteren Zellschichten stehen in einem Fließgleichgew. u. führen zu einer ständigen Epidermis-Erneuerung. Vom St. corneum schilfern ständig mikroskop. kleine Schuppen ab. Täglich wird eine Lage kernloser Zellen an die Umgebung abgegeben. Hauptsächlich im St. basale entstehen neue Zellen u. gelangen binnen 20–30 Tagen zur Oberfläche (Mitosedauer ca. 1 h, alle 24 h teilt sich eine Basalzelle). Bei übermäßiger Beanspruchung bestimmter Hautareale kann es zu bes. Verdickungen der Hornschicht kommen (Schwielen od. *Hyperkeratosen*). Mit zunehmendem Alter lassen Turgor u. Elastizität der Haut nach u. die Empfindlichkeit gegenüber Austrocknung nimmt zu. Schweißsekretion u. Talgspiegel nehmen ab. Auch die Schäden durch langdauernde belastende Einwirkungen von z. B. UV-Strahlen werden im Alter manifest.

Hautfunktionen: Haut dient vornehmlich dem Schutz des Körpers. Der mechan. Schutz wird durch Elastizität u. Festigkeit der H. gesichert. Schutz gegen chem. Noxen ist durch die Pufferkapazität u. das Alkali-Neutralisationsvermögen – man spricht in mehr qual. beschreibender Weise von dem sog. *Säuremantel der Haut* – gegeben. Dieser Säuremantel, der bei Männern einen durchschnittlichen pH-Wert von 4,85 u. bei

Frauen von 5,58 aufweist, hemmt auch das Wachstum vieler Bakterien. Durch Säuremantel, Einwirkung alkal. reagierender Mittel (Wasch-, Rasiermittel) wird der Säuremantel gestört, weshalb man *Hautschutzsalben u. *Hautpflegemitteln spezielle Stoffe zur Wiederherst. des Neutralisationsvermögens der H. zusetzt. Pigment u. Hornschicht schützen durch Absorption vor UV-Strahlung. Der Wärmeregulation dient die H. durch Steuerung von Durchblutung u. Verdunstungskälte (*Schweiß). Die H. hat auch Depotfunktion für Fett, Wasser, Blut sowie eine wichtige Rolle im Stoffwechsel von *Cholesterin u. *Vitamin D.

Eine bedeutende psychosoziale Rolle spielt der *Hautgeruch* als eine der Komponenten des *Körpergeruchs, der störende Schweißgeruch ist die Folge bakterieller Zersetzung.

Die H. kann in bestimmtem Maße Substanzen aufnehmen (resorbieren). Diese Eigenschaften werden bei der äußerlichen Anw. von Arzneimitteln u. a. Wirkstoffen genutzt, wobei im allg. auch das Vehikel (der Schlepper od. *Carrier) eine Rolle spielt; in manchen Fällen kann die Einbringung von Pharmaka durch Anlegen von Strom (*Iontophorese*) beschleunigt werden. Andererseits reagiert die H. auf viele Substanzen mit Reizzuständen, z. B. mit *Hautrötung* (*Erytheme) u. *Allergien. Gelegentlich werden H.-Reizungen künstlich hervorgerufen, z. B. mit *Vesikanzien* (blasenziehende Stoffe wie *Cantharidin u. *Senföle) od. hyperämisierenden Mitteln wie *Capsaicin, Bienengift, Methylsalicylat od. Nicotinsäurebenzylester. Die H. kann auch Eintrittspforte für eine Reihe tox. Stoffe in den Körper sein; in der *MAK-Liste sind verschiedene Stoffe aufgeführt, bei denen die Gefahr einer Penetration durch die H. besteht. Emulgatoren u. Tenside können ebenfalls die H. beeinträchtigen. Bakterielle Infektionen treten im allg. nur bei geschädigter H. auf, da der Säuremantel hier einen gewissen Schutz bietet; Pilze u. Hefen können hartnäckige, durch *Antimykotika bekämpfbare *Mykosen* hervorrufen. Die verschiedenen Erkrankungen der H. mit ihren unterschiedlichen Auswirkungen auf Aussehen u. Funktion sind Gegenstand der *Dermatologie*.

Die H. der Wirbellosen besteht vielfach aus einer einschichtigen Epidermis über einer Basalmembran; Zellen mit Sonderfunktionen können vorkommen (Drüsen-, Nerven- u. Sinneszellen). Nach außen schützt oft eine Schutzschicht (*Cuticula); diese ist bei den Arthropoden (Krebse, Tausendfüßler, Insekten usw.) bes. dick u. besteht vorwiegend aus *Chitin mit Einlagerungen von Kalk u. organ. Hartstoffen. Diesen toten Panzer mit der Funktion eines Außenskeletts muß das Tier während seiner Wachstumsphase mehrfach verlassen (*Häutung*) u. wieder neu bilden. Der Häutungsprozeß wird durch *Häutungshormone* gesteuert, bei *Insekten u. a. durch *Ecdyson (s. a. Insektenhormone). Häutungen sind auch bei Wirbeltieren zu finden, z. B. bei Schlangen (Natternhemd) u. Molchen. Die H. der Wirbeltiere weist trotz stark unterschiedlicher Differenzierungen den einheitlichen Bauplan aus Epidermis u. Corium auf. Je nach den Anforderungen des Lebensraumes sind die Hautanhangsgebilde unterschiedlich ausgebildet, wie Drüsenformen (z. B. Schleim- u. Giftdrüsen bei Fischen u. Amphibien) od.

Horngebilde, z.B. Klauen, Hufe, Hörner. Die Bez. „Haut" ist in anderem, wenn auch verwandtem Sinn nicht nur in der Medizin – als dünne Gewebsschicht zur Auskleidung u./od. Bedeckung innerer Organe (*Beisp.*: Schleim-, Knochen-, Ader-, Netzhaut) – anzutreffen, sondern auch in der Technik, z.B. für die hautartig verdickte Oberflächenschicht auf Metallschmelzen, abkühlender Milch nach dem Kochen, auf streichfertigen Anstrichmitteln u. Lacken während der Lagerung etc. – *E* skin – *F* peau – *I* pelle – *S* piel

Lit.: Goldsmith, Biochemistry and Physiology of the Skin, Oxford: University Press 1983 ▪ Heymann, Haut, Haar u. Kosmetik, Stuttgart: Hirzel 1994 ▪ Spearman u. Riley, The Skin of Vertebrates, London: Academic Press 1980 ▪ Steigleder, Dermatologie u. Venerologie, Stuttgart: Thieme 1992.

Hautbräunung. Die *Pigmentierung, d.h. der natürliche Farbton der menschlichen *Haut, ist v.a. durch *Melanin bedingt. Es kommen dessen Abbauprodukte (Melanoide), *Carotin, Durchblutungsgrad u. Blutfarbe sowie Beschaffenheit u. Dicke des Stratum (St.) corneum (s. Haut) u.a. Hautschichten bis zum eingelagerten Melanin hinzu, so daß in der Aufsicht Farbtöne von weiß (bei verringerter Füllung od. bei Fehlen der Blutgefäße) od. gelblich (gelbes Hautpigment mongoloider Völker), hellbraun-rötlich, bläulich bis braun verschiedener Nuancen u. schwarz wahrgenommen werden. Die einzelnen Hautregionen zeigen unterschiedliche Melanin-Mengen. Am stärksten pigmentiert sind Genitalbereich, Brustwarzen u. Warzenhof, Hals u. Gesicht, weiter abnehmend Leistenbeuge, Axillen, Kreuzbein, Ellenbogen, Knie u. restlicher Körper; Handflächen u. Fußsohlen sind kaum pigmentiert (extremes Beisp.: Schwarze Rassen). Die H. kann als Lichtschutz v.a. hellhäutiger Menschen angesehen werden, da das Melanin die Zellkerne vor eindringender UV-Strahlung schützt.

Der natürlichen H. sind die durch Krankheiten (z.B. *Addisonsche Krankheit) verursachte u. als *Hyperpigmentierung* bezeichnete, diese u. umweltbedingte u. die künstliche H. gegenüberzustellen; hierher gehören auch Maßnahmen zur H. bei *Vitiligo u.a. durch *Photochemotherapie mittels *Furocumarinen beeinflußbare Pigmentfehler. Träger der Melanin-Bildung sind die in dem St. germinativum der Epidermis angesiedelten *Chromatophoren, die hochspezialisierten *Melanocyten*. Diese strecken in die Zwischenzellräume der Epidermis Fortsätze (*Dendriten) aus u. geben Pigment an die Basalzellen ab. Die Anzahl der in den Melanocyten produzierten Melanin-Granula entscheidet über Hell- od. Dunkelhäutigkeit. Bei starker Pigmentierung (bei Farbigen od. nach erheblicher UV-Bestrahlung) ist Melanin auch im St. spinosum u. sogar St. corneum festzustellen. Es schwächt die UV-Strahlung um ca. 90%, bevor diese das Corium erreicht.

Die Pigment-Bildung beruht auf der Oxid. des *Tyrosins mit *Phenoloxidase (Tyrosinase) über *Dopa u. Dopachinon sowie andere Zwischenstufen zum Melanin. Hormone u. Vitamine üben auf die Melanin-Bildung einen erheblichen Einfluß aus; z.B. wurde Hyperpigmentierung bei Vitamin A-Mangel beobachtet. Der Einfluß des in der *Hypophyse gebildeten Melanocyten-stimulierenden Hormons (MSH) ist noch nicht geklärt. Man nimmt an, daß es auch eine Rolle bei der bei Schwangeren auftretenden verstärkten H. spielt.

Auf die Melanin-Bildung wirken verschiedene UV-Bereiche unterschiedlich; UV-A erstreckt sich über die Wellenlängen 315 – 380 nm, UV-B über 280 – 315 nm. Die Sonnenbestrahlung – auch die Einwirkung von UV-Strahlenquellen wie z.B. Solarien – kann zu Hautschädigungen führen, bes. bei zu langer Dauer od. zu hoher Strahlendosis. Es handelt sich um eine rasch auftretende u. unangenehme Rötung der bestrahlten Hautareale (*Sonnenbrand*). Diese wird bes. durch Strahlen des UV-B verursacht, wobei das Maximum der *Erythem-Wirkung bei 295 nm liegt. Nach dem Sonnenbrand tritt eine Verdickung der Hornschicht auf (sog. *Lichtschwiele*), die die Strahlung z.T. absorbiert u. streut, u. außerdem wird eine erhöhte Melanin-Bildung – also weitere H. – provoziert. Eine Dauerbelastung dieser Art führt zu einem erhöhten Risiko der Entstehung von Hautkrebs. Um ohne diese patholog. Nachteile dennoch H. zu erzielen, entwickelte man spezielle *Sonnenschutzmittel, die, auf der Haut vor dem „Sonnenbad" verteilt, durch weitgehende od. völlige Absorption des UV-B wirken sollen.

Eine *künstliche Bräunung* der Haut läßt sich mit Hilfe spezieller *Kosmetika bzw. Arzneimittel hervorrufen. Hierzu gibt es drei vom Prinzip her unterschiedliche Wege:

1. Die Anfärbung der Haut durch regelmäßige Einnahme von *Carotin-Präp.; das Carotin wird im Unterhaut-Fettgewebe gespeichert u. färbt die Haut orange bis gelbbraun. Carotin-Präp. werden als Arzneimittel eingestuft u. gehören damit nicht zu den *Kosmetika.

2. Die dekorative Färbung der Haut mit abwaschbaren *Make-up-Präparaten. Die seit langem für die H. verwendeten Extrakte aus frischen grünen Walnußschalen sowie *Henna enthalten als Wirkstoffe bestimmte *Naphthochinone (*Lawson, *Juglon) u. haften zwar im Vgl. zu den Make-up-Präp. besser auf der Haut, sind jedoch nicht schweißbeständig u. mit Seife abwaschbar. Sie werden heute überwiegend in Sonnenschutz-Präp. zur leichten Hauttönung eingesetzt.

3. Die künstliche H. durch Anfärbung bzw. chem. Veränderung der Hornschicht der Haut mit sog. selbstbräunenden Präparaten. Wichtigster Wirkstoff ist das *Dihydroxyaceton (DHA), das als reduzierender Zucker mit den Aminosäuren der Haut bzw. den freien Amino- u. Imino-Gruppen des *Keratins über eine Reihe von Zwischenstufen im Sinne einer *Maillard-Reaktion zu braungefärbten Stoffen, sog. *Melanoiden, reagiert. Diese Bräune ist nicht abwaschbar u. wird erst mit der normalen Abschuppung der Haut entfernt (nach ca. 10 – 15 Tagen).

Für die *Hautbleichung* (*Depigmentierung), die Umkehrung der H., wird als Wirkstoff vorzugsweise *Hydrochinon eingesetzt. Als „Naturmittel" z.B. zum Aufhellen von Sommersprossen werden Gurken-, Citronen- od. Sauerkraut-Saft empfohlen. – *E* skin tanning – *F* brunissement – *I* abbronzatura – *S* empardecimiento de la piel

Lit.: Umbach (Hrsg.), Kosmetik, S. 312 – 316, 337 ff., Stuttgart: Thieme 1995 ▪ s.a. Haut, Melanin, Pigmentierung.

Hautcremes s. Hautpflegemittel.

Hautflügler s. Hymenoptera.

Hautleim s. Leime.

Hautpflegemittel. Die Pflege der *Haut, mit bis zu 2 m² Oberfläche ein wichtiges menschliches Organ, ist unerläßlich für das phys. u. psych. Wohlbefinden. Sie beginnt mit der Reinigung, für die in erster Linie *Seifen benutzt werden. Man unterscheidet feste, meist stückförmige, u. flüssige Seifen. Hauptbestandteile sind die Alkali-Salze der Fettsäuren natürlicher Öle u. Fette, vorzugsweise der Kettenlängen C_{12}–C_{18}. Da *Laurinsäure-Seifen bes. gut schäumen, sind die Laurinsäure-reichen Kokos- u. Palmkern-Öle bevorzugte Rohstoffe für die *Feinseifen-Herstellung. Die Na-Salze der Fettsäure-Gemische sind fest, die K-Salze weich-pastös. Zur Verseifung wird die verd. Natron- od. Kali-Lauge den Fett-Rohstoffen im stöchiometr. Verhältnis so zugesetzt, daß in der fertigen Seife ein Laugenüberschuß von max. 0,05% vorhanden ist. Vielfach werden die Seifen heute nicht mehr direkt aus den Fetten, sondern aus den durch *Fettspaltung gewonnenen Fettsäuren hergestellt. Übliche Seifen-Zusätze sind *Fettsäuren, *Fettalkohole, *Lanolin, *Lecithin, pflanzliche Öle, Partialglyceride u. a. fettähnliche Substanzen zur *Rückfettung* der gereinigten Haut, *Antioxidantien wie Ascorbyl-Palmitat od. *Tocopherol zur Verhinderung der *Autoxidation der Seife (*Ranzigkeit), Komplexierungsmittel wie Nitrilotriacetat zur Bindung von Schwermetall-Spuren, die den autoxidativen Verderb katalysieren könnten, *Parfüm-Öle zur Erzielung der gewünschten Duftnoten, Farbstoffe zur Einfärbung der Seifenstücke u. ggf. spezielle Zusätze. Wichtigste Typen der *Feinseifen* sind:

– *Toilettenseifen* mit 20–50% Kokosöl im Fettansatz, bis 5% *Rückfetter*-Anteil u. 0,5–2% Parfümöl, sie bilden den größten Anteil der Feinseifen;
– *Luxusseifen* mit bis zu 5% z. T. bes. kostbarer Parfümöle;
– *Deoseifen* mit Zusätzen desodorierender Wirkstoffe, wie z. B. 3,4,4′-Trichlorcarbanilid (*Triclocarban);
– *Cremeseifen* mit bes. hohen Anteilen rückfettender u. die Haut cremender Substanzen;
– *Babyseifen* mit guter Rückfettung u. zusätzlich pflegenden Anteilen wie z. B. Kamille-Extrakten, allenfalls sehr schwach parfümiert;
– *Hautschutzseifen* mit hohen Anteilen rückfettender Substanzen sowie weiteren pflegenden u. schützenden Zusätzen, wie z. B. *Proteinen;
– *Transparentseifen* mit Zusätzen von *Glycerin, *Zucker u. a., welche die Krist. der Fettsäure-Salze in der erstarrten Seifenschmelze verhindern u. so ein transparentes Aussehen bewirken;
– *Schwimmseifen* mit D. < 1, hervorgerufen durch bei der Herst. kontrolliert eingearbeitete Luftbläschen.

Seifen mit abrasiven Zusätzen zur Reinigung stark verschmutzter Hände sind bei *Handreinigungsmittel beschrieben. Beim Waschen mit Seife stellt sich in der Waschlauge ein pH-Wert von 8–10 ein. Diese Alkalität neutralisiert den natürlichen Säuremantel der Haut (pH-Wert 5–6). Dieser wird bei normaler Haut zwar relativ schnell rückgebildet, bei empfindlicher od. vorgeschädigter Haut kann es jedoch zu Irritationen kommen. Ein weiterer Nachteil der Seifen ist die Bildung unlösl. *Kalkseifen in hartem Wasser. Diese Nachteile liegen nicht vor bei Syndet-Seifen (s. Seifen). Ihre Basis sind synthet. *Aniontenside, die mit Gerüstsubstanzen, Rückfettern u. weiteren Zusätzen zu Seifenähnlichen Stücken verarbeitet werden können. Ihr pH-Wert ist in weiten Grenzen variierbar u. wird meist neutral auf pH 7 od. dem Säuremantel der Haut angepaßt auf pH 5,5 eingestellt. Sie haben hervorragende Reinigungskraft, schäumen in jeder Wasserhärte, sogar in Meerwasser, der Anteil rückfettender Zusätze muß wegen ihrer intensiven Reinigungs- u. Entfettungswirkung deutlich höher als bei normalen Seifen sein. Ihr Nachteil ist der relativ hohe Preis.

Flüssige Seifen basieren sowohl auf K-Salzen natürlicher Fettsäuren als auch auf synthet. Aniontensiden. Sie enthalten in wäss. Lsg. weniger waschaktive Substanzen als feste Seifen, haben die üblichen Zusätze, ggf. mit viskositätsregulierenden Bestandteilen sowie Perlglanz-Additiven. Wegen ihrer bequemen u. hygien. Anw. aus Spendern werden sie vorzugsweise in öffentlichen Waschräumen u. dgl. verwendet. Wasch-*Lotionen für bes. empfindliche Haut basieren auf mild wirkenden synthet. Tensiden mit Zusätzen hautpflegender Substanzen, pH-neutral od. schwach sauer (pH 5,5) eingestellt.

Zur Reinigung vornehmlich der Gesichtshaut gibt es eine Reihe weitere Präp., wie *Gesichtswässer, *Reinigungs-Lotionen, -Milche, -Cremes, -Pasten*; *Gesichtspackungen dienen z. T. der Reinigung, überwiegend jedoch der Erfrischung u. Pflege der Gesichtshaut. Gesichtswässer sind meist wäss.-alkohol. Lsg. mit geringen Tensid-Anteilen sowie weiteren hautpflegenden Substanzen. Reinigungs-Lotionen, -Milche, -Cremes u. -Pasten basieren meist auf O/W-*Emulsionen mit relativ geringen Gehalten an Fettkomponenten mit reinigenden u. pflegenden Zusätzen. Sog. *Scruffing*- u. *Peeling-Präp.* enthalten mild keratolyt. wirkende Substanzen (s. Keratolytika) zur Entfernung der obersten abgestorbenen Haut-Horn-Schichten, z. T. mit Zusätzen abrasiv wirkender Pulver. Die seit langem als mildes Hautreinigungsmittel verwendete *Mandelkleie ist auch heute noch vielfach Bestandteil solcher Präparate. In Mitteln zur reinigenden Behandlung unreiner Haut sind außerdem antibakterielle u. entzündungshemmende Substanzen enthalten, da die Talgansammlungen in Komedonen (*Mitessern*, s. Akne) Nährböden für bakterielle Infektionen darstellen u. zu Entzündungen neigen. Die angebotene breite Palette verschiedener Hautreinigungs-Produkte variiert in Zusammensetzung u. Gehalt an diversen Wirkstoffen, abgestimmt auf die verschiedenen Hauttypen u. auf spezielle Behandlungsziele.

Die für die Hautreinigung im Wannen- od. Duschbad angebotenen *Badezusätze haben breite Anw. gefunden. *Badesalze* u. *Badetabl.* sollen das Badewasser enthärten, färben u. parfümieren u. enthalten in der Regel keine waschaktiven Substanzen. Durch die Enthärtung des Badewassers fördern sie die Reinigungskraft von Seifen, sollen jedoch in erster Linie erfrischend wirken u. das Badeerlebnis verstärken. Größere Bedeutung haben die Schaumbäder (Näheres s. dort). Bei einem höheren Gehalt an rückfettenden u. hautpflegenden Substanzen spricht man auch von *Creme-Bädern*. Seit etwa 1970 haben sich die *Duschbäder* neben den Schaumbädern auf dem Markt durchgesetzt u. diese seit 1986 im Produktionsvol. wertmäßig überflügelt. Sie sind ähnlich zusammengesetzt wie flüssige *Haarwaschmittel* (s. Haarbehandlung), enthalten jedoch anstelle haarpflegender bes. hautpflegende Wirkstoffe. Neuerdings sind auch Kombipräp., geeignet für Haut u. Haar, auf dem Markt.

Die der Reinigung folgende *Hautpflege* hat zwei wesentliche Ziele: Zum einen soll sie der Haut die bei der Wäsche unkontrolliert entzogenen Inhaltsstoffe wie Hornzellen, Hautfettlipide, Säurebildner u. Wasser zurückführen in den natürlichen Gleichgewichtszustand, zum anderen u. v. a. soll sie dem natürlichen Alterungsprozeß der Haut sowie den möglichen Schädigungen durch Witterungs- u. Umwelteinflüsse möglichst weitgehend entgegenwirken. Präp. zur Hautpflege u. zum Hautschutz werden in großer Zahl u. in vielen Zubereitungsformen angeboten. Die wichtigsten sind *Haut-Cremes, -Lotionen, -Öle* u. *-Gele*. Basis der Cremes u. Lotionen sind *Emulsionen in O/W- (Öl in Wasser) od. W/O- (Wasser in Öl) Form. Die Hauptbestandteile der Öl- bzw. Fett- od. Lipid-Phase sind Fettalkohole, Fettsäuren, Fettsäureester, *Wachse, *Vaseline, *Paraffine sowie weitere Fett- u. Ölkomponenten hauptsächlich natürlichen Ursprungs. In der wäss. Phase sind neben Wasser hauptsächlich feuchtigkeitsregulierende u. feuchtigkeitsbewahrende Substanzen als wesentliche Hautpflege-Wirkstoffe enthalten (s. a. Feuchthaltemittel), ferner konsistenz- bzw. viskositätsregulierende Mittel. Weitere Zusätze wie *Konservierungsmittel, Antioxidantien, *Komplexbildner, *Parfüm-Öle, Färbemittel sowie spezielle Wirkstoffe werden je nach ihrer Löslichkeit u. ihren Stabilitätseigenschaften einer der beiden vorgenannten Phasen beigegeben. Wesentlich für den Emulsionstyp u. seine Eigenschaften ist die Auswahl des *Emulgator-Systems. Seine Auswahl kann nach dem HLB-System erfolgen (Einzelheiten s. dort). Basis-Rezepturen für O/W u. W/O-Cremes u. Lotionen finden sich in *Lit.*[1], S. 132 ff. Nach ihrem Anw.-Bereich kann man die Cremes bzw. Lotionen einteilen in „*Tagescremes*" u. „*Nachtcremes*". *Tagescremes* sind meist als O/W-Emulsionen aufgebaut, sie ziehen schnell in die Haut ein, ohne einen Fettglanz zu hinterlassen; man bezeichnet sie daher z. T. auch als *Trockencremes, Mattcremes* od. *Vanishing Creams*. *Nachtcremes* sind meist W/O-Emulsionen, sie werden von der Haut langsamer aufgenommen u. enthalten oft spezielle Wirkstoffe, die während der Nachtruhe eine Regeneration der Haut bewirken sollen. Manche dieser Präp. werden auch als „*Nährcremes*" bezeichnet, obgleich eine „Ernährung" des Zellstoffwechsels in der Haut nur über den Blutkreislauf erfolgen kann; der Begriff „*Nährcreme*" ist daher umstritten. Sog. *Cold Creams* sind Mischemulsionen vom O/W- u. W/O-Typ, wobei die Ölphase mengenmäßig überwiegt. Bei der klass. *Cold Cream* wurde beim Auftragen das z. T. nur instabil emulgierte Wasser frei u. erzeugte durch Verdunsten einen Kühleffekt, der dieser Zubereitungsform ihren Namen verlieh.

Auf die Vielzahl der in den H. eingesetzten speziellen Wirkstoffe u. die ihnen zugeschriebenen Wirkungen kann hier nicht im einzelnen eingegangen werden. Erwähnt seien Milcheiweißprodukte, Eigelb, Lecithine, Lipoide, Phosphatide, Getreidekeimöle, Vitamine – insbes. Vitamin F u. das früher als Hautvitamin (Vitamin H) bezeichnete Biotin sowie hormonfreie Placenta-Extrakte. Früher manchmal eingesetzte Hormone werden nicht mehr verwendet, da sie als Arzneimittel-Wirkstoffe eingestuft sind u. in kosmet. Mitteln nicht verwendet werden dürfen (s. Kosmetika).

Hautöle gehören zu den ältesten Produktformen der Hautpflege u. werden noch heute verwendet. Basis sind nichttrocknende Pflanzenöle wie *Mandelöl od. *Olivenöl, mit Zusätzen natürlicher Vitaminöle wie *Weizenkeimöl od. *Avocadoöl sowie öligen Pflanzenextrakten aus z. B. *Johanniskraut, *Kamille u. ä. Der Zusatz von Antioxidantien gegen *Ranzigkeit ist unerläßlich, gewünschte Duftnoten werden durch Parfüm- od. ether. Öle erzielt, ein Zusatz von Paraffinöl od. flüssigen Fettsäureestern dient zur Optimierung der Anw.-Eigenschaften. Eine Basisrezeptur findet sich in *Lit.*[1], S. 135.

Hautgele sind halbfeste transparente Produkte, die durch entsprechende Gelbildner stabilisiert werden. Man unterscheidet Oleogele (s. Gele u. Salbengrundlagen, wasserfrei), *Hydrogele (ölfrei) u. Öl/Wasser-Gele. Die Typenauswahl richtet sich nach dem gewünschten Anw.-Zweck. Die Öl/Wasser-Gele enthalten hohe Emulgator-Anteile u. weisen gegenüber Emulsionen gewisse Vorteile auf sowohl unter ästhet. als auch unter Anw.-Gesichtspunkten. Basisrezepturen finden sich in *Lit.*[1], S. 135 f.

H. mit speziellen Wirkstoffen, die nicht eigentlich der Hautpflege, sondern zusätzlich anderen Anw.-Zielen dienen, sind unter gesonderten Stichwörtern behandelt: *Hautbräunung, *Hautschutzsalben, *Insektenabwehrmittel, *Sonnenschutzmittel. Werden den H. Farbstoffe zugesetzt, die die Haut durch Farbtönungen verschönern sollen, sind die Produkte der „dekorativen Kosmetik" zuzuordnen u. werden in Stichwörtern wie *Make up, *Puder, *Schminke usw. behandelt.

Die Haut der Füße bedarf wegen ihrer bes. Beanspruchung spezieller Pflegemittel. Zu den wichtigsten *Fußpflegemitteln* gehören Fußbäder, Fußpuder, Fußcremes bzw. Fußbalsame, Hornhautbeseitigende Mittel sowie Nagelfalz-Tinkturen. *Hühneraugenmittel sind als Arzneimittel eingestuft u. daher nicht den Fußpflegemitteln zugeordnet. Spezielle Deomittel u. Antitranspirantien sind unter *Desodorantien u. *Antihidrotika beschrieben.

Fußbäder sollen gut reinigend, erfrischend, durchblutungsfördernd u. belebend sowie desodorierend u. hornhauterweichend wirken. Fußbadzusätze gibt es als Badesalze u. Schaumbäder. Sie bestehen z. B. aus Basismischungen von Na-*Carbonat, Na-*Hydrogencarbonat u. Na-*Perborat od. Na-Hexametaphosphat (s. kondensierte Phosphate), Na-*Sulfat, Na-*Perborat u. 1% Na-Laurylsulfat als Schaumkomponente mit antihidrot., desodorierenden, ggf. bakteriziden u./od. fungiziden Zusätzen sowie Duft- u. Farbstoffen. *Fußpuder* sollen, nach der Fußwäsche angewendet u./od. eingestreut in Strümpfe u. Schuhe, hautglättend, kühlend,

feuchtigkeitsaufsaugend, schweißhemmend, antisept., desodorierend u. ggf. hornhauterweichend wirken. Sie bestehen in der Regel zu 85% aus Talkum (s. Talk) mit Zusätzen von *Kieselsäure-Pulver, *Aluminiumhydroxychlorid, *Salicylsäure sowie ggf. *Bakteriziden, *Fungiziden, Desodorantien u. Duftstoffen. *Fußcremes* bzw. *Fußbalsame* werden zur Hautpflege sowie zur Massage der Fuß- u. Unterschenkel-Muskulatur verwendet. *Fußcremes* sind in der Regel O/W-Emulsionen aus z. B. 30%*Isopropyl-*Myristat, 10% *Polysorbat, 4,2% Aluminiummetahydroxid u. 55,8% Wasser als Basisrezeptur; *Fußbalsame* sind meist wasserfrei u. enthalten z. B. 85% Vaseline 5% Paraffin, 3% Lanolin, 3% Methylsalicylat, 2% *Campher, 1% *Menthol u. 1% Eucalyptusöl. *Hornhautbeseitigende Mittel* wie z. B. „Rubbelcremes" werden so lange auf der Haut verrieben, bis die Hornhaut krümelförmig abgetragen wird. Eine Rahmenrezeptur besteht aus 25% Paraffin, 2% *Stearinsäure, 2% Bienenwachs, 2% *Walrat, 2% *Glycerinmonostearat, 0,5% *2,2',2"-Nitrilotriethanol, 1% Parfümöl, 0,2% *4-Hydroxybenzoesäure u. 65,3% Wasser. *Nagelfalz-Tinkturen* dienen zur Erweichung von Verhornungen in den Nagelfalzen u. zum Weichhalten der Nagelränder bei einwachsenden Zehennägeln, hauptsächlich an den Großzehen. Eine Rahmenrezeptur ist aus 10% *2,2',2"-Nitrilotriethanol, 15% *Harnstoff, 0,5% *Fettalkoholpolyglykolether u. 74,5% Wasser aufgebaut.
In erweitertem Sinne können den H. Präp. zugerechnet werden, die den Körpergeruch verschönern sollen; sie sind bei *Duftstoffe, *Kölnisch Wasser, *Parfüms usw. behandelt. Auch Mittel zur Pflege u. Verschönerung von Körperzonen, die mittelbar der Haut zugeordnet werden od. mit der Haut zusammenhängen, werden unter gesonderten Stichwörtern beschrieben: *Augenkosmetika, *Haarbehandlung, *Intimpflegemittel, *Lippenstifte, *Nagellack, *Nagelpflegemittel u. a.
Wirtschaft: Das Umsatzvol. von H. in der BRD betrug mit 3320 Mio. DM ca. 21,4% vom Gesamtmarkt kosmet. bzw. Körperpflege-Mittel (*Lit.* [2]). Nach einem Rückgang um –1% gegenüber 1994 wird für 1996 wieder ein Zuwachs um +1,1% gemeldet (*Lit.* [3]). – *E* skin cosmetics – *F* cosmétiques pour les soins de la peau – *I* prodotti per la pelle – *S* cosméticos para (el cuidado de) la piel
Lit.: [1] Umbach (Hrsg.), Kosmetik, 2. Aufl., S. 94–186, Stuttgart: Thieme 1995. [2] Tätigkeitsbericht 1995/96 des Industrieverbandes Körperpflege u. Waschmittel. [3] Chem. Tech. Lab. **45**, 43 (1997).
allg.: Kirk-Othmer (3.) **7**, 143–176 ▪ Ullmann (4.) **12**, 557–567 ▪ Vollmer u. Franz, Chemie in Bad u. Küche, S. 16–64, Stuttgart: Thieme 1991 ▪ s. a. Haut, Kosmetika.

Hautschutzsalben. Bez. für die im Rahmen des *Arbeitsschutzes verwendeten *Hautpflegemittel auf *Salbengrundlage. H. werden eingesetzt, wenn andere Maßnahmen des Hautschutzes (s. Handschutz) einen Kontakt mit gefährlichen od. stark schmutzenden Arbeitsstoffen nicht völlig verhindern können. Ein wirkungsvoller Hautschutz muß auf die jeweilige Stoffgruppe abgestimmt sein: Wasserunlösl. H. (Wasser/Öl-Emulsionen) schützen bei Kontakt mit wasserlösl. Stoffen (z. B. Säuren, Laugen, Salze); wasserlösl. H.

(Öl/Wasser-Emulsionen) schützen bei wasserunlösl. Stoffen (z. B. organ. Lsm., Öle, Fette); für spezielle Indikationen (z. B. UV-Schutz) gibt es Präp. mit bes. Zusätzen. – *E* protective ointments – *F* onguents de protection cutanée – *I* pomate per la pelle – *S* pomadas protectoras de las manos
Lit.: Müller, Das Berufsekzem, Berlin: Acron 1980 ▪ Regeln für den Einsatz von Hautschutz (ZH 1/708), Ausgabe 04/1994 (Bezugsquelle: Jedermann-Verl., Postfach 103140, 69021 Heidelberg) ▪ Tronnier et al., Haut u. Beruf, Berlin: Grosse 1989.

Hauttalg s. Haut u. Sebum.

Hauttinte. Als H. bezeichnet man eine Flüssigkeit, mit der man auf der Haut mehr od. weniger wischfest schreiben kann. H. dient z. B. zur Markierung der Schnittführung bei Operationen. Sie besteht z. B. aus wäss. alkohol. Lsg. von Silbernitrat u./od. Farbstoffen wie Methylviolett, Brillantgrün, Kresylviolett, Isaminblau u. a. – *E* skin marking ink – *F* encre de marquage cutané – *I* inchiostro di pelle – *S* tinta para marcar la piel

Hautverhinderungsmittel s. Antihautmittel.

Hautwolle s. Wolle.

Hauyn. $(Na,Ca)_{8-4}[(SO_4,S)_{2-1}/Al_6Si_6O_{24}]$, zu den *Feldspat-Vertretern u. hier zur *Sodalith-Gruppe gehörendes kub. Mineral, Krist.-Klasse $\bar{4}3m$-T_D; zu *strukturellen Besonderheiten* (Superstruktur, Domänenstruktur) s. *Lit.* [1]; H. enthält in ungeordneter Verteilung $[Na_3Ca(SO_4)]^{3+}$- u. $[CaK_2(OH)]^{3+}$-Cluster [2] (*Cluster-Verbindungen). Meist Körner od. körnige Aggregate; überwiegend blau bis himmelblau. Glasglanz, auf Bruchflächen Fettglanz, H. 5–6, D. 2,5, durchsichtig bis durchscheinend; lösl. in Salzsäure. Neuere Untersuchungen [1] deuten darauf hin, daß die Mischkrist.-Bildung zwischen *Nosean u. H. unvollständig ist.
Vork.: Im Laacher See-Gebiet/Eifel in den *Basalten von Mendig u. mehrorts in *Bimssteinen; in Italien Monte Somma/Vesuv u. Albanergebirge; Auvergne/Frankreich. – *E* hauyne – *F* haüyne – *I* hauyna – *S* haüyne, haüynita
Lit.: [1] Am. Mineral. **80**, 87–93 (1995); Can. Mineral. **27**, 173–180 (1989); Z. Kristallogr. **173**, 273–281 (1985). [2] Can. Mineral. **29**, 123–130 (1991).
allg.: Anthony et al., Handbook of Mineralogy, Vol. II, Tl. 1, S. 321, Tucson (Arizona): Mineral Data Publishing 1995 ▪ Deer et al., S. 496–502 ▪ Ramdohr-Strunz, S. 785 f. – [CAS 12198-28-6]

Havrix® 1440 (Rp). Suspension zur Injektion mit inaktivierten Hepatitis-A-Viren zur aktiven Immunisierung (Prophylaxe) gegen Hepatitis A. *B.:* SmithKline Beecham/SSW Dresden.

HAW. Abk. von engl. *high active waste*, s. Radioaktive Abfälle.

Hawaiit s. Vulkanite.

Hawking, Stephen William (geb. 1942), Prof. für Physik u. Mathematik, Univ. Cambridge, England. *Arbeitsgebiete:* Raum-Zeit-Singularitäten, schuf eine Theorie der Schwarzen Löcher (Hawking-Strahlung), Ursprung u. Entwicklung des Kosmos, formulierte erste Ansätze zu einer Theorie der Quantengravitation,

die die Quantenmechanik u. allg. Relativitätstheorie in einer einzigen Theorie vereinigen soll. Autor des populärwissenschaftlichen Buches „A Brief History of Time".
Lit.: Lexikon der Naturwissenschaftler, S. 199 f. ▪ The International Who's Who (16.), S. 654 ▪ White u. Gribbin, Stephen Hawking. Die Biographie, Reinbeck bei Hamburg: Rowohlt 1995.

Hawleyit s. Greenockit.

Haworth, Sir Walter Norman (1883–1950), Prof. für Chemie, Birmingham. *Arbeitsgebiete:* Konstitution von Kohlenhydraten, Bestimmung des Polymerisationsgrades von Polysacchariden, Nachw. der Pyran-Struktur einfacher Zucker, Strukturaufklärung des Vitamin C, das er Ascorbinsäure nannte. Im 2. Weltkrieg wirkte er leitend am Atomenergieprojekt mit; Nobelpreis für Chemie 1937.
Lit.: Chem. Soc. Rev. **2**, 145–161 (1973) ▪ Lexikon der Naturwissenschaftler, S. 200 ▪ Pötsch, S. 193 ▪ Poggendorff **7 b/3**, 1905–1908.

Haworth-Projektion (Haworthsche Raumformeln). Von *Haworth eingeführte Meth. der Schreibweise für Strukturformeln von organ. Verb., um deren dreidimensionale *Konfiguration darzustellen. Diese Darst. erwies sich als bes. brauchbar im Fall der Halbacetal-Formen der *Kohlenhydrate. Die H.-P. ist bes. geeignet, um die ster. Verhältnisse bei anomeren Zuckern (Epimere) darzustellen (s. a. Aldosen). Man orientiert den pyranosiden Sechsring so, daß das Ringsauerstoff-Atom nach hinten u. das anomere Kohlenstoff-Atom nach rechts zeigt. Als *α*-Form bezeichnet man dann bei Zuckern der *D-Reihe* (zur Zuordnung s. Aldohexosen) das Epimere, bei dem die anomere Hydroxy-Gruppe unter der Ringebene, als *β*-Form diejenige, bei der sie oberhalb der Ringebene liegt. Bei Zuckern der *L-Reihe* sind die Verhältnisse genau umgekehrt. Es gilt jedoch immer, daß in der *β*-Form die anomere Hydroxy-Gruppe sich auf der gleichen Seite wie die Hydroxy-methyl-Gruppe befindet u. daß in der bevorzugten Konformation der Aldohexopyranosen das *α*-Isomere die axiale, das *β*-Isomere dagegen die äquatoriale anomere Hydroxy-Gruppe besitzt. Siehe auch Formeln bei Fructose, Galactose u. Glucose

β-D-Glucopyranose

HO oberhalb der Ringebene | HO in äquatorialer Position
HO u. HOCH₂ auf der gleichen Seite

– *E* Haworth projection – *F* projection de Haworth – *I* proiezione di Haworth – *S* proyección de Haworth
Lit.: Eliel u. Willen, Stereochemistry of Organic Compounds, S. 749, New York: Wiley 1994 ▪ Hauptmann u. Mann, Stereochemie, S. 83, Heidelberg: Spektrum Akadem. Verl. 1996.

Hayemsche Lösung. Nach George Hayem (1841–1933) benannte fixierende Verdünnungsflüssigkeit zur Zählung u. Konservierung der *Erythrocyten. Die H. L. besteht aus 5 g Natriumsul-

fat, 1 g Kochsalz u. 0,5 g Quecksilberchlorid in 200 g dest. Wasser. – *E* Hayem's solution – *F* solution de Hayem – *I* soluzione di Hayem – *S* solución de Hayem

Hazard Analysis Critical Control Point s. HACCP.

Hazchem-Code s. Gefahrenklassen.

Hazen-Farbzahl s. Farbzahl.

Hb. a) Abk. für latein.: *Herba = Kraut. – b) Kurzz. für *Hämoglobin.

HB. Abk. für *Brinell-Härte, s. a. Härteprüfung.

HB-40®. Marke für partiell hydrierte *Terphenyle u. *Biphenyle. Klare, bewegliche, ölige Flüssigkeiten, D. 1,001–1,007, mit Wasser nicht, in zahlreichen Lsm. u. Ölen jedoch mischbar, die in Polyurethan-Dichtungsmassen, als Farbträger für Spezialpapier u. als synthet. Wärmeträgeröle verwendet werden. *B.:* Monsanto.

HBGF s. Fibroblasten-Wachstumsfaktoren.

H2 Blocker ratiopharm® (Rp). Ampullen, Filmtabl. u. Brausetabl. mit dem Ulkustherapeutikum (ein H₂-Blocker) *Famotidin. *B.:* ratiopharm.

HBMC. Kurzz. für (Hydroxybutyl)methylcellulose, s. Methylcellulosen.

H-Bombe. Abk. für Wasserstoffbombe, s. Kernwaffen.

H-Brücken s. Wasserstoff-Brückenbindung.

HBX-1. Bez. für einen *Explosivstoff aus *Hexogen, *2,4,6-Trinitrotoluol u. Aluminium, der durch Zusatz von Wachs u. Stearaten phlegmatisiert wurde.
Lit.: Meyer, Explosivstoffe, 6. Aufl., S. 152, Weinheim: Verl. Chemie 1985.

HCB s. Hexachlorbenzol.

HCBD. Abk. für *Hexachlor-1,3-butadien.

HCE. Abk. für Hochleistungskapillarelektrophorese, s. Kapillarelektrophorese.

H-CFC s. FCKW.

HCG s. Chorio(n)gonadotrop(h)in.

HCH s. Lindan.

HCMC. Gelegentlich gebrauchte Bez. für in der Säureform vorliegende *Carboxymethylcellulose.

Hcp s. Kristallstrukturen.

HC-Toxine.

R¹ = CH₃, R² = H : HC-Toxin I
R¹ = R² = H : HC-Toxin II
R¹ = CH₃, R² = OH: HC-Toxin III

HC-T. I: $C_{21}H_{32}N_4O_6$, M_R 436,51, feine Nadeln, Schmp. 150 °C (Zers.); *HC-T. II:* $C_{20}H_{30}N_4O_6$, M_R 422,48; *HC-T. III:* $C_{21}H_{32}N_4O_7$, M_R 452,51. Cycl. Tetrapeptide mit Epoxyoctyl-Seitenkette aus dem Mais-schädigenden

Pilz *Helminthosporium carbonum*, wirtsspezif. Toxin.
– *E* HC toxin – *F* toxine HC – *I* tossina HC – *S* toxina
HC
Lit.: Biochemistry **22**, 3502 (1983) ▪ Tetrahedron **38**, 45 (1982)
▪ Tetrahedron Lett. **26**, 969 (1985). – *[CAS 83209-65-8 (I);*
106973-32-4 (II); 106894-13-7(III)]

Hcy. Abk. für die L-Form von *Homocystein.

HD. 1. US-Code für den *Kampfstoff *Lost. – 2. Bei
Schmierölen Abk. für *Heavy Duty*, s. Schmierstoffe.

HDA-Verfahren. Abk. für *Hydrodealkylation-Verf.*,
ein von Atlantic Richfield entwickeltes therm., mit Katalysatoren arbeitendes Verf. zur Entmethylierung von
Toluol u. Methylnaphthalinen. – *E* HDA process – *F*
procédé HDA – *I* processo HDA – *S* procedimiento HDA
Lit.: Ullmann (5.) **A 3**, 485; **A 27**, 150 ▪ s. a. Hydrodesalkylierung.

HDE. Abk. für *Hochdruckextraktion.

HDI. Abk. für *Hexamethylendiisocyanat (1,6-Hexy-
lendiisocyanat).

HDK. Abk. für *hochdisperse *Kieselsäuren mit >99,8%
SiO_2, die durch Flammenhydrolyse aus flüchtigen *Silicium-Verb. hergestellt u. als Absetzverhinderungsmittel, Rieselhilfe, Verdickungsmittel od. Füllstoff
verwendet werden; *Beisp.:* *AEROSIL®.

HDL s. Lipoproteine.

HD-Ocenol®. Einwertige, lineare, überwiegend unge-
sätt. *Fettalkohole auf der Basis von Ölen u. Fetten,
hergestellt durch Hochdruckhydrierung. Rohstoffe zur
Produktion von *Ethoxylaten als Waschmitteltenside,
Netzmittel, Emulgatoren, Dispergatoren, Sulfaten. *B.:*
Henkel.

HD-Öle. Gruppe von *Schmierölen, denen sog. HD
(*Heavy Duty*)-Additive zugesetzt sind. Ursprünglich
entwickelt für U-Boot-Diesel, werden sie heute in Kfz-
Verbrennungsmotoren eingesetzt. Sie bestehen aus
öllösl. Metallsalzen organ. Säuren u. haben die Aufgabe, ölunlösl. Verbrennungsrückstände in Suspension
zu halten u. dadurch Ablagerungen an Metalloberflächen, Ölverdickungen sowie Schlammausscheidun-
gen im Motor zu verhindern u. damit einem frühzeitigen Ausfall entgegenzuwirken. – *E* heavy duty lubri-
cants – *F* lubrifiants HD – *I* oli per servizi pesanti, oli
HD – *S* lubricantes de servicio pesado
Lit.: Ullmann (4.) **20**, 549 ff.

Hdp s. Kristallstrukturen.

HDPE. Kurzz. (nach DIN 7728, Tl. 1, 01/1988; abgeleitet von der engl. Bez. *high density polyethylene*) für
unter niedrigem Druck hergestelltes *Polyethylen hoher Dichte. Anstelle des Kurzz. HDPE wird heute zunehmend die Abk. PE-HD verwendet. Neben dem konventionellen HDPE mit Molmassen von unter
300 000 g/mol sind für Spezialzwecke höhermol. Polyethylene hoher Dichte auf dem Markt, die als „high
molecular weight" HMW-HDPE ($3 \cdot 10^5 < M_R < 4 \cdot 10^4$),
„extra high molecular weight" ($5 \cdot 10^5 < M_R < 1,5 \cdot 10^6$)
u. „ultra-high molecular weight" UHMW-PE ($M_R >$
$3,1 \cdot 10^6$) bezeichnet werden. – *E* high density polyethylene – *S* polietileno de alta densidad

HDR-Konzept s. Erdwärme.

HDT. Kurzz. für *Wärmeformbeständigkeit(stempe-
ratur).

He. Chem. Symbol für das Element *Helium.

Headspace-Analyse. Bez. für eine mittels *Gaschromatographie vorgenommene Analyse des über einem
Festkörper od. einer Flüssigkeit stehenden Luftraumes
(Kopf- od. Totraum). Da die Konz. der zu untersuchenden flüchtigen Stoffe im Dampfraum vom Gehalt
in der Probe abhängt, lassen sich derartige Stoffe ohne
die sonst schwierige Aufarbeitung bestimmen. *Beisp.:*
Ether, Öle u. Aromastoffe in Lebensmitteln, Art u.
Menge alkohol. Getränke aus Blutproben[1]. – *E* head-
space analysis – *F* analyse de „head-space" – *I* analisi
headspace – *S* análisis de „head-space"
Lit.: [1] Pharm. Unserer Zeit **12**, 1–19 (1983).
allg.: Schwedt, Analytische Chemie, S. 355 f., Stuttgart:
Thieme 1995 ▪ Ullmann (5.) **B 5**, 87.

Healon®. Lsg. zur intraokularen Anw. mit *Hya-
luronsäure-Natriumsalz zur Volumensubstitution u.
zum Schutz des Gewebes bei chirurg. Eingriffen am
Auge. *B.:* Pharmacia & Upjohn.

Heat Pipe (auch Heat Tube, Wärmerohr). Bez. für eine
apparative Vorrichtung, in der die *Umwandlungswärme eines Mediums (hier die Kondensationswärme
= *Verdampfungswärme einer Flüssigkeit) zur *Wärmeübertragung ausgenutzt wird. Eine H. P. besteht aus
einem vakuumdicht abgeschlossenen Metallrohr, dessen Innenseite mit einer Kapillarstruktur versehen ist.
Der Innenraum ist mit einem *Wärmeübertragungsmittel gefüllt, das durch Wärmezufuhr verdampft. An
der kalten Seite kondensiert der Dampf wieder, wobei
Wärme frei wird, u. die Flüssigkeit dringt infolge der
*Kapillarität durch die *Kapillaren wieder zurück zur
Verdampferseite. Derartige Vorrichtungen können
10 000 mal mehr Wärme übertragen als ein Kupferstab
gleicher Abmessungen. Eine Weiterentwicklung der
H. P. ist die druckgeregelte isotherme Wärmekammer
(„Isopipe"). – *E* heat pipe, heat tube – *F* tuyau (tube)
calorifique – *I* pipa surriscaldata – *S* tubo calorífico
Lit.: Ullmann (4.) **2**, 445.

Hebebühne. Auch als Labor-Boy® bezeichnete Vorrichtung, die aus korrosionsfestem Metall, z. B. Aluminium od. Edelstahl, gefertigt ist. Die Scherenme-
chanik u. unterschiedlich großen Auflageflächen ermöglichen eine einfache, stufenlose u. standsichere
Höheneinstellung verschiedener Laborgeräte wie z. B.
*Heizbäder od. Magnetrührer. Die Höheneinstellung
erfolgt dabei von Hand über eine Spindel, elektromo-
tor. od. hydraulisch. – *E* lifting plattforms, support
jacks – *F* supports élévateurs – *I* piattaforma elevatrice
– *S* plataforma elevadora
Lit.: DIN 12897 (11/1978).

Heber, Ulrich Wolfgang (geb. 1930), Prof. für Bota-
nik, Univ. Würzburg. *Arbeitsgebiete:* Photosynth.,
Stoffwechselregulation, Streßphysiologie.
Lit.: Kürschner (16.), S. 1296 ▪ Wer ist wer (35.), S. 541.

HEC. Kurzz. für *Hydroxyethylcellulosen.

Heckenrose s. Hagebutten.

Heck-Reaktion. Als H.-R. bezeichnet man die Kohlenstoff-Kohlenstoff-Kupplung von Alkenylhalogeniden (bzw. -triflaten) od. Arylhalogeniden (bzw. -triflaten) mit Alkenen, die *keinen* allyl. Wasserstoff enthalten (vgl. allyl...). Es bilden sich so 1,3-Diene bzw. Alkenylaromaten. Typ. Alkene, die alkenyliert od. aryliert werden können, sind Akzeptor-substituierte Olefine, z.B. Acrylsäureester u. Styrole. Die Kupplungen verlaufen mit Hilfe von katalyt. Mengen von Palladium(II)-Salzen/Triphenylphosphin u. stöchiometr. Mengen Triethylamin, das einerseits dazu dient das zweiwertige Palladium zum metall. Palladium zu reduzieren u. andererseits in der Lage ist, die bei der Reaktion freiwerdenden starken Säuren (Trifluormethansulfonsäure, Bromwasserstoffsäure usw.) als Ammonium-Salze zu binden. Ein typ. Katalysecyclus ist in der Abb. wiedergegeben. Er kann als ein Paradebeisp. für *Metall-organische Reaktionen in der organ. Synth. gelten. Die Hauptmerkmale der Reaktion bestehen aus der (1.) oxidativen Addition des metall. Palladiums in das Aryltriflat, gefolgt von – (2.) einer *syn*-Addition an das elektronenarme Alken (Carbometallierung; hier: Carbopalladierung) u. – (3.) einer *syn*-Eliminierung (reduktive Eliminierung) von Trifluormethansulfonsäure u. Palladium, das wieder in den Katalysecyclus eintritt. Die Schritte (2) und (3) bestimmen die Konfiguration der neuen Doppelbindung, die in der Regel *trans*-selektiv gebildet wird. Durch Verw. chiraler Phosphin-Liganden ist auch die diastereoselektive u. enantioselektive H.-R. möglich[1,2]. Eine Variante der H.-R. ist die *Heck-Stille-Reaktion*[3–5], bei der an die Stelle der *cis*-Addition die Transmetallierung mit einer Zinn-organ. Verb. tritt. Diese Reaktion stellt eine der effektivsten Palladiumkatalysierten Reaktionen in der Metall-organ. Synth. dar.

Abb.: Arylierung von Acrylsäuremethylester mit Aryltriflaten über die Heck-Reaktion.

– *E* Heck reaction – *F* réaction de Heck – *I* reazione di Heck – *S* reacción de Heck

Lit.: [1] Nachr. Chem. Tech. Lab. **42**, 270 (1994). [2] Synthesis **1993**, 920. [3] Angew. Chem. **98**, 504 (1986). [4] Synthesis **1992**, 803. [5] Adv. Met.-Org. Chem. **5**, 1 (1996).
allg.: Acc. Chem. Res. **28**, 2 (1995) ▪ Adv. Met.-Org. Chem. **5**, 153 (1996) ▪ Angew. Chem. **106**, 2473 (1994) ▪ Brückner, Reaktionsmechanismen, S. 481 ff., Heidelberg: Spektrum Akadem. Verl. 1996 ▪ Chem. Rev. **96**, 635 (1996) ▪ Contemp. Org. Synth. **3**, 447 (1996) ▪ Hegedus, Organische Synthese mit Übergangsmetallen, S. 93 ff., Weinheim: VCH Verlagsges. 1995 ▪ March (4.), S. 717 ▪ Mulzer et al., Organic Synthesis Highlights, S. 174 ff., Weinheim: VCH Verlagsges. 1991 ▪ Org.

React. **27**, 345 (1982) ▪ Trost-Fleming **4**, 833 ▪ s. a. Palladiumorganische Verbindungen.

Heck-Stille-Reaktion s. Heck-Reaktion.

HECMC. Kurzz. für *(Hydroxyethyl)carboxymethylcellulosen.

Hecogenin [(25R)-3β-Hydroxy-5α-spirostan-12-on].

$C_{27}H_{42}O_4$, M_R 430,62, Krist. in drei Formen, Schmp. 245 °C, 253 °C u. 268 °C, $[\alpha]_D$ –10° (Dioxan). *Sapogenin aus *Hechtia texensis* u. zahlreichen Agaven-Arten, z.B. *Agave sisalana*.
Verw.: Als Ausgangsmaterial bei der Synth. von Steroidhormonen: Leichte Einführung einer 11-Sauerstoff-Funktion wegen der 12-Oxo-Gruppe. Das (25S)-Epimer wird *Neohecogenin* genannt, das 5β,25S-Diastereomer *Willagenin*. – *E* hecogenin – *F* écogénine – *I* ecogenina – *S* shecogenina
Lit.: Beilstein E V **19/5**, 592 ▪ Fieser u. Fieser, Steroids, S. 667–671, New York: Reinhold 1959 ▪ Ullmann (5.) **A 23**, 489. – [*HS 2932 99; CAS 467-55-0 (H.); 509-99-9 (Neohecogenin); 545-78-8 (Willagenin)*]

Hectorit. $M_{0,3}^+(Mg_{2,7}Li_{0,3})[Si_4O_{10}(OH)_2]$, M^+ meist = Na$^+$, zu den *Smektiten gehörendes, dem *Montmorillonit ähnliches, monoklines *Tonmineral, Struktur s. *Lit.*[1], Elektronenbeugungs- u. mikroskop. Untersuchungen an H. s. *Lit.*[2]. Weiße, dünne, bis 2 µm große Leisten od. Leisten-Aggregate. Unbegrenzt lagerfähig, gegenüber Pigmenten neutral, in warmem Wasser leicht dispergierbar.
Vork.: In einer *Bentonit-Lagerstätte bei Hector/Californien (Name!), ferner in Arizona u. Nevada/USA, Puy-de-Dôme/Frankreich u. Balikesir/Türkei.
Verw.: Hauptsächlich – u. dafür auch synthet., überwiegend als *H.-Gel* (z.B. Laponit®, hergestellt – als Verdickungs- u. Thixotropierungsmittel, v. a. in der kosmet. u. pharmazeut. Ind.; als Zusatz zu Wasch- u. Reinigungsmitteln; zur Herst. feuerfester, nicht leitender Überzüge; s. a. *Lit.*[3]. – *E* = *F* hectorite – *I* ettorite – *S* hectorita
Lit.: [1] C. R. Acad. Sci. Ser. D **274**, 149 ff. (1972). [2] Bull. Soc. Franç. Mineral. Cristallogr. **89**, 29–40 (1986). [3] Chem. Techn. **41**, 245 f. (1989).
allg.: Anthony et al., Handbook of Mineralogy, Vol. II, Tl. 1, S. 322, Tucson (Arizona): Mineral Data Publishing 1995 ▪ Jasmund u. Lagaly (Hrsg.), Tonminerale u. Tone, S. 6 f., 48–54, 360, 391, 455 f., Darmstadt: Steinkopff 1993 ▪ s. a. Smektite, Tone. – [*CAS 12173-47-6*]

Hector's Base s. Phenylthioharnstoff.

HeD s. Helium-Ionisationsdetektor.

Hedden, Kurt (geb. 1927), Prof. (emeritiert) für Brennstoff-Chemie, Engler-Bunte Inst. der TU Karlsruhe. *Arbeitsgebiete:* Gas-Erzeugung u. -Aufbereitung, Raffinerieprozesse, Vergasung, Pyrolyse u. Extraktion fester Brennstoffe, Reaktionsführung heterogen katalysierter Prozesse.
Lit.: Kürschner (16.), S. 1302 ▪ Nachr. Chem. Tech. Lab. **40**, Nr. 2, 255 (1992) ▪ Wer ist wer (35.), S. 543.

Hedelix®. Saft u. Lsg. mit Efeublätterextrakt gegen Husten. *B.:* Krewel Meuselbach.

Hedenbergit s. Pyroxene.

Hederagenin s. α-Hederin.

α-Hederin (Sapindosid A, Kalopanaxsaponin A, Helixin).

R = H : Hederagenin
R = [α-L-Rhamnopyranosyl-(1→ 2)-
α-L-arabinopyranosyl] : α-Hederin

$C_{41}H_{66}O_{12}$, M_R 750,96, feine Nadeln, Schmp. 256–259 °C, $[\alpha]_D$ +16,5° (CH_3OH), lösl. in Alkohol, Eisessig, verd. Kalilauge, unlösl. in Wasser. *Triterpen-Saponin-Glykosid aus Blättern u. Früchten des *Efeu (*Hedera helix*). Das Aglykon *Hederagenin* ($C_{30}H_{48}O_4$, M_R 472,70) läßt sich durch saure Hydrolyse (z. B. mit 5%iger Schwefelsäure) aus H. gewinnen. H. wirkt stark hämolytisch. – *E* α-hederin – *F* α-hédérine – *I* α-ederina – *S* α-hederina
Lit.: Beilstein E V **17/6**, 298 (α-H.); E IV **10**, 1840 (Hederagenin) ▪ Hager (4.) **5**, 22 ▪ Karrer, Nr. 1996 ▪ R. D. K. (4.), S. 828. – *Isolierung:* Chem. Pharm. Bull. **24**, 1021 (1976) ▪ Justus Liebigs Ann. Chem. **726**, 125 (1969) ▪ Phytochemistry **15**, 781 (1976); **22**, 1045 (1983). – *[HS 2938 90; CAS 27013-91-8 (α-H.); 465-99-6 (Hederagenin)]*

Hedgehog (Hh). Sekretor. *Protein (M_R 52 000) aus *Drosophila melanogaster*, das möglicherweise auch Membran-gebunden vorkommt u. als interzelluläres Signalmol. an der Ausbildung der Körpersegmente des Fruchtfliegen-Embryos u. der Puppe beteiligt ist (*Morphogen). Es zeigt dabei Aktivität sowohl über kurze Strecken (1–2 Zelldurchmesser) als auch über lange (in der Rückenhaut). Für die Signalwirkung ist v. a. die Amino-terminale *Domäne verantwortlich; an der Zielzelle wird die Produktion verschiedener *Wachstumsfaktoren kontrolliert. Zur Beteiligung der Membran-Proteine Patched u. Smoothened an der Signalübertragung s. *Lit.*[1]. Bei Wirbeltieren finden sich als homologe Proteine (s. Homologie) Sonic H., Desert H. u. Indian H., die ebenfalls an der Morphogenese beteiligt sind. – *E* = *F* = *I* = *S* hedgehog
Lit.: [1] Science **274**, 1304 f. (1996); Nature (London) **384**, 119 f. (1996).
allg.: Cell **80**, 517–520; **81**, 313–316 (1995) ▪ Trends Genet. **13**, 14–21 (1997).

Hedinger. Kurzbez. für die 1843 gegr. Firma August Hedinger GmbH & Co., 70327 Stuttgart. *Produktion:* Chemikalien u. Biochemikalien für Forschung u. Betrieb, Lehrmittel.

HEDTA (HEEDTA). Engl. Abk. für *N*-(2-Hydroxyethyl)-ethylendiamintriessigsäure.

$C_{10}H_{18}N_2O_7$, M_R 278,26, Schmp. 160–165 °C (Zers.; auch angegeben: 212–214 °C), im Handel meist als Trinatriumsalz ($C_{10}H_{15}N_2Na_3O_7$, M_R 344,20) in flüssiger Form mit 40% Gehalt. H. wird in der chem. Ind.,

Textil-Ind. u. Photochemie als Komplexbildner, vorzugsweise zur Bindung von störenden Eisen-Ionen, verwendet. – *E* hydroxyethylethylenediaminetriacetic acid – *I* acido N-(2-idrossietil)-etilendiamminotriacetico – *S* ácido hidroxietiletilenamintriacético
Lit.: Beilstein E IV **4**, 2449 ▪ Merck-Index (12.), Nr. 10 102 ▪ Ullmann (5.) **A 10**, 95 f. ▪ s. a. Chelate. – *[HS 2922 50; CAS 150-39-0 (HEDTA); 139-89-9 (Trinatriumsalz)]*

HEED. Abk. für *h*igh *e*nergy *e*lectron *d*iffraction, s. LEED.

HEETP s. HETP.

Hefe s. Hefen.

Hefeautolysate s. Hefeextrakte.

Hefebranntwein. Bez. für Branntweine, die aus Weinhefe (Geläger, Trub, Drusen) od. Obstweinhefe (Mosthefe) hergestellt sind. H. muß mind. 38% vol Alkohol enthalten, üblich sind 45–50% vol Alkohol. Die Ausbeute bei der Gewinnung aus Weinhefe schwankt je nach Art des Weins u. der Technik des Abstiches zwischen 11 u. 15 L 50%igen Alkohol aus 100 L. Bei der Verdünnung von Wein-H. auf Trinkstärke kann eine Trübung durch die reichlich vorhandenen Weinheföle eintreten. – *E* yeast spirit – *S* aguardiente de levadura – *[HS 2208 90]*

Hefebrühwürfel. Nach der VO über Fleischbrühwürfel u. a. Erzeugnisse (s. dort) dürfen als H. nur solche Erzeugnisse bezeichnet werden, die mind. 10% *Hefeextrakt enthalten. Im übrigen muß der Gehalt an lösl. Stickstoff als Bestandteil der den Genußwert bedingenden Stoffe mind. 3% betragen, u. der Kochsalz-Anteil darf 65% nicht überschreiten. – *E* yeast extract concentrate – *F* cubes de bouillon de levure – *I* dado lievitato per brodo – *S* concentrado de extracto de levadura

Hefeextrakt. Bez. für Konzentrate, die nach verschiedenen Extraktionsverf. wie z. B. Hydrolyse, Autolyse etc. aus dem Zellsaft von Spezial-Reinzuchthefen bzw. von Brauerei-, Brennerei- od. Preßhefen gewonnen werden. Bes. verbreitet ist die autolyt. Herst., bei der man die Hefen in dicker Suspension 1–2 d bei 45–60 °C stehen läßt. Während dieser Zeit werden die Hefezellen durch die zelleigenen Enzyme lysiert. Die *Autolyse kann auch durch Chemikalien wie Ester, Neutralsalze, Säuren usw. in Gang gebracht werden. H. ist in Wasser lösl. u. hat einen würzigen Geruch u. Geschmack. Er ist reich an Vitaminen, insbes. B-Vitaminen.
Verw.: Zur Herst. von *Hefebrühwürfeln, als Zusätze u. Würzstoffe für Nahrungsmittel sowie für medizin. u. mikrobiolog. Zwecke (Nährmedien). – *E* yeast extracts – *F* extrait de levure – *I* estratto di lievito – *S* extracto de levadura
Lit.: s. Hefen. – *[HS 2106 90]*

Hefegummi s. Hefen.

Hefen (Hefepilze, Sproßpilze). Große heterogene Gruppe von Pilzen, die in der Regel einzellig sind. Nur wenige H.-Arten sind zur Mycel-Bildung befähigt. Die rundlich-ovalen eukaryot. Einzelzellen (Länge 1–9 μm, ∅ 1–5 μm) bleiben meist in wenigzelligen bis verzweigtkettigen Verbänden zusammen. H. ver-

mehren sich durch Sprossung, Ausnahmen sind *Sterigmatomyces* u. *Schizosaccharomyces*, die sich durch Querteilung vermehren. Unter anaeroben Bedingungen werden Kohlenhydrate zu Ethanol vergoren. Die H. werden entsprechend der Ausbildung von Sporangien während der sexuellen Vermehrung in 4 Gruppen unterteilt: 1. *Ascosporogene* H. (Echte H.) bilden Asci u. sind Schlauchpilze (Ascomycetes). Hauptvertreter: *Saccharomyces*. 2. *basidiosporogene* H. (Ordnung Ustilaginales, Ständerpilze = Basidiomycetes mit *Leucosporium* u. *Rhodosporium*). 3. *ballistosporogene* H. (Ordnung Sporobolomycetales, mit *Bullera* u. *Sporobolomyces*), die Ballistosporen bilden. 4. *Fungi Imperfecti* (=Deuteromycetes); H., von denen keine sexuelle Vermehrung bekannt ist (*Candida, Torulopsis*). H. sind in der Natur weit verbreitet, über 500 Arten sind nachgewiesen. Die Zellwände der H. bestehen vorwiegend aus Glucan- u. Mannan-(*Hefegummi*)Polysacchariden; gelegentlich findet sich Chitin u. ein Mucopolysaccharid. Als Reservestoff ist *Glykogen verbreitet; bemerkenswert ist der hohe Gehalt an Vitaminen der B-Gruppe. Die *Generationszeit der H. beträgt ca. 60 min.
H. haben eine große wirtschaftliche Bedeutung einmal für die Erzeugung von Nahrungs- u. Genußmitteln (*Bier, *Wein, *Brot), aber auch für die Produktion von *single cell protein wurden H. intensiv untersucht. Anstelle von Wildhefen werden speziell optimierte Zuchtrassen eingesetzt (Kulturhefen wie Back-, Wein-, Bier-, Futterhefen). Für die *Ethanol-Produktion* haben sich ausschließlich obergärige H. durchgesetzt. Als Stämme finden *Saccharomyces cerevisiae* u. vereinzelt *Klyveromyces fragilis* Verwendung. Unter aeroben Bedingungen u. hohem Glucose-Gehalt wächst *S. cerevisiae* gut, produziert aber keinen Alkohol. Unter anaeroben Bedingungen ist das Wachstum eingestellt, u. mit dem Enzym Pyruvat-Decarboxylase wird Pyruvat aus der Glykolyse in Acetaldehyd u. CO_2 gespalten. Acetaldehyd wird anschließend mit Alkohol-Dehydrogenase zu Ethanol reduziert. In Batch-Ansätzen (*Batch-Fermentation) wird zur Zellvermehrung aerob gestartet. Um die Produktivität weiter zu erhöhen, werden H. heute großtechn. kontinuierlich fermentiert. Dabei wird mit Zellrückführung gearbeitet. Derzeit werden für *Saccharomyces* mit Glucose als C-Quelle max. Ethanol-Produktivitäten von 82 g L^{-1} h^{-1} erreicht. Zur *Brotherst.* kommt Bäckerhefe (ebenfalls Zuchtrassen von *S. cerevisiae*) in den Handel als Preßhefe, die u. a. auch Lufthefe, Pfundhefe, Germ, Stückhefe od. Bärme genannt wird (Wassergehalt ca. 70%). Heute wird in zunehmendem Maße sog. Trockenhefe mit einem Wassergehalt von 8–12% hergestellt, da diese besser lagerfähig u. für den Übersee- u. Tropenversand geeignet ist. Beim Backen wird das Auftreiben des *Teigs durch das bei der Gärung entstehende CO_2 hervorgerufen, der Alkohol verdunstet (s. Brot). Preßhefe stellt man fast ausschließlich auf Melasse-Basis unter Zusatz von Ammonsulfat, organ. Stickstoff-Verb. u. Salzen her. Zur Nährlsg. (Würze) gibt man die „Stammhefe". leitet – zur Verhinderung der Gärung – bei 20–30 °C Luft (10–30 m³ Luft m⁻³ Flüssigkeit h⁻¹) hindurch. Unter diesen Bedingungen wird Biomasse, aber wenig Alkohol gebildet. Nach

10–12 h werden die H. über Separatoren abgeschleudert u. in Filterpressen trocken gepreßt. In Strangpressen wird die H.-Masse geformt u. anschließend als verpackte Preßhefe in Kühlräumen gelagert. 1 g Preßhefe enthält ca. 10^{10} H.-Zellen. In der dtsch. Ind. wird aus wirtschaftlichen Gründen Biomasse-Vermehrung u. Alkohol-Produktion gekoppelt, indem man die Belüftungsraten reduziert: Zusammen mit 1 kg Preßhefe wird 1,3 L Ethanol produziert. Bei der Gewinnung von *Torula-* od. *Candida*-H. aus *Sulfit-Ablaugen u. a. Zucker-haltigen techn. Nebenprodukten wird das an sich nur schwache Gärvermögen der Stämme durch sehr hohe Belüftungsraten unterbunden. Diese H. enthalten ca. 50% Eiweiß in der Trockenmasse; sie eignen sich nicht als Bäcker-H., aber als Protein-reiches *Futtermittel für Tiere (vgl. a. single cell protein) u. als Nährmittel sowie als Ausgangsprodukt für techn. Produktion wie Hefeautolysate u. a.
In der *Biotechnologie werden H. zur Produktion von Polysacchariden, Nucleinsäuren, Enzymen (z. B. Glucosidasen, Invertasen, Proteinasen), Glycerin u. Lipiden eingesetzt od. intensiv bearbeitet.
Einige H. sind humanpathogen. Medizin. von Bedeutung sind die Gattungen *Candida* u. *Cryptococcus*. *Candidiasis* wird hervorgerufen von *Candida albicans*, seltener von *C. parasiticus* od. *C. tropicalis*, vorwiegend handelt es sich um Schleimhautmykosen (Candidamykose, Moniliasis, Soor). *Cryptococcus neoformans*, eine bekapselte H., ist der Erreger der menschlichen Kryptokokkose (Torulose), die sich klin. fast ausschließlich als Kryptokokken-Meningoenzephalitis manifestiert.
In der *Gentechnologie finden H. als Klonierungssysteme breite Anwendung. Bei der funktionellen Expression eines eukaryot. Gens, bei der posttranskriptionale u. posttranslationale Modifikationsmechanismen (wie die *Glykosylierung) eine Rolle spielen, sind H. als Eukaryonten besser geeignet als prokaryot. Zellen. Außerdem lassen sich H.-Gene funktionell in *Escherichia coli* exprimieren, das Umgekehrte gilt für bakterielle Gene u. H., so daß das H.-Syst. zur Analyse molekularbiolog. Zusammenhänge in Eukaryonten gut geeignet ist. – *E* yeasts – *F* levures, lies – *I* lieviti – *S* levaduras
Lit.: Kayser, Medizinische Mikrobiologie, Stuttgart: Thieme 1993 ▪ Schlegel (7.), S. 181 ff., 289 ff. – *[HS 2102 10, 2102 20]*

Hefner... (Abk. H). Nach Friedrich Hefner von Alteegg (Schreibweise auch F. von Hefner-Alteneck, 1845–1904) wurden früher einige von der veralteten Grundeinheit *Hefnerkerze abgeleiteten photometr. Einheiten benannt; *Beisp.:* Hefnerlumen (Hlm), Hefnerstilb (Hsb), Hefnerphot (Hph), Hefnerlux (Hlx) usw. Heute gilt als photometr. *Grundeinheit das *Candela.

Hefnerkerze (Kurzz. HK). Früher verwendete, von *Hefner... abgeleitete *Grundeinheit der Lichtstärke, die von einer unter Normalbedingungen in waagrechter Richtung leuchtenden Hefnerlampe abgegeben wird. Letztere besteht aus einem Dochtrohr aus Neusilber mit Innendurchmesser 8,0 mm, Wandstärke 0,15 mm, Brennstoff: Pentylacetat, Flammenhöhe 40 mm, CO_2-freie Luft von 1013 mbar mit 8,8 L Wasserdampf pro m^3 Luft. Zur Umrechnung s. Candela. – *E* Hefner candle – *F* lampe de Hefner – *I* candela Hefner – *S* lámpara de Hefner

Heftpflaster s. Pflaster.

Hehner-Zahl. Maßzahl für den prozentualen Anteil an in Wasser nicht lösl. Fettsäuren eines Fettes. – *E* Hehner value – *F* indice de Hehner – *I* misura Hehner – *S* índice de Hehner

Heidelbeeren (Blau-, Bick-, Schwarzbeeren). Blaue Beerenfrüchte von *Vaccinium myrtillus* L. u. a. *Vaccinium*-Arten (Ericaceae). *Zusammensetzung:* 100 g frische H. enthalten durchschnittlich 83,4% Wasser, 0,6 g Eiweiß, 0,6 g Fett, 15,1 g Kohlenhydrate (darunter 9,7 g Zucker), die Vitamine A (100 IE), B$_1$ (0,03 mg), B$_2$ (0,06 mg), B$_6$ (0,09 mg) u. C (14 mg) sowie weitere Vitamine, 100 mg Äpfelsäure, 1,56 g Citronensäure, 15 mg Oxalsäure, 1 mg Na, 89 mg K, 15 mg Ca, 10 mg Mg, 2,3 mg Mn, 1,0 mg Fe, 0,11 mg Cu, 13 mg P, 11 mg S u. 8 mg Cl. Getrocknete H. enthalten 5–12% Catechin-Gerbstoffe.
Verw.: Frisch, gekocht od. getrocknet als Nachspeise, Kompott, Obstwein, Süßmost u. wegen ihres Gerbstoffgehalts in pharmazeut. Präp. z. B. gegen Durchfall, Zahnfleisch- u. Mundschleimhautentzündungen usw. Der Vitamingehalt bleibt wegen der luftabsperrenden Beerenhaut etwa 2–3 d nach der Ernte konstant. Der dunkelblaue H.-Farbstoff ist ein Gemisch aus *Chrysanthemin, Cyanidinbiosid, Malvidin-3-monoglucosid, Malvidinmonosid, Pelargonidin-3-glykosid u. Petunidinmonosid. Das charakterist. Aroma der H. setzt sich aus ca. 200 Verb. zusammen[1]. Die Blätter des H.-Strauchs, die ebenfalls Gerbstoffe sowie *Arbutin, freies *Hydrochinon, *Kaffee- u. *Chlorogensäure enthalten, werden in Tees als *Adstringens zu Mundspülungen u. bei Durchfall, volkstümlich gegen Diabetes verwendet. Mit den H. bilden die *Preisel- od. Kronsbeeren (*Vaccinium vitisidaea* L.), Moorbeeren, Moosbeeren u. Kranbeeren eine Gruppe, die zu den sog. Kieselpflanzen (s. Kalkpflanzen) gezählt werden. – *E* blueberries, bilberries, whortleberries – *F* myrtilles, airelles – *I* mirtilli – *S* bayas del arándano, bayas del mirtilo
Lit.: [1] Lebensm. Wiss. Technol. **2**, 78 ff. (1969). *allg.:* Bundesanzeiger 76/23. 04. 87 u. 50/13. 03. 90 ▪ Franke, Nutzpflanzenkunde, Stuttgart: Thieme 1992 ▪ Hager (5.) **6**, 1051–1061 ▪ Wichtl (3.), S. 403 ff. – *[HS 081040, 081340]*

Heidelberger, Michael (geb. 1888, verstorben), Prof. für Immunchemie, Columbia Univ., New York. *Arbeitsgebiete:* Antikörper-Bildung, Entwicklung quant. Präzipitin- u. Agglutinations-Meth., Reinigung von immunbiolog. aktiven Proteinen u. Kohlenhydrat-Verb., Beziehungen zwischen Struktur u. immunolog. Spezifität.
Lit.: Nachmansohn, S. 208, 221 ▪ Pötsch, S. 193 ▪ Poggendorff **7 b/3**, 1930–1935 ▪ The Excitement and Fascination of Science, Bd. 2, S. 241–254, Palo Alto: Ann. Rev. 1978.

Heilbronner, Edgar (geb. 1921), Prof. (emeritiert) für Physikal. Chemie, Univ. Basel. *Arbeitsgebiete:* Elektronenstruktur organ. Verb., Photoelektronenspektroskopie, Autor des dreibändigen Standardwerks „Das HMO-Modell und seine Anwendungen".
Lit.: Nachr. Chem. Tech. Lab. **44**, Nr. 4, 426 (1996).

Heilbuttleberöl. Ein Fischleberöl (s. Fischöle) aus der Leber des Heilbutts (*Hippoglossus hippoglossus*), einem Plattfisch der nördlichen Meere, bis 2 m lang u. 200 kg schwer. Blaßgelbe, fischartig riechende Flüssigkeit, D. 0,922–0,925, vz 170–190, iz 120–136, Unverseifbares 8–13%, sehr reich an Vitaminen A u. D. Das Öl wird z. B. in Kapseln u. zusammen mit *Lebertran zur Vitamin-Therapie gegen Wachstums- u. Entwicklungsstörungen usw. verwendet. – *E* halibut liver oil – *F* huile de foie de flétan – *I* olio di fegato di ippoglosso – *S* aceite de hígado de halibut – *[HS 150410]*

Heilerden. Bez. für sterilisierte feine Lehmpulver (*Bolus) von wechselnder Zusammensetzung. Sie enthalten gewöhnlich Aluminiumoxid, Kieselsäure, Kalk, Eisenoxid usw. Die H. werden von alters her wegen ihres hohen Adsorptionsvermögens verwendet: *äußerlich* – wie Heilschlämme (vgl. Peloide) – bei Ekzemen, Entzündungen usw.; jedoch nicht bei offenen Wunden; *innerlich* z. B. bei infektiösen Magen- u. Darmentzündungen, Durchfällen u. Vergiftungen. Im Meer u. in kleineren Gewässern bindet der Ton vielfach Bakterien u. Schadstoffe (z. B. Schwermetalle). – *E* therapeutic soils – *F* terres curatives – *I* terre medicamentose – *S* tierras curativas

Heilkräuter s. Heilpflanzen.

Heilmittel. Im weitesten Sinn Sammelbez. für Mittel (Präp. u. Verf.), die der Heilung od. zumindest der Besserung von Krankheiten bei Mensch u. Tier dienen sollen. Man kann also hier nicht nur an die (im allg. als Einzelstichwörter abgehandelten) Arzneimittel denken, sondern auch an diätet. Lebensmittel, Heilwässer, Heilerden etc. bis hin zu Bestrahlungen, elektromedizin. Verf. u. der Einwirkung von Luft, Sonne, Kälte, Wärme u. Feuchtigkeit; selbst Gymnastik u. Massage kann man zu den H. rechnen, während man bei Prothesen, Schuheinlagen, Brillen etc. eher von Hilfsmitteln spricht. Die Arzneimittel-Gesetze von 1961 u. 1976 (s. Arzneimittel) kennen den Begriff der H. nicht mehr, sondern unterscheiden Arzneimittel, die nur durch *Apotheken abgegeben werden dürfen, von solchen, die auch zum Verkehr außerhalb der Apotheken freigegeben sind, z. B. in Drogerien u. Reformhäusern. Medizin. Geräte, Hilfsmittel u. Verbandstoffe wurden im *Medizinprodukte*-Gesetz zusammengefaßt (s. Arzneimittel). – *E* remedies – *F* remèdes – *I* rimedio – *S* remedios
Lit.: s. Apotheke, Arzneimittel, Pharmazie.

Heilpflanzen. Sammelbez. für arzneilich verwendete *Pflanzen (*Heilkräuter*), die in Teilen od. als Ganzes, frisch od. getrocknet, in Form von *Extrakten, *Decocten, *Mazerationen etc. als *Arzneimittel dienen. Ca. 55% der heute gebräuchlichen Arzneimittel basieren auf Heilpflanzen bzw. deren Inhaltsstoffen. Viele H. finden darüber hinaus nicht nur als *Phytopharmaka, sondern auch in *Kosmetika u. als *Gewürze Verwendung. Pharmakolog. wichtige Pflanzeninhaltsstoffe sind *Alkaloide, *Glykoside, *etherische Öle, *Gerbstoffe u. *Bitterstoffe. Manche haben nur eine sehr geringe therapeut. Breite (z. B. *Herzglykoside). Bei Verw. von Extrakten etc. der ganzen Pflanze, ist auch an die Existenz unerwünschter Inhaltsstoffe (z. B. *Pyrrolizidin-Alkaloide) zu denken sowie an die Gefahr der Allergisierung gegen einen od. mehrere der vielzähligen Inhaltsstoffe. Im Zuge der Neuordnung des Arzneimittelrechts wurden von der Aufbereitungs-Kommission E des *Bundesinstitut für Arzneimittel und Medizinprodukte Monographien für über 400 H. u. H.-Teile erstellt, in denen Wirksamkeit u. Unbedenklichkeit beurteilt werden. – *E* medicinal herbs – *F* plantes medicinales – *I* piante medicinali – *S* plantas medicinales

Lit.: Hager ▪ Wichtl ▪ s. a. Drogen, Pflanzen, Pharmazeutische Biologie.

Heilquellen s. Balneologie, Mineralwasser u. Thermalwässer.

Hein, Franz (1892–1976), Prof. (emeritiert seit 1959) für Anorgan. Chemie, Univ. Leipzig u. Jena. *Arbeitsgebiete:* Metallorgano- u. Komplexchemie. Das 1919 von ihm synthetisierte Chromiumphenyl führte zu den ersten Vertretern der Aromatenkomplexe.

Lit.: Pötsch, S. 194.

Heins, Arnold (geb. 1928), Honorarprof. für Chemie, Univ. Düsseldorf. Bis 30. 6. 1990 Mitglied des Direktoriums der Henkel KGaA, Leiter des Ressorts Forschung. *Arbeitsgebiete:* Organ. Chemie, Techn. Chemie.

Lit.: Leitende Männer der Wirtschaft, S. 491, Darmstadt: Hoppenstedt 1982.

HEIS. Abk. für *h*igh *e*nergy *i*on *s*cattering, s. Ionenstreu-Spektroskopie.

Heisenberg, Werner (1901–1976), Prof. für Theoret. Physik, Leipzig, Berlin u. Göttingen, Max-Planck-Inst. für Physik u. Astrophysik, München. *Arbeitsgebiete:* Mitbegründung der Quantenmechanik (dafür 1932 Nobelpreis für Physik), Wellenmechanik, Matrizenmechanik, *o*- u. *p*-Wasserstoff, Ferromagnetismus, Ungenauigkeitsrelation, Zusammensetzung des Atomkerns aus Protonen u. Neutronen, Nullpunktsenergie, kosm. Strahlung, Entstehung der Mesonen usw., Aufstellung der sog. „Weltformel". Während des 2. Weltkriegs Mitarbeit am Atomenergieprojekt.

Lit.: In Memoriam Werner Heisenberg, Leipzig: Barth 1983 ▪ Krafft, S. 162 ▪ Lexikon der Naturwissenschaftler, S. 203 ▪ Nachmansohn, S. 60–65, 127–131 ▪ Naturwiss. Rundsch. **30,** 1–9 (1977) ▪ Neufeldt, S. 153, 160, 179, 358, 381.

Heisenbergsche Unschärfebeziehung s. Unschärfebeziehung.

Heiß. Wenn man von seiner umgangssprachlichen Bedeutung absieht, kann „heiß" auch für „hochangeregt" (s. Heiße Atome) od. für „hochradioaktiv" (s. Heiße Zellen) stehen. – *E* hot – *F* chaud – *I* caldo – *S* caliente

Heiße Atome. Bei der Chemie h. A. untersucht man Ereignisse wie Bindungen, Energietransfer od. Elektronenaustausch, die stattfinden, nachdem ein Atom durch eine *Kernumwandlung angeregt wurde. Derartige Atome treten z. B. auf bei einem 1934 von *Szilard u. Chalmers beobachteten u. 1935 von *Fermi interpretierten Prozeß *(Szilard-Chalmers-Effekt):* Verschiedene stabile *Nuklide lassen sich durch *Einfang von Neutronen in *Radionuklide u. Elementarteilchen umwandeln, wobei ein Energiebetrag frei wird, der sich als kinet. Energie (Rückstoßenergie) auf das Elementarteilchen (z. B. ein Gammaquant γ) u. das entstandene Radionuklid verteilt. Der Energiebetrag ist meist so hoch, daß er die Bindungsenergie des Mol. übersteigt, so daß das Radionuklid-Atom – als *heißes* od. *Rückstoß-Atom* (*E* recoil atom) – durch Rückstoß aus dem Mol.-Verband gelöst wird u. sich so abtrennen läßt. *Beisp.:* Das bei der Umwandlung von ^{127}I in Ethyljodid (C_2H_5I) durch Neutroneneinfang erzeugte Radiojod ^{128}I wird infolge γ-Rückstoßes aus einem Teil der Mol. herausgeschleudert, u. diese freien ^{128}I-Atome lassen sich durch Schütteln mit Wasser vom Ethyljodid abtrennen.

Nicht nur Neutroneneinfang- od. (n,γ)-Prozesse lassen h. A. entstehen, sondern auch (n,p)-, (d,n)-, (α,n)-*Kernreaktionen; zur Symbolik s. dort. In jedem Fall wird die überschüssige Energie des reagierenden Kernes in Form von *Teilchen od. *Quanten abgegeben. Daher wird die *Heiße-Atom-Chemie* (nicht zu verwechseln mit der „heißen Chemie", s. Heiße Zellen) als Teilgebiet der *Kernchemie auch als *Chemie der Rückstoßatome* (*E* recoil chemistry) bezeichnet. Die sehr reaktionsfähigen h. A. können in Reaktionen eintreten, die den üblichen thermalisierten Atomen nicht möglich sind. Dabei entstehen Produkte, die unter Normalbedingungen nicht gebildet werden können. Diese Reaktionen sind im allg. unabhängig von der Temperatur. Der Rückstoßkern tritt in verschiedener Weise in chem. Reaktionen ein. In vielen Fällen kann er mit dem Mol.-Rest wieder zum ursprünglichen Mol. rekombinieren. Tut er das nicht, so läßt er sich chem. leicht abtrennen; daher kann man so Radionuklide mit hoher spezif. Aktivität erhalten. Dies ist die für die Praxis wichtigste Anw. der h. A.-Chemie. Außerdem sind durch den Rückstoß auch Substitutionen möglich, wodurch Markierungen verschiedener Stoffe mit Radionukliden erfolgen können, vgl. markierte Verbindungen. – *E* hot atoms – *F* atomes chauds – *I* atomi eccitati – *S* átomos calientes

Lit.: Hoffmann u. Lieser, Methoden der Kern- und Radiochemie, Weinheim: VCH Verlagsges. 1991 ▪ Lerner u. Trigg, Encyclopedia of Physics, S. 516, Weinheim: VCH Verlagsges. 1991 ▪ Tominaga u. Tachikawa, Modern Hot Atom Chemistry and Its Applications, Berlin: Springer 1981 ▪ s. a. Kernchemie.

Heiße Laboratorien s. Radionuklid-Laboratorium.

Heiße Zellen. Nach DIN 25 401, Tl. 8 (09/1989) umschlossene Räume mit *Abschirmung, in denen mit hochradioaktiven („heißen") Stoffen ferngesteuert (z. B. mit Manipulatoren) od. automat. umgegangen wird. Analog spricht man von *Heißen Laboratorien* (s. Radionuklid-Laboratorien), in denen ggf. chem. Untersuchungen mit hochradioaktiven Stoffen („heiße Chemie") vorgenommen werden können. – *E* hot cells – *F* cellules à haute activité – *I* celle calde, celle altamente radioattive – *S* células de alta actividad

Lit.: Design and Equipment for Hot Laboratories, Vienna: IAEA 1976 ▪ von der Hardt u. Röttger, Handbook of Materials Testing Reactors and Associated Hot Laboratories in the European Community, Dordrecht: Reidel 1981 ▪ Lerner u. Trigg, Encyclopedia of Physics, S. 517–520, Weinheim: VCH Verlagsges. 1991 ▪ Manual on Safety Aspects of the Design and Equipment of Hot Laboratories, Vienna: IAEA 1981 ▪ s. a. Strahlenschutz.

Heißhärtende Klebstoffe. Bez. für bei bes. hohen Temp. (150 – ca. 250 °C) abbindende *warmhärtende Reaktionsklebstoffe.
Lit.: Habenicht, Kleben, S. 87, Berlin: Springer 1986 ▪ Ullmann (5.) **A 1**, 240.

Heißisostatisches Pressen. Auch als HIP bezeichnetes *Fertigungsverfahren [1] der Hauptgruppe *Urformen* innerhalb der *Pulvermetallurgie. Das h. P. wird eingesetzt, wenn eine Formgebung durch Pressen bei Raumtemp. mit zeitlich anschließendem Sintern bei Umgebungsdruck nicht zu den erwünschten Eigenschaften eines Bauteils führt. Ausgangsprodukt ist in der Regel Pulver, allerdings können auch bereits vorgepreßte Sinterkörper od. porige Festkörper durch h. P. verdichtet werden. Das Pulver wird vorverdichtet od. lose in eine dünnwandige Metallkapsel eingebracht, die vor dem Verschließen evakuiert wird. Das Sintern erfolgt anschließend in einer Schutzgasatmosphäre bei Drücken bis ca. 2 kbar u. Temp. bis oberhalb von 1000 °C. Auf der Grundlage von Erfahrungen kann eine endabmessungsnahe Bauteilform erreicht werden. Dadurch werden Rohstoffe u. Fertigungsaufwand eingespart. Durch h. P. werden porenfreie Festkörper hergestellt, deren Korngröße bei hinreichend niedriger Temp. der des Ausgangspulvers entspricht u. somit zu guten mechan. Eigenschaften führt. Die genannten Verf.-Bedingungen stellen allerdings erhebliche Anforderungen an Werkzeuge u. Steuerungstechnik. Das im Vgl. zu den konventionellen Urformverf. recht aufwendige h. P. ist z. Z. noch auf zwei wesentliche Anw. beschränkt: 1. Herst. von Werkstoffen, die schmelzmetallurg. nicht darstellbar sind. – 2. Realisierung von Bauteilen mit signifikant verbesserten Eigenschaften im Vgl. zu gegossenen od. geschmiedeten Bauteilen. Anw. findet das h. P. auch beim Nachverdichten von *Hartmetallen, bei der Herst. von Komponenten aus *Superlegierungen u. beim Regenerieren langzeitig genutzter Hochtemp.-Komponenten wie Turbinenschaufeln. Haupteinsatzgebiet ist die Luftfahrttechnik. – *E* hot isostatic pressing – *F* pressage isostatique à chaud – *I* stampaggio isostatico a caldo – *S* prensado isostático a temperatura elevada, procedimiento HIP
Lit.: [1] DIN 8580 (06/1974).
allg.: Winnacker-Küchler (4.) **4**, 586 ff.

Heißklebstoff s. Klebstoffe u. Schmelzklebstoffe.

Heißlackier-Spritztechnik. Lackierverf., bei dem Lacke in Spezialspritzpistolen auf ca. 70 °C erwärmt u. auf die zu lackierenden Gegenstände (die z. B. bei 20 °C vorliegen) verspritzt werden. Das Verf. hat den Vorteil, daß die Lackviskosität durch Erwärmen vermindert wird, woraus besseres Zerfließen u. geringerer Verdünnungsmittelbedarf resultieren. – *E* hot spraying technique – *F* technique de pulvérisation de laque à chaud – *I* tecnica di laccatura a spruzzo caldo – *S* técnica de pulverización de laca en caliente
Lit.: Gatz (Hrsg.), Lexikon der Anstrichtechnik, 8. Aufl., Bd. 1, S. 355, 358, München: Callwey 1987.

Heißleim. Klebstoff aus *Glutin in Pulver-, Perl- bzw. Tafelform, der in Wasser gelöst bzw. als gebrauchsfertige Gallerte nach Erwärmen auf über 50 °C verar-

beitet wird. – *E* hot glue – *F* colle durcissable à chaud – *I* colla calda – *S* cola en caliente
Lit.: s. Klebstoffe u. Leime. – *[HS 3506 91, 3506 99]*

Heißleiter s. Thermistoren.

Heißprägefolien s. Kaschieren.

Heißschmelzmassen. Die auch *Hotmelt-Beschichtungs-* u. *-Dichtungsmassen* genannten H. sind bei normaler Temp. feste, viskoelast. bzw. viskoplast. Werkstoffe, vorzugsweise auf der Basis von Harzen, Wachsen, Thermoplasten u. Elastomeren, die Zusätze wie Füllstoffe, Antioxidantien od. Gleitmittel enthalten können. Die H. gehen beim Erwärmen in zäh- bis dünnflüssige Schmelzen über. H. finden Verw. bei der Beschichtung von Papier, Pappe u. Folien, zum Abdichten in der Elektro- u. Glas-Industrie. – *E* hotmelt coatings, hotmelt sealants – *F* matières fondues – *I* masse fuse a caldo – *S* masas fundidas calientes

Heißsiegelklebstoffe. Bez. für wärmeaktivierbare *Klebstoffe. Diese werden als Lsg., Emulsion, Dispersion od. Schmelze auf die Oberfläche der zu versiegelnden Substrate aufgebracht. Dort binden sie zunächst infolge des Verdampfens der Lsm. od. durch Abkühlen zu einem nichtklebrigen Klebstoff-Film ab. Die anschließende Verklebung der Substrate erfolgt nach deren Zusammenfügen u. -pressen durch Erwärmen in Heizpressen od. im Hochfrequenzfeld. Beim Abkühlen erfolgt unter Verfestigung der H.-Schicht das Verkleben der Werkstücke.
Eingesetzt als H. werden (Co-)Polymere auf der Basis von u. a. Ethylen, (Meth)acrylaten, Vinylchlorid, Vinylidenchlorid u. Vinylacetat sowie *Polyamide, *Polyester u. *Polyurethane. H. werden bevorzugt zum *Kaschieren (Folienkaschierung) verwendet. – *E* heat-sealing adhesives – *F* adhésifs thermosoudables – *I* adesivi termosaldabili – *S* adhesivos termosoldables
Lit.: Ullmann (5.) **A 1**, 234 f. ▪ s. a. Klebstoffe.

Heißtauchmassen s. Schmelzmassen.

Heißverzinkung. Verzinkung von Teilen aus Stahl od. Gußeisen bei hohen Temperaturen. Beim *Feuerverzinken* (Schmelztauchverzinken) wird das zu beschichtende Produkt (Fertigprodukt, *Halbzeug) nach einer hinreichenden Vorbereitung (Entfetten, Beizen) bei ca. 450 °C in flüssiges Zink getaucht. Hierbei kommt es zwischen Grundwerkstoff u. Schmelze zu einer Leg.-Bildung, die den Überzug fest auf dem Grundwerkstoff verankert. Auf der Außenseite dieser Leg.-Schicht entsteht zusätzlich ein Überzug aus Reinzink. Die Gesamtschichtdicke beträgt je nach Verf. 10–150 μm. Das Verzinken kann diskontinuierlich erfolgen (*Stückverzinkung*, Tendenz: Größere Schichtdicke) od. kontinuierlich (*Bandverzinkung*, Tendenz: Kleinere Schichtdicke). Beim *Sherardisieren werden die gesäuberten Produkte (Kleinteile wie Schrauben u. Muttern) dagegen für mehrere Stunden in einer Trommel mit einem Gemisch aus Quarzsand u. Zink-Staub bei ca. 400 °C rotiert. Hierbei bildet sich eine ca. 10–20 μm dicke Diffusionsschicht aus, der im Gegensatz zur Feuerverzinkung jedoch keine Reinzink-Schicht überlagert ist. Eine H. wird mit dem Ziel eines wirtschaftlichen Korrosionsschutzes vorgenommen, bes. bei Beanspruchung der Bauteile durch feuchte Atmosphäre. Bei Schichtverletzungen gewährleistet das im Vgl. zum Stahl elektrochem. unedlere Zink zudem einen kathod. Schutz des Stahls. Durch H. erzeugte Überzüge decken ca. 90% des Zink-Bedarfs für Korrosionsschutz ab. Andere Verf. (*Kaltverzinkung) sind die galvan. Verzinkung, das therm. Spritzen, das metall. Plattieren od. eine Beschichtung mit gebundenen Zinkstaub-Überzügen. – *E* hot galvanizing – *F* zingage à chaud – *I* zincatura a caldo – *S* cincado en caliente

Lit.: Zinkberatung e.V., Düsseldorf (Hrsg.), Zink-Taschenbuch, 3. Aufl., S. 112ff., Berlin: Metall-Verl. 1981.

Heißvulkanisation. Bei der Vernetzung (*Vulkanisation) z.B. des *Naturkautschuks über Schwefel-Brücken unterscheidet man zwischen der bei 120–160°C mit elementarem Schwefel ausgeführten H. u. der durch z.B. Dischwefeldichlorid od. Magnesiumoxid bewirkten *Kaltvulkanisation.* Die H. wird in elektr. od. mit Dampf beheizten Pressen ausgeführt, kann aber auch durch Mikrowellen bewirkt werden. *Ruße erhöhen die Geschw. der H., helle Füllstoffe nicht. – *E* hot cure, hot vulcanization – *I* vulcanizzazione a caldo – *S* vulcanización en caliente

Lit.: Elias (5.) **2**, 484.

Heißwassertrichter s. Filter.

Heißwellpräparate s. Haarbehandlung.

Heitler, Walter (1904–1981), Prof. für Theoret. Physik, Dublin u. Zürich. *Arbeitsgebiete:* Quantenchemie der chem. Bindung (Valence Bond-Meth.), Quantentheorie, Wellenmechanik, Naturphilosophie.

Lit.: Lexikon der Naturwissenschaftler, S. 204 ▪ Nachmansohn, S. 74, 90 ▪ Neufeldt, S. 157.

Heitz, Walter (geb. 1932), Prof. für Makromol. Chemie, Univ. Marburg, Vizepräsident der Polymer Division IUPAC von 1985–1989, Präsident seit 1989. *Arbeitsgebiete:* Synth. von Monomeren u. Polymeren, Gelchromatographie, polymere Träger, flüssigkrist. Polymere.

Lit.: Kürschner (15.), S. 1700 ▪ Wer ist wer (35.), S. 558.

Heizbäder. Bez. für beheizbare Vorrichtungen, mit denen durch ein geeignetes *Wärmeübertragungsmittel Wärme gleichmäßig u. indirekt von einer Wärmequelle (z.B. Gasflamme, elektr. Heizplatte, Heizwendel usw.) auf ein eingetauchtes od. eingebettetes Reaktionsgefäß übertragen wird, wobei die Temp.-Obergrenze durch die therm. Eigenschaften des Füllmediums bestimmt wird. H. bieten v.a. Schutz gegen örtliche Überhitzung. Nach der Art der Wärmeübertragungsmittel unterscheidet man *Dampfbäder, *Luftbäder, bei denen erhitzte Luft bzw. heiße Verbrennungsgase als Wärmeüberträger dienen (s. die Abb. des Babo-Trichters bei *Luftbäder) u. *Flüssigkeitsbäder.* Ein bekanntes Beisp. ist das *Wasserbad,* bei dem das Reaktionsgefäß direkt in temperiertes, u.U. siedendes Wasser eintaucht. Wasserbäder sind ziemlich universell zum Erhitzen bis ca. 100°C verwendbar u. gestatten eine genaue automat. Temp.-Regelung, da sie eine geringe Trägheit besitzen. Mit Natrium od. Kalium darf auf Wasserbädern nicht gearbeitet werden. Die automat. Temp.-Steuerung erfolgt wie bei allen Flüssigkeitsbädern mit Hilfe von *Thermostaten, die

gleichmäßige Wärmeverteilung erreicht man durch Rühren. Benötigt man H.-Temp. über 100°C, so verwendet man zur Wärmeübertragung (Temp.-Obergrenze für den Einsatz in Klammern) z.B. kaltgesätt. wäss. Calciumchlorid-Lsg. (180°C), Paraffinöl (200°C), Glycerin (170°C), konz. Schwefelsäure (200°C), Diethylenglykol (245°C), Paraffin (250°C), Triethylenglykol (276°C) u. Kieselsäurepentylester (360°C). Eine große Rolle unter den Flüssigkeitsbädern spielen die *Ölbäder,* s. Lit.[1], die hochsiedende harz- u. säurefreie Mineralöle mit einem FP. über 300°C (z.B. das sog. Heißdampfzylinderöl, Siliconöl usw.) enthalten. Bei der Verw. dieser Ölbäder ist darauf zu achten, daß ihre therm. Ausdehnung z.T. beträchtlich ist, daß ihr FP. nicht erreicht wird u. sie wegen der möglichen Entwicklung schädlicher Gase beim Erhitzen unter dem Abzug verwendet werden. Sie sind im Gegensatz zu den Glykol- u. Glycerin-Bädern leicht wasserfrei zu halten – was allerdings auch notwendig ist, weil es sonst zu explosionsartigen Verspritzungen kommen kann. Große Bedeutung für Temp. bis 400°C haben Gemische aus Biphenyl u. Diphenylether bzw. Ditolylether. Die untere Temp.-Grenze bei der Verw. von Flüssigkeitsbädern ist durch den *Stockpunkt gegeben; zur Lebensdauer von organ. Wärmeüberträgern s. Lit.[2]. Im Temp.-Bereich zwischen 200–700°C kann man auch *Salzbäder* verwenden, die bes. niedrig schmelzende eutekt. Gemische von Salzen (s. Eutektikum) od. die Einzelsalze Kaliumnitrat (Schmp. 337°C) u. Natriumnitrat (Schmp. 307°C) enthalten; die Nitrat-haltigen *Salzschmelzen s. Lit.[3], eignen sich allerdings nicht zum Erhitzen brennbarer Stoffe, da hier bei Bruch des Reaktionsgefäßes Explosionsgefahr besteht. Weitere geeignete Salzbäder (Schmp. = Temp.-Untergrenze für den Einsatz in Klammern) sind Kupfer(I)-chlorid (430°C), Kupfer(II)-chlorid (630°C) u. (wasserfreies) Magnesiumchlorid (714°C). Eine Reihe von niedrigschmelzenden Leg. eignen sich wegen ihrer hervorragenden *Wärmeleitfähigkeit bes. gut als *Wärmeübertragungsmittel. Für diese *Metallbäder* verwendet man *Schmelzlegierungen wie die *Guthrie- (75°C), *Lipowitz- (75°C), Woods- (75°C), Roses-Leg. (98°C) u.a., vgl. Eutektikum. Die *Festsubstanzbäder* lassen sich bis etwa 350°C verwenden, doch ist hier die Temp.-Regulierung schwierig; geeignete Füllmedien sind Sand (*Sandbad*), Graphit od. Eisenfeilspäne, s.a. Wärmeaustauscher. – *E* heating baths – *F* bains – *I* bagni termici – *S* baños calefactores

Lit.: [1]Ullmann (5.) **A15**, 476f. [2]Maschinenmarkt **1980**, Nr. 10, 174–178. [3]Ullmann (5.) **A17**, 270.

allg.: ACHEMA-Jahrb. **1991**, 1690 ▪ Kirk-Othmer (4.) **12**, 990–1011 ▪ Organikum, S. 13ff., Heidelberg: Barth, 1996 ▪ Ullmann (4.) **2**, 445–449; (5.) **B4**, 216.

Heizbänder. Elektr. H. bestehen aus isolierten Widerstandselementen, die in flexible Bänder od. Folien als Trägermaterialien eingearbeitet sind; je nach Verw.-Zweck handelt es sich hierbei um wärmebeständige Polymere od. um Mineralfasergewebe, ggf. mit zusätzlichem Schutz aus Metallfasergeflechten. Als Widerstandselemente dienen Drähte od. Folien aus *Heizleiterlegierungen, wobei die Stromzuführung im allg. an nur einem Heizbandende erfolgt. Die bes.

zur Temp.-Konstanthaltung von Rohren, Kolonnen u. zur Erwärmung von Behältern eingesetzten H. werden spiralförmig auf den zu heizenden Gegenstand gewickelt, wobei sich dessen Temp. durch elektr. Leistungsregelung od. auch durch die Wicklungsdichte beeinflussen läßt. Ebenfalls als H. werden Gummi- od. Kunststoffschläuche mit z. B. halbkreisförmigem Querschnitt bezeichnet, die, mit Dampf od. Flüssigkeit als Wärmeüberträgern beschickt, auf Behälter od. Rohrleitungen gewickelt werden. – *E* heating tapes (strips) – *F* colliers chauffantes – *I* bande bollitori – *S* cintas calefactoras

Heizen. Umgangssprachliche Bez. für das Erwärmen von Gebäuden u. Materialien, vgl. die benachbarten u. die Wärme…-Stichwörter.

Heizgase. Bez. für alle zu Koch- u. Heizzwecken, zur Krafterzeugung usw. verwendeten brennfähigen techn. Gase, wie z. B. *Erdgas, *Generatorgas, *Biogas u. a. *Brenngase, sowie für die bei der Verbrennung eines *Brennstoffes entstehenden Gase. – *E* heating gases – *F* gaz de chauffage – *I* gas combustibili – *S* gases de combustión, gases de calefacción

Heizgeräte. Im chem. Laboratorium, im Technikum u. Betrieb ist an vielen Stellen die Zufuhr von Wärmeenergie notwendig, sei es zur Reaktionsdurchführung od. für Lsg.-, Krist.-, Schmelz-, Dest.-, Trocknungs- od. a. Zwecke. Die zu beheizenden Geräte od. Apparate stellen dabei nicht nur wegen ihrer unterschiedlichen Form (Kessel, Kolben, Zylinder, Rohre, Dest.-Kolonnen u. dgl.), ihrer unterschiedlichen Größenverhältnisse (Reagenzglas, 1 L-Kolben, 100 L-Kessel, 100 m^3-Tank usw.), ihrer verschiedenartigen Werkstoffe (Glas, Quarz, Metall, Kunststoffe u. dgl.), sondern auch wegen der jeweils erforderlichen sehr unterschiedlichen Temp. u. Aufheizgeschw. erhebliche Anforderungen an die Gestaltung u. Ausführung der jeweiligen Heizgeräte. Sie müssen häufig für den Betrieb unter korrosiven Bedingungen geeignet sein u. den Anforderungen bezüglich der Explosionssicherheit genügen. Entsprechend vielgestaltig fallen die H. aus. Reagenzgläser erhitzt man mit dem *Bunsen-, *Meker®- od. *Teclu-Brenner od. mit dem etwa gleich großen Elektrobrenner, in dem ein Luftstrom an elektr. Heizwicklungen erhitzt wird. Für die Erwärmung von Kolben sind *Heizbäder der verschiedensten Ausführung geeignet sowie halbkugelförmige Heizmäntel (Heizhauben, z. B. Pilz®). Eine gleichmäßige Erwärmung ist auch mit starken *Glühlampen od. *Infrarotstrahlern (bei frei hängenden Kolben) möglich. Größere Glasapparaturen im Laboratorium, insbes. Kolonnen, Rohrleitungen etc., Fässer u. dgl. lassen sich auch mit *Heizbändern od. Heizmänteln beheizen. Die Erhitzung von Dest.-Blasen (Sumpfheizung, s. Destillation) wird je nach erforderlicher Temp. mit Dampf od. elektr. H., ggf. auch mit Tauchheizkörpern vorgenommen. Ähnlich verfährt man in der Technik bei der Kesselbeheizung, z. B. Oberflächenbeheizung über vom Wärmeträger durchströmte Doppelmäntel od. Halbrohrschlangen bzw. Innenbeheizung durch Rohrwendeln (Innenschlangen). Hohe Aufheizgeschw. erzielt man durch Umpumpen eines Kesselinhalts über einen in externer Schleife angebrachten

großflächigen Wärmeaustauscher. Im einzelnen kann man unterscheiden: Heizbänder, -hauben, -jacken, -mäntel, -matten, -platten, -rohre, -schalen, -schnüre, -stäbe, -tische, Tauchsieder, Infrarotheizgeräte, s. a. Wärmeaustauscher. – *E* heating devices – *F* appareils de chauffage – *I* riscaldatori – *S* aparatos calefactores
Lit.: ACHEMA-Jahrb. **1991**, 1689–1702 ▪ Kirk-Othmer (4.) **12**, 950–1045 ▪ Ullmann (5.) **B 4**, 87 f. ▪ Winnacker-Küchler (4.) **1**, 139–158.

Heizkörperlacke. Helle, hitzebeständige, geruchfreie, stanz- u. biegefeste *Lacke. Sie müssen mit Pigmenten mischbar u. verträglich sein. Man verwendet Kunstharzlacke auf Alkydharz-, Ethylcellulose- bzw. Polyvinylacetat-Basis. – *E* radiator varnishes – *F* laques pour radiateurs – *I* vernici per radiatori – *S* esmaltes para radiadores de calefacción
Lit.: Gatz (Hrsg.), Lexikon der Anstrichtechnik, 8. Aufl., Bd. 1, S. 113 f., München: Callwey 1987. – *[HS 3208 20, 3208 90]*

Heizleiter-Legierungen. Auch als Hochtemp.-Widerstandsleg. bezeichnete Gruppe der hitzebeständigen Leg. mit hohem elektr. Widerstand. Die höchstzulässigen Gebrauchstemp. der H.-L. bestimmen ihre elektr. Belastbarkeit. Man unterscheidet austenit. Ni-Cr-Fe u. ferrit. Fe-Cr-Al-Heizleiter-Legierungen. Nachstehende Tab.[1] gibt eine Auswahl wieder.

Tab.: Auswahl an Heizleiter-Legierungen.

Gittertyp	Kurzname	max. Anwendungstemp. in Luft [°C]	spezif. elektr. Widerstand bei 20 °C [$\Omega \cdot mm^2/m$]	Wärmedehnungskoeff. bei 70–1000 °C [10^{-6}/K]
austenit.	NiCr 30 20	1100	1,04	17–19
	NiCr 80 20	1200	1,12	
ferrit.	CrAl 15 5	1050	1,25	
	CrAl 20 5	1300	1,37	15
	CrAl 25 5	1350	1,44	

H.-L. verdanken ihre Zunderbeständigkeit der Bildung festhaftender, dichter Oxidschichten. Die Haftung wird bes. durch Zusätze von ca. 0,2 % Cer bzw. *Cer-Mischmetall deutlich verbessert, so daß bei Temp.-Wechseln, z. B. als Folge von Abkühlprozessen, kein Abplatzen der Schicht auftritt. – *E* high resistance alloy – *F* alliage résistant – *I* legha di resistenza – *S* aleación de resistencia
Lit.: [1] Verein Dtsch. Eisenhüttenleute (Hrsg.), Anwendung, Werkstoffkunde Stahl, Bd. 2, S. 447 ff., Berlin: Springer 1985.

Heizöle. Brennfähige Kohlenwasserstoff-Gemische, die bei der Verarbeitung von Rohöl als dünnflüssiges Destillat-H. u. als Rückstandsöl (s. das Aufarbeitungsschema bei Erdöl, S. 1198) od. durch Dest. von Stein- u. Braunkohlenteeren gewonnen werden. Die H. werden eingeteilt u. spezifiziert nach DIN 51 603, Tl. 1 (03/1995), Tl. 2 (04/1992), Tl. 3 (07/1986), Tl. 4 (04/1992) u. Tl. 5 (02/1990) in insgesamt 8 Typen. In der Tab. sind die wesentlichen Eigenschaften der wichtigsten H. zusammengestellt, entnommen diesen Normen, die außerdem weitere Eigenschaften, wie Koksrückstand, Sedimentgehalt, Asche (Oxidasche), Krist.-Beginn u. Dest.-Verlauf als Anforderungen festlegen. Für den Einsatz von H. in der Seeschiffahrt gelten andere internat. Normen (ISO 8216/2).

Tab.: Eigenschaften der Heizöle.

	Heizöle			
	EL	L	M	S
D. [g/mL; °C]	≤0,86; 15	≤1,1; 15	≤1,1; 20	
FP. im geschlossenen Tiegel nach Pensky-Martens [°C]	<55	≤85	≤75	≤80
Kinemat. Viskosität [mm²/s; °C]	≤6,00; 20	≤6; 20	≤40; 50	≤50; 100 / ≤20; 130
Pourpoint [°C]	≤–9			
Schwefel-Gehalt [Gew.-%]	≤0,20	≤0,2	≤0,5	≤2,8
Wassergehalt [Gew.-%]	≤0,02	≤0,3	≤0,3	≤0,5
Heizwert H_u [MJ/kg]	≥42,6	≥38,7	≥38,5	≥39,5

EL = extra leichtflüssig; L = leichtflüssig; M = mittelflüssig; S = schwerflüssig.

Die H. EL benutzt man für Heizzwecke in Kleinhaushaltungen, die Sorte L in größeren Zentralheizungsanlagen ab ca. 200 MJ/h u. H. M u. EL in Heizungszentralen sowie für gewerbliche u. industrielle Feuerungsanlagen. H. der Sorte S (früher: Bunker B-Öl, in den USA Heizöl Nr. 5) ist hauptsächlich für industriellen Verbrauch u. hier wieder bes. für Dampfkessel mit weitgehender Abwärmeausnutzung geeignet. H. S muß für den Transport u. für die Verbrennung durch Dampfheizung od. elektr. vorgewärmt werden, damit es ausreichend dünnflüssig ist.

H. EL ist hell, klar u. dünnflüssig u. wird durch Mischen von Gasöl u. Kerosin-Fraktionen aus der Rohöl-Dest. sowie aus Krackkomponenten hergestellt. Es setzt sich aus gesätt. Kohlenwasserstoffen (73–78%), einkernigen (15–20%), zweikernigen (4–5%) u. dreikernigen aromat. Verb. (ca. 1%) zusammen. Der Schwefel ist in Benzothiophenen, organ. Sulfiden u. Alkylthiophenen gebunden. Da bei der *Verbrennung von H. aus diesen Verb. so SO_2 entsteht, das in die Atmosphäre gelangt u. so zur *Luftverunreinigung beiträgt (vgl. saurer Regen), spielt die *Entschwefelung von H. eine wichtige Rolle, für die in Lit.[1] eine Reihe techn. Verf. beschrieben wird. Neben der SO_2-Bildung ist auch die Entstehung von *Ruß ein wichtiger Faktor der Belastung der Umwelt. Deshalb hat die Ind. Heizöl-*Additive entwickelt, welche die Bildung von Ruß verhindern u. entstehendes CO zu CO_2 verbrennen sollen (Ferrocen u. a. metallorgan. Verb.). Die Kälteeigenschaften des H. – ausgedrückt durch *Pourpoint, *Cloudpoint u. Kältefiltrierbarkeit (CFPP, s. Dieselkraftstoffe) – werden durch Zusatz von Fließverbesserern, Copolymeren aus Ethylen u. Vinylacetat, Polymethacrylaten od. Acrylsäureestern, eingestellt.

Das fast schwarze, bei 20 °C nicht fließfähige H. S ist ein typ. Rückstands-H., das bei Dest.-Prozessen u. beim Kracken anfällt. Es enthält hochmol. *Asphaltene, die kolloidal in *Maltenen gelöst sind; es setzt sich aus 87,5% C, 10,6% H, 1,8% S u. 0,1% Asche zusammen. Die Aschebestandteile V, Na u. Ni stammen aus den Rohölen (s. Erdöl), Si u. Al können aus Zeolith-Katalysatoren in das H. gelangen. Die Zeolith-Teilchen wirken wie Schleifmittel u. bewirken frühzeitigen Verschleiß der Motoren. Vanadate können Hochtemp.-Korrosion, z. B. an Wärmeaustauschern,

auslösen. Die Verbrennung von H. S belastet die Umwelt relativ wenig, da dieses H. nur in gewerblichen u. industriellen Anlagen eingesetzt wird, die der *TA Luft od. der *Großfeuerungsanlagen-Verordnung unterliegen u. deshalb mit Staubfiltern, Entstickungs- u. Entschwefelungsanlagen ausgerüstet sind. Die Staubbildung soll sich durch Zusatz von Wasser zum schweren H., d. h. durch Verbrennung einer W/O-Emulsion, verringern lassen (Lit.[2]).

Da H. EL in seinen Eigenschaften weitestgehend dem wesentlich höher besteuerten *Dieselkraftstoff entspricht, weshalb seine mißbräuchliche Verw. als Treibstoff möglich war, muß es seit 1. 4. 1976 gekennzeichnet sein. Diese *H.-Kennzeichnung* erfolgt mit roten Farbstoffen (z. B. 4-Phenylazo-anilin bzw. 4-p-Tolylazoanilin u. N-Alkyl-2-naphthylaminen) sowie mit Furfurol. Diese Substanzen – zusammen in Lsm. gelöst – werden dem H. im Verhältnis 1:10 000 od. 1:25 000 zugesetzt. Auf die Problematik der Lagerung von H. (Gefahr der Verseuchung des Bodens u. der Trinkwasserversorgung bei defekten H.-Tanks) sei hingewiesen. H. EL wurde in die Gefahrgutklasse 3 eingestuft. Die Produktionsmenge an H. betrug 1994 in der BRD 41,5 Mio. t, in den EU-Ländern 138,2 Mio. t u. 1993 weltweit 682 Mio. t[3]. – E fuel oils, heating oil, oil fuels – F huiles combustibles – I oli combustibili – S fuel-oils, aceites combustibles, gasóleos

Lit.: [1] Winnacker-Küchler (4.) **5**, 117–127. [2] I. Mech. E. Conf. Publ. Nr. 3, Tl. 2, S. 147–154 (1983). [3] Statist. Jahrbuch 1996 für die BRD, S. 98, 214, 266, Stuttgart: Metzler-Poeschel 1995. allg.: Das Buch vom Erdöl, 5. Aufl., S. 433–466, Hamburg: Deutsche BP 1989 ■ Hommel, Nr. 103 ■ Ullmann (4.) **12**, 569–595; (5.) **A 12**, 617–627 ■ Winnacker-Küchler (4.) **5**, 152 ff. – [HS 271000; G 3]

Heizwert (Symbol H_u). In der Technik neben od. an Stelle des *Brennwerts verwendetes Maß für die bei der Verbrennung eines *Brennstoffs gebildete Wärmemenge, die von der Art u. dem Zustand des Brennstoffs sowie seiner Verbrennungsprodukte abhängt. Als *Brennwert (Symbol H_o) wird der Quotient aus der bei vollständiger *Verbrennung einer bestimmten Brennstoffmenge freiwerdenden Wärmemenge u. der Masse dieser Brennstoffmenge bezeichnet. Das Symbol H_o leitet sich von der früheren Bez. „oberer Heizwert" = *Verbrennungswärme ab. Der Brennwert ist nach DIN 5499 (01/1972) bestimmt, wenn folgende Bedingungen erfüllt sind:

Die Temp. des Brennstoffs vor dem Verbrennen u. die der Verbrennungprodukte muß 25 °C betragen. Das vor dem Verbrennen im Brennstoff vorhandene Wasser u. das beim Verbrennen des Wasserstoff-haltigen Verb. des Brennstoffs gebildete Wasser muß nach der Verbrennung in flüssigem Zustand (man setzt die *Enthalpie des flüssigen Wassers im Bezugszustand gleich Null), die Verbrennungsprodukte von Kohlenstoff u. Schwefel (Kohlendioxid u. Schwefeldioxid) müssen gasf. vorliegen. Eine Oxid. des Stickstoffs darf nicht stattfinden. Für den H. (H_u) gelten die gleichen Versuchsbedingungen, mit der Ausnahme, daß das vor der Verbrennung in Brennstoff vorhandene Wasser u. das beim Verbrennen gebildete Wasser nach der Verbrennung in dampfförmigem Zustand bei 25 °C vorliegen muß.

Tab.: Berechnung des Heizwerts (aus *Lit.*[2]).

| Brennstoff | Elementanalyse [%] | | | | | H_0 [kJ/kg] | |
	C	H	O	S	N	berechnet	experimentell bestimmt
Holzkohle	91,0	2,0	7,0	–	–	32481	33034
Braunkohlenkoks	90,96	2,76	4,58	1,30	0,4	34137	34122
Hüttenkoks	97,0	0,56	0,59	0,7	1,0	33668	33335

Als bezogene Größen haben der *spezif.* bzw. der *molare Brennwert* die Dimension kJ/kg bzw. kJ/mol u. der auf das *Normvol.* bezogene die Dimension kJ/m³. Größenmäßig ist der H. kleiner als der Brennwert; er läßt sich aus diesem – nach DIN 51900 Tl. 1–3 (08/1977) – mit Hilfe der Verdampfungsenthalpie des Wassers berechnen, da experimentell gewöhnlich der Brennwert auf kalorimetr. Wege (s. Kalorimetrie) bestimmt wird, s. *Lit.*[1]. Die Berechnung nimmt man z.B. nach $H_u = H_o - r \cdot W_{Wasser}$ vor, wobei r = spezif. *Verdampfungswärme des Wassers bei 25°C ist (= 2,442 kJ/g) u. W_{Wasser} der Quotient aus der Masse des H_2O, das bei der Brennstoffelementaranalyse gebildet wird, u. der des hierfür eingesetzten (eingewogenen) Brennstoffs (s. Tab.). Weitere Angaben über Heiz- u./od. Brennwerte finden sich in diesem Werk bei *Kohle, *Heizöle u. allg. bei *Brennstoffe sowie in DIN 51850 (04/1980). Anhaltswerte für H_o bzw. H_u organ. Stoffe ergeben sich durch Anw. der sog. *Dulongschen Formel* auf die bei der Elementaranalyse gefundenen Prozentsätze an Kohlenstoff, Wasserstoff, Sauerstoff, Schwefel u. den Wassergehalt:
$H_o = 80,8 C + 344,6 (H - 0,125 O) + 25 S$
$H_u = 81 C + 290 (H - 0,125 O) + 25 S - 6 W.$
Die erhaltenen Werte (in kcal/kg) müssen durch Multiplikation mit 4,1868 in kJ/kg umgerechnet werden. Ähnliche Formeln gibt es auch von Grumell u. Davies, Steuer, Vondracek, Boie u.a. Übrigens bezieht man kalor. u.a. Angaben von Brennstoffen häufig auf deren wasser- u. aschefreien Zustand *(waf)*. – *E* net calorific value – *F* pouvoir calorifique inférieur – *I* potere calorifico – *S* poder calorífico neto, poder calorífico inferior
Lit.: [1] Kohlrausch, Praktische Physik 1, S. 435, Stuttgart: Teubner 1996. [2] Fitzer, Technische Chemie, Berlin: Springer 1989. *allg.*: DIN 5499 (01/1972) ▪ Ullmann **1**, 169ff. ▪ Winnacker-Küchler (3.) **3**, 18ff. ▪ s.a. Brennstoffe u. Kalorimetrie.

Hek. Kurzbez. für die 1957 gegr. Hek-GmbH Lübeck, 23560 Lübeck, eine 100%ige Tochterges. der MCP S.A., Genf/Schweiz. *Produktion:* Herst. von NE-Metallen u. Leg., Vertrieb von Halbleiterchemikalien.

Hekto... Vorsatz zur Bez. des hundertfachen Betrages einer physikal. Einheit (Abk.: h); *Beisp.:* Hektoliter = 1 hL = 100 L. – *E* = *F* = *S* hecto... – *I* etto...

Hektographie. Von *Hekto...* u. griech.: graphein = schreiben abgeleitete Bez. für verschiedene Verf. zur Vervielfältigung von Schriftstücken etc. Der eigentliche, heute nur noch selten praktizierte Arbeitsprozeß der H. setzte sich wie folgt zusammen: Druckvorlage (pos. Schrift) → Hektographenmasse (Spiegelschrift) → Kopien auf saugfähigem Papier (pos. Schrift). Das Auftragen der Tinte auf die Druckvorlage nahm man z.B. mittels Schreibmaschinenanschlag unter Verw.

eines entsprechenden Farbbands vor. Von dort erfolgte die Übertragung des Hektofarbstoffs (*Hektographentinte, Kopiertinte*) auf die sog. *Hektographenmassen*, eine feuchte Schicht z.B. aus Hautleim, Wasser u. Glycerin. Der nun auf den Hektographenmassen in Spiegelschrift befindliche Alkohol-lösl. Abdruck wurde durch das saugfähige, mit Ethanol angefeuchtete Papier als pos. Schrift abgetragen. Später wurde – aufgrund der aufwendigen Herst. der Hektographenmasse – meist die Vervielfältigung nach dem *Umdruckverfahren vorgezogen. Heute werden für diesen Zweck bevorzugt elektrophotograph. arbeitende Hochleistungskopierer eingesetzt (s. Xerographie u. Elektrophotographie). – *E* hectography – *F* autographie, polycopie – *I* poligrafia, ceclostilatura – *S* hectografía
Lit.: Kirk-Othmer (3.) **20**, 170f. ▪ s.a. Reprographie.

HeLa-Zellen. Bez. für die 1951 aus Gewebe eines menschlichen Cervix-Carcinoms isolierten Zellen (Gebärmutterkrebszellen), die als erste menschliche Zellinie (s. Zellkultur) etabliert wurden. HeLa leitet sich vom Namen einer Patientin ab. HeLa-Z. sowie die davon abgeleiteten Zellinien besitzen unbegrenzte Fähigkeit zur Zellteilung, lassen sich leicht in Zellkultur halten u. haben sich daher zu einem eukaryot. Standardsyst. entwickelt für biochem., molekularbiolog. u. genet. Untersuchungen sowie in der Virologie, wo HeLa-Z. die Replikation einer Reihe von Viren erlauben (u.a. Polio-, Pocken-, Adeno-, Mumps-, Influenza B-Viren). – *E* HeLa cells – *F* cellules HeLa – *I* cellule HeLa – *S* células HeLa
Lit.: Methods Enzymol. **151**, 38 (1987).

Helchsche Reaktion s. Pilocarpin.

Helenalin.

$C_{15}H_{18}O_4$, M_R 262,31, farblose, bitter schmeckende Krist., Schmp. 168°C, $[\alpha]_D^{20}$ -102° (Aceton), gut lösl. in Alkohol, Chloroform, wenig lösl. in Wasser. Zum Niesen reizendes, giftiges [LD_{50} (Maus p.o.) 150 mg/kg] *Sesquiterpen-Lacton aus Blüten der Asteraceen *Helenium autumnale* u. *Arnika.
Verw.: Äußerlich als Antipyretikum, Antirheumatikum sowie gegen Venenleiden; die Einnahme kann zu Lähmungen des Herzens u. der motor. Muskulatur sowie zu Magen-Darm-Entzündungen führen, weshalb die innere Anwendung obsolet ist. H. besitzt auch Antitumor-Eigenschaften[1]. – *E* helenalin – *F* hélénaline – *I* elenalina – *S* helenalina

Lit.: [1] Cancer Chemother. Pharmacol. **34**, 344 (1994). *allg.:* Beilstein E V **18/3**, 295 ▪ Hager (4.) **5**, 528 ▪ J. Am. Chem. Soc. **104**, 4233 (1982) (Synth.) ▪ Karrer, Nr. 1928 a ▪ Pharm. Unserer Zeit **10**, 1 (1981) ▪ Planta Med. **61**, 199 (1995) ▪ R. D. K. (4.), S. 144 f. ▪ Sax (8.), Nr. HAK 300 ▪ Tetrahedon Lett. **30**, 523 (1989) (Synth.) ▪ Zechmeister **25**, 106 ff. – *[HS 293 29; CAS 6754-13-8]*

Helenenkraut (Echter Alant). In Südosteuropa u. Vorderasien heim., häufig kultivierter, gelb blühender Korbblütler *Inula helenium* L. (Asteraceae), dessen Wurzelstock *Inulin, *Pektine u. *Bitterstoffe sowie ein ether. Öl mit *Helenin u. weiteren *Sesquiterpen-Lactonen enthält. Der *Wurzelstock* dient als Expektorans, Choleretikum u. Stomachikum, das *ether. Öl* als Antiseptikum bei Harnwegsinfektionen, gegen chron. Bronchitis, Keuchhusten. Größere Mengen der Droge rufen Erbrechen hervor. – *E* elfdock (root) – *F* aunée – *I* inula helenium L., corvisartia helenium Mérat – *S* énula campana, helenio
Lit.: Bundesanzeiger 85/05. 05. 88 ▪ Hager (5.) **5**, 523 – 534 ▪ Wichtl (3.), S. 283 f. – *[HS 1211 90]*

Helenien (*O,O′*-Dipalmitoyl-*Lutein). $C_{72}H_{116}O_4$, M_R 1045,71, rote Nadeln, Schmp. 92 °C. Das in den Blütenblättern der gelben Studentenblume (*Tagetes*) u. von *Helenium autumnale* (Asteraceae; daher der Name) sowie in Orangenschalen vorkommende u. als Lebensmittelfarbstoff (für Butter u. Teigwaren, E 161 b) zugelassene H. wurde auch aus bestimmten Zellen der Augennetzhaut isoliert. Es hat dort die Funktion, die Dunkeladaptation des Auges zu fördern u. nach Blendung durch grelles Licht rasch die ursprüngliche Empfindlichkeit herbeizuführen. Es wird auch pharmazeut. für diese Zwecke eingesetzt. – *E* helenien – *I* eleniena – *S* heleniena
Lit.: Aebi et al., S. 134 f. ▪ Beilstein E IV **6**, 7018 ▪ Hager (5.) **5**, 409 ▪ Karrer, Nr. 1845 ▪ s. a. Carotinoide. – *[CAS 547-17-1]*

Helenin (Alantolacton, Alantcampher).

$C_{15}H_{20}O_2$, M_R 232,32, Wasserdampf-flüchtige Krist., Schmp. 82 °C, Sdp. 275 °C, $[\alpha]_D$ +197° (CHCl$_3$), fast unlösl. in Wasser, lösl. in Alkohol, Ether u. Ölen. Das tricycl. *Sesquiterpen-Lacton H. wurde früher als Wurmmittel für Kinder verwendet u. wird auch Hustenmitteln zugesetzt; der Name leitet sich von der Alantwurzel *Inula helenium* (Asteraceae) ab. H. ist auch ein älteres Synonym für *Helenalin sowie Bez. für ein Ribonucleoprotein von *Penicillium funiculosum* [1]. – *E* helenine – *F* hélènine – *I* elenina – *S* helenina
Lit.: [1] J. Am. Chem. Soc. **82**, 5178 (1960). *allg.:* Beilstein E V **17/10**, 97 ▪ Braun-Frohne (6.), S. 323 f. ▪ Chem. Nat. Compd. (Engl. Transl.) **26**, 251 (1990) ▪ Hager (5.) **5**, 526 f. ▪ J. Am. Chem. Soc. **88**, 3408 (1966) (Synth.) ▪ J. Nat. Prod. **47**, 1013 (1984) ▪ Karrer, Nr. 1900, 1928 a. – *[HS 293 29; CAS 546-43-0]*

Helferich, Burckhardt (1887 – 1982), Prof. für Organ. Chemie, Univ. Bonn. *Arbeitsgebiete:* Kohlenhydrate, Acetal-Bildung bei Zuckern, Synth. von Di- u. Oligosacchariden u. von Vitamin C, Schutzgruppen für Zucker u. Peptide, Mandelmulsion u. verwandte Enzyme.

Lit.: Nachr. Chem. Tech. Lab. **20**, 230 (1972); **30**, 727 (1982) ▪ Pötsch, S. 194.

Helferzellen s. Lymphocyten.

Helianthin s. Methylorange.

Helianthus tuberosus s. Topinambur.

Heliarc-Verfahren. Histor. US-amerikan. Bez. für das Wolfram-Inertgas-Schweißverf. (*WIG-Schweißen, amerikan. TIG, tungsten inert gas), bei dem ein Lichtbogen zwischen einer Wolfram-Elektrode u. dem zu schweißenden Bauteil in einer inerten Helium-Atmosphäre die Energiequelle darstellt. Bei Inertisierung durch Argon wird vom *Argonarc-Verfahren gesprochen. – *E* Heliarc process – *F* procédé Heliarc – *I* processo Heliarc – *S* proceso Heliarc
Lit.: s. Schweißen u. Schweißverfahren.

Helicasen. Proteine, die die Doppelhelix (vgl. Helix) der *Desoxyribonucleinsäuren (DNA) bzw. doppelhelikale Teilstrukturen der *Ribonucleinsäuren (RNA) in Einzelstränge auftrennen u. entspiralisieren. Pro aufgetrenntem Basenpaar ist die Hydrolyse von 2 Mol. *Adenosin-5′-triphosphat (ATP) notwendig (enzymat. Aktivität der H. als N-Typ-*Adenosintriphosphatasen).
DNA-H.: H. sind bei der DNA-*Replikation erforderlich, damit die in der Sequenz der *Nucleobasen kodierte Information von der DNA abgelesen werden kann, sowie bei DNA-*Transkription, -Rekombination u. -Reparatur. Die H. arbeiten mit *Einzelstrang-DNA-bindenden Proteinen*, die die Einzelstränge stabilisieren, u. DNA-*Topoisomerasen II (*Gyrasen*), die bei zirkulären DNA die superhelikale Spannung kompensieren, zusammen. Da sich die H. am DNA-Einzelstrang fortbewegen, erweisen sie sich als *molekulare Motoren, die, mit ATP als Treibstoff u. anderen Proteinen im Schlepptau, in manchen Fällen mit einer Geschw. von über 1000 Basenpaare/s an der DNA entlangeilen.
Beisp.: DnaB u. RuvB sind Hexamere, die die DNA wahrscheinlich wie Ringe umgeben u. durch sich durchziehen; sie sind bei *Escherichia coli* für Replikation bzw. Reparatur u. Rekombination zuständig. Zur elektronenopt. Struktur einer H. s. *Lit.*[1], zur Röntgenstruktur einer H. aus *Bacillus stearothermophilus* s. *Lit.*[2]. Der genet. Defekt der H. XPB löst beim Menschen Xeroderma pigmentosum (Lichtschrumpfhaut) aus[3].
RNA-H.: Beim *Spleißen der Prä-Messenger-RNA, bei der Reifung der ribosomalen RNA, bei der *Translation u. beim RNA-Abbau[4] werden RNA-H. benötigt.
Beisp.: Der eukaryont. *Initiationsfaktor der Translation eIF-4A ist eine RNA-Helicase. RNA/DNA-Hybrid-H.-Aktivität wird dem Transkriptions-Terminationsfaktor Rho (ρ-Faktor) zugeschrieben[5]. – *E* helicases – *F* hélicases – *I* elicasi – *S* helicasas
Lit.: [1] Nature Struct. Biol. **3**, 740 – 743 (1996). [2] Nature (London) **384**, 316 f., 379 – 383 (1996). [3] J. Biol. Chem. **271**, 15 898 – 15 904 (1996). [4] Curr. Biol. **6**, 780 ff. (1996). [5] Proc. Natl. Acad. Sci. USA **90**, 7754 – 7758 (1993). *allg.:* Annu. Rev. Biochem. **65**, 169 – 214 (1996) ▪ Cell **86**, 177 – 180 (1996) ▪ Stryer 1996, S. 846, 848 f., 866 f.

Helicene. Von *Helix abgeleitete Bez. für eine Gruppe von aromat. Verb., die formal aus Phenanthren durch winkelförmige (ortho-) *Anellierung entstehen. Die

Anzahl der kondensierten Benzol-Ringe wird durch Voransetzen der Ziffern markiert; *Beisp.: Tridecahelicen*, [13]H. ($C_{54}H_{30}$, M_R 678,83, gelbe, grünlich fluoreszierende Krist., Schmp. 414–415 °C). Aus räumlichen Gründen ist bereits *Hexahelicen* [6]H. ($C_{26}H_{16}$, M_R 328,41, hellgelbe Krist., Schmp. 240–242 °C) schraubenförmig angeordnet. [7]H. ($C_{30}H_{18}$, M_R 378,47, Schmp. 245–255 °C) ist das erste H., bei dem sich die beiden endständigen Benzol-Ringe überlappen („face to face"-Überlappung). Wegen der notwendigerweise vorhandenen *Chiralitätsachse* (linksod. rechtsgängige Helix) (vgl. a. Chiralität) sind H. ab [5]H. opt. aktiv mit z. T. bes. hohen Drehwerten. [7]H. läßt sich in insgesamt 20% Ausbeute ausgehend von einem *Stilben-Derivat aufbauen (vgl. Dehydrocyclisierung).

Die Racemat-Trennung gelingt durch Auslesen *enantiomorpher* Kristalle. Die Racemisierung erfordert nur einen geringen Energieaufwand (172 kJ/mol). Inzwischen sind eine Reihe von z. T. sehr einfachen Synth. für carbo- u. heterocycl. H. sowie für *Doppel-H., Cyclophano-H., Metallo-H.* u. *Bi-H.* entwickelt worden. – *E* helicenes – *F* hélicènes – *I* eliceni – *S* helicenos
Lit.: Angew. Chem. **86**, 222, 727–738 (1974) ▪ Beilstein E IV **5**, 2836 ▪ Eliel u. Wilen, Stereochemistry of Organic Compounds, S. 1163 f., New York: Wiley 1994 ▪ Kontakte (Merck) **1982** (2), 37–48 ▪ Org. React. **30**, 1 f. (1984) ▪ Top. Curr. Chem. **125**, 63 f. (1984); **127**, 1 ff. (1985) ▪ Vögtle, Reizvolle Moleküle der organischen Chemie, S. 183–208, Stuttgart: Teubner 1989. – *[CAS 24386-06-9 ([13]H.); 187-83-7 ([6]H.); 16914-68-4 ([7]H.)]*

Helices s. Helix.

Helicobasidin.

R = H : Helicobasin
R = OH : Helicobasidin

$C_{15}H_{20}O_4$, M_R 264,32, orangerote Krist., Schmp. 190–192 °C, opt. aktiver, chinoider Farbstoff aus dem Pilz *Helicobasidium mompa*. H. wird biosynthet. aus *Farnesol-Pyrophosphat gebildet. Aus dem gleichen Pilz wurde auch die 5-Desoxy-Verb., *Helicobasin* ($C_{15}H_{20}O_3$, M_R 248,32, gelbe Nadeln, Schmp. 194–195 °C) isoliert. – *E* helicobasidin – *F* hélicobasidine – *I* elicobasidina – *S* helicobasidina
Lit.: Thomson, Naturally Occurring Quinones III, S. 30, London: Chapman & Hall 1987 ▪ Turner **1**, 235; **2**, 255. – *[HS 291469; CAS 13491-25-3 (H.); 13491-69-5 (Helicobasin)]*

Helicocerin s. Cerulenin.

Helikal s. Helix.

Heliodor s. Beryll.

Helio®-Echtpigmente. Umfangreiches Sortiment von organ. *Pigmenten für die Lack-, Druckfarben-, Tapeten-, Buntpapier-, Buntfarben-, Kunststoff-, Papier-

Ind. usw. Die H.-E. können eingeteilt werden in Gruppen von Azo-Pigmenten u. in Phthalocyanin-Pigmente. *B.:* Bayer.

Heliogen®. Kupfer-haltige bzw. Metall-freie Phthalocyanin-*Pigmente. Die H.-Blau-Marken umfassen Pigmente der alpha-, beta- u. epsilon-Modifikation. Die H.-Grün-Marken unterscheiden sich durch Art u. Anzahl der Halogen-Atome an den substituierbaren Stellen der vier Benzol-Ringe. Alle H.-Pigmente sind außerordentlich Licht-, Wetter- u. Chemikalien-beständig u. daher bes. vielseitig verwendbar. *B.:* BASF.

Helionen (Kurzz.: h). Von *Pauling vorgeschlagener Name für α-Teilchen (s. Radioaktivität), mit der Nukleonenzahl 3 ($^3He^{2+}$). – *E* helions – *F* hélions – *I* elioni – *S* heliones

Heliophyten (Sonnen-, Starklicht-, Lichtzeiger-Pflanzen). Pflanzen heller Standorte, Gegensatz: Skiophyten. H. sind typischerweise Bewohner trockenheißer *Klimazonen u. zeigen oft xeromorphen Habitus (*Lebensform, s. a. Sukkulenten); viele *C_4-Pflanzen u. *CAM-Pflanzen gehören zu den Heliophyten. Ihre Blätter sind häufig kleinflächig u. weisen oft eine dicke Cuticula u. kräftiges Palisadenparenchym mit Chloroplasten- bzw. Chlorophyll-reichen Zellen auf. – *E* heliophytes – *F* plantes héliophiles – *I* eliofite – *S* plantas heliófilas
Lit.: Nultsch, Allgemeine Botanik (10.), S. 309 f., Stuttgart: Thieme 1996 ▪ Richter, Stoffwechselphysiologie der Pflanzen (5.), S. 119–122, Stuttgart: Thieme 1988.

Helios-Lacke. Kurzbez. für die Firma Helios-Lacke Bollig u. Kemper GmbH & Co. KG, 50797 Köln. *Daten* (1995): 350 Beschäftigte, 92 Mio. DM Umsatz. *Produktion:* Auto- u. Industrielacke, Verpackungslacke, Kunstharze, Kunststoffbeschichtungen u. Chemikalien-beständige Schutzüberzüge.

Heliotherapie (griech.: helios = Sonne). Bez. für die Nutzung der Sonne, insbes. ihrer *Ultraviolettstrahlung zur Behandlung von bestimmten Haut- u. Knochenerkrankungen. – *E* heliotherapy – *F* héliothérapie – *I* elioterapia – *S* helioterapia

Heliotridin, Heliotrin s. Heliotropium-Alkaloide.

Heliotrop („Blutjaspis"). Als Schmuckstein geschätzte dunkelgrüne bis lauchgrüne, undurchsichtige Abart von *Chalcedon mit roten Flecken u. Punkten von Eisenoxiden od. rotem *Jaspis, H. 6,5–7. Vork. v. a. in Indien. – *E* heliotrope – *F* héliotrope – *I* eliotropo – *S* heliotropo
Lit.: Eppler, Praktische Gemmologie (5.), S. 281, Stuttgart: Rühle-Diebener 1994. – *[HS 7103 10, 7103 99]*

Heliotropin s. Piperonal.

Heliotropium-Alkaloide. Bez. für *Pyrrolizidin-Alkaloide aus *Heliotropium*-Arten (Sonnenwende, Boraginaceae). Vielen Verb. liegt das (7R,7aR)-5,6,7,7a-Tetrahydro-7-hydroxy-3H-pyrrolizin-1-methanol (*Retronecin) zugrunde, z. B. in der (7S,7aR)-Form als *Heliotridin* ($C_8H_{13}NO_2$, M_R 155,20) od. in der 6,7-Epoxy-Form. Der größte Teil der Verb. liegt als Ester von 2,3-Dihydroxy-2-isopropylbuttersäuren vor, z. B. *Heliotrin* ($C_{16}H_{27}NO_5$, M_R 313,39). Diese Säuren können auch an der Isopropyl-Gruppe hydroxyliert sein u.

heißen *Echimidinsäuren*, z. B. bei *Indicin* [$C_{15}H_{25}NO_5$, M_R 299,37, Prismen, Schmp. 97–98 °C, $[\alpha]_D$ +22,3°

Heliotridin

Indicin

Heliotrin

(C_2H_5OH)], das in der Pflanze als *N*-Oxid vorliegt u. starke Antitumor-Aktivität zeigt. Durch Methylierung der OH-Gruppen sowie Veresterung mit Angelicasäure kommt eine Vielzahl von Verb. zustande. Zur Biosynth. u. Toxikologie der H. s. Pyrrolizidin-Alkaloide. – *E* heliotropium alkaloids – *F* alcaloïdes de l'héliotrope – *I* alcaloidi dell'eliotropo – *S* alcaloides de heliotropio

Lit.: Beilstein E V **21/4**, 398, 402 f. ▪ s. Pyrrolizidin-Alkaloide. – *[HS 2939 90; CAS 520-63-8 (Heliotridin); 303-33-3 (Heliotrin); 480-82-0 (Indicin)]*

Helium (von griech.: helios = Sonne). Chem. Symbol He. Farbloses, einatomiges Gas aus der Gruppe der *Edelgase, Ordnungszahl 2, Atomgew. 4,0026. Natürliche Isotope: ^{3}He (0,000138%) u. ^{4}He (99,999862%). Daneben sind noch die künstlichen Isotope He-5, -6 u. -8 mit HWZ zwischen 0,81 u. 0,1225 s bekannt; ^{8}He hat mit seinen 2 Protonen u. 6 Neutronen den höchsten prozentualen Neutronen-Gehalt aller sicher bekannten Kerne, ^{3}He den höchsten Protonen-Gehalt außer dem ^{1}H-Kern, dem Proton selbst. D. 0,1785 g/L (He-Gas), Schmp. –271,4 °C (bei 30 bar Druck), Sdp. –268,9 °C, in Wasser wenig (8,8 ml/L bei 20 °C); krit. Temp. –267,95 °C, krit. Druck 2,27 bar, krit. D. 0,0696. Beim verflüssigten H. unterscheidet man zwei Zustände: He I u. He II mit einem scharfen *Umwandlungspunkt von 270,97 °C bei 51 mbar (sog. *λ-Punkt*), wobei He II die Tieftemp.-Modif. ist, die alle interessanten Eigenschaften einer *Supraflüssigkeit u. Quantenflüssigkeit zeigt. Unter allen unzersetzt schmelzbaren Substanzen ist H. die einzige, die keinen Tripelpunkt fest/flüssig/gasf., dafür aber zwei andere Tripelpunkte besitzt: Flüssiges He I/flüssiges He II/gasf. He u. flüssiges He I/flüssiges He II/festes He. Beim Isotop ^{3}He (Sdp. –269,96 °C) hat man bei Temp. unterhalb 3 mK (s. absoluter Nullpunkt) noch mind. 3 weitere, supraflüssige Phasen festgestellt. Über die sich durch ihre Elektronenspins unterscheidenden Ortho- u. Para-Isomeren des H. s. Ortho-Para-Isomerie. H. bleibt als einzige Substanz bei Atmosphärendruck bis in die Nähe des abs. Nullpunkts flüssig. Um festes H. zu bekommen, muß man die Flüssigkeit einem Druck von etwa 30 bar unterwerfen od. – bei 24 °C – einem Druck von ca. 117000 bar. Wie flüssiges zeigt auch festes H. manch ungewöhnliche Eigenschaften: Festes H. ist der weichste Fest-

körper; bei geringen Druckschwankungen ändern sich bereits die Atomabstände im Kristallgitter, was zur Änderung der thermodynam. Eigenschaften führt. Es ist das einzig bekannte Beisp. eines sog. Quantenfestkörpers. ^{4}He existiert oberhalb 30 bar als krist. Festkörper mit hexagonaler Struktur. In einem kleinen Temp.- u. Druckbereich (Temp. zwischen –271,85 u. –271,35 °C; Drücke zwischen 26 u. 31 bar) weist ^{4}He eine kub. raumzentrierte Struktur auf. Bei Drücken oberhalb 1100 bar nimmt ^{4}He dann eine kub. flächenzentrierte Struktur an. Bei etwa –213 °C beträgt der Schmelzdruck rund 10000, bei Raumtemp. ca. 115000 bar. Man kann also den festen Zustand bei einer wesentlich höheren Temp. noch stabil erhalten als den flüssigen Zustand, dessen Existenz nach oben durch die krit. Temp. von –267,95 °C begrenzt ist. ^{3}He zeigt etwa den gleichen festen Bereich in seinem Phasendiagramm, nur daß der Temp.-Druck-Bereich, oberhalb dessen ^{3}He kub. raumzentriert krist., wesentlich größer ist. Als Edelgas ist H. nullwertig, u. es sind keine chem. Verb. von ihm bekannt. Über Aspekte einer Chemie des H. s. *Lit.*[1]. In der Kerntechnik können H.-Atome, die durch Wechselwirkung zwischen Reaktor-Neutronen u. Eisen entstehen, die Festigkeit von Stählen beeinträchtigen; dieser *H.-Versprödung* sucht man z. B. durch Zulegieren von Titancarbid zu begegnen[2]. Der analyt. Nachw. des H. erfolgt wie bei allen *Edelgasen auf spektralanalyt. Weg od. massenspektrometrisch.

Vork.: Kleinere Mengen H. finden sich in allen Uran-Mineralen (bes. im Cleveit), wo es bei radioaktiven Zerfallsprozessen als *α*-Strahlung entsteht. Hierauf beruht auch die *Helium-Methode zur Altersbestimmung von Gesteinen. Am häufigsten kommt H. in *Erdgasen vor, u. zwar in Konz. bis zu 7,5, teilw. sogar 16 Vol.-%. Die größten Vork. befinden sich in den USA (Texas, Kansas u. Oklahoma), der ehem. UdSSR (Sibirien), Algerien u. Kanada. In Europa kommt H. in poln. Erdgas in nennenswerter Konz. vor (0,4%), ferner im Nordseegas (bis 0,12%). H. findet sich auch in Thermalquellen (z. B. Wiesbaden, Wildbad). Die atmosphär. Luft enthält in den unteren Schichten nur etwa 4,6 cm^3 je m^3. Seinen Anteil in der obersten, 16 km dicken Erdkruste, einschließlich der Weltmeere u. Atmosphäre, schätzt man auf $4,2 \cdot 10^{-7}$%. H. ist somit seltener als *Gold, *Silber u. *Platin. Seine Masse befindet sich im stationären Gleichgew. zwischen dem leichten, in den Weltraum entweichenden Gas einerseits u. dem aus radioaktiven Mineralen u. dem Sonnenwind nachgelieferten andererseits. In der *Sonne u. den Fixsternen kann man mit Hilfe des Spektroskops H. nachweisen. Dort entsteht es durch die sog. *Proton-Proton-Reaktion* od. durch die Vereinigung von jeweils 4 Wasserstoff-Atomen in einer atomaren Kettenreaktion nach dem vereinfachten Schema

$$^{12}C \xrightarrow{+p} {}^{13}N \xrightarrow[-e^+]{} {}^{13}C \xrightarrow{+p} {}^{14}N \xrightarrow{+p} {}^{15}O \xrightarrow[-e^+]{} {}^{15}N$$
$$\xrightarrow{+p} {}^{12}C + {}^4He$$

(*Bethe-Weizsäcker-Cyclus*; s. Kernfusion), wobei der damit verbundene *Massendefekt die Quelle für die *Sonnenenergie bildet, vgl. auch thermonukleare Reaktionen. Von der Gesamtzahl der Atome, aus denen die Sonne besteht, sind ca. 8% H.-Atome u. nur ca.

0,2% Atome schwerer Elemente (hauptsächlich O- u. C-Atome). Wasserstoff-Atome sind auf der Sonne mit ca. 92%, im gesamten Universum sogar mit ca. 93% Hauptbestandteil; H. ist das zweithäufigste Element. *Herst.*: H. wird – bes. in den USA – aus H.-haltigen *Erdgasen gewonnen. Dies erfolgt (nach Vorreinigen des Erdgases, wobei Bestandteile entfernt werden, die beim Abkühlen gefrieren würden, z. B. H_2S, CO_2, H_2O) durch Abkühlen des Gases unter partieller Kondensation der schweren Fraktionen, Fraktionierung der Rohkondensate u. Grob- u. Feinreinigung des Heliums. Ein Teil der Produktion wird als etwa 70%iges Roh-H. in ausgebeuteten Erdgaslagerstätten für zukünftigen Bedarf gespeichert. Eine ausführliche Darst. der Technik zur Gewinnung von H. in den USA findet man in *Lit.*[3]. Die Gewinnung von H. aus der Luft durch Luftverflüssigung u. -zerlegung wird nur in erdgasarmen Gebieten, wie z. B. der BRD, betrieben. Auch aus dem *Purgegas*, mit dem Inertgase aus dem Kreislauf von Synth.-Prozessen ausgeschleust werden, z. B. dem Restgas der Ammoniak-Synth., gewinnt man Helium. Das stark komprimierte, etwa 99%ige H. kommt in Stahlflaschen u. verflüssigt in Tankcontainern in den Handel. Tanks für flüssiges H. sind durch Superisolierung geschützt; die Flüssigkeit befindet sich in einem Innenbehälter, der von einem Strahlungsschild aus Kupfer umgeben ist. Dieser wird von flüssigem Stickstoff gekühlt od. von kaltem H.-Gas, das durch Teilverdampfung der Flüssigkeit infolge Wärmeaufnahme aus der Umgebung entsteht.
Präparativ kann H. – in allerdings unergiebiger Weise – erhalten werden, durch Erhitzen von H.-haltigen Mineralen (Cleveit, Monazit, Thorianit) auf etwa 1200 °C im einseitig geschlossenen Porzellanrohr, wobei man den beigemengten Wasserstoff durch glühendes Kupferoxid, das Kohlendioxid mit Hilfe von Ätzkali, den Stickstoff mit einem hocherhitzten Gemisch aus CaO, Mg u. Na u. das Argon mit entgaster Aktivkohle entfernt. [3]He läßt sich aus natürlichem H. mit Verf. zur *Isotopentrennung anreichern u. ggf. rein gewinnen, z. B. durch Thermodiffusion in Trennrohrkaskaden od. durch mehrmalig wiederholtes Zentrifugieren des auf –263 °C abgekühlten Rohgases. Heute wird [3]He durch die Kernreaktionen $^6Li(n,\alpha)^3H(\beta)^3He$ in Litermengen erzeugt.
Verw.: Bei der Metallbearbeitung (z. B. Schweißen von Aluminium, Magnesium, Titan, Molybdän, rostfreiem Stahl) u. in der Pulver-Metallurgie dient H. (od. das billigere Argon) als Schutzgas zur Vermeidung von Oxid- u. Nitrid-Bildung (vgl. z. B. Heliarc-Verfahren). Als Schutzgas wird H. auch bei der Fertigung von Halbleitern u. elektron. Bauelementen verwendet. In der Kältetechnik dient flüssiges H. zur Erzeugung tiefster Temp.; da der Sdp. von [3]He noch niedriger liegt als der des natürlichen Isotopengemischs, lassen sich mit seiner Hilfe Temp. erreichen, die nur noch wenige tausendstel Grad vom abs. Nullpunkt entfernt sind. In Supraleitfähigkeitsanlagen dürfte H. bei Kommerzialisierung der in jüngerer Zeit aufgefundenen Hochtemperatur-*Supraleitung an Bedeutung verlieren. In der Atomtechnik wird H. als Kühlgas für Atomreaktoren benutzt. In der Spirometrie setzt man H.-Sauerstoff-Gemische zur Bestimmung des Residualvol. ein, Asth-

matiker können wegen der geringeren Viskosität des H. durch ein Gemisch aus 20% Sauerstoff u. 80% H. besser mit Sauerstoff versorgt werden als bei Anw. von Luft. Atemgasgemische mit H. werden wegen der narkot. Wirkung von Stickstoff bei erhöhtem Druck auch beim Tieftauchen u. bei Caissonarbeiten verwendet. Beträchtliche Mengen H. verbraucht die Raumfahrt als Kompensations-Füllgas für Raketen-Treibstofftanks. Die im 1. Weltkrieg von Ramsay vorgeschlagene Traggas-Füllung von Luftschiffen u. Ballons mit unbrennbarem H. anstelle des explosiven Wasserstoffs ist heute weniger bedeutsam, könnte jedoch künftig für den Überlandtransport sperriger Anlagenteile Bedeutung erlangen. In der Vak.-Technik wird H. in Lecksuchgeräten verwendet (s. *Lit.*[4]), u. in der Gaschromatographie ist H. das am meisten verwendete Trägergas. Weitere Verw.-Möglichkeiten sind u. a. der Einsatz von H. zur Füllung von Präzisions-Gasthermometern, zur Schalldämmung in Doppelfenstern, zur Kühlung in *Masern (z. B. in Nachrichtensatelliten), in *Lasern. In der *Glimmentladung gibt H. goldgelbes Licht. Von 88,1 Mio. m^3 H., die 1991 in den USA produziert wurden, gingen 30,7 Mio. m^3 in den Export. Vom Inlandsverbrauch entfielen 30% auf Kältetechnik, 21% auf Schutzgasschweißen, 11% auf Gasspülungen, 6% auf Lecksuche u. 32% auf andere Anw. wie Forschungszwecke, Atemgase, Windkanal, Wärmeübertragung, Ballongase etc.; 1993 belief sich die US-Produktion auf 99 Mio. m^3 H.[3].
Geschichte: H. wurde als Sonnenbestandteil entdeckt (Janssen 1868, bei spektralanalyt. Untersuchungen der Sonnenprotuberanzen), später fand es Palmieri (1882) bei der Spektralanalyse von Vesuv-Lava u. 1889 entdeckte der amerikan. Chemiker Hildebrand im Uran-Mineral Uraninit ein reaktionsträges Gas (H.), das er für Stickstoff hielt. Aber erst *Ramsay vermochte das H. in größeren Mengen aus dem Mineral Cleveit (worin es etwa gleichzeitig u. unabhängig von ihm auch die schwed. Chemiker Cleve u. Langlet nachwiesen) rein herzustellen (1895). Später wurde H. von Kayser auch in der Luft nachgewiesen. Im Jahr 1908 wurde es von H. Kamerlingh Onnes in Leiden erstmals verflüssigt. – *E* helium – *F* hélium – *I* elio – *S* helio

Lit.: [1] Nachr. Chem. Tech. Lab. **37**, 243–248 (1989). [2] Ann. Chim. Fr. **14**, 97–111 (1989); J. Nucl. Mater. **103/104**, 845 (1982). [3] Kirk-Othmer (4.) **13**, 1–38. [4] Einführung in die Lecksuche mit Hilfe der Helium-Massenspektroskopie, Stuttgart: Varian 1981.
allg.: Bergmann u. Schäfer, Lehrbuch der Experimentalphysik, Bd. 1, S. 827–841, Berlin: de Gruyter 1990 ▪ Foucal, Astrophysics, S. 169–173, New York: Wiley 1990 ▪ Gmelin, Syst.-Nr. 1, Edelgase, 1926, S. 36–98, Erg.-Werk (8.), S. 16, 132 ▪ Hollemann-Wiberg (101.), S. 1766 f. ▪ Hommel, Nr. 515, 515a ▪ Struct. Bonding (Berlin) **73**, 1–15 (1990) ▪ Ullmann (5.) A **17**, 485–539 ▪ Winnacker-Küchler (4.) **3**, 619, 625 f. ▪ Ziegler, Helium, Oxford: Pergamon 1978 ▪ s. a. Edelgase u. Supraflüssigkeiten. – [HS 280429; CAS 7440-59-7; G2]

Helium-Cadmium-Laser. Prinzipieller Aufbau wie ein *Gas-Laser mit gepulster od. kontinuierlicher Entladung in Helium od. Neon, in dem Cadmium-Dampf enthalten ist. Hierbei wird Cadmium entweder direkt durch die Entladung erwärmt od. ein Cadmium-Vorrat in einem Seitenarm auf 200–300 °C erhitzt. Durch Verw. einer Hohlkathode ist kontinuierlicher Betrieb möglich. Laser-Emissionslinien liegen zwischen 325 nm u. 887 nm, mit den intensivsten Linien bei 325 nm u. 441 nm. – *E* helium cadmium laser – *F* laser à hélium-cadmium – *I* laser a elio-cadmio – *S* láser de helio-cadmio

Lit.: Beck, Englisch u. Gürs, Table of Laser Lines in Gases and Vapors, Berlin: Springer 1978.

Helium-Ionisationsdetektor (HeD). Ein Strahlungsionisationsdetektor, bei dem Helium als Träger- u. Make-up-Gas den Detektor durchströmt. Aus der Oberfläche einer radioaktiv belegten Elektrode treten β-Teilchen (Elektronen) aus, die wenige Helium-Atome ionisieren. Die hierbei gebildeten, langsamen Elektronen werden durch ein elektr. Feld derart beschleunigt, daß ihre Energie ausreicht, weiteres Helium in einen metastabilen Anregungszustand zu überführen. Der Anregungszustand des Heliums liegt energet. so hoch, daß er Mol. der Probe ionisieren kann. Die Ionen werden von einer Kollektorelektrode aufgefangen u. erzeugen einen Ionenstrom, der als Meßsignal verstärkt wird. Der H.-I. wird für die gaschromatograph. Spurenanalytik von Permanentgasen wie Edelgase, Wasserstoff, Stickstoff, Sauerstoff, CO, CO_2, Freon u. a. eingesetzt. – *E* helium ionization detector – *F* détecteur à ionisation d'hélium – *I* detettore di ionizzazione ad elio – *S* detector de ionización de helio

Lit.: Chromatogr. Sci. **26**, 153 (1988) ▪ Leibnitz u. Struppe, Handbuch der Gaschromatographie, Leipzig: Geest & Portig 1984 ▪ Schwedt, Analytische Chemie, S. 359, Stuttgart: Thieme 1995.

Helium-Methode. Eine Meth. zur *Altersbestimmung von Gesteinen. Man analysiert auf Uran u./od. Thorium sowie auf das hieraus durch radioaktiven Zerfall entstandene, im Mineral eingeschlossene *Helium. Aus dem Mengenvgl. ergibt sich ein Hinweis auf das Alter des Gesteins, s. a. Geochronologie. – *E* helium methode – *F* methode hélium – *I* metodo elio – *S* método del helio

Lit.: s. Altersbestimmung, Geochronologie.

Helium-Neon-Laser. *Gas-Laser, bei dem in einer Gasröhre (typ. 1 hPa Helium, 0,13 hPa Neon) eine kontinuierliche Gasentladung gezündet wird. Hierbei reichert sich eine Besetzung von angeregten Helium-Atomen in dem langlebigen (metastabilen) Niveau 2^1S u. 2^3S an. Durch inelast. Stöße wird die interne Energie auf Neon-Atome übertragen, die somit ihrerseits die $3s_2$ u. $2s_2$-Zustände bevölkern. Da diese Besetzung größer ist als die therm. Besetzung der energet. niedrigeren $3p_4$ u. $2p_4$-Niveaus, existiert Besetzungsinversion. Die stärksten Laserübergänge gehören zu den Linien bei 1152,3 nm u. 3391 nm im infraroten u. zu 632,8 nm im roten Spektralbereich. Es ist aber auch möglich, weitere Linien z. B. bei 543,3 nm zu erzeugen (*Lit.*[1]).

Die Leistung eines H.-N.-L. ist begrenzt, da das $1s_5$-Niveau ebenfalls metastabil ist u. nur durch Stöße, z. B. Wandstöße, entvölkert werden kann. Aus diesem Grund ist der Innendurchmesser des Entladungsrohrs mit typ. 2 mm sehr klein gehalten. Markttübliche H.-N.-L. liefern kontinuierliche Lichtleistung bis 50 mW[2]. Je nach Resonatorkonfigurationen schwingt der Laser innerhalb der ca. 1,5 GHz breiten Neon-Über-

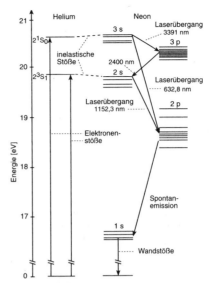

Abb.: He–Ne-Laser.

gänge auf einer od. mehreren Frequenzen. Frequenzstabilisierte H.-N.-L. sind kommerziell erhältlich[2]; bezüglich durchstimmbarer H.-N.-L. s. *Lit.*[3]. – *E* Helium-Neon laser – *F* laser à hélium-néon – *I* laser a elio-neon – *S* láser de helio-neón

Lit.: [1] Beck et al., Table, Laser Lines in Gases, Berlin: Springer 1978. [2] Phys. Bl. **41**, A 261 (1985). [3] The Laser Focus World Buyers' Guide, 8011 Kirchheim: Verl.-Büro Byleck 1996.

Helix (von griech.: helix = Windung, Gewinde; Mehrzahl: Helices). Viele zur Ausbildung von *Wasserstoff-Brückenbindungen befähigte Naturstoffe (v. a. Makromol.) liegen im mol. Bereich nicht in ungeordneter, sondern speziell organisierter *Konformation vor. Eine bevorzugte Struktur ist die schraubenförmige (helikale) Anordnung der Helix. Bei *Proteinen stellt die rechtsgewundene sog. α-H.[1], die oft zu mehreren aneinandergelagert vorkommt, eine spezielle *Sekundärstruktur* dar; man findet H.-Strukturen aber auch bei *Polysacchariden (*Amylose, *Carrageen-Gele). Als *Doppelhelix* winden sich bei *Desoxyribonucleinsäuren (DNA) zwei Einzelstränge meist rechtsherum umeinander; diese Doppelhelix wiederum ist *in vivo* zu einer übergeordneten Schraube verdrillt, der sog. *Superhelix*, u. muß von *Helicasen entspiralisiert werden, wenn die Information der DNA abgelesen werden soll. Bei *Collagenen u. *Collectinen ist eine dreisträngige *Tripelhelix* bekannt[2]. Die H. als *Quartärstruktur* (s. Proteine) entsteht durch spiralartige Aneinanderlagerung von Protein-Mol., so z. B. bei der Polymerisation von *Actin u. auch bei *Viren (u. a. beim *Capsid des *Tabakmosaikvirus). Unter der Einwirkung von Wärme u./od. Lsm. können die H.-Strukturen dieser Biopolymeren in vielen Fällen zugunsten von weniger geordneten Knäuel-Strukturen aufgegeben werden (*E* helix-coil transition). Die Bevorzugung einer Windungs-Richtung (meist rechts) ist in der Asymmetrie (*Chiralität) der Bausteine der Polymeren begründet. *Helizität* läßt sich auch durch Synth. einfacher gebauter organ. Verb. erzeugen, z. B. bei *Helicenen u. bei höheren *Oligophenylen. Bei

cholester. *flüssigen Kristallen sind die Mol. entlang von gedachten Helices angeordnet. – *E* helix – *F = S* hélice – *I* èlica
Lit.: [1] Stryer 1996, S. 28 f., 444 ff. [2] FASEB J. **9**, 1537–1546 (1995).

Helixin. 1. Synonym für α-*Hederin. – 2. Bez. für eine Gruppe von Antibiotika: Die fungiziden Polyen-Antibiotika H. A u. H. B (ident. mit Endomycin A bzw. B) mit 6 konjugierten Doppelbindungen im Lacton-Ring (Hexaen) wurden aus *Streptomyces endus* isoliert [1] (genaue Struktur unbekannt). H. C ist ident. mit dem Polyether-Antibiotikum *Nigericin. – *E* helixin – *F* hélixine – *I* elicina – *S* helixina
Lit.: [1] Can. J. Chem. **35**, 1460 (1957).

Helix-Knäuel-Übergang. Bei einigen Polymeren können nen die Hauptketten in Abhängigkeit von Umgebungsparametern entweder eine helicale od. eine statist. geknäuelte Konformation annehmen.

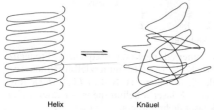

Helix　　　　Knäuel
Abb.: Helix-Knäuel-Übergang.

Der Anteil helicaler bzw. nicht-helicaler Sequenzen in einer Kette ändert sich z. T. sprungartig mit dem Lsm., der Temp. od. dem Druck u. kann mit gruppenspezif. (UV, IR, NMR, ORD, CD) od. molekülspezif. Meth. (Viskosimetrie, Lichtstreuung) verfolgt werden. So steigt z. B. die spezif. Drehung von Poly(γ-benzyl-L-glutamat) in Gemischen aus Ethylendichlorid u. Dichloressigsäure mit steigender Konz. an Dichloressigsäure zuerst etwas an, bleibt dann über einen großen Mischungsbereich konstant u. fällt schließlich bei Dichloressigsäure-Gehalten von über 75% sprunghaft zu neg. Werten ab. Da Ethylendichlorid ein helicogenes Lsm. ist, wird die kleine anfängliche Zunahme der spezif. Drehung einer Änderung der Helixstruktur, der starke Abfall aber einem H.-K.-Ü. zugeschrieben. – *E* helix-coil transition – *I* transizione elicoidale – *S* transición hélice-entrecruzado
Lit.: Elias (5.) **1**, 174.

Helix-loop-helix (HLH). Strukturmotiv einer Familie von *Desoxyribonucleinsäure(DNA)-bindenden *Proteinen, denen eine 50–60 Aminosäuren lange *Domäne ähnliche Sequenz u. Raumstruktur gemeinsam ist. Die Domäne bildet zwei *amphipathische Helices aus, die durch eine Schleife miteinander verbunden sind, u. ist verantwortlich für die Dimerisierung gleicher od. verschiedener HLH-Proteine. Eine Amino-terminal angrenzende bas. Region erlaubt deren DNA-Bindung, wobei diese Region ebenfalls helikale Konformation (Struktur) annimmt. Die HLH-Proteine fungieren als *Transkriptionsfaktoren, z. B. *Myc, das zusätzlich einen *Leucin-Reißverschluß besitzt, der *Ah-Rezeptor u. das Ah-Rezeptor-Kern-Translokator-Protein. Manche HLH-Transkriptionsfaktoren spielen in der Muskel- u. Nervenentwicklung

eine Rolle, z. B. *Myogenin, *MyoD, NeuroD [1], andere bei der *Differenzierung von B-*Lymphocyten u. bei der Geschlechts-Festlegung von *Drosophila melanogaster. – *E = F = I = S* helix-loop-helix
Lit.: [1] Science **268**, 836–844 (1995).
allg.: Alberts et al., Molekularbiologie der Zelle, 3. Aufl., S. 488, Weinheim: VCH Verlagsges. 1995 ▪ Biochim. Biophys. Acta **1218**, 129–135 (1994) ▪ Murre u. Baltimore, in Knight u. Yamamoto, Transcriptional Regulation, S. 861–879, Cold Spring Harbor: CSH Laboratory Press 1992 ▪ Protein Profile **2**, 621–702 (1995).

Helixor® A/-M/-P. Ampullen mit wäss. Auszügen aus dem Kraut der Tannen- (H. A), Apfelbaum- (H. M) u. Kiefernmistel (H. P) zur pflanzlichen Cytostatikatherapie. *B.:* Helixor.

Helix-turn-helix s. Homöo-Domäne.

Helizarin® Binder. Bindemittel auf Acrylat- bzw. Butadien-Basis für den Pigment-Textildruck. *B.:* BASF.

Helizarin® Fixierer S. Hilfsmittel zur Verbesserung der Echtheiten von Pigmentdrucken, speziell auf Synthesefasern u. deren Mischungen mit Cellulose-Fasern; Basis: Verethertes Melamin-Formaldehyd-Additionsprodukt in Methanol/Wasser. *B.:* BASF.

Helizarin® Pigmente. Flüssige Einstellungen organ. u. anorgan. *Pigmente zum Bedrucken u. Färben von Textilien aus pflanzlichen, tier. u. synthet. Fasern. Die Fixierung auf dem jeweiligen Substrat erfolgt durch einen geeigneten hochpolymeren Binder. *B.:* BASF.

Hellebrigenin s. Bufadienolide.

Hellersche Probe. Von Johann Florian Heller (1813–1871) [1] entwickelte, heutzutage kaum noch gebräuchliche Meth. zum Eiweiß-Nachw. im Harn: Man überschichtet in einem Reagenzglas 3–5 mL konz. Salpetersäure mit der gleichen Menge Harn. Bei Anwesenheit von Eiweiß entsteht an der Schichtgrenze eine starke, ringförmige Trübung. – *E* Heller('s) layer test – *F* test d'Heller – *I* test di Heller – *S* reacción de Heller
Lit.: [1] Allg. Prakt. Chem. **22**, 196 (1971).

Helligkeit. Begriff zur Kennzeichnung von *Farben.

Hellma GmbH & Co. Glastechn.-Optische Werke, 79379 Müllheim. *Produktion:* Laborgeräte, Präzisions-Küvetten für opt. Meßgeräte.

Hellmann, Heinrich (1913–1995), Prof. für Organ. Chemie, Münster u. Tübingen, ehem. Forschungsleiter bei Hüls. *Arbeitsgebiete:* Organ., physiolog. u. makromol. Chemie, Biochemie, Amino-Alkylierung, Forschungsplanung u. -ökonomie, chem. Dokumentation.
Lit.: Chem. Ztg. **97**, 625 f. (1973) ▪ Kürschner (15.), S. 1711 ▪ Nachr. Chem. Tech. Lab. **21**, 544 f. (1973); **22**, 509 (1974).

Hell-Volhard-Zelinsky-Reaktion. Von Hell (1881), Volhard (1887) u. Zelinsky (1887) entwickelte Meth. zur *Halogenierung (Chlorierung od. Bromierung) von Carbonsäuren in α-Stellung mit Hilfe von Phosphorhalogeniden als Katalysatoren. Die Reaktion verläuft über die zunächst gebildeten Säurehalogenide, die wie auch andere leicht enolisierbaren Verb. ohne Katalysator halogeniert werden können.

– *E* Hell-Volhard-Zelinsky reaction – *F* réaction de Hell-Volhard-Zelinsky – *I* reazione di Hell-Volhard-Zelinsky – *S* reacción de Hell-Volhard-Zelinsky

Lit.: Chem. Rev. **62**, 99–154 (1962) ▪ Hassner-Stumer, S. 163 ▪ Laue-Plagens, S. 173 ▪ March (4.), S. 590.

Helm. Kurzbez. für die 1900 gegr. Helm AG, 20097 Hamburg. Die Ges. hat zahlreiche Beteiligungen im In- u. Ausland. *Daten* (1994): 1361 Beschäftigte, 5,8 Mrd. DM Umsatz. *Produktion*: Internat. Marketing, nat. Distribution, Cargo Terminals, Produktions- u. Service-Funktion; Ind.-Chemikalien, pharmazeut. Rohstoffe, Futtermittelzusätze, Pflanzenschutz- u. Düngemittel.

Helmchen, Günter (geb. 1940), Prof. für Organ. Chemie, Univ. Heidelberg. *Arbeitsgebiete:* Stereoselektive Synth. von Wirkstoffen, asymmetr. Synthese.
Lit.: Kürschner (16.), S. 1352.

Helmex® (Rp). Kautabl. u. Suspension mit *Pyrantelembonat, *Anthelmintikum. *B.*: Pfizer.

von **Helmholtz,** Hermann Ludwig Ferdinand (1821–1894), Prof. für Physik, Anatomie u. Physiologie, Berlin, Königsberg, Bonn u. Heidelberg. *Arbeitsgebiete:* Thermodynamik, Gesetz von der Erhaltung der Energie, Optik (Erfindung des Augenspiegels u. des Telestereoskops, Dreifarbentheorie), Akustik (Klanganalyse), Elektrizität, Begriff des elektr. Elementarteilchens, Hydrodynamik.
Lit.: Cohen u. Elkana, H. von Helmholtz, Dordrecht: Reidel 1976 ▪ von Helmholtz, Hermann von Helmholtz über sich selbst, Leipzig: Teubner 1966 ▪ Krafft, S. 163 f. ▪ Lexikon der Naturwissenschaftler, S. 204 ▪ Nachmansohn, S. 177, 266 f. ▪ Neufeldt, S. 72, 380 ▪ Pötsch, S. 195.

Helmholtz-Doppelschicht s. elektrochemische Doppelschicht.

Helmholtz-Energie [Symbol: A, im Dtsch. (noch): F]. Von der IUPAC empfohlene Bez. für die *Helmholtzsche *Freie Energie, vgl. a. Hauptsätze.

Helmholtzsche Doppelzelle (Doppelkette). Bez. für eine *Konzentrationszelle ohne Überführung. Die Zellspannung $\Delta\varphi$ ist nur von dem Verhältnis der *Aktivitäten der potentialbestimmenden Spezies in den beiden *Halbzellen abhängig. Für die wie folgt aufgebaute H. D. (/ symbolisiert eine Phasengrenze)

Ag/(AgCl)$_s$/Cl$^-$(a$_1$)/KCl(gesätt.)/Cl$^-$(a$_2$)/(AgCl)$_s$/Ag

gilt z. B. $\Delta\varphi = RT/F \ln a_1/a_2$, d. h. die Zellspannung hängt bei gegebener Temp. nur vom Verhältnis der Chlorid-Ionen-Aktivitäten ab (R: Gaskonstante, F: Faraday-Konstante, T: abs. Temp.). – *E* Helmholtz cell – *F* pile de Helmholtz – *I* cella doppia di Helmholtz – *S* pila de Helmholtz

Helmholtz-Spulen. Kombination aus zwei Kreisspulen mit dem Radius R, die parallel u. koaxial zueinander mit dem Abstand R angeordnet sind. Im Innern des Spulenpaars existiert über einen größeren Bereich ein homogenes Magnetfeld. Genauere Formeln s. *Lit.* – *E* Helmholtz coils – *F* bobines de Helmholtz – *I* bobine di Helmholtz – *S* bobinas de Helmholtz
Lit.: Demtröder, Experimentalphysik 3, Berlin: Springer 1996.

Helminthen s. Würmer u. vgl. Anthelmintika.

Helminthosporal.

R = CHO : Helminthosporal
R = CH$_2$OH : Helminthosporol

$C_{15}H_{22}O_2$, M_R 234,34, Schmp. 56–59 °C, $[\alpha]_D$ –49° (CHCl$_3$); tox. *Sesquiterpen-Dialdehyd aus phytopathogenen Pilzen, u. a. der Gattungen *Helminthosporium* u. *Cochliobolus*. Die reduzierte Form, *Helminthosporol*, ist ein natürlicher Pflanzen-Wachstumsregulator. – *E = F = S* helminthosporal – *I* elmintosporale
Lit.: *Synth.*: J. Am. Chem. Soc. **114**, 644 (1992) ▪ J. Chem. Soc., Chem. Commun. **1986**, 63; **1987**, 1136 ▪ Tetrahedron Lett. **32**, 6741 (1991). – *[CAS 723-61-5 (H.); 1619-29-0 (Helminthosporol)]*

van **Helmont,** Jan (Johann) Baptista (1577–1644), Privatgelehrter in Vilvorde bei Brüssel. *Arbeitsgebiete:* Unzerstörbarkeit der Materie, bewiesen an der Auflösung von Metallen in Säuren u. deren anschließende Rückgewinnung aus den entstandenen Salzen, Verdrängung von edlen Metallen aus ihren Salzen durch unedle Metalle in Lsg., Herst. von Kupfervitriol durch Oxid. von Kupfersulfid od. aus Kupfer-Platten u. heißer Schwefelsäure, Löslichkeit von Silberchlorid in Ammoniak-Lsg., Einführung des Begriffs Gas u. Beschreibung verschiedener Gase, z. B. Kohlenoxid, Kohlendioxid, Stickstoffdioxid usw., Enzyme (Gärungsvorgänge), Untersuchung von Heilquellen, Entdeckung des Ammoniumcarbonats, Iatrochemie. H. wurde wegen seiner Schriften von Kirche u. Inquisition verfolgt u. zeitweise unter Hausarrest gestellt.
Lit.: CHEMKON **1994**, Nr. 4, 214 ▪ Krafft u. Meyer-Abich, Große Naturwissenschaftler, S. 155 f., Frankfurt: Fischer 1970 ▪ Krafft, S. 164 f. ▪ Lexikon der Naturwissenschaftler, S. 205 ▪ Pötsch, S. 195 ▪ Strube et al., S. 111.

Helophyten (Sumpfpflanzen, pelogene Pflanzen). Pflanzen wiederholt überfluteter Standorte, z. B. Schilf, Rohrkolben, Kalmus u. Binsen. Als *Adaptation an den niedrigen Sauerstoff-Gehalt in überflutetem Boden bzw. Unterwasser-Sedimenten weisen H. oft Durchlüftungsgewebe (Aerenchym) od. Atemwurzeln auf. H. überdauern im Gegensatz zu *Hydrophyten ungünstige Jahreszeiten manchmal auch mit oberhalb der Boden- bzw. Wasseroberfläche befindlichen Erneuerungsknospen. – *E* helophytes – *F* hélophytes, plantes palustres – *I* elofite – *S* helófitos
Lit.: Schlee (2.), S. 117–123.

Helveticon s. Bovichinone.

Helvin. (Mn,Fe,Zn)$_8$[S$_2$/(BeSiO$_4$)$_6$], kub. Mineral, Krist.-Klasse $\bar{4}$3m-T$_d$, *Struktur*[1] wie *Sodalith, mit Ersatz des Aluminiums durch Beryllium; bildet tetraedr. Krist. od. körnige Aggregate; rötlichbraun, gelb od. grün durchsichtig bis durchscheinend, fettiger Glasglanz, H. 6, D. 3,2–3,4, unebener Bruch. Chem. Analysen s. *Lit.*[2].

Vork.: z. B. Oslo u. Langesundsfjord/Norwegen, Yxsjö/Schweden, Amelia/Virginia u. San Diego County/Californien/USA; mehrorts in Japan. – *E* helvin(e) – *I* elvina – *S* helvina

Lit.: [1] Am. Mineral. **70**, 186–192 (1985). [2] Mineral. Mag. **40**, 627–636 (1976).
allg.: Anthony et al., Handbook of Mineralogy, Vol. II, Tl. 1, S. 326, Tucson (Arizona): Mineral Data Publishing 1995. – *[CAS 12524-45-7]*

HEMC. Kurzz. für (Hydroxyethyl)methylcellulose, s. Methylcellulose.

Hemerobien. Von griech.: hémeros = kultiviert u. bios = Leben hergeleitete Bez. für Organismenarten (s. Art), die durch den Einfluß des Menschen, v. a. durch Veränderung der Landschaft begünstigt werden u. insbes. die Kulturlandschaft (Anthropogaea) bewohnen. H. werden bei enger Bindung an den Menschen als Kulturfolger bzw. hemerophil (Gegensatz: hemerophob) bezeichnet (s. a. Synanthropie), z. B. Hausratte, Sperling u. Amsel. – *E* hemerobic organisms – *F* Hémérobies – *I* organismi emerobici – *S* organismos hemerobios
Lit.: Römpp Lexikon Umwelt, S. 336 f.

Hemi. ... Von griech.: hēmí...= Halb... abgeleitetes Präfix (latein.: *Semi...; französ.: demi...).

Hemiacetale. Veraltete Bez. für *Halbacetale.

Hemicellulosen. Veraltete Bez. für *Polyosen.

Hemidesmosomen s. Desmosomen.

Hemieder s. Kristallmorphologie.

Hemihydrate (Halbhydrate). 1. Bez. für Verb., die mit einem halben Mol Kristallwasser pro Mol kristallisieren; Näheres s. bei Hydrate. – 2. Bez. für die *α*- u. *β*-Modif. der Verb. $CaSO_4 \cdot 1/2 H_2O$, s. Gips. – *E* hemihydrates – *F* semi-hydrates – *I* emiidrati – *S* semihidratos

Hemimellit(h)säure (1,2,3-Benzoltricarbonsäure).

$C_9H_6O_6$, M_R 210,14. Farblose Blättchen od. Nadeln, D. 1,546, Schmp. 197 °C (wasserfrei), in heißem Wasser leicht lösl., in Ether kaum. Die durch Oxid. von Acenaphthen erhältliche *Tricarbonsäure bildet beim Erhitzen leicht ein Anhydrid. – *E* hemimellitic acid – *F* acide hémimellitique – *I* acido emimellitico – *S* ácido hemimelítico
Lit.: Beilstein E IV **9**, 3745 ▪ Ullmann (5.) **A 5**, 250. – *[HS 291739; CAS 569-51-7]*

Hemimetabol s. Insekten.

Hemimorphie s. Kristallmorphologie.

Hemimorphit (Kieselzinkerz, Kieselgalmei). $Zn_4[(OH)_2/Si_2O_7] \cdot H_2O$, zu den Soro-*Silicaten gehörendes, ca. 54% Zink enthaltendes Mineral, krist. rhomb.-

pyramidal, Krist.-Klasse mm2-C_{2v}; *Struktur* s. *Lit.*[1] u. *Lit.*[2] (Verhalten beim Erhitzen).

Wegen der polaren c-Achse ist H. *pyroelektr.* (– bzw. + in der Abb.). Dünntafelige bis prismat., vertikal gestreifte, deutlich hemimorphe Krist. (s. die Abb.), oft als fächer- od. garbenförmige Aggregate; auch stalaktit., nierig, kugelig od. faserig.

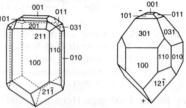

Abb.: Kristallformen von Hemimorphit; nach Rösler, *Lit.*, S. 499.

Farblos bis weiß, seltener blau, grünlich, grau, gelblich od. braun; durchsichtig od. durchscheinend, H. 4,5–5, D. 3,3–3,5, Glasglanz.

Vork.: Als Sek.-Mineral in *Oxidationszonen von Zink-haltigen Lagerstätten; verbreitet in den USA, ferner Bleiberg/Kärnten, Altenberg bei Aachen (histor.), Sardinien, Nerchinsk/Sibirien, Santa Eulalia/Mexiko u. Esfahan/Iran. Als Bestandteil von *Galmei. – *E* hemimorphite – *F* hémimorphite – *I* emimorfite – *S* hemimorfita
Lit.: [1] Z. Kristallogr. **146**, 241–259 (1977). [2] Z. Kristallogr. **156**, 305–321 (1981).
allg.: Anthony et al., Handbook of Mineralogy, Vol. II, Tl. 1, S. 328, Tucson (Arizona): Mineral Data Publishing 1995 ▪ Lapis **13**, Nr. 1, 6–9 (1988) („Steckbrief") ▪ Rösler, Lehrbuch der Mineralogie (4.), S. 498 ff., Leipzig: VEB Dtsch. Verl. für Grundstoffind. 1988. – *[CAS 12196-21-3]*

Hemitaktizität s. Taktizität.

Hemiterpene. Bez. für organ. Verb. mit 5 C-Atomen, denen das Gerüst des *Isoprens zugrunde liegt. Sie spielen eine wichtige Rolle bei der *Terpen-Biosynth., vgl. a. Isopren-Regel. – *E* hemiterpenes – *F* hemiterpènes – *I* emiterpeni – *S* hemiterpenos
Lit.: *Biosynth.:* J. Chem. Soc. Perkin Trans. 1 **1982**, 789–797.

Hemlockrinde. Getrocknete Rinde der in Nordamerika heim. u. in Europa angesiedelten kanad. Edel- od. Hemlocktanne [*Tsuga canadensis* (L.) Carr.], aus der der Pyrocatechin-*Gerbstoff *Hemlocktannin* (Millers Tannin, $C_{30}H_{26}O_{12}$, M_R 578,53) gewonnen wird, der Leder ausgeprägt rot färbt. Außerdem enthält die Rinde Bitterstoffe u. ether. Öl mit Bornylacetat, Cardinen, *α*-Pinen u. a. Substanzen, weshalb es auch Anw. bei Katarrhen findet. – *E* hemlock bark – *F* écorce du pin du Canada – *I* corteccia di tsuga – *S* corteza de tsuga de Canadá
Lit.: Hager (4.) **6 c**, 317 f.

Hemmstoffe. Vereinfachend kann man als H. solche Stoffe bezeichnen, die das Einsetzen od. den Ablauf von Reaktionen unterbinden. Bei chem. Reaktionen spricht man im allg. von *Inhibitoren bzw. von Katalysatorgiften, in der Medizin von „*...statika" (Bakteriostatika, Cytostatika, Tuberkulostatika usw.) u. *Antibiotika (die das Wachstum von Mikroorganismen ebenso wie *Antimetaboliten hemmen) u. in der Enzymchemie von *Repressoren. Nur in Botanik, Pflanzenschutz u. Phytochemie spricht man von ei-

gentlichen H., die in der freien Natur eine mannigfaltige Rolle spielen, wobei hier bes. die als *Wuchsstoff-Antagonisten* wirksamen *Allelopathika u. *Keimhemmungsmittel interessieren. Verständlicherweise gibt es stoffliche u. begriffliche Überschneidungen zwischen H. einerseits u. *Welkstoffen, *Hibernations-Induktoren u. *Phytoalexinen andererseits, die man nicht selten mit den *Pflanzenwuchsstoffen zusammen als *Pflanzenhormone anspricht. – *E* inhibitors – *F* inhibiteurs – *I* inibitori – *S* inhibidores
Lit.: Brunold, Rüegsegger u. Brändle, Stress bei Pflanzen, Bern: Haupt 1996.

Hemmung s. Inhibition, kompetitive Hemmung, Hemmstoffe u. Inhibitoren.

Hempelsche Bürette, Pipette. Meßgeräte zur Bestimmung der adsorbierten Anteile bei der naßchem. Gasanalyse.

Hen... Von griech.: hen...=ein... abgeleitete Silbe in zusammengesetzten Zahlwörtern; *Beisp.:* *Hendec(a)... [IUPAC: Undec(a)...]=11, *Heneicos(a)... =21, Hentriacont(a)...=31.

Hench, Philip Showalter (1896–1965), Prof. für Medizin, Mayo Klinik, Rochester, Minnesota. *Arbeitsgebiete:* Rheumatoide Arthritis, Therapie rheumat. Erkrankungen mit Nebennierenrindenhormonen, insbes. Cortison. Hierfür Nobelpreis für Physiologie od. Medizin 1950 zusammen mit *Kendall u. *Reichstein.
Lit.: Lexikon der Naturwissenschaftler, S. 205 ▪ Neufeldt, S. 193, 374.

Hendec(a)... Von griech.: héndeka=elf abgeleitetes Zahlwort. Für chem. Namen schreiben die IUPAC-Regeln die latein. Form *Undec(a)... vor.

Hendersonsche Gleichung. Gleichung aus der *Elektrochemie, mit der näherungsweise *Diffusionspotentiale berechnet werden können. Die H. G. lautet:

$$\Delta E_{Diff} = -\frac{RT}{F} \cdot \frac{\sum\limits_i [a_i(I) - a_i(II)] u_i |z_i|}{\sum\limits_i [a_i(I) - a_i(II)] u_i \frac{|z_i|}{z_i}} \cdot \ln \frac{\sum\limits_i a_i(I) u_i |z_i|}{\sum\limits_i a_i(II) u_i |z_i|}$$

Hierbei sind ΔE_{Diff} das Diffusionspotential zwischen Lsg. I u. II, R die *Gaskonstante, T die abs. Temp., a_i (I) u. a_i (II) die *Aktivitäten der Ionensorte i in Lsg. I bzw. Lsg. II, u_i die Beweglichkeiten (Quotient aus Wanderungsgeschwindigkeit u. elektr. Feldstärke) u. z_i die *Ladungszahlen. Mit der H. G. berechnet sich z. B. das Diffusionspotential zwischen einer 0,1 molaren KCl-Lsg. u. einer 0,1 molaren HCl-Lsg. zu 27 mV, während experimentell 28 mV erhalten wurden. – *E* Henderson equation – *F* équation de Henderson – *I* equazione di Henderson – *S* ecuación de Henderson
Lit.: Barrow, Physikalische Chemie, 6. Aufl., Braunschweig: Vieweg 1984 ▪ Hamann u. Vielstich, Elektrochemie I, 2. Aufl., Weinheim: VCH Verlagsges. 1985.

Heneicos(a)... Zahlwort für „21" (griech.); in den IUPAC-Regeln A-1.1, R-4.1 u.. I-12.III zu „Henicos(a)..." geändert, aber in Beilstein's Handbuch, Chemical Abstracts, diesem Werk u. Lit. beibehalten [vgl. Eicos(a)...]. – *E* = *F* = *S* hen(e)icos(a)... – *I*

en(e)icos(a)...

Heneicosandisäure s. Japanwachs.

Henequen. Bez. für *Hartfasern (Kurzz.: HE) aus Gefäßbündelteilen der *Agave fourcroydes.*
Lit.: Brücher, Tropische Nutzpflanzen, S. 218 ff., Berlin: Springer 1977 ▪ Kirk-Othmer (3.) **10**, 188; (4.) **10**, 738.

Henglein, Arnim (geb. 1926), Prof. für Strahlenchemie, TU Berlin, Bereichsleiter, Hahn-Meitner-Inst. Berlin GmbH. *Arbeitsgebiete:* Photochemie, Strahlenchemie, Kolloidchemie, Solarenergie, Sonochemie.
Lit.: Kürschner (16.), S. 1360 ▪ Nachr. Chem. Tech. Lab. **39**, Nr. 4, 456 (1991) ▪ Wer ist wer (35.), S. 566.

Henglein, Friedrich August (1893–1968), Prof. für Chem. Technologie, Danzig u. Karlsruhe. *Arbeitsgebiete:* Chem. Technologie, Hydrometallurgie, Infrarottrocknung, organ. Silyl-Verb., künstliche Steine, Pektine, Phenole, Cyanide.
Lit.: Allg. Prakt. Chem. **19**, 259 (1968) ▪ Chem. Ztg. **92**, 482 (1968) ▪ Nachr. Chem. Tech. Lab. **11**, 140 f. (1963).

Henicos(a)... s. Heneicos(a)...

Henkel. Kurzbez. für das 1876 gegr., im Familienbesitz befindliche Chemieunternehmen Henkel KGaA, 40191 Düsseldorf-Holthausen. Ca. 8000 verschiedene Produkte werden in 164 Produktionsstätten in 54 Ländern hergestellt. Zu den wichtigsten 100%igen Tochterges. gehören:
Inland: AOK-Nerval GmbH, Citax Klebetechnik GmbH, Cognis Ges. für Biotechnologie mbH, Gerhard Collardin GmbH, Columbia Cosmetics GmbH, Cordes & Co. GmbH, Grünau Illertissen GmbH, Henkel Bautechnik GmbH, Henkel Härtol GmbH, Henkel Teroson GmbH, Kepec Chem. Fabrik GmbH, Lang Apparatebau GmbH, Lixton Spezialreiniger GmbH, Neynaber Chemie GmbH, Pritt Produktionsges. mbH, Hans Schwarzkopf GmbH, Sichel-Werke GmbH, Stalo Chemicals GmbH, Thera Cosmetic GmbH, Thompson-Siegel GmbH.
Wichtige Beteiligungen im Ausland:
Europa: Henkel Austria GmbH, Wien, Henkel Belgium S. A., Brüssel, Henkel France S. A., Boulogne-Billancourt, Henkel Iberica S. A., Barcelona, Henkel S.p.A., Ferentino, Henkel Ltd., Enfield, Henkel Nederland B. V., Nieuwegein, Henkel & Cie AG, Pratteln, Türk Henkel A. S., Istanbul, Henkel Turyag A. S., Izmir.
Übersee: Henkel S. A. Industrias Quimicas, Sao Paulo, Henkel Oleochemicals Malaysia, Telok Panglima Garang, Henkel China Ltd., Hong Kong, Henkel Japan Ltd., Osaka, Henkel Mexicana S. A. de C. V., Ecatepec de Morelos, Henkel Corporation, Gulph Mills, Pennsylvania, Loctite Corporation, Hartford, Connecticut.
Daten 1996 (in Klammern Daten der Gruppe): 13 000 (46 380) Beschäftigte, 730 Mio. DM Kapital, 5,175 (16,301 Mrd.) DM Umsatz. *Produktion:* Feinseifen, Wasch-, Reinigungs- u. Geschirrspülmittel für Haushalt u. Großverbrauch, Natriumaluminiumsilicat, Haar- u. Körperpflegemittel, Kosmetika, Bergbauchemikalien, Schmierstoffe, Reinigungsmittel, Phosphatierprodukte für die Metall-Ind., Dosier-, Reinigungssowie Desinfektionsgeräte u. Reinigungsmaschinen, Schädlingsbekämpfungsmittel, Wohnungspflegemittel, Klebstoffe u. Bindemittel für Ind., Handwerk u. den Do-it-yourself-Markt, Vor- u. Zwischenprodukte für die weiterverarbeitende Ind. wie Wasserglas, Protein-Derivate, Glycerin, Fettsäuren, Fettsäure-Derivate, Fettalkohole u. Folgeprodukte für die pharma-

zeut. u. kosmet. Ind., die Kunststoff-, Lack- u. Farb-Ind., Hilfs- u. Veredlungsmittel für die Textil-, Leder-, Rauchwaren-, Kautschuk- u. Papier-Ind.; fettchemische Polymere: Riechstoffe; Vitamin E aus natürlichen Rohstoffen.
Lit.: Schöne, Stammwerk Henkel – 80 Jahre in Düsseldorf-Holthausen, Schriften des Werksarchivs Nr. 10/11, Düsseldorf: Henkel 1981.

Henkel, Fritz (1848–1930), Industrieller, Gründer der Firma *Henkel. Arbeitsgebiete:* Herst. des ersten selbsttätigen Waschmittels der Welt (Persil), Entwicklung vieler anderer Markenartikel.

Henkel, Hugo (1881–1952), Dr. rer. nat., Chemiker, Industrieller, erster Forschungsleiter der Firma *Henkel (1905–1920), Vater von K. *Henkel. *Arbeitsgebiete:* Auswertung der Fettalkoholsulfate für Tenside als Waschmittelinhaltsstoffe, Gewinnung industrieller Fette nach der *Fischer-Tropsch-Synthese, Einführung von Reinigungsmitteln auf Phosphat-Basis.

Henkel, Konrad (geb. 1915), Dr.-Ing., Dr. rer. nat., h.c., Sohn von H. *Henkel, Chemiker, Industrieller, Ehrenvorsitzender der Henkel-Gruppe, 1972 u. 1973 Präsident des VCI, Ehrenmitglied des VCI. *Arbeitsgebiete:* Biochemie, Fettchemie, Anw.-Technik, Marketingstrategien.
Lit.: Chem. Ztg. **104**, 341 (1980) ▪ Parfüm. Kosmet. **61**, 474 (1980).

Henkel-Ecolab. Kurzbez. für die 1991 gegr. Firma Henkel-Ecolab GmbH & Co. OHG, 40589 Düsseldorf, an der *Henkel u. Ecolab Inc., St. Paul, Minnesota (USA) zu je 50% beteiligt sind. *Daten* (1996): 3965 Beschäftigte, 1414 Mio. DM Umsatz. *Produktion:* Wasch-, Reinigungs- u. Desinfektionsmittel für die professionelle Hygiene im Krankenhaus, in der Lebensmittel-Ind., bei der Gebäude- u. Textilpflege.

Henkel-Khasana. Kurzbez. für das 1969 gegr. Kosmetik-Unternehmen Henkel-Khasana GmbH, 40191 Düsseldorf, das als 100%ige Tochterges. von Henkel 1977 in der Henkel-Kosmetik GmbH aufgegangen ist.

Henna. Gepulverte Blätter des Cyperstrauchs, auch H.-Strauch od. Mundholz (*Lawsonia inermis* od. *L. alba*, Lythraceae), die sich zum Färben der Haare von orange bis fuchsrot eignen. In Kombination mit *Reng (gepulverte Blätter der Indigo-Pflanze) können weitere Färbungen von blond bis schwarz erzielt werden. Die Färbung ist unschädlich u. dauerhaft, das Färbeverf. ziemlich kompliziert. Als *Rastik* war ein Färbegemisch aus H.- u. Galläpfel-Pulver, Eisenfeile, Eisensulfid, Kupfer- u. Cobalt-Salzen in Gebrauch. Die farbgebende Komponente von H. ist das *Lawson* (2-Hydroxy-1,4-naphthochinon, färbt orangegelb). Bereits die Mumie einer ägypt. Prinzessin aus der 18. Dynastie (14. Jh. vor unserer Zeitrechnung) zeigte schon H.-gefärbtes Haar. – *E = S* henna – *F* henne – *I* henna, henné
Lit.: Hager (5.) **1**, 207 ▪ Janistyn **1**, 465 f. ▪ Merck-Index (12.), Nr. 4683 ▪ Ullmann (4.) **10**, 735 ; **11**, 114; **12**, 565. – [HS 1404 10]

Henning Berlin. Kurzbez. für die 1913 gegr. Arzneimittelfirma Henning Berlin GmbH, 12099 Berlin. *Daten* (1995): ca. 500 Beschäftigte, ca. 120 Mio. DM Umsatz. *Produktion:* Herst. u. Vertrieb von Arzneimitteln.

Henritermierit s. Granate.

Henry (Kurzz.: H). Nach J. *Henry benannte Einheit für die *Induktivität. 1 H ist gleich der Induktivität einer geschlossenen Windung, die, von einem elektr. Strom der Stärke I = 1 A durchflossen, im Vak. den magnet. Fluß Φ(Einheit: 1 V · s = 1 *Weber) umschließt. 1 H = 1 V · s/A.

Henry, Joseph (1797–1878), Prof. für Physik, Albany u. Princeton, USA. *Arbeitsgebiete:* Mitentwicklung des Morsetelephons, Begründer des amerikan. Syst. der Wetterberichte mit Hilfe von Wetterkarten, Elektromagnetismus, Induktion, Selbstinduktion, Erdmagnetismus. Nach H. ist die Einheit für die elektromagnet. Induktivität benannt.
Lit.: Krafft, S. 41 ▪ Lexikon der Naturwissenschaftler, S. 206 ▪ Reingold, The Papers of Joseph Henry (mehrbändig), Washington: Smithsonian (seit 1972).

Henry-Daltonsches Gesetz s. Henrysches Gesetz.

Henry-Reaktion s. Knoevenagel-Kondensation.

Henrysches Gesetz (Henrysches Absorptionsgesetz). Dieses 1803 von W. Henry (1775–1836, Fabrikbesitzer in Manchester) aufgestellte Gesetz – ein *Gasgesetz im erweiterten Sinne – besagt, daß die Löslichkeit eines Gases α in einer Flüssigkeit L proportional zum Partialdruck p_α über der Lsg. ist. Für kleine u. mäßige Drucke (p≤~5 bar) ist der Stoffmengenanteil x_α des gelösten Gases gegeben durch:

$$x_\alpha = \frac{p_\alpha}{H_{\alpha,T}(T)}$$

Die *Henry-Konstante* $H_{\alpha,L}$ ist im allg. stark von der Temp. T abhängig. Während sie für die meisten Gase mit steigender Temp. abnimmt, nimmt sie bei tiefsiedenden Gasen, wie He od. H_2, mit der Temp. zu. D.h., will man also eine Flüssigkeit von solchen gelösten Gasen befreien, muß man die Temp. möglichst hoch u. den Gasdruck möglichst niedrig wählen. Für einige Gase gelten folgende Löslichkeiten in 1 L Wasser von 25°C: Etwa 30 mL Methan, 16,5 mL Wasserstoff, 21 mL Kohlenoxid, 2257 mL Schwefelwasserstoff, 32760 mL Schwefeldioxid, 425000 mL Chlorwasserstoff. Das H. G. gilt auch für andere Flüssigkeiten als Wasser (z. B. Alkohol, Benzin, Tetrachlormethan), sogar für Metallschmelzen; so gehorcht z. B. die Löslichkeit von Quecksilber-Dampf in geschmolzenem Zinn dem gleichen Gesetz. Das H. G. ist um so genauer erfüllt, je mehr sich die Gase dem „Idealzustand" annähern, d. h. je kleiner ihre molare Masse u. je tiefer ihre Sdp. bzw. Schmp. sind. Gase, die bei der Auflösung z. T. mit dem Lsm. chem. reagieren (z. B. Kohlendioxid, Schwefeldioxid u. Ammoniak mit Wasser), gehorchen dem H. G. höchstens annäherungsweise. So löst z. B. 1 L Wasser bei 1 bar Kohlendioxid-Gasdruck 1,8, bei 5 bar 8,65, bei 15 bar 21,95, bei 25 bar 30,55, bei 30 bar nur 33,74 L Kohlendioxid-Gas auf, obwohl bei 30fachem Druck 30 · 1,8 L = 54 L CO_2 gelöst werden müßten. Begründung: Schon bei 1 bar Druck verbindet sich ein erheblicher Teil des gelösten Kohlendioxids mit Wasser zu Kohlensäure (H_2CO_3), so daß mehr Kohlendioxid gelöst wird. Bei höheren Drücken nimmt dann die Kohlensäure-Bildung nicht mehr stark zu, weswegen weniger Kohlendioxid als das zu erwartende Vielfache gelöst wird.

Bei der CO_2-Anreicherung von *Mineralwässern kommt das H. G. in Anw.: Man preßt in die Wässer das Kohlendioxid unter 4–5 bar Druck hinein, wobei sich das 4–5fache an Kohlendioxid löst. Bei Druckentlastung (Öffnen der Flasche) perlt das gespannte Gas heraus. Das H. G. wurde von J. *Dalton auf Gasmischungen erweitert. Das sog. *Henry-Daltonsche Gesetz* besagt, daß die Löslichkeit der Komponenten einer Gasmischung bei gegebener Temp. direkt proportional dem *Partialdruck der betreffenden Komponente in der Gasphase ist. Die unterschiedliche Löslichkeit von Gasen in Flüssigkeiten entsprechend dem H. G. macht man sich auch bei der *Gaschromatographie zunutze. Neben dem Stoffmengenanteil x_α als dem heute gebräuchlichsten Maß der Gaslöslichkeit ist von Ostwald u. Bunsen ein anderer Löslichkeitskoeff. definiert worden, der an bestimmte Meßverf. gebunden ist (*Lit.*[1]). – *E* Henry('s) law – *F* loi de Henry – *I* legge di Henry – *S* ley de Henry

Lit.: [1] Kohlrausch, Praktische Physik 1, S. 394, Stuttgart: Teubner 1996.
allg.: Atkins, Physikalische Chemie, 2. Aufl., S. 206, Weinheim: VCH Verlagsges. 1996 ▪ Handbook 75, 1-24 bis 26 ▪ Kister, Absorption (Chem. Engineering), Encyclopedia of Physical Science and Technology, Bd. 1, S. 1–28, San Diego: Academic Press 1992 ▪ Ruthren, Adsorption (Chem. Engineering), Encyclopedia of Physical Science and Technology, Bd. 1, S. 289–312, San Diego: Academic Press 1992 ▪ s. Gase, Lösungen.

Henschler, Dietrich (geb. 1924), Prof. für Toxikologie u. Pharmakologie, Univ. Würzburg, Vorsitzender der Senatskommission der DFG zur Prüfung gesundheitsschädlicher Arbeitsstoffe (MAK-Kommission). *Arbeitsgebiete:* Mol. Mechanismen chem. Mutagene u. Cancerogene, enzymat. Aktivierung von Xenobiotika, insbes. halogenierter olefin. Verb. (Tri-, Tetrachlorethen), Mechanismen der Organspezifität tox. u. cancerogener Wirkungen, Grundlagen von Grenzwertfindungen in Human- u. Umwelttoxikologie, insbes. *MAK-Werte.
Lit.: Kürschner (16.), S. 1372 ▪ Wer ist wer (35.), S. 571.

Hensel, Friedrich (geb. 1933), Prof. für Physikal. Chemie, Univ. Marburg. *Arbeitsgebiete:* Hochdruck-Hochtemp.-Chemie, elektron. Phasenübergänge in fluiden Syst., elektron. Struktur von Clustern, die am Molekularstrahl synthetisiert werden.
Lit.: Kürschner (16.), S. 1373 ▪ Wer ist wer (35.), S. 571.

1-Hentriacontanol.

$$H_3C—(CH_2)_{29}—CH_2—OH \qquad \text{1-H.}$$

$$H_3C—(CH_2)_{14}—\underset{\underset{OH}{|}}{CH}—(CH_2)_{14}—CH_3 \qquad \text{16-H.}$$

$C_{31}H_{64}O$, M_R 452,85, Schmp. 87 °C, D^{95} 0,777, unlösl. in Wasser, lösl. in Ether u. Benzol, farbloser *Wachsalkohol. H. kommt wie *16-Hentriacontanol* in Wachsen verschiedenen Ursprungs vor, vorzugsweise als Palmitat, z. B. im *Bienen- u. *Carnaubawachs. *1-Triacontanol* (Melissylalkohol, Myricylalkohol) u.

dessen Gemische mit 1-Dotriacontanol wurden in der älteren Lit. fälschlich für 1-H. gehalten. – *E* 1-hentriacontanol – *I* 1-entriacontanolo – *S* 1-hentriacontanolo
Lit.: Beilstein E IV **1**, 1918 ▪ Karrer, Nr. 100 u. 5055. – [HS 2905 19; CAS 544-86-4 (1-H.); 1070-54-8 (16-H.)]

Hentriacontansäure s. Melissinsäure.

HEOD s. Dieldrin.

HEP®. *N*-2-Hydroxyethyl-2-pyrrolidon. Lsm. für Farben, Tinten u. Beschichtungen zum Lösen von PVC, PMMA, PETP. *B.:* ISP.

Hepa Merz®. Ampullen, Granulat u. Kautabl. mit dem Lebertherapeutikum Ornithinaspartat. *B.:* Merz & Co.

Heparansulfat s. Heparin.

Heparin. Aus tier. Organen isolierbare, in Mastzellen synthetisierte hoch-sulfonierte *Glykosaminoglykane aus D-*Glucosamin u. D-*Glucuronsäure, M_R ca. 17000.

D-Glucosamin u. D-Glucuronsäure sind dabei jeweils α-1,4-glykosid. zum Disaccharid verbunden u. bilden die H.-Untereinheiten, die miteinander ebenfalls α-1,4-glykosid. zum H. verknüpft sind. Die Stellung der Sulfo-Gruppen kann wechseln; eine Tetrasaccharid-Einheit enthält 4–5 Schwefelsäure-Reste. *Heparansulfat* (Heparitinsulfat) enthält weniger *O*- u. *N*-gebundene Sulfo-, dafür jedoch *N*-Acetyl-Gruppen. Man kann H. als anion. *Polyelektrolyt auffassen. H. kommt, gebunden an Proteine, bes. in der Leber (griech.: hēpar, daher Name) vor u. verhindert als *Antikoagulans das Gerinnen des im Körper kreisenden Blutes. Heparansulfat findet sich als Bestandteil von *Proteoglykanen (*Perlecan*) auf den Zelloberflächen u. in der *extrazellulären Matrix vieler Gewebe. H. verstärkt die inhibitor. Wirkung des *Antithrombins III auf *Thrombin, wodurch die Katalyse der Umwandlung von Fibrinogen zu *Fibrin durch Thrombin unterbunden wird, sowie auf verschiedene andere *Blutgerinnungs-Faktoren; u. a. wird auch die Umwandlung von *Prothrombin in Thrombin verhindert u. der Abbau von *Lipoproteinen durch Lipoprotein-Lipase aktiviert (Fettklär-Effekt). Das gewöhnlich als Antikoagulans verwendete *H.-Natrium* ist ein weißes bis graues, amorphes Pulver, leicht lösl. in Wasser u. Salzlsg., prakt. unlösl. in Alkohol, Aceton, Benzol u. Ether. Stoffe, die das gleiche Wirkungsspektrum wie H. zeigen, wie z. B. das *Hirudin des Blutegels, nennt man *Heparinoide. Das auch als β-H. bezeichnete, nicht gerinnungshemmend wirksame *Chondroitinsulfat B (*Dermatansulfat*) besteht aus L-*Iduronsäure, *N*-Acetyl-D-galactosamin u. Sulfat-Gruppen.
Verw.: H. findet zur Therapie u. Prophylaxe thromboembol. Erkrankungen Verw., insbes. bei *Hyperlipidämie, *Arteriosklerose, ferner bei Bluttransfusionen u. nach Operationen. Aufgrund günstigerer pharmakokinet. Eigenschaften, besserer Wirksamkeit u. geringerer Nebenwirkungen wird heute oft niedermol.

H. bevorzugt[1]. Da H. sich an viele Polymere, die sonst im Organismus *Thrombosen verursachen würden, chem. binden läßt (*Heparinisierung*), lassen sich die solcherart „entgifteten" Kunststoffe zur *Implantation als künstliche innere Organe (z.B. künstliche Arterien, Herzklappen) verwenden. Auch Glasoberflächen lassen sich durch H.-Behandlung von ihren gerinnungsfördernden Eigenschaften befreien, was z.B. bei Herz-Operationen von Bedeutung ist. Bei Blut-Untersuchungen finden heparinisierte Entnahme-Bestecke u. Probe-Röhrchen Verwendung. H. wird bei Erfrierungen verwendet, da es das Gerinnen des Blutes an bereits geschädigten (nekrot.) Geweben verhindert. Bei einer Langzeitbehandlung mit Antikoagulantien werden allerdings die *Cumarine (z.B. *Dicumarol) vorgezogen. An *Sepharose® gekoppeltes H. wirkt als gruppenspezif. Adsorbens für Gerinnungsfaktoren, Lipoproteine, *Fibroblasten-Wachstumsfaktor u. dgl. (*Affinitätschromatographie). H.-Präp. kommen als Injektionslsg., Salbe, Tropfen u. Zäpfchen in den Handel; oral ist H. unwirksam. H.-Antagonist ist das Protaminsulfat (s. Protamine). Zu weiteren therapeut. Verw. s. *Lit.*[2]. – *E* heparin – *F* héparine – *I* eparina – *S* heparina

Lit.: [1] Annu. Rev. Med. **48**, 79–91 (1997); J. Internal Med. **240**, 63–72 (1996). [2] Trends Pharmacol. Sci. **16**, 198–204 (1995).
allg.: Angew. Chem. **105**, 1741–1761 (1993) ▪ Lane et al., Heparin and Related Polysaccharides, New York: Plenum 1992. – *[HS 300190; CAS 9005-49-6]*

Heparin-bindende Wachstumsfaktoren s. Fibroblasten-Wachstumsfaktoren.

Heparinisierung s. Heparin.

Heparinoide. Sammelbez. für alle Stoffe, die wie *Heparin wirken. Hierher gehören nicht nur Naturprodukte wie *Hirudin, sondern z.B. auch die Natrium-Salze von bestimmten Pentosan-Polysulfaten, Xylan-, Dextran-, Chitinsulfaten, auch von *Polyvinylsulfonsäuren. – *E* heparinoids – *F* héparinoïdes – *I* eparinoidi – *S* heparinoides

Hepar sulfuris s. Kaliumsulfide.

Hepartest. Meth. zum Nachw. von Schwefel in Sulfiten, Sulfaten, Thiosulfaten, Thiocyanaten usw., die bes. in der qual. Analyse als Vorprobe dient. Sie beruht auf der Red. der Salze mit Holzkohlepulver in der Hitze in Ggw. von überschüssigem Natriumcarbonat zu Natrium(poly)sulfiden. Beim Befeuchten mit Wasser erzeugen diese auf einem Silber-Blech einen braunen Fleck von Silbersulfid (Ag_2S). Name nach der leberartigen Farbe des bei der Reaktion entstehenden Natrium(poly)sulfids. – *E* hepar test – *F* test de Hépar – *I* prova dello zolfo – *S* prueba del hepar

Hepasamin®. D-*Galactosamin-HCl, speziell geprüft für die experimentelle *Hepatitis-Erzeugung. *B.:* Roth.

Hepaticum medice®. Tabl. u. Dragees mit Chinarinde, Mariendistelfrüchten, Schöllkraut, Enzian- u. Kurkumawurzel als Cholagogum. *B.:* Medice.

Hepatitis (griech.: epar = Leber). Entzündung der *Leber. Eine H. kann aufgrund verschiedener Ursachen (z.B. virale u. bakterielle Infektionserkrankungen, Alkoholmißbrauch) entstehen. Die akuten Hepa-

titiden werden meist durch Viren hervorgerufen, derzeit kennt man fünf verschiedene Typen von H.-Viren (A–E). Die H. A (*epidemische H.*) wird durch Schmierinfektionen übertragen, die H. B durch Kontakt mit Blut od. Geschlechtsverkehr (*Serum-H.*), u. die *Non-A-Non-B-H.* (NANB-H.) von mind. zwei verschiedenen Viren verursacht. Das klin. Bild besteht im wesentlichen aus Müdigkeit, Leberschwellung u. Gelbsucht (*Ikterus). Die H. A u. E heilen in ca. 4–8 Wochen folgenlos aus. Bei der H. B, C u. D kann es zu einer Persistenz des Virus od. einer chron. H. kommen. Eine medikamentöse Behandlung der H. gibt es nicht, man bemüht sich um eine Schonung des Leberstoffwechsels durch diätet. Maßnahmen. Gegen die H. A u. B gibt es die Möglichkeit der Schutzimpfung, sowohl als passive Immunisierung für ca. drei Monate od. als aktive Immunisierung mit inaktiviertem H. A-Virus bzw. mit dem H. B-Virus-Oberflächenantigen. – *E = S* hepatitis – *F* hépatite – *I* epatite

Lit.: Brandis et al., Lehrbuch der Medizinischen Mikrobiologie, S. 797–810, Stuttgart: Fischer 1994 ▪ Gross et al., Die Innere Medizin, S. 597–606, Stuttgart: Schattauer 1994 ▪ Hollinger et al., Viral Hepatitis and Liver Disease, Baltimore: Williams and Wilkins 1991.

Hepatitis B Immun® (Rp). Ampullen mit Immunglobulin vom Menschen, standardisiert auf mind. 200 I. E. Antikörper gegen HBs-Antigen für Patienten mit erhöhtem Infektions-Risiko. *B.:* Centeon Pharma/Chiron Behring.

Hepatocuprein s. Superoxid-Dismutasen.

Hepatocyten-stimulierender Faktor s. Interleukine.

Hepatocyten-Wachstumsfaktor (HGF, scatter factor, Hepatopoietin A). *Protein (M_R 82000, zwei verschiedene, durch Disulfid-Brücken verbundene Untereinheiten α u. β), das aus Blutplättchen gewonnen werden kann u. für Entwicklung u. Regeneration der *Leber u. a. Organe (Placenta, Muskel) von Bedeutung ist. HGF enthält 4 *Kringle-Domänen* (3-schleifige, Disulfid-verbrückte Motive) u. weist Ähnlichkeit mit *Serin-Proteasen wie *Plasmin auf, ohne selbst Protease-Aktivität zu besitzen. Wie Plasmin wird HGF durch proteolyt. Spaltung aus einer Vorstufe aktiviert; beteiligt ist die Serin-Protease *HGF-Aktivator.* Als pleiotroper (multifunktioneller) Faktor ruft HGF komplexe biolog. Reaktionen (z.B. Zellvermehrung, Zellwanderung, Gefäßformation) in einer Vielzahl epithelialer u. endothelialer Zellen hervor. Er spielt auch eine Rolle bei der Tumor-Metastasierung[1]. Der Rezeptor für HGF ist die membranständige Tyrosin-Kinase c-Met. – *E* hepatocyte growth factor – *F* facteur de croissance des hépatocytes – *I* fattore di crescita degli epatociti – *S* factor de crecimiento de los hepatocitos
Lit.: [1] J. Mol. Med. **74**, 505–513 (1996).
allg.: Cell Death Differentiation **3**, 23–28 (1996) ▪ J. Biochem. **119**, 591–600 (1996) ▪ M/S – Méd. Sci. **12**, 313–322 (1996).

Hepatolentikuläre Degeneration s. Kupfer-Proteine.

Hepatopathien (griech.: epar = Leber u. pathos = Krankheit). Allg. Bez. für Erkrankungen der *Leber.

Hepatopoietin s. Hepatocyten-Wachstumsfaktor.

HEPES. Von der IUPAC-IUB empfohlene Abk. für 2-[4-(2-Hydroxyethyl)piperazino]ethansulfonsäure.

HO—(CH₂)₂—N (N—(CH₂)₂—SO₃H   HEPES

HO—(CH₂)₂—N (N—(CH₂)₃—SO₃H   HEPPS

$C_8H_{18}N_2O_4S$, M_R 238,30, Schmp. 210–215 °C. H. wirkt als zwitterion. Puffer im pH-Wert-Bereich 7,0–8,0. Die analog gebaute Propansulfonsäure, Abk.: HEPPS = 3-[4-(2-Hydroxyethyl)piperazino]-1-propansulfon-säure, $C_9H_{20}N_2O_4S$, M_R 252,33, Schmp. 237–239 °C, WGK 2, wird in gleicher Weise verwendet. – *E = S* HEPES
Lit.: Beilstein E V **23/2**, 379 ▪ Biochemistry **5**, 467 (1966) ▪ Merck-Index (12.), Nr. 4687 ▪ Ullmann (5.) **B 5**, 736. – *[HS 293359; CAS 7365-45-9 (HEPES); 16052-06-5 (HEPPS)]*

HEPPS s. HEPES.

Hept(a)... Von griech.: heptá = sieben abgeleitetes Zahlwort; vgl. septi... – *E = F = S* hept(a)... – *I* ept(a)...

Heptabarbital (Rp).

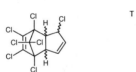

Internat. Freiname für 5-(1-Cycloheptenyl)-5-ethyl-barbitursäure, $C_{13}H_{18}N_2O_3$, M_R 250,30. Farblose Krist., Schmp. 167–171 °C, λ_{max} (0,1 N NaOH): 251 nm ($A_{1cm}^{1\%}$ 274), pK$_a$ 7,4 (20 °C), in Wasser wenig, in Ethanol besser löslich. H. wurde als *Sedativum u. Hypnotikum 1942 von Geigy (Medomin®, außer Handel) patentiert u. ist heute als Arzneistoff obsolet. – *E = F = S* heptabarbital – *I* eptabarbital
Lit.: Beilstein E V **24/9**, 261f. ▪ Hager (5.) **8**, 422f. – *[HS 293351; CAS 509-86-4]*

Heptachlor.   T ☠

Common name für (±)-1,4,5,6,7,8,8-Heptachlor-3a,4,7,7a-tetrahydro-1H-4,7-methanoinden, $C_{10}H_5Cl_7$, M_R 373,32, Schmp. 95 °C, LD$_{50}$ (Ratte oral) 100 mg/kg (GefStoffV), MAK 0,5 g/cm³, von Velsicol Chemical Corp. in den 40er Jahren eingeführtes persistentes nicht-system. *Insektizid mit Kontakt- u. Fraßgiftwirkung gegen Termiten, Ameisen u. Bodeninsekten sowie gegen Hygieneschädlinge. H. darf in der BRD als Pflanzenschutzmittel nicht mehr angewendet werden. Toxizitätsklasse WHO II. – *E* heptachlor – *F* hepta-chlore – *I* eptacloro – *S* heptacloro
Lit.: Farm ▪ Perkow ▪ Pesticide Manual. – *[HS 290359; CAS 76-44-8; G 6.1]*

Heptacont(a)... Von griech.: hebdomḗkonta = siebzig abgeleitetes Zahlwort. – *E = F = S* heptacont(a)... – *I* eptacont(a)...

Heptacos(a)... Dem Griech. entlehntes Zahlwort für „27". – *E = F = S* heptacos(a)... – *I* eptacos(a)...

Heptacosan s. Apfel.

Heptadec(a)... Dem Griech. entlehntes Zahlwort für „siebzehn". – *E = S* heptadec(a)... – *F* heptadéc(a)... – *I* eptadec(a)...

Heptadecan. $H_3C-(CH_2)_{15}-CH_3$, $C_{17}H_{36}$, M_R 240,47. Farblose Krist., D. 0,778, Schmp. 22 °C, Sdp. 302 °C, wenig lösl. in Wasser, kaum lösl. in Alkohol od. Ether. H. wird z. B. in der Gaschromatographie als Bezugssubstanz verwendet. – *E* heptadecane – *F* heptadécane – *I* eptadecano – *S* heptadecano
Lit.: Beilstein E IV **1**, 548 ▪ Ullmann (4.) **14**, 655 f.; (5.) **13**, 230 – *[HS 290110; CAS 629-78-7]*

Heptafulven s. Fulvene.

Heptalen.

$C_{12}H_{10}$, M_R 154,21. Stark zur Polymerisation neigender Kohlenwasserstoff, braunrote Krist., Schmp. 10–12 °C. Für das H. wurde durch NMR-Spektroskopie nachgewiesen, daß die Doppelbindungen alternieren u. daß sich die π-Bindungen zwischen den beiden Valenzisomeren schnell verschieben. Zu Synth. u. dynam. Eigenschaften chiraler H. s. *Lit.*[1]. – *E* heptalene – *F* heptalène – *I* eptalene – *S* heptalena
Lit.: [1] Angew. Chem. **97**, 209 (1985).
allg.: Angew. Chem. **86**, 777 (1974) ▪ Beyer-Walter, Lehrbuch der organischen Chemie, S. 656, Stuttgart: Hirzel 1991.

2,2,4,4,6,8,8-Heptamethylnonan (HMN).

$C_{16}H_{34}$, M_R 226,44. Ein zündunwilliger Kohlenwasserstoff, der statt 1-Methylnaphthalin als Bezugssubstanz bei der Bestimmung der *Cetan-Zahl dient (CZ = 15). – *E* 2,2,4,4,6,8,8-heptamethylnonane – *F* 2,2,4,4,6,8,8-heptaméthylnonane – *I* 2,2,4,4,6,8,8-eptametilnonano – *S* 2,2,4,4,6,8,8-heptametilnonano
Lit.: Kirk-Othmer (3.) **11**, 683; (4.) **12**, 375. – *[HS 290110; CAS 4390-04-9]*

Heptaminol.

Internat. Freiname für das *Sympath(ik)omimetikum u. Cardiakum 6-Amino-2-methyl-2-heptanol, $C_8H_{19}NO$, M_R 145,24, farblose Flüssigkeit, Sdp. (931 Pa) 99–105 °C, (1,73 kPa) 110 °C. H. wird in Form des Hydrochlorids (Schmp. 178–180 °C) angewendet. H. wurde 1948 von Bilhuber patentiert u. ist als Generikum im Handel. – *E = F = S* heptaminol – *I* eptaminolo
Lit.: Beilstein E IV **4**, 1809 ▪ Hager (5.) **8**, 423 ff. – *[HS 292219; CAS 372-66-7 (H.); 543-15-7 (Hydrochlorid)]*

Heptan. $H_3C-(CH_2)_5-CH_3$, C_7H_{16}, M_R 100,20.   F 🔥
Farblose, leicht brennbare Flüssigkeit, D. 0,681, Schmp. –90,7 °C, Sdp. 98,4 °C, MAK 2000 mg/m³, WGK 1 (*n*-Heptan), unlösl. in Wasser, lösl. in organ. Lsm. wie Alkohol, Benzin, Benzol, Tetrachlormethan usw.
Vork.: Regelmäßiger Bestandteil von Erdöl u. Benzin, kommt auch im ether. Öl einiger Kiefern u. der auf den Philippinen verbreiteten Petroleumnüsse (Früchte von

Pittosporum resiniferum) vor; diese riechen deshalb petroleumartig u. sind leicht brennbar. H. wird als Lsm. im Labor u. für schnelltrocknende Lacke u. Klebstoffe verwendet. – *E = F* heptane – *I* ettano – *S* heptano
Lit.: Beilstein E IV **1**, 376 ▪ Hommel, Nr. 105 – *[HS 2901 10; CAS 142-82-5; G 3]*

Heptanal (Önanthaldehyd). $H_3C-(CH_2)_5-CHO$, $C_7H_{14}O$, M_R 114,19. Farblose, ölige, intensiv fruchtartig riechende Flüssigkeit, D. 0,849, Schmp. –43 °C, Sdp. 153 °C, mischbar mit Ethanol u. Ether; LD_{50} (Ratte oral) 14 g/kg. Das therm. aus *Ricinusöl zugängliche H. findet Verw. zur Herst. von Heptanol, zu organ. Synth. u. in der Parfümerie. – *E = F = S* heptanal – *I* eptanale
Lit.: Beilstein E IV **1**, 3314 ▪ Brauer, Gefahrstoff-Sensorik, Landsberg: Ecomed Verlagsges. 1988 ▪ Merck-Index (12.), Nr. 4692 ▪ Ullmann (4.) **7**, 119, 129; (5.) **A 1**, 329. – *[HS 2912 19; CAS 111-71-7; G 3]*

Heptandisäure s. Pimelinsäure.

Heptanole (Heptylalkohole).

$H_3C-(CH_2)_5-CH_2-OH$ a

$H_3C-(CH_2)_4-\overset{\underset{|}{OH}}{CH}-CH_3$ b

$H_3C-(CH_2)_3-\overset{\underset{|}{OH}}{CH}-C_2H_5$ c

$H_5C_2-CH_2-\overset{\underset{|}{OH}}{CH}-CH_2-C_2H_5$ d

$C_7H_{16}O$, M_R 116,20. Die unverzweigten H. sind farblose Flüssigkeiten: (a) *1-H.*, D. 0,8219, Schmp. –34 °C, Sdp. 176 °C, WGK 1, LD_{50} (Ratte oral) 500 mg/kg; zeigt einen frischen, fettigen Geruch u. wird in der Parfüm-Ind. als Nuancierungsmittel benutzt, u. a. für Nelken- u. Jasmin-Duftnoten; wird durch Oxo-Synthese aus 1-Hexen gewonnen. – (b) *2-H.*, D. 0,8173, Sdp. 158–160 °C; – (c) *3-H.*, D. 0,8210, Sdp. 156 °C; – (d) *4-H.*, D. 0,8183, Sdp. 156 °C. Von größerer Bedeutung sind H.-Gemische, die durch Hydroformylierung von Isohexen erhalten werden. Sie dienen hauptsächlich als Lsm. u. Weichmacheralkohole. – *E = F* heptanols – *I* eptanoli – *S* heptanoles
Lit.: Beilstein E IV **1**, 1734–1743 ▪ Hommel, Nr. 519 ▪ Merck-Index (12.), Nr. 4696, 4697 ▪ Ullmann (5.) **A 1**, 280 f. – *[HS 2905 19; CAS 111-70-6 (1-H.); 543-49-7 (2-H.); 589-82-2 (3-H.); 589-55-9 (4-H.); G 3]*

Heptanone.   Xn

$H_3C-(CH_2)_4-\overset{\overset{\displaystyle O}{\|}}{C}-CH_3$ a

$H_3C-(CH_2)_3-\overset{\overset{\displaystyle O}{\|}}{C}-C_2H_5$ b

$H_5C_2-CH_2-\overset{\overset{\displaystyle O}{\|}}{C}-CH_2-C_2H_5$ c

$C_7H_{14}O$, M_R 114,19. Farblose Flüssigkeiten: (a) *2-H.*, D. 0,8111, Schmp. –35 °C, Sdp. 152 °C; LD_{50} (Ratte oral) 1670 mg/kg, WGK 1 (Selbsteinst.), MAK 100 ppm (US-Wert); – (b) *3-H.* (ältere Bez.: Ethylbutylketon), D. 0,8183, Schmp. –39 °C, Sdp. 147 °C; LD_{50} (Ratte oral) 2760 mg/kg, WGK 1 (Selbsteinst.), MAK 50 ppm (US-Wert); – (c) *4-H.* (ältere Bez.: Dipropylketon), D. 0,8174, Schmp. –33 °C, Sdp. 144 °C; LD_{50} (Ratte oral) 3730 mg/kg, WGK 1 (Selbsteinst.), MAK 50 ppm (US-Wert). – Die H. reizen Augen, Atemwege u. Haut; Le-

ber- u. Nierenschäden möglich. Die H. sind mit Wasser nicht, mit Ethanol u. Ether dagegen mischbar. Sie finden als Lsm. für Harze, Lacke usw. Verwendung. Das 2-H. wirkt bei Bienen u. Ameisen als Alarm-*Pheromon. – *E = F* heptanones – *I* eptanoni – *S* heptanonas
Lit.: Beilstein E IV **1**, 3318–3323 ▪ Merck-Index (12.), Nr. 3408, 4698 ▪ Hommel, Nr. 443, 496, 1123 ▪ Ullmann (4.) **14**, 217; **16**, 306; **22**, 276; (5.) **A 15**, 81 ff. – *[HS 2914 19; CAS 110-43-0 (2-H.); 106-35-4 (3-H.); 123-19-3 (4-H.); G 3]*

Heptanoyl... Bez. für die Atomgruppierung $-CO-(CH_2)_5-CH_3$ in systemat. Namen. Alte Bez.: Oenanthoyl... – *E = F* heptanoyl... – *I* eptanoil... – *S* heptanoil...

Heptansäure s. Oenanthsäure.

1-Hepten (α-Heptylen). $H_3C-(CH_2)_4-CH=CH_2$, C_7H_{14}, M_R 98,19. Farblose Flüssigkeit, die leicht mit stark rußender Flamme verbrennt, D. 0,70, Schmp. –120 °C, Sdp. 94 °C, FP. –8 °C, WGK 1. Die Dämpfe haben narkot. Wirkung sowie lokale Reizwirkung auf Augen u. Haut. H. wird zur Herst. von Schmieröl-Additiven, Katalysatoren u. Tensiden verwendet. – *E* 1-heptene – *F* 1-heptène – *I* 1-eptene – *S* 1-hepteno
Lit.: Beilstein E IV **1**, 857 ▪ Hommel, Nr. 106 ▪ Ullmann (4.) **14**, 665 f.; (5.) **A 13**, 239. – *[HS 2901 29; CAS 592-76-7; G 3]*

1-Heptin. $H_3C-(CH_2)_4-C≡CH$, C_7H_{12}, M_R 96,17. Farblose, leicht entzündliche, mit stark rußender Flamme verbrennende Flüssigkeit, D. 0,733, Schmp. –81 °C, Sdp. 100 °C, FP. –10 °C, unlösl. in Wasser, lösl. in vielen organ. Lösemitteln. – *E* 1-heptyne – *F* 1-heptine, 1-heptyne – *I* 1-eptino – *S* 1-heptino
Lit.: Beilstein E IV **1**, 1025. – *[HS 2901 29; CAS 628-71-7]*

Heptosen. Nach IUPAC/IUBMB-Regel 2-Carb-8.2 (*Lit.*[1]) Bez. für *Aldosen mit 7 Kohlenstoff-Atomen (ältere Bez.: Aldoheptosen). – *E = F* heptoses – *I* eptosi – *S* heptosas
Lit.: [1] Pure Appl. Chem. **68**, 1919–2008 (1996).

Heptulosen. Nach IUPAC/IUBMB-Regel 2-Carb-10.3 (*Lit.*[1]) Bez. für *Ketosen mit 7 Kohlenstoff-Atomen (ältere Bez.: Ketoheptosen), z. B. D-*Sedoheptulose (= D-*altro*-Hept-2-ulose) u. D-Mannoheptulose (= D-*manno*-Hept-2-ulose; in Avocado-Früchten). – *E = F* heptuloses – *I* eptulosi – *S* heptulosas
Lit.: [1] Pure Appl. Chem. **68**, 1919–2008 (1996).

Heptyl... Bez. für die Atomgruppierung $-(CH_2)_6-CH_3$ in systemat. Namen. – *E = F* heptyl... – *I* eptil... – *S* heptil...

Heptylalkohole s. Heptanole.

Hera s. Teilchenbeschleuniger.

Herabond®. Extraharte, weiße, edelmetallreduzierte, Silber-haltige Aufbrennkeramik-Leg. für die Zahntechnik. *B.:* Heraeus Kulzer GmbH.

Heradent®. Hochgoldhaltige, weiße Aufbrennkeramik-Leg. für die Zahntechnik. *B.:* Heraeus Kulzer GmbH.

Heraenium®. Cobalt-Chrom-Molybdän-Leg. für die Modellgußtechnik (Zahntechnik). *B.:* W. C. Heraeus GmbH.

Heraeus. Kurzbez. für das 1851 von dem Apotheker Wilhelm Carl Heraeus (1827–1904) gegr. Unternehmen Heraeus Holding GmbH, 63450 Hanau. Die Arbeitsgebiete von Heraeus verteilen sich auf die operativen Führungsges.: W. C. Heraeus GmbH (Metalle/Chemie), Heraeus Kulzer GmbH (Dental), Heraeus Quarzglas GmbH (Quarzglas), Heraeus Electro-Nite Int. N. V. (Sensoren) sowie zwei weitere Heraeus-Ges. (Labor u. Medizin). Mit allen Töchtern u. Beteiligungsges. umfaßt der Heraeus-Konzern weltweit insgesamt ca. 100 Firmen. *Daten* (1994): 9364 Beschäftigte, 105 Mio. DM Stammkapital, 5,5 Mrd. DM Umsatz. *Produktion:* Elektr. Kontaktteile, Elektronikteile, Frames für IC-Karten, Sputter- u. Aufdampfmaterialien, medizin. Implantate, Labor-Leg., Rückgewinnung u. Raffination von Edelmetallen, Edelmetall-Präp., Katalysatoren, Abgasreiniger, keram. Farben, kathod. Korrosionsschutz, Elektrolysezellen, Galvanisierungsanlagen, optoelektron. Teile für Laser, Dental-Leg.; Geräte, Hilfsmittel u. Chemikalien für Dentallabors; Produkte aus Quarzglas u. Quarzgut für die chem. Ind. u. Halbleiter-Ind., Quarzglas zur Herst. von Lichtleitfasern sowie für Optik u. Lampen, UV- u. IR-Strahler, Tauchsonden u. Meßgeräte zur Temp.-, Sauerstoff- u. Wasserstoff-Bestimmung in Metallschmelzen, Temperatursonden- u. -Temperaturmeßsyst.; Wärme-, Trocken- u. Vakuumschränke, Hochtemperaturöfen, Brutschränke, Sterilisatoren, Sicherheitswerkbänke, Zentrifugen, Beleuchtungssyst. für die Medizin, chirurg. Laser, Notfallmedizin-Ausrüstungen, Bestrahlungsgeräte.

Heraloy®. Extraharte, weiße, Silber-freie Aufbrennkeramik-Leg. für die Zahntechnik. **B.:** Heraeus Kulzer GmbH.

Heranode®. Elektroden für elektrochem. Prozesse, insbes. Elektroden für *Korrosionsschutz, für Chlor-, Hypochlorit- u. Chlorat-Herst. sowie Elektronen für Verzinkungsanlagen. **B.:** W. C. Heraeus Elektrochemie GmbH.

Herarock®. Synthet. Superhartgips mit der kleinstmöglichen Expansion sowie guter Fließfähigkeit u. ausgezeichnetem Formfüllungsvermögen für die Zahntechnik. **B.:** Heraeus Kulzer GmbH.

HERAsafe®. Mikrobiolog. Sicherheitswerkbank mit Personen-, Produkt- u. Umgebungsschutz. **B.:** Heraeus Instruments GmbH.

Herastone®. Synthet. Hartgips für formgetreue u. formstabile zahntechn. Modelle bei kleinstmöglicher Expansion. **B.:** Heraeus Kulzer GmbH.

Heratape®. Niedrig sinternde glasklare Folie für LTCC-Schaltungen (elektron. Schaltungen). **B.:** W. C. Heraeus GmbH.

Heratol-Verfahren. Von *Ullmann entwickeltes Verf. zur Reinigung von aus Calciumcarbid hergestelltem Acetylen an Kieselgur, das mit Natriumdichromat getränkt ist (Heratol). – *E* Heratol process – *F* procédé Heratol – *I* processo Heratol – *S* procedimiento del Heratol
Lit.: Winnacker-Küchler (3.) **2**, 544.

Heravest®. Graphitfreie, Phosphat-gebundene Einbettmassen für alle Edelmetall-Dentalleg. u. Nichtedelmetall-Modellguß. **B.:** Heraeus Kulzer GmbH.

Herba (latein. = Kraut, Abk.: Hb. od. Herb.). In der Apothekersprache Bez. für oberird. *Pflanzen(-teile), die meist in getrockneter Form als *Drogen od. Drogenbestandteile Verw. finden. Beisp. für offizinell genutzte *Heilpflanzen *(Heilkräuter)* sind:
H. Absinthii = *Wermut, H. Alchemillae = *Frauenmantel, H. Althaeae = Eibisch, H. Centaurii = *Tausendgüldenkraut, H. Chelidonii = *Schöllkraut, H. Ephedrae = Ephedra, H. Equiseti arvensis = Zinnkraut, Ackerschachtelhalm, H. Hyoscyami = *Bilsenkraut, H. Hyperici = *Johanniskraut, H. Hyssopi = Ysop, H. Lycopodii = Bärlapp, H. Millefolii = Schafgarbe, H. Passiflorae = Passionsblume, H. Solidaginis = *Goldrute, H. Spartii scoparii = *Besenginster, H. Taraxaci = *Löwenzahn.
Lit.: s. Drogen u. Pharmazeutische Biologie.

Herbavert®. Riechstoff, 3,3,5-Trimethylcyclohexylethylether; Duftrichtung: grün, fruchtig, krautig, Cassis-Note. **B.:** Henkel.

Herberhold, Max (geb. 1936), Prof. für Anorgan. Chemie, Univ. Bayreuth. *Arbeitsgebiete:* Organometallchemie der Übergangselemente, Nitrosyl-Verb., Olefin-Komplexe, Halbsandwich-Verb. u. Ferrocenophane.
Lit.: Wer ist wer (35.), S. 573.

Herberts. Kurzbez. für die 1866 gegr. Firma Herberts GmbH, 42271 Wuppertal, seit 1976 eine 100%ige Tochterges. der Hoechst AG. Zu den angeschlossenen Ges. gehören Hellac, Permatex u. a. *Daten* (1995): 7469 Beschäftigte, 143 Mio. DM Kapital, 2187 Mio. DM Umsatz (Herberts-Gruppe gesamt). *Produktion:* Lacke u. Beschichtungssyst. für sämtliche Anw.-Bereiche, Leime u. Klebstoffe, Korrosionsschutz- u. Brandschutzsysteme.

Herbimycin.

$C_{30}H_{42}N_2O_9$, M_R 574,67, gelbe Säulen, Schmp. 230 °C, $[\alpha]_D^{20}$ +137° (CHCl$_3$), LD$_{50}$ (Maus i.p.) 19 mg/kg. *Ansamycin-Antibiotikum mit herbizider Wirkung u. Aktivität gegen das Tabakmosaik-Virus aus Kulturen von *Streptomyces hygroscopicus. – E* herbimycin – *F* herbimycine – *S* herbimicín
Lit.: Bull. Chem. Soc. **65**, 2974–2991 (1992) ▪ J. Antibiot. **39**, 1630 (1986). – *[CAS 70563-58-5]*

Herbizide. Von latein.: herba = Kraut, Gras abgeleitete Bez. für *Unkrautbekämpfungsmittel.* Unter *Unkräutern* versteht man im allg. alle Wild- u. Kulturpflanzen, die an ihrem jeweiligen Standort unerwünscht sind (Schadpflanzen). Im engeren Sinn werden nur die zweikeimblättrigen (dikotylen) Schadpflanzen als Unkräuter bezeichnet, für die einkeimblättrigen (monokotylen) hat sich der Begriff *Ungräser* eingebürgert. Die Schadpflanzen konkurrieren mit den Kulturpflanzen um Wasser, Licht, Nährstoffe u. Lebensraum u. verringern dadurch in nicht unerheblichem Maße die Flächenerträge. So benötigt z. B. der Ackersenf im Vgl. zum Hafer das Doppelte an Stickstoff u. Phosphor u. das Vierfache an Kalium u. Wasser. Dabei sind Monokulturen bes. anfällig für Verunkrautung. Gleichzeitig zwingt der Konkurrenzdruck die Landwirte zu Rationalisierungsmaßnahmen. Dazu zählt auch die Vorbereitung der maschinellen Ernte durch *Entblätterungsmittel* (Defoliantien), z. B. im Baumwollbau, od. *Krautabtötungsmittel* (Desiccantien), z. B. im Kartoffelbau. H. sind deshalb aus der modernen Landwirtschaft nicht mehr wegzudenken. Sie gelangen, wie auch die anderen *Pflanzenschutz*mittel, in der Regel in aufbereiteter Form in den Handel, d. h. sie enthalten Zusätze, die eine auf die jeweilige Anw. ausgerichtete optimale Ausbringung, Verteilung u. Entfaltung des Wirkstoffs ermöglichen sollen (s. Formulierung). Die Ausbringung kann flüssig (in der Regel als verd. wäss. Lsg.), pulverförmig od. als Granulat erfolgen.

Die H. lassen sich bezüglich des Anw.-Zeitraums, des Ausbringorts, der Aufnahmeart u. der Wirkungsweise jeweils in verschiedene Gruppen einteilen, wobei jedoch ein- u. derselbe Wirkstoff durchaus mehreren Gruppen angehören kann. Bezüglich des Zeitpunktes unterscheidet man zwischen der *Vorsaat*, dem *Vorauflauf* (d. h. bevor die ersten Blätter an die Oberfläche gelangen) u. dem *Nachauflauf* der Kulturpflanzen. Wirkstoffe, die über die Wurzeln von den Schadpflanzen aufgenommen werden, bezeichnet man als *Boden-Herbizide*. Erfolgt die Aufnahme über die oberird. grünen Teile der Pflanze, spricht man von *Blatt-Herbiziden*. Entfalten diese ihre Wirkung direkt am Benetzungsort, werden sie zur Gruppe der *Kontakt-H.* gezählt. Bezüglich der Verteilung innerhalb der Pflanze unterscheidet man zwischen *systemischen u. nichtsystem. Wirkstoffen. Ein weiteres Kriterium ist die Selektivität. *Total-H.* vernichten die gesamte Vegetation u. werden insbes. auf Ind.-Geländen, Gleisanlagen, Wegen u. Plätzen angewendet. Im Kulturpflanzenbau können sie vor od. nach dem Anbau nur dann ausgebracht werden, wenn ihre Wirkungsdauer gering ist. *Semitotal-H.* werden von verholzenden Pflanzen relativ gut vertragen u. kommen deshalb vorwiegend im Obst- u. Weinbau, auf Plantagen, im Forst, in Baumschulen u. Ziergehölzanlagen zum Einsatz. Die bedeutendste Gruppe bilden die *selektiven H.*, die eine hohe herbizide Aktivität mit einer hohen Verträglichkeit gegenüber bestimmten Kulturpflanzen verbinden. Da nicht alle Wirkstoffe alle Unkräuter gleich gut bekämpfen, werden in der Praxis oft *Kombinationen* eingesetzt.

Die Substanzen greifen auf verschiedenste Weise in den Stoffwechsel der Pflanzen ein. Meistens ist dabei eine Funktionsstörung so dominierend, daß sie als die eigentliche Ursache der herbiziden Wirkung anzusehen ist: *Photosynth.-Hemmer* stören die Umwandlung der von der Sonne aufgenommenen Lichtenergie in chem. Energie. *Atmungshemmer* blockieren die Umwandlung von in Proteinen, Kohlehydraten u. Fetten gespeicherter chem. Energie in eine biochem. nutzbare

Form. *Wuchsstoff-H.* entsprechen in ihrer Wirkung dem natürlichen Pflanzenhormon Auxin (*3-Indolylessigsäure) u. führen dazu, daß sich v. a. zweikeimblättrige Schadpflanzen bei entsprechender Dosierung „zu Tode wachsen". *Keimhemmer* (Mitosehemmer) verhindern die Zellteilung. *Carotin-Synth.-Hemmer* blockieren die Bildung von Carotinoiden, die als Schutzpigment das Chlorophyll gegen einen photosensibilisierten oxidativen Abbau schützen. Andere Wirkstoffe greifen in die Protein-, Lipid-Synth. u. a. Stoffwechselvorgänge ein. Bei vielen H., v. a. den anorgan. Vertretern, ist der Wirkungsmechanismus noch weitgehend unbekannt.

Chem. lassen sich die H. in anorgan. u. organ. Verb. unterteilen. *Anorgan.* Verb. wie Eisen(III)-sulfat, Kupfer(II)-sulfat, Schwefelsäure od. Natriumchlorat standen am Anfang der chem. Unkrautbekämpfung in der zweiten Hälfte des vorigen Jahrhunderts. Sie wurden in zunehmendem Maß durch organ. Verb. ersetzt u. finden heute nur noch in Spezialfällen u. als Totalherbizide Anwendung. Das erste selektive *organ.* H. war *DNOC, das bereits seit 1892 als *Insektizid eingesetzt wurde, dessen herbizide Wirkung jedoch erst seit 1934 genutzt wird. Die meisten organ. H. gehören folgenden Verb.-Klassen an: Mineralöle, Phenole, Kohlen- u. Thiokohlensäure-Derivate (z. B. Carbamate, Harnstoffe, Sulfonylharnstoffe), Carbonsäuren u. Carbonsäure-Derivate, heterocycl. Verb. (z. B. Triazole, Pyrazole, Pyridine, Pyridazine, Pyrimidine, Triazine), Dinitroaniline, Phosphor-organ. Verbindungen. – *E* herbicides, weed killers – *F* herbicides, desherbants – *I* erbicidi – *S* herbicidas

Lit.: Ebing (Hrsg.), Chemistry of Plant Protection, Bd. 10, Berlin: Springer 1994 ▪ Kirk-Othmer (4.) **13**, 73 ff. ▪ Ullmann (5.) **A 28**, 165 – 202 ▪ Wegler, Chemie der Pflanzenschutz- u. Schädlingsbekämpfungsmittel, Bd. 2, 5 u. 8, Berlin: Springer 1970, 1977, 1982.

Herbizidresistenz. Bez. für die Widerstandsfähigkeit von Pflanzen gegen die für die Unkrautbekämpfung eingesetzten *Herbizide (s. a. Resistenz). Neben den Herbiziden mit selektiver Wirkung gibt es eine Reihe von synthet. Verb., die als Totalherbizide wirken u. die gesamte Vegetation vernichten. Letztere greifen v. a. in Biosynth.-Wege ein, die essentiell für die Vitalität der Pflanzen sind u. hemmen spezif. Enzyme im *Photosynthese-Syst. od. in der *Aminosäure-Synthese. Aufgrund dieser Wirkungsweise ist es ein Ziel der Pflanzen-Züchtung, Nutzpflanzen zu züchten, die gegen applizierte Herbizide resistent sind. Nutzpflanzen mit H. können mit Hilfe der *Gentechnologie (s. a. gentechnische Veränderung an Pflanzen) entwickelt werden. Ein Beisp. hierfür ist die Züchtung transgener Tabak- u. Tomatenpflanzen (s. transgene Organismen), die gegen das Totalherbizid *Glyphosat resistent sind. Glyphosat, das weltweit wirtschaftlich erfolgreichste Herbizid, hemmt spezif. die Biosynth. aromat. Aminosäuren auf der Stufe der 5-O-Enolpyruvoylshikimat-3-phosphat-Synthase (EPSP-Synthase, EC 2.5.1.19). Da es den Shikimat-Weg in Tieren nicht gibt, ist der tier. Stoffwechsel gegenüber Glyphosat unempfindlich. – *E* herbicide resistance – *F* résistance aux herbicides – *I* resistenza all'erbicida – *S* resistencia a los herbicidas

Lit.: Heldt, Pflanzenbiochemie, S. 90f., 557f., Heidelberg: Spektrum Akadem. Verl. 1996 ▪ Hock, Fedtke u. Schmidt, Herbizide: Entwicklung, Anwendung, Wirkungen, Nebenwirkungen, S. 250ff., Stuttgart: Thieme 1995.

Herbstzeitlose. Einheim., im Spätherbst hellviolett, krokusähnlich blühende Knollenpflanze *Colchicum autumnale* L. (Liliaceae). Die unterird. befruchteten Samenanlagen erscheinen erst im nächsten Frühjahr über der Erde u. kommen etwa im Juni zur Reife. Bes. die Samen enthalten das giftige Tropolon-Derivat *Colchicin; höchster Gehalt in der Samenschale. Die tödliche Dosis soll bei etwa 5 g Samen für Erwachsene u. etwa 1 g für Kinder liegen; Blätter: 50–60 g. – *E* meadow saffron – *F* colchique (d'automne) – *I* colchico – *S* cólquico

Lit.: Bundesanzeiger 173/18. 09. 86 ▪ Frohne u. Pfänder, Giftpflanzen, S. 245–248, Stuttgart: Wiss. Verlagsges. 1997 ▪ Hager (5.) **4**, 946–955 ▪ Speta (Hrsg.), Hegi – Illustrierte Flora von Mitteleuropa, Bd. 2 Tl. 3, Berlin: Blackwell 1995. – *[HS 121190]*

Herclor®. *Synthesekautschuk auf der Basis polymerisierten Epichlorhydrins mit bes. Beständigkeit gegen Öle, Lsm. u. Chemikalien. *B.:* BF Goodrich.

Hercules. Kurzbez. für die 1912 gegr. Hercules Incorporated, Wilmington, Delaware 19894-0001, USA, hat weltweit zahlreiche Beteiligungs- u. Tochtergesellschaften. *Daten* (1995): 7892 Beschäftigte, 2,4 Mrd. $ Umsatz. *Produkte:* Kunststoffe, Polypropylen-Fasern; Chemikalien für die Papierherst.; Peroxide; Kolophonium-Derivate, Kohlenwasserstoffharze, Harzdispersionen, wasserlösl. Polymerharze, Hydroxyethylcellulose, Nitrocellulose, Methylcellulose u. weitere Cellulose-Derivate; Chemikalien für die Lebensmittel-Ind. z. B. Aromastoffe, Prozeß-Hilfsmittel, Verdickungsmittel. *Vertretung* in der BRD: Hercules GmbH, Postfach 130125, 40551 Düsseldorf.

Hercynin ($N^\alpha,N^\alpha,N^\alpha$-Trimethyl-L-histidinium-betain).

(2*S*)-Form

$C_9H_{15}N_3O_2$, M_R 197,24, Krist., Schmp. 237–238 °C (Zers.), $[\alpha]_D^{22}$ +44,5° (5 m HCl), lösl. in Wasser u. Alkohol. H. kommt in verschiedenen Pilzen vor, z. B. im *Fliegenpilz (Amanita muscaria)*, im Steinpilz (*Boletus edulis*) u. im Wiesenchampignon (*Agaricus campestris*), aber auch in der Königskrabbe (*Limulus polyphemus*). – *E* hercynin – *F* hercynine – *I* ercinina – *S* hercinina

Lit.: Beilstein EV **25/16**, 408 ▪ Merck-Index (12.), Nr. 4702. – *[CAS 507-29-9]*

Hercynit s. Spinelle.

Herdfrischen. Alternative Bez. für das seit Anfang der 80er Jahre in der BRD nicht mehr gebräuchliche *Siemens-Martin-Verfahren, bei dem die Erzeugung von Stahl aus Schrott u. Eisenerz mittels *Frischen in einem Herdofen durch den Luftüberschuß in den Verbrennungsgasen sowie durch den Sauerstoff-Gehalt des Einsatzes erfolgt. Als Brennstoffe werden Erdgas u. Erdöl verwendet. Zur Energieeinsparung u. zur Erzeugung der erforderlichen Temp. wird die Luft durch das Verbrennungsgas regenerativ vorgewärmt. Nach Verflüssigen des gesamten Einsatzes beginnt der am

„Kochen" des Bades erkennbare Frischprozeß. Die *Schlacke auf der Stahlschmelze wirkt dabei als Sauerstoff-Überträger: An der Phasengrenze Schlacke/Verbrennungsgas wird das in der Schlacke enthaltene FeO zu Fe_2O_3 oxidiert, an der Phasengrenze Stahlschmelze/Schlacke wird Fe_2O_3 wiederum zu FeO reduziert u. oxidiert dabei den in der Schmelze gelösten Kohlenstoff zu CO. Dieses Ausgasen bewirkt eine Baddurchwirbelung. Weitere Details s. Siemens-Martin-Verfahren. – *E* open hearth process – *F* affinage sure sole – *I* affinaggio – *S* afino en horno de solera

Herdputzmittel. Meist flüssige bis pastöse Dispersionen von Abrasivstoffen bzw. Putzkörpern, Tensiden, Benzinkohlenwasserstoffen u. ggf. Ölen od. Wachsen sowie Farbstoffen od. Schwarzpigmenten (Graphit, Ruß) in Wasser. H. werden mit Säuren (z. B. Citronensäure, Phosphorsäure, Schwefelsäure) auf pH 2 od. mit Ammoniak auf pH 10–12 eingestellt. Backofen- u. Grillreiniger sind meist alkal. Kombinationen als *Spray. – *E* hot plate polish – *F* produits de nettoyage de plaques chauffantes – *I* sostanza per pulire il focolare – *S* productos limpiahornos

Lit.: Fachgruppe Lebensmittelchemie in der GDCH (Hrsg.), Bedarfsgegenstände, S. 23–24, Hamburg: Behr's 1985 ▪ Der Neue Öko-Putzschrank, S. 216, Berlin: Stiftung Verbraucherinst. 1988.

Heregulin α (HRG-α). *Protein (M_R 45000), das eine dem *epidermalen Wachstumsfaktor ähnliche *Domäne besitzt u. als zu den *Neuregulinen gerechneter *Wachstumsfaktor an die *Rezeptoren ErbB-3 u. -4 bindet u. diese aktiviert. ErbB-2, dessen Produktion dadurch angeregt wird, dient als *Corezeptor für ErbB-3 u. erhöht dadurch die Effektivität von HRG-α als Wachstumsfaktor. In manchen Krebsgeweben kommen erhöhte Konz. dieser Rezeptoren vor. – *E* heregulin – *F* héréguline – *I* eregulina – *S* heregulina

Lit.: Biochemistry **35**, 3402–3417 (1996) ▪ Science **256**, 1205–1210 (1992).

Heringsöl. Fettes *Fischöl, erhältlich durch Kochen u. nachheriges Auspressen von Heringen; D. 0,919–0,927, VZ 185–191, IZ 123–142. Es wird hauptsächlich zur Fettung von Leder verwendet, dem es einen weichen Griff verleiht. Nach Behandlung mit Bleichmitteln, Sedimentation, Luftdurchblasen bei höheren Temp. entsteht ein zähflüssiges, fast geruchloses Öl, das auch in Anstrichmitteln eingesetzt werden kann. Nachteil: Geringe Trockenkraft. – *E* herring oil – *F* huile de hareng – *I* olio di aringhe – *S* aceite de arenque

Lit.: Ullmann (3.) **7**, 485; (4.) **11**, 458, 518. – *[HS 150420]*

Herion-Werke. Kurzbez. für die 1938 gegr. Herion-Werke KG. FLUIDTRONIK®, 70736 Fellbach. *Daten* (1995): ca. 1200 Beschäftigte, ca. 200 Mio. DM Umsatz. *Produktion:* Regel- u. Steuereinheiten für die chem. Ind., Wasser-, Kern-, Klima- u. Kältetechnik.

Herken, Hans (geb. 1912), Prof. (emeritiert) Dr. med. der Pharmakologie u. Toxikologie, ehem. Direktor des Inst. für Pharmakologie der FU Berlin. *Arbeitsgebiete:* Elektrolyt- u. Wasserhaushalt, Molekularbiologie, Grundlagen der Nierenregeneration u. -funktion, Kationen-Austauscher, Aldosteron-Antagonisten, Diure-

tika, Arzneimittel-Metabolismus, Gewöhnung an Arzneimittel. Neuropharmakologie: Ster. Spezifität antikonvulsiver Wirkungen, neurotox. Synth. durch enzymat. Fehlleistung im Zentralnervensyst., Pathochemie der Neurotransmitter-Synth. bei Parkinson-Syndrom, Biochem. u. pharmakolog. Studien über metabol. Regulation der neuronalen Funktion in klonierten Nervenzellinien.
Lit.: Kürschner (16.), S. 1383 ▪ Wer ist wer (35.), S. 576.

Herkommer & Bangerter. Kurzbez. für die 1873 gegr. Firma Herkommer & Bangerter GmbH & Co. KG, 79395 Neuenburg, die ein Mitglied der Penta Gruppe ist. Das Dienstleistungspaket der Firma beinhaltet den Handel mit Chemikalien u. Lsm. sowie deren Entsorgung. Der Umweltservice wird durch die Tochterfirma Chem Tec (Anlagebau u. Demontage von Industrieanlagen) übernommen.

Hermal. Kurzbez. für die 1945 gegr. Firma Hermal, Kurt Herrmann, 21465 Reinbek. Das mit 100% zu Merck gehörende Unternehmen stellt speziell Präp. gegen Hauterkrankungen u. zum Schutz der Haut her.

Hermann-Mauguin Symbole s. Kristallgeometrie.

Hermann von Helmholtz-Gemeinschaft Deutscher Forschungszentren (HGF) s. AGF u. Großforschungseinrichtungen.

Hermes. Kurzbez. für die 1907 gegr. Firma Hermes Arzneimittel GmbH, 82049 Großhesselohe. *Produktion:* Pharmazeut. Präp. (z.B. Vitamin-, Mineralstoff-Präp., Brausetabletten).

Hermetischer Verschluß. Von Hermes Trismegistos (s. Geschichte der Chemie) abgeleitete Bez. für einen abs. dichten, keinen Materieaustausch erlaubenden Abschluß.

Hermitescher Operator. Begriff aus der Mathematik u. *Quantentheorie. Ein Operator $\hat{\Omega}$ heißt hermitesch, wenn für zwei komplexe Funktionen $f_i(x)$ u. $f_j(x)$ gilt: $\int f_i{}^*(x)\,\hat{\Omega}\,f_j(x)\,dx = \int [\hat{\Omega}^*\,f_i{}^*]\,f_j(x)\,dx$ od. abgekürzt: $\Omega_{ij} = \Omega_{ji}{}^*$. Der Stern bedeutet hierbei, daß das komplexkonjugierte zu bilden ist. Prinzipiell beobachtbaren Größen, sog. Observablen, werden in der Quantentheorie H. O. zugeordnet. Die Eigenwerte von H. O. sind reell; ihre Eigenfunktionen sind entweder automat. orthogonal (zu verschiedenen Eigenwerten) od. lassen sich orthogonalisieren (zu verschiedenen Eigenwerten); s.a. Eigenwertproblem. – *E* hermitian operator – *F* opérateur hermitien – *I* operatore hermitiano, operatore autoaggiunto – *S* operador hermitiano
Lit.: s. Quantentheorie.

Herniarin s. Umbelliferon.

Heroin (Diacetylmorphin, Diamorphin, BtMVV Anlage I). $C_{21}H_{23}NO_5$, M_R 369,42, Formelbild s. bei Morphin-Alkaloide. Farblose Krist., Schmp. 173 °C, Sdp. 272–274 °C (16 hPa); in Wasser nicht, in Ether kaum, in Chloroform u. Alkohol besser löslich. Das salzsaure Salz des Alkaloids ist ein weißes, krist., geruchloses, bitter schmeckendes Pulver (Schmp. 232 °C, nach anderen Angaben 244 °C), das in Wasser (1:2), Alkohol (1:1), Chloroform (1:3) lösl. ist. H. ist ein Opiat u. ist im *Betäubungsmittel-Gesetz als nicht verkehrs- u. verschreibungsfähiger Stoff gelistet.

Herst.: H. wird durch Acetylierung von Morphin hergestellt, das seinerseits aus *Opium gewonnen wird.
Wirkung: Die Wirkung von H. ist qual. nicht von der des Morphins verschieden, in das es im Körper übergeht. In der unmittelbar eintretenden körperlichen u. seel. Abhängigkeit ist wohl die größte Gefahr des H. zu sehen. H. beeinflußt das Zentralnervensyst.; Angst- u. Schmerzgefühle werden blockiert; Sinneswahrnehmungen verblassen. Langzeitfolgen des Mißbrauchs von H. sind: Persönlichkeitsabbau, Abnahme der Intelligenz, Wahnideen, Gehirnschäden; Abmagerung bis zum völligen körperlichen Verfall. Beschaffungskriminalität, Prostitution u. Verwahrlosung sind soziale Folgen des H.-Mißbrauchs. Der Konsum von H. bringt auch eine Reihe akuter Gefahren mit sich. So kann es zur Bewußtlosigkeit u. zur Atemlähmung mit Todesfolge kommen. Indirekte Folgen des H.-Mißbrauchs können z.B. Virusinfektionen (*Aids, *Hepatitis), Lähmungen, Venenthrombose, Hautabszesse, Lungeninfektionen sein. Die Zusammensetzung der auf dem Schwarzmarkt erhältlichen H. ist sehr unterschiedlich; der Gehalt an H. lag 1981–1992 in Dänemark bei ca. 40%, häufigste Beimischungen waren zuletzt neben Zuckern *Paracetamol u. *Coffein[1]. Überdosierungen u. giftige Beimengungen führen daher häufig zu Todesfällen. Entziehungskuren werden durch Medikamente unterstützt, wobei jedoch die eine Abhängigkeit gegen die andere eingetauscht wird; s.a. Methadon. Zur Behandlung der Entzugssymptome werden z.B. Neuroleptika, *Baclofen, *Clonidin, *Doxepin u.a. eingesetzt.
Verw.: Ursprünglich sollte H. Morphin als Schmerzmittel ersetzen. Man glaubte, eine Substanz mit größerer schmerzhemmender Wirkung, aber ohne Suchtpotential gefunden zu haben. So wurde es anfänglich sogar auch zur Morphin-Entwöhnung eingesetzt. Weiterhin wurde es gelegentlich bei schwerem Reizhusten[2] u. auch zur „heroischen" (Name!) Therapie der Tuberkulose verschrieben. H. ist heute ein nicht verkehrs- u. verschreibungsfähiges Betäubungsmittel. Es wird jedoch illegal gehandelt u. mißbräuchlich geschnupft od. gespritzt. In der BRD wurde 1995 mit 200000–300000 Konsumenten harter Drogen (einschließlich H.) gerechnet, wobei ca. 6000 Erstkonsumenten registriert wurden; ca. 900 kg H. wurden sichergestellt. Zu den Hauptproduktionsländern für den illegalen Weltbedarf an H. zählen: Laos, Birma, Thailand, Afghanistan, Libanon, Pakistan.
Analytik: Als Marker für die Verabreichung von H. gilt 6-Monoacetylmorphin. Es ist ein Metabolit, der bei anderen *Opiaten nicht gebildet wird u. im Urin in Mengen von 1–2% der eingenommenen H.-Menge auftritt. Näheres s. *Lit.*[3]. – *E* heroin – *F* héroïne – *I* eroina – *S* heroína

Lit.: [1] Forensic Sci. Int. **64**, 171–179 (1994). [2] Die Zeit (Hamburg) **Nr. 15**, 6. 4. 1990. [3] GIT Suppl. **3/88**, 83–91; Ges. für Toxikologische u. Forensische Chemie (Hrsg.), Forensische Probleme des Drogenmißbrauchs, Heppenheim: Helm 1985; Beitr. Gerichtl. Med. **44**, 287–293 (1986).
allg.: Beilstein E III/IV **27**, 2236 ▪ Jahrbuch Sucht 96, Geesthacht: Dtsch. Hauptstelle gegen Suchtgefahren 1995 ▪ Platt u. Labate, Heroinsucht, Darmstadt: Steinkopff 1981 ▪ Scherer u. Vogt (Hrsg.), Drogen u. Drogenpolitik, Frankfurt: Campus 1989 ▪ Schreier, Sieben Jahre Heroin, Wuppertal: Blaukreuz

1988 ▪ s. a. Morphin, Rauschgifte u. Sucht. – *[HS 2939 10; CAS 561-27-3]*

Herpes (griech.: erpes = schleichender Schaden, Hautgeschwür). Bez. für entzündliche Erkrankungen von Haut u. Schleimhäuten, die mit Bildung von kleinen u. schmerzhaften gruppierten Bläschen auf gerötetem Grund einhergehen. Umgangssprachlich sind mit H. zwei unterschiedliche von *Viren aus der Gruppe der H.-Viren hervorgerufene Krankheiten gemeint: Der *H. simplex* u. der *H. zoster.*
Das *H. simplex-Virus* (HSV) dringt nach Infektion der Schleimhaut des Mundes (meist HSV Typ 1) od. des Genitales (meist HSV Typ 2) in die Endigungen von versorgenden Nervenfasern ein u. wird zu deren Nervenzellkörpern in den Ganglien transportiert. Auch nach dem Ausheilen der Haut- bzw. Schleimhautentzündung bleibt das Virus in den Nervenzellen. Durch geeignete Auslöser wie Sonnenbestrahlung, Fieber, hormonelle Einflüsse od. Schwächung der Immunabwehr kommt es zu erneuten Hauterscheinungen. Zur Behandlung werden Nucleosid-Analoge, die als *Antimetaboliten in die Virus-DNA-Synthese eingreifen, wie z. B. Acycloguanosin (*Aciclovir), äußerlich angewendet.
Der *Zoster* (H. zoster, Gürtelrose), wie auch die Varizellen (Windpocken), werden durch das *Varicella-Zoster-Virus* (VZV) hervorgerufen. Die prim. Infektion mit VZV führt zu einem Exanthem mit juckenden Bläschen am ganzen Körper, die schließlich verschorfen. Auch dieses Virus persistiert vermutlich bei dazu disponierten Personen in den Ganglienzellen. Jahre od. Jahrzehnte nach dem Abheilen der Varizellen kann der Zoster als lokales Wiederaufflammen der Krankheit in Form von stark schmerzhaften Bläschen im Versorgungsgebiet von bestimmten Nerven, bes. im Bereich des Brustkorbes, auftreten. Auch hier werden zur Behandlung Nucleosid-Analoge eingesetzt. – *E = S* herpes – *F* herpès – *I* erpete
Lit.: Brandis et al., Lehrbuch der medizinischen Mikrobiologie, S. 770–780, Stuttgart: Fischer 1994.

Herphonal® **25** (Rp). Filmtabl. mit dem Antidepressivum *Trimipramin-Hydrogenmaleat. *B.:* AWD.

Herr, Wilfried (1914–1992), Prof. für Kernchemie, Inst. für Kernchemie, Univ. Köln, Kernforschungsanlage Jülich. *Arbeitsgebiete:* Kern- u. Radiochemie, Isotopen-Geochemie usw., Thermolumineszenz.
Lit.: Kürschner (15.), S. 1759 ▪ Nachr. Chem. Tech. Lab. **40**, Nr. 12, 1415 (1992).

Herrgottsblut s. Hypericin.

Herrmann, Reinhold Georg (geb. 1939), Prof. für Botanik, Univ. Düsseldorf u. München. Vorstand des Inst. für Botanik I, Ludwig-Maximilians-Univ. München (seit 1985). *Arbeitsgebiete:* Pflanzliche Molekular- u. Zellbiologie, genet. Kompartimentierung in Eukaryonten, Photosynth., Genomforschung (RFLP etc.).
Lit.: Kürschner (16.), S. 1395 ▪ Wer ist wer (35.), S. 581.

Herrmann, Wolfgang Anton (geb. 1948), Prof. für Anorgan. Chemie, TU München, seit 1995 deren Präsident. *Arbeitsgebiete:* Metallorgan. Chemie, Mechanismus metallorgan. katalysierter Reaktionen (Fischer-Tropsch-Synth., Olefin-Oxid., Olefin-Metathese), Metallcarbonyl-Chemie, Verschleißschutzma-

terialien aus flüchtigen Metallorganika (MOCVD), nichtlineare Optik.
Lit.: Kürschner (16.), S. 1397 ▪ Wer ist wer (35.), S. 581.

Herschbach, Dudley Robert (geb. 1932), Prof. für Physikal. Chemie, Harvard Univ., Cambridge, Massachusetts u. Univ. California, Berkeley. *Arbeitsgebiete:* Ablauf chem. Reaktionen, Reaktionen u. Spektren von Mol. unter hohem Druck, Wechselwirkungen zwischen gelöstem Stoff u. Lösemittel. Für seine Arbeiten über die Dynamik chem. Elementarprozesse erhielt er 1986 zusammen mit Yuan Tseh *Lee u. *Polanyi den Nobelpreis für Chemie.

Herschel s. Infrarotstrahlung.

Herschel-Effekt s. Photographie.

Hershey, Alfred Day (geb. 1908), Prof. für Genetik, Carnegie Institution, Cold Spring Harbor, New York. *Arbeitsgebiete:* Desoxyribonucleinsäuren, genet. Code, Viren, Phagen; Nobelpreis für Medizin od. Physiologie 1969, zusammen mit *Delbrück u. *Luria für die Gewinnung neuer Erkenntnisse über die genet. Struktur u. den Vermehrungsmechanismus von Viren.
Lit.: Lexikon der Naturwissenschaftler, S. 209 f. ▪ Nachmansohn, S. 337 ▪ Who's Who in America (50.), S. 1904.

Hertz (Kurzz.: Hz). Nach Heinrich Hertz (1857–1894) benannte Einheit für die *Frequenz: 1 Hz = 1 s^{-1}. Die Einheit H. wird für period. Vorgänge verwendet im Gegensatz zu 1 Bq = 1 s^{-1} (Becquerel) für den stat. Vorgang des radioaktiven Zerfalls.
Lit.: Hertz u. Susskind, Heinrich Hertz, Weinheim: Verl. Chemie 1977 ▪ Kuczera, Heinrich Hertz (3.), Leipzig: Teubner 1987.

Hertz, Gustav Ludwig (1887–1975), Prof. für Physik, Halle, Berlin, Leipzig. *Arbeitsgebiete:* Atomforschung, Überschall, Funkmeßtechnik, Isotopentrennung; Nobelpreis für Physik 1925 (zusammen mit J. *Franck) für den experimentellen Nachw. der Quantensprünge.
Lit.: Lexikon der Naturwissenschaftler, S. 210 ▪ Nachmansohn, S. 70 f., 94 f., 157 ▪ Neufeldt, S. 133, 179, 357.

Hertz, Heinrich Rudolf (1857–1894), Prof. für Physik, Univ. Karlsruhe u. Bonn. *Arbeitsgebiete:* Elektrodynamik. Er erarbeitete die experimentellen u. theoret. Grundlagen der Elektrodynamik, wies die bereits vermuteten gleichartigen Wellencharakter von elektromagnet. Wellen u. Licht nach. Nach ihm ist die Einheit der Frequenz, *Hertz, benannt.
Lit.: Lexikon der Naturwissenschaftler, S. 210.

Herviros (Rp). Lsg. mit *Tetracain- u. *Aminoquinurid-Hydrochlorid gegen Entzündungen im Mundraum. *B.:* Hermal.

Herz. Organ zur Umwälzung von Körperflüssigkeiten. Je nach stammesgeschichtlichem Organisationsgrad sind die H. der Organismen von unterschiedlicher Komplexität. Im einfachsten Falle wird, wie bei den Manteltieren (Tunicaten), die Flüssigkeit durch peristalt. Wellen, die über ein einziges röhrenförmiges Gefäß hinweglaufen (Röhrenherz), in Bewegung gehalten. Bei höher entwickelten Tieren sind H. u. Gefäßsyst. voneinander differenziert. Die Strömungsrichtung wird durch als Ventil wirkende H.- u. Gefäßklappen festgelegt.

Das H. des Menschen setzt sich aus zwei Hälften, der rechten u. der linken H.-Hälfte zusammen, von denen jede in Vorhof (*Atrium*) u. Kammer (*Ventrikel*) unterteilt ist. Das rechte H. nimmt über die großen Hohlvenen das Blut des Körperkreislaufes zunächst in den Vorhof, dann in die Kammer auf u. pumpt es in die Lunge. Nach dem Austausch der Atemgase gelangt das Blut von der Lunge über Lungenvenen u. den linken Vorhof in den linken Ventrikel, von wo es in den Körperkreislauf u. damit in die verschiedenen Organe verteilt wird. Die Pumpwirkung des H. beruht auf einer rhythm. Aufeinanderfolge von Kontraktion (*Systole*) u. Erschlaffung (*Diastole*) der Herzkammern. In der Systole wird das Blut, das sich während der Diastole in der Kammer gesammelt hat, in die großen Arterien ausgeworfen. Die Systole der Vorhöfe geht der der Ventrikel zeitlich voraus u. unterstützt so die Füllung der Kammern. Die Kontraktionen des H. beruhen auf einer rhythm. Erregungsbildung im Herzgewebe selbst (*Autorhythmie*). Spezialisierte erregungsleitende Muskelzellen bilden Zentren der Erregungsbildung, wie den *Sinusknoten* im rechten Vorhof, der als Schrittmacher die Grundfrequenz des Herzschlages bestimmt. Über ein Erregungsleitungssyst. breitet sich die Kontraktionswelle koordiniert über das gesamte H. aus. Nervale u. hormonelle Einflüsse greifen modulierend in den Eigenrhythmus des H. ein, so daß sich die Schlagfrequenz an aktuelle Anforderungen anpassen läßt. Das umgewälzte Blutvolumen beträgt etwa 5 – 6 L/min bei einer normalen Schlagfrequenz von ca. 70/min. Die Blutversorgung des H. geschieht über die Herzkranzgefäße (*Coronararterien*), die aus der Hauptschlagader (Aorta) unmittelbar nach ihrem Abgang aus dem H. abzweigen. Erkrankungen des H. sind Gegenstand der *Kardiologie*, eines Teilgebiets der Inneren Medizin. Häufig ist die *Coronare Herzerkrankung*, die durch die Einschränkung der Herzdurchblutung infolge einer *Arteriosklerose der Coronararterien zustandekommt u. charakterist. Beschwerden, die *Angina pectoris*, hervorrufen kann. Ein völliger Verschluß von Ästen der Herzkranzgefäße führt zum Untergang des von ihnen versorgten Herzmuskelgewebes, zum *Herzinfarkt*. Störungen im Erregungsbildungs u. -leitungssyst. können zu *Herzrhythmusstörungen* führen, von denen manche durch Einpflanzung eines *Herzschrittmachers behandelt werden können. Zur Diagnostik von Herzerkrankungen stehen u. a. die *enzymatische Analyse, die *Elektrokardiographie (EKG) u. die Sonographie zur Verfügung. Die Behandlungsmöglichkeiten sind zum einen Medikamente, die den Herzrhythmus (Herzmittel), die Kontraktionskraft (*Digitalisglykoside) od. das gesamte Gefäßsyst. (Vasodilatantien) beeinflussen, zum anderen chirurg. Maßnahmen wie die Umgehungsoperation von verschlossenen Coronararterien (Aortocoronarer Bypass), der Ersatz von Herzklappen bis hin zur Herztransplantation. – *E* heart – *F* coeur – *I* cuore – *S* corazón

Lit.: Roskamm u. Reindell, Herzkrankheiten (4.), Heidelberg: Springer 1996 ▪ Schmidt u. Thews, Physiologie des Menschen, S. 448 – 497, Heidelberg: Springer 1995.

Herz-ASS ratiopharm®. Tabl. mit *Acetylsalicylsäure zur Infarktprophylaxe. *B.:* ratiopharm.

Herzberg, Gerhard (geb. 1904), Prof. für Physik, National Research Council, Ottawa, Canada. *Arbeitsgebiete:* Mol.-Spektroskopie, räumlicher Bau, Elektronenkonfigurationen u. Energiezustände von Mol.; Nobelpreis für Chemie 1971.

Lit.: Annu. Rev. Phys. Chem. **36**, 1 – 30 (1985) ▪ Chem. Eng. News **47**, Nr. 22, 40 (1969) ▪ Lexikon der Naturwissenschaftler, S. 211 ▪ Nachr. Chem. Tech. Lab. **19**, 411 (1971) ▪ Naturwiss. Rundsch. **24**, 548 (1971) ▪ Neufeldt, S. 235, 369 ▪ Pötsch, S. 200 ▪ Umschau **72**, 5 (1972) ▪ Who's Who in America (50.), S. 1906.

Herzglykoside. Steroid-Glykoside pflanzlicher Herkunft mit $5\beta,14\beta$-Steroid-Grundgerüst (*cis-trans-cis* verknüpft), deren Hydroxy-Gruppe in C-3-Position mit einer Oligosaccharid-Kette glykosid. verknüpft ist. Aufgrund des Substituenten in 17β-Stellung unterscheidet man *Cardenolide (mit α,β-ungesätt. γ-Lacton-Ring) u. *Bufadienolide (mit einem 2fach ungesätt. δ-Lacton-Ring).

Vork.: H. sind in vielen Pflanzen enthalten. In der Tab. werden einige wesentliche aufgeführt.

Tab: Herzglykoside enthaltende Pflanzen.

Familie	Pflanze	Inhaltsstoff
Apocynaceae (Hundsgiftgewächse)	*Strophantus gratus*	g-Strophantin (Ouabain)
	Strophantus kombe	k-Strophantin (Glykosid-Gemisch
	Nerium oleander (Rosenlorbeer)	Cardenolide
Brassicaceae (Kreuzblütler)	*Erysimum cheiri* (Goldlack)	Cardenolide
Liliaceae (Liliengewächse)	*Convallaria majalis* (Maiglöckchen)	Bufadienolide
	Urginea (Scilla) maritima (Meerzwiebel)	Convallatoxin u. a.
Moraceae (Maulbeergewächse)	*Antiaris toxicaria*	Cardenolide
Ranunculaceae (Hahnenfußgewächse)	*Adonis vernalis* (Adoniskraut)	Cardenolide
	Helleborus-Arten (Nieswurz)	Bufadienolide
Scrophulariaceae	*Digitalis*-Arten (Fingerhut)	Cardenolide

Bei Kröten (Bufo-Arten) hat man im Hautsekret Bufogenine (freie od. acetylierte Steroide vom Bufadienolid-Typ) u. *Bufotoxine (am C-3 veresterte Bufogenine) nachgewiesen. Diese Substanzen werden v. a. in Ostasien therapeut. genutzt. – Einige Insekten, z. B. die Raupen des trop. Schmetterlings *Danaus plexippus* („Monarch") od. einige Wanzen u. Heuschrecken, nehmen H. mit ihrer Nahrung auf u. speichern sie[1]. Damit werden sie zu passiv giftigen Tieren (bitterer Geschmack, stark brecherregend bei Vögeln) u. werden seltener gefressen.

Wirkung: Am Herzen findet man – verursacht durch eine Hemmung der Na/K-ATPase – eine *Steigerung der Kontraktionskraft* (pos. inotrope-), *Verlangsamung der Schlagfrequenz* (neg. chronotrope-), *Verzögerung der Erregungsleitung* (neg. dromotrope-) u. eine *Steigerung der Erregbarkeit* (pos. bathmotrope-Wirkung). Die einzelnen H.-G. unterscheiden sich nur, entsprechend ihrer Lipophilie, in Resorption, Wirkungsbeginn, -maximum u. Elimination. H. gehen mit vielen anderen Substanzen (z. B. *Coffein, *Antacida) Wechselwirkungen ein[2].

Verw.: Die isolierten u. ggf. derivatisierten Glykoside (eine vollsynthet. Herst. ist bislang nicht gelungen) aus *Digitalis*-, *Strophanthus*- u. *Scilla*-Arten werden zur Behandlung der chron. Herzinsuffizienz u. bestimmter Herzrhythmusstörungen eingesetzt. Wegen der geringen therapeut. Breite ist eine exakte Dosierung u. sorgfältige Überwachung des Patienten erforderlich. Pflanzenextrakte sind daher obsolet; verwendet werden Reinsubstanzen.

Zur Beschreibung der biolog. Wirksamkeit werden sog. *Digitalis-Einheiten* herangezogen. Sie sind ein Maß für die Cardiotoxizität von *Digitalis-Glykosiden u. Digitaloiden. Als Einheit fungiert die *letale Dosis in mg od. g/kg innerhalb eines festgelegten Zeitraums. Testorganismen sind nach *Hatcher* Katzen (KE = Katzeneinheit; etwa die 5fache Hatcher-Dosis entspricht der durchschnittlichen Vollwirkdosis beim Menschen), nach *Knaffl-Lenz* Meerschweinchen (ME od. MSE = Meerschweincheneinheit) od. auch Frösche (1 FE = Froscheinheit sind 1000 FD = Froschdosen). Wegen der unterschiedlichen Empfindlichkeit sind die Einheiten zwischen den einzelnen Tierarten nicht vergleichbar.

Für Digitalisglykosid-Vergiftungen steht ein Antitoxin (Fab, Fragment antigen binding) vom Schaf zur Verfügung. – *E* cardiac glycosides – *F* glycosides cardiaques – *I* glicosidi cardiaci – *S* glicósidos cardíacos

Lit.: [1] Nat. Prod. Rep. **1986**, 323 f. [2] Ammon, Arzneimittelneben- u. -wechselwirkungen, Stuttgart: Wissenschaftliche Verlagsges. 1991.
allg.: Erdmann (Hrsg.), Therapie mit Herzglykosiden, Berlin: Springer 1989 ▪ Greeff, Cardiac Glycosides, New York: Springer 1981 ▪ Malcolm, The Biochemistry of the Cardiac Glycosides, London: Chapman & Hall 1997 ▪ Mutschler (7.), S. 447–454 ▪ Zechmeister **69**, 71–155. – *[HS 2938 90]*

Herzinfarkt s. Arteriosklerose u. Herz.

Herzinsuffizienz. Unzureichende Fähigkeit des *Herzens, die den Anforderungen des Organismus genügende Förderleistung zu erbringen. Meist entsteht eine H. durch Schwäche des H.-Muskels. Sie führt zu Stauungserscheinungen im *Kreislauf-Syst. (*Ödeme) u. zu mangelhafter Blutversorgung der Körperperipherie (*Cyanose). Zur medikamentösen Behandlung werden u. a. *Diuretika, *Digitalis-Präparate u. *Vasodilatatoren eingesetzt. – *E* heart failure, cardiac insufficiency – *F* insuffisance cardiaque – *I* insufficienza cardiaca – *S* insuficiencia cardíaca

Herzmittel s. Digitalis-Glykoside, Herz u. verwandte Begriffe.

Herz-Reaktion. Bez. für eine *Benzothiazol-Synth.,

bei der bestimmte aromat. Amine, z. B. 4-Chloranilin, in *o*-Amino-thiophenolate umgewandelt werden, die anschließend unter dem Einfluß von Zinksulfat mit aromat. Säurechloriden zu Benzothiazolen kondensieren. – *E* Herz reaction – *F* réaction de Herz – *I* reazione di Herz – *S* reacción de Herz

Lit.: Chem. Rev. **57**, 1011–1020 (1957) ▪ Hassner-Stumer, S. 167 ▪ March (4.), S. 530.

Herzschrittmacher. Gerät zur künstlichen Anregung des Herzschlages. Dabei stimuliert ein elektron. Impulsgenerator über Drähte, die durch Blutgefäße in eine Herzkammer (s. a. Herz) eingeführt wurden, das Erregungsleitungssyst. des *Herzens. Die Impulsfrequenz kann entweder fest eingestellt werden od. wird durch die Herztätigkeit selbst beeinflußt. H. können zum vorübergehenden Einsatz außerhalb des Körpers bleiben (externe H.) od. als kleines batteriebetriebenes Aggregat in den Körper eingepflanzt werden (interner od. implantierter H.). – *E* pacemaker – *F* stimulateur cardiaque – *I* stimolatore cardiaco – *S* marcapasos, estimulador cardíaco

HES. Kurzz. für *Hydroxyethylstärke.

Hesperetin [(2S)-3′,5,7-Trihydroxy-4′-methoxyflavanon].

R = H : Hesperetin
R = β-D-Rutinosyl : Hesperidin
R = 2-O-α-L-Rhamnopyranosyl-
β-D-glucopyranosyl : Neohesperidin

$C_{16}H_{14}O_6$, M_R 302,28, Blättchen, Schmp. 216–218 °C (Racemat 226–228 °C), $[\alpha]_D$ –37,6° (C_2H_5OH), lösl. in Alkohol u. verd. Alkali-Lösung. H. ist das Aglykon von *Hesperidin* {$C_{28}H_{34}O_{15}$, M_R 610,57, Schmp. 251 °C, $[\alpha]_D$ –47,4° (Pyridin)} u. kann aus diesem durch saure Hydrolyse gewonnen werden; es wird durch Carbonate ausgefällt. Hesperidin ist in den Schalen bitterer Orangen enthalten. Weitere Glykoside von H. sind *Glucohesperidin* {$C_{22}H_{24}O_{11}$, M_R 464,43, Schmp. 206 °C, $[\alpha]_D$ –53,9° (Pyridin)} u. *Neohesperidin* {$C_{28}H_{34}O_{15}$, M_R 610,57, bittere Krist., Schmp. 244 °C, $[\alpha]_D$ –100° (Pyridin)} aus der Pomeranze (*Citrus aurantium*) u. a. *Citrus*- u. *Mentha*-Arten.

Wirkung: Entzündungshemmend[1], bei Grippe antiviral; als Antioxidans; Phosphorsäureester werden als Venenmittel eingesetzt. – *E* hesperetin – *F* hespéritine – *I* esperetina – *S* hesperetina

Lit.: [1] J. Pharm. Pharmacol. **46**, 118 (1994).
allg.: Beilstein E V **18/5**, 214, 218, 219 ▪ Karrer, Nr. 1626, 1628, 1629 ▪ Nat. Prod. Rep. **12**, 101–133 ▪ Planta Med. **60**, 99 f. (1994). – *[HS 2938 90; CAS 520-33-2 ((S)-Form); 41001-90-5 ((±)-Form); 520-26-3 (Hesperidin); 13241-33-3 (Neohesperidin); 2500-68-7 (Glucohesperidin)]*

Hesperidin s. Hesperetin.

Heß, Germain Henri (russ. Schreibweise auch: German Ivanovich Gess) (1802–1850), Prof. für Chemie, Univ. Petersburg. *Arbeitsgebiete:* Elementaranalyse, Verbrennung im Sauerstoff-Strom, Studium der Wärmeänderungen, die chem. Vorgänge begleiten, Thermochemie (*Heßscher Satz).

Lit.: Krafft, S. 293 ▪ Lexikon der Naturwissenschaftler, S. 211 ▪ Neufeldt, S. 31 ▪ Pötsch, S. 200.

Heß, Victor Franz (1883–1965), Prof. für Physik, Univ. Graz, Innsbruck u. New York. *Arbeitsgebiete:* Radioaktivität, Geophysik, Entdeckung der kosm. Höhenstrahlung, wofür er 1936 den Nobelpreis für Physik erhielt.
Lit.: Krafft, S. 355 ▪ Lexikon der Naturwissenschaftler, S. 212 ▪ Neufeldt, S. 123, 358.

Heß, Walter Rudolf (1881–1973), Prof. für Physiologie, Univ. Zürich. *Arbeitsgebiete:* Funktionale Organisation des Zwischenhirns, Koordination der Aktivität der inneren Organe, Blutkreislauf. Für seine Forschungsergebnisse über die Steuerung vegetativer Funktionen durch das Zwischenhirn erhielt er 1949 zusammen mit *Moniz-Egas den Nobelpreis für Medizin od. Physiologie.
Lit.: Lexikon der Naturwissenschaftler, S. 212.

Hesse. Kurzbez. für die 1910 gegr. Firma Hesse GmbH & Co., 59075 Hamm. *Produktion:* Lacke u. Beizen für die Möbel-Ind. u. weitere holzverarbeitende Ind.-Zweige.

Hesse, Gerhard (geb. 1908), Prof. für Organ. Chemie, Univ. Freiburg u. Erlangen. *Arbeitsgebiete:* Tier. u. pflanzliche Gifte, afrikan. Pfeilgifte, Naturfarbstoffe, Fraßlockstoffe von Insekten, Bewegungshormon von *Mimosa pudica,* chromatograph. Adsorptionsanalyse, Racemattrennung, Entwicklung der Gaschromatographie.
Lit.: Int. Lab. **1972,** Nr. 4, 8–13 ▪ Kürschner (16.), S. 1408 ▪ Nachr. Chem. Tech. Lab. **20,** 416 ff. (1972); **41,** Nr. 6, 751 (1993) ▪ Wer ist wer (35.), S. 585.

Hesse, Manfred (geb. 1935), Prof. für Organ. Chemie, Univ. Zürich. *Arbeitsgebiete:* Organ. Naturstoffe, Pflanzenanalyse, Massenspektrometrie, organ. Synthese.
Lit.: Kürschner (16.), S. 1409.

Hessit (Tellursilber). Ag_2Te, unterhalb von 155 °C monoklines, oberhalb kub. Erzmineral; Struktur s. *Lit.*[1]. Krist. selten, meist kub. verzerrt. Überwiegend derb u. körnig, bleigrau bis stahlgrau, metall. glänzend, oft bläulich angelaufen; H. 2–3, D. 8,24–8,45, schneidbar.
Vork.: Vorwiegend in subvulkan. Gold-Silber-*Lagerstätten, z. B. in Siebenbürgen, im Altai-Gebirge/Sibirien, vielerorts in Kalifornien, Arizona u. Colorado/USA, ferner in Chile u. Mexiko. – $E = F = I$ hessite – S hessita
Lit.: [1] Z. Kristallogr. **112,** 44-52 (1959).
allg.: Anthony et al., Handbook of Mineralogy, Vol. I, S. 216, Tucson (Arizona): Mineral Data Publishing 1990 ▪ Ramdohr, Die Erzmineralien u. ihre Verwachsungen, S. 455 ff., Berlin: Akademie-Verl. 1975 ▪ Ramdohr-Strunz, S. 422. – [CAS 12002-98-1]

Hessonit s. Granate.

Heßsche Höhenstrahlung s. Kosmische Strahlung.

Heßscher Satz. Dieses im Jahre 1840 von G. H. *Heß experimentell aufgefundene „Gesetz der konstanten Wärmesummen" lautet: „Die Reaktionswärme eines chem. Gesamtvorgangs wird durch den Anfangs- u. Endzustand eindeutig bestimmt; sie ist unabhängig von der Qualität u. von der Reihenfolge der Teilvorgänge." Der Energieumsatz bei einer gegebenen Re-

aktion muß demnach der gleiche sein, gleichgültig, auf welchem Wege man die Umsetzung durchführt. Der H. S. fand seine allg. Fassung in dem (erst später formulierten) *Energieerhaltungssatz,* dem 1. *Hauptsatz der *Thermodynamik. So kann man z. B. eine wäss. Ammoniumchlorid-Lsg. aus Wasser, Ammoniak u. Chlorwasserstoff dadurch herstellen, daß man einmal NH_3 u. HCl im Gaszustand reagieren läßt u. das entstehende NH_4Cl in Wasser auflöst od. indem man erst beide Gase getrennt in Wasser löst u. die Lsg. dann vermischt. Die Energieänderung ist auf beiden Wegen die gleiche, nämlich etwa 159 kJ/mol bei Raumtemperatur. Mit Hilfe des H. S. gelingt es nun, die Energieumsätze auch bei solchen Reaktionen anzugeben, die prakt. nicht isoliert durchführbar sind. So kann man z. B. zwar leicht u. vollständig Kohlenstoff zu CO_2 auch Kohlenmonoxid zu CO_2 verbrennen, nicht aber den Wärmeumsatz der Reaktionen $2C + O_2 \rightarrow 2CO$ ermitteln, da neben dieser Reaktion auch immer die weitere $C + O_2 \rightarrow CO_2$ abläuft. In diesem Fall mißt man also die *Wärmetönung* der Reaktion

$$\text{(a)} \quad 2C + 2O_2 \rightarrow 2CO_2 + W_1,$$
$$\text{(b)} \quad 2CO + O_2 \rightarrow 2CO_2 + W_2$$

(W_1 u. W_2 haben die Dimension kJ/mol) u. erhält so die gleichen Endprodukte auf zwei verschiedenen Wegen. Will man nun die Stoffe der linken Seite von Gleichung (a) in die der linken Seite von Gleichung (b) überführen, so ist dazu aufgrund des H. S. die Differenz $W_1 - W_2$ als Wärmetönung zu erwarten:

$$\text{(c)} \quad 2C + O_2 \rightarrow 2CO + (W_1 - W_2).$$

Da $W_1 = -788$ kJ/mol u. $W_2 = -566$ kJ/mol ist, ergibt sich für die Differenz $W_1 - W_2 = -222$ kJ/mol. Man findet auf diese Weise die *Bildungswärme des Kohlenmonoxids aus den Elementen, also den Energieumsatz der direkt nicht meßbaren Reaktion $C + 1/2 O_2 \rightarrow CO$ zu 111 kJ/mol. In gleicher Weise kann durch die Bestimmung der Verbrennungswärme von Graphit u. Diamant indirekt die Umwandlungswärme von Graphit in Diamant bestimmt werden (*Lit.*[1]). – E Hess law – F loi de Hess – I legge di Hess – S ley de Hess
Lit.: [1] Barrow, Physikalische Chemie, Braunschweig: Vieweg, 1984.
allg.: s. Hauptsätze u. Thermodynamik.

Hetarine. Von *Kauffmann geprägter Sammelname für die den *Arinen analog gebauten Verb., die eine formale Dreifachbindung in einem heteroaromat. Ring besitzen (z. B. *Dehydropyridin*); Näheres s. bei Dehydrobenzol. – E hetarynes – F hétarynes – I etarini – S hetarinas
Lit.: Abramovitch, Reactive Intermediates **2,** 367–526, New York: Plenum Press 1982 ▪ Adv. Heterocycl. Chem. **4,** 121–144 (1965) ▪ Angew. Chem. **77,** 557–571 (1965); **83,** 21–34 (1971) ▪ Chem. Unserer Zeit **16,** 139–148 (1982) ▪ Patai, The Chemistry of Triple Bonded Functional Groups, S. 421–511, New York: Wiley 1983.

Heterich. Kurzbez. für die Chem. Fabrik Dr. Heterich KG, 90762 Fürth. *Produktion:* Tinkturen u. Fluidextrakte.

Heter(o)... Von griech.: héteros = der andere, anders abgeleitete Vorsilbe; drückt eine Andersartigkeit, insbes. den Gegensatz zu *Homo... aus; *Beisp.:* Heteropolysäuren, Heterocyclen, heterogen. – ***E*** = ***S*** hetero... – ***F*** hétéro... – ***I*** eter(o)...

Heteroaromaten s. heterocyclische Verbindungen.

Heteroatome. Allg. Bez. für Nichtkohlenstoff-Atome (z. B. Phosphor-, Stickstoff-, Sauerstoff-, Schwefel-Atome) in organ. Verbindungen. Prakt. verfügen also alle organ. Verb. mit Ausnahme der Kohlenwasserstoffe über Heteroatome; markanteste Vertreter sind die *heterocyclischen Verbindungen. – ***E*** hetero atoms – ***F*** hétéroatomes – ***I*** eteroatomi – ***S*** heteroátomos

Lit.: s. heterocyclische Verbindungen u. Nomenklatur.

Heteroatom-Effekt s. Ringschlußreaktionen.

Heteroauxin s. 3-Indolylessigsäure.

Heterochromatin s. Chromatin.

Heterocyclische Verbindungen (Heterocyclen). Im weitesten Sinne Sammelbez. für *cyclische Verbindungen mit ringbildenden Atomen aus mind. zwei verschiedenen Elementen. In der Regel wird die Bez. „heterocycl." jedoch nur für solche – hier jeweils in Einzelstichwörtern behandelten – cycl. organ. Verb. verwendet, deren Ringstrukturen neben *Kohlenstoff-Atomen* noch *Heteroatome aus mind. einem anderen Element (meist Stickstoff, Sauerstoff od. Schwefel, aber auch Phosphor, Antimon, Arsen, Iod, auch Metalle) enthalten. Die 5- u. 6-Ringheterocyclen sind am stabilsten. Zu den h. V. zählen auch *kondensierte Ringsysteme, z. B. mit Benzol od. verschiedenen h. V. untereinander (s. Abb. 3). Die Klassifizierung der h. V. kann nach der Art der Heteroatome, deren Anzahl u. der Ringgröße erfolgen. Als vorteilhaft hat es sich erwiesen, drei große Gruppen zu unterscheiden, die von den Eigenschaften der h. V. ausgehen.

Heterocycloalkane sind *gesätt.* h. V., die sich von ihren offenkettigen Verwandten kaum unterscheiden. So sind *Lactone u. *Lactame die cycl. Analoga der Ester u. Amide mit prakt. den gleichen chem. Eigenschaften. Ebenso verhält es sich mit Tetrahydrofuran als einem cycl. Ether.

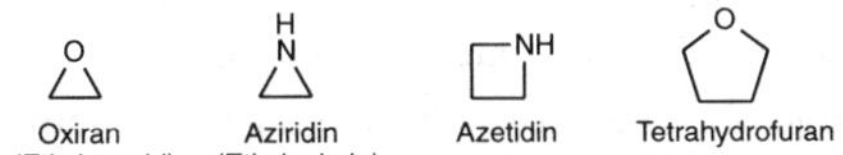

Oxiran (Ethylenoxid) | Aziridin (Ethylenimin) | Azetidin | Tetrahydrofuran

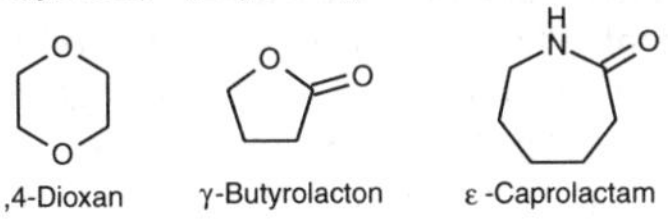

1,4-Dioxan | γ-Butyrolacton | ε-Caprolactam

Abb. 1: Heterocycloalkane.

Heterocycloalkene sind partiell ungesätt. h. Verbindungen. Sie stehen in ihren Eigenschaften zwischen den *Heterocycloalkanen* u. den *Heteroaromaten*, als deren teilw. hydrierte Derivate sie aufgefaßt werden können.

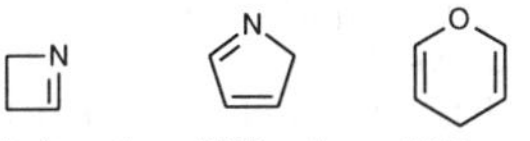

3,4-Dihydroazet | 2*H*-Pyrrol | 4*H*-Pyran (γ-Pyran)

Abb. 2: Heterocycloalkene.

Heteroaromaten [1] sind wie *Benzol* Verb., die nach der *Hückel-Regel ein *Elektronensextett* enthalten (s. Aromatizität); sie stellen die größte u. wichtigste Gruppe der h. V. dar. Sie haben ähnliche Eigenschaften wie die anderen *aromatischen Verbindungen, wenn auch in Einzelfällen die Heteroatome ein modifiziertes Reaktionsverhalten bewirken; so geht Benzol prakt. *keine* *Diels-Alder-Reaktion ein, während *Furan, als heterocycl. Sauerstoff-Analogon ein gutes *Dien* in dieser Reaktion ist. Die Heteroaromaten werden in *π-elektronenreiche* u. *π-elektronenarme* Vertreter eingeteilt. Zu ersteren gehören die 5-Ring-Heteroaromaten *Furan, Pyrrol* u. *Thiophen*; bei ihnen ist die elektrophile aromat. Substitution im Vgl. zu Benzol erleichtert. Als typ. Vertreter der π-elektronenarmen Heteroaromaten kann *Pyridin* gelten, bei dem die elektrophile Substitution erschwert, die nucleophile dagegen erleichtert ist.

5-Ring-Heteroaromaten

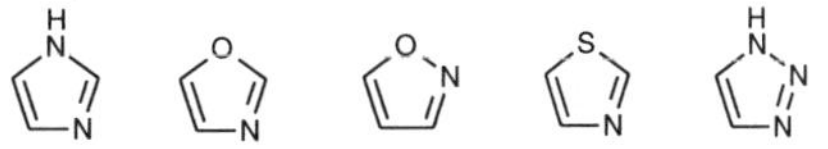

Imidazol | Oxazol (*1,3-Oxazol*) | Isoxazol (*1,2-Oxazol*) | Thiazol | 1,2,3-Triazol

6-Ring-Heteroaromaten

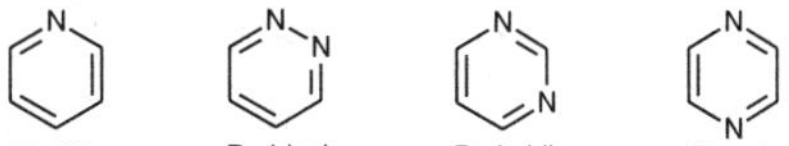

Pyridin | Pyridazin (*1,2-Diazin*) | Pyrimidin (*1,3-Diazin*) | Pyrazin (*1,4-Diazin*)

Kondensierte Heteroaromaten

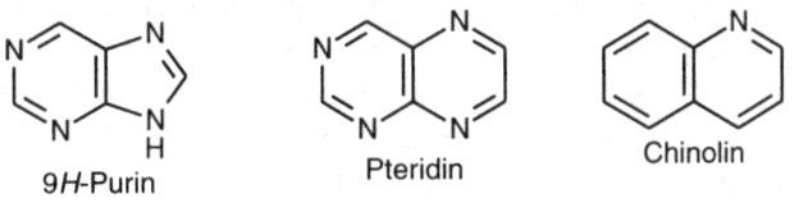

9*H*-Purin | Pteridin | Chinolin

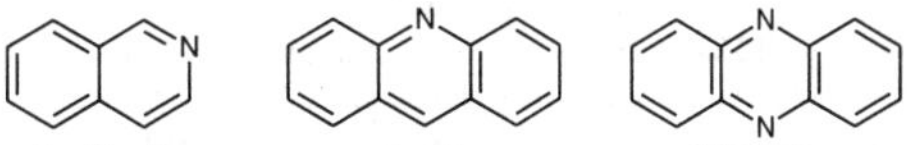

Isochinolin | Acridin | Phenazin

Abb. 3: Heteroaromaten.

Die *Nomenklatur* der h. V. (IUPAC-Regeln Sektion B) macht meist von Trivialnamen Gebrauch [2]. Andernfalls erlauben die IUPAC-Regeln zwei Möglichkeiten der Namensgebung: Das *Hantzsch-Widman-System für 3–10gliedrige h. V. u. die *Austausch-Nomenklatur* für höhergliedrige Heterocyclen; Details s. Nomenklatur. Die nach den IUPAC-Regeln von 1957 noch zulässige Namensgebung nach dem sog. *Stelzner-System ist mit den IUPAC-Regeln 1969 aufgegeben worden.

Viele h. V. zeigen das Phänomen der *Tautomerie [3]; so gibt es für Pyrazol drei tautomere Formen, wobei nur das 1*H*-Isomere aromat. ist. Das 3*H*- und das 4*H*-Isomere dagegen sind nicht aromat., instabil u. isomerisieren leicht in das 1*H*-Pyrazol.

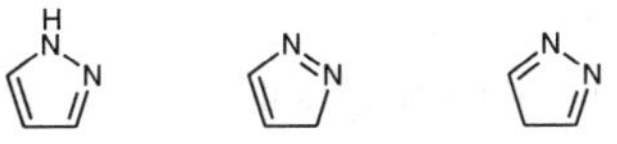

1*H*-Pyrazol | 3*H*-Pyrazol | 4*H*-Pyrazol

Abb. 4: Die tautomeren Formen des Pyrazols.

Zur Synth. der h. V. sind ungezählte, meist spezif. Verf. entwickelt worden, die z. T. mit den Namen ihrer Entdecker verbunden sind. Der Ablauf der Synth. – z. B. *Cyclisierung od. *1,3-dipolare Cycloaddition, Ringerweiterung od. Ringverengung – wird von der Art u. Stellung des Heteroatoms beeinflußt. Angesichts der Vielfalt an Synthesewegen u. Reaktionsweisen ist es nicht verwunderlich, daß die Zahl neuer h. V. sehr rasch zunimmt, zumal die Mehrzahl pharmakolog. wirksamer Stoffe natürlichen u. synthet. Ursprungs ebenfalls in diese Gruppe gehört; *Beisp.:* Alkaloide, Flavone, Porphyrine u. a. natürliche Farbstoffe, Furocumarine, Nucleinsäuren, einige Aminosäuren, Vitamine u. Coenzyme. In vielen Fällen sind die charakterist. Aromen von Nahrungsmitteln auf h. V. zurückzuführen, die teilw. erst durch *Maillard-Reaktion aus Zuckern u. Aminosäuren entstehen. – *E* heterocyclic compounds – *F* composés hétérocycliques – *I* composti eterociclici – *S* compuestos heterocíclicos

Lit.: [1]Contemp. Org. Synth. **2**, 337–356 (1995). [2]Angew. Chem. **60**, 204–207 (1948). [3]Heterocycles **41**, 1805–1832, 2057–2093 (1995).

allg.: Fortschrittsberichte u. Zeitschriften: Advances in Heterocyclic Chemistry, Bd. 1... (Hrsg.: Katritzky), New York: Academic Press (seit 1963) ▪ Advances in Heterocyclic Natural Product Synthesis, Bd. 1... (Hrsg.: Pearson), Greenwich, Conn.: JAI Press 1993 ▪ Journal of Heterocyclic Chemistry (Hrsg.: Castle), Provo: HeteroCorp. (seit 1964) ▪ Heterocycles, Amsterdam: Elsevier Science Publishers (seit 1973) ▪ Chemistry of Heterocyclic Compounds (Übers. aus dem Russ.), New York: Consultants Bureau (seit 1965) ▪ Heterocyclic Communications (Hrsg.: Gupta), London: Freund Publ. House (seit 1994) ▪ Heterocyclic Chemistry (Specialist Periodical Report), (Hrsg.: Suschitzky u. Meth-Cohn), Bd. 1–5, London: The Royal Chemical Society 1980–1986 ▪ Progress in Heterocyclic Chemistry (Hrsg.: Suschitzky u. Scriven), Bd. 1..., Oxford: Pergamon Press (seit 1989). – *Handbücher:* Barton-Ollis ▪ Beilstein **17–27** (Systemnummern 2359–4720) ▪ Coffey, Rodd's Chemistry of Carbon Compounds, Heterocyclic Compounds, 2. Aufl., IVA–IVIJ (1973–1989), First Suppl. IVA–IVK (1984–1989), Second Suppl. IVJ, IJ, IVL (1988–1995), Amsterdam: Elsevier Science Publishers ▪ Elderfield, Heterocyclic Compounds, Bd. 1–7, New York: Wiley 1950–1961 ▪ Houben-Weyl **E6–E9** ▪ Katritzky-Rees ▪ Katritzky, Handbook of Heterocyclic Chemistry, Oxford: Pergamon Press 1985 ▪ Katritzky, Physical Methods in Heterocyclic Chemistry, Bd. 1–6, New York: Academic Press 1963–1974 ▪ Weissberger ▪ Winnacker-Küchler (4.) **6**, 281 ff. – *Monographien u. Lehrbücher:* Bergman, Van der Plas u. Simonyi, Heterocycles in Bio-Organic Chemistry, Boca Raton: CRC Press 1991 ▪ Davies, Aromatic Heterocyclic Chemistry, Oxford: Oxford University Press 1992 ▪ Eicher u. Hauptmann, Chemie der Heterocyclen, Stuttgart: Thieme 1994 ▪ Gilchrist, Heterocyclenchemie, Weinheim: VCH Verlagsges. 1995 ▪ Joule, Smith u. Mills, Heterocyclic Chemistry, 3. Aufl. New York: Chapman & Hall 1994 ▪ Krohn u. Wolf, Kurze Einführung in die Chemie der Heterocyclen, Stuttgart: Teubner 1994 ▪ s. a. die Aufstellungen bei Katritzky u. Jones, Adv. Heterocycl. Chem. **25**, 303 ff. (1979). – *Organisation:* International Society of Heterocyclic Chemistry [Nachr. Chem. Techn. Lab. **30**, 430 (1982)].

Heterocycloalkane, -alkene s. heterocyclische Verbindungen.

Heterodet s. Peptolide.

Heterodiene s. Diels-Alder-Reaktion.

Heterodispers s. Kolloidchemie.

Heterodrom s. Hydratation u. Wasserstoff-Brückenbindung.

Heterogen (von griech.: heterogenis = verschiedenartig). In Physik u. Chemie werden *Gemische, die mehrere Phasen umfassen, als *h. Syst.* bezeichnet u.

den *homogenen gegenübergestellt; wichtiges *Beisp.:* Heterogene *Katalyse. Kolloide Syst., wie *Dispersionen, *Emulsionen, *Aerosole etc. (vgl. Kolloidchemie), sind erst bei mikroskop. Betrachtung als h. erkennbar u. werden deshalb als *mikro-h.* Syst. bezeichnet. – *E* heterogeneous – *F* hétérogène – *I* eterogeneo – *S* heterogéneo

Heterogene anorganische Builder s. Natriumaluminiumsilicat.

Heterogene Gleichgewichte. *Chemische Gleichgewichte mit mehr als einer *Phase; einphasige Gleichgew. heißen *homogen.

Heterogene Katalyse s. Katalyse.

Heterogene Systeme s. Heterogen.

Heterogenmembran s. ionenselektive Elektroden.

Heterogen-Reaktor s. Kernreaktor.

Heteroglykane s. Polysaccharide.

Heteroketten. Bez. für *Polymere, deren Hauptketten zwei od. mehr verschiedene Arten von Kettenatomen tragen.

Heterokettenpolymerisation. Bez. für Polymerisationen, die zu Makromol. führen, die neben Kohlenstoff auch andere (Hetero)Atome wie Sauerstoff, Schwefel od. Stickstoff in ihrer Hauptkette tragen. Beisp. sind die ion. od. Metallkomplex- initierten *Homo- u. *Copolymerisationen von Aldehyden u./od. Epoxiden (Oxiranen) zu z. B. Polymethylenoxid od. Polypropylenoxid. – *E* heterochain polymerization – *F* polymérisation en hétérochaîne – *I* polimerizzazione a eterocatena – *S* polimerización en heterocadena

Lit.: Houben-Weyl **E20**, 356 ff.

Heterokondensation s. Kondensation.

Heterokumulene s. Kumulene.

Heteroleptisch. Bez. für Komplexverb., in denen unterschiedliche *Liganden an ein Metall gebunden sind; Gegenteil: *Homoleptisch. – *E* heteroleptic – *F* hétéroleptique – *I* eterolептico – *S* heteroléptico

Heterologe. Bez. für verwandte Substanzen mit teilw. ident. Struktur, jedoch unterschiedlichen Eigenschaften; *Beisp.:* Benzol, Phenol, Benzoesäure u. Anilin. Gegensatz: *Homologe u. Isologe. – *E* heterolog(ue)s – *F* hétérologues – *I* eterologhi – *S* heterólogos

Heterolyse (heterolytische Spaltung). Bez. für den Vorgang der *Spaltung eines Mol. unter Bildung von zwei entgegengesetzt geladenen *Ionen (AB → A⁺+B⁻), die dadurch zustande kommt, daß (im Gegensatz zur *Homolyse) das Bindungselektronenpaar vollständig bei dem einen Molekülbruchstück verbleibt; *Beisp.:* Auflösung von Chlorwasserstoff in Wasser nach HCl → H⁺+Cl⁻, Dissoziation von Triphenylmethylchlorid in flüssigem Schwefeldioxid nach $(H_5C_6)_3C-Cl$ → $(H_5C_6)_3C^+ + Cl^-$. H. tritt bevorzugt in Lsg. (v. a. in *polaren* Lsm.), Homolyse dagegen bevorzugt in der Gasphase auf. Ursache dafür ist, daß Ionen in der Gegensatz zu Radikalen od. Atomen gut solvatisiert werden müssen. Die *nucleophile aliphat., die elektrophile aromat. *Substitution, die *Eliminierung, die *Addition u. die

*Fragmentierung sind wichtige organ. Reaktionen, die unter Beteiligung von heterolyt. Bindungsspaltungen ablaufen. – *E* heterolysis – *F* hétérolyse – *I* eterolisi – *S* heterólisis

Lit.: March (4.), S. 205 ▪ Sykes, Reaktionsmechanismen der Organischen Chemie, 9. Aufl., S. 24, Weinheim: VCH Verlagsges. 1988.

Heterolytische Spaltung s. Heterolyse.

Heterometrie (nephelometr. Titration). Fällungstitration (s. Fällungsanalyse), bei der die Endpunktbestimmung durch *Nephelometrie erfolgt, d. h. durch Verfolgung der Intensitätsänderung des im rechten Winkel zu einem durch die Lsg. tretenden Lichtstrahl gestreuten Lichtes in Abhängigkeit von der Menge der zugesetzten Titrierflüssigkeit; man erhält so eine Kurve aus zwei Geraden, die sich im Endpunkt der Titration schneiden. – *E* heterometry – *F* hétérométrie – *I* eterometria – *S* heterometría

Lit.: Bobtelsky, Heterometry, Amsterdam: Elsevier 1960 ▪ Ullmann (5.) **B 5**, 421 ▪ s. a. Maßanalyse, Nephelometrie.

Heteromorphie s. Isodimorphie.

Heteropolare Chromatographie s. Ionenaustauschchromatographie.

Heteropolymere (Mischpolymere, Interpolymere). Ältere Bez. für *Copolymere, d. h. *Polymere, die aus mehr als einer Sorte an *Monomeren aufgebaut wurden.

Heteropolysaccharide. *Polysaccharide, deren Makromol. mehr als eine Art von Zucker-Resten als Grundbausteine enthalten.

Heteropolysäuren. Anorgan. Polysäuren mit – im Gegensatz zu *Isopolysäuren – mind. 2 verschiedenen Zentralatomen. H. entstehen aus jeweils schwachen, mehrbas. Sauerstoff-Säuren eines *Metalls* (meist Cr, Mo, V, W) u. eines *Nichtmetalls* (meist As, I, P, Se, Si, Te) als partielle *gemischte *Anhydride; *Beisp.:* $H_3[PM_{12}O_{40}]$: *12-Molybdatophosphorsäure (*Dodecamolybdophosphorsäure*, M = Mo) bzw. *12-Wolframatophosphorsäure (*Dodecawolframophosphorsäure*, M = W). Als zweites Zentralatom können auch Actinoide od. Lanthanoide fungieren; dabei sind die Wolfram-H. therm. wesentlich stabiler als die analogen Molybdän-Verbindungen. Als *Keggin-Säuren* bezeichnet man gelegentlich H. der allg. Formulierung $[(EO_4)M_{12}O_{36}]^{n-8}$ mit n = Wertigkeit des tetraedr. koordinierten Elements E (z. B. B, Si, Zn), mit oktaedr. koordiniertem Heteroatom findet man häufig den Heterohexametallat-Typ $[(EO_6)M_6O_{18}]^{n-12}$ (Anderson-Evans-Anionen). – *E* heteropoly acids – *F* hétéropolyacides – *I* eteropoliacidi – *S* heteropoliácidos

Lit.: Angew. Chem. **103**, 56–70 (1991) ▪ Brauer (3.) **3**, 1781–1798 ▪ Pope, Heteropoly and Isopolyoxometalates, Berlin: Springer 1983.

Heterotaktizität s. Taktizität.

Heterotop [stereoheterotop, von *Heter(o)... u. *...top]. In der Stereochemie kann es manchmal notwendig sein, zwischen gleichen Liganden topolog. zu unterscheiden. Zur Verdeutlichung soll die Bromierung von 1,3-Diphenylpropan betrachtet werden (vgl. Abb.). Wird eines der Wasserstoff-Atome an dem Kohlenstoff-Atom 2 ersetzt, so führen beide Möglichkeiten zu einem ident., achiralen Produkt. Die beiden Wasserstoff-Atome sind also topolog. gleich u. werden deshalb als *homotope* Liganden bezeichnet. Anders ist die Situation, wenn ein Wasserstoff-Atom an Kohlenstoff-Atom 1 durch Brom ersetzt wird. Hier bilden sich in Abhängigkeit vom substituierten Wasserstoff-Atom zwei stereochem. verschiedene Verb., nämlich die Enantiomere von 1-Brom-1,3-diphenylpropan. Solche Liganden nennt man *heterotope*, genauer *enantiotope* Liganden. Bilden sich bei der Substitution von h. Liganden Diastereomere, so spricht man von *diastereotopen* Liganden. Reste in organ. Verb., die h. Liganden besitzen, werden als *prostereogen* od. *prochiral bezeichnet.

2-Brom-1,3-diphenylpropan (achiral)

(*S*)- u. (*R*)-1-Brom-1,3-diphenylpropan (Enantiomerenpaar, Racemat)

H. Liganden können gemäß den *CIP-Regeln als pro-*S* od. pro-*R* klassifiziert werden (Näheres s. *Lit.*).
Bei der *enantioselektiven Synthese treten chirale Reagenzien mit enantiotopen Liganden unterschiedlich in Wechselwirkung, so daß letztlich ein Enantiomeres bevorzugt gebildet wird.
Bes. gut können dies *Enzyme, die ausschließlich mit nur einem enantiotopen Liganden reagieren. – *E* heterotopic – *F* hétérotope – *I* eterotopo – *S* heterótopo

Lit.: Carey-Sundberg, S. 95 ▪ Eliel u. Wilen, Stereochemistry of Organic Compounds, S. 465 ff., New York: Wiley 1994 ▪ Hauptmann u. Mann, Stereochemie, S. 100 ff., Heidelberg: Spektrum Akadem. Verl. 1996 ▪ Top. Curr. Chem. **105**, 7–24 (1982) ▪ s. a. Chiralität, enantioselektive Synthese u. prochiral.

Heterotrophe Organismen s. Heterotrophie.

Heterotrophie. Bez. für die Art der *Ernährung von Organismen, die sich in der Mikrobiologie heute nur noch auf die Herkunft des Kohlenstoffs für das Wachstum bezieht, wobei H. die Verwertung organ. Substrate beschreibt im Gegensatz zur *Autotrophie (CO_2 als C-Quelle). H. findet sich bei Tieren, Pilzen u. bei der Mehrzahl der Bakterien. Energiequellen sowie Elektronen-Donatoren werden zusätzlich zur Ernährungsweise herangezogen: Bei der Klassifizierung über die *Energiequelle* unterscheidet man *Phototrophie u. *Chemotrophie; bei der Klassifizierung mit Hilfe des *Elektronen-Donators* *Organotrophie bzw. *Lithotrophie. Die meisten heterotrophen Organismen gewinnen auch ihre Energie aus organ. Material u. werden daher als *chemoorganoheterotroph* bezeichnet. Einige wenige Heterotrophe, wie die Schwefel-freien Purpurbakterien, benutzen organ. Material für das Wachstum, gewinnen ihre Energie jedoch aus dem Licht (*pho-*

toorganoheterotroph). Bakterien (wie die Wasserstoff-oxidierenden Bakterien), die Energie durch Oxid. anorgan. Verb. u. den Zell-Kohlenstoff aus organ. Material gewinnen, werden als *chemolithoheterotroph* (vgl. Mixotrophie) bezeichnet. – *E* heterotrophy – *F* hétérotrophie – *I* eterotrofia – *S* heterotrofia
Lit.: Annu. Rev. Microbiol. **24**, 17 (1970) ▪ Schlegel (7.), S. 201.

HETP (HEETP). Abk. für engl.: height equivalent to an (effective) theoretical plate, einer Kenngröße für die Trennleistung von Trennsäulen in der *Destillations-Technik (bes. bei *Füllkörper-Kolonnen) u. in der *Gaschromatographie.

HET-Säure.

Kurzz. für *H*exachlor-*endo*methylen-*t*etrahydro-phthalsäure, $C_9H_6Cl_6O_4$, M_R 390,86, die in der Technik neben Maleinsäureanhydrid, Phthalsäureanhydrid, Isophthalsäure u. Terephthalsäure zur Herst. ungesätt. *Polyesterharze verwendet wird. – *E* HET acid, chlorenic acid – *I* acido esacloro-endometilen-tetraidroftalico – *S* ácido hexacloroendometilen-tetrahidroftálico
Lit.: Elias (5.) **2**, 193.

Heublumen (Graminis Flos). Durch Sieben von Heu gewonnene Arzneidroge, die Blüten u. Stengelteile verschiedener *Gräser (Poaceae) enthält. H. werden volksmedizin. zur Bereitung schmerzlindernder Bäder gebraucht; Wirkung u. Wirkprinzip sind nicht belegt; an Inhaltsstoffen hat man nur ubiquitär vorkommende Flavonoide, Zucker, Gerbstoff u.a. nachweisen können. – *E* hayseed – *F* fleurs de foin – *I* setacciatura del fieno – *S* flores de heno
Lit.: Bundesanzeiger 85/05. 05. 88 ▪ Wichtl (3.), S. 265 f.

Heulandit. $(Na,K)Ca_4[Al_9Si_{27}O_{72}] \cdot 24\,H_2O$ (Formel s. Gottardi-Galli, *Lit.*), zusammen mit dem SiO_2-reicheren *Klinoptilolith zu den *Zeolithen gehörendes Mineral, krist. monoklin, Krist.-Klasse $2/m$-C_{2h}. Struktur, chem. Analysen u. Synth. s. Gottardi-Galli (*Lit.*); zur pH-abhängigen Auflösungsrate von H. s. *Lit.*[1], zur Struktur von Na- u. Pb-ausgetauschten H. s. *Lit.*[2]. Blättrige bis tafelige Krist., schalige, blättrige od. spätige Aggregate. Vollkommene Spaltbarkeit mit perlmuttartigem Glanz auf den Spaltflächen, auf Krist.-Flächen Glasglanz; H. 3,5 – 4, D. 2,2; farblos, weiß, weißgrau, gelblich, rosa, rot; durchsichtig bis durchscheinend.
Vork.: Bes. in Hohlräumen von *Basalten, z.B. Berufjord/Island; Faroer-Inseln; Fassatal/Italien; New Jersey, Washington u. Oregon/USA; Poona, Nasik u. Bombay/Indien. – *E=F=I* heulandite – *S* heulandita
Lit.: [1]Geochim. Cosmochim. Acta **57**, 2439 – 2449 (1993). [2]Am. Mineral. **79**, 675 – 682 (1994).
allg.: Anthony et al., Handbook of Mineralogy, Vol. II, Tl. 1, S. 333, Tucson (Arizona): Mineral Data Publishing 1995 ▪ Gottardi-Galli, Natural Zeolites, S. 256 – 284, Berlin: Springer 1985 ▪ Ramdohr-Strunz, S. 792 f. ▪ s.a. Zeolithe. – *[CAS 1318-63-4]*

Heumann. Kurzbez. für die 1913 gegr. Firma Heumann Pharma GmbH, 90478 Nürnberg. *Produktion:* Fertigarzneimittel, pharmazeut. Wirkstoffe u. Feinchemikalien.

Heumann, Theodor (geb. 1914), Prof. (emeritiert), Direktor des Inst. für Metallforschung, Univ. Münster. *Arbeitsgebiete:* Korrosion, Diffusion, Aufbau u. Thermodynamik der Legierungen.
Lit.: Kürschner (16.), S. 1415 ▪ Wer ist wer (35.), S. 588.

Heuschnupfen s. Allergie u. Schnupfen.

Heuschrecken (Springschrecken, Saltatoria). Diese Ordnung der *Insekten enthält ca. 20 000 Arten mit Größen zwischen 1,5 mm u. 20 cm Körperlänge. Der Verbreitungsschwerpunkt liegt in den Tropen u. Subtropen, in Mitteleuropa kommen nur ca. 80 Arten vor. Es werden 2 Unter-Ordnungen unterschieden.
Die Unter-Ordnung Ensifera (übersetzt: Schwertträger), Langfühlerschrecken, umfaßt alle Laub-H. u. Grillen u. ist v. a. durch 4 Merkmale gekennzeichnet: Schwertförmige, lange Eilegeröhre der Weibchen; Fühler meist deutlich länger als der Körper; Lauterzeugung durch Aneinanderreiben (Stridulation) von Schrillkante u. gezähnter Schrilleiste des ersten Flügelpaares; Gehörorgane in der Schiene (Tibia) des ersten Beinpaars.
Die Unter-Ordnung Caelifera, Kurzfühlerschrecken, enthält alle Feld-H. u. ist charakterisiert durch: Fehlen einer langen Eilegeröhre der Weibchen; nur kurze Fühler, am Ende oft verdickt; Lauterzeugung durch Aneinanderreiben der zähnchentragenden Innenseite des Schenkels (Femur) des dritten Beinpaars (Sprungbein) gegen eine Ader des Vorderflügels; Gehörorgane im ersten Hinterleibsegment. Die Gehörorgane (Tympanalorgane) können Frequenzen von ca. 1000 bis 90 000 Hz verarbeiten, niedrigere Frequenzen wie auch Bodenerschütterungen werden von Subgenualorganen in den Beinen wahrgenommen.
Die Gesänge der H. sind artspezif. u. in ihren Unterstrukturen wie Verse, Silben, Pulse u. Impulse Temp.-abhängig. Bei der Kopulation nach oft komplizierter Balz wird eine Spermatophore übertragen. Ablage der Eier meist in den Boden. H. durchlaufen eine hemimetabole (s. Insekten) Entwicklung mit 5 bis 6 Larvenstadien. Dabei besteht ein sehr großer Nahrungsbedarf, der bei Langfühlerschrecken in Pflanzen, bei Kurzfühlerschrecken überwiegend in tier. Beute liegt. Zur letzten Gruppe gehören die schon aus biblischen Zeiten als Plage gefürchteten Wüsten-H. (*Schistocerca gregaria*) u. v. a. die Wander-H. (*Locusta migratoria*). Durch Auftreten in Riesenschwärmen u. durch extrem gutes Flugvermögen können sie in Nordafrika zu verheerenden landwirtschaftlichen Schäden führen. Im Mittelalter erreichten H.-Schwärme auch mehrfach den mitteleurop. Raum. Verhinderung, Erkennung u. Vorhersage der Flugrichtung von H.-Schwärmen sind trotz dem Einsatz moderner Mittel wie Flugzeugüberwachung u. Radar bis heute nicht gelöst, v. a. wenn der Einsatz von *Insektiziden aus Gründen des Umweltschutzes weitestgehend vermieden werden soll.
37 Arten, das sind 49% der in der BRD heim. H., sind durch Umweltveränderungen laut der „*Roten Liste" ausgestorben, verschollen od. verschieden stark in ih-

rer Existenz gefährdet. Dies betrifft sowohl Arten von Feuchtgebieten (z. B. Sumpfgrille) als auch wärmebedürftige, trockenheitsliebende Arten (z. B. Steppensattelschrecke, Rotflügelige Ödlandschrecke u. Weinhähnchen). – *E* locusts – *F* sauterelles – *I* cavallette – *S* langostas, saltamontes
Lit.: Bellmann, Heuschrecken: beobachten – bestimmen, 2. Aufl., Augsburg: Naturbuch 1993 ▪ Honomichl u. Bellmann, Biologie u. Ökologie der Insekten, CD-ROM, Stuttgart: Fischer 1996.

Heuslersche Legierungen. Von F. Heusler um 1900 entdeckte ferromagnet. Leg. des Typs Cu_2MnAl mit einer Curie-Temp. zwischen 600 u. 380 °C, die kein ferromagnet. Element enthält. Die Existenz derartiger Leg. zeigt, daß Ferromagnetismus eine Krist.-Eigenschaft ist. – *E* Heusler's alloy – *F* alliage d'Heusler – *I* lega di Heusler – *S* aleación de Heusler
Lit.: Ullmann (5.) A 7, 545.

Hevert. Kurzbez. für die Firma Hevert-Arzneimittel GmbH & Co. KG, 55566 Sobernheim. *Produktion:* Vorwiegend homöopath. u. pflanzliche Präparate.

Hevesy, György von (1885–1966), Prof. für Physikal. Chemie, Budapest, Kopenhagen, Freiburg, Cornell-Univ. u. Stockholm. *Arbeitsgebiete:* Entdeckung des Hafniums (zusammen mit D. Coster, 1923), Actinium, Reaktionen in festen Körpern, Diffusion in Krist., zusammen mit *Paneth Entwicklung der Indikatorenmeth. zur Bestimmung der Radioelemente (s. folgendes Stichwort), wofür er 1943 den Nobelpreis für Chemie erhielt. Später Verw. künstlicher Isotope für die Untersuchung von Stoffwechselvorgängen.
Lit.: Chem. Unserer Zeit **1**, 72–75 (1967) ▪ Chem. Ztg. **90**, 524 (1966) ▪ Chem. Br. **3**, 527–532 (1967) ▪ Krafft, S. 248 ▪ Lexikon der Naturwissenschaftler, S. 213 ▪ Neufeldt, S. 133, 143, 147, 194, 367, 381 ▪ Pötsch, S. 201 ▪ Poggendorff **7 b/4**, 1972–1978 ▪ Strube et al., S. 111, 193.

Hevesy-Paneth-Analyse. Radiometr. Verf. der quant. Analyse, das erstmals von *Hevesy u. *Paneth – nach einer Anekdote (vgl. *Lit.*), um die Wiederverw. von Speiseresten in einem Eßlokal nachzuweisen – angewandt wurde (1913). Es beruht darauf, daß bei radioaktiv *markierten Verbindungen (s. Radioindikatoren) mit einheitlicher spezif. Aktivität, d. h. gleichem Gehalt an Markierungsisotop je Gew.-Einheit, unter vergleichbaren Meßbedingungen Proportionalität zwischen Menge u. der im Meßgerät festgestellten Radioaktivität besteht. An Stelle der sonst in der Chemie üblichen Meßmeth. (z. B. Wägung, Vol.-Messung, Lichtintensitätsmessung) tritt also die Strahlungsmessung. – *E* Hevesy-Paneth analysis – *F* analyse de Hevesy-Paneth, analyse par traceur – *I* analisi di Hevesy-Paneth – *S* análisis de Hevesy-Paneth
Lit.: Chem. Unserer Zeit **3**, 87 (1969).

Hewish, Antony (geb. 1924), Prof. für Radioastronomie, Harvard Univ., Cambridge. Entdeckte 1967 die Pulsare; 1974 erhielt er zusammen mit *Ryle den Nobelpreis für Physik für bahnbrechende Arbeiten in der Astrophysik.
Lit.: Lexikon der Naturwissenschaftler, S. 213 ▪ The International Who's Who (16.), S. 676.

Hewlett-Packard. Kurzbez. für die 1938 gegr., weltweit operierende Firma Hewlett-Packard Company, Palo Alto, California 94304, USA. *Daten* (weltweit): 31,5 Mrd. $ Umsatz, 102 300 Beschäftigte. *Produktion:* Entwicklung, Fertigung u. Verkauf von Geräten, Syst. u. Softwareprogrammen für die elektron. Meß- u. Kommunikationstechnik u. Datenverarbeitung, u. a. Präzisionsgeräte für die analyt. Meßtechnik in der Chemie u. Biomedizin, medizinelektron. Geräte zur Patientenüberwachung, Mikrowellen-Technik, Halbleiter-Produktion. *Vertretung* in der BRD: Hewlett-Packard GmbH, 71004 Böblingen.

Hex(a)... Von griech.: hex = sechs abgeleitetes Zahlwort; vgl. sexi... – *E* = *F* = *S* hex(a)... – *I* es(a)...

Hexaammincobalt(III)-chlorid (Luteocobaltchlorid). [$(Co(NH_3)_6)Cl_3$, M_R 267,50. Weinrote bis orangerote monokline Krist., lösl. in Wasser, bei langem Kochen Zersetzung. – *E* hexaamminecobalt(III)chloride – *F* chlorure d'hexaamminecobalte – *I* cloruro di esaamminocobalto(III) – *S* cloruro de hexaaminocobalto
Lit.: Brauer (3.) **3**, 1675 ▪ Gmelin, Syst.-Nr. 58, Co, Tl. B, 1930, S. 50–54; Erg.-Bd. 1964, S. 326–331 ▪ Ullmann (5.) A 7, 302. – *[HS 2842 90]*

Hexabrachion s. Tenascin.

Hexacarbacholinbromid (Rp).

$$\left[\begin{array}{c} NH-CO-O-CH_2-CH_2-\overset{+}{N}(CH_3)_3 \\ / \\ (H_2C)_6 \\ \backslash \\ NH-CO-O-CH_2-CH_2-\overset{+}{N}(CH_3)_3 \end{array} \right] 2\,Br^-$$

Internat. Freiname für das peripher wirksame *Muskelrelaxans vom Curare-Typ *N,N′*-Hexamethylenbis(*O*-carbamoylcholin)dibromid, $C_{18}H_{40}Br_2N_4O_4$, M_R 536,35, Schmp. 174–176 °C. H. wurde 1958 von Oesterreichische Stickstoffwerke patentiert. – *E* hexacarbacholine bromide – *F* bromure d'hexacarbacholine – *I* esacarbacolina bromuro – *S* bromuro de hexacarbacolina
Lit.: Beilstein E IV 4, 1457 ▪ Hager (5.) **8**, 428. – *[HS 2924 10; CAS 306-41-2]*

Hexacarbonylchrom(0) s. Chromhexacarbonyl.

Hexachloraceton. $Cl_3C-CO-CCl_3$, C_3Cl_6O, M_R 264,75. Giftige Flüssigkeit, D. 1,681, Schmp. −3 °C, Sdp. 204 °C. H ist ein nützliches Reagenz in der organ. Chemie, z. B. zur Chlorierung von Enaminen, zur Herst. von Trichloracetamiden u. Trichloracetaten unter neutralen Bedingungen. – *E* hexachloroacetone – *F* hexachloracétone – *I* esacloroacetone – *S* hexachloroacetona
Lit.: Beilstein E IV 1, 3223 ▪ Paquette 4, 2642. – *[HS 2914 70; CAS 116-16-5; G 6.1]*

Hexachlorbenzol (HCB, Perchlorbenzol).

C_6Cl_6, M_R 284,78, farblose Krist., D. 2,044 (23 °C), Schmp. 229 °C, Sdp. 322 °C, sublimierbar, unlösl. in Wasser, bei erhöhter Temp. lösl. in Benzol, Ether u. Chloroform, LD_{50} (Ratte oral) 10 000 mg/kg (WHO), WGK 3. H. wird durch erschöpfende Chlorierung von Benzol in Ggw. von Katalysatoren wie $FeCl_3$ bei über 230 °C in der Flüssig- od. Gasphase od. durch therm.

Zers. von HCH (s. Lindan) in Ggw. von Chlor gewonnen. Früher u. a. als Getreide-Trockenbeizmittel gegen Pilzerkrankungen eingesetzt. H. ist in der BRD als *Pflanzenschutzmittel seit 1981 nicht mehr zugelassen. Bei chron. Einwirkung können Anreicherungen im Fettgewebe, Schäden an Leber u. Fortpflanzungsorganen, Porphyrie mit Photosensibilität u. Porphyrinurie auftreten. Im Tierversuch wurden bei Mäusen u. Hamstern Tumore beobachtet. – *E* hexachlorobenzene – *F* hexachlorobenzène – *I* esaclorobenzene – *S* hexaclorobenceno

Lit.: Beilstein E IV **5**, 670 ▪ Farm ▪ Perkow ▪ Pesticide Manual ▪ Ullmann (5.) **A 6**, 330–338. – *[HS 2903 62; CAS 118-74-1]*

Hexachlor-1,3-butadien (Perchlor-1,3-butadien, HCBD).

C_4Cl_6, M_R 260,76. Farblose Flüssigkeit, D. 1,65–1,70, Schmp. –18 °C, Sdp. 212 °C; schwer brennbar, unter Normalbedingungen chem. u. physikal. stabil, unlösl. in Wasser, lösl. in Alkohol u. Ether. Kontakt mit der Flüssigkeit ruft starke Reizung der Augen u. der Haut hervor. Die Flüssigkeit wird auch über die Haut aufgenommen; Leber- u. Nierenschäden möglich. H. gilt als Stoff mit begründetem Verdacht auf krebserzeugendes Potential (Gruppe III B MAK-Werte-Liste 1996); wassergefährdender Stoff, WGK 3. Das Ausmaß der außerberuflichen Exposition ist noch weitgehend unklar, obwohl bekannt ist, daß H. in die Umgebung von Tri- u. Tetrachlorethen-produzierenden Betrieben freigesetzt wird u. in pflanzlichen, tier. u. menschlichen Geweben nachgewiesen werden kann.
Verw.: Lsm. für Polymere, als Hydraulikflüssigkeit, als Zwischenprodukt bei der Gummiherst., zur Herst. von Verreibungen fester Körper bei der Aufnahme von IR-Spektren; in der ehem. UdSSR, in Frankreich, Griechenland, Italien u. Argentinien wird bzw. wurde es als Herbizid in Weinbergen verwendet. – *E* hexachloro-1,3-butadiene – *F* hexachloro-1,3-butadiène – *I* esacloro-1,3-butadiene – *S* hexaclor-1,3-butadieno
Lit.: Beilstein E IV **1**, 988 ▪ Gesundheitsschädliche Arbeitsstoffe: toxikologisch-arbeitsmedizinische Begründung von MAK-Werten, Weinheim: Verl. Chemie 1972–1997 ▪ Hager (5.) **3**, 666 ▪ Hommel, Nr. 653 ▪ Ullmann (4.) **9**, 475, 489; (5.) **A 6**, 322, 348, 368, 375. – *[HS 2903 29; CAS 87-68-3; G 6.1]*

Hexachlorcyclohexan s. Lindan.

Hexachlorethan (Perchlorethan). $Cl_3C–CCl_3$, C_2Cl_6, M_R 236,74. Farblose, Campher-artig riechende Krist., D. 2,09, Schmp. 186–187 °C (Subl.), unlösl. in Wasser, lösl. in Alkohol, Ether, Chloroform, Tetrachlormethan u. Benzol.
Herst.: Aus Tetrachlorethen durch Chlor-Addition. H. wirkt depressor. auf das Zentralnervensyst. u. in hohen Konz. narkot., MAK 1 ppm (MAK-Werte-Liste 1996); H. darf beim Herstellen od. Behandeln von kosmet. Mitteln nicht verwendet werden (Kosmetik-VO Anl. 1, Nr. 197); wassergefährdender Stoff, WGK 3. EG-Richtlinien-Vorschlag: Verbot der Verw. bei der Herst. od. Verarbeitung von Nichteisenmetallen.
Verw.: H. ist in verschiedenen Mottenmitteln, Vernebelungs- u. Explosivstoffen enthalten; in der Tierme-

dizin dient es als Anthelminthikum. H. dient ferner als Campher-Ersatz im Celluloid, als Vulkanisationsbeschleuniger u. in Aluminium-Gießereien als Entgasungsmittel; der industrielle Gebrauch von H. ist rückläufig. In der organ. Synth. findet H. als mildes Chlorierungsmittel Verw., ferner ist es ein vielseitiges Reagenz in der Organophosphor-Chemie. – *E* hexachloroethane – *F* hexachloroéthane – *I* esacloroetano, percloroetano – *S* hexacloroetano
Lit.: Beilstein E IV **1**, 148 ▪ Gesundheitsschädliche Arbeitsstoffe: toxikologisch-arbeitsmedizinische Begründung von MAK-Werten, Weinheim: Verl. Chemie bzw. VCH Verlagsges. 1972–1997 ▪ Hager (5.) **8**, 429 ▪ Merck-Index (12.), Nr. 4715 ▪ Paquette **4**, 2646 ▪ Tetrahedron Lett. **33**, 5856 (1992) ▪ Ullmann (4.) **9**, 441 f.; **19**, 627; (5.) **A 6** 282, 372. – *[HS 2903 19; CAS 67-72-1; G 6.1]*

Hexachloroiridium(IV)-säure s. Iridium-Verbindungen.

Hexachlorophen.

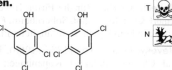

Freie, internat. Kurzbez. für 2,2′-Methylenbis(3,4,6-trichlorphenol), $C_{13}H_6Cl_6O_2$, M_R 406,90. Farblose Krist., Schmp. 164–165 °C, in Wasser unlösl., lösl. in Ethanol, Ether, Aceton, Chloroform, Olivenöl, Polyethylenglykolen u. verd. wäss. Alkali-Lösung.
Herst.: Durch Kondensation von 2,4,5-Trichlorphenol mit Formaldehyd in Ggw. von konz. Schwefelsäure. H. wirkt stark bakterizid: Das Wachstum von *Staphylococcus aureus* auf Agar wird durch H. noch in einer Verdünnung von 1:8 Mio. verhindert. H. wirkt in höheren Konz. haut- u. schleimhautreizend, neurotox. u. embryotox. Die tödliche Dosis liegt für Kinder bei 250 mg/kg Körpergew., bei Erwachsenen um 300 mg/kg. H. darf beim Herst. od. Behandeln von kosmet. Mitteln nicht verwendet werden (Kosmetik-VO Anl. 1, Nr. 371).
Verw.: Haupteinsatzbereich ist die Desinfektion, es dient ferner als Antimykotikum u. Anthelminthikum. – *E* hexachlorophene – *F* hexachlorophène – *I* esaclorofene – *S* hexaclorofeno
Lit.: Beilstein E IV **6**, 6659 ▪ Merck-Index (12.), Nr. 4716 ▪ Moeschlin, Klinik u. Therapie der Vergiftungen, S. 398, Stuttgart: Thieme 1986 ▪ Ullmann (4.) **8**, 27 ff.; **10**, 50; **18**, 237; **23**, 253, 255; (5.) **A 3**, 87. – *[HS 2908 10; CAS 70-30-4; G 6.1]*

Hexachloroplatinate s. Platin-Verbindungen.

Hexachlorozinn(IV)-säure s. Zinnchloride.

Hexaconazol.

Common name für (±)-2-(2,4-Dichlorphenyl)-1-(1H-1,2,4-triazol-1-yl)hexan-2-ol, $C_{14}H_{17}Cl_2N_3O$, M_R 314,21, Schmp. 111 °C, LD_{50} (Ratte oral) 2180 mg/kg (WHO), von ICI (jetzt Zeneca) entwickeltes system. *Fungizid mit protektiver u. kurativer Wirkung gegen viele pilzliche Krankheitserreger, v. a. Ascomyceten u. Basidiomyceten, im Obst-, Wein-, Gemüse-, Bananen-,

Erdnuß- u. Kaffeebau. – $E = F$ hexaconazole – I esaconazolo – S hexaconazol
Lit.: Farm ▪ Perkow ▪ Pesticide Manual. – *[CAS 79983-71-4]*

Hexacont(a)... Von griech.: hexécocconta = sechzig abgeleitetes Zahlwort. – $E = F = S$ hexacont(a)... – I esacont(a)...

Hexacos(a)... Dem Griech. entlehntes Zahlwort für „26". – $E = F = S$ hexacos(a)... – I esacos(a)...

Hexacosansäure s. Cerotinsäure.

Hexacyanoeisensäuren 1. *Hexacyanoeisen(II)-säure*, $H_4[Fe(CN)_6]$, farblose Krist., die sich an feuchter Luft langsam blau färben, lösl. in Wasser u. Ethanol, unlösl. in Ether u. konz. Salzsäure; entsteht durch Einwirkung von Schwefelsäure auf Barium- od. Blei(II)-hexacyanoferrat(II).
2. *Hexacyanoeisen(III)-säure*, $H_3[Fe(CN)_6]$, entsteht durch Einwirkung von Schwefelsäure auf Barium- od. Blei(II)-hexacyanoferrat(III).
Die Salze der erstgenannten H. heißen nach IUPAC systemat. *Hexacyanoferrate(II)* od. nach Chemical Abstracts Hexakis(cyano-*C*)ferrate(4−); fachsprachlich sind noch immer die älteren Bez. *Ferrocyanide* od. – entsprechend der Farbe der Salze – Gelbkali, Gelbnatron, Gelbcalcium, Gelbe *Blutlaugensalze in Benutzung. Analog nennt man die Salze der von Fe(III) abgeleiteten H. *Hexacyanoferrate(III)*, früher *Ferricyanide* bzw. Rotkali, Rote Blutlaugensalze etc.; ein wichtiges Pigment ist das Eisen(III)-salz *Berliner Blau. – E hexacyanoiron acids – F acides d'hexacyanofer – I acidi di esacianoferro – S ácidos de hexacianohierro
Lit.: Beilstein E III **2**, 93 – 114 ▪ Brauer (3.) **3**, 1655 – 1657 ▪ Helv. Chim. Acta **60**, 730 – 740 (1977) ▪ Kirk-Othmer (4.) **14**, 876 – 879 ▪ Ullmann (5.) **A 8**, 171 – 175 ▪ s. a. Berliner Blau.

Hexacyanoferrate s. Hexacyanoeisensäuren, Blutlaugensalze u. Berliner Blau.

Hexadec(a)... Dem Griech. entlehntes Zahlwort für „sechzehn". – $E = S$ hexadec(a)... – F hexadéc(a)... – I esadec(a)...

10,12-Hexadecadien-1-ol s. Bombykol.

Hexadecan (histor. Cetan). $H_3C–(CH_2)_{14}–CH_3$, $C_{16}H_{34}$, M_R 226,45. Farbloser, gesätt. Paraffin-Kohlenwasserstoff, D. 0,773, Schmp. 18,2 °C, Sdp. 287 °C, unlösl. in Wasser, mischbar mit Alkohol u. Ether; Bestandteil von Erdöl u. Vaseline. H. ist sehr zündwillig, u. diese Eigenschaft dient zur Beurteilung der Entzündungsneigung von Dieselkraftstoffen: Definitionsgemäß [s. DIN 51773 (03/1996)] hat *n*-Hexadecan (*n*-Cetan) mit einem Reinheitsgrad von mind. 95% die *Cetan-Zahl (CZ) 100. – E hexadecane – F hexadécane – I esadecano – S hexadecano
Lit.: Beilstein E IV **1**, 537 ▪ Kirk-Othmer (3.) **11**, 683 f.; (4.) **12**, 375 ▪ Ullmann (4.) **14**, 655 – 658; (5.) **A 13**, 229 ff. – *[HS 2901 10; CAS 544-76-3]*

1-Hexadecanol (Hexadecylalkohol, Cetylalkohol, Palmitylalkohol). $H_3C–(CH_2)_{14}–CH_2–OH$, $C_{16}H_{34}O$, M_R 242,45. Farblose, schuppenartige Krist., D. 0,818, Schmp. 49 °C, Sdp. 344 °C, die in Wasser unlösl. sind u. sich in Alkohol kaum, in Ether, Aceton od. Benzol leicht lösen. H. ist in Form des Palmitinsäureesters Bestandteil des *Walrats (griech.: kētos = Wal, daher abgeleitet der Name Cetylalkohol). H. u. a. *Fettalkohole werden heute aus pflanzlichen Ölen u. tier. Fetten durch Hochdruckhydrierung der daraus gewonnenen *Fettsäuren od. *Fettsäuremethylester hergestellt. Natürliche Rohstoffe, die hohe C_{16}-Fettsäure-Anteile enthalten u. sich somit zur Herst. von H. in bes. Weise eignen, sind Palmöl, Rüböl u. Rindertalg. H. kann auch petrochem. nach dem Alfol-Verf. u. durch anschließende Isolierung aus dem resultierenden Homologengemisch der *Ziegler-Alkohole gewonnen werden.
Verw.: Ausgangsstoff für die Herst. von *Fettalkoholsulfaten u. Fettalkoholethersulfaten, als Emulgator u. Salbengrundlage in kosmet. Präp. (z. B. im Gemisch mit 1-Octadecanol als *Cetylstearylalkohol), in Schmiermitteln in der Metall-Ind. sowie in Textilhilfsmitteln. – $E = S$ 1-hexadecanol – F 1-hexadécanol – I 1-esadecanolo
Lit.: Soap Cosmet. Chem. Spec. **1989**, 26 ▪ Ullmann (5.) **A 10**, 277 ff. (1987). – *[HS 2905 17; CAS 36653-82-4]*

Hexadecanoyl... Bez. für die Atomgruppierung –CO–$(CH_2)_{14}$–CH_3 in systemat. Namen; zulässiges, bes. bei *Lipiden übliches Synonym: *Palmitoyl...* – E hexadecanoyl... – F hexadécanoyl... – I esadecanoil... – S hexadecanoil...

Hexadecansäure s. Palmitinsäure.

Hexadecyl... Bez. für die Atomgruppierung –$(CH_2)_{15}$–CH_3 in systemat. Namen, die früher Cetyl... genannt wurde, vgl. die dort erwähnten Stichwörter. – E hexadecyl... – F hexadécyl... – I esadecil... – S hexadecil...

Hexadecylbromid (1-Bromhexadecan, veraltet: Cetylbromid). $H_3C–(CH_2)_{15}$–Br, $C_{16}H_{33}Br$, M_R 305,34. Dunkelgelbe Flüssigkeit, D. 0,991, Schmp. 15 °C, Sdp. 186 – 187 °C (4 hPa), lösl. in Ether, prakt. unlösl. in Wasser u. Methanol.
Verw.: Herst. von *nichtionischen Tensiden (z. B. Mischether) nach der *Williamson-Synthese, Einsatz als mikrobizider Wirkstoff in Desinfektionsmitteln. – E hexadecyl bromide – F bromure d'hexadécyle – I bromuro di esadecile – S bromuro de hexadecilo
Lit.: Beilstein E IV **1**, 542. – *[HS 2903 30; CAS 112-82-3]*

Hexadecylchlorid (1-Chlorhexadecan, veraltet: Cetylchlorid). $H_3C–(CH_2)_{15}$–Cl, $C_{16}H_{33}Cl$, M_R 260,89. Farblose Flüssigkeit. D. 0,865, Schmp. 18 °C, Sdp. 322 °C, in Wasser unlösl., in Ether lösl., wird zur Synth. von *Tensiden verwendet. – E hexadecyl chloride – F chlorure d'hexadécyle – I cloruro di esadecile – S cloruro de hexadecilo
Lit.: Beilstein E IV **1**, 542. – *[HS 2903 19; CAS 4860-03-1]*

α-Hexadecylcitronensäure s. Agaricinsäure.

Hexadeutero... s. Deuterierte Verbindungen.

2,4-Hexadiendisäure s. Muconsäure.

***trans-trans*-2,4-Hexadiensäure** s. Sorbinsäure.

Hexaedrit s. Meteoriten.

Hexaflumuron. Common name für 1-[3,5-Dichlor-4-(1,1,2,2-tetrafluorethoxy)phenyl]-3-(2,6-difluorbenzoyl)harnstoff. $C_{16}H_8Cl_2F_6N_2O_3$, M_R 461,15, Schmp. 202 – 205 °C, LD_{50} (Ratte oral) >500 mg/kg, von DowElanco 1987 eingeführtes system. *Insektizid zur

Kontrolle der Larven von Lepidopteren, Coleopteren, Homopteren u. Dipteren im Obst-, Kartoffel- u. Baum-

wollanbau. H. inhibiert die Chitin-Synthese. – $E = F$ hexaflumuron – I esaflumurone – S hexaflumurón

Lit.: Perkow ▪ Pesticide Manual. – *[CAS 86479-06-3]*

Hexafluoraceton. $F_3C–CO–CF_3$, C_3F_6O, M_R 166,02. Farb- u. geruchloses, nicht brennbares, sehr giftiges u. reizendes Gas, das nur mit bes. Vorsichtsmaßnahmen gehandhabt werden darf. D. 1,318 (flüssig 25 °C), Schmp. –129 °C, Sdp. –27 °C, läßt sich leicht verflüssigen [krit. Druck 2,841 MPa (28,41 bar), krit. Temp. 84,1 °C].

Herst.: Aus Hexachloraceton durch Einwirkung von Fluorwasserstoff. Bis 300 °C ist H. prakt. therm. stabil, bei 500 °C erfolgt Zers. in Hexafluorethan u. CO u. oberhalb 600 °C entstehen auch Trifluoracetylfluorid u. Octafluorisobuten. Mit Wasser bilden sich H.-Hydrate: $C_3F_6O \cdot H_2O$, Schmp. ca. 18 °C; $C_3F_6O \cdot 1{,}5\,H_2O$ (Sesquihydrat), Schmp. 11 – 20 °C; $C_3F_6O \cdot 3\,H_2O$, Schmp. 18 – 21 °C. Die H.-Hydrate sind giftige Substanzen, Kontakt mit den festen Stoffen, den Flüssigkeiten od. den Dämpfen führt zu starker Reizung der Augen, der Atemwege sowie der Haut. Bei starker Erhitzung erfolgt Zers. unter Bildung giftiger u. ätzender Fluor-haltiger Gase u. Dämpfe. Die H.-Hydrate besitzen selbst bei niedrigen Temp. hohe Lsg.-Kraft für Polyformaldehyd, Polyamide, Polyester u. Polyole.

Verw.: Neben seiner hauptsächlichen Verw. bei der radikal. bzw. anion. Copolymerisation können H.-Hydrate in der Agrikulturchemie als Wachstumsinhibitoren, Herbizide u. Defolianten verwendet werden. Durch Addition von Verb. mit aktiven H-Atomen (Alkoholen, Aminen, Säureamiden usw.) ist H. in der organ. Synth. vielfach verwendbar, es dient ferner als Lsm. für H-haltige Polymere; das perdeuterierte Sesquihydrat ist ein Lsm. für NMR-Untersuchungen an Polymeren. – E hexafluoroacetone – F hexafluoroacétone – I esafluoroacetone – S hexafluoroacetona

Lit.: Beilstein E IV **2**, 3215 ▪ Encycl. Gaz, S. 559 – 563 ▪ Hommel, Nr. 1094 ▪ Ullmann (4.) **7**, 38 f.; **11**, 646, 652; (5.) **A 1**, 93 f.; **A 11**, 368, 385. – *[HS 291470; CAS 684-16-2; G 6.1]*

1,1,1,4,4,4-Hexafluorbutan s. Fluorkohlenwasserstoffe.

Hexafluorethan (R 116) s. Fluorkohlenwasserstoffe.

Hexafluoroantimonsäure s. Fluoroantimonsäure.

Hexafluorokieselsäure s. Fluorokieselsäure.

Hexafluorophosphorsäure s. Fluorophosphorsäuren.

Hexafluorosilicate s. Fluorosilicate.

Hexagonal s. Kristallsysteme.

Hexahelicen s. Helicene.

Hexahydrobenzol s. Cyclohexan.

Hexahydropyridin s. Piperidin.

Hexahydrotoluol s. Methylcyclohexan.

Hexahydro-1,3,5-triazine s. Triazine.

Hexahydroxybenzol (Benzolhexaol, Hexaphenol).

$C_6H_6O_6$, M_R 174,11. Farblose od. grauweiße Nadeln, Schmp. >300 °C, in Wasser, Alkohol, Ether u. Benzol schwer löslich. In der mit Soda alkal. gemachten Lsg. wird es an der Luft rasch zu Tetrahydroxybenzochinon oxidiert; durch Salpetersäure wird es zu Cyclohexanhexaon (Trichinoyl, C_6O_6) oxidiert. – E benzenehex(a)ol – F hexahydroxybenzène – I esaidrossibenzene – S hexahidroxibenceno

Lit.: Beilstein E III **6**, 6938. – *[CAS 608-80-0]*

Hexaketide s. Polyketide.

Hexakis... Von griech.: hexákis = sechsmal abgeleitetes Zahlwort, falls hexa... uneindeutig ist, bes. zur Versechsfachung zusammengesetzter Namensteile; *Beisp.:* Hexakis(decyl)benzol, Hexakis(brommethyl)benzol. – $E = F = S$ hexakis... – I esacis...

Hexal. Explosivstoff, Mischung aus 80% *Hexogen u. 20% Al-Pulver, D. 1,8, Verpuffungstemp. 225 °C, Detonationsgeschw. 7900 m/s; zur Phlegmatisierung wird meist Montanwachs zugesetzt. H. hat hohe Spreng- u. sehr hohe Brandwirkung u. wurde daher bes. in Flakgeschossen verwendet. – $E = S$ hexal

Lit.: Meyer, Explosivstoffe, 6. Aufl., S. 154, Weinheim: Verl. Chemie 1985. – *[HS 360200]*

Hexalin. Trivialname für *Cyclohexanol u. für Hexahydronaphthalin, vgl. Hydronaphthaline.

Hexametaphosphate s. kondensierte Phosphate.

Hexamethoniumbromid (Rp).

Internat. Freiname für Hexa-N-methyl-1,6-hexandiaminium-dibromid, $C_{12}H_{30}Br_2N_2$, M_R 362,19. Farblose, hygroskop. Krist., Schmp. 274 – 276 °C, lösl. in Wasser u. Alkohol, die wäss. Lsg. sind stabil u. im Autoklaven sterilisierbar.

Verw.: Zur Blockade des autonomen Nervensyst. (*Ganglienblocker), gegen überhöhten Blutdruck; ähnlich auch Hexamethoniumchlorid u. -iodid bzw. -tartrat. H. hat hauptsächlich experimentelle Bedeutung. – E hexamethonium bromide – F bromure d'hexaméthonium – I esametonio bromuro – S bromuro de hexametonio

Lit.: Beilstein E IV **4**, 1323 ▪ Hager **5**, 72 f. – *[HS 292390; CAS 55-97-0]*

Hexamethylbenzol.

$C_{12}H_{18}$, M_R 162,27. Farblose Krist., D. 1,063, Schmp. 166 – 167 °C, Sdp. 265 °C, in Wasser unlösl., in Ether, Benzol u. Aceton löslich. Bei Belichtung von H. tritt Valenzisomerisierung zu Hexamethyl-*Dewar-Benzol ein. – **E** hexamethylbenzene – **F** hexaméthylbenzène – **I** esametilbenzene – **S** hexametilbenceno

Lit.: Beilstein E IV **5**, 1137 ▪ Fieser u. Fieser, Reagents for Organic Synthesis, Bd. 1, S. 426, New York: Wiley 1967 ▪ Ullmann (5.) **A 13**, 254 f. – *[HS 2902 90; CAS 87-85-4]*

1,1,1,3,3,3-Hexamethyldisilazan (HMDS).

$$H_3C{-}\underset{\underset{CH_3}{|}}{\overset{\overset{CH_3}{|}}{Si}}{-}NH{-}\underset{\underset{CH_3}{|}}{\overset{\overset{CH_3}{|}}{Si}}{-}CH_3$$

$C_6H_{19}NSi_2$, M_R 161,39. Farblose, hautreizende, leicht brennbare Flüssigkeit, D. 0,7742, Schmp. –82 °C, Sdp. 126 °C, FP. 14 °C (auch 23 °C angegeben), die mit Feuchtigkeit langsam unter NH_3-Abspaltung zu Hexamethyldisiloxan (s. Siloxane) hydrolysiert. Die Dämpfe bilden mit Luft ein explosionsfähiges Gemisch, u. mit starken Oxid.-Mitteln erfolgt Entzündung; wassergefährdender Stoff, WGK 1.

Verw.: Als Silylierungs-Reagenz zur Einführung der Trimethylsilyl-Gruppe, zur Derivatisierung in der Gaschromatographie, Nucleotid- u. Peptid-Synth. usw.; in der Halbleiter-Ind. als Adhäsions-Promoter. – **E** 1,1,1,3,3,3-hexamethyldisilazane – **F** 1,1,1,3,3,3-hexaméthyldisilazane – **I** 1,1,1,3,3,3-esametildisilazano – **S** 1,1,1,3,3,3-hexametildisilazano

Lit.: Beilstein E IV **4**, 4014 ▪ Blau u. King, Handbook of Derivatives for Chromatography, S. 152, London: Heyden 1977 ▪ Kirk-Othmer (3.) **20**, 963 ▪ Paquette **4**, 2661 ▪ Ullmann (5.) **A 9**, 286 ▪ s.a. Silicium-organische Verbindungen. – *[HS 2931 00; CAS 999-97-3; G 3]*

Hexamethyldisiloxan s. Siloxane.

Hexamethylen...

Nach IUPAC-Regel A-4.2 Bez. für die Atomgruppierung –$(CH_2)_6$–; nach IUPAC-Regel R-2.5 besser als Hexan-1,6-diyl... zu bezeichnen, aber bei Polymeren noch üblich und zulässig; s. aber Hexamethylentetramin. – **E** hexamethylene... – **F** hexaméthylène... – **I** esametilen... – **S** hexametilen...

Hexamethylendiamin s. 1,6-Hexandiamin.

Hexamethylendiammoniumadipat s. AH-Salz.

Hexamethylendiisocyanat (1,6-Hexylendiisocyanat, HDI, HMDI). T

$O{=}C{=}N{-}(CH_2)_6{-}N{=}C{=}O$, $C_8H_{12}N_2O_2$, M_R 168,19. Farblose Flüssigkeit mit stechendem Geruch, D. 1,05, Schmp. –67 °C, Sdp. 255 °C, zündfähiges Gemisch 0,9–9,5 Vol.%. Dämpfe u. Flüssigkeit bewirken eine starke Reizung der Atemwege (Lungenödem möglich), der Augen u. der Haut, MAK 0,005 ppm, auch inhalatives Allergen (MAK-Werte-Liste 1996); LD_{50} (Ratte oral) 738 mg/kg, WKG 3 (Selbsteinst.).

Herst.: Aus 1,6-Hexandiamin u. Phosgen. H. reagiert heftig beim Kontakt mit Wasser u. sogar mit feuchter Luft.

Verw.: Als Diisocyanat wird H. (*Desmodur® H) zur Herst. von Polyurethanen benutzt. – **E** hexamethylene diisocyanate – **F** diisocyanate d'hexaméthylène – **I** esametilendiisocianato – **S** diisocianato de hexametileno

Lit.: Beilstein E IV **4**, 13 ▪ Gesundheitsschädliche Arbeitsstoffe: toxikologisch-arbeitsmedizinische Begründung von MAK-Werten, Weinheim: Verl. Chemie bzw. VCH Verlagsges. 1972–1997 ▪ Hager (5.) **3**, 668 ▪ Hommel, Nr. 365 ▪ Luftanalysen: Analytische Methoden zur Prüfung gesundheitsschädlicher Arbeitsstoffe, Bd. 1, Weinheim: Verl. Chemie bzw. VCH Verlagsges. 1976–1996 ▪ Weissermel-Arpe (4.), S. 408. – *[HS 2929 10; CAS 822-06-0; G 6.1]*

Hexamethylentetramin

(1,3,5,7-Tetraazaadamantan, Urotropin, Formin, Hexamin, Aminoform; Freiname: Methenamin).

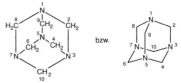

$C_6H_{12}N_4$, M_R 140,19. Farblose, rhomb. Krist. od. hygroskop. Pulver von anfangs süßem, später bitterem Geschmack, lösl. in 85% Ethanol, leicht lösl. in Methylenchlorid, unlösl. in Diethylether; subl. bei etwa 263 °C ohne zu schmelzen; wassergefährdender Stoff, WGK 1 (Selbsteinst.).

Herst.: Durch Eindampfen eines stöchiometr. Gemischs aus Formaldehyd u. konz. Ammoniak-Wasser.

Verw.: Früher innerlich gegen Harnsäure-Ablagerung u. Steinleiden, da H. in sauren Körperflüssigkeiten etwas desinfizierenden Formaldehyd abspaltet u. Harnsäure in leichter lösl. Diformaldehydharnsäure überführt. H. findet auch in Form seines Mandelats ($C_{14}H_{20}N_4O_3$, M_R 292,33, feinkrist., fast weißes, in Wasser sehr leicht lösl. Pulver, Schmp. 126–128 °C) od. Hippurats ($C_{15}H_{21}N_5O_3$, M_R 319,36, farblose, in Wasser u. Alkohol sehr leicht lösl. Krist., Schmp. 105–110 °C) Verwendung. Als Harndesinfiziens wird es teilw. noch verwendet, doch stehen heute wirksamere Substanzen zur Verfügung [1]. H. dient als Ausgangsmaterial für die Herst. des Sprengstoffs *Hexogen, als Beschleuniger in der Kautschukfabrikation, Fungizid für Citrusbäume, Fällmittel für Proteine, in der Tiermedizin als Heilmittel bei Geflügelcholera, als Silierhilfsmittel für Tierfutter, in der Metall-Ind. als Korrosionsinhibitor, als Härtemittel bei der Herst. von Phenolharzen, Leim u. Textilwaren, zur Herst. von Brennstoff-Tabl. (brennt mit gelber, rauchloser Flamme), in der Photo-Ind. als Stabilisator. Auch für organ. Synth. ist H. ein nützliches Reagenz [2]. In einigen Ländern dient H. zur Fischkonservierung, in der EU ist die Verw. von H. zur Konservierung von Fischwaren verboten; seine Anw. ist auf die Käsesorte Provolone beschränkt (E 239, s. „Miscellaneous Richtlinie"). – **E** hexamethylenetetramine – **F** hexaméthylène-tétramine – **I** esametilentetrammina – **S** hexametilentetramina

Lit.: [1] Mutschler (7.), S. 639. [2] Paquette **4**, 2666. *allg.:* Beilstein E V **26/11**, 96–103 ▪ Blaue Liste, S. 36 ▪ DAB **10** ▪ Hager (5.) **8**, 921 ▪ Lück u. Jager, Chemische Lebensmittelkonservierung (3.), S. 244–247, Berlin: Springer 1995 ▪ Merck-Index (12.), Nr. 6036 ▪ Römpp Lexikon Lebensmittelchemie, S. 384 ▪ Ullmann **3**, 164; (4.) **7**, 386 ff.; (5.) **A 2**, 17 ff.; **A 11**, 567 – *[HS 2933 90; CAS 100-97-0; G 8]*

Hexamethylentetramin-dinitrat.

 • 2 HNO_3

$C_6H_{14}N_6O_6$, M_R 266,21. Weiße Krist., Schmp. 158 °C (Zers.), lösl. in Wasser, unlösl. in Alkohol, Ether, Chloroform u. Aceton; wichtiges Vorprodukt bei der Herst.

von *Hexogen. – *E* hexamethylenetetramine dinitrate
– *F* dinitrate d'hexaméthylènetetramine – *I* dinitrato
di esametilentetramina – *S* dinitrato de hexametilen-
tetramina
Lit.: Beilstein E V **26/11**, 101 ▪ Köhler, Explosivstoffe, S. 155,
Weinheim: VCH Verlagsges. 1995 ▪ Ullmann (4.) **21**, 667, 669.
– *[CAS 18432-21-7]*

Hexamethylphosphorsäuretriamid
(HMPT, HPT, engl. HMPA, Hexamethylphos-
phamid).

T

$C_6H_{18}N_3OP$, M_R 179,20. Farblose Flüssigkeit, D. 1,027,
Schmp. 6–8 °C, Sdp. 235 °C. H. wird durch die Haut
resorbiert; da es sich im Tierversuch als eindeutig
krebserzeugend erwiesen hat (Gruppe III A 2 MAK-
Werte-Liste 1996), ist bei der Handhabung entsprechende Vorsicht geboten. H. ist ein ausgezeichnetes
*aprotisches Lösemittel für anorgan. u. organ. Verb.,
Kunststoffe, Metallkomplexe u. Gase; als Ersatz-Lsm.
kommen cycl. Harnstoff-Derivate in Frage, z. B.
das nicht-mutagene 1,3-Dimethyl-3,4,5,6-tetrahydro-
2(1*H*)-pyrimidinon (DMPU)[1]. Zur vielfältigen Verw.
von H. in organ. Synth. s. *Lit.*[2]. – *E* hexamethylphos-
phoric triamide – *F* triamide de l'acide hexaméthyl-
phosphorique – *I* triammide esametilfosforico – *S* tri-
amida del ácido hexametilfosfórico
Lit.: [1] Nachr. Chem. Tech. Lab. **33**, 396 (1985). [2] Paquette **4**,
2668.
allg.: Beilstein E IV **4**, 284 ▪ Chemikalien-Verbots-VO vom 19.
Juli 1996 (BGBl. I 1996, S. 1151) ▪ Merck-Index (12.),
Nr. 4761 ▪ Ullmann (4.) **18**, 388, 395; (5.) **A 5**, 265; **A 14**, 305;
A 24, 500. – *[HS 292990; CAS 680-31-9]*

Hexamethyltetracosan s. Squalan u. Squalen.

Hexamidin.

Internat. Freiname für 4,4′-(1,6-Hexandiyldioxy)bis-
benzamidin, $C_{20}H_{26}N_4O_2$, M_R 354,45. Als top. Antiseptikum wird das Diisethionat, $C_{20}H_{26}N_4O_2$ ·
(2 $C_2H_6O_4S$)$_2$, M_R 606,71, Schmp. 246–247 °C (Zers.)
verwendet. – *E* = *F* hexamidine – *I* esamidina – *S*
hexamidina
Lit.: Hager (5.) **8**, 431. – *[HS 292520; CAS 3811-75-4 (H.);
659-40-5 (Diisethionat)]*

Hexamin s. Hexamethylentetramin.

Hexamin... s. Hexaamin...

Hexan.
$H_3C–(CH_2)_4–CH_3$, C_6H_{14}, M_R 86,18.
Farbloser, flüchtiger, feuergefährlicher
Kohlenwasserstoff, D. 0,66, Schmp. –95 °C,
Sdp. 68,7 °C, FP. –26 °C, Explosionsgrenzen in Luft 1,1–7,4%. Die Einwirkung von H.-Dämp-
fen führt zu Schwindel, Kopfschmerzen, Reizung der
Augen u. der Luftröhre, Übelkeit u. Erbrechen, bei
Konz. ab 500 ppm ist bereits mit ersten narkot. Symptomen zu rechnen. Bei chron. Exposition kommt es
zu Nervenschädigungen, z. B. Lähmungen an den Ex-
tremitäten; MAK 50 ppm, BAT-Wert 5 mg/L, Untersuchungsmaterial Harn (MAK-Werte-Liste 1996); was-

sergefährdender Stoff, WGK 1. Auf die Haut wirkt H.
stark entfettend u. ekzembildend. Als häufiger Bestandteil von Klebstoff-Verdünnern wird H. als
*Schnüffelstoff mißbraucht. H. ist unlösl. in Wasser,
lösl. in Alkohol, Ether, Benzin, Benzol u. ist Bestandteil des Benzins u. Petroleums.
Verw.: Zur Öl- u. Fettextraktion, als Lsm. u. Reaktionsmedium bei Polymerisationen für die Herst. von
Kunststoffen u. Synth.-Kautschuk, als Verdünnungsmittel für schnelltrocknende Lacke, Druckfarben u.
Klebstoffe sowie als Elutions- u. Lsm. in der Dünnschichtchromatographie u. Spektroskopie, in Thermo-
metern als Quecksilber-Ersatz. Außer dem beschriebenen, geradkettigen „n-H." sind noch vier verzweigte
Isomere bekannt, nämlich 2,3- u. *2,2-Dimethylbutan
(Neohexan), 2- u. 3-*Methylpentan. – *E* = *F* hexane –
I esano – *S* hexano
Lit.: Beilstein E IV **1**, 338 ▪ Gesundheitsschädliche Arbeitsstoffe: toxikologisch-arbeitsmedizinische Begründung von
MAK-Werten, Weinheim: Verl. Chemie bzw. VCH Verlagsges.
1972–1997 ▪ Hommel, Nr. 109 ▪ Rippen ▪ Ullmann (5.) **A 13**,
237. – *[HS 2901 10; CAS 110-54-3; G 3]*

Hexanal
(Capronaldehyd). $H_3C–(CH_2)_4–CHO$, $C_6H_{12}O$,
M_R 100,16. Farblose Flüssigkeit, D. 0,833, Schmp.
–56 °C, Sdp. 131 °C, FP. 32 °C; autoxidiert u. polymerisiert leicht, bes. in Ggw. von Säure-Spuren. H. reizt
Augen u. Atemwege, die Dämpfe haben narkot. Wirkung. H. ist Bestandteil des *Apfelaromas, kommt
auch in Orangen- u. Zitronenöl vor u. dient zur Herst.
von Riechstoffen u. Pharmazeutika. Bei Ameisen wirkt
H. als Alarm-Pheromon. – *E* = *F* = *S* hexanal – *I*
esanale
Lit.: Beilstein E IV **1**, 3296 ▪ Hommel, Nr. 557 ▪ Merck-Index
(12.), Nr. 1804 ▪ Ullmann (4.) **7**, 129, 136; (5.) **A 11**, 149. –
[HS 291219; CAS 66-25-1; G 3]

1-Hexanamin
(Hexylamin, 1-Aminohexan).
$H_3C–(CH_2)_5–NH_2$, $C_6H_{15}N$, M_R 101,19. Wasserklare,
Amin-artig riechende Flüssigkeit, D. 0,767, Schmp.
–19 °C, Sdp. 130 °C, mischbar mit Ethanol u. Ether. H.
findet Verw. z. B. als Zwischenprodukt für die Herst.
von Kautschukchemikalien, Arzneimitteln u. Farbstoffen. – *E* = *F* 1-hexanamine – *I* 1-esanammina – *S*
1-hexanamina
Lit.: Beilstein E IV **4**, 709 ▪ Ullmann (5.) **A 2**, 8. – *[HS 2921 19;
CAS 111-26-2]*

1,6-Hexandiamin
(Hexamethylendiamin,
1,6-Diaminohexan). $H_2N–(CH_2)_6–NH_2$,
$C_6H_{16}N_2$, M_R 116,20. Seidenglänzende Blättchen,
Schmp. 42 °C, Sdp. 205 °C, lösl. in Wasser u. Alkohol,
wirkt stark ätzend auf Haut, Augen u. Schleimhäute;
LD_{50} (Ratte oral) 750 mg/kg; wassergefährdender
Stoff, WGK 1. H. wird großtechn. durch Red. von *Adi-
pinsäuredinitril od. durch Ammonolyse von *1,6-He-
xandiol hergestellt u. ist ein wichtiger Rohstoff für die
Herst. von Polyamiden, z. B. von Nylon (vgl. AH-Salz)
u. von Polyurethanen (über das Diisocyanat). – *E* = *F*
1,6-hexanediamine – *I* 1,6-esandiammina – *S* 1,6-
hexanodiamina
Lit.: Beilstein E IV **4**, 1320 ▪ Hommel, Nr. 107, 107 a ▪ Merck-
Index (12.), Nr. 4730 ▪ Ullmann (4.) **7**, 388; **12**, 655 ff.; (5.)
A 13, 409. – *[HS 2921 22; CAS 124-09-4; G 8]*

1,6-Hexandiol
(Hexamethylenglykol). $HO–(CH_2)_6–OH$,
$C_6H_{14}O_2$, M_R 118,18. Farblose Krist., Schmp. 43 °C,

Sdp. 250 °C, lösl. in Wasser u. Alkohol. H. ist techn. durch Hydrierung von Caprolacton, ω-Hydroxycapronsäure od. Adipinsäure zugänglich.
Verw.: Zur Herst. von *1,6-Hexandiamin, Polyestern u. Polyurethanen, als Weichmacher, für synthet. Schmiermittel u. in der Benzinraffinerie. H. ist weiterhin Ausgangsprodukt für *Hexandiol-diacrylat*, einen flüssigen, süßlich riechenden hautreizenden *Acrylsäureester,

$$H_2C=CH-C\overset{O}{\underset{O-(CH_2)_6-O}{\big|}}C-CH=CH_2$$

($C_{12}H_{18}O_4$, M_R 226,27, D. 1,01, Schmp. ca. 10 °C, lösl. in den üblichen organ. Lsm., unlösl. in Wasser), der radikal. u. bes. durch Einwirkung ionisierender Strahlung polymerisierbar ist. – **E = F** 1,6-hexanediol – **I** 1,6-esanediolo – **S** 1,6-hexanodiol
Lit.: Beilstein E IV **1**, 2556 ▪ Kirk-Othmer (3.) **1**, 279; **23**, 585 ▪ Merck-Index (12.), Nr. 4726 ▪ Ullmann **8**, 509 ff.; (4.) **7**, 228, 234; (5.) **A 1**, 310, 319; **A 10**, 289; **A 21**, 160 ▪ Weissermel-Arpe (4.), S. 263, 265. – *[HS 2905 39; CAS 629-11-8 (H.); 13048-33-4 (Diacrylat)]*

Hexandiol-diacrylat s. 1,6-Hexandiol.

2,5-Hexandion (Acetonylaceton).

$$H_3C\overset{O}{\underset{}{\big|}}C-CH_2-CH_2-C\overset{O}{\underset{}{\big|}}CH_3$$

$C_6H_{10}O_2$, M_R 114,14. Farblose, aromat. riechende Flüssigkeit, D. 0,973, Schmp. –9 °C, Sdp. 194 °C, lösl. in Wasser, Alkohol u. Ether. H. wirkt leicht hautreizend, die Dämpfe wirken in hohen Konz. narkotisch. Die Herst. erfolgt durch alkal. Hydrolyse von Diacetylbernsteinsäureester u. Erhitzen der freien Säure (Keton-Spaltung). H. wird als Lsm. für Celluloseacetat, Gerbmittel, Lacke, Farben, als Schutzgruppe für prim. Amine, als Zwischenprodukt für organ. Synth. u. zur Herst. von Pharmazeutika verwendet. – **E = F** 2,5-hexanedione – **I** 2,5-esandione – **S** 2,5-hexanodiona
Lit.: Beilstein E IV **1**, 3688 ▪ Kirk-Othmer (4.) **14**, 981 ▪ Merck-Index (12.), Nr. 69 ▪ J. Org. Chem. **52**, 5757 (1992). – *[HS 2914 19; CAS 110-13-4]*

Hexandisäure s. Adipinsäure.

Hexanite. Gegossene Sprengladungen aus 60% *TNT u. 40% *Dipikrylamin.

1-Hexanol (Hexylalkohol). Xn
$H_3C-(CH_2)_4-CH_2-OH$, $C_6H_{14}O$, M_R 102,17. Farblose, brennbare Flüssigkeit, D. 0,814, Schmp. –47 °C, Sdp. 158 °C, in Wasser kaum, in organ. Lsm. leicht löslich. Die Dämpfe reizen die Augen u. die Atemwege, Kontakt mit der Flüssigkeit führt zu Reizung der Haut u. sehr starker Reizung bzw. Verätzung der Augen. Die Flüssigkeit wird auch über die Haut aufgenommen, WGK 1; LD$_{50}$ (Ratte oral) 720 mg/kg.
Herst.: H. kann isomerenfrei durch Aluminium-organ. Synth. aus Ethylen nach Ziegler erhalten werden (Alfol-Verf.); durch Red. von Capronsäureethylester mit Natrium u. Ethanol.
Verw.: Lsm. für Kohlenwasserstoffe, Schellack, Leinöl, Hormone, viele Harze usw.; Zwischenprodukt bei der Herst. von Tensiden, Weichmachern, Insektenabwehrmitteln (H. wirkt bei Ameisen als *Alarmstoff), als Basis für Kühlschmierstoffaddititve, zur Ein-

führung des *n*-Hexyl-Rests z. B. in Hypnotika u. Antiseptika. Wegen seines frischen, etwas pilzigen Geruchs findet es, wie auch seine Ester, in der Parfüm-Ind. als Nuancierungsmittel Verwendung. – **E = F = S** 1-hexanol – **I** 1-esanolo
Lit.: Beilstein E IV **1**, 1694 ▪ Hommel, Nr. 380 ▪ Ullmann (4.) **7**, 203 ff.; (5.) **A 1**, 280, 287, 300; **A 10**, 279. – *[HS 2905 19; CAS 111-27-3; G 3]*

6-Hexanolid s. ε-Caprolacton.

2-Hexanon (ältere Bez.: Methylbutylketon, Butylmethylketon). $H_3C-CO-(CH_2)_3-CH_3$, $C_6H_{12}O$, M_R 100,16. Farblose, leicht entzündliche Flüssigkeit, D. 0,830, Schmp.

–57 °C, Sdp. 127 °C, FP. 23 °C, in Wasser wenig, in Alkohol u. Ether gut löslich. 2-H. wirkt in hohen Konz. narkot., auf der Haut erzeugt es schwache Reizwirkung, bei längerem Kontakt Entfettung; chron. Aufnahme erzeugt – wie Hexan – periphcre Polyneuritis, MAK 5 ppm; BAT-Wert 5 mg/L, Untersuchungsmaterial Harn (MAK-Werte-Liste 1996); wassergefährdender Stoff, WGK 2 (Selbsteinst.); LD$_{50}$ (Ratte oral) 2590 mg/kg. 2-H. findet techn. Verw. als Lsm. für Farbstoffe, Lacke usw. – **E = F** 2-hexanone – **I** 2-esanone – **S** 2-hexanona
Lit.: Beilstein E IV **1**, 3298 ▪ Gesundheitsschädliche Arbeitsstoffe: toxikologisch-arbeitsmedizinische Begründung von MAK-Werten, Weinheim: Verl. Chemie bzw. VCH Verlagsges. 1972–1997 ▪ Hager (5.) **3**, 669 ▪ Merck-Index (12.), Nr. 6112 ▪ Ullmann (5.) **A 24**, 477, 489. – *[HS 2914 19; CAS 591-78-6; G 3]*

Hexanoyl... Nach IUPAC-Regel C-403.1 Bez. für die Atomgruppierung –CO–(CH$_2$)$_4$–CH$_3$ in systemat. Namen. Alte Bez.: Caproyl... – **E = F** hexanoyl... – **I** esanoil... – **S** hexanoil...

Hexansäure (Capronsäure). $H_3C-(CH_2)_4-COOH$, $C_6H_{12}O_2$, M_R 116,16. Ölige, farblose od. schwach gelbliche Flüssigkeit, riecht unangenehm nach Ziegen (vgl. Capr...) u. schweißartig, D. 0,93, Schmp. –3,9 °C, Sdp. 205 °C, fast unlösl. in Wasser, lösl. in Alkohol u. Ether.
Vork.: Als Glycerinester in geringen Mengen in Kuhbutter, Ziegenbutter u. Kokosnußöl, entsteht auch bei der Vergärung von Ethanol u. Acetaten durch *Clostridium kluyveri* neben Buttersäure. Bei Termiten spielt H. die Rolle eines Spurfolge-*Pheromons.
Herst.: Aus Linolsäure od. aus ungesätt. Fettsäuren des Tallöls durch Ozonolyse; durch Oxid. von Cyclohexanol od. Hexanol.
Verw.: Als Säurekomponente in Fruchtestern (Capronate), Bestandteil von Arzneimitteln u. zur Synth. von Hexylphenolen. – **E** hexanoic acid, caproic acid – **F** acide hexanoïque, acide caproïque – **I** acido esanoico, acido capronico – **S** ácido hexanoico, ácido caproico
Lit.: Beilstein E IV **2**, 917–921 ▪ Merck-Index (12.), Nr. 1803 ▪ Ullmann (4.) **9**, 138, 143; (5.) **A 5**, 236, 246; **A 10**, 247. – *[HS 2915 90; CAS 142-62-1; G 6.1]*

Hexansäureethylester (Capronsäureethylester, Ethylcapronat). $H_3C-(CH_2)_4-COOC_2H_5$, $C_8H_{16}O_2$, M_R 144,21. Farblose, angenehm fruchtartig riechende Flüssigkeit, D. 0,87, Sdp. 166–167 °C, in Wasser unlösl., mit organ. Lsm. mischbar. Wird in Parfüm-Kompositionen u. in künstlichen Fruchtessenzen verwendet. – **E** ethyl caproate – **F** caproate d'ethyle – **I** etilcaproato, capronato di etile – **S** hexanoato de etilo, caproato de etilo

Lit.: Beilstein E IV **2**, 921 ▪ Ullmann (5.) **A 11**, 153. – *[HS 2915 90; CAS 123-66-0]*

1,2,6-Hexantriol.

$$HO-(CH_2)_4-\overset{\overset{\displaystyle OH}{|}}{CH}-CH_2-OH$$

$C_6H_{14}O_3$, M_R 134,17. Farblose bis schwach gelbliche, hochviskose, hygroskop., brennend schmeckende Flüssigkeit, D. 1,1063, Schmp. –33 °C, Sdp. 178 °C (7 hPa), FP. 79 °C, mit Wasser, Alkohol, Ketonen mischbar, unlösl. in Estern u. Kohlenwasserstoffen, ist etwa halb so stark hygroskop. wie Glycerin. Dämpfe u. Flüssigkeit reizen Augen, Atemwege u. Haut.

Verw.: Zur Herst. von Polyesterharzen, Polyurethan-Kunststoffen, Tinten, Stempelfarben, Konservierungsmitteln, Weichmachern, als Feuchthaltemittel u. als Lsm. für Steroide. – *E = F* 1,2,6-hexanetriol – *I* 1,2,6-esantriolo – *S* 1,2,6-hexanotriol

Lit.: Beilstein E IV **1**, 2784 ▪ Hommel, Nr. 488 ▪ Kirk-Othmer (3.) **1**, 786 f.; (4.) **1**, 244. – *[HS 2905 49; CAS 106-69-4]*

Hexaphenol s. Hexahydroxybenzol.

Hexaphenylethan. $C_{38}H_{30}$, M_R 486,64. Läßt man unter Sauerstoff-Ausschluß Triphenylmethylchlorid mit Zink, Silber od. Quecksilber in Benzol reagieren, so bildet sich eine gelbe Lsg., aus der sich durch Aceton-Zusatz u. Einengen farblose Krist., Schmp. 145 – 147 °C (Zers.), abscheiden lassen. Diese lösen sich in organ. Lsm. erneut unter Gelbfärbung, was den Entdecker der Reaktion (*Gomberg, 1900) veranlaßte, den Farbwechsel farblos ⇆ gelb einer reversiblen Dissoziation des H. in 2 *Triphenylmethyl-Radikale* (Trityl) zuzuschreiben:

$$2\ (H_5C_6)_3C-Cl\ \xrightarrow{-2\,Cl}\ 2\ (H_5C_6)_3C^{\bullet}$$

$$\Updownarrow$$

$$(H_5C_6)_3C-C(C_6H_5)_3$$

Die Gombergsche Formulierung der Radikal-Dimerisierung blieb fast 70 Jahre unangetastet u. bildete das klass. Beisp. einer über sog. „dreibindigen" Kohlenstoff verlaufenden Reaktion. Tatsächlich sind die *Radikale des *Triphenylmethyls auch, wie erwartet, sehr reaktionsfreudig: Die gelbe Lsg. bildet z.B. beim Schütteln mit Luft das farblose *Bis(triphenylmethyl)peroxid* [$(H_5C_6)_3C-O-O-C(C_6H_5)_3$, Schmp. 186 °C], mit Iod-Lsg. das ebenfalls farblose Triphenylmethyliodid. Die Konstitution des H. selbst hat jedoch 1968

eine Neuinterpretation erfahren: Nach Lankamp et al.[1] ist das Dimere des Trityls als *3-Benzhydryliden-6-(triphenylmethyl)-1,4-cyclohexadien* (d) aufzufassen, das man sich durch Radikal-*Rekombination der mesomeren Grenzstrukturen a u. c erklären kann. – *E* hexaphenylethane – *F* hexaphényléthane – *I* esafeniletano – *S* hexafeniletano

Lit.: [1] Tetrahedron Lett. **1968**, 249; J. Chem. Soc., Chem. Commun. **1969**, 1316.

allg.: Angew. Chem. **99**, 822 f. (1987) ▪ Beilstein E II **5**, 626; E III **5**, 2746; E IV **5**, 2930 ▪ Beyer-Walter, Lehrbuch der Organischen Chemie, S. 612 ff., Stuttgart: Hirzel 1991 ▪ Tetrahedron **30**, 2009 – 2022 (1974) ▪ s.a. Radikale. – *[CAS 3416-63-5]*

Hexazinon.

Common name für 3-Cyclohexyl-6-(dimethylamino)-1-methyl-1,3,5-triazin-2,4(1*H*,3*H*)-dion, $C_{12}H_{20}N_4O_2$, M_R 252,32, Schmp. 115 – 117 °C, LD_{50} (Ratte oral) 1690 mg/kg (WHO), von DuPont 1974 eingeführtes Totalherbizid gegen Unkräuter u. Gehölze auf Nichtkulturland sowie gegen Unkräuter im Zuckerrohr- u. Ananasbau. – *E = F* hexazinone – *I* esazinone – *S* hexazinona

Lit.: Farm ▪ Pesticide Manual. – *[HS 2933 69; CAS 51235-04-2]*

1-Hexen. $H_3C-(CH_2)_3-CH=CH_2$, C_6H_{12}, M_R 84,16. Farblose, leicht verdunstende, Benzin-artig riechende, feuergefährliche Flüssigkeit, D. 0,68, Schmp. –140 °C, Sdp. 63 °C, FP. <–20 °C. Die Dämpfe reizen stark die Augen u. die Atemwege. Sie wirken in hohen Konz. narkot., die Ausbildung eines Lungenödems ist möglich. Kontakt mit der Flüssigkeit führt zu leichter Reizung der Augen u. der Haut. H. findet Verw. in organ. Synth. u. als Bezugssubstanz in der Gaschromatographie. – *E* 1-hexene – *F* 1-hexène – *I* 1-esene – *S* 1-hexeno

Lit.: Beilstein E IV **1**, 828 ▪ Hommel, Nr. 520 ▪ Ullmann **10**, 42, 47; (4.) **14**, 665; (5.) **A 13**, 239. – *[HS 2901 29; CAS 592-41-6; G 3]*

Hexenale (2- u. 3-Hexenale).

(*E*)-2-H. (*Z*)-3-H.

$C_6H_{10}O$, M_R 98,14. Die H. entstehen wie die *Hexen-1-ole durch Autoxid. od. enzymat. Abbau v.a. aus *Linolensäure in zerkleinerten Pflanzen.

1. *(E)-2-H.* (Blätteraldehyd): Öl mit scharf krautiggrünem, in verd. Lsg. angenehm fruchtig-grünem Geruch; Geruchsschwelle in Wasser 17 ppb, Sdp. 146 °C, D. 0,849, LD_{50} (Ratte oral) 0,78 g/kg.

Vork.: Weit verbreitet in *etherischen Ölen, v.a. von Gewürzkräutern, Frucht-, Gemüse- u. Fleischaromen, wichtig im Aroma von Apfelsaft (*Impact compound), Kiwi, *Tee u. frischen Tomaten; tritt auch als *Alarmod. Abwehrstoff verschiedener Insekten auf, z.B. bei Wanzen. Herst. aus Butanal u. Ethoxyethen (s. Vinylether) in Ggw. von Bortrifluorid u. anschließende Hydrolyse; Verw. v. a. in Frucht- u. Gemüsearomen.

2. *(Z)-3-H.*: Riecht nach frisch geschnittenen Blättern, Geruchsschwelle 0,25 ppb, Sdp. 36°C (2,7 kPa), D. 0,855. Kommt häufig zusammen mit *(E)*-2-H. in frucht- u. Gemüsearomen vor; isomerisiert leicht zu *(E)*-2-H. u. wird deshalb nur wenig verwendet.

Die seltenen Isomere *(Z)*-2-H. u. *(E)*-3-H. sind in *Lit.*[1] beschrieben. – *E* hexenals – *F* hexenale – *I* esenali – *S* hexenales

Lit.: [1] Z. Naturforsch., Teil C **47**, 183–189 (1992).
allg.: Angew. Chem. **93**, 164–183 (1981) ▪ Phytochemistry **33**, 253–280 (1993) ▪ Ullmann (5.) **A 1**, 335. – *[HS 2912 19; CAS 6728-26-3 ((E)-2-H.); 6789-80-6 ((Z)-3-H.); 16635-54-4 ((Z)-2-H.); 69112-21-6 ((E)-3-H.)]*

Hexen-1-ole (2- u. 3-Hexen-1-ole).

(Z)-3-H.   (E)-2-H.

$C_6H_{12}O$, M_R 100,16. Alle isomeren H. kommen in der Natur vor, aber nur *(Z)*-3-H. [häufig begleitet von *(E)*-2- u. *(E)*-3-H.] fast ubiquitär, v. a. in zerkleinerten frischen Blättern u. Früchten. Sie werden z. B. aus *Linolen- od. *Arachidonsäure enzymat. durch Lipoxygenasen, Hydroperoxid-Lyasen, Alkohol-Dehydrasen u. ggf. Isomerasen gebildet.

1. *(Z)-3-H.* (Blätteralkohol): Öl, das nach frisch geschnittenem Gras od. Blättern riecht, Sdp. 157°C, D. 0,849, FP. 44°C, LD_{50} (Ratte oral) 4,7 g/kg; Geruchsschwelle (Wasser) 70 ppb.

Vork.: U. a. im ether. Öl von Maulbeerblättern (bis 50%), grünem Tee (bis 30%) u. *Thymian (ca. 0,4%), sowie in vielen Frucht- u. Gemüsearomen.

Herst.: Über 3-Hexin-1-ol (aus 1-Butin u. Ethylenoxid) durch selektive Hydrierung.

Verw.: Zur Erzielung von Grünnoten in Aromen u. Parfüms, zur Herst. der dafür ebenfalls verwendeten Ester u. zur Herst. von *(E,Z)*-*2,6-Nonadienal u. Nonadienolen.

2. *(E)-2-H.*: Riecht grün-fruchtig, süßer, aber deutlich schwächer als *(Z)*-3-H., Sdp. 155°C, D. 0,846, FP. 56°C, LD_{50} (Ratte oral) 3,5 g/kg. Verw. vorzugsweise in Fruchtaromen.

Die sensor. u. physikal. Daten sowie die Herst. auch der seltener gefundenen Isomeren *(Z)*-2-H. (Vork. u. a. im Papaya-, Endivien- u. Kiwiaroma), *(E)*-3-H., *(E)*-4-H. (nachgewiesen in Bananen-, Passionsfrucht- u. Kiwiaroma), *(Z)*-4-H. (im Bananen- u. Tomatenaroma) u. 5-H. (im Apfelaroma) sind in *Lit.*[1] beschrieben. – *E* hexen-1-ols

Lit.: [1] Z. Naturforsch., Teil C **47**, 183–189 (1992); J. Agric. Food Chem. **19**, 1111 (1971).
allg.: Perfum. Flavor. **15** (4), 47–52 (1990). – *[HS 2905 29; CAS 928-96-1 ((Z)-3-H.); 928-95-0 ((E)-2-H.); 928-94-9 ((Z)-2-H.); 928-97-2 ((E)-3-H.); 928-92-7 ((E)-4-H.); 928-91-6 ((Z)-4-H.); 821-41-0 (5-H.)]*

Hexestrol (Hexöstrol, Rp).

Internat. Freiname für 4,4′-(1,2-Diethylethylen)bisphenol, $C_{18}H_{22}O_2$, M_R 270,37, Schmp. 185–188°C,

λ_{max} (0,1 N NaOH): 242, 295 nm ($A_{1cm}^{1\%}$ 965, 175) (C_2H_5OH): 230, 280 nm ($A_{1cm}^{1\%}$ 775, 140). Die Lagerung muß lichtgeschützt erfolgen. H. ist strukturell verwandt mit *Diethylstilbestrol u. wurde früher als nichtsteroidales *Estrogen eingesetzt. – *E* = *F* = *S* hexestrol – *I* esestrolo

Lit.: Beilstein E IV **6**, 6761 ▪ Florey **11**, 347–374 ▪ Hager (5.), **8**, 432 f. – *[HS 2907 29; CAS 84-16-2]*

Hexetidin.

Internat. Freiname für das *Antiseptikum/*Desinfektionsmittel 1,3-Bis(2-ethylhexyl)-hexahydro-5-methyl-5-pyrimidinamin, $C_{21}H_{45}N_3$, M_R 339,61, Sdp. 140°C (40 Pa), D_{20}^{20} 0,8697, n_D^{20} 1,4640, pK_a 8,3. H. wurde 1947 u. 1962 von Commercial Solvents Corp. patentiert. H. ist – auch kombiniert mit quartären Ammonium-Verb. – als Mund- u. Rachen-Desinfiziens generikafähig im Handel. H. muß vorsichtig, dicht verschlossen, lichtgeschützt u. >6°C gelagert werden. – *E* hexetidine – *F* hexétidine – *I* esetidina – *S* hexetidina

Lit.: ASP ▪ Beilstein E V **25/9**, 249 ▪ DAB **1996** u. Komm. ▪ Florey **7**, 278–295 ▪ Hager (5.) **8**, 433 ff. – *[HS 2933 59; CAS 141-94-6]*

1-Hexin. $H_3C–(CH_2)_3–C≡CH$, C_6H_{10}, M_R 82,15. Farblose, hautreizende, leichtflüchtige, feuergefährliche Flüssigkeit, die mit stark rußender Flamme verbrennt, D. 0,721, Schmp. –132°C, Sdp. 71°C, FP. –10°C. Verw. in organ. Synthesen. – *E* = *F* 1-hexyne – *I* 1-esino – *S* 1-hexino

Lit.: Beilstein E IV **1**, 1006 ▪ Ullmann (4.) **5**, 328. – *[HS 2901 29; CAS 693-02-7; G 3]*

Hexite. Sammelbez. für sechswertige Alkohole (*Polyole, sog. *Zuckeralkohole, im engeren Sinn *Aldite) der allg. Formel $HO–CH_2–(CHOH)_4–CH_2–OH$, die mit den entsprechenden *Hexosen verwandt u. durch Red. aus ihnen herzustellen sind. Es handelt sich um süß schmeckende, im allg. gut kristallisierende Substanzen, die nicht vergärbar sind u. Fehlingsche Lsg. nicht reduzieren (Süßkraft geringer als Saccharose). Die wichtigsten H. sind *Dulcit, *Mannit u. *Sorbit (od. D-Glucit), die in Pflanzen weit verbreitet sind u. z. T. als *Zuckeraustauschstoffe Verw. finden; weitere H. sind Allit, Altrit u. Idit. – *E* hexitols – *F* hexitol – *I* esitoli – *S* hexitos

Lit.: s. Zuckeralkohole u. Kohlenhydrate. – *[HS 2905 49]*

Hex-N-methylparafuchsinchlorid s. Kristallviolett.

Hexobarbital (Rp).

Internat. Freiname für 5-(1-Cyclohexenyl)-1,5-dimethylbarbitursäure, $C_{12}H_{16}N_2O_3$, M_R 236,27, Schmp.

145–147°C. Die Lagerung soll gut verschlossen, lichtgeschützt erfolgen. Verwendet wurde auch das Natrium-Salz, Schmp. 145–147°C, λ_{max} (NaOH): 245 nm ($A_{1cm}^{1\%}$ 330). H. wurde 1931 u. 1932 von I. G. Farben patentiert u. war von Bayer (Evipan-Natrium®) als *Schlafmittel u. Injektions-*Narkotikum im Handel. – $E = F = S$ hexobarbital – I esobarbital

Lit.: ASP ▪ Beilstein E V **25/9**, 253 f. ▪ DAB **1996** u. Komm. ▪ Hager (5.) **8**, 437–440. – *[HS 2933 51; CAS 56-29-1 (H.); 59-09-0 (Natrium-Salz)]*

Hexobendin (Rp).

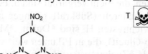

Internat. Freiname für den koronaren Vasodilatator *N,N′*-Dimethyl-*N,N′*-bis[3-(3,4,5-trimethoxybenzoyloxy)-propyl]-ethylendiamin, $C_{30}H_{44}N_2O_{10}$, M_R 592,69, Schmp. 75–77°C, λ_{max} (0,05 M H_2SO_4): 265 nm ($A_{1cm}^{1\%}$ 300). Verwendet wurde das Dihydrochlorid, Schmp. 170–174°C, λ_{max} 267 nm. H. wurde 1964 u. 1966 von Oesterreichische Stickstoffwerke patentiert. – E hexobendin – F hexobendine – I esobendina – S hexobendina

Lit.: Hager (5.) **8**, 440 f. – *[HS 2922 50; CAS 54-03-5 (H.); 50-62-4 (Dihydrochlorid)]*

Hexocyclium-methilsulfat.

Internat. Freiname für das Parasympatholytikum 4-(β-Cyclohexyl-β-hydroxyphenethyl)-1,1-dimethylpiperazinium-methylsulfat, $C_{21}H_{36}N_2O_5S$, M_R 428,59, Schmp. 200–210°C, λ_{max} (0,1 N H_2SO_4): 252, 257, 263 nm. H. wurde 1959 von Abott patentiert. – E hexocyclium methilsulfate – F métilsulfate d'hexocyclium – I esociclio metilsolfato – S metilsulfato de hexociclio

Lit.: Beilstein E III/IV **23**, 158 f. ▪ Merck-Index (12.), Nr. 4744. – *[HS 2933 59; CAS 115-63-9]*

Hexöstrol s. Hexestrol.

Hexogen (1,3,5-Trinitro-1,3,5-triazinan, Cyclotrimethylentrinitramin, Cyclonit, RDX, T 4).

$C_3H_6N_6O_6$, M_R 222,12, Schmp. 204°C, D. 1,7; schwer lösl. in Wasser (0,005% bei 20°, ca. 0,3% bei 100°C) sowie in den meisten organ. Lsm., besser lösl. z. B. in Aceton. H. gehört zu den brisantesten *Explosivstoffen mit hohem Leistungsvermögen. Es ist in phlegmatisierter Form (durch Zusatz von mind. 15% Wasser od. Behandlung mit Wachsen od. Kunststoffen) relativ gefahrlos zu handhaben u. zum Transport zugelassen. H. wurde erstmalig 1897 von F. Lenze hergestellt, von G. F. Hennig wurde 1898 ein Herstellverf. (Nitrierung von *Hexamethylentetramin mit Salpetersäure) angemeldet. Erkenntnisse über die hervorragenden Explosiv-Eigenschaften des H. erfolgten

merklich später (Hennig 1916, Hale 1925). Großtechn. Herstellverf. wurden erst während des zweiten Weltkrieges entwickelt (Näheres s. *Lit.*). Heute gehört H., neben *2,4,6-Trinitrotoluol (TNT), zu den wichtigsten Explosiv- u. *Sprengstoffen für den militär. Einsatz (z. B. Geschoßladungen, Hohlladungen, Minen, Torpedosprengköpfe). H. läßt sich mit Trinitrotoluol zu gießbaren Gemischen verarbeiten (z. B. *Composition B, Trixogen); durch Zusatz von Al-Pulver kann die Sprengenergie erhöht werden (z. B. *HBX-1, *Hexal, *Torpex). – E hexogen – F hexogène – I esogene – S hexógeno

Lit.: Beilstein E III/IV **26**, 22 ▪ Kirk-Othmer (3.) **9**, 581–584; (4.) **10**, 31 ff. ▪ Meyer, Explosivstoffe (8.), Weinheim: Verl. Chemie 1995 ▪ Ullmann (4.) **21**, 666–669; (5.) **A 10**, 161 f. ▪ Winnacker-Küchler (4.) **7**, 377 ff. – *[CAS 121-82-4]*

Hexokinase (EC 2.7.1.1). Bez. für ein *Phosphorylierungs-Enzym (eine *Phosphotransferase*, vgl. a. Kinasen), das mit *Adenosin-5′-triphosphat (ATP) als Phosphat-Gruppen-Donor eine Reihe von D-*Hexosen zu phosphorylieren vermag u. damit eine wichtige Rolle in der *Glykolyse spielt. Allg. Reaktions-Schema (ADP = *Adenosin-5′-diphosphat):

$$\text{D-Hexose} + \text{ATP} \xrightarrow[\text{Hexokinase}]{\text{Mg}^{2+}} \text{D-Hexose-6-phosphat} + \text{ADP}$$

D-Glucose-6-phosphat wirkt als Hemmstoff des Enzyms (Produkt-, Rückkopplungs-Hemmung). H. ist kristallisierbar, M_R 96 000 (2 ident., aber unsymmetr. angeordnete Untereinheiten), u. dient in der klin. Chemie zur Bestimmung der D-*Glucose. Man gewinnt H. v. a. aus Hefe; vgl. a. Glucokinase. – $E = F$ hexokinase – I esochinasi – S hexoquinasa, hexocinasa

Lit.: Alberts et al., Molekularbiologie der Zelle, 3. Aufl., S. 226 ff., Weinheim: VCH Verlagsges. 1995 ▪ Trends Biochem. Sci. **16**, 281 f. (1991). – *[HS 3507 90; CAS 9001-51-8]*

Hexon s. Methylpentanone.

Hexone s. Capside.

Hexoprenalin (Rp).

Internat. Freiname für das als Tokolytikum (wehenhemmend) u. als Bronchodilatator wirkende β-*Sympath(ik)omimetikum 2,2′-(1,6-Hexandiyldiimino)bis-[1-(3,4-dihydroxyphenyl)ethanol], $C_{22}H_{32}N_2O_6$, M_R 420,51, Schmp. 162–165°C (Hemihydrat); verwendet werden auch das Dihydrochlorid (Schmp. 197,5–198°C) u. das Sulfat, Schmp. 222–228°C, λ_{max} (CH₃OH): 224, 282, ($A_{1cm}^{1\%}$ 222, 118). H. wurde 1965 u. 1967 von Oesterreichische Stickstoffwerke, 1966 von Lentia patentiert. Das H.-Sulfat ist von Gyk-Gulden (Etoskol®, Tokolysan®) im Handel. – E hexoprenaline – F héxoprénaline – I esoprenalina – S hexoprenalina

Lit.: ASP ▪ DAB **1996** u. Komm. ▪ Hager (5.) **8**, 442 f. – *[HS 2922 50; CAS 3215-70-1 (H.); 4323-43-7 (Dihydrochlorid); 30117-45-4 (Sulfat)]*

Hexoral®. Lsg. u. Spray mit *Hexetidin zur Mund- u. Rachen-Desinfektion; Halspastillen (Hexoraletten®) statt dessen mit *Chlorhexidin-dihydrochlorid u. *Benzocain. *B.:* Warner Lambert.

Hexosaminidase (EC 3.2.1.52). Trivialname für das zu den *Hydrolasen (genauer zu den *Glykosidasen) zählende *Enzym β-N-Acetyl-D-hexosaminidase, das N-Acetyl-D-hexosamine aus deren β-Glykosiden hydrolyt. freisetzt. H. kommt in *Lysosomen vor, wo sie beim Abbau von *Glykoproteinen, *Glykolipiden u. *Glykosaminoglykanen endständige N-Acetyl-D-glucosamin- u. N-Acetyl-D-galactosamin-Reste abspaltet. – *E = F* hexosaminidase – *I* esosam(m)inidasi – *S* hexosaminidasa – [HS 350790; CAS 9027-52-5]

Hexosen. Nach IUPAC/IUBMB-Regel 2-Carb-8.2 (*Lit.* [1]) Bez. für acycl. *Aldosen mit 6 Kohlenstoff-Atomen wie Glucose, Galactose, Mannose; wird jedoch fälschlich auch für Ketosen mit 6 Kohlenstoff-Atomen wie Fructose u. Sorbose gebraucht, die nach Regel 2-Carb-10.3 als *Hexulosen bezeichnet werden; früher unterschied man *Aldohexosen (eigentliche Hexosen) u. *Ketohexosen (jetzt: Hexulosen). Zum Abbau der durch H.-*Isomerasen ineinander umwandelbaren H. s. Glykolyse. – *E = F* hexoses – *I* esosi – *S* hexosas
Lit.: [1] Pure Appl. Chem. **68**, 1919–2008 (1996).

Hexulosen. Nach IUPAC/IUBMB-Regel 2-Carb-10.3 (*Lit.* [1]) Bez. für *Ketosen mit 6 Kohlenstoff-Atomen (ältere Bez.: *Ketohexosen); vgl. Hexosen. – *E = F* hexuloses – *I* esulosi – *S* hexulosas
Lit.: [1] Pure Appl. Chem. **68**, 1919–2008 (1996).

Hexuronsäuren. Gattungsbez. für diejenigen *Uronsäuren (*Aldehydsäuren), die sich von *Aldohexosen durch Oxid. der endständigen Hydroxymethyl-Gruppe ableiten; *Beisp.:* *Galacturonsäure, *Glucuronsäure. Hexuronsäure war ferner der von *Szent-Györgyi vorgeschlagene Name für *Ascorbinsäure. – *E* hexuronic acids – *F* acides hexuroniques – *I* acidi esuronici – *S* ácidos hexurónicos

Hexyl... Bez. für die Atomgruppierung –$(CH_2)_5$–CH_3 in systemat. Namen. – *E = F* hexyl... – *I* esil... – *S* hexil...

Hexylacetat s. Essigsäurehexylester.

Hexylalkohol s. 1-Hexanol.

Hexylamin s. 1-Hexanamin.

Hexylbromid (1-Bromhexan). H_3C–$(CH_2)_5$–Br, $C_6H_{13}Br$, M_R 165,07. Farblose, angenehm riechende Flüssigkeit, D. 1,174, Schmp. –85 °C, Sdp. 155 °C, unlösl. in Wasser, mischbar mit Alkohol u. Ether.
Verw.: Bei organ. u. pharmazeut. Synth. zur Einführung der Hexyl-Gruppe durch Ersatz des Brom-Atoms od. über die entsprechende Grignard-Verbindung. – *E* hexyl bromide – *F* bromure de hexyle – *I* bromuro di esile – *S* bromuro de hexilo
Lit.: Beilstein E IV **1**, 352 ▪ Ullmann (4.) **8**, 688. – [HS 290330; CAS 111-25-1; G 3]

Hexylen... Mehrdeutige, daher abzulehnende Bez. für die Atomgruppierungen –$(CH_2)_6$– (*Hexamethylen..., Hexan-1,6-diyl...), –CH_2–$CH(n$-$C_4H_9)$– (Hexan-1,2-diyl...) u. a. (vgl. 2-Methyl-2,4-pentandiol!). – *E* hexylene... – *F* hexylène... – *I* esilen... – *S* hexilen...

1,6-Hexylendiisocyanat s. Hexamethylendiisocyanat.

Hexylenglykol s. 2-Methyl-2,4-pentandiol.

4-Hexylresorcin.

$C_{12}H_{18}O_2$, M_R 194,27. Farblose, nachdunkelnde Nadeln, Schmp. 68 °C, Sdp. 333–335 °C [Zers.; 200 °C (18 hPa)], lösl. in Ethanol, Benzol, Ether, Chloroform, schwer lösl. in Wasser. H. reizt Haut u. Schleimhäute u. wird als Anthelminthikum u. Desinfektionsmittel verwendet. – *E* 4-hexylresorcinol – *F* 4-hexylrésorcinol – *I* 4-esilresorcinolo – *S* 4-hexilresorcinol
Lit.: Beilstein E IV **6**, 6048 ▪ Merck-Index (12.), Nr. 4750 ▪ Ullmann **5**, 757; **13**, 164; (5.) **A 1**, 206. – [HS 290729; CAS 136-77-6]

Hexythiazox.

Common name für (±)-*trans*-5-(4-Chlorphenyl)-N-cyclohexyl-4-methyl-2-oxothiazolidin-3-carboxamid, $C_{17}H_{21}ClN_2O_2S$, M_R 352,88, Schmp. 108 °C, LD_{50} (Ratte oral) >5000 mg/kg (WHO), von Nippon Soda entwickeltes Akarizid mit Kontakt- u. Fraßwirkung gegen Spinnmilbeneier, Larven u. Nymphen im Obst-, Wein-, Gemüse- u. Baumwollbau. – *E = F* hexythiazox – *I* esitiazox – *S* hexitiazox
Lit.: Farm ▪ Perkow ▪ Pesticide Manual. – [CAS 78587-05-0]

Heyl. Kurzbez. für die Firma Gebr. Heyl Analysentechnik GmbH & Co. KG, 31135 Hildesheim. *Produktion:* Kontroll-, Meß- u. Steuergeräte für die Wasseraufbereitung, Kolorimeter, Leitfähigkeitsmeßgeräte, Titrierautomaten u. Wasseruntersuchungsgeräte. *Marken:* Durognost® (Grenzwert-Testbestecke zur Bestimmung der Wasserhärte); Duroval® (titrimetr. Testbestecke zur Wasseruntersuchung); Testomat® (Analysenautomaten zur kontinuierlichen Überwachung der Wasserhärte, der Carbonat-Härte u. der Basenkapazität); Testoval® (kolorimetr. Testbestecke zur Wasseruntersuchung).

Heyl. Kurzbez. für die 1926 gegr. Heyl Chem.-pharmazeut. Fabrik GmbH & Co. KG, 14167 Berlin, die auch heute noch in Familienbesitz ist. *Tochterges.:* Heyltex Corp., Houston, Texas, USA, Heyl Japan Co. Ltd. Tokio, Japan. *Produktion:* Herst. u. Entwicklung von Arzneimitteln, Diagnostika, Feinchemikalien u. Wirkstoffen für die Kosmetik.

Heymans, Corneille Jean Francois (1892–1968), Prof. für Physiologie u. Pharmakologie, Univ. Gent. 1938 erhielt er für die Entdeckung der Bedeutung des Sinus-Aorta-Mechanismus für die Atmung den Nobelpreis für Medizin od. Physiologie.
Lit.: Lexikon der Naturwissenschaftler, S. 213.

Heyneanin, Heyneatin s. Iboga-Alkaloide.

Heyns, Kurt (geb. 1908), Prof. Dr. h. c. für Organ. Chemie u. Biochemie, Univ. Hamburg. *Arbeitsgebiete:* Proteine, Kohlenhydrate, kation. Oxid. – Vitamin C-Synth., Massenspektrometrie, N-Nitrosamine, N-Nitrosamide.
Lit.: Kürschner (16.), S. 1421.

Heyrovský, Jaroslav (1890–1967), Prof. für Physikal. Chemie, Univ. Prag. *Arbeitsgebiete:* Theorie u. Praxis der Polarographie. Für diese Arbeiten erhielt er 1959 den Nobelpreis für Chemie.
Lit.: Lexikon der Naturwissenschaftler, S. 213 ▪ Neufeldt, S. 152, 368 ▪ Pötsch, S. 202.

Hf. Chem. Symbol für das Element *Hafnium.

HF. 1. Abk. für Hochfrequenz, z.B. bei *Hochfrequenztitration; – 2. Abk. für *Hartree-Fock-…; – 3. Formel von *Fluorwasserstoff.

H-FCKW s. FCKW.

HFCS. Abk. für *High Fructose Corn Sirup*. HFCS ist eine andere, v. a. im angelsächsischen Sprachraum verbreitete Bez. für Isosirup, s. a. Glucose-Isomerase. HFCS wird teilw. aus Kostengründen als Ersatz für Zucker in Soft-Drinks verwendet. – *E* high fructose corn sirup

H-FKW s. Fluorkohlenwasserstoffe.

H₄Folat s. Tetrahydrofolsäure.

HFS. Abk. für *Hyperfeinstruktur.

HF-Titration s. Hochfrequenztitration.

Hg. Chem. Symbol für das Element *Quecksilber.

HGF. Abk. für 1. *Hepatocyten-Wachstumsfaktor (von *E* hepatocyte growth factor). – 2. Hermann von Helmholtz-Gemeinschaft Deutscher Forschungszentren, s. AGF.

HGH s. Somatotropin.

HGS-System. Von der *Hinomoto Gosei Jushi Seisakusho Ltd.* hergestelltes Syst. von *Kalottenmodellen.

HGWP. Abk. für *Halocarbon Greenhouse* (od. *Global*) *Warming Potential*, das auf Trichlorfluormethan (*FCKW 11) bezogene *GWP.

Hh s. Hedgehog.

HHL. Abk. für *Hypophysen-Hinterlappen.

Hibenzat. Freie, internat. Kurzbez. für das Anion 2-(4-Hydroxybenzoyl)-benzoat in internat. Freinamen. – *E = F* hybenzate – *I* ibenzato – *S* hibenzato

Hibernation. Von latein.: hibernare = überwintern abgeleitetes Synonym für (im allg. mit *Hypothermie verbundenen) *Winterschlaf bei Tieren; bei *Pflanzen spricht man statt von H. meist von *Winterruhe*. Sichtbare Begleiterscheinungen letzterer sind Blattwelke, *Laubfärbung u. Laubfall, die durch Nährstoffdrosselung u./od. Einwirkung spezif. *Hemm- u. *Welkstoffe ausgelöst werden. – *E = F* hibernation – *I* ibernazione – *S* hibernación

Hibiscus. Artenreiche, in den Tropen heim. u. auch in subtrop. u. gemäßigten Klimaten kultivierte Malvengewächse mit gelben od. roten bis purpurfarbenen Blüten. Diejenigen von *H. sabdariffa* L. (Sabdariffeibisch, Rama) sind als sog. sudanes. Tee od. Karkadé als mildes Abführmittel offizinell; H.-Blüten bestehen aus den zur Fruchtzeit geernteten, getrockneten Innen- u. Außenkelchen u. enthalten, neben *Flavonoiden, in erster Linie Fruchtsäuren (12–18%) u. *Hibiscussäurelacton* (23%; (+)-Allohydroxycitronensäurelacton,

$C_6H_6O_7$, M_R 190,11, s. Abb.). H. wird deshalb auch in Erfrischungsgetränken u. zur Aromatisierung von Speisen benutzt.

Hibiscussäurelacton

Einige H.-Arten liefern *Bastfasern, z.B. *Kenaf u. *Rosella, andere tragen eßbare Früchte. Die Samen von *H. abelmoschatus* (Abelmoschus-, Bisam-, Ambrette-, Moschuskörner) enthalten u.a. ether. Öle (s. Moschuskörneröl), die in der Parfümerie Verw. finden. – *E = F* hibiscus – *I* ibisco – *S* hibisco
Lit.: Bundesanzeiger 22 a/01.02.90 ▪ DAB **1996** u. Komm. ▪ Hager (4.) **5**, 77–80 ▪ Wichtl (3.), S. 297 f. – *[HS 1211 90]*

Hibiscussäurelacton s. Hibiscus.

Hibschit s. Granate.

HIB-Vaccinol® (Rp). Impfstoff mit gereinigtem Kapsel-Polysaccharid von *Haemophilus influenza* Typ b konjugiert an gereinigtes Diphtherie-Toxoid, zur aktiven Immunisierung gegen *Haemophilus influenza* Typ b bei Kindern ab dem 3. Lebensmonat, HIB-DT-Vaccinol® zusätzlich mit Diphtherie- u. Tetanus-Adsorbat-Impfstoff, HIB-DPT-Vaccinol® enthält außerdem noch Pertussis-Adsorbat-Impfstoff. *B.:* Procter & Gamble Pharmaceuticals.

Hickoryholz. Holz der in Nordamerika beheimateten *Carya ovata, Carya alba* u. ca. 20 anderer *Carya*-Arten, verwandt mit Walnuß. Die ausgewachsenen Bäume haben nach 200–300 Jahren erst eine Höhe von 30 m u. einen Durchmesser von ca. 60 cm. Kernholz braun, Splint weiß, hart u. schwer, D. ca. 0,9, zäh, schwindet stark. H. ist dem Eschenholz vergleichbar. Es ist schwer zu bearbeiten, sehr widerstandsfähig gegen dauernde Erschütterungen u. Vibrationen u. war daher bestes Flugzeug-, Waggonbau- u. Sportgeräte-(Ski-, Golfschläger-) Holz. – *E = I* hickory – *F* hickory, bois de noyer blanc d'Amérique – *S* hickory, hicoris
Lit.: s. Holz.

Hiddenit s. Spodumen.

Hidosin®. Schaumfreies, destruktiv wirkendes *Desinfektionsmittel auf der Basis von *Peroxyessigsäure. *B.:* Th. Goldschmidt AG.

Hidrotika. Von griech.: hidros = *Schweiß abgeleitete Bez. für *schweißtreibende Mittel*; Gegensatz: *Antihidrotika. Verw. finden H. in der Hausmedizin bei Erkältungen in Form heißer Kräutertees (v. a. *Lindenblüten). – *E* hidrotics – *F* diaphorétiques – *I* diaforetici – *S* diaforéticos

Hieber, Walter (1895–1976), Prof. für Anorgan. Chemie, München. *Arbeitsgebiete:* Komplex-Verb., Metall-Carbonyle, Nitrosyl-Verb., Cyano-Komplexe.
Lit.: Neufeldt, S. 162 ▪ Pötsch, S. 202.

High-affinity Ca²⁺-binding protein s. Calreticulin.

High Energy Electron Diffraction s. LEED.

High Fructose Corn Sirup s. HFCS.

High-mobility group s. Histone.

High Performance Ion Chromatography (Exclusion) s. Ionenchromatographie.

High Performance Liquid Chromatography s. HPLC.

High-Solid-Systeme s. Lacke.

High-Spin-Komplexe s. Koordinationslehre, Ligandenfeldtheorie u. Magnetochemie.

HILDA s. Leukämie-inhibierender Faktor.

Hildebrandsche Regel s. Pictet-Trouton-Regel.

Hilfsbase s. Hünig-Base.

Hilger, Wolfgang (geb. 1929), Dr. rer. nat., Lehrbeauftrager für Techn. Anorgan. Chemie, Univ. Frankfurt, Vorsitzender des Vorstands der *Hoechst AG bis 1994. *Arbeitsgebiete:* Techn. Verf. zur Herst. anorgan. Produkte.
Lit.: Wer ist wer (35.), S. 595.

Hill, Sir Archibald Vivian (1886–1977), Prof. für Physiologie, Univ. Manchester, London. 1922 erhielt er zusammen mit *Meyerhof für die Entdeckung der freigesetzten Energie bei der Kontraktion der Muskulatur den Nobelpreis für Medizin od. Physiologie.
Lit.: Lexikon der Naturwissenschaftler, S. 214.

Hillebrandit s. Calciumsilicate.

Hill-Reaktion. Der Primär-Vorgang der *Photosynthese ist die unter der Einwirkung des sichtbaren Lichts stattfindende Spaltung des Wassers in Sauerstoff (entweicht in die Atmosphäre) u. Wasserstoff, der von Oxid.-Mitteln der Pflanzen aufgenommen wird (NADP$^+$, s. Nicotinamid-Adenin-Dinucleotid). Dieser Schluß ergibt sich aus der nach Robert Hill[1] benannten Reaktion, nach der die Photolyse des Wassers auch in isolierten *Chloroplasten in Abwesenheit von Kohlendioxid stattfindet, wenn anstelle des (natürlichen) NADP$^+$ andere leicht reduzierbare Substanzen wie Eisen(III)-oxalat, Kaliumhexacyanoferrat(III) od. Benzochinon als Oxid.-Mittel fungieren. – *E* Hill reaction – *F* réaction de Hill – *I* reazione di Hill – *S* reacción de Hill
Lit.: [1] Nature (London) **139**, 881 (1937).

Hillsches System. Heute allg. gebräuchliches einfaches Reihungssyst. für die *Bruttoformeln von chem. Verb., bes. in Formelregistern; *Beisp.:* *Chemical Abstracts, *Chemisches Zentralblatt, *Beilstein's Handbuch der organischen Chemie u. dieses Werk (Ende jedes Teilbands; Gesamtreg. hinter Zyto...). Hiernach werden bei Kohlenstoff-Verb. C u. ggf. H an die 1. u. ggf. 2. Stelle gesetzt u. die übrigen Elementsymbole (*Heteroatome) alphabet. gereiht, wobei jedem Elementsymbol insgesamt die Bedeutung einer Alphabetposition zukommt (*Beisp.:* CHNS steht vor CHNaO$_3$). Die Elementsymbole Kohlenstoff-freier Verb. werden hingegen (mit Einschluß von H) streng alphabetisiert. Die Symbole für die Isotopen D u. T werden formal als Heteroatom-Symbole behandelt. Für die alphabet. Sortierung der Bruttoformeln gilt als sek. Merkmal der Atomzahlindex der einzelnen Elementsymbole, wobei jedes Elementsymbol mit seinem Atomzahlindex als Einheit betrachtet wird u. 1. jedes Elementsymbol u. 2. jede solche Einheit in einer Bruttoformel allen rechts davon stehenden übergeordnet ist. So gilt z. B. folgende Reihenfolge: BaCl$_2$, BaH$_2$, CBr$_4$, CCl$_4$, CD$_4$, CHNO, CH$_3$Br, CH$_3$Cl, CH$_4$, C$_2$H$_2$, C$_2$H$_4$O$_2$, C$_2$H$_4$O$_3$, C$_2$H$_6$, C$_2$H$_8$N$_2$, C$_3$H$_6$N$_2$O$_4$, C$_3$H$_6$N$_4$, C$_3$H$_6$O, C$_3$H$_6$OS, C$_3$H$_6$OS$_2$, C$_3$H$_6$O$_2$, C$_5$H$_5$N, C$_6$H$_6$, ClNa, HOT, OT$_2$, O$_2$Sn. Dieses Reihungssyst. wurde von A. Hill im Jahre 1900 für organ. Verb. vorgeschlagen[1], doch eignet es sich auch für Formelregister, die anorgan. Verb. mit einschließen, wie das gegebene Beisp. u. die Formelregister im Anhang aller Bände dieses Werks zeigen. Bei der Verw. des H. S. in Summenformelregistern, die überwiegend anorgan. Verb. erfassen, ist es zweckmäßig, C u. H wie die übrigen Elementsymbole zu behandeln, d. h. innerhalb der einzelnen Summenformeln die Elementsymbole ausschließlich alphabet. zu reihen (so wird z. B. in den Registerbänden des *Gmelin Handbook of Inorganic and Organometallic Chemistry verfahren). Während das H. S. bei Chemical Abstracts schon lange in Gebrauch ist, hat es in *Beilstein's Handbuch der Organischen Chemie u. im Chemischen Zentralblatt erst nach 1955 das bis dahin befolgte *Richtersche System abgelöst. – *E* Hill system – *F* système de Hill – *I* sistema di Hill – *S* sistema de Hill
Lit.: [1] J. Am. Chem. Soc. **22**, 478–494 (1900).

Hilz, Helmuth (geb. 1924), Prof. für Biochemie, Inst. für Physiolog. Chemie, Univ. Hamburg. *Arbeitsgebiete:* Kovalente Modif. von Proteinen, DNA-Reparatur, Tumorpromotion, Signaltransduktion in Zellen.
Lit.: Kürschner (16.), S. 1437 ▪ Wer ist wer (35.), S. 597.

Himbeeraroma. Das natürliche H. wird hervorgerufen durch ca. 250 verschiedene Inhaltsstoffe, in der Hauptsache Alkohole, Ketone, Aldehyde u. Lactone wie z. B. Dihydro-β-jonon, Epoxy-β-jonon. Für den typ. Geruch (Impact-Verbindung) ist 4-(4-Hydroxyphenyl)-2-butanon (*Himbeerketon, Frambinon, Rheosmin,*

C$_{10}$H$_{12}$O$_2$, M$_R$ 164,20, Nadeln, Schmp. 82,5 °C) verantwortlich. Hinzu kommen β-*Damascenon, (Z)-3-*Hexenol, *Geraniol u. *Linalool mit blumigen u. fruchtigen Aromen. – *E* raspberry flavour – *F* arôme de framboise – *I* aroma di lampone – *S* aroma de frambuesa
Lit.: Z. Lebensm. Unters. Forsch. **195**, 120–123 (1992). – [HS 291450; CAS 5471-51-2 (Himbeerketon)]

Himbeeren. Rote Sammelsteinfrüchte des Himbeerstrauchs (*Rubus idaeus* L., Rosaceae). Die H. sind seit dem Mittelalter als Kulturpflanzen bekannt. Wegen ihres *Himbeeraromas werden die Früchte roh gegessen od. zur Bereitung von Saft, Gelee, Marmelade od. Himbeergeist verwendet. 100 g eßbare Substanz enthalten ca. 84,2 g Wasser, 1,2 g Proteine, 0,5 g Fette, 13,6 g Kohlenhydrate (davon 3 g Faserstoffe), die Vitamine A (150 I. E.), B$_1$ (0,03 mg), B$_2$ (0,09 mg), B$_6$ (0,09 mg) u. C (25 mg), ferner 40 mg Äpfel-, 1300 mg Citronen- u. 15 mg Oxalsäure sowie Spurenelemente; Nährwert 239 kJ/100 g. Der rote Farbstoff besteht aus einem Gemisch von Cyanidin-3-biosid, Cyanidinmonosid u. 2 weiteren Cyanidinbiosiden. Die Blätter enthalten

hauptsächlich Gerbstoffe, Flavonglykoside u. Vitamin C. Sie werden in Blutreinigungstees, als Adstringens u. als Erfrischungsgetränk verwendet sowie zur „Stabilisierung", um ein Entmischen der Bestandteile von Teemischungen zu verhindern. – *E* raspberrys – *F* framboises – *I* lamponi – *S* frambuesas
Lit.: Bundesanzeiger 193 a/15. 10. 87 ▪ Franke, Nutzpflanzenkunde, Stuttgart: Thieme 1992 ▪ Hager (4.) **6 b**, 186 ff. ▪ Wichtl (3.), S. 512 f. – *[HS 081020]*

Himbeerketon s. Himbeeraroma.

Himbeerspat s. Rhodochrosit.

Hinsberg-Test. Von O. Hinsberg (1890) ausgearbeiteter Test auf *Amine: Benzolsulfonylchlorid reagiert mit tert. Aminen gar nicht, mit sek. unter Bildung Alkali-unlösl. u. mit prim. Aminen unter Bildung Alkalilösl. Produkte. – *E* Hinsberg test – *F* épreuve de Hinsberg – *I* prova di Hinsberg – *S* ensayo de Hinsberg

Hinschkrankheit s. Cobalt.

Hinshelwood, Sir Cyril Norman (1897–1967), Prof. für Physikal. Chemie, Univ. Oxford. *Arbeitsgebiete:* Reaktionen in der Gasphase, Thermodynamik, Chem. Kinetik, Kinetik der Knallgas-Reaktion. Für die Erforschung u. Aufklärung von Kettenreaktionen, bes. im Zusammenhang mit Explosionsphänomenen, erhielt er zusammen mit *Semenov 1956 den Nobelpreis für Chemie. Beginnend mit Arbeiten über das Wachstum von Bakterienzellen, auf das er seine kinet. Theorien anzuwenden versuchte, wandte er sich immer stärker biochem. Fragestellungen zu.
Lit.: Chem. Br. **3**, 534 ff. (1967) ▪ Lexikon der Naturwissenschaftler, S. 215 ▪ Nachr. Chem. Tech. Lab. **4**, 339 (1956) ▪ Neufeldt, S. 159, 368 ▪ Nobel Lectures Chemistry 1942–1962, S. 471 ff., Amsterdam: Elsevier 1964 ▪ Pötsch, S. 204 f. ▪ Poggendorff **7 b/4**, 2017–2024.

Hintenberger, Heinrich (1910–1990), Prof. für Chemie, Direktor am Max-Planck-Inst. für Chemie, Mainz (bis 1978). *Arbeitsgebiete:* Massenspektroskopie, Bestimmung von Atommassen, Entwicklung empfindlicher Meth. zum Nachw. von Kernreaktionsprodukten, Anw. in der Isotopengeologie, Meteoritenforschung u. Untersuchung von Mondproben von allen Apolloflügen.
Lit.: Kürschner (16.), S. 4257 ▪ Nachr. Chem. Tech. Lab. **39**, Nr. 2, 236 (1991).

Hintergrundkonzentration. Konz. eines Stoffes außerhalb des betrachteten Syst. bzw. in der unbeeinflußten Umwelt. Bei Naturstoffen wie Schwermetall-Ionen, Kohlenwasserstoffen od. manchen organ. Halogen-Verb. kann der natürliche Anteil u. damit die H. häufig nur geschätzt werden. – *E* background level – *F* concentration de fonds – *I* concentrazione di fondo – *S* concentración de fondo
Lit.: Römpp Lexikon Umwelt, S. 339 (Hintergrundbelastung), 593 (Referenzwert) ▪ Sci. Total Environ. **87**, 365–380 (1989).

Hintergrundstrahlung s. Kosmische Hintergrundstrahlung.

HIP s. Heißisostatisches Pressen.

Hippocampus (griech.: ippokampos = Seepferdchen). Entwicklungsgeschichtlich älterer Anteil des Großhirns, der im unteren Teil des Schläfenlappens der Hirnrinde liegt u. einen Teil des limb. Syst. darstellt (s. a. Gehirn).

Hippokrates von Kos (460–377 v. Chr.), griech. Arzt, Begründer der wissenschaftlichen Heilkunde. Auf Hippokrates gehen zurück: die Aufstellung eines Syst. der medizin.-pharmazeut. Wissenschaft, das Studium der Heilpflanzen (seine Schriften enthalten Beschreibungen von 236 Heilpflanzen), die Einteilung der Arzneimittel nach pharmakolog. Gesichtspunkten, Anw. von Aufgüssen, Mixturen, Pillen, Salben, Umschlägen u. Räucherungen, Organisation des Apothekerstandes. Er beschrieb die Metalle Kupfer, Silber, Gold, Zinn, Blei u. Eisen.
Lit.: Krafft, S. 131 f. ▪ Lexikon der Naturwissenschaftler, S. 215 ▪ Pötsch, S. 205.

Hippuricase (Aminoacylase, Histozym, *N*-Acyl-L-aminosäure-Amidohydrolase, EC 3.5.1.14). Zu den Hydrolasen gehörendes *Enzym aus Nieren, Leber, Muskeln von Wirbeltieren, das z. B. die Spaltung von *Hippursäure in Benzoesäure u. Glycin (od. die Resynth. der ersteren aus den beiden letzteren Substanzen) katalysiert, aber auch verschiedene *N*-Acyl-L-aminosäuren hydrolysiert; kann zur Trennung von D- u. L-Aminosäuren benutzt werden. – *E* = *F* hippuricase – *I* ippuricasi – *S* hipuricasa – *[CAS 9012-37-7]*

Hippursäure (*N*-Benzoylglycin).

$$\text{C}_6\text{H}_5-\overset{\displaystyle O}{\overset{\|}{\text{C}}}-\text{NH}-\text{CH}_2-\text{COOH}$$

$C_9H_9NO_3$, M_R 179,18. Farblose, geruchlose Krist., D. 1,371, Schmp. 190,7–191,2 °C, gut lösl. in heißem Wasser u. heißem Ethanol, unlösl. in Benzol u. Kohlenstoffdisulfid. H. entsteht (bes. reichlich in der Niere von Pflanzenfressern) unter dem Einfluß des Enzyms *Hippuricase aus Benzoesäure u. Glycin. Der Mensch scheidet täglich zwischen 1 u. 2,5 g H. aus.
Verw.: Zur Synth. von α-Aminosäuren. H. wurde erstmals 1829 von *Liebig aus Pferdeharn isoliert u. nach ihrer Herkunft benannt (griech.: hippos = Pferd u. ouron = Harn). – *E* hippuric acid – *F* acide hippurique – *I* acido ippurico – *S* ácido hipúrico
Lit.: Beilstein E IV **9**, 778. – *[HS 292429; CAS 495-69-2]*

HIPS. Kurzz. – abgeleitet von der engl. Bez. *h*igh *i*mpact *p*oly*s*tyrene – für hochschlagfestes *Polystyrol. Hierbei handelt es sich um mehrphasige *Block- od. *Pfropfcopolymere des als Reinverb. relativ spröden Polystyrols mit z. B. Acrylnitril u. Butadien. – *E* high impact polystyrene – *F* polystyrène-choc – *I* polistirene di alto impatto – *S* poliestireno de alto impacto

Hirnsubstanz. Bez. für das Gewebe des *Gehirns. Die H. besteht aus den ca. 10^{12} Nervenzellen, den ca. 10^{13} Gliazellen (s. weiter unten) u. stützendem Gewebe aus Proteoglykanen u. Glykoproteinen. Ein größerer Extrazellulärraum aus *Bindegewebe u. Grundsubstanz, wie er für andere Organe charakterist. ist, fehlt. Die *Nervenzellen* (Ganglienzellen, *Neurone) sind auf die Weiterleitung elektr. Erregungsvorgänge spezialisiert, die sich an ihren Zellmembranen abspielen. Sie stehen über *Synapsen miteinander in Verbindung.
Gliazellen befinden sich zwischen den Nervenzellen u. haben keine elektr. Signalaktivität. Ihnen werden

Stütz- u. Ernährungsfunktionen zugeschrieben. So bildet eine Gliazellgruppe die Myelinscheiden um die Nervenzellfortsätze (Oligodendroglia), eine andere hat engen Kontakt zu den Blutgefäßen (Astroglia), wieder andere (Mikroglia) dienen als Freßzellen der Beseitigung von Zelltrümmern.

Man unterscheidet aufgrund der unterschiedlichen Farbe von frischen Gewebsschnitten die aus den Zellkörpern bestehende *graue Substanz* von der *weißen Substanz*, die von den Nervenzellfortsätzen u. ihren Myelinscheiden gebildet wird. Die Nervenzellen formen innerhalb des Gehirns Zellansammlungen (Kerne od. Ganglien) od. oberflächlich gelegene Zellschichten (Hirnrinde). Chem. bestehen die graue u. weiße H. aus 83 bzw. 70% Wasser, 7,5 bzw. 8,5% Protein, 5 bzw. 15% Lipiden u. 1 bzw. 1,3% Elektrolyten. Auffallend ist der im Gegensatz zu anderen Geweben hohe Lipid-Anteil von 50% der Trockensubstanz, was auf den hohen Anteil von Glycerinphosphatiden, *Cholesterin u. *Sphingolipiden an der Zusammensetzung der Myelinscheiden zurückzuführen ist.

Das Nervengewebe verstoffwechselt in erster Linie Kohlenhydrate (ca. 0,54 mol Glucose in 24 h). Die Möglichkeit der Speicherung als Glykogen besteht nicht. Die kontinuierliche Zufuhr von Glucose u. Sauerstoff wird durch eine relativ hohe Durchblutung von ca. 15% des Herzzeit-Vol. (750 mL pro min) bei nur 2% Körpergew.-Anteil gewährleistet. Die Durchblutung wird durch die Regulationsfähigkeit der Hirngefäße auch bei Veränderungen des *Blutdruckes konstant gehalten. Ein bes. Bau der kleinen Hirngefäße bildet eine Barriere für viele Inhaltsstoffe des Blutes (*Blut-Hirn-Schranke) u. schützt das Hirngewebe vor Schwankungen ihrer Konz. im Blut. Die Möglichkeit für Substanzen, die Blut-Hirn-Schranke zu durchdringen, hängt u. a. von ihrer Mol.-Größe u. ihrer Lipid-Löslichkeit ab. So können z. B. Sauerstoff, Kohlendioxid u. Glucose leicht, Proteine u. Protein-gebundene Stoffe unter normalen Bedingungen kaum vom Blutplasma in das Gehirn übertreten. – *E* brain substance – *F* substance du cerveau – *I* sostanza cerebrale – *S* sustancia cerebral

Lit.: Kandel u. Schwartz, Principles of Neural Sciences, Amsterdam: Elsevier 1991 ▪ Rohen, Funktionelle Anatomie des Nervensystems, Stuttgart: Schattauer 1994 ▪ Siegel et al., Basic Neurochemistry: Molecular, Cellular and Medical Aspects, New York: Raven Press 1989.

H-Iron-Verfahren. Bez. für ein bei der Hydrocarbon Research Inc. u. Bethlehem Steel Corp. entwickeltes Verf. zur Red. feiner, hochwertiger Eisenerze mittels Wasserstoff zu Eisenschwamm (Wirbelschichtreaktoren, Druck, ca. 480 °C). Eine Abwandlung des H-Iron-Verf. ist das *Nu-Iron-Verfahren. – *E* H-iron process – *F* procédé H-iron – *I* processo H-iron – *S* procedimiento H-iron

Hirschfelder, Josef (geb. 1911), Prof. für Chemie, Univ. Madison. *Arbeitsgebiete:* Theoret. Chemie, Reaktionsgeschw., Verhalten der Gase, Quantenmechanik, Gammastrahlung, Theorie der Detonation.
Lit.: Chem. Eng. News **44**, Nr. 11, 70 (1966).

Hirschhornsalz s. Ammoniumcarbonat u. Ammoniumhydrogencarbonat.

Hirse. Bez. für eine Reihe als *Getreide genutzter Gräser, die ursprünglich aus Afrika u. Asien stammen. Dort ist H. Nahrungsgrundlage für ca. 300 Mio. Menschen, während sie in Europa als Nahrungsmittel weitgehend durch die *Kartoffel verdrängt wurde. Der Bau der Pflanze ist ähnlich dem des *Mais. Die Rispen können bis zu 60 cm lang werden, die Körner haben eine Länge von 1,5 mm u. ein Gew. von 0,5 g. Wichtige Sorten sind Rispen-, Kolben- u. Mohren-Hirse.

100 g H., entspelzt, enthalten 70,7% Kohlenhydrate, 12,1% Wasser, 10,6% Protein, 4,05% Fette, 0,6% Rohfaser sowie 1,6%g Mineralstoffe. Der Nährwert liegt bei ca. 1525,7 kJ/100 g. Zucker-H., aus deren Saft Zucker gewonnen wird, enthält ein *cyanogenes Glykosid (Dhurrin), das durch Glucosidasen gespalten werden kann[1]. Die dabei freigesetzte Blausäure kann theoret. zu Vergiftungen führen.

Verw.: Die H. gilt als typ. Getreide, um Brei daraus herzustellen. Daneben gewinnt man aus ihr Branntwein u. ein alkohol. Getränk, das sog. Bosa. H. ist ein Nichtbrotgetreide, kann jedoch in gekochter Form in geringen Mengen (max. 20%) einem Teig zugesetzt werden, ohne die Backeigenschaften des Brotes nachteilig zu verändern[2]. Da H. kein Kleber-Eiweiß enthält, eignet sie sich auch für die Herst. Gluten-freier Diätnahrung. – *E* = *F* millet – *I* miglio – *S* mijo

Lit.: [1] Lindner, Toxikologie der Nahrungsmittel (4.), S. 15 – 20, Stuttgart: Thieme 1990. [2] Getreide Mehl Brot **42**, 153 – 158 (1988); **45**, 17 – 20 (1990).
allg.: Gordian **89**, 91 (1989) ▪ Hulse et al., Sorghum and the Millets, New York: Academic Press 1980 ▪ Ind. Obst Gemüseverwert. **74**, 156 ff. (1989) ▪ Perten, in Proceeding Symposium of Sorghum and Millets as Human Food, S. 47 – 52, London: Tropical Products Institute 1977. – *[HS 1008 20]*

Hirst, Sir Edmund Langley (1898 – 1975), Prof. für Organ. Chemie, Univ. Edinburgh. *Arbeitsgebiete:* Kohlenhydrate, Vitamin C u. analoge Stoffe.
Lit.: Adv. Carbohydr. Chem. Biochem. **35**, 1 – 29 (1978) ▪ Neufeldt, S. 165 ▪ Poggendorff **7 b/4**, 2025 – 2028.

Hirsuten.

$C_{15}H_{24}$, M_R 204,36, Öl. *Sesquiterpen aus Baumpilzen (*Coriolus consors*), dessen *Triquinan-Struktur zahlreichen natürlichen Antibiotika zugrunde liegt (vgl. Complicatsäure, Hirsutsäure, Hypnophilin, Pleurotellol u. Coriolin). Sie haben alle die für H. angegebene abs. Konfiguration. Schlüsselschritt ihrer Biosynth. ist die Cyclisierung von *Humulen. – *E* hirsutene – *F* hirsutène – *I* irsutene – *S* hirsuten

Lit.: Turner **2**, 264. – *Synth. (Übersicht):* Nicolaou u. Sorensen, Classics in Total Synthesis, S. 381 – 420, Weinheim: VCH Verlagsges. 1996. – *[CAS 59372-72-4]*

Hirsutin. Bez. für vier verschiedene Verb.: a) 1-Isothiocyanato-8-(methylsulfinyl)octan, $C_{10}H_{19}NOS_2$, M_R 233,39, (*R*)-Form, $[\alpha]_D^{23}$ −47° (wäss. C_2H_5OH), Inhaltsstoff der Rauhen Gänsekresse (*Arabis hirsuta*). – b) *Corynanthe-Alkaloid aus *Mitragyna* u. *Uncaria*-Arten, $C_{22}H_{28}N_2O_3$, M_R 368,48, Krist., Schmp. 101 °C, $[\alpha]_D$ +69° ($CHCl_3$).

a

b

c

d

R = D-Glucose : Hirsutin
R = H : Hirsutidin

Das N-Oxid[1] von H. ist aus *Uncaria tomentosa* isoliert worden. H. mit zusätzlicher 18,19-Doppelbindung wird als *Hirsutein*[2] bezeichnet. H. wirkt gefäß- u. muskelrelaxierend[3]. – c) Isochinolin-Alkaloid aus *Cocculus*-Arten, $C_{19}H_{23}NO_4$, M_R 329,40. – d) 3,5-Bis-β-D-glucopyranosyloxy-4'-hydroxy-3',5',7-trimethoxy-flavylium, $C_{30}H_{37}O_{17}^+$, M_R 669,61, als Chlorid, $C_{30}H_{37}ClO_{17}$, M_R 705,07, rote trübe Krist., wasserlösl., Schmp. 150–153 °C (Zers.). Flavylium-Farbstoff der Behaarten Schlüsselblume (*Primula hirsuta*)[4]. Das Aglykon heißt *Hirsutidin* (3,4',5-Trihydroxy-3',5',7-trimethoxyflavylium, vgl. Anthocyanidine). – *E* hirsutine (a, b, c), hirsutin (d) – *I* irsutina – *S* hirsutina
Lit.: [1] J. Pharm. Pharmacol., Supplement 26, 113 P (1974). [2] Heterocycles 26, 1739–1742 (1987); [3] Jpn. J. Pharmacol. 33, 463–471 (1983). [4] Karrer, Nr. 1753; Zechmeister 20, 147. *allg. (zu a):* Acta Chem. Scand. 12, 833 (1958); 24, 3031 (1970) ▪ Beilstein E IV 4, 1807. – *(zu b):* Beilstein E V 25/6, 355, 393 ▪ J. Chem. Soc. Chem. Commun. 1984, 847f. – *(zu c):* Beilstein E III/IV 17, 3916; 18, 3561. – *[HS 293990; CAS 31456-68-5 (a); 7729-23-9 (b); 135250-40-7 (c); 32221-58-2 (d); 35467-43-7 (Hirsutein)]*

Hirsutismus (latein.: hirsutus = struppig). Vermehrte Behaarung an dem männlichen Behaarungstyp entsprechenden Stellen (Bart, Brusthaare) bei Frauen. H. kommt bei verschiedenen Störungen des Hormonsyst. u. bei Zufuhr von männlichen Geschlechtshormonen vor. – *E* hirsutism – *F* hirsutisme – *I* irsutismo – *S* hirsutismo

Hirsutsäure (Hirsutsäure C).

$C_{15}H_{20}O_4$, M_R 264,32, Prismen, Schmp. 182 °C, $[\alpha]_D$ +116° (CHCl$_3$) Sesquiterpenoid aus Kulturen des Striegeligen Schichtpilzes (*Stereum hirsutum*), der an gefälltem Holz wächst. Nach H. wurden noch weitere Naturstoffe mit *Triquinan-Gerüst isoliert, vgl. Complicatsäure. – *E* hirsutic acid – *I* acido irsutico – *S* ácido hirsutico
Lit.: Beilstein E V 18/7, 337 ▪ Chem. Pharm. Bull. 38, 3230 (1990) (Synth. von (+)-H.) ▪ Tetrahedron 37, 2202 (1981) (Übersicht). – *[CAS 3650-17-7]*

Hirtentäschel. Zu den Kreuzblütlern zählendes, weltweit verbreitetes Wildkraut *Capsella bursa-pastoris* (L.) Med. (Brassicaceae) mit dreieckig-herzförmigen Früchten. Das zur Blütezeit gesammelte Kraut enthält *Diosmin u. a. *Flavonoide, Kalium-Salze u. ein Peptid mit hämostypt. Wirkung; das Vork. biogener Amine (Cholin, Acetylcholin, Tyramin) ist umstritten. H. wird als *Adstringens u. *Hämostyptikum verwendet. – *E* shepherd's purse – *F* bourse-à-pasteur – *I* capsella bursa-pastoris – *S* bolsa de pastor, zurrón de pastor
Lit.: Bundesanzeiger 173/18.09.86 u. 50/13.03.90 ▪ Hager (5.) 4, 655–660 ▪ Wichtl (3.), S. 113f. – *[HS 121190]*

Hirudin. Von latein.: hirudo = Blutegel abgeleitete Bez. für einen wasserlösl. Extrakt aus Kopf- u. Schlundring von Blutegeln (ca. 3 mg/Tier), der blutgerinnungsverzögernd wirkt. Das *Heparinoid H. ist ein Protein, das in mehreren Varianten vorkommt (M_R ca. 7000). Es besitzt einen hohen Gehalt an sauren *Aminosäure-Resten, aber weder L-Tryptophan noch L-Arginin; sein *isoelektrischer Punkt liegt bei 4. Reines H. ist ein grauweißes, sauer reagierendes Pulver, in Wasser lösl., in Ethanol, Ether, Aceton u. Benzol unlöslich. Seine Wirkung als *Antikoagulans beruht auf der Bildung einer Verb. mit *Thrombin, wodurch dessen katalyt. Wirkung erlischt. H. befindet sich in Präp., die zur Therapie von Thrombosen, Phlebitis, Hämatomen u. Kontusionen in den Handel kommen. Auch lebende Blutegel sind noch in der Therapie entzündlicher Prozesse in Gebrauch. – *E* hirudin – *F* hirudine – *I* irudina – *S* hirudina
Lit.: Angew. Chem. 107, 948–962 (1995) ▪ Ann. Hematol. 63, 67–76 (1991) ▪ Annu. Rev. Med. 45, 165–177 (1994). – *[CAS 8001-27-2]*

Hirudoid®. Salbe u. Gel mit Mucopolysaccharidpolyschwefelsäureester (s. Heparinoide) gegen Venenentzündungen, Blutergüsse u. ä. *B.:* Luitpold.

His. Neben H Abk. für L-*Histidin.

Hisactophilin. Histidin-reiches *Protein (Homo- od. Heterodimer aus zwei ähnlichen Monomeren mit M_R 13500, die durch eine *Disulfid-Brücke verbunden sind) aus dem Schleimpilz *Dictyostelium discoideum*, das bei pH-Werten unter 7 die Polymerisation von *Actin bewirkt. Es spielt dabei die Rolle eines Sensors, der der Zelle durch Chemoattraktantien hervorgerufene pH-Änderungen signalisiert u. ihren Bewegungsapparat (die Actin-haltigen *Mikrofilamente) aktiviert. H. besitzt am Amino-Terminus einen hydrophoben *Myristinsäure-Rest, mit dem es an der Innenseite der Plasmamembran verankert sein kann, kommt aber auch im *Cytoplasma gelöst vor; diese Verteilung könnte durch *Phosphorylierung reguliert werden. Die Raumstruktur, nicht jedoch die Aminosäure-Sequenz, des H. ähnelt der des *Fibroblasten-Wachstumsfaktors u. des *Interleukins 1β. – *E* hisactophilin – *F* hisactophiline – *I* isattofilina – *S* hisactofilina
Lit.: J. Biol. Chem. 270, 596–602 (1995) ▪ Nature (London) 359, 855–858 (1992).

Hisfedin®. Tabl. u. Saft mit dem Antiallergikum *Terfenadin. *B.:* Wolff.

Hismanal®. Tabl. u. Tropfen mit dem Antiallergikum *Astemizol. **B.**: Janssen.

Hispidin.

Hispidin (a)

R = H : Bisnoryangonin
R = OH : Hispidin (b)

Bez. für 2 verschiedene Verb.: a) *Tylophora-Alkaloid, $C_{23}H_{27}NO_3$, M_R 365,47, Krist., Schmp. 124–125 °C, aus den Blättern von *Ficus hispida* (Moraceae). – b) *Styrylpyron*, $C_{13}H_{10}O_5$, M_R 246,22, blaßgelbe Krist., Schmp. 259 °C (Zers.), aus dem Zottigen Schillerporling (*Inonotus hispidus*) u. vielen anderen auf Holz wachsenden Pilzen, in denen es oft von *Bisnoryangonin* ($C_{13}H_{10}O_4$, M_R 230,22, gelbe Krist., Schmp. 240–244 °C) begleitet wird. Von H. leiten sich Dimere wie die *Hypholomine ab. – **E** (a) hispidine, (b) hispidin – **F** hispidine – **I** ispidina – **S** hispidina

Lit. (*zu a*): Naturwissenschaften **69**, 287 (1982). – (*zu b*): Beilstein E V **18/4**, 453 ▪ Turner **1**, 50; **2**, 13, 31 ▪ Zechmeister **51**, 88–96. – [*CAS 82958-04-1 (a); 555-55-5 (b)*]

Hist. . . Von griech.: histós = Gewebe abgeleitete Vorsilbe in Begriffen, die in irgendeiner Form mit pflanzlichen od. tier. *Geweben in Zusammenhang stehen; *Beisp.*: Histamin, Histochemie, Histone. – **E** = **S** hist. . . – **I** ist. . .

Histamin [2-(4-Imidazolyl)-ethylamin, 1*H*-Imidazol-4-ethanamin].

$C_5H_9N_3$, M_R 111,15. Farblose, zerfließliche Krist., Schmp. 84 °C, Sdp. 210 °C (24 hPa), leicht lösl. in Wasser u. Ethanol, unlösl. in Ether. H. ist ein *biogenes Amin, das in zerfallenden od. faulenden Eiweißkörpern (s. Proteine) durch enzymat. Decarboxylierung von *Histidin entsteht. Es ist im Organismus als *Gewebshormon weit verbreitet u. kommt bes. in der Haut, im Lungengewebe u. in *Mastzellen vor. *Bienengift enthält ebenso H. wie das Nesselgift der *Brennessel; hohe H.-Konz. findet man in Käse (bis knapp 1 g/kg), Rotwein, Spinat, Tomaten u. Auberginen. Schon 4 μg rufen beim Menschen durch Bindung an die sog. *H_1-Rezeptoren* [D-*myo*-Inosit-1,4,5-tris-phosphat (s. Inositphosphate) u. *Diacylglycerine als *second messengers] eine Senkung des Blutdrucks, Erweiterung u. Erhöhung der Durchlässigkeit der Blutgefäße, Erregung der glatten Darm-Muskulatur, Konstriktion der Bronchien u. über die *H_2-Rezeptoren* (*Adenosin-3′,5′-monophosphat als second messenger) eine Verstärkung der Magensaft-Abscheidung u. Beschleunigung des Herzschlags hervor. In neuerer Zeit ist noch ein *H_3-Rezeptor* charakterisiert worden. Da die feinen Blutgefäße unter dem Einfluß von H. durchlässiger werden, wandert Blutplasma in das umgebende Gewebe ein. Die Empfindlichkeit der Organismen gegen H. schwankt sehr stark: Das Meerschweinchen wird z. B. schon durch geringe H.-Men-

gen getötet, während die Maus verhältnismäßig große Dosen davon ohne Schaden erträgt. H. ist in den Mastzellen der Gewebe u. in basophilen *Leukocyten[1] in lockerem Komplex mit Heparin u. Protein präformiert vorhanden u. wird z. B. durch Kratzen od. durch Erhitzen von Hautpartien freigesetzt, was sich u. a. durch *Juckreiz u. Hautrötung bemerkbar macht. Vermehrt tritt H. bei *Allergien u. *Anaphylaxien auf, wo es aufgrund der Bindung des Allergens an Membran-gebundenes Immunglobulin E aus Mastzellen ausgeschüttet wird. Zur Freisetzung von H. aus aktivierten *Thrombocyten u. zur Rolle bei Entzündungen s. *Lit.*[2]. Wenn der körpereigene Abbau durch *Diamin-Oxidase (Histaminase) unzureichend ist, versucht man die unangenehmen Wirkungen des H. – dieses wirkt auch als *Mediator* (Übertäger) der Schmerzempfindung von den entsprechenden Rezeptoren – mit *Antihistaminika zu verringern od. zu unterbinden. *Mepyramin u. *Triprolidin wirken als *Antagonisten am H_1-Rezeptor; als Antagonisten des H_2-Rezeptors sind *Cimetidin u. *Ranitidin geeignet; der H_3-Rezeptor läßt sich durch Thioperamid hemmen. Im Wein enthaltenes H. soll Kopfschmerzen u. bei Dauer-Weintrinkern Leberschäden hervorrufen können; überhöhter H.-Gehalt in Weinen soll mit Hilfe von Bleicherden gesenkt werden können. Therapeut. wird H. nicht verwendet, u. auch in Tests auf Sekretions-Fähigkeit des Magens wird *Betazol heute vorgezogen. H. wurde 1907 von *Windaus entdeckt. Der Name kommt von griech.: histós = Gewebe u. Amin. – **E** = **F** histamine – **I** istamina – **S** histamina

Lit.: [1] Curr. Opin. Immunol. **8**, 778–783 (1996). [2] Inflammation Res. **46**, 4–18 (1997).
allg.: Agents Actions **43**, 97–116 (1994) ▪ Beilstein E V **25/9**, 521 ff. ▪ Garcia-Caballero et al., Histamine in Normal and Cancer Cell Proliferation, Oxford: Pergamon Press 1993 ▪ Timmerman u. Vandergoot, New Perspectives in Histamine Research, Basel: Birkhäuser 1991 ▪ Uvnäs, Histamine and Histamine Antagonists, Berlin: Springer 1991. – [*HS 293329; CAS 51-45-6*]

Histaminase s. Diamin-Oxidase.

Histapyrrodin.

Internat. Freiname für das *Antihistaminikum *N*-Benzyl-*N*-phenyl-1-pyrrolidinethanamin, $C_{19}H_{24}N_2$, M_R 280,41, ölige Flüssigkeit, Sdp. 198–205 °C (133 Pa), λ_{max} (0,05 M H_2SO_4): 250, 295 nm ($A_{1cm}^{1\%}$ 141, 74), pK_{b1} 6,0, pK_{b2} 11,0. Verwendet wird das Hydrochlorid, Schmp. 196–197 °C. – **E** = **F** histapyrrodine – **I** istapirrodina – **S** histapirrodina

Lit.: Beilstein E V **20/1**, 406 ▪ Hager (5.) **8**, 449 f. ▪ Merck-Index (12.), Nr. 4757. – [*HS 293390; CAS 493-80-1 (H.); 6113-17-3 (Hydrochlorid)*]

Histidase s. Histidin.

Histidin [2-Amino-3-(4-imidazolyl)-propionsäure, α-Amino-1*H*-imidazol-4-propionsäure; Kurzz. der L-Form ist H od. His]. $C_6H_9N_3O_2$, M_R 155,16. His, die in der Natur vorkommende L-Form, ist eine semiessentielle, an der Bildung von Proteinen beteiligte Aminosäure, $[\alpha]_D^{25}$ bei einer Konz. von 7 g/L: +4,1° (in 0,1 N HCl), −8,1° (in 0,1 N NaOH), bildet farblose Krist., Schmp. 287 °C (Zers.), in Wasser gut, in Ethanol sehr wenig lösl., unlösl. in Ether. Einen Nachw. von H. kann man mit Diethyldicarbonat führen. His wird in Bakterien in einem komplizierten Reaktionscyclus aus *Adenosin-5′-triphosphat (ATP; hier Substrat u. nicht Coenzym) u. 5-Phospho-α-D-ribosyldiphosphat synthetisiert[1]. Im Stoffwechsel u. bei Fäulnis decarboxyliert His unter Bildung von *Histamin (Enzym: Histidin-Decarboxylase, EC 4.1.1.22, ein *Pyruvoyl-Enzym mit *Pyridoxal-5′-phosphat als Coenzym); unter dem Einfluß von *Histid(in)ase* (EC 4.3.1.3) kann es in der Leber auch zu *trans-*Urocansäure desaminiert u. durch weitere enzymat. Reaktionen zu L-*Glutaminsäure abgebaut werden. Weitere biochem. wichtige Derivate des His sind *Ergothionein, *Carnosin u. *Anserin. His ist reichlich (11%) im *Globin, aber auch in vielen anderen Proteinen wie z.B. *Casein, *Fibrin, *Keratin usw. vorhanden. Beim Fehlen von His beobachtet man Blutarmut (gestörte Globin-Synth.) u. Carnosin-Abnahme in der Muskulatur. Wegen seines *pK-Werts von 6,5 ist His im physiolog. Bereich als Säure-Base-Katalysator geeignet u. bes. häufig Bestandteil des aktiven Zentrums in *Enzymen. His ist auch als physiolog. Puffersubstanz von Bedeutung.

Herst.: His wird in Mengen von 50–100 t/a teilw. durch Extraktion aus *Eiweiß-Hydrolysaten, vermehrt jedoch auf mikrobiellem Wege gewonnen.

Verw.: In chem. definierten Diäten u. als Infusionslsg. zur Supplementierung. Es unterstützt das kindliche Wachstum u. wird außerdem gegen Allergien, Arteriosklerose, Anämien u. bei rheumat. Arthritis verwendet.

Geschichte: H. wurde 1896 von A. *Kossel bei der Hydrolyse von Stör-Protamin u. unabhängig von Hedin in Protein-Hydrolysaten entdeckt. − *E* = *F* histidine − *I* istidina − *S* histidina

Lit.: [1] Microbiol. Rev. **60**, 44–69 (1996).
allg.: Beilstein E V **25/16**, 363–369. − *[HS 2933 29; CAS 71-00-1]*

Histidin-Kinasen s. Protein-Kinasen.

Histiocyten s. Makrophagen.

Histo… s. Hist…

Histochemie. Lehre vom chem. Aufbau von Zell- u. Gewebsstrukturen u. der Beziehungen zwischen Struktur u. mol. Vorgängen. Zur Analyse von Geweben wenden die *Histologie u. zahlreiche andere biolog.-medizin. Teilgebiete histochem. Meth. an. Dazu werden mikroskop. Schnittpräp. hergestellt, auf die enzymat. od. chem. Reaktionen angewendet werden. Dabei darf die Vorbehandlung die nachzuweisende Substanz nicht denaturieren, blockieren od. verlagern. Histochem. Färbemeth. lassen unterschiedliche Gewebsanteile u. Substanzen hervortreten, in denen spezif. chem. Reaktionen ablaufen. Bei manchen Reaktionen ist die Intensität der Färbung der Menge des fraglichen Stoffes

proportional (z.B. *Feulgen-Färbung zum Nachw. von DNA) u. läßt quant. Aussagen zu. Angefärbte Präp. können auch photometr. ausgewertet werden. Ferner sind die Markierung verschiedener Gewebsanteile mit *Antikörpern (Immun-H.) u. deren radioaktive Markierung (Autoradiographie) sowie die Immunfluoreszenz-Analyse mit Hilfe von Fluorochromen (s.a. Fluoreszenz) möglich. Elektronenmikroskop. Präp. können nicht angefärbt werden, die Nachw.-Reaktionen der *Ultrahistochemie beruhen auf der Kontrastierung mit bestimmten Metallen od. Metall-Verb. od. auf autoradiograph. od. immunhistochem. Methoden. − *E* histochemistry − *F* histochimie − *I* istochimica − *S* histoquímica

Lit.: Junqueira et al., Histologie (4.), Heidelberg: Springer 1996 ▪ Romeis, Mikroskopische Technik, München: Urban & Schwarzenberg 1989.

Histokompatibilitäts-Antigene (MHC-Antigene, MHC-Proteine). Bez. für bestimmte, in den *Membranen tier. Zellen gebundene *Glykoproteine, die u.a. für die *Histokompatibilität* verantwortlich sind, d.h. für die Verträglichkeit bzw. Unverträglichkeit (*Inkompatibilität) eigenen *Gewebes mit fremdem Gewebe, z.B. bei Transplantationen. Als *Antigene können die H.-A. in einem Organismus die Bildung von *Antikörpern u. damit eine *Antigen-Antikörper-Reaktion (AAR) hervorrufen. Wegen ihrer immunolog. Reaktionen, die auch zu ihrem Nachw. (z.B. durch *Agglutination) u. zu ihrer Reinigung (*Affinitätschromatographie mit immobilisierten *monoklonalen Antikörpern) benutzt werden können, ist die Kenntnis der H.-A. ebenso wie diejenige der *Blutgruppensubstanzen auch bei Blut-Transfusionen von Interesse. Die H.-A. sind auf einem zahlreiche *Gene enthaltenden Gen-Komplex verschlüsselt, der allg. als *Haupt-Histokompatibilitäts-Komplex* (Abk.: MHC von *E m*ajor *h*isto*c*ompatibility *c*omplex) bezeichnet wird. Speziell bei der Maus trägt er die Bez. H-2; beim Menschen spricht man vom *HLA-Syst.* (von *E h*uman *l*eukocyte *a*ntigen). Der MHC ist ein für jedes Individuum charakterist. Komplex von Genen, wird nach den Mendelschen Gesetzen vererbt u. kann z.B. zum Vaterschaftsnachw. dienen.

H.-A. wurden erstmals von *Dausset nachgewiesen; für ihre Arbeiten zum Histokompatibilitäts-Problem erhielten Benacerraf, Dausset u. Snell 1980 den Nobelpreis für Physiologie od. Medizin. Die H.-A. der Klasse I (M_R in Maus ca. 45 000) kommen zwar − assoziiert mit dem nicht im MHC codierten β_2-*Mikroglobulin (M_R ca. 12 000) − in den Membranen aller kernhaltigen Körperzellen vor, diejenigen der Klasse II (2 variable Polypeptidketten: α, M_R in Maus 55 000, u. β, M_R 28 000; beide im MHC kodiert) sind jedoch auf die *Leukocyten-, insbes. die *Lymphocyten-Membranen beschränkt. Diese Proteine der Klassen I u. II spielen im *Immunsystem bei der Antigen-Präsentierung wichtige Rollen (s. Antigene u. *Lit.*[1]; zur Raumstruktur des Komplexes von MHC-I u. T-Zell-Rezeptor s. *Lit.*[2]). Die Klasse-I-Mol. der Körper-eigenen Zellen werden von *natürlichen Killer-Zellen erkannt u. führen zu Verschonung vor *Cytolyse durch diese[3]. MHC-Proteine der Klasse III üben Funktionen als Faktoren des *Komplement-Syst. aus, z.B. als C 4 (bestehend aus je einer Kette, α, β u. γ mit M_R von 87 000, 78 000 bzw. 33 000). Aufgrund struktureller Ähnlichkeiten gehören die MHC-Mol., die auch Polymorphismus zeigen, d. h. Variabilität in der genet. bedingten Zusammensetzung von Individuum zu Individuum, zur *Immunglobulin-Superfamilie. Die Proteine des sog. *minor histocompatibility complex*, eines weiteren Gen-Ortes für H.-A., sind bis jetzt kaum charakterisiert worden. Zur Rolle der H.-A. bei der Differenzierung der T-Lymphocyten s. Immunsystem. – *E* histocompatibility antigens – *F* antigènes d'histocompatibilité – *I* antigeni di istocompatibilità – *S* antígenos de la histocompatibilidad

Lit.: [1] Annu. Rev. Immunol. **14**, 369–396 (1996). [2] Nature (London) **384**, 134–142 (1996). [3] Annu. Rev. Immunol. **14**, 619–648 (1996); Science **274**, 792–795 (1996). *allg.:* Biospektrum **3**, Nr. 1, 35–40 (1997) ▪ Curr. Opin. Immunol. **8**, 51–67, 75–88 (1996); **9**, 75–96, 107–113 (1997) ▪ FASEB J. **9**, 26–36 (1995) ▪ Immunol. Res. **15**, 208–233 (1996) ▪ Roitt et al., Kurzes Lehrbuch der Immunologie, 3. Aufl., S. 56–61, 83–88, 188–191, 322 ff., 329 f., Stuttgart: Thieme 1995 ▪ Vox Sanguinis **71**, 6–12 (1996) ▪ www.http://histo.cryst.bbk.ac.uk/.

Histokompatibilitäts-Komplex s. Histokompatibilitäts-Antigene.

Histologie (griech.: histos = Webebaum, Gewebe u. logos = Lehre). Wissenschaft von den Geweben des Körpers. Die H. befaßt sich auf der Grundlage der Zellenlehre (*Cytologie) mit Aufbau u. Funktion von *Geweben. Die vier Grundgewebe Epithel-, Binde-, Muskel- u. Nervengewebe bilden als Verbände von ähnlich spezialisierten Zellen in wechselnder Zusammensetzung die Organe des Körpers. Abgesehen von der makroskop. Beurteilung mit dem unbewaffneten Auge od. der Lupe bedient sich die H. heute vorwiegend Verf. der Licht- u. Elektronenmikroskopie. Dafür werden Gewebe in *Fixiermitteln konserviert u. in ihrer zellulären Struktur stabilisiert, entwässert u. in *Einbettungsmitteln eingebettet. Mit Hilfe eines Mikrotoms werden dünne Scheiben des so entstandenen Präparateblocks abgeschnitten, die nach Aufbringen auf einen gläsernen Objektträger – bzw. ein Metallnetzchen für die Elektronenmikroskopie – betrachtet werden können. Zur besseren Unterscheidung der Strukturen des Gewebes können lichtmikroskop. Präp. in speziellen Farb-Lsg. differentiell angefärbt (s. a. Mikroskopie-Farbstoffe) od. mit Meth. der *Histochemie bearbeitet werden. Elektronenmikroskop. Präp. werden mit Schwermetall-Verb. kontrastiert. – *E* histology – *F* histologie – *I* istologia – *S* histología

Lit.: Junqueira et al., Histologie, Heidelberg: Springer 1991.

Histone. Gruppenbez. für aufgrund ihres hohen Gehalts an L-Lysin- u. L-Arginin-Resten bas. reagierende globuläre Proteine mit M_R zwischen 10 000 u. 20 000, die in den Zellkernen aller *eukaryontischen Organismen vorkommen; eine Ausnahme bilden die Spermatozoen, bei denen sich anstelle von H. *Protamine finden. Nach ihrer Zusammensetzung unterscheidet man 5 verschiedene H., deren Aminosäure-Sequenz weitgehend bekannt ist: Das sehr L-Lysin-reiche H1 (ca. 215 Aminosäure-Reste, M_R ca. 21 500), die etwas weniger L-Lysin enthaltenden H2A (129 Aminosäure-Reste, M_R 14 004) u. H2B (125 Aminosäure-Reste, M_R

13 774), das L-Arginin-reiche u. L-Cystein-haltige H3 (135 Aminosäure-Reste, M_R 15 324) u. das ebenfalls L-Arginin-reiche, Glycin-haltige H4 (102 Aminosäure-Reste, M_R 11 282). Die Sequenz-Analyse zeigt eine weitgehende Übereinstimmung der Aminosäure-Sequenzen in den H. verschiedener Organismen; so unterscheiden sich z. B. die H. von Kalbsthymus u. Erbsenkeimen nur in 2 von insgesamt 102 Positionen. Diese Befunde deuten auf eine wichtige Funktion der H. hin, die man darin sieht, daß H. biolog., aber nicht Gen-spezif. *Repressoren des genet. Materials sind, die die *Transkription kontrollieren, indem sie Teile der *Desoxyribonucleinsäuren (DNA) durch Anlagerung blockieren. Die H. sind nämlich wesentliche Bestandteile des – früher *Nucleohiston* genannten – *Chromatins, in dessen Perlschnur-artiger Struktur jeweils 8 H.-Mol. (*H.-Octamer:* Je zweimal H2A, H2B, H3 u. H4) zur Bildung eines *Nucleosoms beitragen. Eine Sonderstellung besitzt H1, das nicht zum Kern (core) des Nucleosoms gehört, sondern an die dazwischenliegende Linker-DNA bindet u. die Nuclosomen-Perlschnur zu Strukturen höherer Ordnung verdichten hilft [1]. Die in reiner Form aus Kalbsthymus gewinnbaren H. dienen zu Untersuchungen über DNA-Protein-Wechselwirkungen, über Struktur u. Funktion des Chromatins. Acetylierung [2], Phosphorylierung durch *Protein-Kinasen, Verknüpfung mit *Ubiquitin sowie *ADP-Ribosylierung von H. werden beobachtet. Die Acetylierung ist mit dem Zellcyclus u. der Regulation der Transkription verknüpft; acetylierte Histone binden DNA weniger fest, die Nucleosomen weiten sich auf u. werden Transkriptions-aktiv. Die verantwortlichen *H.-Acetylasen u. Desacetylasen* sind in verschiedenen Isoformen vorhanden u. bilden regulator. Komplexe mit verschiedenen *Transkriptionsfaktoren [3]. Neben den H. gibt es eine Reihe von *Nicht-Histon-Proteinen* mit wahrscheinlich ähnlichen Funktionen im eukaryont. Zellkern, z. B. die *High-Mobility-Group*-Proteine [4]. Im bakteriellen Chromosom finden statt der H. *Histon-ähnliche Proteine* [5], z. B. der *integration host factor. – *E = F* histones – *I* istoni – *S* histonas

Lit.: [1] Prog. Nucl. Acid Res. **52**, 217–259 (1996). [2] Cell **84**, 817 ff.; **87**, 5–8 (1996). [3] Nature (London) **384**, 641 ff. (1996); Trends Biochem. Sci. **21**, 357 f. (1996). [4] EMBO J. **15**, 548–561 (1996); **22**, 128–132 (1997). [5] Cell **63**, 451 ff. (1990). *allg.:* Alberts et al., Molekularbiologie der Zelle, 3. Aufl., S. 401–405, Weinheim: VCH Verlagsges. 1995 ▪ Cell **77**, 13–16 (1994) ▪ Histochem. Cell. Biol. **107**, 1–10 (1997) ▪ Science **275**, 155 ff. (1997) ▪ Stryer 1996, S. 1023–1028, 1033, 1040 f.

Histozym s. Hippuricase.

Histrionicotoxine.

Histrionicotoxine	R^1	R^2
235 A	—CH=CH₂	—CH₂—CH=CH₂
259 A	—CH=̲CH—C≡CH	—CH₂—CH=CH₂
283 A	—CH=̲CH—C≡CH	—CH₂—CH=̲CH—C≡CH
285 A	—CH=̲CH—C≡CH	—CH₂—CH₂—CH=C=CH₂
291 A	—CH₂—CH₂—CH=CH₂	—(CH₂)₃—CH=CH₂

Tab.: Daten von Histrionicotoxinen.

H.	Summen-formel	M_R	CAS
235 A	$C_{15}H_{25}NO$	235,37	67217-84-9
259 A	$C_{17}H_{25}NO$	259,39	67217-83-8
283 A	$C_{19}H_{25}NO$	283,41	34272-51-0
285 A	$C_{19}H_{27}NO$	285,43	34272-52-1
291 A	$C_{19}H_{33}NO$	291,48	55475-50-8

Alkaloide aus Pfeilgiftfröschen (*Dendrobatidae*) mit einem 1-Azaspiro[5.5]undecan-Ringsystem. Die ca. 15 H. unterscheiden sich durch verschieden lange u. verschieden ungesätt. Seitenketten R^1 u. R^2. Haupt-Alkaloide sind *H. 259 A*, *H. 283 A*, *H. 285 A* u. *H. 291 A* (s. Abb.). – *E* histrionicotoxins – *F* histrionicotoxine – *I* istrionicotossine – *S* histrionicotoxina

Lit.: Alkaloids, Chem. Biol. Perspectives **4**, 83 (1986) ▪ Beilstein E V **21/3**, 548 ▪ Zechmeister **41**, 235–310. – *Synth.:* J. Am. Chem. Soc. **111**, 4852 (1989); **112**, 5875 (1990) ▪ Tetrahedron Lett. **26**, 5887–5890 (1985) ▪ s. a. Dendrobates-Alkaloide.

Hittorf, Johann Wilhelm (1824–1914), Prof. für Physik u. Chemie, Univ. Münster. *Arbeitsgebiete:* Kathodenstrahlen, Elektrizitätsleitung der Gase, Elektrolyseerscheinungen, elektrolyt. Dissoziation, Untersuchung der verschiedenen Modif. des Phosphors.

Lit.: Lexikon der Naturwissenschaftler, S. 216f. ▪ Neufeldt, S. 42, 380 ▪ Pötsch, S. 205.

Hittorfscher Dunkelraum s. Glimmentladung.

Hittorfsche Überführungszahl s. Überführungszahl.

Hitzebeständige Stähle. Stähle für Anlagenteile wie Strahlungsrohre, Stütz- u. Tragteile in Öfen, Thermofühlerschutzrohre, Glühkästen, Emaillierroste usw., die bei Temp. >ca. 600 °C in oxidierender Umgebung betrieben werden. Da die Umgebung auch Schwefel-, Stickstoff- u. Chlor-Verb. sowie Wasserdampf enthalten kann, werden an die verwendeten Stähle bes. Anforderungen hinsichtlich ihrer *Hitzebeständigkeit* gestellt, s. a. Hochtemperatur-Legierungen u. Hochtemperatur-Werkstoffe. Auf unlegierten u. niedriglegierten Stählen wächst oberhalb von ca. 570 °C durch Reaktion mit Sauerstoff aus der Umgebung *Wüstit* auf, der den Zutritt von Sauerstoff zur Metalloberfläche nur unwesentlich hemmt: Der Stahl wird durch kontinuierliche Oxid. (Zunderung) abgetragen. Durch Zulegieren von >13% Chrom wird dagegen eine dichte, festhaftende Oxidschicht gebildet. Alle h. S.

Tab.: Zunderbeständigkeit an Luft einiger hitzebeständiger Stähle[1].

Gittertyp	Kurzname	Werkstoff-Nr.	Zunderbeständigkeit an Luft
ferritisch	X 10 CrAl 13	1.4724	850
	X 10 CrAl 18	1.4742	1000
	X 10 CrAl 24	1.4762	1150
austenitisch	X 12 CrNiTi 18 9	1.4878	850
	X 15 CrNiSi 20 12	1.4828	1000
	X 12 CrNi 25 21	1.4845	1100
	X 15 CrNiSi 25 20	1.4841	1150
	X 10 NiCrAlTi 32 20	1.4876	1100

sind daher *hochlegierte Stähle. In Abhängigkeit vom Gittertyp werden austenit. u. ferrit. Stähle unterschieden. – *E* heat-resisting steel – *F* acier réfractaire – *I* acciaio refrattario – *S* acero refractario

Lit.: [1] Stahl-Eisen-Werkstoffblatt **1976**, Nr. 2, 470. *allg.:* Verein Dtsch. Eisenhüttenleute (Hrsg.), Werkstoffkunde Stahl, Bd. 2, Anwendung, S. 435 ff., Berlin: Springer 1985.

Hitzebeständigkeit. Auch als Zunderbeständigkeit bezeichnete Eigenschaft von Werkstoffen, bei Temp. >600 °C in oxidierender Umgebung nicht od. Anw.-techn. nur unbedenklich zu verzundern. *Beisp.*: Brenner od. Ofenbauteile. Während bei Nichtmetallen (*Beisp.*: feuerfeste Keramik) hierfür deren thermodynam. Stabilität verantwortlich ist, stellt bei Metallen die Passivierung – Entstehung einer dichten, festhaftenden Oxidschicht im Kontakt mit Stoffen aus der Umgebung – die entscheidende Voraussetzung hierfür dar. Diese Oxidschicht entsteht als Folge der therm.-chem. Beanspruchung, verhindert den weiteren Kontakt zwischen Metalloberfläche u. Umgebung u. heilt nach mechan. Verletzungen wieder aus. Die Wachstumsgeschw. der Schicht nimmt dabei überproportional mit der Schichtdicke ab. Entsprechende Oxidschichten bilden v. a. das Leg.-Element Chrom bei Gehalten >13%, daneben auch Aluminium u. Silicium. Daher enthalten alle *hitzebeständigen Stähle u. Leg. mind. 13% Cr sowie ggf. noch Anteile von Al u. Si. Geringe Zusätze an Cer od. *Cer-Mischmetall (ca. 0,2%) verbessern den Schichtverbund mit dem Grundwerkstoff u. verhindern damit das Abblättern der Oxidschicht bei therm. Wechselbeanspruchung. Die Eigenschaft H. ist nicht gleichbedeutend mit der Eigenschaft, mechan. Beanspruchungen bei hohen Temp. langzeitig zu ertragen, vgl. warmfeste Werkstoffe. Wenn Bauteilintegrität bei sowohl chem. als auch mechan. Beanspruchung u. hohen Temp. langzeitig gewährleistet werden muß (*Hochtemperatur-Legierungen u. *Hochtemperatur-Werkstoffe), sind häufig *Verbundsysteme die wirtschaftliche Lösung. – *E* heat resistance – *F* résistance à la chaleur – *I* resistenza al calore – *S* resistencia al calor

Lit.: Metals Handbook, 9. Aufl., Vol. 3, S. 187 ff., Metals Park: Am. Soc. Metals 1980 ▪ Ullmann (4.) **14**, 280 ff.; **23**, 545 ff.

Hitzeresistenz. Fähigkeit von Organismen, hohe Temp. ohne bleibenden Schaden zu ertragen. Die tolerierte Höchsttemp. ist abhängig von der Organismenart, deren ontogenet. u. physiolog. Zustand (s. Adaptation) u. den Hitzeeinwirkungsbedingungen. Angegeben werden als Temp.-Obergrenze für viele Pflanzen u. Tiere Mitteleuropas ca. 45 °C, für Organismen trocken-heißer Standorte ca. 60 °C, für Tiere u. Pflanzen polarer u. alpiner Regionen oft nur wenige Grad (antarkt. Fisch *Trematomus* 6 °C, Schneealge *Chlamydomonas nivalis* 4 °C). Wasserpflanzen sind in der Regel Temp.-empfindlicher als Landpflanzen gleicher Regionen. Die H. vieler Pflanzen ändert sich im Wechsel der Jahreszeiten. Überdauerungsstadien (z. B. viele Samen u. Eier) können häufig höhere Temp. tolerieren als die aktiven Organismen. H. kann beruhen auf: 1. Plasmat. Resistenz gegen hitzebedingte Schäden an Proteinen, Desoxyribonucleinsäuren (*Denaturieren) od. Membranen; in thermophilen Bakterien finden sich

Zellhüllen aus Glykoproteinen, Cytoplasmamembranen mit Phytanyl- u. Biphytanylglycerinethern sowie ungewöhnliche Coenzyme, prosthet. Gruppen u. Enzyme (RNA-Polymerase u. a.); s. a. Hitzeschock-Proteine; – 2. Minderung der Hitzeeinwirkung durch Wärmeisolierung, Transpirationskühlung, verhaltensmäßige Vermeidung extremer Umgebungstemp. (z. B. Ausrichtung der Körperlängsachse od. von Blättern parallel zum Strahlungseinfall, Aufsuchen von Schatten, Eingraben, Nachtaktivität), morpholog. *Adaptation (helle Färbung, schützendes Haarkleid) od. Ruheverhalten (z. B. *Dormanz od. Anabiose, s. abiotisch). H. von Schädlingen ist insoweit problemat., da Wärmebehandlung bzw. die Ausnutzung natürlicher, wärmeentwickelnder Prozesse oft der Hygienisierung von *Kompost, *Klärschlamm, Textilien, *Trinkwasser u. Nahrungs- u. Arzneimitteln dient. – *E* heat tolerance – *F* thermorésistance, résistance à la chaleur – *I* resistente al calore – *S* termorresistencia, resistencia al calor
Lit.: Annu. Rev. Cell Biol. **9**, 601 – 634 (1993) ▪ Annu. Rev. Cell Div. Biol. **11**, 441 – 469 (1995) ▪ Biol. Zentralblatt **108**, Nr. 6, 1 – 156 (1989) ▪ Schlee (2.), S. 133 – 145.

Hitzeschild. Bez. für wärmeabsorbierende Schichten, wie sie speziell beim Wiedereintauchen von Raumfahrzeugen, z. B. im amerikan. *Apollo-Programm, in die Atmosphäre benötigt wurden, um ein Verglühen infolge der hohen Reibungswärme zu verhindern. Ein H. kann z. B. aus faserverstärkten Phenolharzen u. Beryllium od. – wie beim Space Shuttle – aus Siliciumcarbid in wabiger Anordnung u. mehrfacher Schichtung bestehen. Der H. wird nach dem Prinzip der *Ablationskühlung wirksam. – *E* heat shield – *F* bouclier thermique, écran thermique – *I* scudo termico – *S* pantalla térmica
Lit.: Kirk-Othmer (4.) **1**, **2** ▪ s. a. Ablationskühlung.

Hitzeschock-Faktor s. Hitzeschock-Proteine.

Hitzeschock-Proteine (hsp). Gruppe von *Proteinen, die sich bei allen Lebewesen, in denen sie vorkommen, durch hohe *Homologie auszeichnen u. die bei Wärmebelastung (z. B. 5 min bei 42 °C), aber auch bei chem. Schädigung von den verschiedensten lebenden *Zellen (darunter Bakterien-, Hefe-, Pflanzen- u. tier. Zellen) vorübergehend in stark erhöhten Raten synthetisiert werden. Die im allg. Sinn zu den *Streß-Proteinen* gehörenden H.-P. werden zum Überleben der Streß-Situation benötigt; sie unterstützen die *Adenosin-5′-triphosphat-abhängige Rückfaltung u. Vereinigung der Untereinheiten denaturierten Proteins durch zeitweilige Bindung an die Komponenten, ohne jedoch selbst am endgültigen Komplex beteiligt zu sein. Damit gehören diese H.-P. funktionell zu den *Chaperonen. Das ebenfalls Temp.-induzierbare *Ubiquitin ist jedoch am *Abbau* von Proteinen indirekt beteiligt. Nach der Mol.-Größe unterscheidet man folgende Familien (die im Kürzel enthaltene Zahl ist die ungefähre M_R in Tausend): hsp25, die Sequenz-Ähnlichkeit mit den α-*Kristallinen aufweisen u. bes. häufig bei Pflanzen auftreten[1], hsp70 u. hsp90. Das hsp60 aus Hefe-*Mitochondrien zeigt Verwandtschaft zu Chaperoninen (s. Chaperone) aus dem Darmbakterium *Escherichia coli* (GroE) u. *Chloroplasten (Rubisco binding protein) u. wird für die „Montage" der im entfalteten Zustand durch die mitochondrialen Membranen importierten Proteine benötigt. Die Induktion der H.-P. erfolgt nach Wärmebehandlung durch Hitzeschock-*Transkriptionsfaktoren[2] (*Hitzeschock-Faktor*, HSTF, HSF), die spezif. an regulator. *Desoxyribonucleinsäure-Sequenzen binden u. die *Transkription der H.-P. auslösen. – *E* heat shock proteins – *F* protéines de choc thermique – *I* proteine di choc termico – *S* proteínas de choque térmico
Lit.: [1]J. Exp. Botany **47**, 325 – 338 (1996). [2]J. Biosci. **21**, 103 – 121 (1996).
allg.: Alberts et al., Molekularbiologie der Zelle, 3. Aufl., S. 247 f., Weinheim: VCH Verlagsges. 1995 ▪ Annu. Rev. Genet. **27**, 437 – 496 (1993) ▪ Biochimie **76**, 737 – 747 (1994) ▪ Cell. Mol. Life Sci. **53**, 80 – 129, 168 – 211 (1997) ▪ Experientia **48**, 621 – 656 (1992) ▪ Kabakov u. Gabai, Heat Shock Proteins and Cytoprotection, Berlin: Springer 1997.

HIV. Abk. für *human immunodeficiency virus*, s. a. AIDS u. Viren.

HK. Abk. für 1. *Hefnerkerze; – 2. *Knoop-Härte, s. a. Härteprüfung.

HKI. Abk. für *Hans-Knöll-Institut für Naturstoff-Forschung e. V.

hkil, hkl s. Millersche Indizes.

HKV s. Kohlevergasung.

HKW-Verordnung (HKWAbfV). VO über die Entsorgung gebrauchter halogenierter Lösemittel. Die zweistufig am 1. 1. 1990 bzw. am 1. 4. 1990 (§ 5) in Kraft getretene HKW-V. schreibt im wesentlichen folgendes vor: 1. Verbot der Vermischung u. Gebot der Getrennthaltung von gebrauchten halogenierten Lsm. (z. B. Di-, Tri- u. Tetrachlormethan, Perchlorethylen, Fluorchlorkohlenwasserstoffe), 2. Verpflichtung des Handels zur Rücknahme gebrauchter halogenierter Lsm. (sofern mind. 10 L/Monat an den jeweiligen Anwender abgegeben wurden) u. 3. Kennzeichnung der Lösemittel.
Mit diesen Maßnahmen soll die Aufarbeitung gebrauchter halogenierter Lsm. erleichtert werden. Eine über das allg. Verwertungsgebot des *Abfallgesetzes hinausgehende Verpflichtung zur Aufarbeitung schreibt die HKW-V. allerdings nicht vor, es besteht lediglich eine *Rücknahme*pflicht des Handels. In Konsequenz bedeutet dies, daß gebrauchte halogenierte Lsm. – 1. sowohl verwertet als auch – im Falle der Nichtverwertbarkeit – beseitigt werden können u. – 2. daß die Verwertung (s. Abfallverwertung) od. Beseitigung (s. Abfallbeseitigung) aufgrund der nicht vorhandenen *Rückgabe*pflicht auch durch den Anwender selbst od. durch Dritte erfolgen kann.
Als Lsm. im Sinne der VO gelten Flüssigkeiten mit mehr als 5 Gew.-% an Halogenkohlenwasserstoffen, die unter Normalbedingungen einen Sdp. zwischen 20 u. 150 °C aufweisen. Diese Lsm. müssen, sofern sie in bestimmten in der HKW-V. aufgeführten Anlagen eingesetzt werden, entsprechend dem Hauptbestandteil des Lsm.-Gemisches getrennt gehalten werden u. dürfen nach Gebrauch nicht mit anderen Stoffen od. Abfällen vermischt werden.

Lit.: BGBl. I, S. 1918 (1989) ▪ Entsorga-Magazin **10**, Nr. 4, 31–34 (1991).

hL. Abk. für Hektoliter; 1 hL (hl) = 100 L (l) = 0,1 m^3.

HLA-System s. Histokompatibilitäts-Antigene.

HLB-System (von *E* *h*ydrophilic-*l*ipophilic *b*alance). Der HLB-Wert ist ein von Griffin (1950) eingeführtes Maß für die Wasser- bzw. Öl-Löslichkeit von vorwiegend *nichtionischen Tensiden u. die Stabilität von *Emulsionen z. B. in der Kosmetik. Ein anderes Maß für die *Emulsions-Stabilität ist das *Zeta-Potential, das im optimalen HLB-Bereich ein Maximum aufweist. Experimentell läßt sich der HLB-Wert z. B. durch die Phenol-Titrationsmeth. bestimmen, indem man die Tensid-Lsg. mit 5%-iger Phenol-Lsg. bis zur Trübe versetzt. Ferner kann der HLB-Wert (gas-)chromatograph., durch Bestimmung der *Dielektrizitätskonstante od. kolorimetr. ermittelt werden. Für die Berechnung von HLB-Werten gilt: Für Fettsäureester mehrwertiger Alkohole gilt die Beziehung HLB = 20 · (1 – VZ/SZ), wobei VZ für die Verseifungszahl u. SZ für die *Säurezahl des Esters stehen. Für *Ethoxylate u. deren Ester, bei denen die VZ nur schwer zu bestimmen ist, gilt die Formel HLB = (E + P)/5, wobei E für die Zahl der Ethylenoxid-Einheiten u. P für den Gehalt an mehrwertigen Alkoholen (Angabe in Gew.-%) im Mol. stehen. Es sei darauf hingewiesen, daß diese Berechnungsmeth. auf Polypropylenglykolether sowie anion. Tenside nicht angewandt werden kann. Der HLB-Wert eines Tensid- od. Emulgator-Gemisches läßt sich aus den Werten seiner Bestandteile additiv berechnen.

Tab.: HLB-Werte.

	HLB-Wert
Entschäumer	1,5– 3,0
W/O-Emulsionen	3,0– 8,0
Netzmittel	7,0– 9,0
O/W-Emulsionen	8,0–18,0
Tenside	13,0–15,0
Lösungsvermittler	12,0–18,0

Die Skala reicht dabei in der Regel von 1 bis 20, seltener bis 40. Substanzen mit niedrigem HLB-Wert (<10) sind im allg. gute W/O-Emulgatoren, während hydrophilere Tenside mit höherem HLB-Wert als O/W-Emulgatoren wirken.
Ausführliche Listen von HLB-Werten von Handelsemulgatoren finden sich bei Fiedler, Kirk-Othmer u. Janistyn (*Lit.*). – *E* HLB system – *F* système HLB – *I* = *S* sistema HLB

Lit.: Dörfler, Grenzflächen- u. Kolloidchemie, Weinheim: VCH Verlagsges. 1994 ▪ Fiedler, Lexikon der Hilfsstoffe für Pharmazie, Kosmetik u. angrenzende Gebiete, Aulendorf: Cantor 1981 ▪ Janistyn **1**, 470; **3**, 68–78 ▪ Kirk-Othmer (3.) **8**, 910–918 ▪ Kosswig u. Stache, Die Tenside, München: Hanser 1993 ▪ Parfüm. Kosmet. **55**, 230 (1974); **60**, 444 (1979) ▪ Soap. Cosmet. Chem. Spec. **1988**, 34 ▪ Tenside Deterg. **26**, 3, 192 (1989).

HLB-Wert s. HLB-System.

HLH. Abk. für *Helix-loop-helix.

HMDI. Abk. für *Hexamethylendiisocyanat.

HMDS. Abk. für *1,1,1,3,3,3-Hexamethyldisilazan.

HMF. Abk. für *5-(Hydroxymethyl)furfural.

HMG. Abk. für *h*uman *m*enopause *g*onadotropin, s. a. Urogonadotropin.

HMI s. Hahn-Meitner-Institut.

H-Milch. Unter H-M. versteht man im technolog. Sinn sterilisierte *Milch, die keine vermehrungsfähigen Keime mehr enthält. Dadurch weist sie eine stark verlängerte Haltbarkeit (einige Monate) auf; s. a. Milch. – *E* ultrahigh heated milk, UHT milk – *F* lait U. H. T. – *I* latte UHT – *S* leche uperizada, leche uperisada
Lit.: Lebensmittelkontrolleur **4**, I S. 13 f. (1989). – *[HS 0401 10, 0401 20]*

HML. Abk. für *Hypophysen-Mittellappen.

HMN. Abk. für *2,2,4,4,6,8,8-Heptamethylnonan.

HMO-Theorie (Hückel-Molekülorbital-Theorie). Von E. *Hückel 1931 eingeführtes semiempir. Näherungsverf. der *Quantenchemie, das für organ. π-Elektronensyst. (z. B. Ethen od. Benzol) konzipiert wurde, aber auch breitere Anw. findet (s. a. chemische Bindung). Bei der Anw. der HMO-T. auf ungesätt. Kohlenwasserstoffe wird angenommen, daß die π-Elektronen separat behandelt werden können. Sie bewegen sich in einem effektiven Feld, das von den Atomrümpfen u. den als lokalisiert betrachteten Valenz-σ-Elektronen gebildet wird. Ihre Bewegung wird durch die *Hückel-Molekülorbitale* (HMO) beschrieben, die aus *Atomorbitalen (AO) aufgebaut werden (s. a. LCAO-MO-Methode). So erhält man die beiden HMO φ_1 u. φ_2 des Ethens durch Linearkombination von zwei π-AO p_1 u. p_2, die an den Kohlenstoff-Kernen lokalisiert sind: $\varphi_{1,2} = {}^1/\sqrt{2} \, (p_1 \pm p_2)$. Wenn das Ethen-Mol. in der xy-Ebene liegt, handelt es sich bei p_1 u. p_2 um zwei p_z-Atomorbitale. Für die zu φ_1 u. φ_2 gehörenden *Orbitalenergien* gilt: $E_{1,2} = \alpha \pm \beta$, wobei α u. β Parameter mit der Dimension einer Energie sind. Der Hückel-Parameter α läßt sich als neg. atomare Ionisationsenergie interpretieren, β beschreibt den Bindungseffekt; beide Parameter haben neg. Werte. Das HMO φ_1 gehört zur tieferen Orbitalenergie u. hat *bindenden* Charakter, φ_2 – mit einer Knotenfläche in der Mitte zwischen den beiden Kohlenstoff-Kernen – ist *antibindend*. Mit heutigen Personalcomputern lassen sich leicht Rechnungen nach der HMO-Meth. für Probleme mit bis zu einigen hundert Kohlenstoff-Atomen durchführen. Damit erhält man ohne großen Aufwand eine Vorstellung von den π-Orbitalen auch von großen Molekülen. Die HMO-Meth. vermag im allg. keine quant. Ergebnisse zu erbringen, liefert aber häufig qual. od. halbquant. richtige Resultate u. ist v. a. von hohem didakt. Wert. Einer der größten Erfolge der HMO-T. war die Aufstellung der *Hückel-Regel, die zu einer Reihe von wichtigen Vorhersagen führte. – *E* HMO theory – *F* théorie HMO – *I* teoria HMO – *S* teoría de los orbitales moleculares de Hückel
Lit.: Heilbronner u. Bock, Das HMO-Modell u. seine Anwendung, Weinheim: Verl. Chemie 1970 ▪ Kutzelnigg, Einführung in die Theoretische Chemie (2.), Bd. 2, Weinheim: Verl. Chemie 1994.

HMPA, HMPT. Abk. für *Hexamethylphosphorsäuretriamid.

H₄MPT s. Tetrahydromethanopterin.

HMW-HDPE s. HDPE.

HMX. Synonym für *Octogen.

HN. US-Code für den *Kampfstoff *Stickstofflost.

H-Nomenklatur s. H u. Indizierter Wasserstoff.

hnRNA s. Ribonucleinsäuren.

hnRNP s. Nucleoproteine.

HNUA. Nach DIN 7723 (12/1987) Kurzz. für *Heptylnonylundecyladipat* als *Weichmacher.

HNUP. Nach DIN 7723 (12/1987) Kurzz. für *Heptylnonylundecylphthalat* als *Weichmacher.

Ho. Chem. Symbol für das Element *Holmium.

Hochauflösende Spektroskopie. Spektroskop. Verf. u. apparative Ausstattung, die eine sehr hohe Auflösung erreichen lassen. Bei der Kernspin-Resonanz-Spektroskopie (*NMR-Spektroskopie) sind hierzu bes. gut stabilisierte Magnetfelder notwendig. Meist werden Magnetfelder von 1,4 T bis 14 T (T = Tesla) u. Senderfrequenzen von 60 MHz bis 600 MHz eingesetzt (*Lit.*[1]). In der opt. Spektroskopie versteht man unter h. S. eine Auflösung bis hin zur *Doppler-Breite. Techniken mit noch höherer Auflösung, wie sie z.B. durch die *Laserspektroskopie erreicht wird, nennt man *sub-Doppler-Spektroskopie*. – *E* high resolution spectroscopy – *F* spectroscopie de haute résolution – *I* spettroscopia ad alta risoluzione – *S* espectroscopia de alta resolución

Lit.: [1] Chem. Unserer Zeit **22**, 100 (1988).
allg.: Hollas, High Resolution Spectroscopy, London: Butterworth 1982.

Hochbiologie. Becken zur *biologischen Abwasserbehandlung, das eine relativ hohe Wassersäule aufweist. Hauptvorteil einer H. ist, daß auf Grund des hohen Druckes ein großer Teil des Sauerstoff aus den in das *Belebungsbecken eingetragenen Gasblasen in die Wasserphase übergeht u. damit für mikrobielle Oxidationsprozesse zur Verfügung steht. Eine richtig dimensionierte H. hat einen großen Sauerstoff-Eintrag bezogen auf das Beckenvol. u. die aufgewandte Energie. Durch den hohen Ausnutzungsgrad des eingetragenen Sauerstoffs ist die Abluftmenge relativ klein u. kann, wie in den geschlossenen H.-Bauwerken der dtsch. chem. Ind., erfaßt u. bei Bedarf therm. entsorgt werden. In Verbindung mit speziell entwickelten Injektoren läßt sich eine totale Durchmischung des Beckeninhalts ohne zusätzlichen Energieaufwand od. bewegliche Einbauten erreichen. Man unterscheidet den meist in den Boden eingelassenen deep shaft process von den turmförmigen Beckenbauwerken eines Biohochreaktors (Hoechst AG) od. der Bayer-*Turmbiologie. – *E* tall bioreactor – *I* alta biologia – *S* biología de altura

Lit.: Rehm u. Reed (Hrsg.), Biotechnology, Bd. 2, S. 537–569, Weinheim: VCH Verlagsges. 1985 ▪ Ullmann (5.) **B 8**, 39–47.

Hochdisperse Kieselsäuren s. HDK.

Hochdruck s. Druckverfahren, Chemigraphie.

Hochdruckchemie. Teilgebiet der Chemie, das sich mit dem Ablauf von chem. Reaktionen u. dem chem.

Verhalten der Stoffe bei Drücken befaßt, die wesentlich über dem normalen Luftdruck liegen. Über die in der H. üblichen Einheiten des Druckes s. Druck. Normale Zylinder-Stempel-Apparaturen erzeugen einen Druck von bis zu 5 GPa. Eine Verdoppelung des Druckbereichs auf ca. 10 GPa bringt der Einsatz von 4- od. 6-Stempel-Apparaturen mit sich, bei denen die Druckstempel in den Ecken eines Tetraeders od. auf den Flächen eines Würfels angeordnet sind. Vergleichsweise herrscht an der tiefsten Stelle des Meeres ein Druck von 120 MPa u. im Erdmittelpunkt ein solcher von ca. 400 GPa. Experimentell lassen sich derartige Drücke in *Stoßwellen erzeugen, auch bei der *Kavitation treten Drücke im Bereich von 10^4–10^5 MPa auf. Bes. Verdienste auf dem Gebiet der *Hochdruckphysik* hat sich der amerikan. Physiker *Bridgman erworben, der ein weltberühmt gewordenes Hochdrucklabor gründete u. für seine Hochdruckforschungen 1946 den Nobelpreis für Physik erhielt.
Viele chem. Vorgänge verlaufen unter hohen Drücken anders als bei gewöhnlichen Druckverhältnissen. So wandelt sich z.B. der gewöhnliche gelbe Phosphor unter ca. 1 GPa Druck u. mehreren hundert Grad Temp. in schwarzen Phosphor um, es entsteht die *Hochdruckmodif.* des Phosphors; graues, nichtmetall. Zinn (D. 5,75) geht bei starkem Druck in metall. Zinn (D. 7,28) über u. Zink löst sich oberhalb 900 MPa nicht mehr in Schwefelsäure. Unter hohen Drücken wird Stahl außerordentlich schmiegsam u. sozusagen zähflüssig. So könnte man z.B. einen Stahlstab bei Raumtemp. unter 1,2 GPa Druck auf das 300fache seiner Länge auseinanderziehen, ohne das er reißt. Verschiedene Metalle verhalten sich bei 2 GPa Druck elast. wie Kautschuk. Die hohen Drücke nutzt man prakt. bei der *Umformung von Metallen u. bei der Metall-*Plattierung aus. Beispielsweise gelingt es, Metalle, die sonst nur schwer od. überhaupt nicht miteinander zu verbinden sind, durch Explosionsdruck fest zu verschweißen (*Sprengplattierung). Dadurch kann man z.B. normalen Baustahl mit einer dünnen Schicht aus korrosionsfestem Titan od. Molybdän versehen. Ähnlich wie viele Metalle dürften auch die Gesteine der Erdrinde in 6–10 km Tiefe infolge des starken Druckes (200–300 MPa) eine druckplast. schmiegsame, in Richtung des geringsten Druckes ganz langsam ausweichende Masse bilden, obwohl man hier vom Schmp. der Gesteine noch weit entfernt ist: Unter höchsten Drücken werden selbst Graphit dickflüssig u. Saphir dehnbar. Umgekehrt werden manche Flüssigkeiten (z.B. Maschinenöl) unter 1,2 GPa glashart, Glycerin bei gleichem Druck zäh wie Honig, u. Helium geht bei 20°C u. 1150 MPa in den krist. Zustand über. Bei 4000 MPa vermindert sich das Vol. von Cäsium – obwohl die kub. dichteste Kugelpackung erhalten bleibt – sprunghaft um 8%, weil hier ein Elektronenübergang von der 6. zur 5. Schale stattfindet; gleichzeitig verringert sich die elektr. Leitfähigkeit. Ähnliche elektron. Effekte unter Hochdruckeinfluß beobachtet man bei Lanthanoid-Verbindungen. Die Reaktionsgeschw.-Koeff. vieler chem. Reaktionen sind vom Druck abhängig. Wasser existiert bei 1000°C u. 2000 MPa in flüssiger Form. Es befindet sich im Dichtebereich von ca. 0,5 g/mL im sog. *überkrit. Zustand*

(s. kritische Größen) u. besitzt dann hervorragende Eigenschaften als Lsm. für viele Salze, Hydroxide u. selbst für Kohlenwasserstoffe wie Benzol; auch Kohlendioxid, Stickstoff od. Argon sind völlig mit überkrit. Wasser mischbar. Die Lösungseigenschaften komprimierter Gase im überkrit. Zustand werden techn. in der – bes. zur schonenden Extraktion von Naturstoffen geeigneten Meth. der *Destraktion genutzt. Ähnliche Reaktionsbedingungen liegen auch bei der – z. B. zur Herst. von *Einkristallen herangezogenen – *Hydrothermalsynthese vor, die entsprechend den natürlichen Bedingungen arbeitet. Verf. zur Herst. von Edelsteinen, insbes. von *Diamanten, laufen bei Drücken <10 GPa u. Temp. <2000 °C ab; bei höheren Temp. dürften die Effekte der *Hochtemperaturchemie überwiegen. Großtechn. durchgeführte Hochdrucksynth. sind: Ammoniak-, Methanol- u. Oxo-Synth., Kohlehydrierung, Polyethylen-Herstellung. – *E* high pressure chemistry – *F* chimie sous haute pression – *I* chimica ad alta pressione – *S* química de altas presiones

Lit.: Beggerow, High-Pressure Properties of Matter (Landolt-Börnstein 4/4), Berlin: Springer 1979 ■ Dechema-Monogr. **89**, 183–194 (1980) ■ Ervens u. Burbach, Entwicklung von Höchstdruckapparaturen u. Höchstdrucksynthesen, Bonn: BMFT 1977 ■ Kelm, High Pressure Chemistry, Dordrecht: Reidel 1978 ■ Ullmann (5.) **B 4**, 587 ■ Winnacker-Küchler (4.) **6**, 10, 355. – *Zeitschriften u. Serien:* Advances in High Pressure Research, London: Academic Press (1966–1973) ■ High Temperatures – High Pressures, London: Pion (seit 1969) ■ s. a. Hochtemperaturchemie u. Druck.

Hochdruckextraktion (HDE). Synonym für *Destraktion.

Hochdruck-Flüssigkeitschromatographie s. HPLC.

Hochdrucklampen s. Gasentladung.

Hochdruckmetamorphose (Hochdruck-Niedertemp.-Metamorphose). Bez. für einen *Metamorphose-Typ, der im Bereich von Subduktionszonen beim Zusammenstoß zweier Lithosphären-Platten (*Erde u. *Plattentektonik) auftritt. Die H. zeichnet sich durch einen sehr niedrigen sog. geotherm. Gradienten (Zunahme der Temp. mit der Tiefe) von 6–10 °C/km aus; in ihrem Verlauf entstehen u. a. *Glaukophan-Gesteine* („Blauschiefer", s. Amphibole) u. *Eklogite*.
Ein typ. Mineralreaktion ist Albit (*Feldspäte) $Na[AlSi_3O_8] \leftrightarrows$ *Jadeit $NaAl[Si_2O_6]$ + *Quarz SiO_2. Gesteine der H. finden sich z. B. in den Alpen, auf Korsika, einigen Inseln der Ägäis u. Neukaledonien, innerhalb der Küstenkette Kaliforniens u. in Japan. 1984 wurden in den Alpen [1] – zusätzlich zu *Talk-*Kyanit-Quarz-Gesteinen („*Weißschiefer*") – u. in Norwegen [2] Gesteine gefunden, die *Coesit, eine Hochdruck-Modif. von Quarz, enthielten; für ihre Bildung sind Mindest-Drücke von 2,8 bis ca. 3 GPa notwendig, das entspricht einer Versenkungstiefe von ca. 90–100 km! Derart tiefe Subduktion von Erdkrusten-Material in den Erdmantel kann bei Kontinent-Kontinent-Kollisionen stattfinden. Gesteine dieses neuen Typs der *Ultra-H.* (s. *Lit.*[3]) wurden seitdem in 7 Gebieten der Erde gefunden u. bes. in China intensiv untersucht (z. B. *Lit.*[4]). – *E* high pressure metamorphism – *F* métamorphose en haute pression – *I* metamorfosi ad alta pressione – *S* metamorfismo de alta presión

Lit.: [1] Contrib. Mineral. Petrol. **86**, 107–118 (1984). [2] Nature (London) **310**, 641–644 (1984). [3] Episodes **11**, Nr. 2, 97–104 (1988). [4] Eur. J. Mineral. **6**, 217–233 (1994); J. Metamorphic Geol. **13**, 659–675 (1995); Episodes **18**, Nr. 1 & 2, 91–94 (1995).
allg.: Bucher u. Frey, Petrogenesis of Metamorphic Rocks, S. 102–105, 222–226, Berlin: Springer 1994 ■ Coleman u. Wang (Hrsg.), Ultrahigh Pressure Metamorphism, Cambridge: Cambridge University Press 1995 ■ Fortschr. Mineral. **63**, 227–261 (1985) ■ Matthes, Mineralogie (5.), S. 400–404, Berlin: Springer 1996 ■ s. a. metamorphe Gesteine u. Plattentektonik.

Hochdruckmodifikationen. Bez. für *Modifikationen, die unter hohem Druck gebildet werden u. im allg. auch nur bei diesem beständig sind; *Beisp.:* s. bei Geochemie u. Hochdruckchemie.

Hochdruckpolyethylen s. Polyethylene.

Hochdrucksynthesen. Viele chem. Synth. können durch den Reaktionsparameter Druck gesteuert werden. Ein bekanntes Beisp. ist das *Haber-Bosch-Verfahren. Auch im Bereich der organ. Chemie lassen sich chem. Reaktionen durch die Anw. der Drucktechnik z. T. beträchtlich beschleunigen, z. B. die katalyt. *Hydrierungen od. die *Diels-Alder-Reaktion, so daß H. ein wichtiger Teil der *präparativen Chemie geworden sind; s. a. Hochdruckchemie. – *E* high pressure synthesis – *F* synthéses sous haute pression – *I* sintesi ad alta pressione – *S* síntesis a altas presiones

Lit.: Kirk-Othmer (4.) **13**, 167 f. ■ Liebigs Ann./Recueil **1997**, 623–635 ■ Masumoto u. Acheson, Organic Synthesis at High Pressures, New York: Wiley 1991 ■ Tetrahedron **53**, 2669 (1997) ■ Ullmann (5.) **B 4**, 587 f.

Hochdruckzerstäubungssystem. Hochdruckfließsyst. mit Zerstäubungsdüse zum Probeneintrag in der *AAS (*E* HPF/HHPN-Syst. = High Performance Flow/Hydraulic High Pressure Nebulization), die in der Technik schon lange etabliert sind (z. B. Dieselmotor, Sprühtrocknung). Der schemat. Grundaufbau des HPF/HHPN-Syst. geht aus der Abb. hervor.

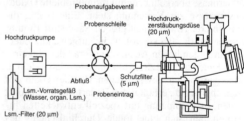

Abb.: Schemat. Darstellung des HPF/HHPN-Systems.

Eine aus der *HPLC-Anlage bekannte Pumpe mit geregelten Flußraten u. Arbeitsdrücken bis zu 40 MPa saugt niederdruckseitig ein Lsm. an (Wasser od. organ. Lsm.) u. bringt es entsprechend dem sekundärseitigen Fließwiderstand auf den nötigen Arbeitsdruck. Bei der Zerstäubung von z. B. Wasser, einer Flußrate von 2,5 mL/min u. einer Düsenöffnung von 20 μm benötigt man einen Druck von 17 MPa. Die zu untersuchende Probe wird über ein normales HPLC-Probeaufgabeventil mit variabler Probenschleife in das Syst. eingebracht u. erreicht prakt. unverd. als Pfropf die Düse. Durch die spezielle Geometrie der kommerziellen Zerstäubungsdüse entsteht ein sehr feines Aerosol, wobei

man Aerosol-Ausbeuten von 50–60% gegenüber 5–10% bei herkömmlichen Zerstäubern erhält. Das Aerosol wird mit den in die Mischkammer einströmenden Verbrennungsgasen zum Brennerkopf transportiert. Führt man in dieses Syst. noch eine Chromatographiesäule ein, erreicht man die Kopplung von chromatograph. Techniken mit der AAS, wobei die Zerstäuberdüse als Interface angesehen werden kann. Da für die reine Zerstäubung ein Druck von 17 MPa benötigt wird, stehen für on-line Trenn-, Anreicherungs- od. sonstige chromatograph. Verf. noch mehr als 20 MPa zur Verfügung. Dies reicht aus, um alle Meth. der HPLC (Ventilschaltung, verschiedene Säulentypen, auch Ionenaustausch) über ein H. on-line mit der Atomspektrometrie zu verbinden.
Anw.: Zur Steigerung der Nachweisempfindlichkeit bei viskosen Lsg. (z. B. Öle), zu Trennungen bei der *Elementspeziesanalyse, zur Probenanreicherung u. Abtrennung störender Matrices. – *E* hydraulic high-pressure nebulization – *F* système de pulvérisation à haute pression – *I* nebulizzatore idraulico ad alta pressione – *S* sistema de pulverización de alta presión
Lit.: Nachr. Chem. Tech. Lab. **40**, 820–828 (1992).

Hochfrequenz s. Mikrowellen.

Hochfrequenzpistole s. Lecksuche.

Hochfrequenzspektroskopie s. Mikrowellen-Spektroskopie.

Hochfrequenztitration (HF-Titration). Veraltete, heute durch *oszillometr. Indikations-Verf.* ersetzte Bez. für ein Verf. der *Elektroanalyse, bei dem die Leitfähigkeit (der Leitwert od. umgekehrt die Impedanz = der Wechselstromwiderstand) in der Meßzelle in Abhängigkeit von der zugeflossenen Menge an Titrierflüssigkeit gemessen wird. Die *Impedanz u. deren Änderungen werden üblicherweise nicht direkt, sondern mittelbar an Meßgrößen verfolgt, die der Impedanz direkt od. umgekehrt proportional sind *(Leitwert)*. Man verwendet für die Messung meist elektr. Schwingkreise im MHz-Bereich, in die die Meßzelle mit der Probe eingebaut ist; die Eigenschaft der Schwingkreise u. deren Änderungen dienen dann bei der Titration als Indikator für die Impedanz u. deren Änderungen. Ein wesentlicher Vorteil der H. ist, daß die Meßzelle Elektroden enthält, die mit der Lsg. keinen galvan. Kontakt besitzen, d. h. es wird an Elektroden ohne Kontakt bzw. *kontaktlos* titriert, weshalb eine Störung der Titration durch Vergiftung von Elektroden nicht auftreten kann (die häufig verwendete Bez. „elektrodenlos" ist allerdings unzutreffend). Die H. od. *Oszillometrie* wird z. B. in der *Maßanalyse (Komplexometrie, Neutralisationstitration u. Fällungstitration) angewendet, eignet sich jedoch nicht für Redoxtitrationen. – *E* high frequency titration – *F* titrage à haute fréquence – *I* titolazione ad alta frequenza – *S* titración de alta frecuencia
Lit.: Analyt.-Taschenb. **1**, 104, 144 f. ▪ Braun u. Tölgyessy, Analytische Chemie, Bd. 2, Stuttgart: Hirzel 1969 ▪ Cruse u. Huber, Hochfrequenztitration, Weinheim: Verl. Chemie 1957 ▪ Pungor, Oscillometry and Conductometry, Oxford: Pergamon 1965 ▪ s. a. Elektroanalyse, Maßanalyse, Titration.

Hochgeschwindigkeits-Flammspritzen s. Flammspritzen.

Hochlegierter Stahl. Nicht mehr genormte, wenngleich noch gebräuchliche Bez. für eine Untergruppe der legierten Stähle, bei denen der Anteil an Leg.-Elementen insgesamt mehr als 5% beträgt[1]. Derartige Stähle wurden mit dem Vorbuchstaben X gekennzeichnet. Als *niedriglegierte* Stähle galten Stähle, die >0,5% Si, >0,8% Mn, >0,1% Al, >0,1% Ti u./od. >0,25% Cu enthielten od. denen absichtlich sonstige Elemente zur Erzielung bestimmter Stahleigenschaften zulegiert worden waren. Alle anderen Stähle wurden als *unlegierte* Stähle bezeichnet. Die aktuelle Normung[2] unterscheidet dagegen nur noch zwischen *unlegierten* u. *legierten* Stählen. Heute werden mit dem Vorbuchstaben X legierte Stähle bezeichnet, wenn für mind. ein Leg.-Element der Gehalt mind. 5% beträgt. – *E* high-alloy steel – *F* acier fortement allié – *I* acciaio ad alta lega – *S* acero altamente aleado
Lit.: [1] DIN 17006 (10/1949); zurückgezogen 05/1973. [2] DIN EN 10020 (09/1989).

Hochleistungs-Dünnschichtchromatographie s. Dünnschichtchromatographie.

Hochleistungs-Flüssigkeitschromatographie s. HPLC.

Hochleistungskeramik. Während die klass. Keramiken aus Naturstoffen wie *Tonen, *Sanden od. *Kaolinen hergestellt werden, sind hochreine *Oxide, *Nitride, *Carbide u. *Boride von genau definierter Zusammensetzung, Teilchenform u. Teilchengrößenverteilung die Basis für Hochleistungskeramik. Sie wird meist als Pulver durch *Pressen u. *Sintern zu Kompaktkörpern verarbeitet, wobei auf die optimale Gefügeeinstellung zu achten ist, da die Eigenschaften der H. wesentlich stärker vom *Gefüge abhängen als das für metall. Werkstoffe zutrifft. Typ. H. sind *Aluminiumoxid (Korund, Al_2O_3), *Zirconiumdioxid (ZrO_2), *Siliciumnitrid (Si_3N_4), *Aluminiumnitrid (AlN), *Siliciumcarbid (SiC), *Borcarbid (B_4C) u. *Titandiborid (TiB_2). Dies sind aber nur wenige Beisp.; insgesamt ergibt sich durch Legieren untereinander eine Vielfalt an Kombinationen[1] (s. Abb. 1).

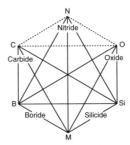

Abb. 1: Das 6-Stoffsyst. Metall(M)–Si–O–N–C–B.

Hier wird das Stoffsyst. Metall–Si–O–N–C–B betrachtet. Als Metalle kommen dabei Be, Mg, Ca, Al u. die Übergangsmetalle der 3. bis 6. Gruppe des Periodensyst. in Betracht.
H. wird in die beiden Gruppen *Strukturkeramik* u. *Funktionskeramik* unterteilt. Strukturkeramiken nutzen die passiven Eigenschaften wie z. B. Festigkeit, Härte u. Verschleißbeständigkeit, Funktionskeramiken zeichnen sich durch aktive Eigenschaften wie

Wärmeleit-/Isolationsfähigkeit, elektr. u. magnet. Eigenschaften bis hin zur Supraleitfähigkeit aus.

Eigenschaften u. Verw.: *Keramische Werkstoffe ersetzen heute in vielen Bereichen traditionelle metall. Werkstoffe u. sind im letzten Jahrzehnt intensiv in ihren Eigenschaften erforscht u. verbessert worden[2-5]. Maschinenelemente u. Apparatebauteile aus H. sind hochtemperaturbeständig, korrosions- u. verschleißfest. Außerdem können sie bes. elektr., magnet., opt. u. biolog. Funktionen übernehmen. Sie besitzen Druckfestigkeit, Härte u. Kriechfestigkeit sowie günstige Gleiteigenschaften bei gleichzeitig hoher therm. u. chem. Beständigkeit. Viele sind elektr. u. therm. Isolatoren, einige dagegen Leiter, aber auch die Kombination von elektr. Isolation u. therm. Wärmeleitung wird ausgenutzt (AlN, BeO). Die Tab. gibt eine Übersicht über Werkstoffeigenschaften von H. u. ihre Anw.-Möglichkeiten.

Tab.: Anw.-Möglichkeiten von Hochleistungskeramik aufgrund bestimmter Werkstoffeigenschaften.

Anw.	Beanspruchung	Eigenschaften	Werkstoff
Maschinenteile	mechan.	Festigkeit	Al_2O_3
Verschleiß-komponenten		Verschleißverhalten	SiC
Motorenteile			ZrO_2
Gleitdichtungen		Gleiteigenschaften	Si_3N_4
Schneidwerk-zeuge		Härte	
Wärmetauscher	therm.	Wärmeleitung	SiC
*Isolatoren		Wärmedämmung	Al_2TiO_5
Schmelztiegel		Temp.-Beständigkeit	Al_2O_3
Chem. Anlagen	chem.	Korrosionsverhalten	SiC
Trägermaterial für			
*Katalysatoren			Al_2O_3
*Gassensoren			
Lambda-Sonde		Ionenleitfähigkeit	ZrO_2
Implantate	biolog.	Adsorptionsverhalten	Al_2O_3
		Biokompatibilität	Hydroxyl-apatit
IC-Gehäuse	elektr.	elektr. Leitfähigkeit	SiC
*Sensoren		Ionenleitfähigkeit	ZrO_2
*Dielektrika			
Piezoelemente		*Piezoelektrizität	$PbZr_xTi_{1-x}O_3$
Widerstände			
Supraleiter	magnet.	*Supraleitung	Y-Ba-Cu-O
*Magnete		Magnetismus	$MnFe_2O_4$
Lampen	opt.		Al_2O_3
IR-Optiken		Lichtbrechung	SiO_2
Radome		*Transparenz	
*Kerntechnik	nuklear	*Radioaktivität	UO_2
		Neutronenabsorption	B_4C

Die Nachteile von H. gegenüber Werkstoffen wie Metallen u. Kunststoffen sind v. a. zwei systemimmanente Merkmale, nämlich ihre Empfindlichkeit gegenüber mechan. u. therm. Schock sowie ihre *Sprödigkeit. Gegenüber diesen monolith. H. können gefügeverstärkte *Verbundkeramiken* höhere *Bruchzähigkeit u. *Festigkeit erreichen, die sogar in den Bereich sprö-

der Metalle kommen. Die wichtigste Meth. der Gefügeverstärkung ist der Einbau von Partikeln, Plättchen, *Whiskers u. *Fasern in die Hochleistungskeramiken.

Herst.: Bei der Herst. von H. unterscheidet man zwischen dem konventionellen *pulvermetallurg. Herstellungsverf.* u. *chem. Reaktionsverfahren.* Der Prozeß der Herst. von H. verläuft über die Pulverherst., Formgebung u. Verdichtung zumeist bei hohen Temp. u./od. Drücken u. ist somit stark angelehnt an die aus der *Pulvermetallurgie bekannten Verfahren. Bei der Pulverherst. wird ein hochreines, homogenes Material, frei von metall. Verunreinigungen, mit definierter Korngrößenverteilung (typischerweise 1 µm) u. definierten Oberflächen angestrebt. Die genannten Partikeleigenschaften werden dabei so optimiert, daß eine hohe Packungsdichte der Pulverteilchen im Rohling (Grünkörper) resultiert, um eine hohe Sinterdichte bei möglichst geringer Schrumpfung zu erzielen. Schlickergegossene Grünkörper können im Vgl. zu kaltgepreßten Körpern eine höhere Packungsdichte u. damit engere Porengrößenverteilung aufweisen.

Hohe Sintertemp. u./od. hohe äußere Drücke sind notwendig, um den korngrenzendiffusionskontrollierten Materialtransport bei verringertem Flüssigphasenanteil in z. B. Si_3N_4 u. AlN-Keramiken zu beschleunigen. Um die Zersetzung von Si_3N_4 bei Sintertemp. über 1800 °C zu verhindern, wird beim Gasdrucksintern (GPS) ein N_2-Druck von 1–10 MPa angewendet, der Sintertemp. über 2000 °C ermöglicht. Dadurch kann das anisotrope Kornwachstum gezielt ausgenutzt u. ein Gefüge mit geringem intergranularem Glasanteil aber hohem Streckungsgrad der Krist. erzeugt werden. Diese zeichnen sich durch hohe *Bruchzähigkeit u. gute Hochtemperaturfestigkeit aus. Heißisostat. Preßverf. (s. heißisostatisches Pressen) für gekapselte bzw. vorgesinterte Keramiken wurden entwickelt, die mit Gasdrücken von bis zu 200 MPa unter Ar-, N_2- od. O_2-Atmosphäre bei Temp. bis 2000 °C eine vollständige Verdichtung auch von partikelverstärkten H. (*Verbundkeramiken*) ermöglichen. Durch Kombination von drucklosem Sintern, Gasdrucksintern sowie heißisostat. Pressen in einem auf den jeweiligen Werkstoff optimierten Verdichtungsprozeß gelingt es, homogenere Gefüge mit geringerem Kornwachstum, kleinerer

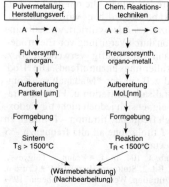

Abb. 2: Konventionelle (pulvermetallurg.) Herstellungsverf. u. chem. Reaktionstechniken zur Herst. von Hochleistungskeramiken (T_S = Sintertemp., T_R = Reaktionstemp.).

Fehlergröße u. höherer Dichte in Oxid- u. Nichtoxid-keramiken zu erzeugen.

Den konventionellen, von Pulvern ausgehenden Verf. stehen neuartige Reaktionsverf. gegenüber, die für die Herst. zäher Verbundkeramiken von steigender Bedeutung sind. Im Gegensatz zu Pulvern werden als Ausgangsstoffe vorreagierte flüssige, feste od. gasf. Ausgangsverb. eingesetzt. Diese durchlaufen nach der Formgebung einen Reaktionsprozeß, der zur Verdichtung führt. Insbes. *Verbundwerkstoffe mit neuartigen Gefügen u. Eigenschaften können erzeugt werden. Folgende Verf. finden u. a. Anw.:

- autokatalyt. Reaktionsverf. (Al_2O_3/B_4C)
- Verdrängungsreaktionen (Al_2O_3/TiN)
- Eutekt. Krist. (Al_2O_3/ZrO_2)
- Reaktion organometall. Verb. (SiC/SiO_2)
- Sol-Gel- u. Polymer-Reaktionstechniken (Si_3N_4/SiC)
- Schmelzphasenfiltrationstechnik (Si/SiC)
- gerichtete Schmelzoxid. (Al_2O_3/Al)
- Gasphasenfiltration/-abscheidung (BN, SiC/SiC).

Die Reaktionsverf. bieten grundsätzliche Vorteile gegenüber den konventionellen Verf.: Reine Ausgangssubstanzen, Partikelgrößen im Nanometer-Bereich, leichte Formgebung, geringe Schrumpfung bzw. hohe Maßhaltigkeit u. Verringerung von Gefügespannungen in Verbundkeramiken. – *E* high-performance ceramics

Lit.: [1] Spektrum Wiss. **1993**, Nr. 1, 102. [2] Saito (Hrsg.), Fine Ceramics, New York: Elsevier 1988. [3] Swain (Hrsg.), in Materials Science and Technology, Vol. 11, Structure and Properties of Ceramics, Weinheim: VCH Verlagsges. 1994. [4] Brook (Hrsg.), in Materials Science and Technology, Vol. 17 A u. 17 B, Processing of Ceramics, Weinheim: VCH Verlagsges. 1996. [5] Petzow, Tobolski u. Telle (Hrsg.), Hochleistungskeramiken, Herstellung, Aufbau, Eigenschaften, Forschungsbericht der DFG, Weinheim: VCH Verlagsges. 1996.

Hochleistungskunststoffe. Eine etwas diffuse Bez. für eine Gruppe der *Technokunststoffe (= techn. Kunststoffe), die sich von den sog. *Standard- od. Masse-*Kunststoffen wie den *Polyolefinen (z. B. *Polyethylen, *Polypropylen, *Polystyrol) durch z. B. verbesserte mechan. Eigenschaften, höhere Elastizitätsmoduln, größere Schlagzähigkeit, geringeren kalten Fluß, hohe Dauerwärmebeständigkeit (*hochtemperaturbeständige Kunststoffe), elektr. Leitfähigkeit (*elektrisch leitfähige Polymere), bes. opt. Eigenschaften (*polymere Lichtwellenleiter), hohe mechan. Festigkeit (*flüssigkristalline Polymere), Einsatzmöglichkeiten im medizin. Bereich (*medizinische Kunststoffe) unterscheiden. Im Gegensatz zu den eigentlichen Technokunststoffen steht bei den H. allerdings meist nur eine einzige Eigenschaft im Vordergrund, während die Technokunststoffe Werkstoffeigenschafts-Kombinationen bieten. Zu den H. gerechnet werden u. a. die *Polyarylate, *Polyetherimide, *Polyimide, *Polyethersulfone, *Polyetherketone, *Polysulfone, flüssigkrist. Polymere, *Polyphenylensulfide u. *Polyacrylimide. H. werden oft in nur kleinen Mengen hergestellt; die gesamte Weltproduktion an H. liegt bei knapp 40 000 t/a. Haupteinsatzgebiete für H. in der BRD sind der Automobilbau, die Elektrotechnik, der Maschinenbau, das Telekommunikationswesen, der medizin. Bereich u. die Luft- u. Raumfahrt.

– *E* high performance polymers, high modulus polymers, high performance plastics, speciality plastics – *F* plastiques à grande puissance – *I* polimeri ad alto rendimento – *S* plásticos de alta eficacia

Lit.: Adv. Polym. Sci. **117** (1994) ▪ Encycl. Polym. Sci. Eng. **7**, 699 ff.

Hochleistungsumformung. Umformung u. Bearbeitung von Materialien unter Anw. von Explosivstoffen, Unterwasserfunken (s. Hydrospark), komprimierten Gasen, Magnetismus u. dgl., s. a. Sprengplattierung. – *E* high energy processing – *F* transformation par utilisation de hautes énergies – *I* trasformazione ad alto rendimento – *S* transformación de alto rendimiento

Hochmodulfasern. Im weitesten Sinne Sammelbez. für solche *Textilfasern, die sich durch einen bes. hohen Elastizitätsmodul (s. Elastizität) auszeichnen. Im engeren Sinne versteht man unter H. *Hochnaßmodul-Fasern* (*E* high wet modulus fibers, HWM fibers) u. faßt diese mit den *Polynosie®-Fasern zu den *Modalfasern zusammen. Die H. sind *Cellulose-Regeneratfasern*, die durch die Führung des Reifeprozesses der Viskose (s. Viskosefasern u. Kunstseiden) bzw. die Zusammensetzung der Fällbäder ihre spezielle Struktur u. Eigenschaften wie hohen Elastizitäts- u. *Naßmodul, hohe Festigkeit, geringe Bruchdehnung, geringes Quellvermögen usw. bekommen. Die H. finden allein bzw. in Mischungen mit synthet. Fasern Verw. in Geweben u. Gewirken für die Textil-Industrie. H. sind Naturfasern aus Baumwolle ähnlich u. lassen sich gut pflegeleicht ausrüsten. Der Begriff H. wird auch für elast. *Kohlenstoff-Fasern verwendet. – *E* high modulus fibers – *F* fibres de haut module – *I* fibre ad alto modulo – *S* fibra de alto modulo

Lit.: Ullmann (5.) **A 5**, 407 f. ▪ Winnacker-Küchler (4.) **6**, 720.

Hochnaßmodul-Fasern s. Hochmodulfasern.

Hochofen. Feuerungsanlagen in Schachtform zur Erzeugung von *Roheisen. Verfahrenstechn. vereint der H. drei Komponenten: Red.-Reaktor, Kohlevergasungsreaktor u. Schmelzaggregat für Eisen u. Schlacke.

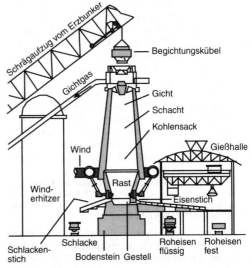

Abb.: Aufbau des Hochofens.

Der H. liegt so hoch über dem Boden (*Hüttenflur*), daß Schlacke u. Roheisen durch Schwerkraft über Rinnen in auf Hüttenflur stehende Pfannenwagen gelangen können. Typ. Abmessungen eines H. sind ca. 10 m Durchmesser u. 40 m Höhe. Von unten nach oben unterscheidet man die Bereiche *Gestell* (mit Abstichlöchern für Eisen u. Schlacke), *Rast* (mit Heißwindzuführung vom Winderhitzer), *Schacht* u. *Gicht* (mit Zuführung von Erzen, Zuschlägen u. Kohle). Der H. besteht aus einem Stahlmantel mit Feuerfestauskleidung (Kohlenstoff-Steine, Graphit, Schamotte). In die Gicht wird mit Hilfe eines Schrägaufzuges die Beschickung (Eisenerz, Zuschläge u. *Hochofenkoks) eingefüllt; die Zuschläge (je nach Erzzusammensetzung Kalkstein, Dolomit, Kies od. Tonerdesilicate) sollen dabei unerwünschte Erzbegleiter (Gangart) als dünnflüssige Schlacke abbinden. Die zur Verbrennung des Kokses erforderliche Druckluft wird in Winderhitzern durch Wärmeaustausch mit dem heißen Gichtgas vorgewärmt. Der H. arbeitet kontinuierlich im Gegenstromprinzip. Im oberen Schachtbereich (Vorwärmzone) werden Nässe, Hydratwasser u. CO_2 aus der Beschickung ausgetrieben u. diese erwärmt. Nach unten anschließend folgt die Red.-Zone, in der die direkte Red. der Erze durch Kohlenstoff u. die indirekte Red. durch CO stattfindet; CO entsteht dabei durch Red. von CO_2, das aus der Verbrennung des Kokses herrührt. In der dann folgenden Kohlungszone nimmt das schwammförmige, metall. Eisen soviel Kohlenstoff auf, daß es in der sich anschließenden Schmelzzone schmelzflüssig wird. In dieser Zone findet auch die direkte Red. der noch nicht reduzierten Eisenoxide sowie der Silicium-, Mangan- u. Phosphoroxide durch gelösten Kohlenstoff statt. Nicht umgewandelte Oxide steigen in die Schlacke auf. Das Roheisen sammelt sich im Gestell u. wird etwa alle 4 h abgestochen, während die Schlacke dauernd abfließt. Neben dem Roheisen als Primärprodukt werden auch *Hochofenschlacke, *Hüttensand u. *Gichtgas* genutzt. Letzteres besteht aus ca. 8–10% CO_2, 20–30% CO, bis 4% H_2 sowie 55–60% N_2 u. wird zum Heizen der Winderhitzer, in der Energietechnik zur Beheizung von Dampfkesseln u. Gasturbinen od. zum Betrieb von Öfen verwendet. Je t produziertem Roheisen verbraucht ein gut geführter H. ca. 470 kg Koks u. erzeugt ca. 300 kg Schlacke. Roheisen aus dem H. wird in nachgeschalteten *Konvertern gefrischt. Eine moderne Alternative zum Prozeß H./Konverter ist die Direktred. der Erze zum Eisenschwamm im Elektrolichtbogenofen mit nachfolgender Weiterbehandlung (Entfernung von Restsauerstoff u. Erzbegleitern) ebenfalls im Lichtbogenofen. Stähle aus beiden Prozessen werden anschließend durch sek.-metallurg. Verf. weiter verfeinert. – *E* blast furnace – *F* haut fourneau – *I* altoforno – *S* alto horno

Lit.: Kopecky u. Schamschula, Mechanische Technologie, 4. Aufl., S. 25 ff., Berlin: Springer 1977 ▪ Schimpke et al., Technologie der Maschinenbaustoffe, 8. Aufl., S. 66 ff., Stuttgart: Hirzel 1977 ▪ Ullmann (4.) **10**, 363 ff.

Hochofenkoks. Auch als *Hüttenkoks* bezeichneter fester Brennstoff für die Erzeugung von *Roheisen. Koks entsteht aus Steinkohle, die bei der Erhitzung bis ca. 900 °C Koksendtemp. unter Luftabschluß entgast

wird u. einen von flüchtigen Produkten weitgehend freien, gebackenen, festen u. porösen Rückstand bildet. Dagegen ist H. ein Kokstyp, bei dem die mittlere Koksendtemp. mind. 1000 °C betragen hat. Heute wird für Hochöfen bevorzugt H. mit einer Körnung von >40 mm verwendet. Die Gehalte an flüchtigen Bestandteilen (ca. 1%) u. an Schwefel (<1,25%) sind sehr niedrig spezifiziert. An die Festigkeit werden bes. Anforderungen gestellt. Etwa 70% der gesamten Koksproduktion wird als H. hergestellt. – *E* furnace coke – *F* coke métallurgique – *I* coke di altoforno – *S* coque de alto horno

Lit.: Ullmann (4.) **14**, 521 ff., 547. – *[HS 2704 00]*

Hochofenschlacke. Bei der Produktion von *Roheisen im *Hochofen anfallender Wertstoff aus Zuschlägen, die alle nicht-reduzierten, nicht-gasf. Bestandteile der Beschickung aufgenommen haben u. schmelzflüssig auf dem flüssigen Roheisen aufschwimmen. H. besteht aus etwa 5–35% SiO_2, 40–55% CaO, 5–15% MgO u. 5–35% Al_2O_3. Die kontinuierlich aus dem Hochofen abgeführte H. wird je nach Erstarrungsbedingungen verarbeitet zu ca. 50% Stückschlacke (Erstarrung in Schlackepfannen od. Gießbetten), ca. 15% *Hüttensand (Verwirbelung der flüssigen H. mit Wasser), ca. 3% *Hüttenbims (Schäumung der flüssigen H. mit Wasser) u. ca. 1% Hüttenwolle (Verblasen der flüssigen H. mit Luft od. Dampf). Stückschlacke wird im Straßenbau verwendet, Hüttensand für Düngemittel (*Hüttenkalk) u. *Hochofenzement, Hüttenbims als Dämmstoff u. Füllstoff für Schwerbeton u. Hüttenwolle zur Wärmedämmung. – *E* blast furnace slag – *F* laitier de haut fourneau – *I* scoria di altoforno – *S* escoria de alto horno

Lit.: Ullmann (4.) **10**, 383 ff.

Hochofenzement. Genormter *Zement[1] mit 36–80% *Hüttensand. H. setzt sich zusammen aus den Hauptbestandteilen *Portlandzement(klinker), den Zumahlstoffen Hüttensand u. Puzzolanen (s. Puzzolanerde) sowie den Nebenbestandteilen Gips(stein) $CaSO_4 \cdot 2H_2O$ u./od. Anhydrit(stein) $CaSO_4$. – *E* blast furnace slag cement – *F* ciment de laitier de haut fourneau – *I* cemento di scorie di altoforno – *S* cemento de escoria de alto horno

Lit.: [1] DIN 1164, Tl. 1 (10/1994).
allg.: Ullmann (4.) **10**, 384; **24**, 545 ff.

Hochpolymere. Der Begriff H. wurde früher häufig gebraucht zur Bez. von bes. hochmol. *Polymeren. Da die allg. Definition für Polymere keine obere Begrenzung für deren Molmassen beinhaltet, sollte die Bez. H. nicht mehr verwendet werden. – *E* high polymers – *F* hauts polymères – *I* alti polimeri – *S* altos polímeros

Hochquarz s. Quarz.

Hochreine Metalle. Ausdruck zur Kennzeichnung einer überdurchschnittlichen *chemischen Reinheit. Als „h. M." kann man z. B. solche Metalle bezeichnen, deren Gehalt mind. 99,999% ist; der Einfachheit halber spricht man hier von einem *„fünf Neuner"*–Metall (in Schreibform: 5 N; entsprechend 99,9997%=5 N7). Allerdings handelt es sich nur um eine „partielle Reinheit", da häufig nur einige ausgewählte Verunreini-

gungen bestimmt u. von 100% subtrahiert werden. – *E* high purity metals – *F* métaux de haute pureté – *I* metalli di alta purezza – *S* metales de alta pureza
Lit.: s. chemische Reinheit.

Hochschulen. Zu den H. zählen Universitäten (einschließlich Gesamthochschulen, Pädagog. u. Theolog. H.), Kunst- u. Musikhochschulen sowie *Fachhochschulen. Die Gesamtzahl dieser H. lag 1996 in der BRD bei ca. 326. Mit wenigen Ausnahmen sind die H. staatliche Einrichtungen. Die meisten H. sind gekennzeichnet durch akadem. Selbstverwaltung mit Rektoratsverfassung, durch Vorschlagsrecht für die Selbstergänzung ihrer Lehrkörper, ferner durch enge Wechselwirkung von freier *Forschung u. Lehre sowie durch das Recht der Promotion u. Habilitation. 1995 waren an den Hochschulen der BRD insgesamt 1,86 Mio. Studenten eingeschrieben, davon 1,38 Mio. an Universitäten, 0,03 Mio. an Kunst- u. Musikhochschulen u. 0,45 Mio. an Fachhochschulen. 58% der Studierenden waren männlich, 42% weiblich. Der Anteil der Erstsemester an der Gesamtzahl lag bei 14%. Das Studium wird grundsätzlich in Form von Studiengängen mit einem bestimmten Abschluß angeboten. Inhalt u. Aufbau, einschließlich einer Regelstudienzeit, sind in Prüfungsordnungen od. Studienplänen festgelegt. Die Studienangebote sind fast immer Präsenzstudien in Vollzeitform. Daneben gibt es als Teilzeitform das Fernstudium, z. B. an der Fernuniversität-Gesamthochschule Hagen, der H. für Berufstätige in Rendsburg od. in Form des Funkkollegs. Während beim *Chemie-Studium an Universitäten wissenschaftliche Grundlagen u. Meth. der Chemie u. ihrer Anw. in der chem. Ind. im Vordergrund stehen, soll der Studiengang Chemie od. Techn. Chemie an Fachhochschulen zur eigenständigen Mitarbeit im Labor bzw. produktions- u. betriebstechn. Bereich befähigen. Ein Hochschulstudium der Chemie ist gegenwärtig an 58 Universitäten u. 13 Fachhochschulen in der BRD möglich. Den Studiengang Verf.-Technik/Chemieingenieurwesen bieten 19 Universitäten u. 40 Fachhochschulen an. – *E* colleges, universities, schools of technology – *F* universités, établissements d'enseignement supérieur – *I* istituti superiori, università – *S* universidades, escuelas técnicas superiores
Lit.: Das Hochschulsystem in Deutschland, Bonn: BMBW 1994 ▪ HRG Hochschulrahmengesetz, Bonn: BMBW 1993 ▪ Studenten an Hochschulen 1975–1995, Bonn: BMBF 1995 ▪ Tschirner, Deutscher Hochschulführer, Stuttgart: Raabe 1994.

Hochspannungs-Papierelektrophorese s. Papierelektrophorese.

Hochspannungsphotographie s. Kirlian-Photographie.

Hochstrombogen s. Lichtbogen.

Hoch-T$_c$-Supraleiter s. Hochtemperatur-Supraleiter.

Hochtemperaturbeständige Kunststoffe. Unter diesem Begriff werden allg. *Thermoplaste zusammengefaßt, deren Dauergebrauchs-Temp. im Bereich von ca. 160–260 °C liegt u. die kurzzeitig wesentlich höheren Temp. ausgesetzt werden dürfen. H. K. zählen zu den *Hochleistungskunststoffen. Zu ihren wichtigsten Vertretern gehören die *Fluor-Polymere,

*Polysulfone, *Polyethersulfone, *Polyetherketone, *Polyphenylensulfide, Polyaramide, *Polyimide, aromat. *Polyester, *Polychinoxaline, *Polychinoline u. *Polybenzimidazole sowie *flüssigkristalline Polymere u. *Leiterpolymere. Zu Eigenschaften u. Verw.-Möglichkeiten s. die einzelnen Kunststoffe. – *E* heat-resistant polymers – *F* plastiques résistants aux températures élevées – *I* polimeri con alta termostabilità – *S* plásticos resistentes a las temperaturas elevadas
Lit.: Chem. Unserer Zeit **23**, 181–192 (1989) ▪ Encycl. Polym. Sci. Eng. **7**, 639–665 ▪ Critchley, Knight u. Wright, Heat-resistant Polymers, New York: Plenum Press 1983 ▪ s. a. Kunststoffe.

Hochtemperaturchemie. Teilgebiet der *Thermochemie, das sich mit dem Ablauf der chem. Reaktionen u. dem chem. Verhalten der Stoffe bei sehr hohen Temp. (>1000 °C) befaßt. In vieler Hinsicht ähnelt die H. der *Plasmachemie. Das aktive organ. Leben ist im allg. an den sehr engen Temp.-Bereich von ca. 0–50 °C gebunden. Lebendige, hitzeliebende Bakterien können in Ausnahmefällen noch Temp. von >90 °C (*Thermophilie), Bakteriensporen sogar (kurzfristig) 150 °C aushalten. Bei 800–900 K zerfallen die meisten organ., bei höheren Temp. auch viele anorgan. Verbindungen. So zersetzen sich z. B. die Carbonate in Oxide u. Kohlendioxid. Wasser zerfällt bei 2300 K schon zu 2% in Wasserstoff u. Sauerstoff, u. bei 4300 K werden schon über 50% der vorhandenen H_2-Mol. in H-Atome gespalten. Vom Stickstoff sind bei 7000 K bereits 50%, bei 12 000 K über 99,5% der N_2-Mol. in Atome zerfallen, 1% der N-Atome sind bei 12 000 K ionisiert. Bei 26 000 K beginnen die N-Atome ein zweites Elektron zu verlieren, u. bei 30 000 K entsteht therm. *Plasma. Etwa bei 1 Mio. K beginnen die *Kernreaktionen aufzutreten, die bei 10 Mio. K im Energiehaushalt der Sonne u. der Fixsterne eine entscheidende Rolle spielen. Bei ungefähr 50 Mio. K verschmelzen die Kerne, um neue Atomkerne zu bilden (*thermonukleare Reaktionen). Bei noch höheren Temp. (10^9 K) sollten auch die Kerne nicht mehr beständig sein, sondern in Elementarteilchen zerfallen.
Zur Erzeugung hoher *Temperaturen bedient man sich seit alters her der *Verbrennung. Es bieten sich weiterhin *mechan.* (z. B. *Stoßwellen: >10 000 K), *thermochem.* (z. B. Flammen u. *Metallothermie: <2800 K) u. *elektr. Meth.* an; zu den letzteren gehören: Widerstandsheizung (<2800 K), Elektronenstrahlheizung (>3300 K), Hochfrequenzheizung einschließlich der *Plasmabrenner (<20 000 K), *Lichtbogen (2300–7300 K), Lichtbogen-Plasmabrenner (8000–50 000 K). Hohe Temp. lassen sich ferner erzeugen mit *Lasern (>4300 K) u. Sonnenöfen (3800 K), mit monuklearen Reaktionen od. *Kernwaffen-Explosionen (<50 Mio. K).
Die Tab. (S. 1772) führt die charakterist. Temp. an, die in *Flammen u. bei verwandten Prozessen vorliegen. Die Erkenntnisse aus der H. werden in Technik u. Ind. ausgenutzt. Hier ist nicht nur an feuerungstechn. Verbesserungen von Heizungsanlagen zu denken, sondern auch an die Entwicklung von sog. *HT-Verf.* zur Erzeugung von Wasserstoff, zur Kohlevergasung, zur Synth. von Acetylen, Ethylen u. a. niederen Kohlenwasser-

stoffen. Voraussetzung für die Hochtemp.-Technik ist die Entwicklung *hochfeuerfester Werkstoffe* (*Hoch-

Tab.: Charakterist. Temp. bei Verbrennungsprozessen u. verwandten Prozessen.

Bunsenbrennerflamme	1300–1800 K
Stadtgas-Sauerstoff-Flamme	2000 K
Erdgas-Luft-Flamme	2200 K
Kohlenoxid-Luft-Flamme	2370 K
Wasserstoff-Sauerstoff-Flamme	2930 K
Sonnenofen (im Brennpunkt von Hohlspie-	>3300 K
Acetylen Sauerstoff-Flamme	3400 K
Aluminium-Sauerstoff-Flamme	3800 K
Arcatom-Flamme (Langmuir-Fackel)	4000 K
Wasserstoff-Fluor-Flamme	4300 K
elektr. Lichtbogen (Anode)	4500–7300 K
Dicyan-Sauerstoff-Flamme	4800 K
Zirconium-Sauerstoff-Flamme	4930 K
C_4N_2-Sauerstoff-Flamme	5300 K
C_4N_2-Ozon-Flamme	5500 K
Temp. der Sonnenoberfläche	5000–6000 K
Stoßwelle in Argon	18 000 K
elektr. Hochleistungslichtbogen	35 000–50 000 K
Drahtexplosion	70 000 K
Atombombenexplosion	>1 Mio. K
H_2-Plasmaofen in Princeton	25 Mio. K
Wasserstoffbombenexplosion	50 Mio. K

temperatur-Werkstoffe, s. a. Cermets u. Feuerfestmaterialien), die z. B. auch für die Luft- u. Raumfahrt u. die Fahrzeug-Ind. etc. sehr wichtig sind. – *E* high temperature chemistry – *F* chimie aux hautes températures – *I* chimica ad alta temperatura – *S* química de altas temperaturas

Lit.: High Temperature Chemical Reaction Engineering, London: Inst. Chem. Eng. 1975 ▪ Turkdogan, Physical Chemistry for High Temperature Technology, New York: Academic Press 1980 ▪ Winnacker-Küchler (4.) **2**, 128; **3**, 24, 77; **5**, 194. – *Zeitschriften u. Serien:* Advances in High Temperature Chemistry, New York: Academic Press (1967–1972) ▪ High Temperature Technology, London: Butterworth (seit 1982) ▪ Journal of High Temperature Science, New York: Academic Press (seit 1969) ▪ s. a. Hochtemperatur-Werkstoffe, Plasmachemie, Thermochemie.

Hochtemperatur-Legierungen. Metall. Werkstoffe für einen Einsatz in aggressiven Umgebungen bei hohen Temperaturen. Außer der Beständigkeit gegenüber einer Heißgasumgebung unterschiedlicher Zusammensetzung u. einer davon abweichenden chem. Beanspruchung bei niedrigen Temp. infolge von Abfahrvorgängen werden auch mechan. Langzeiteigenschaften verlangt, s. Zeitstandfestigkeit. Typ. Anw. für H.-L. sind Turbinen, Verbrennungsmotoren u. Ofenkomponenten. Im weiteren Sinne zählen auch Leg. mit *Hitzebeständigkeit zu den H.-L., s. hitzebeständige Stähle u. Heizleiter-Legierungen. Entscheidende Einflußgrößen für das Werkstoffverhalten sind zum einen die Beanspruchungsparameter (Zusammensetzung der Umgebung, Temp., Temp.-Zeit-Verhalten, stat. od. wechselnde mechan. Beanspruchung), zum anderen die Tatsache, daß techn. Leg. zumeist nicht im thermodynam. Gleichgew. vorliegen. So verändert sich ein weitgehend homogener Werkstoff als Folge von therm. od. therm.-mechan. aktivierten Diffusionsvorgängen durch Entmischungsprozesse in Richtung eines stabileren Zustands. Dies zeigt sich z. B. durch Ausschei-

dungsbildung im Korn u. auf den Korngrenzen sowie durch die Bildung von Ordnungsstrukturen bis hin zu neuen Phasen (Intermetalle, Carbide o. ä.). Nur in wenigen Fällen führen derartige Vorgänge zu einer Verbesserung der Eigenschaften, z. B. im Hinblick auf das Festigkeitsverhalten als Folge einer Ausscheidung feindisperser Verbindungen. In den meisten Fällen kommt es dagegen zu einer Beeinträchtigung der Werkstoffeigenschaften, wie z. B. zu einem gleichmäßig abtragenden od. örtlichen Angriff od. einer Verminderung der Zähigkeit.

Grundsätzlich lassen sich einsatzbezogen zwei Leg.-Gruppen unterscheiden, Leg. für die Verfahrenstechnik (Prozeßöfen wie Cracker u. Reformer in der Petrochemie) u. für die Energietechnik (Antriebsaggregate wie Turbinen). Bei Werkstoffen für Prozeßöfen handelt es sich überwiegend um gegossene Leg. des Typs FeNiCr. Tab. 1 gibt eine Auswahl wieder. Typ. Beanspruchungsbedingungen sind 1000 °C u. Innendrücke (in Rohren) <10 bar bei Anwesenheit von Spaltprodukten höherer Kohlenwasserstoffe mit Verunreinigungen.

Tab. 1: Eine Auswahl an Hochtemperatur-Legierungen.

ASTM-Bez. (USA)	Vergleichbare DIN-Bez.	Werkstoff-Nr.
HF	G-X 40 CrNiSi 22 9	1.4826
HK50	G-X 40 CrNiSi 25 20	1.4848
HP	G-X 50 CrNi 30 30	1.4868
HU50	G-X 40 NiCrSi 38 18	1.4865
50Cr50NiCb	G-NiCr 50 Nb	2.4813
A567 Gr. 1	G-CoCr 28	2.4778

Bei Werkstoffen für Antriebsaggregate werden *Superlegierungen in gegossener, geschmiedeter od. gesinterter Form eingesetzt. Hierbei handelt es sich um Leg. auf Ni- od. Co-Basis, die ihre mechan. u. chem. Eigenschaften aus einem Leg.-Spektrum der Elemente Cr, Mo, W, Ta, Nb, Al, Ti, B, Zr, C u. seltene Erden mit komplexen Wechselwirkungen beziehen. Diese nicht genormten Leg. stellen der Metallurgie vor außerordentliche Herausforderungen. Da sich beispielsweise Korngrenzen, die Orte hoher Fehlstellen-D. darstellen, bei hohen Temp. als Gefügeschwachstellen auswirken, wird bei Turbinenschaufeln die Ausbildung beanspruchungsgerechter Grobkornstrukturen bis hin zu Einkrist. realisiert. Extreme Beanspruchungen zwingen darüber hinaus zu *Verbundsystemen, z. B. in Form gesinterter Gradientenwerkstoffe (Bauteile mit einer

Tab. 2: Eine Auswahl an Superlegierungen.

Basis	Handelsname	Zusammensetzung [%]
Nickel	Astroloy	NiCo17Cr15Mo5AlTiB
	IN-102	NiCr15Fe7MoWNbAlZrB
	Nimonic 80A	NiCr20TiAlCo
	Renè 95	NiCr14Co8MoWTaAlTiB
	Waspalloy	NiCr20Co14MoTiAl
Cobalt	HS-31	CoCr25Ni11WB
	UMCo-51	CoCr28Fe19Nb
	J-1650	CoCr28Fe19Nb
	MAR-M 322	CoNi27Cr19W12TaTiB
	AiResist 213	CoCr22W9Ta5ZrTi
		CoCr19Ta8W5AlYZr

über den Querschnitt stetig veränderten Zusammensetzung), od. zu Oberflächenschutzschichten als Barrieren bei chem. Beanspruchung. Wegen ihrer hohen therm. Stabilität sind in jüngster Zeit bestimmte Typen von *intermetallischen Verbindungen als H.-L. interessant geworden, z. B. Aluminide der Metalle Ni u. Fe [1]. Tab. 2 zeigt eine Auswahl dieser *Superlegierungen. Typ. Beanspruchungsbedingungen sind Temp. >1000 °C bei rotierender Beanspruchung mit hohen Drehzahlen in Ggw. von Verbrennungsgasen. – *E* high temperature materials – *F* matériaux à haute résistance thermique – *I* materiali per alte temperature – *S* aleaciones para altas temperaturas.

Lit.: [1] Materials and Corrosion **47**, Nr. 12 (1996).
allg.: Heubner (Hrsg.), Nickellegierungen u. hochlegierte Sonderstähle, 2. Aufl., S. 105 ff., Ehningen: Expert 1993 ■ Sims u. Hagel, The Superalloys, New York: Wiley & Sons 1972 ■ s. a. Hitzebeständigkeit.

Hochtemperatur-Pyrolyse-Verfahren s. HTP-Verfahren.

Hochtemperatur-Reaktoren (HTR) s. Kernreaktoren.

Hochtemperatur-Supraleiter (Hoch-T_c-Supraleiter, H-T_c-Supraleiter). Materialien, bei denen die Sprungtemp. T_c (Übergang von elektr. Normal- zu *Supraleitung, auch krit. Temp. genannt) deutlich oberhalb der Temp. von flüssigem Helium (4,2 K) liegt. Bei allen Metallen liegt T_c unterhalb von 10 K, weshalb der Einsatz von supraleitenden Magneten mit großem techn. Aufwand verbunden u. fast nur der Forschung od. der Medizin (*NMR-Spektroskopie) vorbehalten ist. Niob-Verb. besitzen höhere T_c-Werte; allerdings war seit 1973 mit $T_c = 23,3$ K bei Nb_3Ge keine weitere Erhöhung mehr gelungen, bis im April 1986 von J. G. *Bednorz u. K. A. Müller (IBM-Forschungslabor Rüschlikon bei Zürich) nach Experimenten mit Oxid-Keramiken u. La-Ni-O-Syst. bei Ba-La-Cu-Oxid ein T_c-Wert von 35 K erreicht wurde [1]. Hierbei erkannte man La_2CuO_4 als supraleitende Verbindung.
Die Tatsache der Supraleitung wurde nicht nur durch das Absinken des elektr. Widerstands überprüft, sondern auch durch den Meißner-Ochsenfeld-Effekt. In den folgenden Monaten setzte ein Wettlauf nach weiteren H.-S. ein. C. W. Chu (Univ. of Houston, Texas) erreichte beim Ba-La-Cu-O-Syst. ebenfalls $T_c = 35$ K u., indem er die Proben einem hydrostat. Druck aussetzte, $T_c = 50$ K (Januar 1987). Eine Modif., bei der er anstelle des größeren Lanthan- das kleinere Yttrium-Atom in den Kristallverband einbaute, führte bei $YBa_2Cu_3O_7$ zu einem enormen Anstieg der krit. Temp. auf $T_c = 92$ K (Feb. 1987, *Lit.*[2]). Dieser Wert liegt über der Temp. von flüssigem Stickstoff, wodurch der Einsatz von supraleitenden Materialien wesentlich vereinfacht wird. 1987 erhielten Bednorz u. Müller für ihre Arbeiten den Nobelpreis für Physik (Nobelvortrag von Bednorz s. *Lit.*[3]).
Die neuen H.-S. sind keram. Oxide. Sie besitzen eine orthorhomb. verzerrte *Perowskit-Struktur[4]. Es sind recht spröde u. z. T. poröse Materialien. Da der Strom, der durch die Probe geleitet wird, durch die Berührungsflächen der einzelnen Kristallite fließen muß, werden dort sehr hohe lokale Stromdichten erreicht, die schon bei relativ niedrigen globalen Strom-

dichten (bezogen auf den Querschnitt der Probe) zu einem Zusammenbrechen der Supraleitung führen. $YBa_2Cu_3O_7$ durchläuft nahe 700 °C einen Phasenübergang vom tetragonalen ins orthorhomb. Kristallsystem. Beim Abkühlen werden dadurch (110)-Zwillingsgrenzen zwischen den orthorhomb. Domänen gebildet, die zu *Josephson-Kontakten* od. „weak links" innerhalb der Kristallite führen. Diese Kontakte bilden ein Netzwerk, das die Kristallite in Josephson-gekoppelte Domänen unterteilt. Deshalb bilden selbst Einkrist. in Ggw. eines genügend hohen Magnetfelds ein supraleitendes Glas[5].
Die Herst. polykristalliner H.-S. ist recht einfach: Sinterverf. mit zweimaligem Aufheizen auf 950 °C, nach der zweiten Aufheizung Abkühlung unter Sauerstoff-Zufuhr[6]. Die ersten Rastertunnelmikroskop-Aufnahmen eines H.-S. zeigt *Lit.*[7]. Da sich aus dem harten Keramikmaterial keine biegsamen Drähte herstellen lassen, wird große Hoffnung auf eine Verbesserung der Herst. von H.-S. gesetzt. Durch Laserverdampfung mittels eines gepulsten Excimerlasers ($\lambda = 248$ nm, 10 ns Pulsdauer, 10 Hz Wiederholfrequenz) wird Material von einem Sintertarget, das aus fertigem supraleitendem Material besteht, abgetragen u. auf einem ~800 °C heißen Substrat kondensiert. Es werden Aufwachsraten von einigen µm/s erreicht; eine Nachbehandlung der *H-T_c-Supraleiterschicht* ist nicht notwendig. Ihre krit. Temp. ist recht einheitlich bei 92 K u. die krit. Stromdichte bei $1,5 \cdot 10^6$ A/cm^2 (bei Kühlung auf 77 K). Auf diese Weise können sehr dünne Schichten (<15 nm) hergestellt werden (*Lit.*[8]). Es hat sich gezeigt, daß bei den Cuprat-H.-S. der Stromtransport in Cu-O-Ebenen und -Ketten erfolgt. Die Materialien sind daher stark anisotrop. Ob der mikroskop. Mechanismus bei H.-S. ähnlich dem in normalen Supraleitern ist (Bildung von *Cooper-Paaren durch eine anziehende Elektron-Phonon-Elektron-Wechselwirkung), od. ob ein anderer Mechanismus vorliegt, ist derzeit noch nicht geklärt. Kürzlich wurden auch Cu-freie H.-S. entdeckt wie die Borcarbide vom Typ RNi_2B_2C, wobei R für Y od. ein Seltenerd-Atom steht. – *E* high temperature superconductors – *F* supraconducteurs à haute temperature – *I* superconduttori ad alta temperatura – *S* superconductores a alta temperatura.

Lit.: [1] Z. Phys. B **64**, 189 (1986). [2] Phys. Rev. Lett. **58**, 908, 911 (1987). [3] Phys. Bl. **44**, 347 (1988); Angew. Chem. **100**, 757 (1988). [4] Chem. Unserer Zeit **22**, 1 (1988); Sci. Am. **258**, Nr. 6, 52 (1988). [5] Phys. Bl. **44**, 354 (1988). [6] Chem. Unserer Zeit **22**, 30 (1988). [7] Phys. Bl. **45**, 27 (1989). [8] Solid State Commun. **67**, 965 (1988); Phys. Bl. **44**, 438 (1988).
allg.: Buckel, Supraleitung, 5. Aufl., Weinheim: VCH Verlagsges. 1994 ■ Goodenough, High Temperature Superconductors, Encyclopedia of Physical Science and Technology 1989 Yearbook, S. 3, New York: Academic Press 1989 ■ Science **237**, 1133 (1987).

Hochtemperaturverbrennung s. Sonderabfallverbrennung.

Hochtemperatur-Werkstoffe. Werkstoffe für eine Anw. bei Temp. >1500 °C. Die meisten *Metalle* der Gruppen 4 bis 10 des Periodensyst. weisen zwar entsprechend hohe Schmp. auf, sind jedoch in der Regel bei derart hohen Temp. sehr reaktionsfreudig, s. a. Hitzebeständigkeit u. Hochtemperatur-Legierungen. Hochtemp.-Anw. werden daher eindeutig von nichtmetall. Werkstoffen beherrscht. *Oxide* wie Al_2O_3, BeO, CaO, MgO, SiO_2, ThO_2 u. ZrO_2 sind aufgrund ihrer thermodynam. Stabilität die vorherrschende Gruppe der Hochtemperatur-Werkstoffe. Ihr Einsatz als *Oxidkeramik zeigt deutlich zunehmende Tendenz. Die *Kohlenstoff-Werkstoffe* Kohle u. Graphit haben gleichfalls einen festen Platz in bestimmten Bereichen der Hochtemp.-Technik. Anw.-Beisp. sind Elektroden für Lichtbögen, Heizwiderstände od. Feuerfestauskleidungen von Öfen im Hüttenwesen. Von bes. Vorteil sind ihre niedrige Wärmeausdehnung bei gleichzeitig hoher Wärmeleitfähigkeit u. die ausgezeichnete Temp.-Wechselbeständigkeit. *Carbide* wie HfC, TaC u. ZrC haben zwar Schmp. >3800 °C, werden jedoch im Gegensatz zu den Oxiden ebenso wie Kohlenstoff-Werkstoffe in oxidierender Umgebung angegriffen. Ihr wichtigster Vertreter ist SiC, das Anw. im Ofenbau (z. B. Heizrohre), in der Metallurgie (z. B. Thermometerschutzrohre) u. im Anlagenbau (z. B. Turbinenschaufeln u. Düsen) findet. *Nitride* können gleichfalls hohe Schmp. aufweisen. Als H.-W. in Frage kommen bes. Be-, B-, Al- u. Si-Nitride. Bornitrid wird als Schmiermittel od. als Werkstoff für Ofenkomponenten eingesetzt, Siliciumnitrid als Konstruktionswerkstoff in Gasturbinen. *Aluminide* der Metalle Ni u. Fe sind wegen ihrer hohen therm. Stabilität bei gleichzeitig sehr guter Festigkeit u. annehmbarer Zähigkeit interessant. – *E* high temperature materials – *F* matériaux à haute résistance thermique – *I* materiali per alte temperature – *S* materiales para altas temperaturas

Lit.: Enzyklopädie Naturwissenschaften u. Technik, Bd. 2, S. 1859 ff., München: Moderne Ind. 1980.

Hochvakuum s. Vakuum.

Hochveredlungsmittel. Sammelbez. für Substanzen, die in der *Textilveredlung zur *Appretur von Baumwoll- u. Baumwoll-Synthesefasermischgeweben od. -gewirken benutzt werden, insbes. Mittel zur *Quellfest-, Krumpffrei-* u. *Knitterfestausrüstung*. Die H. sind meist wasserlösl., niedermol., polyfunktionelle Verb., die in Ggw. saurer Katalysatoren bei höheren Temp. untereinander (Harzbildner) od. mit den Hydroxy-Gruppen der Cellulose vernetzen (Reaktanten). Die Gesamtheit der *Hochveredlungs*-Maßnahmen bezeichnet man auch als *Pflegeleicht-Ausrüstung. – *E* wash-and-wear finishes – *F* produits d'apprêt – *I* agente di alta affinazione – *S* agentes para el acabado de alta calidad

Lit.: Chwala u. Anger (Hrsg.), Handbuch der Textilhilfsmittel, S. 433–492, Weinheim: Verl. Chemie 1977 ▪ Kirk-Othmer (3.) **22**, 773 ff. ▪ Ullmann (4.) **23**, 77–81; (5.) **A 5**, 397.

Hochzelldichtefermentation. *Escherichia coli* ist der wichtigste Wirtsorganismus zur Expression (s. Genexpression) heterologer Proteine. Wenn man über ein optimales Expressionssyst. zur Protein-Herst. verfügt, läßt sich die Produktbildung auf zwei Arten steigern: 1. Durch Erhöhung der Menge an gebildetem Protein pro Zelle u. Zeiteinheit (spezif. *Produktivität) od. – 2. durch Erhöhung der Zellkonz. pro Zeiteinheit. Bei der H. werden Konz. größer 100 g Zelltrockenmasse pro L erreicht (s. a. Massenkultur). Über die speziel-

len Probleme u. verschiedenen Techniken der H. s. *Lit.* – *E* high cell-density fermentation, high cell-density cultivation (hcdc) – *F* fermentation à haute densité cellulaire – *I* fermentazione ad alta densità cellulare – *S* fermentación de alta densidad celular

Lit.: TIBTECH (Trends Biotechnol.) **14**, 98–105 (1996).

Hock, Heinrich (1887–1971), Prof. für Brennstoffchemie, Bergakademie Clausthal-Zellerfeld. *Arbeitsgebiete:* Autoxid. von Kohlenwasserstoffen, Cumol-Phenol-Verf. zur Herst. von Aceton u. Phenol (*Hocksche Spaltung), Herst. von metallurg. Koks aus nichtbackenden Kohlen, Brikettierung, Zerkleinerung, Verschwelung von Kohle usw.

Lit.: Neufeldt, S. 215 ▪ Pötsch, S. 206.

Hock-Reaktion s. Hocksche Spaltung.

Hocksche Spaltung (Hock-Reaktion, Hock-Verfahren). Von H. *Hock u. Lang 1944 erstmals beschriebene Reaktion von *Hydroperoxiden, die unter Protonen-Einfluß über ein *Halbacetal in Hydroxy- u. Carbonyl-Verb. zerfallen.

Das bekannteste u. zugleich bedeutendste Beisp. ist die großtechn. Synth. von Phenol u. Aceton über *Cumolhydroperoxid. Auch Cyclodecanon ist so techn. aus Decalin, Hydrochinon aus *Diisopropylbenzol nach vorhergehender *Autoxidation zugänglich. Die H. S. ist wohl z. T. die Ursache für das Vork. von Hydroxy- u. Carbonyl-Verb. in autoxidierten Substanzen. – *E* Hock reaction – *F* réaction de Hock – *I* reazione di Hock – *S* reacción de Hock

Lit.: Brückner, Reaktionsmechanismen, S. 409, Heidelberg: Spektrum Akadem. Verl. 1996 ▪ March (4.), S. 1099 ▪ Norman u. Coxon, Principles of Organic Synthesis, 3. Aufl., S. 445, London: Chapman & Hall 1993 ▪ Winnacker-Küchler (4.) **6**, 232.

Hock-Verfahren s. Hocksche Spaltung.

Hodgkin (Crowfoot-Hodgkin), Dorothy (1910–1994), Prof. für Chemie, Univ. Oxford. *Arbeitsgebiete:* Röntgenograph. Strukturaufklärung von Pepsin, Cholesteryliodid, Penicillin, Calciferol, Lumisterin, Insulin, Vitamin B_{12} u. a. Corrinoide. 1964 erhielt sie den Nobelpreis für Chemie für die Strukturbestimmung des Cobalamins (Vitamin B_{12}).

Lit.: Dodson et al., Structural Studies on Molecules of Biological Interest, Oxford: Univ. Press 1981 ▪ Lexikon der Naturwissenschaftler, S. 217 ▪ Nobel Prize Lectures Chemistry 1963–1970, Amsterdam: Elsevier 1972 ▪ Pötsch, S. 102 ▪ Umschau **65**, 3 f. (1965).

Hodgkin, Sir Alan Lloyd (geb. 1914), Prof. für Physiologie, Univ. Cambridge. *Arbeitsgebiete:* Physiologie des Nervensyst., Nervenreizleitung; hierfür 1963 Nobelpreis für Medizin od. Physiologie (zusammen mit *Eccles u. *Huxley).

Lit.: Lexikon der Naturwissenschaftler, S. 217.

Hoechst. Kurzbez. für die Hoechst AG, 65920 Frankfurt (Höchst). Die Farbwerke in Höchst wurden 1863 durch Meister, Lucius & Co. gegr., denen sich 1869 Brüning anschloß. Von 1925–1946 gehörte der Konzern der IG Farbenindustrie AG an. 1951 erfolgte nach der Entflechtung die Neugründung unter dem Namen Farbwerke Hoechst AG vorm. Meister, Lucius & Brüning; der jetzige Name besteht seit 1974. Einziger Großaktionär: Staat Kuwait. Zu den wichtigsten direkten u. indirekten, z. T. konsolidierten *Tochter- u. Beteiligungsges.* gehören: Herberts Gruppe (100%), Hoechst Celanese Gruppe (100%), Hoechst Trevira GmbH & Co. KG (100%), Hoechst Holland (100%), Hoechst Ibérica Gruppe (100%), Hoechst Marion Roussel S.p. A., Mailand (100%), Hoechst Roussel Vet GmbH (100%), Hoechst UK Ltd. (100%), Société Française Hoechst, S. A. (99,9%), Hoechst Diafoil GmbH (66,7%), Messer Gruppe (66,7%), Hoechst Schering AgrEvo (60%), Nunza Gruppe (100%), Roussel-Uclaf (56,6%), Chiron Behring (51%), DyStar Textilfarben Gruppe (50%), Harlow Chemical Gruppe (50%), Hoechst Perstorp (50%), Vinnolit Kunststoff GmbH (50%), Wacker Chemie Konzern (50%) u. a. *Daten* (1996; Konzern): 147 862 Beschäftigte, 50,9 Mrd. DM Umsatz. *Produktion: Ind.-Chemikalien:* Organ. u. anorgan. Grundchemikalien; Tenside u. Hilfsmittel, Lebensmittel-Zusatzstoffe, Pigmente, Feinchemikalien, Polymerisate, Additive; Polyester-Fasern, -Fäden u. -Folien, Polyethylenterephthalat (PET) für Verpackungen; Polyolefine; Polyacetal, Hochleistungspolymere; Industriegase, Gase-Anlagen, Schweiß- u. Schneidtechnik; Auto-, Ind.- u. Pulverlacke. *Gesundheit:* Medikamente, Diagnostika, Reagenzien u. Diagnostiksyst., Impfstoffe. *Landwirtschaft:* Herbizide, Fungizide, Insektizide, Schädlingsbekämpfung, Impfstoffe u. Arzneimittel für die Tiergesundheit; Futterzusatzstoffe. *Zeitschriften u. Serien:* Hoechst Persönlich, Future.

Höchstfeste Stähle s. Cobalt-Legierungen.

Hoechst Marion Roussel. Unternehmen, das durch Integration der Pharmageschäfte von Hoechst, Roussel Uclaf sowie der ehem. Marion Merell Dow gebildet wurde. 43% der Roussel-Uclaf-Anteile wurden 1997 von Hoechst erworben. Das Unternehmen soll 1997 zu einer Aktienges. mit Sitz in der BRD werden. *Daten* (1996): 45 160 Beschäftigte, 13 Mrd. DM Umsatz. *Produktion:* Präp. für Herz-Kreislauf, Atemwegserkrankungen, Allergien u. Infektionen, Antidiabetika, Schmerzmittel.

Höchstmengen. Die gesetzlich festgeschriebenen höchstzulässigen Mengen eines Stoffs in verschiedenen Medien wie Lebensmittel, Wasser, Boden u. Luft. Der Begriff stammt ursprünglich aus der *Lebensmittelhygiene*, wo man unter H. Grenzwerte für *Rückstände* von *Pflanzenschutzmitteln* u. *Schädlingsbekämpfungsmitteln* versteht, die in der Nahrung vorkommen können, aber nicht überschritten werden dürfen. Die H. liegen im allg. unter den *ADI-Werten. Die Einhaltung von H. wird durch chem.-analyt. Meth. überwacht. Inzwischen hat der Gesetzgeber für eine Vielzahl von Fremdstoffen H. festgesetzt, die in Lebensmitteln nicht überschritten werden dürfen. So sind in der Pflanzenschutzmittel-Höchstmengen-VO vom 16. 10. 1989 (BGBl. I, S. 1862) H. für Pflanzenschutz- u. Schädlingsbekämpfungsmittel in tier. u. pflanzlichen Lebensmitteln festgesetzt. Die Schadstoff-Höchstmengen-VO vom 23. 3. 1988 (BGBl. I, S. 422) enthält Höchstmengen für polychlorierte Biphenyle sowie Quecksilber in Lebensmitteln; Näheres s. *Lit.* [1]. – *E* permitted level – *F* quantités maximales – *I* quantità massime – *S* cantidades máximas

Lit.: [1] Classen et al., Toxikologisch-hygienische Beurteilung von Lebensmittelinhalts- u. -zusatzstoffen sowie bedenklicher Verunreinigungen, S. 244–276, Berlin: Parey 1987 ▪ s. a. Lebensmittelchemie.

Hoechst Roussel Vet. Kurzbez. für die 1991 gegr. Hoechst Roussel Vet GmbH, 65023 Wiesbaden. Das Gemeinschaftsunternehmen von Hoechst u. Roussel Uclaf hat die Aktivitäten im Bereich Tiergesundheit zusammengeführt. *Daten:* 1825 Beschäftigte, 785 Mio. DM Umsatz. *Produktion:* Präp. zur Behandlung von Nutz- u. Haustieren, Diagnostika, Futterzusatzstoffe.

Hoechst Schering AgrEvo. Kurzbez. für Hoechst Schering AgrEvo GmbH, 13509 Berlin. AgrEvo wurde 1994 aus dem Bereich Pflanzenschutz/Schädlingsbekämpfungsmittel der Unternehmen Hoechst (Anteil 60%) u. Schering gegründet. *Tochter- u. Beteiligungsges.:* Aglukon Spezialdünger GmbH, Düsseldorf (100%), AgrEvo France SA, Frankreich (100%), Hoechst Schering AgrEvo (Holding) BV, Niederlande (100%), Hoechst Schering AgrEvo S.r. I., Italien (100%), Hoechst Schering AgrEvo UK Ltd. (Holding), Großbritannien (100%). *Daten* (1996): 7403 Beschäftigte, 3,6 Mrd. DM Umsatz. *Produktion:* Pflanzenschutz- u. Schädlingsbekämpfungsmittel sowie Spezialdünger.

Hoechst-Wachse (Gersthofener Wachse). Umfangreiche Gruppe von *Wachsen auf der Basis von Rohmontan- u. Polyolefin-Wachsen u. a. Wachsrohstoffen zur Herst. von Pflegemitteln, als Gleitmittel in der Kunststoff- u. Gummiverarbeitung, in Pigmentkonzentraten, in der Bürochemie, in Druckfarben u. Lacken, Wachskompositionen u. Hotmelts, in Fototonern, zur Fruchtbeschichtung, im Korrosionsschutz, in der Textil-Ind., Folien- u. Papierveredelung, in Trennmitteln, Metallverarbeitung, Kosmetik u. a. *B.:* Hoechst.

Höcker, Franz Heinrich Hartwig (geb. 1937), Prof. für Textilchemie u. Makromol. Chemie, RWTH Aachen, Direktor des Dtsch. Wollforschungsinst. e. V. an der TH Aachen. *Arbeitsgebiete:* Präparative makromol. Chemie, Kinetik u. Mechanismus von Polyreaktionen, insbes. anion. Polymerisation, Modifizierung von Polymeroberflächen u. Polymeranalytik, Chemie u. Physik der Wolle, präparative Peptidchemie, Struktur-Funktionsbeziehungen bei biolog. aktiven Peptiden.
Lit.: Kürschner (16.), S. 1454 ▪ Wer ist wer (35.), S. 605.

Höhenstrahlung s. Kosmische Strahlung u. Strahlung.

Höhlensinter s. Kalke.

Höllenstein. Volkstümliche Bez. für die zu Ätzungen verwendeten Stifte aus *Silbernitrat.

Höppler Viskosimeter s. Viskosimetrie.

Hoesch, Kurt (1882–1932), Prof. für Organ. Chemie, Istanbul, später im Stahlunternehmen seiner Familie tätig. Entwickelte die *Houben-Hoesch-Synthese zur Herst. von Phenolketonen.
Lit.: Pötsch, S. 206 f.

Hoesch-Reaktion s. Houben-Hoesch-Synthese.

Hövenol® A. Gel mit standardisiertem Roßkastanien-Fluidextrakt u. Arnika-Tinktur zu Venentherapie. H. Emulsion enthält anstelle der Arnika-Tinktur Methylsalicylat. *B.:* Carl Hoernecke Magdeburg.

van't Hoff, Jacobus Hendricus (1852–1911), Prof. für Physikal. Chemie, Univ. Amsterdam u. Berlin. *Arbeitsgebiete:* Begründung der Stereochemie (asymmetr. C-Atom), elektrolyt. Dissoziation, chem. Gleichgew. u. Reaktionsgeschw. (*van't Hoffsche Gleichung bzw. Regel), Zusammenhänge zwischen osmot. Druck von Lsg. u. dem Gasdruck, M_R-Bestimmung aus Gefrierpunktserniedrigung, Sdp.-Erhöhung u. osmot. Druck, Untersuchung der Staßfurter Doppelsalze. Für die Entdeckung der Gesetze der chem. Dynamik u. des osmot. Drucks in Lsg. erhielt van't Hoff 1901 den Nobelpreis für Chemie (als erster Träger des neugegründeten Nobelpreises).
Lit.: Chem. Unserer Zeit **8**, 135–142, 148–158 (1974) ▪ Krafft, S. 176 f. ▪ Lexikon der Naturwissenschaftler, S. 217 f. ▪ Neufeldt, S. 64, 80, 335, 364, 380, 396 ▪ Pötsch, S. 434 ▪ Strube et al., S. 65 f., 70 f.

Hoffmann. Kurzbez. für die Firma Franz Hoffmann & Söhne KG, 86619 Neuburg. *Produktion:* Mineral. Füllstoffe u. Autoreinigungs- u. Pflegemittel.

Hoffmann, Heinz (geb. 1935), Prof. für Physikal. Chemie, Univ. Bayreuth. *Arbeitsgebiete:* Kolloidchemie, Tenside, Rheologie, Grenzflächen, Flüssigkrist.; Vorsitzender der Kolloidges. (bis 1991).
Lit.: Kürschner (16.), S. 1479 ▪ Wer ist wer (35.), S. 616.

Hoffmann, Reinhard W. (geb. 1933), Prof. für Organ. Chemie, Univ. Marburg. *Arbeitsgebiete:* Meth. zur stereoselektiven Synth., v. a. mit Bor-Reagenzien, Organometall-Chemie, Synth. polyketider Naturstoffe.
Lit.: Kürschner (16.), S. 1483 ▪ Nachr. Chem. Tech. Lab. **41**, Nr. 6, 751 u. Nr. 10, 1174 (1993) ▪ Wer ist wer (35.), S. 617.

Hoffmann, Roald (geb. 1937), Prof. für Chemie, Cornell Univ., Ithaca, New York. *Arbeitsgebiete:* Theoret. Chemie, Mol.-Zustände ungesätt., aromat., metallorgan., radikal. u. angeregter Verb., Bindungsordnungen, Theorie elektrocycl. Reaktionen, Mit- u. Weiterentwicklung der *Woodward-Hoffmann-Regeln u. der *EHT; Nobelpreis für Chemie 1981 zusammen mit *Fukui.
Lit.: Lexikon der Naturwissenschaftler, S. 218 ▪ Nachr. Chem. Tech. Lab. **29**, 760 f. (1981) ▪ Neufeldt, S. 275, 370 ▪ Pötsch, S. 207 ▪ Umschau **82**, 731 (1982) ▪ Who's Who in America (50.), S. 1961.

Hoffmann-La Roche AG. Kurzbez. (auch Roche, Hoff-Roche) für die 1896 von Fritz Hoffmann-La Roche gegr. F. Hoffmann-La Roche AG, Grenzacher Straße 124, CH-4070 Basel. Zu den wichtigsten *Tochter- u. Beteiligungsges.* gehören: Boehringer Mannheim (100%), Givaudan (100%), Sauter S. A. (100%), Kontron (100%) u. a. in USA, Italien, Frankreich, England, Japan. *Daten*

(1996): ca. 60 000 Beschäftigte, 14,7 Mrd. sfr Umsatz. *Produktion:* Pharma (56,6%), Vitamine u. Feinchemikalien (21,7%), Diagnostika (10,8%), Riechstoffe u. Aromen (10,3%). Aktivitäten in den Bereichen Immunologie, Molekularbiologie, Biotechnologie u. Gentechnologie. *Vertretung* in der BRD: Hoffmann-La Roche AG, 79639 Grenzach-Wyhlen.

Hoffmann's Stärkefabriken AG, 32107 Bad Salzuflen. An der 1850 gegr. Firma ist die Reckitt GmbH mit 90% beteiligt; s. dort.

Hoffmannstropfen s. Diethylether.

Van't Hoffsche Gleichung (bzw. Regel) s. Van't-Hoff-Gleichung u. Van't-Hoff-Regel.

Hofmann, Albert (geb. 1906), ehem. Direktor des Pharmazeut. Chem. Forschungslaboratoriums Sandoz, Basel. *Arbeitsgebiete:* Wirkstoffe von Meerzwiebel, Rauwolfia, Mutterkorn, Synth. von Ergobasin, Ergotamin u. Lysergsäurediethylamid (LSD) u. Entdeckung von dessen halluzinogenen Eigenschaften, mexikan. Zauberdrogen (Teonanácatl, Ololiuqui), Isolierung u. Synth. von Psilocybin.
Lit.: Hofmann, LSD – Mein Sorgenkind, Stuttgart: Klett-Cotta 1979 ▪ Kürschner (16.), S. 1487.

Hofmann, August Wilhelm von (1818–1892, geadelt 1888), Prof. für Chemie, London, Bonn u. Berlin. *Arbeitsgebiete:* Anilin, Toluidin, Cyano-Verb., Isocyano-Verb., Formaldehyd, Synth. von Triarylmethan-Farbstoffen (Rosanilin, Hofmanns Violett) u. a. Verb. (s. a. Hofmann-Eliminierung, Hofmannscher Abbau u. Hofmannscher Zersetzungsapparat), Dampfdichtebestimmung, Gründer der Dtsch. Chem. Ges., Reform des Chemieunterrichts an preuß. Hochschulen.
Lit.: Bugge, Das Buch der großen Chemiker, Bd. 2, S. 136–153, Weinheim: Verl. Chemie 1929 (1961) ▪ Chem. Labor Betr. **16**, 265–273 (1965); **19**, 164–170 (1968) ▪ Chem. Ztg. **106**, 13–18 (1982) ▪ Krafft, S. 177 f. ▪ Lexikon der Naturwissenschaftler, S. 219 ▪ Neufeldt, S. 41, 59, 72, 73, 380, 395 ▪ Pötsch, S. 207 ▪ Strube et al., S. 126, 157 f., 174.

Hofmann, Franz (geb. 1942), Prof. für Pharmakologie u. Physiolog. Chemie, Univ. Heidelberg, Homburg/Saar. *Arbeitsgebiete:* second messenger-regulierte Proteinkinase u. Protein-Phosphorylierung. cGMP-abhängige Proteinkinase, Regulationssyst. durch Protein-Phosphorylierung, Calcium-Kanäle: Struktur, Funktion, Expression.
Lit.: Kürschner (16.), S. 1488 ▪ Wer ist wer (35.), S. 619.

Hofmann, Fritz Carl Albert (1866–1956), Direktor des Labors Elberfeld u. Leiter des Kohle-Forschungsinst. Breslau. *Arbeitsgebiete:* Entdeckung von Isopren, Herst. von synthet. Kautschuk, Arzneimittel, chem. Schädlingsbekämpfung, synthet. Fasern.
Lit.: Lexikon der Naturwissenschaftler, S. 219 ▪ Neufeldt, S. 119 ▪ Pötsch, S. 208 ▪ Strube et al., S. 164.

Hofmann, Hanns Paul Karl (geb. 1923), Prof. Dr.-Ing. h.c. für Techn. Chemie, Univ. Erlangen-Nürnberg. *Arbeitsgebiete:* Chem. Reaktionstechnik, chem. Fabrikationsverfahren.
Lit.: Kürschner (16.), S. 1488 ▪ Nachr. Chem. Tech. Lab. **41**, Nr. 11, 1291 (1993) ▪ Wer ist wer (35.), S. 619.

Hofmann, Ulrich (1903–1986), Prof. für Anorgan. Chemie u. Silicat-Chemie, TH Darmstadt u. Univ. Hei-

delberg. *Arbeitsgebiete:* Graphit, Graphit-Verb., Ton, Silicate, Thixotropie, Kautschuk-Füllstoffe, Kollagen, Kolloide, antike Keramiken u. Ultramarin.
Lit.: Ber. Dtsch. Keram. Ges. **1963**, 54–57 ▪ Ber. Bunsenges. Physik. Chem. **72**, 1f. (1968) ▪ Chem. Ztg. **87**, 61 (1963) ▪ Kürschner (15.), S. 1889 ▪ Nachr. Chem. Tech. **11**, 43 (1963) u. **21**, 58 (1973) ▪ Z. Anorg. Allg. Chem. **320**, 1f. (1963).

Hofmann-Eliminierung. Von A. W. *Hofmann (1881) entdeckte therm. Spaltung eines quartären Ammoniumhydroxids in ein Olefin u. ein tert. Amin.

Wenn bei einer solchen β-Eliminierung mehrere Alkene entstehen können, bildet sich hauptsächlich dasjenige mit dem geringsten Alkyl-Substitutionsgrad (*Hofmannsche Regel*, vgl. dagegen die *Saytsevsche Regel* bei *Eliminierung). Die H.-E. bildet die Grundlage für den Abbau durch die sog. erschöpfende *Methylierung nach Hofmann, der z.B. bei der Konstitutionsaufklärung von Naturstoffen mit einer Amin-Funktion (bes. bei *Alkaloiden) eine wichtige Rolle spielte. – *E* Hofmann elimination – *F* élimination d'Hofmann – *I* eliminazione di Hofmann – *S* eliminación de Hofmann
Lit.: Brückner, Reaktionsmechanismen, S. 121, Heidelberg: Spektrum Akadem. Verl. 1996 ▪ March (4.), S. 1015 ▪ Hassner-Stumer, S. 174 ▪ Laue-Plagens, S. 176 ▪ Org. React. **11**, 317–493 (1960) ▪ Patai, The Chemistry of the Amino Group, S. 409–416, New York: Wiley 1968 ▪ s.a. Eliminierung.

Hofmann-Löffler-Freytag-Reaktion. Die H.-L.-F.-R. ist eine synthet. wertvolle Reaktion zum Aufbau von Stickstoff-haltigen Ringsyst., z.B. Pyrrolidinen od. Piperidinen. Man geht dazu von *N*-Halogen-aminen aus, die in Ggw. von Säuren nach Erhitzen, Bestrahlen od. mit Hilfe eines Radikal-Starters in die gewünschten Ringsyst. umlagern.

Das Durchlaufen eines *Radikals als Zwischenstufe wird angenommen (vgl. a. Barton-Reaktion). – *E* Hofmann-Löffler-Freytag reaction – *F* réaction d'Hofmann-Löffler-Freytag – *I* reazione di Hofmann-Löffler-Freytag – *S* reacción de Hofmann-Löffler-Freytag
Lit.: Angew. Chem. **95**, 368–380 (1983) ▪ Carey-Sundberg, S. 677, 1298 ▪ Chem. Rev. **63**, 55–64 (1963) ▪ Hassner-Stumer, S. 175 ▪ March (4.), S. 1152.

Hofmann-Martius-Reaktion. Beim Erhitzen der Ammonium-Salze von *N*-Alkyl-anilinen auf 200–300 °C erfolgt Umlagerung zu einem para-substituierten Anilin. Die H.-M.-R. verläuft *intermol.*, wobei im Falle von prim. Alkyl-Resten durch *nucleophile *Substitution zunächst ein Alkylhalogenid gebildet wird, das

anschließend den Aromaten elektrophil substituiert (s. elektrophile Reaktionen).

– *E* Hofmann-Martius-reaction – *F* réaction d'Hofmann-Martius – *I* reazione di Hofmann-Martius – *S* reacción de Hofmann-Martius
Lit.: Hassner-Stumer, S. 176 ▪ Houben-Weyl **11/1**, 848–851 ▪ March (4.), S. 560.

Hofmann-Sand-Reaktion s. Quecksilber-organische Verbindungen.

Hofmannscher Abbau (Hofmann-Umlagerung). Zwar versteht man gelegentlich unter H. A. auch die *Hofmann-Eliminierung, im allg. jedoch den 1881 von A. W. *Hofmann aufgefundenen Abbau von *Säureamiden* zu *Aminen*, die 1 C-Atom weniger enthalten. Die Oxid. des Amids mit Br$_2$ od. Cl$_2$ in alkal. Lsg. führt zur Bildung eines *Isocyanates; aus diesem entsteht dann durch Wasser-Addition u. anschließende Decarboxylierung der gebildeten *Carbaminsäure* das Amin. *Nitrene als reaktive Zwischenstufen, wie sie bei der photochem. *Curtius-Umlagerung postuliert werden, treten vermutlich nicht auf[1].

Über Verf.-Verbesserungen s. *Lit.*[2], über die Abwandlung des H. A. zur Synth. von Carbamaten s. *Lit.*[3]. – *E* Hofmann degradation – *F* dégradation d'Hofmann – *I* degradazione di Hofmann – *S* degradación de Hofmann
Lit.: [1] Bull. Chem. Soc. Jpn. **44**, 1632, 2776 (1971). [2] J. Org. Chem. **23**, 2029ff. (1958). [3] Synthesis **1974**, 290ff.
allg.: Chem. Rev. **54**, 1065–1089 (1954) ▪ Hassner-Stumer, S. 173 ▪ Houben-Weyl **11/1**, 854–862 ▪ Laue-Plagens, S. 181 ▪ March (4.), S. 1090 ▪ Org. React. **3**, 267–306 (1946).

Hofmannsche Regel s. Hofmann-Eliminierung u. Eliminierung.

Hofmannscher Zersetzungsapparat. Von A. W. *Hofmann erfundenes, aus drei miteinander kommunizierenden Röhren bestehendes Elektrolysegerät, mit dem man z.B. Wasser elektrochem. in seine Elemente zerlegen kann.
Man füllt dazu die Apparatur (s. Abb., S. 1778) mit verd. Schwefelsäure (reines Wasser besitzt keine ausreichende elektr. Leitfähigkeit) u. schaltet den Strom ein. An den Platin-Elektroden steigen dann bald Gasbläschen auf: Am Minuspol entsteht Wasserstoff u. am Pluspol Sauerstoff, im Vol.-Verhältnis von (annähernd) 2:1. Das Vol.-Verhältnis ist nicht exakt 2:1, weil sich Sauerstoff in Wasser etwas besser löst als Wasserstoff. In *Brennstoffzellen (*Knallgas-Ele-

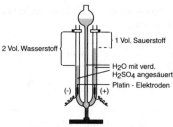

2 Vol. Wasserstoff

1 Vol. Sauerstoff

H₂O mit verd.
H₂SO₄ angesäuert
Platin - Elektroden

(-)   (+)

Abb.: Prinzip des Hofmannschen Zersetzungsapparats.

mente) läuft die Umkehrung dieser Zers. des Wassers ab. – *E* Hofmann's apparatus – *F* appareil de Hofmann pour décomposer l'eau – *I* apparecchiatura di decomposizione Hofmann – *S* aparato de Hofmann para descomposición del agua

Hofmanns Violett (Dahlia-Violett) s. Triarylmethan-Farbstoffe.

Hofmann-Umlagerung s. Hofmannscher Abbau.

Hofmeistersche Reihen (lyotrope Reihen). Bez. für die von dem Physiologen Franz Hofmeister (1850–1923) festgestellte Reihenfolge der Kationen u. Anionen hinsichtlich ihres *Ausflockungs-Vermögens für *lyophile Kolloide* aus deren *Solen. Danach nimmt die Flockungsfähigkeit der Anionen in folgender Reihenfolge ab: SO_4^{2-}, PO_4^{3-}, Citrat, Tartrat, Acetat, Cl^-, NO_3^-, Br^-, I^-, NCS^-; od. unter anderen Bedingungen: Citrat (0,56), SO_4^{2-} (0,80), Acetat (1,69), Cl^- (3,62), NO_3^- (5,4), NCS^-. Die in der zweiten Reihe in Klammern stehenden Zahlen bedeuten die Konz. (mol/L) von Natrium-Salzen, die gerade noch neutrales Ovalbulmin zu koagulieren vermögen. Citrate u. Sulfate sind hier gute Fällungsmittel, Chloride u. Nitrate wirken dagegen schwach; mit Natriumthiocyanat od. Natriumiodid kann überhaupt keine Aussalzung erzielt werden. Für das *Aussalzen vieler Eiweißstoffe gilt meist die folgende Kationenreihe (nach abnehmendem Koagulationsvermögen): Li^+, Na^+, K^+, NH_4^+, zuweilen aber auch die Reihe Li^+, NH_4^+, Na^+, K^+, Rb^+ od. die Reihe Th^{4+}, Al^{3+}, Mg^{2+}, Ca^{2+}, Sr^{2+}, Ba^{2+}, Li^+, Na^+, K^+, Rb^+, Cs^+. Daß mehrwertige Ionen stärker koagulierend wirken, entspricht der Schulze-Hardy-Regel (s. Kolloidchemie, Dispersionskolloide). Nach Hofmeister u. Spiro (1904) beruht die Flockungskraft der Salze auf ihrer Lsm.-entziehenden Fähigkeit: Wird ein geeignetes Sol mit viel Salz versetzt, so erfolgt eine Konkurrenz beider Partner um das Lösemittel. H. R. lassen sich außer für die Koagulation noch für eine Reihe anderer kolloidchem. Effekte aufstellen, so z. B. für die *Quellung der Gele od. die Adsorption der Ionen, jedoch auch für eine Reihe anderer Eigenschaften, wie das Infrarotspektrum u. die Viskosität von Salz-Lsg., sowie für die Löslichkeit von inerten Gasen in diesen Lsg., ferner für die Hydratationswärme der Ionen u. sogar für die Ionisierungspotentiale der entsprechenden Atome. Durch Messung der Neutronendiffraktion konnten 1995 die empir. gefundenen H. R. bestätigt werden[1]. – *E* Hofmeister series – *F* série d'ions d'Hofmeister – *I* serie di Hofmeister – *S* serie iónica de Hofmeister

Lit.: [1] Chem. Unserer Zeit **30**, 47 f. (1996).
allg.: Ausflockung u. Kolloidchemie.

Hofstadter, Robert (1915–1990), Prof. für Physik, Stanford Univ. *Arbeitsgebiete:* Elektronenstreuung an Atomkernen, Struktur der Nukleonen. Für diese Arbeiten erhielt er (gleichzeitig mit *Mößbauer) 1961 den Nobelpreis für Physik.
Lit.: Lexikon der Naturwissenschaftler, S. 220 ▪ Neufeldt, S. 237, 360.

Hoggar®N. Schlaftabl. mit *Doxylamin-Succinat. *B.:* Stada.

Hogness-Box (auch TATA-Box, Goldberg-Hogness-Box, Goldbrick-Box). DNA-*Consensus-Sequenz (Heptanucleotid, am häufigsten TATAAAA) im *Promotor-Bereich eukaryont. Gene, die durch die RNA-Polymerase II transkribiert werden, analog zur Pribnow(-Schaller)-Box der Prokaryonten. Diese AT-reiche Sequenz dient zur Ausrichtung der RNA-Polymerase auf den Transkriptionsstartpunkt. – *E* Hogness box – *F* boîte de Hogness – *I* box di Hogness – *S* caja de Hogness
Lit.: Stryer 1996, S. 105.

Hohlblocksteine. Mauersteine aus *Leichtbeton, die aus porigen, mineral. Zuschlagstoffen u. hydraul. Bindemitteln hergestellt werden.
Lit.: DIN 106, Tl. 1 (09/1980) ▪ Scholz, Baustoffkenntnis, 12. Aufl., S. 77 f., 93–96, Düsseldorf: Werner 1991. – *[HS 6810 11]*

Hohlfasern. Bez. für Filamentgarne od. *Spinnfasern aus *Viskose od. *Synthesefasern mit Lufteinschlüssen, erzeugt durch spezielle Spinndüsen (z. B. bei Polyesterfasern) od. durch CO_2-Entwicklung beim Spinnvorgang (z. B. durch Natriumhydrogencarbonat-Zusatz zur Viskose-Spinn-Lsg.). H. sind gegenüber gewöhnlichen Fasern fülliger u. haben größeres Wärmeisolationsvermögen. Für industrielle Anw. werden H. auch aus Celluloseacetat, *Polysulfon, *Polyacrylnitril, *Polymethylmethacrylat, *Polyamid, *Polybenzimidazol od. *Glas hergestellt.
Verw.: Insbes. Polyester-H. für Füllungen von Bettdecken, Kissen, Schlafsäcken, Kälteschutzkleidung u. dergleichen. Als Kapillarmembranfilter bei der *Ultrafiltration u. der *umgekehrten Osmose zum Entsalzen, Konzentrieren, Fraktionieren von Proteinen, Enzymen u. dgl., zur Luftzerlegung[1], zum Immobilisieren von Enzymen u. Zellen, zur Hämodialyse. – *E* hollow fibers – *F* fibres creuses – *I* resine cave – *S* fibras vacías
Lit.: [1] AIChE Symp. Ser. **82**, Nr. 250, S. 35–47 (1986).
allg.: Bauer u. Koslowski, Chemiefaser-Lexikon, 10. Aufl., S. 72 f., Frankfurt: Dtsch. Fachverl. 1993 ▪ Elias (5.) **2**, 535 ▪ Encycl. Polym. Sci. Eng. **6**, 757–762 ▪ Kirk-Othmer (3.) **12**, 492–517; **19**, 866; (4.) **13**, 312–337 ▪ Ullmann (5.) **A 9**, 376 f.

Hohlfaser-Reaktor. Bez. für einen *Bioreaktor-Typ, bei dem *Hohlfasern (Ø 0,5 mm) in Bündeln in einem zylindr. Rohr installiert sind. Bis zu 1000 solcher zylindr. semipermeabler Membranen werden in einem H.-R. von 3 cm Durchmesser untergebracht. Durch die extrem große Oberfläche der Membranen ist eine gute Diffusion zwischen Substrat- u. Produktfluß innerhalb der Hohlfaser u. immobilisierten Enzymen od. Mikroorganismen bzw. tier. Zellen außerhalb der Fasern gewährleistet. Der Einsatz des H.-R. ist bisher auf den Labormaßstab beschränkt. – *E* hollow-fiber reactor –

F réacteur à fibre creuse – *I* reattore a fibra cava – *S* reactor de fibra hueca

Lit.: Biotechnol. Bioeng. **20**, 217 (1978) ▪ Chmiel (Hrsg.), Bioprozeßtechnik 2, Angewandte Bioverfahrenstechnik, S. 121 f., Stuttgart: G. Fischer 1991 ▪ Eur. J. Appl. Microbiol. Biotechnol. **13**, 96 (1981) ▪ J. Chem. Tech. Biotechnol. **31**, 178 (1981).

Hohlglas s. Glas.

Hohlkathodenlampen. Bez. für monochromat. Strahlenquellen, die für die *Atomabsorptionsspektroskopie u. -analyse benötigt werden. H. bestehen aus einer – meist zylindr. angeordneten – Kathode aus dem anzuregenden (u. zu bestimmenden) Element (bzw. einem Trägermaterial auf das das zu untersuchende Element aufgetragen ist) u. einer Anode, die zusammen in einem zylindr. Glaskolben mit spektral durchlässigem Fenster montiert sind. Der Glaskolben ist mit Argon od. Neon von 10–20 hPa Druck gefüllt. Nach Anlegen einer Elektrodenspannung von bis zu 600 V schlagen pos. geladene Gas-Ionen aus der Kathode Atome heraus, die bei anschließenden Stoßprozessen angeregt werden u. bei der Rückkehr in den Grundzustand das Linienspektrum des zu bestimmenden Elements emittieren. In geeigneten Fällen lassen sich die H. auch als *Mehrelementlampen* betreiben. Die Hohlkathodenentladung brennt im Vgl. zu einer *Glimmentladung mit ebener Kathode bei niedrigerer Spannung. – *E* hollow cathode lamps – *F* lampes à cathode creuse – *I* lampade a catodo cavo – *S* lámparas de cátodo hueco

Lit.: Analyt.-Taschenb. **1**, 149–163 ▪ LABO **4**, 137–139 (1973) ▪ Pure Appl. Chem. **45**, 112 (1976) ▪ Waymouth, Light Sources, in Encyclopedia of Physical Science and Technology, Vol. 7, S. 224, New York: Academic Press 1987 ▪ s. a. Atomabsorptionsspektroskopie.

Hohlladungen. Sprengladungen, die durch Ausnehmen eines Hohlraums an der dem Ziel zugewandten Seite der Ladung eine stärkere Wirkung als massive Sprengladungen gleicher Größe erzielen. Geeignet aufgebaute H. können Stahlunterlagen durchschlagen, deren Dicke das Mehrfache des Durchmessers der H. betragen. – *E* shaped charges – *F* charges creuses – *I* cariche cave – *S* cargas huecas

Lit.: Meyer, Explosivstoffe (8.), Weinheim: Verl. Chemie 1995.

Hohlneicher, Georg (geb. 1937), Prof. für Theoret. Chemie, Univ. Köln. *Arbeitsgebiete:* Theoret. u. experimentelle Untersuchungen zur elektron. Struktur von Mol., Festkörpern u. Adsorbaten, Absorptions- u. Emissionsspektroskopie, Zweiphotonenspektroskopie, Spektroskopie an matrixisolierten Mol., Photoelektronenspektroskopie im hoch- u. niederenerget. Bereich.

Lit.: Kürschner (16.), S. 1497 ▪ Wer ist wer (35.), S. 622.

Hohltiere (Coelenterata, Radiata). Unterabteilung der vielzelligen Tiere (Eumetazoa) mit ca. 10000 im Meer lebenden Arten. Die H. sind sehr einfach gebaut. Ihr Körper besteht nur aus 2 Epithelien (Epidermis u. begeißelte Gastrodermis, entstanden aus Ektoderm bzw. Entoderm). Dazwischen befindet sich eine Stützsubstanz (Mesogloea), in die oft Zellen eingelagert sind. Die H. stehen in der Entwicklung über den *Schwämmen u. haben bereits sehr hochspezialisierte Zellen.

Sie sind entweder festsitzend (z. B. Seeanemonen, *Korallen) od. freischwebend (z. B. Quallen), können mittels Tentakeln die Beutetiere festhalten, z. T. durch *Nesselgifte lähmen u. in den Gastralraum aufnehmen. Zu den bekanntesten aus H. isolierten Substanzen zählt *Aequorin u. das sehr giftige *Palytoxin. – *E* coelenterates – *F* cœlentérés – *S* celenterados

Lit.: Eckert, Tierphysiologie, 2. Aufl., Stuttgart: Thieme 1993 ▪ Mebs, Gifttiere, Stuttgart: Wiss. Verlagsges. 1992 ▪ Wehner u. Gehring, Zoologie, 23. Aufl., Stuttgart: Thieme 1995.

Hohlziegel s. Ziegel.

Hoko-Säure s. Salpetersäure.

Holarrhena-Alkaloide s. Conessin u. Steroid-Alkaloide.

Holdinggesellschaft. Eine H. od. Beteiligungsges. (*E* to hold = halten) ist in der Regel eine Dachges., die Vermögensteile anderer, rechtlich selbständiger Ges. besitzt. Die H. selbst übt keine Produktions- od. Handelsaktivitäten aus. Durch den Besitz an diesen Ges., häufig Konzerne, wird jedoch eine wirtschaftliche Beeinflussung od. Beherrschung dieser Ges. durch einheitliche Leitung u. Verwaltung bezweckt. Die Rechtsform der H. ist entweder eine Aktienges. od. eine Ges. mit beschränkter Haftung; s. a. Körperschaften. – *E* holding company – *S* sociedad de bienes y raíces

Lit.: Lutter, Holding-Handbuch, Köln: O. Schmidt 1995.

Hollandit. $Ba_{0-2}(Mn^{4+},Mn^{3+})_8(O,OH)_{16}$, zu den *Braunsteinen gehörendes, monoklin-pseudotetragonales (Krist.-Klasse 2/m-C_{2h}; *Lit.*[1,2]) od. tetragonales (Krist.-Klasse 4/m-C_{4h}; z. B. *Lit.*[3]) Mineral. *Gerüststruktur* (*Lit.*[1-3]) aus Doppelketten von [MnO_6]-Oktaedern, die über Kanten u. Ecken derart verknüpft sind, daß ein (annähernd) quadrat. Muster aus 2×2 Oktaedern entsteht, in dem sich in Richtung der Längserstreckung der Ketten *tunnelartige Hohlräume* befinden (s. Abb.).

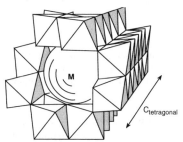

Abb.: Schemat. Darst. der Tunnel-Struktur von Hollandit, tetragonales Beisp., M = Ba^{2+} (übertrieben dargestellt; nach Giovanoli, *Lit.*[3], S. 236).

Gleiche Struktur haben die Minerale *Coronadit* (mit Pb, s. Braunsteine), *Kryptomelan* (mit K), *Manjiroit* (mit Na), *Priderit* (K,Ba)(Ti,Fe^{3+})$_8O_{16}$ u. α-MnO_2. Darüber hinaus existiert eine Vielzahl *synthet. Verb.* mit H.-Struktur (s. Tab. 1 in *Lit.*[4]), mit der allg. Formel $A_{0-2}B_8(O,OH)_{16}$; A steht für große ein- u. zweiwertige Kationen in den Tunnelräumen (hier auch Wassermol.): Ag, Ba, Cs, K, Na, Pb, Rb, Sr, Tl; B bedeutet im allg. eine Mischung aus zwei- bis vierwertigen Kationen in den Oktaedern: z. B. Al, Co, Cr, Cu, Fe, Ga, Ge, Mg, Mn, Sc, Si, Sn, Ti u. Zn; zu Versetzungen der Kationen innerhalb

der Tunnels s. *Lit.*[5]. Das Mineral H. bildet feinnadelige od. prismat. Krist., grobkrist. radialstrahlige Aggregate od. traubig-schalige, *Glaskopf-artige Massen; oft Verwachsungen mit anderen Mangan-Mineralien. H. ist silbergrau bis schwarzgrau od. schwarz mit schwarzer Strichfarbe u. halbmetall. Glanz; undurchsichtig (opak); in Längsrichtung der Krist. gut spaltbar; H. 4, D. 4,95; bis zu Temp. von ca. 500 °C stabil.
Vork.: In Mangan-Erzen, z. B. Ultevis/Schweden, Indien, Namibia, Marokko; in *Manganknollen.
Bedeutung: Manche Verb. vom H.-Typ zeigen spezielle Eigenschaften wie Ferromagnetismus (z. B. $K_2Cr_8O_{16}$, *Lit.*[6]) od. Supraleitfähigkeit (z. B. $K_{1,54}Mg_{0,77}Ti_{7,23}O_{16}$, *Lit.*[7]). Ba-H. mit Zusammensetzungen $Ba_x(M_yTi_{8-y})O_{16}$, mit x≤2 u. M = Mg^{2+}, Mn^{2+}, Al^{3+} od. Ti^{3+} (z. B. *Lit.*[8]), sind Hauptbestandteile eines synthet. Gesteins (*SYNROC*), das zur Lagerung u. Immobilisierung hochgradig radioaktiver Abfälle vorgeschlagen worden ist[9]. *Feldspäte wandeln sich bei hohen Drücken u. Temp. in H.-Strukturen um, z. B. $KAlSi_3O_8$-H. (*Lit.*[10]); diese können mögliche Speichermaterialien für leichte Elemente u. H_2O im Erdmantel (*Erde) sein; solche *Alumosilicat-H.*, z. B. auch $Pb_{0,8}Al_{1,6}Si_{2,4}O_8$ (*Lit.*[11]) gehören zu den wenigen bisher bekannten Verb. mit sowohl Al als auch Si in oktaedr. Koordination. – *E* = *F* = *I* hollandite – *S* holandita
Lit.: [1] Science **203**, 456 ff. (1979). [2] Acta Crystallogr. Sect. B **38**, 1056 – 1065 (1982). [3] Chem. Erde **44**, 227 – 244 (1985). [4] Am. Mineral. **79**, 168 – 174 (1994). [5] Am. Mineral. **71**, 1178 – 1185 (1986). [6] Material. Res. Bull. **11**, 609 – 614 (1976). [7] Phys. Rev. Lett. **37**, 1557 – 1560 (1976). [8] Acta Crystallogr. Sect. B **45**, 205 – 212 (1989). [9] Nature (London) **278**, 219 – 223 (1979). [10] Am. Mineral. **78**, 493 – 499 (1993). [11] Am. Mineral. **80**, 937 – 940 (1995).
allg.: Füchtbauer (Hrsg.), Sedimente u. Sedimentgesteine (Sediment-Petrologie Tl. II), 4. Aufl., S. 604, Stuttgart: Schweizerbart 1988 ▪ Varentsov u. Grassely (Hrsg.), Geology and Geochemistry of Manganese, Vol. 1, S. 64 – 67, Stuttgart: Schweizerbart 1980. – *[CAS 63800-42-0]*

Holleman, Arnold Frederik (1859 – 1953), Prof. für Organ. Chemie, Univ. Groningen u. Amsterdam. *Arbeitsgebiete:* Künstliche Düngung, Struktur der Knallsäure, Substitutionsreaktionen am Benzol; Verfasser der später als Holleman-Wiberg bzw. Holleman-Richter fortgeführten Lehrbücher der Anorgan. bzw. Organ. Chemie.
Lit.: Poggendorff **7 b/4**, 2048 f.

Hollenberg, Cornelius P. (geb. 1940), Prof. für Mikrobiologie, Univ. Düsseldorf; Geschäftsführer der Rhein-Biotech GmbH, Düsseldorf. *Arbeitsgebiete:* Molekulargenetik, Genexpression in Hefen, Stoffumwandlung in Hefen.
Lit.: Kürschner (16.), S. 1504 ▪ Wer ist wer (35.), S. 624.

Holley, Robert W. (1922 – 1993), Prof. für Biochemie, Cornell Univ., Ithaca, New York u. Salk Inst., La Jolla, California. *Arbeitsgebiete:* Biosynth. der Proteine u. Nucleinsäuren. Für die erste Sequenzaufklärung eines natürlichen Polynucleotids, der Alanin-t-RNS aus Hefe, erhielt er gleichzeitig mit *Nirenberg u. *Khorana 1968 den Nobelpreis für Physiologie od. Medizin.
Lit.: Chemist-Analyst **68**, Nr. 1, 1 – 3 (1979) ▪ Lexikon der Naturwissenschaftler, S. 220 ▪ Nachr. Chem. Tech. Lab. **16**, 367 f. (1968) ▪ Neufeldt, S. 276, 376 ▪ Pötsch, S. 209 ▪ Science **162**, 433 ff. (1968) ▪ Umschau **69**, 4 f. (1969).

Holmium. Chem. Symbol: Ho, Element der *Lanthanoiden-Gruppe (*Seltenerdmetall), Atomgew. 164,9303, Ordnungszahl 67. Im natürlich auftretenden H. liegt nur das Isotop 165 vor; H. ist also ein Reinelement, von dem jedoch zahlreiche künstliche Isotope $^{148}Ho - {}^{170}Ho$ mit HWZ zwischen 1,1 s u. $1,2 \cdot 10^3$ a bekannt sind. Es ist ein silbergraues, weiches Metall, D. 8,795, Schmp. 1474 °C, Sdp. 2700 °C, das in trockener Luft bei gewöhnlicher Temp. stabil ist, in feuchter Luft u. bei höheren Temp. jedoch leicht oxidiert wird. In seinen Verb. tritt H. in der Oxid.-Stufe +3 auf; die Lsg. der H.-Salze sind bräunlich-gelb, die Salze selbst meist gelb gefärbt. H. kommt hauptsächlich in *Gadolinit u. *Monazit vor. Man schätzt den Anteil des techn. wenig bedeutenden u. nur schwer isolierbaren Elements an der obersten Erdkruste auf nur $1,1 \cdot 10^{-4}$%; damit ist H. jedoch viel häufiger als *Quecksilber, *Silber, *Iod od. *Helium. Das Element wurde 1878 durch die Schweizer Chemiker Delafontaine u. Soret spektralanalyt. nachgewiesen („Element X"), später von dem Schweden Cleve unabhängig in den *Yttererden entdeckt u. deshalb nach Cleves Geburtsort Stockholm (latein.: Holmia) benannt. H. wurde 1911 von Holmberg aus den Yttererden angereichert; die Reinherst. erfolgte erst 1940 durch Feit. – *E* = *F* holmium – *I* olmio – *S* holmio
Lit.: s. Lanthanoide u. Seltenerdmetalle. – *[HS 2805 30; CAS 7440-60-0]*

Holmium-Laser. *Festkörper-Laser, bei dem *Holmium in einen Wirtskrist., z. B. YAG (s. Yttrium-Verbindungen) od. YSGG (Yttrium-Scandium-Gallium-Granat), eingelagert ist u. durch gepulste Blitzlampen angeregt wird. Die wichtigste Emissionslinie ist bei λ = 2,088 µm; weitere liegen bei 2,171 µm u. 2,362 – 2,377 µm. Bes. die 2,088 µm-Linie wird im medizin. Bereich eingesetzt, da sie nahe zu einer Wasserabsorptionslinie bei 1,9 µm liegt.
Kommerzielle Syst. liefern Impulsenergien bis 4 J bei Repetitionsraten von 5 – 30 Hz u. Impulslängen von ~260 µs. – *E* holmium laser – *F* laser à holmium – *I* laser a olmio – *S* láser de holmio
Lit.: IEEE J. Quant. Electr. **24**, 920, 1193 (1988) ▪ Kaminskii, Laser Crystals, Berlin: Springer 1990 ▪ Koechner, Solid-State Laser Engineering (4.), Berlin: Springer 1996.

Holo. . . Von griech.: hólos = ganz, vollständig abgeleiteter Bestandteil von Fachwörtern; vgl. die folgenden Stichwörter u. Verweise. – *E* = *F* = *S* holo... – *I* olo...

Holocellulose. Bez. für das bei der Delignifizierung von *Holz resultierende Produkt, das bei schonenden Delignifizierungsverf. u. quant. Lignin-Entfernung ein Gemisch von *Cellulose u. *Polyosen (*Hemicellulosen*) darstellt.
Lit.: Fengel u. Wegener, Wood: Chemistry, Ultrastructure, Reactions, S. 35 ff., Berlin: de Gruyter 1984 ▪ Young u. Rowell, Cellulose: Structure, Modification and Hydrolysis, S. 351 – 355, New York: Wiley & Sons 1986.

Holoeder s. Kristallmorphologie.

Holoenzyme s. Enzyme.

Hologramm s. Holographie.

Holographie (von *Holo... u. griech.: graphein = schreiben). Aufnahmeverf., bei dem Objekte dreidimensional reproduziert werden. Das Prinzip wurde 1947 von Dennies Gabor am Imperial College of Science and Technology London entwickelt, wofür er 1971 den Nobelpreis erhielt. Bei der herkömmlichen Photographie entsteht ein Bild dadurch, daß jedem Objektpunkt durch eine Linse (Photoobjektiv) auf einem lichtempfindlichen Film genau ein Bildpunkt zugeordnet wird. Während hierbei die Intensitäten der Lichtstrahlen registriert werden u. so ein zweidimensionales Bild entsteht, werden bei der H. die Amplituden u. die Phase der Objektlichtwellen registriert u. somit auch die Laufstrecke zwischen Objekt u. Photoplatte. Das aufzunehmende Objekt wird mit monochromat. u. kohärentem Licht, z.B. dem aufgeweiteten Strahl eines Lasers, beleuchtet (s. Abb. a). Die vom Objekt reflektierte bzw. gestreute Lichtwelle wird mit einem direkten Teilstrahl des gleichen Lasers (Referenzstrahl) auf der Photoplatte überlagert. Da feste Phasenbeziehungen zwischen beiden Wellen bestehen, kommt es zur *Interferenz, d.h. je nach Wegunterschied zur Verstärkung od. Auslöschung der Wellen. Auf der Photoplatte entsteht ein unregelmäßiges Muster von hellen u. dunklen Flecken, Ringen u. Wirbeln, das man als *Hologramm* bezeichnet. Wird die entwickelte Photoplatte wieder mit kohärentem Licht bestrahlt, so ist die von ihr auslaufende Welle in Amplitude u. Phase gleich der Objektwelle, d.h. es entsteht ein virtuelles Bild (u. durch Beugung an dem Hologramm auch ein reelles Bild; s. Abb. b). Beim Betrachten des virtuellen Bilds hat man den Eindruck, als ob man durch ein Fenster (= Größe des Hologramms) schauend das dreidimensionale Objekt betrachtet. Jeder Bereich des Hologramms enthält, dem Blickwinkel entsprechend, Information über das gesamte Objekt. Wird das Hologramm halbiert, so ist das Fenster, durch das man schaut nur halb so groß.

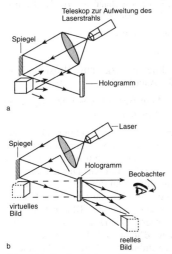

Abb.: Prinzip der Holographie; a: Entstehung eines Hologramms; b: Rekonstruktion des dreidimensionalen Bildes, virtuelles u. reelles Bild.

Für die ersten Hologramme verwendete man Photoschichten, die sich schwärzten (*Amplituden-Hologramme*). Die heute vorrangig verwendeten Photoschichten sind nach der Entwicklung weiterhin trans-

parent; die Interferenzstruktur ist in der unterschiedlichen Dicke gespeichert (*Phasen-Hologramm*). Letztere zeigen einen höheren Kontrast u. sind lichtstärker. Wird das Hologramm mit Licht einer größeren Wellenlänge betrachtet, als es aufgenommen wurde, so erscheint das Objekt vergrößert. Während der Belichtung der Photoplatte dürfen sich Laser, Objekt u. Photoplatte nur weniger als $\lambda/4$ (λ = Wellenlänge des Laserlichts) gegeneinander bewegen, da sich sonst die Interferenzstrukturen verwischen. Schwingt während der Belichtung das Objekt, z.B. Membran eines Lautsprechers od. Autokarosserie bei laufendem Motor, so ist das rekonstruierte Bild mit markanten Referenzstreifen überzogen. Den hellsten Streifen beobachtet man an der Stelle, an der das Objekt in Ruhe ist; jeder folgende Streifen verbindet alle Punkte des Objekts, die mit gleicher Amplitude schwingen, da die gesamte Schwingungszeit einer Periode in schädliche u. nützliche Anteile aufgeteilt wird. An den Umkehrpunkten der Schwingung ist die Bewegung langsam. Für gewisse Zeit ist die Änderung der Auslenkung kleiner als $\lambda/4$ (nützlich für die Entstehung von Interferenzstrukturen), während bei den Nulldurchgängen die Geschw. zu groß ist (schädliche Zeit). Das Aufnahmeverf. wird *Zeitmittlungstechnik* genannt.

Um die Verformung eines Körpers zu beobachten wird die *Doppelbelichtungstechnik* angewandt. Der für die Belichtung verwendete Laser kann kontinuierlich od. gepulst arbeiten; über die Möglichkeiten, Hologramme mit ultrakurzen Lichtpulsen aufzunehmen u. zu reproduzieren, s. *Lit.*[1].

Prinzipiell können Hologramme nur mit monochromat. Licht betrachtet werden. Für die Erzeugung eines *Weißlicht-Hologramms* werden Objekt u. Referenzwelle aus entgegengesetzter Richtung kommend überlagert. In der nun dicken lichtempfindlichen Schicht der Photoplatte bilden sich stehende Wellen (*Lippmann-Effekt*), d.h. man erhält eine Vielzahl übereinanderliegender Hologramme. Wird eine Lippmann-Schicht mit weißem Licht beleuchtet, so werden an den period. angeordneten Schichten jeweils Lichtstrahlen reflektiert, die miteinander interferieren können. Ähnlich wie bei der Bragg-Reflexion wird bei jedem Winkel nur Licht einer bestimmten Wellenlänge reflektiert. Deshalb erscheint das betrachtete Weißlicht-Hologramm je nach Blickwinkel in einer anderen Farbe.

Die in der Lichtoptik gebräuchlichen holograph. Verf. lassen sich auch in der Elektronenmikroskopie (s. Elektronenmikroskop) anwenden. Die Elektronen-H. dient hauptsächlich dazu, die elektr. Potentialverteilungen in der Materie zu bestimmen u. dynam. Bewegungserscheinungen zu betrachten. Sie wurde bes. bei der Erfassung magnet. Strukturen eingesetzt[2].

Anw.: Da die Herst. von Hologrammen sehr aufwendig ist u. sie nicht kopiert werden können, werden sie zur Kennzeichnung fälschungssicherer Identitätskarten eingesetzt. Außerdem zur Archivierung von Kulturgütern z.B. Keilschrifttafeln, zur Bestimmung des Schwingungsverhaltens von kompliziert geformten Körpern, z.B. im Kraftfahrzeugbau[3]. Herst. hochwertiger Gitter für Spektrometer. Neben Filmplatten werden heute auch Gelatinefilme zur Speicherung von Hologrammen verwendet[4]. – *E* holography – *F* holographie – *I* olografia – *S* holographía

Lit.: [1] Appl. Phys. B **50**, 101 (1990). [2] Phys. Bl. **39**, 283 (1983). [3] VDI-Ber. (Ver. Dtsch. Ing.) **499**, 141 (1983); Steinbilcher, in Fagan (Hrsg.), Holographic nondestructive testing with automatic evaluation, Optics in Engeneering Measurement, Washington: Bellinghan 1986. [4] Kirk-Othmer (4.) **12**, 414.

allg.: Beiser, Holographic Scanning, New York: Wiley & Sons 1988 ▪ Encyclopedia of Applied Physics, Bd. 7, S. 511–562, Weinheim: VCH Verlagsges. 1993 ▪ Guest, Holography, Encyclopedia of Physical Science and Technology, Bd. 7, S. 713–725, San Diego: Academic Press 1992 ▪ Kirk-Othmer (4.) **13**, 338 ▪ Schreier, Synthetische Holographie, Weinheim: Physik 1984 ▪ Schumann, Zürcher u. Cuche, Holography and Deformation Analysis, Berlin: Springer 1985 ▪ Solymor u. Cooke, Volume Holography and Volume Gratings, New York: Academic Press 1981.

Holokristallin s. Gefüge.

Holometabol s. Insekten.

Holomycin (6-Acetylamino-1,2-dithiolo[4,3-*b*]pyrrol-5(4*H*)-on).

$C_7H_6N_2O_2S_2$, M_R 214,27. Orangegelbe Krist., Schmp. 268–270 °C (Zers.). Antibiotikum aus *Streptomyces griseus*-Stamm, wirksam gegen Gram-pos. u. -neg. Bakterien, Pilze u. Protozoen. – *E* holomycin – *F* holomycine – *I* olomicina – *S* holomicina

Lit.: Bull. Chem. Soc. Jpn. **47**, 1484 (1974) ▪ Helv. Chim. Acta **42**, 563 (1959) ▪ J. Antibiot. **22**, 231, 233 (1969); **30**, 334 (1977) ▪ Merck-Index (12.), Nr. 4764. – *[HS 2941 90; CAS 488-04-0]*

Holoproteine s. Apoproteine.

Holostan s. Holothurine.

Holothurine (Holotoxine). Sammelbegriff für die Toxine der Seegurken (Holothuroidea). Sie wirken hämolyt., auf Fische betäubend u. tödlich, lokalanästhet. sowie auf das Nervensyst. von Kleinsäugern *Cocain- bzw. *Physostigmin-ähnlich. Im Mäuseversuch hemmen sie das Wachstum von Sarkomen. In der Medizin werden sie gelegentlich in homöopath. Dosen als Herzmittel eingesetzt. Chem. sind H. Steroidglykoside (Saponine); Grundstruktur der Aglykone ist das *Holostan* [(20*S*)-20-Hydroxy-5α-lanostan-18-säurelacton, $C_{30}H_{50}O_2$, M_R 442,73]. H., die aus Seegurken über deren Cuviersche Schläuche[1] auf die menschliche Haut gelangen, verursachen brennende Schmerzen, Berührung mit den Augen kann in schweren Fällen zur Erblindung führen, weiterhin treten Muskelkrämpfe u. Lähmungen auf. Da Seegurken eine kulinar. Delikatesse darstellen („*Trepang*" od. „*Bêche de mer*"), müssen die Cuvierschen Schläuche sorgfältig entfernt werden, da es sonst nach dem Verzehr zu starken Verdauungsbeschwerden bis hin zum Tod durch Atemlähmung kommen kann [LD_{50} (Maus i. v.) 7,5 mg/kg]. Es gibt keine zuverlässigen Behandlungsmethoden. Die H. hemmen das Wachstum von Pilzen (minimale Hemmkonz.: 2–17 μg/mL Lsg.). Als Beisp. für H. seien die Aglykone *Holothurinogenin* ($C_{30}H_{46}O_4$, M_R 470,69, Schmp. 277 °C) u. *22,25-Oxidoholothurinogenin* {$C_{30}H_{44}O_5$, M_R 484,68, Schmp. 315–316 °C, $[\alpha]_D$ −21° (CHCl$_3$)}, sowie die Saponine *Holothurin A*

($C_{54}H_{86}O_{27}S$, M_R 1199,32, Natriumsalz) u. *Holothurin B* ($C_{41}H_{64}O_{17}S$, M_R 861,01) genannt. – *E* holothurins – *F* holothurine – *I* oloturine – *S* holoturinas

Lit.: [1] Habermehl, Gift-Tiere u. ihre Waffen, S. 73 f., Berlin: Springer 1983.

allg.: Beilstein E V **18/3**, 524; **19/6**, 550 f. ▪ Indian J. Nat. Prod. **4**, 3–8 (1988) ▪ Pharm. Unserer Zeit **17**, 145–154 (1988) ▪ Scheuer I **5**, 324–378 ▪ Zechmeister **27**, 322–339 ▪ s. a. Stachelhäuter-Saponine, Saponine u. Hohltiere. – *[CAS 25495-63-0 (2); 6853-99-2 (3); 38-26-6 (4); 11052-32-7 (5)]*

Holothurinogenin s. Holothurine.

Holotoxine s. Holothurine.

Holoxan® (Rp). Injektionslsg. mit *Ifosfamid als *Cytostatikum. *B.:* Asta-Medica.

Holozymase. Veraltete Bez. für das Enzymsyst. der alkohol. Gärung; s. Ethanol (Herst.).

Holunder (Holler, Schwarzer Holunder, Deutscher Flieder). Flachwurzelnder, baumartiger Strauch (*Sambucus nigra* L., Caprifoliaceae) mit weißen Blüten u. schwarzviolett glänzenden Beeren. Die Blütezeit ist Juni–Juli. Gesammelt werden die Trugdolden zu Beginn der Blüte. Diese werden dann bei ~30 °C rasch getrocknet u. schließlich von den Blütenstielen getrennt (gerebelte Droge). Der H. ist in fast ganz Europa heimisch. Die Blüten enthalten hauptsächlich *Rutin (ca. 1,5%), Sambucin als Farbstoff (*Keracyanin), *Quercetin, *Kaffee-, *Chlorogen- u. Ferulasäure bzw. deren Glykoside, daneben ether. Öl, Gerbu. Schleimstoffe sowie ein *cyanogenes Glykosid (*Sambunigrin).

Verw.: H.-Blüten werden als Lebensmittel (z. B. in Ausbackteig) u. ähnlich den Lindenblüten im sog. *Flie-*

dertee als schweißtreibendes (s. Hidrotika) u. blutreinigendes Mittel angewendet. Weiterhin werden Aufgüsse der getrockneten Blüten äußerlich auch bei Schwellungen u. Entzündungen angewandt; frische Blüten rufen auf der Haut jedoch Reizungen hervor. Die H.-Früchte werden auch zu Säften u. Marmeladen verarbeitet. Der Gehalt an cyanogenen Glykosiden beträgt 3–17 mg HCN/100 g in den Blättern u. <3 mg/100 g in den Früchten, so daß die Früchte prakt. ungiftig sind; jedoch können rohe, frische Früchte Erbrechen auslösen [1]. Als schweiß- u. harntreibende Mittel kommen neben Blüten auch Rinden, Blätter u. Wurzeln von Sambucus-Arten zur Anwendung. – *E* elder – *F* sureau – *I* sambuco – *S* saúco

Lit.: [1] Frohne u. Pfänder, Giftpflanzen, S. 127ff., Stuttgart: Wiss. Verlagsges. 1997.
allg.: Bundesanzeiger 50/13.03.86 ▪ DAB **1996** u. Komm. ▪ Hager (5.) **6**, 574–586 ▪ Wichtl (3.), S. 528ff. – *[HS 081090; 121190]*

Holz. Ein morpholog. u. chem. uneinheitlicher Stoff. In der Pflanzenanatomie bezeichnet man als H. die Gesamtheit der vom Kambium der Samenpflanzen nach *innen* abgegliederten Dauergewebe, unabhängig vom Verholzungsgrad. Mark, Rinde u. Borke zählen nicht zum Holz. Das mantelförmige Kambium, das Xylem u. Phloem trennt, ist eine im Querschnitt etwa kreisförmige Zellschicht in Wurzel u. Sproß der H.-Gewächse (vgl. Pflanzen), die aus undifferenzierten Zellen von embryonalem Charakter besteht. Diese beginnen zu Anfang einer Wachstumsperiode (im Frühjahr) mit neuen Zellteilungen, die zur Ausbildung von relativ weitlumigem Früh-H. führen, an das sich mit fortschreitendem Wachstum engerlumiges Spät-H. anschließt. Nach einer Ruhezeit (Winter) beginnt der Cyclus erneut. Diese period. auftretenden Wachstumsschwankungen bedingen das Entstehen der bekannten *Jahresringe* im H. der gemäßigten Klimazonen, an denen sich das Alter eines Baums abschätzen läßt (*Dendrochronologie). Auf diese Weise kann man schließen, daß die mehr als 100 m hohen Mammutbäume Kaliforniens – die neben bestimmten austral., bis 120 m hohen Eukalyptusarten zu den größten Lebewesen gehören – ca. 3000 Jahre alt sind. Der mit 4600 Jahren älteste noch lebende Baum, eine Borstenkiefer in Kalifornien, ist allerdings nur noch 10 m hoch. Mit Hilfe der Jahresringe kann man auch auf Klimaschwankungen innerhalb des Lebens eines Baumes schließen; die Wissenschaft, die sich mit diesen Fragen beschäftigt, ist die *Dendroklimatologie.* Bei mikroskop. Betrachtung zeigt H. einen Aufbau aus vielen langgestreckten, dickwandigen *Zellen, unter denen man z.B. H.-Fasern (mehrere mm lange, dünne, starkwandige Zellen, deren enger Hohlraum mit Luft gefüllt ist), Gefäße (dünnwandige, langgestreckte, verhältnismäßig weite Röhren, in denen das Wasser von den Wurzeln zu den Blättern fließt), Tracheiden (mehrere mm lange Zwischenformen zwischen H.-Fasern u. Gefäßen, die bes. bei Nadel-H. häufig anzutreffen sind), H.-Parenchym (dünnwandige, rundliche Zellen) usw. findet. Der Zusammenhalt der Zellen erfolgt durch das *Pektin, aus dem die sog. Mittellamelle besteht. Die Zers. des H. zwecks mikroskop. Untersuchungen kann mit dem *Schulzeschen Mazerations-

gemisch erfolgen. Im Baum übernimmt das H. die dreifache Aufgabe der Festigung, Stoffleitung (bes. in den Gefäßen) u. Stoffspeicherung (vorwiegend in den H.-Parenchymzellen). Die verschiedenen H.-Arten zeigen in ihrem mikroskop. Aufbau, der Farbe, Härte, Dichte, chem. Zusammensetzung usw. erhebliche Unterschiede. Das frisch geschlagene, grüne H. enthält in der Regel 40–60% Wasser, beim lufttrockenen H. sinkt der Wassergehalt auf 15–18%. Die Dichte des frischen (bzw. lufttrockenen) H. beträgt bei der Birke 0,8–1,09 (0,51–0,77), Eiche 0,93–1,28 (0,69–1,03), Fichte 0,4–1,07 (0,35–0,6), Linde 0,58–0,87 (0,32–0,6), Rotbuche 0,85–1,12 (0,66–0,83) u. der Weißtanne 0,77–1,23 (0,37–0,75). Ein aufgeklaftertes Raummeter H. wiegt etwa 300–500 kg. Im Durchschnitt enthält die wasserfreie H.-Substanz etwa 49,1% C, 6,3% H, 44% O, 0,1% N u. 0,5% unverbrennbare Mineralsubstanzen, die als Asche zurückbleiben. Infolge des hohen Sauerstoff-Gehalts ist der Heizwert des H. nicht sehr groß; er beträgt beim kg lufttrockenen H. nur etwa 15 MJ (3700–4000 kcal); die Verbrennungstemp. erreicht bei einem gewöhnlichen Feuer aus lufttrockenem H. kaum 1000°C. Dennoch ist H. in Afrika u.a. Gebieten immer noch der meistgebrauchte *Brennstoff. Von der chem. Zusammensetzung her besteht z.B. Nadel-H. aus 45–50% *Cellulose, 25–30% *Lignin sowie 15–20% *Polyosen; letztere (H.-Polyosen) wurden früher Hemicellulosen genannt. Stets finden sich auch einige Prozent sog. H.-Inhaltsstoffe wie z.B. Harze, Wachse, Terpene u. Terpenoide (Kautschuk!), Phenole, Gerbstoffe, Chinone, Farbstoffe, Fette, Zucker, Eiweiß, Mineralstoffe usw. Die prozentualen Anteile dieser Stoffe weisen bei den verschiedenen H.-Sorten erhebliche Differenzen auf, was in manchen Fällen eine biogeochemische Prospektion (vgl. geochemische Prospektion) ermöglicht. So können z.B. bestimmte Stoffe bevorzugt gebildet od. gespeichert werden. Auf geeigneten Böden kann z.B. die Kiefer Nickel u. Cobalt bis zum 700fachen des durchschnittlichen Gehalts anreichern; auch eine Uran-Anreicherung wurde in einigen H. gefunden. Das reichste Germanium-Vork. der USA beruht auf einer Germanium-Anreicherung in fossilen Nadel-H. der Kreidezeit.

Die Farbe des H. ist bei den jungen Pflanzen mehr od. weniger weißlich; bei älteren Bäumen ist das Innere des Stamms oft dunkler gefärbt (Kern-H.), die äußere Zone sieht dagegen heller aus (Splint-H.). Bei Eichen u. Ulmen ist das Kern-H. braun, bei Eiben, Lärchen u. den Rot-H. der Tropen (*Brasilin, *Blauholz) rot, beim Eben-H. schwarz. Die Nutzung der *Farbhölzer für die Textilfärberei war deshalb im Altertum selbstverständlich. Der charakterist. Geruch des frisch geschnittenen H. stammt von Gerbstoffen (Eiche), Harzen u. Terpentinöl (bei Nadel-H.). Allerdings gehen die parfümist. hoch bewerteten sog. *H.-Noten* auf Verb. sehr unterschiedlicher Konstitution zurück. Auch in der Spaltbarkeit zeigen sich erhebliche Unterschiede; leicht spaltbar sind Fichten- u. Tannen-H., dann folgen Kiefern-, Eichen-, Eschen-, Buchen-H.; schwer spaltbar ist das H. von Zwetschgen-, Kirsch-, Birn- u. Apfelbäumen, Pappeln, Linden, Roßkastanien, Akazien u. Buchsbaum. Gar nicht spaltbar ist (wegen seines wirren, unregelmäßigen Faserverlaufs) das in Westindien heim., sehr harte u. sehr schwere (D. 1,17 – 1,39) Guajak-H. (Pock-H., Franzosen-H.), aus dem man deshalb Kegelkugeln, Achsenlager, Mörser usw. herstellt. Die Härte des H. – z. T. auch die Zähigkeit u. die Widerstandsfähigkeit bei Feuereinwirkung – steigt im allg. mit der Dicke der Zellwände u. damit auch mit dem spezif. Gewicht. Stamm-H. ist meist weicher als Ast-H. u. härter als Wurzel-H.; das im Frühjahr zugewachsene H. (Früh-H.) mit seinen weitlumigen u. dünnwandigen Zellen ist weicher als das Spät-H., das Kern-H. im Innern des Stamms weicher als das weiter außen gelegene Holz. Als sehr hart gelten Guajak-H., Eben-H., Buchs, Steineiche, Sauerdorn, Weißdorn u. Schlehe; hart sind Hickory, Akazie, Weißbuche, Rotbuche, Eiche, Esche, Ahorn, Nußbaum, Apfelbaum, Birnbaum u. Eibe; mittelhart: Teak-H., Platane, Ulme, Edelkastanie u. Legföhre; weich: Lärche, Birke, Erle, Roßkastanie, Föhre, Fichte, Tanne u. Haselnuß; sehr weich: Espe, Zirbelkiefer, Weide, Pappel u. Linde. Viele Bäume, bes. Nadel-H., sind anfällig gegen tier. Schädlinge. Für manche Baumkrankheiten sind Nematoden verantwortlich. Das sog. Ulmensterben wird durch Pilze verursacht. Forstschäden richten natürlich auch Luftverunreinigungen an, z. B. der saure Regen. Dem Schutz des H. vor pflanzlichen u. tier. Schädlingen dienen spezif. die *Holzschutzmittel. Unter Luftabschluß (z. B. in Sümpfen u. Mooren) kann sich H. länger halten; es stellen sich dann allmählich die bekannten Verkohlungserscheinungen ein. Auch in völliger Trockenheit (z. B. Ägypten) ist H. oft Jh. u. Jahrtausende haltbar. In den Steinkohlen liegen mehr od. weniger gut konservierte H. aus der Karbonzeit vor; oft sind hier an vergrößerten Dünnschliffen noch alle Einzelheiten des zellulären Aufbaus (Gefäße) erkennbar. Aus der Trias-Formation hat sich verkieseltes H. erhalten; hier wurde das H. allmählich von Kieselsäure-haltigem Wasser durchtränkt, u. nach dem Verdunsten des Wassers schützte der zurückbleibende Kieselsäure-Panzer vor Verwesung.

Vork.: H. kommt hauptsächlich in Wäldern vor, die ca. 4 Mrd. ha der Erdoberfläche bedecken (dies entspricht ca. 30%). Läßt man sehr locker bewachsene Flächen außer Betracht, verbleiben 2,85 Mrd. ha Wald, d. h. 21% der Erdoberfläche. Der H.-Bestand beträgt ca. 330 Mrd. m^3 bei einem H.-Einschlag von jährlich 2,8 Mrd. m^3 mit steigender Tendenz. In der BRD sind 72 000 km^2 (30% der Landfläche) von Wald bedeckt. Die *Energieumwandlung* aus H. ist die älteste Art, Energie zum Kochen u. Heizen zu erzeugen. Die *FAO schätzt, daß auch heute noch 2/3 der Menschheit auf H. zur Deckung des häuslichen Energiebedarfs angewiesen ist. 1,2 Mrd. m^3 H. werden weltweit als Brenn-H. gesammelt, hinzu kommen Ind.-H. u. Alt-H., so daß schätzungsweise 2 Mrd. m^3 H. jährlich verbrannt werden.

H. als *Chemierohstoff* hat mit der Entwicklung der Kohle- u. Erdölchemie stark an Bedeutung verloren. Jedoch gewinnt die Erzeugung chem. Produkte aus den sog. „nachwachsenden Rohstoffen" zunehmend an Gewicht. Der bei weitem wichtigste Zweig der chem. H.-Verwertung ist mit 55% die *Zellstoff-Erzeugung. Weitere wichtige Prozesse sind:

a) Verwertung der chem. Hauptbestandteile in polymerer Form (*Cellulose-Produkte, *Zellglas, Schießbaumwolle, Kunststoffe, Lacke, *Lignin-Verwertung) od. Aufspaltung in niedermol. Verb. (*Holzverzuckerung, Furfural-, Oxalsäure-, Vanillin-, Dimethylsulfoxid-Gewinnung).

b) Therm. Abbau von H. (*Holzkohle, *Holzgas, *Holzgeist); die Aufarbeitung des entstehenden H.-Teers ist meist unrentabel. Höhere Ausbeuten an flüssigen Produkten, einem Diesel-artigen Ölgemisch, liefert die sog. *direkte Verflüssigung* von H. bei der therm. Behandlung unter hohem Druck (400 bar), in Ggw. reduzierender Gase u. eines Katalysators.

c) Abbau zu gasf. Produkten (*Synthesegas).

d) Verwertung sek. H.-Inhaltsstoffe (*Kautschuk, *Harze, *Tallöl, *Terpentinöl, *Gerbstoffe, Balata, *Guttapercha, *Etherische Öle) führt zu zahlreichen wichtigen Folgeprodukten wie *Gummi, *Lacken, *Klebstoffen, *Insektiziden, *Duft- u. Geschmacksstoffen, *Campher, *Kunstharzen, *Flotations-Mitteln, *Seifen u. a.

Eine weitere wichtige H.-Nutzung ist die Herst. von H.-Erzeugnissen für die Bau- u. Möbel-Ind. [H.-(span)-Beton, H.-Mehl (für Kunstharz-Pressmassen, Linoleum, Papier u. Pappenfüllmittel, Filterpapier, Putz- u. Poliermittel, Saugmittel), Sägehölzer, Sperr-H., H.-Span(verbund)platten, Furniere, H.-Wolle usw.]. Die bei der mechan. H.-Bearbeitung, bes. beim Schleifen anfallenden *H.-Stäube* sind explosionsgefährlich. Nach jüngsten Schätzungen der FAO hat sich die jährliche Entwaldungsrate im Tropenwald von 11,3 Mio. ha im Jahr 1980 auf 17 Mio. ha 1990 erhöht. *H.-Forschungsinst.* im Dtsch.-sprachigen Raum: *Deutschland:* DGfH, Dtsch. Ges. für Holzforschung e. V., München; BFH, Bundesforschungsanstalt für Forst- u. Holzwirtschaft, Hamburg; Inst. für Holzforschung der Univ. München; WKI, Fraunhofer-Inst. für Holzforschung; Forst- u. Holzwirtschaftliche Ordinariate der Univ. Hamburg; Lehrstuhl u. Inst. für Werkzeugmaschinen u. Fertigungstechniken der Univ. Braunschweig mit Schwerpunkt Holzbearbeitung u. Maschinen; Inst. für Werkzeugforschung Remscheid, mit Schwerpunkt Holzbearbeitungswerkzeuge; BAM, Bundesanstalt für Materialprüfung, Holzpathologie, Holzschutz u. Holzwerkstoffe; IFT, Inst. für Fenstertechnik Rosenheim; Forschungsinst. für Holztechnologie, Dresden; Forstliche- u. Holzforschung an den Univ. Eberswalde u. Dresden (Tharandt); *Österreich:* ÖGfH, Österreich. Ges. für Holzforschung, Wien; Österreich. Holzforschungsinst., Wien; Forstliche Versuchsanstalt Mariabrunn bei Wien; Univ. für Bodenkultur, Wien; *Schweiz:* EAFV, Eidgenöss. Anstalt für das forstliche Versuchswesen, Birmensdorf bei Zürich; ETH Zürich u. Lausanne; EMPA, Eidgenöss. Materialprüfungsanstalt Dübendorf, Zürich; SAH, Schweizer. Arbeitsgemeinschaft für Holzforschung, Zürich. – *E* wood – *F* bois – *I* legno – *S* madera

Lit.: *Zeitschriften:* Holz als Roh- u. Werkstoff, Berlin: Springer ▪ Holzforschung, Berlin: de Gruyter ▪ Holzforschung u. Holzverwertung, Wien: Agrarverl. ▪ Holz-Zentralblatt (seit 1874), Stuttgart: DRW ▪ Journal of Wood Chemistry and Technology, New York: Dekker ▪ Wood, London: Tothill Press ▪ Wood Science and Technology, New York: Springer. – *Bücher u. Reihen:* Barbour u. Rodwell (Hrsg.), Adv. Chem. **225**, Archaeological Wood, Chemistry and Preservation, Washington DC: ACS 1990 ▪ Barefoot, Identification of Modern and Tertiary Woods, Oxford: Univ. Press 1982 ▪ Behaviour of Wood Products in Fire, New York: Pergamon 1977 ▪ Bericht des Bundes u. der Länder über nachwachsende Rohstoffe, Bundesminister für Ernährung, Landwirtschaft u. Forsten, Münster-Hiltrup: Landwirtschaftsverl. 1989 ▪ Blažej, Chemie des Holzes, Leipzig: Fachbuchverl. 1979 ▪ Bodig u. Jayne, Mechanics of Wood and Wood Composites, New York: Van Nostrand Reinhold 1982 ▪ Bosshard, Holzkunde (3 Bd.), Basel: Birkhäuser 1974, 1975 ▪ Butterfield, Three-Dimensional Structure of Wood, New York: Chapman & Hall 1980 ▪ Dahms, Kleines Holzlexikon, Stuttgart: Wegra 1978 ▪ Hausen, Holzarten mit gesundheitsschädlichen Inhaltsstoffen, Stuttgart: DRW 1973 ▪ Hausen, Woods Injurious to Human Health, Berlin: de Gruyter 1981 ▪ Knauer et al. (Hrsg.), Agrarspectrum **14**, Holz als nachwachsender Rohstoff, Frankfurt: DLG 1988 ▪ Lohmann, Holz Hdb. (3.), Stuttgart: DRW 1987 ▪ Möbel, Zahlen, Daten, Hamburg: Holzmann 1989 ▪ Mombächer (Hrsg.), Holz-Lexikon (3. Aufl., 2 Bd.), Stuttgart: DRW 1988 ▪ Norwood u. Warnick, Prog. Biomass Conversion 3 (1982) ▪ Richardson, Timbers of the World, Harlow: Longman 1979 ▪ Sarkanen u. Tillman, Progress in Biomass Conversion to Fuels and Chemicals (2 Bd.), New York: Academic Press 1979, 1980 ▪ Schliephake et al. (Hrsg.), Nachwachsende Rohstoffe, Holz u. Stroh, Natürliche Öle u. Fette, Alkohole für Kraftstoffe, Bochum: Kordt 1986 ▪ Sell, Eigenarten u. Kenngrößen von Holzarten, Zürich: Baufach 1989 ▪ Sjöström, Wood Chemistry, New York: Academic Press 1981 ▪ Tillman et al., Wood Combustion, New York: Academic Press 1981 ▪ Ullmann (5.) **A 28**, 305 – 356 ▪ Yearbook of Forest Products Statistics, Rom: FAO.

Holzalkohol. Veraltete Bez. für *Methanol, vgl. Holzgeist.

Holzasche. Je 100 kg Holz hinterlassen bei vollständiger Verbrennung 0,2 – 0,6 kg Asche, die aus einem Gemisch von Carbonaten, Sulfaten, Phosphaten, Chloriden u. Silicaten der Alkali- u. Erdalkalimetalle sowie Eisenoxiden u. dgl. besteht. Infolge des Kali- u. Phosphat-Gehalts wird H. seit alters her mit Erfolg als *Düngemittel verwendet. Je nach Kali-Gehalt braucht man für das ha Nutzfläche 400 – 950 kg H.; will man die Böden gleichzeitig mit genügend Phosphat versorgen, so muß man die doppelten Aschemengen anwenden. Stickstoff-Verb. sind in der H. nur spurenweise enthalten, da sie sich beim Verbrennungsvorgang als Gase verflüchtigen. Der Hauptbestandteil der H. ist in der Regel das *Kaliumcarbonat, das sich aus dem an organ. Säurereste gebundenen Kalium bei der Verbrennung bildet. In waldreichen, abgelegenen Gegenden Rußlands, Schwedens u. Kanadas wurde früher viel Holz lediglich zur Gewinnung von *Pottasche* verbrannt. Diese gewöhnliche Holzpottasche enthält durchschnittlich 50 – 80% Kaliumcarbonat, 5 – 20% Kaliumsulfat, ferner Soda, Kaliumchlorid u. dgl. Früher war die H. das einzige Kali-haltige Düngemittel, u. die Pottasche spielte vor der im 19. Jh. eingetretenen Verbilligung der Soda eine sehr wichtige Rolle bei der Glas- u. Seifenfabrikation. – *E* wood ashes – *F* cendres de bois – *I* cenere di legna – *S* cenizas de madera
Lit.: Ullmann (4.) **12**, 676; (5.) **A 28**, 314 ▪ s. a. Holz.

Holzaufschluß s. Zellstoffgewinnung.

Holzbeton. Beton aus vorbehandeltem Holzmehl od. Holzspänen unter Verw. von *Portlandzement als Bindemittel, z. B. aus 1 Raumtl. Zement u. 4 Raumtl. Kiefernholzsägemehl (auch Sägemehl von Fichten u. Tannen ist geeignet); nach 56 d beträgt die Druckfestigkeit 70 kg/cm^2. H. ist ein säge- u. nagelbarer *Leichtbeton (D. 0,8 – 1,5) für Fertigbauteile (Dämmplatten, Fußbodenplatten u. dgl.). – *E* wood concrete – *F* pâte de bois, ciment de bois – *I* calcestruzzo legnoso – *S* cemento de serrín, mástic para madera
Lit.: Ullmann (4.) **8**, 324.

Holzbirne s. Birnen.

Holzdestillation s. Holzgas, -geist, -kohle, -pech u. -teer.

Holzessig s. Holzgeist.

Holzfasern. Allg. Begriff für das wesentliche Strukturelement von *Holz. H. werden bei der Holz-Verarbeitung gewonnen, sowohl beim mechan. als auch beim chem. Aufschluß (*Holzschliff bzw. *Holzstoff). Die H. enthalten neben der *Cellulose noch *Lignin u. a. Verunreinigungen. H. werden verwendet z. B. als Rohstoff für die Herst. von *Holzfaserplatten, als *Betonzuschlag für *Leichtbeton-Sorten (*Holzbeton) sowie zur Herst. von *Papier u. *Pappe. – *E* wood fiber – *F* fibres du bois – *I* fibre legnose – *S* fibras de la madera
Lit.: Holzlexikon (3.), Bd. 1, S. 314 f., Stuttgart: DRW 1988 ▪ Ullmann (4.) **12**, 370 ff.; **17**, 531 ff.; (5.) **A 28**, 309 ff.

Holzfaserplatten. Ein Holzwerkstoff, zu dessen Herst. man zu Schnitzeln gehacktes Abfallholz mit Hilfe von Dampfdruck u. Wärme zu einem Faserbrei verarbeitet. Dabei werden einige *Cellulose-Bindungen aufgeschlossen. Dem Brei mischt man Bindemittel aus Kunstharz (z. B. Phenol-, Alkyd-, Harnstoffharze), Flammschutzmittel, Schädlingsbekämpfungsmittel (gegen Insekten- u. Pilzbefall) u. dgl. bei, formt den Brei auf Formmaschinen zu Faserplatten u. entwässert.
Verw.: Als Dämmstoffe gegen Kälte, Wärme u. Schall, als Zwischenwände, Tisch- u. Fußbodenbeläge usw., auch lackiert u. mit Kunstharzfilmen beschichtet. Die ersten H. wurden 1915 in den USA hergestellt, danach auch in Schweden (1929) u. Deutschland (1932); vgl. Hartfaserplatten u. Holzspanplatten. – *E* wood fiber board – *F* panneaux de fibres – *I* lastre di masonite – *S* placas de fibra de madera
Lit.: DIN 68 753 (01/1976) ▪ Kirk-Othmer (3.) **14**, 17 – 20 ▪ Ullmann (4.) **12**, 720 – 724; (5.) **A 28**, 336 – 343.

Holzfurniere (Furniere). Holzblätter (0,1 – 3,0 mm dick), die aus Edelhölzern durch Schneiden, Schälen od. Sägen von qual. hochwertigen u. einwandfrei gewachsenen Blöcken, Rund- u. Kegelhölzern gewonnen werden u. zur Verw. in der Möbel- u. Sperrholz-Ind. mit Spezialleimen (s. Furnierleim) mit einem Trägerholz meist minderer Qualität verleimt werden. Die Verbindung kann auch durch Aufbügeln beschichteter H. geschehen. Unterschiedliche Schnittführung bei der Herst. ergibt verschiedenartige Zeichnungen, die durch geeignetes *Beizen hervorgehoben werden. – *E* wood veneers – *F* placages, contreplacages – *I* piallacci – *S* chapas de madera, chapeados, contrachapados
Lit.: Ullmann (4.) **12**, 709 ff.; (5.) **A 28**, 323 f.

Holzgas. Erhitzt man 100 kg Buchenholz unter Luftabschluß auf etwa 300 – 500 °C, so entweichen neben ca. 25 kg Wasserdampf etwa 16 kg brennbare Gase, die im wesentlichen ein Gemisch von Kohlendioxid (49%), Kohlenoxid (34%), Methan (13%), Ethylen (2%) u. Wasserstoff (2%) bilden. Naturgemäß schwankt die Zusammensetzung u. Menge des H. je nach Holzsorte, Trocknungsgrad, Erhitzungstemp. usw. ganz erheblich. Man kann die Entwicklung von H. leicht zeigen, wenn man im Reagenzglas Sägemehl od. einige Holzstückchen erhitzt; nach einiger Zeit lassen sich an der Reagenzglasmündung die entweichenden H. entzünden. Die während des Krieges auf *Holzvergasung* umgestellten Kraftfahrzeuge hatten einen zylindr. Generator, eine Gasreinigungsanlage, einen Ventilator zur Inbetriebsetzung des Generators u. einen Mischapparat zur Herst. des günstigsten H.-Luft-Gemisches; s. a. Generatorgas. – *E* wood gas – *F* gaz de bois, gaz des forêts – *I* gas d'aria, gasogeno – *S* gas de madera

Lit.: Ullmann (4.) **12**, 703–708; (5.) **A 12**, 214–237 ▪ Winnacker-Küchler (4.) **5**, 645.

Holzgeist. Erhitzt man Holz unter Luftabschluß, so entweichen neben dem *Holzgas auch *Holzessig* (ca. 75% Wasser, 12% Essigsäure u. Homologe, 2% Methanol, 1% Aceton u. Methylacetat, sowie 10% gelöster Teer, sog. *Holzteer), die sich in den Kühlern wieder verflüssigen. Bei der anschließenden Dest. des Rohholzessigs, nach Abtrennen der freien Essigsäure durch Kalkmilch (s. Essigsäure), entsteht der H., der im wesentlichen ein Gemisch aus Methanol, Aceton u. Methylacetat ist. Der H. wird in Kolonnenapparaturen getrennt, wobei Gemische entstehen, die mehr od. weniger *Methanol enthalten u. die als Lsm. od. als Denaturierungsmittel für Ethanol geeignet sind. H. war vor der Herst. von Methanol im Hochdruckverf. die wesentliche Quelle für Methanol u. wurde durch großtechn. Holzdest. gewonnen. – *E* wood spirit – *F* esprit de bois, alcool de bois – *I* spirito di legno – *S* espíritu de madera

Lit.: Ullmann (4.) **12**, 704 ▪ Winnacker-Küchler (4.) **5**, 645–646.

Holzin s. Methanol (Geschichte).

Holzkohle. Erhitzt man lufttrockenes Holz (auf 13–18% Wasser getrocknet), geeignet sind außer Buchen- alle Nadel- u. Laubhölzer, in Stücken von etwa 10 cm Durchmesser in großen, von außen beheizten, eisernen Retorten unter Luftabschluß auf 275 °C, so steigt die Temp. von selbst auf 350–400 °C weiter (*Holzverkohlung, Verkokung*). Als Rückstand erhält man ca. 35% H. neben gasf. Zersetzungsprodukten (vgl. Holzgeist), die z. T. in gekühlten Vorlagen wieder verflüssigt werden. Die H. ist keineswegs reiner Kohlenstoff, sondern ein kompliziertes Gemisch organ. Verb. mit 81–90% C, 3% H, 6% O, 1% N, 6% Feuchtigkeit u. 1–2% Asche. Sie bildet ein lockeres, schwarzes Produkt der scheinbaren D. 0,45 (porös) u. der wahren D. 1,4 (porenfrei), das unter dem Mikroskop noch den Zellaufbau erkennen läßt. Wegen der vielen mikroskop. kleinen Nischen, Vertiefungen, Kanäle usw. (Porenvol. 70–85%, innere Oberfläche 50–80 m²/g) kommt ihr ein hohes Adsorptionsvermögen zu (s. Aktivkohle u. Adsorption). Sie läßt sich verhältnismäßig leicht entzünden (200–250 °C) u.

brennt dann ohne Flamme weiter, da die flammenbildenden Gase bereits bei der Verkohlung entwichen sind. Das kg H. gibt etwa 29–33 MJ. Die Verkohlung wird heute in erster Linie der H. wegen durchgeführt, denn die übrigen Produkte dieses Prozesses können heute vollsynthet. gewonnen werden. Das älteste u. heute kaum noch angewandte Verf. zur Herst. von H. ist die Holzverkohlung im *Meiler*, die den verschiedenen Verf. der Retortenverkohlung v. a. durch geringere Rentabilität u. Ausbeute unterlegen ist.

Verw.: Da H. (im Gegensatz zu Koks) Schwefel-frei ist, kann man mit ihr in H.-Hochöfen ein bes. gutes, Schwefel-freies Eisen gewinnen. Ferner eignet sich H. zur Raffination des Kupfers, als Heizstoff von Grillrosten, in Schmiedewerkstätten, zur Gewinnung von Schwarzpulver (Faulbaum-, Pappel- od. Erlenholz bei Luftabschluß auf 300–400 °C erhitzen), zur Herst. von Schwefelkohlenstoff, Natriumcyanid, Ferrosilicium u. Aktivkohle, zum Geruchfreimachen von Wunden, zum Filtrieren u. Klären, als Lötrohrkohle, als Zeichenkohle (hierbei glüht man die Zweige von Pfaffenhütchen in geschlossenen Eisenblechbüchsen) usw. Übrigens wirken einige *Flammschutzmittel dadurch, daß sie durch Aufbau einer H.-Schicht Feuer u. Hitze abschirmen. – *E* charcoal – *F* charbon de bois – *I* carbone di legna – *S* carbón de madera

Lit.: Ullmann (4.) **12**, 703–708; (5.) **A 6**, 157–162 ▪ Winnacker-Küchler (4.) **5**, 642–646 ▪ s. a. Kohle. – *[G 4.1]*

Holzkolophonium s. Holzterpentinöl.

Holzkonservierung s. Holzschutzmittel.

Holz-Kunststoff-Kombinationen (Polymerholz, „Kunstholz"). Zur Verbesserung der Werkstoffeigenschaften des Holzes kann man geeignete Hölzer mit Monomeren wie z. B. Methylmethacrylat, Vinylacetat, Styrol u. dgl. durchtränken u. diese durch Erwärmung, Zusatz von Katalysatoren u. vornehmlich durch energiereiche Strahlung zur Polymerisation u. zum Aushärten bringen. Als *Verbundwerkstoffe sind die H.-K.-K. bes. hart u. besitzen darüber hinaus größere Abrieb- u. Druckfestigkeit u. geringere Feuchtigkeitsempfindlichkeit als Holz; Dimensionsstabilität u. Witterungsbeständigkeit sind dagegen nur wenig verbessert. H.-K.-K. werden zu 90% für Parkettfußböden verwendet, daneben auch in Griffleisten, Treppen od. Messergriffen. Abweichend von den erwähnten Verf. wendet das sog. *Skinpreg-Verf.* eine Oberflächenimprägnierung mit Kunststoffen an, die unter geringem Druck verschieden tief in das Holz eindringen, ohne es völlig zu durchtränken. – *E* plastic reinforced wood, wood plastic composites – *F* combinaisons bois-matières synthétiques – *I* combinazioni di legno e plastica – *S* maderas reforzadas con plástico

Lit.: Kirk-Othmer (3.) **24**, 597 ff. ▪ Ullmann (4.) **12**, 724 f.; **22**, 273; (5.) **A 28**, 352 f.

Holzleime. Bez. für zum Verleimen von Holz eingesetzte *Leime. Als H. eignen sich sowohl vollsynthet. Leime (Kunstharzleime, z. B. Polyvinylacetat-H.) als auch solche pflanzlicher (Dextrin-, Stärke-, Sago- od. Tapioka-Leim) u. tier. Provenienz (Haut-, Leder-, Knochen- u. Casein-Leim). Neben diesen physikal., d. h. durch Abdampfen des Lsm. (Wasser) abbindenden H., werden auch durch chem. Reaktionen abbindende

Leime als H. eingesetzt, u. a. solche auf der Basis von *Harnstoff-, *Melamin-, *Phenol- od. *Kresolharzen. Mit derartigen H. sind auch wasserfeste Verleimungen von Holz möglich. – *E* wood glues – *F* colles à bois – *I* colle per legno – *S* colas para madera
Lit.: s. Klebstoffe u. Leime. – *[HS 3501 90, 3503 00, 3506 10, 3506 91]*

Holzmehl (Sägemehl). Sehr fein zerkleinertes Holz, das als Filterhilfsmittel, als Füllstoff z. B. bei der Herst. von *Holzbeton u. – ggf. nach Durchtränkung mit geeigneten Harzen – in Preßmassen sowie als Beimengung zu Rauhfaseranstrichen Verw. findet. In brikettierter Form kann H. auch zur Produktion von Rauch bei der Herst. von Fleisch- u. Wursträucherwaren verwendet werden, s. Räuchern. – *E* wood meal, wood flour – *F* farine de bois – *I* segatura – *S* polvo de madera, harina de madera, serrín
Lit.: Kirk-Othmer (3.) **8**, 894; **10**, 205, 208; **11**, 306; (4.) **11**, 1088 ▪ Ullmann (4.) **23**, 520; (5.) **A 20**, 494, 496. – *[HS 4405 00]*

Holzöl. Sammelbez. für hellgelbe bis dunkelbraune, charakterist. riechende Öle, die aus den zerkleinerten Samenschalen u. Kernen der in China, Japan u. Indochina, seit den 30er Jahren auch in den Südstaaten der USA u. Argentinien verbreiteten baumartigen *Aleurites*-Arten (Wolfsmilchgewächse) kalt gepreßt od. extrahiert werden können. Je nach Herkunft unterscheidet man chines. od. japan. H. (s. Tungöl), Abrasinöl, Lumbang- u. Bagilumbangöl, Kandelnußöl u. Bankulnußöl mit den folgenden Grenzdaten: D. 0,93–0,94, Schmp. <0 °C, Verseifungszahl 189–195, Säurezahl max. 5, Iod-Zahl mind. 205. H. enthält bis zu 82% stark ungesätt. *Elaeostearinsäure. An der Luft erstarrt ein Anstrich mit H. unter Sauerstoff-Aufnahme zu einer matten, rissigen Schicht; H. gehört also (wegen seines hohen Gehalts an ungesätt. Fettsäuren) zu den *trocknenden Ölen. Durch Erhitzen mit Leinöl, durch Harzzusatz, durch Gelatinieren bei Anwesenheit von Oxidationsmitteln u. Wiederverflüssigen bei höherer Temp. erhält man aus dem H. Öle u. Firnisse, die harte, wasserbeständige Anstriche geben u. deshalb zu Außenlacken, Fußbodenlacken, Nitrocellulose-Kombinationslacken, Bootsanstrichen, Japanlacken, Schleiflacken, Standöl, Emaillelacken usw. u. für Kernbinder verwendet werden. H. u. H.-Standöl müssen frei von anderen Ölen u. Fetten sein, vgl. DIN 55936 (11/1992). H. enthält giftige od. zumindest stark abführende u. Erbrechen erregende Stoffe. Auf der Haut kann H. Entzündungen verursachen („Holzölkrankheit"). Es sei darauf hingewiesen, daß gelegentlich auch *Terpentinöl (*Holzterpentinöl) als H. bezeichnet wird. – *E* tung oil, wood oil, Chinawood oil – *F* huile de bois – *I* olio di legno – *S* aceite de madera de tung
Lit.: Ullmann (4.) **23**, 437 f.; (5.) **A 9**, 55–58, 61; **A 10**, 232. – *[HS 1515 40; CAS 8001-20-5]*

Holzpappe. Aus weißem *Holzschliff hergestellte Pappen für die Verpackungs- u. Kartonagen-Ind. u. zur Herst. von Bierdeckeln. Die aus Braunschliff (s. Holzschliff) hergestellten Pappen werden als *Braunholzpappen* bezeichnet. – *E* wood board – *F* carton-bois – *I* cartone di pasta di legno – *S* cartón blanco de madera
Lit.: Ullmann (4.) **17**, 620–623; (5.) **A 18**, 661 ff.

Holzpech. Unter H. od. *Holzteerpech* versteht man den Dest.-Rückstand des *Holzteers. Man unterscheidet nach der Herkunft Laubholz- u. Nadelholzpech. *Laub-H.* (z. B. Buchenholzteerpech): Schwarz, Bruch muschelig, D. 1,2–1,3, zu 30–95% in CS_2 u. zu 15–50% in Benzin lösl., enthält bis 20% Harzsäuren. *Nadel-H.:* Braunschwarz, Bruch muschelig, D. 1,1–1,15, zu 40–95% in CS_2 u. zu 25–80% in Benzin lösl., enthält bis zu 40% Harzsäuren. Von anderen *Pechen unterscheidet sich H. durch seine Schwerlöslichkeit in Tetrachlormethan. Buchen-H. wird verwendet in der opt. Ind. zum Einkitten beim Schleifen von Linsen u. für Isolierplatten. – *E* wood (tar) pitch – *F* brai de goudron de bois – *I* pece di legno – *S* brea de alquitrán de madera, brea de madera
Lit.: Ullmann (4.) **12**, 703–708; (5.) **A 26**, 92, 122 ▪ Winnacker-Küchler (4.) **5**, 646 ▪ s. a. Teer.

Holzpolyosen s. Polyosen.

Holzschliff (Pulpe). Preßt man entrindete Fichtenholzstücke (seltener Tannen- u. Kiefernholz) unter Zusatz von kühlendem Wasser gegen rasch rotierende Schleifsteine (Durchmesser bis zu 2 m, Breite über 1 m, Korngröße 0,1–2 mm), so werden aus dem Holz durch die Unebenheiten des Steins feine Holzfasern herausgerissen u. z. T. auch zertrümmert. Die so entstehende feine Holzmasse heißt H.: Die Fäserchen des H. (Feinschliff) haben meist eine Länge von weniger als 0,2 mm u. sind daher für das unbewaffnete Auge nicht mehr als Splitterchen erkennbar. Gewöhnlich kommt dieser H. mit etwa 56% Wassergehalt in Form von flacher Pappe (*Holzpappe) in den Handel. Er enthält noch alle Holzbestandteile, nämlich Cellulose, Polyosen u. Lignin. Infolge seiner Kurzfaserigkeit ist H. meist nicht gut verfilzbar; daher kann man aus reinem H. keine guten *Papiere, sondern höchstens *Pappen, Bierfilze u. *Kartons herstellen. Bei Zeitungspapieren u. Einwickelpapieren werden 70–85% H. mit Holzzellstoff u. anorgan. Füllmitteln verarbeitet; diese Papiere vergilben infolge des Lignin-Gehalts allmählich. Zum Bleichen von H. eignen sich *Dithionite u. *Disulfite.
Verläuft der H.-Prozeß in der angedeuteten Weise als *Kaltschliff*, so entsteht der kurzfaserige, gelblichweiße *Weißschliff*; Verringerung der Kühlwassermenge u. Erhöhung der Wassertemp. (Warmschliff) führt zu längeren Weißschliffasern. Behandelt man das Schliffholz einige h mit Heißdampf, so tritt zwar ein ca. 15%iger Substanzverlust ein, der Schliff läßt sich jedoch unter erheblicher Energieersparnis gewinnen u. tritt als dunkel gefärbter *Braunschliff* auf. Dessen Fasern sind bes. gut verfilzbar u. dienen zur Herst. relativ reißfester Papiere, z. B. von Packpapier. Auch eine chem. Vorbehandlung des Holzes, z. B. durch eine Neutralsulfit-Heißimprägnierung ist möglich (*Chemieschliff*). Über die weitergehende chem. Aufarbeitung des Holzes s. bei Cellulose. – *E* ground-wood, wood pulp – *F* pâte mécanique, pâte de râperie mécanique – *I* pasta di legno – *S* pasta de madera, pasta mecánica de madera
Lit.: DIN 6730 (05/1996) ▪ Ullmann (4.) **17**, 562–566; (5.) **A 18**, 594–603 ▪ Winnacker-Küchler (4.) **5**, 597–605 ▪ s. a. Holz, Holzstoff, Papier. – *[G 4.1]*

Holzschutzmittel. Unter *Holzschutz* versteht man nach DIN 52 175 (01/1975) die Anw. aller Maßnahmen, die eine Wertminderung od. Zerstörung von Holz u. Holzwerkstoffen verhüten u. damit eine lange Gebrauchsdauer sicherstellen sollen. Hierbei wird unterschieden zwischen baulichen u. chem. Holzschutzmaßnahmen (auch als *Holzkonservierung* bezeichnet). Hierunter versteht man das Behandeln von Holz mit H. zum Schutz v. a. vor tier. u. pflanzlichen Schädlingen; auch Mittel zur Herabsetzung der Entflammbarkeit (s. Flammschutzmittel) werden den H. zugerechnet. In Tab. 1 u. 2 sind die wichtigsten tier. u. pflanzlichen Schadorganismen aufgelistet, die Holzschäden verursachen können.

Tab. 1: Tier. Schädlinge, die Holzschäden verursachen; nach *Lit.*[1], S. 686.

Schadorganismen	Schadort
Frischholzinsekten	
Borkenkäfer (Scolytidae; z.B. *Xyloterus*-Arten)	Stammholz, Forst, Tropen
Kernkäfer (Platypodidae, z.B. *Platypus*-Arten)	Stamm- u. Schnittholz, Tropen
Holzwespen (Siricidae; z.B. *Sirex*-Arten, *Paururus*)	Stamm- u. Bauholz, Forst
Trockenholzinsekten	
Hausbock (*Hylotrupes bajulus* L.)	Splintholz von Nadelhölzern (überwiegend Dachstuhl)
Nagekäfer (Anobiidae; z.B. *Anobium, Ptilinus*)	Nadel- u. Laubholz (Bauholz, Möbel, Kunstwerke)
Splintholzkäfer (Lyctidae; z.B. *Lyctus, Minthea*)	stärke- u. eiweißreiche Laubhölzer (trop. Schnitthölzer, Parkett, Möbel, Wandverkleidungen)
Bohrkäfer (Bostrychidae; z.B. *Bostrychus, Heterobostrychus*)	stärkereiches Laubholz in frischem u. trockenem Zustand
Termiten (z.B. *Reticulitermes santonensis* Feytand)	Nadel- u. Laubholz in trop. u. subtrop. Gebieten
Meerwasserschädlinge	
Schiffsbohrwurm (z.B. *Teredo navalis* L.)	Holz unter Wasser (Hafenanlagen, Schiffsböden)
Bohrasseln (z.B. *Limnoria lignorum* R.)	Mindestsalzgehalt im Wasser > 0,7%; Schäden steigen mit der Wassertemp. an

H. sollen folgenden Anforderungen genügen: Möglichst sicherer Schutz vor holzschädigenden Organismen, Beständigkeit gegen Verdunsten u. Auslaugen, möglichst geruchlos, farblos od. dauerhaft färbend; die H. sollen möglichst tief in das Holz eindringen, die Umweltbelastung bei der Verarbeitung u. durch das behandelte Holz soll möglichst gering sein, die H. sowie das behandelte Holz sollen mit anderen Werkstoffen, wie Metallen, Montageleimen u. Klebstoffen, Anstrichmitteln sowie anderen Baustoffen verträglich sein. Da sich alle diese Anforderungen mit einem einzigen H. nicht erfüllen lassen, wurden eine Vielzahl von H. jeweils für die verschiedenen Anw.-Zwecke entwickelt. Die heute üblichen H. bestehen meist aus Kombinationen verschiedener Holzschutz-Wirkstoffe, gelöst in Wasser od. organ. Lsm. u. enthalten meist

Tab. 2: Pflanzliche Schädlinge, die Holzschäden verursachen; nach *Lit.*[1], S. 686.

Schadorganismen	Schadort
Bakterien	Holz hoher Feuchte (bei Wasserlagerung, Beriese-
Moderfäuleerreger (Ascomyceten, z.B. *Chaetomium globosum* Kunze)	Holz hoher Feuchte (Kühlturmausbauten, Holz mit Erdkontakt)
holzverfärbende (Bläue-)Pilze [z.B. *Aureobasidium pullulans* (de Bary) (Arnaud)]	Holz mit Feuchte > 25% frisches Rund- u. Schnittholz, freibewitterte Holz-
Braunfäuleerreger (bes. Echter Hausschwamm – *Serpula lacrymans* S. F. Gray, Kellerschwamm – *Coniophora puteana* Karst, Weißer Porenschwamm – *Androdia simosa* Karst, Blättlinge – *Lenzites*-Arten)	Holz mit Feuchte > 20%
Weißfäuleerreger (z.B. Schmetterlingsporling – *Coriolus versicolor* Quelet)	Holz mit Feuchte > 20%

noch weitere Komponenten wie Netzmittel, Penetrationshilfsmittel, Fixierungsmittel, Korrosionsinhibitoren, Farbstoffe, Pigmente, Bindemittel.

Es wird grob unterteilt in wasserlösl. H. (meist auf der Basis anorgan. Salze) u. ölige H. (meist in organ. Lsm.). Zur einfacheren Unterscheidung wurden in DIN 4076 Tl. 5 (11/1981) Kurzz. für die salzartigen H. definiert.

CF = Chromat-Fluorid-Gemische
CFA = Chromat-Fluorid-Arsenat-Gemische
CFB = Chromat-Fluorid-Borat-Gemische
CK = Chromat-Kupfersalz-Gemische
CKA = Chromat-Kupfersalz-Arsenat-Gemische
CKB = Chromat-Kupfersalz-Borat-Gemische
CKF = Chromat-Kupfersalz-Fluorid-Gemische.

Ferner nennt DIN 4076 verschiedene Kurzz. für H., definiert nach Einsatzzweck:

E = H. auch für Holz, das extremer Beanspruchung ausgesetzt ist (Erdkontakt, fließendes Wasser o. ä.)
F = H. wirksam zur Brandschutzausrüstung von Holz u. Holzwerkstoffen (Feuerschutzbehandlung)
Ib = H. gegen Insekten bekämpfend wirksam
Iv = H. gegen Insekten vorbeugend wirksam
(Iv) = H. (nur bei Tiefschutz ist die vorbeugende Wirksamkeit gegen Insekten gewährleistet)
K1 = mit H. behandeltes Holz führt bei Cr-Ni-Stählen nicht zu Lochkorrosion
L = Verträglichkeit des H. mit bestimmten Klebstoffen (Leimen) entsprechend den Angaben im Prüfbescheid nachgewiesen
M = H. geeignet zur Bekämpfung von Schwamm im Mauerwerk
P = H. wirksam gegen Pilze (Fäulnisschutz)
S = H. zum Streichen, Spritzen (Sprühen) u. Tauchen von Bauholz geeignet
St = H. zum Streichen u. Tauchen von Bauholz geeignet sowie zum Spritzen in stationären Anlagen
W = H. auch für Holz, das der Witterung ausgesetzt ist, jedoch ohne Erdkontakt.

Zu den Lsm.-freien, öligen H. gehören die bereits seit ca. 160 a verwendeten Steinkohlenteer-Destillate, die sog. *Teer-Öle, wie auch z. B. das *Carbolineum. Hauptbestandteile sind aromat. Kohlenwasserstoffe wie *Naphthalin, *Anthracen, *Phenanthren, *Phenole u. *Kresole sowie N-haltige Heterocyclen wie *Pyridin, *Chinoline, *Isochinolin u. a., die in ihrer Gesamtheit dem damit behandelten Holz einen Langzeitschutz gegen biolog. Holzzerstörer verleihen. Ihre Verw. ist wegen des starken Eigengeruchs, der Neigung zum Ausschwitzen u. mangelnder Überstreichbarkeit nur bei freiverbautem Holz (Eisenbahnschwellen, Masten, Zäune u. ä.) möglich. Ferner sind bei ihrer Anw. wegen des carcinogegen Potentials von Teeröl-Inhaltsstoffen bes. Vorsichtsmaßregeln zu beachten. Gleiche Einschränkungen gelten für Teeröl-Präp. (Mischungen von Teeröl mit Mineralöl unter Zusatz weiterer *Fungizide u. *Insektizide).

Die größte Gruppe bilden die Lsm.-haltigen H., sie bestehen aus Kombinationen bestimmter H.-Wirkstoffe in organ. Lsm., ggf. zusammen mit weiteren Hilfsstoffen. *Fungizide Wirkstoffe sind z. B. *Zinn-organische Verbindungen, *Chlornaphthaline u. *Chlorphenole. Zu den *Insektiziden in H. zählen bestimmte chlorierte Kohlenwasserstoffe, wie γ-Hexachlorcyclohexan (HCH, *Lindan), organ. *Phosphorsäureester, bestimmte *Carbamate sowie *Pyrethroide. Wesentlich für die Wirksamkeit der H. ist die Eindringtiefe in das behandelte Holz. Neben der Penetrationsfähigkeit des H., abhängig von seiner Zusammensetzung, sind hierfür die zur Einbringung des H. in das zu behandelnde Holz angewendeten Verf. von Bedeutung. DIN 52175 (01/1975) unterscheidet folgende Einbringverf. für H.: *Kesseldruckverf.* (Volltränkung, Spartränkung, Wechseldrucktränkung, Vakuumtränkung), *Saftverdrängung* (Druck- u. Drucksaugtränkung, Trogsaug- u. Trogdrucksaugtränkung), *Diffusionstränkung, Trogtränkung* (im Sonderfall Einstelltränke), *Tauchen, Streichen* u. *Spritzen, andere Verf.* sowie *Verf. zur Sonderbehandlung von gefährdeten Stellen.* Ausführliche Beschreibungen der wichtigsten Verf., z. T. mit bildlichen Darst., finden sich in *Lit.*[1], S. 694–699.

Im Baurecht der Länder in der BRD ist Holzschutz im Hochbau überwiegend vorgeschrieben gemäß DIN 68800 Tl. 1–5 (05/1974 bis 05/1996), insbes. Tl. 3 (04/1990) für vorbeugenden chem. Holzschutz hauptsächlich bei tragenden Bauteilen, sowie Tl. 4 (11/1992) für Bekämpfungsmaßnahmen gegen Pilz- u. Insektenbefall. Für die bes. stark beanspruchten Hölzer für Masten, Pfähle, Eisenbahnschwellen u. dgl. haben Elektrizitätsversorgungsunternehmen (EVU), Dtsch. Post AG bzw. Dtsch. Telekom (früher BP) u. Dtsch. Bahn AG (DB) eigene Liefervorschriften erlassen. Da die H. teilweise gegen lebende Organismen intensiv wirksame Stoffe enthalten, besteht bei ihrer Verw. grundsätzlich ein Gefährdungspotential auch für die menschliche Gesundheit. Daher besteht in der BRD ein umfassendes Regelwerk: Für bauaufsichtlich vorgeschriebene Holzschutzmaßnahmen gemäß DIN 68800 Tl. 3 dürfen nur solche H. eingesetzt werden, die vom Inst. für Bautechnik (IfBt, s. in der *Lit.* bei *Organisationen*) geprüft u. für den vorgesehen Ver-

wendungszweck zugelassen sind. Das IfBt überprüft, ob die im untersuchten H. enthaltenen Wirkstoffe vom *Bundesgesundheitsamt (BGA) für H. zugelassen sind u. erteilt für die Wirksamkeit gemäß DIN 68800 Tl. 3 ein Prüfprädikat (z. B. Iv, P, W, E), welches den Kurzz. nach DIN 4076 Tl. 5 (s. oben) entspricht. Derartig geprüfte u. zugelassene H. erhalten ein amtliches Prüfzeichen, s. Abb. 1.

Abb. 1: Prüfzeichen für Holzschutzmittel (nach DIN 68800).

Diese so gekennzeichneten Produkte sind in erster Linie für gewerbliche Zwecke zur Anw. durch den Fachmann bestimmt. Vom IfBt wird jährlich ein Verzeichnis der H. mit Prüfzeichen herausgegeben (s. *Lit.*[2]); das BGA veröffentlicht im Bundesgesundheitsblatt regelmäßig „Positivlisten" von H.-Wirkstoffen, die von der H.-Kommission des BGA gesundheitlich bewertet u. zum Einsatz in H. zugelassen wurden.

Von den in den letzten Jahren in der Öffentlichkeit diskutierten H.-Wirkstoffen wurde das früher breit eingesetzte, weil sehr gut wirksame, seit 12/1989 durch VO verbotene *Pentachlorphenol (PCP) von der dtsch. H.-Ind. aufgrund einer freiwilligen Vereinbarung bereits seit 1985 nicht mehr verwendet. Lindan hingegen ist bei einer Reinheit von mind. 99% γ-HCH als Wirkstoff in H. gesundheitlich unbedenklich u. zugelassen, wird jedoch von der dtsch. H.-Ind. kaum noch eingesetzt. Nicht zugelassen ist dagegen „techn. HCH" mit merklichen Gehalten der gesundheitsgefährdenden Stereoisomeren α- u. β-HCH.

Einen zusätzliche Sicherheit für Verbraucher u. Verwender von H. bietet die vor einigen Jahren von den dtsch. H.-Herstellern in Zusammenarbeit mit den zuständigen Gesundheits-, Zulassungs- u. Überwachungs-Behörden gegründete „Gütegemeinschaft Holzschutzmittel e. V." (s. *Lit. Organisationen*). Diese kontrolliert die nicht gemäß DIN 68800 zulassungspflichtigen H., die in erster Linie zur Verw. für nichttragende Bauteile u. sonstige Holzwerkstoffe auch durch Heimwerker bestimmt sind. Für diese H. wird seit 1986 das „Gütezeichen RAL-Holzschutzmittel" (s. Abb. 2) vergeben, wenn die amtlichen Anforderungen an Wirksamkeit u. gesundheitliche Unbedenklichkeit erfüllt werden.

Holzschutzmittel

Abb. 2: Gütezeichen RAL für Holzschutzmittel.

Von der Gütegemeinschaft Holzschutzmittel wird ein Verzeichnis der H. mit RAL-Gütezeichen als Lose-Blatt-Sammlung herausgegeben (s. *Lit.*[3]).

Darüber hinaus sind eine Reihe von Holzveredlungsmitteln u. Wetterschutzanstrichen auf dem Markt, die keine H.-Wirkstoffe enthalten u. neben ihrer dekorativen Wirkung durch porenfüllende Oberflächenversiegelung einen gewissen Holzschutz bieten. Meist enthalten sie auch *Lichtschutzmittel gegen verwitterungsfördernde UV-Strahlung. Wenn ihr Gehalt an organ. Lsm. nicht mehr als 10% beträgt, können sie mit dem *Umweltzeichen Blauer Engel (vgl. Abb. 3) gekennzeichnet werden. Diese Produkte sind zur Verw. hautsächlich für Hand- u. Heimwerker auch im Innenbereich bestimmt.

Abb. 3: Umweltzeichen „Blauer Engel".

Geschichte: Holzschutzmaßnahmen sind seit Jahrtausenden im Gebrauch: Alexander der Große ließ Brückenholz mit Olivenöl tränken, die Chinesen benutzten Salzwasser u. die Römer bestrichen ihre Schiffe mit Pech, um die Bohrmuschel fernzuhalten. Schließlich soll schon die Arche Noah mit Teer u. Pech behandelt worden sein. Die in den Erdboden kommenden Teile von Weinbergpfählen hat man schon seit Jh. angekohlt, ebenso die Spitzen der Pfähle für Pfahlbauten; die hierbei entstehenden *Holzteer-Öle ziehen in das Holz ein u. wirken ähnlich konservierend wie Carbolineum. Das älteste bewußt angewandte chem. Holzschutz-Verf. wurde 1823 von dem Engländer Kyan erfunden: Eintauchen von gut getrockneten Eisenbahnschwellen, Telegraphenstangen etc. in eine 0,66%ige Lsg. von Quecksilberchlorid. Dieses „*Kyanisieren*" ist nur an der Holzoberfläche wirksam u. heute ohne Bedeutung. Steinkohlenteeröl wurde erstmals 1838 in England durch Bethell, 1849 in Deutschland durch Rütgers zur Holz-Konservierung verwendet. Etwa um die gleiche Zeit wurden die ersten industriellen Verf. zum Einbringen der H. in das Holz entwickelt. Das *Kesseldruckverf.* von *Rüping* ist seit 1849 bis heute in einigen Varianten noch weit verbreitet. – *E* wood preservatives – *F* moyens de préservation de bois – *I* mezzo preventivo per legno – *S* conservantes de maderas, impregnantes para maderas
Lit.: [1]Ullmann (4.) **12**, 685–702. [2]Verzeichnis der Holzschutzmittel mit Prüfzeichen, Berlin: Schmidt (jährlich). [3]Verzeichnis der Holzschutzmittel mit RAL-Gütezeichen, Frankfurt: Gütegemeinschaft Holzschutzmittel (Lose-Blatt-Sammlung).
allg.: BAVC u. VCI (Hrsg.), Fakten zur Chemie-Diskussion Nr. 39, Wiesbaden: Häfner 1988 ▪ Gatz, Lexikon der Anstrichtechnik, 8. Aufl., Bd. 1, S. 318ff., München: Callwey 1987 ▪ Grießhammer, Chemie im Haushalt, S. 250–274, Hamburg: Rowohlt 1986 ▪ Römpp Lexikon Umwelt, S. 343f. ▪ Vollmer u. Franz, Chemie in Hobby u. Beruf, S. 97–113, Stuttgart: Thieme 1991. – *Inst. u. Organisationen:* Bundesforschungsanstalt für Forst- u. Holzwirtschaft, 21031 Hamburg ▪ Deutscher Holz- u. Bautenschutzverband, 50832 Köln ▪ Gütegemeinschaft Holzschutzmittel e. V., 60329 Frankfurt ▪ Industrieverband Bauchemie u. Holzschutzmittel e. V. (ibh), 60329 Frankfurt ▪ Institut für Bautechnik (IfBt), 10785 Berlin ▪ s. a. Holz, Bautenschutzmittel.

Holzspanplatten. Platten aus Holzspänen, die – ähnlich wie *Holzfaserplatten – mit einem Bindemittel aus Kunstharzleim (Harnstoff- od. Melamin-Formaldehyd-Harze) heiß gepreßt werden. Durch Größe, Form u. Anordnung der Späne u. die Menge des Kunstharzanteils (ca. 3–8%) können die Eigenschaften der H. variiert werden. Hochwertige Platten werden mehrschichtig u. mit bes. feinen Deckspänen hergestellt. Zur Verw. im Möbelbau lassen sich die H. mit Dekorfilmen, Grundierfilmen u. Furnieren beschichten. – *E* particle board – *F* panneaux de particules – *I* lastre di truciolato – *S* placas de virutas de madera
Lit.: Ullmann (4.) **12**, 714–719; (5.) A **28**, 328–335 ▪ s. a. Holz.

Holzspiritus. Alkohol, der aus Holz gewonnen wird. Man verwandelt hierbei die Cellulose des Holzes durch Säure-Einwirkung in Glucose u. läßt diese nach Entfernung der Säuren mit Hilfe von Hefezellen zu *Ethanol u. Kohlendioxid vergären; daneben vergärt man auch die in Sulfit-Zellstoffablaugen enthaltenen Zucker; Näheres s. bei Holzverzuckerung, aber auch bei Holzgeist (*Methanol), der ebenfalls als H. bezeichnet wird. – *E* wood (cellulose) spirits – *F* esprit de bois – *I* spirito di legno – *S* alcohol de celulosa de madera

Holzstoff. Nach DIN 6730 (05/1996) Oberbegriff für ganz od. nahezu völlig mit mechan. Mitteln aus *Holz hergestellte Fasermaterialien als Papierfaserstoff (*Halbstoff), untergliedert in die rein mechan. H. *Holzschliff, brauner H. u. Refiner-H., sowie H. mit chem. Vorbehandlung: Chem. H. u. chem. Refiner-Holzstoff. – *E* wood pulp – *F* pâte de bois – *I* pasta di legno – *S* pasta de madera
Lit.: Ullmann (4.) **17**, 561–569; (5.) A **18**, 594–604 ▪ Winnacker-Küchler (4.) **5**, 597–605.

Holzteer. Bez. für das schwarzbraune, ölige Destillat, das bei der Aufarbeitung des – im allg. aus Buchen gewonnenen – Rohholzessigs (vgl. Holzgeist) bei den verschiedenen Operationen anfällt. Pro 1 t Holztrockensubstanz fallen 130–140 kg H. an. Im wesentlichen unterscheidet man zwischen Büttenteer, der sich nach Entgeistung aus dem Holzessig abscheidet, u. Extraktionsteer, der bei der Vakuumdest. der Rohessigsäure anfällt. *Büttenteer (Ligninteer)* ist, bedingt durch seinen aromat. Charakter, schwer lösl. in Wasser. Er riecht nach *Kreosot u. ist ein Gemisch von Phenolen, Guajakol, Kresolen, Xylenolen, Pyrogalloldimethylether, Fettsäuren sowie deren Estern, Ketonen u. Alkoholen, hochsiedenden Paraffinen, Pech, verhältnismäßig wenig aliphat. ca. 300 verschiedenen chem. Substanzen (D. 1,08). *Extraktionsteer* dagegen ist wasserlösl. u. stammt aus der Cellulose u. den Polyosen. Er enthält Zucker u. zuckerartige Verb. sowie Maltol, Methylcyclopentenolon, Valerolacton u. ä. Stoffe. Der H. wird durch Dest. in eine Reihe von Fraktionen zerlegt. Bei 100–120 °C destilliert ein Gemisch von Essigsäure u. Holzgeist-haltigem Wasser über, auf dem leichtere Öle schwimmen (D. 0,90–0,98), die man als Motorkraftstoffe verwenden kann. Die Fraktion bis 270 °C (D. 1,04–1,05) stellt das schwere *Holzteeröl* dar, aus dem in einem separaten Arbeitsgang

Kreosot gewonnen wird. Bei weiterer Dest. erhält man hochsiedendes Teeröl (D. 1,11) u. als Rückstand *Holzpech.

Verw.: Beim Schnellräuchern von Fleisch, früher als Mittel gegen Lungentuberkulose, in der Tierheilkunde gegen Magenwürmer, chron. Ekzeme, Räude, Mauke, Klauenseuche, Strahlfäule, Hufkrebs, Staupe der Hunde usw. Der Rauch von verbranntem Holz wirkt durch seinen Kreosot-Gehalt (u. durch Wasserentziehung) auf die geräucherten Fleischwaren konservierend – Steinkohlenrauch wäre nicht nur wegen seines Gehalts an SO_2 u. Benzpyren zum *Räuchern von Fleisch nicht geeignet. H. wird ferner als Dichtungsmittel bei Holzschiffen, zum Konservieren von Jutestricken u. Fischnetzen sowie als Bindemittel verwendet. Die schweren Buchenholzteeröle werden als Flotations- u. Imprägnieröle sowie als Inhibitoren der Verharzung bei flüssigen Brennstoffen verwendet. Aus *Birkenteer* gewonnenes *Birkenteeröl* (s. Birkenöle) wird beim Herstellen des russ. Juchtenleders angewandt u. verleiht ihm seinen charakterist. Geruch. Der aus Skandinavien u. Finnland kommende Meilerteer aus harzreichem Nadelholz (*Stockholmer Teer*) dient vielfach zur Konservierung von hölzernen Schiffsteilen (seit dem Altertum benutzt man Holzteer zum Bestreichen von Schiffsböden), Tauen, Dachpappen usw. Der aus Nadelholz anfallende Teer (*Kienteer*) enthält u. a. Terpene, Polyterpene, Phenole, Harze u. Harzsäuren. Aus den zuerst überdestillierenden Anteilen des Nadel-H. gewinnt man das Terpentinöl-reiche *Kienöl* (vgl. dagegen Holzterpentinöl), das in Lacken u. Ölfarben Verw. findet. – *E* wood tar – *F* goudron végétal, goudron de bois – *I* catrame vegetale – *S* alquitrán de madera

Lit.: Ullmann (4.) **12**, 703–708; (5.) **A 26**, 92, 122 ▪ Winnacker-Küchler (4.) **5**, 645 f. ▪ s. a. Holz u. Teer. – *[HS 3807 00]*

Holzteerpech s. Holzpech.

Holzterpentinöl (Holzkolophonium, Wurzelharz). Aus Wurzeln u. *Stubben toter Coniferen durch Lsm.-Extraktion u. Wasserdampfdest. gewinnbares ether. Öl. Es enthält ca. 80% α-Pinen, 5 – 15% Camphen, 2% β-Pinen, 1% Dipenten u. dgl., D. 0,860 – 0,875; 90% destillieren bei 160 – 170 °C über, der Rückstand beträgt etwa 2%. Das meist als *Kienöl bezeichnete H. aus Kiefern enthält größere Anteile 3-Caren u. Cadinen. H. wird, wie das gleichfalls aus Stubben gewonnene sog. *Pine Oil, dem *Terpentinöl zugerechnet. – *E* wood turpentine, steam-distilled turpentine – *F* essence de térébenthine – *I* acqua ragia di legno – *S* esencia de trementina de madera

Lit.: Ullmann (4.) **20**, 264; (5.) **A 11**, 242 f.; **A 27**, 268 ff. – *[HS 3806 10]*

Holzvergasung s. Generatorgas, Holzgas u. Vergasung.

Holzverkohlung s. Holzkohle.

Holzverzuckerung. Die Polysaccharid-Bestandteile des Holzes können durch Einwirkung von Säuren hydrolyt. gespalten werden, unter Bildung monomerer Zucker, vorwiegend *Hexosen (*Glucose, daneben auch *Galactose u. *Mannose) u. *Pentosen (*Xylose, daneben auch *Arabinose). Die erste H. wurde bereits

1819 von Braconnet mit 90%iger Schwefelsäure in guter Ausbeute durchgeführt. In der Folgezeit wurden viele Verf. zur H. entwickelt. In den freien Wirtschaftsgebieten hat sich keines dieser Verf. großtechn. auf Dauer durchsetzen können. Hauptprobleme der säurehydrolyt. H. sind der hohe Energiebedarf, Korrosion der Anlagen, aufwendige Aufbereitung (Reinigung von Nebenprodukten, Säure-Rückgewinnung). Die beiden wichtigsten, auch in Deutschland über einige Jahrzehnte betriebenen Verf. sollen im folgenden beschrieben werden.

Beim *Scholler-Tornesch-Verf.* erfolgt die H. mittels verd. Schwefelsäure bei erhöhter Temp. unter Druck. Da unter diesen Bedingungen auch die gebildeten Monosaccharide zersetzt werden können, wird nach dem Prinzip der Druckperkolation gearbeitet. Hierbei wird die Säure schubweise im Perkolator durch die Holzspäne gedrückt u. die gebildeten Zucker rasch aus der Reaktionszone entfernt (s. a. Perkolation). Der Perkolator ist ein zylindr. Druckbehälter von ca. 2,5 m Durchmesser u. 10 – 15 m Höhe, ausgemauert mit säurefesten Steinen. Das zerkleinerte Holz wird mit Dampfstößen eingefüllt u. auf ca. 150 °C aufgeheizt. Bei den nachfolgenden 10 – 20 Säureschüben wird die Schwefelsäure-Konz. von zunächst 1,2 – 1,5% schubweise vermindert bis auf 0,4 – 0,5%, bei Steigerung der Anfangs-Temp. von 140 – 150 °C bis auf 180 – 185 °C. Die Verzuckerung ist nach 10 – 14 h beendet. Die aus dem Perkolator schubweise abgezogene „Würze" enthält ca. 3,5 – 4% Zucker; sie wird stufenweise entspannt, mit Kalk neutralisiert, durch Filtration geklärt u. durch Vergärung zu Alkohol weiterverarbeitet od. kann als Nährlsg. zur Herst. von Futter-Hefe dienen. Die im Perkolator verbliebenen Lignin-Rückstände werden mit Wasserschüben von 170 °C ausgewaschen u. durch Öffnen der unteren Perkolator-Klappe mit plötzlicher Entspannung über einen Zyklon herausgeschossen. Das Lignin-Pulver dient als Brennstoff zur eigenen Dampf-Erzeugung u. deckt etwa 25% des Primär-Energiebedarfs. Die Abb. zeigt zeigt das Verfahrensfließbild einer Scholler-Anlage.

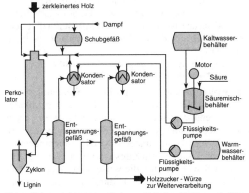

Abb.: Holzverzuckerungs-Anlage, Scholler-Verf.; nach Winnacker-Küchler (s. *Lit.*).

Nach diesem Verf. können aus 1 t Nadelholz (atro: Mengenangabe bezogen auf Trockensubstanz) ca. 500 kg reduzierende Zucker u. ca. 300 kg Lignin gewonnen werden. Die Alkohol-Ausbeute beträgt ca.

200 L (100%ig)/t Holz-Trockensubstanz, die Hefe-Ausbeute ca. 40 kg/t Holz-Trockensubstanz. In Deutschland wurden Scholler-Anlagen in Tornesch mit 13 000 t/a, in Dessau mit 42 000 t/a u. in Holzminden mit 24 000 t/a Holzverarbeitungs-Kapazität betrieben.

Das von *Bergius u. a. entwickelte *Rheinau-Mannheim-Verf.* arbeitet mit konz. Salzsäure, wobei das eingesetzte zerkleinerte u. vorgetrocknete Holz zunächst mit 35%iger Salzsäure vorhydrolysiert wird (Abbau der Polyosen). Die Haupthydrolyse erfolgt mit 41%iger Salzsäure. Vor- u. Haupthydrolysat werden getrennt weiterverarbeitet: Aufkonzentration, Nachhydrolyse bei erhöhter Temp. (120 °C) in verd. Salzsäure (0,5%), Entsäuerung durch Vak.-Wasserdampf-Dest., weiteres Eindampfen zu Vorzuckersirup, Glucose-Sirup bis zu reinem Glucose-Hydrat. Die Rückgewinnung der Salzsäure erfolgt durch azeotrope Dest. in aufwendiger Verfahrensweise. Die Pionier-Anlage in Rheinau hatte eine Verarbeitungs-Kapazität von 6000–8000 t/a Abfallholz (atro), eine Lizenz-Anlage in Regensburg 30 000–36 000 t/a. Nach Optimierung einiger Verf.-Stufen wurde 1960 in Rheinau eine Demonstrations-Anlage für 1200 t/a Holzdurchsatz gebaut, mit welcher folgende Ausbeuten erzielt wurden: Aus 1 t Holz (atro) ca. 600 kg Gesamt-Zucker, davon ca. 195 kg Vorzucker u. ca. 405 kg Hauptzucker; daraus ca. 280 kg reines Glucose-Hydrat (Traubenzucker). Weitere Verf. zur H. sind in der *Lit.* bei Ullmann beschrieben.

H. ist im Prinzip auch durch enzymat. Abbau der Cellulose möglich. Wegen der Lignin-Barriere u. der Kristallinität der Cellulose ist die enzymat. Verzuckerung von Holz jedoch wesentlich aufwendiger als die von *Stärke; sie erfordert vor der eigentlichen Verzuckerung eine Vorbehandlung zum Aufschluß des Holz-Rohstoffs.

In neuerer Zeit hat die H. wieder verstärktes Interesse gewonnen im Hinblick auf die Gewinnung von Alkohol aus Cellulose-haltigen Abfällen („Biomasse") als Brenn- u. Treibstoff angesichts der künftigen Energie-Situation. Daher wird vielerorts an sowohl chem. (säurehydrolyt.) als auch biotechnolog. (enzymat.) Verf. zur H. u. weiterer Vergärung zu Alkohol gearbeitet. – *E* wood saccharification – *F* sacharificacion du bois – *I* saccarificazione della cellulosa – *S* sacarificación de la madera

Lit.: Encycl. Polym. Sci. Eng. **17**, 872 f. ▪ Ullmann (4.) **23**, 574–596 ▪ Winnacker-Küchler (4.) **5**, 648 ff.

Holzwolle. Dünne, 1–6 mm breite Weichholzspäne, die z. B. zur Herst. von *Holzwolle-Leichtbauplatten u. dgl. benutzt werden. H. kann mit *Jute zu groben Garnen versponnen u. auch zu Seilen verarbeitet werden. Als Verpackungsmaterial wird H. zunehmend von leichteren u. saubereren Kunststoffen ersetzt (z. B. Polystyrol-Schaumstoffe), die v. a. eine bessere mechan. Isolierung gewährleisten u. darüber hinaus oft viel schwerer entflammbar sind. – *E* wood wool – *F* laine de bois – *I* lana (trucioli) di legno – *S* lana de madera – *[HS 4405 00]*

Holzwolle-Leichtbauplatten. Isolierbaustoff (D. 0,34–0,55) aus *Holzwolle u. mineral. Bindemitteln (Zement, Gips, Magnesit u. dgl.) od. mit Schaum-

kunststoffen als Mehrschichtplatten. Die seit ca. 1925 hergestellten u. nach DIN 1101/1102 (11/1989) genormten H.-L. isolieren gegen Wärme, Kälte u. Schall, sind unentflammbar, beständig gegen Hausschwamm u. Insekten u. können genagelt, gesägt, geschnitten u. verputzt werden. H.-L. ermöglichen Holzeinsparung, denn 10 Festmeter Holz geben 35 m³ H., aber höchstens 6 m³ Bretter. – *E* wood wool concrete panels – *F* panneaux légers en laine de bois – *I* lastre di materiale leggero da costruzione con trucioli di legno – *S* paneles ligeros de lana de madera

Lit.: Scholz, Baustoffkenntnis, 12. Aufl., S. 168, 379 f., 634, Düsseldorf: Werner 1991 ▪ Wendehorst, Baustoffkunde, 24. Aufl., S. 524, 634, Hannover: Vincentz 1994.

Holzzellstoffe. Aus *Holz gewonnene *Zellstoffe, überwiegend zur Verw. als Rohstoffe für die Herst. von *Papier u. *Pappe, *Kunstfasern u. *Cellulose-Derivaten.

Lit.: Holz-Lexikon (3.), Bd. 2, S. 571 ff., Stuttgart: DRW 1988 ▪ Ullmann (4.) **17**, 531 ff.; (5.) **A 18**, 547 ff. ▪ s. a. die Textstichwörter.

Holzzucker. Unter H. versteht man in der Chemie die *Xylose; in der Technologie bezeichnet man als H. auch die Produkte der *Holzverzuckerung.

Homann, Klaus Heinrich (geb. 1935), Prof. für Physikal. Chemie, TH Darmstadt. *Arbeitsgebiete:* Kinetik von Radikalreaktionen in der Gasphase, Reaktionen u. Rußbildung in Flammen.

Lit.: Kürschner (16.), S. 1515 ▪ Wer ist wer (35.), S. 629.

Homatropin [(±)-Tropinmandelat, (±)-Mandeloyltropin]. $C_{16}H_{21}NO_3$, M_R 275,35, hygroskop., Prismen, Schmp. 99–100 °C, wenig lösl. in Wasser, lösl. in Alkohol, Benzol, Chloroform u. Ether. Das *Tropan-Alkaloid H. ist ein niederes Homologes des *Atropins u. hat grundsätzlich die gleichen pharmakolog. Eigenschaften, allerdings ist die Wirkung um das 40fache herabgesetzt. In der Augenheilkunde werden vorwiegend das *Hydrobromid,

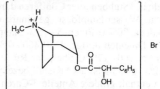

Homatropinhydrobromid

$C_{16}H_{22}BrNO_3$ [M_R 356,26, Prismen, Schmp. 214 °C (Zers.), gut lösl. in Wasser u. Alkohol] u. das *Methobromid* [$C_{17}H_{24}BrNO_3$, M_R 370,29, Schmp. 191–192 °C (Zers.)] verwendet, da es nur als *Mydriatikum u. nicht system. wirkt. Die Pupillen-erweiternde Wirkung dauert nur wenige Stunden u. ist mit *Physostigmin leicht abzukürzen. – *E = F* homatropine – *I* omatropine – *S* homatropina

Lit.: Beilstein E V **21/1**, 234 (H.), 251 (Methobromid) ▪ Sax (8.), MDL 000 ▪ Ullmann (5.) **A 18**, 142; **A 24**, 519 ▪ s. a. Atropin. – *[HS 2939 90; CAS 87-00-3 (H.); 51-56-9 (Hydrobromid); 80-49-9 (Methobromid)]*

Hombergs Legierung. Niedrigschmelzende Leg. mit 30% Blei, 30% Zinn u. 30% Wismut u. einem Schmp. von 122 °C.

Lit.: s. Schmelzlegierungen.

Hombitan®. Titandioxid-Pigmente in Anatas- u. Rutil-Modif. zur Verw. in der Farben-, Lack-, Kunststoff- u. Papier-Industrie. *B.:* Sachtleben.

Homidiumbromid.

Internat. Freiname für das früher auch *Ethidiumbromid* genannte 3,8-Diamino-5-ethyl-6-phenylphenanthridiniumbromid, $C_{21}H_{20}BrN_3$, M_R 394,31. Rote Krist. mit Schmp. 238–240 °C, λ_{max} 210, 285, 316, 343 nm. H. blockiert die Synth. von *Ribonucleinsäuren u. wirkt mutagen infolge Einschiebung (*Interkalation) in die Doppelhelix der *Desoxyribonucleinsäuren. Es wird veterinär-medizin. gegen Trypanosomen eingesetzt. – *E* homidium bromide – *F* bromure d'homidium – *I* omidio bromuro – *S* bromuro de homidio
Lit.: Beilstein E V **22**/11, 352 f. ▪ Merck Index (12.), Nr. 4767. – *[HS 293390; CAS 1239-45-8]*

Homing-Rezeptoren. Zu den *Zell-Adhäsionsmolekülen gehörende Membran-Proteine der *Lymphocyten, die diesen das Haften an der Wand (dem Endothel) spezialisierter Blutgefäße, der *hoch-endothelialen Venulen* (HEV), erlauben. Zu diesem Zweck binden sich die H.-R. an die auf dem Endothel angesiedelten *Adressine. Die HEV befinden sich stromabwärts der Kapillar-Verengungen der peripheren Gefäße. Das Gewebs-spezif. Andocken (*homing*) der Lymphocyten bereitet ihren Durchtritt durch die Gefäßwand u. ihre Einwanderung in Entzündungsherde u. periphere Lymphknoten vor. *Beisp.:* Das *CD44-Antigen* u. das Lymphknoten-spezif. L-*Selectin. – *E* homing receptors – *F* récepteurs homing – *I* recettori homing – *S* receptores homing
Lit.: Cold Spring Harbor Symp. Quant. Biol. **57**, 291–308 (1992 ▪ J. Leukocyte Biol. **55**, 133–140 (1994).

Hommel. In *Lit.*-Angaben dieses Werks Kurzbez. für das von Hommel bearbeitete „Handbuch der gefährlichen Güter", dessen 9. Aufl. 1995 als Loseblattwerk im Springer-Verl., Berlin, erschienen ist (vgl. Vorwort, häufig zitierte Werke). Jeder der z. Z. ca. 1600 Verb. ist ein eigenes Datenblatt mit Angaben zur Gefährlichkeit u. Verhaltensregeln im Falle eines Unfalls u./od. Transportschadens gewidmet.

Homo... Von griech.: homós = „gemeinsam, gleichartig" abgeleitete Vorsilbe in Fachwörtern (vgl. Homöo...); *Beisp.:* homogen, homolog. In vielen Fachbegriffen, *Trivialnamen u. *halbsystematischen Namen für organ. Verb. bezeichnet Homo... in formal in ein Stammgerüst eingefügtes CH_2-Glied, also höhere *Homologe, bes. ringerweiterte u. kettenverlängerte *Steroide u. a. *Naturstoffe (IUPAC-Regeln 3S-6 u. -7 bzw. F-4.5, -4.6 u. -4.8); Einfügen zweier CH_2-Glieder wird mit Dihomo... bezeichnet usw.; *Beisp.:* *Homoaromatische Verbindungen, *Homoserin; Abb. (*Steroid mit verengtem/erweitertem Ring *A/B*) = *B*-Homo-*A*-norandrostan [IUPAC: 7a-Homo-4-norandrostan; od. mit *abeo-: 10(5→4)*abeo*-Androstan]. Ringexpansionen zwischen zwei Gerüstver-

zweigungen erfordern bes. Stellungsangaben; *Beisp.:* *AB*(10a)- = 5(10)a-; *B*(9a)- = 9(10)a-; 17(20)a-Homocholestan. – *E* = *F* = *S* homo... – *I* omo...

HOMO. Abk. für *H*ighest(-energy) *O*ccupied *M*olecular *O*rbital, ein *Grenzorbital. Näheres s. bei Molekülorbitale u./od. MO-Theorie.

Homoallyl-Stellung. Aus *Homo... u. *Allyl... gebildete Bez. für das vierte C-Atom hinter einer Doppelbindung:
$$-^4CH_2{-}^3CH_2{-}^2CH{=}^1CH{-}R.$$
Homoallyl-Verb. gehen typ., durch *Nachbargruppeneffekte hervorgerufene Umlagerungsreaktionen ein, z. B. zu Cyclopropan-Derivaten. – *E* homoallylic position – *F* position homoallylique – *I* posizione omoallilica – *S* posición homoalílica
Lit.: Angew. Chem. **79** 709–720 (1967) ▪ Fortschr. Chem. Forsch. **8**, 554–607 (1967) ▪ Olah u. von Schleyer, Carbonium Ions, Bd. 3, New York: Wiley 1972.

Homoaporphin-Alkaloide. Gruppe von Phenethyl-isochinolin-Alkaloiden aus Liliaceae-Arten (Liliengewächse).
Lit.: J. Nat. Prod. **52**, 909–922, 1055 (1989). – *[HS 293990]*

Homoaromatische Verbindungen. Bez. für Verb., bei denen ein aromat. Syst. durch einzelne sp^3-hybridisierte C-Atome (s. Molekülorbitale) unterbrochen ist; die sp^3-Atome liegen meist senkrecht auf der Ebene der Atome, die den aromat. Ring bilden; *Beisp.:* Homotropylium-Ion.

Homotropylium-Ion

Die *Homoaromatizität* wird meist mit Hilfe des NMR-Kriteriums (s. Aromatizität) erkannt. – *E* homoaromatic compounds – *F* composés homoaromatiques – *I* composti omoaromatici – *S* compuestos homoaromáticos
Lit.: Angew. Chem. **90**, 965–1098 (1978) ▪ Olah u. von Schleyer, Carbonium Ions, Bd. 3, S. 965–1098, New York: Wiley 1972 ▪ s. a. Aromatizität.

Homoaromatizität s. Aromatizität.

Homobrenzcatechin s. 4-Methylbrenzcatechin.

Homocyclische Verbindungen s. Isocyclische Verbindungen.

Homocystein (2-Amino-4-mercaptobuttersäure, Kurzz. der L-Form ist Hcy). $C_4H_9NO_2S$, M_R 135,18. Als Racemat farblose Krist., Schmp. 233 °C, aus Methionin mit Natrium in flüssigem Ammoniak herstellbar. Hcy wird wie L-Glutamat zum Würzen verwendet, in Form des *Thiolactons* (Schmp. 197–200 °C) auch zur Entgiftung, Therapie von Lebererkrankungen, in der Strahlenmedizin u. Geriatrie. Nach neueren Untersuchungen wird jedoch eine erhöhte Konz. an H. im Blut als Risikofaktor für *Arteriosklerose angesehen[1]. Hcy läßt sich mit Kaliumhexacyanoferrat(III) zu L-*Ho*-

$$HS-CH_2-CH_2-\overset{\overset{\displaystyle NH_2}{|}}{\underset{\underset{\displaystyle H}{|}}{C}}-COOH$$

L-Homocystein

$$HOOC-\overset{\overset{\displaystyle H}{|}}{\underset{\underset{\displaystyle NH_2}{|}}{C}}-CH_2-CH_2-S-S-CH_2-CH_2-\overset{\overset{\displaystyle NH_2}{|}}{\underset{\underset{\displaystyle H}{|}}{C}}-COOH$$

L-Homocystin

$$HOOC-\overset{\overset{\displaystyle H}{|}}{\underset{\underset{\displaystyle NH_2}{|}}{C}}-CH_2-S-CH_2-CH_2-\overset{\overset{\displaystyle NH_2}{|}}{\underset{\underset{\displaystyle H}{|}}{C}}-COOH$$

L,L-Cystathionin

mocystin ($C_8H_{16}N_2O_4S_2$, M_R 268,35, s. Abb.) dehydrodimerisieren. Im Organismus geht es unter dem Einfluß von *Methionin-Synthase* (EC 2.1.1.13, enthält Methylcobalamin, 5-Methyltetrahydrofolsäure als Methyl-Gruppen-Donor) in L-*Methionin (Met) über. Das umgekehrt über *S*-*Adenosylmethionin u. *S*-Adenosyl-L-homocystein aus Met entstehende Hcy kann auch – unter Einwirkung von Cystathionin-β-Synthase (EC 4.2.1.22, Pyridoxalphosphat als Cofaktor) mit L-Serin zu L,L-*Cystathionin* ($C_7H_{14}N_2O_4S$, M_R 222,26, s. Abb.) zusammentreten, dessen Spaltung dann L-Cystein freisetzt. L,L-Cystathionin tritt bes. reichlich in der Hirnsubstanz auf. Bei bestimmten angeborenen, zu schweren körperlichen Schäden führenden Stoffwechselstörungen, insbes. bei einem Mangel an Cystathionin-β-Synthase, tritt L-Homocystin im Harn (*Homocystinurie*) u. im Blut auf[2]. – *E* homocysteine – *F* homocystéine – *I* omocisteina – *S* homocisteína

Lit.: [1] J. Am. Coll. Cardiol. **27**, 517–527 (1996); Cardiovasc. Pathol. **6**, 1–9 (1997). [2] Dtsch. Med. Wochenschr. **117**, 473–479 (1992).
allg.: Beilstein E IV **4**, 3189 ▪ Stryer 1996, S. 759 ff. – *[HS 293090; CAS 6027-13-0 (L); 454-29-5 (DL)]*

Homocystin s. Homocystein.

Homocystinurie s. Homocystein.

Homodet s. Peptolide.

Homodrom s. Wasserstoff-Brückenbindung u. Hydratation.

Homoenolat-(anionen) s. Umpolung.

Homöo... Von griech.: hómoios = gleichartig, ähnlich abgeleitete Vorsilbe; *Beisp.:* *Homöopathie, homöopolar. – *E* hom(o)eo... – *F* homéo... – *I* omeo... – *S* homeo...

Homöo-Box s. Homöo-Domäne.

Homöo-Domäne (Homöobox-Domäne). Eine *Domäne von ca. 60 Aminosäure(AS)-Resten, die einer Familie bestimmter *Desoxyribonucleinsäuren(DNA)-bindender *eukaryontischer *Proteine mit oft nur geringen Abweichungen gemeinsam ist. Die H.-D. enthält einen flexiblen *N*-terminalen Arm sowie 3 α-Helices (s. Helix), Helix I–III genannt. Helix I ist von Helix II durch eine Polypeptid-Schleife, Helix II von Helix III durch eine kurze Kehrtwendung getrennt. Unmittelbar an Helix III schließt sich noch die kurze, flexible Helix IV an, die etliche bas. AS enthält. Das *helix-turn-helix*-Motiv der Helices II u. III kommt auch bei

bakteriellen Transkriptions-Repressoren vor. Die H.-D., die für die DNA-Bindung verantwortlich ist, ist in der Erbsubstanz als *Homöo-Box* (ca. 180 Basenpaare) angelegt.
Zuerst wurde sie bei der Fruchtfliege *Drosophila melanogaster* entdeckt; man hat festgestellt, daß die die H.-D. enthaltenden Proteine meist als Sequenz-spezif. *Transkriptionsfaktoren (seltener – soweit bekannt – als Repressoren der *Translation[1]) mit der Regulation der embryonalen Gestalt-Entwicklung (Morphogenese) zu tun haben. Bei einschlägigen *Drosophila*-Mutanten entwickeln sich die Körpersegmente anomal, z. B. mit Beinen statt Antennen (Homöose, homöot. Mutationen, *homöot. Gene* – daher der Name „H.-D.").
Beisp.: Das Protein Antennapedia (Antp) bei *Drosophila*, das bei der oben beschriebenen Mutation betroffen ist, u. die Produkte der *Hox*-Gene[2], die bei Wirbeltieren den Körperbau beeinflussen. Die POU-Domäne enthält die H.-D., s. Octamer-Transkriptionsfaktoren. Für ihre Arbeiten über die homöot. Gene bei *Drosophila* wurden Lewis, Nüsslein-Volhard u. Wieschaus 1995 mit dem Nobelpreis für Medizin ausgezeichnet[3]. – *E* hom(o)eo domain – *F* domaine homéotique – *I* omeodominio – *S* dominio homeo, dominio homeótico

Lit.: [1] Curr. Biol. **6**, 773 ff. (1996); Nature (London) **379**, 695–699, 746–749 (1996). [2] Mechanisms Develop. **55**, 91–108 (1996). [3] Nature (London) **377**, 465 (1995); Spektrum Wiss. **1995**, Nr. 12, 16 ff.
allg.: Alberts et al., Molekularbiologie der Zelle, 3. Aufl., S. 1294, Weinheim: VCH Verlagsges. 1995 ▪ Annu. Rev. Biochem. **63**, 487–526 (1994) ▪ Cell **78**, 211–223 (1994) ▪ Spektrum Wiss. **1994**, Nr. 4, 38–45 ▪ www: http://copan.bioz.uni-bas.ch/homeo.html.

Homöomorphie s. Isomorphie.

Homöopathie (griech.: homoios pathos = ähnliches Leiden). Von dem dtsch. Arzt Samuel Hahnemann (1755–1843) begründete medizin. Behandlungsform mit dem Ziel der Beeinflussung der körpereigenen Selbstheilungstendenz mit Hilfe einer Arznei, die jedem Kranken in seiner individuellen Reaktionsweise entspricht. Dabei wird eine Arznei gewählt, die bei Gesunden ein der zu behandelnden Krankheit ähnliches Leiden hervorruft (Similia similibus curantur: Ähnliches möge durch ähnliches behandelt werden). Die Symptomatik des Patienten wird dabei als individuelles Krankheitsbild verstanden u. zu den Wirkungen der homöopath. Arzneimittel in Beziehung gesetzt. Die verwendeten Arzneistoffe stammen überwiegend aus der Natur (pflanzliche u. tier. Stoffe, Mineralien), manche sind künstlich hergestellt. Durch spezielle Techniken der Verreibung u. Verschüttelung werden die Rohstoffe aufbereitet, wobei eine stufenweise Verdünnung erfolgt, die nach homöopath. Auffassung zu einer Steigerung der Wirksamkeit führt (Potenzierung). Die Herst.-Weise der Arzneien ist im Homöopath. Arzneibuch (*HAB) festgelegt.
Das unverd. Arzneimittel heißt Urtinktur („0"), flüssige Verdünnung „dil." (Dilutio), Verreibungen „trit." (Trituratio), Streukügelchen „glob." (Globuli) u. Tabl. „tabl."; das *Verdünnen wird mit Hilfe von Ethanol, dest. Wasser, Milchzucker, Saccharose, Glycerin u. dgl. ausgeführt. Bei der heutigen H. erfolgt die Ver-

dünnung nach dem *Dezimalsystem (Dezimalpoten-zen, D-Potenzen, Dezimale): D 1 enthält die wirksame Arznei in der Verdünnung 1:10, D 2 in der Verdünnung 1:100, D 3 in der Verdünnung 1:100 usw. Verdünnungen bis D 6 werden als niedere, solche von D 7 bis D 12 als mittlere, u. Verdünnungen über D 12 als hohe Potenzen bezeichnet. Heutige Homöopathen verordnen in ihrer großen Mehrheit die Arzneimittel in Verdünnungen, die unter der 6. Potenz liegen. Daneben erfolgt bei der Herst. von Centesimalpotenzen (C-Potenzen, Centesimale) die Verdünnung in Hunderterschritten; aus der Urtinktur erhält man C 1, aus dieser C 2 usw. Eine seltener gebrauchte Veründung über getränkte u. für den nächsten Potenzierungsschritt wieder gelöste Streukügelchen führt zu einem Mischungsverhältnis von 1:50 000 u. wird LM- od. Q-Potenz genannt.

Die H. ist in die moderne Medizin nur schlecht integriert. Infolge des Vorwurfs mangelnder experimenteller u. statist. Wirksamkeitsnachw. im Sinne der naturwissenschaftlichen Medizin wird sie oft als suggestive Therapie den Außenseitermeth. u. Heilpraktikerverf. zugerechnet. – *E* homeopathy – *F* homéopathie – *I* omeopatia – *S* homeopatía

Lit.: Hahnemann, Organon der Heilkunst, Stuttgart: Hippokrates 1979 ▪ Köhler, Lehrbuch der Homöopathie, 2 Bde., Stuttgart: Hippokrates 1994.

Homöopolare Bindung s. chemische Bindung.

Homöostase (Homoiostaste, Fließgleichgew.). Von griech.: homoios (latinisiert: *homöo...) u. stasis = Zustand hergeleitete Bez. für einen Gleichgew.-Zustand offener Syst. (z. B. von Lebewesen), die sich nicht im Zustand des chem. Gleichgew. befinden (Gibbsche *freie Energie nicht im Minimum). Dabei bleiben wesentliche Systemeigenschaften (z. B. chem. Zusammensetzung od. Temp.) weitgehend konstant („quasistationär"), es ist jedoch ein Stoff- u. Energieumsatz (Aufnahme u. Abgabe von Stoffen u. Energie) erforderlich (s. a. thermodynamische Systeme u. stationärer Zustand).

In der Medizin bezeichnet H. die für die Existenz von Organismen notwendige Konstanz von inneren Stoffwechselbedingungen wie z. B. Körpertemp., Blutdruck, Ionen- u. Glucose-Konz. im Blut. Dieses innere Milieu wird durch hormonelle u. neuronale Regulationsmechanismen aufrechterhalten. – *E* = *S* homeostasis – *F* homéostase – *I* omeostasi

Homöotische Gene s. Homöo-Domäne.

Homöotrope Orientierung s. flüssige Kristalle.

Homofenazin (Rp).

Internat. Freiname für das *Neuroleptikum 4-{3-[2-(Trifluormethyl)phenothiazin-10-yl]-propyl}-1,4-diazepan-1-ethanol, $C_{23}H_{28}F_3N_3OS$, M_R 451,55, Sdp. 230–240 °C (133 Pa). H. wurde 1962 von Degussa patentiert. – *E* homofenazine – *F* homofénazine – *I* omofenazina – *S* homofenazina

Lit.: Beilstein E V **27/6**, 488 ▪ Merck Index (12.), Nr. 4774. – [HS 2934 30; CAS 3833-99-6]

Homogen. Allg.-sprachlich versteht man unter h. „gleichartig, gleichgeartet, gleichstoffig". In Physik u. Chemie wird ein Körper als h. betrachtet, der in all seinen Teilen gleiche Beschaffenheit hat, also z. B. nur fest, nur flüssig od. nur gasf. ist od. der den von ihm eingenommenen Raum gleichmäßig erfüllt. Im gleichen Sinne wendet man den Begriff auch auf Syst. u. dgl. an, s. die folgenden Stichwörter. Da im Bereich mol. Dimensionen eine an allen Stellen gleiche Beschaffenheit nicht mehr gegeben ist, wird deshalb „h." auf „makroskop. einheitlich" eingeschränkt u. in diesem Sinne die Bez. *heterogen entgegengesetzt. Da „h." nicht gleichbedeutend ist mit „rein, unvermischt", können auch *Gemische h. sein; *Beisp.:* Puder, Salzlsg., Wein, Milchschokolade. – *E* homogeneous – *F* homogène – *I* omogeneo – *S* homogéneo

Homogene Funktion. Für eine h. F. n-ten Grades, die von einem Satz von Variablen x_1, x_2, ... abhängt, gilt die Definitionsgleichung: $F(\lambda x_1, \lambda x_2,...) = \lambda^n F(x_1, x_2,...)$; λ ist hierbei ein Skalierungsparameter. H. F. nullten u. ersten Grades werden zur mathemat. Beschreibung von intensiven bzw. *extensiven Größen verwendet. – *E* homogeneous function – *F* fonction homogène – *I* funzione omogenea – *S* función homogénea

Lit.: Freise, Chemische Thermodynamik, Mannheim: Bibliograph. Inst. 1969.

Homogene Gleichgewichte s. chemische Gleichgewichte.

Homogene Katalyse s. Katalyse.

Homogene Orientierung s. flüssige Kristalle.

Homogene Systeme. Bez. für *Systeme, in denen – unabhängig von der Anzahl der Bestandteile – nur eine einzige *Phase auftritt; *Beisp.:* Luft u. a. Gasgemische, Wasser-Alkohol-Gemisch, Lsg., viele Leg., Mischkrist. u. dgl.; vgl. a. homogen. – *E* homogeneous systems – *F* systèmes homogènes – *I* sistemi omogenei – *S* sistemas homogéneos

Lit.: Encyclopedia of Physical Science and Technology, Bd. 3, S. 235, San Diego: Academic Press 1992 ▪ Moore u. Pearson, Kinetics and Mechanism: A Study of Homogenous Chemical Reactions, New York: Wiley 1981.

Homogenisation (Homogenisierung). Bez. für das innige Vermengen von an sich nicht mischbaren Komponenten eines Syst. über dessen gesamtes Vol., z. B. die Herst. von *Emulsionen mit sehr kleinen Tröpfchengrößen. Die H. bewirkt im allg. eine Verkleinerung der Teilchengröße der dispersen Phase, eine Desagglomeration von Teilchenaggregaten u. führt zu Dispersionen mit erhöhter Sedimentationsstabilität. H.-Effekte erzielt man techn. mit schnellaufenden Maschinen mit z. B. verzahnten Rotor-Statorkränzen, mit *Rührwerksmühlen, *Walzenstühlen u. Kolloidmühlen (s. Mühlen). Außer mit den obigen Apparaten sind H.-Effekte auch in stat. Apparaten, d. h. in Mischern ohne bewegliche Teile möglich. Die H. von Emulsionen kann z. B. durch Vermischen über einen Injektor od. über eine *Venturidüse erfolgen. Auch entsprechend ausgelegte *statische Mischer, die in

Rohrleitungen eingebaut werden, können zur turbulenten H. von Emulsionen eingesetzt werden. Die H. der *Milch erfolgt meist dadurch, daß man sie in Hochdruckhomogenisatoren unter Druck von 20–30 MPa durch feine Düsen preßt; dadurch wird das Milchfett feinst verteilt u. seine Gesamtoberfläche vergrößert. In den Homogenisiermaschinen (*Homogenisatoren*[1]) beruht die Wirkung u. a. auf der Erzeugung turbulenter Strömungen u. hoher Schergefälle in der Nähe grober Tröpfchen, die dadurch zerreißen. Mitunter treten zusätzlich Kavitationseffekte auf. Die H. von Fest-Flüssig-Syst. (*Suspensionen) beruht in der Regel auf Desagglomerations- u. Nachmahlvorgängen, z. B. durch Prall- u. Reibeffekte bzw. durch Kavitation. Die Homogenisatoren haben sehr unterschiedliche Ausführungsformen in Abhängigkeit von der jeweiligen Aufgabenstellung, z. B. als Homogenisatoren für Farben, Faserstoffe, Fette, Fruchtsäfte, Milch, Nahrungsmittel, Öle, Salben, Schmiermittel, Süßwaren, flüssige Wasch- u. Reinigungsmittel etc. Als H. bezeichnet man auch die Wärmebehandlung von metall. Werkstoffen, um ein gleichmäßiges Gefüge herzustellen. – *E* homogenizing – *F* homogénéisation – *I* omogeneizzazione – *S* homogenización

Lit.: [1] ACHEMA-Jahrb. **1994**, 1722 f.
allg.: Schofield, Homogenisation and Blending, Aedermannsdorf: TransTech 1980 ▪ Winnacker-Küchler (4.) **1**, 111–118.

Homogenmembran s. ionenselektive Elektroden.

Homogentisinsäure [(2,5-Dihydroxyphenyl)essigsäure].

$C_8H_8O_4$, M_R 168,15. Farblose Blättchen, Schmp. 152 °C, leicht lösl. in Wasser, Alkohol u. Ether, unlösl. in Chloroform u. Benzol. Die leicht zum Lacton dehydratisierbare H. ist ein Zwischenprodukt beim Abbau der aromat. *Aminosäuren L-Phenylalanin u. L-Tyrosin im Organismus. Sie entsteht aus (4-Hydroxyphenyl)brenztraubensäure, dem *Transaminierungs-Produkt des L-Tyrosins, unter Einwirkung von einer Dioxygenase (s. Oxygenasen) u. wird durch die Homogentisat-1,2-Dioxygenase (EC 1.13.11.5) unter Öffnung des aromat. Rings u. über verschiedene weitere Zwischenstufen zu Fumarsäure u. Acetessigsäure abgebaut; die letztgenannten Verb. können in den *Citronensäure-Cyclus eingehen. Bei – erblich bedingtem – Fehlen des oben genannten Enzyms kommt es zu starken H.-Ausscheidungen im Harn; im alkal. Harn geht H. an der Luft allmählich in einen braunschwarzen chinoiden Farbstoff über (*Alkapton*). Diese sog. *Alkaptonurie* ist – bei längerem Bestehen des Stoffwechseldefekts – von einer braunschwarzen Pigmentierung von Knorpel u. Bindegewebe (*Ochronose*), degenerativen Veränderungen der Gelenke, Herzklappen-Fehlern u. Aneurysmen (Ausweitungen) der Aorta begleitet. – *E* homogentisic acid – *F* acide homogentisique – *I* acido omogentisico – *S* ácido homogentísico

Lit.: Beilstein EIV **10**, 1506 ▪ Stryer 1996, S. 681 f. –
[HS 291829; CAS 451-13-8]

Homoglykane s. Polysaccharide.

Homoketten. Bez. für kettenförmige Mol., die nur eine Sorte von Atomen in ihrer Hauptkette tragen; in ihren Seitengruppen können H. dagegen auch andere Atomsorten enthalten. *Heteroketten weisen im Gegensatz dazu auch in ihrer Hauptkette mehrere Sorten von Atomen auf (z. B. Polyethylenoxid, *Polysiloxane). H. werden definitionsgemäß nur aus allen Elementen gebildet, bei denen isolierbare, d. h. in fluider Form (Gas, Schmelze, Lsg.) zu erhaltende Verb. mit drei od. mehr ident. Kettengliedern existieren. Sie werden bes. leicht von Kohlenstoff (z. B. in den *Polyolefinen), seltener dagegen von anderen Elementen wie Silicium, Germanium, Schwefel od. Selen gebildet. – *E* homochains – *I* omocatene – *S* homocadenas
Lit.: Elias (5.) **1**, 21.

Homokonjugation s. Konjugation.

Homoleptisch. Bez. für Komplex-Verb., in denen gleichartige *Liganden an ein Metall gebunden sind, z. B. Hexamethylwolfram, $[W(CH_3)_6]$. Gegenteil: *Heteroleptisch. – *E* homoleptic – *F* homoleptique – *I* omoleptico – *S* homoléptico

Homologe. Bez. für strukturell sehr eng verwandte Substanzen. Beispielsweise kann man die im *Periodensystem untereinander stehenden Elemente, die oft sehr ähnliche Eigenschaften besitzen (z. B. *Edelgase, *Halogene, *Alkalimetalle usw.) als *homologe Elemente* bezeichnen[1]; andere, selten gebrauchte Sammelbez. sind *Homotope*, *Heterologe u. Isologe. Bereits von *Gerhardt (1848) wurde der Begriff *homologe Reihen* eingeführt für Gruppen von chem. nahe verwandten, d. h. sich nur durch ein Kettenglied unterscheidende organ. Verb., für die man eine allg. Reihenformel angeben kann. So bilden z. B. alle Paraffin-Kohlenwasserstoffe von der allg. Formel C_nH_{2n+2} eine homologe Reihe, deren benachbarte Glieder (z. B. C_5H_{12}, C_6H_{14}, C_7H_{16}) sich jeweils nur durch eine CH_2-Gruppe unterscheiden. Die Reihenformel für die homologe Reihe der aliphat. Alkohole heißt $C_nH_{2n+2}O$, die der aliphat. Aldehyde $C_nH_{2n}O$, die der Fettsäuren $C_nH_{2n}O_2$ usw. Die H.-Eigenschaft kommt oft auch in älteren Trivialnamen zum Ausdruck, wenn auch die Homo…-Verb. nicht notwendigerweise eine CH_2-Gruppe *mehr* als die Stammverb. haben muß; *Beisp.:* *Homatropin, *Homoserin, *Homocystein, Homobrenzcatechin, Homophthalsäure, s. a. Homo… Heute spricht man in diesem Sinne von *Homologisierung* als Meth. der Kettenverlängerung, wenn man z. B. Methanol durch Umsetzung mit *Synthesegas u. ä. in Ethanol überführt. Eine bekannte Homologisierungs-Meth. ist auch die *Arndt-Eistert-Reaktion zum Aufbau homologer Säuren. In der Arzneimittel-Synth. werden vielfach H. hergestellt, weil deren pharmakolog. Eigenschaften erheblich differieren können. – *E* = *F* homologues – *I* omologhi – *S* homólogos
Lit.: [1] Chem. Unserer Zeit **1**, 184–188 (1967).

Homologie (von griech.: homologia = Übereinstimmung). In der Biochemie Bez. für die Beziehung zweier *Nucleinsäuren (NS) od. *Proteine zueinander, die im Laufe der *Evolution aus einem gemeinsamen Vorläufer entstanden sind u. sich auseinanderentwickelt haben (*divergente Evolution*). Homologe NS od. Proteine geben sich durch Sequenz- u. Raumstruktur-Ähnlichkeiten zu erkennen; umgekehrt schließt man meist aus Sequenz- od. anderen Struktur-Übereinstimmungen auf H., wenn es statist. unwahrscheinlich erscheint, daß diese zufällig aufgetreten sind. Beim Vgl. zweier Organismen meint man mit H. oft zugleich eine Äquivalenz in der Funktion der *Gene od. Proteine, z. B. ist CDC28 bei Hefe *das* homologe Protein zum menschlichen CDK1 (s. Cyclin-abhängige Kinasen). Die quant. Auswertung der Sequenz-Ähnlichkeiten vieler homologer NS od. Proteine in vielen verschiedenen Arten dient der Aufstellung von Stammbäumen u. hat in etlichen Fällen zur Revision der biolog. Systematik geführt. – *E* homology – *F* homologie – *I* omologia – *S* homología

Homologisierung s. Homologe.

HOMO-LUMO-Modell (Grenzorbitalkonzept). Zuerst v. a. von K. *Fukui (Nobelpreis 1981; s. *Lit.*[1]) propagiertes Konzept, wonach die Grenzorbitale (HOMO: highest occupied molecular orbital u. LUMO: lowest unoccupied molecular orbital) der Reaktanden wesentlich die Reaktivität bestimmen. Nach Fukui ist die Elektronendelokalisierung zwischen HOMO u. LUMO im allg. der Hauptfaktor, der die Leichtigkeit einer chem. Reaktion u. ihre Stereoselektivität bestimmt; dies gilt sowohl für *intermolekulare als auch für *intramolekulare Prozesse. Bei Rechnungen mit dem H.-L.-M. wird von den Grenzorbitalen der ungestörten Reaktanden ausgegangen (berechnet im allg. mit semiempir. Molekülorbital-Verf.; s. MO-Theorie); die HOMO-LUMO-Wechselwirkung wird dann mit Hilfe der *Störungstheorie berücksichtigt. Eine Erweiterung des H.-L.-M. stammt von Klopman (*Lit.*[2]); er unterscheidet bei den die Reaktivität entscheidend beeinflussenden Faktoren zwischen *Grenzorbitalkontrolle*, die mit dem H.-L.-M. beschrieben wird, u. *Ladungskontrolle*, bei der die Reaktivität durch die elektrostat. Wechselwirkung von Ladungen bestimmt wird. Das H.-L.-M. findet in der Chemie vielfältige Anwendung. Bes. fruchtbar erwies es sich in der theoret. Behandlung *pericyclischer Reaktionen unter Berücksichtigung des „Prinzips der *Erhaltung der Orbitalsymmetrie*" (s. Woodward-Hoffmann-Regeln). – *E* HOMO LUMO model – *F* modèle HOMO-LUMO – *I* modello HOMO-LUMO – *S* modelo HOMO-LUMO

Lit.: [1] Angew. Chemie **94**, 852–861 (1982). [2] Klopman, Chemical Reactivity and Reaction Paths, New York: Wiley 1974. *allg.:* Fleming, Grenzorbitale u. Reaktionen organischer Verbindungen, Weinheim: VCH Verlagsges. 1988.

Homolyse. Bez. für den Vorgang der *Spaltung eines Mol., wobei eine kovalente Bindung – im Gegensatz zur *Heterolyse – symmetr. auseinanderbricht, indem jedes Spaltstück ein ungepaartes Elektron erhält u. damit zum *Radikal wird (AB → A˙ + B˙). Die H. spielt nicht nur bei der photochem. od. therm. *Dissoziation, sondern auch bei den nachgeschalteten radikal. Additions-, Telomerisations-, Substitutions- u. Fragmentierungsreaktionen eine Rolle. Über anchimer (s. anchimere Hilfe) beschleunigte H. berichtet Reetz[1]. – *E* homolysis – *F* homolyse – *I* omolisi – *S* homólisis

Lit.: [1] Angew. Chem. **91**, 185–192 (1979).

allg.: Giese, Radicals in Organic Synthesis: Formation of Carbon Carbon Bonds, S. 267 ff., Oxford: Pergamon Press 1987 ▪ Houben-Weyl E 19 a, 2–4, 60–128 ▪ March (4.), S. 677.

Homomycin s. Hygromycine.

Homopolymere. H. sind nach IUPAC-Definition *Polymere, die aus *Monomeren nur einer Art entstanden sind. Im Gegensatz dazu werden *Copolymere aus mehreren verschiedenen Monomeren aufgebaut. – *E* homopolymers – *F* homopolymères – *I* omopolimeri – *S* homopólimeros

Lit.: Elias (5.) **1**, 21 ff; **2**, 45.

Homopolymerisation. Die H. ist eine *Polymerisation, an der nur eine einzige Art von *Monomeren beteiligt ist u. die zur Bildung von *Homopolymeren führt.

Lit.: s. Homopolymere, Polymere u. Polymerisation.

Homopolysäuren s. Isopolysäuren.

L-Homoserin [(*S*)-2-Amino-4-hydroxybuttersäure, Kurzz. Hse).

$$HO-CH_2-CH_2-\underset{\underset{H}{|}}{\overset{\overset{NH_2}{|}}{C}}-COOH$$

$C_4H_9NO_3$, M_R 119,12. Farblose Krist., Schmp. 203 °C (Zers.), in Wasser lösl.; H. ist ein Stoffwechselprodukt des L-*Methionins; es kommt in *Neurospora*-Schimmelpilzen, Erbsenkeimlingen, Blättern vor. – *E* L-homoserine – *F* L-homosérine – *I* L-omoserina – *S* L-homoserina

Lit.: Beilstein E IV **4**, 3187. – [*CAS 672-15-1*]

Homotop (stereohomotop, von *Homo… u. *… top). Begriff aus der Stereochemie; s. heterotop. – Bei chem. Elementen u. dem *Periodensystem spricht man von *Homotopen* im gleichen Sinne wie von *Homologen. – *E* homotopic – *F* homotope – *I* omotopo – *S* homótopo

Lit.: s. Heterotop.

Homotropylium-Ion s. Homoaromatische Verbindungen.

Homovanillinsäure [(4-Hydroxy-3-methoxyphenyl)-essigsäure].

$C_9H_{10}O_4$, M_R 182,17. Farblose Krist., Schmp. 143 °C, lösl. in Wasser u. Benzol, wenig in Alkohol u. Ether, unlösl. in Cyclohexan; Metabolit in menschlichem Urin. Das dimere H.-Oxid.-Produkt fluoresziert stark, was H. zum geeigneten Substrat bei der Analyse oxidierender Enzyme macht; dient auch zur Bestimmung von Aminosäuren. – *E* homovanillic acid – *F* acide homovanillique – *I* acido omovanillico – *S* ácido homovainíllico

Lit.: Anal. Biochem. **26**, 1 (1968) ▪ Anal.Chem. **40**, 190 (1968) ▪ Beilstein E IV **10**, 1509 ▪ Kirk-Othmer (4.) **9**, 721; **16**, 1064 ▪ Merck-Index (12.), Nr. 4778. – [*HS 291890; CAS 306-08-1*]

Honen. Ein auch als Ziehschleifen bezeichnetes spanendes *Fertigungsverfahren[1] mit geometr. unbestimmten Schneiden zur Feinbearbeitung ebener od. zylindr. Oberflächen. Im allg. wird H. als sog. Langhubhonen im Anschluß an eine vorhergehende Fein-

bearbeitung, z. B. Feinbohren, Schleifen, zur Endbearbeitung eingesetzt. Das mit Schleifkörpern bestückte Honwerkzeug (Honahle) wird in der Honmaschine mechan. od. hydraul. auf das zu bearbeitende Werkstück gedrückt u. dort gleichzeitig oszillierend sowie rotierend bewegt, so daß ein Kreuzschliff auf der Oberfläche entsteht. Die beim H. entstehenden Späne werden mit dem Kühlmittel (Honöl) weggeschwemmt. H. dient sowohl zur Verbesserung der Maß- u. Formgenauigkeit als auch zur Erzeugung hoher Oberflächengüten. Erreichbar ist in Abhängigkeit von der Schleifmittelkörnung eine Rauhtiefe bis hinunter zu 0,5 µm. Eine weitere Verbesserung bis zu Rauhtiefen von 0,1 µm ist bei zylindr. Körpern durch Feinhonen (Kurzhubhonen, Feinziehschleifen, Superfinish, Schwingschleifen) möglich. Hierbei führt das Honwerkzeug eine oszillierende Bewegung aus, die Drehbewegung übernimmt die zu bearbeitende Welle. Der Schleifkörper besteht aus keramik- od. kunstharzgebundenem Korund od. Siliciumcarbid (Schleifgeschw. 15–50 m/min), bei Massenfertigung auch aus metallgebundenem Diamant od. Bornitrid (100–150 m/min). Das H. wird zur Endbearbeitung von Zylinderlaufflächen, Gehäusebohrungen sowie Bohrungen in Zahnrädern, Pleueln, Rohren u. Buchsen eingesetzt. – *E* honing – *F* honage – *I* lisciatura, lapidatura, levigatura – *S* rectificado honing
Lit.: [1] DIN 8580 (06/1974).
allg.: König, Fertigungsverfahren, Bd. 2, Schleifen, Honen, Läppen, S. 234ff., Düsseldorf: VDI 1989 ▪ Tschätsch, Handbuch spanende Formgebung, S. 308ff., Darmstadt: Hoppenstedt 1988.

Honig. Der Name H. leitet sich ab von indogerman.: kenako = goldfarbig, das im Althochdtsch. zu hona(n)g wurde. H. ist ein dickflüssiges od. krist. Lebensmittel, das von *Bienen erzeugt wird. Dazu nehmen sie Blütennektar, andere Sekrete von lebenden Pflanzenteilen od. auch von Insekten auf lebenden Pflanzen zurückgelassene Sekrete auf. Diese Substanzen werden durch körpereigene Sekrete bereichert bzw. verändert u. dann in Waben gespeichert. Ein Bienenvolk mit durchschnittlich 10000–70000 Individuen kann pro Jahr etwa 5–6 kg H. erzeugen.
Eine Unterteilung in einzelne H.-Arten ist nach verschiedenen Kriterien möglich. Nach der *Pflanzenherkunft* unterscheidet man Blüten- u. Honigtau-Honig. Blüten-H. sind in frischem Zustand dickflüssig u. zeigen eine gelbe bis hellbraune Farbe. Sie haben einen von der Tracht abhängigen Geschmack u. sind sehr aromatisch. Honigtau-H. sind dunkel gefärbt, weniger süß u. besitzen häufig einen harzigen Geschmack. Nach der *Gewinnungsart* unterscheidet man Scheiben- od. Waben-Honig, Schleuder-, Leck-, Preß- u. Stampf-Honig. Nach dem *Verw.-Zweck* unterscheidet man Speise- u. Back-Honig. Bei Back-H. handelt es sich um eine mindere Qualität, die meist stark erhitzt wurde.
H. ist im wesentlichen eine konz. wäss. Lsg. von *Invertzucker. Daneben enthält er eine Vielzahl anderer *Kohlenhydrate, außerdem *Enzyme, *Aminosäuren, organ. Säuren, *Mineralstoffe, Aromastoffe (s. Aromen), *Pigmente, *Wachse, Pollenkörner usw. Die Dichte hängt vom Wassergehalt ab u. liegt zwischen 1,44 (14% Wasser) u. 1,35 (21% Wasser). H. mit ei-

nem Wassergehalt von 20% u. mehr sind anfällig für eine Vergärung durch osmotolerante Hefen. Die Tab. informiert über die durchschnittliche Zusammensetzung von Honig.

Tab.: Zusammensetzung von Honig.

Bestandteil	Mittelwert [%]
Wasser	17,2
Fructose	38,2
Glucose	31,3
Saccharose	1,3
Maltose	7,3
höhere Zucker	1,5
Stickstoff-haltige Verb.	0,3
Mineralstoffe	0,2
Säuren	0,1

Die wichtigsten Enzyme im H. sind die α-*Glucosidasen (Invertase, Saccharase), α- u. β-*Amylasen (Diastasen), *Glucose-Oxidase, *Katalase u. saure *Phosphatase. Prakt. die gesamte Saccharase-Aktivität im H. stammt von der Biene, die mit Hilfe der Saccharase die im Blütennektar in großen Mengen vorhandene Saccharose in Glucose u. Fructose spaltet. Auch die Amylasen u. die Glucose-Oxidase gehen auf die Biene zurück. Die enzymat. Oxid. von Glucose liefert *Gluconsäure, die Hauptsäure des H., u. *Wasserstoffperoxid, das für die bakteriostat.[1] Wirksamkeit von H. verantwortlich gemacht wird. Saccharase- u. Diastase-Aktivität sind, zusammen mit dem *5-(Hydroxymethyl)-furfural-Gehalt, für die Abschätzung der therm. Belastung, die ein H. erfahren hat, von Bedeutung. 5-(Hydroxymethyl)furfural kommt in frischem H. nur in sehr geringen Mengen vor u. dient daher zur Unterscheidung zwischen H. u. *Kunsthonig (Invertzuckercreme). Es läßt sich durch den *Fiehe-Test nachweisen. Zur Bestimmung der Diastase-Aktivität s. *Lit.* [2].
Im H. verschiedener botan. Herkunft wurden bisher über 300 flüchtige Verb. nachgewiesen. Es handelt sich dabei um Ester aliphat. u. aromat. Säuren, Aldehyde, Ketone u. Alkohole[3]. Von bes. Bedeutung für das Honig-Aroma sind *Phenylacetaldehyd sowie Ester der *Phenylessigsäure.
H. kann tox. Stoffe enthalten, wenn er von Pflanzen stammt, die solche Substanzen im Nektar ausscheiden. Tox. H. stammen v. a. von Bienen, die aus kleinasiat. u. kaukas. *Rhododendron*-Arten ihre Rohstoffe sammeln[4]. In den vergangenen Jahren wurden in H. Rückstände der zur Bekämpfung der Varroatose, einer durch Milben hervorgerufenen Bienenkrankheit, eingesetzten Pestizide nachgewiesen[5].
H. ist ernährungsphysiolog. als Zucker einzustufen u. hat einen Nährwert von etwa 1280 kJ pro 100 g. Vitamine, Mineralstoffe u. Aminosäuren kommen im H. in so geringen Mengen vor, daß ihnen keine bes. ernährungsphysiolog. Bedeutung zukommt. Die Karies auslösende Wirkung von H. ist aufgrund seiner Klebrigkeit sogar noch höher als die von Saccharose. Die in der Natur- u. Volksheilkunde dem H. nachgesagten therapeut. Wirkungen sind wissenschaftlich nicht haltbar[6], so daß H. heute v. a. als ein Lebensmittel mit bes. Genußwert angesehen werden muß.

Verw.: Die Verw. von H. als Nahrungsmittel geht in prähistor. Zeiten zurück. Im Altertum wurde er auch bei der *Purpur-Färberei verwendet. Bis zur Einführung des Rohrzuckers Mitte des 18. Jh. war er das wichtigste Süßungsmittel. Heute wird H. v. a. als Lebensmittel, gelegentlich jedoch auch als Bestandteil von Kosmetika verwendet. Die Weltproduktion an H. lag 1995 bei ca. 1,2 Mio. t. Die Gesamtproduktion in der BRD lag 1995 bei 20 800 t. – *E* honey – *F* = *S* miel – *I* miele

Lit.: [1] Lebensm. Wiss. Technol. **17**, 74 ff. (1984); J. Agric. Food Chem. **38**, 10–13 (1990). [2] Mitt. Geb. Lebensmittelunters. Hyg. **75**, 214–220 (1984). [3] Lebensm. Wiss. Technol. **16**, 65–68 (1983); Dtsch. Lebensm. Rundsch. **84**, 103–108, 147–150 (1988). [4] Lindner, Toxikologie der Nahrungsmittel (4.), S. 34 f., Stuttgart: Thieme 1990. [5] Lebensmittelchem. Gerichtl. Chem. **41**, 107 ff. (1987). [6] Z. Lebensm. Unters. Forsch. **182**, 279–286 (1986).
allg.: Belitz-Grosch (4.), S. 796–803 ■ Chem. Unserer Zeit **23**, 25–33 (1989) ■ Crane, A Book of Honey, Oxford: Heinemann 1980 ■ Dtsch. Lebensm. Rundsch. **81**, 148–151 (1985) ■ Maurizio et al., Der Honig (2.), Stuttgart: Ulmer 1975 ■ Mitt. Geb. Lebensmittelunters. Hyg. **77**, 153–158 (1986). – *[HS 0409 00]*

Honigaroma s. Honig.

Honigblende s. Zinkblende.

Honiglikör s. Bärenfang.

Honigstein s. Mellit.

Honigtau s. Honig.

Honigwein s. Met.

Honvan® (Rp). Ampullen u. Filmtabl. mit dem Cytostatikum *Fosfestrol-Tetranatrium gegen metastasierendes Prostata-Carcinom. *B.:* Asta Medica.

Hookesches Gesetz. Von dem engl. Physiker Robert Hooke (1635–1703) aufgestelltes *Elastizitäts-Gesetz, das besagt, daß zwischen der Dehnung ε (= $\Delta l/l$, Δl = Längenänderung, l = Ausgangslänge) eines Körpers u. der mechan. Spannung σ (= F/A, F = Kraft, A = Querschnitt) ein linearer Zusammenhang besteht: $\varepsilon = \sigma/E$ (E = Elastizitätsmodul). Für den eindimensionalen Fall, z. B. Dehnung einer Spiralfeder, wird das H. G. als $F = D \cdot \Delta l$ geschrieben, wobei D als Federkonstante bezeichnet wird. Für einen dreidimensionalen, aus einem isotropen Material bestehenden Körper, muß neben dem Dehn-Elastizitätsmodul E auch die Querschnittsveränderung berücksichtigt werden. Sie wird durch die Poissonzahl μ (Verhältnis von neg. Querdehnung zur Längsdehnung) beschrieben. Das verallgemeinerte H. G. lautet:

$$\sigma_i = \frac{E}{1+\mu}\left(\varepsilon_i + \frac{\mu}{1-2\mu}\sum_{i=1}^{3}\varepsilon_i\right)$$

mit i = 1, 2, 3, bzw. mit dem Scher-Elastizitätsmodul G u. dem Vol.-Elastizitätsmodul K:

$$\sigma_i = 2G\left(\varepsilon_i - \sum_{i=1}^{3}\varepsilon_i/3\right) + K\sum_{i=1}^{3}\varepsilon_i$$

mit i = 1, 2, 3. – *E* Hook law – *F* loi de Hook – *I* legge di Hook – *S* ley de Hooke
Lit.: Weißmantel u. Hamann, Grundlagen der Festkörperphysik, 4. Aufl., S. 256, Heidelberg: Barth 1995.

Hopane (*A'*-Neogammacerane). Bez. für vier diastereomere Triterpen-Kohlenwasserstoffe aus Ölschiefer,

$C_{30}H_{52}$, M_R 412,74. Man unterscheidet die Formen: *17β,21βH* (Schmp. 216–218 °C, Hopan), *17α,21βH*

Hopan

(*17α*-Hopan, Schmp. 154–155 °C), *17α,21αH* (*17α*-Moretan, 17α-Zeorinan, Schmp. 201–202 °C) u. *17β,21αH* (21αH-Hopan, Moretan, Zeorinan, Schmp. 191–192 °C). Zur Synth. der H. s. *Lit.*[1], zur Isolierung *Lit.*[2]. – *E* hopanes – *I* opani – *S* hopanos

Lit.: [1] J. Chem. Soc. C **1967**, 1622; **1971**, 1885; Tetrahedron Lett. **1967**, 23. [2] Geochim. Cosmochim. Acta **41**, 499 (1977); Tetrahedron Lett. **1978**, 1575.
allg.: Org. Geochem. **13**, 665–669 (1988) ■ s. a. Hopanoide. – *[CAS 471-62-5 (H.); 13849-96-2 (17α-H.); 33281-23-1 (17α,21αH-H.); 1176-44-9 (21αH-H.)]*

Hopanoide. Derivate von *Hopan, die in biogenen Sedimenten enthalten sind. Sie werden deshalb auch *Geo-H.* genannt. Die Gesamtmenge der v. a. in jüngeren Sedimenten (Ölschiefer, Alter bis zu 500 Mio. a) enthalten H. beträgt ca. 10^{12} t. Damit stellen sie neben *Cellulose die mengenmäßig bedeutendsten organ. Substanzen auf der Erde dar. Trotzdem wurden sie erst Ende der 60er Jahre von Ourisson[1] entdeckt. Die Geo-H. bestehen aus 31 bis 36 Kohlenstoff-Atomen. Sie besitzen gegenüber Hopan zusätzliche *n*-Alkyl-Ketten am C-Atom 30. Weiterhin unterscheidet man *Bio-H.*, die wie die Geo-H. Alkyl-Seitenketten besitzen. Diese Seitenketten sind jedoch an den Kohlenstoff-Atomen 32–35 hydroxyliert, wodurch Bio-H. amphiphile Eigenschaften besitzen. Bio-H. können in Bakterien-Zellwänden *Cholesterin ersetzen. Bio-H. kommen in vielen Mikroorganismen, z. B. *Acetobacter xylinum*, Bacilli u. Cyanobakterien, nicht jedoch in *Archaea vor. Das verbreitete Vork. von Geo-H. ist leicht erklärbar: Abgestorbenes organ. Material wird von Bakterien zu Bio-H. abgebaut. Sterben auch die Bakterien unter sich ablagerndem Sediment, so werden die Hydroxy-Gruppen der Bio-H. reduziert u. Geo-H. gebildet. Wichtigstes Bio-H. ist (*32R,33R,34S*)-*Bacteriohopan-32,33,34,35-tetraol* ($C_{35}H_{62}O_4$, M_R 546,87).

Bacteriohopantetraol

Zahlreiche Höhere u. Niedere Pflanzen bilden oxidierte Hopane der Zusammensetzung $C_{30}H_{52}O_x$ (x = 1–5) sowie Hopene, die auch zu den H. gerechnet werden. – *E* hopanoids – *I* opanoidi – *S* hopanoidos
Lit.: [1] Pure Appl. Chem. **51**, 709 (1979).
allg.: ACS Symp. Ser. **562**, 31–43 (1994) ■ Annu. Rev. Microbiol. **41**, 301–333 (1987) ■ Ap Simon 2, 590–594 ■ Aust. J. Chem. **42**, 1415–1422 (1989) ■ Chem. Aust. **56**, 70–73 (1989) ■ Forum Mikrobiol. **5**, 176–179 (1982) ■ J. Chem. Soc., Chem. Commun. **1989**, 1471 (Biosynth.) ■ Nachr. Chem. Techn. Lab.

34, 8–14 (1986) ▪ Pharm. Unserer Zeit **16**, 166 (1987) ▪ s. a. Triterpene. – *[CAS 51024-98-7 (Bacteriohopantetraol)]*

Hopcalit (von Johns *Hop*kins Univ. u. Univ. of *Cali*fornia). Nach dem 1. Weltkrieg in den USA entwickeltes Gemisch von Metalloxiden, das die Oxid. von Kohlenmonoxid zu Kohlendioxid bewirkt. H.-Typen bestehen z. B. aus 60% MnO_2 u. 40% CuO od. aus 50% MnO_2, 30% CuO, 15% Cobaltoxid u. 5% Ag_2O. Dieser H. ist z. B. in Form von braunschwarzen, harten, porösen, 2–3 mm großen Körnern in CO-Gasmasken-Filtern enthalten. Die bei der Verbrennung des CO zu CO_2 auftretende Reaktionswärme erhitzt das Filter etwas; mit entsprechend konstruierten Geräten kann man auch den Kohlenoxid-Gehalt eines Gasgemisches aus automat. angezeigten Erwärmungen beim Durchwandern des H. bestimmen. Mit einem solchen Apparat lassen sich in der Luft noch 8 ppm CO nachweisen, s. *Lit.*[1]. – *E* = *F* = *I* hopcalite – *S* hopcalita
Lit.: [1] Rev. Prod. Chim. **1962**, 382.
allg.: Kirk-Othmer (3.) **4**, 777; (4.) **5**, 102 ▪ Ullmann (4.) **14**, 584; (5.) **A 5**, 206.

Hopeit. $Zn_3[PO_4]_2 \cdot 4H_2O$, wasserklare, weiße bis gelbliche od. weißlichgraue, glasglänzende, rhomb. Krist., Krist.-Klasse mmm-D_{2h}; *Struktur* s. *Lit.*[1]. Vollkommene Spaltbarkeit, H. 3, D. ca. 3.
Vork.: Hagendorf/Bayern (histor.), Broken Hill/Sambia, hier mit anderen Zinkphosphaten wie dem gleich zusammengesetzten triklinen *Parahopeit*. H. bildet sich auch beim *Phosphatieren von Stahl mit Zn-Phosphat-Lsg. u. wurde im Kapselgewebe von Brust-Implantaten aus Silicon gefunden[2]. – *E* = *I* hopeite – *F* hopéite – *S* hopeíta
Lit.: [1] Acta Crystallogr. Sect. B **31**, 2026–2035 (1975); **34**, 2385 f. (1978); Am. Mineral. **61**, 987–995 (1976). [2] Can. Mineral. **29**, 337–345 (1991).
allg.: Nriagu u. Moore, Phosphate Minerals, S. 52 f., Berlin: Springer 1984 ▪ Ramdohr-Strunz, S. 642 ▪ Winnacker-Küchler (3.) **6**, 620. – *[CAS 15491-18-6]*

Hopfen (*Humulus lupulus* L.). Zu den Cannabaceae (Hanfgewächse) od. Moraceae (Maulbeerbaumgewächse) gezählte, 6–8 m hohe zweihäusige Schlingpflanze, die ursprünglich aus Osteuropa stammt, heute aber in allen Ländern der gemäßigten Zone verbreitet ist u. kultiviert wird. Die zapfenähnlichen, gelbgrünen, stark riechenden Fruchtstände der weiblichen Pflanzen tragen auffällige Deckblätter, die reich an Harz- u. Bitterstoff-führenden Drüsen sind. Zu der bekannten Verw. beim Bierbrauen (s. Bier) werden die ganzen, noch unreifen Zapfen im August u. September geerntet u. getrocknet. Sie enthalten als wesentliche Bestandteile das *Hopfenöl u. das Lupulin (H.-Mehl) mit den *Bitterstoffen *Humulon u. *Lupulon (*H.-Bittersäuren*). H.-Samen enthalten lösl. Substanzen, die das Bier dunkler machen. Der H.-Anbau, der heute überwiegend mit pilzresistenten u. samenlosen Varietäten betrieben wird, läßt sich in Deutschland bis 768 nach unserer Zeitrechnung (Freising/Bayern) zurückverfolgen. Die Weltproduktion an Hopfen betrug 1995 geschätzt 125 000 t bei einem durchschnittlichen Ertrag von 1,5 t/ha. In der BRD ist die Herkunftsbez. von dtsch. H. durch Gesetz vom 9.12.1929 in der Fassung vom 12.8.1954 (BGBl. I S.256) u. EG-Gesetzen vom 14.5.1968 u. 2.3.1974 geregelt. Heute werden in der Brauerei zunehmend H.-Extrakte verwendet, die durch Extraktion mit Dichlormethan od. bevorzugt mit überkritischem CO_2 (Fluidextraktion) gewonnen werden u. die aromagebenden *Humulone, *Lupulone u. Hopfenöl (zum H.-Aroma s. dort) enthalten. In der Pharmazie wird H. (Strobuli Lupuli, die reifen, nicht befruchteten weiblichen Fruchtstände) wegen seiner allg. beruhigenden Wirkung u. seiner Bitterstoffe angewendet, z. B. als *H.-Tee*. Worauf die sedierende Wirkung des H. allerdings zurückgeht, ist noch weitgehend unklar; evtl. geht sie auf 2-*Methyl-3-buten-2-ol als Abbauprodukt von Lupulen zurück[1]. Schon lange widerlegt[2] ist die gelegentlich anzutreffende Behauptung, H. enthalte ein Alkaloid „Hopein" od. gar Morphin. Auch Cannabinoide konnten nicht nachgewiesen werden. Außerdem findet H. wegen seiner Bitterstoffe auch als Amarum Verw., Jung-H. wird nicht selten als spargelähnliches Gemüse (H.-Spargel) verzehrt. In Notzeiten wurde H. auch als *Faserpflanze verwendet. – *E* hops – *F* houblon – *I* luppolo – *S* lúpulo
Lit.: [1] Arch Pharm. **316**, 132 ff. (1983). [2] J. Chem. Soc. **105**, 1895–1907 (1914) u. Hager (s. u.).
allg.: Bundesanzeiger 228/05.12.84 u. 50/13.03.90 ▪ Chem. Rev. **67**, 19–71 (1967) ▪ DAB **1996** u. Komm. ▪ Hager (5.) **5**, 447–458 ▪ Wichtl (3.), S. 356 ff. – *[HS 1210 10, 1210 20]*

Hopfenöl. Die Drüsenhaare u. weiblichen Blütenkätzchen des *Hopfens enthalten 0,2–1,7% eines schon bei gewöhnlicher Temp. leicht verdunstenden, mit Wasserdampf flüchtigen ether. Öls, das stark nach Hopfen riecht u. das charakterist. Aroma des Hopfens u. des Biers verursacht. Man erhält das H. durch Dampfdest. des ungeschwefelten Hopfens. Reines H. ist eine dünnflüssige, hellgelbe bis rotbraune, aromat. riechende Flüssigkeit, die bei längerem Stehen allmählich dick wird. In Ether ist es leicht, in Alkohol schwerer u. in Wasser sehr schwer (1 : 20 000) lösl., D. 0,875, Sdp. 150 °C. Hauptbestandteile: *Myrcen, Myrcenol, Dipenten, *Linalool, *Caryophyllen, *Humulen (20–40%), *Geraniol, *Nerol, *2-Undecanon, Farnesen (s. Farnesol), *Ameisensäure u. Dimethyltrisulfan[1]. Während des Brauprozesses (Kochen, Maischen) gehen 88–95% des H. verloren. H. wird in der Essenzen-Ind. verwendet. – *E* oil of hops – *F* essence de houblon – *I* essenza di luppolo – *S* esencia de lúpulo
Lit.: [1] Phytochemistry **16**, 2020 f. (1977).
allg.: Braun-Frohne (6.), S. 309 ▪ Roth u. Kormann, Duftpflanzen Pflanzendüfte, S. 225, Landsberg: ecomed 1997 ▪ s. a. Hopfen. – *[HS 3301 29; CAS 8067-04-3]*

Hopkins, Sir Frederick Gowland (1861–1947), Prof. für Biochemie, Trinity College, Cambridge, England. *Arbeitsgebiete:* Erkenntnis der Notwendigkeit von Ergänzungsnährstoffen (später Vitamine genannt), Entdeckung des Tryptophans in der Milch, wissenschaftliche Begründung der Rohkost, Entdeckung von Vitamin A u. B, Synth. des Glutathions, Verbesserung der Meth. zur Harnsäurebestimmung, die dann zur Standardmeth. wurde, Nobelpreis für Medizin 1929.
Lit.: Krafft, S. 355 ▪ Lexikon der Naturwissenschaftler, S. 222 ▪ Neufeldt, S. 126, 372 ▪ Pötsch, S. 211.

Hoppe, Rudolf (geb. 1922), Prof. (emeritiert) für Anorgan. Chemie, (ehem.) Direktor des Inst. für Anorgan. u. Analyt. Chemie der Univ. Gießen. *Arbeitsge-*

biete: Festkörperchemie, Edelgasverb., Fluoride u. Oxide der Metalle. Ihm gelang die Erstdarst. eines definierten Edelgasfluorids. Inhaber zahlreicher Ehrungen, u. a. des Alfred-Stock-Gedächtnispreises (1974) u. des Otto-Hahn-Preises für Chemie u. Physik (1989). *Lit.:* Nachr. Chem. Tech. Lab. **44**, Nr. 5, 530 (1996); **30**, Nr. 11, 962 f. (1982) ▪ Pötsch, S. 212.

Hoppe, Walter (1917 – 1986), Prof. für Physikal. Chemie, Max-Planck-Inst. für Biochemie, München. *Arbeitsgebiete:* Röntgenstrukturforschung, Krist.-Chemie, Anw. der Datenverarbeitung in der physikal. Analyse. *Lit.:* Kürschner (15.), S. 1928 ▪ Nachr. Chem. Tech. Lab. **30**, 307 f. (1982).

Hoppe-Seyler, Ernst Felix Immanuel (1825 – 1895), Prof. für Physiolog. Chemie, Univ. Straßburg. *Arbeitsgebiete:* Begründung der neueren physiolog. Chemie u. Schöpfung des Begriffs „Biochemie", Gärungserscheinungen u. Absorptionsverhältnisse beim Hämoglobin, Begründung u. langjährige Herausgabe der Zeitschrift für Physiolog. Chemie (1877 – 1896) mit dem Bestreben, die Physiolog. Chemie von der Medizin. Physiologie zu trennen, Hdb. der physiolog.- u. pathol.-chem. Analyse (s. folgendes Stichwort). *Lit.:* Lexikon der Naturwissenschaftler, S. 222 ▪ Neufeldt, S. 395 ▪ Pötsch, S. 212.

Hoppe-Seyler/Thierfelder. Kurzbez. für das „Handbuch der physiolog.- u. patholog.-chem. Analyse", dessen 10. Aufl. 1953 – 1966 im Springer-Verl., Berlin, erschien u. das von K. Lang u. E. Lehnartz herausgegeben wurde. Dieses Hdb. umfaßt 6 Bd. mit bis zu 3 Tl., deren Titel lauten: Allg. Untersuchungsmethoden (Bd. 1 u. 2, 1953 – 1955), Bausteine des Tierkörpers (Bd. 3 u. 4, 1955 – 1960), Untersuchungen der Organe, Körperflüssigkeiten u. Ausscheidungen (Bd. 5, 1953), Enzyme (Bd. 6, 1964 – 1966).

Hordaflex®. *Chlorparaffine als *Weichmacher für Anstrichmittel, Polysulfidkautschuk, Dichtungsmassen; zum Flammschutz. *B.:* Hoechst.

Hordamer®. PE-Dispersionen als *Trennmittel für Streichmassen in der Papierveredelung, Kunststoff-Ind. u. im Metalldruckguß. *B.:* Hoechst.

Hordein. Aus *Gerste (*Hordeum vulgare,* daher Name) isoliertes *Prolamin, das 35% L-*Glutamin u. 23% L-*Prolin enthält. – *E* hordein – *F* hordéine – *I* ordeina – *S* hordeína

Hordenin {4-[2-(Dimethylamino)ethyl]phenol, Anhalin, Eremursin, Peyocactin, Cactin}. $C_{10}H_{15}NO$, M_R 165,24, Prismen, Schmp. 118 °C (subl. bei 140 – 150 °C), Sdp. (1,5 kPa) 173 – 174 °C, leicht lösl. in Alkohol, Chloroform u. Ether (Formel s. Ephedrin). Weit verbreitetes Anhalonium-Alkaloid vom *β*-Phenylethylamin-Typ aus keimender Gerste (*Hordeum* sp.) u. Kakteen sowie vielen anderen Pflanzen (Amaryllidaceen, Gramineen, Leguminosen, einigen Algen u. Pilzen). Biosynthet. wird H. aus Phenylalanin od. Tyrosin über Tyramin u. *N*-Methyltyramin gebildet. H. ist ein *Sympathikomimetikum. Es wirkt diuret., in hohen Dosen blutdrucksteigernd, allg. ähnlich *Ephedrin u. Tyramin. H. ist ein *Fraßhemmer für Heuschrecken.

Verw.: Es wird als Herz-Anregungsmittel geringer Toxizität sowie als Desinfektionsmittel bei Ruhr eingesetzt. – *E* hordenine – *F* hordénine – *I* ordenina – *S* hordenina *Lit.:* Beilstein E IV **13**, 1790 ▪ Hager (5.) **5**, 708 f. ▪ J. Nat. Prod. **50**, 422 (1987) ▪ Karrer, Nr. 2471 – *[HS 2922 29; CAS 539-15-1]*

Hormese (Hormesis, griech.: orman = anregen). Bez. für die physiolog. Reizung eines Organismus durch nichttox. Dosen eines ansonsten giftigen od. schädlichen Agens. So haben z. B. nach dem Konzept von der *Strahlen-H.* kleine Dosen ionisierender Strahlung pos. biolog. Effekte (Ertragssteigerungen in der Landwirtschaft nach Saatgutbestrahlung). – *E = S* hormesis – *F* hormèse – *I* ormesi

Hormone. Sammelbez. für eine uneinheitliche Gruppe biochem. Substanzen, die im Organismus synthetisiert werden u. an verschiedene Organe, Gewebe od. Zellgruppen, die vom Bildungsort mehr od. weniger entfernt liegen können, Signale od. Botschaften übermitteln u. so auf deren Funktion bestimmte physiolog. Wirkungen ausüben. Diese allg. Definition gilt auch für die H. der Pflanzen (*Pflanzenhormone) u. der wirbellosen Tiere (*Beisp.:* *Insektenhormone), mit denen sich der folgende Text jedoch nicht beschäftigt.
Klassifizierung: H. werden heute meist wie folgt eingeteilt:
1. Die *neurosekretor. H.* werden von Nervenzellen gebildet u. über die Blutbahn transportiert. Zu ihnen gehören die *Releasing-Hormone. Neben den klass. neurosekretor. H. wurden noch eine Reihe weiterer *Neuropeptide* mit Hormon-artiger Wirkung isoliert. *Beisp.:* *Endorphine u. *Enkephaline, die in enger Beziehung zu den Peptid-H. *Lipotropin u. *Melanotropin stehen, u. *Substanz P, der man eine Rolle bei der Weiterleitung von Schmerzreizen zuschreibt.
2. Die sog. *glandulären H.,* die von Drüsen (latein.: glandulae) abgegeben u. im Blut transportiert werden (dies bezeichnet man – wie bei 1. – als *endokrinen* Mechanismus, vgl. Endokrinologie), können weiter unterteilt werden in *glandotrope H.* (werden vom Hypophysen-Vorderlappen u. der Placenta gebildet u. wirken auf andere H.-Drüsen) u. peripher wirkende Hormone.
3. *Gewebshormone* (aglanduläre H.) werden nicht von Drüsen, sondern von im Gewebe verteilten Zellen produziert (meist im Magen-Darm-Trakt) u. erreichen im Normalfall durch Diffusion im Gewebe ihre Erfolgsorgane (*parakriner* Mechanismus).
4. Als *Mediatorstoffe* faßt man verschiedene H.-ähnliche Stoffe zusammen, die meist nur lokal wirken (u. U. *autokrin,* d. h. auf die sezernierende Zelle selbst, vgl. Autacoide), da sie schnell abgebaut werden. *Beisp.:* *Angiotensin, *Histamin, *Prostaglandine, *Neurotransmitter, *Wachstumsfaktoren, *Lymphokine, *Cytokine. Die genannten Gruppen sind nicht immer eindeutig voneinander abzugrenzen.
Die Einteilung nach der chem. Natur der H. in Steroid-H., Aminosäure- u. Fettsäure-Derivate sowie Polypeptid-H. (*Proteohormone)* zeigt keine Entsprechung zu den oben genannten H.-Klassen. Die Proteohormone sind *Glykoproteine (vgl. Glykoprotein-Hor-

mone), *Oligo- od. *Polypeptide (z. B. *Insulin, *Parathyrin, *Oxytocin, *Vasopressin, die *Releasing-Hormone, Endorphine usw.). Zu den *Nicht-Proteohormonen* gehören dagegen niedermol. *biogene Amine u. a. Aminosäure-Derivate (z. B. L-*Thyroxin, *Melatonin, *Catecholamine), Steroide (*Steroid-Hormone) u. Fettsäure-Derivate (*Prostaglandine u. a. *Eicosanoide).

Weitere Möglichkeiten der Klassifizierung ergeben sich durch den Wirkungsmechanismus (über second messengers od. durch direkte Regelung der Genexpression, s. S. 1803).

Allg.: Wichtige Meth. bei der grundsätzlichen Untersuchung zur physiolog. Bedeutung eines glandulären H. sind (im Tierversuch) die operative Entfernung von H.-Drüsen u. die Beobachtung von Ausfallserscheinungen, die man durch Gaben von Drüsenextrakten od. isolierten bzw. vollsynthet. H. wieder rückgängig zu machen sucht. Schließlich versucht man auch, den Entwicklungs- od. Funktionszustand einer H.-Drüse mit funktionellen od. strukturellen Veränderungen im Gesamtorganismus in Beziehung zu setzen; so werden z. B. Veränderungen im H.-Spiegel in Abhängigkeit vom Alter untersucht. Als nützliche Meth. in der H.-Forschung hat sich der *Immunoassay erwiesen; beim hämolyt. *Plaque-Test wird die Antikörper- u. Komplement-abhängige Cytolyse von Erythrocyten als Indikator-Reaktion verwendet.

H. wirken nicht direkt, sondern indirekt auf Substrate, z. B. durch Veränderung der relativen Konz. von Enzymen, Coenzymen u. ihrer Substrate in bestimmten Organen, wodurch die Reaktionsgeschw. beeinflußt u. deutliche physiolog. Effekte erzielt werden können. Sie wirken zwar funktions-, meist aber nicht artspezif.; z. B. kann ein bestimmtes Wirbeltier-Hormon oft auch in anderen Wirbeltieren wirken. An der Kälte-Akklimatisation der Fische sind z. B. H. wie Insulin, *Glucagon u. *Prolactin beteiligt. Auch der Metabolismus der H. spielt eine Rolle für ihre Wirkung. Charakterist. ist, daß die H. selbst bei stärksten Verdünnungen erhebliche Wirkung hervorrufen. So erhöht z. B. L-*Adrenalin im Blut den Blutdruck noch bei einer Konz. von 2,5 µg/kg, u. bestimmte Hypophysen-Stoffe wirken noch in Mengen von 1–2 µg.

Vork. u. Synth.: Das typ. Vork. in geringen Konz. erschwert die Isolierung von H. erheblich, da oft eine hunderttausend- bis millionenfache Anreicherung aus dem Ausgangsmaterial erforderlich ist, bis ein krist. Reinpräp. erhalten wird. Man bedient sich dazu u. a. der *Affinitätschromatographie, bei der H. spezif. an ihre jeweiligen Rezeptoren gebunden werden, die durch *Immobilisierung an eine Trägermatrix als stationäre Phase dienen. Heute sind die meisten bekannten klass. H. isoliert, in ihrer Struktur aufgeklärt u. vielfach auch synthetisiert worden (*Beisp.:* L-Adrenalin, *Cortison, *Hydrocortison, *Prednison, *Prednisolon, *Progesteron, Oxytocin, Insulin, Melanotropin, Thyroxin, viele Geschlechts-H., Prostaglandine, Glucagon, *Somatostatin, *Somatotropin etc.). Isolierung u. Qualitäts-Kontrolle der H. erfordern – neben chromatograph. Meth. u. den erwähnten Immunoassays – biolog. Testmeth., mit denen sich die Anreicherung anhand einer Wirkungssteigerung im Testmaterial ver-

folgen läßt. So bestimmt man z. B. die Wirkung der männlichen Keimdrüsen-Hormone mit dem sog. *Hahnenkamm-Test:* 1 Hahnenkamm-Einheit ist die kleinste Dosis, die (4 d lang täglich 2mal intramuskulär eingespritzt) bei kastrierten jungen Hähnen am 5. Tag eine Vergrößerung des Kammes um 15% bewirkt. Ähnliche Tests sind auch für verschiedene andere H. ausgearbeitet worden, vgl. auch internationale Einheiten. Bei der Synth. von Polypeptid-H. kommen neben chem. Meth. der *Peptid-Synthese in zunehmendem Maße die Verf. der *Gentechnologie zur Anwendung.

Physiologie: Die H., die aus den endokrinen Drüsen direkt in die Blutbahn sezerniert werden, gelangen auf diesem Wege zu allen Organen u. Geweben des Körpers; sie sind gewissermaßen chem. Boten, die in Lebewesen eine große Anzahl von chem. Reaktionen steuern u. koordinieren. Sie unterscheiden sich von den anorgan. *Katalysatoren u. den *Enzymen dadurch, daß sie nicht durch direkte Einwirkung auf chem. Substrate deren Umwandlung katalysieren, sondern über die Wechselwirkung mit einem *Rezeptor eine biolog. Antwort hervorrufen. Die H. wirken also nur auf lebende *Zellen u. *Gewebe ein, u. ihre Wirkung ist nicht nur durch das beteiligte H. selbst, sondern auch durch die Reaktionsbereitschaft des Gewebes bedingt. Deshalb kann z. B. das gleiche, in einem Organismus wandernde H. in verschiedenen Organen u. in unterschiedlichen Stoffwechsel-Zuständen unterschiedliche Wirkungen hervorrufen; umgekehrt können auch chem. ganz verschiedene H. im Körper gleichartige Wirkungen haben. So sind im *adrenergen Syst. sowohl α- als auch β-*Adrenozeptoren wirksam; L-Adrenalin ruft z. B. im ruhenden tier. Muskel eine Verengung der Blutgefäße hervor, während diese im arbeitenden Muskel weniger verändert werden. Die Steroid-H. können je nach Struktur eine weitgehende Spezifität zeigen, andererseits treten manche Stoffwechselwirkungen bei fast allen ihren Vertretern auf. Außerdem kann das gleiche Organ verschiedenartige H. produzieren; so erzeugt die Nebennieren-Rinde Mineralcorticoide (diese halten z. B. Natriumchlorid u. Wasser zurück u. erhöhen Blutvol., Blutdruck u. Ödem-Neigung), Glucocorticoide (diese erhöhen den Blutzucker-Spiegel u. wirken entzündungshemmend u. Blutgefäß-abdichtend) u. einen gewissen Prozentsatz *Androgene u. *Estrogene.

Hierarchie der H.: Prinzipiell können die H. ihre physiolog. Wirkung direkt u. unabhängig voneinander entfalten; oft aber sind die Wirkungen über den Sekretions-Modus der H.-Drüsen untereinander korreliert. Es existiert eine Art Hierarchie der H.-Drüsen, in der der *Hypothalamus die oberste Stelle einnimmt, indem er durch seine Neurosekrete die Funktion der *Hypophyse steuert, die ihrerseits mit ihren glandotropen H. eine wichtige Schlüsselstellung einnimmt. So produziert der Hypophysen-Vorderlappen (HVL) u. a. das *Corticotropin, dessen Anwesenheit im Blut die Nebennieren-Rinde zu vermehrter Produktion von Corticosteroiden stimuliert. Diese beeinflussen wiederum die Funktion der Hypophyse im Sinn einer Rückkopplung: Verminderter Corticosteroid-Gehalt in der Blutbahn führt zu vermehrter Corticotropin-Bildung u. umgekehrt. Ähnliche funktionelle Regelkreise (*Regulation) bestehen z. B. zwischen Hypophyse u. Schilddrüse bzw. den Gonaden. Diejenigen dem Hypothalamus entstammenden H., die zur Ausschüttung der Hypophysen-H. führen, werden als *Releasing-Hormone* od. *Releasing-Faktoren* (Freisetzungs-H. od. -Faktoren) bezeichnet. Ihre Benennung erfolgt nach Nomenklatur-Empfehlungen für Peptid-Hormone [1] durch Anhängen der Endung *...liberin* an den Stamm des Namens des freigesetzten H. (z. B. Thyroliberin = Thyrotropin-Releasing-Faktor, TRF). Diejenigen der durch Releasing-Faktoren freigesetzten H., die nicht auf andere H.-Drüsen stimulierend wirken, sondern den Gewebestoffwechsel direkt beeinflussen, benötigen zusätzlich einen *inhibiting factor (Hemm- od. Inhibierungs-Faktor), da für sie kein neg. Rückkopplungs-Mechanismus besteht. Diese Hemmfaktoren werden entsprechend durch Anhängen der Endung ...*statin* benannt (*Beisp.:* Somatostatin = somatotropin release-inhibiting factor, SRIF). Es handelt sich bei ihnen u. ihren Gegenspielern um Oligopeptide, die zumeist auch synthet. zugänglich sind.

Mol. Wirkung: Während die physiolog. H.-Wirkung, d. h. die funktionellen od. auch strukturellen Veränderungen im Organismus, oft schon jahrzehntelang bekannt waren, ist man über die prim. H.-Wirkung, d. h. über die Art der wesentlichen chem. Reaktionsweise des H.-Mol., erst in den 60er Jahren zu konkreten Vorstellungen gekommen. Die wichtigste Erkenntnis war, daß H., wenn sie als *erste Boten* (E first messengers) ein Signal zum Erfolgsorgan transportieren, dort an einen spezif. Rezeptor (ein Protein) gebunden werden u. mit diesem einen reversiblen Komplex bilden, von dem die biolog. Wirkung ausgeht. Je nachdem, ob der Rezeptor in der *Membran der Zelle gebunden od. im Zellinnern lokalisiert ist, kennt man verschiedene Primär-Reaktionen.

Die prim. Wirkung der Membran-bindenden H. besteht oft in einer Aktivierung von *G-Proteinen durch den H.-aktivierten Rezeptor, die ihrerseits verschiedene Enzyme beeinflussen wie z. B. die bes. von Sutherland u. Mitarbeitern untersuchte *Adenylat-Cyclase, welche *Adenosin-5'-triphosphat in *Adenosin-3',5'-monophosphat (cAMP) umwandelt. Erst letzteres setzt den Zellstoffwechsel in der Weise (durch Aktivierung verschiedener Enzyme, aber auch durch Beeinflussung der *Transkription), die man früher als originäre Wirkung des Hormons ansah, in Gang. Das cAMP gibt somit als *zweiter Bote* (*second messenger) die Botschaft des H. an die Zelle weiter (über regulator. Protein-*Phosphorylierungen durch *Protein-Kinasen). Auf diese Weise werden H. wie Corticotropin, L-Adrenalin, Follitropin, Glucagon u. a. bes. schnell wirksam („schnelle H."). Andere second messengers sind *Diacylglycerine, die ebenfalls Protein-Phosphorylierung auslösen, u. D-*myo*-Inosit-1,4,5-trisphosphat (s. Inositphosphate), das Calcium-Ionen freisetzt. Bei den verschiedenen Auswirkungen des Calcium-Signals auf den Stoffwechsel ist in vielen Fällen *Calmodulin beteiligt. Etliche Rezeptoren stellen H.-abhängige *Ionenkanäle dar. Insulin u. viele Wachstumsfaktoren stimulieren die inhärente Protein-Kinase-Aktivität ihres Rezeptors. Wird ein Rezeptor durch einen H.-*Antagonisten, ein sog. *Antihormon*, besetzt (z. B. ein β-Ad-

renozeptor durch Beta-Blocker), so wird die Weitergabe der Information durch *kompetitive Hemmung unterdrückt.

Andere H., bes. Steroid-H., die im Blut zum großen Teil an *Plasmaproteine gebunden transportiert werden, gelangen durch Diffusionsvorgänge in die Zelle des Erfolgsorgans. Teils im Cytoplasma, teils im Zellkern werden sie von einem Rezeptor-Protein spezif. gebunden. Durch alloster. Konformations-Änderung (s. Allosterie) entsteht ein aktivierter Komplex, der sich an spezif. Sequenzen (sog. *responsive elements*) der *Desoxyribonucleinsäuren bindet, wodurch eine Aktivierung od. Repression H.-spezif. Gene in Gang gebracht wird (Regulation der Gen-Expression). Die anschließenden Prozesse haben dann die Synth. der für die H.-Wirkung charakterist. Proteine (z. B. eines Enzyms) zur Folge, u. erst deren Stoffwechsel-Aktivitäten führen schließlich zur physiolog. Reaktion. Es leuchtet ein, daß eine H.-Wirkung auf diesem Weg wesentlich langsamer zustande kommt als auf dem oben besprochenen; zu den „langsamen" H. gehören z. B. L-Thyroxin, *Estradiol u. a. Estrogene, *Testosteron. Die Rezeptor-Proteine, soweit bekannt, zeigen Sequenz-Ähnlichkeiten miteinander u. mit dem viralen *Onkogen-Produkt *erb-A*.

Biosynth. u. Abbau: Peptid-H. werden wie alle Proteine an den *Ribosomen synthetisiert (s. Translation) u. besitzen als *Präprohormone* Signalsequenzen, die sozusagen die „Adressen-Anhänger" für den intrazellulären Transport darstellen. Nach Abspaltung der Signalpeptide im *endoplasmatischen Retikulum kann das entstehende *Prohormon* im *Golgi-Apparat noch modifiziert werden, wird in sekretor. Granula gepackt, proteolyt. zum eigentlichen H. umgesetzt u. auf einen Stimulus hin, wobei sich in der Zelle die Calcium-Ionen-Konz. erhöht, durch *Exocytose ausgeschüttet. Anders die Steroid-H.: Sie werden nicht gespeichert, sondern jeweils nach Bedarf durch enzymat. Reaktionen, an denen häufig *Cytochrom P-450 beteiligt ist, aus Cholesterin synthetisiert. Die für die Biosynth. der Steroid-H. benötigten Enzyme werden erst auf einen auslösenden Reiz hin induziert (d. h. es wird die *Transkription ihrer Gene angeregt u. somit ihre Biosynth. eingeleitet).

Als hochaktive regulator. Substanzen müssen H. zu gegebener Zeit wieder *inaktiviert* werden; dies geschieht durch deren Abbau u./od. Ausscheidung. So werden Peptidhormone durch Proteasen abgebaut, Steroide nach Umwandlung in D-Glucuronide (s. Glucuronsäure) u. Sulfatester über die Niere ausgeschieden.

Übersicht: Im folgenden wird eine Übersicht über die wichtigsten H. u. H.-Gruppen gegeben. Die wichtigsten Bildungsorte u. ihre H. sind:

Hypothalamus: Schüttet Releasing-Hormone (releasing factors, RF) u. inhibiting factors (IF) aus: *Corticoliberin (CRF), *Gonadoliberin (Folliberin, Luliberin, GnRH, GnRF), *Thyroliberin (TRF), Somatoliberin (GH-RF, SRF) u. Somatostatin (SRIF, SS), Melanoliberin (MRF) u. Melanostatin (MIF), Prolactoliberin (PRF) u. Prolactostatin (PIF). Der Hypothalamus ist auch Hauptbildungsort von *Neurotensin (NT), Substanz P (SP) u. *Bombesin (BN).

Hypophyse (Hirnanhang, Glandula pituitaria): Diese besteht aus zwei Hauptteilen, dem Vorderlappen (HVL) u. dem Hinterlappen (HHL), zwischen denen der (beim Menschen rudimentäre) Mittellappen (HML) liegt. Die Hypophyse bildet zweierlei Arten von H., nämlich solche mit vollständiger Funktion u. die *glandotropen* (Tropine, auf nachgeschaltete Drüsen gerichtete) H. des HVL, die die Funktionen der anderen endokrinen Drüsen regulieren. – *HVL-H.*: Die *gonadotropen Hormone *Follitropin (FSH), *Lutropin (LH, ICSH) sowie Prolactin (PRL). Der HVL ist auch der Bildungsort für Corticotropin (ACTH), Somatotropin (STH, GH), *Thyrotropin (TSH), β-Lipotropin (LPH). – *HML-H.:* Melanotropin (MSH), β-Lipotropin, β-Endorphin, Enkephaline. – *HHL-H.:* Vasopressin, Oxytocin.

Epiphyse (Zirbeldrüse): Sezerniert Melatonin.

Schilddrüse (Glandula thyreoidea): Die Schilddrüsen-H. regulieren die gesamten *Stoffwechsel-Vorgänge im Körper u. bestimmen so die Größe des *Grundumsatzes, der bei mangelnder Funktion der Drüse vermindert, bei Hyperfunktion erhöht ist. Eigentliches Schilddrüsen-H. ist das *Thyroglobulin, ein Glykoprotein, das Mono- u. *Diiod-L-tyrosin, *Triiod-L-thyronin u. L-Thyroxin eingebaut enthält.

Nebenschilddrüse (Epithelkörperchen, Glandula parathyreoidea): Bildet *Parathyrin u. *Calcitonin, beide sind Regulatoren im Calcium-Stoffwechsel; Parathyrin beeinflußt überdies den Phosphat-Metabolismus.

Keimdrüsen (Gonaden: Hoden = Testes u. Eierstöcke = Ovarien): Die von diesen Drüsen gebildeten *Sexualhormone sind Steroid-H.; sie bewirken die normale Funktion des männlichen bzw. weiblichen Genitalsyst. u. die Entwicklung der jeweiligen Geschlechtsmerkmale. Man unterscheidet die Androgene (z. B. Androsteron u. Testosteron) von den Estrogenen (z. B. *Estron, *Estriol) u. *Gestagenen (Progesteron).

Placenta (Gewebsbildung in der Schwangerschaft): Hier werden neben Progesteron u. *Relaxin mit *Choriongonadotropin u. *Placentalactogen H. ausgeschüttet, die auch in der Hypophyse anzutreffen sind.

Gelbkörper (Corpus luteum): Sezerniert ebenfalls Schwangerschafts-H. (Progesteron, Relaxin).

Prostata: Bildet u. a. Prostaglandine.

Bauchspeicheldrüse (Pankreas): Bildet Insulin, Glucagon, *pankreatisches Polypeptid u. Somatostatin.

Nebennieren (Glandulae suprarenales): Diese Drüsen bestehen aus dem braunroten Mark (hier entstehen die H. L-Adrenalin, L-*Noradrenalin sowie die Enkephaline) u. der gelblichbraunen Rinde (latein.: cortex – hier entstehen die *Corticosteroide).

Thymus: Die H. dieser beim Menschen im Alter nahezu inaktiven Drüse (*Thymosin, Thymostatin, *Thymopoietin) gewinnen wegen ihrer Beteiligung an der Ausbildung des *Immunsystems zunehmend an Interesse.

Niere: Neben ihrer Funktion im Intermediär-Stoffwechsel u. als Ausscheidungsorgan produziert die Niere z. B. die H. *Erythropoietin u. Calcitriol (s. Calciferole).

Herz: Im Herzvorhof (Atrium) wird der *atrionatriuretische Faktor ausgeschüttet.

Die nichtglandulären *Gewebshormone* u. *Mediatorstoffe* werden in verschiedenen Geweben u. Organen gebildet u. wirken auf Gefäße, glattmuskelige Organe u. Drüsen (*Secretin, *Gastrin, *Cholecystokinin auf den Magen-Darm-Kanal: *Gastrointestinale Hormone*; Angiotensin, *Kallidin u. *Bradykinin auf das Blutgefäß-Syst. u. die übrige glatte Muskulatur; Prostaglandine auf die Niere). Als Untergruppe der Mediatorstoffe werden auch die *Neurotransmitter* aufgefaßt. Hier ist zu denken an biogene Amine wie *Acetylcholin, *Dopamin, L-Noradrenalin, *Serotonin, 4-*Aminobuttersäure. Sie besitzen z. T. auch Funktionen als Gewebs-H. od. glanduläre H., weshalb man sie auch als *Neurohormone* bezeichnet; das Nervensyst. u. das H.-Syst. werden heute als entwicklungsgeschichtlich verwandt betrachtet. Es sei darauf hingewiesen, daß die Bez. Neurohormon gelegentlich so weit gefaßt wird, daß sie auch die oben erwähnten neurosekretor. H. des Hypothalamus u. a. *Neuropeptide einschließt, da Endorphine, Enkephaline, Bombesin, Substanz P etc. sowohl in Nerven- als auch in anderen Geweben (z. B. im Darm) auftreten. Als Mediatorstoffe kann man schließlich auch Zell-*Wachstumsfaktoren (wie die *Kolonie-stimulierenden Faktoren, den *epidermalen Wachstumsfaktor, die *Insulin-artigen Wachstumsfaktoren, *Interleukine, *Nervenwachstumsfaktor u. a.) verstehen, die das Wachstum bestimmter Zellen stimulieren. Diejenigen der genannten hormonellen Regulatoren sowie auch einige H. einzelliger Organismen, die in der gleichen Zelle, in der sie entstehen, auch ihre Wirkung entfalten (autokriner Mechanismus), werden zuweilen auch als *Zellhormone* bezeichnet.

Hier lassen sich die *Nekrohormone* od. *Wundhormone anschließen, die, aus entzündetem Gewebe abgegeben werden, die an der Entzündung beteiligten Zelltypen beeinflussen.

Verw.: Sowohl synthet. als auch natürliche Wirbeltier-H. bzw. H.-haltige Gewebs-Extrakte (z. B. Leber- od. Placenta-Extrakte) finden arzneiliche Verw. zur Therapie der spezif. Ausfallserscheinungen bzw. zur hormonellen Umstimmung, als Antikonzeptionsmittel, Antiarthritika, Antidiabetika u. Anabolika, auch in der Veterinärmedizin. Die Verw. von H. in der Schlachttiermast ist in der BRD allerdings nicht mehr zulässig; zum Nachw. von Estrogen-Rückständen in Fleisch kann der aus Rinderuterus isolierte Estrogen-Rezeptor-Komplex herangezogen werden.

Geschichte: Wie durch Übersetzung alter Vorschriften festgestellt werden konnte, wurden Mischungen von Steroid-H. bereits im Mittelalter (10. bis 16. Jh.) von chines. Iatrochemikern gewonnen. So beschreibt eine Vorschrift die Zugabe von Bohnensaft des Seifenbohnen-Baums (*Gleditsia chinensis*), der Saponine enthält, zu großen Mengen Urins. Dabei entsteht ein Niederschlag, aus dem u. a. die Steroid-Konjugate mit heißem Wasser extrahiert werden. Die chines. Chemiker sublimierten den Rückstand der Extraktion in kleinen Tongefäßen unter genau kontrollierten Bedingungen u. erhielten dadurch weiße, relativ reine krist. Substanzen, die in Milchfett emulgiert zur Behandlung von Hypogenitalismus dienten[2]. Später entdeckte man im Tierversuch u. bei Operationen am Menschen viele charakterist. Ausfallserscheinungen bei der Entfernung innersekretor. Drüsen u. konnte so auf die An-

wesenheit einer Reihe weiterer spezif. H. schließen, ohne diese vorerst isoliert od. gar synthetisiert zu haben. Hier sind die Namen Bernard (ein Zeitgenosse *Pasteurs*), Müller (der die innersekretor. Drüsen ihrer Funktion gemäß als „Blutdrüsen" charakterisierte), Berthold, Addison, Brown-Séquard u. a. zu nennen. Als erstes H. wurde 1901 L-Adrenalin von Takamine u. Aldrich isoliert u. 1904 von *Stolz synthetisiert. Es folgten L-Thyroxin (1914, durch *Kendall), Insulin (1922 von *Banting u. Best isoliert, 1926 von Abel als reines Kristallisat dargestellt), die Steroid-H. (1930–1940 durch *Butenandt, *Doisy, *Kendall, *Reichstein). Die Isolierung der Hypophysen-H. geht bes. auf Evans u. C. H. Li, die der Hypothalamus-H. auf *Schally, *Guillemin u. *Yalow zurück. War man bis in die jüngere Zeit hinein überzeugt, daß die H.-Differenzierung erst auf relativ hoher entwicklungsgeschichtlicher Stufe erfolgt, so ist dieses Konzept – z. B. angesichts des fast ubiquitären Vork. von Insulin u. von Steroid-H. – ins Wanken geraten. Übrigens wurde der Name „H." erstmals 1906 von den engl. Physiologen Bayliss u. *Starling verwendet, die sich mit Secretin befaßten. Sie bezeichneten die Inkrete nach griech.: hormān = antreiben, anregen, als Hormone. – *E = F* hormones – *I* ormoni – *S* hormonas
Lit.: [1] Eur. J. Biochem. **55**, 485 f. (1975). [2] Endeavour **27**, 130 ff. (1968); Nature (London) **200**, 147 f. (1963).
allg.: Bardin, Recent Progress in Hormone Research, Bd. 48, San Diego: Academic Press 1993 ▪ Bolander, Molecular Endocrinology, 2. Aufl., San Diego: Academic Press 1994 ▪ Debellis u. Marschke, New Perspectives in Endocrinology, New York: Raven Press 1993 ▪ Goodman, Basic Medical Endocrinology, 2. Aufl., New York: Raven Press 1994 ▪ Gotthard, Hormone – Chemische Botenstoffe, Stuttgart: G. Fischer 1993 ▪ Litwack, Vitamins and Hormones, Bd. 52, San Diego: Academic Press 1996 ▪ de Pablo et al., Handbook of Endocrine Research Techniques, San Diego: Academic Press 1993.

Hormosiren s. Algenpheromone.

Hornblenden. $(Na,K)_{0-1}Ca_2(Mg,Fe^{2+},Fe^{3+},Al)_5[(OH,F)_2/(Si,Al)_2Si_6O_{22}]$, zu den Calcium-*Amphibolen gehörende gesteinsbildende Minerale; H. im engeren Sinne umfaßt die Reihe *Magnesio-H. – Ferro-H.*, $Ca_2(Mg,Fe)_4Al[(OH)_2/Si_7AlO_{22}]$; im weiteren Sinne werden zu den H. auch *Edenit, Pargasit* (*Amphibole), die Reihe *Tschermakit-Ferrotschermakit*, $Ca(Mg,Fe)_3Al_2[(OH)_2/Si_6Al_2O_{22}]$ u. die Reihe *Magnesiohastingsit-Hastingsit*, $NaCa_2(Mg,Fe)_4Fe^{3+}[(OH)_2/Si_6Al_2O_{22}]$, gerechnet; bei den Gliedern mit dem Präfix *Ferro-* ist $Fe^{2+}/Fe^{2+} + Mg > 0,5$; H. können ferner Ti enthalten, bes. in *Kaersutit*, einer Ti-reichen Abart von Pargasit. Weitere Abarten sind *Uralit* (feinfaserig, sek. aus Augit entstanden) u. der braune bis braungrüne, in *Eklogiten vorkommende, dem Pargasit nahestehende *Karinthin*. Bei Oxy-H. wird der Einbau von Fe^{3+} anstelle von Fe^{2+} durch die Substitution $(OH)^- \rightarrow O^{2-}$ kompensiert.
H. bilden kurz- bis langprismat. Krist., unregelmäßig begrenzte Körner od. sind stengelig bis nadelig im Gestein eingewachsen. Die Farbe variiert zwischen grün, dunkelgrün bis dunkelbraun bei *Gemeiner H.* u. tiefschwarz bei *Basalt. H.* (höhere Gehalte an Fe^{3+} u. Ti); im *Dünnschliff *Pleochroismus von grün nach braun od. gelb nach braun[1]. Strich farblos bis graugrün, H. 5–6, D. 3,02–3,59; vollkommene Spaltbarkeit paral-

lel zu 2 Prismenflächen mit einem Spaltwinkel von 124°. Glasglanz, bei faserigen Aggregaten seidenartiger Glanz. Zu *Mischkristall-Bildung bzw. einer Mischungslücke zwischen H. u. dem Ca-Amphibol Aktinolith s. *Lit.*[2].
Vork.: H. sind die wichtigsten u. am weitesten verbreiteten gesteinsbildenden Amphibole; in *magmatischen Gesteinen, bes. in *Diorit, *Syenit, *Andesit u. *Basalten (z. B. Eifel, Rhön). In *metamorphen Gesteinen zusammen mit Plagioklas-*Feldspäten als Hauptbestandteil in Amphiboliten, H.-*Gneisen u. H.-*Schiefern; chem. Analysen u. Formel-Berechnungen von metamorphen H. s. *Lit.*[3]. – *E = F* hornblendes – *I* orniblende – *S* hornblendas
Lit.: [1] MacKenzie u. Guilford, Atlas gesteinsbildender Minerale in Dünnschliffen, S. 46 f., Stuttgart: Enke 1980. [2] Am. Mineral. **76**, 1184–1204 (1991). [3] Contrib. Mineral. Petrol. **108**, 472–484 (1991).
allg.: Deer et al., S. 248–257 ▪ Matthes, Mineralogie (5.), S. 139 f., Berlin: Springer 1996 ▪ s. a. Amphibole.

Horner, Leopold (geb. 1911), Prof. (emeritiert) für Organ. Chemie, Mainz. *Arbeitsgebiete:* Präparative organ. Chemie, Autoxid., Photochemie, Diazoketone, *o*-Chinone, Phosphine, Nitrene, Organoarsen-Verb., Phosphonsäureester, Homogenkatalyse, Elektrochemie, Chemie an Grenzflächen, Korrosion.
Lit.: Kürschner (16.), S. 1528 ▪ Nachr. Chem. Tech. Lab. **21**, 289 f. (1973); **44**, Nr. 7/8, 813 (1996) ▪ Neufeldt, S. 286 ▪ Pötsch, S. 213 ▪ Wer ist wer (35.), S. 635.

Horner-Emmons-Reaktion. Manchmal auch als *Wittig-Horner-* od. *Wadsworth-Emmons-Reaktion* bezeichnete Olefinierungsreaktion, bei der ein Phosphonsäuredialkylester od. ein tert. Alkylphosphinoxid in Ggw. einer Base mit einer Carbonyl-Verb. (Aldehyd od. Keton) umgesetzt wird.

Die H.-E.-R. hat gegenüber der *Wittig-Reaktion einige Vorteile: So lassen sich auch Phosphonsäurediester, die mit Elektronenakzeptor-Gruppen (R^1) substituiert sind, mit *Ketonen* umsetzen, was bei der Wittig-Reaktion mit entsprechend substituierten Phosphor-Yliden nicht mehr gelingt. Zudem können die Nebenprodukte leichter als bei der Wittig-Reaktion abgetrennt werden. Den als Ausgangsverb. benötigten Phosphonsäuredialkylester erhält man leicht über die *Michaelis-Arbusov-Reaktion; vgl. a. Peterson-Reaktion u. Tebbe-Grubbs-Reagenzien. – *E* Horner-Emmons reaction – *F* réaction de Horner-Emmons – *I* reazione di Horner-Emmons – *S* reacción de Horner-Emmons
Lit.: Acc. Chem. Res. **16**, 411–417 (1983) ▪ Angew. Chem. **108**, 261–291 (1996) ▪ Chem. Rev. **74**, 87–99 (1974) ▪ Heterocycles **41**, 2357 (1995) ▪ March (4.), S. 959 ▪ Org. React. **25**, 73–253 (1977) ▪ s. a. Phosphor-organische Verbindungen u. Wittig-Reaktion.

Hornfels s. Felse.

Hornhaut s. Auge u. Haut.

Hornig, Donald Frederick (geb. 1920), Prof. für Chemie, Harvard Univ., Boston, School of Public Health. *Arbeitsgebiete:* Beziehung zwischen Wissenschaft u. öffentlichem Recht, insbes. bei Themen des Umweltschutzes, Einbeziehung wissenschaftlicher Erkenntnisse bei der Risikoabschätzung.
Lit.: Who's Who in America (50.), S. 1998.

Hornisierter Kautschuk s. Hartgummi.

Hornissen s. Wespen.

Hornissengift. Besteht im wesentlichen aus *biogenen Aminen (*Histamin, *Serotonin, *Acetylcholin), Enzymen (Phospholipasen A u. B, Hyaluronidase) u. Hornissen-Kinin. Hornissenstiche sind entgegen der landläufigen Meinung weniger gefährlich als Bienenstiche, tödliche Unfälle sind sehr selten u. nicht auf die Giftwirkung von H., sondern auf anaphylakt. Reaktionen (Schock) zurückzuführen. Die biogenen Amine zählen neben den Hornissen-Kininen zu den Schmerzerzeugenden Substanzen. – *E* hornet venom, hornet poison – *F* venin de frelon – *I* veleno dei calabroni – *S* veneno de avispón
Lit.: Habermehl, Gift-Tiere u. ihre Waffen, 5. Aufl., S. 70–75, Berlin: Springer 1994 ▪ Mebs, Gifttiere, S. 164–170, Stuttgart: Wiss. Verlagsges. 1992 ▪ s. a. Bienengift u. Wespengift.

Hornklee s. Klee.

Hornsilber s. Chlorargyrit.

Hornstein s. Kieselgesteine.

Hornsubstanzen s. Keratine.

Horsil®. Schlichtemittel auf *Carboxymethylcellulose-Basis zum *Schlichten von Baumwolle, Wolle, Zellwolle, Synthetics u. Mischgespinsten. *B.:* Henkel.

Hortrilon®. Voll wasserlösl. Spurennährstoff-Mischdünger. Alle Nährstoffe sind voll chelatisiert. Nährstoffgehalt: 5% Fe, 2,5% Cu, 2,5% Mn, 0,5% B, 0,5% Zn, 0,5% Mo, 5% MgO, 0,005% Co. *B.:* COMPO.

Hosemann, Rolf (geb. 1912), Prof. Dr. Dr. h.c. für Strukturphysik, Gruppe Parakrist.-Forschung, Bundesanstalt für Materialforschung u. -prüfung, Berlin. *Arbeitsgebiete:* Funktionenalgebra, verallgemeinerte Kristallographie u. Thermodynamik der nichtkrist. Materie, Entdeckung des α-Gesetzes u. der Mikroparakrist. in Gläsern, Polymeren, flüssigen Krist., Kolloiden, protomotierten Katalysatoren u. amorphen Stoffen.
Lit.: Kürschner (16.), S. 1534.

Hospitalismus. Sammelbez. für alle neg. Erscheinungen, die für einen Patienten mit einem längeren Krankenhausaufenthalt verbunden sein können wie Infektionen, Folgen falscher Ernährung u. ungünstiger Pflegebedingungen sowie seel. Folgen. Im Krankenhaus erworbene Infektionen treten zum einen durch normalerweise wenig aggressive Erreger bei abwehrgeschwächten Patienten, zum anderen durch Einschleppung u. Ausbreitung sehr virulenter Keime auf. Die Ursachen solcher Infektionen sind u. a. die zunehmende *Antibiotika-Resistenz bestimmter Keime, die steigende Anzahl abwehrgeschwächter Patienten u. intensivmedizin. sowie eingreifende diagnost. Maßnahmen. Der psych. H. hat bes. Bedeutung im Bereich der

Betreuung u. Pflege von Kindern in Krankenhäusern u. Heimen, wo bei mangelnder individueller Zuwendung sog. Deprivationssyndrome auftreten können. – *E* hospitalism – *F* hospitalisme – *I* ospitalismo – *S* hospitalismo

Host. Bez. für einen Großrechner allg., doch hat sich der Begriff eingebürgert für zentrale Datenbankanbieter, die Datenbanken kommerziell verwerten. Dieser Dienstleistungsbereich besteht in der BRD aus privatwirtschaftlichen Unternehmen einerseits u. staatlich geförderten Fachinformationszentren andererseits, die Teil des internat. Netzes von Datenbankdiensten sind. *Beisp.:* STN, Karlsruhe (über 160 Datenbanken mit den Schwerpunkten Chemie, Physik, Technik), Dialog, Kalifornien (mit Zugriff zu einigen 1000 Datenbanken auf dem Gebiet der Wirtschaft, Technik, Rechtswissenschaften, Medizin), Data-Star (Europas führender Datenbankhost mit über 300 Datenbanken aus Wirtschaft, Finanzen, Marktforschung, Chemie, Technik), DIMDI, Köln (Schwerpunkt: Medizin), DIALOG, ESA-IRS, ORBIT, Questel (über 70 Datenbanken aus Wirtschaft, Technik, Chemie).
Lit.: Cohausz, Info & Recherche, München: Wila 1996 ▪ Fachinformationsprogramm der Bundesregierung 1990–1994, Bonn: BMBF 1993 ▪ Kirk-Othmer (4.) **14**, 220–276.

HOSTACEN®. Neues in Entwicklung befindliches Sortiment von Propylenpolymeren, hergestellt auf Basis der *Metallocen-Katalysator-Technologie. *B.:* Hoechst.

Hostacerin®. Emulgatoren u. Cremegrundlagen für kosmet. Emulsionen, z. B. auf der Basis von Ölsäurepolyglycerinester (H. DGO), Talgfettalkylpolyglykolether (H. T-3) od. mit Fettalkoholen u. Tensiden (H. CG) *B.:* Hoechst.

HOSTACOPY®. *Ladungssteuermittel zur triboelektr. Einstellung von Tonern u. Laserdrucker. *B.:* Hoechst.

Hostacor®. Sortiment von wasser- u. öllösl. *Korrosionsschutzmitteln für Metallbearbeitungsflüssigkeiten, z. B. auf der Basis von Fettsäurealkanolamid (H. DT für Bohröle), Alkanolamin-Salz einer Arylsulfonamidocarbonsäure (H. KS1 für wasserlösl. Kühlschmiermittel), Arylsulfonamidocarbonsäure u. Mischungen aus Borsäureestern mit Aryl- od. Alkylsulfonamidocarbonsäuren bzw. deren Aminsalze. *B.:* Hoechst.

HOSTAFINE®. Pigment-Präparationen mit sehr enger Korngrößenverteilung, die einen Wert von 1,0 μm nicht überschreitet. Geeignet zur Einfärbung von hochtransparenten Beizen, Faserschreibern sowie *Ink-Jet-Tinten.

Hostaflam®. *Flammschutzmittel für Kunststoffe auf der Basis organ. Halogen-Verbindungen. *B.:* Hoechst.

Hostaflex® CM-Typen. Copolymerisate aus Vinylacetat, *Vinylchlorid u. einer geringen Menge einpolymerisierter Dicarbonsäure für Folienlacke, abziehbare Verpackungslacke, Klebstoffe, Anstriche, Druckfarbenbindemittel u. PVC-Mischpolymerisate; intern plastifiziert, niedrig bis hochviskos für Chemikalienbeständige Anstriche, Korrosionsschutzfarbe u. Industrielacke. *B.:* Vianova.

Hostaflot®. Marke von Hoechst für *Thiocarbamate als Flotationssammler von Kupfer- u. Zinksulfid-Mineralien. **B.:** Hoechst.

Hostaform®. Acetal-Copolymerisat auf der Basis von *1,3,5-Trioxan mit hoher Steifigkeit, Härte u. Dauerschwingfestigkeit sowie geringer Permeabilität für Gase u. Dämpfe, geeignet zur Herst. techn. Teile im Spritzgieß-Verf., von geblasenen Hohlkörpern, extrudierten Profilen usw. (Röhren, Apparate, Präzisionsteile, Clipse, Armaturen, Dichtungen, Membranen usw.), auch Glasfaser-verstärkte u. schlagzähmodifizierte Typen. **B.:** Hoechst.

Hostalen®. Sortiment von *Polyolefinen, HD- u. isotakt. *Polypropylen (H. PP) zur Verarbeitung durch Spritzgießen, Blasformen, Extrudieren usw. H. PP auch Talkum- u. Glasfaser-verstärkt sowie als Elastomerblends. **B.:** Hoechst.

Hostalub®. *Gleitmittel für die Kunststoffverarbeitung auf der Basis von Montanwachs, Kohlenwasserstoff-Wachsen, Fettsäureestern u. -amiden sowie Metallseifen. **B.:** Hoechst.

Hostalux®. Sortiment von *optischen Aufhellern für die Textil-, Faser-, Waschmittel- u. Kunststoff-Industrie. Den H.-Typen liegen Stilben-, Pyrazolyl-, Styryl- u. Bisbenzoxazolyl-Derivate zugrunde. **B.:** Hoechst.

Hostamont®. Marke von Hoechst für Hochleistungsadditive mit gezielt eingestellten Wirkeigenschaften überwiegend für techn. *Thermoplaste. **B.:** Hoechst.

Hostanox®. Sortiment von für *Polyolefine geeigneten *Antioxidantien auf der Basis mehrkerniger Phenole, von Thiodicarbonsäureestern, Alkyldisulfiden u. Phosphiten. **B.:** Hoechst.

Hostapal®. Netz-, Wasch- u. Reinigungsmittel für die Textilausrüstung, Detachiermittel, Färberei- u. Druckereihilfsmittel auf der Basis von Alkyl- bzw. Arylethoxylaten. **B.:** Hoechst.

Hostaperm®. Organ. *Pigmente zur Pigmentierung aller Lackarten einschließlich Autolacken, Druckfarben, Büroartikeln u. Künstlerfarben. **B.:** Hoechst.

Hostaphan®. Biaxial-gestreckte *Polyester-Folie für viele techn. Anw. (z. B. Magnetbänder, Elektroisolierung, Reprographie, Kondensatordielektrikum) u. in Verbundfolien für Verpackungen. **B.:** Hoechst.

Hostaphat®. Sortiment von *Emulgatoren auf der Basis von organ. Phosphorsäureestern, z. B. für antistat. wirkende Faserpräparationen u. Spulöle auf Mineralölgrundlage (F-Typen) bzw. für kosmet. Präp. (K-Typen). **B.:** Hoechst.

Hostapon®. Fettsäure-Kondensationsprodukte auf der Basis gesätt. bzw. ungesätt. *Fettsäuren verschiedener Kettenlängen u. *Taurin, *Methyltaurin bzw. Hydroxyethansulfonsäure zur Verw. als Netz-, Wasch- u. Dispergiermittel für alle Faserarten, in der Leder-Ind. u. Pelzveredlung bzw. als hautverträgliche Grundstoffe für kosmet. Präp. wie Shampoos, Schaumbadpräp. Zahnpasten usw. **B.:** Hoechst.

Hostaprint®. Pigment-Präp. für den Druck auf PVC u. a. Kunststoffe sowie für die PVC-Massefärbung. **B.:** Hoechst.

Hostapur®. H. OS: Biolog. abbaubarer Waschrohstoff auf der Basis von *Olefinsulfonat; H. SAS: Sek., lineares Alkansulfonat (C_{12}–C_{18}), biolog. abbaubarer Waschrohstoff, hautverträglich, leicht wasserlösl., daher bes. geeignet zur Herst. flüssiger Spül- u. Reinigungsmittel. **B.:** Hoechst.

Hostarex®. Extraktionsmittel für die Solvent Extraktion von Metall-Ionen aus Erzlaugen u. Abwässern. Die H. A-Marken sind flüssige Anionenaustauscher auf der Basis von *Di- u. *Trialkylaminen zur Extraktion der Metall-Ionen von U, Cr, W, Mo usw. **B.:** Hoechst.

Hostasol®. Fluoreszierende Farbstoffe für die Massefärbung von Hart-PVC, Polystyrol usw. sowie für die Spinnfärbung von Polyester. **B.:** Hoechst.

Hostastat®. Antistatikum, Zusatz zu Kunststoffen, um neg. Effekte der elektrostat. Aufladung wie Staubanziehung, Funkentladung, Wegspritzen von Druckfarbe weitgehend zu vermeiden. **B.:** Hoechst.

Hostatint®. Mehrzweck-Pigment-Präparationen für wäss. Medien u. nichtwäss. lufttrocknende Lacke auf der Basis langöliger Alkydharze, Pigmentierungen von Holzbeizen u. *Holzschutzmitteln. **B.:** Hoechst.

Hostavin®. *Lichtschutzmittel für Kunststoffe auf der Basis von *Benzophenon-Derivaten, ster. gehinderten Aminen u. organ. Nickel-Verbindungen. **B.:** Hoechst.

Hotflue. Bei 80–100 °C kontinuierlich arbeitender Heißlufttrockner, in dem das bedruckte od. auf einem Foulard (s. Klotzen) geklotzte Gewebe durch eine Heißluftkammer geleitet wird.
Verw.: In der Textilveredelung u. Färberei mit Pigment- u. *Entwicklungsfarbstoffen sowie zum Zwischentrocknen bedruckter od. gefärbter Textilien. – **E = I** hot flue – **F = S** hotflue
Lit.: Rouette, Lexikon Textilveredlung, Bd. 1, S. 848, Dülmen: Laumann-Verlag 1995.

Hotmelt-Beschichtungsmassen, -Dichtungsmassen s. Heißschmelzmassen.

Hotmelts. Dem Engl. entnommene Sammelbez. für *Schmelzklebstoffe u. *Heißschmelzmassen. H. sollte daher nur im Zusammenhang mit einem anderen Terminus – Hotmelt-Klebstoff, Hotmelt-Beschichtung, Hotmelt-Dichtungsmasse – verwendet werden. – **E = I** hotmelts – **S** termosellables

Hot spots s. Erde.

Hot Thermo®. Salbe mit dem Analgetikum u. Antiphlogistikum *Hydroxyethylsalicylat u. dem Rubefaziens Nicotinsäuremethylester gegen schmerzhafte Muskel- u. Gelenkbeschwerden. **B.:** durachemie.

Houben, Heinrich Hubert Maria Josef (1875–1940), Oberregierungsrat, Prof. für Organ. Chemie, Univ. Berlin. *Arbeitsgebiete:* Terpene u. Campher, Übertragung der Gattermannschen Aldehyd-Synth. auf Nitrile, Magnesium-organ. Verb., Fischer-Hepp-Umlagerung, Keton-Synth., s. a. die folgenden Stichwörter. **Lit.:** Pötsch, S. 213.

Houben-Hoesch-Synthese. Von *Houben (1926) u. K. Hoesch (1915) aufgefundene *Acylierung (spezielle Form der *Friedel-Crafts-Acylierung)* von Phenolen u. a. reaktiven Aromaten mit Hilfe von Nitrilen u. HCl in Ggw. von $ZnCl_2$.

– *E* Houben-Hoesch synthesis – *F* synthèse de Houben et Hoesch – *I* sintesi di Houben-Hoesch – *S* síntesis de Houben-Hoesch

Lit.: Hassner-Stumer, S. 182 ▪ s. a. Friedel-Crafts-Reaktion.

Houben-Weyl. Geläufige u. auch in diesem Werk benutzte Kurzbez. für das von T. *Weyl 1909 gegr. u. von *Houben ab 1913 fortgeführte, erweiterte Hdb. „Methoden der organ. Chemie". Dessen 4. Aufl., früher herausgeber. betreut von O. Bayer, H. Kropf, H. Meerwein, K. Ziegler u. bes. E. Müller, heute von H. Büchel, J. Falbe, H. Hagemann, M. Hanack, D. Klamann, R. Kreher, H. Kropf, M. Regitz, E. Schaumann u. H. G. Padeken, erscheint seit 1952 im Verl. G. Thieme, Stuttgart. Die 1987 abgeschlossene 4. Aufl. umfaßt 16 Bd., von denen einige in bis zu 13 Tl. erscheinen (insgesamt 67 Einzelbd. mit ca. 56000 Seiten). Die behandelten Themen sind (in Klammern die Bd.-Nummern): Allg. Laboratoriumspraxis (1), analyt. Meth. (2), physikal. Meth. (3), allg. chem. Meth. (4), Kohlenwasserstoffe (4/3+4, 5/1+2), Halogen-Verb. (5/3 u. 5/4), Sauerstoff-Verb. (6–8), Schwefel-, Selen-, Tellur-Verb. (9), Stickstoff-Verb. (10 u. 11), Phosphor-Verb. (12), Metall-organ. Verb. (13), makromol. Stoffe (14), Peptide (15), Gesamtregister (16). Jeder Einzelbd. besitzt ein ausführliches Inhaltsverzeichnis, ein Autoren- u. ein Sachregister. Während die ersten vier Bd. allg. Arbeitsvorschriften umfassen, schildern die übrigen Bd. Meth. zur Herst. organ. Verb.; diese sind nach dem einzuführenden Substituenten bzw. den *funktionellen Gruppen geordnet. Innerhalb eines Bd. wird zunächst die direkte Einführung der betreffenden Gruppe bzw. der Aufbau des Syst. behandelt, dann die Reaktionen unter Erhaltung u. unter Umwandlung des Systems. Der H.-W. wurde von 1982 bis heute in Ergänzungs- u. Erweiterungsbd. mit dem Ziel fortgeführt, neue präparative Entwicklungen u. method. Fortschritte aufzuzeigen. Seit 1995 erscheinen alle Erweiterungsbd. in engl. Sprache. Die ab 1999 erscheinende 5. Auflage wird vollständig in engl. Sprache herausgegeben [bis 1997 erschienen E 1, 2 (Phorphor-Verb.), E 3 (Aldehyde), E 4 (Kohlensäure-Derivate), E 5 (Carbonsäuren u. deren Derivate; 2 Teilbd.), E 6 (Hetarene I; 3 Teilbd.), E 7 (Hetarene II; 2 Teilbd.), E 8 (Hetarene III; 4 Teilbd.), E 11 (Schwefel-Verb.; 2 Teilbd.), E 12 (Organotellurium Compounds; 2 Teilbd.), E 13 (Peroxo-Verb.; 2 Teilbd.), E 14 (Carbonyl-Derivate I+II; 5 Teilbd.), E 15 (En-X- u. In-X-Verb.; 3 Teilbd.), E 16 (Organo-Stickstoff-Verb.; 6 Teilbd.), E 17 (Three- and Four-membered Carbocyclic Ring Systems; 6 Teilbd.), E 18 (Organo-π-metall-Verb. als Hilfsmittel in der organ. Chemie; 2 Teilbd.), E 19 a (C-Radikale; 2 Teilbd.), E 19 b (Carbene u. Carbenoide; 2 Teilbd.), E 19 c (Carbokationen), E 19 d (Carbanionen), E 20 (makromol. Stoffe; 3 Teilbd.), E 21 (Stereoselective

Synthesis; 6 Teilbd.), (sowie eine Workbench Edition; 10 Teilbd.)]. Bis 1998 werden insgesamt 23 Bd. (55 Teilbd. mit ca. 68000 Seiten) erschienen sein. Dem H.-W. steht seit 1972 das Methodicum Chimicum, das mit 6 Bd. 1980 abgeschlossen wurde, mit verwandter Thematik zur Seite. – INTERNET-Adresse: http://www.thieme.com/chem.htm

Houdresid-Verfahren. Kontinuierliches katalyt. Krackverf. für vom Vorlauf befreite Rohöle u. Rückstände mit hoher Ausbeute an Hochoctan-Benzin u. leichten Stoffanteilen. Das H.-V. ist eine Abwandlung des *Houdriflow-Verf.* mit umlaufendem Katalysator. – *E* houdresid process – *F* procédé Houdresid de craquage catalytique – *I* processo Houdresid – *S* procedimiento Houdresid

Lit.: Ullmann (5.) **A 3**, 482; **A 18**, 53; **B 4**, 101.

Houdriflow-Verfahren s. Houdresid-Verfahren.

Hounsfield, Sir Godfrey N. (geb. 1919), Prof. für Elektroingenieur-Wissenschaften; schuf ab 1967 unabhängig von *Cormack die Grundlagen der Computertomographie, die er mit der Entwicklung des EMI-Scanners auch prakt. verwirklichte. 1979 erhielt er zusammen mit *Cormack den Nobelpreis für Medizin.

Lit.: Lexikon der Naturwissenschaftler, S. 223 ▪ The International Who's Who (16.), S. 710.

Housekeeping genes s. konstitutive Enzyme.

Houssay, Bernardo Alberto (1887–1971), Prof. für Medizin, Buenos Aires. *Arbeitsgebiete:* Hormone des Hypophysenvorderlappens, Schlangengifte, Zuckerkrankheit, Krebs, Wirkung von Chinin, Emetin, Nobelpreis für Physiologie od. Medizin 1947 (zusammen mit C. F. Cori u. G. T. *Cori) für seine Arbeiten auf dem Gebiet des Zuckermetabolismus.

Lit.: Lexikon der Naturwissenschaftler, S. 223 ▪ Nobel Prize Lectures Physiology or Medicine 1942–1962, Amsterdam: Elsevier 1964.

HOV. Abk. für *Halogen-organische Verbindungen.

Howlith. $Ca_2[SiB_5O_9(OH)_5]$, monoklines Mineral, Kristallklasse 2/m-C_{2h}, enthält in der Struktur[1] $[Si_2B_4O_{10}(OH)_6 \cdot B_3O_4(OH)_2]$-Polyanionen. Überwiegend als weiße, kreide- bis porzellanartige Knollen, die sich aus verfilzten feinschuppigen Kriställchen zusammensetzen. H. 3,5–4, D. 2,5–2,6.

Vork.: In dichtem *Gips bei Windsor/Nova Scotia; mehrorts in den Borat-Lagerstätten Californiens u. der Türkei. H. wird blau gefärbt zur Nachahmung von *Türkis verwendet. – *E* = *F* = *I* howlite – *S* howlita

Lit.: [1] Am. Mineral. **73**, 1138–1144 (1988). *allg.:* Anthony et al., Handbook of Mineralogy, Vol. II, Tl. 1, S. 349, Tucson (Arizona): Mineral Data Publishing 1995 ▪ Eppler, Praktische Gemmologie (5.), S. 351 f., Stuttgart: Rühle-Diebener 1994 ▪ Ramdohr-Strunz, S. 686 f. – [CAS 1318-68-9]

Hp. Kurzz. für *Haptoglobine.

HPC. Kurzz. für *Hydroxypropylcellulosen.

HpCDD, HpCDF s. Dioxine.

HPCE s. Kapillarelektrophorese.

HPF/HHPN-System s. Hochdruckzerstäubungssystem.

HPIC, HPICE s. Ionenchromatographie.

HPL s. Placentalactogen.

HPLC. Abk. für engl.: *High Performance (High Pressure) Liquid Chromatography* = Hochleistungs-(Hochdruck-)Flüssigkeitschromatographie. Die HPLC hat sich in den 60er Jahren aus der Säulenchromatographie entwickelt, als man erkannte, daß die Trennleistung einer Säule mit abnehmender Korngröße der stationären Phase zunimmt. Man arbeitet daher bei der HPLC mit erheblich feinerem Material ($3-10\,\mu m$) als bei der *Gelchromatographie ($35-75\,\mu m$) od. der *Säulenchromatographie ($120-200\,\mu m$). Die Feinteiligkeit der Trennmaterialien erfordert allerdings die Anw. hoher Drücke (bis zu 40 MPa), was mit techn. Aufwand verbunden ist. Trotz dieses Aufwands u. der damit verbundenen Kosten hat sich die auch *Schnelle Flüssigkeitschromatographie* genannte HPLC wegen ihrer Leistungsfähigkeit als Routinemeth. durchgesetzt.

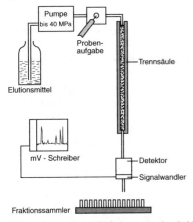

Abb.: Schema einer HPLC-Apparatur (nach *Lit.*[1]).

Eine HPLC-Apparatur (s. Abb.) besteht im einfachsten Fall aus einer Pumpe mit Elutionsmittelreservoir, dem Probenaufgabe-Syst., der Trennsäule u. dem Detektor mit Schreiber. Die Säulen sind zwischen 5 u. 100 cm lang mit einem Innendurchmesser von $1-25$ mm. Mit Kieselgel od. ähnlich porösem Material (von $10\,\mu m$ od. weniger) gefüllt, kann eine 25 cm lange Säule 5000 Böden (theoret. Trennstufen) aufweisen – selbst Bodenzahlen (s. Destillation) von 65000/m sind nicht ungewöhnlich. Neben mit funktionellen Gruppen chem. modifizierten Kieselgelen haben sich bes. unpolare stationäre Phasen (*Umkehrphasen, E* reverse phase, mit alkylsilyliertem Kieselgel) durchgesetzt (RP-HPLC). Die Elution kann im einfachsten Fall mit einem Lsm. od. einem konstanten Lsm.-Gemisch isokrat. erfolgen. Schwierige Trennprobleme verlangen dagegen Gradientenelution. Lsm.-Gradienten aus zwei od. drei Lsm. können niederdruckseitig mit einem Gradientenmischer u. einer Pumpe bewerkstelligt werden. Bei hochdruckseitiger Mischung benötigt man mind. zwei Pumpen. Die Steuerung derartiger Anlagen erfolgt mit Mikroprozessoren od. Computern, die dann auch die Auswertung übernehmen. Wichtige Parameter für die qual. Auswertung sind die sog. *Totzeit* (t_o), die *Nettoretetionszeit* (t_R) sowie die daraus resultierende Gesamtretentionszeit (t_g), die über die Vol.-Ge-

schw. mit den entsprechenden *Retentionsvol.* verknüpft ist. Die quant. Auswertung erfolgt über die *Peak-Flächen. Als Detektor wird wegen seiner leichten Handhabbarkeit überwiegend der UV-Detektor eingesetzt. Je nach Problemstellung werden auch andere Detektoren wie Refraktionsindex-, Fluoreszenz-, Leitfähigkeitsdetektoren u. a. verwendet. Oft ist die Detektion erst nach einer Derivatisierung mit z. B. *Dansylchlorid, Chromo- od. Fluorotags möglich. Die Anw. der HPLC sind so vielfältig, daß eine Aufzählung unmöglich erscheint. Sie ist sowohl in der analyt. sowie klin. Chemie als auch in der Biochemie unverzichtbar. – *E* high performance (pressure) liquid chromatography – *S* HPLC (cromatografía líquida de alta resolución) *Lit.:* [1] Pharm. Biol. **4**, 32 (1981). *allg.:* Gottwald, RP-HPLC für Anwender, Weinheim: VCH Verlagsges. 1993 ▪ Katz, High-performance Liquid Chromatography, Chichester: Wiley 1996 ▪ Lindsay, Einführung in die HPLC, Wiesbaden: Vieweg 1996.

HPPLC. Abk. für Hochdruck-Planar-Flüssig-Chromatographie, s. Dünnschichtchromatographie.

HPS. Kurzz. für *Hydroxypropylstärken.

HPT. Abk. für *Hexamethylphosphorsäuretriamid.

HPTLC. Abk. für *High Performance Thin Layer Chromatography*, die engl. Bez. für die Hochleistungs-*Dünnschichtchromatographie.

HR. Abk. für *Rockwell-Härte.

hR$_f$-Wert s. Dünnschichtchromatographie.

HRG-α s. Heregulin α.

HS. Abk. für *Harmonisiertes System.

HSAB-Prinzip (HSAB, von *E* Hard and Soft Acids and Bases). Ein 1963 von *Pearson[1] eingeführtes empir. Prinzip, wonach „harte" Säuren bevorzugt mit „harten" Basen u. „weiche" Säuren bevorzugt mit „weichen" Basen reagieren. Die „Härte" (entspricht einer hohen lokalisierten *Ladungskonz.*) od. „Weichheit" (entspricht einer leichten Verschiebbarkeit einer Elektronenwolke; s. a. Polarisierbarkeit) einer Säure bzw. Base kann nicht *quant.* erfaßt, sondern nur in der *qual.* Reihung verschiedener Säuren u. Basen untereinander angegeben werden. Harte Säuren sind demnach v. a. kleine u. hochgeladene Kationen, weiche dagegen Verb. od. Ionen mit hoher Elektronenaffinität, großem Ionenradius u. hoher Polarisierbarkeit. Harte Basen besitzen eine hohe Elektronenaffinität, einen kleinen Ionenradius u. eine große Ladung. Weiche Basen sind v. a. durch große Ionenradien u. hohe Polarisierbarkeit gekennzeichnet.

Harte									
Säuren					Basen				
H^+	Li^+	Na^+	K^+	Mg^{2+}	H_2O	HO^-	ROH	RO^-	F^-
Al^{3+}	Fe^{3+}	$R-\overset{+}{C}=O$	$-\overset{+}{C}=NR$		Cl^-	$SO_4{}^{2-}$	$NO_3{}^-$	$PO_4{}^{3-}$	
CO_2	SO_3	BR_3	AlR_3		$CO_3{}^{2-}$	$ClO_4{}^-$	NH_3	RNH_2	

Weiche								
Säuren				Basen				
Hg^{2+}	Ag^+	Cd^{2+}	Cu^+	R_2S	RS^-	I^-		SCN^-
H_3C^+	$\overset{\backslash}{Cl}$	I_2	Br_2	$S_2O_3{}^{2-}$	Br^-	R_3P		CN^-
	$/$			CO	$RN\overset{+}{\equiv}Cl$	C_2H_4		C_6H_4

Abb.: Beisp. harter u. weicher Säuren u. Basen.

Die Reaktionen harter Säuren mit harten Basen sind *ladungskontrolliert*, während die weich-weiche Wechselwirkung *orbitalkontrolliert* abläuft. Das HSAB-P. ermöglicht die Vorhersage einer Vielzahl von Reaktionen insbes. bei ambidenten *Nucleophilen (s. Kornblum-Regel). Zur Begründung des HSAB-P. mittels *Dichtefunktionaltheorie s. *Lit.*[2]. – *E* hard and soft acids and bases – *I* principio degli acidi e delle basi forti e deboli – *S* principio de las bases y ácidos fuertes y débiles

Lit.: [1]J. Am. Chem. Soc. **85**, 3533 (1963); **89**, 1827 (1967); Surv. Prog. Chem. **5**, 1 (1969); J. Chem. Educ. **45**, 581–587, 643–648 (1968); Pearson, Hard and Soft Acids and Basis, Stroudsburg: Dowden, Hutchinson & Rors 1973. [2]Parr u. Yang, Density Funtional Theory of Atoms and Molecules, New York: Oxford University Press 1989.

H-Säure. Zur Gruppe der *Buchstabensäuren gehörende *Naphthylaminsulfonsäure.

Hse. Kurzz. für L-*Homoserin.

HSF. Abk. für Hepatocyten-stimulierender Faktor, s. Interleukine.

α2HS-Glykoprotein s. Fetuin.

HS-Lacke. Dem Engl. entnommene Kurzbez. für Lsm.-arme (*high solid*) Lacksyst. mit nicht mehr als 20–30% Lösemittel. Sie wurden entwickelt als Alternative zu den klass. Lsm.-Lacken, z.B. Schellack in Alkohol od. Cellulosenitrat in Alkohol/Ether, deren Bedeutung insbes. wegen der hohen Kosten für Arbeits- u. Umweltschutzmaßnahmen (Toxizität, Feuergefahr, Lsm.-Rückgewinnung usw.) ständig zurückgeht. Da neu entwickelte Anstrichmittel-Syst. auf z.B. Pulver- od. Wasserbasis, die ohne organ. Lsm. auskommen, neue Verarbeitungsanlagen u. damit hohe Investitionskosten erfordern, hat man als Kompromiß die HS-L. entwickelt, die auch noch mit den herkömmlichen Anlagen verarbeitbar sind. Bei diesen dominieren Syst. auf Epoxid- u. Urethan-Basis. Wichtig sind ferner *Polybutadien-Öle, Oligoacrylate u. ölfreie *Polyester mit Melamin-Formaldehyd-Harzen. – *E* high solid lacquers – *I* lacche ad alto tenore di solido – *S* lacas de alta solidez

Lit.: Elias (5.) **2**, 695.

HSLA-Stähle. Abk. für *High-Strength Low-Alloy* Stähle (auch: mikrolegierte Stähle). Mitte der 60er Jahre entwickelte Gruppe von *Stählen, bei denen *Streckgrenze u. Zugfestigkeit im Vgl. zu denen konventioneller unlegierter Stähle ohne Beeinträchtigung der Zähigkeit (*Kerbschlagzähigkeit) deutlich angehoben sind. HSLA-S. sind gut kaltverformbar u. schweißbar. Sie werden teils nach *Normalglühung, teils nach *Vergüten verwendet. Letzteres erfordert wegen der niedrigeren Glühtemp. einen gegenüber den konventionellen Vergütungsstählen geringeren Energieaufwand. Die genannten Eigenschaftsverbesserungen resultieren aus einer Zulegierung geringer Anteile an Nb, V, Ti, N_2 u./od. Al, die in Verbindung mit der Wärmeführung beim Warmumformen zu Blech od. Band ein feinkörniges Gefüge erzeugen (Feinkornhärtung) u. durch feindisperse Ausscheidungen von Carbiden, Nitriden u./od. Carbo-Nitriden zusätzlich eine Ausscheidungshärtung bewirken. Drei Untergruppen

werden unterschieden: *Normalgeglühte HSLA-S.* weisen ca. 0,1% C auf u. sind ohne anschließende Wärmenachbehandlung schweißbar. *DP* (*Dual Phasen*)-*HSLA-S.* haben bei ähnlicher Zusammensetzung ein Zweiphasengefüge, da sie aus dem Zweiphasenbereich Ferrit-Austenit abgeschreckt werden (*Eisen-Kohlenstoff-System). Bei *perlit. HSLA-S.* mit ca. 0,5% C wird die Zähigkeit durch die zulegierten Elemente angehoben. HSLA-S. lösen zunehmend konventionelle Konstruktionsstähle in Bereichen ab, in denen Leichtbauweise erforderlich ist, z.B. bei Brücken, Großrohren, Fahrzeugen, Druckbehältern, Gebäuden u. Schiffen. – *E* HSLA steels – *F* aciers à grain fin et à haute résistance – *I* acciai HSLA – *S* aceros HSLA

Lit.: Leslie, The Physical Metallurgy of Steels, S. 189ff., Washington: Hemisphere Publ. 1981 ▪ Straßburger, Entwicklungen zur Festigkeitssteigerung der Stähle, S. 50ff., Düsseldorf: Stahleisen 1976 ▪ Thelning, Steel and its Heat Treatment, 2. Aufl., S. 430ff., London: Butterworths 1984.

Hsp. Abk. für *Hitzeschock-Proteine.

HT. Abk. für 1. Hochtemp. (vgl. die folgenden Stichwörter); – 2. für Heat Transfer (*Wärmeübertragung).

H-T_c-Supraleiter, H-T_c-(Supraleiter-)Schichten s. Hochtemperatur-Supraleiter.

HTP-Verfahren. Abk. für das bei Hoechst ausgearbeitete u. seit 1960 angewendete zweistufige *Hochtemp.-Pyrolyse-Verf.*, bei dem man Leichtbenzin bzw. Rohöl durch rasches Erhitzen in einem Wärmeträgergas von ca. 2500°C Anfangstemp. krackt. Nach ca. 2 ms Verweilzeit u. bei einer Spaltendtemp. von 1300°C wird durch Eindüsen von Spaltöl die Temp. des Gases auf 300°C abgesenkt. Als Hauptprodukte bilden sich *Acetylen u. *Ethylen (Ausbeute 54% aus Leichtbenzin bzw. 40% aus Rohöl). – *E* HTP process – *F* procédé H. T. P. – *I* processo HTP – *S* procedimiento H. T. P.

Lit.: Ullmann (5.) **A 1**, 126 ▪ Winnacker-Küchler (4.) **5**, 200.

HTR. Abk. für Hochtemp.-Reaktor, s. Kernreaktoren.

5-HT-Rezeptoren s. Serotonin.

HT-Verfahren. Allg. Bez. für Hochtemp.-Verf., z.B. Hochtemp.-Färbeverf. für PES-Fasern u. Wolle (105–135°C), das carrierfreies Färben u. eine Verkürzung der Färbezeit ermöglicht.

Huang-Minlon-Reduktion. s. Wolff-Kishner-Reduktion.

Hubel, David Hunter (geb. 1926), Prof. für Neurobiologie, Harvard Medical School, Boston. *Arbeitsgebiete:* Neurophysiologie, Sehprozeß, Verarbeitung visueller Reize im Gehirn. Nobelpreis 1981 für Physiologie od. Medizin zusammen mit *Sperry u. T. *Wiesel.

Lit.: Lexikon der Naturwissenschaftler, S. 224 ▪ Naturwissenschaften **69**, 101–106 (1982) ▪ Naturwiss. Rundsch. **34**, 531 f. (1981) ▪ Who's Who in America (50.), S. 2026.

Huber, Kurt (geb. 1907), Prof. für Physikal. Chemie, Univ. Bern. *Arbeitsgebiete:* Anorgan. Festkörper u. ihre strukturelle, morpholog. u. physikal.-chem. Kennzeichnung, Oxidschichtbildung auf Festmetallen, Elektrochemie.

Lit.: Chimia **21**, 433 (1967) ▪ Kürschner (16.), S. 1542.

Huber, Robert (geb. 1937), Prof. für Chemie, Max-Planck-Inst. für Biochemie, Martinsried. *Arbeitsgebiete:* Struktur u. Funktion von biolog. Makromol., Experimente u. theoret. Meth. zur Röntgenkristallographie von Proteinen. 1988 Nobelpreis für Chemie für die Bestimmung der dreidimensionalen Struktur eines photosynthet. Reaktionszentrums zusammen mit *Michel u. *Deisenhofer.
Lit.: Kürschner (16.), S. 1543 ▪ Lexikon der Naturwissenschaftler, S. 224 ▪ Nachr. Chem. Tech. Lab. **41,** Nr. 1, 67 (1993); **42,** Nr. 2, 220 (1994) ▪ Wer ist wer (35.), S. 640.

Hübnerit s. Wolframit.

Hückel, Erich (1896–1980), Bruder von W. *Hückel, Prof. für Theoret. Physik, Univ. Marburg. *Arbeitsgebiete:* Theorie der Elektrolyte, Quantentheorie ungesätt. Verb., Theorie der Aromatizität u. Aufstellung der *Hückel-Regel, Begründung der nach ihm benannten *HMO-Theorie, *Debye-Hückel-Onsager-Theorie.
Lit.: Ann. Phys. (Leipzig) [7] **18,** 3 ff. (1966) ▪ Chem. Unserer Zeit **4,** 180–187 (1970) ▪ Hückel, Ein Gelehrtenleben, Weinheim: Verl. Chemie 1975 ▪ Krafft, S. 99 ▪ Lexikon der Naturwissenschaftler, S. 224 ▪ Nachr. Chem. Tech. Lab. **13,** 382 ff. (1965) ▪ Neufeldt, S. 145, 174 ▪ Pötsch, S. 214 ▪ Strube et al., S. 71.

Hückel, Walter (1895–1973), Bruder von E. *Hückel, Prof. für Organ. bzw. Pharmazeut. Chemie, Freiburg, Greifswald, Breslau bzw. Tübingen. *Arbeitsgebiete:* Stereochemie, Terpene, Reaktionsmechanismen, Red. in flüssigem NH_3, Konformationsanalyse, Solvolyse, Waldensche Umkehrung.
Lit.: Neufeldt, S. 139 ▪ Pötsch, S. 214.

Hückel-Benzol s. Benzol-Ring.

Hückel-Molekülorbital-Theorie s. HMO-Theorie.

Hückel-Regel. Von E. *Hückel 1931 aufgestellte Regel, wonach sich konjugierte monocycl. Kohlenwasserstoffe (*Annulene) mit $(4n+2)$ π-Elektronen $(n = 0, 1, 2,$ usw.) durch bes. Stabilität auszeichnen u. im allg. *aromat.* sind (s. a. Aromatizität), solche mit $4n$ π-Elektronen sind meistens *antiaromat.* (s. a. Antiaromatizität). Nach der Hückelschen Mol.-Orbital-Theorie (*HMO-Theorie) ist bei Annulenen das energet. tiefste π-Mol.-Orbital (π-MO) nichtentartet u. kann daher max. 2 Elektronen aufnehmen. Die folgenden π-MOs sind durchweg zweifach entartet u. können bis zu 4 Elektronen aufnehmen; das energet. höchste π-MO ist bei Annulenen mit einer geraden Anzahl von C-Atomen nichtentartet. Die bes. Stabilität der Annulene mit $(4n+2)$ π-Elektronen (sog. „*Hückel-Aromaten*") wird dadurch erklärt, daß in diesem Fall alle bindenden π-MOs maximal besetzt sind u. damit eine geschlossenschalige Situation ähnlich wie bei den Edelgas-Atomen (s. Atombau) erreicht wird. Zu den „Hückel-Aromaten" mit $n=1$ zählen *Benzol, das Cyclopentadienyl-Anion $C_5H_5^-$ (s. Cyclopentadien u. Cyclopentadienyl) od. das *Tropylium-Kation $C_7H_7^+$. Ein großer Erfolg der H.-R. bestand in der Vorhersage bes. Stabilität für das Cyclopropenyl-Kation $C_3H_3^+$, das erstmals 1965 von R. Breslow in Form von Salzen synthetisiert wurde u. wahrscheinlich in der Chemie der interstellaren Wolken (s. interstellare Materie) eine wichtige Rolle spielt. – *E* Huckel rule – *F* règle de Hückel – *I* regola di Hückel – *S* regla de Hückel
Lit.: s. HMO-Theorie.

Hühneraugenmittel. Als *Hühneraugen* (latein.: clavus pedis) bezeichnet man Wucherungen der Hornzellen der *Haut, die an den Füßen meist durch Schuhdruck entstehen u. störende Verhärtungen bzw. Verdickungen der Haut darstellen. Sie lassen sich z. B. mit Hilfe von *Keratolytika entfernen. – *E* corn remedies – *F* coricides – *I* farmaco per callo – *S* coricidas, callicidas

Hüllmaterial s. Lebensmittelumhüllungen.

HÜLS. Kurzbez. für die 1938 gegr. HÜLS AG, 45764 Marl. Nach dem 1978 erfolgten Ausscheiden des Mitaktionärs Bayer AG u. dem Erwerb der Kapitalmehrheit durch die VEBA AG (99,7%) wurden die Chemieaktivitäten der VEBA auf die HÜLS AG übertragen. HÜLS erarbeitet auf der Basis von Roh- u. Hilfsstoffen Paketlösungen für die Bau-Ind., Farben- u. Lack-Herst., Automobil- u. Elektro-Ind., Textil- u. Leder-Herst., Klebstoff-Ind., Kosmetik u. Pharmazie sowie für Wasch- u. Reinigungsmittel-Produktion. *Beteiligungsges.* (Inland): Hüls Silicone GmbH (100%), VESTOLIT GmbH (100%), Stockhausen GmbH & Co. KG (99,8%), Phenolchemie GmbH (99,5%), Röhm GmbH (99,3%), Katalysatorenwerke Hüls GmbH (51%), Cabot GmbH (50%), GAF-Hüls Chemie GmbH (50%). Ausland: Hüls Southern Africa (Pty.) Ltd. (100%), Hüls Nordic AB (100%), Hüls America Inc. (100%, indirekt), SERVO DELDEN B: V: (100%), Daicel-Hüls Ltd. (50%), MEMC Electronic Materials, Inc. (51,9%, indirekt). *Daten:* 30 028 Beschäftigte, 888 Mio. DM Kapital, 11 Mrd. DM Umsatz. *Produktion:* Basischemikalien: Olefinchemie, Carbonsäuren, Phenolchemie; Polymere: Polystyrol, Vestolit; Spezialchemikalien: Lackrohstoffe, Zwischenprodukte, Colorants, Dispersionen, Klebrohstoffe, Silicone/Silane, techn. Kunststoffe; Performance Chemikalien: Tenside, Fettchemie, Hautschutz, Superabsorber, Textilhilfsmittel, Industriehilfsmittel, Schmieradditive, Enzyme; Methacrylat-Chemie: Methacrylate u. Halbzeuge, Electronic Materials: Einkristall-Reinstsilicium-Wafer.

Hülsenfrüchte. Sammelbez. für reife, als Nahrungs- u. Futtermittel verwendete Samen der Hülsenfrüchtler (Leguminosen, Familie Fabaceae). Zu den H. zählen neben Erbsen, Gartenbohnen, Linsen, Lupinen, Sojabohnen u. Erdnüssen auch weniger bekannte Arten wie die Kichererbse, die Pferdebohne u. die Erderbse[1]. H. werden häufig zur Gründüngung angebaut, da sie über *Knöllchenbakterien, die in *Symbiose mit den Wurzeln dieser Pflanzen leben, den Luft-Stickstoff binden können (*Stickstoff-Fixierung). H. zeichnen sich durch einen relativ hohen Protein-Gehalt (>20%) aus u. sind deshalb für die Eiweiß-Versorgung, insbes. der Entwicklungsländer, von großer Bedeutung. Aufgrund des geringen Gehalts an Schwefel-haltigen Aminosäuren besitzen die Proteine der H. jedoch nur eine mittlere biolog. Wertigkeit. Die Sojabohne hat mit 39% einen bes. hohen Protein-Anteil. Sie wird in Asien allein od. zusammen mit Getreide zu einer Vielzahl fermentierter Lebensmittel verarbeitet. Soja-Eiweiß wird u. a. bei der Herst. von Fleischwaren, Fleischsurrogaten, Kindernahrungsmitteln u. Backwaren eingesetzt. Mengenmäßig überwiegt bei den meisten H. der Kohlenhydrat-Anteil. Er liegt im Durchschnitt bei ca. 50%, wobei Sojabohnen u. Erdnüsse eine Ausnahme bilden. Neben der Stärke, die 75–80% der Kohlenhydrat-Fraktion darstellt, enthalten H. auch Oligo- u. Disaccharide sowie Pentosane. Die Oligosaccharide u. Pentosane können nach dem Genuß von H. *Flatulenz verursachen, da sie von anaeroben Darmbakterien zu Monosacchariden hydrolysiert u. unter Bildung von CO_2, CH_4 u. H_2 weiter abgebaut werden. Mit Ausnahme der Erdnüsse zählen H. eher zu den fettarmen Nahrungsmitteln.

Einige Fabaceae-Arten enthalten tox. wirkende Substanzen, die jedoch durch eine ausreichende Erhitzung zerstört werden können. So enthalten Bohnen, Erbsen u. Linsen eine Reihe von Protease-Inhibitoren[2]. Vorherrschend in der Sojabohne sind der Kunitz-Inhibitor (s. Serin-Proteasen) u. der Bowmann-Birk-Inhibitor. Zu den tox. Inhaltsstoffen von H. zählen auch die *Lektine. Durch längeres Erhitzen werden die Lektine inaktiviert. Die in den USA als Nahrungsmittel verbreitete Mondbohne enthält größere Mengen *cyanogener Glykoside, aus denen unter ungünstigen Bedingungen Blausäure freigesetzt werden kann. Die Saubohne (*Vicia faba*) kann ein als Favismus (s. D-Glucose-6-phosphat) bezeichnetes Krankheitsbild verursachen, während es nach dem Verzehr von Wicken (*Lathyrus sativus*) zu einer als *Lathyrismus bezeichneten neurolog. Störung kommen kann. Näheres s. *Lit.*[3]. – *E* legumes, pulses, grain legumes – *F* légumineuses – *I* leguminose, legumi – *S* leguminosas, legumbres, menestras

Lit.: [1] Ind. Obst Gemüseverwert. **73**, 463 ff. (1988). [2] Lindner, Toxikologie der Nahrungsmittel (4.), S. 5–10, Stuttgart: Thieme 1990. [3] Qual. Plant. Plant Foods Hum. Nutr. **37**, 201–228 (1987).
allg.: ACS Symp. Ser. **312**, 32–44, 220–233 (1986) ▪ Arora, Chemistry and Biochemistry of Legumes, London: Arnold 1983 ▪ Belitz-Grosch (4.), S. 669–691 ▪ Broughton, Nitrogen Fixation, Bd. 3: Legumes, Oxford: Univ. Press 1982 ▪ CRC Crit. Rev. Food Sci. Nutr. **26**, 137–155 (1987) ▪ Ernährung **10**, 291–296 (1986) ▪ Hum. Nutr. Food Sci. Nutr. **41**, 203–212 (1987) ▪ J. Sci. Food Agric. **46**, 243–248 (1988) ▪ Qual. Plant. Plant Foods Hum. Nutr. **38**, 61–65 (1988) ▪ Reddy et al. (Hrsg.), Legume-based Fermented Foods, Boca Raton: CRC Press 1986 ▪ s. a. einzelne Hülsenfrüchte. – *[HS 07 13]*

Hünig, Siegfried (geb. 1921), Prof. für Organ. Chemie, Univ. Würzburg. *Arbeitsgebiete:* Herst. von Azo-Verb. durch oxidative Kupplung, Cyanin- u. a. Farbstoffe, Acylierung von Enaminen, Redoxsyst. mit stabilem Radikal-Ion, Umpolung mit Trialkylsilylcyaniden, Nachbargruppeneffekte von Azo-Gruppen, organ. Metalle, Alkoxydiazenium-Salze u. Umlagerungsreaktionen.
Lit.: Kürschner (16.), S. 1554 ▪ Nachr. Chem. Tech. Lab. **15**, 244 f. (1967); **39**, Nr. 3, 341 (1991); **44**, Nr. 3, 318 (1996) ▪ Wer ist wer (35.), S. 645.

Hünig-Base. Trivialname für Ethyldiisopropylamin, H_5C_2-N[CH(CH$_3$)$_2$]$_2$, (C$_8$H$_{19}$N, M_R 129,24, Sdp. 127 °C), das als ster. gehinderte, daher wenig nucleophile Base in Eliminierungsreaktionen, Alkylierungen, zur selektiven Erzeugung von Enolaten usw. eingesetzt wird. Andere Stickstoff-Basen, die durch ster. Abschirmung ähnliche Eigenschaften besitzen u. damit oft als sog. *Hilfsbasen* Verw. finden, sind *1,5-Diazabicyclo[4.3.0]non-5-en (DBN), 1,8-Diazabicyclo[5.4.0]undec-7-en (DBU), *Protonenschwamm u. 2,6-Di-*tert*-butylpyridin. – *E* Hünig base – *F* = *S* base de Hünig – *I* base di Hünig
Lit.: Paquette **3**, 1933. – *[HS 2921 19; CAS 7087-68-5]*

Hütte. 1. Ind.-Anlage zur Gewinnung u. teilw. Weiterverarbeitung metall. od. nichtmetall. Werkstoffe durch überwiegende Anw. therm. Verfahren[1]. Benennung nach den hergestellten Produkten als Eisen-, Blei-, Kupfer-, Glas- od. Ziegelhütte.
2. Techn. Standardwerk[2]. – *E* foundry – *F* fonderie – *I* stabilimento metallurgico – *S* factorí siderúrgica
Lit.: [1] Brockhaus Enzyklopädie, 19. Aufl., Bd. 10, S. 321, Mannheim: F. A. Brockhaus 1989. [2] Akademischer Verein Hütte, Berlin (seit 1857).
allg.: (zu 1.): s. Bergbau, Metallurgie.

Hüttenbims. Durch Wasser od. Dampf aufgeschäumte, offenporige *Hochofenschlacke. Verw. in loser Schüttung (als Dämmstoff, Füllstoff) als Ersatz für grobe Zuschläge in Schwerbeton. Mit zunehmendem Anteil an H. entsteht Leichtbeton geringerer D. u. Druckfestigkeit. – *E* foamed slag – *F* ponce de laitier – *I* pomice metallurgica – *S* piedra pómez siderúrgica de escoria
Lit.: Ullmann (4.) **10**, 384.

Hüttenkalk. Als Spezialdünger (Kalkdünger) verwendete, mit festgelegter Feinheit gemahlene *Hochofenschlacke mit mind. 41% CaO, ca. 33% SiO_2, ca. 12% Al_2O_3, mind. 3% MgO u. Spurenelementen. H. zählt zu den Abfallkalken (alle Kalke außer natürlichem Kalkgestein) u. wird in erster Linie zur Einstellung eines optimalen pH-Wertes von Böden verwendet. Wegen seiner verzögerten Wirkung eignet sich H. bes. für leichte Böden u. Moorboden. Überkalkungsschäden sind weitgehend ausgeschlossen. – *E* blast furnace lime – *F* silichaux – *I* calce siderurgica – *S* cal siderúrgica
Lit.: Ullmann (4.) **10**, 222 ff.

Hüttenkoks s. Hochofenkoks.

Hüttenkunde. Teilgebiet der *Metallurgie, das sich mit dem techn. u. wissenschaftlichen Umfeld der Gewinnung techn. nutzbarer Werkstoffe aus Rohstoffen (z. B. Erzen), Konzentrat (z. B. Schwamm) u. Recyclat (z. B. Schrott) befaßt. Je nach erzeugtem Werkstoff wird unterschieden zwischen Eisenhüttenkunde (Stahl u. Eisen), Metallhüttenkunde (Nichteisenmetalle) u. Gesteinshüttenkunde (Keramik, Glas). – *E* metallurgy – *F* métallurgie – *I* metallurgica – *S* metalurgia

Hüttenrauch. Verbrennungsgas aus metallurg. Öfen. Im Falle des *Hochofens als Gichtgas bezeichnet. Enthält neben Kohlenoxiden, Stickstoff u. Wasserstoff im wesentlichen zu Nebel bzw. Rauch kondensierende Schwefel-, Arsen- u. Metalloxide vermischt mit mechan. mitgerissenen, staubförmigen Beschickungspartikeln (s. Hochofen u. Giftmehl). H. ist stark umweltgefährdend u. wird daher Entstaubungs- u. Gasreinigungsanlagen sowie Entschwefelungsanlagen zur Rückgewinnung techn. nutzbaren Schwefels zugeführt. Der gereinigte H. wird dann trotz vergleichsweise niedrigen Energieinhalts in Wärmeaustauschaggregaten verbrannt. – *E* flue duest – *F* oxyde blanc d'arsénic – *I* fumo metallurgico – *S* harina venenosa

Lit.: Lueger, Lexikon der Hüttentechnik, Bd. 5, S. 289, Stuttgart: DVA 1963 ▪ s. a. Hochofen.

Hüttensand. Aus schmelzflüssiger *Hochofenschlacke durch rasches Abkühlen mit Wasser bei gleichzeitiger Granulation erzeugtes silicat. Produkt unterschiedlicher Körnigkeit. Die Struktur u. damit auch die Wasseraufnahmefähigkeit, Mahlbarkeit u. Festigkeit hängen maßgeblich vom Granulierverf. ab. Verw. in der Bauind. für Mauersteine (Hüttensteine) u. *Hochofenzement bzw. *Hüttenzement.
Lit.: s. Hochofenschlacke.

Hüttenwerk. Aus der ursprünglichen Nähe zum Bergwerk histor. begründete Bez. für die techn. Anlage zur Gewinnung u. teilw. Weiterverarbeitung techn. genutzter metall. u. nichtmetall. Werkstoffe, s. Hütte (1.). – *E* smelting plant – *S* planta o factoría siderúrgica

Hüttenwesen. Um die Betrachtung wirtschaftlicher Zusammenhänge erweiterte *Hüttenkunde.

Hüttenzement. Vermahlenes Gemisch aus *Hüttensand u. *Portlandzement sowie weiteren Anteilen an Gips u./od. Anhydrit. H. mit einem Anteil von 36–80% Hüttensand wird als *Hochofenzement bezeichnet. – *E* blast furnace slag cement – *F* ciment de laitier de haut fourneau – *I* cemento di scorie di altoforno – *S* cemento de escoria de alto horno
Lit.: Brockhaus Enzyklopädie, 19. Aufl., Bd. 10, S. 322, Mannheim: F. A. Brockhaus 1989. – *[HS 2523 90]*

Hüttig, Gustav Franz (1890–1957), Prof. für Anorgan. Chemie, Jena, Prag u. Graz. *Arbeitsgebiete:* Permutite, Kupferwasserstoff, Hydroxide von Fe, Zn, Co, Ni usw., Vanadinsäure, Reaktionen in festen Körpern, Pulvermetallurgie, Katalyse.
Lit.: J. Chem. Educ. **29**, 622 f. (1952) ▪ Monatsh. Chem. **1958**, 3 f.

Huey-Test. In den USA genormtes Verf. zur *Korrosions-Prüfung nichtrostender Stähle mittels siedender 65%iger Salpetersäure.

Huflattich. In Europa, Nordamerika, Nord- u. Westasien verbreitete, *nicht* zu den *Lattich-Gewächsen gehörende 15–30 cm hohe, goldgelb blühende Pflanze (*Tussilago farfara* L., *Asteraceen), deren oft tellergroße, gelappte, auf der Unterseite filzartig behaarte grundständige Laubblätter erst nach der Blüte erscheinen. Die sowohl innerlich gegen Husten u. Mundschleimhautentzündungen als auch äußerlich gegen Hautentzündungen verwendeten H.-Blätter enthalten wenig ether. Öl, bis 20% Gerbstoffe, ca. 10% Schleim, Bitterstoffe, Glykoside, Fruchtsäuren, Phytosterine, Kämpferol u. Quercetin. Der Schleim liefert nach Hydrolyse ca. 30% Fructose, 24% Galactose, 21% Arabinose, 15% Glucose u. 10% Xylose; der Rohschleim enthält ca. 6% Uronsäure. Da in den häufig in *Hustenmitteln enthaltenen H.-Blättern jedoch auch wechselnde Mengen an hepatotox. u. carcinogenen *Pyrrolizidin-Alkaloiden vorkommen können, dürfen für arzneiliche Verw. sehr niedrige Grenzwerte an diesen Alkaloiden nicht überschritten werden; die Dauer der Anw. ist auf 6 Wochen/Jahr begrenzt[1]. – *E* coltsfoot – *F* tussilage, pas-d'âne – *I* farfara – *S* tusílago, fárfara, uña de caballo
Lit.: [1] Pharmazie **50**, 83–98 (1995).

allg.: Bundesanzeiger 138/27.07.90 ▪ DAB **1996** u. Komm. ▪ Hager (5.) **6**, 1016–1023 ▪ Wichtl (3.), S. 214 ff. – *[HS 1211 90]*

Huggins, Charles Brenton (geb. 1901), Prof. für Chirurgie, Univ. Chicago, Ben May Laboratory for Cancer Research. *Arbeitsgebiete:* Krebsforschung, Anw. von Hormonen zur Behandlung von Prostatakrebs u. a. Krebskrankheiten; zusammen mit *Rous 1966 Nobelpreis für Medizin od. Physiologie.
Lit.: Lexikon der Naturwissenschaftler, S. 224 ▪ Naturwiss. Rundsch. **19**, 524 (1966) ▪ Umschau **67**, 3 (1967) ▪ Who's Who in America (50.), S. 2033.

Huggins-Gleichung. Die reduzierte spezif. *Viskosität

$$\eta_{red} = \eta_{sp}/c = [(\eta-\eta_0)/\eta_0]/c = [(t-t_0)/t_0]/c$$

mit η = Viskosität der Lsg., η_0 = Viskosität des Lsm., t = Durchlaufzeit der Lsg. durch z. B. eine Kapillare, t_0 = Durchlaufzeit des Lsm. durch z. B. eine Kapillare, c = Konz. der Lsg., ist eine charakterist. Größe eines gelösten Stoffes, die präzise die gelösten Einzelteilchen beschreibt, wenn sich diese in der Lsg. unabhängig voneinander bewegen können. Das ist nur in stark verd. Lsg. der Fall, die für niedermol. Stoffe leicht zu realisieren sind. Die solvatisierten Knäuel von *Makromolekülen nehmen hingegen oft auch noch bei Konz. von weniger als einem Prozent nahezu das gesamte Lsg.-Vol. ein u. wechselwirken demzufolge auch noch bei sehr hohen Verdünnungen. Die anhand solcher Lsg. erhaltenen Werte für η_{red} sind daher nicht charakterist. für die einzelnen Makromol., sondern enthalten auch Wechselwirkungs-Beiträge. Um mit der in der Polymerforschung extrem bedeutenden Meth. der *Viskosimetrie dennoch Aussagen zu z. B. Größe u. Gestalt der gelösten Makromol. zu erhalten, ist eine Extrapolation von η_{red} auf Konz. $c = 0$ (u., wenn die Lsg. nicht-*Newtonsch* ist, d. h. wenn η_{red} vom Schergradienten G abhängt, auch auf $G = 0$) erforderlich. Der so erhaltene Grenzwert $[\eta]$ heißt *Staudinger-Index, intrins. Viskosität* od. *Grenzviskositätszahl.*

$$[\eta] = \lim_{\substack{c \to 0 \\ G \to 0}} \eta_{red}$$

Für diese Extrapolation von η_{red} auf $c = 0$ haben sich verschiedene Formeln bewährt, von denen die H.-G. eine der wichtigsten ist. Danach kann die Konzentrationsabhängigkeit der reduzierten Viskositäten in einer Reihe entwickelt werden:

$$\eta_{red} = \eta_{sp}/c = [\eta] + k_H[\eta]^2 c + \dots$$

mit k_H = Huggins-Konstante (beschreibt Wechselwirkung der gelösten Teilchen mit dem Lsm.). Der durch eine lineare Auftragung von η_{red} gegen c aus dem y-Achsenabschnitt bestimmte Wert der Grenzviskositätszahl $[\eta]$ erlaubt z. B. bei Kenntnis der Parameter K u. α mit Hilfe der Mark-Houwink-Gleichung die Bestimmung der Molmasse M_R des untersuchten Polymers:

$$[\eta] = K M_R^{\alpha}$$

K ist eine systemspezif. Konstante, die von der Konstitution u. Konfiguration des Polymeren, dem Lsm. u. der Temp. abhängt. Der Exponent α nimmt bei den meisten Polymeren Werte zwischen 0,5 u. 0,8 an (0 für harte Kugeln, 2 für Stäbchen mit unendlich hohem

Achsenverhältnis). – *E* Huggins equation – *F* équation de Huggins – *I* equazione di Huggins – *S* ecuación de Huggins
Lit.: Elias (5.) **1**, 97; **2**, 715.

Huggins-Konstante s. Huggins-Gleichung.

HUGO (Abk. für *E* Human Genome Organization). Auf Anregung von Sydney Brenner u. unter Leitung von Viktor McKusick wurde von 42 internat. Wissenschaftlern am 6. u. 7. September 1988 in Montreux diese internat. Organisation zur Erforschung des menschlichen Genoms gegründet. Ziele von HUGO sind u. a. die Koordination der Forschung am menschlichen Genom u. an Modell-Organismen, Austausch der dabei anfallenden Daten, Ergebnisse u. Biomaterialien, Durchführung von Weiterbildungsprogrammen zur Verbreitung relevanter Technologien, Informations- u. Beratungstätigkeit über die wissenschaftlichen, gesellschaftlichen, jurist. u. kommerziellen Folgen u. über die Bedeutung von verschiedenen Genomprojekten. HUGO unterhält Büros in Nordamerika (Berkeley), Asien (Osaka) u. Osteuropa (Moskau), das Hauptsekretariat ist in London (s. a. Human-Genom-Projekt).
Lit.: Ann. Surg. Oncol. **2** (1), 14–25 (1995) ▪ Curr. Opin. Genet. Dev. **5** (3), 315–322 (1995) ▪ Science **273** (5275), 570 f. (1996).

Huisgen, Rolf (geb. 1920), Prof. (emeritiert) für Organ. Chemie, Univ. München. *Arbeitsgebiete:* Strychnos-Alkaloide, aromat. u. aliphat. Diazo-Verb., mittlere Ringe, nucleophile Substitutionen über Aryne, Pentazole u. Tetrazole, Umlagerungen in Cyclooctatetraen-Reihe, 1,3-dipolare Cycloadditionen, elektrocycl. Reaktionen, [2+2]-Cycloadditionen der Ketene u. Polycyanolefine, Organoschwefel-Verb.; Ehrenmitglied der GDCh u. der Poln. Chem. Gesellschaft.
Lit.: Kürschner (16.), S. 1560 ▪ Nachr. Chem. Tech. Lab. **10**, 4 (1962); **39**, Nr. 10, 1188 (1991); **41**, Nr. 10, 1175 (1993); **42**, Nr. 3, 302 (1994) ▪ Neufeldt, S. 196, 252 ▪ Pötsch, S. 215 ▪ Wer ist wer (35.), S. 648.

Hulpke, Herwig (geb. 1940), Leiter des Konzernstabes Qualitäts-, Umwelt- u. Sicherheitspolitik der Bayer AG, Leverkusen u. Prof. für Analyt. u. Ökolog. Chemie, Gesamthochschule Wuppertal; langjähriger Leiter des Unternehmensbereichs Umweltschutz der Bayer AG, u. a. Vorsitzender des Ausschusses für Gefahrstoffe, Hrsg. zahlreicher Standardwerke u. Zeitschriften zu Analytik u. Umweltschutz. *Arbeitsgebiete:* Biosynth. von Steroiden u. Terpenoiden, Metabolismusforschung, pharmazeut. u. Umwelt-Analytik, Qualitätsprüfung u. Umweltmanagement.

Humalog® (Rp). Ampullen mit Insulin lispro (über rekombinierte DNA hergestellt aus *Escherichia coli*) zur Diabetes-Therapie. *B.:* Lilly.

Human... Von latein.: humanus = menschlich abgeleiteter Wortbestandteil, der für Stoffe u. Begriffe einen Bezug zum Menschen ausdrückt; *Beisp.:* Human-Albumin, -Fibrinogen, -Insulin. Statt der engl. Bez. u. Abk. für Peptid-Hormone aus der menschlichen Hypophyse od. Placenta sind heute internat. einheitliche Bez. gebräuchlich, denen im Zweifel der Zusatz „Human-" vorangestellt werden kann. *Beisp.: Human Chorionic Gonadotrop(h)in* (HCG) s. Chorio(n)gona-

dotrop(h)in, *Human Chorionic Somato(mammo)tropin* (HCS) = *Human Placental Lactogen* s. Placentalactogen (= Choriomammotropin), *Human Growth Hormone* (HGH) s. Somatotropin, *Human Menopausal Gonadotropin* (HMG) s. Urogonadotropin. – *E* human... – *F* ... humain – *I* ... umano – *S* ... humano, ... humana

Human Genome Organization s. HUGO.

Human-Genom-Projekt. Im Jahre 1990 startete offiziell das H.-G.-P., dessen Ziel die vollständige Bestimmung der DNA-Sequenz der etwa drei Mrd. Basenpaare des menschlichen Genoms ist. Die Arbeiten werden von den Wissenschaftlern selbst weltweit koordiniert (s. HUGO). Von der Entschlüsselung u. insbes. der systemat. u. funktionellen Charakterisierung aller menschlichen Gene – nach Schätzungen rund 100 000 – werden neue Einsichten zum Verständnis der Ursachen u. Abläufe vieler menschlicher Erkrankungen auf mol. Ebene erwartet. Schließlich können aus den Informationen neue mol. Targets zur Bekämpfung von Krankheiten abgeleitet werden. Als Folge des H.-G.-P. wurden neue Strategien für die Kartierung u. Sequenzierung von Genen erarbeitet. Neben dem menschlichen Genom hat man auch mit der Sequenzierung anderer Genome begonnen. Als vorläufiges Glanzlicht dieser Anstrengungen konnte im Jahre 1996 das komplette Genom der Bäckerhefe veröffentlicht werden. – *E* human genome project – *F* projet de génome humain – *I* progetto genonico umano – *S* proyecto del genoma humano
Lit.: Am. Surg. **61** (2), 156–160 (1995) ▪ Biospektrum **2**, 35–39 (1996) ▪ J. Assoc. Acad. Minor Phys. **6** (1), 15–27 (1995) ▪ Nature (London) **375** (6528), 259–262 (1995).

Humanisierte Antikörper s. monoklonale Antikörper.

Humanmilch. Sammelbez. für die von den Brustdrüsen der Frau sezernierte, der Ernährung des Säuglings dienende Milch. Schon während der Schwangerschaft u. in den ersten Tagen nach der Geburt sondern die Milchdrüsen der Frau eine milchähnliche Flüssigkeit (Kolostrum) ab, dessen Zusammensetzung sich von der „reifen" H. insbes. durch seinen hohen Gehalt an *Immunglobulinen u. *Leukocyten sowie einen höheren Anteil an Mineralien (bes. Natrium, Kalium u. Chlorid) u. Vitaminen (A, C) unterscheidet. Die hormonell gesteuerte Sekretion der eigentlichen H. (Laktation) setzt erst einige Tage nach der Geburt ein. H. ist erheblich reicher an Lactose u. verzweigten Fettsäuren (mehr als 80 sind gefunden worden), jedoch ärmer an Eiweiß u. Mineralstoffen als die in der menschlichen Ernährung verwendete Kuhmilch. Der Kohlenhydrat-Anteil der H. enthält den von György entdeckten sog. *Bifidus-Faktor*, ein Oligosaccharid, das *N*-Acetyl-D-glucosamin, L-Fucose, D-Glucose, D-Galactose u. als strukturellen Baustein Lactose enthält u. präbiot. für den in der Darmflora brustgefütterter Säuglinge hauptsächlich vorkommenden *Lactobacillus bifidus* (streng anaerober Milchsäurebildner nach: $2 C_6H_{12}O_6 \rightarrow$ 2 Milchsäure + 3 Essigsäure) wirkt. In H. können u. a. Halogenkohlenwasserstoffe u. Schädlingsbekämpfungsmittel angereichert sein, wobei die Belastung in der BRD seit einigen Jahren rückläufig ist.

Zu antimikrobiellen Faktoren der H. s. *Lit.*[1]. – *E* mother's milk – *F* lait de femme – *I* latte femminile, latte di donna – *S* leche de mujer

Lit.: [1] Microbiol. Sci. **5**, 42–46 (1988).

allg.: Jensen, The Lipids of Human Milk, Boca Raton: CRC Press 1989. – *[HS 040120]*

Human-Plasminogen-Aktivator (rt-PA, internat. Freiname: Alteplase). H.-P.-A. ist ein durch rekombinante DNA-Synth. hergestelltes zweikettiges Glykoprotein mit 527 Aminosäuren, M_R ca. 59008, dessen Aminosäure-Sequenz ident. ist mit der natürlich vorkommenden einkettigen Form. Es wurde als Fibrinolytikum 1987 von Thomae (Actilyse®) patentiert (s. a. Plasminogen). – *E* = *I* alteplase – *S* activador plasminógeno humano

Lit.: J. Mol. Biol. **258**, 117–135 (1996) ▪ USP **23**, 49 f. (1995). – *[CAS 105857-23-6]*

Humate s. Huminsäuren.

Humatin Pulvis® (Rp). Kapseln, Saft u. Pulver mit dem Amino-glykosid-Antibiotikum *Paromomycin-Sulfat. **B.:** Parke Davis.

Humatrope® (Rp). Injektionslsg. mit *Somatotropin gegen hypophysären Minderwuchs während der Wachstumsphase. **B.:** Lilly.

Humboldt, Friedrich Heinrich Alexander Freiherr von (1769–1859), erbrachte als universeller Naturforscher auf allen Zweigen der Naturwissenschaften bedeutende Leistungen: Die Luftanalysen in Bergwerken, v. a. die Bestimmung des Kohlenstoffdioxid-Gehaltes sowie die Bedeutung des Phosphors als Feuermittel in Bergwerken – u. damit gleichzeitig der Weg zur Herst. von Zündhölzern – zählen zu seinen wichtigen chem. Untersuchungen.

Lit.: Lexikon der Naturwissenschaftler, S. 225 ▪ Pötsch, S. 216.

Humectol®. Anionaktive *Netz-, *Dispergier- u. *Egalisiermittel für die Färberei u. Druckerei auf der Basis sulfonierter Ölsäureamid-Derivate. H. C u. C hochkonz. besitzen hohe Netzwirkung in kalten u. warmen Bädern, geringes Schaumvermögen u. sind biolog. abbaubar. **B.:** Hoechst.

Humegon® (Rp). Injektionslsg. mit *Urogonadotropin zur Ovulationsauslösung bzw. zur Gonadotropin-Ausscheidung. **B.:** Organon.

Hume-Rothery, William (1899–1968), Prof. für Metallurgie, Oxford. *Arbeitsgebiete:* Leg., Metallurgie, Festkörperstruktur, intermetall. Verb.; fand 1926 die nach ihm benannte Phasenregel (s. folgendes Stichwort).

Lit.: Neufeldt, S. 154 ▪ Pötsch, S. 216.

Hume-Rothery-Phasen. Neben den *Laves-Phasen wichtigste Gruppe der *intermetallischen Verbindungen. Ihre Zusammensetzung weist einen ausgedehnten Homogenitätsbereich auf. H.-R.-P. kristallisieren in drei unterschiedlichen Gittertypen entsprechend den drei definierten Phasen β, γ u. ε, wobei für die Art des jeweiligen Typs die Anzahl der Valenzelektronen pro Atom (Valenzelektronenkonz., VEK) entscheidend ist, vgl. Tab.; z. B. berechnet sich die VEK bei Cu_5Zn_8 zu $[(5 \cdot 1 + 8 \cdot 2):(5+8)] = 21:13$. Aufgrund dieser Korrelation (Hume-Rothery-Regel) werden H.-R.-P. auch zur Gruppe der *electron compounds* gezählt. Der metall. Charakter ist weniger deutlich ausgeprägt als bei den Laves-Phasen. *Hume-Rothery entdeckte den Zusammenhang zwischen Gittertyp u. VEK 1926 an intermetall. Phasen des Cu-Zn-Systems.

Tab.: VEK bei Hume-Rothery-Phasen.

Zusammen-setzung	Gitter	Phase	VEK
β-CuZn	kub.-raumzentriert	β	$21:14 = 1,50$
Cu_5Zn_8	kompliziert kub.	γ	$21:13 = 1,62$
$CuZn_3$	hexagonal dichteste Packung	ε	$21:12 = 1,75$

– *E* Hume-Rothery phases – *F* phases de Hume-Rothery – *I* fasi di Hume-Rothery – *S* fases de Hume Rothery

Lit.: Weißmantel u. Hamann, Grundlagen der Festkörperphysik, 4. Aufl., S. 513, Heidelberg: Barth 1995.

Humidität. Von latein.: humidus = feucht hergeleitete Bez. für einen Klimatyp, bei dem die Niederschläge im Mittel die potentielle Verdunstung übertreffen (Gegensatz: *Aridität). Man unterscheidet vollhumide Gegenden (mit einigermaßen gleichmäßig verteiltem Niederschlag) von semihumiden Gegenden, die Regen- u. Trockenzeiten aufweisen. – *E* humidity – *F* humidité – *I* umidità – *S* humedad

Lit.: Walter u. Breckle, Ökologie der Erde (2.), S. 32–36, Stuttgart: Fischer 1991.

Humifizierung s. Kompost.

Humine s. Huminsäuren.

Huminsäuren (Humussäuren). Schokoladenbraunes, staubartiges Pulver, unter starker Vol.-Zunahme wenig lösl. in Wasser, mit brauner Farbe lösl. in alkal. wäss. Lsg. u. unter Rotfärbung in konz. Salpetersäure. H. bilden ein Heteropolykondensat mit einem M_R von 2000–500000 (meist 20000–50000), Schmp. >300°C. Sie setzen sich aus einem polycycl. Kern u. locker gebundenen Polysacchariden, Proteinen, einfachen Phenolen u. chelatisierten Metall-Ionen zusammen, die über Carboxy- u. Carbonyl-Gruppen an den Kern gebunden sind[1]. Letzterer besitzt zumeist aromat. Charakter. Benzoide u. chinoide Syst. sind über Methylen-, Ether-, Amin- u. Ester-Brücken miteinander verknüpft. Die H. sind stark sauer (Hydroxy- u. Polyhydroxycarbonsäuren) u. liegen überwiegend als Salze vor (Humate). Oxidativer Abbau u. Hydrolyse der H. liefert Hydroxy- u. Dihydroxybenzaldehyde sowie -benzoesäuren, Vanillin, Vanillinsäure, Syringaaldehyd, Indol-Derivate u. Prehnitsäure (1,2,3,5-Benzoltetracarbonsäure). Die *Zinkstaubdestillation von H. liefert zahlreiche polycycl. aromat. u. heteroaromat. Kohlenwasserstoffe wie Naphthalin, Anthracen, Benzofluorene, Triphenylen, Pyren, Chrysen, Benzpyren, Perylen, Benzo[a]perylene, Coronen, Acridin, Carbazol, Benzacridine usw.[2]; zur H.-Analytik mit Hilfe chem. Abbaureaktionen s. *Lit.*[3].

Biosynth.: H. entstehen aus abgestorbenem Pflanzenmaterial im Zuge der *Humus-Bildung in Böden durch chem. u. biolog. Umsetzungen (*Humifizierung*). Ihre

Zusammensetzung ist uneinheitlich u. abhängig von der Art der Phenol- u. Aminogruppen-haltigen Vorläufer. Die Polymerisation verläuft radikal. über chinoide u. semichinoide Zwischenprodukte[4]. Einfachere H. können synthet. aus Polyphenolen unter Einwirkung von Enzymen (*Phenoloxidasen etc.) gebildet werden. H.-ähnliche Polymere konnten auch aus Kulturbrühen Niederer Pilze isoliert werden[5].

Vork.: H. kommen in Humus-haltigen Böden, in *Torf u. *Braunkohle, nicht jedoch in *Steinkohle vor. Braun- u. Steinkohle lassen sich mit Hilfe der braunen Färbung der H. in alkal. Lsg., die Steinkohle nicht zeigt, unterscheiden. H. entstehen wahrscheinlich aus *Lignin zusammen mit den nicht od. nur schwach sauren *Huminen*, die in alkal. Lsg. nicht lösl. sind. Beide Stoffe werden auch als *Huminstoffe* bezeichnet. Weiterhin leiten sich von H. die stärker sauren *Fulvosäuren* (Fulvinsäuren) ab, die allerdings ein deutlich geringeres M_R aufweisen, vgl. auch die Bildung von *Kohle (*Inkohlung) u. *Kerogen[6]. H. kommen in gewöhnlichen Ackerböden zu 1–2%, in Schwarzerdeböden zu 2–7%, in Wiesenerde zu 10% u. in moorigen Böden zu 10–20% vor. Sie verbessern die physikal. Bodenstruktur. H. mit niedrigem M_R lösen sich im Oberflächenwasser u. verursachen dessen braune Färbung (bes. intensiv in Moorgebieten). Diese Färbung kann durch Ionenaustauscher beseitigt werden[7]. Bei der *Chlorung von Trinkwasser entstehen aus im Wasser enthaltenen H. chlorierte organ. Verb., die unter toxikolog. u. Umweltgesichtspunkten problemat. sind[8]. Die Verweilzeit der H. im Boden ist zeitlich begrenzt, da sie durch Mikroorganismen u. Einwirkung von Luft-Sauerstoff zu Kohlendioxid u. Wasser abgebaut werden. H. komplexieren Metalle wie Kupfer, Zink, Mangan u. bes. Eisen; voltammetr. Studien s. *Lit.*[9]. So ist u. U. in Moorböden ein Mangel an Spurenelementen mit neg. Wirkung für Kulturpflanzen die Folge. Auch werden bestimmte Herbizide (Triazine u. *Paraquat-dichlorid) von H. komplexiert[10].

Verw.: H.-Zusätze im Tierfutter können die Aufnahme von Schwermetallen wie Cadmium u. Blei aus der Nahrung reduzieren, weil die H.-Komplexe unverdaut ausgeschieden werden[11]. Weiterhin finden sie in der Veterinärmedizin Anw. als Antibiotika[12]. H. finden als Bestandteile in Torf, Torfmull, Moorbädern u. im *Kasseler Braun [ein Natriumhum(in)at] prakt. Anwendung. Im Handel befinden sich z. B. H.-Qualitäten mit M_R 600–1000. – *E* humic acid – *F* acides humiques – *I* acidi umici – *S* ácido húmico

Lit.: [1]Flaig et al., in Gieseking (Hrsg.), Soil Components Bd. 1, S. 1–211, New York: Springer 1975. [2]Tetrahedron **23**, 1653 (1967). [3]Adv. Chem. Ser. **219**, 3–23 (1989). [4]Naturwiss. Rundsch. **28**, 204–208 (1975). [5]Biol. Fertil. Soils **5**, 120–125 (1987). [6]Adv. Org. Geochem. **1973**, 53–72; Soil Sci. Plant Nutr. (Tokyo) **24**, 337 (1978). [7]Kirk-Othmer (3.) **22**, 79 f. [8]Environ.

Health Perspect. **69**, 101–107 (1986). [9]Sci. Total Environ. **60**, 75–96 (1987). [10]Kontakte (Darmstadt) **1989**, Heft 3, 37–41; Naturwissenschaften **64**, 385 (1977). [11]Naturwissenschaften **65**, 539 (1978). [12]Arch. Exp. Veterinärmed. **36**, 169–177 (1982); Dtsch. Tierärztl. Wochenschr. **96**, 3–10 (1989). *allg.:* ACS Symp. Ser. **225**, 215–229 (1983) ▪ Angew. Chem. **101**, 572–587 (1989) ▪ Int. J. Environ. Anal. Chem. **11**, 105–115 (1982) ▪ Org. Mass Spectrom. **23**, 622 f. (1988) ▪ Orlov, Die Humussäuren des Bodens (russ.), Moskau: Univ.-Verl. 1974 ▪ Povoledo u. Golterman, Humic Substances, Wageningen: Centre Agricult. 1975 ▪ Schnitzer u. Khan, Soil Organic Matter, Amsterdam: Elsevier 1978 ▪ Soil Biochemistry (5 Bd.), New York: Dekker 1967–1980 ▪ Tan, Principles of Soil Chemistry, New York: Dekker 1982 ▪ Toxicol. Environ. Chem. **4**, 209–295 (1981); **6**, 127–171, 231–257 (1983) ▪ Ziechmann, Huminstoffe, Weinheim: Verl. Chemie 1980.

Huminstoffe s. Huminsäuren.

Humit. Bez. für eine Gruppe von teils rhomb. (Krist.-Klasse mmm – D_{2h}), teils monoklin (Krist.-Klasse $2/m$ – C_{2h}) krist., sich in ihren Eigenschaften nur geringfügig unterscheidende, in ihren Kristallstrukturen dem *Olivin ähnliche Mineralien mit der allg. Formel $M_{2n-1}Si_nO_{2n} \cdot 2 M(OH,F)_2$, mit M = Mg, Fe^{2+}, Mn, Ti (bis hin zu *Titanklino-H.*), Zn usw.; n = 1, 2, 3, 4, s. die Tab. unten; zur Position der H^+-Ionen in der Struktur, s. *Lit.*[5]. Nur selten als gute Krist., meist als derbe Massen od. Körner mit muscheligem Bruch; Farbe gelb, honiggelb, rotgelb u. bräunlich-rot, H. 6–6,5.

Vork.: Überwiegend in durch *Metamorphose u./od. *Metasomatose veränderten unreinen *Kalken u. *Dolomiten, z. B. Wunsiedel/Fichtelgebirge, Kropfmühl bei Passau/Bayer. Wald, Kaveltorp, Persberg u. Filipstad/Schweden, Pargas/Finnland, Vesuv/Italien, Brewster/New York u. Franklin/New Jersey/USA, Südural/Rußland. – *E = F = I* humite – *S* humita

Lit.: [1]Am. Mineral. **54**, 376–390 (1969). [2]Am. Mineral. **55**, 1182–1194 (1970). [3]Am. Mineral. **56**, 1155–1173 (1971). [4]Am. Mineral. **58**, 43–49 (1973). [5]Am. Mineral. **74**, 1300–1305 (1989). *allg.:* Anthony et al., Handbook of Mineralogy, Vol. II, Tl. 1, S. 351 (H.), 149 (Klino-H.), 140 (Chondrodit), Tucson (Arizona): Mineral Data Publishing 1995 ▪ Deer et al., S. 16–21 ▪ Deer, Howie u. Zussman, Rock-Forming Minerals ., Vol. 1 A, Orthosilicates, S. 376–417, London: Longman 1982 ▪ Ramdohr-Strunz, S. 679 f. – *[CAS 12416-60-3]*

Hummer s. Krebse.

Humolithe s. Faulschlamm.

Humoral (von latein.: (h)umor = Feuchtigkeit, Saft). Die Körperflüssigkeiten (Blut, Lymphe) betreffend.

Humulen (α-Humulen, α-Caryophyllen).

Tab.: Chem. Formeln, Kristallsymmetrie, Dichten u. *Lit.*-Angaben zur Kristallstruktur der Mineralien der Humit-Gruppe.

Name	Formel	Dichte	Symmetrie	Struktur
Norbergit	$Mg(OH,F)_2 \cdot Mg_2[SiO_4]$	3,15–3,18	rhomb.	*Lit.*[1]
Chondrodit	$Mg(OH,F)_2 \cdot 2 Mg_2[SiO_4]$	3,16–3,26	monoklin	*Lit.*[2]
Humit	$Mg(OH,F)_2 \cdot 3 Mg_2[SiO_4]$	3,20–3,32	rhomb.	*Lit.*[3]
Klinohumit	$Mg(OH,F)_2 \cdot 4 Mg_2[SiO_4]$	3,17–3,35	monoklin	*Lit.*[4]

$C_{15}H_{24}$, M_R 204,36, Öl, Sdp. 123 °C (13,3 hPa), n_D^{25} 1,5015, D_4^{25} 0,8865. Sesquiterpen aus *etherischen Ölen vieler Pflanzen, wie z. B. Nelken, Hopfen, *Didymocarpus*-Arten. Es kommt zusammen mit dem isomeren β-H. (β-*Caryophyllen) vor. Das vollständig hydrierte monocycl. Derivat der H. ist das *Humulan*. – *E* humulene – *I* umulene – *S* humuleno

Lit.: Beilstein E IV **5**, 1171 ▪ Karrer, Nr. 1929 ▪ R. D. K. (3.), S. 506 ▪ Zechmeister **19**, 1–32. – *Biosynth.:* Arch. Biochem. Biophys. **233**, 838–841 (1984). – *Synth.:* Tetrahedron **43**, 5489–5498 (1987) ▪ Tetrahedron Lett. **23**, 2723 (1982) ▪ s. a. Caryophyllen. – *[HS 2902 19; CAS 6753-98-6 (α-H.)]*

Humulon (α-Hopfenbittersäure, α-Lupulinsäure).

Humulon

cis-Isohumulon　　　　　　trans-Isohumulon

$C_{21}H_{30}O_5$, M_R 362,47, Krist., Schmp. 66 °C, $[\alpha]_D^{20}$ –212° (C_2H_5OH), wenig lösl. in Wasser, lösl. in organ. Lösemitteln. *Bitterstoff aus dem Harz der Fruchtstände der weiblichen *Hopfen-Pflanze (*Humulus lupulus*), Gehalt etwa 35%. H. findet in der Brauerei Verw. u. ist strukturell sehr eng verwandt mit β-Hopfensäuren (*Lupulon usw.), die nicht bitter sind. Veränderungen in der Seitenkette – statt 2-Butyl, z. B. 2-Propyl-, *sec*-Butyl-, 2-Pentyl- od. Ethyl-Reste – ergeben eine Humulon- bzw. *Lupulon-Gruppe. H. u. die anderen α-Hopfensäuren sind im Bier nur in sehr geringen Mengen enthalten. Sie lagern sich bei dem pH-Wert des Biers leicht in das *cis-Isohumulon* ($C_{21}H_{30}O_5$, M_R 362,47) u. *trans-Isohumulon* (vgl. Formeln) bzw. weitere α-Derivate um, die wahrscheinlich für die bitteren Geschmack des Biers verantwortlich sind[1]. H. wirkt gegen Gram-pos. u. Gram-neg. Bakterien[2]. – *E* humulon(e) – *I* umulone – *S* humulón

Lit.: [1] Ullmann (5.) A **3**, 426–428. [2] Can. J. Microbiol. **21**, 205 (1975). *allg.:* Angew. Chem. **106**, 1521 (1994) ▪ Beilstein E IV **8**, 3410 ▪ Belitz-Grosch (4.) S. 808 f. ▪ Bull. Chem. Soc. Jpn. **62**, 3034 f. (1989) (Synth.) ▪ Karrer, Nr. 541 ▪ Pharm. Unserer Zeit **7**, 149 (1978) ▪ Riechst. Aromen Kosmet. **27**, 120–124 (1977) ▪ Zechmeister **25**, 63–89. – *Biosynth.:* Phytochemistry **38**, 77 (1995). – *[HS 2914 50; CAS 26472-41-3 (R-Form); 23510-81-8 (H.); 467-72-1 (cis-Iso-H.); 1534-03-8 (trans-Iso-H.)]*

Humus (latein. = Erdboden). Mit H. bezeichnet man die Gesamtheit der im *Boden befindlichen, abgestorbenen, pflanzlichen u. tier. Substanzen. Die H.-Bildung (*Mineralisation* u. *Humifizierung*, s. a. Kompost) ist das gemeinsame Werk von Bodentieren u. Mikroorganismen; im Mittel enthalten 1 L mitteleurop. Waldbodens 2 Regenwürmer, 50 Borstenwürmer, 100 kleine Spinnen, Krebse, Tausendfüßler u. Insekten, 500 Räder- u. Bärtiere, 1000 Springschwänze, 2000 Milben, 30 000 Fadenwürmer u. 1 000 000 000 Amö-

ben, Flagellaten u. a. Einzeller. Die durch mikrobielle Zers. freigesetzten Inhaltsstoffe aus Tieren u. Pflanzen faßt man in allg. als *Nichthuminstoffe* zusammen. Man stellt diese den *Huminstoffen* gegenüber, unter denen man die durch mannigfaltige chem. Abbaumechanismen entstandenen *Humine* u. *Huminsäuren* versteht. Die chem. Zusammensetzung des H. ist nicht einheitlich; auffällig ist, daß das Kohlenstoff : Stickstoff-Verhältnis in Pflanzenrückständen ca. 40 : 1 beträgt, im H. dagegen 10 : 1. H. bildet sich bes. leicht in Klimaten mit hoher Feuchtigkeit u. niedriger Temp.; dagegen zersetzen sich in den feuchtwarmen, trop. Urwäldern die Pflanzenreste ziemlich rasch vollständig zu Ammoniak, Kohlensäure, Wasser usw., so daß es dort nur in überraschend geringem Ausmaß zu H.-Bildung kommt. Das Schwarzerdegebiet der Ukraine hat meterdicke, dunkle H.-Böden. Hier wurde der Anteil der organ. Substanzen in der obersten, 25 cm dicken Bodenschicht je ha 1946 bestimmt; es entfielen auf die Humusstoffe 40–300 t (Trockensubstanz), auf die Pflanzenwurzeln 3–4 t bei einjährigen, 10–15 t bei mehrjährigen Kulturen u. 20–30 t in Wäldern, auf die Mikroorganismen (Bakterien, Protozoen, Pilze) 6–8 t Trockensubstanz. Unter anaeroben Bedingungen (s. anaerober Abbau) u. in Ggw. von Wasser können sich aus *Faulschlamm die sog. *Humolithe* od. H.-Gesteine (Torf, Kohlen) bilden, deren Inhaltsstoffe z. T. noch von Pflanzen genutzt werden können. Die Entstehung verschiedener H.-Formen wie Roh-H., Moder, Mull, *Torf, Anmoor, Dy, Gyttja, Sapropel hängt von der Vegetation, dem Ausgangsgestein, dem Wasserhaushalt u. a. Klimabedingungen ab. – *E* humus, soil organic matter – *F* = *I* = *S* humus

Lit.: Gisi et al., Bodenökologie, Stuttgart: Thieme 1997 ▪ Schlichting, Einführung in die Bodenkunde, Hamburg: Parey 1986.

Humusgesteine s. Faulschlamm.

Humussäuren s. Huminsäuren.

Hund, Friedrich (geb. 1896), Prof. für Theoret. Physik, Univ. Rostock, Leipzig, Jena, Frankfurt u. Göttingen. *Arbeitsgebiete:* Quantentheorie u. Atombau (*Hundsche Regeln), Mitbegründer der Orbitaltheorie, Einordnung der Atomspektren in die Quantentheorie des Atoms, Elektronenzustände in Kristallgittern, Geschichte der Physik.

Lit.: Kürschner (16.), S. 1563 ▪ Lexikon der Naturwissenschaftler, S. 226 ▪ Nachr. Chem. Tech. Lab. **44**, Nr. 1, 71 (1996) ▪ Neufeldt, S. 153, 157, 160 ▪ Wer ist wer (35.), S. 650.

Hundredweight (Kurzz. cwt). In England u. den USA noch gebräuchliche Gew.-Einheit des *Avoirdupois-Syst.: 1 cwt = 112 pounds = 50,802352 kg; zusätzliche Einheit in den USA 1 short (sh) cwt = 100 pounds = 45,359243 kg.

Hundsche Regeln. Von *Hund 1927 aufgestellte Regeln, die die energet. Reihenfolge der zu einer bestimmten *Elektronenkonfiguration eines Atoms gehörenden Zustände (*Terme) beschreiben; hierbei wird Russell-Saunders-Kopplung (s. Magnetochemie) vorausgesetzt. Die H. R. lauten:
1. Die Terme werden nach der *Quantenzahl S für den gesamten *Elektronenspin geordnet; energet. am günstigsten ist der Term mit dem größten Wert für S. Die-

ser Term hat damit die höchste *Spinmultiplizität* $2S+1$.
2. Von den Zuständen mit max. S-Wert ist der Zustand mit dem größten Wert für die Quantenzahl des *Bahndrehimpulses L energet. begünstigt.
3. Bei vorgegebener Kombination von S u. L liegt der Zustand mit dem kleinsten Wert für die Quantenzahl des Gesamtdrehimpulses J energet. am tiefsten, wenn die betrachtete Unterschale weniger als zur Hälfte besetzt ist. Ansonsten ist der Zustand mit max. J-Wert am stabilsten.
Als Beisp. sei das Kohlenstoff-Atom betrachtet, welches im Grundzustand zwei Elektronen in der äußersten Unterschale hat (s. a. Atombau, S. 296); seine Elektronenkonfiguration lautet $1s^2\,2s^2\,2p^2$. Die 1s- u. 2s-Unterschalen sind max. besetzt u. tragen daher zu S u. L nichts bei. Die 2p-Unterschale, die bis zu 6 Elektronen aufnehmen kann, ist nur mit 2 Elektronen gefüllt u. damit weniger als zur Hälfte besetzt. Die beiden Elektronen können zu einem *Singulett (S=0) od. *Triplett (S=1) gekoppelt werden; letzterer Zustand liegt nach Regel 1 energet. tiefer. Der zugehörige max. Wert für L ist 1; L=2 ist durch das *Pauli-Prinzip verboten, da dann beide Elektronen in allen 4 Einelektronen-Quantenzahlen (s, l, m_l u. m_s) übereinstimmen würden.
Der Term mit S=1 u. L=1 wird mit ^3P bezeichnet; der linke obere Index entspricht hierbei der Spinmultiplizität. *Spin-Bahn-Kopplung führt zu weiterer Aufspaltung in 3 Unterzustände mit J=0, 1 u. 2 (Termsymbole $^3P_0$, $^3P_1$ u. $^3P_2$); ersterer ist nach Regel 3 am stabilsten. Für die Singulett-Zustände kann L die Werte 0 u. 2 annehmen; L=1 ist verboten. Bei Singulett-Zuständen gibt es keine Spin-Bahn-Kopplung, da S gleich Null ist. Der Zustand mit L=2 (Termsymbol $^1D_2$) liegt nach Regel 2 energet. tiefer als derjenige mit L=0 ($^1S_0$). Die Abb. zeigt die aus Atomspektren erhaltene energet. Reihenfolge der einzelnen Terme.

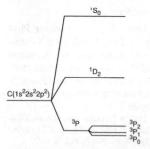

Abb.: Termdiagramm zur Elektronenkonfiguration $1s^2\,2s^2\,2p^2$ für das Kohlenstoff-Atom. Die Energiedifferenzen zwischen den Spin-Bahn-Komponenten $^3P_0$, $^3P_1$ u. $^3P_2$ sind vergrößert dargestellt.

Die H. R. lassen sich auch auf Mol. anwenden; da hier L keine gute Quantenzahl ist, findet dann nur Regel 1 Anwendung. Diese ist auch gemeint, wenn von der Hundschen Regel in der Einzahl gesprochen wird. – *E* Hund's rules – *F* lois de Hund – *I* regole di Hund – *S* leyes de Hund
Lit.: Angew. Chem. **108**, 629–643 (1996) ▪ Haken u. Wolf, Atom- u. Quantenphysik, 6. Aufl., Berlin: Springer 1996 ▪ Z. Phys. D **36**, 197–214 (1996).

Hundsrose s. Hagebutten.

Hunger. Durch Nahrungsmangel ausgelöste Empfindung, die triebhaft zur Nahrungsaufnahme möglichst bis zur Sättigung führt. Für die Entstehung des H. werden Mechanismen wie herabgesetzte Verfügbarkeit von Glucose, verminderte Körperwärmeproduktion u. Abnahme des Körpergew. angenommen. Die übergeordnete zentralnervöse Regulationsstelle für H. u. Sattheit scheint der *Hypothalamus zu sein. Durch zentralnervös angreifende Pharmaka wie die sog. *Appetitzügler läßt sich die Entstehung von H. beeinflussen. – *E* hunger – *F* faim – *I* fame – *S* hambre
Lit.: Schmidt u. Thews, Physiologie des Menschen, S. 170–173, Heidelberg: Springer 1995.

Hunsdiecker-Borodin-Reaktion. Von *Borodin (1861) aufgefundene u. von Hunsdiecker (1939) weiterentwickelte Meth. zum Abbau von Carbonsäuren (in Form der Silber-Salze eingesetzt) zu Halogenkohlenwasserstoffen mit Hilfe von Halogenen in wasserfreien Lösemitteln. Das Durchlaufen eines *Radikal-Mechanismus* wird angenommen. Wird Iod anstelle von Brom eingesetzt, so ist das Produktbild von der *Stöchiometrie abhängig. Bei der 1 : 1 Umsetzung erhält man wie erwartet ein Iodalkan während bei einem Verhältnis von Silber-Salz zu Iod von 2 : 1 ein Carbonsäureester (s. Simonini-Reaktion) entsteht. Letzterer bildet sich durch Weiterreaktion von prim. entstandenem Iodalkan mit überschüssigem Salz.

$$R-C\overset{O}{\underset{O^-\;Ag^+}{}} \xrightarrow[-\;AgBr]{+\;Br_2} R-C\overset{O}{\underset{O-Br}{}} \xrightarrow{Zerfall}$$

$$R-C\overset{O}{\underset{O^\bullet}{}} + Br^\bullet \quad \text{Kettenstart}$$

$$R-C\overset{O}{\underset{O^\bullet}{}} \longrightarrow R^\bullet + CO_2$$

$$R^\bullet + R-C\overset{O}{\underset{O-Br}{}} \longrightarrow R-Br + R-C\overset{O}{\underset{O^\bullet}{}} \quad \left\} \begin{array}{c}\text{Ketten-}\\\text{fortpflanzung}\end{array}\right.$$

– *E* Hunsdiecker-Borodin reaction – *F* réaction de Hunsdiecker et Borodine – *I* reazione di Hunsdiecker e Borodin – *S* reacción de Hunsdiecker-Borodin
Lit.: Chem. Rev. **56**, 219–269 (1957) ▪ Hassner-Stumer, S. 183 ▪ Houben-Weyl **V/4**, 488 ▪ Laue-Plagens, S. 182 ▪ March (4.), S. 730 ▪ Org. React. **9**, 332–388 (1957); **19**, 326 (1972) ▪ Trost-Fleming **7**, 723.

Huntericin s. Eburnamonin.

Huperzin (Huperzin A, Fordin, Selagin).

Huperzin A   Huperzin B

$C_{15}H_{18}N_2O$, M_R 242,32, Krist., Schmp. 230 °C, $[\alpha]_D^{25}$ –150° (CH$_3$OH), giftiges Alkaloid aus dem Tannen-Bärlapp (Teufelskralle, *Lycopodium selago* syn. *Huperzia selago*, Lycopodiaceae, Bärlappgewächse) u. bes. dem in China beheimateten *L. serratum* syn. *H. serrata*. H. besitzt eine bemerkenswerte Anticholinesterase-Wirkung u. soll die Gedächtnisleistung des Gehirns pos. beeinflussen (nootrope Eigenschaften). Die Giftwirkung von H. u. der anderen in Bärlapp vorkommenden Alkaloide, wie z. B. *Huperzin B* ($C_{16}H_{20}N_2O$, M_R 256,35), *Lycopodin, Acrifolin* u. a. (vgl. Lycopodium-Alkaloide) kann bei Weidetieren in schweren Fällen zum Tode führen. – *E = F* huperzine – *I* uperzina – *S* huperzina

Lit.: Angew. Chem. **106**, 1521 (1994) ▪ Can. J. Chem. **64**, 837 ff. (1986). – *Synth.:* J. Am. Chem. Soc. **111**, 4116 f. (1989); **113**, 4695 (1991) ▪ J. Chem. Soc., Chem. Commun. **1993**, 860 ▪ J. Chem. Soc., Perkin Trans. 1 **1990**, 195 ff. – *[HS 2939 90; CAS 102518-79-6 (H. A); 103548-82-9 (H. B)]*

Huréaulith s. Phosphatieren.

Hustenmittel. 1. *Antitussiva (unterdrücken den Hustenreflex durch Hemmung des Hustenzentrums im Stammhirn u./od. Blockade sensibler Rezeptoren im Bronchialtrakt). – 2. *Expektorantien [erleichtern bzw. beschleunigen die Entfernung von Schleim aus den Bronchien, wie Sekretolytika u. Sekretomotorika; s. a. Muc(o)...]. – *E* cough remedies – *F* antitussif – *I* 1. antitussivi, 2. farmaci espettoranti – *S* medicamentos contra la tos

Lit.: s. *Lit.* der Einzelbegriffe.

Hutpilze s. Basidiomyceten.

Huttner, Gottfried (geb. 1937), Prof. für Anorgan. Chemie u. Strukturchemie, Univ. Heidelberg. *Arbeitsgebiete:* Spektroskop. strukturchem. Untersuchung metallorgan. π-Syst.; Übergangsmetall-Cluster-Verb.; Einkrist.-Röntgen-Strukturanalyse, Spektroskopie; Alfred-Stock-Gedächtnispreis 1992.

Lit.: Kürschner (16.), S. 1573 ▪ Nachr. Chem. Tech. Lab. **40**, Nr. 10, 1168 (1992) ▪ Wer ist wer (35.), S. 653.

Huttonit s. Thorit.

Hutzinger, Otto (geb. 1933), Prof. für Ökolog. Chemie u. Geochemie, Univ. Bayreuth. *Arbeitsgebiete:* Geochemie, ökolog. Chemie, Umweltmedizin, Dioxine. *Auszeichnungen:* Frank R. Blood Award of the Society of Toxicology 1975 sowie Setac-Europe ABC Laboratories Environmental Education Award 1995. Hrsg. der Zeitschrift „Umweltwissenschaften u. Schadstoff-Forschung, Zeitschrift für Umweltchemie u. Ökotoxikologie".

Huxley, Sir Andrew Fielding (geb. 1917), Prof. (emeritiert) für Physiologie, Univ. London: Master of Trinity College, Cambridge (bis 1990). *Arbeitsgebiete:* Nervenerregung u. Nervenleitung. Für seine Arbeiten erhielt er zusammen mit Sir A. L. *Hodgkin u. *Eccles 1963 den Nobelpreis für Physiologie od. Medizin.

Lit.: Angew. Chem. **76**, 668 ff. (1964) ▪ Lexikon der Naturwissenschaftler, S. 227 ▪ The International Who's Who (16.), S. 728 f.

HV. Abk. für 1. Hochvak. (s. Vakuum); – 2. Hochspannung... (*E* high voltage); – 3. *Vickers-Härte, s. a. Härteprüfung.

HVL. Abk. für *Hypophysen-Vorderlappen.

HWM s. Hochmodulfasern.

HWZ s. Halbwertszeit.

HxCDD, HxCDF s. Dioxine.

HXODA. Nach DIN 7723 (12/1987) Kurzz. für *Hexyloctyldecyladipat* als *Weichmacher.

HXODP. Nach DIN 7723 (12/1987) Kurzz. für Gemische von *Hexyl-, Octyl- u. Decylphthalaten* als *Weichmacher.

Hyal... Von griech.: h*y*alos = Glas abgeleitete Vorsilbe in Begriffen, die in irgendeiner Form mit *Glas od. dem *Glaszustand zu tun haben; *Beisp.: hyalin* (glasartig erstarrt), *hyaloide Membran* (umschließt den Glaskörper des *Auges), *Hyaloplasma* (die glasklare, flüssige od. halbflüssige, homogen erscheinende Grundsubstanz – mit den lichtmikroskop. nicht darstellbaren Organellen – des Protoplasmas der *Zellen); s. a. die folgenden Stichwörter. – *E = F* hyal... – *I* ial... – *S* hial...

Hyalart® (Rp). Ampullen mit *Hyaluronsäure gegen Gonarthrose. *B.:* Bayer.

Hyalin s. Gefüge.

Hyalit (Glasopal). In *Lit.*[1] als nicht krist. *Opal-AN bezeichnetes Mineral, das ein amorphes Kieselglas mit wechselnden Wassergehalten ist. Klar durchsichtige, glasglänzende Massen, die traubige od. nierige krustenartige Überzüge od. kugelige Formen in Mandelräumen u. auf Klüften vulkan., vorwiegend basalt. (*Basalte) Gesteine, selten auch auf *Granit-Klüften, bilden. H. 5,5 – 6,5, D. 2,1 – 2,2. Oft durch äußerst geringe Uran-Gehalte grünliche *Fluoreszenz im ultravioletten Licht.

Vork.: Vielerorts, z. B. Kaiserstuhl/Baden, Zinst/Bayern, Valeć/Böhmen. – *E = F* hyalite – *I* ialite – *S* hialita

Lit.:[1] Neues Jahrb. Mineral., Monatsh. **1973**, 82 – 89. *allg.:* s. Opal u. Quarz. – *[CAS 16610-72-3]*

Hyaloklastite s. pyroklastische Gesteine.

Hyaluronan s. Hyaluronsäure.

Hyaluronat-Glykan-Hydrolasen s. Hyaluronidasen.

Hyaluronidasen [Hyaluronat-Glykan-Hydrolasen, EC 3.2.1.35 (Glucosaminidase) u. 3.2.1.36 (Glucuronidase)]. Zu den *Glykosidasen gehörende, bes. in der *Haut lokalisierte Enzyme, die *Chondroitinsulfate u. *Hyaluronsäure hydrolysieren. Die H. sind *Glykoproteine mit 5% D-Mannose u. 2,2% D-Glucosamin u. bekannter Aminosäure-Sequenz. Bei der Einwirkung auf *Glykosaminoglykane bewirken die H. eine Depolymerisation ihrer Substrate bis zu geradzahligen Oligosacchariden, was sich in einer starken Viskositätsminderung äußert. Die Abbautätigkeit der H. führt dazu, daß in ihrer Ggw. Haut u. Gewebe leichter durchdringbar werden, weshalb man sie auch als *Diffusionsfaktor (spreading factor)* etc. bezeichnet. Deshalb lassen sich unter Einwirkung von H. z. B. Fremdstoffe (Medikamente) in den Körper einführen; als internat. Einheit gelten 100 µg. *Schlangen- u. *Bienengifte enthalten H. ebenso wie Blutegel, Stechmücken u. manche Bakterien. Im *Sperma, aus dem sie sich auch isolieren lassen, bewirken H. als *Penetrationsenzyme* bei der *Konzeption eine partielle Auflösung der Eihaut. H. wirken am stärksten zwischen 30 u. 40 °C u. bei pH 4,5 – 6; sie sind in Wasser u. verd. Säuren leicht lösl., in Alkohol u. a. organ. Lsm.

unlöslich. – *E = F* hyaluronidases – *I* ialuronidasi – *S* hialuronidasas – *[HS 3507 90; CAS 37326-33-3, 37288-34-9]*

Hyaluronsäure (Hyaluronan). Erstmalig aus dem Glaskörper (daher Name von griech.: hyalos = Glas u. *Uronsäuren) von Rinderaugen isoliertes saures *Glykosaminoglykan, das auch in der *Synovialflüssigkeit der Gelenke u. in der Haut vorkommt u. – zusammen mit den *Chondroitinsulfaten (s. Heparin) – ein Bestandteil aller *Bindegewebe (außer Augen-Hornhaut) ist. H. ist eine hochviskose, wäss. Lsg. bildende, hochmol. Verb., für die je nach Herkunft, Aufarbeitungs- u. Bestimmungs-Meth. M_R zwischen 50 000 u. mehreren Mio. angegeben werden. Grundbaustein der H. ist ein aus D-*Glucuronsäure u. *N*-Acetyl-D-glucosamin in (β1→3)-glykosid. Bindung aufgebautes Aminodisaccharid, das mit der nächsten Einheit (β1→4)-glykosid. verbunden ist:

Die unverzweigte Kette der H. besteht aus 2000–3000 solcher Einheiten. Mit *Proteoglykanen u. Verb.-Proteinen bildet H. hochmol. Aggregate. Durch *Hyaluronidasen werden β-glykosid. Bindungen hydrolysiert u. so die H. zu kleineren Bruchstücken abgebaut. Die – meist als Kalium-Salz – im Handel befindliche H. ist im allg. aus menschlichen Nabelschnüren isoliert. – *E* hyaluronic acid – *F* acide hyaluronique – *I* acido ialuronico – *S* ácido hialurónico – *[HS 3913 90; CAS 9004-61-9]*

H-Y-Antigen. Mol., bis jetzt schlecht charakterisiertes, in der *Membran der meisten Zellen männlicher Säugetiere vorkommendes *Histokompatibilitäts-Antigen, das bei Hautverpflanzungen auf weibliche Tiere zur Abstoßung des Transplantats führen kann. In lösl. Form wird das H-Y-A. von den Sertoli-Zellen der Hoden abgegeben u. ist für die männliche Geschlechtsfestlegung der Keimdrüsen von Bedeutung. – *E* H-Y antigen – *F* antigène H-Y – *I* antigene H-Y – *S* antígeno H-Y

Lit.: Human Genet. **97**, 701–704 (1996).

Hyatt, John Wesley s. Celluloid.

Hyazinth s. Zirkon.

Hyazinthen. Aus dem Orient stammende, als Zierpflanze vielfach kultivierte Zwiebelgewächse (*Hyacinthus orientalis*, Liliaceae) mit stark duftenden, weißen, blauen od. rosafarbenen Blütendolden. Das in ca. 0,15%iger Ausbeute erhältliche *H.-Öl* enthält Benzylbenzoat, Benzylalkohol, Zimtalkohol, Phenethylalkohol, Eugenol, Methyleugenol, Benzaldehyd, Zimtaldehyd, Dimethylhydrochinon u. a. Alkohole, Ester u. Aldehyde. Aus den Blüten lassen sich Pelargonidin-, Cyanidin- u. Delphinidin-3-(p-cumaroylglucosid)-5-glucosid isolieren. Das H.-Öl wird in der Parfümerie verwendet. Acetaldehyd-(ethyl-phenethylacetal) u. Hydratrop(a)aldehyd sind Riechstoffe mit typ. H.-Charakter. Mit den H. sind auch die *Wasser-H.*

(*Eichhornia crassipes*) verwandt, die sich wegen ihrer großen Vermehrungsrate in vielen trop. Gewässern bereits als Plage erwiesen haben. In Indien erwägt man die Gewinnung von Papier aus dem Wasserunkraut. – *E* hyacinths – *F* jacinthes – *I* giacinti – *S* jacintos

Lit.: Franke, Nutzpflanzenkunde, 5. Aufl., Stuttgart: Thieme 1992. – *[HS 0601 10]*

Hybrid-Hydrid s. Natriumboranat.

Hybridisierung (von latein.: hybrida = Mischling). 1. In der *Chemie* ist H. ein von *Pauling eingeführter Begriff. Hierunter versteht man eine Linearkombination von *Atomorbitalen (AOs) am gleichen Atom. Es entstehen sog. *Hybridorbitale*, d. h. orthogonale, gerichtete AOs. Z. B. lassen sich aus einem 2s-Orbital u. drei 2p-Orbitalen vier äquivalente zueinander orthogonale *sp³*-Hybridorbitale konstruieren, die nach den Ecken eines Tetraeders gerichtet sind (Tetraederwinkel: 109,47°). Diese Hybridorbitale haben die folgende mathemat. Form:

$$hy_1(sp^3) = \tfrac{1}{2}(2s + 2p_x + 2p_y + 2p_z)$$
$$hy_2(sp^3) = \tfrac{1}{2}(2s + 2p_x - 2p_y - 2p_z)$$
$$hy_3(sp^3) = \tfrac{1}{2}(2s - 2p_x + 2p_y - 2p_z)$$
$$hy_4(sp^3) = \tfrac{1}{2}(2s - 2p_x - 2p_y + 2p_z).$$

Das Höhenlinienbild eines sp³-Hybridorbitals findet man in Abb. 14 unter *chemische Bindung. In analoger Weise werden ein 2s- u. ein 2p-Orbital zu zwei digonal gerichteten *sp*-Hybridorbitalen kombiniert, die miteinander einen Winkel von 180° bilden. Die Linearkombination von einem 2s- u. zwei 2p-Orbitalen führt zu drei äquivalenten sp²-Hybridorbitalen, die nach den Ecken eines gleichseitigen Dreiecks (trigonal) gerichtet sind u. damit Winkel von 120° miteinander bilden.

Hybridorbitale lassen sich auch unter Beteiligung von d-Orbitalen bilden; einige wichtige Möglichkeiten sind in der Tab. aufgeführt.

Tab.: Wichtige Arten der Hybridisierung unter Beteiligung von d-Orbitalen.

Hybridorbitale		Geometrie	Koordinationszahl der Hybride
s	d	gewinkelt	2
p	d	linear	2
p²	d	trigonale Ebene	3
s	d²	trigonale Ebene	3
p	d²	trigonale Pyramide	3
s	p² d	quadrat. Ebene	4
s	d³	Tetraeder	4
s	p³ d	trigonale Bipyramide	5
s	p d³	trigonale Bipyramide	5
s	d⁴	quadrat. Pyramide	5
s	p³ d²	Oktaeder	6
s	p d⁴	trigonales Prisma	6

Bei der H. handelt es sich um keinen physikal. Effekt; sie ist lediglich ein Hilfsmittel in der theoret. Beschreibung der *Elektronenstruktur eines Moleküls. Sie wurde von Pauling im Rahmen der VB-Theorie (s. a. chemische Bindung) eingeführt. Zur Beschreibung der 4 äquivalenten C–H-Bindungen im CH_4-Mol. verwendet man z. B. 4 *Singulett-gekoppelte Zweielektronen-Funktionen, aufgebaut aus jeweils einem am C-Kern lokalisierten sp^3-Hybridorbital u. einem an einem der 4 Protonen lokalisierten 1s-Orbital. Einen festen Platz im Begriffsrepertoire des Chemikers hat die H. v. a. bei qual. Anw. der VB-Theorie. Der Zusammenhang mit lokalisierten *Molekülorbitalen ist bei *chemische Bindung dargestellt.

2. In der *Molekularbiologie* versteht man unter H. die Vereinigung zweier komplementärer *Nucleinsäure-Stränge zu einem Doppelstrang; durch H. prüft man, ob – bei synthetisierten Polynucleotiden – die Basenfolge korrekt ist, vgl. Desoxyribonucleinsäuren, Anwendung.

3. In der *Biologie* bedeutet H. die Verschmelzung (Kreuzung) der Erbanlagen (*Chromosomen) zweier Organismen zwecks Züchtung von Erbfolgern *(Hybride, Bastarde)* mit erwünschten Eigenschaften. – *E* hybridization – *F* hybridation – *I* ibridazione – *S* hibridación

Lit. (zu 1.): Angew. Chemie **93**, 944–956 (1981) ▪ Huheey, Anorganische Chemie, Berlin: de Gruyter 1988 ▪ Klessinger, Elektronenstruktur organischer Verbindungen, Weinheim: Verl. Chemie 1982 ▪ Kutzelnigg, Einführung in die Theoretische Chemie, Bd. 2: Die chemische Bindung, 2. Aufl., Weinheim: VCH Verlagsges. 1994. – *(zu 2. u. 3.):* Karlson, Kurzes Lehrbuch der Biochemie, 14. Aufl., S. 113, 126 ff., Stuttgart: Thieme 1994 ▪ Knippers (6.), S. 22.

Hybridmagnet. Elektromagnet, bestehend aus einer supraleitenden Spule, in deren Bohrung sich zur weiteren Felderhöhung eine zusätzliche Spule (Bitter bzw. Helix-Spule) befindet. Mit dieser Kombination werden Magnetfelder bis ≥30 T erreicht (Vgl.: Erdmagnetfeld: $0,5 \cdot 10^{-4}$T). – *E* hybrid magnet – *F* aimant hybride – *I* magnete ibrido – *S* imán híbrido

Lit.: Encyclopedia of Applied Physics, Bd. 9, S. 248, 250, Weinheim: VCH Verlagsges. 1994 ▪ Kohlrausch, Praktische Physik 2, S. 12, Stuttgart: Teubner 1996 ▪ Phys. Bl. **44**, 176 (1988).

Hybridoma-Technik. Verf. zur Gewinnung zellulärer Hybride, die durch Zellfusion von normalen *Lymphocyten mit unbegrenzt lebens- u. teilungsfähigen Myelomzellen (Tumorzellen) entstehen u. die Eigenschaften beider Elternzellen aufweisen. Zur Erzeugung *monoklonaler Antikörper (s. Abb.) wird eine antikörperbildende Zelle mit einer Myelomzelle in einer Zellkultur fusioniert.

Eine Maus wird zunächst mit einem *Antigen immunisiert; einige Wochen später entnimmt man ihr die Milz. Ein Gemisch aus Lymphocyten u. Plasmazellen dieser Milz fusioniert man *in vitro* mit Myelom-Zellen. Jede der daraus resultierenden Hybridzellen, die man als Hybridom-Zellen (s. Hybridome) bezeichnet, stellt unbeschränkt einen homogenen Antikörper her, dessen Spezifität von jener ursprünglichen Milzzelle bestimmt wird. Diese Hybridom-Zellen kann man dann daraufhin durchmustern, ob sie einen Antikörper der gewünschten Spezifität herstellen. Solche pos. Zellen werden anschließend in Kulturmedien vermehrt od. in Mäuse injiziert, um neue Myelome zu induzieren. Die Zellen können aber auch eingefroren u. lange Zeit aufbewahrt werden. Die H.-T. wird heute noch in erster Linie mit Mäusen durchgeführt, weshalb die meisten monoklonalen Antikörper murinen Ursprungs sind. – *E* hybridoma technique – *F* technique d'hybridome – *I* tecnica ibridoma – *S* técnica de hibridoma

Lit.: Glick u. Pasternack, Molekulare Biotechnologie, S. 83–86, Heidelberg: Spektrum Akadem. Verl. 1995 ▪ Stryer 1996, S. 386 f.

Hybridome (Hybridom-Zellen, Hybridoma-Zellen). Durch Verschmelzung von Plasmazellen u. Myelom-Zellen (entartete Knochenmarks-Zellen) entstandene Hybrid-Zellen. H. lassen sich als *Klon in Kultur halten u. werden zur Produktion *monoklonaler Antikörper benutzt[1]. Von *Monocyten wird ein *Hybridom-Wachstumsfaktor* (hybridoma growth factor, HGF) produziert[2]. – *E* hybridomas – *F* hybridomes – *I* ibridomi – *S* hibridomas

Lit.: [1] Curr. Opin. Immunol. **1**, 929–936 (1989). [2] Lymphokines **10**, 175–185 (1985). *allg.:* Glick u. Pasternack, Molekulare Biotechnologie, S. 83–86, Heidelberg: Springer 1995.

Hybridom-Wachstumsfaktor s. Hybridome.

Hybridorbitale s. Hybridisierung u. chemische Bindung.

Hybrid-Promotoren. Künstlich konstruierte *Promotoren für die Expression fremder Proteine, z. B. in *Escherichia coli*. Ein Beisp. ist der tac-Promotor, der aus Teilen des trp- u. lac-Promotors besteht (Fusionspromotor, s. *Lit.*[1]). Es zeigte sich in entsprechenden Expressionsvektoren, daß dieser H.-P. für die Produktion des cI-Genproduktes sowie für die von menschlichem Wachstumshormon mind. 5-mal effizienter als der lac-Promotor ist. Starke Promotoren können oft nicht allein, sondern nur in Ggw. der *Terminatoren kloniert werden. In verschiedenen Fällen, z. B. beim tac-Promotor, empfiehlt es sich daher, den Einbau entsprechender Terminationssignale vorzusehen, auch wenn dies nicht für die Expression aller Proteine notwendig ist. In einfacher aufgebauten H.-P. werden oft nur Promotorelemente konstitutiv exprimierter Promotoren mit Regulationselementen des lac-Promotors fusioniert[1]. – *E* hybrid promotors – *F* promoteurs hybrides – *I* promotori ibridi – *S* promotores híbridos

Lit.: [1] Winnacker, From Genes to Clones, S. 260–267, Weinheim: VCH Verlagsges. 1987. *allg.:* Glick u. Pasternack, Molekulare Biotechnologie, S. 91–121, Heidelberg: Spektrum Akadem. Verl. 1995.

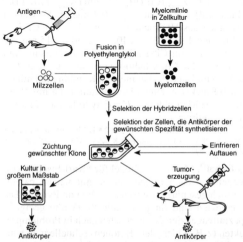

Abb.: Herst. monoklonaler Antikörper mit der Hybridoma-Technik; nach Stryer, s. *Lit.*

Hybridzellklone. Bez. für Zellklone, die auf eine Hybridzelle zurückgehen. In der *Hybridoma-Technik wird die Bez. H. für die durch Teilung einer Hybridom-Zelle (s. Hybridome) entstandenen *Klone angewendet. – *E* hybrid cell clones – *F* clones de cellules hybrides – *I* cloni ibrido-cellulari – *S* clones de células híbridas

Hycamtin® (Rp). Pulver für Infusionslsg. mit dem Cytostatikum *Topotecan,* ein DNA-Topoisomerase-I-Hemmer. Eingesetzt wird das Monohydrochlorid. *B.:* SmithKline Beecham.

Hycar®. Nitril- u. Styrol-Butadien-*Latices u. Mischpolymerisate sowie reaktive flüssige Polymere auf *Butadien- bzw. Butadien-*Acrylnitril-Basis. *B.:* Goodrich.

Hydantocidin. Ein aus Kulturbrühen von *Streptomyces hygroscopicus* isolierter Metabolit [1,2] mit potenter nicht-selektiver herbizider Wirkung gegen ein- u. mehrjährige monokotyledone u. dikotyledone Unkräuter.

$C_7H_{10}N_2O_6$, M_R 218,17, Schmp. 187–189 °C, $[\alpha]_D^{25}$ +28,8° (H_2O), Nadeln, lösl. in Wasser.
Biolog. Wirkung: Herbizide Wirkung im Vorauflauf bei 2,5 kg/ha mit vollständiger Wirkung gegenüber *Setaria faberi, Echinochloa crus-galli, Amaranthus retroflexus, Sida spinosa* u. a. Unkräutern. – *E* hydantocidin – *F* hydantocidine – *S* hidantocidín
Lit.: [1] J. Antibiot. **44**, 293–300 (1991). [2] J. Chem. Soc., Perkin Trans. 1 **1991**, 1637–1640.
allg.: ACS Symp. Ser. **551**, 74–84 (1994). – *Synth.:* Tetrahedron **51**, 6669, 12563 (1995); **52**, 1177–1194 (1996) ▪ Tetrahedron Lett. **34**, 6289, 7391 (1993); **36**, 2145, 2149 (1995) ▪ Tetrahedron: Asymmetry **6**, 1143–1150 (1995). – *[CAS 130607-26-0]*

Hydantoine (Imidazolidin-2,4-dione). H. (R=H, $C_3H_4N_2O_2$, M_R 100,08) wurde 1861 von *Baeyer als Produkt der *Hydrogenolyse von *Allantoin (R=NH–CO–NH$_2$) entdeckt, das selbst ein Abbauprodukt der Harnsäure ist [1].

Phenytoin

H., die leicht aus Aldehyden, Ketonen, Aminosäuren u. Harnstoffen herstellbar sind, spielen eine große Rolle in der Aminosäure-Synthese. *Phenytoin ist ein wichtiges *Antiepileptikum; neuerdings werden Substanzbibliotheken mit H. als Gerüststruktur synthetisiert, um pharmazeut. interessante *Peptidomimetika zu finden [2,3]. 5,5-Disubstituierte H. sind die Basis einer neuen Generation von *Epoxidharzen. H. finden auch in Haarsprays u. a. kosmet. Artikeln Verwendung. H. selbst findet in der organ. Analytik als Derivatisierungsreagenz für Aldehyde u. Ketone Verwendung. Die alkal. od. saure Hydrolyse der H. liefert α-Aminosäuren (s. Erlenmeyer-Synthese). – *E* hydantoins – *F* hydantoïnes – *I* idantoine – *S* hidantoínas

Lit.: [1] Justus Liebigs Ann. Chem. **130**, 129 ff. (1864). [2] J. Chem. Inform. Comp. Sci. **34**, 1162-1166 (1994). [3] Tetrahedron Lett. **37**, 937–940 (1996).
allg.: Adv. Het. Chem. **38**, 178–228 (1985) ▪ Chem. Rev. **46**, 403 (1950). – *[HS 2933 21; CAS 461-72-3]*

Hydnocarpussäure [11-(2-Cyclopentenyl)undecansäure].

R = (CH$_2$)$_{10}$—COOH : Hydnocarpussäure
R = (CH$_2$)$_{12}$—COOH : Chaulmoograsäure
R = (CH$_2$)$_6$—CH=CH—(CH$_2$)$_4$—COOH : Gorlisäure

$C_{16}H_{28}O_2$, M_R 252,40, Krist., Schmp. 58–59 °C, $[\alpha]_D^{25}$ +68° (CHCl$_3$) [(+)-Form]. H. gehört zur Gruppe der Cyclopentenylfettsäuren, vgl. a. Chaulmoograsäure, deren Glycerinester typ. Bestandteile von Samenölen, der v. a. in den Tropen heim. Pflanzenfamilie Flacourtiaceae sind. Zu diesen Säuren gehört auch *Gorlisäure* ($C_{18}H_{30}O_2$, M_R 278,44). Cyclopentenylfettsäuren sind auch in den Samenölen von Passifloraceen u. Turneraceen enthalten. H. ist zu 35% im *Chaulmoograöl, zu 50% im Hydnocarpusöl (aus dem südostasiat. *Hydnocarpus wightiana*) u. zu 75% im Gorliöl (aus dem afrikan. *Caloncoba echinate*) enthalten. Diese Öle waren als Lepra-Therapeutika in Gebrauch. – *E* hydnocarpic acid – *F* acide hydnocarpique – *I* acido idnocarpico – *S* ácido hidnorcárpico
Lit.: Beilstein E IV **9**, 215 ▪ Ullmann (5.) **A 10**, 233. – *[HS 2916 20; CAS 459-67-6 (H.); 502-31-8 (Gorlisäure)]*

Hydr. . . s. Hydro. . .

Hydracrylsäure(nitril) s. Hydroxypropionsäuren bzw. Hydroxypropionitrile.

Hydragoga s. Abführmittel.

Hydralazin (Rp).

Internat. Freiname für das *Antihypertonikum 1-Hydrazinophthalazin, $C_8H_8N_4$, M_R 160,18, Schmp. 172–173 °C, λ_{max} (CH$_3$OH): 240 nm (A$_{1cm}^{1\%}$ 710), LD$_{50}$ (Maus oral) 122, (Maus i.p.) 101 mg/kg. Verwendet wird auch das Hydrochlorid, Zers. bei 273 °C, λ_{max} (0,001%ige Lsg.): 211, 240, 269, 304, 315 nm. H. wurde 1949 von Ciba (Trepress®, Kombination mit *Oxprenolol u. Chlorthalidon) patentiert u. ist als Generikum im Handel, aber meist in Kombination mit einem β-Blocker u. einem Diuretikum, auch mit *Clonidin od. α-Methyldopa. – *E* = *F* hydralazine – *I* idralazina – *S* hidralazina
Lit.: ASP ▪ Beilstein E V **25/17**, 412 ▪ DAB **1996** u. Komm. ▪ Florey **8**, 283–314 ▪ Hager (5.) **8**, 458–461. – *[HS 2933 90; CAS 86-54-4]*

Hydranal®. Marke von Riedel für *Karl-Fischer(KF)-Reagenzien nach Eugen Scholz mit neuen, patentrechtlich geschützten Basen anstelle von Pyridin. Die Reagenzien sind für prakt. alle KF-Geräte geeignet. Spezialreagenzien gewährleisten auch in Problemprodukten (z. B. Aldehyden, Ketonen) schnelle u. genaue Ergebnisse. Eich- u. Pufferlsg. erleichtern die Anwendung. *B.:* Riedel.

Lit.: Scholz, Karl-Fischer-Titrationen, Heidelberg: Springer 1984.

Hydrangin s. Umbelliferon.

Hydrargaphen (Rp).

Internat. Freiname für das *Antiseptikum/*Desinfektionsmittel u. *Antimykotikum 3,3′-Methylenbis(2-naphthalinsulfonsäure)-bis(phenylquecksilber)-Salz, $C_{33}H_{24}Hg_2O_6S_2$, M_R 981,85, LD_{50} (Maus oral): 80 mg/kg, prakt. unlösl. in Wasser. – *E* hydrargaphen – *F* hydrargaphène – *I* idrargafeni – *S* hidrargafeno
Lit.: Hager (5.) **8**, 461 f. ■ Merck-Index (12.), Nr. 4805. – [HS 293100; CAS 14235-86-0]

Hydrargillit s. Aluminiumhydroxide.

Hydrargyrum. Latein. Name für *Quecksilber.

Hydrastin.

(1′*R*, 3*R*-Form)

$C_{21}H_{21}NO_6$, M_R 383,40, Schmp. 162–163,5 °C [1′*R*, 3*R*-Form, (–)-*α-Hydrastin*], 133–135 °C [1′*R*,3*S*-Form, *(–)-β-Hydrastin*], 159–161 °C [1′*S*,3*S*-Form, (+)-*α*-H.], 131–132 °C [1′*S*,3*R*-Form, *(+)-β*-H.], gut lösl. in Aceton u. Benzol, unlösl. in Wasser. Phthalid-Isochinolin-Alkaloid aus verschiedenen Pflanzen, dessen vier Stereoisomere alle natürlich vorkommen. Das (–)-*β*-Isomer aus dem Wurzelstock des in Amerika verbreiteten *Hydrastis canadensis* (Hahnenfußgewächse) wurde in der Medizin aufgrund seiner gefäßzusammenziehenden Wirkung als blutstillendes Mittel verwendet. Bei hoher Dosierung zeigt sich ein *Strychnin-artiges Vergiftungsbild [LD_{50} (Ratte p.o.) 1 g/kg, vgl. *Lit.* Hager], s.a. Narcotin. – *E* = *F* hydrastine – *I* idrastina – *S* hidrastina
Lit.: Beilstein E V 27/27, 148 f. ■ Hager (5.) **4**, 89, 1023 ■ J. Nat. Prod. **45**, 105 (1982) ■ R. D. K. (4.), S. 412 f., 832 ■ Sax (8.), HGQ 500, HGR 000, HGR 500 ■ Ullmann (5.) **A 1**, 375 f. – *Biosynth.:* Can. J. Chem. **57**, 1588 (1979). – *Synth.:* J. Am. Chem. Soc. **98**, 6714 (1976) ■ J. Chem. Soc. **1950**, 1776 ■ J. Chem. Soc. Perkin Trans. 1 **1976**, 1221 ■ J. Org. Chem. **48**, 1621 (1983). – [HS 293990; CAS 4370-85-8 ((–)-*α*-H.); 118-08-1 ((–)-*β*-H.)]

Hydrastinin (2-Methyl-6,7-methylendioxy-1,2,3,4-tetrahydro-1-isochinolinol).

$C_{11}H_{13}NO_3$, M_R 207,23, farblose Krist., Schmp. 117 °C, in Alkohol, Chloroform u. Ether gut lösl., prakt. unlösl. in kaltem Wasser. H. ist ein Oxid.-Produkt des *Hydrastins. H.-Hydrochlorid findet ähnliche Verw. wie Hydrastin. – *E* = *F* hydrastinine – *I* idrastinina – *S* hidrastinina

Lit.: Beilstein E V **27/24**, 391 ■ s. Hydrastin. – [HS 293990; CAS 6592-85-4]

Hydratasen. Bez. für *Lyasen (Enzyme), die die Anlagerung von Wasser an (ungesätt.) Substrate bewirken, meist in reversibler Reaktion. Die H. wirken also auch als Dehydratasen, Beisp. s. dort. – *E* = *F* hydratases – *I* idratasi – *S* hidratasas

Hydratation. Unter H. soll hier ausschließlich die *Solvatation in Wasser als Lsm. verstanden werden, bei der sich die Mol. des Wassers an darin dispergierte od. gelöste Ionen, Elektronen (s. solvatisierte Elektronen), Atome, Mol. od. Kolloide unter Bildung von *Hydraten anlagern, wobei ihre H–OH-Bindung unversehrt bleibt. Über *Reaktionen* mit Wasser, bei denen eine Aufspaltung der Wasser-Mol. erfolgt, z.B. Bildung des *Chloralhydrats, Übergang der Carbonsäureanhydride in die entsprechenden Carbonsäuren od. Bildung von Alkoholen durch die Anlagerung des Wassers an eine C=C-Doppelbindung, s. bei Hydratisierung u. Hydrolyse. Allerdings scheinen die Grenzen im allg. Sprachgebrauch oft verwischt, auch dadurch, daß in der engl. Sprache kein Unterschied zwischen H. u. Hydratisierung gemacht wird. Auch die dtsch. Bez. „hydratisieren" u. „hydratisiert" gelten für beides.
Unter prim. od. chem. H. wird die direkte Anlagerung von Wasser-Mol. an das Ion verstanden, wobei sich eine aus unbeweglichen Wasser-Mol. bestehende sog. erste H.-Sphäre bildet. Durch sek. od. physikal. H. werden weitere Wasser-Mol. fixiert, die mit dem Ion nicht starr verbunden sind, jedoch ebenfalls mit diesem wandern. Als hier wirksame Bindungskräfte haben sich die der *Wasserstoff-Brückenbindungen erwiesen, bei denen man – unter bes. Strukturvoraussetzungen – auch Vorzugsrichtungen diskutiert (*homo-, hetero-* u. *antidrom*, s. *Lit.*[1]). Die Hydrat-Strukturen sind natürlich nicht unabhängig von den typ. Strukturen des flüssigen *Wassers zu sehen; eine ausführlichere Darst. der verschiedenen *Hydrathüllen* findet man bei *Lit.*[2].
Die H. ist also als einfache elektrostat. Wirkung zu deuten, bei der die als elektr. *Dipole anzusehenden Mol. des Wassers von den Ionen des gelösten Stoffs angezogen werden. Je kleiner das eigentliche Ion ist, desto mehr drängen sich die von ihm ausgehenden Kraftlinien zusammen u. desto stärker ist daher auch deren Wirkung auf die Mol. des Lsm.; desto kräftiger wird also eine Anzahl von Wasser-Mol. am Ion festgehalten. So erklärt es sich, daß der wahre *Ionenradius des kleinen Li^+ u. der des kleinen F^--Ions durch die H. stark vergrößert wird, während bei Ionen, deren wahrer Radius von Natur größer ist, die H. gering ist. So sind z.B. in wäss. Normallsg. Lithium-Ionen mit 12, Natrium-Ionen mit 8, Kalium-Ionen mit 4, Magnesium-Ionen mit 14, Calcium-Ionen mit 10–12, Chlorid-Ionen mit 3, Bromid-Ionen mit 2 Wasser-Mol. verbunden. Von bes. Interesse für den Chemiker ist die H. der *Protonen, *Elektronen u. der *Hydroxid-Ionen. Letztere bilden z.B. ein Hydrat $H_3O_2^-$ u. bei H^+ sind nicht nur H_3O^+ (*Oxonium), sondern auch höhere Hydrate mit 2, 3, 4 u. $6 H_2O$-Mol. bekannt.
Die Anzahl der von einem Einzel-Ion gebundenen Wasser-Mol. bezeichnet man als die *H.-Zahl*; diese

Zahlen sind von den Koordinationszahlen der Ionen abhängig u. lassen sich nur im Fall einer festen Bindung des Wassers exakt bestimmen.

Die H. ist stets mit einer Energieänderung verbunden. Bei der H. von F^--Ionen werden 515, bei der von Cl^--Ionen 381, bei der von Br^--Ionen 347 u. bei der von I^--Ionen 305 kJ/mol frei. Die *H.-Energien* für einwertige Kationen sind etwas größer, sie nehmen innerhalb der Alkalimetall-Ionen von 519 für Li^+- auf 264 kJ/mol für Cs^+-Ionen ab. Können Salze mehrere *Hydrate* bilden, so sind die Energiebeträge der einzelnen H.-Stufen unterschiedlich: *Beisp.:* $Na_2CO_3 \cdot 7H_2O$ mit 68 kJ/mol, $Na_2CO_3 \cdot 10H_2O$ mit 92 kJ/mol, $CuSO_4 \cdot H_2O$ mit 29 kJ/mol, $CuSO_4 \cdot 5H_2O$ mit 79 kJ/mol – das erste H_2O-Mol. wird offensichtlich stärker gebunden als die übrigen. Die Beträge der H.-Wärmen sind für zweiwertige Ionen größer als für einwertige, für dreiwertige sind sie noch größer. Über die H. von Elektronen, die bei Einwirken von *ionisierender Strahlung auf wäss. Syst. häufig zu beobachten ist, s. unter solvatisierte Elektronen. Die Größe der Hydratationsenergie ist für die Löslichkeit von chem. Verb. wichtig, da zur Auflsg. eines Salzes der Betrag der *Gitterenergie aufgewendet werden muß u. dies nur dann möglich ist, wenn Anionen u. Kationen insgesamt eine noch größere Hydratationsenergie besitzen. Letztere ist auch die Ursache für die Umkehrung der Reihenfolge der *Säurestärken* der einzelnen Halogenessigsäuren beim Wechsel von der Gas- in die wäss.-flüssige Phase (*Lit.*[3]).

Die H. der Ionen ist ferner z.B. (neben deren Größe u. Ladung) für die unterschiedliche Wanderungsgeschw. im elektr. Feld bei der *Elektrolyse wäss. Elektrolyt-Lsg. verantwortlich, sie spielt z.B. eine Rolle bei der *Verwitterung von Gesteinen, in der *Kolloidchemie, beim Anmachen des Zements. Die H.-Energieänderung kann techn. möglicherweise in Form von chem. Wärmespeichern genutzt werden. Bei der Umkehrung der H., d.h. bei der (stufenweisen) Entfernung von H_2O aus den Hydraten spricht man von Entwässern, *Trocknen od. (mißverständlich) von *Dehydratisierung. – *E* = *F* hydration – *I* idratazione – *S* hidratación (iónica)

Lit.: [1] Angew. Chem. **92**, 404f. (1980). [2] Z. Chem. **18**, 1–8 (1978). [3] J. Am. Chem. Soc. **98**, 4393f. (1976). *allg.:* Chem. Rev. **93**, 1157–1204 (1993) ▪ Samoilow, Die Struktur wäßriger Elektrolytlösungen u. die Hydratation von Ionen, Leipzig: Teubner 1981 ▪ s.a. Hydrate u. Wasser.

Hydratcellulose s. Cellulosehydrat.

Hydratdextrose s. D-Glucose.

Hydrate. a) In der organ. Chemie Bez. für *gem*-Diole, die durch *Hydratisierung von *Aldehyden od. Ketonen entstehen; *Beisp.* s. Chloralhydrat, Formaldehyd u. Hexafluoraceton. – b) In der anorgan. Chemie Bez. für in festem od. flüssigem Zustand vorliegende, durch *Hydratation (nicht *Hydratisierung!) gebildete *Molekül-Verbindungen (*Solvate*), in denen *Wasser eine der Komponenten ist. Im allg. werden zu den H. auch die Aqua-Liganden enthaltenden Koordinationsverb. (*Koordinationslehre) gerechnet, ebenso Verb., die die Elemente Wasserstoff u. Sauerstoff im Atomverhältnis 2:1 enthalten, wie z.B. die Kohlenhydrate. Auch die sog. *Gas-H.* od. *Eis-H.* (*Clathrate) sind keine echten H., da in diesen Gase lediglich in die beim Gefrieren des Wassers entstandenen Hohlräume eingelagert sind. Auch Bez. wie Calciumoxidhydrat od. Kalkhydrat für *Calciumhydroxid sind falsch; Verb. dieser Art werden nicht mehr zu den H. gerechnet, da sie kein *Kristall-, sondern *Konstitutionswasser enthalten, vgl. Aquoxide. Dagegen werden nicht selten das *Oxonium-Ion u. dessen höhere Hydratationszustände (H_3O^+, $H_9O_4^+$ etc., vgl. a. Proton u. *Lit.*[1]) als H. betrachtet.

In den H. sind die Wasser-Mol. nebenvalent durch *zwischenmolekulare Kräfte, insbes. *Wasserstoff-Brückenbindungen (Dipolkräfte) an Atome, Mol. od. Ionen angelagert; zum Ablauf der Hydratation s. *Lit.*[2]. Feste H. enthalten Wasser als sog. *Krist.-Wasser* in stöchiometr. Verhältnissen, wie z.B. das Nickelsulfat-7-Wasser (Nickelsulfatheptahydrat = $NiSO_4 \cdot 7H_2O$) od. das 3-Cadmiumsulfat-8-Wasser ($3CdSO_4 \cdot 8H_2O$). Diese Formeln drücken lediglich aus, daß z.B. ein Mol. Nickelsulfat zusammen mit 7 Mol. Wasser kristallisieren kann, wobei die Wasser-Mol. hinsichtlich ihres Bindungszustands nicht gleichwertig sein müssen. Im Fall des $NiSO_4 \cdot 7H_2O$ sind 6 der Wasser-Mol. als Liganden an das Nickel-Ion gebunden, während das 7. Mol. im Gitter eine Pos. zwischen dem Komplex-Ion u. dem Sulfat-Ion besetzt; exakt ist die Verb. also als Hexaaquanickel(II)-sulfat-1-Wasser $\{[Ni(H_2O)_6]SO_4H_2O\}$ zu bezeichnen. Im Natriumcarbonat-10-Wasser ($Na_2CO_3 \cdot 10H_2O$) sind die Wasser-Mol. nicht direkt an die Ionen gebunden, sondern ihre Hauptfunktion scheint darin zu bestehen, die Packung der Ionen im *Kristallgitter zu verbessern. Bei einigen Salzen können die Hydratwasser-Mol. in wechselnder Verteilung innerhalb u. außerhalb des Komplex-Ions gebunden sein, so daß bei gleichbleibender Gesamtzusammensetzung mehrere Formen des Salzes von unterschiedlichen Eigenschaften auftreten können. Diese *Hydratisomerie* (*Koordinationslehre) liegt z.B. beim Chromchloridhexahydrat vor, von dem die Formen $[Cr(H_2O)_6]Cl_3$ (violett), $[CrCl(H_2O)_5]Cl_2 \cdot H_2O$ (hellgrün) u. $[CrCl_2(H_2O)_4]Cl \cdot 2H_2O$ (dunkelgrün) bekannt sind. Manche Salze wiederum können H. von unterschiedlicher Zusammensetzung bilden, deren Beständigkeit von der Temp. u. der Menge des (z.B. als Luftfeuchtigkeit) vorhandenen verfügbaren Wassers abhängig ist. Wenn wäss. Salzlsg. gefrieren, können sog. *Kryo-H.* auskristallisieren (*Eutektikum).

Jedes H. hat einen bestimmten, wenn auch oft sehr kleinen Wasserdampfdruck. So beträgt dieser im Fall des Kupfersulfatpentahydrats bei gewöhnlicher Temp. etwa 6,7 mbar, während der Dampfdruck des Wassers unter den gleichen Bedingungen etwa 23 mbar ist. Deshalb sind die Krist. dieses H. an der gewöhnlichen, feuchten Luft unbegrenzt haltbar; das gleiche gilt für alle H., deren Dampfdruck kleiner ist als der *Partialdruck des Wasserdampfs in der Luft (wird als *relative Luftfeuchtigkeit gemessen). Ist der Dampfdruck eines H. dagegen größer als der Partialdruck des Wasserdampfs in der Luft, so gibt es an die Luft mehr od. weniger schnell Kristallwasser ab u. zerfällt oberflächlich zu einem nicht deutlich krist. Pulver, wie man es z.B. beim $Na_2CO_3 \cdot 10H_2O$ gut beobachten kann. Man bezeichnet diese Erscheinung als *Verwittern* der Kristalle. Erwärmt man ein H., so steigt sein Dampfdruck stetig an, wie die Kurven in Abb. 1 erkennen lassen.

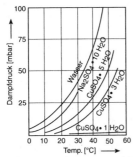

Abb. 1: Dampfdruckkurven bei steigender Temperatur.

Entwässert man bei konstanter Temp. ein H. wie Kupfersulfat-5-Wasser, das zuerst 2, dann nochmals 2 u. schließlich das letzte Wasser-Mol. abgibt,

$$CuSO_4 \cdot 5H_2O \xrightarrow{-2H_2O} CuSO_4 \cdot 3H_2O$$
$$CuSO_4 \cdot 3H_2O \xrightarrow{-2H_2O} CuSO_4 \cdot 1H_2O$$
$$CuSO_4 \cdot 1H_2O \xrightarrow{-H_2O} CuSO_4$$

so läßt sich feststellen, daß der Wasserdampfdruck für jede der 3 Teilreaktionen einen konstanten Wert besitzt. Saugt man daher, z. B. bei 50 °C, über dem Kupfersulfat-5-Wasser den Wasserdampf ab, so erhält man beim Auftragen der Wasserdampfdrücke gegen die Zusammensetzung der H. eine charakterist. Treppenkurve (Abb. 2), aus der man die bei der Entwässerung auftretenden Zwischen-H. direkt entnehmen kann.

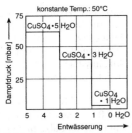

Abb. 2: Dampfdrücke verschiedener Kupfersulfat-Hydrate.

Die Entwässerung ist reversibel, d. h. $CuSO_4$, $CuSO_4 \cdot 1H_2O$ u. $CuSO_4 \cdot 3H_2O$ gehen an feuchter Luft allmählich in 5-Hydrat über; zur freiwerdenden Energie hierbei s. Hydratation. Analog entsteht aus blauem $CoCl_2$ über die 1-, 1,5-, 2- u. 4-Hydrate das rosa 6-Hydrat. Diese Salze sind also hygroskop. (*Hygroskopizität), weshalb sie in Labor u. Technik häufig als *Trockenmittel verwendet werden.

Die Herst. definierter H. ist wegen deren hygroskop. Eigenschaften oft nicht einfach, z. B. bei Erdalkalimetall-Halogenid-H., s. Lit.[3]. Die Neigung zur H.-Bildung steigt bei Kationen u. Anionen in der Reihenfolge Cs^+, Rb^+, K^+, NH_4^+, Na^+, Li^+, Ba^{2+}, Sr^{2+}, Ca^{2+}, Mg^{2+}, Al^{3+}, Fe^{3+}, Cr^{3+} bzw. NO_3^-, CN^-, I^-, Br^-, Cl^-, F^-, SO_4^{2-}. In Übereinstimmung damit bilden z. B. Kaliumbromid, Natriumchlorid, Kaliumnitrat usw. keine H.; dagegen erreichen die aus stark hydratationsfähigen Metall-Ionen (Al^{3+}, Fe^{3+}, Cr^{3+}) bzw. Säurerest-Ionen (SO_4^{2-}) bestehenden Alaune u. Sulfate die höchsten Kristallwasser-Gehalte (12 bzw. 18 H_2O), vgl. a. Alaune u. z. B. Alu-

miniumsulfat. Es handelt sich also bei diesen H. – u. selbst bei solchen, bei denen 1 Wasser-Mol. 2 Salz-Mol. bindet – um stöchiometr. H., die jeweils 0,5, 1, 2, 3, 4, 5 od. mehr Wasser-Mol. an ein Salz-Mol. gebunden enthalten (Hemi-, Mono-, Di-, Tri- usw. Hydrate). Daneben gibt es bes. in der *Kolloidchemie eine große Zahl von nichtstöchiometr. H., bei denen ganz beliebige, keineswegs immer ganzzahlige Molmengen an Wasser gebunden sind: Solche Stoffe werden z. B. als *Hydrogele bezeichnet. – E = F hydrates – I idrati – S hidratos

Lit.: [1] Chem. Unserer Zeit **16**, 173 (1982). [2] Z. Chem. **18**, 1–8 (1978). [3] Angew. Chem. **83**, 170 f. (1971).
allg.: Bamford u. Tipper, Reactions in the Solid State (Comprehensive Chem. Kinetics 22), Amsterdam: Elsevier 1980 ∎ Conway, Ionic Hydration in Chemistry and Biophysics, Amsterdam: Elsevier 1981 ∎ Struct. Bonding (Berlin) **69**, 97–125 (1988) ∎ Wells, Structural Inorganic Chemistry (5.), S. 651–698, Oxford: Clarendon 1984 ∎ s. a. Hydratation.

Hydratisierung. Nicht scharf definierte u. gegenüber *Hydratation u. *Hydrolyse abgegrenzte Bez. für die Anlagerung von H_2O an organ. Substrate. Hier wird unter H. ausschließlich die durch *chem. Reaktion* u. kovalent erfolgende Bindung von H u. OH (aus Wasser) an zwei benachbarte Atome verstanden, z. B. bei der Bildung von Ethanol aus Ethylen od. von 2-Propanol bei der Gasphasen-H. von Propylen. Im lebenden Organismus laufen ständig – durch *Hydratasen/*Dehydratasen katalysierte – H. u. *Dehydratisierungen nebeneinander ab. In der Ggw. von (sauren) Katalysatoren (meist Schwefelsäure) ausgeführten H. dienen zur großtechn. Herst. von Aldehyden (aus Acetylenen) u. Alkoholen (aus Alkenen) (s. Abb. a) wobei mengenmäßig die H.-Verf. zur Herst. von Ethanol u. 2-Propanol die von Butanolen bei weitem überwiegen[1]. Auch im Laboratorium eignet sich die H. zur Synth. von Hydroxy-Verb., wobei der Eintritt der OH-Gruppe meist der *Markownikoffschen Regel folgt. Streng nach der Markownikoff-Regel verläuft die als *Oxymercurierung bezeichnete H. von Alkenen mit Quecksilber(II)-acetat (s. Abb. b). Quecksilber-Salze katalysieren auch die H. von Alkinen (s. Abb. c), wobei, außer im Falle von Acetylen selbst, Ketone gebildet werden. Die H. von Carbonyl-Verb. führt oft zu instabilen gem-Dihydroxy-Verb. (s. Abb. d), die fachsprachlich als „Hydrate" bezeichnet werden u. nur in Ausnahmefällen isoliert werden können; *Beisp.:* *Chloralhydrat.

a $R-CH=CH_2 \xrightarrow{+\ H_2O\ /\ Katalysator} R-\overset{OH}{\underset{|}{CH}}-CH_3$

b $R-CH=CH_2 \xrightarrow[-\ H_3C-COOH]{+\ Hg(O-CO-CH_3)_2\ /\ H_2O}$

$R-\overset{OH}{\underset{|}{CH}}-CH_2-Hg-O-CO-CH_3 \xrightarrow{NaBH_4} R-\overset{OH}{\underset{|}{CH}}-CH_3$

c $R-C\equiv C-H \xrightarrow{+\ H_2O\ /\ Hg^{2+}} R-\overset{OH}{\underset{|}{C}}=CH_2$

$\xrightarrow{Tautomerie} R-\overset{O}{\overset{\|}{C}}-CH_3$

d $\begin{matrix} \diagdown \\ \diagup \end{matrix} C=O \underset{-\ H_2O}{\overset{+\ H_2O}{\rightleftharpoons}} \begin{matrix} \diagdown \\ \diagup \end{matrix} C \begin{matrix} OH \\ OH \end{matrix}$

– *E* hydration – *F* hydratation – *I* idratazione – *S* hidratación (química)

Lit.: [1] Weissermel-Arpe (4.), S. 210ff., 215ff., 220f.
allg.: Carey-Sundberg, S. 424f. ■ March (4.), S. 759–763 ■ Patai, The Chemistry of the Hydroxyl Group, S. 135–253, Chichester: Wiley 1971 ■ Winnacker-Küchler (4.) **6**, 26ff. ■ s. a. Alkohole u. Ethanol u. a. Textstichwörter.

Hydratisomerie s. Hydrate u. Koordinationslehre.

Hydratropaaldehyd s. 2-Phenylpropionaldehyd.

Hydraulikflüssigkeiten. Unter *Hydraulik* (von griech.: hýdor = Wasser u. aulós = Rohr) versteht man die Lehre von den Gesetzmäßigkeiten der *Strömung in Rohren, Rinnen, Kanälen u. Flüssen. Von bes. techn. Bedeutung ist, daß der auf Flüssigkeiten ausgeübte *Druck in alle Richtungen gleichmäßig wirkt, vorausgesetzt, es handelt sich um inkompressible *Newtonsche Flüssigkeiten. Eine einfache hydraul. Vorrichtung zeigt die Abb. mit 2 durch ein Rohr miteinander verbundenen Zylindern von verschiedenem Durchmesser (1 u. 2), in denen genau eingepaßte Kolben auf u. ab bewegt werden können.

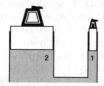

Abb.: Hydraulische Vorrichtung; 1 u. 2 = Zylinder mit verschiedenen Durchmessern.

In den Zylindern u. im verbindenden Röhrensyst. befindet sich die H. (gerastert). Hat z.B. der kleine Zylinder 1 einen Querschnitt von 10 cm², dann wird ein auf dem Kolben liegendes Gew. von 5 kg einen Druck von ca. 50 kPa durch die ganze H. bewirken. Dieser Druck wirkt nach allen Richtungen gleichmäßig. Hat der große Zylinder 2 z.B. einen Querschnitt von 100 cm², so kann der Kolben von Zylinder 2 ein Gew. von 50 kg tragen. Man kann so bei 2 einen mehrtausendfachen Druck erzielen *(hydraul. Presse)* od. – durch Einwirkung einer kleinen Kraft auf den Zylinder 1 das größere Gew. bei 2 anheben. Dabei sind die Wege allerdings umgekehrt proportional zu den Kräften, d. h. 10 cm Wegstrecke in 1 entspricht 1 cm in 2. An Stelle des kleinen Zylinders 1 werden in der Technik leistungsfähige Pumpen eingesetzt. Bei diesem Prinzip der Kraftübertragung spricht man vom *hydrostat. Antrieb.*

Ein zweites Prinzip hydraul. Kraftübertragung ist der *hydrokinet. Antrieb*; dieser wirkt nach dem Trägheitsprinzip durch Umlenken einer in Bewegung befindlichen H.-Masse in rotationssymmetr. angeordneten Schaufelgittern nach Art einer Turbine.

Hydraul. Vorrichtungen vielfältiger Art sind in der heutigen Technik weit verbreitet. Neben einem entsprechenden Fließverhalten u. geringer Kompressibilität (geringe Vol.- u. D.-Änderung unter Druck) für den störungsfreien Energietransport sollen H. möglichst gute Gleiteigenschaften zur Schmierung, hohe spezif. Wärme zur Kühlung, gute Verträglichkeit mit den Anlagen-Werkstoffen sowie korrosionsschützende Eigenschaften aufweisen. Das ursprünglich als

H. verwendete Wasser erfüllt diese Anforderungen nur sehr unvollkommen. Weiteste Verbreitung als H. haben geeignete Mineralöl-Fraktionen gefunden.

Man unterscheidet Hydraulik-Öle H (alterungsbeständig ohne Wirkstoffzusätze), HL (mit Wirkstoffen zur Erhöhung von Alterungsbeständigkeit u. Korrosionsschutz), HLP (zusätzlich mit Wirkstoffen zur Verminderung des Verschleißes im Mischreibungsgebiet) sowie HVLP (zusätzlich mit Wirkstoffen zur Verbesserung des Viskositäts-Temp.-Verhaltens). Diese H.-Typen sind gemäß DIN 51 524 Tl. 1 u. 2 (06/1985) sowie Tl. 3 (08/1990) spezifiziert für die Anforderungen bestimmter Anw.-Bereiche.

Bei feuergefährdeten hydraul. Vorrichtungen (z.B. im Steinkohlenbergbau sowie in vielen Ind.-Betrieben) werden schwerentflammbare H. eingesetzt; DIN 51 502 (08/1990) unterscheidet hier die Typen HFA (Öl-in-Wasser-Emulsionen), HFB (Wasser-in-Öl-Emulsionen), HFC (wäss. Polymer-Lsg., z.B. aus Polyglykolen) sowie HFD (wasserfreie Flüssigkeiten, z.B. Phosphorsäureester, Kieselsäureester, Silicone, Halogenkohlenwasserstoffe u.a.), vgl. a. ISO 6743 Tl. 4 (11/1982). Für hydraul. Anlagen in Flugzeugen werden außerdem gute Tieftemp.-Eigenschaften verlangt. Zu den H. zählen auch die *Bremsflüssigkeiten. – *E* hydraulic fluids – *F* liquides/fluides hydrauliques – *I* fluidi idraulici – *S* fluidos/líquidos hidráulicos

Lit.: Kirk-Othmer (3.) **12**, 712–733; (4.) **13**, 533–559 ■ Ullmann (4.) **13**, 85–94; (5.) **A 13**, 165–176.

Hydraulische Bindemittel s. Bindemittel u. Zement.

Hydraulische Mörtel s. Bindemittel u. Zement.

Hydrazide. a) Salze des *Hydrazins der allg. Formel $M^I HN–NH_2$ bzw. $M^{II}(HN–NH_2)_2$ (M = Metall), die bei der Reaktion von Metallen (z.B. Alkalimetallen) od. Metall-Verb. (z.B. Alkaliamide u. -hydride) mit Hydrazin entstehen. Die Alkalihydrazide sind extrem empfindlich u. zersetzen sich explosionsartig an der Luft od. beim Erhitzen.

b) Die *Säurehydrazide (z.B. Carbonsäurehydrazide, $R–CO–NH–NH_2$ mit R = organ. Rest) sind meist feste, krist. Verb., die mit Säuren Salze bilden u. mit HNO_2 in *Säureazide ($R–CO–N_3$) überführbar sind. Ähnlich wie in Säureamiden (s. Amide) ist das dem Säurerest benachbarte H-Atom z.B. gegen Natrium austauschbar. Einige Säure-H. sind pharmakolog. interessant (z.B. Isonicotinsäurehydrazid als Mittel gegen Tuberkulose), andere, auch cycl., dienen als Regulantien für das Pflanzenwachstum. Cycl. Acyl-H. (z.B. *Luminol) zeigen Chemilumineszenz, vgl. die Abb. dort. – $E = F$ hydrazides – *I* idrazidi – *S* hidrazidas

Lit.: Patai, The Chemistry of Hydrazo, Azo and Azoxy Groups, New York: Wiley 1975 ■ Schmidt, Hydrazine and its Derivatives, New York: Wiley 1984 ■ s. a. Hydrazin.

Hydrazin (Diazan, Diamid). T ☠ C 🜍 F 🔥
$H_2N–NH_2$, M_R 32,05. Farblose, ölige, an der Luft stark rauchende, giftige Flüssigkeit von Ammoniak-ähnlichem Geruch, D. 1,004, Schmp. 2 °C, Sdp. 113,5 °C, außer mit Wasser (vgl. Hydrazinhydrat) auch mit Alkoholen beliebig mischbar, WGK 3. H. bildet mit Wasser ein bei 120,5 °C siedendes Azeotrop mit einem H.-Gehalt von 58,5%. Da sich H. im Tierversuch als carcinogen erwiesen hat, wurde

1980 der bisherige MAK- in einen TRK-Wert ($0{,}13$ mg/m^3) umgewandelt u. H. in die Liste III A 2 der krebserzeugenden Arbeitsstoffe mit schwach carcinogener Wirkung einbezogen. Eine carcinogene Wirkung beim Menschen wurde bisher nicht nachgewiesen. H. u. seine wäss. Lsg. sind toxisch. In flüssiger Form od. als Dampf wirkt H. stark haut- u. schleimhautreizend, bei lokaler Einwirkung ist auch Sensibilisierung der Haut möglich; Hinweise zur Sicherheit s. Lit.[1]. Als exotherme Verb. zerfällt H. bei Temp. über $250\,^{\circ}\mathrm{C}$ – ggf. explosionsartig – in Stickstoff u. Ammoniak.

$$3\,H_2N-NH_2 \rightarrow 4\,NH_3 + N_2 + 336{,}5\ kJ.$$

Durch Katalysatoren wie Kupfer, Eisen, Nickel, Molybdän od. deren Oxide kann die Zersetzungstemp. deutlich gesenkt werden. H.-Luft-Gemische mit H.-Gehalten >5 Vol.-% können sich bei Temp. über $50\,^{\circ}\mathrm{C}$ selbst entzünden. Konz. wäss. Lsg. haben einen pH-Wert von $12-13$ u. sind sehr aggressiv gegen Gummi u. Kork; bei mehrjähriger Einwirkung wird sogar Glas angegriffen. H. löst ebenso wie verflüssigtes Ammoniak viele anorgan. Salze u. zeigt als starkes Red.-Mittel große Reaktionsfähigkeit gegenüber vielen Chemikalien; so reduziert es z. B. ammoniakal. Silbersalz- u. Fehlingsche-Lsg. bereits in der Kälte zu metall. Silber bzw. Kupfer(I)-oxid. H. reagiert als zweiwertige Base mit Säuren unter Bildung zweier Reihen von *Hydrazinium-Salzen*, verbindet sich mit Metallen bzw. Metallamiden u. -hydriden zu *Hydraziden* u. bildet mit Aldehyden u. Ketonen *Hydrazone*. Vom H. leiten sich auch die Alkyl- u. Aryl-H., *Azine* u. die *Hydrazo*-Verb. ab. Zum Nachw. von H.-Dämpfen eignen sich Prüfröhrchen sowie das Gasspurenwarnsyst. Compur 4100 S Monitox.

Herst.: H. wurde erstmals 1887 von *Curtius* aus organ. Stoffen hergestellt. Nach F. *Raschig* erhält man es durch Oxid. von Ammoniak mit Natriumhypochlorit in Ggw. von Komplexbildnern:

$$2\,NH_3 + NaOCl \rightarrow H_2N-NH_2 + NaCl + H_2O.$$

Als Zwischenprodukt entsteht dabei *Chloramin*, das mit überschüssigem Ammoniak unter Bildung von H. weiterreagiert. Die Komplexbildner binden die in den Ausgangsprodukten vorhandenen Schwermetall-Ionen, da diese den Zerfall von H. katalysieren würden. Eine Variante dieses Verf. (*Bayer-Prozeß*, s. Lit.[2]) besteht darin, daß man der Reaktionslsg. des Raschig-Verf. Ketone (Aceton, 2-Butanon) zusetzt, wobei *Ketazine* entstehen:

$$2\,NH_3 + NaOCl + 2\,R_2C{=}O \rightarrow R_2C{=}N{-}N{=}CR_2 + NaCl + 3\,H_2O,$$

die durch saure Hydrolyse in H. u. das entsprechende Keton übergeführt werden (s. Abb.). Ein energiesparendes u. nebenproduktarmes, von *Pechiney Ugine Kuhlmann* entwickeltes Verf. geht von Ammoniak, Butanon u. Wasserstoffperoxid aus, die in Ggw. eines Aktivators aus Acetamid u. Natriumhydrogenphosphat zum Ketazin reagieren, das schließlich zum Hydrazinhydrat hydrolysiert wird. Von weiteren Prozessen hat nur das Harnstoff-Verf. (Umsetzen von Harnstoff mit Natriumhypochlorit in alkal. Lsg.) eine techn. Bedeutung erlangt. Die Herst. von wasserfreiem H. kann durch azeotrope Rektifikation von Hydrazinhydrat mit *Anilin* in Ggw. von Inertgasen bzw. einem

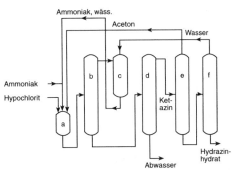

Abb.: Bayer-Verf.: a) Ketazin-Synth.; b) Ammoniak-Stripping; c) Ammoniak-Absorber; d) Ketazin-Dest.; e) Druckhydrolyse; f) Konzentrierung.

Kohlenwasserstoff erfolgen, um die Zers. des H.-Dampfes bei der Dest. möglichst gering zu halten. Zur Herst. im Laboratoriumsmaßstab s. Lit.[3]. H. gelangt wasserfrei als 98%ige, 64%ige (entspricht 100% Hydrazinhydrat), 51%ige, 35%ige od. 15%ige wäss. Lsg. in den Handel. Geeignete Transportbehälter für H. bestehen aus nichtrostenden, austenit. Chrom-Nickel-Stählen mit möglichst niedrigem Molybdän-Gehalt, Polypropylen od. Polystyrol. 1992 betrug die Weltproduktion an Hydrazin 44 100 t (davon der größte Teil als Lsg.).

Verw.: Wasserfreies H. u. seine Derivate (bes. Methylhydrazine) werden wegen ihrer hohen Verbrennungswärmen als *Raketentreibstoff* verwendet [z. B. wurde das Apollo-Mondfahrzeug mit einer 1 : 1-Mischung aus $H_3C{-}NH{-}NH_2$ u. $(H_3C)_2N{-}NH_2$ betrieben; als Oxid.-Mittel diente Distickstofftetroxid N_2O_4]. H. kann auch in *Brennstoffzellen* als Energiequelle eingesetzt werden. H. u. seine Derivate sind Ausgangsprodukte für Kunst-, Farb- u. Klebstoffe, Pflanzenschutzmittel, Pharmazeutika[4] usw.; wäss. H.-Lsg. sind vielseitige Red.-Mittel, z. B. bei der Herst. von Silber- u. Kupfer-Spiegeln, bei der Abscheidung von kolloidalen Platin-Niederschlägen od. in der chem. Analyse. Wichtig ist ihre Anw. als Korrosionsinhibitor für Wasser-Dampf-Kreisläufe. H. wirkt hierbei deckschichtpassivierend, Sauerstoff-bindend u. alkalisierend. Die H.-Bestimmung im Kesselspeisewasser läßt sich elektrochem.[5] bzw. kolorimetr. mittels 4-(Dimethylamino)benzaldehyd als Reagenz durchführen. Zur Beseitigung von H.-Resten in Abwässern eignet sich bes. Wasserstoffperoxid in Ggw. von Pd-dotierten Ionenaustauschern; eine andere Möglichkeit ist die Oxid. mittels Natriumhypochlorit. In der organ. Chemie verwendet man H. zur Red. der Carbonyl-Gruppe zur Methylen-Gruppe (*Wolff-Kishner-* u. Huang-Minlon-Reduktion). Vielseitige Anw. finden H. u. seine Derivate auch bei der Synth. von Heterocyclen od. als Antioxidantien zur Stabilisierung von aromat. Aminen, Phenolen, Ölen, Fetten u. Kautschuk. Die wirtschaftlich größte Bedeutung haben die Einsatzgebiete Pflanzenschutzmittel, Schaumstofftreibmittel u. Korrosionsinhibierung erlangt. – *E = F* hydrazine – *I* idrazina – *S* hidrazina, hidracina

Lit.: [1] Kühn-Birret, Merkblätter Gefährliche Arbeitsstoffe H 08 u. H 014, Landsberg/Lech: Ecomed, Stand 06/1995; In vivo **2**, 209–242 (1988). [2] Schliebs, The Chemistry of the Bayer-Hydrazine-Process, 193rd ACS Meeting Abstracts, Denver: 1987. [3] Brauer (3.) **1**, 451–455. [4] Negwer (6.), S. 1700. [5] DECHEMA-Monogr. **67**, 191–213 (1971). *allg.*: Brauer (3.) **1**, 451–455 ▪ Büchner, Industrial Inorganic Chemistry, S. 45–52, Weinheim: VCH Verlagsges. 1989 ▪ Gmelin, Syst.-Nr. 4, N, 1936, S. 307–319 ▪ Hommel, Nr. 272 ▪ Houben-Weyl **10/2**, 1–70, 123–756 ▪ Kirk-Othmer (4.) **13**, 560–606 ▪ Ullmann (5.) **A 13**, 177–191 ▪ Winnacker-Küchler (4.) **2**, 179–182. – *[HS 2825 10; CAS 302-01-2; G 4.2]*

Hydrazingelb s. Tartrazin.

Hydrazinhydrat. $H_2N-NH_2 \cdot H_2O$, M_R 50,06. Stark lichtbrechende, an der Luft rauchende, hygroskop., ätzende u. giftige Flüssigkeit, die stark alkal. reagiert u. fischartig riecht, D. 1,03, Schmp. $-51,7\,°C$ bzw. $<-65\,°C$ (zwei Eutektika), Sdp. 119 °C (986 mbar), leicht lösl. in Wasser u. Alkohol, unlösl. in Ether u. Chloroform. H. existiert als Verb. nur in der festen Phase unterhalb von $-57,7\,°C$. Die flüssige Phase ist eine wäss. Lsg. von *Hydrazin, die in unverd. Zustand 64% Hydrazin enthält. H. gilt ebenso wie Hydrazin im Tierversuch als carcinogen u. wurde in die Liste III A 2 der krebserzeugenden Arbeitsstoffe aufgenommen. H. greift Glas, Gummi, Kork, nicht aber austenit. Chrom-Nickel-Stähle an. H. wird als Zwischenprodukt bei der Herst. des Hydrazins erhalten.
Verw.: Als Red.-Mittel in der Analyse u. Synth., z. B. zur Herst. von Natriumazid, Bleiazid u. zur Red. von Nitro-Verb., zur Herst. von Katalysatoren, als Korrosionsschutz- u. Entchlorungsmittel für Wasser usw., s. a. Hydrazin. – *E* hydrazine hydrate – *F* hydrate d'hydrazine – *I* idrato d'idrazina – *S* hidrato de hidrazina
Lit.: s. Hydrazin. – *[HS 2825 10; CAS 7803-57-8]*

Hydraziniumchloride. (a) *Hydraziniumchlorid*, $[H_2N-NH_3]^+Cl^-$, M_R 68,51. Farblose Krist., Schmp. 89 °C, Sdp. 240 °C (Zers.). – (b) *Hydrazindiiumdichlorid*, $[H_3N-NH_3]^{2+}2Cl^-$, M_R 104,97. Farblose Krist., D. 1,42, Sdp. 198 °C (Zers.). Die H. sind in Wasser gut, in Alkohol wenig löslich. – *E* hydrazinium chlorides – *F* chlorures d'hydrazinium – *I* cloruri d'idrazinio – *S* cloruros de hidrazinio
Lit.: Gmelin, Syst.-Nr. 23, NH₄, 1936, S. 552 f. ▪ s. a. Hydrazin. – *[HS 2825 10; CAS 2644-70-4 (a); 5341-61-7 (b)]*

Hydrazinium-Salze. Salze des *Hydrazins, die analog den Ammonium-Salzen (s. Ammonium) gebildet werden. Da Hydrazin im Gegensatz zu Ammoniak zwei freie Elektronenpaare aufweist, werden zwei Reihen von Salzen gebildet mit den Ionen $[H_3N-NH_2]^+$ bzw. $[H_3N-NH_3]^{2+}$. Nur die ersteren sind in wäss. Lsg. stabil, Hydrazinium-Dikationen befinden sich im Gleichgew. mit H_3O^+ u. $N_2H_5^+$, s. a. Hydraziniumchloride u. -sulfate. – *E* hydrazinium salts – *F* sels d'hydrazinium – *I* sali d'idrazinio – *S* sales de hidrazinio
Lit.: Gmelin, Syst.-Nr. 23, NH₄, 1936, S. 546–568 ▪ s. a. Hydrazin. – *[HS 2825 10]*

Hydraziniumsulfate. a) *Hydrazindiiumsulfat*, $[H_3N-NH_3]^{2+}SO_4^{2-}$, M_R 130,12. Farblose, dicke Tafeln bzw. Prismen, D. 1,37, Schmp. 254 °C, in heißem Wasser leicht, in kaltem schwer lösl., unlösl. in Alkohol; scheidet aus Edelmetall-Salzlsg. die freien Metalle ab. Die geringe Löslichkeit von H. in kaltem Wasser benutzt man bei der Hydrazin-Herst. nach dem Raschig-Verf. zur Ausfällung des H. aus der Synth.-Lösung. H.

wird. als Red.-Mittel bei der Mineralanalyse, zur Trennung von Polonium u. Tellur, in der Photographie zur Beschleunigung des Entwickelns, als Fungizid, zur Herst. von Aziden verwendet.
b) *Dihydraziniumsulfat*, $2(H_3N-NH_2)^+SO_4^{2-}$, M_R 162,17. Farblose, hygroskop. Krist., Schmp. 85 °C, in kaltem Wasser gut lösl., in Alkohol unlösl., stellt wegen seines hohen Hydrazin-Gehalts eine beliebte Handelsform des *Hydrazins mit gleicher Verw. wie a) dar. – *E* hydrazinium sulfates – *F* sulfates d'hydrazinium – *I* solfati d'idrazinio – *S* sulfatos de hidrazinio
Lit.: Gmelin, Syst.-Nr. 23, NH₄, 1936, S. 560 f. ▪ s. a. Hydrazin. – *[HS 2825 10; CAS 10034-93-2 (a); 13464-80-7 (b)]*

Hydrazino... (Diazanyl...). Bez. für die Atomgruppierung $-NH-NH_2$ als Präfix in systemat. Namen; bevorzugte Stellungsbez. früher *N,N'* (IUPAC-Regel C-921.1), jetzt 1,2 (IUPAC-Regel R-9.1.31b; C. A.). – *E = F* hydrazino... – *I* idrazino... – *S* hidracino...

Hydrazo... (Diazan-1,2-diylbis...). Bez. für die Atomgruppierung $-NH-NH-$ als Präfix in systemat. Namen (IUPAC-Regel C-921.2); *Beisp.*: *Hydrazobenzol. – *E = F* hydrazo... – *I* idrazo... – *S* hidrazo...

Hydrazobenzol (1,2-Diphenylhydrazin). $H_5C_6-NH-NH-C_6H_5$, $C_{12}H_{12}N_2$, M_R 184,24. Farblose, Campher-artig riechende Krist., die sich an der Luft oberflächlich rot färben (Bildung von *Azobenzol), D. 1,16, Schmp. 127–128 °C, unlösl. in Wasser, leichtlösl. in Alkohol u. Ether. Beim Arbeiten mit H. sind Inhalation u. Hautkontakt zu vermeiden; H. gilt als Stoff, der sich im Tierversuch eindeutig als krebserzeugend erwiesen hat, Gruppe III A 2 MAK-Werte-Liste 1996. H. reduziert Fehlingsche Lsg. u. ist leicht oxidierbar zu Azobenzol.
Herst.: Durch Red. von Nitrobenzol mit Zinkstaub u. Natronlauge:

$$2\,H_5C_6-NO_2 + 5\,Zn + 6\,H_2O + 10\,OH^- \rightarrow$$
$$H_5C_6-NH-NH-C_6H_5 + 5\,Zn(OH)_4^{2-}$$

Techn. reduziert man Nitrobenzol zunächst mit Natriumamalgam, das bei der Chlor-Alkali-Elektrolyse anfällt, zu Azobenzol u. anschließend mit Zinkstaub zu Hydrazobenzol. Die wichtigste Reaktion des H. ist die *Benzidin-Umlagerung, die in saurer Lsg. eintritt. – *E* hydrazobenzene – *F* hydrazobenzène – *I* idrazobenzene – *S* hidrazobenceno
Lit.: Beilstein E IV **15**, 56 ▪ BG Chemie (Hrsg.), Toxikologische Bewertung, Hydrazobenzol, Nr. 19, Heidelberg: Berufsgenossenschaft der Chem. Industrie 1994 ▪ Chemikalien-Verbotsverordnung vom 19. Juli 1996 (BGBl. I 1996, S. 1151) ▪ Ullmann (4.) **8**, 352; **13**, 102; (5.) **A 3**, 539 f. – *[HS 2928 00; CAS 122-66-7]*

Hydrazone. Kondensationsprodukte des *Hydrazins bzw. seiner Substitutionsprodukte mit Aldehyden u. Ketonen. Die Reaktion aliphat. Aldehyde mit Hydrazin führt allerdings nicht zu H., sondern zu *Tetrazin-Derivaten [1]. Arylhydrazone bilden sich z. B. bei der *Japp-Klingemann-Reaktion, u. bei der *Wolff-Kishner-Reduktion treten H. als Zwischenprodukte auf. Dank ihrer Schwerlöslichkeit u. scharfen Schmp. eignen sich die *Phenylhydrazone bzw. noch besser die *2,4-Dinitrophenylhydrazone* zur Charakterisierung von Aldehyden u. Ketonen [2]; mit Zuckern entstehen ggf. neben H. auch *Osazone. Unsubstituierte H.

$$\text{C=O} + \text{H}_2\text{N–NH–R} \xrightarrow{-\text{H}_2\text{O}} \text{C=N–NH–R}$$

R = H : Hydrazone
R = C$_6$H$_5$: Phenylhydrazone

R = —⟨NO$_2$, O$_2$N⟩ : 2,4-Dinitrophenylhydrazone

R = —SO$_2$—⟨ ⟩—CH$_3$: p-Toluolsulfonylhydrazone (Tosylhydrazone)

C=N–N=C *Azine

(R = H) lassen sich oxidieren, Tosylhydrazone alkal. spalten; in beiden Fällen bilden sich *Diazo-Verbindungen. Durch Kondensation eines zweiten Mol. der Carbonyl-Verb. an H. entstehen *Azine. Die aus der Aminosäure Prolin herstellbaren Reagenzien SAMP u. RAMP kondensieren mit Ketonen zu chiralen H., die zur enantioselektiven Alkylierung eingesetzt werden[3]; s. a. enantioselektive Synthese. Daneben sind H. zu weiteren nützlichen Umwandlungen in der präparativen organ. Chemie verwendbar (s. Lit. Houben-Weyl). – E = F hydrazones – I idrazoni – S hidrazonas
Lit.: [1] Tetrahedron Lett. **1966**, 5067. [2] Pure Appl. Chem. **51**, 2157 (1979). [3] Nógrádi, Stereoselective Synthesis, 2. Aufl., S. 246f., Weinheim: VCH Verlagsges. 1994.
allg.: Carey-Sundberg, S. 434 f. ▪ Houben-Weyl **10/2**, 169–691; **E 14 b**, 434–631 ▪ Kirk-Othmer (3.), **12**, 749 ▪ Patai, The Chemistry of Double-bonded Functional Groups, S. 288–305, Chichester: Wiley 1977 ▪ s. a. Aldehyde, Ketone u. Hydrazin.

Hydrazono... Nach IUPAC-Regeln C-922 u. R-5.6.6.2 Präfix für die Atomgruppierung =N–NH$_2$ in systemat. Namen von *Hydrazonen. – E = F hydrazono... – I idrazono... – S hidrazono...

Hydrenol®. Gesätt., einwertige, prim., lineare *Fettalkohole im Bereich C$_{16}$–C$_{18}$ auf Fettbasis zur Herst. von *Ethoxylaten für schaumgebremste Waschmittel. **B.:** Henkel.

Hydresol®. Kondensationsprodukte von Formaldehyd mit Phenol od. Naphthalinsulfonsäure zur Verw. als Verflüssiger für hydraul. Bindemittel wie Zement, Gips od. Anhydrit. **B.:** BASF.

Hydride. Bez. für binäre Verb. des Wasserstoffs mit Metallen od. Nichtmetallen. Man unterscheidet kovalente, ion., metallartige u. polymere H., wobei jedoch keine strenge Abgrenzung der einzelnen Gruppen möglich ist. Die Halb- u. Nichtmetalle, d. h. die Elemente der 14. bis 17. Gruppe des *Periodensystems, dazu Bor u. Gallium, bilden kovalente H.; diese werden auch als flüchtige od. gasf. H. bezeichnet; Beisp.: Kohlenwasserstoffe, Siliciumwasserstoffe, Borane, Hydrazin, Ammoniak, Phosphorwasserstoffe, Wasser, Sulfane u. Halogenwasserstoffe. Hier tritt Wasserstoff meist als pos. Atom auf, doch haben die Verb. unpolaren Charakter (s. chemische Bindung). Die kovalenten H. zeichnen sich durch ihre Strukturvielfalt aus – man denke an Alkane, polycycl. Kohlenwasserstoffe u. Polyolefine, an Silane u. käfigartige Borane etc., aber auch an die Struktur des Wassers mit den *Wasserstoff-Brückenbindungen. Den kovalenten H. rech-

net man oft auch die polymeren H. wie Aluminium-, Beryllium- u. Magnesiumhydrid hinzu.
Zum Nachw. von Spuren der Halb- od. Nichtmetalle (Beisp.: Arsen in Wasser) können diese in ihre leicht flüchtigen H. übergeführt werden, die spektroskop. od. auf anderem Wege analysierbar sind, s. Lit.[1].
Die Elemente der ersten 2 Gruppen des Periodensyst. bilden mit Wasserstoff meist feste, salzartige, also ion. od. elektrovalente H., z. B. Lithiumhydrid, Natriumhydrid, Kaliumhydrid, Calciumhydrid. Gegenüber diesen stark elektropos. Metallen verhält sich der Wasserstoff wie ein elektroneg. Bestandteil (etwa von der Art des Chlorid-Ions); tatsächlich konnte man in den Schmelzen dieser Verb. *Hydrid-Ionen nachweisen. Am beständigsten ist das Lithiumhydrid. Die salzartigen H. sowie die Doppelhydride des Aluminiums u. des Bors (*Alanate u. *Boranate, die oft komplexe Hydride genannt werden) werden wegen ihrer spezif. Red.-Wirkung u. katalyt. Eigenschaften in Laboratorium u. chem. Technik in Einzelstichwörtern ausführlicher besprochen.
Metallartige H. werden von den Übergangsmetallen gebildet; in ihnen ist der Wasserstoff meist in nichtstöchiometr. Verhältnis in fester Lsg. enthalten. Da sie Wasserstoff reversibel abgeben u. wieder aufnehmen können, kommen manche für Speicherung u. Transport von Wasserstoff in Betracht; s. Metallhydride. – E hydrides – F hydrures – I idruri – S hidruros
Lit.: [1] Int. Lab. **9**, Nr. 4, 40–47 (1979).
allg.: Angew. Chem. **103**, 776–784 (1991) ▪ Compr. Coord. Chem. **2**, 689–714 (1987) ▪ Kirk-Othmer (4.) **13**, 606–629 ▪ Snell-Ettre **14**, 242–260 ▪ Ullmann (5.) **A 13**, 199–226 ▪ s. a. Metallhydride u. a. Textstichwörter.

β-Hydrid-Eliminierung. Abspaltung eines β-ständigen H-Atoms von einer Metall-gebundenen Alkyl-Gruppe unter Bildung eines Hydrido-Komplexes u. eines Olefins, welches an das Metall-Atom koordiniert od. freigesetzt werden kann. Die Abb. veranschaulicht den Vierring-Übergangszustand, der bei dieser Reaktion durchlaufen wird.

Abb.: Mechanismus der β-Hydrid-Eliminierung. ([M] = Metall-Atom mit den übrigen Liganden, R = Kohlenwasserstoff-Rest).

Vor allem bei Zirconium-Komplexen kennt man auch einige Beisp. für die β-H.-E. von Aryl-Gruppen (in diesem Fall spricht man auch von ortho-Wasserstoffabspaltung), bei der an das Übergangsmetall gebundene, sehr reaktive Dehydroaromaten gebildet werden.
Die β-H.-E. ist der wichtigste Zerfallsweg für Metallalkyle u. setzt ein leeres, energet. niedriges Valenzorbital am Metall-Atom voraus. Da diese Voraussetzung z. B. beim *Bleitetraethyl fehlt, ist dieses trotz pos. Pb–C-Bindungsenthalpie bis ca. 100 °C stabil, während das thermodynam. wesentlich stabilere Tetraethyltitan sich bereits oberhalb von –100 °C zersetzt, weil mit der β-H.-E. ein Reaktionsweg mit nied-

riger *Aktivierungsenergie u. entsprechend schneller Kinetik zur Verfügung steht. Auch viele Alkyl-Komplexe mit 18 Valenzelektronen, die kein leeres Orbital aufweisen, können durch β-H.-E. in Olefin u. Hydrido-Komplex zerfallen. Dies geschieht, wenn einer der Liganden nicht sehr fest gebunden ist u. sich ein Dissoziationsgleichgewicht einstellt (auch dann, wenn das Gleichgewicht fast gänzlich auf der linken Seite der Gleichung liegt), z. B.:

$$[(C_5H_5)Fe(PPh_3)_2(CH_2CH_3)] \rightleftharpoons$$
$$[(C_5H_5)Fe(PPh_3)(CH_2CH_3)] + PPh_3 \rightleftharpoons$$
$$[(C_5H_5)FeH(PPh_3)(H_2C=CH_2)] + PPh_3 \rightleftharpoons$$
$$[(C_5H_5)FeH(PPh_3)_2] + H_2C=CH_2$$

Auf diese Weise verdrängt der zu Beginn der Reaktionsfolge abdissoziierte Ligand schließlich den Olefin-Liganden, so daß von der Alkyl-Gruppe lediglich ein H-Atom übrigbleibt.

Die β-H.-E. läßt sich verhindern

– durch Alkyl-Gruppen ohne β-H-Atome, z. B. CH_3, CH_2Ph, $CH_2Si(CH_3)_3$, $CH_2C(CH_3)_3$.
– durch Blockierung freier Valenzorbitale mit fest gebundenen Liganden, häufig unter Ausnutzung des *Chelat-Effektes.
– durch Einbau des Zentralatoms in einen Metallacyclus, weil hier ein Vierring-Übergangszustand mit planarer M–C–C–H-Anordnung aus geometr. Gründen nicht möglich ist.
– durch Bindung des Metall-Atoms an Brückenkopf-C-Atome, wo die β-H.-E. gegen die *Bredtsche Regel verstoßen würde.
– durch Einsatz fluorierter Alkyl-Gruppen (z. B. $-CF_2CF_2H$), weil fluorierte Olefine (hier $F_2C=CF_2$) thermodynam. ungünstig sind; es fehlt die treibende Kraft für die β-Hydrid-Eliminierung.

Im Gegensatz zur β-H.-E. führt die Abstraktion eines α-H-Atoms als Proton zur Bildung von Alkyliden- od. Alkylidin-Liganden, z. B.:

$$[(C_5H_5)_2Ta(CH_3)_2]BF_4 + NaOCH_3 \rightarrow$$
$$[(C_5H_5)_2Ta(-CH_3)(=CH_2)] + CH_3OH + NaBF_4.$$

– *E* β-hydride elimination – *I* β-eliminazione dell'idruro – *S* eliminación β de hidruros
Lit.: Bochmann, Metallorganische Chemie der Übergangsmetalle, S. 45 ff., Weinheim: VCH Verlagsges. 1997 ■ Elschenbroich u. Salzer, Organometallchemie, 3. Aufl., S. 238 ff., Stuttgart: Teubner 1990.

Hydrid-Ion. In ion. *Hydriden liegt Wasserstoff als elektroneg. Bestandteil vor, d. h. als *Anion H^- (vgl. Hydrido...). H.-I. können aus organ. *at-Komplexen abgespalten werden u. treten auch bei anderen Reaktionen in der organ. Chemie auf, z. B. bei Umlagerungsreaktionen (s. Umlagerung) od. bei der *Cannizzaro-Reaktion. – *E* hydride ion – *F* ion hydrure – *I* ione idruro – *S* ion hidruro

Hydrido... Nach IUPAC-Regel I-10.4.5.2 Bez. für das *Hydrid-Ion (H^-) als anion. od. für das Wasserstoff-Atom als neutraler Ligand in Koordinationsverb.; *Beisp.*: Li[AlH_4] = Lithiumtetrahydridoaluminat, [CoH(CO)_4] = Tetracarbonylhydridocobalt. Bei den sog. komplexen Borhydriden ist neben Hydrido... auch das Präfix Hydro... im Gebrauch; *Beisp.*: Na[BH_4] = Natriumtetrahydr(id)oborat, s. Boranate. – *E* hydrido... – *F* hydro... – *I* idruro... – *S* hidruro...

Hydrid-Schwamm s. 1,8-Naphthalindiylbis(dimethylboran).

Hydrid-Speicher. Wasserstoff-Speicher auf der Basis von reversiblen *Metallhydriden:

$$\text{Wasserstoff} + \text{Metall} \underset{\text{entladen}}{\overset{\text{laden}}{\rightleftharpoons}} \text{Hydrid} + \text{Wärme}$$

Hierbei wird durch Wärmeabgabe der Speicher geladen, d. h. Wasserstoff durch *Chemisorption gebunden, u. durch Wärmezufuhr wieder entladen. Die Speicherfähigkeit ist Temp.-abhängig. Je nach Temp.-Bereich unterscheidet man Tieftemp.-Hydride [$-30\,°C \leq T \leq 150\,°C$, z. B. $Ti(Cr_{1-x}Mn_x)_2$], Mitteltemp.-Hydride ($100\,°C \leq T \leq 200\,°C$) u. Hochtemp.-Hydride ($T \geq 200\,°C$, z. B. Mg_2NiH_4 u. MgH_2).

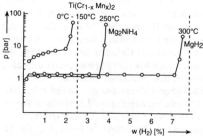

Abb.: Speicherdichten reversibler Metallhydride bei den angegebenen Temp. (aus Buchner, s. *Lit.*).

Die Abb. zeigt für drei Metalle die Massengehalt-Druck-Isothermen. Bes. stabile Hochtemp.-Hydride werden u. a. von Leichtmetallen (Mg, Al) u. deren Leg. gebildet. Aufgrund des niedrigen Atomgew. dieser Elemente werden relativ hohe Werte für die gespeicherte Energiedichte erreicht. Für MgH_2 ergibt die chem. Summenformel einen Massenanteil von ~8% H_2; dies entspricht einer Energiedichte von ~10 MJ/kg (vgl. Benzin: 40 MJ/kg). Experimentell sind bereits 90% der theoret. Obergrenze erreicht. Die Speicherfähigkeit von Tieftemp.-Hydriden liegt nach theoret. Überlegungen bei einem Massenanteil zwischen 2,3 u. 2,5% H_2; experimentell erreichter Wert: 2,1% H_2. H.-S. werden als Energiespeicher bes. für den Kraftfahrzeugbetrieb entwickelt. Wasserstoff bzw. ein Wasserstoff/Benzin-Gemisch hat den Vorteil, daß damit modifizierte Otto-Motoren betrieben werden können. Es entstehen im Abgas keine Blei- u. prakt. keine CO-, CO_2- u. CH-Emissionen. Im Magerbetrieb ($\lambda > 2,5$, s. Katalysator) werden auch sehr niedrige NO_x-Werte erreicht. Im Vgl. zu Gastanks od. gar flüssigem Wasserstoff sind H.-S. wesentlich explosionssicherer. – *E* hydride storage – *F* accumulateur à hydrure – *I* accumulatore di idruro – *S* acumulador de hidruro

Lit.: Buchner, Energiespeicherung in Metallhydriden, Wien: Springer 1982 ■ Hamilton, Electric and Hybrid Vehicles, Encyclopedia of Physical Science and Technology, Bd. 5, S. 457–480, San Diego: Academic Press 1992 ■ Switendick, Metal Hydrides, Encyclopedia of Physical Science and Technology, Bd. 9, S. 681–691, San Diego: Academic Press 1992.

Hydridübertragungsreaktion s. Ionen-Molekül-Reaktionen.

Hydrid-Verschiebungen s. Umlagerungen.

Hydrid-Verschiebungssatz. Die von *Grimm[1] aufgestellte, auch als *Grimmscher H.* bezeichnete Regel besagt: Durch Aufnahme von n Wasserstoff-Atomen nehmen Atome (bzw. die so gebildeten *Pseudoatome*) formal die Eigenschaft der im *Periodensystem n Stellen rechts neben ihnen stehenden Atome an, was durch die gleiche Ladungszahl verursacht wird (s. Abb.).

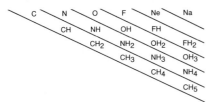

Abb.: Analogien nach dem Hydrid-Verschiebungssatz.

Innerhalb der senkrechten Kolonnen sind die Gruppen bzw. Pseudoatome *isoelektronisch*, nicht dagegen *isoster* (s. Isosterie). Die „Pseudoelemente" F bis CH_3 treten bevorzugt einfach neg. geladen auf, Na bis CH_5 in Form pos. geladener Ionen. Der H. macht plausibel, daß sich Fluorid- u. Hydroxid-Ionen in *Silicaten gegenseitig vertreten können. *Isoelektron.* verhalten sich auch die „Dimeren" Sauerstoff (O=O), Diimin (HN=NH) u. Ethylen ($H_2C=CH_2$) sowie Stickstoff (N≡N) u. Acetylen (HC≡CH). Auf dem Grimmschen H. aufbauend hat Haas[2] ein „period. Syst. funktioneller Gruppen" entworfen. – *E* Grimm's hydride displacement law – *F* loi de déplacement d'hydrure – *I* legge di Grimm sullo spostamento di idruri – *S* ley de Grimm de desplazamiento de los hidruros

Lit.: [1] Z. Elektrochem. **31**, 474–480 (1925). [2] Chem. Ztg. **106**, 239–248 (1982).

Hydrierung. Bez. für die normalerweise katalyt. ablaufende Einführung von Wasserstoff in organ. Verb., im allg. durch *Addition von H_2 an einen *Wasserstoff-Akzeptor*, dessen *Redoxpotential positiver sein muß als das des *Wasserstoff-Donators*. H. sind daher als *Reduktionen aufzufassen. Im Gegensatz zur H. im eigentlichen Sinne bezeichnet man die Spaltung einer Kohlenstoff-Kohlenstoff- od. Kohlenstoff-Heteroelement-Bindung unter den Bedingungen der katalyt. H. als *Hydrogenolyse.

Sehr gut untersucht ist die H. von Kohlenstoff-Kohlenstoff-Doppelbindungen, die auch bei Anwesenheit anderer *funktioneller Gruppen gelingt, da es fast immer möglich ist, geeignete Bedingungen zu finden, die die *selektive* H. der Doppelbindung ermöglichen. Bei gleichzeitiger Anwesenheit einer Doppel- u. einer Dreifachbindung wird die Dreifachbindung mit Hilfe eines teilw. „vergifteten" Katalysators gezielt zum *cis*-Olefin hydriert. Ein dafür gut geeigneter Katalysator ist der *Lindlar-Katalysator* (Pd/$BaSO_4$ od. Pd/PbO/$CaCO_3$/Chinolin). Die Bedingungen der katalyt. H. variieren stark in Abhängigkeit des zu hydrierenden Substrates. So werden Temp. von 0–275 °C u. Drücke von Normaldruck bis zu 10^7 Pa angewendet, wobei die Bedingungen um so drast. gewählt werden müssen, je höher substituiert eine Doppelbindung ist. Zwei Arten der *Katalyse kommen bei der H. zur Anw.: Bei der *heterogenen* Katalyse liegt ein im Reaktionsmedium

unlösl. Katalysator vor, an dessen Oberfläche durch *Adsorptions- u. *Desorptions-Gleichgew. der zu hydrierenden Verb. u. des Wasserstoffs die eigentliche Katalyse bewirkt wird. Als Katalysatoren (die häufig auch für Dehydrierungen brauchbar sind) verwendet man Edelmetalle wie Pt, Pd u. Rh od. andere Übergangsmetalle wie Mo, W, Cr, bes. aber Fe, Co u. Ni, entweder einzeln od. im Gemisch od. zur Erhöhung der Aktivität u. Stabilität auf Trägern wie Aktivkohle, Aluminiumoxid od. Kieselgur aufgebracht. Häufig verwendet werden *Raney-Nickel[1], an Aktivkohle gebundenes Pd, metall. Pt, Platin- u. Zinkoxid[2]. Im Gegensatz zu dem histor. gesehen älteren Verf. der *heterogenen* Katalyse gewinnen die *homogenen*, d.h. im Reaktionsmedium lösl. Katalysatoren an Bedeutung. Es handelt sich dabei in der Regel um *Übergangsmetall-Komplexe, deren bekanntester Vertreter der *Wilkinson-Katalysator* [Chlor-tris(triphenylphosphin)rhodium] ist. Modifizierte Wilkinson-Katalysatoren mit chiralen Liganden erlauben die *katalyt. asymmetr.* H.[3,4] (s. a. Binaphthyl), die z. B. für die Synth. enantiomerer reiner Aminosäuren aus Acrylsäure-Derivaten ausgenutzt werden kann. So läßt sich ein gegen die *Parkinsonsche Krankheit eingesetztes (*S*)-*Dopa-Derivat unter Verw. des chiralen Phosphan-Liganden DIPAMP gewinnen (Abb. 1).

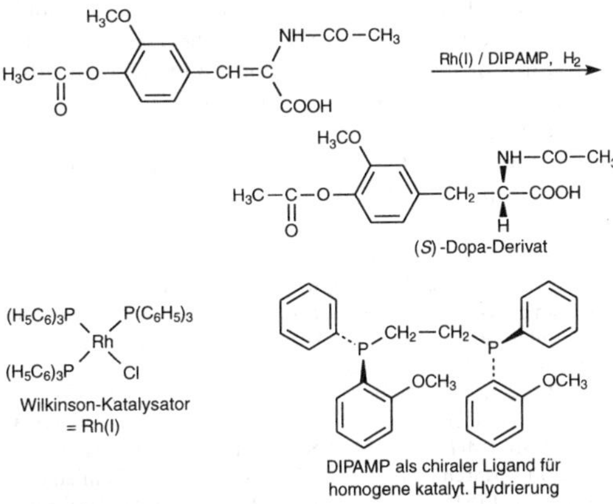

Abb. 1: Beisp. für eine homogene katalyt. Hydrierung.

Die meisten katalyt. H., ob homogen od. heterogen, verlaufen im Sinne einer *syn*-Addition, wobei der Wasserstoff an der ster. günstigeren Seite addiert wird. Ein plausibler Mechanismus für die heterogene katalyt. H. ist in Abb. 2 dargestellt.

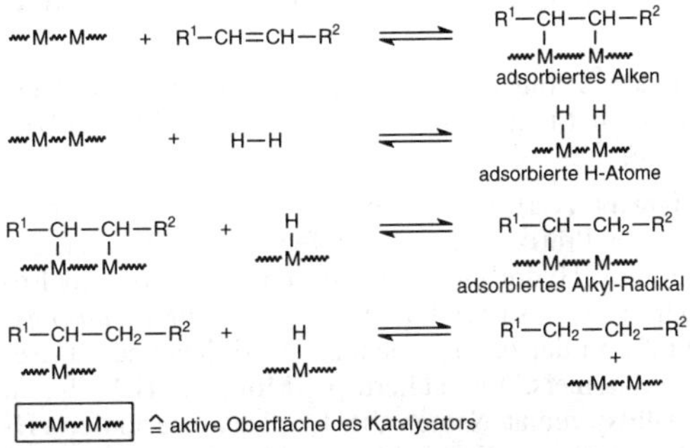

Abb. 2: Mechanismus der heterogenen katalyt. Hydrierung.

Eine bes. Meth. der H. besteht in der Möglichkeit, H_2 von einem organ. Mol. auf ein anderes zu übertragen. Bei diesem *Wasserstoff-Transfer* wird der Überträger dehydriert. Ein gutes Reagenz in diesem Sinne ist Cyclohexen, das in Ggw. eines Pd-Katalysators 2 Mol. Wasserstoff überträgt u. selbst dabei zu Benzol dehydriert wird. Die Red. von C,C-Doppelbindungen kann nicht nur über die katalyt. H., sondern auch durch andere Reagenzien erfolgen, z. B. mit Hilfe von Alkalimetallen in prot. Lsm. (vgl. Birch-Reduktion), Alkylsilanen, Hydrazin in Ggw. eines Oxid.-Mittels – das aktive Reagenz ist dabei *Diimin* –, ebenso lassen sich auch Kohlenstoff-Heteroelement-Doppel- u. -Dreifachbindungen katalyt. hydrieren. Eine Reihe von H. haben großtechn. Bedeutung erlangt; *Beisp.:* Härten von *Fetten u. Ölen, katalyt. Hochdruck-H., Umwandlung von Benzol in Cyclohexan od. Naphthalin in Dekalin u. Tetralin, *Fischer-Tropsch-Synthese, die *Kohleverflüssigung u. *Kohlevergasung, Red. von Aldehyden u. Ketonen zu Alkoholen, von Nitrilen u. Nitro-Verb. zu Aminen, von Cycloalkanen zu Alkanen. In der organ. Analytik dient die H. *(Mikrohydrierung)* zur Bestimmung der Doppelbindungszahl in einer Verbindung. Die großtechn. durchgeführten H. mit Träger-Katalysatoren werden im allg. in *heterogenen Syst.* vorgenommen, z. B. im Festbett od. in der *Wirbelschicht od. in der sog. Rieselphase. H. laufen auch im lebenden Organismus ab bzw. spielen eine wichtige Rolle in der techn. Mikrobiologie. Die im allg. *stereospezifischen H. werden durch Enzyme (Hydrogenasen/*Dehydrogenasen u. *Oxidoreduktasen) katalysiert; (s. z. B. Citronensäure-Cyclus). – *E* hydrogenation – *F* hydrogénation – *I* idrogenazione – *S* hidrogenación

Lit.: [1]Pizey, Synthetic Reagents, Vol. 2, S. 175–311, New York: Wiley 1974. [2]Smith, Solid Supports and Catalyst in Organic Synthesis, London: Ellis Horwood 1992. [3]Nógrádi, Stereoselective Synthesis, 2. Aufl. S. 45 ff., Weinheim: VCH Verlagsges. 1994. [4]Pure Appl. Chem. **68**, 131 (1996). *allg.:* Brückner, Reaktionsmechanismen, S. 535 f., Heidelberg: Spektrum Akadem. Verl. 1996 ▪ Carey-Sundberg, S. 965 ff. ▪ Houben-Weyl **4/1C**, 14–562 ▪ Kirk-Othmer (3.) **12**, 948 f.; **17**, 201–206 ▪ March (4.), S. 771–783 ▪ Patai, The Chemistry of Alkenes, S. 175 ff., London: Wiley 1970 ▪ Rylander, Hydrogenation Methods, London: Academic Press 1990 ▪ Trost-Fleming **8**, 139 f., 417 f., 443 f. ▪ Ullmann (5.) **A13**, 407 ▪ Winnacker-Küchler (4.) **5**, 117–134, 224 f. ▪ s. a. Katalyse, Reduktion, Wasserstoff.

Hydrinden s. Indan.

Hydrine. Veralteter Name für substituierte Alkohole wie *Chlorhydrine u. a. *Halohydrine, *Cyanohydrine.

Hydris®. Tauchsyst. zur direkten Wasserstoff-Messung in Stahlschmelzen. *B.:* Heraeus Electro-Nite GmbH.

Hydr(o)... a) Von griech.: hýdro... = wasser... abgeleitetes Präfix in allg. Begriffen; *Beisp.:* Hydrat, hydrophil, Hydrolyse. – b) Von engl.-französ.: hydrogen/-gène = Wasserstoff abgeleitetes *Hydrierungs*-Präfix in der organ. Chemie; in Trivialnamen u. Begriffen meist für addierte H_2-Mol. od. H-Verb., in (halb)systemat. Namen aber für paarweise addierte H-Atome; *Beisp.:* Hydrochinon, -chlorid, -formylierung,

aber Dihydrocodein, Tetrahydrofuran; s. a. Perhydro. – c) Bei komplexen Borhydriden neben *Hydrido... zulässiges Präfix für den Hydrid-Liganden (H^-). – $E = F$ hydro... – *I* idro... – *S* hidro...

Hydroaromaten s. hydroaromatische Verbindungen.

Hydroaromatische Verbindungen (Hydroaromaten). Bez. für teilw. hydrierte aromat. Verb.; *Beisp.:* *Tetralin u. a. *Hydronaphthaline, *Indan. Seltener bezeichnet man auch *perhydrierte* Aromaten wie *Decalin, *Cyclohexan etc. als h. V., s. alicyclische Verbindungen, Cycloalkane u. -alkene. – *E* hydroaromatic compounds – *F* composés hydro-aromatiques – *I* composti idroaromatici – *S* compuestos hidroaromáticos
Lit.: s. aromatische Verbindungen u. Textstichwörter.

Hydrobiologie. Wissenschaftliche Lehre von den pflanzlichen u. tier. Organismen der Gewässer (vgl. Hydrologie) u. ihren Beziehungen zueinander. Dabei gewinnen ökolog. Fragestellungen zunehmend an Bedeutung (*Gewässerbelastung u. -verunreinigung, Nahrungsketten usw.). Die biolog. Grundlagen des Wassers als Lebensraum erforscht die *Limnologie in Binnengewässern u. die *Meeresbiologie in Meeren. Zur angewandten H. zählen u. a. die Fischereibiologie u. die Abwasserbiologie. – *E* hydrobiology – *F* hydrobiologie – *I* idrobiologia – *S* hidrobiología
Lit.: Klee, Angewandte Hydrobiologie, 2. Aufl., Stuttgart: Thieme 1991 ▪ Schwoerbel, Methoden der Hydrobiologie, 4. Aufl., Stuttgart: Fischer 1994.

Hydroborate s. Boranate.

Hydroborierung. Eine bes. von H. C. *Brown u. R. *Köster seit 1960 entwickelte Reaktion eines Alkens mit Boran (BH_3), die zur *in situ* Herst. von *Bor-organischen Verbindungen eingesetzt wird, deren Oxid. u. Hydrolyse Alkohole liefern.

$$R^2{\underset{H}{\overset{R^1}{C}}}{=}{\underset{}{\overset{R^3}{C}}} \xrightarrow{+ BH_3} \left(R^2{-}\underset{}{\overset{R^1}{C}}H{-}\underset{}{\overset{R^3}{C}}H{-}B\right)_3 \xrightarrow[- B(OH)_3]{\substack{H_2O_2 / \\ NaOH}} R^2{-}\underset{}{\overset{R^1}{C}}H{-}\underset{}{\overset{R^3}{C}}H{-}OH$$

Im Endeffekt bewirkt die H. eine *anti*-Markownikoff-Hydratisierung (s. Markownikoffsche Regel) eines Alkens. Neue Reagenzien u. Verf. haben die Anw.-Breite der H. erheblich erweitert; so ist z. B. ein Boran-THF-Komplex kommerziell erhältlich (1 M Lsg.) u. a. H.-Reagenzien können als *stabile* Organoborane eingesetzt werden (s. Abb. 1). Die hohe Regioselektivität u., im Falle von Diisopinocampheylboran, Stereoselektivität dieser Organoborane haben ebenfalls die Anw.-Breite der H. erheblich erweitert (s. Abb. 2). Die H. kann aber nicht nur zur Synth. von Alkoholen ausgenutzt werden; so liefert die Protolyse Alkane, die im Falle der Verw. von deuterierten Säuren den gezielten Einbau von *Deuterium* in organ. Verb. ermöglicht. Weitere Reaktionen, die hier nur summar. aufgelistet werden können, sind die *Halogenierung zu *Alkylhalogeniden, die *Transmetallierung mit anderen Metall-organ. Verb., die Cyanoborat-Reaktion, die letztlich Ketone liefert u. a. vielfältige synthet. Anw.-Möglichkeiten; s. die zitierte *Literatur. – $E = F$ hydroboration – *I* idroborazione – *S* hidroboración
Lit.: [1]J. Prakt. Chem./Chem. Ztg. **338**, 386 (1996). [2]Tetrahedron **37**, 3547 (1981). [3]Org. Prep. Proced. Int. **13**, 225 (1981). *allg.:* Acc. Chem. Res. **21**, 287 (1988) ▪ Angew. Chem. **92**, 675

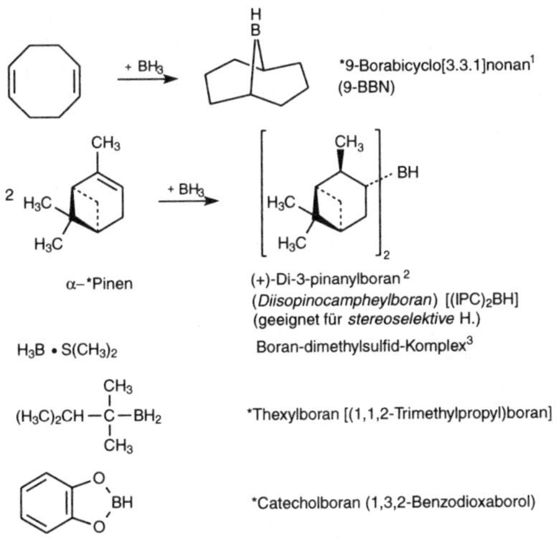

Abb. 1: Einige Hydroborierungs-Reagenzien.

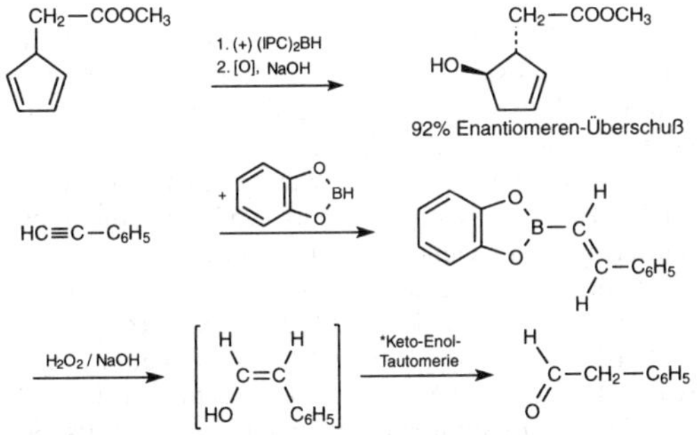

Abb. 2: Selektive Hydroborierung mittels spezieller Hydroborierungs-Reagenzien.

(1980) ■ Barton-Ollis **3**, 689 ff. ■ Brown, Organic Synthesis via Boranes, New York: Wiley 1975 ■ Brückner, Reaktionsmechanismen, S. 87 ff., Heidelberg: Spektrum Akadem. Verl. 1996 ■ Carey-Sundberg, S. 945 ff. ■ Chem. Unserer Zeit **14**, 95 (1980) ■ Kirk-Othmer (4.) **13**, 630 ff. ■ March (4.), S. 783 ff. ■ Nógrádi, Stereoselective Synthesis, 2. Aufl., S. 297 ff., Weinheim: VCH Verlagsges. 1995 ■ Pelter, Smith u. Brown, Borane Reagents, New York: Academic Press 1988 ■ Schlosser, Organometallics in Synthesis, S. 461 f., Chichester: Wiley 1994 ■ Trost-Fleming **8**, 703 ff. ■ s. Alkohole, Borane u. Bor-organische Verbindungen.

Hydrocarboxylierung. Bez. für die durch *Metallcarbonyle katalysierte Einführung von H u. COOH in ungesätt. organ. Verbindungen.

$$R^1-C\equiv C-R^2 + CO + H_2O \xrightarrow{M(CO)_n} R^1-CH=C\begin{smallmatrix}R^2\\ \\COOH\end{smallmatrix}$$

$R^1 = R^2 = H$: *Acrylsäure

Bekannteste Beisp. sind die Acrylsäure-Synth. (eine *Reppe-Synthese) u. die *Kochsche Carbonsäure-Synthese. Eine verwandte Ester-Synth. ist die sog. *Hydrocarboxyalkylierung. – E = F hydrocarboxylation – I idrocarbossilazione – S hidrocarboxilación
Lit.: s. Carbonylierung u. Hydroformylierung.

Hydrocellulosen s. mikrokristalline Cellulose.

Hydrocerussit. Synonym für *Bleiweiß.

Hydrochinon (1,4-Benzoldiol, 1,4-Dihydroxybenzol). $C_6H_6O_2$, M_R 110,11. Farblose Xn ✖

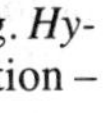

Nadeln od. Prismen, D. 1,33, Schmp. 173–174 °C, subl. unzersetzt, Sdp. 285–287 °C, etwas lösl. in Wasser, leichtlösl. in heißem Wasser, Alkohol, Ether u. Benzol. H. reizt Haut, Augen u. Atemwege (Lungenödem möglich); der Blutfarbstoff wird verändert (Methämoglobin-Bildung). H. gilt als Stoff, der sich im Tierversuch eindeutig als krebszeugend erwiesen hat, Gruppe III A 2 MAK-Werte-Liste 1996; LD_{50} (Ratte oral) 320 mg/kg, LDL_0 (Mensch oral) 29 mg/kg; wassergefährdender Stoff, WGK 2. H. reduziert alkal. Silbersalz-Lsg. u. Fehlingsche Lsg., wobei es in 1,4-*Benzochinon übergeht. Die verdünnte Lsg. gibt mit Eisen(III)-chlorid-Lsg. eine vorübergehende Blaufärbung. H. bildet Käfigeinschlußverb. (s. Einschlußverbindungen u. Clathrate) u. bildet mit seinem Oxidationsprodukt 1,4-Benzochinon einen *Charge-transfer-Komplex (*Chinhydron). In feuchtem Zustand färbt H. sich an der Luft durch Autoxid. braunrot. Durch Alkylierung leiten sich vom H. Mono- u. Dialkylether ab.
Vork.: H. kommt in einer Reihe von Pflanzen vor, so z. B. im Zuckerbusch (*Protea repens* syn. *P. mellifera*), als Glucosid (*Arbutin) in den Blättern der Bärentraube, in Preiselbeeren (Blätter u. Blüten), Blattknospen von Birnbäumen, Anissamenöl u. Brombeerblättern. H. ist auch Bestandteil des Wehrsekrets des sog. Bombardierkäfers (zusammen mit H_2O_2).
Herst.: Die klass. H.-Herst. läuft über 1,4-Benzochinon („Chinon"), das durch Oxid. von Anilin hergestellt u. (ohne es zu isolieren) mit Eisen u. Wasser bei 50–80 °C reduziert wird. Weitere Verf. sind: Die Luft-Oxid. von 1,4-Diisopropylbenzol (eine Abwandlung der Hockschen Phenol-Synth.); die Phenol-Oxid. mit Peroxycarbonsäuren od. H_2O_2 u. Mineralsäuren; das Reppe-Hydrochinon-Verf., wobei man H. direkt aus C_2H_2, CO u. H_2O in Ggw. von Katalysatoren erhält. Näheres zu diesen u. weiteren Herst.-Verf. s. *Lit.*[1–3].
Verw.: H. findet in erster Linie Anw. als photograph. Entwickler, als Polymerisationsinhibitor u. als Antioxidans. Weiterhin ist es ein bedeutendes Zwischenprodukt für zahlreiche Farbstoffe. Im Friseurberuf wird H. als Kupplersubstanz bei der oxidativen Haarfärbung eingesetzt; es ist wirksamer Bestandteil von Bleichmitteln für die Haut. Von den einfacheren Derivaten haben v. a. die Mono- u. Diether des H. sowie die Alkyl-H. u. deren Ether eine techn. Bedeutung erlangt. H. wird ferner zur Bestimmung kleiner Phosphat-Mengen u. in Chinhydron-Elektroden verwendet. Es wurde erstmals 1843 von F. *Wöhler aus Benzochinon gewonnen.
Im übertragenen Sinne spricht man von *Hydrochinonen* bei allen Verb., denen das 1,4-Benzoldiol-Syst. des H. zugrunde liegt. Häufig trifft man bei den H.-Derivaten die gleiche O_2-Empfindlichkeit wie bei H. selbst an. Zur Autoxid. von H. in Ggw. von Cobalt-Komplexen s. *Lit.*[4]; die leichte Oxidierbarkeit spielt auch eine wichtige Rolle bei der Herst. von *Wasserstoffperoxid nach dem Autoxid.-Verf. (AO-Verf.). Chinon/H.-Redoxsyst. spielen eine wichtige Rolle in der *Atmungskette sowohl der Tiere als auch der Pflanzen (s.

z. B. Ubichinone, Vitamin K u. Plastochinon). Einige H.-Derivate finden auch arzneiliche Verwendung. – $E = F$ hydroquinone – I idrochinone – S hidroquinona
Lit.: [1] Kirk-Othmer **11**, 483–492; (3.) **13**, 39–69. [2] Ullmann **8**, 740–742; (4.) **13**, 149–152; (5.) **A 13**, 499. [3] Weissermel-Arpe (4.), S. 391–395. [4] Synthesis **1977**, 847 ff.
allg.: Beilstein E IV **6**, 5712 ▪ Blaue Liste, S. 241 ▪ Hager (5.) **8**, 463 ▪ Hommel, Nr. 852 ▪ Merck-Index (12.), Nr. 4853 ▪ Moeschlin, Klinik u. Therapie der Vergiftungen, S. 398, Stuttgart: Thieme 1986 ▪ Ullmann (5.) **A 13**, 499–505. – *[HS 2907 22; CAS 123-31-9; G 6.1]*

Hydrochinonbenzylether s. Monobenzon.

Hydrochinondimethylether s. Dimethoxybenzole.

Hydrochinone. Allg. Bez. für aromat., zu *Chinonen dehydrierbare *Diole, vgl. Hydrochinon.

Hydrochinon-mono-β-ᴅ-glucopyranosid s. Arbutin.

Hydrochinon(mono)methylether s. 4-Methoxyphenol.

...-hydrochlorid. Bez. für salzsaure Salze; *Beisp.:* Anilin-hydrochlorid ($C_6H_5NH_2 \cdot HCl$), Hydrazin-dihydrochlorid ($N_2H_4 \cdot 2 HCl$); in Chemical Abstracts, Beilstein u. Lit. üblich, in IUPAC-Regel C-816.2/.4 aber nur neben der (für Register ungünstigen u. für Diamin-monohydrochloride etc. ungeeigneten) Bez. ...ium-chlorid erlaubt u. in neueren Regeln ignoriert. Die französ. Bez. „Chlorhydrat" ist im Deutschen unzulässig; s. Hydrohalogenide. – *E* ... hydrochloride – *F* chlorhydrate de ... – *I* idrocloruro di ... – *S* hidrocloruro (clorhidrato) de ...

Hydrochlorierung. Bez. für die Addition von HCl an Doppelbindungssyst., die zu *cis*- u./od. *trans*-Addukten führen kann [1]. – *E* hydrochlorination – *F* hydrochloruration – *I* idroclorurazione – *S* hidrocloración, hidrocloruración
Lit.: [1] Synthesis **1973**, 789 f.
allg.: s. Chlorierung.

Hydrochlorothiazid (Rp). Internat. Freiname für das *Saluretikum 6-Chlor-3,4-dihydro-2*H*-1,2,4-benzothiadiazin-7-sulfonamid-1,1-dioxid (Formel s. Hydrothiazide), $C_7H_8ClN_3O_4S_2$, M_R 297,73, Schmp. 273–275 °C, λ_{max} (CH_3OH): 315, 369 nm ($A_{1cm}^{1\%}$ 99, 668), LD_{50} (Maus oral) >8000 mg/kg, (Maus i.v.) 590 mg/kg. H. wurde 1962 u. 1965 von Merck & Co, 1964 von Ciba (Esidrix®) patentiert u. ist als Generikum im Handel. Um eine bessere Diurese zu erreichen u. eine Hypokaliämie zu vermeiden, wird H. meist mit den Cycloamidin-Analoga *Amilorid (H : A = 10 : 1) od. *Triamteren (H : T = 2 : 1) kombiniert. – *E = F* hydrochlorothiazide – *I* idroclorotiazide – *S* hidroclorotiazida
Lit.: ASP ▪ Beilstein E V **27/33**, 155 ▪ DAB **1996** u. Komm ▪ Florey **10**, 405–441 ▪ Hager (5.) **8**, 464–470. – *[HS 2935 00; CAS 58-93-5]*

Hydrocodon (Dihydrocodeinon, BtMVV Anlage III A).

R = H : Hydromorphon
R = CH₃ : Hydrocodon

Internat. Freiname für das *Antitussivum 4,5α-Epoxy-3-methoxy-17-methylmorphinan-6-on, $C_{18}H_{21}NO_3$, M_R 299,37, Schmp. 198 °C, λ_{max} (0,1 N HCl): 280 nm ($A_{1cm}^{1\%}$ 40), LD_{50} (Maus s.c.) 85,7 mg/kg, unlösl. in Wasser, lösl. in Ethanol u. verdünnten Säuren. Verwendet werden das Hydrochlorid, Schmp. 185–186 °C (Zers.), $[\alpha]_D^{27}$ –130° (c 2,877), u. das Hydrogentartrat, Schmp. 118–128 °C. $[\alpha]_D^{20}$ –87° bis –91°, (c 0,6/H_2O). H. wurde 1925 erstmals von E. Merck patentiert u. ist von Knoll (Dicodid®) im Handel. – *E = F* hydrocodone – *I* idrocodone – *S* hidrocodona
Lit.: ASP ▪ Beilstein E V **27/14**, 112 ▪ DAB **1996** u. Komm. ▪ Hager (5.) **8**, 470–473. – *[HS 2939 10; CAS 125-29-1]*

Hydrocortison (Rp, ausgenommen zur äußerlichen Anw. bis 0,25%).

Internat. Freiname für das auch *Cortisol* genannte Gluco-Corticosteroid 11β,17,21-Trihydroxy-4-pregnen-3,20-dion, $C_{21}H_{30}O_5$, M_R 362,47. Farblose Plättchen, Schmp. 212–213 °C, $[\alpha]_D^{22}$+167° (abs. C_2H_5OH), λ_{max} 242 nm ($A_{1cm}^{1\%}$ 445), in Wasser etwas, in Dioxan leicht löslich. H. wurde erstmals 1952 von Upjohn patentiert u. ist als Generikum im Handel.
Verwendet werden auch das *21-Acetat*, $C_{23}H_{30}O_6$, M_R 402,49, Zers. bei 223 °C, d_4^{20} 1,289; $[\alpha]_D^{25}$ +166° (c 0,4/Dioxan), $[\alpha]_D^{20}$ +150,7° (c 0,5/Aceton), λ_{max} (CH_3OH): 242 nm ($A_{1cm}^{1\%}$ 390). H.-Acetat wurde 1939 von Roche-Organon erstmals patentiert u. ist als Generikum im Handel.
21-Acetat-17-Propionat ($C_{25}H_{34}O_7$, M_R 446,54, internat. Freiname: H.-Aceponat) ist von Galderma (Retef®) im Handel.
H.-17-Butyrat ($C_{25}H_{36}O_6$, M_R 432,56) ist von Yamanouchi (Alfason®) u. medphano (Laticort®) im Handel.
H.-17-Butyrat-21-Propionat ($C_{26}H_{40}O_7$, M_R 464,60, internat. Freiname: H-Buteprat) ist von Basotherm (Pandel®) im Handel.
H.-21-Phosphat-Dinatrium-Salz, $C_{21}H_{29}Na_2O_8P$, M_R 486,41, $[\alpha]_D^{25}$ +120° (H_2O), λ_{max} (CH_3OH): 242 nm ($A_{1cm}^{1\%}$ 298–341).
H.-21-Hydrogen-Succinat ($C_{25}H_{33}NaO_8$, M_R 484,52, Schmp. 170–173 °C, auch 210–214 °C angegeben) ist von Rotexmedia u. Upjohn im Handel.
17-Valerat, $C_{26}H_{38}O_6$, M_R 446,58, $[\alpha]_D^{20}$ +37–43° (c 1/Dioxan).
H. u. seine Ester finden Verw. als *Antiallergikum, *Antirheumatikum, *Antiphlogistikum u.a. bei Schocksymptomen. – *E = F* hydrocortisone – *I* idrocortisone – *S* hidrocortisona
Lit.: ASP ▪ Beilstein E IV **8**, 3422 ▪ DAB **1996** u. Komm. ▪ Florey **12**, 277–324 ▪ Hager (5.) **8**, 473–481. – *[HS 2937 21; CAS 50-23-7 (H.); 50-03-3 (21-Acetat); 13609-67-1 (17-Butyrat); 2203-97-6 (21-Hydrogensuccinat); 6000-74-4 (Phosphat-Dinatriumsalz); 57524-89-7 (17-Valerat)]*

Hydrocyanierung s. Cyanohydrine.

Hydrocyanit s. Kupfer(II)-sulfat.

Hydrodesalkylierung. Auch Hydrodealkylierung (aus dem Engl. übernommen). Sammelbez. für petrochem. Prozesse, bei denen – unter *Hydrogenolyse u. *Desalkylierung – die beim *Reformieren (vgl. a. Erdöl) anfallenden Alkylaromaten (Toluol etc.) zu *Benzol reduziert werden. Bekannte therm. u./od. katalyt. arbeitende, z.T. in Einzelstichwörtern näher charakterisierte H.-Verf. sind: Bextol-, Detol-, *HDA-, Hydeal-, MHC- bzw. MHD-, Pyrotol- u. THD-Verfahren. In verwandter Weise werden auch Naphthalin-Homologe nach dem Unidak-Verf. desalkyliert. – *E* hydrodealkylation – *F* hydrodésalkylation – *I* idrodisalchilazione – *S* hidrodesalquilación

Lit.: Beilstein E V **27/33**, 162 ▪ Kirk-Othmer (3.) **3**, 753 f.; (4.) **4**, 83 ▪ Ullmann (4.) **8**, 403–407; **23**, 307; (5.) **A 3**, 484 ff. ▪ Weissermel-Arpe (4.), S. 353, 357 ff. ▪ Winnacker-Küchler (4.) **5**, 212 ff.

Hydrodexan® (Rp). Creme u. Salbe mit *Hydrocortison u. *Harnstoff gegen Ekzeme. *B.:* Hermal.

Hydrodimerisierung, Hydrodimerisation s. Kathodische Reduktion.

Hydroergoticin s. Yohimbin.

Hydroflumethiazid (Rp).

Internat. Freiname für das *Saluretikum 3,4-Dihydro-6-(trifluormethyl)-2*H*-1,2,4-benzothiadiazin-7-sulfonamid-1,1-dioxid, $C_8H_8F_3N_3O_4S_2$, M_R 331,28, Schmp. 272–273 °C, λ_{max} (CH$_3$OH): 272,5 nm, LD$_{50}$ (Maus oral, i.p.) >6000 mg/kg, (Maus i.v.) 750 mg/kg, in Wasser wenig u. in Aceton besser löslich. H. wurde 1966 von Lövens Kemiske Fabrik patentiert. – *E = F* hydroflumethiazide – *I* idroflumetiazide – *S* hidroflumetiazida

Lit.: Florey **7**, 297–317. – *[HS 293500; CAS 135-09-1]*

Hydroformieren. Verf. zur Gewinnung aromat. Verb. aus den Naphthenen u. Paraffinen des *Erdöls (verbunden mit Erhöhung der *Octan-Zahl) durch *Dehydrierung, *Dehydrocyclisierung bzw. *Isomerisierung. Man erhält so z. B. aus 6-gliedrigen Cycloalkanen u. -alkenen durch Dehydrierung die entsprechenden Benzol-Derivate, aus 5-gliedrigen Cycloalkanen (z. B. Ethylcyclopentan) u. aus geradkettigen Paraffinen (z. B. Heptan) durch Dehydrierung u. Ringschluß Benzol-Derivate (Toluol) od. (durch *Kracken) niedersiedende Paraffine usw. Man verwendet bei diesem Verf. Temp. von 480–540 °C, Drücke von 14–20 bar (hoher H$_2$-Partialdruck) u. MoO$_3$ auf Aluminiumoxid (auch WO$_3$) als Katalysator. Ein ähnliches Verf. zur Herst. aromat. Verb. ist das *Platforming. – *E = F* hydroforming – *I* idroformazione – *S* hidrorreformado

Lit.: Kirk-Othmer (3.) **5**, 37 f.

Hydroformylierung. Bez. für die Reaktion von Alkenen mit Synthese-Gas (CO+H$_2$), gewöhnlich unter Druck u. in Ggw. eines Übergangsmetall-Carbonylkomplexes des Rhodiums od. Cobalts (z.B. *Dicobaltoctacarbonyl*), wobei aliphat. Aldehyde gebildet werden (s. Carbonylierung u. metallorganische Reaktionen). Mit einem *chiralen* Katalysator kann eine enan-

tioselektive H. erreicht werden[1] (s. a. enantioselektive Synthese).

Die H. wird üblicherweise als großtechn. Verf. in der industriellen organ. Chemie durchgeführt u. dort als *Oxo-Synthese bezeichnet; die Übertragung in den Laboratoriumsmaßstab mit dem Hydrier-Apparatur ist jedoch möglich. – *E = F* hydroformylation – *I* idroformilazione – *S* hidroformilación

Lit.: [1] Chem. Rev. **95**, 2485–2506 (1995). *allg.:* Adv. Organomet. Chem. **32**, 121 (1991) ▪ Carey-Sundberg, S. 1170 f. ▪ March (4.), S. 808–811 ▪ Nachr. Chem. Techn. Lab. **44**, 996 (1996) ▪ Trost-Fleming **4**, 913.

Hydrogele. 1. Bez. für Wasser enthaltende *Gele auf der Basis hydrophiler, aber wasserunlösl. *Polymerer, die als dreidimensionale Netzwerke vorliegen. In Wasser quellen diese Netzwerke unter weitgehender Formerhaltung bis zu einem Gleichgew.-Vol. auf. Die Netzwerk-Bildung erfolgt vorwiegend über chem. Verknüpfung der einzelnen Polymerketten, ist aber auch physikal. durch elektrostat., hydrophobe od. Dipol/Dipol-Wechselwirkungen zwischen einzelnen Segmenten der Polymerketten möglich. Über die Wahl der zum Polymeraufbau verwendeten *Monomeren, die Art der Vernetzung u. die Vernetzungsdichte können gewünschte Eigenschaften der H. gezielt eingestellt werden. Die notwendige Hydrophilie der Polymeren vermitteln u.a. Hydroxy-, Carboxylat-, Sulfonat- od. Amid-Gruppen. Synthet. H. basieren u.a. auf *Poly(meth)acrylsäuren, *Poly(meth)acrylaten, *Polyvinylpyrrolidon od. *Polyvinylalkohol. H. sind im allg. gut verträglich mit lebenden Geweben. H. von *Pektin werden umgangssprachlich als Gelee bezeichnet.

Verw.: Als sog. Biomaterialien v. a. im biomedizin. u. pharmazeut. Bereich; zur Herst. von Kontaktlinsen, Membranen u. a.

2. Bez. für sich unter Einwirkung mechan. Kräfte verflüssigende wäss. *Gele (*Gallerten*). – *E = F* hydrogels – *I* idrogel – *S* hidrogeles

Lit.: (zu 1): Compr. Polym. Sci. **7**, 221–226 ▪ Elias (5.) **2**, 735 ff. ▪ Peppas, Hydrogels in Medicine and Pharmacy, Boca Raton, Florida: CRC Press 1986. – *(zu 2):* s. Gele.

Hydrogen. . . Nach IUPAC-Regeln I-8.5.2, D-5.61 u. R-5.7.4 verwendetes Präfix für Wasserstoff in den Bez. saurer Salze u. Ester. Hydrogen wird vor den Namen des Anions gestellt, wenn dieses noch dissoziierfähigen Wasserstoff (Säure-Wasserstoff) enthält; *Beisp.:* Natrium-hydrogencarbonat (NaHCO$_3$, alte Bez.: Natriumbicarbonat, s. Bi. . .). Über koordinativ gebundenen anion. Wasserstoff s. Hydrido. . . – *E* hydrogen. . . – *F* hydrogène. . . – *I* idrogeno. . . – *S* hidrogeno. . .

Hydrogenasen. Systemat. zu den Oxidoreductasen gehörende Enzyme aus Bakterien, Pflanzen u. Tieren, die mol. Wasserstoff zu atomarem zu aktivieren u. diesen auf Substrate, Coenzyme od. a. *Carrier zu übertragen vermögen. Sie wirken also als Reductasen od. *Dehydrogenasen. Beisp. für Wasserstoff-Zwischenträger sind *Coenzym F$_{420}$, *Ferredoxine od. andere *Redoxine. H. bakteriellen Ursprungs sind meist

Eisen-Schwefel-Proteine (s. Eisen-Proteine) u. enthalten in vielen Fällen zusätzlich Nickel-Ionen. *Beisp.:* *Wasserstoff-Lyase* (EC 1.18.99.1); *Cytochrom-c₃-Hydrogenase* (EC 1.12.2.1) überträgt Wasserstoff über Cytochrom c_3 auf eine Reihe von Substraten; *Wasserstoff-Dehydrogenase* (EC 1.12.1.2) katalysiert die Freisetzung überschüssigen Wasserstoffs aus *Nicotinamid-Adenin-Dinucleotid (reduzierte Form). – *E* hydrogenases – *F* hydrogénases – *I* idrogenasi – *S* hidrogenasas
Lit.: Biochim. Biophys. Acta **1188**, 167–204 (1994) ▪ Biospektrum **1995**, Nr. 5, 42–45 ▪ Nature (London) **373**, 556 f. (1995). – *[HS 350790]*

Hydrogencarbonate (altertümliche Bez.: Bicarbonate, saure Carbonate, doppeltkohlensaure Salze). Gruppe von Salzen der Kohlensäure (H_2CO_3) mit dem Anion HCO_3^-. H. sind von den Alkali-, Erdalkali- u. einigen anderen zweiwertigen Metallen bekannt; einige spielen bei der *Härte des Wassers eine Rolle. Mit Ausnahme von Natriumhydrogencarbonat sind alle H. leichter lösl. als die gewöhnlichen *Carbonate. Techn. Verw. finden einige als *Feuerlöschmittel u. als *Backpulver-Bestandteile. Eine wichtige Funktion haben H. für das *Säure-Basen-Gleichgewicht im *Blut tier. Organismen. Der irreführende Ausdruck Bicarbonat ist auf der Tatsache begründet, daß beim Erhitzen von Calciumhydrogencarbonat [früher Doppeltkohlensaurer Kalk, $Ca(HCO_3)_2$] zwei, beim gewöhnlichen Kalk ($CaCO_3$) nur ein Äquivalent CO_2 frei werden. – *E* hydrogen carbonates – *F* hydrogénocarbonates – *I* carbonati di idrogeno – *S* hidrogenocarbonatos
Lit.: s. Carbonate.

Hydrogenfluoride (veraltete Bez. Bifluoride, saure Fluoride, in *Holzschutzmitteln Kurzz.: hF, HF od. HYF). Bez. für Salze vom Typ M^IHF_2 bzw. $M^IF \cdot HF$ (M^I = einwertiges Metall), aber auch H. der Zusammensetzung $M^IF \cdot 2HF$ u. $M^IF \cdot 3HF$ (s. Kaliumfluorid) sind bekannt. Die H. können als Koordinationsverb. vom Typ $M^I[HF_2]$ (H als Zentralatom) aufgefaßt werden. Die Fluorid-Ionen bilden infolge ihres geringen *Ionenradius viel festere *Wasserstoff-Brückenbindungen als die anderen Halogenid-Ionen. – *E* hydrogen fluorides – *F* hydrogénofluorures – *I* fluoruri di idrogeno – *S* hidrogenofluoruros
Lit.: s. Fluoride.

Hydrogenierung. Wenig gebräuchliches Synonym für *Hydrierung.

Hydrogenium. Latein. Name für *Wasserstoff. H. peroxydatum ist entsprechend *Wasserstoffperoxid.

Hydrogenolyse. Katalyt. Spaltung einer Kohlenstoff-Kohlenstoff- od. meistens Kohlenstoff-Heteroatom-Bindung durch Wasserstoff nach dem Schema $A–B + H_2 \rightarrow AH + BH$. Solche gelegentlich auch als *Hydrierungen bezeichneten H. werden bei der *Entschwefelung des Erdöls bzw. seiner Produkte (z. B. nach $R–S–R + 2H_2 \rightarrow 2RH + H_2S$), bei der *Hydrodesalkylierung (z. B. von Toluol zu Benzol) u. z. B. bei der reduktiven Eliminierung von Halogenen ($R–X + H_2 \rightarrow R–H + HX$)[1] durchgeführt. Bes. Bedeutung hat die H. bei der Synth. von Peptiden erlangt, da der als *Schutzgruppe eingeführte *Benzyloxycarbonyl-Rest

(Cb_2- od. Z-Rest) mit dieser Meth. entfernt werden kann[2].

N-terminales Ende mit Z-Schutzgruppe C-terminales Ende einer Peptid-Kette

H_2 / Pd

Toluol

*Carbamidsäure-Derivat; instabil, zerfällt unter CO_2-Abspaltung

$-CO_2$

– *E* hydrogenolysis – *F* hydrogénolyse – *I* idrogenolisi – *S* hidrogenólisis
Lit.: [1] Synthesis **1980**, 425. [2] Kocieński, Protecting Groups, S. 8, Stuttgart: Thieme 1994.
allg.: Freifelder, Catalytic Hydrogenolysis in Organic Synthesis, Procedures and Commentary, New York: Wiley 1978 ▪ Freifelder, Practical Catalytic Hydrogenation, New York: Wiley 1971 ▪ Fuhrhop u. Penzlin, Organic Synthesis, 2. Aufl., S. 113, Weinheim: VCH Verlagsges. 1994 ▪ Houben-Weyl **15/1**, 51 f. ▪ Trost-Fleming **8**, 793 ff. ▪ s. a. Hydrierung.

Hydrogenosomen s. Microbodies.

Hydrogensulfate (veraltete Bez.: Bisulfate, saure Sulfate). Gruppe von sauren Salzen der Schwefelsäure mit dem Anion HSO_4^-. Die H. der Alkalimetalle sind farblose, in Wasser leicht lösl., sauer reagierende Salze, die z. B. aus Lsg. der gewöhnlichen Sulfate nach Zusatz von viel Schwefelsäure auskristallisieren. Sie gehen beim Erhitzen über ihren Schmp. in die *Disulfate u. anschließend bei weiterem Erhitzen unter Schwefeltrioxid-Abspaltung in die Sulfate über:

$$M^IHSO_4 \xrightarrow{-H_2O} M_2^IS_2O_7 \xrightarrow{-SO_3} M_2^ISO_4 \, .$$

Außerdem kennt man H. von organ. Basen, vgl. Hydrohalogenide. Eine H.-*Graphit-Verb. ist ein ausgezeichneter Veresterungskatalysator. – *E* hydrogen sulfates – *F* hydrogénosulfates – *I* solfati di idrogeno – *S* hidrogenosulfatos
Lit.: s. Schwefelsäure.

Hydrogensulfide (Hydrosulfide, saure Sulfide). Saure Salze des *Schwefelwasserstoffs (zweibas. Säure), bei dem ein H- durch ein Metall-Atom ersetzt ist; allg. Formel: M^ISH (M^I = einwertiges Metall). Die entsprechenden organ. Derivate (RSH) sind die *Thiole u. *Thiophenole. – *E* hydrogen sulfides – *F* hydrogénosulfures – *I* solfuri di idrogeno – *S* hidrogenosulfuros
Lit.: s. Sulfide.

Hydrogensulfite [Hydrogensulfate(IV), veraltete Bez.: Bisulfite, saure Sulfite]. Bez. für die Salze der *Schwefligen Säure mit dem Anion HSO_3^-. Sie werden durch Einleiten von Schwefeldioxid in wäss. Lsg. bzw. Suspensionen von Hydroxiden od. Carbonaten ge-

wonnen u. sind in Wasser alle leicht löslich. Die Kalium- u. Natrium-H. sind ohnehin nur in wäss. Lsg. bekannt; beim Konzentrieren dieser Lsg., durch Wasser-Abspaltung bzw. durch Umsetzen mit Schwefeldioxid in wäss. Lsg. gehen die H. in die *Disulfite über, die im Handel oftmals als „feste H." bezeichnet werden. Mit Aldehyden bzw. Ketonen bilden die H. *Additions-Verb.* [$R^1R^2C(OH)SO_3M^1$; vgl. Formaldehyd], die infolge ihrer Schwerlöslichkeit in Wasser zur Abtrennung u. Reinigung dieser Aldehyde bzw. Ketone verwendet werden können u. die teilw. techn. Bedeutung, z. B. als Zusätze zu Galvanisierbädern, erlangt haben. – *E* hydrogen sulfites – *F* hydrogénosulfites – *I* solfiti di idrogeno – *S* hidrogenosulfitos
Lit.: s. Sulfite.

Hydroglimmer s. Glimmer.

Hydrogrossular s. Granate.

Hydrohalogenide. Sammelbez. für die durch Addition von Halogenwasserstoffsäuren an organ. Verb. (Alkaloide, Amine) gebildeten Salze, v. a. dann, wenn die Bindungsstelle des Protons unbekannt ist. Wäre im Beisp. Naphthalin-1,6-diamin-Monohydrochlorid bekannt, an welcher der beiden Amino-Gruppen die Salzbildung erfolgt, so sollte der exakte Name des Salzes benutzt werden, z. B. 6-Amino-1-naphthylammoniumchlorid. Zu vermeiden ist die frühere Bez. „Chlorhydrate" für *Hydrochloride. Es sei darauf hingewiesen, daß die direkte Kombination von „Hydro" mit dem Namen des Anions (nicht ganz log.) nur im Fall der *Halogenide zulässig ist (*Beisp.:* Anilin-Hydrochlorid); dagegen muß es z. B. heißen: Anilin-sulfat (2:1) bzw. Anilin-sulfat (1:1) für Dianiliniumsulfat bzw. Anilinium-Hydrogensulfat, $(H_5C_6NH_3^+)_2SO_4^{2-}$ u. $(H_5C_6NH_3^+)HSO_4^-$. – *E* hydrohalides – *F* hydrohalogénides – *I* idroalogenuri – *S* hidrohalogenuros
Lit.: s. Halogen(id)e.

Hydrohalogenierung s. Halogenierung.

Hydroklassieren s. Klassieren.

Hydrokolloide. Unzweckmäßige Bez. für (teilw.) wasserlösl. natürliche od. synthet. Polymere, die in wäss. Syst. *Gele od. viskose Lsg. bilden (vgl. a. Kolloidchemie); *Beisp.:* *Alginate, *Carrageen, *Pektine, *Tragant u. a. Gummen (s. Gummi) sowie *Celluloseether, *Polyvinylalkohol u. -pyrrolidon, *Dextran. Derartige Stoffe finden Verw. als *Verdickungsmittel in Kosmetik u. Ernährung. – *E* hydrocolloids – *F* hydrocolloïdes – *I* idrocolloidi – *S* hidrocoloides
Lit.: s. Kolloidchemie.

Hydrokracken s. Kracken.

Hydrokultur. Unter H. od. *Hydroponik* (von *Hydro... u. griech.: ponos = Arbeit) versteht man die sog. *erdlose Kultur* od. *Wasserkultur* von höheren Pflanzen, d. h. ihre Aufzucht in wäss. *Nährlösungen (*hydropon. Gärten*). Als Nährlsg. verwendet man Lsg., die sämtliche Nährstoffe der Pflanzen enthalten. Bes. bekannt ist die bereits 1865 von Knop veröffentlichte Nährlsg. der folgenden Zusammensetzung (die Zahlenangaben bedeuten g/L dest. Wasser): 0,57 $Ca(NO_3)_2$, 0,14 KNO_3, 0,14 KH_2PO_4, 0,14 $MgSO_4$ u. eine Spur Eisen(II)-sulfat. Die H. wird v. a. in den USA u. in Israel bei der Gemü-

sezucht eingesetzt; ihre techn. Durchführung erfolgt als *Tank-* od. *Kieskultur.* Neuere Entwicklungen sind die sog. *Nährfolientechnik,* bei der die Nährlsg. in einem <1 mm dünnen Film (der sog. Nährfolie) durch leicht geneigte Kunststoffrinnen fließt, in denen die Pflanzen angebracht sind, u. die Aufzucht in *Sprühkammern,* wobei das Wurzelwerk period. mit Nährlsg. besprüht wird. Demgegenüber wird die Pflanzenkultivierung in Schaumstoffen, die alle notwendigen flüssigen Nährstoffe, aber keine „Erde" enthalten, als *Plastoponik bezeichnet. In seltenen Fällen findet man für H. auch die Bez. *Aquakultur,* jedoch wird unter dieser im allg. die Züchtung von Meerestieren (Fische, Garnelen, Seemuscheln, Austern etc.) verstanden. – *E* = *F* hydroculture – *I* idrocoltura – *S* hidrocultura
Lit.: Hanselmann, Hydrokultur, Stuttgart: Ulmer 1986 ▪ Schubert u. Blaicher, Einmaleins der Hydrokultur, München: BLV 1989.

Hydrolactol 70. Selbstemulgierendes Propylenglykol-Isostearostearat von *Erbslöh.

Hydrolasen. Oberbegriff für alle Enzyme, die Substrate durch Einbau von Wasser zu spalten (zu hydrolysieren) vermögen bzw. häufig auch die umgekehrte Reaktion katalysieren. Sie bilden im Nomenklatursyst. der *IUBMB die 3. Enzym-Klasse. Zu ihnen gehören *Esterasen (EC 3.1), *Glykosidasen (EC 3.2), Etherhydrolasen (EC 3.3), die große Gruppe der *Peptidasen (*Proteasen, EC 3.4), sowie weitere Enzyme, die andere Bindungen zwischen Kohlenstoff u. Stickstoff (EC 3.5; *Amidasen, Amidinasen, Nitrilasen), Säureanhydrid-Bindungen (EC 3.6), Kohlenstoff-Kohlenstoff- (EC 3.7), Kohlenstoff-Halogen- (EC 3.8), Phosphor-Stickstoff- (EC 3.9), Schwefel-Stickstoff- (EC 3.10) u. Kohlenstoff-Phosphor-Bindungen (EC 3.11) unter Hydrolyse lösen. H. treten z. B. bei der *Verdauung in Tätigkeit. – *E* = *F* hydrolases – *I* idrolasi – *S* hidrolasas – [*HS 3507 90*]

Hydro-lipophiles Verhältnis s. HLB-System.

Hydrologie (von *Hydro...). Die H. wird hier als Teilgebiet der *Geologie verstanden, u. zwar als die Wissenschaft vom Wasserhaushalt der Erde, den Erscheinungen, der Verbreitung u. den physikal., chem. u. biolog. Eigenschaften des *Wassers. Die H. umfaßt die Meeres- (Ozeanologie), Seen- (*Limnologie), Fluß- (Potamologie) u. Gletscherkunde (Glaziologie); vielfach werden auch andere Zuordnungen getroffen. Die H. beschäftigt sich mit dem Kreislauf des Wassers, mit Vork., Verbrauch u. Rückgewinnung, wobei neben Art u. Menge der Niederschläge, in zunehmendem Maße auch ökolog. Fragen u. bes. die Wirkungen der Ozeane auf das Klima zu Untersuchungsthemen der H. werden (s. a. Eutrophierung u. Ölpest). – *E* hydrology – *F* hydrologie – *I* idrologia – *S* hidrología
Lit.: Deutscher Verein des Gas- u. Wasserfaches (DVWG), Lehr- u. Handbuch Wasserversorgung, Bd. 1, Wassergewinnung u. Wasserwirtschaft, München: Oldenbourg 1996 ▪ Klee, Angewandte Hydrobiologie, Stuttgart: Thieme 1985 ▪ Maniak, Hydrologie u. Wasserwirtschaft, Eine Einführung für Ingenieure, Berlin: Springer 1988 ▪ Pedersen, Environmental Hydraulics, Stratified Flows, Berlin: Springer 1986 ▪ Quazar et al. (Hrsg.), Computer Methods and Water Resources (6 Bd.), Berlin: Springer 1989 ▪ Uhlmann, Hydrobiologie, Stuttgart: Fischer 1988. – *Zeitschriften:* Acta Hydrochimica et Hydrobio-

logica, Berlin: Akademie Verl. ■ Aquatic Sciences, Basel: Birkhäuser ■ Archiv für Hydrobiologie, Stuttgart: Schweitzerbartsche Verlagsges. ■ Environmental Geology and Water Sciences, Berlin: Springer ■ Hydrobiologia, Dordrecht: Kluwer ■ Hydrological Processes, Chichester: Wiley ■ Hydrological Sciences Journal – Journal des Sciences Hydrologiques, Oxford: Blackwell Sci. Publ. ■ Internationale Revue der gesamten Hydrobiologie, Berlin: Akademie Verl. ■ Journal of Hydrology, Amsterdam: Elsevier ■ Water Resources Bulletin, Minneapolis: Am. Water Resources Association.

Hydrolyasen s. Dehydratasen.

Hydrolysate s. Hydrolyse.

Hydrolyse (von *Hydro... u. *...lyse). Unter H. versteht man eine chem. Reaktion, bei der eine Verb. durch Einwirkung von Wasser gespalten wird, gemäß der formalen Gleichung:

$$A–B + H–OH \rightarrow A–H + B–OH.$$

Bei der analogen Reaktion mit *Deuteriumoxid spricht man von *Deuterolyse*. Der Begriff H. wurde von *Arrhenius verwendet, um den experimentellen Befund zu erklären, daß wäss. Lsg. von Salzen schwacher Säuren od. Basen nicht neutral, sondern bas. bzw. sauer reagieren. Allg. Schema für diese „*Salzhydrolyse*“: Salz + Wasser $\rightleftharpoons$ Säure + Base. *Beisp.:* NaCN + H_2O $\rightleftharpoons$ HCN + NaOH. Diese H. ist demnach die Umkehrung der *Neutralisation. Heutzutage wird die Salz-H. im allg. in das allgemeinere Säure-Base-Konzept von Brønsted eingeordnet (s. Säure-Base-Begriff).
H.-Reaktionen in der organ. Chemie bedürfen in der Regel der Katalyse durch Säuren od. Basen, so typischerweise die H. von Estern od. Acetalen. Andererseits ist die H. oft unerwünscht, insbes., wenn Metallorgan. Reagenzien z. B. Grignard- od. Lithium-organ. Verb. zum Einsatz kommen. Ihre Handhabung geschieht daher unter bes. Bedingungen, z. B. unter Verw. von *Schutzgasen.
Techn. wichtige H. sind z. B. die Spaltung von Fetten, von Saccharose in Glucose u. Fructose (*Inversion), von Stärke u. Cellulose in Glucose nach der Gleichung:

$$(C_6H_{10}O_5)_x + (x – 1)H_2O \rightarrow x\,C_6H_{12}O_6,$$

die Spaltung von Eiweißstoffen in Aminosäuren (*Eiweiß-Hydrolysate). Präparativ nutzbare, mikrobielle H. werden durch *Hydrolasen bewirkt; nach *Lit.*[1] können synthet. Polymere als Hydrolase-Modelle dienen. Durch H. lassen sich auch *Hydrosole* herstellen u. zwar dann, wenn das eine H.-Produkt prakt. in Wasser unlösl. ist, während sich das andere aus dem Wasser entfernen läßt; *Beisp.:* Die H. von Siliciumsulfid ergibt Kieselsäuresol u. H_2S, diejenige von Metallacetaten (Fe, Al, Cr) ergibt Metalloxidhydrosole u. Essigsäure, die sich dialyt. entfernen läßt. H. kann zu einer Verminderung od. Aufhebung tox. Wirkungen führen (z. B. bei Pflanzenschutzmitteln). Die H.-Geschw. wird deshalb oft als Kriterium für die Beurteilung der *Umweltverträglichkeit herangezogen. Für viele Verb. läßt sich die H.-Geschw. berechnen (s. Hammett-Gleichung u. Taft-Gleichung). Im angelsächs. Schrifttum ist mit der Bez. H. oft auch die *Aquotisierung gemeint. – *E* hydrolysis – *F* hydrolyse – *I* idrolisi – *S* hidrólisis
Lit.: [1] Adv. Polym. Sci. **20**, 159–221 (1976).
allg.: Bamford u. Tipper, Ester Formation and Hydrolysis and Related Reactions (Comprehensive Chem. Kinetcs 10), Amsterdam: Elsevier 1972 ■ s. a. Ester, Hydrolasen, Verseifung u. a. Textstichwörter.

Hydrolytische Polymerisation. Bez. für eine durch Wasser initiierte *Polymerisation, z. B. die des *Caprolactams zu *Polyamid 6. Bei dieser Polymerisation wird im Primärschritt durch Reaktion von Wasser mit Caprolactam unter Ringöffnung 6-Aminohexansäure gebildet, an deren Amino-Gruppe weiteres Caprolactam polyaddiert wird. – *E* hydrolytic polymerization – *F* polymérisation hydrolytique – *I* polimerizzazione idrolitica – *S* polimerización hidrolítica
Lit.: Batzer **3**, 135, 138.

Hydrometallurgie. Auch als *Naßmetallurgie* bezeichnetes Verf. zur Gewinnung von Metallen aus ihren Verb. (metallarme Erze, die sich mechan. nicht aufbereiten lassen) in zwei Stufen:
1. Überführen der Verb. in wäss. Metallsalzlsg. mit Hilfe von Säuren od. Laugen ggf. nach einer Vorbehandlung der Erze zum Erzeugen lösl. Verb. (Rösten, pyrogener Aufschluß). Die Wahl des Lsm. wird dabei bestimmt von der Art des Metalls, seiner im Erz vorliegenden Bindung, der Art der Erzbegleiter (Gangart) u. dem Preis. Das am meisten angewendete Lsm. ist Schwefelsäure, daneben kommen Salzsäure, Salpetersäure u. heiße, konz. Kochsalz-Lsg. in Betracht. Für Erze mit säurelösl. Begleitstoffen (Kupfer) werden dagegen ammoniakal. Lsg. verwendet, teilw. auch bei hohem Druck u. erhöhter Temp. (Drucklaugung). Natronlauge wird eingesetzt für die Gewinnung von Aluminiumoxid, bei Edelmetallen werden Alkalicyanid-Lsg. verwendet.
2. a) Gewinnung der Metalle durch Ausfällung bzw. Verdrängung mittels eines unedleren Metalls (Zementation), durch Red. mit Wasserstoff od. Kohlenmonoxid bei hohem Druck (Druckfällung) od. durch *Elektrolyse mit Hilfe unlösl. Elektroden. – b) Gewinnung von Metallverb. durch Krist. (Sulfate von Kupfer, Zink, Nickel, Thallium), durch Überführung (Fällung) in schwerlösl. Verb. (Hydroxide, Carbonate, bas. Salze) mittels Kreide, Kalkmilch od. Soda-Lösung.
Bei den so erhaltenen Verb. handelt es sich um bereits verkaufsfähige Produkte od. es muß eine pyrometallurg. Red. angeschlossen werden. Die H. spielt bei der Gewinnung aller NE-Metalle (v. a. aber bei Kupfer[1], Nickel[2] u. Cobalt[3]) eine wichtige Rolle. – *E* hydrometallurgy – *F* hydrométallurgie – *I* idrometallurgia – *S* hidrometalurgia
Lit.: [1] Ullmann (4.) **15**, 521 ff. [2] Ullmann (4.) **17**, 267 ff. [3] Ullmann (4.) **14**, 273 ff.
allg.: Lueger, Lexikon der Hüttentechnik, Bd. 5, S. 426 ff., Stuttgart: DVA 1963 ■ Ullmann (5.) **B 3**, 43 ff.

Hydrometer. Engl. Bez. für *Aräometer.

Hydromorphon (BtMVV Anlage III A). Internat. Freiname für das *Analgetikum 4,5α-Epoxy-3-hydroxy-17-methylmorphinan-6-on (Dihydromorphinon, Formel s. Hydrocodon), $C_{17}H_{19}NO_3$, M_R 285,34, Schmp. 266–267 °C, $[\alpha]_D^{25}$ –194° (c 0,98/Dioxan). Verwendet wird das Hydrochlorid, Zers. bei 305–315 °C, $[\alpha]_D^{25}$ –133° (Maus i. v.) 61–96 mg/kg. Es ist in Wasser schwer, in Ethanol leicht u. in Chloroform sehr leicht lösl.; Lagerung: luftdicht u. lichtgeschützt. H. wurde 1922 von Knoll (Dilaudid®) patentiert. – *E* = *F* hydromorphone – *I* idromorfone – *S* hidromorfona

Lit.: ASP ▪ Beilstein E V **27/14**, 112 ▪ DAB **1996** u. Komm. ▪ Hager (5.) **8**, 481–484. – *[HS 2939 10; CAS 466-99-9 (H.); 71-68-1 (Hydrochlorid)]*

Hydromuscovit s. Muscovit u. Illit.

Hydronaphthaline. Gruppenbez. für die hydroaromat. Kohlenwasserstoffe, die bei der katalyt. Hydrierung von *Naphthalin entstehen (s. Tab.).

Tab.: Beisp. für Hydronaphthaline.

Dihydronaphthaline	$C_{10}H_{10}$	Dialine
Tetrahydronaphthaline	$C_{10}H_{12}$	*Tetralin
Hexahydronaphthaline	$C_{10}H_{14}$	Hexaline
Octahydronaphthaline	$C_{10}H_{16}$	Octalin
Decahydronaphthaline	$C_{10}H_{18}$	*Decalin

– *E* hydronaphthalenes – *F* hydronaphtalènes – *I* idronaftaline – *S* hidronaftalenos
Lit.: Ullmann (5.) **A 17**, 6.

Hydron®-Blau R. Schwefel-*Küpenfarbstoffe mit grünstichigen bis rotstichigen Typen in Pulverform, Sol- u. Stabilosol in flüssiger Form. H. löst sich in konz. Schwefelsäure mit dunkelblauer Farbe. Das kondensierte *Phenothiazin-Derivat.* H. (Formel vgl. Immedial®- u. Immedial-Licht-Farbstoffe, s. a. Schwefel-Farbstoffe) wird wie folgt hergestellt: Man kocht eine alkohol. Lsg. des Indophenols (hergestellt durch Kondensation von Carbazol mit Nitrosophenol) mit Natriumpolysulfid (Na_2S_6). Der Farbstoff kann mit Natriumdithionit zu einer gelben Küpe aufgelöst werden. Eine andere Möglichkeit, H. zu reduzieren, besteht in der Verw. von Natriumhydrogensulfid (NaSH) bzw. Natriumsulfid (Na_2S), Stabilisal S flüssig u. Alkali. Cellulose-Fasern werden durch H. Licht-, Wasch-, Säure- u. weitgehend Chlor-echt gefärbt. Eine Verbesserung der Koch- u. Peroxid-Waschechtheit läßt sich durch Nachbehandlung mit Solidogen IH bzw. Solidogen IH u. Oxydurit SK erzielen. Wird zum Blaufärben von Berufskleidung verwendet. *B.:* DyStar.
Lit.: Ullmann (4.) **21**, 65; **22**, 1–6.

Hydron®, Stabilosol® u. Stabilosol® flüssig-Farbstoffe. Sortiment ausgewählter Schwefel- u. Schwefel-*Küpenfarbstoffe in Wasser-dispergierbarer Pigmentform mit sehr guten Gebrauchseigenschaften zum Färben von Cellulose-Textilien (Berufs- u. Freizeitkleidung) vorwiegend nach Klotz-Verfahren. Diese Farbstoffe können beim Färben von PES (Polyester)/Cellulose-Stückware nach dem Zweibad-Kontinue-Verf. einbadig mit Dispersionsfarbstoffen eingesetzt werden, als Red.-Mittel wird bevorzugt Hydrosulfit/Natronlauge verwendet. *B.:* DyStar.
Lit.: Text. Prax. Int. **41**, 1102 (1986).

Hydronium. Veraltete Bez. für das *Oxonium-Ion (H_3O^+), das ein einfach hydratisiertes *Proton ist; damit heißt das bei *Aquoxide erwähnte $H_3O^+ClO_4^-$: Oxoniumperchlorat. Für Fälle, in denen der Hydratationsgrad des Protons unbestimmt bleiben kann, wird der Ausdruck *Wasserstoff-Ion (*Hydrogen-Ion*) gebraucht. – *E* = *F* hydronium – *I* idronio – *S* hidronio

Hydroperoxide. Bez. für organ. Verb. der allg. Formel R–O–OH; die Benennung erfolgt durch Voranstellen des Präfixes *Hydroperoxy... Die H. treten häufig

bei der *Autoxidation (s. Abb. 1 a) u. bei der Reaktion von Organometall-Verb. (z. B. *Grignard-Verbindungen) mit Sauerstoff auf[1] (s. Abb. 1 b); die Bildung (*Oxygenierung) ist in beiden Fällen meist die Folge radikal. Prozesse.

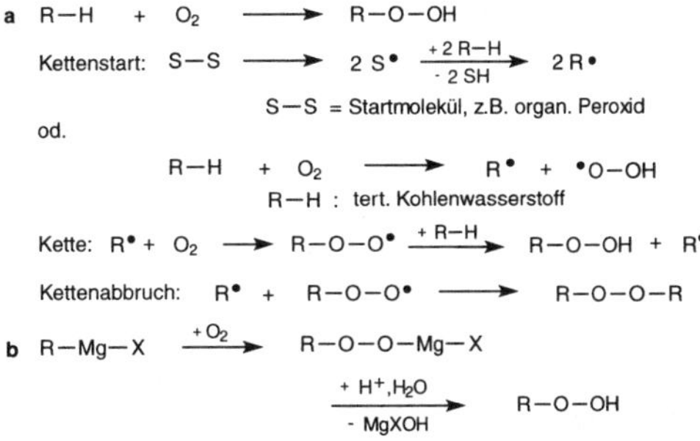

Abb. 1: Bildung von Hydroperoxiden; a Autoxidation; b Reaktion von Organometall-Verb. mit Sauerstoff.

Als Autoxidationsprodukte können die H. unerwünscht sein (z. B. bei *Ethern, wo sie vor deren Gebrauch durch Red. zerstört werden müssen od. bei *Grignard-Reaktionen), in anderen Fällen bedingen sie jedoch den Nutzen des Verf., z. B. bei der Trocknung von Ölen. In der Natur treten H. nur selten in Erscheinung[2]. Zum enzymat. Abbau von H. s. *Lit.*[3]. Neben den meist radikal. verlaufenden Herst.-Meth. von H. über Sauerstoff, Ozon, anorgan. Peroxide, Wasserstoffperoxid u. a. spielt die Reaktion von *Singulett-Sauerstoff mit Alkenen eine Rolle, da *Allyl-H. auf diesem Wege in guten Ausbeuten zugänglich sind. Voraussetzung ist, daß die Alkene einen allyl. Wasserstoff besitzen, der bei gleichzeitiger Verschiebung der Doppelbindung abstrahiert wird (vgl. En-Synthese, s. Abb. 2).

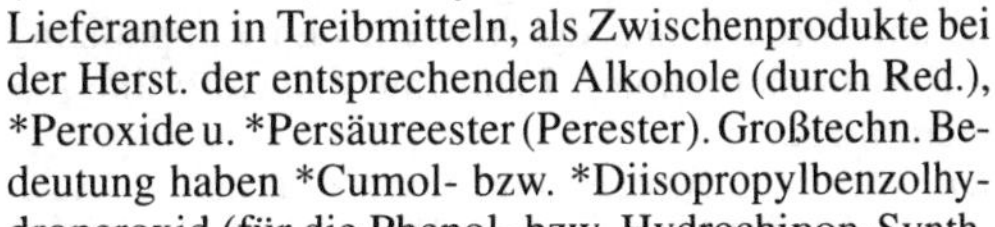

Abb. 2: Reaktion von *Singulett-Sauerstoff mit Alkenen.

Die häufig zersetzlichen, auch oft explosiblen u. daher meist phlegmatisierten H. dienen als Katalysatoren (auch als *Härter*) für Polymerisationen, als Sauerstoff-Lieferanten in Treibmitteln, als Zwischenprodukte bei der Herst. der entsprechenden Alkohole (durch Red.), *Peroxide u. *Persäureester (Perester). Großtechn. Bedeutung haben *Cumol- bzw. *Diisopropylbenzolhydroperoxid (für die Phenol- bzw. Hydrochinon-Synth. durch *Hocksche Spaltung) gewonnen. Bei der Herst. des techn. wichtigen *Propylenoxids ist die *Epoxidierung von Propen mit H. ein großtechn. Verf. (*Oxiran-Verf.*)[4] (s. Abb. 3).

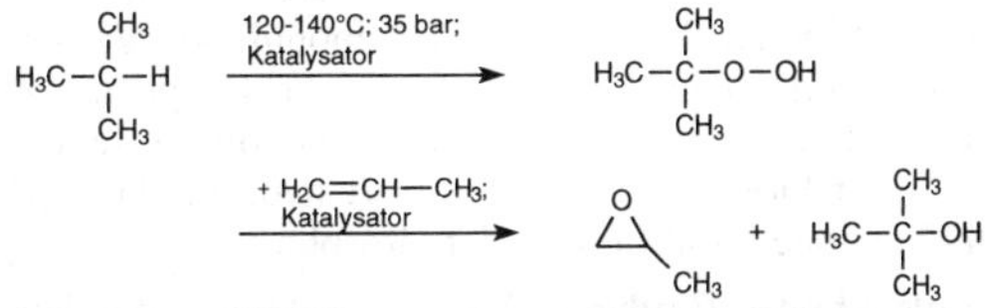

Abb. 3: Techn. Herst. von *Propylenoxid.

Da die H. häufig äußerst reaktive Verb. sind, ist bei ihrer Handhabung größte Vorsicht geboten. Zu Sicherheit u. Umweltschutz beim Umgang mit H. s. *Lit.*[5]. – *E* hydroperoxides – *F* hydroperoxydes – *I* idroperossidi – *S* hidroperóxidos

Lit.: [1] J. Organomet. Chem. **200**, 87 – 99 (1980). [2] Nachr. Chem. Tech. Lab. **25**, 627 (1977). [3] Helv. Chim. Acta **56**, 463 (1973). [4] Weissermel-Arpe (4.), S. 291 f. [5] Chem. Ind. **31**, 99 f. (1978). *allg.:* Chem. Unserer Zeit **12**, 65 (1978) ▪ Emanuel, Zaikov u. Maizus, Oxidation of Organic Compounds, Oxford: Pergamon Press 1984 ▪ Kirk-Othmer (3.) **17**, 29 – 49; (4.) **18**, 232 f. ▪ Houben-Weyl **IV/1 a**, 69; **IV/1 a/1**, 11 – 149; **E 13/1**, 59; **E 19 a/1**, 386 ▪ March (4.), S. 705 f. ▪ Patai, The Chemistry of Peroxides, S. 162 f., 209 f., 247 f., 727 f., Chichester: Wiley 1983 ▪ Ullmann (5.) **A 19**, 201 f.

Hydroperoxy... Nach IUPAC-Regeln C-218.1 u. R-5.5.5 Bez. für die Atomgruppierung –O–OH in organ. Verb.; *Beisp.:* 1-(1-Hydroperoxycyclohexylperoxy)-cyclohexanol (*Cyclohexanonperoxid*). Das Radikal HO–O· wird in der anorgan. Chemie *Hydro(gen)peroxyl* od. *Perhydroxyl* genannt. – *E = F* hydroperoxy... – *I* idroperossi... – *S* hidroperoxi...

Hydrophan s. Opal.

Hydrophil (von *Hydro...* u. *...phil*, wörtlich: Wasserliebend). Bez. für den Molekülteil von *amphiphilen Verb., der eine ausgeprägte Wechselwirkung mit polaren Lsm., bes. Wasser, zeigt. Diese Eigenschaft bewirkt beispielsweise die Löslichkeit von *Tensiden in Wasser. Synonym zu h.: *lipophob, Gegensatz: *hydrophob, *lipophil od. *apolar. Typ. h. Gruppen sind Carboxylat-, Sulfat- u. Sulfonat- sowie ggf. substituierte Ammonium-Funktionen od. Polyether-Ketten. – *E* hydrophilic – *F* hydrophile – *I* idrofilo – *S* hidrófilo

Hydrophilic-lipophilic Balance s. HLB-System.

Hydrophilieren. Bez. für textilchem. Maßnahmen zur Erhöhung der Wasseraffinität (Hydrophilie) bzw. der Saugfähigkeit u. des Feuchtigkeitstransportvermögens von *Synthesefasern zwecks Verminderung der Hautschweißbildung an den bekleideten Körperstellen; außerdem wird die stat. Aufladung bei Synthesefasern vermindert. Das H. erfolgt mit Hilfe von Hydrophilierungsmitteln, die z. B. in Form wäss. Lsg. aufgetragen werden, bei denen es sich z. B. um Zubereitungen von ionogenen bzw. nichtionogenen Polymeren, Ethoxylierungs-Produkten u. dgl. handelt. – *E* hydrophilizing – *F* hydrophilisation – *I* aumento dell' idrofilità – *S* hidrofilización

Lit.: Peter, Grundlagen der Textilveredlung, 13. Aufl., S. 741 – 745, Frankfurt: Dtsch. Fachverl. 1989 ▪ Ullmann (4.) **23**, 87 f.

Hydrophob (von *Hydro...* u. *...phob*, wörtlich: Wasser-meidend). Bez. für den Molekülteil von *amphiphilen Verb., der beispielsweise für die Micellbildung u. orientierte Adsorption an *Grenzflächen verantwortlich ist. Synonym zu h.: *lipophil, Gegensatz: *hydrophil, *lipophob od. *polar. Typ. h. Gruppen sind langkettige u. aromat. Kohlenwasserstoff-Reste, die auch perfluoriert sein können. – *E* hydrophobic – *F* hydrophobe – *I* idrofobo – *S* hidrófobo

Hydrophobe Bindung. Wechselwirkung zwischen *apolaren (*hydrophoben) Mol. od. z. B. Seitenketten von Proteinen in wäss. Lsg., die z. B. zur Stabilität der

Protein-Raumstruktur beitragen. Durch h. B. kommt es u. a. auch zur Bildung von *Micellen. H. B. sind auch für die Trenn-Effekte der *hydrophoben Chromatographie verantwortlich zu machen. Der Ausbildung von h. B. trägt man in der *Hansch-Analyse mit dem *Hydrophobie-* od. *Lipophilitäts-Parameter* Rechnung. Trotz ihres Namens u. ihrer Ähnlichkeit in der Wirkung ist die h. B. keine echte *chemische Bindung u. beruht weniger auf anziehenden Kräften zwischen den hydrophoben Mol., sondern auf dem Effekt einer *Entropie-Änderung. Man spricht deshalb besser von *hydrophober Wechselwirkung* od. *hydrophobem Effekt*. – *E* hydrophobic bonding – *F* liaison hydrophobe – *I* legame idròfobo – *S* enlace hidrófobo

Lit.: Angew. Chem. **105**, 1610 – 1648 (1993) ▪ Naturwiss. Rundsch. **49**, 215 – 221 (1996).

Hydrophobe Chromatographie. Spezielle, auf hydrophober Wechselwirkung (s. hydrophobe Bindung) beruhende Variante der *Affinitätschromatographie.

Hydrophober Effekt s. hydrophobe Bindung.

Hydrophobe Wechselwirkung s. hydrophobe Bindung.

Hydrophobieren. Bez. für die wasserabweisende Ausrüstung z. B. von Textilwaren, Zelten, Planen, Leder usw., bei der im Gegensatz zum *Wasserdichtmachen* (s. wasserdichte Stoffe) die Gewebeporen nicht verschlossen werden, der Stoff also atmungsaktiv bleibt. Die zum H. verwendeten *Hydrophobiermittel* überziehen Textilien, Leder, Papier, Holz usw. mit einer sehr dünnen Schicht *hydrophober Gruppen, wie längere Alkyl-Ketten od. Siloxan-Gruppen. Geeignete Hydrophobiermittel sind z. B. Paraffine, Wachse, Metallseifen usw. mit Zusätzen an Aluminium- od. Zirconium-Salzen, *quartäre Ammonium-Verbindungen mit langkettigen Alkyl-Resten, Harnstoff-Derivate, Fettsäuremodifizierte Melaminharze, Chrom-Komplexsalze, Silicone, Zinn-organ. Verb. u. Glutardialdehyd. Die hydrophobierten Materialien fühlen sich nicht fettig an; dennoch perlen – ähnlich wie an gefetteten Stoffen – Wassertropfen an ihnen ab, ohne zu benetzen. So haben z. B. Silicon-imprägnierte Textilien einen weichen Griff u. sind wasser- u. schmutzabweisend; Flecke aus Tinte, Wein, Fruchtsäften u. dgl. sind leichter zu entfernen. Die Imprägnierung kann auch von Chemischreinigungsfirmen mit Tetrachlorethen-lösl. Zusätzen vorgenommen werden. Zwar lassen sich auch *perfluorierte Verbindungen zum H. heranziehen, doch dienen diese – bei unsachgemäßer Anw. gesundheitsschädlichen – Stoffe vorwiegend der *Oleophobierung u. der *Soil-Release-Ausrüstung. Einige der oben genannten Stoffgruppen sind auch für *Hautschutzsalben geeignet.

Von H. spricht man auch im *Bautenschutz*, z. B. bei *Betondichtungsmitteln u. Sperranstrichmitteln sowie bei der wasserabweisenden *Imprägnierung von Holz, Glas u. Keramik. Als Hydrophobiermittel dienen dabei hauptsächlich Zinn-organ. Verb., Silicone, Alkylchlor- u. Alkylalkoxysilane. Das H. von Glasgeräten im Labor kann ebenfalls mit Alkylchlor- od. Alkylaminosilanen vorgenommen werden (s. *Lit.*[1]). Die zum H. leicht zusammenbackender anorgan. Salze

(KNO$_3$, NaNO$_3$, NaNO$_2$) eingesetzten grenzflächenaktiven Substanzen bezeichnet man als *Rieselhilfen. Eine wichtige Rolle spielen Hydrophobiermittel auf Silicon-Basis bei der Behandlung von Brandlöschpulver u. feinverteilten Kieselsäuren für *Entschäumer. – *E* hydrophobizing – *F* rendre hydrophobe – *I* rendere idrofobo – *S* hidrofobizado
Lit.: [1] Helv. Chim. Acta **65**, 1752–1759 (1982). *allg.:* Dahle, Hydrophobierung, Stuttgart: IRB 1986 ▪ Kirk-Othmer (3.) **7**, 440 f. ▪ Peter, Grundlagen der Textilveredlung, 13. Aufl., S. 738–741, Frankfurt: Dtsch. Fachverl. 1989 ▪ Ullmann (4.) **23**, 86 f.

Hydrophobine. Kleine, mäßig hydrophobe *Proteine (100±25 Aminosäure-Reste), die von Pilzen sezerniert werden u. als amphipath. Filme (Schichten, die auf einer Seite hydrophil, auf der anderen hydrophob sind) die Grenzflächen zwischen der Pflanze u. der Luft überziehen. Die betreffenden Pflanzenteile (Hyphen, Fruchtkörper, Sporen, Luftkanäle) werden dadurch hydrophob. – *E* hydrophobins – *F* hydrophobines – *I* idrofobine – *S* hidrofobinas
Lit.: Adv. Microb. Physiol. **38**, 1–45 (1997) ▪ Curr. Biol. **7**, R 78–R 81 (1997) ▪ Trends Plant Sci. **1**, 9–15 (1996).

Hydrophyten (Wasserpflanzen). Gewässerbewohnende Pflanzen, die ungünstige Jahreszeiten unter Wasser überdauern. Man unterscheidet:
1. *Schwimmpflanzen*, die entweder frei (unverwurzelt) schwimmen bzw. schweben od. am Grunde wurzelnd an der Wasseroberfläche schwimmende Blätter aufweisen.
2. *Submerse H.*, die im Boden verankert, vollständig untergetaucht leben.
3. *Amphiphyten*, H.-Arten, die sowohl im Wasser als auch an Land leben (s. a. Helophyten).
H. weisen physiolog. u. morpholog. Anpassungen auf: Reduziertes Wurzelsyst., große Interzellularen (luftspeichernde Zellzwischenräume = Aerenchym) in Blättern, Sproß u. Wurzeln, fehlende Spaltöffnungen bei submersen Blättern bzw. auf der Oberseite angeordnete Spaltöffnungen bei Schwimmblättern. H. dienen als Indikatororganismen (Leitorganismen) für die *Gewässergütebestimmung. Sie tragen zur *biologischen Selbstreinigung der Gewässer bei. – *E* hydrophytes – *F* hydrophytes, plantes aquatiques – *I* idrofite – *S* hidrófitos, plantas acuáticas
Lit.: Ettl et al. (Hrsg.), Süßwasserflora von Mitteleuropa, 24 Bd., Stuttgart: Fischer (seit 1978) ▪ Lüning, Meeresbotanik, Stuttgart: Thieme 1985. – *Zeitschriften:* Aquatic Botany, Amsterdam: Elsevier.

Hydropigen (griech.: hydrops = Wassersucht u. ...*gen). *Ödem (Hydrops) verursachend, meist in Bezug auf Krankheiten wie z. B. *Herzinsuffizienz.

Hydroponik s. Hydrokultur.

Hydroprotein. *Eiweiß-Hydrolysate auf der Basis tier. u. pflanzlicher Proteine zur Verw. in der Futtermittel- u. Lebensmittel-Industrie. *B.:* Grünau.

Hydrosilylierung s. Silicium-organische Verbindungen.

Hydrosole. Bez. für – ggf. durch *Hydrolyse herstellbare – *Sole, die als Dispersionsmittel Wasser enthalten.

Hydrosol®-Farbstoffe. Umfangreiche Gruppe von wasserlösl. *Schwefel-Farbstoffen, die sich von den *Immedial®- u. Immedial-Licht-Farbstoffen durch chem. Modif., Umsetzen mit Sulfit u. Hydrogensulfit zu Thioschwefelsäure-Derivaten (*Bunte-Salze) ableiten. Die H.-F. werden in heißem Wasser gelöst; zur Abspaltung der wasserlösl. machenden Gruppe u. damit zur Fixierung der H.-F. auf der Faser können folgende Red.-Mittel eingesetzt werden: Natriumsulfid, Natriumhydrogensulfid, Rongalit C, Dithionit u. Glucose. Bei Verw. von Schwefelalkalien wird Natriumpolysulfid (Stabilisal S) als Stabilisator der Farbstoff-Flotte u. Färbung gegenüber Oxid.-Einfluß zugesetzt. Nach dem Färben wird oxidiert (Luftoxid. od. Oxid. mit Kaliumdichromat-Essigsäure, Kaliumiodat, Natriumbromat, Oxydurit SK, Natriumperborat od. H$_2$O$_2$). Die H. sind zur Färbung von Cellulose-haltigen Textilien (auch in Vulkanisierartikeln u. PVC-Beschichtungen) geeignet. *B.:* DyStar.
Lit.: Ullmann (4.) **22**, 1–6.

Hydrospark. Verf. der *Hochleistungsumformung, das auf der plötzlichen Entladung stark aufgeladener Kondensatoren unter Wasser über eine Funkenstrecke zwischen zwei Elektroden beruht. Hierbei entsteht ein Unterwasserblitz, der die umgebende Flüssigkeit plötzlich vergast; die dabei auftretende *Stoßwelle ermöglicht eine *Umformung von Metallen. – *E* hydrospark process – *F* procédé hydrospark – *I* processo idrospark – *S* procedimiento hydrospark

Hydrosphäre. Von griech.: hydór = Wasser [s. hydr(o)...] u. sphaira = Kugel abgeleitete Bez. für die Wasserhülle der *Erde. Die H. umfaßt das *Wasser in der Atmosphäre (Wasserdunst, Eis), Niederschlagswasser (Regen, Schnee, Schmelzwasser), Oberflächenwasser (Binnengewässer, Fließgewässer, stehendes Wasser in natürlichen Seen, Weihern u. Tümpeln sowie in den künstlichen Stauseen, Meere), unterird. Wasser (Bodenwasser, Grundwasser, Quellwasser), Schnee u. Eis. Ungefähr 379 Mio. km^2 der Erdoberfläche werden durch Wasser eingenommen, davon 361,2 Mio. km^2 von Meeren (70,8% der Erdoberfläche, s. Meerwasser), ca. 2 Mio. km^2 von Binnengewässern (ca. 0,4%) u. 16,1 Mio. km^2 von Gletschereis (ca. 3,2%). Dauerhaft sind ca. 16 Mio. km^2, zeitweilig weitere 61 Mio. km^2, der Erdoberfläche mit Schnee bedeckt; am Winterende auf der Nordhalbkugel ca. 75 Mio. km^2, auf der Südhalbkugel ca. 18 Mio. km^2. Sumpfgebiete nehmen ca. 2,7 Mio. km^2 (ca. 0,5% der Erdoberfläche) ein (Wasserkreislauf u. Volumina s. Wasser). – *E* hydrosphere – *F* hydrosphère – *I* idrosfera – *S* hidrosfera
Lit.: Brosin et al., Das Weltmeer, Frankfurt: Harri Deutsch 1985 ▪ Garbrecht, Wasser – Vorrat, Bedarf u. Nutzung in Geschichte u. Gegenwart, Reinbek: Deutsches Museum/Rowohlt 1985 ▪ Marcinek u. Rosenkranz, Das Wasser der Erde, Frankfurt: Harri Deutsch 1989 ▪ s. a. Hydrologie.

Hydrostannylierung s. Zinn-organische Verbindungen.

Hydrostatische Waage s. Mohrsche Waage.

Hydrosulfide. Veraltete Bez. für *Hydrogensulfide.

Hydrosulfite. Veralteter, irreführender u. überflüssiger Name für *Dithionite, in der *Küpenfärberei speziell für *Natriumdithionit.

Hydrosulfit®-Marken. Vielseitig einsetzbare Red.-Mittel für die Textil- u. Papier-Ind., techn. Natriumdithionit ($Na_2S_2O_4$). H. wird hauptsächlich als Red.-Mittel für Küpenfarbstoffe u. zur reduktiven Reinigung von PES-Färbungen verwendet, ferner zum Abziehen von Färbungen sowie Reinigen von Färbemaschinen usw.; in der Papier-Ind. zur Bleiche von Holzstoff u. Nachbleiche von Papierstoff aus Altpapier nach dem Deinking-Verfahren. **B.:** BASF.

Hydrotalcit. Internat. Freiname für das als *Antacidum wirksame Dialuminum-hexamagnesium-carbonat-hexadecahydroxid-tetrahydrat, $Al_2Mg_6(OH)_{16}CO_3 \cdot 4H_2O$. H. ist in Wasser prakt. unlösl., die Lagerung muß lichtgeschützt u. luftdicht erfolgen. – **E = F** hydrotalcite – **I** idrotalcite – **S** hidrotalcita
Lit.: ASP ▪ Merck-Index (12.), Nr. 5696. – *[CAS 12304-65-3]*

Hydrotec®. Gemisch langkettiger *Fettalkohole (C_{18}–C_{20} u. länger) u. Emulgatoren, das die Wasserverdunstung hemmt. **B.:** Condea.

Hydrothermale Mineralbildung vgl. Hydrothermalsynthese u. Lagerstätten.

Hydrothermalsynthese. Bez. für die Synth. von Mineralien u. chem. Verb. (z. B. zahlreiche Oxide u. *Silicate) durch *Kristallisation aus hocherhitzten wäss. Lsg. (*hydrothermale Lsg.:* >100 °C u. >1 bar Druck). Die H. wird meist in Druckgefäßen (*Autoklaven*) ausgeführt, da die angewendeten Temp. weit über dem Sdp. des Wassers, meist sogar über dessen krit. Temp. (374 °C) liegen. Die durch H. gezüchteten Mineralien zeichnen sich häufig durch eine bes. gute Qualität hinsichtlich ihrer techn. Verw. als *Einkristalle aus. Trotz der apparativen Schwierigkeiten u. dem damit verbundenen Aufwand (Druck- u. Temp.-Bedingungen sowie die korrodierende Wirkung der Lsg. erfordern meist den Einsatz von schwer zu bearbeitenden Spezialstählen u. Auskleidungen aus Edelmetall) wird die H. heute neben anderen Meth. zur Herst. synthet. Edelsteine (*Edelsteine u. Schmucksteine), z. B. *Smaragd, *Aquamarin, *Amethyst u. Citrin (*Quarz) angewandt. Auch große Krist. des trigonalen α-Quarzes, die wegen ihrer opt. u. piezoelektr. Eigenschaften interessant sind, werden durch H. (bei 400 °C u. 1400 bar) industriell hergestellt, s. *Lit.*[1,2]; sie werden bes. als Schwingquarze für die Uhren-, Optik- u. Elektronik-Ind. benötigt. CrO_2-Pigmente für magnet. Aufzeichnungsträger werden großtechn. durch H. bei Temp. über 200 °C u. Drücken oberhalb 100 bar hergestellt. Die H. dient ferner zur Simulation natürlicher Prozesse bei der Bildung von Mineralien u. *Gesteinen sowie zur chem. Charakterisierung von Ein- u. Mehrstoffsyst. bei hohen Drücken u. Temperaturen. Wichtig für die H. ist, daß die Löslichkeit von schwerlösl. Verb. durch die Zugabe geeigneter leichter lösl. Komponenten (*Mineralisatoren*), z. B. NaOH, Na_2CO_3, Chloride der Alkalimetalle u. Säuren, z. B. HCl, wesentlich erhöht werden kann. Zur Züchtung größerer Krist., z. B. von Quarz, werden Keimplatten benutzt, die zu mehreren in speziellen Rahmen im oberen Teil der Autoklaven in der sog. Wachstumszone installiert werden. Ein Temp.-Gefälle im Autoklaven, bei Quarz z. B. von 400 °C in der Wachstumszone auf 360 °C in der Auflösezone im unteren Teil, bewirkt, daß infolge Übersättigung der Lsg. Quarz an den Keimscheiben abgesetzt wird, die spezif. leichter gewordene Lsg. nach unten absinkt, in der heißen Zone neuen Quarz löst u. durch die Wärmezirkulation wieder nach oben aufsteigt. Die Wachstumsrate beträgt 1–2 mm/d; eine Charge liefert z. B. 50–100 Quarzkrist. von wenigen 100 g bis zu mehreren kg Gewicht.

Im erweiterten Sinne spricht man von *hydrothermalen Prozessen* ganz allg. bei Verf. der *Hochdruckchemie in wäss. Systemen. – **E** hydrothermal synthesis – **F** synthèse hydrothermale – **I** sintesi idrotermale – **S** síntesis hidrotermal
Lit.: [1] Kirk-Othmer (3.) **12**, 408 f. [2] Lapis **17**, Nr. 6, 18 f. (1992). *allg.:* Curr. Top. Mat. Sci. **1981**, 7 ▪ Rickard u. Wickman, Chemistry and Geochemistry of Solutions at High Temperatures and Pressures (Phys. Chem. Earth 13), Oxford: Pergamon 1981 ▪ Ullmann (5.) **A 8**, 132 ▪ Wilke u. Bohm, Kristallzüchtung, S. 1025–1058, Berlin: VEB Dtsch. Verl. der Wissenschaften 1988.

Hydrothiadizine s. Hydrothiazide.

Hydrothiazide. Gruppenbez. für *Diuretika, denen das Gerüst des 3,4-Dihydro-2*H*-1,2,4-benzothiadiazins gemeinsam ist. Diese zusammen auch *Hydrothiadiazine* genannten Verb. tragen alle in 7-Stellung eine Sulfamoyl-Gruppe (sie sind also *Sulfonamide) u. in 1-Stellung eine Sulfon-Gruppe.

R^1	R^2	R^3	
H	H	Cl	*Hydrochlorothiazid
H	$CHCl_2$	Cl	*Trichlormethiazid
H	CH_2—$CH(CH_3)_2$	Cl	*Butizid
H	$\overset{CH_3}{\underset{}{CH}}$—$C_6H_5$	Cl	*Bemetizid
CH_3	CH_2—S—CH_2—CF_3	Cl	*Polythiazid
H	CH_2—C_6H_5	CF_3	*Bendroflumethiazid

Die *Saluretika-Wirkung (vgl. Diuretika) beruht auf der Hemmung des Natrium- u. Chlorid-Cotransports im Tubulus (s. Niere) u. der dadurch verringerten Wiederaufnahme von Kochsalz. Alle Derivate wirken qual. gleich. In 3/4-Stellung ungesätt. Vertreter – die *Thiazide – weisen ähnliche, wenn auch schwächere Wirkung auf. Beide Verb.-Gruppen werden gegen Ödeme u. Hypertension eingesetzt, vgl. die Einzelverbindungen. – **E = F** hydrothiazides – **I** idrotiazidi – **S** hidrotiazidas
Lit.: Mutschler (7.), S. 586 f. ▪ s. a. Diuretika.

Hydrotransport s. Pipeline.

Hydrotropie. Unter H. versteht man das Phänomen, daß eine schwerlösl. Substanz in Ggw. einer zweiten Komponente, die selbst kein Lsm. darstellt, wasserlösl. wird. Substanzen, die eine derartige Löslichkeitsverbesserung bewirken, werden als Hydrotrope od. Hydrotropika bezeichnet. Sie wirken als *Lösungsvermittler (s. a. Solubilisation) mit unterschiedlichen Wirkungsmechanismen:
Stoffe, die zur Bildung von Assoziationskolloiden neigen, wie z. B. *Tenside, können durch Bildung von Mizellen z. B. die Löslichkeit von langkettigen, anson-

sten in Wasser unlösl. Alkoholen ermöglichen. Typ. Hydrotrope, z. B. bei der Konfektionierung von Flüssigwaschmitteln (s. Waschmittel) verwendet, sind Xylol- u. Cumolsulfonat. Andere Substanzen, z. B. Harnstoff od. *N*-Methylacetamid, steigern die Löslichkeit durch einen strukturbrechenden Effekt, bei dem die Wasserstruktur in der Umgebung der hydrophoben Gruppe eines schwerlösl. Stoffes abgebaut wird. Eine Löslichkeitssteigerung kann schließlich auch durch die Bildung von Mischkrist. im Bodenkörper der zu lösenden Komponente mit der hydrotropen Substanz bewirkt werden.

Lsg. hydrotroper Stoffe (hydrotrope Lsg.) verwendet man anstelle organ. Lsm. zu Extraktionszwecken. Vorteil: Die Lsg. sind nicht flüchtig, nicht brennbar u. ungiftig, lassen sich leicht regenerieren u. weisen in der Regel höhere HLB-Werte (*HLB-System) auf. Sie finden Einsatz in der Gerberei, Textilveredlung, bei Elektrolysen, Kondensationen, zum Trennen u. Reinigen, bei der Entfernung von Kesselstein sowie der Herst. von Azofarbstoffen, Flüssigwaschmitteln, Kosmetika u. Zellstoff. – *E* hydrotropy – *F* hydrotropie – *I* idrotropia – *S* hidrotropía

Lit.: Chem. Ztg. **96**, 248 (1972) ▪ Fette Seifen Anstrichm. **71**, 381 (1969).

Hydrotropika s. Hydrotropie u. Lösungsvermittler.

Hydroviton®. *Feuchthaltemittel für Hautcremes u. dgl. mit Aminosäuren, Natriumlactat, Harnstoff, Allantoin, mehrwertigen Alkoholen u. Rosenwasser. *B.:* Dragoco.

4-(Hydroxamino)-benzoesäure s. Hydroxylamine.

Hydroxamsäuren. Gruppenbez. für organ. Säuren, die durch Umsetzung von *Hydroxylamin mit Carbonsäurehalogeniden, -anhydriden u. -estern entstehen (s. Abb. a); sie treten in zwei tautomeren Formen auf. Weitere Meth. gehen von Nitro-Verb. aus, die beispielsweise mit Schwefelsäure in H. umgewandelt werden können (s. Abb. b; vgl. a. Nef-Reaktionen).

Die Benennung der H. erfolgt nach IUPAC-Regel C-451.3 durch Anhängen von …hydroxamsäure an den Namen der zugrundeliegenden Carbonsäure od. als *N*-Hydroxyamid (*Beisp.:* Acetohydroxamsäure od. *N*-Hydroxacetamid). Die H. sind schwache Säuren (pK$_a$ ~ 9), die Fehlingsche Lsg. reduzieren u. die infolge der *Tautomerie eine für *Enole charakterist. intensiv rote Farbreaktion mit Eisen(III)-chlorid eingehen, weshalb man die H.-Bildung auch zum Nachw. der Carboxy-Gruppe (s. Carbonsäuren) u. von Aldehyden (s. Angeli-Rimini-Reaktion) benutzt.

Die rotbraune Farbe der *Siderochrome (s. a. Ferrichrome) ist ebenfalls auf Eisen(III)-Hydroxamsäure-Komplexe zurückzuführen. Näheres über natürlich auftretende H. s. *Lit.*[1]. Ähnlich wie mit Eisen reagieren H. auch mit anderen Metallen, weshalb man sie zu deren Nachw. u. Bestimmung od. Isolierung heranziehen kann; *Beisp.:* Vanadium[2] od. Uran[3].

Mit starken Mineralsäuren gehen die H. unter Wasserabspaltung in die entsprechenden *Isocyanate über, durch deren Hydrolyse man prim. Amine erhält (*Lossen-Abbau). Einen umfassenden Überblick über Herst., Eigenschaften u. Verw. von H. gibt *Lit.*[4]. – *E* hydroxamic acids – *F* acides hydroxamiques – *I* acidi idrossamici – *S* ácidos hidroxámicos

Lit.: [1] Pharm. Unserer Zeit **9**, 114–125 (1980). [2] Int. J. Environ. Anal. Chem. **10**, 183–188 (1981). [3] Pure Appl. Chem. **54**, 2151–2158 (1982). [4] Angew. Chem. **86**, 419–428 (1974); Int. Ed. Engl. **13**, 376.
allg.: Houben-Weyl **4**, 198 f.; **E 5**, 825–830 ▪ Kehl, Chemistry and Biology of Hydroxamic Acids, Basel: Karger 1982 ▪ Patai, The Chemistry of Acid Derivates, S. 849 ff., Chichester: Wiley 1992 ▪ Patai, The Chemistry of Amides, S. 515 ff., New York: Wiley 1970. – *[HS 2928 00]*

Hydroxide (veraltete Bez.: Hydroxyde). Im weitesten Sinn Sammelbez. für sämtliche Verb., die die einwertige Atomgruppierung OH als funktionelle Gruppe od. als Ion enthalten. Hiernach wären auch die Alkohole u. Phenole (nicht jedoch die Carbonsäuren, da hier die funktionelle Gruppe nicht OH, sondern COOH ist) als H. aufzufassen, ebenso wie die anorgan. Koordinationsverb. mit *Hydroxo-Liganden u. die als Säuren wirkenden H. der Nichtmetalle [z. B. P(OH)$_3$=H$_3$PO$_3$]. Man schränkt deshalb im allg. Sprachgebrauch den Begriff H. auf die bas. u. amphoteren H. der Metalle, des Ammoniums u. seiner Analoga (wozu auch die organ. Basen gehören) ein, d. h. auf solche H., die abdissoziierbare, freie od. ggf. hydratisierte *Hydroxid-Ionen enthalten od. die zumindest durch Säuren unter Salzbildung neutralisiert werden können. Nach Glemser stellen die H. eine Untergruppe der *Aquoxide dar. Ob ein H. als *Base, *Oxosäure od. *amphoter reagiert, ist wesentlich von der Wertigkeit u. dem Durchmesser des Atoms abhängig, an das die Atomgruppierung OH gekoppelt ist: Mit zunehmender pos. Ladung u. sinkendem Durchmesser nimmt der saure Charakter des H. zu, d. h., es können im Extremfall keine H.-Ionen mehr abdissoziieren, sondern nur Protonen: (HO)$_2$SO$_2$ = H$_2$SO$_4$ ist eine starke Säure, NaOH eine starke Base, Al(OH)$_3$ ist amphoter. Außer den Alkalimetall-H. gehen sämtliche Metall-H. beim Erhitzen unter Abspaltung von *Konstitutionswasser in Oxide über. – *E* hydroxides – *F* hydroxydes – *I* idrossidi – *S* hidróxidos

Lit.: Chem. Unserer Zeit **13**, 184–194 (1979) ▪ Giovanoli et al., in Marti et al. (Hrsg.), Angewandte chemische Thermodynamik u. Thermoanalytik (Exp. Suppl. 37), S. 68–80, Basel: Birkhäuser 1979 ▪ Schwarzmann, Hydroxide, Oxidhydrate u. Oxide, Darmstadt: Steinkopff 1976 ▪ s. a. Einzelverbindungen.

Hydroxidhalide. Bez. für bas. Halogenide, z. B. Magnesiumhydroxidchlorid [Mg(OH)Cl]. In der älteren Lit. sprach man nicht selten von *Oxyhaliden (*Beisp.:* Magnesiumoxychlorid), wenn man H. od. *Oxidhalogenide meinte. – *E* hydroxide halides – *F* halogénures d'hydroxydes – *I* alogenuri di idrossido – *S* halogenuros de hidróxidos

Hydroxid-Ion. Bez. für das einwertige Anion OH⁻ (besser: HO⁻, da sich die neg. Ladung am Sauerstoff

befindet), das frei od. solvatisiert, z. B. als $[H_3O_2]^-$ auftreten kann. Als Ligand wird HO^- als *Hydroxo... benannt. Früherer Name: Hydroxyl-Ion. – **E** hydroxide ion – **F** ion hydroxyde – **I** ione idrossido – **S** ion hidróxido
Lit.: Gmelin, Syst.-Nr. 3, O, 1969, S. 2527–2600.

Hydroxido... s. Hydroxo...

Hydroxid-Salze s. Salze.

Hydroximsäure s. Hydroxamsäuren.

Hydroxo... (Hydroxido..., C. A.: Hydroxy...). Nach IUPAC-Regel I-10.4.5.4 Bez. für das *Hydroxid-Ion OH^- als anion. einfacher Ligand od. Brückenligand in Koordinationsverb. u. *Hydroxo-Salzen; *Beisp.:* $K[B(OH)_4] =$ Kalium-tetrahydroxoborat(1–), $[(NH_3)_5Cr–OH–Cr(NH_3)_5]Cl_5 = \mu$-Hydroxobis[pentaamminchrom(III)]-chlorid. – **E = F** hydroxo... – **I** idrosso... – **S** hidroxo...
Lit.: Inorg. Chem. **22**, 2297 (1983) ▪ s. a. Hydroxo-Salze.

Hydroxocobalamin (Vitamin B_{12a}).

Internat. Freiname für die physiolog. Depotform von *Cobalamin (s. a. Vitamin B_{12}), α-(5,6-Dimethylbenzimidazolyl)-hydroxocobamid, $C_{62}H_{89}CoN_{13}O_{15}P$, M_R 1346,37, dunkelrote, orthorhomb. Nadeln od. Plättchen, Verfärbung bei 200°C, aber Schmp. >300°C, λ_{max} (H_2O): 279, 325, 359, 516, 537 nm, in Wasser im Verhältnis 1 : 50 lösl.; Lagerung kühl u. vor Licht u. Luft geschützt. Als Depot-Form wird das Acetat eingesetzt. H. wurde 1956 von Merck & Co (Aquo-Cytobion®) patentiert u. ist generikafähig gegen Anämien im Handel. Es wird auch als Antidot gegen Cyanid-, Nitril- u. Schwefelwasserstoff-Vergiftungen (s. 4-DMAP®) eingesetzt. – **E** hydroxocobalamin – **F** hydroxocobalamine – **I** idrocobalamina – **S** hidroxocobalamina
Lit.: ASP ▪ Beilstein E V **26/15**, 340 ▪ DAB **1996** u. Komm. ▪ Hager (5.) **8**, 485 f. ▪ s. a. Corrinoide u. Vitamin B_{12}. – *[HS 2936 26; CAS 13422-51-0]*

Hydroxo-Salze. Gruppe von Komplexverb., deren komplexes Anion am metall. Zentralatom allein *Hydroxid-Ionen als Liganden (Hydroxo-Liganden) enthält. Als Kationen fungieren hier Alkalimetalle (bes. Na) u. Erdalkalimetalle (Ba, Sr). Präparativ erhält man H. nach Auflösen von Metallen od. Metall-Verb. in heißer, konz. Natrium- bzw. Erdalkalihydroxid-Lsg.

beim Abkühlen als krist. Pulver; z. B. $Na[Zn(OH)_3]$ Natriumhydroxozinkat (farblos), $Na_2[Fe(OH)_4]$ Natriumtetrahydroxoferrat(II) (graugrün), $Ba_2[Cu(OH)_6]$ Bariumhexahydroxocuprat(II) (lichtblau). – **E** hydroxo salts – **F** hydroxosels – **I** idrossosali – **S** hidroxosales
Lit.: Brauer (3.) **3**, 1752–1773.

Hydroxy... Bez. für die Atomgruppierung –OH (*Hydroxy-Gruppe) in organ. Verb. wie Alkoholen, Phenolen etc. (IUPAC-Regeln C-201 bis C-204 u. R-5.5.1.1). Veraltete, in Trivialnamen noch erhaltene Bez.: Oxy... – **E = F** hydroxy... – **I** idrossi... – **S** hidroxi...

Hydroxyacetaldehyd s. Glykolaldehyd.

Hydroxyacetanilide s. Acetylaminophenole.

Hydroxyacetophenone [1-(Hydroxyphenyl)ethanone, regelwidrig Acetylphenole].

$C_8H_8O_2$, M_R 136,15. (a) *o-H.*: Klare, gelbliche Flüssigkeit, D. 1,130, Schmp. 4–6°C, Sdp. 218°C; – (b) *m-H.*: Braune Krist., D. 1,099, Schmp. 96°C, Sdp. 296°C; – (c) *p-H.*: Farblose Krist., D. 1,109, Schmp. 109–110°C. Die H. sind lösl. in Alkohol, Ether u. Chloroform; sie finden als pharmazeut. Zwischenprodukte Verwendung. *o-H.* ist ein vielseitiger Baustein in der organ. Chemie (z. B. zur Synth. von Chromonen, Flavonen, Benzofuranen, 1,2-Diacylbenzolen usw.) u. dient ferner zur Identifizierung von beschädigten pflanzlichen Zellen[1]. – **E** hydroxyacetophenones – **F** hydroxyacétophénones – **I** idrossiacetofenoni – **S** hidroxiacetofenonas
Lit.: [1] Nature (London) **318**, 624 (1985). *allg.:* Beilstein E IV **8**, 320–339 ▪ Synthesis **1977**, 509; **1990**, 703; **1992**, 839, **1993**, 318 ▪ Tetrahedron **47**, 5071 (1991). – *[HS 2914 50; CAS 118-93-4 (o-H.); 121-71-1 (m-H.); 99-93-4 (p-H.)]*

Hydroxyaldehyde. Sammelbez. für Aldehyde, die zusätzliche Alkohol-Funktionen aufweisen; *Beisp.:* *Glycerinaldehyd, *Salicylaldehyd, *Aldole als β-H., *Aldosen. – **E** hydroxyaldehydes – **F** hydroxyaldéhydes – **I** idrossialdeidi – **S** hidroxialdehídos
Lit.: Kirk-Othmer (4.) **13**, 1030 ▪ Ullmann (5.) **1**, 336.

Hydroxyalkylcellulosen. *Celluloseether, die durch Umsetzung von *Alkalicellulosen mit Halogenhydrinen od. – in techn. Prozessen ausschließlich – Epoxiden (Oxiranen) wie Ethylen-, Propylen-, Butylenoxid bzw. Glycid(ol) hergestellt werden. Großtechn. werden nur die wasserlösl. H. *Hydroxyethylcellulose u. *Hydroxypropylcellulose produziert. – **E** hydroxyalkylcellulose – **F** hydroxyalkylcelluloses – **I** idrossialchilcellulose – **S** hidroxialquilcelulosas
Lit.: s. einzelne H. sowie Cellulose-Derivate u. Celluloseether.

Hydroxyalkylierung. Die nach dem elektrophilen Substitutionsmuster ablaufende Umsetzung von aromat. Verb. mit Aldehyden od. Ketonen wird als H. bezeichnet. Das angreifende Elektrophil ist die protonierte Carbonyl-Verbindung. Der entstehende Alkohol reagiert oft im Sinne einer *Friedel-Crafts-Reaktion mit weiterem Aromat, so daß Diarylalkane entstehen

(s. Abb. a). Ein illustratives Beisp. ist die Synth. von *DDT aus *Chloral u. *Chlorbenzol (s. Abb. b).

a

b

Als Aromaten werden oft *Phenole* (in Form der Phenolat-Anionen) u. als Carbonyl-Verb. Formaldehyd (s. Hydroxymethylierung u. Chlormethylierung) eingesetzt. – *E* = *F* hydroxyalkylation – *I* idrossialchilazione – *S* hidroxialquilación

Lit.: Angew. Chem. **75**, 662–668 (1963) ▪ March (4.), S. 548 ▪ Olah, Friedel-Crafts and Related Reactions, Bd. 2, S. 597–640, New York: Interscience 1963.

Hydroxyalkylstärken. Bez. für die bei der Umsetzung von *Stärke mit Halogenhydrinen bzw. Epoxiden (Oxiranen) in Ggw. von Alkali anfallenden *Stärkeether. Techn. Relevanz erlangt haben die Produkte aus der Umsetzung von Stärke mit Ethylenoxid (*Hydroxyethylstärken), Propylenoxid (*Hydroxypropylstärken) od. (3-Chlor-2-hydroxypropyl)trimethylammoniumchlorid (*kationische Stärken). – *E* hydroxyalkylstarches – *F* hydroxyalkylamidons – *I* idrossialchilamidi – *S* hidroxialquilalmidones

Lit.: s. einzelne H. sowie Stärke-Derivate u. Stärkeether.

N-Hydroxyamide s. Hydroxamsäuren.

Hydroxyamino. . . s. Hydroxylamine.

Hydroxyaminosäuren. Sammelbez. für *Aminosäuren, die als weitere funktionelle Gruppe die Hydroxy-Gruppe tragen; *Beisp.:* *Serin, *Threonin, *Tyrosin, *Dopa, *4-Hydroxyglutaminsäure, 5-*Hydroxy-L-lysin u. 4-*Hydroxy-L-prolin. Davon zu unterscheiden sind die N^α-Hydroxy-aminosäuren (Bausteine mancher Cyclopeptid-Antibiotika) u. z. B. N^5-Hydroxy-L-ornithin (Baustein von *Siderophoren, z. B. der *Ferrichrome) sowie die *Hydroxamsäuren (Bez. nach IUPAC-Regel R-5.7.1.3.3: N-Hydroxy-Säureamide). – *E* hydroxy amino acids – *F* acides aminés hydroxylés – *I* idrossiam(m)inoacidi – *S* hidroxiaminoácidos

3α-Hydroxy-5α-androstan-17-on s. Androsteron.

17β-Hydroxyandrost-4-en-3-on s. Testosteron.

Hydroxyaniline s. Aminophenole.

(4-Hydroxyanilino)essigsäure s. N-(4-Hydroxyphenyl)glycin.

2-Hydroxyanisol s. Guajakol.

Hydroxyanthrachinone s. Anthrachinone.

5-Hydroxybarbitursäure s. Dialursäure.

Hydroxybenzaldehyde.

a   b   c

$C_7H_6O_2$, M_R 122,12. (a) *2-H.* s. Salicylaldehyd; – (b) *3-H.:* Schmp. 108 °C, Sdp. 191 °C (67 hPa), lösl. in Alkohol, Ether, Benzol u. heißem Wasser, wenig lösl. in kaltem Wasser; – (c) *4-H.:* Farbloses Pulver, D. 1,129, Schmp. 116 °C (Subl.), leicht lösl. in Aceton u. Methanol, lösl. in heißem, wenig lösl. in kaltem Wasser, kommt als Begleitstoff in der *Vanille vor. H. werden als Zwischenprodukte für Farbstoffe, Pharmazeutika u. Riechstoffe verwendet. – *E* hydroxybenzaldehydes – *F* hydroxybenzaldéhydes – *I* idrossibenzaldeidi – *S* hidroxibenzaldehídos

Lit.: Beilstein E IV **8**, 176, 240, 251 ▪ Kirk-Othmer (3.) **13**, 70–79; (4.) **13**, 1030 ff. ▪ Merck-Index (12.), Nr. 4856 ▪ Ullmann (4.) **8**, 349; (5.) A **3**, 471. – *[HS 2912 49; CAS 100-83-4 (3.-H.); 123-08-0 (4.-H.)]*

4-Hydroxybenzoesäureester (Paraben-Ester, PHB-Ester). Ester der 4-*Hydroxybenzoesäure, die in freier Form od. als Natrium-Salze zur Konservierung von Fisch- u. Fleischerzeugnissen, Mayonnaisen, Salatsoßen, kosmet. Präp., Arzneimitteln usw. verwendet werden. Die oft nur *Methyl-*, *Ethyl-*, *Propyl-*, *Butyl-* u. *Isobutylparaben* genannten H. sind in Alkohol u. Ether lösl., in Alkalilaugen lösen sie sich unter Salzbildung. Die Wirkung der Ester ist direkt proportional zur Kettenlänge des Alkyl-Restes, umgekehrt nimmt jedoch die Löslichkeit mit steigender Kettenlänge ab. Als nicht dissoziierende Verb. sind die Ester weitgehend pH-Wert-unabhängig u. wirken in einem pH-Bereich von 3,0–8,0. Der antimikrobielle Wirkmechanismus beruht auf einer Schädigung der Mikrobenmembranen durch die Oberflächenaktivität der PHB-Ester sowie auf der Eiweiß-Denaturierung. Daneben treten Interaktionen mit *Coenzymen auf. Die Wirkung richtet sich gegen Pilze, Hefen u. Bakterien. Da PHB-Ester bereits ab einer Konz. von ca. 0,08% in den Lebensmitteln zu geschmacklichen Beeinträchtigungen führen, ist die Verw. in Lebensmitteln stark rückläufig.

Die akute Toxizität der Ester ist gering. Sie werden rasch resorbiert u. in der Leber u. Niere hydrolysiert. Eine Kumulation findet nicht statt. Die relevanteste Nebenwirkung ist im allergisierenden Potential der PHB-Ester sowohl nach oraler als auch nach top. Applikation zu sehen. Der *ADI-Wert, der die Summe aller Ester umfaßt, wurde von *JECFA auf 0–10 mg/kg Körpergew. festgelegt. Das SCF (Scientific Committee on Foods) hat jedoch weitere Studien gefordert u. daher den ADI-Wert auf „temporär" zurückgestuft.

Die als Konservierungsmittel wichtigsten H. sind (in eckigen Klammern stehen die EG-Nummern, wobei die erste Zahl für den Ester, die zweite für dessen Natrium-Salz gilt): (a) *4-Hydroxybenzoesäuremethylester*, $C_8H_8O_3$, M_R 152,16, weiße Nadeln, Schmp. 131 °C, Sdp. 270–280 °C (Zers.) [E 218/219]; – (b) *4-Hydroxybenzoesäureethylester*, $C_9H_{10}O_3$, M_R 166,17, weißes Pulver, Schmp. 116–118 °C, Sdp. 297–298 °C [E 214/215]; – (c) *4-Hydroxybenzoesäurepropylester*, $C_{10}H_{12}O_3$, M_R 180,20, weißes, krist., schwach bitter schmeckendes Pulver, Schmp. 95–96 °C [E 216/217]; – (d) *4-Hydroxybenzoesäurebutylester*, $C_{11}H_{14}O_3$, M_R 194,22, weißes, krist. Pulver, Schmp. 68–69 °C, keine Lebensmittel-Zulassung, dient zur Konservierung kosmet. Präparate. Zur Analytik von H. s. *Lit.*[1]. Der Methylester wurde als Sexuallockstoff läufiger Hündinnen identifiziert. – *E* = *F* 4-hydroxybenzoates – *I* 4-idrossibenzoato – *S* 4-hidroxibenzoatos

Lit.: [1] Dtsch. Lebensm. Rundsch. **82**, 206–216 (1986).
allg.: Beilstein EIV **10**, 367 f., 374 f. ▪ Branen u. Davidson (Hrsg.), Antimicrobials in Foods, New York: Dekker 1993 ▪ Classen et al., Toxikologisch-hygienische Beurteilung von Lebensmittelinhalts- u. -zusatzstoffen sowie bedenklicher Verunreinigungen, S. 98 ff., Berlin: Parey 1987 ▪ DAB **10** ▪ Lück u. Jager, Chemische Lebensmittelkonservierung (3.), S. 190–197, Berlin: Springer 1995 ▪ Zechmeister **35**, 73–132. – *[HS 2918 29; CAS 99-76-3 (a); 120-47-8 (b); 94-14-3 (c); 94-26-8 (d)]*

Hydroxybenzoesäuren.

$C_7H_6O_3$, M_R 138,12. (a) *2-Hydroxybenzoesäure* (*o*-H.) s. Salicylsäure; – (b) *3-Hydroxybenzoesäure* (*m*-H.): farblose Krist., Schmp. 202 °C; – (c) *4-Hydroxybenzoesäure* (*p*-H., PHB, *Paraben*): farblose Krist., D. 1,46, Schmp. 215 °C. Die H. sind lösl. in Ether u. Aceton. Sie kommen, z.T. in Form ihrer Ester od. Glykoside, neben den Hydroxyzimtsäuren in fast allen Gewürzen vor[1]. Ein Test auf H. ist die *Vitali-Reaktion, die jedoch unter gleichen Bedingungen auch mit Tropa-Alkaloiden sowie mit einer Vielzahl anderer Verb. ähnliche Färbungen ergibt. 4-H. wird für organ. Synth., als Konservierungsmittel in Form ihrer Ester (s. 4-Hydroxybenzoesäureester) u. als Zwischenprodukt bei der Herst. von Arzneimitteln, Farbstoffen, Fungiziden usw. verwendet. – *E* hydroxybenzoic acids – *F* acides hydroxybenzoïques – *I* acidi idrossibenzoici – *S* ácidos hidroxibenzoicos

Lit.: [1] Nachr. Chem. Tech. Lab. **26**, 206–209 (1978); Zechmeister **35**, 73–132.
allg.: Beilstein EIV **10**, 125 ff., 315, 345 f. ▪ Ullmann (5.) A **13**, 519–523. – *[HS 2918 29; CAS 99-06-9 (b); 99-96-7 (c)]*

Hydroxybenzole s. Phenole.

Hydroxybenzophenone.
Bez. für Diphenylketone (*Benzophenone), die zusätzlich Hydroxy- u. Alkoxy-Substituenten besitzen.

H. sind *UV-Absorber u. finden als *Licht- u. *Sonnenschutzmittel Verw., z.B. 2-Hydroxy-4-methoxybenzophenon (s. Formel, $C_{14}H_{12}O_3$, M_R 228,24, Schmp. 66 °C); s.a. Eusolex®. – *E* hydroxybenzophenones – *F* hydroxybenzophénones – *I* idrossibenzofenoni – *S* hidroxibenzofenonas

Lit.: Beilstein EIV **8**, 1246, 1262, 1263 ▪ Hager (5.) **8**, 1270 ▪ Ullmann (5.) A **24**, 236.

Hydroxybernsteinsäure s. Äpfelsäure.

Hydroxybiphenyle s. Biphenylole.

Hydroxybrasilin s. Hämatoxylin.

4-Hydroxybuttersäurelacton s. γ-Butyrolacton.

Hydroxybuttersäuren.
$C_4H_8O_3$, M_R 104,10. Man unterscheidet 2- (od. α-), 3- (od. β-) u. 4- (od. γ-)H.; überwiegend sind diese Säuren von sirupartiger Konsistenz; sie sind alle mit Wasser u. Alkohol mischbar u. in Ether u. vielen anderen organ. Medien leicht löslich.

(a) (±)-*2-H.* wird aus (±)-2-Chlorbuttersäure durch Hydrolyse erhalten, Schmp. 44–44,5 °C. – (b) (±)-*3-H.* wird durch Hydrolyse von β-Butyrolacton gewonnen od. durch Red. von Acetessigsäure mit Natriumamalgam, Schmp. 48–50 °C. Bei schweren Fällen von Diabetes tritt (–)-(*R*)-3-H., $[\alpha]_D^{25}$ –24,5° (H_2O), als *Keton-Körper im Harn auf. (–)-(*R*)- u. (+)-(*S*)-3-H. sind wichtige Bausteine für die Herst. verschiedener bifunktioneller Verb.[1–3] – (c) *4-H.*, farblose Flüssigkeit, Sdp. 178–180 °C (Zers.), wirkt blutdruckstabilisierend u. schaltet das Bewußtsein aus, weshalb ihre Verw. in der Anästhesie u. Schmerzbekämpfung, bes. in der Geriatrie, vorteilhaft sein kann. 4-H. u. ihr Ammonium-Salz sind als Dauerwellmittel zugelassen (Kosmetik-VO vom 19.06. 1985, letzte Änderungs-VO 23.12.1996). – *E* hydroxybutyric acids – *F* acides hydroxybutiriques – *I* acidi idrossibutirrici – *S* ácidos hidroxibutíricos

Lit.: [1] J. Am. Chem. Soc. **103**, 1224 (1981); **110**, 4763 (1988). [2] Helv. Chim. Acta **70**, 448 (1987); **71**, 1143 (1988). [3] Tetrahedron Lett. **28**, 3103 (1987).
allg.: Beilstein EIV **3**, 774 ▪ Bushart u. Rittmeyer, Anaesthesie mit Gamma-Hydroxybuttersäure, Berlin: Springer 1973 ▪ Frey, Neue Untersuchungen mit Gamma-Hydroxybuttersäure, Berlin: Springer 1978 ▪ Helv. Chim. Acta **65**, 495–503 (1982) ▪ Merck-Index (12.), Nr. 4860, 4861 ▪ Ullmann (4.) **13**, 155; (5.) A **13**, 507 f. – *[HS 2918 19; CAS 600-15-7 (2-H.); 625-71-8 (3-H.); 591-81-1 (4-H.)]*

(Hydroxybutyl)methylcellulosen s. Methylcellulose.

3-Hydroxybutyraldehyd s. Aldol.

Hydroxycalcidiol s. Calciferole, Vitamine (D_3).

Hydroxycalciferole s. Hydroxycholecalciferole.

Hydroxycarbamid s. Hydroxyharnstoff.

Hydroxycarbonsäuren.
Organ. Säuren, die neben der COOH-Gruppe (od. den COOH-Gruppen) im Mol. eine (od. mehrere) OH-Gruppen enthalten. Die H. haben die Eigenschaften von *Carbonsäuren u. *Alkoholen bzw. *Phenolen zugleich. H. mit einer OH-Gruppe heißen Mono-, solche mit zwei Di- u. solche mit mehreren OH-Gruppen Polyhydroxycarbonsäuren. Nach der Stellung der OH-Gruppe zur COOH-Gruppe unterscheidet man α-, β-, γ-H. usw.; die systemat. Benennung wird allg. wie bei substituierten *Carbonsäuren vorgenommen. Unter den H. finden sich einige Naturstoffe, wie *Mandel-, *Milch-, *Äpfel-, *Wein- u.a. *Fruchtsäuren.

Die langkettigen gesätt. od. ungesätt. H. (*Beisp.:* *Ricinolsäure) werden *Hydroxyfettsäuren genannt, u. die *Huminsäuren sind Polyhydroxycarbonsäuren. Bekannte aromat. H. sind die *Salicylsäure (2-Hydroxybenzoesäure) u. die *Gallussäure (3,4,5-Trihydroxybenzoesäure).

Herst.: Neben den enzymat. Meth. (*Fermentation), die für eine Reihe der natürlich vorkommenden H. angewendet werden (z. B. für *Milchsäure* mit Hilfe von *Lactobacillus delbrueckii*), können α-H. aus α-Halogencarbonsäuren durch nucleophile Substitution mit Hydroxyl-Ionen (s. Abb. 1 a) od. aus Carbonyl-Verb. über *Cyanohydrine (s. Abb. 1 b) hergestellt werden (s. a. Kiliani-Synthese).

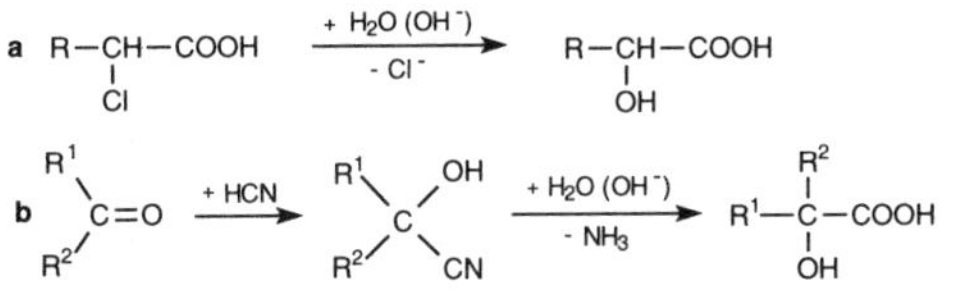

Abb. 1: Herst. von α-Hydroxycarbonsäuren.

β-H. werden durch Hydratisierung von ungesätt. Carbonsäuren, durch Hydrolyse von Ethylencyanhydrinen od. durch die *Reformatsky-Reaktion (s. Abb. 2) erhalten.

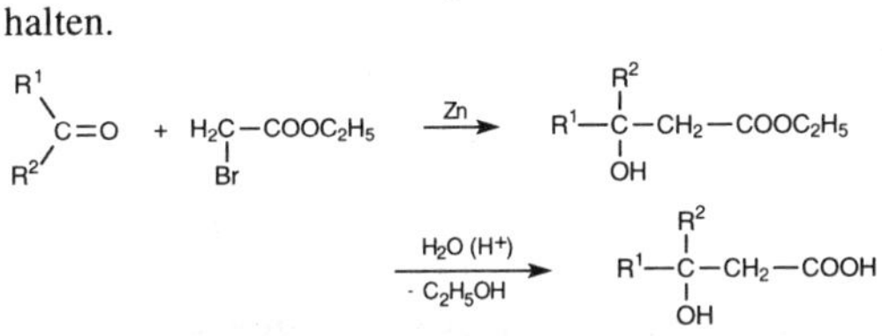

Abb. 2: Herst. von β-Hydroxycarbonsäuren.

γ-H. bilden sich durch Umsetzung von entsprechenden Halogencarbonsäuren mit Hydroxyl-Ionen od. durch Red. von Oxocarbonsäuren. Sie sind nur in Form ihrer Salze stabil, da sich die freien Säuren zu cycl. Estern (*Lactonen) umsetzen (s. Abb. 3 a). α-H. cyclisieren intermol. zu *Lactiden (s. Abb. 3 b).

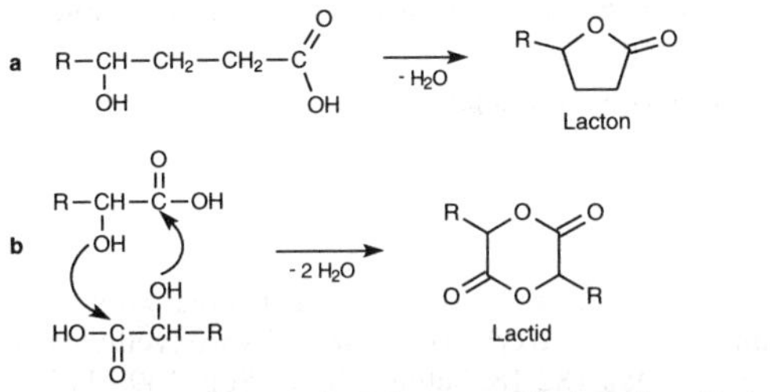

Abb. 3: Intra- u. intermol. Cyclisierung von Hydrocarbonsäuren.

Die Oxid. der H. gibt ggf. Oxocarbonsäuren. Beispielsweise werden im Organismus mit Hilfe von *Dehydrogenasen* Milchsäure u. Apfelsäure oxidiert u. die entstehenden α-Oxosäuren können durch Transaminierung in α-Aminosäuren überführt werden.

Verw.: Durch Wasserabspaltung erhält man olefin. Carbonsäuren, Lactone, Lactide u. Depside od. *Polyester. Natürlich vorkommende α-H. sind wichtige chirale Verb. aus dem „chiral pool" (s. Naturstoffe u. Retrosynthese), die erfolgreich in *enantioselektiven Synthesen eingesetzt werden können [1]. *Hydroxybuttersäuren besitzen pharmazeut. Bedeutung. Polymere H. werden als Komplexbildner für Schwermetall-Ionen, z. B. in der Galvanotechnik, verwendet. – *E* hydroxycarboxylic acids – *F* hydroxyacides – *I* acidi idrossicarbossilici – *S* ácidos hidroxicarboxílicos

Lit.: [1] Coppola u. Schuster, α-Hydroxy Acids in Enantioselective Synthesis, Weinheim: VCH Verlagsges. 1997.
allg.: Kirk-Othmer (3.) **13**, 80–121; (4.) **13**, 1042 f. ▪ Mitt. Ge-

biete Lebensm. Hyg. **72**, 99–107 (1981) ▪ Ullmann (5.) **A 13**, 507–526 ▪ s. a. Carbonsäuren.

4-Hydroxychinazolin s. Chinazolin.

8-Hydroxychinolin s. 8-Chinolinol.

4-Hydroxychinolin-2-carbonsäure s. Kynurensäure.

Hydroxychloroquin (Rp).

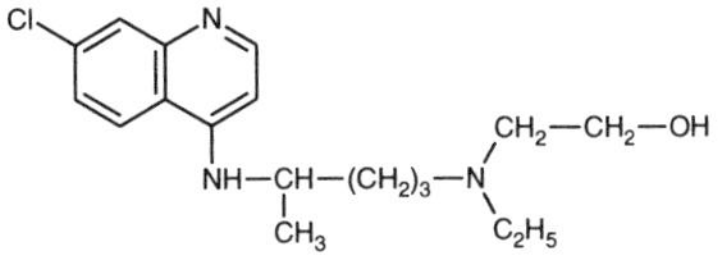

Internat. Freiname für das Basis-*Antirheumatikum u. *Protozoen-Mittel (Malaria u. a.) 2-{*N*-[4-(7-Chlor-4-chinolylamino)-4-pentyl]-ethylamino}-ethanol, $C_{18}H_{26}ClN_3O$, M_R 335,88, Schmp. 89–91 °C. Verwendet wird das Sulfat, Schmp. ~240 °C u. Schmp. 198 °C (zwei Modifikationen). H. wurde 1951 von Sterling Drug patentiert u. ist von Sanofi Winthrop (Quensyl®) im Handel. – *E* = *F* hydroxychloroquine – *I* idroxiclorochina – *S* hidroxicloroquina
Lit.: ASP ▪ Beilstein E V **22/10**, 280 ▪ Hager (5.) **8**, 489 f. – [*HS 2933 40; CAS 118-42-3*]

Hydroxycholecalciferole (Hydroxycolecalciferole). Seit dem Ende der 60er Jahre ist bekannt, daß die antirachit. Wirkung der D-*Vitamine nicht eigentlich vom *Calciferol ausgeht, sondern von den *Hydroxycalciferolen*. Die eigentliche Wirkform ist 1,25-Dihydroxycolecalciferol (Calcitriol). Die Hydroxy-Gruppe an C-25 wird in der Leber, die an C-1 in der Niere u. in Keratinocyten eingeführt. Näheres zur Biosynth. u. zum Metabolismus sowie allg. zur Biochemie der H. s. bei Calciferole, wo auch die Formelbilder zu finden sind. – *E* hydroxycholecalciferols – *F* hydroxycholécalciférols – *I* idrossicolecalciferolo – *S* hidroxicolecalciferoles
Lit.: s. Calciferole u. Vitamin D.

Hydroxycitronellal (7-Hydroxy-3,7-dimethyloctanal).

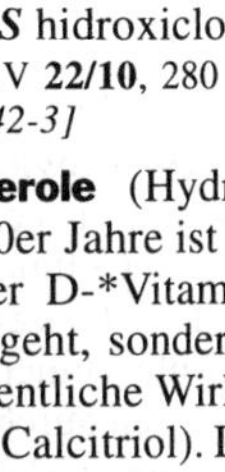

$C_{10}H_{20}O_2$, M_R 172,26. Farbloses Öl, D. 0,9220, Sdp. 85–87 °C (0,13 kPa), wenig lösl. in Wasser, lösl. in 50%igem Alkohol, empfindlich gegen Licht, Luft, Wärme, Aluminium, Eisen, Alkali u. Säuren, Geruch süß, blumig (Flieder, Maiglöckchen, Lilie, Linde). Das durch Hydratisierung von *Citronellal herstellbare H. findet Verw. in zahlreichen Parfümkompositionen zur Erzielung von Maiglöckchen- u. Lindenblütennoten, darüber hinaus auch für andere Blütengerüche, z.B. vom Typ Geißblatt, Lilie u. Cyclamen; H. ist als Aromastoff nach der Aromen-VO mit Höchstmenge 25 ppm für eingeschränkte Verw. zugelassen. – *E* hydroxycitronellal – *F* hydroxycitronnellal – *I* idrossicitronellale – *S* hidroxicitronelal
Lit.: Beilstein E IV **1**, 4058 ▪ Römpp Lexikon Lebensmittelchemie, S. 403 ▪ Ullmann (4.) **20**, 215 f.; (5.) **A 1**, 339; **A 11**, 161 f. – [*HS 2912 30; CAS 107-75-5*]

Hydroxycolecalciferole s. Hydroxycholecalciferole.

Hydroxydihydrocodeinon s. Oxycodon.

4-Hydroxy-3,5-diiodbenzolsulfonsäure s. Soziodolsäure.

Hydroxyessigsäure s. Glykolsäure.

2-Hydroxyethansulfonsäure s. Isethionsäure.

(2-Hydroxyethyl)-acrylat [Acrylsäure-(2-hydroxyethyl)ester].   T

H₂C=CH—C(=O)—O—CH₂—CH₂—OH

$C_5H_8O_3$, M_R 116,12. Klare, farblose Flüssigkeit, Sdp. 74 °C (0,7 kPa), lösl. in Wasser. H. wird als Comonomer zur Herst. von hydrophilen Polymeren, Textilhilfsmitteln, Klebstoffen, Schmiermittelzusätzen u. a. verwendet. – *E* 2-hydroxyethyl acrylate – *F* acrylate de 2-hydroxyéthyle – *I* acrilato di 2-idrossietile – *S* acrilato de 2-hidroxietilo
Lit.: Beilstein E IV **2**, 1469 ▪ Ullmann (4.) **19**, 9; (5.) **A 1**, 164, 170. – *[HS 291612; CAS 818-61-1]*

Hydroxyethylamine s. Aminoethanole.

(Hydroxyethyl)carboxymethylcellulosen [(Carboxymethyl)-(2-hydroxyethyl)-cellulosen]. Kurzz. HECMC; Formel: s. Cellulose-Derivate, R = H, $(CH_2–CH_2–O)_n–CH_2–CH_2–OH$ (n≥0), $CH_2–COONa$. H. sind wasserlösl. *Celluloseether, die sich gegenüber *Carboxymethylcellulosen durch verbesserte Elektrolytbeständigkeit auszeichnen. Sie resultieren aus der Mischveretherung von *Alkalicellulosen mit Ethylenoxid (Oxiran) u. Monochloressigsäure. Sie werden im Handel mit unterschiedlichen Gehalten an Hydroxyethyl- bzw. Carboxymethyl-Gruppen u. stark differierenden Lsg.-Viskositäten angeboten.
Verw.: Hauptsächlich bei der Erdölförderung (Drilling, Fracturing); in Zement-Slurries zur Red. des Wasserverlusts. – *E* hydroxyethylcarboxymethylcelluloses – *F* hydroxyéthylcarboxyméthylcelluloses – *I* idrossietilcarbossimetilcellulosa – *S* hidroxietilcarboximetilcelulosas
Lit.: Encycl. Polym. Sci. Eng. **3**, 242 ▪ Houben-Weyl **E 20**, 2076 ▪ Ullmann (5.) **A 5**, 479. – *[HS 391231]*

Hydroxyethylcellulosen. Kurzz. HEC; Strukturformel: s. Cellulose-Derivate, R = H, $CH_2–CH_2–(O–CH_2–CH_2)_n–OH$, mit n ≥ 0. H. sind *Celluloseether, die techn. durch Veretherung von *Alkalicellulose mit Ethylenoxid hergestellt werden. Da die prim. Hydroxy-Gruppe eines 2-Hydroxyethyl-Substituenten, der beim ersten Veretherungsschritt einer Cellulose-OH-Gruppe mit Ethylenoxid entsteht, mit weiterem Ethylenoxid schneller reagiert als die Hydroxy-Gruppen der Cellulose selbst, liegen in den so entstehenden H. längere Oligo- od. Polyethylenoxid-Seitenketten neben nicht umgesetzten Cellulose-OH-Gruppen vor. Zur präzisen Beschreibung einer auf diesem Wege erhaltenen H. muß daher sowohl der durchschnittliche *Substitutionsgrad DS als auch der molare Substitutionsgrad MS bestimmt werden. Ersterer gibt an, wieviele Hydroxy-Gruppen einer Anhydroglucose-Einheit der Cellulose mit Ethylenoxid reagiert haben, letzterer, wieviel mol des Epoxids im Durchschnitt an eine

Anhydroglucose-Einheit angelagert wurden. H. sind ab einem DS von ca. 0,6 bzw. einem MS von ca. 1 wasserlöslich. Handelsübliche H. haben Substitutionsgrade im Bereich von 0,85 – 1,35 (DS) bzw. 1,5 – 3 (MS). H. werden als gelblich-weiße, geruch- u. geschmacklose Pulver in stark unterschiedlichen *Polymerisationsgraden u., damit verbunden, breit variierenden Lsg.-Viskositäten vermarktet.
Eigenschaften: H. sind in kaltem u. heißem Wasser sowie in einigen (wasserhaltigen) organ. Lsm. lösl., in den meisten (wasserfreien) organ. Lsm. dagegen unlösl.; ihre wäss. Lsg. sind relativ unempfindlich gegenüber Änderungen des pH-Werts od. Elektrolyt-Zusatz.
Verw.: U. a. als Verdickungsmittel, Bindemittel od. Schutzkolloide für sehr unterschiedliche Einsatzgebiete, z. B. in der Kosmetik u. Pharmazie, im Lack- u. Farbensektor od. als Polymerisationshilfsmittel. – *E* hydroxyethylcelluloses – *F* hydroxyéthylcelluloses – *I* idrossietilcellulose – *S* hidroxietilcelulosas
Lit.: Davidson, Handbook of Water-Soluble Gums and Resins, New York: McGraw-Hill Book Company 1980 ▪ Encycl. Polym. Sci. Eng. **3**, 242 – 246 ▪ Houben-Weyl **E 20**, 2066 – 2070 ▪ Ullmann (5.) **A 5**, 474 ff. – *[HS 391239]*

N-(2-Hydroxyethyl)-ethylendiamintriessigsäure s. HEDTA.

(1-Hydroxyethyliden)-diphosphonsäure (Rp) s. Etidronsäure.

(Hydroxyethyl)methylcellulose s. Methylcellulosen.

2-[4-(2-Hydroxyethyl)piperazino]ethansulfonsäure s. HEPES.

3-[4-(2-Hydroxyethyl)piperazino]-1-propansulfonsäure s. HEPES.

Hydroxyethylsalicylat.

CO—O—CH₂—CH₂—OH / OH

Kurzbez. für den als lokales *Antirheumatikum wirksamen 2-Hydroxybenzoesäure-2-hydroxyethylester, $C_9H_{10}O_4$, M_R 182,18, Schmp. 26 °C, Sdp. 169 – 172 °C (1,6 kPa), d_4^{25} 1,252 bis 1,257, n_D^{25} 1,548 bis 1,551; λ_{max} (H_2O): 239, 304 nm ($A_{1cm}^{1\%}$ 520, 210). H. ist als Generikum im Handel. – *E* hydroxyethyl salicylate, glycol salicylate – *F* salicylate d'hydroxyéthyle – *I* salicilato di idrossietile – *S* salicilato de hidroxietilo
Lit.: DAB 1996 u. Komm. ▪ Hager (5.) **8**, 495 ff. – *[HS 291823; CAS 87-28-5]*

Hydroxyethylstärken. *Stärkeether, die aus der in Ggw. von Alkali durchgeführten Umsetzung von *Stärke mit Ethylenchlorhydrin od. – in techn. Prozessen ausschließlich – Ethylenoxid (Oxiran) resultieren. Zur Strukturformel von H. s. Stärke-Derivate; R = H, $(CH_2–CH_2–O)_n–CH_2–CH_2–OH$, n≥0. Die Hydroxyethylierung der Stärke beeinflußt deren Verkleisterungseigenschaften signifikant; mit zunehmendem Substitutionsgrad der H. sinkt die Verkleisterungstemperatur. Kaltwasserlösl. Produkte resultieren ab Substitutionsgraden von ca. 0,4.
Eigenschaften: Lsg. von H. zeichnen sich gegenüber denen nicht modifizierter Stärke durch höhere Klar-

heit, geringere Retrogradationsneigung u. erhöhte Stabilität gegen Einwirkung von Säuren, Alkalien, Oxid.-Mitteln u. Enzymen aus.

Verw.: Als Bindemittel für Papierstreichmassen, Schlichtemittel in der Textil-Ind., Dickungsmittel im Nahrungsmittelbereich, Klebstoffrohstoff u. a.; in der Medizin zur Blutverdünnung u. als Blutersatzstoff. – *E* hydroxyethylstarches – *F* hydroxyethylamidons – *I* idrossietilamidi – *S* hidroxietilalmidones

Lit.: Houben-Weyl E 20, 2138–2151 ■ Lawin et al. (Hrsg.), Hydroxyethylstärke – eine aktuelle Übersicht, Stuttgart: Thieme 1989 ■ Tegge, Stärke u. Stärkederivate, S. 185–188, Hamburg: Behr's 1984. – *[HS 3505 10]*

7-(2-Hydroxyethyl)theophyllin s. Etofyllin.

(2-Hydroxyethyl)trimethylammonium s. Cholin.

Hydroxyfettsäuren.

*Fettsäuren, die außer der COOH-Gruppe noch OH-Funktionen im Mol. enthalten, z. B. *12-Hydroxystearinsäure, *Ricinolsäure, Hydroxynervonsäure od. Juniperinsäure, s. a. Hydroxycarbonsäuren. – *E* hydroxy fatty acids – *F* hydroxyacides gras – *I* idrossiacidi grassi – *S* hidroxiácidos grasos – *[HS 2918 19]*

Hydroxyfumarsäure s. Oxobernsteinsäure.

4-Hydroxyglutaminsäure.

$C_5H_9NO_5$, M_R 163,13. Aminosäure, die von *Virtanen 1955 in *Phlox decussata* u. *Linaria vulgaris* (frei u. als Protein-Bestandteil) entdeckt wurde. Das natürlich vorkommende Diastereomer ist die L_S-*threo*-Form [Schmp. 183–185 °C (Zers.)]. – *E* 4-hydroxyglutamic acid – *F* acide 4-hydroxyglutamique – *I* acido 4-idrossiglutammico – *S* ácido 4-hidroxiglutámico

Lit.: Beilstein E IV 4, 3251. – *[HS 2922 50; CAS 3157-41-3]*

Hydroxy-Gruppe.

Bez. für die einwertige *funktionelle Gruppe* –O–H (*Hydroxy...) in Alkoholen, Hydroxyaldehyden, -carbonsäuren, -ketonen, Enolen, Phenolen (vgl. a. Hydroxide). Dagegen nennt man das $^-$OH-Anion *Hydroxid-Ion u. das Radikal ·OH *Hydroxyl.

Zur Einführung der H.-G. in organ. Verb. dienen zahlreiche Meth., von denen hier nur die *Hydroxylierung, *Hydratisierung, *Hydroborierung u. die Red. von Carbonyl-Verb. od. Peroxiden genannt seien. Der Wasserstoff der H.-G. in organ. Verb. besitzt eine gewisse *Acidität (in Abhängigkeit von der mol. Umgebung), weshalb er z. B. gegen Metalle austauschbar ist; z. B. *Alkoholat-Bildung. Auch verschiedene Nachweismeth. gründen sich auf diese Eigenschaft des *aktiven Wasserstoffs, wie die *Zerewitinoff-Reaktion* od. die Umsetzung mit Triethylboran od. mit Lithiumaluminiumhydrid. Zur *Endgruppenbestimmung von H.-G. bei synthet. Polymeren benutzt man häufig die Urethan-Bildung mit Isocyanaten [1]. Will man die H.-G. vor unerwünschten Reaktionen schützen, dann muß mit geeigneten *Schutzgruppen, z. B. Enolethern, gearbeitet werden. Weitere Reaktionsweisen der H.-G. wie Veresterung, Oxid., Eliminierung etc. s. bei Alkoholen u. Phenolen. – *E* hydroxyl group – *F* groupe hydroxyle – *I* gruppo idrossilico – *S* grupo hidroxi

Lit.: [1] Angew. Chem. **85**, 691 (1973).
allg.: Patai, The Chemistry of Hydroxyl, Ether and Peroxide Groups, Chichester: Wiley 1993.

Hydroxyharnstoff [Hydroxycarbamid (Rp)].

$CH_4N_2O_2$, M_R 76,06. Farblose Krist., Schmp. 133–136 °C, in Wasser gut, in kaltem Alkohol wenig, in Ether u. Benzol nicht löslich. H. existiert in einer tautomeren Form, reduziert Fehlingsche Lsg. u. gibt eine blauviolette Farbreaktion mit $FeCl_3$. H. wirkt – über eine spezif. DNA-Synthesehemmung – als Cytostatikum. Es wurde 1955 von duPont patentiert u. ist von Bristol-Myers Squibb (Litalir®) u. medac (SYREA®) im Handel. – *E* hydroxyurea – *F* hydroxyurée – *I* idrossiurea – *S* hidroxiurea

Lit.: ASP ■ Beilstein E IV 3, 170. – *[HS 2928 00; CAS 127-07-1]*

Hydroxyimino...

Nach IUPAC-Regeln C-842 u. R-5.6.6.1 Präfix zur Bez. der (früher *Isonitroso...* genannten) Atomgruppierung =N–OH in systemat. Namen von *Oximen; *Beisp.:* 5-(Hydroxyimino)barbitursäure (s. Violursäure). – *E* = *F* hydroxyimino... – *I* idrossiimmino – *S* hidroximino...

2,2-Hydroxy-1,3-indandion s. Ninhydrin.

5-Hydroxyindol s. Indol-5-ol.

3-Hydroxyinol s. Indoxyl.

8-Hydroxy-7-iodchinolin-5-sulfonsäure s. Ferron.

α-Hydroxyisobuttersäurenitril s. 2-Hydroxy-2-methylpropionitril.

Hydroxyketone (Ketole).

Bez. für Ketone, die zusätzlich Hydroxy-Gruppen enthalten u. somit auch Eigenschaften von Alkoholen besitzen; *Beisp.:* Hydroxyaceton (*Acetol*), *Dihydroxyaceton (*Glyceron*), *Cortison, *Acetoin u. *Benzoin (diese sind als α-H. sog. *Acyloine), enolisierbare Diketone, Ketosen, Reduktose. Die Synth. der H. erfolgt durch Substitution funktioneller Gruppen durch die Hydroxy-Gruppe, durch Red. von Diketonen, durch die *Acyloin- u. *Benzoin-Kondensation od. durch *Aldol-Addition. H. sind gute Chelatbildner u. Zwischenprodukte vieler chem. u. biochem. Synthesen. Einige aromat. H. werden in Sonnenschutz- u. Selbstbräunungsmitteln (s. Hydroxybenzophenone) verwendet. – *E* hydroxyketones – *F* hydroxycétones – *I* idrossichetoni – *S* hidroxicetonas

Lit.: Houben-Weyl **7/2 c**, 2171–2242 ■ s. a. die Textstichwörter.

Hydroxyl.

Bez. für das freie *Radikal HO·. Als frühere Bez. für die *Hydroxy-Gruppe ist H. nur bei *Hydroxylamin (H_2N–OH) erhalten geblieben; vgl. Hydroxy..., Hydroxo..., Hydroxid-Ion u. Hydroxy-Gruppe. Die quant. Bestimmung von H.-Radikalen, die bei der photochem. *Smog-Bildung beteiligt sind (*Lit.*[1]), werden in der unteren Atmosphäre z. B. durch laserinduzierte Fluoreszenz vorgenommen (*Lit.*[2]), s. a. LIDAR. Das H.-Radikal ist auch im interstellaren Raum spektroskop. nachweisbar. – *E* hydroxyl – *F* hydroxyle – *I* idrossile – *S* hidroxilo

Lit.: [1] Adv. Environ. Sci. Technol. **10**, 221–259 (1980); Angew. Chem. **87**, 18–33 (1975). [2] Andrews, Laser in Chemistry, Berlin: Springer 1986.
allg.: Adv. Photochem. **11**, 375–488 ▪ Gmelin, Syst.-Nr. 3, 0, 1969, S. 2527–2600.

Hydroxylagopodin B s. Lagopodine.

Hydroxylamin. $HO–NH_2$, M_R 33,03. Hygroskop., geruchfreie, farblose, Haut, Augen u. Schleimhäute reizende Plättchen od. Nadeln, D. 1,206, Schmp. 33,1 °C, Sdp. 58 °C (29 mbar), in Wasser u. Alkohol leicht lösl., in Chloroform u. Benzol unlöslich. Es ist – wie manche seiner Derivate (*Hydroxylamine) – eine therm. instabile Verb. (Explosionsgefahr); auch die alkal. reagierenden wäss. Lsg. zersetzen sich, z. B. unter Bildung von Ammoniak, Stickstoff u. Wasser, die sauren hauptsächlich in Ammoniak u. Distickstoffoxid. Daher wird in der Technik meist das beständigere *Hydroxylaminsulfat hergestellt. Die wäss. H.-Lsg. wirken als starke Red.-Mittel; so werden z. B. Fehlingsche Lsg., Gold-, Silber- u. Kupfer-Salze leicht reduziert. Gegenüber starken Red.-Mitteln wirkt H. als Oxid.-Mittel; so reduzieren z. B. Sn(II)-Salze das H. zu Ammoniak. H. reagiert nicht nur mit Säuren unter Bildung von Salzen (*Hydroxylammonium-* od. *Hydroxylamin-Salze,* vgl. die folgenden Stichwörter), durch Einwirkung von Metallen kann auch die Bildung von Salzen des Typs $Na–O–NH_2$ erfolgen; s. a. das folgende Stichwort. In einer Eintopfreaktion lassen sich aus Aldehyden Nitrile synthetisieren (*Lit.*[1]).

Herst.: Nach F. *Raschig erhält man H. durch Umsetzen einer konz. Lsg. von Natriumnitrit mit Natriumhydrogensulfit u. Schwefeldioxid:

$$NaNO_2 + NaHSO_3 + SO_2 \rightarrow HO–N(SO_3Na)_2.$$

Man erhält als Zwischenprodukt Dinatrium-hydroxyimidodisulfat, das in der Siedehitze unter Bildung von *Hydroxylaminsulfat hydrolysiert:

$$HO–N(SO_3Na)_2 + 2H_2O \rightarrow (NH_3OH)HSO_4 + Na_2SO_4.$$

Beim modifizierten Raschig-Verf. werden Stickoxide aus der Ammoniak-Verbrennung mit Ammoniumcarbonat u. Luft zu Ammoniumnitrit-Lsg. umgesetzt, die mit Schwefeldioxid zu Diammonium-hydroxyimidodisulfat reagieren:

$$NH_4NO_2 + 2SO_2 + NH_3 + H_2O \rightarrow HO–N(SO_3NH_4)_2.$$

Bei dessen Hydrolyse u. Neutralisation entstehen je kg H. 6 kg Ammoniumsulfat als Nebenprodukt. Die unerwünschte Bildung von Ammoniumsulfat bleibt bei der Hydrierung von Stickstoffmonoxid an Platin/Graphit-Katalysatoren

$$2NO + 3H_2 + H_2SO_4 \rightarrow (NH_3OH)_2SO_4$$

weitgehend auf die Nebenreaktion

$$2NO + 5H_2 + H_2SO_4 \rightarrow (NH_4)_2SO_4 + 2H_2O$$

beschränkt. Ohne den Ammoniumsulfat-Zwangsanfall arbeitet der HPO- od. DSM-Prozeß der katalyt. Red. von phosphorsaurer Ammoniumnitrat-Lsg. zu H.-Phosphat:

$$2H_3PO_4 + NH_4NO_3 + 3H_2 \rightarrow$$
$$(NH_3OH)H_2PO_4 + NH_4H_2PO_4 + 2H_2O.$$

Die bei anschließender Weiterverarbeitung zu *Cyclohexanonoxim verbleibenden wäss. Lsg. werden mit Nitrat angereichert u. als „Kreislauf-Lsg." erneut eingesetzt. H. erhält man auch durch elektrochem. Red.

von Salpetersäure: $HNO_3 + 6H \rightarrow NH_2OH + 2H_2O$ (Diaphragmazelle, Blei- bzw. Quecksilber-Kathoden).

Verw.: Nahezu 98% der H.-Produktion von jährlich mehr als 600 000 t werden zur Herst. von *Caprolactam verwandt. H. u. seine Salze dienen ferner zur Herst. von *Oximen, die in Lacken als Hautverhinderungsmittel, als Arzneimittel u. Pflanzenschutzmittel Verw. finden, sowie von Farbstoffen, Rostverhütungsmitteln, Polymerisations-Inhibitoren u. als Stabilisatoren für Styrol u. Naturkautschuk. – *E = F* hydroxylamine – *I* idrossilammina – *S* hidroxilamina
Lit.: [1] Synthesis **1979**, 722 ff.
allg.: Brauer (3.) **1**, 464–468 ▪ Braun-Dönhardt, S. 204 ▪ Büchner et al., Industrial Inorganic Chemistry, S. 52–55, Weinheim: VCH Verlagsges. 1989 ▪ Gmelin, Syst.-Nr. 4, N, 1936, S. 857–870 ▪ Hommel, Nr. 273 ▪ Kirk-Othmer (4.) **4**, 830–833 ▪ Ullmann (5.) **A 13**, 527–532 ▪ Winnacker-Küchler (4.) **2**, 182–187 ▪ s. a. Hydroxylamine. – *[HS 2825 10; G 8]*

Hydroxylamine. Sammelbez. für die organ. Verb., die sich von *Hydroxylamin durch Ersatz der Wasserstoff-Atome durch organ. Reste ableiten. *Beisp.:*

$$H_5C_6–NH–OH$$
N-Phenylhydroxylamin

$$H_2N–O–C_6H_5$$
O-Phenylhydroxylamin

$$HO–NH–\!\!\!\bigcirc\!\!\!–COOH$$
4-(Hydroxyamino)-benzoesäure

O-Acetyl-*N,N*-dimethylhydroxylamin

Zu den Derivaten des Hydroxylamins sind auch die *Hydroxamsäuren u. die *Oxime zu zählen.

Die Benennung der H. erfolgt durch Anhängen von …hydroxylamin od. durch Voranstellen von Hydroxyamino… (IUPAC-Regel C-841).
In der Natur finden sich H. nur in seltenen Fällen[1]. Die Herst. der H. kann durch Alkylierung von anderen Hydroxylaminen, durch Oxid. von Aminen od. Red. von Nitro-Verb. sowie durch Addition an Nitroso-Verb. erfolgen. Bei der Synth. muß beachtet werden, daß H. explosibel sein können. H. sind gute Red.-Mittel u. dienen häufig der Aminierung. Sie haben wie Hydroxylamin selbst eine mutagene Wirkung, s. Mutagene. – *E = F* hydroxylamines – *I* idrossilammine – *S* hidroxilaminas
Lit.: [1] Pharm. Unserer Zeit **9**, 114–125 (1980).
allg.: Houben-Weyl **10/1**, 1097–1279 ▪ Snell-Ettre **14**, 440–459 ▪ Ullmann (5.) **A 13**, 527 f. ▪ s. a. Hydroxylamin. – *[HS 2928 00]*

Hydroxylamin-Hydrochlorid (Hydroxylammoniumchlorid). $NH_2OH · HCl$ od. $[NH_3OH]$ Cl, M_R 69,49. Farblose Krist., D. 1,67, Schmp. 151 °C, sehr leicht lösl. in Wasser, lösl. in Alkohol. Zur Verw. s. Hydroxylamin. – *E* hydroxylamine hydrochloride – *F* hydrochlorure d'hydroxylamine – *I* idrossilammina cloridrato – *S* clorhidrato de hidroxilamina

Lit.: Brauer (3.) **1**, 465 f. ▪ Gmelin, Syst.-Nr. 23, NH$_4$, 1936, S. 589–593 ▪ Synthetica **1**, 215–219 ▪ s. a. Hydroxylamin. – *[HS 2825 10]*

Hydroxylamin-Salze s. Hydroxylammonium-Salze.

Hydroxylaminsulfat (Hydroxylammonium- Xn ✖ sulfat). (NH$_2$OH)$_2$ · H$_2$SO$_4$ od. [NH$_3$OH]$_2$SO$_4$, M$_R$ 164,14. Farblose, wasserlösl. Krist., Schmp. ca. 170 °C (Zers.).
Verw.: Zur Herst. von Oximen, zur Reinigung synthetisierter Aldehyde od. Ketone, als Red.-Mittel in der Photographie u. Textil-Ind. sowie zur Enthaarung von Häuten. – *E* hydroxylamine sulfate – *F* sulfate d'hydroxylamine – *I* solfato di idrossillammina – *S* sulfato de hidroxilamina
Lit.: Gmelin, Syst.–Nr. 23, NH$_4$, 1936, S. 596–597 ▪ Hommel, Nr. 853 ▪ Kirk-Othmer (4.) **19**, 494 ▪ s. a. Hydroxylamin. – *[HS 2825 10]*

Hydroxylamin-*O*-sulfonsäure. H$_2$N–O–SO$_3$H, M$_R$ 113,09. Farblose Krist., Schmp. 211 °C, in Wasser lösl. Es ist ein nützliches Reagenz zur Herst. von Nitrilen aus Aldehyden, von Hydrazinen aus Aminen, von Stickstoff-Heterocyclen u. a. N-Verbindungen. – *E* hydroxylamine-*O*-sulfonic acid – *F* acide hydroxylamine-*O*-sulfonique – *I* acido idrossilammina-*O*-solfonico – *S* ácido hidroxilamina-*O*-sulfónico
Lit.: Helv. Chim. Acta **59**, 2786–2792 (1976) ▪ Kontakte (Merck) **1974**, Nr. 1, 36 ▪ Synthetica **2**, 222–225. – *[CAS 2950-43-8]*

Hydroxylammoniumchlorid s. Hydroxylamin-Hydrochlorid.

Hydroxylammonium-Salze (Hydroxylamin-Salze). Salze des *Hydroxylamins, die analog zu den Ammonium-Salzen gebildet werden (s. Ammonium). Reine H.-S. erhält man nach Oximierung von Hydroxylamin-Lsg. durch saure Hydrolyse des Oxims od. durch Wahl der entsprechenden Mineralsäure bei der NO-Hydrierung (vgl. Hydroxylamin). Aus *Hydroxylamin-Hydrochlorid od. *Hydroxylaminsulfat lassen sich auch andere H.-S. herstellen. Das krist. Nitrat neigt zu spontaner Zersetzung. – *E* hydroxylammonium salts – *F* sels d'hydroxylammonium – *I* sali di idrossilammonio – *S* sales de hidroxilamonio

Hydroxylammoniumsulfat s. Hydroxylaminsulfat.

Hydroxy(l)apatit s. Apatit.

Hydroxylasen (EC 1.14). Gruppenbez. für zu den *Oxygenasen gerechnete Enzyme, die die Hydroxylierung von organ. Verb. bewirken. Als *Monooxygenasen* übertragen die H. nur ein Atom des mol. Sauerstoffs (O$_2$) auf das Substrat, während das andere unter Zuhilfenahme von Wasserstoff-Donatoren (*Nicotinamid-Adenin-Dinucleotid u. dgl.) zu Wasser umgesetzt wird; man nennt die H. deshalb auch *mischfunktionelle Oxygenasen.* Beisp. für Hydroxylierungen durch körpereigene od. in der *Biotechnologie genutzte H.: Umwandlung von L-Tyrosin in L-Dopa, von Indol-Derivaten in 5-Hydroxyindol-Derivate, von Steroiden in 11*β*-, 17*α*-, od. 21-Hydroxy-Derivate, *Entgiftung von Fremdstoffen durch Überführung in wasserlösl. (harnfähige) hydroxylierte Metabolite etc. Bei den Entgiftungs-Reaktionen spielt häufig *Cytochrom P-450 eine Rolle. – *E* = *F* hydroxylases – *I* idrossilasi – *S* hidroxilasas

Hydroxyl-Gruppe. Veraltete Bez. für die *Hydroxy-Gruppe.

Hydroxylierung. Unter H. versteht man die Einführung der *Hydroxy-Gruppe in organ. Verb., u. zwar vornehmlich durch Substitution, – z. B. durch Ersatz von funktionellen Gruppen od. Wasserstoff-Atomen durch OH (s. Abb. 1 a) (*Oxygenierung) – od. durch Addition von hydroxylierenden Reagenzien an Alkene (s. Abb. 1 b). Die H. von Alkanen mit *tert.* C–H-Bindungen gelingt relativ leicht, da freie *Radikale am Reaktionsgeschehen beteiligt sind. Dagegen lassen sich Alkane mit *sek.* od. *prim.* C–H-Bindungen schlecht zu Alkoholen hydroxylieren, zumal sie in der Regel weiteroxidiert werden. Als Hydroxylierungsreagenzien kommen Ozon, Kaliumdichromat, alkal. Kaliumpermanganat u. gewisse *Persäuren zur Anwendung. Allylalkohole bilden sich bei der H. von Alkenen mit Selendioxid.

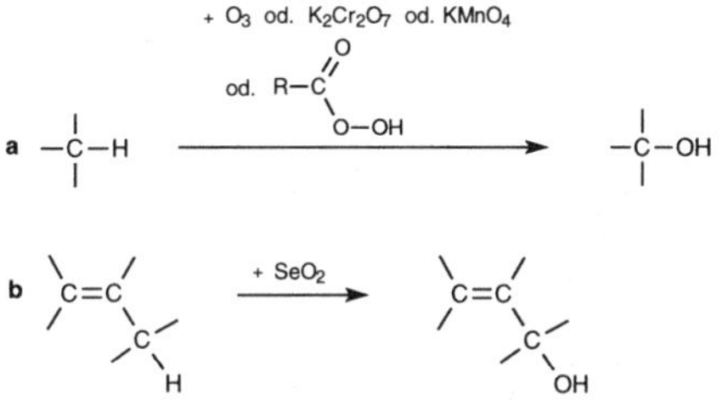

Abb. 1: Hydroxylierung von Alkanen (a) u. Alkenen (b).

Aromaten lassen sich mit Wasserstoffperoxid u. Eisen(II)-sulfat (*Fenton's-Reagenz) hydroxylieren (s. Abb. 2 a). Weitere geeignete Reaktionen sind die *Bohn-Schmidt- u. die *Elbs-Reaktion. Die Verkochung von Diazonium-Salzen (s. Diazonium-Verbindung) kann ebenfalls zur H. von Aromaten herangezogen werden (s. Abb. 2 b).

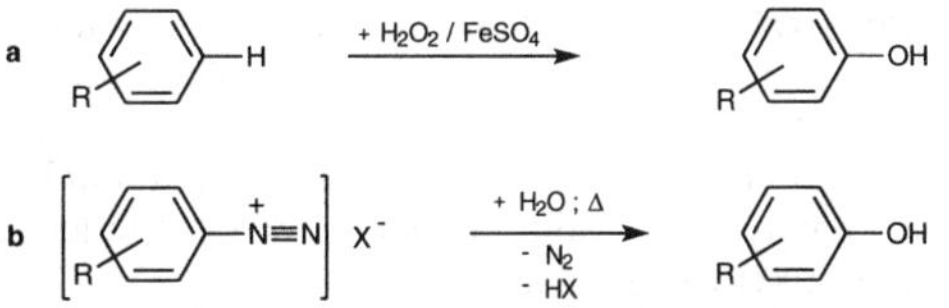

Abb. 2: Hydroxylierung von Aromaten.

Die H. von Doppelbindungen zu *Glykolen geschieht entweder durch *syn*-Addition von Osmiumtetroxid od. Kaliumpermanganat *(*Baeyer-Test)* od. durch *Epoxidierung mit Wasserstoffperoxid u. Ameisensäure *(*Prileschajew-Reaktion).* Im ersten Fall bilden sich *cis-*, im zweiten *trans*-1,2-Diole (Glykole) (s. Abb. 3, S. 1852). Mit Hilfe chiraler Stickstoff-Liganden läßt sich die *cis*-H. mit Osmiumtetroxid auch enantioselektiv durchführen[1] (s. a. enantioselektive Synthese). Die *enzymat.* od. *mikrobielle H.* verläuft mit *Oxygenasen; im Stoffwechsel sind dabei häufig *Arenoxide beteiligt; zur gezielten H. von Aromaten s. *Lit.*[2]. – *E* = *F* hydroxylation – *I* idrossilazione – *S* hidroxilación
Lit.: [1] Nachr. Chem. Tech. Lab. **40**, 702 (1992). [2] Pure Appl. Chem. **64**, 1109 (1992).
allg.: Kirk-Othmer (3.) **15**, 460–465; (4.) **16**, 612 ff. ▪ March (4.), S. 697–703, 822–825 ▪ Mulzer et al., Organic Synthesis

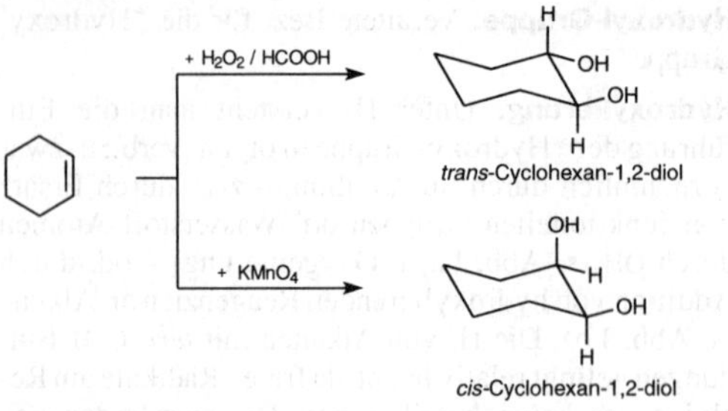

Abb. 3: Hydroxylierung von Doppelbindungen

Highlights, S. 40f., Weinheim: VCH Verlagsges. 1991 ▪ Waldmann, Organic Synthesis Highlights II, S. 9f., Weinheim: VCH Verlagsges. 1995.

Hydroxyl-Ion. Alte, nicht mehr zulässige Bez. für das *Hydroxid-Ion.

5-Hydroxy-ʟ-lysin {(2S)-2,6-Diamino-5-hydroxyhexansäure, Kurzz. der natürlich vorkommenden (5R)-Form, ist Hyl, seltener: Lys(OH); die diastereomere (5S)-Form heißt auch *allo*-5-Hydroxy-ʟ-lysin, Kurzz. aHyl}.

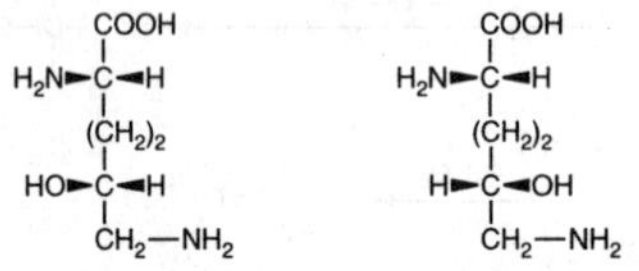

(5R)-Form, Hyl   (5S)-Form, aHyl

$C_6H_{14}N_2O_3$, M_R 162,19. Seltene Aminosäure, die 1921 von Slyke beschrieben u. z.B. in *Collagen (ca. 1%), Wassermelonen u. Fischhaut nachweisbar ist; der Mangel an Hyl bewirkt schwere Bindegewebsdefekte. – $E = F$ 5-hydroxy-ʟ-lysine – I 5-idrossi-ʟ-lisina – S 5-hidroxi-ʟ-lisina
Lit.: Beilstein E IV **4**, 3239 f. – *[CAS 1190-94-9 ((5R)-Form);* 18899-29-1 *((5S)-Form)]*

Hydroxylzahl (OHZ). Maßzahl, die angibt, wieviel Milligramm Kaliumhydroxid der Essigsäure-Menge äquivalent sind, die von 1 g Substanz bei der *Acetylierung gebunden wird. Die Probe wird im allg. mit Essigsäureanhydrid-Pyridin gekocht u. die entstehende Säure mit KOH-Lsg. titriert.
Die H., die zur Beurteilung von Reaktionsharzen, Wachsen, Fetten, Ölen, Lsm. usw. dient, ist verwandt, in angloamerikan. Untersuchungen ident. mit der *Acetylzahl. – E hydroxyl number – F indice hydroxyle – I numero di idrossile, numero ossidrico – S índice de hidroxilo
Lit.: DIN 53 240 (12/1971), 53 240-2 (12/1993) ▪ DIN EN 1240 (03/1994) ▪ DIN ISO 4629 (11/1979).

Hydroxymaleinsäure s. Oxobernsteinsäure.

Hydroxymethansulfinsäure. $HO–CH_2–S(O)OH$, CH_4O_3S, M_R 96,10. Systemat. Bez. für eine, auch als *Formaldehydsulfoxylsäure* bekannte Sulfinsäure, deren Salze (Natrium- u. Zinkformaldehydsulfoxylat, bekannteste Marke: *Rongalit®*) als Red.-Mittel in der *Küpenfärberei u. als *Reservierungsmittel verwendet werden. – E hydroxymethanesulfinic acid – F acide hydroxyméthanesulfinique – I acido idrossimetanosolfinico – S ácido hidroximetanosulfínico

Lit.: Beilstein E IV **1**, 3052 ▪ Ullmann (4.) **8**, 590; **23**, 70; (5.) A **4**, 196. – *[CAS 79-25-4]*

4-Hydroxy-3-methoxybenzaldehyd s. Vanillin.

Hydroxymethyl... Bez. für die Atomgruppierung $–CH_2–OH$; veraltete Bez. in Trivialnamen: Methylol... In der Textil-Ind. werden bes. *N*-Hydroxymethyl-Verb. als *Appreturen viel eingesetzt. – E hydroxymethyl... – F hydroxyméthyl... – I idrossimetil... – S hidroximetil...

2-Hydroxy-3-methylbenzoesäure s. *o*-Kresotinsäure.

5-(Hydroxymethyl)furfural [5-(Hydroxymethyl)furan-2-carbaldehyd, HMF].

$C_6H_6O_3$, M_R 126,11. Gelbliche Nadeln, D. 1,21, Schmp. 35–36 °C, Sdp. 154–155 °C (16 hPa), in Wasser, Alkoholen, Essigester, Aceton leicht, in Ether weniger löslich. H. riecht Kamille-ähnlich, Augenkontakt ist zu vermeiden, ist mit Wasserdampf flüchtig u. unterliegt an Luft u. Licht rascher Autoxid.; auf der Haut verursacht es gelbe Flecken. Das bei der *Holzverzuckerung u. aus Fructose u. Melasse zugängliche H. ist ein nützliches Ausgangsprodukt für chem. Synthesen. Außerdem dient es als Erkennungsmittel für *Kunsthonig („Invertzuckercreme"), da es dort bei der *Inversion der Saccharose in der Hitze mit bis zu 0,14% gebildet wird (Unterschied zu *Honig). Es gibt Hinweise[1-3], daß von HMF eine gewisse genotox. Aktivität ausgeht. Zum spektralphotometr. Nachw. s. *Lit.*[4].
– E 5-(hydroxymethyl)furfural – F 5-(hydroxyméthyl)furfural – I 5-(idrossimetil)furfurale – S 5-(hidroximetil)furfural
Lit.: [1]Carcinogenesis **14**, 773 ff. (1993). [2]Carcinogenesis **15**, 2375 ff. (1994). [3]Chem. Res. Toxicol. **7**, 313–318 (1994). [4]J. Agric. Food Chem. **40**, 1022–1025 (1992).
allg.: Beilstein E V **18/1**, 130 f. ▪ Merck-Index (12.), Nr. 4879 ▪ Rev. Pure Appl. Chem. **14**, 161–170 (1964) ▪ Schormüller, S. 84 f., 560, 569 f. ▪ Ullmann (4.) **24**, 764; (5.) A **5**, 86. – *[CAS 67-47-0]*

Hydroxymethylierung. Die H. ist ein Spezialfall der *Hydroxyalkylierung. Die elektrophile H. von Phenolen mit Formaldehyd (*Lederer-Manasse-Reaktion*) führt nur unter sorgfältig kontrollierten Bedingungen zu Monohydroxymethyl-Aromaten[1].

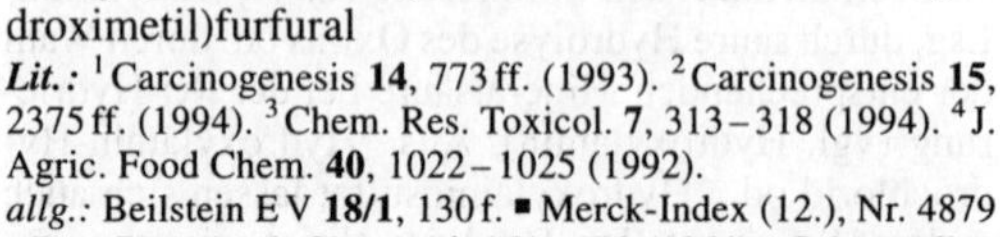

Abb. 1: Elektrophile Hydroxymethylierung von Phenolen mit Formaldehyd.

Da *ortho*- u. *para*-Substitutionen möglich sind u. die so gebildeten Hydroxymethylphenole selbst wiederum als Elektrophile reagieren, resultieren letztlich polymere Strukturen vom *Bakelit*-Typ (Formaldehyd-Phenol-Harze; s. Formaldehyd- u. Phenolharze). Die H. von Alkenen mit Formaldehyd wird als *Prins-Reaktion bezeichnet. Es entstehen dabei in Abhängigkeit von den Reaktionsbedingungen Allylalkohole, 1,3-Diole od. Dioxane.
Nucleophile H. lassen sich durch Umsetzung von Carbonyl-Verb. mit dem d^1-*Synthon, z.B. in Form eines

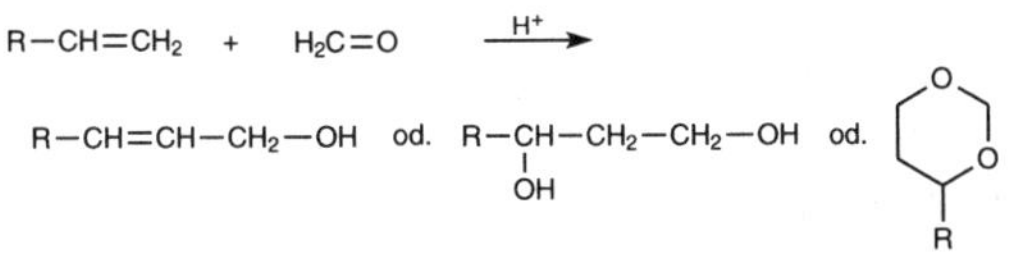

$$R-CH=CH_2 \ + \ H_2C=O \ \xrightarrow{\ H^+\ }$$

$$R-CH=CH-CH_2-OH \ \text{ od. } \ R-\underset{\underset{OH}{|}}{CH}-CH_2-CH_2-OH \ \text{ od. }$$

Abb. 2: Elektrophile Hydroxymethylierung von Alkenen.

doppelt metallierten Methanols als *Syntheseäquivalent, durchführen[2] (s. Abb. 3, s. Umpolung). Zur radikal. H. s. *Lit.*[3].

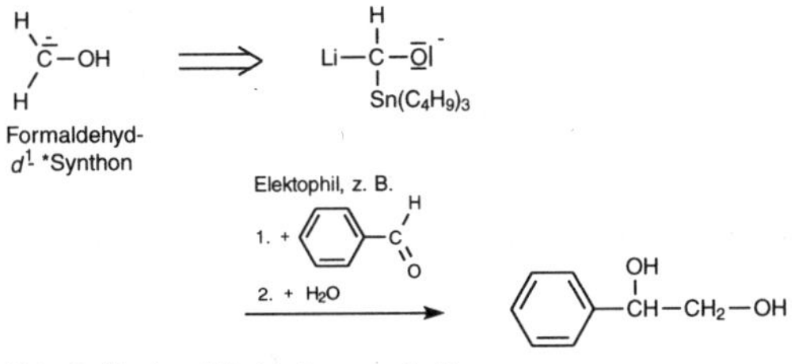

Formaldehyd-d^1 *Synthon

Elektrophil, z. B.

Abb. 3: Nucleophile Hydroxymethylierung.

– *E* hydroxymethylation – *F* hydroxyméthylation – *I* idrossimetilazione – *S* hidroximetilación

Lit.: [1] Synthesis **1981**, 143. [2] Angew. Chem. **88**, 484 (1976). [3] Patai, The Chemistry of Hydroxyl, Ether and Peroxide Groups, S. 657 f., Chichester: Wiley 1993. *allg.:* s. Hydroxyalkylierung u. Textstichwörter.

3-Hydroxy-1-methylindolin-5,6-dion s. Adrenochrom.

2-Hydroxymethyl-2-methyl-1,3-propandiol s. Trimethylolethan.

N-(Hydroxymethyl)nicotinamid (Nicodin).

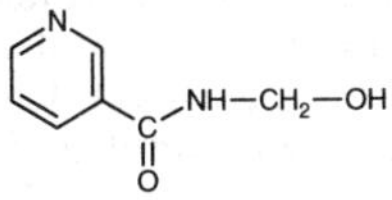

$C_7H_8N_2O_2$, M_R 152,15, Schmp. 141–142 °C, λ_{max} (CH$_3$OH): 262 nm (A$_{1cm}^{1\%}$ 212). H. ist in kaltem Wasser u. Ethanol wenig, in heißem Wasser u. Ethanol jedoch leicht löslich. Es dient als *Cholagogum. – *E* N-(hydroxymethyl)nicotinamide – *F* N-(hydroxyméthyl)-nicotinamide – *I* N-(idrossimetil)nicotinamide – *S* N-(hidroximetil)nicotinamida

Lit.: Beilstein E V **22/2**, 93 ■ Hager (5.) **8**, 497 f. – *[CAS 3569-99-1]*

4-Hydroxy-4-methyl-2-pentanon s. Diacetonalkohol.

Hydroxy-methyl-phenyl... Bez. für die Atomgruppierungen

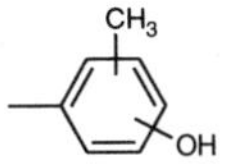

in systemat. Namen; veraltete Bez.: *Cresyl... – *E* hydroxymethylphenyl... – *F* hydroxyméthylphényl... – *I* idrossimetilfenil... – *S* hidroximetilfenil...

2-Hydroxy-2-methylpropionitril
(α-Hydroxyisobuttersäurenitril, Aceton-cyanohydrin).

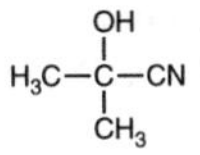

C_4H_7NO, M_R 85,11. Farblose Flüssigkeit, D. 0,932, Schmp. –20 °C, Sdp. 82 °C (30 hPa), lösl. in Wasser,

Alkohol u. Ether. Die Dämpfe u. die Flüssigkeit schädigen u. verätzen die Augen, die Atemwege u. die Haut. Die Flüssigkeit wird über die Haut aufgenommen u. führt auch auf diesem Weg zur Vergiftung; H. zersetzt sich leicht unter Bildung von Blausäure; wassergefährdender Stoff, WGK 3; LD$_{50}$ (Ratte oral) 17 mg/kg.
Herst.: Durch Kondensation von Aceton u. Blausäure. Die Reaktion ist durch anion. Ionenaustausch-Kunstharze katalysierbar.
Verw.: Zwischenprodukt bei organ. Synth., bes. von Acrylharzen aus den entsprechenden Methacrylsäureestern; dient als HCN-Quelle, die leichter zu handhaben u. weniger giftig ist als HCN. – *E* 2-hydroxy-2-methylpropionitrile – *F* 2-hydroxy-2-méthylpropionitrile – *I* 2-idrossi-2-metilpropionitrile – *S* 2-hidroxi-2-metilpropionitrilo
Lit.: Beilstein E IV **3**, 785 ■ Hommel, Nr. 3 ■ Merck-Index (12.), Nr. 65 ■ Paquette **1**, 28 ff. ■ Ullmann (4.) **7**, 33 ff.; (5.) A **1**, 91, 92 ■ Weissermel-Arpe (4.), S. 305. – *[HS 2926 90; CAS 75-86-5; G 6.1]*

Hydroxymycin s. Paromomycin.

Hydroxynaphthaline s. Naphthole.

Hydroxynaphthalinsulfonsäuren s. Naphtholsulfonsäuren.

Hydroxy-1,4-naphthochinone.

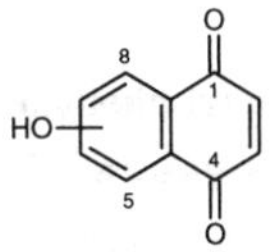

Weit verbreitete Naturstoffklasse von gelben Pflanzen- u. Pilzfarbstoffen. Unter H. sollen hier Mono-, Di-, Tri-, Tetra- u. Pentahydroxy-1,4-naphthochinone verstanden werden. Die wichtigsten H. sind: *Juglon, *Lapachol, *Lawson, *Naphthazarin, *Phthiokol, Plumbagin. Weitere Beisp. sind das Tri-H.: *Flaviolin* (2,5,7-Trihydroxy-1,4-naphthochinon, $C_{10}H_6O_5$, M_R 206,15) u. das Tetra-H.: *Mompain* (2,5,7,8-Tetrahydroxy-1,4-naphthochinon, $C_{10}H_6O_6$, M_R 222,15) aus dem Seeigel *Strongylocentrotus nudus.* – *E* hydroxy-1,4-naphthoquinones – *I* idrossi-1,4-naftochinone – *S* hidroxi-1,4-naftoquinonas
Lit.: Thomson, Naturally Occurring Quinones III, S. 137–253, London: Chapman & Hall 1987 – *[HS 2914 69; CAS 479-05-0 (Flaviolin); 2473-16-7 (Mompain)]*

3-Hydroxy-2-naphthoesäure.

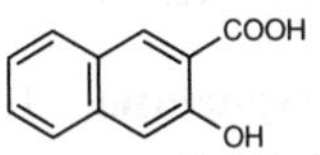

$C_{11}H_8O_3$, M_R 188,18. Gelbe Blättchen, Schmp. 223 °C, unlösl. in kaltem, wenig lösl. in heißem Wasser, lösl. in Alkohol, Ether, Benzol u. Chloroform.
Herst.: Durch Einwirkung von Kohlendioxid auf das Natrium-Salz des β-Naphthols bei höherer Temp. (240 °C).
Verw.: Herst. von *Naphtol AS®, einer Farbstoff-Kupplungskomponente in speziellen Azofarbstoffen, weiterhin als Entwickler für Acetat-Farben sowie als Fluoreszenzindikator. – *E* 3-hydroxy-2-naphthoic acid – *F* acide 3-hydroxy-2-naphtoïque – *I* acido 3-idrossi-2-naftoico – *S* ácido 3-hidroxi-2-naftoico

Lit.: Beilstein E IV **10**, 1184 ▪ Merck-Index (12.), Nr. 4882 ▪ Ullmann (4.) **13**, 190; **A 11**, 287 f. – *[HS 2918 29; CAS 92-70-6]*

Hydroxynaphthylamine s. Aminonaphthole.

Hydroxynervon (Oxynervon).

D-Galactose
Hydroxynervonsäure
Sphingosin

$C_{48}H_{91}NO_9$, M_R 826,25. Bez. für ein *Cerebrosid aus D-*Galactose, *Sphingosin- u. *Hydroxynervonsäure* [(R,Z)-2-Hydroxy-15-tetracosensäure]. Hydroxynervonsäure u. deren 17Z-Isomer machen ca. 12% der Fettsäuren der Cerebroside der *Hirnsubstanz aus. – $E = F$ hydroxynervone – I idrossinervone – S hidroxinervona

Hydroxynervonsäure s. Hydroxynervon.

Hydroxynitrilase s. Mandelonitril-Lyase.

α-**Hydroxynitrile** s. Cyanohydrine.

11-Hydroxypalmitinsäure s. Jalapinolsäure.

15-Hydroxypentadecansäurelacton s. 15-Pentadecanolid.

4-(4-Hydroxyphenoxy)-phenylalanin s. Thyronin.

Hydroxy-phenyl-essigsäure s. Mandelsäure.

1-(Hydroxyphenyl)ethanone s. Hydroxyacetophenone.

N-(4-Hydroxyphenyl)glycin [(4-Hydroxyanilino)essigsäure].

$C_8H_9NO_3$, M_R 167,16. Farblose Blättchen, Schmp. 247 °C (Zers.), in Wasser u. organ. Lsm. wenig, in Alkalien u. Säuren besser löslich. H. wird aus 4-Aminophenol mit Chloressigsäure u. Natronlauge hergestellt u. als photograph. Entwickler, zur Bestimmung von Eisen, Phosphor u. Silicium sowie in der Bakteriologie verwendet. – E N-(4-hydroxyphenyl)-glycine – F N-(4-hydroxyphényl)glycine – I N-(4-idrossifenil)glicina – S N-(4-hidroxifenil)glicina
Lit.: Beilstein E IV **13**, 1210 ▪ Merck-Index (12.), Nr. 4885 ▪ Ullmann (4.) **18**, 234; (5.) **A 2**, 111. – *[HS 2922 50; CAS 122-87-2]*

O-(4-Hydroxyphenyl)-tyrosin s. Thyronin.

3-Hydroxypiperidin (3-Piperidinol).

$C_5H_{11}NO$, M_R 101,15. Blaßgelbe, hygroskop. Krist., Schmp. 61–63 °C, lösl. in heißem Wasser u. Alkohol. H. wird als Zwischenprodukt bei organ. Synth. verwendet; das isomere 4-Hydroxypiperidin (Schmp. 86–89 °C) dient zur Herst. von therapeut. verwendeten Estern u. Aromen. – E 3-piperidinol – F 3-hydroxypipéridine – I 3-idrossipiperidina – S 3-hidroxipiperidina

Lit.: Beilstein E V **21/1**, 28, 51 ▪ Ullmann (5.) **A 22**, 412. – *[HS 2933 59; CAS 6859-99-0 (3-H.); 5382-16-1 (4-H.)]*

3β-Hydroxypregn-5-en-20-on s. Pregnenolon.

Hydroxyprocain.

Internat. Freiname für das *Lokalanästhetikum [2-(Diethylamino)ethyl]-4-aminosalicylat, $C_{13}H_{20}N_2O_3$, M_R 252,31. Verwendet wird das Hydrochlorid, Schmp. 154 °C. – E hydroxyprocaine – F hydroxyprocaïne – I idrossiprocaina – S hidroxiprocaína
Lit.: Beilstein E IV **14**, 1984 ▪ Hager (5.) **8**, 501. – *[HS 2922 50; CAS 487-53-6 (H.); 551-36-0 (Hydrochlorid)]*

Hydroxyprogesteron [17-Hydroxy-4-pregnen-3,20-dion, (Rp)].

$C_{21}H_{30}O_3$, M_R 330,47, Schmp. 222–223 °C bei schnellem u. 276 °C bei langsamem Erhitzen; $[\alpha]_D^{17}$ +90° (c 1/CHCl₃), λ_{max} (CH₃OH): 242 nm ($A_{1cm}^{1\%}$ 500), (H₂O): 249 nm ($A_{1cm}^{1\%}$ 492). H. wurde 1957 von Synthex u. Merck & Co. patentiert. Verwendet werden auch das Acetat, Schmp. 239–240 °C, λ_{max} 240 nm ($A_{1cm}^{1\%}$ 574), u. das Caproat, Schmp. 119–121 °C, $[\alpha]_D^{20}$ +61° (c 1/CHCl₃), λ_{max} (C₂H₅OH): 240 nm ($A_{1cm}^{1\%}$ 387 ± 1%). Es wird als Gestagen gegen Menstruations- u. Fertilitätsstörungen, die auf Gelbkörper-Insuffizienz zurückzuführen sind, eingesetzt u. ist von Jenapharm (Progesteron-Depot®) u. Schering (Proluton® Depot) im Handel. – E hydroxyprogesterone – F hydroxyprogestérone – I idrossiprogesterone – S hidroxiprogesterona
Lit.: Beilstein E IV **8**, 2189 f. ▪ Florey **4**, 209–224 ▪ Hager (5.) **8**, 501–504. – *[HS 2937 92; CAS 68-96-2 (H.); 630-56-8 (Caproat)]*

4-Hydroxy-L-prolin [(2S)-4-Hydroxypyrrolidin-2-carbonsäure; Kurzz. des natürlich vorkommenden (4R)- od. *trans*-4-Hydroxy-L-prolins ist Hyp; das (4S)- od. *cis*-Diastereomer heißt auch *allo*-4-Hydroxy-L-prolin, Kurzz. aHyp].

trans -Form, Hyp   *cis* -Form, aHyp

$C_5H_9NO_3$, M_R 131,13. Das leicht wasserlösl. Hyp stellt eine seltenere, am Aufbau von bestimmten *Proteinen beteiligte nicht-essentielle Hydroxyaminosäure dar. Die Herst. erfolgt weitgehend durch Extraktion von Gelatine-Hydrolysaten, denn Hyp ist ein wesentlicher Bestandteil der *Collagene. – $E = F$ 4-hydroxy-L-proline – I 4-idrossi-L-prolina – S 4-hidroxi-L-prolina
Lit.: Beilstein E V **22/5**, 7 f. – *[HS 2933 90; CAS 51-35-4 (Hyp); 618-27-9 (aHyp)]*

1-Hydroxypropan-1,2,3-tricarbonsäure s. Isocitronensäure.

2-Hydroxypropan-1,2,3-tricarbonsäure s. Citronensäure.

Hydroxypropionitrile.

$$H_3C-\overset{\overset{\displaystyle OH}{|}}{CH}-CN \qquad\qquad HO-CH_2-CH_2-CN$$
$$\qquad\quad a \qquad\qquad\qquad\qquad\qquad b$$

C_3H_5NO, M_R 71,08. (a) *2-H.* (Milchsäurenitril, Lactonitril, Acetaldehyd-cyanohydrin): Farblose bzw. (techn.) strohgelbe Flüssigkeit, D. 0,988, Schmp. –40 °C, Sdp. 183 °C, mischbar mit Wasser u. Alkohol, lösl. in Ether, unlösl. in CS_2. 2-H. ist sehr giftig, da aufgrund der Cyanhydrin-Struktur leicht Blausäure abgespalten wird. Die Herst. erfolgt aus Acetaldehyd u. Cyanwasserstoff. 2-H. wird zur Herst. von Milchsäure u. Milchsäureestern, von Amiden, organ. Säuren, Estern, prim., sek. u. tert. Aminen sowie als Lsm. verwendet. (b) *3-H.* (Hydracrylsäurenitril, Ethylencyanohydrin): Farblose, brennbare Flüssigkeit, D. 1,040, Schmp. –46 °C, Sdp. 228 °C (Zers.), mit Wasser u. Alkohol mischbar. Die Dämpfe u. bes. die Flüssigkeit reizen die Augen, die Atemwege u. die Haut. Die in den Körper aufgenommene Substanz spaltet langsam Blausäure ab, die im wesentlichen durch den Organismus laufend entgiftet wird. Bei Zers. durch Erhitzen akute Lebensgefahr durch Freiwerden von Blausäure-Gas; LD_{50} (Ratte oral) 3200 mg/kg. Herst. aus Ethylenoxid u. HCN. 3-H. wird als Lsm. für Celluloseester u. viele anorgan. Salze verwendet; es war ein wichtiges Zwischenprodukt bei der Herst. von Acrylsäure. – *E = F* hydroxypropionitriles – *I* idrossipropionitrili – *S* hidroxipropionitrilos

Lit.: Beilstein E IV 3, 674, 708 ▪ Hommel, Nr. 355 ▪ Kirk-Othmer **6**, 673 ff.; (3.) **7**, 395 ▪ Merck-Index (12.), Nr. 3840 ▪ Ullmann (4.) **17**, 324 f.; (5.) **A 17**, 368 ▪ Weissermel-Arpe (4.), S. 314. – *[HS 2926 90; CAS 78-97-7 (2-H.); 109-78-4 (3-H.); G 6.1]*

3-Hydroxypropionsäurelacton s. β-Propiolacton.

Hydroxypropionsäuren.

$$H_3C-\overset{\overset{\displaystyle OH}{|}}{CH}-COOH \qquad HO-CH_2-CH_2-COOH$$
$$\qquad\quad a \qquad\qquad\qquad\qquad\qquad b$$

$C_3H_6O_3$, M_R 90,08. (a) *2-H.* (α-H.) wird einschließlich ihrer Ester (*Lactate*) unter ihrem histor. Namen *Milchsäure abgehandelt. – (b) *3-H.* (β-H., *Hydracrylsäure*): Farblose, viskose Flüssigkeit, in Wasser, Alkohol u. Ether löslich. H. ist durch Hydrolyse von 3-*Hydroxypropionitril zugänglich. Der Name *Hydracrylsäure* weist auf die nahe chem. Verwandtschaft zur Acrylsäure hin: Man erhält 3-H. durch Anlagerung von Wasser an Acrylsäure (beim Erhitzen mit Natronlauge). Umgekehrt kann man 3-H. durch Wasserabspaltung (stark erhitzen od. mit Schwefelsäure erwärmen) in Acrylsäure überführen. – *E* hydroxypropionic acids – *F* acide hydroxypropionique – *I* acidi idrossipropionici – *S* ácido hidroxipropiónico

Lit.: Beilstein E IV 3, 689 ▪ Merck-Index (12.), Nr. 4799 ▪ Ullmann (5.) **A 13**, 514. – *[HS 2918 19; CAS 503-66-2]*

4′-Hydroxypropiophenon s. Paroxypropion.

(2-Hydroxypropyl)-acrylat [Acrylsäure-(2-hydroxypropyl)-ester].

$$H_2C=CH-CO-O-CH_2-\overset{\overset{\displaystyle OH}{|}}{CH}-CH_3$$

$C_6H_{10}O_3$, M_R 130,14, Schmp. <–60 °C, klare, gelbliche, Ester-artig stechend riechende Flüssigkeit, Sdp. 77 °C (5 mbar) bzw. 194 °C (743 mbar); D. 1,056; lösl. in Wasser, Alkohol u. Ether.

Verw.: Als Comonomer zur Hydrophilierung von Polymeren bzw. zur Einführung reaktiver Hydroxy-Gruppen in Polymere für z.B. den Einsatz in wärmehärtbaren Lacken. – *E* 2-hydroxypropyl acrylate – *F* acrylate de 2-hydroxypropyle – *I* acrilato di 2-idrossipropile – *S* acrilato de 2-hidroxipropilo

Lit.: Beilstein E IV 2, 1649 ▪ Houben-Weyl **E 20**, 1054 f. ▪ s. a. Acrylsäureester. – *[HS 2916 12; CAS 999-61-1]*

Hydroxypropylcellulosen. Kurzz. HPC; Strukturformel: s. Cellulose-Derivate; R = H,

$$-CH_2-\overset{\overset{\displaystyle}{|}}{CH}\underset{H_3C}{\Big[}O-CH_2-\overset{\overset{\displaystyle}{|}}{CH}\underset{H_3C}{\Big]_n}OH$$

mit n ≥ 0. H. sind *Celluloseether, die techn. durch Umsetzung von *Alkalicellulosen mit Propylenoxid (Methyloxiran) hergestellt werden. Marktübliche H. werden mit einem durchschnittl. molaren Substitionsgrad (MS) von ca. 4 – 4,5 angeboten (zum Mechanismus des Substitutionsprozesses u. zur Unterscheidung von DS u. MS s. Hydroxyethylcellulose). H. sind gelblich-weiße Pulver. Sie werden in sehr unterschiedlichen *Polymerisationsgraden u., damit verbunden, mit einem weiten Bereich variierenden Lsg.-Viskositäten angeboten.

Eigenschaften: H. sind in Wasser unterhalb von ca. 40 °C u. in einer Vielzahl organ. Lsm. löslich. In wäss. Medien sind sie sehr wirksame *Tenside, fallen jedoch bei Temp. oberhalb von 40 °C aus. Als Thermoplaste können sie in der Wärme verarbeitet werden, z. B. zu wasserlösl. Filmen u. Folien.

Verw.: Als Verdickungsmittel, Bindemittel, Emulgatoren, Stabilisatoren, Schutzkolloide u. Filmbildner auf sehr unterschiedlichen Einsatzgebieten, z.B. auf dem Nahrungsmittel-, Pharmazie- u. Kosmetiksektor, in der Polymerisationstechnik (Herst. von *S-PVC), im Klebstoffbereich u. bei der Papier- u. Keramik-Herstellung. – *E = F* hydroxypropylcelluloses – *I* idrossipropilcellulose – *S* hidroxipropilcelulosas

Lit.: Davidson, Handbook of Water-Soluble Gums and Resins, New York: McGraw-Hill Book Company 1980 ▪ Houben-Weyl **E 20**, 2070 ff. ▪ s. a. Celluloseether.

Hydroxypropylguar(an). Das Reaktionsprodukte aus der alkal. katalysierten Veretherung von *Guar-Mehl mit Propylenoxid, bei der die Hydroxy-Wasserstoff-Atome des Guarans (Formel: s. Guar-Mehl) partiell durch Gruppen des Typs

$$\Big[CH_2-\overset{\overset{\displaystyle}{|}}{CH}-O\underset{CH_3}{\Big]_n}CH_2-\overset{\overset{\displaystyle}{|}}{CH}-OH\underset{CH_3}{}$$

mit n ≥ 0 substituiert werden. H. zeichnet sich gegenüber dem nativen Guar-Mehl durch höhere Transparenz sowie verbesserte Elektrolytverträglichkeit u. enzymat. Beständigkeit seiner wäss. Lsg. aus. H. wird hauptsächlich bei der Erdölförderung im Bereich der Drillings u. Fracturings eingesetzt. – *E* hydroxypropyl guar – *F* hydroxypropylguar – *I* idrossipropilguar – *S* hidroxipropilguar

Lit.: Davidson, Handbook of Water-Soluble Gums and Resins, Kap. 6, London: Mc Graw-Hill Book Company 1980 ▪ Houben-Weyl E 20, 2175–2182. – *[HS 3912 39]*

(Hydroxypropyl)methylcellulosen s. Methylcellulose.

Hydroxypropylstärken. Kurzz. HPS; Strukturformel s. Stärke-Derivate; R = H,

$$\left[CH_2-CH-O \right]_n CH_2-CH-OH$$
$$\qquad CH_3 \qquad\qquad CH_3$$

mit n ≥ 0. H. sind *Stärkeether, die bei der Einwirkung von Propylenoxid (Methyloxiran) auf Stärken in Ggw. von Alkali anfallen. Die Hydroxypropyl-Gruppen befinden sich bei niedrig substituierten H. vornehmlich in der C_2-Position der Anhydroglucose-Einheiten der Stärken[1]. H. von kommerziellem Interesse haben einen Substitutionsgrad von ca. 0,1 (entsprechend etwa 1 Hydroxypropyl-Gruppe pro 10 Anhydroglucose-Einheiten). Sie unterscheiden sich von nicht-modifizierten Stärken durch niedrigere Verkleisterungs-Temp., höhere Transparenz, geringere Retrogradationsneigung u. verbesserte Lagerstabilität ihrer wäss. Lösung. H. werden als Verdickungsmittel im Nahrungsmittelbereich, Textilschlichte, Klebstoffrohstoff u. a. verwendet. – *E* hydroxypropyl starches – *F* hydroxypropylamidons – *I* idrossipropilamidi – *S* hidroxipropilalmidones

Lit.: [1] Die Stärke **25**, 142 ff. (1973).
allg.: Houben-Weyl E 20, 2138–2147 ▪ Wurzburg, Modified Starches: Properties and Uses, S. 84–96, Boca Raton, Florida: CRC Press, Inc. 1986 ▪ s.a. Stärke, Stärke-Derivate u. Stärkeether. – *[HS 3505 10]*

7-(2-Hydroxypropyl)-theophyllin s. Proxyphyllin.

6-Hydroxypurin s. Hypoxanthin.

Hydroxypyridine s. Pyridinole.

1-Hydroxy-2(1H)-pyridinthion s. Pyrithion.

(2S)-4-Hydroxypyrrolidin-2-carbonsäure s. 4-Hydroxy-L-prolin.

Hydroxysäuren s. Hydroxycarbonsäuren.

12-Hydroxystearate. Bez. für Salze bzw. Ester der *12-Hydroxystearinsäure. Die H. werden in Metallseifen, z. B. als Co-Stabilisatoren in der Polymertechnik verwendet. – *E* 12-hydroxystearates – *F* 12-hydroxystéarates – *I* 12-idrossistearati – *S* 12-hidroxiestearatos

12-Hydroxystearinsäure.

$$H_3C-(CH_2)_5-\underset{OH}{CH}-(CH_2)_{10}-COOH$$

$C_{18}H_{36}O_3$, M_R 300,49. Farblose krist. Masse, Schmp. 81 °C, unlösl. in Wasser, lösl. in Alkohol. H. wird durch Härtung von Ricinolsäure gewonnen u. findet Anw. in Form ihrer Metallsalze, der *12-Hydroxystearate. – *E* 12-hydroxystearic acid – *F* acide 12-hydroxystéarique – *I* acido 12-idrossistearico – *S* ácido 12-hidroxiesteárico

Lit.: Beilstein E IV **3**, 942 ▪ Fette Seifen Anstrichm. **67**, 780 (1965) ▪ Seifen, Öle, Fette, Wachse **108**, 149 (1982). – *[HS 2918.19; CAS 36377-33-0]*

Hydroxystilbene s. Pinosylvin.

Hydroxytetracain (Rp für die Anw. am Auge).

$$CO-O-CH_2-CH_2-N(CH_3)_2$$

Internat. Freiname für das *Lokalanästhetikum 4-(Butylamino)salicylsäure-[2-(dimethylamino)ethylester], $C_{15}H_{24}N_2O_3$, M_R 280,37, ölige Flüssigkeit, Schmp. Hemihydrat: 48 °C. Verwendet wird auch das Hydrochlorid, Schmp. 157 °C. H. wurde 1955 von Rheinpreussen AG patentiert. – *E* hydroxytetracaine – *F* hydroxytétracaïne – *I* idrossitetracaina – *S* hidroxitetracaína

Lit.: Beilstein E IV **14**, 2001 ▪ Hager (5.) **8**, 507. – *[HS 2922 50; CAS 490-98-2]*

2-Hydroxy-15-tetracosensäure s. Hydroxynervon.

ar-Hydroxytolyl... Bez. für die Atomgruppierungen

$$CH_3$$
$$\underset{OH}{}$$

in systemat. Namen, nach IUPAC-Regel R-9.1.19b(3) als *Hydroxy-methyl-phenyl... zu bezeichnen; veraltete Bez.: *Cresyl...

3α-Hydroxytropan s. Tropanol.

5-Hydroxytryptamin s. Serotonin.

4-Hydroxyundecansäurelacton [sog. Aldehyd C-14, Pfirsichaldehyd, 5-Heptyldihydro-2(3H)-furanon, 4-Undecanolid].

$$H_3C-(CH_2)_6-$$

$C_{11}H_{20}O_2$, M_R 184,28. Farblose Flüssigkeit von Pfirsich-artigem Geruch, D. 0,949, Sdp. 286 °C (167–169 °C, 2,0 kPa). H. findet vielseitige Verw. in Parfüm- u. Aromenkompositionen. – *E* 4-hydroxyundecanoic lactone – *F* lactone de l'acide 4-hydroxyundécanoïque – *I* lattone 4-idrossiundecanoico – *S* lactona del ácido 4-hidroxiundecanoico

Lit.: Beilstein E V **17/9**, 98 ▪ Ullmann (4.) **20**, 250; (5.) **A 11**, 207. – *[HS 2932 29; CAS 104-67-6]*

(E)-2-Hydroxyzimtsäure (*trans*-2-H., *o*-Cumarsäure).

$$\underset{H}{\overset{H}{C}}=\underset{H}{\overset{COOH}{C}}$$
$$\underset{OH}{}$$

$C_9H_8O_3$, M_R 164,16. Sublimierende Krist.-Nadeln, Schmp. 214 °C, wenig lösl. in kaltem Wasser, leicht lösl. in Alkohol. 2-H. kommt wie andere *Hydroxyzimtsäuren* (z. B. Ferulasäure od. *Kaffeesäure) u. *Hydroxybenzoesäuren in Form ihrer Ester od. Glykoside in vielen Pflanzen, Gewürzen u. im Obst vor. (E)-2-H. bildet durch Photoisomerisierung (Z)-2-H., die biolog. Vorstufe von *Cumarin. Die isomere *4-H.* (*p*-Cumarsäure) soll ein Zwischenprodukt der *Huminsäure-Bildung im Boden sein. – *E* (E)-2-hydroxycinnamic acid – *I* acido (E)-2-idrossicinnamico – *S* ácido (E)-2-hidroxiciámico

Lit.: Beilstein E IV **10**, 999 ▪ Karrer, Nr. 949 ▪ Nachr. Chem. Tech. Lab. **26**, 206–209 (1978) ▪ Zechmeister **35**, 73–132. – *[HS 2918 29; CAS 614-60-8 ((E)-2-H.); 495-79-4 ((Z)-2-H.)]*

Hydroxyzin (Rp).

Internat. Freiname für den *Tranquilizer 2-{2-[4-(4-Chlorbenzhydryl)-1-piperazinyl]ethoxy}ethanol, $C_{21}H_{27}ClN_2O_2$, M_R 374,91. Verwendet werden das *Dihydrochlorid*, Schmp. 193 °C (Zers.), λ_{max} 230 nm, LD_{50} (Ratte i.p.) 126 mg/kg, (Ratte oral) 950 mg/kg u. das *Embonat*, $C_{21}H_{27}ClN_2O_2 \cdot C_{23}H_{16}O_6$ ($C_{44}H_{43}ClN_2O_8$, M_R 763,29), λ_{max} 231–233 nm. H. wurde 1959 von UCB (Atarax®) patentiert u. ist auch von Rodleben (AH 3 N®, Elroquil®) im Handel. – *E = F* hydroxyzine – *I* idroxizina – *S* hidroxizina
Lit.: ASP ▪ Beilstein E V **23/1**, 462 ▪ DAB **1996** u. Komm. ▪ Florey **7**, 319–341 ▪ Hager (5.) **8**, 507–510. – *[HS 2933 59; CAS 68-88-2 (H.); 2192-20-3 (Dihydrochlorid); 10246-75-0 (Embonat)]*

Hydrozimtaldehyd (3-Phenylpropionaldehyd).
H_5C_6–CH_2–CH_2–CHO, $C_9H_{10}O$, M_R 134,18, Prismen, Schmp. 47 °C, Sdp. 223 °C, unlösl. in Wasser, lösl. in Alkohol. In der Parfümerie verwendeter Bestandteil des Ceylonzimtöls. – *E* hydrocinnamaldehyde – *I* aldeide idrocinnamico – *S* aldehído hidroxicinámico
Lit.: Beilstein E IV **7**, 692 ▪ Chem.-Ztg. **98**, 596–606 (1974). – *[HS 2912 29; CAS 104-53-0]*

Hydrozimtalkohol (3-Phenyl-1-propanol).
H_5C_6–CH_2–CH_2–CH_2–OH, $C_9H_{12}O$, M_R 136,19, angenehm süß, Reseda-artig riechende Flüssigkeit, Sdp. 253 °C, lösl. in Wasser u. Alkohol. H. kommt mit Zimtsäure verestert im *Benzoeharz, *Perubalsam u. *Styrax vor. H. wird zum Aufbau vieler Duftstoffe verwendet. – *E* hydrocinnamyl alcohol – *I* alcool idrocinnamico – *S* alcohol hidroxicinámico
Lit.: Beilstein E IV **6**, 3198 ▪ Sax (8.), HHP 050, PGA 750. – *[HS 2906 29; CAS 122-97-4]*

Hydrozimtsäure (3-Phenylpropionsäure).
H_5C_6–CH_2–CH_2–COOH, $C_9H_{10}O_2$, M_R 150,18, Krist., Schmp. 47–48 °C, Sdp. 280 °C, u. a. lösl. in heißem Wasser, Alkohol, Chloroform u. Eisessig, wasserdampfflüchtig. H. ist der Duftstoff des Schwanzdrüsensekrets von Rothirschen der Art *Cervus elaphus*. H. wird vom Bakterium *Clostridium butyricum* produziert u. durch Red. von *Zimtsäure mit Natriumamalgam hergestellt. H. wird als Fixateur in der Parfüm-Ind. verwendet. – *E* hydrocinnamic acid – *I* acido idrocinnamico – *S* ácido hidroxicinámico
Lit.: Beilstein E IV **9**, 1752 – *[HS 2916 39; CAS 501-52-0]*

Hydrozinkit (Zinkblüte). $Zn_5[(OH)_3/CO_3]_2$, schneeweißes bis blaßgelbes monoklines Mineral, Krist.-Klasse $2/m$-C_{2h}, zur Struktur s. *Lit.*[1] (mit Infrarot-Spektren) u. *Lit.*[2]. Winzige tafelige Krist.; meist derb, erdig (Kreide-artig) od. dicht, in schaligen, gebänderten Krusten, stalaktit., als Ausblühungen u. Anflug. H. 2–2,5, D. 3,2–3,8. Nach der Formel 74,12% ZnO, 16,03% CO_2, 9,85% H_2O.
Vork.: Lokal wichtiges Zink-Erz; verbreitet in den *Oxidationszonen von Blei-Zink-*Lagerstätten, bes. *Galmei-Lagerstätten, z.B. Bleiberg/Kärnten, Raibl (Riofreddo/Friuli) u. Insel Sardinien/Italien, Provinz Santander/Spanien, Yazd/Iran, Goodsprings/Nevada u. andernorts in den USA, Mapimi/Mexiko. – *E = F* hydrozincite – *I* idrozincite – *S* hidrocincita

Lit.: [1] Can. Mineral. **8**, 649–653 (1966). [2] Österr. Akad. Wiss., Math.-Nat. Klasse, Anzeiger **122**, 9 ff. (1985).
allg.: Ramdohr-Strunz, S. 579 ▪ Roberts, Campbell u. Rapp, Encyclopedia of Minerals (2.), S. 390, New York: Van Nostrand Reinhold 1990. – *[CAS 12122-17-7]*

Hydrozyklone. Bez. für *Zyklone, die nach dem dort beschriebenen Verf.-Prinzip zur Trennung von Fest-Flüssig-Syst. eingesetzt werden. H. sind kon. Geräte, in denen Suspensionen ohne rotierende Apparateteile durch tangentiales Einströmen in kreisförmige Bewegung versetzt werden. Die hierbei auftretenden Zentrifugalkräfte treiben Teilchen mit größerer Dichte nach außen, so daß sie schließlich bei der Berührung der Gefäßwände abgebremst werden u. nach unten fallen, während die Flüssigkeit mit geringerer Dichte nach oben abgezogen wird. Man benutzt H. zum Trennen, Eindicken u. Entwässern flüssiger Suspensionen u. *Schlämme, zur *Entstaubung, in der Kali-Ind. u. in der Erzaufbereitung zur Trennung von Flotationskonzentraten, ggf. mit der *Sink-Schwimm-Aufbereitung mit Hilfe von *Schwerflüssigkeiten kombiniert, zur Abtrennung vermischter Kunststoffabfälle (s. *Lit.*[1]) usw. Zur Berechnung von Trennkorngröße u. Trennschärfe s. den bebilderten Artikel von Neeße u. Schubert in *Lit.*[2]. – *E = F* hydrocyclones – *I* idrocicloni – *S* hidrociclones
Lit.: [1] Eur. Chem. **1981**, 109. [2] Chem. Tech. (Leipzig) **29**, 14–18 (1977).
allg.: ACHEMA-Jahrb. **1994**, 1732 ▪ Chem. Ing. Tech. **57**, 1061 f. (1985) ▪ Ullmann (5.) **B 2**, 9-5, 11-4, 11-19, 11-22, 12-58 ▪ s. a. Zyklone.

Hygiene (griech.: hygieinos = der Gesundheit zuträglich, heilsam). Wissenschaftliche Lehre von der Gesundheit. Unter H. werden alle diejenigen Maßnahmen zusammengefaßt, die vorbeugend gegen das Entstehen od. Verbreiten von Krankheiten durchgeführt werden. Im medizin. Bereich befaßt sich die H. z. B. mit Untersuchung u. Abwehr von krankheitserregenden Viren, Bakterien, Parasiten u. Pilzen sowie mit krankheitsübertragenden Insekten u. a. Gesundheitsschädlingen. Erst durch hygien. Maßnahmen wie Entwesung mit Desinfektionsmitteln u. Antiseptika, Sterilisation u. ä. wurde eine wirksame Seuchen-Bekämpfung, auch in Krankenhäusern (der *Hospitalismus früherer Zeiten forderte zahlreiche Opfer), möglich. Im Rahmen des Umweltschutzes befaßt sich die H. mit den verschiedenen Schadstoffen u. ihrer Toxikologie (*Umwelthygiene). Weitere wichtige Aufgaben der H. sind die Kontrolle des Trinkwassers, die Lebensmittelhygiene, die Seuchen-Prophylaxe u. die Gewerbehygiene im Rahmen von Unfallverhütung u. Arbeitssicherheit. – *E* hygiene – *F* hygiène – *I* igiene – *S* higiene
Lit.: Borneff, Hygiene, Stuttgart: Thieme 1991.

Hygienepapier s. Papier.

Hygrin [1-(1-Methyl-2-pyrrolidinyl)-2-propanon].

(+)-(R)-Form

$C_8H_{15}NO$, M_R 141,21, Flüssigkeit, Sdp. 77 °C (1,5 kPa), n_D^{20} 1,4555, $[\alpha]_D$ +45° ((R)-Form, C_2H_5OH); $[\alpha]_D^{16}$ −57° ((S)-Form, C_2H_5OH), lösl. in Alkohol, Chloroform, wenig lösl. in Wasser. H. ist ein leicht racemisierendes

Alkaloid aus *Coca-Blättern, Dendrobien (Orchidaceae) u. Wurzeln vieler *Tropan-Alkaloide enthaltenden Pflanzen. H. ist ein Zwischenprodukt der Biosynth. der *Tropan-Alkaloide. – *E = F* hygrine – *I* igrina – *S* higrina
Lit.: Beilstein E V **21/6**, 511 ▪ Hager (5.) **4**, 432 ▪ Merck-Index (12.), Nr. 4899 ▪ R. D. K. (3.), S. 887 ▪ Ullmann (5.) **A 1**, 358. – *Biosynth.:* Phytochemistry **24**, 953 (1985) ▪ Tetrahedron Lett. **1979**, 3135. – *Isolierung:* Naturwissenschaften **52**, 619 (1965) ▪ Phytochemistry **17**, 257 (1978). – *Synth.:* Heterocycles **20**, 671 (1983) ▪ Tetrahedron **40**, 2879 (1984). – *[HS 293 90; CAS 496-49-1 (R); 65941-22-2 (S), 45771-52-6 (Racemat)]*

Hygrocyben-Farbstoffe. Mit den *Betalainen verwandte gelbe, orange u. rote Azomethin-Farbstoffe aus Blätterpilzen der Gattung *Hygrocybe* (Saftlinge). H. entstehen biosynthet. durch oxidative Ringöffnung u. Recyclisierung von L-*Dopa sowie anschließende Kondensation mit verschiedenen Aminosäuren. Im Gegensatz zu den Betalainen enthalten sie als chromogenen Strukturbestandteil nicht Betalaminsäure (s. Betalaine) sondern *Muscaflavin. – *E* hygrocybe pigments – *F* pigments hygrocibes – *I* coloranti all' igrocibe – *S* colorante de higrociba
Lit.: Zechmeister **51**, 75–86.

Hygrometer. Auch als Hygroskope bezeichnete Geräte zur Messung der *Feuchtigkeit in Gasen, v. a. in Luft, gelegentlich auch in Flüssigkeiten. Beim allg. gebräuchlichen *Haar-H.* wird die Längenausdehnung eines menschlichen *Haars unter dem Einfluß der *relativen Luftfeuchtigkeit zur Registrierung benutzt. Bei *Absorptions-H.* dienen verschiedene hygroskop. Stoffe (s. Hygroskopizität) zur Messung der abs. Feuchtigkeit. Die Funktionsweise des elektr. *Widerstands-H.* beruht auf der Leitfähigkeitsänderung von Lithiumchlorid in Abhängigkeit von der umgebenden Luftfeuchtigkeit. Weitere H. sind das *Taupunkt-H.*, *Psychrometer u. Geräte, die feuchtigkeitsabhängige Änderungen von Diffusions- u. Elektrolysevorgängen anzeigen[1]. – *E* hygrometer – *F* hygromètre – *I* igrometro – *S* higrómetro
Lit.: [1] Pharm. Unserer Zeit **4**, 138–144 (1975).
allg.: Franke, Lexikon der Physik, 3. Aufl., S. 701, Stuttgart: Franckh 1969.

Hygromull®. Offenzelliger, abbaubarer *Schaumstoff auf Harnstoff-Formaldehyd-Harz-Basis, der große Flüssigkeitsmengen zu binden vermag. H. eignet sich daher nach Speicherung von Wasser u. darin gelösten Nährstoffen als Hilfsmittel bei der Begrünung von Ödland u. als *Bodenverbesserungsmittel, auch in Kombination mit organ. Düngemitteln wie z. B. Torf, Klärschlamm u. Müllkompost. H. wurde auch zur Ölabsorption bei Ölverschmutzung von Böden u. in ruhig fließenden od. stehenden Gewässern eingesetzt. *B.:* BASF, COMPO.

Hygromycine. Gruppe von *Aminoglykosid-*Antibiotika mit inhibitor. Wirkung auf die Peptid-Synthese[1,2]. H. A [*Homomycin, Totomycin*, $C_{23}H_{29}NO_{12}$, M_R 511,48, Schmp. 105–109 °C (Zers.)], das aus Kulturfiltraten von *Streptomyces hygroscopicus, S. noboritoensis* u. *Corynebacterium equi* isoliert wurde[3–5], ist gegen eine Reihe von Gram-pos. u. -neg. Bakterien einschließlich Mykobakterien u. Treponemen wirksam. H. B [*Marcomycin*, $C_{20}H_{37}N_3O_{13}$, M_R 527,53,

H. A

H. B

Schmp. 160–180 °C (Zers.)] wird von *S. hygroscopicus*[6] gebildet u. wirkt als Breitband-Antibiotikum; prakt. Anw. findet H. B in der Veterinärmedizin als *Anthelmintikum speziell gegen Ascariden. – *E* hygromycins – *F* hygromycines – *I* igromicine – *S* higromicinas
Lit.: [1] Eur. J. Biochem. **157**, 409 (1980). [2] Biochim. Biophys. Acta **521**, 459 (1978). [3] Antibiot. Chemother. **3**, 1279 (1953). [4] J. Antibiot. **10 A**, 21 (1957). [5] J. Antibiot. **33**, 695 (1980). [6] J. Am. Chem. Soc. **80**, 2714 (1958).
allg.: J. Org. Chem. **56**, 2976 (1991) ▪ Merck-Index (12.), Nr. 4900, 4901. – *[HS 2941 20; CAS 6379-56-2 (H. A); 31282-04-9 (H. B)]*

Hygrophyten (Feuchtepflanzen, Nässezeiger, Feuchtezeiger). Landpflanzen feuchter Standorte; Lebensraum (*Habitat) im Gegensatz zu dem der *Helophyten höchstens kurzfristig überschwemmt. H. weisen häufig große Blätter mit hoher Spaltöffnungsdichte, Träufelspitzen od. Befähigung zur Guttation (Wasserausscheidung als Folge energieaufwendender Stoffwechselprozesse) auf. Mitteleurop. H. sind z. B. Erlen, Mädesüß u. Baldrian. – *E = F* hygrophytes – *I* igrofite – *S* higrófitos, higrófilas
Lit.: Ellenberg, Zeigerwerte der Gefäßpflanzen Mitteleuropas, Göttingen: Goltze 1974 ▪ Oecologia **81**, 364–368 (1989).

Hygroplex® HHG. Haut-*Feuchthaltemittel für kosmet. Präp.; enthält Mono- u. Disaccharide, Aminosäuren, Harnstoff, Hexylenglykol u. Hexylnicotinat. *B.:* CLR.

Hygroskopizität. Bez. für die Eigenschaft vieler fester u. flüssiger anorgan. u. organ. Substanzen (Magnesiumchlorid, Calciumchlorid, Phosphorpentoxid, konz. Schwefelsäure, Glycerin u. a.), bei längerer Lagerung an gewöhnlicher Luft (die stets etwas Wasserdampf enthält) Luftfeuchtigkeit an sich zu ziehen, sich dabei allmählich zu verdünnen od. – soweit es sich um feste Stoffe handelt – zu zerfließen od. zu verklumpen. H. zeigen v. a. Salze, die sich sehr leicht in Wasser lösen; ihre gesätt. Lsg. haben wegen der hohen Salzkonz. nur einen sehr geringen Wasserdampfdruck. Somit kondensiert sich Wasserdampf aus der umgebenden Luft auf dem betreffenden Salz unter Bildung einer gesätt. Lsg.; dieses Salz zerfließt also, d. h. es ist *hygroskopisch*. Im Gegensatz zu diesen Substanzen, die Wasser nur anlagern (*Hydratation, s. a. Hydrate), werden die sog. feuchtigkeitsempfindlichen Substanzen, wie z. B. metall. Natrium, durch die Aufnahme von Wasser aus der Luft zersetzt. Hygroskop. Substanzen verwendet man als *Trockenmittel z. B. im Exsikkator, in Trockentürmen, Waschflaschen usw. sowie in gesätt. wäss. Lsg. als *Feuchthaltemittel zur Aufrechterhaltung einer bestimmten *relativen Luftfeuchtigkeit. Bei Schüttgütern, bei denen die H. bes. unerwünscht ist, benutzt man *Rieselhilfen, um das Verklumpen einzuschränken. – *E* hygroscopicity – *F* hygroscopicité – *I* igroscopicità – *S* higroscopicidad

Hyl. Abk. für *5-Hydroxy-L-lysin.

Hylak®. Tropfen mit Stoffwechselprodukten von *Lactobacillus helveticus* (Milchsäure, Aminosäuren, Lactose u. Milchpuffersalze); *H. forte:* zusätzlich mit Stoffwechselprodukten von *Lactobacillus acidophilus* u. *Escherichia coli* gegen Sub- u. Anacidität sowie verschiedene Magen- u. Darmstörungen. *B.:* Merckle.

Hylene®. Thermoplast. Hochleistungs-*Polyurethane auf Basis von PPDI (*p*-Phenylendiisocyanat) zur Herst. hochtemperaturbeständiger Polyurethan-Teile. *B.:* DuPont.

HyL-Verfahren. In Mexiko teilw. gebräuchliches, bei Hojalata y Lamina S. A. entwickeltes Verf. der Eisen-Erzeugung durch Direktreduktion. Das langzeitig angewendete, energieintensive, diskontinuierliche Retortenverf. wurde in den achtziger Jahren durch einen Kontiprozeß im Schachtofen ersetzt. – *E* HyL process – *F* procédé HyL – *I* processo HyL – *S* procedimiento HyL

Lit.: Beilstein E V **18/1**, 439f. ■ Winnacker-Küchler (4.) **4**, 127.

Hymecromon.

Internat. Freiname für das als *Choleretikum, *Spasmolytikum u. *Lichtschutzmittel wirksame 7-Hydroxy-4-methylcumarin, $C_{10}H_8O_3$, M_R 176,17, Schmp. 194–195 °C (aus Ethanol), λ_{max} (CH_3OH): 322 nm ($A_{1cm}^{1\%}$ 867), pK_a 7,83; in kaltem Wasser prakt. unlösl., in Eisessig u. Methanol löslich. H. ist als Generikum im Handel. – *E* hymecromone – *F* hymécromone – *I* imecromone – *S* himecromona

Lit.: Beilstein E V **18/1**, 439f. ■ Hager (5.) **8**, 510f. – *[HS 2932 29; CAS 90-33-5]*

Hymenoptera (Hautflügler). Sehr artenreiche Gruppe (über 100000 bekannte Arten, davon in Mitteleuropa ca. 10000 in ca. 50 Familien) von *Insekten. Der Name *Hautflügler* (von griech.: hymen = Häutchen, Membran u. pteron = Flügel) ist auf die charakterist. vier häutig-durchsichtigen Flügel zurückzuführen. Diese liegen in Ruhestellung dem Körper an. Die Ordnung der H. besteht aus zwei Unterordnungen: 1. Pflanzenwespen (Symphyta), sie gelten als „ursprünglich". Bei ihren relativ wenigen Arten, z.B. den Blatt- u. den Holzwespen, gehen Brust u. Hinterleib ohne „Wespentaille" breit ineinander über. 2. Apocrita. Dazu gehören H., die eine deutliche „Wespentaille" zwischen Brust u. Hinterleib besitzen. Bekannte Vertreter sind Schlupf- u. Gallwespen, Hummeln, Bienen, Hornissen, Wespen u. Ameisen. Durch die bei etlichen Arten auftretende Staatenbildung mit Arbeitsteilung werden diese sozialen Insekten als bes. hoch entwickelt eingestuft. Mehr als 30% der einheim. Arten der H. gelten nach der „Roten Liste" als gefährdet. Die H. haben allg. Bedeutung als Blütenbestäuber, Honigsammler u. z. T. als Schädlingsvertilger, einige Pflanzenwespen jedoch sind Schädlinge für Kulturpflanzen u. Holz. – *E* hymenoptera – *F* hyménoptères – *I* imenotteri – *S* himenópteros

Lit.: Honomichl u. Bellmann, Biologie u. Ökologie der Insekten, CD-ROM, Stuttgart: Fischer 1996.

Hymexazol.

Common name für 5-Methylisoxazol-3-ol, $C_4H_5NO_2$, M_R 99,09, Schmp. 86 °C, LD_{50} (Ratte oral) 3900 mg/kg (WHO), von Sankyo entwickeltes system. Boden-*Fungizid u. Saatgut-Behandlungsmittel zur Anw. im Reis-, Zuckerrüben-, Gemüse- u. Zierpflanzenbau. – *E* = *F* hymexazol – *I* imesazolo – *S* himexazol

Lit.: Farm ■ Perkow ■ Pesticide Manual. – *[CAS 10004-44-1 (Oxo-Tautomer)]*

Hyo... Von griech.: hỹs (Genitiv: hyós) = Schwein abgeleitete Vorsilbe; *Beisp.:* Hyodesoxycholsäure (aus Schweinegalle), Hyoscyamus (= „Saubohne", botan. Name für Bilsenkraut). – *E* = *F* hyo... – *I* io... – *S* hio...

Hyoscin s. Scopolamin.

Hyoscyamin ((*S*)-Tropasäure-3*endo*-tropylester, (–)-Tropyltropat).

$C_{17}H_{23}NO_3$, M_R 289,37, Nadeln, Schmp. 106–108 °C, $[\alpha]_D^{15}$ –22° (C_2H_5OH/H_2O 50%) gut lösl. in Chloroform, Ether u. Wasser. H. ist ein *Tropan-Alkaloid aus *Atropa*- (Tollkirsche), *Datura*- (Stechapfel), *Duboisia*-, *Hyoscyamus*- (Bilsenkraut) u. *Scopolia*-Arten (Tollkraut), in alkol. Lsg. racemisiert es langsam, in alkal. sowie saurer Lsg. u. in der Schmelze schnell zu *Atropin. Es hat die gleiche Wirkung auf das zentrale u. die doppelte Giftwirkung auf das periphere Nervensyst. [LD_{50} (Maus i. v.) 95 mg/kg]. Vergiftungserscheinungen sind u. a. Trockenheit in Mund u. Rachen. Zur Gewinnung aus Zellkulturen u. Biosynth. s. *Lit.*[1].

Verw.: In der Medizin wie *Belladonna-Präp. u. *Atropin als Spasmolytikum, Mydriatikum u. gegen Parkinsonismus. – *E* = *F* hyoscyamine – *I* ioscamina – *S* hiosciamina

Lit.: [1] Acta Pharm. Fenn. **95**, 49–58 (1986); J. Am. Chem. Soc. **111**, 1141f. (1989)
allg.: Beilstein E V **21/1**, 235f. ■ Chem. Unserer Zeit **13**, 154 (1979) ■ Dtsch. Apoth. Ztg. **126**, 1930–1934 (1986) ■ Hager (5.) **3**, 682f.; **4**, 423–440, 1140; **8**, 511–515 ■ Merck-Index (12.), Nr. 4795 ■ Sax (8.), S. 1966 ■ Ullmann (5.) **A 1**, 360f. – *Synth.:* J. Org. Chem. **43**, 4373 (1978). – *[HS 2939 90; CAS 101-31-5]*

Hyp. Abk. für *4-Hydroxy-L-prolin.

Hypabyssische Gesteine s. Ganggesteine.

Hypalon®. Sortiment von Synthesekautschuken aus *chlorsulfoniertem Polyethylen (CSM); die Verb. enthält Cl- u. SO_2Cl-Gruppen. Der Chlor-Anteil liegt bei 25–43%, der Schwefel-Gehalt bei 1%. H. besitzt eine bessere Wärme- u. Oxidationsbeständigkeit als *Neoprene, ist resistent gegen Öl, Ozon u. Licht u. findet Verw. in Hydraulikschläuchen, Kabelmänteln, Beschichtungen u. Dachdichtungsbahnen. **B.:** DuPont DOW Elastomers.

Hyper... Dem Griech. entlehnte Vorsilbe, die „über", „darüber hinaus", „mehr als gewöhnlich" bedeutet; Synonym: *Super...; Gegensatz: *Hypo... H. findet vielseitige Anw. in der wissenschaftlichen Terminologie (z.B. *Hyperonen, *Hypertonie). Bes. in der Medizin wird H. zur Bez. überfunktioneller Zustände u./od. daraus entstehender Krankheiten verwendet; beim übermäßigen Auftreten bestimmter Substanzen im Blut ist oft der Terminus *Hyper...ämie* gebräuchlich (*Beisp.* s. bei den folgenden Stichwörtern). In der chem. Nomenklatur wird H. im allg. nicht mehr benutzt. Früher wurden die Oxide u. Oxosäuren mit der höchsten Oxidationszahl eines Elements durch Vorsetzen von Hyper... gekennzeichnet (z.B. Hyperchlorsäure), heute durch systemat. Bez. od. *Per...; vgl. jedoch Hyperoxid-Ion. – *E* = *F* hyper... – *I* iper... – *S* hiper...

Hyperacidität. Bez. für die Erhöhung der *Acidität z.B. des *Magensaftes.

Hyperämie (Blutfülle). Verstärkte Durchblutung von Organen, die durch vermehrten Blutzufluß (reaktive H.) od. verhinderten Abfluß (Stauungs-H.) aus unterschiedlichen Ursachen entsteht. H. der Haut äußert sich im Auftreten von *Erythemen u. kann ggf. erwünscht sein. Pharmaka, die eine H. hervorrufen, werden zusammenfassend als *Hyperämika* bezeichnet; *Beisp.:* *Benzylisothiocyanat, *Cantharidin u.a. *Vesikantien, Nicotinsäureester. – *E* hyperemia – *F* hyperémie – *I* iperemia – *S* hiperemia

Hypercalcämie. Erhöhung der *Calcium-Konz. im Blut über 2,6 mmol/L. Eine H. kommt im Rahmen verschiedener Erkrankungen vor, z.B. bei der Überfunktion der *Nebenschilddrüsen mit erhöhter *Parathyrin-Ausschüttung. – *E* hypercalcemia – *F* hypercalcémie – *I* ipercalcemia – *S* hipercalcemia

Hypercholesterinämie. Bestimmte Form der *Hyperlipidämie mit überhöhtem *Cholesterin-Gehalt im Blutplasma (über 200 mg-%). – *E* hypercholesterolemia – *F* hypercholestérolémie – *I* ipercolesterolemia – *S* hipercolesterolemia

Hyperchrom s. Chromophore.

Hyperchromie. Vermehrter *Hämoglobin-Gehalt der roten Blutkörperchen über 370 g/L (34 pg pro Zelle). H. kommt bei bestimmten Formen der *Anämie vor, wie z.B. der *perniziösen Anämie. – *E* hyperchromia – *F* hyperchromie – *I* ipercromia – *S* hipercromia

Hyperemesis (griech.: emesis = Erbrechen). Häufiges u./od. sehr starkes Erbrechen, das zu Gew.-Abnahme u. Kräfteverfall führt. – *E* hyperemesis – *F* hyperémèse – *I* iperemesi – *S* hiperemesis

Hyperfeinstruktur (HFS). Eine zusätzlich zur Feinstruktur (s. Spektroskopie) auftretende Aufspaltung der Spektrallinien. Die HFS ist ungefähr 1000mal kleiner als die Feinstruktur u. resultiert aus den sehr schwachen Wechselwirkungen zwischen der Elektronenhülle der Atome u. dem Kern, während die Feinstruktur ihre Ursache in den sog. Spin-Bahn-Kopplungen od. bei Mol. auch in der Spin-Rotationskopplung hat, d.h. in Wechselwirkungen zwischen Spindrehimpuls u. Bahndrehimpuls od. dem Rotationsdrehimpuls. Die HFS setzt sich zusammen aus einem quant. geringfügigen Beitrag, der auf *Isotopie-Effekte zurückgeht (es sind so viele Spektrallinien, wenn auch sehr eng benachbart, vorhanden, wie *Isotope vorliegen), u. einer quant. größeren Aufspaltung, die von denjenigen Energieänderungen herrührt, die sich aus den Wechselwirkungen von magnet. Kernpol u. Magnetfeld der Elektronenhülle ergeben. HFS können mit der höchstauflösenden *Interferometrie od. der *Mikrowellen-Spektroskopie sowie durch *Laserspektroskopie untersucht werden. Ihre Messung dient zur Bestimmung von Impulsmomenten, magnet. Dipolmomenten u. Quadrupolmomenten, u. zur Interpretation der Ergebnisse der *EPR-Spektroskopie. – *E* hyperfine structure – *F* structure hyperfine – *I* struttura iperfine – *S* estructura hiperfina

Lit.: Bergmann u. Schaefer, Lehrbuch der Experimentalphysik, Bd. 4, Teilchen, Berlin: de Gruyter 1992 ▪ Demtröder, Experimentalphysik 3, Berlin: Springer 1996 ▪ Hollas, High Resolution Spectroscopy, London: Butterworths 1982 ▪ s.a. Atombau, Spektroskopie, Atomstrahlen.

Hyperfiltration. Ältere Bez. für das heute als *umgekehrte Osmose bezeichnete Verf. zur Gewinnung von reinem Wasser.

Hyperforat®. Dragées u. Ampullen mit *Johanniskraut-Extrakt, *H. forte* (Rp) zusätzlich mit Rauwolfiawurzel, zur Behandlung von Depressionen. **B.:** Klein.

Hyperglykämie. Langfristige Erhöhung der Glucose-Konz. im Blut über 1,4 g/L (7,77 mmol/L). Eine H. kommt bei Störungen des Kohlenhydrat-Stoffwechsels wie dem *Diabetes mellitus vor. Vorübergehende Steigerungen der Blutglucose-Konz. können durch ernährungsbedingte übermäßige Belastung mit Kohlenhydraten entstehen. – *E* hyperglycemia – *F* hyperglycémie – *I* iperglicemia – *S* hiperglucemia

Hypergole. Bez. für flüssige, hauptsächlich als *Raketentreibstoffe verwendete Brennstoffe, die sich beim Berühren ihrer Komponenten von selbst entzünden (*hypergole Zündung*); *Beisp.:* Gemische aus Xylidin od. a. Aminen u. rauchender Salpetersäure. – *E* = *F* hypergols – *I* ipergoli – *S* hipergoles

Lit.: Meyer, Explosivstoffe, 6. Aufl., S. 173, Weinheim: Verl. Chemie 1985 ▪ Ullmann (4.) **20**, 93.

Hyperhidrose s. Schweiß.

Hypericin (Hypericumrot, Johannisblut, Herrgottsblut). $C_{30}H_{16}O_8$, M_R 504,45, violette Krist., Schmp. ca. 320°C (Zers.), lösl. in organ. Basen, schwer lösl. in wäss. alkal. Lsg. mit grüner Farbe, oberhalb pH 11,5 mit ziegelroter Fluoreszenz. H. kommt im Mehlkäfer

(*Nipaecocus aurilanatus*), im Johanniskraut (*Hypericum perforatum*) u. anderen *Hypericum*-Arten vor,

R = OH : Hypericin

R = : Fagopyrin

verursacht auf der Haut Erytheme, Geschwüre u. Nekrosen, bei nicht pigmentierten Weidetieren (weiße Schafe, Pferde, Ziegen) u. Versuchstieren eine Photosensibilisierung[1]. Die Tiere werden unruhig, wälzen sich auf dem Boden (Juckreiz), Kinn u. Lippen schwellen an, in schweren Fällen sterben sie unter Krämpfen [LD_{50} (Ratte p. o.) 10 mg/kg] (gleiche Wirkung: das strukturverwandte *Fagopyrin*, $C_{40}H_{34}N_2O_8$, M_R 670,72 aus *Buchweizen, *photodynamischer Effekt, *Hypericismus, Fagopyrismus*). Ursache ist die Hämolyse roter Blutkörperchen, wie sie auch bei manchen *Porphyrinen auftritt. H. wurde auch aus dem Pilz *Dermocybe austroveneta* (Basidiomyceten) isoliert; allerdings scheint das Vork. von H. in Hautköpfen auf die südliche Hemisphäre beschränkt zu sein[2]. Zur Biosynth. s. *Lit.*[3]. Die Synth. von H. geht im allg. von *Emodin aus.
Verw.: Das zur Blütezeit geerntete Johanniskraut wird auf Grund seines Gerbstoffgehaltes bei Durchfallerkrankungen eingesetzt u. besitzt anthelmint. Wirkung; dem aus zerquetschten frischen Blüten durch Mazeration mit Olivenöl bereiteten rubinroten Johannisöl werden wundheilende u. entzündungshemmende Eigenschaften nachgesagt[4]. H. zeigt antiretrovirale[5] u. insektizide[6] Wirkungen. Johanniskrautextrakt (standardisiert auf H.) wird bei psychovegetativen Störungen, depressiver Verstimmung sowie nervöser Unruhe eingesetzt (Präparat: Remotiv®). – *E* hypericin – *F* hypéricine – *I* ipericina – *S* hipericina
Lit.: [1] ACS Symp. Ser. **339**, 265–270 (1987); J. Chem. Ecol. **15**, 875–885 (1989); NATO Adv. Study Inst. Ser., Ser. A. **A 34**, 299–314 (1980); Photochem. Photobiol. **43**, 677–680 (1986); Photochem. Photobiol. Rev. **5**, 229–255 (1980). [2] Zechmeister **51**, 152; J. Nat. Prod. **51**, 1255–1260 (1988). [3] Zechmeister **14**, 141–185. [4] Dtsch. Apoth. Ztg. **136**, 1015 (1996); Med. Res. Rev. **15**, 111–119 (1995). [5] Proc. Natl. Acad. Sci. USA **85**, 5230–5234 (1988); **86**, 5963–5967 (1989). [6] J. Chem. Ecol. **15**, 855–862 (1989).
allg.: Beilstein E IV **8**, 3761 (H.); E V **25/3**, 482 (Fagopyrin) ▪ Hager (5.) **5**, 474–495 ▪ Karrer, Nr. 1311–1315. – *Synth.*: Angew. Chem. **85**, 88 f. (1973); **89**, 55 ff. (1977). – [CAS 548-04-9 (H.); 72393-03-4 (Fagopyrin)]

Hypericismus s. photodynamischer Effekt.

Hyperin s. Johanniskraut.

Hyperinsulinismus. Gesteigerte Bildung u. Freisetzung von *Insulin durch die B-Zellen des *Pankreas u. dadurch bedingte *Hypoglykämie. H. ist meistens eine Folge von abnormer Vermehrung der B-Zellen od.

von Tumoren des Pankreas. – *E* hyperinsulinism – *F* hyperinsulinisme – *I* iperinsulinismo – *S* hiperinsulinismo

Hyperkeratose (griech.: *Hyper... u. keras = Horn). Übermäßig starke Hornbildung der *Haut (s. a. Keratine), z. B. in Form von Schwielen od. Warzen. – *E* hyperkeratosis – *F* hyperkératose – *I* ipercheratosi – *S* hiperqueratosis

Hyperkern. Sind in einem Atomkern ein od. zwei *Neutronen durch ein Lambda-Hyperon $\Lambda°$ (s. a. Elementarteilchen, exotische Atome u. Hyperonen) ersetzt, so resultiert ein kurzlebiger H.; z. B. enthält der als Hyperhelium 5 bezeichnete Kern ${}^{5}_{\Lambda}$He zwei Protonen, ein Neutron u. ein $\Lambda°$-Hyperon. – *E* hypernuclei – *F* hyper-noyaux – *I* ipernucleo – *S* hipernúcleo

Hyperkonjugation. Das Konzept der H. wurde 1935 von J. W. Baker u. Nathan[1] entwickelt (*Baker-Nathan-Effekt*) u. von *Mulliken 1939 im Rahmen der *Molekülorbital-Theorie ausgearbeitet[2], um den Einfluß von Alkyl-Gruppen auf die Reaktivität von ungesätt. Syst. u. auf die Bindungsabstände zu deuten. Die hyperkonjugative Wechselwirkung zwischen einer CH_3-Gruppe u. einem benachbarten π-Elektronensyst. sei im Molekülorbital-Bild etwas näher beschrieben. Aus den 3 äquivalenten CH-Bindungsorbitalen der CH_3-Gruppe lassen sich 3 *Gruppenorbitale* konstruieren, von denen zwei symmetr. u. eines antisymmetr. bezüglich der Spiegelung an der Molekülebene (Ebene, in der die Atome des planaren π-Elektronensyst. liegen) sind (s. die Abb.). Letzteres Gruppenorbital, in der Abb. φ_3 genannt, ist vom π-Typ u. kann daher mit dem π-Elektronensyst. in bindende Wechselwirkung treten. H. trägt v. a. zur Stabilisierung von *Carbenium-Ionen u. *freien Radikalen bei.

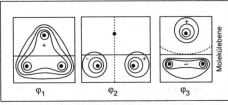

Abb.: Höhenlinienbilder der Gruppenorbitale einer CH_3-Gruppe. Das antisymmetr. Orbital φ_3 kann hyperkonjugative Wechselwirkung mit einem benachbarten π-Orbital eingehen.

– *E* hyperconjugation – *F* hyperconjugaison – *I* iperconiugazione – *S* hiperconjugación
Lit.: [1] J. Chem. Soc. **1935**, S. 1844 ff. [2] J. Chem. Phys. **7**, 339 (1939).
allg.: Dewar, Hyperconjugation, New York: Roland Press 1962 ▪ Klessinger, Elektronenstruktur organischer Moleküle, Weinheim: Verl. Chemie 1982 ▪ Kutzelnigg, Einführung in die Theoretische Chemie (2.), Bd. 2: Die chemische Bindung, Weinheim: Verl. Chemie 1994.

Hyperlipidämie. Vermehrung der *Lipide (Triglyceride u. Cholesterin) im Blut. Da Lipide in Form von *Lipoproteinen im Blut transportiert werden, wird auch der Ausdruck *Hyperlipoproteinämie* verwendet. H. sind Störungen des Lipid-Transportes durch erhöhte Synth. od. verzögerten Abbau von Lipoproteinen. Sie treten als erbliche prim. H. od. als sek. H. im Rahmen von Stoffwechselerkrankungen wie z.B. des *Diabetes mellitus auf. Nach Art der vermehrten Lipide werden *Hypertriglyceridämien, Hypercholesterinämien* u. *kombinierte H.* unterschieden, bei denen bestimmte Lipoprotein-Fraktionen in der Elektrophorese (HDL, LDL, VLDL, IDL, s. a. Lipoproteine) erhöht sind. Da die H. im Rahmen der Entstehung der *Arteriosklerose eine bedeutende Rolle spielt, wird versucht, mit diätet. Maßnahmen u./od. Lipid-senkenden Medikamenten die Lipid-Spiegel im Blut den Normalwerten anzunähern. – *E* hyperlipidemia – *F* hyperlipidémie – *I* iperlipemia – *S* hiperlipidemia

Hyperlipoproteinämie s. Hyperlipidämie.

Hyperonen. Zu den *Baryonen gehörende instabile *Elementarteilchen mit Ruhemassen von über 1 GeV. Das erste H. wurde 1951 in der *kosmischen Strahlung entdeckt; es handelte sich dabei um das ungeladene Λ-Teilchen mit einer Ruhemasse von 1,115 GeV. Das Λ-Teilchen vermag das *Neutron unter Bildung sog. *Hyperkerne zu ersetzen. Nach heutiger Vorstellung setzen sich die H. aus Quarks zusammen; Näheres s. Elementarteilchen. – *E* hyperons – *F* hypérons – *I* iperoni – *S* hiperones
Lit.: s. Elementarteilchen.

Hyperoxid. Bez. für das Ion O_2^-, für das nach IUPAC auch die Namen Superoxid u. Dioxid(1–) erlaubt sind. H. ist ein Anion-Radikal od. Radikal-Anion u. wird deshalb auch als O_2^- dargestellt. Das äußerst giftige H.-Anion entsteht aus mol. Sauerstoff (O_2) durch Aufnahme eines Elektrons. Durch Protonierung geht es in die korrespondierende Säure Perhydroxyl (Hydroperoxyl, HO_2; pK-Wert: 4,7) über. H. wird unter anderem durch Phagocyten (z.B. *Makrophagen u. neutrophile Granulocyten, s. Leukocyten) unter Katalyse von *NADPH-Oxidase* gebildet u. als Waffe gegen Zielzellen eingesetzt, aber auch in anderen Geweben erzeugt – eine Übersicht gibt *Lit.*[1]. Aus Komplexen anderer Sauerstoff-reduzierender Enzyme (z.B. der *Cytochrom-c-Oxidase) wird es *in vivo* normalerweise nicht freigesetzt; geringere Mengen O_2^- disproportionieren katalyt. mit Hilfe von *Superoxid-Dismutase – im leicht Sauren jedoch auch spontan – zu O_2 u. Wasserstoffperoxid (H_2O_2); letzteres wiederum wird durch *Katalase u.a. *Peroxidasen unschädlich gemacht. Auch Antioxidantien wie L-*Ascorbinsäure, *Harnsäure, u. *Thiole tragen zur Entgiftung bei. Das in prakt. allen Geweben vorkommende Stickstoffmonoxid (s. Stickstoffoxide) reagiert mit H. zum giftigen Peroxynitrit, das *Tyrosin-Reste in Proteinen nitriert[2]. Zur Beteiligung von H. an der *Signaltransduktion von *Wachstumsfaktoren s. *Lit.*[3].
Von den Alkalimetallen Na, K, Rb u. Cs sind salzartige Hyperoxide bekannt. Kaliumhyperoxid KO_2 (s. Kaliumoxide) hat techn. Bedeutung. Das in *Matrix untersuchte H_2O_4 kann als Dimer des Perhydroxyl-Radikals aufgefaßt werden. – *E* hyperoxide – *F* hyperoxyde – *I* iperossido – *S* hiperóxido
Lit.: [1] Biochim. Biophys. Acta **1057**, 281–298 (1991). [2] Am. J. Physiol. – Cell Physiol. **40**, C 1424–1437 (1996). [3] Science **275**, 1567 f., 1649–1652 (1997).
allg.: Afanas'ev, Superoxide Ion: Chemistry and Biological Implications, 2 Bd., Boca Raton: CRC Press 1991.

Hyperparathyreoidismus s. Nebenschilddrüsen.

Hyperpigmentierung s. Hautbräunung.

Hyperschall. Bez. für *Ultraschall mit extrem hohen Frequenzen über 10^9 Hertz. Die Frequenz therm. Schwingungen der Atome in Materie sind im gleichen Frequenzbereich wie Hyperschall. Da auch die Wellenlänge von H. in der Größenordnung der Mol.-Abstände liegt, treten bei der Ausbreitung von H. in Materie Resonanzen mit starken Phasenverschiebungen auf, die zur Dispersion führen. Die Reichweite der Welle ist sehr kurz (wenige Zehntel Millimeter). – *E* = *F* hyperson – *I* ipersuono – *S* hipersonido
Lit.: Bergmann u. Schaefer, Lehrbuch der Experimentalphysik, Bd. 1, Berlin: de Gruyter 1990 ▪ Kuttruff, Physik u. Technik des Ultraschalls, Stuttgart: Hirzel 1988.

Hypersensibilisierung s. Photographie.

Hypersthen s. Pyroxene.

Hypertension s. Hypertonie.

Hyperthermie (griech.: thermo = warm). Erhöhung der *Körpertemperatur über den physiolog. Wert von ca. 37 °C. Zur H. kommt es, im Gegensatz zum *Fieber, durch extreme Hitzebelastung von außen od. durch starke körperliche Belastung, die die Fähigkeit des Organismus zur regulativen Wärmeabgabe übersteigt. Kurzfristig können Temp. um 42 °C ertragen werden, bei anhaltender H. tritt jedoch eine Schädigung des Gehirns auf, die rasch zum Tode führen kann (Hitzschlag). – *E* = *F* hyperthermia – *I* ipertermia – *S* hipertermia

Hyperthyreose (Hyperthyreoidismus). Krankhafte Überfunktion der *Schilddrüse mit erhöhtem Angebot der Schilddrüsenhormone *Thyroxin u. Triiodthyronin an die Körperzellen. Die häufigste Erscheinungsform der H. ist die *Basedowsche Erkrankung*, bei der die Schilddrüse durch Autoimmunprozesse zur Hormonproduktion angeregt wird. Das klin. Bild geht einher mit *Kropf-Bildung, hervorstehenden Augen, charakterist. Hautveränderungen v. a. an den Unterschenkeln u. den Auswirkungen des Hormonüberschusses wie Steigerung des *Grundumsatzes, Gewichtsverlust, Nervosität, Schwitzen, Hitzeunverträglichkeit u. Herzklopfen. Weitere Ursachen der H. sind z.B. die Hormonproduktion durch Schilddrüsengewebe, das nicht der Regulation durch die *Hypophyse unterliegt (Autonomie der Schilddrüse), u. selten bestimmte Schilddrüsenentzündungen od. Hypophysentumoren. Die Behandlung der H. erfolgt je nach Ursache u. Verlauf mit Medikamenten, die die Schilddrüsenhormonproduktion hemmen (*Thyreostatika), durch operative Entfernung od. durch teilw. Zerstörung von Schilddrüsengewebe mit radioaktivem Iod. – *E* hyperthyroidism – *F* hyperthyreoidie – *I* ipertiroidismo – *S* hipertiroidismo
Lit.: Siegenthaler, Klinische Pathophysiologie, S. 263–278, Stuttgart: Thieme 1994 ▪ Vosberg u. Wagner, Schilddrüsenkrankheiten, Stuttgart: Thieme 1991.

Hypertonie (Hypertension). Erhöhung des *Blutdruckes auf Werte von systol. 160 mm Hg u. darüber u./od. diastol. 95 mm Hg u. höher. Die Ursache der meisten Fälle (90%) von Bluthochdruck ist ungeklärt (*essentielle H.*), während sich 10% auf Erkrankungen z.B. der Nieren, des Hormonsyst. od. der Blutgefäße zurückführen lassen (*symptomat. H.*). Die H. ist eine häufige Erkrankung mit auf die Dauer schwerwiegenden Folgen. Die Überbeanspruchung des Kreislaufsyst. führt häufig zu *Arteriosklerose u. damit zu gravierenden Schäden an Herz (Herzschwäche, Herzinfarkt), Gehirn (Schlaganfall) u. Nieren (Niereninsuffizienz). Die Behandlung erfolgt hauptsächlich medikamentös. Als Blutdruck-senkende Mittel (Antihypertensiva, *Antihypertonika) dienen u.a. *Diuretika, *Vasodilatatoren (z.B. *Calcium-Antagonisten), antiadrenerge Substanzen (z.B. Beta-Rezeptorenblocker, s. Adrenozeptoren) u. Hemmstoffe des angiotensin converting enzyme. – *E = F* hypertension – *I* ipertonia – *S* hipertensión

Lit.: Beevers u. MacGregor, Hypertonie, Köln: Deutscher Ärzte-Verl. 1988 ▪ Gross et al., Die Innere Medizin, S. 323–338, Stuttgart: Schattauer 1994.

Hypertonische Lösungen (griech.: *Hyper... u. tonos = Spannung). Lsg. mit einem höheren osmot. Druck (s.a. Osmose) als eine Vergleichslösung. So verlieren *Zellen in h. L. ihr Wasser u. schrumpfen zusammen. Dies führt z.B. bei Pflanzenzellen zum Ablösen des Cytoplasmas von der Zellwand (Plasmolyse). Die Berücksichtigung des osmot. Drucks ist z.B. bei *Nährlösungen, *Infusionen u. in der *Gewebezüchtung von Bedeutung. – *E* hyperosmotic solutions – *F* solutions hypertoniques – *I* soluzioni ipertoniche – *S* soluciones hipertónicas

Hypertrichose s. Haarbehandlung (6.).

Hyperurikämie. Bez. für eine erhöhte *Harnsäure-Konz. im Blutserum über 60 mg/L bei der Frau u. 70 mg/L beim Mann. Eine H. tritt im Rahmen der *Gicht auf sowie bei Krankheiten, die mit Zerstörung von Zellen u. Gewebe einhergehen (z.B. Leukämien) u. bei Nierenerkrankungen. – *E* hyperuricemia – *F* hyperuricémie – *I* iperuricemia – *S* hiperuricemia

Hypervalente Moleküle. Bez. für Verb. von Elementen der 3.–8. Hauptgruppe (Gruppe 13–18 des *Periodensystems) mit mehr als vier Elektronenpaaren in der Valenzschale des Zentralatoms. Beisp. sind $[AlF_6]^{3-}$, $[SiF_6]^{2-}$, PF_5, $[PF_6]^-$, SF_6, IF_7, $[IF_8]^-$, XeF_6, $[XeF_8]^{2-}$, $[ClF_6]^+$ u.a. Die Hypervalenz kann auf die Ausbildung von Mehrzentrenbindungen (s. Dreizentrenbindung, Edelgas-Verbindungen), ggf. mit Beteiligung von d-Orbitalen, zurückgeführt werden. – *E* hypervalent molecules – *F* molécules hypervalents – *I* molecoli ipervalenti – *S* moléculas hipervalentes

Lit.: Chem. Rev. **93**, 1371–1448 (1993).

Hypervariable Region. In der *Immunologie Bez. für die am stärksten in ihrer Aminosäure-Sequenz variierenden drei Bereiche in den variablen Domänen (V-Domänen) der *Immunglobuline u. der T-Zell-Rezeptoren (s. Immunsystem). Die h. R. bilden die Antigen-Bindungsregion (s. Antigene) der Immunglobuline bzw. die Antigen-erkennende Region der T-Zell-Rezeptoren. – *E* hypervariable region – *F* région hypervariable – *I* regione ipervariabile – *S* región hipervariable

Lit.: Janeway u. Travers, Immunologie, S. 121 ff., Heidelberg: Spektrum Akadem. Verl. 1995.

Hyperventilation s. Kohlendioxid.

Hypervitaminosen. Schädigungen, die durch übermäßige Aufnahme bestimmter *Vitamine verursacht werden; v.a. Lipid-lösl. Vitamine wie Vitamin A u. D führen bei Überdosierung zu H., da sie im Körper gespeichert werden. So kommt es z.B. bei Vitamin A-Überdosierung zu Kopfschmerzen, Übelkeit u. Erbrechen, bei chron. Vergiftung zu Knochen- u. Gelenkschmerzen, vermehrter Knochenbildung, Trockenheit u. Rissen der Lippen sowie Haarausfall. – *E* hypervitaminosis – *F* hypervitaminoses – *I* ipervitaminosi – *S* hipervitaminosis

hypho-. Von griech.: hyphé = Gewebe abgeleitetes, kursiv gesetztes Präfix, das nach IUPAC-Regel I-11.3 *Borane u. *Carborane mit noch mehr geöffneter Netzstruktur als bei *arachno- bezeichnet (B_nH_{n+8} u.ä.); Beisp. s. *Literatur*. – *E = F* hypho- – *I* ifo – *S* hifo-

Lit.: Kirk-Othmer (3.) **4**, 141 f. ▪ Top. Curr. Chem. **100**, 169–206 (1982).

Hypholomine. Dimere Styrylpyron-Farbstoffe aus dem Grünblättrigen Schwefelkopf (*Hypholoma fasciculare*), einem häufigen, büschelig an Baumstümpfen wachsenden Waldpilz. Es handelt sich um *Hypholomin A* ($C_{26}H_{18}O_9$, M_R 474,42, gelbe Nadeln, Schmp. 155–158 °C) u. *Hypholomin B*, die analoge 3‴-Hydroxy-Verbindung.

R = H; n = 1 : Hypholomin A
R = OH; n = 1 : Hypholomin B
R = H; n = 0 : Fasciculin A
R = OH; n = 0 : Fasciculin B

Die strukturell sehr ähnlichen, stark fluoreszierenden Farbstoffe *Fasciculin A* ($C_{24}H_{16}O_9$, M_R 448,39) u. *B.* ($C_{24}H_{16}O_{10}$, M_R 464,39) wurden aus dem gleichen Pilz u.a. *Hypholoma*-Spezies isoliert. – *E* hypholomins – *F* hypholomine – *I* ifolomine – *S* hifolomins

Lit.: Beilstein E V **19/10**, 686, 692 (H. A, B), 685, 691 f. (Fasciculin A, B) ▪ Chem. Ber. **110**, 1047 (1977) ▪ Zechmeister **51**, 91–94 ▪ s.a. Hispidin. – *[CAS 62350-92-9 (H.A); 62350-94-1 (H.B); 62350-93-0 (Fasciculin A); 62350-95-2 (Fasciculin B)]*

Hypidiomorph s. Gefüge.

Hypnomidate® (Rp). Ampullen mit *Etomidat zur Kurznarkose, s.a. Injektionsnarkotika. *B.:* Janssen, Cilag.

Hypnon. Trivialname für *Acetophenon.

Hypnophilin.

$C_{15}H_{20}O_3$, M_R 248,32, Öl, $[\alpha]_D$ −83° (CHCl₃). Naturstoff mit *Hirsuten-Struktur aus dem Pilz *Pleurotellus hypnophilus*. H. wirkt antibiot. gegen Gram-pos. u. -neg. Bakterien, Pilze, Hefen sowie als Tumorstatikum. Verwandte Verb. sind *Coriolin B, Pleurotellsäure u. *Pleurotellol. – *E* hypnophilin – *F* hypnophiline – *I* ipnofilina – *S* hipnofilina

Lit.: J. Am. Chem. Soc. **110**, 5064 (1988) ▪ Pure Appl. Chem. **53**, 1233–1240 (1981) ▪ Tetrahedron **42**, 3587 (1986). – *Synth.:* Angew. Chem. **102**, 685 ff. (1990). – *[CAS 80677-96-9]*

Hypnorex® retard (Rp). Tabl. mit *Lithiumcarbonat gegen Manien u. Depressionen. *B.:* Synthelabo.

Hypnotika s. Schlafmittel.

Hypo... Dem Griech. entlehnte Vorsilbe, die „unter", „unterhalb", „darunter", im übertragenen Sinne „weniger als gewöhnlich" bedeutet u. damit im Gegensatz zu *Hyper... steht. In der techn. u. medizin. Fachsprache bezeichnet Hypo... viele Arten von Mangelzuständen (*Beisp.* s. bei den folgenden Stichwörtern). In der chem. Nomenklatur drückt H. in Verb.-Namen eine niedrige, niedrigere od. die niedrigste *Oxidationszahl aus. *Beisp.:* Hypochlorite (M^IOCl; zur Schreibweise s. Hypohalite) haben ein O weniger als die Chlorite (M^IClO$_2$), die Hyponitrite (M^I_2N$_2$O$_2$) ein O weniger als die Nitrite (M^INO$_2$). Nach IUPAC-Regel I-9.4.2 kann H. zur Kennzeichnung einer niedrigeren Oxid.-Stufe bei den im allg. in Einzelstichwörtern behandelten Verb. Hyposalpetrige Säure, Hypophosphorsäure, Hypochlorige, -bromige u. -iodige Säure gebraucht werden, während die Hypophosphorige Säure als Phosphinsäure zu benennen ist. Analog geht die Namensbildung der Salze u. Ester vor sich, s. a. die hier folgenden Stichwörter. – *E = F* hypo... – *I* ipo... – *S* hipo...

Hypobromige Säure. HOBr (HBrO), M_R 96,91. Die früher *Unterbromige Säure* genannte H. S. ist nur in Form gelber, wäss. Lsg. bekannt u. wird durch Schütteln von Quecksilberoxid mit Bromwasser hergestellt:

$$HgO + 2 Br_2 + H_2O \rightarrow HgBr_2 + 2 HOBr.$$

Die Lsg. läßt sich höchstens auf einen H. S.-Gehalt von 6% anreichern, sie wirkt stark oxidierend u. bleichend, u. bei +30 °C tritt bereits Zers. ein. Die Salze der H. S. sind die *Hypobromite. – *E* hypobromous acid – *F* acide hypobromeux – *I* acido ipobromoso – *S* ácido hipobromoso

Lit.: Gmelin, Syst.-Nr. 7, Br, 1931, S. 287–281 ▪ Kirk-Othmer (4.) **4**, 565 ff. ▪ Ullmann (5.) A **4**, 425 ▪ s. a. Hypohalite. – *[CAS 13517-11-8]*

Hypobromite. Salze der *Hypobromigen Säure (HOBr). Von einiger Bedeutung sind Kaliumhypobromit (KOBr) u. Natriumhypobromit (NaOBr), die man analog den *Hypochloriten durch Einleiten von Brom in Natronlauge od. Kalilauge erhält:

$$2 NaOH + Br_2 \rightarrow NaOBr + NaBr + H_2O.$$

Die Alkalihypobromite sind ausgeprägte Bleich- u. Oxid.-Mittel; sie zersetzen sich beim Erwärmen u. beim Ansäuern. Sie finden auch als Oxid.-Mittel in der quant. Analyse Verw., z. B. bei der Fällung von Mangan- u. Nickel-Salzen, bei der Überführung von Chromhydroxid in chromsaure Salze sowie für die Bromoform-Reaktion (s. Haloforme) u. für die Substitution von Alkin-H durch Br[1]:

$$H–C≡C–R + NaOBr \rightarrow R–C≡C–Br + NaOH$$

– *E = F* hypobromites – *I* ipobromiti – *S* hipobromitos

Lit.: [1] Houben-Weyl **5/4**, 23.
allg.: Brauer (3.) **1**, 320 ff. ▪ Kirk-Othmer (4.) **4**, 565 ff. ▪ s. a. Hypohalite. – *[HS 2828 10, 2828 90; CAS 13824-97-0 (KOBr); 13824-96-9 (NaOBr)]*

Hypocalcämie. Verminderung der *Calcium-Konz. im Blut unter 2,2 mmol/L. Eine H. findet man im Rahmen verschiedener Erkrankungen, z. B. bei der Unterfunktion der *Nebenschilddrüsen mit verminderter *Parathyrin-Ausschüttung. Sie äußert sich u. a. in einer Übererregbarkeit der Muskulatur mit Verkrampfungen (tetanische Krämpfe). – *E* hypocalcemia – *F* hypocalcémie – *I* ipocalcemia – *S* hipocalcemia

Hypochlorige Säure. HOCl, M_R 52,46. Die früher *Unterchlorige Säure* genannte H. S. ist nur in schwach grüngelb gefärbter, Chlorkalk-artig riechender, wäss. Lsg. bekannt. Die Lsg. wirkt bleichend u. oxidierend u. zersetzt sich bes. im Licht unter Bildung von Sauerstoff u. Salzsäure.

Herst.: Durch Disproportionierung von Chlor in wäss. Lsg., wobei die ebenfalls entstehende Salzsäure z. B. mit Calciumcarbonat od. Quecksilberoxid abreagiert. $2 Cl_2 + 2 H_2O + 2 CaCO_3 \rightarrow 2 HOCl + CaCl_2 + Ca(HCO_3)_2$. Die Salze der H. S. heißen *Hypochlorite. – *E* hypochlorous acid – *F* acide hypochloreux – *I* acido ipocloroso – *S* ácido hipocloroso

Lit.: Brauer (3.) **1**, 319 ▪ Inorg. Synth. **5**, 160 (1957) ▪ Gmelin, Syst.-Nr. 6, Cl, 1927, S. 249–267 ▪ Ullmann (5.) A **6**, 486 f. ▪ s. a. Hypochlorite. – *[HS 2811 19; CAS 7790-92-3]*

Hypochlorite. Salze der *Hypochlorigen Säure mit der allg. Formel M^IOCl bzw. M^{II}(OCl)$_2$. Sie entstehen durch Einleiten von Chlor in stark bas. Lsg. von Alkali- bzw. Erdalkalihydroxiden od. durch Elektrosynth. ausgehend von Meerwasser. Alle festen H. sind weiße Pulver, die sich in Abhängigkeit von ihrem Wassergehalt bei Temp. über 80 °C unter Abspaltung von Sauerstoff zersetzen. Ihre wäss. Lsg., die stabiler sind als Lsg. von Hypochloriger Säure, wirken stark oxidierend u. werden deshalb als Desinfektionsmittel u., in sinkendem Umfang, als Bleichmittel (z. B. für Papier, Textilien, Zellstoff) verwendet. Ein neues, schnell wachsendes Anw.-Gebiet ist die Unterdrückung von Algenwachstum in Meerwasser-Entsalzungsanlagen u. bei der Verw. von Meerwasser in der sek. Erdölförderung. – *E = F* hypochlorites – *I* ipocloriti – *S* hipocloritos

Lit.: Brauer (3.) **1**, 319 f. ▪ Gmelin, Syst.-Nr. 6, Cl, 1927, S. 265–295 ▪ Hommel, Nr. 385 ▪ Houben-Weyl **6/4**, 490 ff. ▪ Kirk-Othmer (4.) **5**, 932–968 ▪ McKetta **4**, 432–439 ▪ Ullmann (5.) A **4**, 193; A **6**, 487–496 ▪ Winnacker-Küchler (4.) **2**, 448–451 ▪ s. a. Hypohalite. – *[HS 2828 10, 2828 90]*

Hypochrom s. Chromophore.

Hypochromie. Verminderter *Hämoglobin-Gehalt der roten Blutkörperchen unter 310 g/L (26 pg pro Zelle). H. kommt bei verschiedenen Formen der *Anämie vor, am häufigsten bei der Eisenmangel-Anämie. – *E* hypochromia – *F* hypochromie – *I* ipocromia – *S* hipocromia

Hypodiphosphate s. Diphosphate(V).

Hypodiphosphorsäure s. Diphosphorsäure(V).

Hypodisulfate. Unzulässiger Trivialname für *Dithionate.

Hypodisulfite. Unzulässiger Trivialname für *Dithionite.

Hypofermentie. Unterproduktion eines od. mehrerer *Stoffwechsel-*Enzyme des Körpers. H. kann angeboren sein (*Erbkrankheit*) od. durch die Erkrankung Enzym-produzierender Gewebe zustande kommen u. führt durch metabol. Ausfallserscheinungen zu evtl. schweren Stoffwechsel- u. Allgemeinerkrankungen. – *E* hypofermentosis – *F* hypofermentose – *I* ipofermentosi – *S* hipofermentosis

Hypoferrämie s. Hyposiderinämie.

Hypogeusie. Störung des Geschmackssinns mit herabgesetzter Geschmacksempfindung (s. a. Geschmack). – *E* hypogeusia – *F* hypogeusie – *I* ipogeusia – *S* hipogeusia

Hypoglycin [Hypoglycin A, 3-((*R*)-Methylencyclopropyl)-L-alanin].

$C_7H_{11}NO_2$, M_R 141,17. Gelbe Plättchen, Schmp. 280–284 °C. Die Aminosäure H. ist giftig [LD_{50} (Mensch) ca. 40 mg/kg], Blutzucker-senkend (Name) u. wirkt als Antimetabolit für *Riboflavin. Das aus den Früchten *Blighia sapida* (Sapindacee von Jamaica) isolierbare H. blockiert die Decarboxylierung von Fettsäuren, vermutlich durch Hemmung der Enzyme der β-Oxidation. Es hat sich bei Ratten als teratogen erwiesen. Es wird häufig begleitet von einem *Hypoglycin B* genannten Dipeptid, *N*-L-γ-Glutamyl-H. A ($C_{12}H_{18}N_2O_5$, M_R 270,29, gelbe Nadeln, Schmp. 194–195 °C u. 200–206 °C). – *E* hypoglycin – *F* hypoglycine – *I* ipoglicina – *S* hipoglicina

Lit.: Beilstein E IV **14**, 998 f. ▪ J. Chem. Soc., Chem. Commun. **1992**, 1249 ▪ Lindner, Toxikologie der Nahrungsmittel, 4. Aufl, S. 88 f., Stuttgart: Thieme 1990 ▪ Sax (8.), MJP 500 ▪ Tetrahedron **46**, 2231 (1990) ▪ Trends Pharmacol. Sci. **7**, 186 (1986). – [CAS 156-56-9 (H.); 502-37-4 (H.B)]

Hypoglykämie. Verminderung der Glucose-Konz. im Blut unter 700 mg/L (3,9 mmol/L). Das Gehirn hat seine Glucose-Reservoirs innerhalb von 10 min verbraucht, so daß sich bei einem Abfall unter 450 mg/L (2,5 mmol/L) v. a. Ausfälle des Zentralnervensyst. wie Schwindel, Bewußtseinsstörungen u. motor. Unsicherheit einstellen, begleitet von kaltem Schweiß, Zittern u. Kreislaufstörungen. Je nach Ausmaß der H. können sich schockartige Symptome (hypoglykäm. Schock) mit lebensbedrohlichen Zuständen bis zum Koma einstellen. Eine H. kann durch extreme körperliche Tätigkeit, Nahrungsmangel od. bestimmte Erkrankungen des Hormonsyst. ausgelöst werden. Im Rahmen der Behandlung des *Diabetes mellitus ist ein Mißverhältnis zwischen den zugeführten Dosen von *Insulin bzw. *Antidiabetika u. den mit der Nahrung aufgenommenen Kohlenhydraten häufig die Ursache für eine Hypoglykämie. So kommt es durch Überschuß von Insulin durch gesteigerte innere Sekretion od. therapeut. Zufuhr von außen zu einem schnelleren Verbrauch von Glucose als vom Organismus durch *Gluconeogenese neugebildet werden kann. Zur Behandlung der H. wird Glucose zugeführt. – *E* hypoglycemia – *F* hypoglycémie – *I* ipoglicemia – *S* hipoglucemia

Lit.: Siegenthaler, Klinische Pathophysiologie, S. 86–89, Stuttgart: Thieme 1994.

Hypohalite. Gruppenname für Salze u. Ester der von *Halogenen abgeleiteten Säuren HOX, wo X = Fluor, Chlor, Brom, Iod ist (*Hypobromige, *Hypochlorige, Hypoiodige Säure). In den salzartigen, kräftig oxidierend wirksamen H. (*Beisp.:* *Hypochlorite) liegt keine Metall-Halogen-Bindung vor, so daß die oft (auch in IUPAC-Regeln) geübte Schreibweise M^1XO insofern irreführend ist. Außer Fluor, das als elektronegativstes Element auch in der hypofluorigen Säure die Oxid.-Stufe –1 aufweist, sind die Halogene elektropos. Bindungspartner. In den organ. H., insbes. in den *Hypoioditen, liegen unbeständige u. sehr reaktive Verb. vor. – *E = F* hypohalites – *I* ipoaliti – *S* hipohalitos

Lit.: Houben-Weyl **6/2**, 490–501 ▪ s. a. die einzelnen Hypohalite.

Hypoiodite. Bez. für Salze u. Ester der Hypoiodigen Säure (HOI). In der organ. Chemie spielen H. als (nichtisolierte) reaktive Zwischenprodukte der sog. *Hypoiodit-Reaktion* (*Lit.*[1]) eine Rolle. Hierbei lassen sich aliphat. od. alicycl. Alkohole in Ggw. von Iod u. Bleitetraacetat intramol. u. radikal. in γ-Stellung substituieren, s. *Lit.*[2]. Außerdem dienen Alkalihypoiodite zur Substitution von Alkin-H durch I[3]:

$$R–C≡C–H + NaOI → R–C≡C–I + NaOH.$$

– *E = F* hypoiodites – *I* ipoioditi – *S* hipoyoditos

Lit.: [1] Synthesis **1971**, 501–526. [2] Angew. Chem. **76**, 518–531 (1964). [3] Houben-Weyl **5/4**, 524.
allg.: s. Hypohalite.

Hypokaliämie s. Kalium.

Hypokristallin s. Gefüge.

Hypomelanosen. Bez. für angeborene od. erworbene Störungen der *Pigmentierung der *Haut durch Verlust von Melanin u./od. Melanocyten, die sich fleckig od. generalisiert weißer Haut äußern. *Beisp.* sind der *Albinismus u. die *Vitiligo.

Hyponitrite. Salze der *Hyposalpetrigen Säure (HO–N=N–OH) von der allg. Formel $M^1HN_2O_2$ (saure od. prim. H.) od. $M^1_2N_2O_2$ (neutrale od. sek. H.), wobei M^1 ein einwertiges Metall (z. B. Kalium od. Natrium) bedeutet. H. lassen sich analog der Säure durch Red. von Nitriten z. B. mit Natriumamalgam od. durch Einleiten von Stickoxid in eine Lsg. von Natrium in flüssigem Ammoniak gewinnen. Die H. werden durch Wasser weitgehend hydrolyt. zersetzt; sie sind unbeständig u. techn. unwichtig. Zur Kristallstruktur von *cis-Natrium-H.* s. *Lit.*[1]. – *E = F* hyponitrites – *I* iponitriti – *S* hiponitritos

Lit.: [1] Angew. Chem. **108**, 1807 (1996).
allg.: Brauer (3.) **1**, 480 ff. ▪ Q. Rev. **22**, 1–13 (1968).

Hypophosphite. Die Hypophosphorige Säure [$H_2P(O)OH$] ist als *Phosphinsäure* zu bezeichnen u. die Salze entsprechend als *Phosphinate. H. sind starke Red.-Mittel; v. a. das Na-Salz wird jährlich im kt-Maßstab hergestellt. – *E = F* hypophosphites – *I* ipofosfiti – *S* hipofosfitos

Lit.: Chem. Tech. (Leipzig) **34**, 142 ff., 192–195 (1982) ▪ s. a. Phosphinate.

Hypophosphorige Säure s. Phosphinsäure.

Hypophyse (Hirnanhangsdrüse). Kleines, 0,6 g schweres Hormon-bildendes Organ von 6 mm Durchmesser am Boden des Zwischenhirns (vgl. die Abb. bei

Gehirn). Es ragt in eine knöcherne Struktur der Schädelbasis hinein, die sie fast vollständig umgibt u. so vor Verletzungen schützt. Die H. kommt in unterschiedlicher Größe bei allen Wirbeltieren vor u. ist Teil des Regelungssyst. der hormonellen Funktionen. Sie besteht aus drei geweblich u. funktionell unterschiedlichen Anteilen, dem H.-Vorderlappen (HVL), dem H.-Hinterlappen (HHL) u. dem bei niederen Wirbeltieren gut, bei Säugern weniger entwickelten H.-Mittellappen (HML).

Der HVL, die sog. *Adeno-H.*, besteht aus stark durchblutetem Drüsengewebe, in dem man 6 verschiedene Zellarten unterscheiden kann. Er produziert 7 *Hormone, von denen 4 auf eine weitere Drüse als Zielorgan wirken (*glandotrope Hormone*): Das Thyreoideastimulierende Hormon (TSH, *Thyrotropin) wirkt auf die Schilddrüse, das Adrenocorticotrope Hormon (ACTH) auf die Nebennierenrinde, das Follikel-stimulierende Hormon (*Follitropin) sowie das luteinisierende Hormon (*Lutropin) auf die Keimdrüsen. Drei der HVL-Hormone wirken auf Organsyst. od. den gesamten Organismus: Das somatotrope Hormon (STH, *Somatotropin) ist das Wachstumshormon, das *Prolactin stimuliert u. a. die Bildung der Muttermilch, das Melanocyten-stimulierende Hormon (MSH, *Melanotropin) regt die Pigmentierung der Haut an. Weitere Sekretionsprodukte des HVL sind β-*Endorphin u. β-*Lipotropin. Die Hormonausschüttung des H. wird durch den *Hypothalamus, also das Zentralnervensyst., reguliert. Hypothalamische Nervenzellen setzen sog. Releasing- od. Inhibiting-Hormone frei, die über ein spezielles Gefäßsyst. an die HVL-Zellen gelangen u. dort die Hormonsekretion stimulieren bzw. hemmen.

Der HHL, die *Neuro-H.*, besteht im wesentlichen aus den Endigungen von Nervenzellen, deren Zellkörper im *Hypothalamus liegen. Von diesen Endigungen werden 2 Hormone in das Blut abgegeben, das antidiuretische Hormon (ADH, *Vasopressin), dessen Zielorgan die Niere ist, u. das *Oxytocin, das auf die Gebärmuttermuskulatur u. die Brustdrüse wirkt.

Der HML hat für den Menschen keine Bedeutung. Im fetalen HML werden MSH u. Corticotropin like intermediate lobe peptide (CLIP) gebildet. Erkrankungen der H., z. B. durch Tumorwachstum od. Durchblutungsstörungen, machen sich durch mehr od. weniger gravierende Störungen in der Regulation des Hormonhaushalts bemerkbar u. führen zu charakterist. klin. Krankheitsbildern. – *E* hypophysis, pituitary (gland) – *F* hypophyse – *I* ipofisi – *S* hipófisis, pituitaria

Lit.: Melmed, The Pituitary, Cambridge: Blackwell 1995.

Hyposalpetrige Säure (Diazendiol). HO–N=N–OH, M_R 62,03. Die früher *Untersalpetrige Säure* genannte H. S., die sich formal vom *Diimin ableitet u. von der die *cis-* u. die (stabilere) *trans-*Form bekannt sind, bildet farblose, in trockenem Zustand äußerst explosive Krist.-Blättchen, die in Wasser u. Alkohol leicht lösl. sind u. deren schwach saure wäss. Lsg. schon in der Kälte, schneller noch beim Erwärmen unter Bildung von N_2O u. H_2O zerfallen. Noch unbeständiger ist die monomere Form der H. S., die im allg. als *Nitrosyl-

wasserstoff bezeichnet wird u. die leicht wieder dimerisiert. Die Herst. der H. S. erfolgt am günstigsten durch Red. von *Salpetriger Säure mit Natriumamalgam, Abfangen der gebildeten Säure als unlösl., gelbes Silber-Salz u. Umsetzung mit HCl. Mit Metall-Ionen, vornehmlich Alkalimetallen, bildet die H. S. saure u. neutrale *Hyponitrite. – *E* hyponitrous acid – *F* acide hyponitreux – *I* acido iponitroso – *S* ácido hiponitroso

Lit.: Brauer **1**, 442; (3.) **1**, 479 ▪ Gmelin, Syst. – Nr. 4, N, 1936, S. 877–883. – *[CAS 14448-38-5]*

Hyposensibilisierung s. Desensibilisation u. Allergie.

Hyposiderinämie (Hypoferrämie). Verminderung der Eisen-Konz. im Blutserum unter 710 µg/L (12,7 µmol/L) bei Männern u. 620 µg/L (11,1 µmol/L) bei Frauen. Eine H. tritt am häufigsten bei Eisen-Mangelzuständen z. B. infolge ungenügender Eisen-Zufuhr auf, die zu verminderter *Hämoglobin-Synth. (s. a. Hypochromie) u. bestimmten Formen der *Anämie führen (s. a. Eisen-Präparate). – *E* hyposideremia – *F* hyposidérémie – *I* iposideremia – *S* hiposideremia

Hyposmie s. Geruch.

Hypotension s. Hypotonie.

Hypothalamus. Entwicklungsgeschichtlich alter Gehirnteil, der von der grauen *Hirnsubstanz im unteren Teil des Zwischenhirnes (vgl. Abb. bei Gehirn) gebildet wird. Der H. ist ein wichtiges Integrations- u. Steuerungszentrum, das Zuflüsse aus vielen Syst. wie dem Mittelhirn, dem limb. Syst. u. dem Thalamus erhält. Er wirkt über Bahnen zum Hirnstamm u. über das Hypothalamus-*Hypophysen-Syst. v. a. auf das vegetative Nervensyst. u. das Hormonsyst. ein. So steuert der H. z. B. die Regulation von Körpertemp., Durst u. Hunger, Schlaf, Hormonsekretion sowie von sexuellen Reifungsvorgängen. Seinen Einfluß übt er zum einen durch direkten Kontakt seiner Neurone mit untergeordneten Zentren, zum anderen durch die Freisetzung von Hormonen über die Hypophyse aus. Die Ausschüttung von Hormonen der Hypophyse, die die endokrinen Drüsen des Körpers beeinflussen, unterliegt der Kontrolle durch Hormone des H., die je nach Wirkungsweise als Releasing- od. Inhibiting-Hormone bezeichnet werden. Ein neg. Rückkoppelungssyst. zwischen H., Hypophyse u. endokrinen Drüsen bewirkt einen stabilen Hormonhaushalt u. wird von höheren zentralnervösen Strukturen an akute Bedürfnisse des Organismus angepaßt. Elektr. Reizung bestimmter Areale im H. löst bei Tieren Verhaltensweisen wie Abwehr- u. Fluchtreaktionen, Nahrungsaufnahme od. Sexualverhalten mit ihren motor., vegetativen u. hormonalen Komponenten aus. – *E = F* hypothalamus – *I* ipotalamo – *S* hipotálamo

Lit.: Kandel u. Schwartz, Principles of Neural Science, Amsterdam: Elsevier 1991 ▪ Schmidt, Neuro- u. Sinnesphysiologie, Heidelberg: Springer 1995.

Hypothermie (griech.: thermo = warm). Allg. Unterkühlung des Körpers mit einer Erniedrigung der Körpertemp. unter 35 °C meist als Folge von Kälteunfällen od. künstlicher Unterkühlung, seltener als Störung der Temp.-Regulation durch den *Hypothalamus. Im Verlauf von zunehmender Unterkühlung kommt es zunächst zu einem regulator. Anstieg des Stoffwechsels. Nach Erschöpfung der Temp.-regulator. Vorgänge stellen sich Funktionsstörungen des Gehirns u. von Atmung u. Kreislauf ein, als deren Folge kommt es zum Kältetod. Die Widerstandsfähigkeit des Organismus gegen Kälte ist wesentlich größer als die gegen Hitze, so wurden Unterkühlungen mit Temp.-Abfall auf 30–18 °C überlebt. Die künstlich herbeigeführte H. wird bei chirurg. Eingriffen z. B. am Herzen, angewandt, wenn die Blutzirkulation kurzfristig unterbrochen werden muß. Durch die Senkung der Körpertemp. in Narkose kann eine Verminderung des Sauerstoff-Bedarfs der Gewebe erreicht werden. – $E = F$ hypothermia – I ipotermia – S hipotermia

Hypothyreose (Hypothyreoidismus). Unterfunktion der *Schilddrüse mit ungenügendem Angebot von Schilddrüsenhormonen an die Körperzellen. Die Ursachen der H. sind am häufigsten Mangel an funktionstüchtigem Schilddrüsengewebe z. B. angeboren, durch chron. Entzündung od. nach Operationen, aber auch ungenügende Stimulation durch die *Hypophyse u. gestörte Hormonsynth. durch sehr schweren Iod-Mangel od. Enzymdefekte. Die angeborene H. führt unbehandelt zu kindlichen Wachstums- u. Reifungsstörungen. Sie wird heute in vielen Ländern durch gesetzlich vorgeschriebene Routineuntersuchung der Neugeborenen rechtzeitig erfaßt. Eine H. im Erwachsenenalter geht mit einem erniedrigten *Grundumsatz einher u. macht sich durch rasche Ermüdbarkeit, Antriebsarmut, Kälteempfindlichkeit u. Gewichtszunahme bemerkbar. Die Haut ist trocken, kühl u. durch Schwellungen verdickt (Myxödem). Zur Diagnose werden u. a. die Schilddrüsenhormone *Thyroxin u. Triiodthyronin sowie das Hypophysenhormon *Thyrotropin im Blut bestimmt. Eine Behandlung erfolgt mit dem Ersatz der fehlenden Hormone durch medikamentös verabreichtes Thyroxin. – E hypothyroidism – F hypothyreoidie – I ipotiroidismo – S hipotiroidismo

Lit.: Siegenthaler, Klinische Pathophysiologie, S. 263–278, Stuttgart: Thieme 1994 ▪ Vosberg u. Wagner, Schilddrüsenkrankheiten, Stuttgart: Thieme 1991.

Hypotonie (Hypotension). 1. Erniedrigung des systol. *Blutdruckes auf weniger als 100 mm Hg. Oft zeigt sich ein abnorm niedriger Blutdruck nur im Stehen, nicht im Sitzen od. Liegen u. wird dann als *orthostatische H.* bezeichnet. Dabei werden durch das Aufrichten ca. 300–400 mL Blut in die Gefäße der Beine u. Eingeweide verschoben. So kommt es zur Minderdurchblutung des Zentralnervensyst. u. zu Schwindel od. Bewußtlosigkeit mit Kollaps. Die Ursache der H. ist in vielen Fällen nicht bekannt, wie bei der *Hypertonie unterscheidet man diese *essentielle H.* von der *symptomatischen H.*, die ein Symptom für Störungen z. B. des Hormonhaushaltes, der Herz-Kreislauffunktionen od. einer verminderten Füllung des Gefäßsyst. bei Wasserverlust, Durchfall od. Blutungen ist. Die Behandlung richtet sich nach der Ursache der H., bei der essentiellen H. kommen neben physikal. Maßnahmen *Sympath(ik)omimetika u. a. *Antihypotonika zur Anwendung.

2. Nachlassen des Spannungszustandes der Muskulatur (Muskeltonus), das bei bestimmten Krankheiten des Nervensyst. u. bei Verschiebungen im Elektrolythaushalt (Kalium-Mangel) vorkommt. – $E = F$ hypotension – I ipotonia, ipotensione – S hipotensión

Hypotonische Lösungen (griech.: *Hypo... u. tonos = Spannung). Lsg. mit einem niedrigeren osmot. Druck (s. a. Osmose) als eine Vergleichslösung. *Zellen in h. L. nehmen Wasser auf, was je nach dem Grad des Druckunterschieds zum Anschwellen od. zum Platzen führen kann. In der Medizin werden im Vergleich zum Blutplasma h. L. in bestimmten Fällen, wie z. B. zum Ausgleich schwerer Austrocknungszustände, als *Infusion gegeben. – E hypotonic solutions – F solutions hypotoniques – I soluzioni ipotoniche – S soluciones hipotónicas

Hypovitaminosen. Störungen im Wohlbefinden u. Leistungsfähigkeit des Menschen, die durch unzureichende Vitaminzufuhr verursacht werden. Es handelt sich hierbei um keine eigentlichen *Vitamin-Mangelkrankheiten (*Avitaminosen*) wie z. B. *Skorbut, *Rachitis usw., sondern um deren Vorstufen. H. vermutet man verschiedentlich als Ursachen für erhöhte Anfälligkeit gegen Erkältungskrankheiten (Vitamin C-Mangel). – $E = F$ hypovitaminoses – I ipovitaminosi – S hipovitaminosis

Hypoxanthin (1,7-Dihydro-6H-purin-6-on, Sarkin; tautomere Form: Purin-6-ol, 6-Hydroxypurin).

$C_5H_4N_4O$, M_R 136,11. Schmale, oktaedr. Nadeln, Zers.-Punkt 150 °C, wenig lösl. in kaltem Wasser, lösl. in verd. Säuren u. Alkalien. H. ist eine weit verbreitete Purin-Base; es findet sich im Muskel, Blut, Harn (insbes. bei Leukämie) u. als seltener Bestandteil der Transfer-*Ribonucleinsäuren vieler Organismen in Form des Nucleosids *Inosin. Beim Abbau von Nucleinsäuren entsteht es aus *Adenosin: Dieses wird zunächst hydrolyt. zu Inosin desaminiert, in weiteren Schritten wird D-Ribose abgespalten u. das entstandene H. durch das Enzym *Xanthin-Oxidase über *Xanthin zu *Harnsäure oxidiert. Bei einem Fehlen dieses Enzyms kommt es – bei stark verminderter Harnsäure-Bildung – zur Ausscheidung von H. u. bes. Xanthin im Harn (*Xanthinurie*), gelegentlich auch zur Bildung von *Xanthin-Steinen* (vgl. Harnsteine). Der gleiche Effekt kann sich bei Therapie mit *Allopurinol einstellen. – $E = F$ hypoxanthine – I ipoxantina – S hipoxantina

Lit.: Beilstein E V **26/13**, 157 ff. – *[HS 2933 59; CAS 68-94-0]*

Hypoxie (griech.: *Hypo... u. latein.: oxygenium = Sauerstoff). Sauerstoff-Mangel in den Körpergeweben. Ursache einer H. ist meist eine erniedrigte Sauerstoff-Konz. im Blut (Hypoxämie) durch Störung der *Atmung infolge Schädigung der Lunge, der Blutzirkulation (Schock, Kollaps), *Hypothermie u. *Anämien (Mangel an Sauerstoff-Trägern im Blut). Am empfindlichsten gegenüber H. ist – wegen ihres außerordentlich hohen O_2-Bedarfs – die *Hirnsubstanz; das menschliche *Gehirn reagiert auf H. rasch mit Ausfallserscheinungen, die sich über Bewußtlosigkeit bis zum Hirntod steigern können. – *E* hypoxia – *F* hypoxie – *I* ipossiemia – *S* hipoxia

Hypsochrom. Von griech.: hýpsōs = Höhe u. chroma = Farbe abgeleitetes Adjektiv, das die Verschiebung der Absorption eines *Chromophors zu kürzeren Wellenlängen hin – infolge Erschwerung der Elektronenanregung – beschreibt (*Blauverschiebung = Hypsochromie*; Gegensatz: *Bathochrom).

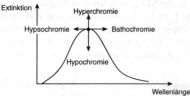

Abb.: Schemat. Erklärung der Begriffe für Wellenlängen- u. Extinktions(Absorptions)veränderungen.

Bei organ. *Farbstoffen bewirkt die Einführung *hypsochromer Gruppen* (z. B. Alkyl-Gruppen als *Auxochrome), daß sich die Absorptionsbanden im Spektrum der gebildeten Derivate gegenüber denen der Stammverb. nach kürzeren Wellenlängen hin (z. B. in der Richtung Orange → Grün → Blaugrün) verschieben, wodurch sich die Farbe des Farbstoffs in Richtung Blau → Purpur→ Rot (*Komplementärfarben*, vgl. Farbe) ändert. Beisp. u. theoret. Interpretationen s. *Lit.*[1]. – *E* hypsochromic – *F* hypsochrome – *I* ipsocromo – *S* hipsocromo, hipsocrómico
Lit.: [1] Chem. Unserer Zeit **12**, 1–11 (1978).
allg.: s. Chromophore.

Hypsometer s. Barometer.

Hypusin [N^6-((R)-4-Amino-2-hydroxybutyl)-L-lysin].

$C_{10}H_{23}N_3O_3$, M_R 233,31. *Aminosäure, die in der Natur ausschließlich gebunden im eukaryont. *Initiationsfaktor eIF-5A der *Translation vorkommt. Die Biosynth. erfolgt im Peptid-Verband durch Modifizierung eines L-*Lysin-Rests zum 4-Aminobutyl-L-lysin-Rest mit Hilfe von *Spermidin. In einem zweiten Schritt wird die Hydroxy-Gruppe eingeführt. Der H.-Rest ist für die Aktivität des eIF-5A *essentiell u. damit für die Protein-Biosynth. notwendig. Das *Dihydrochlorid* {$C_{10}H_{25}Cl_2N_3O_3$, M_R 306,23, Schmp. 234–236 °C (Zers.), $[\alpha]_D^{23}$ +7,6°} ist synthet. zugänglich[1]. – *E* = *F* hypusine – *I* ipusina – *S* hipusina
Lit.: [1] J. Org. Chem. **58**, 6804 ff. (1993).
allg.: Amino Acids **10**, 109–121 (1996) ▪ Trends Biochem. Sci. **18**, 475–479 (1993). – *[CAS 34994-11-1]*

Hystazarin (2,3-Dihydroxyanthrachinon).

$C_{14}H_8O_4$, M_R 240,21. Gelb-braune Nadeln, die erst bei über 300 °C schmelzen, lösl. in Eisessig, Schwefelsäure (blutrot), Alkalilaugen (blau), Ammoniak (violett), unlösl. in Benzol. H. bildet sich (neben *Alizarin) bei der Kondensation von Brenzcatechin mit Phthalsäureanhydrid. H. wird zu Farbstoffsynth. verwendet (Name von griech.: hysteron = später u. Alizarin). – *E* hystazarin – *F* hystazarine – *I* istazarina – *S* histazarina
Lit.: Beilstein E IV **8**, 3272. – *[HS 291469; CAS 483-35-2]*

Hysterese. Von griech.: hysteron = hinterher, später abgeleitete Bez. für ein bes. bei *magnetischen Werkstoffen u. Ferromagnetika sowie -elektrika beobachtbares Phänomen, das man als ein – im Gegensatz zur *Relaxation von der Zeit *unabhängiges* – „Nachhinken" der Magnetisierung hinter der Feldstärke verstehen kann. Im weiteren Sinne umfaßt der Begriff H. alle Erscheinungen *metastabiler Zustände, in denen eine Wirkung hinter der sie verursachenden veränderlichen Kraft zurückbleibt, also eine Art „physikal. Gedächtnisses" darstellt u. zum Speichern von Information eingesetzt wird. *Beisp.:* Formänderungen bei Kunststoffen, Thixotropie-Effekte, Sorptionsprozesse an porösen Stoffen etc. Von bes. Interesse sind Untersuchungen über H.-Effekte an Biopolymeren, wie Nucleinsäuren, Proteinen u. Membranen, weil man sich von diesen Einblicke in die Dynamik zellulärer Organisationen u. Funktionen erhofft (s. *Lit.*). – *E* hysteresis – *F* hystérèse – *I* isteresi – *S* histéresis
Lit.: Lerner u. Trigg, Encyclopedia of Physics, Weinheim: VCH-Verlagsges. 1991.

Hytrel®. Marke für ein Sortiment von *Polyester-*Elastomeren, die als Blockpolymere aus Polyterephthalsäureestern u. Polyalkenglykolen mit M_R bis zu 25 000 aufgebaut werden. H. kann in einem breiten Temp.-Bereich eingesetzt werden; es ist weitgehend resistent gegen Lsm., Öle, Hydraulikflüssigkeiten, heißes Wasser, Mikroorganismen etc. u. kann für Rohre, Abdeckungen für Hydraulikschläuche, Niederdruckreifen, Stromkabelisolierungen, Dichtungen usw. verwendet werden. *B.:* DuPont.

Hz. Kurzz. für *Hertz als Maßeinheit der *Frequenz: 1 Hz = 1 s^{-1}.

HZ. Nach DIN 60001 Tl. 4 (08/1991) Kurzz. für Ziegenhaar als Textilfaser.

I

i. Abk. für opt. *inaktiv (z.B. *i*-Weinsäure) u. für *Iso... in Namen von organ. Verb. (z.B. *i*-Pentan, *i*-Butyl = *i*Bu, Bu^i), wird in beiden Fällen kursiv gedruckt, aber nicht in der systemat. Nomenklatur verwendet. Ferner ist i einer der *Miller-Bravais-Indizes u. das mathemat. Symbol für die imaginäre Einheit ($\sqrt{-1}$).

I. 1. Symbol für das chem. Element *Iod. – 2. Von der IUPAC empfohlenes Symbol für -iso-, -isobutylen- u. -isopren- bei Abk. von Namen von Polymeren u. Weichmachern; *Beisp.:* DIDA (Diisodecyladipat), IIR (Isobutylen-Isopren-Kautschuke), PIB (Polyisobutylen), SIR (Styrol-Isopren-Kautschuke). – 3. In der Ein-Buchstaben-Notation der IUPAC-IUB für Polynucleotide Kurzz. für *Inosin, in der für *Aminosäuren Kurzz. für *L-Isoleucin. – 4. Symbol für Ionenstärke u. Stromstärke, für Strahlungsintensität (s. Lambert-Beersches Gesetz u. Photometrie), für das Trägheitsmoment, oft für die *Ionisationsenergie u.a. chem.-physikal. Größen.

IAEA. Abk. für *I*nternational *A*tomic *E*nergy *A*gency, Wagramerstr. 5, A-1400 Wien. Die IAEA nahm ihre Arbeit 1957 als autonome, zwischenstaatliche Organisation innerhalb der UNO auf; im Jahr 1996 gehörten ihr 123 Mitgliedsstaaten an. Ihre Aufgabe besteht darin, in der ganzen Welt den Beitrag der Atomenergie (s. Kernenergie) zum Frieden, zur Gesundheit u. zum Wohlstand zu beschleunigen u. zu steigern. Die IAEA widmet sich u.a. der Ausbildung von Fachleuten, techn. Hilfsleistungen, der Lieferung von Materialien u. Ausrüstungen, der Förderung der Forschung, der Verbreitung von Informationen (z.B. durch *INIS), der Aufstellung von Vorschriften für den Gesundheitsschutz usw. Sie unterhält ein internat. Kontrollsyst. (Safeguards), das sicherstellt, daß Staaten spaltbares Material nur zu friedlichen Zwecken verwenden. *Publikationen:* IAEA Bulletin, IAEA Newsbrief, Nuclear Fusion. – INTERNET-Adresse: http://www.iaea.or.at

IATA-DGR. Abk. für die von der *I*nternational *A*ir *T*ransport *A*ssociation (Internat. Lufttransportverband, Sitz: Genf) herausgegebenen *Transportbestimmungen für *gefährliche Güter (IATA-Dangerous Goods Regulations), die alle Luftfahrtges. einzuhalten haben. Frühere Bez.: *IATA-RAR* (IATA-Restricted Articles Regulations).

IATA-RAR s. IATA-DGR.

Iatrochemie (griech.: iatros = Arzt). Synonym: Chemiatrie. Bewegung des 17. Jh., die versuchte, die fragmentar. Erkenntnisse der damaligen Chemie (s.a. Geschichte der Chemie) auf die Erforschung allg. Lebensvorgänge u. auf die klin. Medizin anzuwenden. Im Gegensatz zur mechanist. Denkweise sollten Krankheiten allein durch chem. Vorgänge erklärt u. durch chem. *Heilmittel behoben werden. Von *Paracelsus begründet, dauerte diese Periode etwa von 1530 bis 1700. Bedeutende Iatrochemiker waren z.B. Johan Baptista van *Helmont (1579–1644) u. Franciscus *Sylvius von Leyden (1614–1672), deren Vorstellungen von Krankheit sich im Widerspruch zur Lehre Galens von den Körpersäften befanden. – *E* iatrochemistry – *F* iatrochimie – *I* iatrochimica – *S* iatroquímica
Lit.: Ackerknecht, Geschichte der Medizin, Stuttgart: Enke 1992 ▪ Bosch, Zur Vorgeschichte chemiatrischer Pharmakopöepräparate im 16./17. Jahrhundert, Stuttgart: Deutscher Apotheker Verl. 1980.

Iatrogen. Von griech.: iatros = Arzt hergeleitete Bez. für Vorgänge, die durch den Arzt u./od. seine Tätigkeit verursacht worden sind. *I. Krankheiten* sind demgemäß solche Erkrankungen, die durch ärztliche Behandlung, häufig durch *Arzneimittelnebenwirkungen verursacht werden. Im übertragenen Sinn benutzt man die Bez. sogar im Pflanzenschutz[1]. – *E* iatrogenic – *F* iatrogène – *I* iatrogeno – *S* iatrógeno
Lit.: [1] Ann. Rev. Phytopathol. **19**, 69 (1981).

Ib. Prüfprädikat bei *Holzschutzmitteln (Insekten bekämpfend wirksam).
Lit.: DIN 4076 Tl. 5 (11/1981); DIN 68 800 Tl. 3 (04/1990).

Ibach, Harald P. W. (geb. 1941), Prof. für Physik, Direktor am Inst. für Grenzflächenforschung u. Vakuumphysik der Kernforschungsanlage Jülich. *Arbeitsgebiete:* Festkörperphysik, insbes. Physik von Oberflächen, dünnen Schichten, Adsorption u. Reaktion von Gasen an Oberflächen, Schwingungsspektroskopie an Oberflächen.
Lit.: Kürschner (16.), S. 1575 ▪ Wer ist wer (35.), S. 653.

i. bacul. Abk. von latein.: in baculis = in Stangen.

Ibandronsäure (Rp).

$$\text{H}_3\text{C}\diagdown\underset{\displaystyle|}{\text{N}}\diagup(\text{CH}_2)_4\text{—CH}_3$$

Internat. Freiname für [1-Hydroxy-3-(*N*-methyl-pentyl-amino)propyliden]bisphosphonsäure, $C_9H_{23}NO_7P_2$, M_R 319,23. Verwendet wird das Mononatrium-Salz-Monohydrat. I. gehört zu der Klasse der Biphosphonate u. wird wie *Alendronat gegen Osteoporose, die durch Hypocalciämie bei Chemotherapie von Mammacarcinom ausgelöst wird, eingesetzt. Es ist von Boehringer Mannheim (Bondronat®) im Handel. – *E* ibandronic acid – *F* acide ibandronique – *I* ibandronato – **S** ácido ibandrónico – *[CAS 114084-78-5 (I.); 138844-81-2 (Mononatrium-Salz); 160850-32-8 (Natriumsalz)]*

Ibbenbüren. Kurzbez. für die 1960 gegr. Firma Elektro-Chemie Ibbenbüren GmbH, 49462 Ibbenbüren, eine Gemeinschaftsgründung von *AKZO (50%) u. *Preussag (50%). *Produktion:* Chlor, Natronlauge, Wasserstoff, Bleichlauge, Salzsäure.

IBDU. Abk. für *Isobutylidendiharnstoff.

Iberogast®. Tropfen mit Extrakten aus *Iberis amara*, Angelikawurzel, Kamillenblüten, Kümmel, Mariendistelfrüchten, Melissen- u. Pfefferminzblättern, Schöllkraut u. Süßholzwurzel gegen Magen-Darm-Störungen. *B.:* Steigerwald.

Iboga-Alkaloide.

Heyneanin (1)   Heyneatin (2)

Coronaridin (3)

Gruppe von monoterpenoiden Indol-Akaloiden aus der Iboga-Pflanze *Tabernanthe iboga* (Obona, Apocynaceae, Hundsgiftgewächse), einem in Westafrika beheimateten Strauch. Die gelbliche Wurzel wirkt berauschend u. erregend, sie kann Halluzinationen hervorrufen. Von den in ihr sowie in den Blättern der Rinde vorkommenden Alkaloiden besitzt *Ibogain neben *Ibogamin u. *Tabernanthin die größte Wirksamkeit. Cytotox. Aktivität besitzen *Heyneanin* [$C_{21}H_{26}N_2O_3$, M_R 354,45, Krist., Schmp. 105–107°C bzw. 160–162°C (dimorph)] u. *Heyneatin* ($C_{22}H_{26}N_2O_4$, M_R 382,46, amorph). In den Samen kommen u. a. die Alkaloide *Catharanthin u. *Coronaridin* (Methyl-ibogamin-16-carboxylat, $C_{21}H_{26}N_2O_2$, M_R 338,45), das diuret. u. analget. Eigenschaften besitzt, vor. – *E* iboga alkaloids – *F* alcaloïdes de l'iboga – *I* alcaloidi della iboga – *S* alcaloides de iboga

Lit.: Beilstein EV 25/6, 379 (Heyneanin), 25/5, 170 (Coronaridin) ▪ Chem. Heterocycl. Cmpd. **25**, 467–537 (1983) ▪ Creasey, in Saxton (Hrsg.), The Monoterpenoid Indole Alkaloids, S. 783, Chichester: Wiley 1983 ▪ Manske **8**, 203–235; **11**, 79–98 ▪ Saxton (Hrsg.), The Monoterpenoid Indole Alkaloids, Suppl. Vol. 25, Heterocyclic Compds., S. 487–521, Chichester: Wiley 1994. – *[HS 2939 90; CAS 4865-78-5(1); 76129-65-2(2); 467-77-6(3)]*

Ibogain.

R = OCH₃ : Ibogain
R = H   : Ibogamin

$C_{20}H_{26}N_2O$, M_R 310,44, Nadeln, Schmp. 152–153°C, lösl. in Alkohol, Ether, fast unlösl. in Wasser. I. ist in *Tabernanthe iboga* u. a. Apocynaceen enthalten, es wirkt anregend, halluzinogen, krampflösend u. hun-

gerstillend u. findet in der afrikan. Volksmedizin Anw., seine halluzinogene Wirkung ist der von *Cocain ähnlich [1]; es hemmt die *Cholin-Esterase. – *E* ibogaine – *F* ibogaïne – *I* ibogaina – *S* ibogaína

Lit.: [1] Pharmacol. Biochem. Behav. **43**, 1221 (1992). *allg.:* Beilstein E V **23/12**, 284 ▪ Hager (5.) **6**, 890 ff. ▪ Ullmann (5.) **A 1**, 393. – *Synth.:* Brain Res. **571**, 242 (1992) ▪ Helv. Chim. Acta **59**, 2437–2442 (1976) ▪ s. a. Iboga-Alkaloide u. Ibogamin. – *[HS 2939 90; CAS 83-74-9]*

Ibogalin s. Ibogamin.

Ibogamin. $C_{19}H_{24}N_2$, M_R 280,41, Krist., Schmp. 162–164°C, Formel s. Ibogain. Alkaloid aus *Tabernanthe iboga* u. a. Apocynaceen. I. wirkt schwach cytotox., antibakteriell u. blutdrucksenkend. Von I. leiten sich noch zahlreiche andere *Indol-Alkaloide ab: z. B. *Tabernanthin, *Albifloranin* (16-Carbomethoxy-18-hydroxyibogamin, $C_{21}H_{26}N_2O_3$, M_R 354,45) u. *Ibogalin* (10,11-Dimethoxyibogamin, $C_{21}H_{28}N_2O_2$, M_R 340,47). – *E = F* ibogamine – *I = S* ibogamina

Lit.: Beilstein E V **23/8**, 375 (I.), 23/13, 348 (Ibogalin) ▪ J. Crystallogr. Spectrosc. Res. **18**, 197–206 (1988) ▪ Manske **27**, 120 ▪ R. D. K. (3.), S. 635. – *Synth.:* J. Am. Chem. Soc. **100**, 3920 (1978) ▪ J. Org. Chem. **50**, 1460, 1464 (1985); **57**, 1752 (1992). – *[HS 2939 90; CAS 481-87-8 (I.); 77431-58-4 (Albifloranin); 482-18-8 (Ibogalin)]*

Ibotensäure (Prämuscimol, α-Amino-3-hydroxy-5-isoxazolessigsäure). $C_5H_6N_2O_4$, M_R 158,11, Krist., Schmp. 151–152°C (Monohydrat), schwer lösl. in Wasser, decarboxyliert beim Entwässern u. liefert *Muscimol.

Ibotensäure   Muscimol

Aminosäure aus Pilzen der Gattung *Amanita* (Wulstlinge), wie dem Fliegenpilz u. Pantherpilz. I. ist verantwortlich für die nach dem Verzehr von Fliegenpilzen auftretenden Vergiftungserscheinungen, die insgesamt einem Alkoholrausch ähnlich sind: Verwirrungen, Sprachstörungen, Ataxie, motor. Unruhe, Sehstörungen u. Mattigkeit, je nach Stimmungslage auch Euphorie, Gleichgültigkeit u. Depressionen (LD_{50} Maus, Ratte p.o. 32 mg/kg). Wahrscheinlich reagieren I. u. Muscimol mit den *GABA-Rezeptoren u. verursachen als partielle Agonisten die Rauschzustände. I. ist ein *Geschmacks-Verstärker für die Empfindung „salzig". Muscimol u. I. sind die insektiziden Substanzen des Fliegenpilzes (Name). – *E* ibotenic acid – *F* acide iboténique – *I* acido ibotenico – *S* ácido ibotenico

Lit.: Besl u. Bresinsky, Giftpilze, S. 98 ff., Stuttgart: Wissenschaftl. Verlagsges. 1985 ▪ J. Med. Chem. **32**, 2254–2260 (1989) ▪ Merck-Index (12.), Nr. 4922 ▪ Schmidbauer u. vom Scheidt, Handbuch der Rauschdrogen, S. 140–144, München: Nymphenburger 1988 ▪ Stud. Org. Chem. **18**, 61–86 (1984) ▪ Zechmeister **27**, 261–321. – *Pharmakologie:* Experientia **40**, 524 (1984) ▪ Neurochem. Res. **5**, 1047–1068 (1980) ▪ Neuroscience **28**, 337–352 (1989) ▪ Pharm. Unserer Zeit **12**, 111–118 (1983). – *Synth.:* Synth. Commun. **22**, 1939 (1992). – *[HS 2934 90; CAS 2552-55-8 (I.)]*

Ibuprofen. Internat. Freiname für die antiphlogist. u. analget. wirkende (±)-2-(4-Isobutylphenyl)propionsäure, $C_{13}H_{18}O_2$, M_R 206,28, Schmp. 75–77°C; in Wasser prakt. nicht, in den meisten organ. Lsm. leicht lösl.;

LD_{50} (Maus i.p.) 495 mg/kg, (Maus oral) 1255 mg/kg. Seit dem 1.1.1989 unterliegt I. in Einzeldosen von ≤200 mg bzw. Tagesdosen von 800 mg nicht mehr der Verschreibungspflicht. Zu möglichen Nebenwirkungen s. *Lit.*[1]; zur Biotransformation u. dem Wirkungsunterschied der Enantiomeren s. *Lit.*[2]. – *E* ibuprofen – *F* ibuprofène – *I* ibuprofene – *S* ibuprofeno

Lit.: [1]Ammon, Arzneimittelneben- u. Wechselwirkungen, Stuttgart: Wissenschaftliche Verlagsges. 1991. [2]Biochem. Pharmacol. **52**, 1007–1013 (1996).
allg.: Ann. Intern. Med. **91**, 877–882 (1979) ▪ Bindra u. Lednicer (Hrsg.), Chronicles of Drug Discovery, S. 149–172, New York: Wiley 1982. – *[HS 2916 39; CAS 15687-27-1]*

…ic. Engl. Endung, die bei Metall-Ionen eine höhere Wertigkeit anzeigt; *Beisp.:* ferric chloride ($FeCl_3$), dagegen ferrous chloride ($FeCl_2$); bessere Bez. sind heute: iron(III) chloride u. iron(II) chloride.

IC. 1. Abk. für *E Integrated Circuit* = integrierter Schaltkreis, s. Halbleiter. – 2. Abk. für *E Internal Conversion* = interne Konversion, s. Konversionselektronen. – 3. Abk. für *Ionen(austausch)chromatographie.

ICA. Abk. für *E Ignition Control Additive*, einen früher verwendeten Kraftstoffzusatz aus *Trikresylphosphat zum Schutz des Motors vor Glühzündungen sowie vor Bildung von Blei-Rückständen im Verbrennungsraum u. zur Erhöhung der Octan-Zahl.
Lit.: Ullmann (5.) **A 16**, 735.

ICAM s. Zell-Adhäsionsmoleküle.

ICC. Abk. für *E Ignition Control Compound*, einen früher verwendeten Motorkraftstoffzusatz der amerikan. Ethyl Corp., enthielt *O,O,O*-Tris(β-chlorisopropyl)-thiophosphat u. Methyl-phenyl-phosphat.
Lit.: Ullmann (5.) **A 16**, 735.

Ice („Speed", „Crank"). Synthet. Modedroge. I. besteht aus reinem krist. *Methamphetamin-Hydrochlorid. Die Wirkung entspricht der von *Cocain, allerdings führt das Rauchen von I. noch schneller zur Abhängigkeit als Crack (vgl. Cocain). – *E = I = S* ice
Lit.: Chem. Eng. News (30.10.) **1989**, 6. – *[HS 2939 90]*

ICE s. Interleukin-1β-Konversions-Enzym.

ICEM. Abk. für International Federation of Chemical, Energy, Mine and General Workers' Unions mit Sitz in B-1050 Brüssel, Avenue Emile de Béco 109. Die ICEM wurde am 1.1.1996 durch Fusion der International Federation of Chemical, Energy and General Workers' Union (ICEF) mit der Miners' International Federation (MIF) gegründet. – INTERNET-Adresse: http://www.icem.org

Ichtholan®. Salbe mit 10%, 20%, 50% u. 85% *Ichthyol®, *I. T Salbe* u. *Ichthoseptal Creme* u. *Lsg.* mit Ichthyol hell gegen entzündliche Hauterkrankungen.
B.: Ichthyol.

Ichthyol®. Von griech.: ichthýs = Fisch abgeleitete Marke für gereinigte *Bituminosulfonate zur Anw. als Zugsalbe u. in Bädern gegen entzündliche Hauterkrankungen. *B.:* Ichthyol
Lit.: DAB **1996** u. Komm. (Ammoniumbituminosulfonat) ▪

Hager (4.) **6 b**, 306–313 ▪ 90 Jahre Ichthyol-Therapie (FS), Hamburg: Ichthyol-Ges. 1976 ▪ Pharm. Biol. **2**, 287.

Ichthyopterin.

$C_9H_{11}N_5O_4$, M_R 253,22, gelbe Rosetten, die sich beim Erwärmen zersetzen. Das Monoacetat schmilzt bei 143–153 °C, das Diacetat bei 188–196 °C (Zers.). I. ist ein Farbstoff aus den Schuppen verschiedener Fische (Bestandteil von Chromoproteinen). – *E* ichthyopterin – *F* ichthyoptérine – *I* ittiopterina – *S* ictiopterina
Lit.: Beilstein E III/IV **26**, 4038 ▪ Pteridines **2**, 151–156 (1991); **3**, 165 f. (1993) ▪ s. a. Pteridine. – *[CAS 490-58-4 (I.); 18503-57-6 (Monoacetat)]*

ICI. Kurzbez. für den brit. Chemiekonzern Imperial Chemical Industries PLC, London, der 1926 durch Zusammenschluß der vier größten brit. Chemieunternehmen gegründet wurde. ICI übernahm 1997 den Chemiebereich der Unilever NV (Rotterdam) mit den Unternehmen US-National Starch, Chemical Company; Crosfield, Quest u. Unichema. Zahlreiche Tochter- u. Beteiligungsgesellschaften. *Daten* (1996, weltweit): 65000 Beschäftigte, 2,6 Mrd. £ Umsatz. *Produktion:* Farben für dekorative Zwecke (DULUX®), Fahrzeuge u. Dosen (Lebensmittel u. Getränke); Explosivstoffe u. Zündungssyst.; Industriechemikalien: Polymere, Trichlorethylen, Chlor, Fluor-Verb. (PTFE, Kühlmittel), Terephthalsäure (Polyester-Vorprodukt), Tenside, Katalysatoren, Benzin-Additive, Mineralsäuren, Schmiermittel u. Zwischenprodukte für die Kunststoff-Herst.; Titandioxid; Methylmethacrylate (MMA) u. Petrochemikalien; photograph. Filme, elektron. Speichermedien; Methyl-diphenyl-diisocyanat (MDI), Toluol-diisocyanat (TDI); Polyurethane, Polyester, Polyether. *Vertretung* in der BRD: Deutsche ICI GmbH, 60439 Frankfurt a. M.

ICL. Kurzbez. für die 1975 gegründete Israel Chemicals Ltd, Ramat Gan 52 520, Israel. Der Staat Israel hält 75% der Aktienmehrheit des größten israel. Chemieunternehmens. Zu den zahlreichen Tochter- u. Beteiligungsges. gehören u. a. Dead Sea Works (100%) u. Giulini Chemie GmbH (100%). *Daten* (1993): 7200 Beschäftigte, ca. 1,01 Mrd. US $ Umsatz. *Produktion:* Phosphate, Phosphorsäure, Schwefelsäure, Kalium- u. Ammonium-Verb., Aluminium- u. Magnesiumsalze, Brom- u. Brom-Verb., Düngemittel, Kosmetika, Nahrungsmittelzusätze, Feinchemikalien. *Vertretung* in der BRD: *Giulini Chemie, 67029 Ludwigshafen.

Icmesa-Verfahren s. Trichlorphenole.

ICN Biomedicals. Kurzbez. für das amerikan. Unternehmen ICN Biomedicals Ltd. Costa Mesa, California. *Produktion:* Labortechnik, Geräte u. Biochemikalien. *Vertretung* in der BRD: ICN Biomedicals GmbH, Postfach 12 49, 53334 Meckenheim.

Icos(a)… Von der IUPAC seit 1979 empfohlene, in Beilstein's Handbuch, Chemical Abstracts, diesem Werk u. a. chem. Lit. nicht übernommene Schreibweise für *Eicos(a)…; *Beisp.:* Icosansäure. – *E = F = I = S* icos(a)…

icosahedro-. Kursiv gesetztes Strukturpräfix für anorgan. *Cluster-Verbindungen u. Metallkomplexe, deren Atome od. Liganden Ecken eines regelmäßigen Dreieck-Zwanzigflächners (Ikosaeders) besetzen. Einige *icosahedro*-Gold-Cluster sind bekannt. Für höhere *Borane, die oft ganze od. unvollständige Ikosaeder bilden, wendet man andere spezielle Strukturpräfixe u. die *CEP-Regeln an. – *E* icosahedro- – *F* icosaèdro- – *I* icosaedrico- – *S* icosaedro-

Icosanoide s. Eicosanoide.

Icosapentaensäure s. 5,8,11,14,17-Eicosapentaensäure.

ICP. Von *E Inductively Coupled Plasma* abgeleitete Abk. für ein in der *Emissionsspektroskopie, speziell *Atomfluoreszenzspektroskopie* verwendetes Verf., bei dem ein im Hochfrequenzfeld ionisiertes Gas (z. B. Argon) als Atomisierungs- u. Anregungsmedium für die Probe dient, Aufbau s. Abbildung.

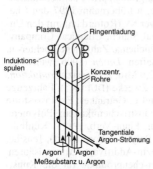

Abb.: Aufbau eines ICP (nach *Lit.*[1]).

– *E* inductively coupled plasma

Lit.: [1] Encyclopedia of Applied Physics, Bd. 3, S. 225, 328, Weinheim: VCH Verlagsges. 1992.
allg.: Boumans, Line Coincidence Tables for Inductively Couples Plasma Atomic Emission Spectrometry, Oxford: Pergamon 1981 ▪ Gekker, Interaction of Strong Elektromagnetic Fields with Plasmas, Oxford: Clarendon 1982 ▪ Mermet u. Trassy, Applications analytiques des plasmas HF (ICP), Paris: Techn. & Doc. 1982 ▪ Schwedt, Taschenatlas der Analytik, Stuttgart: Thieme 1996 ▪ s. a. Emissionsspektroskopie.

ICRP. Abk. für *International Commission on Radiological Protection*, eine internat. *Strahlenschutz-Kommission mit Sitz in Clifton Avenue, Sutton, Surrey SM2 5PU (GB). ICRP erhebt alle relevanten Daten im Zusammenhang mit Strahlenschäden u. -risiken u. gibt Empfehlungen für Schutzmaßnahmen u. Grenzwerte. Diese Empfehlungen können von allen Ländern in nat. Gesetze od. Richtlinien übernommen werden. *Publikationen:* Reports; Annals of the ICRP.

ICR-Spektroskopie. Abk. für Ionen-Cyclotron-Resonanz-Spektroskopie, eine in den 60er Jahren entwickelte Meth. der *Massenspektrometrie. Heutzutage wird die ICR-S. meist unter Verw. der *Fourier-Transform-Technik* betrieben (*FT-ICR*)[1]. Unter sehr niedrigem Druck (ca. 10^{-6} Pa) werden geladene Teilchen (*Ionen) in einem verhältnismäßig starken Magnetfeld (Feldstärke: einige *Tesla) eingefangen u. für lange Zeit (mehrere Stunden) auf Kreisbahnen gehalten. Für die Kreisfrequenz ω dieser Cyclotronbewegung gilt: ω=q B/m; hierbei ist q die Ladung des zu un-

tersuchenden Ions, m seine Masse u. B die magnet. Flußdichte. Die Kreisfrequenz erhält man durch *Fourier-Transformation des oszillierenden Bildstroms (Signal in der Zeitdomäne), der von den rotierenden Ionen in dem Plattenpaar eines Kondensators erzeugt wird. Die ICR-S. ist eine wichtige Meth. zur Untersuchung von *Ionen-Molekül-Reaktionen, wobei die Ionen pos. od. neg. geladen sein können, u. zur genauen Massenbestimmung. Letztere funktioniert umso besser, je kleiner der Druck ist; bei einem Druck von 10^{-9} Pa konnte z. B. die Masse von H_2O mit einer relativen Genauigkeit von 10^8:1 bestimmt werden – *E* ICR spectroscopy – *F* spectroscopie de résonance gyromagnétique ionique – *I* spettroscopia ICR – *S* espectroscopia de resonancia giromagnética iónica
Lit.: [1] Marshall, FT in Spectroscopy. A User's Handbook, Amsterdam: Elsevier 1989.

ICRU. Abk. für *International Commission on Radiation Units and Measurements*, einer 1925 gegr. Vereinigung mit Sitz in 7910 Woodmont Avenue, Suite 800, Bethesda, Maryland (USA). Die ICRU erarbeitet internat. abgestimmte Empfehlungen bezüglich Einheiten u. Dosierung von radioaktiver Strahlung (s. Radioaktivität), insbes. bei medizin. u. diagnost. Anwendung. Auf dem Gebiet des *Strahlenschutzes arbeitet sie eng mit der *ICRP zusammen. *Publikationen:* ICRU Reports, ICRU News.

ICSD. Abk. für *Inorganic Crystal Structure Database.

ICSH s. Lutropin.

ICSTI. Abk. für *International Council for Scientific and Technical Information*, wurde 1984 als Nachfolgeorganisation von ICSU AB (International Council of Scientific Unions Abstracting Board) gegründet u. ist eine Unterorganisation von *ICSU. Die 49 Mitglieder dieses internat. Rats für wissenschaftliche u. techn. Information mit Verwaltungssitz in F-75016 Paris, 51, Boulevard Montmorency, sind die wissenschaftlichen Vereinigungen (Unions) u. die Datenbankproduzenten. ICSTI hat die Aufgabe, den Zugang zur wissenschaftlich-techn. Lit. u. den allg. Informationsstand zu verbessern. Hierzu gehört die Analyse der Anforderungen von Benutzern wissenschaftlicher Lit., das Studium der Meth. zur Erfassung, Speicherung, Organisation u. Verteilung von Informationen, die Unterstützung bei der Verbesserung der Informationsquellen sowie der zugehörigen Syst., die einen Zugriff auf die Informationen bereitstellen.
ICSTI bietet ein internat. Forum zum Informationsaustausch. Die Aktivitäten von ICSTI umfassen u. a. die Verbesserung der Erfassung u. Indexierung in den verschiedenen wissenschaftlichen Bereichen, elektron. Versand von Dokumenten u. elektron. Publikation, die Erstellung von Richtlinien zu rechtlichen Fragen (*Copyright), Wiedergewinnung von Informationen, Überarbeitung des internat. Klassifikationsschemas für Biowissenschaften u. eines mehrsprachigen Thesaurus für Geologie. – INTERNET-Adresse: http://www.cisti.nrc.ca/icsti/icsti.html

ICSU. Abk. für *International Council of Scientific Unions*, mit Sitz in 51, Boulevard de Montmorency, F-75016 Paris. Die 1931 gegr. u. auf den seit 1919 be-

stehenden International Research Council (IRC) zurückgehende Dachges. hat die Koordination der Aktivitäten nat. u. internat. wissenschaftlicher Ges. zur Aufgabe. Ende 1996 gehörten dem ICSU Wissenschaftsorganisationen aus 75 Ländern sowie 23 internat. Ges. an; Beisp.: *IUPAC, vgl. IUBMB u. die dort folgenden Stichwörter. Von ICSU unterstützte Kommissionen beschäftigen sich mit speziellen wissenschaftlichen Forschungsprogrammen, z. B. zu den Themen Umwelt (SCOPE and IGBP), Meeresforschung (SCOR), Weltraum (COSPAR), Daten in Wissenschaft u. Technik (CODATA). *Publikationsorgane:* ICSU Year Book; Science International, the ICSU Newsletter (vierteljährlich).
INTERNET-Adresse: http://www.lmcp.jussieu.fr/icsu
Lit.: Survey of the Acitivities of ICSU Bodies During the Year, Paris: IAB (jährlich).

. . .icum. Latein. Endung für . . .*at; vgl. Acidum.

. . .id. 1. In der dtsch. u. engl. chem. Nomenklatur in systemat. Verb.-Namen verwendete Nachsilbe. Ihre Verw. geht auf die von *Lavoisier u. de Morveau 1787 eingeführte Benennung Oxyd zurück. Diese wurde bald die gebräuchlichste Endung der Namen von *binären Verbindungen zwischen Elementen (*Beisp.:* Chlorid, Bromid, Carbid, Hydrid, Sulfid) u. verdrängte die ursprünglich empfohlene Endung . . .ür, die sich nur teilw. im französ. . . .ure erhalten hat. Später wurde die Anw. auch auf *intermetallische Verbindungen u. auf Verb. erweitert, die aus einem Element u. einem aus mehreren Elementen bestehenden Ion od. organ. Rest („Radikal") bestehen (*Beisp.:* Ammoniumchlorid, Methylbromid, Kaliumcyanid, Natriumhydroxid). Die auf Berzelius zurückgehende Bez. „Amid" dehnte die Verw. von . . .id weiter aus auf Derivate von Stickstoffbasen; *Beisp.:* Natriumamid (NaNH$_2$), Acetamid (H$_3$C–CO–NH$_2$); ähnlich Verb.-Gruppen sind Anilide, Toluidide, Hydrazide u. Ureide. Heutzutage wird dieses Suffix auch in den Namen von wesentlich komplizierteren Verb. verwendet (*Beisp.:* Glyceride, Lactide, Chlorophyllide) u. drückt aus, daß es sich um Verb. handelt, die sich aus der voranstehenden Stammverb. od. Verb.-Gruppe u. einer zweiten Verb. herleiten, so daß die Endung . . .id im weitesten Sinne „Abkömmling von . . ." ausdrückt; *Beisp.:* Peptide, Nucleoside, Lipide, Glykoside, Anhydride.
2. Endung von Anionen, die durch Entfernen eines Protons von einem Nicht-Chalkogen-Atom einer organ. Verb. entstehen (IUPAC-Regeln C-84.3, R-5.8.3/4/5, I-8.3.3); *Beisp.:* Pyrazol-1-id, Methanid.
3. In der Bez. *Ylide soll die Endung den ion. Anteil der ansonsten kovalenten Bindung (vgl. . . .yl) anzeigen. – *E* = *I* . . .ide – *F* . . .ure, . . .ide – *S* . . .uro, . . .ida
Lit.: Flood, The Origins of Chemical Names, London: Oldbourne 1963.

I & D. Abk. für Information u. *Dokumentation.

Idaein (Idein, Cyanidin-3-*O*-galactosid). C$_{21}$H$_{21}$O$_{11}$$^+$, M$_R$ 449,39 (Ion). Das *Anthocyan I. kommt in Preiselbeeren u. Äpfeln sowie in Blättern der Hainbuche vor. *Idaeinchlorid* (C$_{21}$H$_{21}$ClO$_{11}$, M$_R$ 484,84, rotbraune, grün schimmernde Prismen) schmilzt bei 210 °C (Zers.). – *E* id(a)ein – *F* idaéine – *I* = *S* idaeina

Lit.: Beilstein E V **17/8**, 475 ▪ Karrer, Nr. 1714 – [CAS 27661-36-5 (Chlorid)]

Idarubicin (Rp).

Internat. Freiname für das Cytostatikum (7*S*,9*S*)-9-Acetyl-7-(3-amino-2,3,6-tridesoxy-α-l-lyxo-hexopyranosyloxy)-6,9,11-trihydroxy-7,8,9,10-tetrahydro-5,12-naphthacendion (4-Demethoxydaunomycin), C$_{26}$H$_{27}$NO$_9$, M$_R$ 497,50. Verwendet wird das Hydrochlorid, Schmp. 172–174 °C, auch 183–185 °C angegeben; [α]$_D^{20}$ +205° (c 0,1/CH$_3$OH), auch +188° angegeben. I. wurde 1976 u. 1977 von Soc. Farmac. Italia (Zavedos®) patentiert. – *E* idarubicin – *F* idarubicine – *I* idarubicina – *S* idarubicín
Lit.: ASP ▪ Merck-Index (12.), Nr. 4931 ▪ Pharm. Ztg. **137**, 2124–2128 (1992). – [HS 293299; CAS 58957-92-9 (I.); 57852-57-0 (Hydrochlorid)]

IDC. Abk. für die 1967 (als INDOC) gegr. u. inzwischen aufgelöste Internat. Dokumentationsges. für Chemie m.b. H., Sulzbach/Ts. Die IDC war eine Gemeinschaftseinrichtung von großen Unternehmensgruppen der chem. Ind. (BASF, Bayer, Chemie Linz, Degussa, Dynamit Nobel, Henkel, Hoechst, Hüls) als Gesellschafter u. verbundenen Firmen. Zweck der IDC war die Dokumentation von Chemie-Lit. mit modernen Meth. der elektron. Datenverarbeitung.

Ideale Copolymerisation. Bez. für eine spezielle Form der *Copolymerisation, bei der die Zusammensetzung der zu jedem beliebigen Zeitpunkt einer Polymerisation entstehenden *Copolymeren ident. ist mit der Zusammensetzung der ursprünglich eingesetzten Monomeren-Mischung. I. C. liegt dann vor, wenn für die *Copolymerisationsparameter von z. B. zwei Monomeren A u. B die Beziehung

$$r_A = r_B = 1$$

gilt, d. h. wenn beide möglichen wachsenden Kettenenden ~A* u. ~B* weitere Monomere A bzw. B mit der gleichen Wahrscheinlichkeit addieren. I. C. sind jedoch selten; ein Beisp. ist die *radikalische Polymerisation des Monomerenpaares Tetrafluorethylen/Chlortrifluorethylen. In der Engl.-sprachigen Lit. wird der Begriff i. C. bisweilen auch auf solche Copolymerisationen erweitert, für die allg.

$$r_A \cdot r_B = 1$$

gilt. – E ideal copolymerization – F copolymérisation idéale – I copolimerizzazione ideale – S copolimerización ideal
Lit.: Compr. Polym. Sci. **4**, 379 ■ Elias (5.) **1**, 512f. ■ Odian (3.), S. 460.

Ideale Gase. Bez. für *Gase, die sich im *idealen Zustand befinden, d.h. der *Zustandsgleichung $p \cdot V = n \cdot R \cdot T$ der i. G. streng genügen; *Beisp.:* Helium bei Raumtemperatur. Die Mehrzahl der Gase u. Gasgemische muß zu den *realen Gasen gerechnet werden; Näheres s. Gasgesetze. – E ideal gases, perfect gases – F gaz parfaits – I gas ideali (perfetti) – S gases perfectos, gases ideales

Ideale Lösungen s. Lösungen.

Idealer Zustand (von latein.: idea = Urbild). Bez. für einen durch einfache Gesetzmäßigkeiten beschreibbaren, hypothet. *Zustand der Materie, in dem sich diese durch idealisierte Eigenschaften auszeichnet. Charakterist. für den i.Z. ist, daß die Bestandteile der betrachteten Syst. keinen wechselseitigen Einwirkungen unterliegen sollen. Die Abweichungen vom i.Z. (*realer Zustand*) kommen durch eben diese gegenseitigen Beeinflussungen zustande. Man spricht z.B. von idealen *Gasen, *Flüssigkeiten, *Lösungen, *Festkörpern, *Gemischen (s.a. Destillation, Abb. 1, 3c), *Kristallen usw., s.a. Gasgesetze. – E ideal state – F état idéal – I stato ideale – S estado ideal

Ideales Gasgesetz. Zusammenhang zwischen den Zustandsgrößen eines Gases, wie Druck p, Vol. V u. Temp. T (in *Kelvin), wobei für ein Mol des Gases gilt: $p \cdot V = R \cdot T$ (R = allg. Gaskonstante = 8,314510 J/mol · K). Gase, die diesem Gesetz genügen, werden *ideale Gase genannt. Das Verhalten realer Gase weicht hiervon ab u. wird mit der Virial-Gleichung bzw. der *Van-der-Waals Gleichung beschrieben (s.a. Gasgesetze). – E ideal gas law, perfect gas law – F loi des gaz idéaux – I legge dei gas ideali – S ley de los gases perfectos

Idealgewicht s. Fettsucht.

Idealkristalle s. Einkristalle.

Idein s. Idaein.

Identifizierung. Feststellung der Identität einer chem. Verb., d.h. der völligen Übereinstimmung ihrer physikal., chem., ggf.a. physiolog. Eigenschaften sowie von Zusammensetzung u. Struktur (*Konstitution) mit einer anderen (meist bekannten) Verbindung. Hierzu vergleicht man z.B. Schmp. (Mischschmp.-Verf.), Spektren, Dichten, Sdp., Löslichkeit in verschiedenen Lsm. u. führt I.-Reaktionen mit Reagenzien (*Derivatisierung) durch. Man gebraucht den Begriff „I." analog auch für Elemente u. funktionelle Gruppen, s.a. Analytische Chemie sowie chemische u. qualitative Analyse. – $E = F$ identification – I identificazione – S identificación
Lit.: Gerdes, Qualitative Analyse, Braunschweig: Vieweg 1995 ■ Umland u. Wünsch, Charakteristische Reaktionen anorganischer Stoffe, 2. Aufl., Wiesbaden: Aula-Verl. 1991.

Identische Reduplikation s. Replikation.

Identität s. Gruppentheorie.

Identitäts-Reaktion s. Immundiffusion.

...idin. In der Nomenklatur der *heterocyclischen Verbindungen ist ...idin Bestandteil der systemat. Namen von gesätt. Stickstoff-haltigen Monocyclen; *Beisp.:* Pyrrolidin, Azetidin, Oxazolidin, Aziridin. In *nichtsystemat.* Weise wird ...idin gebraucht in den hergebrachten Namen von Stickstoff-Heterocyclen wie Pyridin, Pyrimidin, Pteridin u.a., von Alkyl- od. Alkoxyanilinen wie Toluidin, Xylidin, Phenetidin u.a., in den Namen der Aglykone von *Anthocyanen, d.h. der *Anthocyanidine wie Cyanidin, Delphinidin usw., sowie in den Namen von *Nucleosiden der *Pyrimidin-Basen; *Beisp.:* Cytidin, Uridin, Thymidin. – $E = F$ ...idine – $I = S$ ...idina

Idiochromasie (von griech.: idios = eigen u. chroma = Farbe). Bez. für die Eigenfarbe von Stoffen, v.a. Mineralien, deren Lichtabsorption ausschließlich durch die Bausteine der reinen ungestörten *Kristallstruktur (also nicht etwa durch Beimengungen – dies wäre *Allochromasie) bedingt ist; *Beisp.:* Gold, Kupferlasur, *Malachit, *Proustit usw. – E idiochromasy – F idiochromasie – I idiocromatismo – S idiocromasia

Idiomorph s. Gefüge.

Idiopathic Environmental Intolerances s. MCS.

Idiophase. In *Batch-Fermentationen von Mikroorganismen Bez. für die Produktionsphase der *Sekundärmetabolite, die sich in Abhängigkeit von den Wachstumsbedingungen stoffwechselphysiolog. u. regulator. deutlich von der Wachstumsphase (*Trophophase) abgrenzt. – $E = F$ idiophase – $I = S$ idiofase
Lit.: Bu'Lock, Essays in Biosynthesis and Microbial Development, New York: Wiley 1967 ■ Can. J. Microbiol. **41**, 309 (1995) ■ Crueger-Crueger (3.), S. 33 ■ Kleinkauf et al., Regulation of Secondary Metabolite Fermentation, S. 369–380, Weinheim: Verl. Chemie 1986.

Idiosynkrasie (griech.: idios = eigentümlich, synkrasis = Vermischung). Bez. für eine angeborene abnorme Überempfindlichkeit gegenüber bestimmten Stoffen. – E idiosyncrasy – F idiosyncrasie – $I = S$ idiosincrasia

Idiotop s. Idiotyp.

Idiotrophe Gewässer. Durch extreme chem. Verhältnisse ausgezeichnete Gewässer, z.B. dystrophe Seen, Asphaltseen u. *Salzseen.

Idiotyp. Die variable Domäne eines *Antikörpers od. eines Antigen-Rezeptors eines T-*Lymphocyten enthält gewisse Antigen-Determinanten od. Epitope (s. Antigene), die im speziellen Fall *Idiotope* genannt werden u. gegen die – auch vom betreffenden Organismus selbst – wiederum (antiidiotyp.) Antikörper gebildet werden können. Die Gesamtheit dieser Idiotope macht den I. des Antikörpers (od. des T-Zell-Rezeptors) aus. – $E = F$ idiotype – $I = S$ idiotipo
Lit.: Roitt et al., Kurzes Lehrbuch der Immunologie, 3. Aufl., S. 123, Stuttgart: Thieme 1995.

Idit (Iditol). $C_6H_{14}O_6$, M_R 182,17, Schmp. 73–74 °C, opt. aktiv, seltener Zuckeralkohol (vgl. Hexite), dessen L-Form neben *D-Sorbit in der *Eberesche* vorkommt. – $E = S$ iditol – I iditolo
Lit.: Beilstein E IV **1**, 2843 ■ Carbohydr. Res. **14**, 207 (1970) ■ J. Am. Chem. Soc. **76**, 1661 (1954). – *[HS 2905 49]*

L-Idit

Iditol s. Idit.

IDL s. Lipoproteine.

ido-. Kursiv gesetztes Präfix zur Bez. einer bestimmten Konfiguration bei *Kohlenhydraten, vgl. die Abb. bei Aldohexosen. – $E = F = I = S$ ido-

Idokras s. Vesuvian.

Idose.

α-D-Pyranose-Form

$C_6H_{12}O_6$, M_R 180,16, farbloser Sirup, $[\alpha]_D^{20}$(L-I.) $-17,4°$ (c 3,6/H_2O). *Hexose, die in verschiedenen Derivaten als α-D- u. β-D-Pyranose sowie seltener als β-D- u. β-L-Furanose vorliegen kann. – $E = F$ idose – I idosio – S idosa – [HS 294000; CAS 5978-95-0 (D); 5934-56-5 (L)]

Idoxuridin (Rp).

Internat. Freiname für das *Virostatikum (gegen *Herpes-Viren) 2'-Desoxy-5-ioduridin (IDU), $C_9H_{11}IN_2O_5$, M_R 354,10. Farblose Krist., Schmp. 160°C (nach anderen Angaben >175°C, 190–195°C, 240°C). Lagerung: luftdicht u. lichtgeschützt. Wäss. Lsg. sind bei pH 2–6 u. ca. 2–8° stabil. I. wirkt als Antagonist zur Thymidylsäure bei der DNA-Synth. der Viren. I. wurde 1963 von Roussel UCLAF patentiert u. ist als Generikum im Handel. – $E = F$ idoxuridine – $I = S$ idoxuridina

Lit.: Beilstein E V **24/6**, 348f. ▪ DAB **1996** u. Komm. ▪ Hager (5.) **8**, 521 ff. – [HS 293490; CAS 54-42-2]

Idranal®. Reagenzien für die *Komplexometrie (Metalltitrationen u. Wasserhärtebestimmung), die Konzentrate, gebrauchsfertige Lsg. u. Pufferlsg. umfassen. Im Handel sind die Typen I: *Nitrilotriessigsäure (NTA); II: *Ethylendiamintetraessigsäure (EDTA); III: Di-Na-Salz-2-Hydrat von II; IV: 1,2-Diaminocyclohexantetraessigsäure (DCTA); V: *Diethylentriaminpentaessigsäure (DTPA); VI: Ethylenglykolbis-(2-aminoethylether)-N,N,N',N'-tetraessigsäure (EGTA) für Metalltitrationen. Die Lsg. A u. B zur Bestimmung der Wasserhärte enthalten zusätzlich Zn-Idranal®, um den Indikatorumschlag besser sichtbar zu machen. *B.:* Riedel-de Haën

L-Iduronsäure.

α-L-Idopyranuronsäure-Form

$C_6H_{10}O_7$, M_R 194,14. Bez. für eine *Uronsäure, Krist., Schmp. 131–132°C, die sich von L-*Idose ableitet u. bes. in *Chondroitinsulfat B (β-Heparin, Dermatansulfat) auftritt. I. geht biosynthet. aus der isomeren D-*Glucuronsäure hervor, von der sie sich nur durch die Konfiguration am Kohlenstoff-Atom 5 unterscheidet. Diese Epimerase-Reaktion erfolgt im intakten *Glykosaminoglykan (hier: Chondroitinsulfat). – E L-iduronic acid – F acide L-iduronique – I acido L-iduronico – S ácido L-idurónico

Lit.: Beilstein E IV **3**, 2000. – [CAS 2073-35-0]

IE. Abk. für *Internationale Einheit.

IEC s. Ionenaustauschchromatographie.

IEF. Abk. für *isoelektrische Fokussierung.

IEI s. MCS.

IEN. Abk. für *interpenetrating elastomeric networks*, s. interpenetrierende polymere Netzwerke.

IES. Abk. für *3-Indolylessigsäure.

IETS. Abk. für *Inelastic Electron Tunneling Spectroscopy*.

IF. Abk. für *inhibiting factors, *Initiationsfaktoren u. *intermediäre Filamente.

I. F. C. s. Industriemeister, Fachrichtung Chemie.

IfE. Abk. für *Institut für Erdölforschung.

IFF. Abk. für die Firma International Flavors & Fragrances Inc., 521 West 57th Street, New York 10019. *Daten:* 4650 Beschäftigte, ca., 1,4 Mrd. $ Umsatz. *Produktion:* Fruchtzubereitungen, Aromen, Gewürzmischungen, Aroma-Chemikalien. *Vertretung* in der BRD: IFF GmbH, 46425 Emmerich.

IFN s. Interferone.

Ifosfamid (Rp).

Internat. Freiname für das gelegentlich auch *Isophosphamid* genannte *Cytostatikum u. Immunsuppressivum (s. Immunsuppression) 3-(2-Chlorethyl)-2-(2-chlorethylamino)-1,3,2-oxazaphosphinan-2-oxid, $C_7H_{15}Cl_2N_2O_2P$, M_R 261,09, Schmp. 39–41°C; LD_{50} (Ratte i.p.) 150 mg/kg. I. ist ein Stickstoff-Lost-Derivat u. isomer mit *Cyclophosphamid. Es wurde 1968 von Asta (Holoxan®) patentiert u. ist auch von cell pharm (IFO-cell®) im Handel. – $E = F = I$ ifosfamide – S ifosfamida

Lit.: Arzneim. Forsch. **39**, 223–226 (1989) ▪ ASP ▪ Hager (5.) **8**, 523 ff. – [HS 293490; CAS 3778-73-2]

IFPMA. Abk. für die 1968 gegr. *International Federation of Pharmaceutical Manufacturers Association* mit Sitz in 30, rue de Saint Jean, CH-1211 Genève. Die IFPMA ist ein weltweiter Pharma-Dachverband, dem die regionalen bzw. nat. pharmazeut. Herstellerverbände aus 52 Ländern angehören. – INTERNET-Adresse: http://www.ifpma.org

IFP-Verfahren. 1. Allg. Abk. für Verf. des Institut Français du Pétrole zur Gewinnung od. Verarbeitung von Petrochemikalien, insbes. zur Oxid., Hydrierung, Pyrolyse u. Dimerisierung von Kohlenwasserstoffen.

2. Kurzbez. für ein Verf. der Grenzflächenpolymerisation (*E Interfacial Polymerization*), um Polyamide (z. B. aus Hexandiamin u. Sebacylchlorid) zur *Krumpffrei-Ausrüstung auf Wolle aufzubringen, *Bancora-Verfahren). – *E* IFP process – *F* procedé IFP – *I* processo IFP – *S* procedimiento IFP
Lit. *(zu 1.):* Ullmann (5.) **A 18**, 70; **A 27**, 150; **A 15**, 431, 506.

IFZ. Abk. für Iod-Farbzahl, s. Farbzahl.

Ig s. Immunglobuline.

I. G., IG. 1. Abk. für *Industriegewerkschaft, vgl. a. Industriegewerkschaft Chemie-Papier-Keramik. – 2. Abk. für Interessengemeinschaft, bei der sich Unternehmen zur Wahrung wirtschaftlicher Interessen als Ges. des bürgerlichen Rechts vertraglich zusammenschließen. Die Unternehmen bleiben rechtlich selbständig, jedoch ist die wirtschaftliche Selbständigkeit im Sinne einer Gewinngemeinschaft gemindert. Die I. G. steht in der Stufenleiter der Konzentrationsformen zwischen *Kartell u. Konzern.

IGA. Abk. für die 1958 gegr. Industrie-Gemeinschaft Aerosole e. V. mit Sitz in 60329 Frankfurt, Karlstr. 21. Die IGA mit 86 Mitgliedern (1996) repräsentiert mehr als 90% der *Spray-Produktabfüller in der BRD.

IG Chemie (Papier-Keramik) s. Industriegewerkschaft Chemie-Papier-Keramik.

Igeweskys Reagenz. 5%ige Lsg. von *Pikrinsäure in abs. Alkohol zur Ätzung von Kohlenstoff-Stählen in der Mikroanalyse.

IGF. Abk. für *insuline-like growth factors*, s. Insulinartige Wachstumsfaktoren.

I. G. Farben. Kurzbez. für die Interessengemeinschaft (I. G.) Farbenindustrie AG, ehemals größtes dtsch. Chemie-Unternehmen, das ab September 1946 durch Kontrollratsbeschluß aufgelöst wurde. Schon im Jahre 1904 schlossen sich die Firmen „Actienges. für Anilinfabrikation Berlin" (Agfa), „Bad. Anilin- u. Sodafabrik Ludwigshafen" u. „Farbenfabriken vorm. Friedr. Bayer & Co., Elberfeld" zu einer losen Interessengemeinschaft zusammen, welche sich zunächst auf Erfahrungsaustausch u. Verzicht auf Konkurrenz in gemeinsamen Produkten beschränkte. Mit dem gleichen Ziel hatten sich die „Farbwerke vorm. Meister Lucius u. Brüning, Hoechst a. Main" ebenfalls 1904 mit „Leopold Cassella & Co., GmbH, Frankfurt" vereinigt u. später war „Kalle & Co., AG, Wiesbaden-Biebrich" hinzugekommen. Während des 1. Weltkrieges (1916) vereinigten sich die obigen Firmen mit der „Chem. Fabrik Griesheim-Elektron, Frankfurt-Main" u. den „Chem. Fabriken vorm. Weiler-ter Meer, Uerdingen" zur erweiterten „Interessengemeinschaft der deutschen Teerfarbenfabriken". Die Firmen blieben hierbei immer noch rechtlich selbständig; sie konnten aus der für 50 Jahre abgeschlossenen Interessengemeinschaft bei „wichtigen Gründen" austreten. Die Gründung der I. G. F. mit Sitz in Frankfurt/Main erfolgte 1924/1925 – bes. auf die Initiative von *Duisberg u. *Bosch – unter dem Druck der wachsenden Auslandskonkurrenz in der Zeit nach dem 1. Weltkrieg. Sie ermöglichte eine einheitliche Preisgestaltung (Vermeidung untragbarer Preisunterbietung auf dem Welt-

markt), die Vermeidung unnötiger Parallelentwicklung u. die Finanzierung zahlreicher kostspieliger Forschungs- u. Entwicklungsarbeiten, die kleineren, weniger kapitalkräftigen Unternehmungen nicht möglich gewesen wären. Im Zuge der Neuordnung änderte die Bad. Anilin- u. Sodafabrik ihren Namen in I. G.-Farbenindustrie AG u. nahm folgende Firmen auf: Farbenfabriken Bayer, Farbwerke Hoechst, Agfa, Weiler-ter Meer u. Griesheim-Elektron; Cassella u. Kalle waren schon vorher von den Farbwerken *Hoechst übernommen worden. Die vereinigten Firmen gaben ihre rechtliche Selbständigkeit auf u. wurden Zweigniederlassungen des Konzerns. Als Marken für die Erzeugnisse der I. G. F. diente der bekannte „I. G.-Kolben". Das Stammkapital des Unternehmens betrug bei der Fusion 646 Mio. RM. An die I. G. wurden rasch weitere in- u. ausländ. Firmen angeschlossen; zum Konzern gehörten zu Zeiten seiner größten Machtentfaltung etwa 400 dtsch. Firmen (ganz od. teilw.) sowie rund 500 ausländ. Firmen od. Beteiligungen.
Der Patentbesitz der I. G. umfaßte rund 40000 Nummern; allein im Jahre 1932 hatte die I. G. 1234 Patente erworben. Die wichtigsten Produkte der I. G. waren: Teerfarbstoffe u. Hilfsprodukte, Schwerchemikalien, Leichtmetalle, synthet. Stickstoff-Dünger, Treibstoffe (Leuna-Benzin), Kunststoffe (Buna), Kunstseide u. Zellwolle, Arzneimittel, Photoartikel usw. Manche Handelsnamen von Erzeugnissen der I. G. F. begannen mit IG, so z. B. Igamid, Igepan, Igederm, Igedur, Igelit, Igepal, Igephoska, Igepon usw.
Die Belegschaft der gesamten I. G. zählte 1926: 94000, 1930: 80000, 1936: 110000, 1938: 135000, 1942: 188000 u. 1944: 189000 Werksangehörige. Etwa die Hälfte des dtsch. Chemie-Exportumsatzes 1926 bis 1938 stammte von der I. G. Farben. Ihre Werke im Gebiet der heutigen BRD hatten einen Gesamtwert von rund 2,084 Mrd. RM; der Bombenschaden erreichte hier eine Höhe von 340 Mio. RM (16,3%). Die I. G.-Werke in der ehem. DDR wurden nicht nur wertmäßig höher, nämlich auf 2,667 Mrd. RM, geschätzt, sondern erlitten auch geringere direkte Kriegsschäden (etwa 250 Mio. RM).
Im Jahre 1945 wurde der I. G. F.-Konzern von den Alliierten zerschlagen. Nach dem am 30. 11. 1945 erlassenen Gesetz Nr. 9 des Alliierten Kontrollrats u. dem Gesetz Nr. 35 der Alliierten Hohen Kommission von 1950 sollte das Unternehmen in kleinere Einheiten aufgespalten *(Entflechtung)* u. die I. G.-Aktionäre entschädigungslos enteignet werden, „um jede künftige Bedrohung seiner Nachbarn od. des Weltfriedens durch Deutschland unmöglich zu machen". Den I. G.-Nachfolgefirmen war es zeitweilig verboten, Marken, die den Namen I. G. tragen od. davon hergeleitet sind, im In- u. Ausland zu benutzen. Die in der jetzigen BRD gelegenen Werke sind ab 1951 als selbständige Firmen neu gegr. worden. Die wichtigsten dieser sog. *I. G.-Nachfolger* sind: *BASF, *Bayer, *Dynamit Nobel, *Hoechst, *Hüls, Wacker-Chemie, Wasag.

Lit.: Bäumler, Ein Jahrhundert Chemie, Düsseldorf: Econ 1963 ■ Borkin, Die unheilige Allianz der I. G. Farben, Frankfurt: Campus 1979 ■ Chem. Ind. **1952**, 777–808 u. 899–904 ■ Dokumente aus Hoechster Archiven **9** (1965), **49** (1978), **50** (1978), Frankfurt: Farbwerke Hoechst ■ Krischan, Bibliographie der IG-Farben-Entflechtung, Darmstadt: Hoppenstedt

1957 ■ Reichelt, Das Erbe der IG-Farben, Düsseldorf: Econ
1956 ■ Winnacker, Nie den Mut verlieren, Düsseldorf: Econ
1971 ■ s. a. die erwähnten Einzelfirmen.

Ignimbrit. Bez. für *Bimsstein-reiche, schlecht sortierte, chaot., massige, in ihrer Gesteinszusammensetzung *Rhyolithen bis *Andesiten u. *Trachyten entsprechende *pyroklastische Gesteine, in denen vulkan. Aschen, Schlacken, Bims, Gesteinsbruchstücke, Krist. (z. B. *Quarz, *Feldspäte) u. Glasfetzen („*Flammen*“) nebeneinander vorkommen. I. sind aus energiereichen, *pyroklast. Strömen* („Glutlawinen“) entstanden, in die die Partikel in Form einer Dispersion von Gesteins- u. Lava-Bruchstücken mit Geschw. bis zu mehreren hundert km/h in bis zu 800 °C heißen Gasen transportiert werden. Man unterscheidet *lockere I.* (*Glut-*Tuffe*), durch randliches Verschmelzen der Komponenten *verhärtete I.* (*Schmelztuffe*, E welded tuffs) u. durch weitgehendes Verschmelzen homogenisierte, z.T. *Obsidianen ähnliche *vitrophyr. Ignimbrite*. Lockere u. wenig verschmolzene I. sind gewöhnlich helle, oft leuchtend rote, grünliche od. blaue Gesteine; ältere I. sind matt grau, rot od. grünlich gefärbt.

Vork.: I. können *plateauartige Decken* von vielen km^2 Fläche u. vielen Metern Dicke bilden, so z.B. in den Vulkangebieten rings um den Pazifik (Neuseeland, Indonesien, Japan, westliches Amerika) u. in Mittelitalien. Beisp. für z.T. verheerende, I.-liefernde Vulkanausbrüche sind: Mount Pinatubo/Philippinen 1991 (5–7 km^3 I.), Mount St. Helens im Staate Washington/USA[1] 1980, Tambora/Indonesien 1815[2] (Förderung von 150 km^3 vulkan. Material; ca. 90 000 Tote); beim Ausbruch des Taupo-Vulkans auf den Philippinen 186 n. Chr. wurden 30 km^3 I. über 20 000 km^2 Fläche aus einem 200 m/s schnellen, nach *Lit.*[2] turbulenten, stark mit Gasen verdünnten Strom abgesetzt; zur aktuellen Diskussion von Ablagerungs- u. Transportmechanismen von I. s. *Lit.*[3,4].

Verw.: Früher als Behausungen, z.B. die Höhlen von Göreme/Türkei u. die der Etrusker in Mittelitalien. Als Baustein, z.B. der Ettringer Tuffstein in der Eifel. – E =I ignimbrite – F ignimbrite, tuf sudé – S ignimbrita

Lit.: [1] Spektr. Wiss. **1981**, Nr. 5, 32–46. [2] Science **224**, 1191–1198 (1984). [3] Nature (London) **381** (6582), 476 f., 509 ff. (1996). [4] Bull. Vulcanol. **54**, 504–520 (1992). *allg.:* Francis, Volcanoes, S. 208–234, Oxford: Oxford University Press 1994 ■ Schmincke, Vulkanismus, S. 107–120, Darmstadt: Wissenschaftliche Verlagsges. 1986 ■ s. a. pyroklastische Gesteine, Vulkane.

Ignotin s. Carnosin.

IHF s. integration host factor.

IHK. Abk. für Industrie- u. Handelskammer, regionale Selbstverwaltungsorganisation aller gewerblichen Unternehmen mit Ausnahme des Handwerks. Die IHK sind Körperschaften des öffentlichen Rechts mit Zwangsmitgliedschaft, die im *DIHT zusammengeschlossen sind. Aufgabe der 83 IHK in der BRD ist die gesetzliche Vertretung u. die Förderung der gewerblichen Wirtschaft in ihrem Bezirk. Durch Innovationshilfen u. die IHK-Technologiebörse werden branchenübergreifende Informationen u. Beratungen geboten, vgl. a. Forschungsförderung. – INTERNET-Adresse: http://www.ihk.de

Ii s. invariante Kette.

I & I. Abk. für industrial and institutional clean(s)ers; internat. eingebürgerte engl. Bez. für Industrie- u. institutionelle (sowie gewerbliche) Reiniger, die außer in der Ind. z.B. in öffentlichen Gebäuden, Großküchen, Hotels u. Krankenhäusern Einsatz finden. I & I werden in Form sog. Großverbraucherware vermarktet. – E industrial and institutional clean(s)er

IIR. Kurzz. (abgeleitet von der engl. Bez. *i*sobutene *i*soprene *r*ubber) für *Butylkautschuk.

IKA-Maschinenbau. Kurzbez. für IKA-Maschinenbau Janke & Kunkel GmbH & Co. KG, 79219 Staufen. *Produktion:* Laborgeräte, Maschinen u. Anlagen für die Technologien Dispergieren (Ultra Turrax®), Kneten u. Rühren.

IκB s. NF-κB.

Ikos... s. Icos(a)...

Ikosaeder s. Platonische Körper.

Ikterus (griech.: ikteros = Gelbsucht). Gelbe Verfärbung der Haut u. Schleimhäute sowie der Lederhaut der Augen, die durch den Anstieg des *Bilirubin-Gehalts im Blut (Hyperbilirubinämie) u. Ablagerung von Bilirubin in den Geweben zustandekommt. Eine Hyperbilirubinämie tritt aufgrund von Störungen im Stoffwechsel u. der Ausscheidung von Bilirubin in die *Galle, bei gestörter Leberfunktion u. bei vermehrtem Zerfall roter Blutkörperchen auf. So ist der I. ein Symptom für verschiedene Erkrankungen der Gallenwege, der *Leber (z.B. *Hepatitis) u. des Blutes. – E jaundice – F ictère, jaunisse – I ittero – S ictericia

IKW. Abk. für den *Industrieverband Körperpflege- u. Waschmittel.

IL s. Interleukine.

Ildamen®. Ampullen u. Filmtabl. mit *Oxyfedrin-Hydrochlorid gegen Angina pectoris, Coronarinsuffizienz u. Myokardinfarkt. *B.:* Asta-Medica.

Ile. Neben I Kurzz. für die Aminosäure L-Isoleucin.

Ilja Rogoff® Knoblauchpillen mit Rutin. Dragées mit Extrakten aus Knoblauch, Mistelkraut, Weißdorn, Hopfen u. Japan. Schnurbaum (enthält viel Rutosid) gegen Arteriosklerose u. deren Folgeerscheinungen, Magen-Darm-Störungen. *B.:* Roche Nicholas.

Illit. Sammelbez. für *Glimmer-artige Dreischicht-*Tonminerale mit der gemittelten Zusammensetzung $K_{0,7}M^+_{0,1}(Al,Fe^{3+})_{1,7}(Mg,Fe^{2+})_{0,3}[Si_{3,5}Al_{0,5}O_{10}(OH)_2]$ (Jasmund u. Lagaly, *Lit.*, S. 440). Die I. sind weiß bis gelbgrün, nicht quellfähig u. enthalten ca. 7–9% K_2O u. <1 bis >5 Gew.-% Eisen; Untersuchung von I. mit *Mößbauer-Spektroskopie s. *Lit.*[1]. Teilchendurchmesser meist unter 0,6 μm; unter dem Elektronenmikroskop blättchenförmig od. leistenförmig; H. 1–2, D. 2,6–2,9. Die Masse der I. ist während der *Verwitterung aus *Muscoviten (auch aus Kali-*Feldspäten) durch Herauslösen eines Teils des Kalium-Gehaltes entstanden (daher Bez. wie „unvollständige Glimmer“ od. „*Hydromuscovit*“). Durch Substitutionen in den Tetraeder- u. Oktaederpositionen resultiert eine neg. Schichtladung von überwiegend 0,6 bis 0,8/$O_{10}(OH)_2$; zum Ladungsausgleich ist ein geringer Teil der Kalium-haltigen Zwischenschichten mit austauschbaren Kationen besetzt u. dann quellfähig. Die I. sind mit wenigen Ausnahmen *dioktaedr.*, mit den *Polytypen* (*Glimmer) *1M, 2M* u. auch *1M_d* (ungeordnete Stapelfolge der Schichten). I. bildet häufig *Wechsellagerungs-Minerale, v. a. mit *Smektiten (Abk.: *I/S-Wechsellagerungen*; Struktur u. Aufbau s. *Lit.*[2–4]), bes. mit *Montmorillonit, ferner mit *Chloriten u. *Vermiculit.

Vork.: Verbreitet in *Sedimenten, *Sedimentgesteinen u. Böden (*Boden), u. a. in Ziegeleitonen, *Mergeln u. Tiefsee-Sedimenten (z. B. Nordatlantik, Nordpazifik, arkt. Becken. Als hydrothermales Mineral[5] in manchen Erzlagerstätten u. in Alterationszonen um heiße Quellen. I. entsteht v. a. während der Diagenese (s. Sedimentgesteine) u. beginnender *Metamorphose (z. B. in *Tonschiefern) aus Smektiten, I/S-Wechsellagerungen[6] u. auch aus *Kaolinit. Bei ansteigender Temp. erhöht sich dabei die sog. *I.-Kristallinität*[7] (zunehmende Schärfe der 10 Å-Interferenz im röntgenograph. Pulver-Diagramm, als Maß für den Grad der Diagenese). Verw. in Deponie-Abdichtungen; zur Rolle des I. für die Düngung s. Tone. – *E = F = I* illite – *S* ilita

Lit.: [1] Clay Miner. **29**, 1–10 (1994). [2] Clay Miner. **22**, 269–285 (1987). [3] Nature (London) **331**, Nr. 6158, 699–702 (1988). [4] Am. Mineral. **75**, 267–275 (1990). [5] Am. Mineral. **79**, 700–711 (1994). [6] Geochim. Cosmochim. Acta **51**, 2103–2115 (1987). [7] Eur. J. Mineral. **6**, 611–621 (1994).
allg.: Deer et al., S. 363–368 ▪ Heim, Tone u. Tonminerale, S. 60–64, Stuttgart: Enke 1990 ▪ Jasmund u. Lagaly (Hrsg.), Tonminerale u. Tone, S. 43–46, 61 ff., 175 ff., 440, 446, Darmstadt: Steinkopff 1993 ▪ s. a. Tone, Tonminerale. – *[CAS 12173-60-3]*

Illudine.

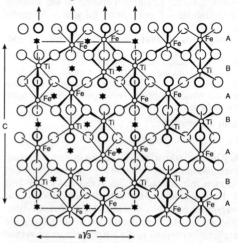

R = CH₃   : I.M
R = CH₂OH : I.S

Illudinin

Sesquiterpen-Antibiotika vom Illudan-Typ aus den Basidiomyceten *Clitocybe illudens* (leuchtender Ölbaumpilz), *Lampteromyces japonicus* u. *Omphalotus olivascens*. Sie entstehen biosynthet. aus *Humulen. Wichtigste I. sind *Illudin M* {$C_{15}H_{20}O_3$, M_R 248,32, Krist., Schmp. 130–131 °C, $[\alpha]_D$ −126° (C_2H_5OH)}[1] u. *Illudin S* {Lampterol, $C_{15}H_{20}O_4$, M_R 264,32, Krist., Schmp. 137–138 °C, $[\alpha]_D$ −165° (C_2H_5OH)}[2], die beide über Antitumor-Eigenschaften verfügen[3]. Ein biogenet. verwandtes tricycl. Derivat ist die Carbonsäure *Illudinin* [$C_{16}H_{17}NO_3$, M_R 271,32, Krist., Schmp. 228–229 °C (Zers.)][4]; zur Biosynth. s. *Lit.*[5]. – *E* illudins – *F = I* illudine – *S* iludinas

Lit.: [1] J. Antibiot. (Tokyo) **40**, 1643 (1987); Tetrahedron Lett. **30**, 3537 (1989). [2] J. Nat. Prod. **52**, 380 (1989). [3] Cancer Res. **47**, 3186–3189 (1987). [4] J. Am. Chem. Soc. **99**, 8007 (1977). [5] J. Chem. Res. (S) **1985**, 396; Tetrahedron Lett. **26**, 4755–4758 (1985).
allg.: Ap Simon **2**, 534–540 ▪ Gazz. Chim. Ital. **121**, 345 (1991) ▪ Indian J. Chem. Sect. B **32**, 1209 (1993) ▪ J. Am. Chem. Soc. **116**, 2667 (1994) ▪ J. Chem. Soc., Perkin Trans. 1 **1991**, 733 ▪ J. Org. Chem. **59**, 6965 (1994) (Synth. I. M) ▪ Turner **1**, 228 f.; **2**, 244, 246. – *[HS 2941 90; CAS 1146-04-9 (I.M); 1149-99-1 (I.S); 18500-63-5 (Illudinin)]*

Illudol.

$C_{15}H_{24}O_3$, M_R 252,35, Krist., Schmp. 130–132 °C, $[\alpha]_D$ −116° (C_2H_5OH), Protoilludan-Sesquiterpen aus dem Höheren Pilz *Clitocybe illudens*; vgl. a. Illudine. – *E = F* illudol – *I* illudolo – *S* iludol
Lit.: Chem. Pharm. Bull. **33**, 440 (1985) ▪ J. Am. Chem. Soc. **113**, 381 (1991) ▪ Semmelhack, in Lindberg, Strategies and Tactics in Org. Synth., S. 201–222, New York: Academic Press 1984 ▪ Tetrahedron **37**, 2199 (1981). – *[CAS 16981-75-2]*

Illudosin s. Fomannosin.

Illurinsäure.

$C_{20}H_{28}O_3$, M_R 316,44, Schmp. 128–129 °C. I. ist eine im *Kopaivabalsam (Illurinbalsam) vorkommende Hydroxy-*Harzsäure. – *E* illurinic acid – *F* acide illurinique – *I* acido illurinico – *S* ácido ilurínico
Lit.: Sandermann, Naturharze, Terpentinöl-Tallöl, S. 82 f., Berlin: Springer 1960 ▪ s. a. Harzsäuren. – *[HS 3806 90]*

Illustrationstiefdruck s. ITD.

Ilmenit (Titaneisen). $FeTiO_3$, wichtiges Titanerz, bildet tafelige u. rhomboedr. bis spitzrhomboedr. Krist. („Crichtonit"), rosenartige Aggregate (bes. auf alpinen Klüften, z. B. Maderaner Tal/Schweiz); dünne Lamellen, derbe Massen, Platten, feinkörnige Aggregate u. abgerollte Körner. Die *Krist.-Struktur* von I. läßt sich aus der von *Korund ableiten, indem die Gitterplätze des Al^{3+} durch Fe u. Ti in geordneter Verteilung (s. Abb.) besetzt werden; dadurch wird die Symmetrie auf $\bar{3}$-C_{3i} bei I. erniedrigt.

Abb.: Kristallstruktur von Ilmenit. Projektion auf die Ebene (11$\bar{2}$0), mit den Kationen-Lagen A u. B. Sternchen: Symmetriezentren (*Kristallgeometrie); nach *Lit.*[5], S. 163.

In diesem Strukturtyp krist. zahlreiche Verb., z.B. $MgGeO_3$, $ZnGeO_3$, bei Drücken zwischen 20 u. 24 GPa auch $MgSiO_3$ (*MgSiO$_3$-I.*) [1], der als möglicher Bestandteil des Erdmantels (*Erde) Bedeutung hat. Untersuchung von I. u. isostrukturellen Verb. mit *IR-Spektroskopie s. *Lit.*[2], Struktur von I. bei hohen Drücken u. Temp. s. *Lit.*[3]. I. ist undurchsichtig (opak) eisenschwarz mit gegenüber Magnetit violettem Stich, auch stahlgrau od. braunschwarz; nur auf frischen (unebenen) Bruchflächen Metallglanz. Strichfarbe ist schwarz mit Stich ins Bräunliche, lebhafter *Pleochroismus, spröde, H. 5–6, D. 4,5–5,0 (rein 4,72); vor dem Lötrohr unschmelzbar. Bei $20\,°C$ unmagnet. bis schwach magnet.; bei sehr tiefen Temp. wird I. antiferromagnet.; Neel-Temp. 57 K [*Lit.*[4], dort auch Phasengleichgew. im Dreistoffsyst. (*ternäre Systeme) Fe–Ti–O]. Reiner I. besitzt einen sehr hohen elektr. Widerstand, durch Entmischung von Hämatit wird er zum p-*Halbleiter. Reiner I. enthält 31,6% Ti u. 36,8% Fe; viele Analysen zeigen kleine Gehalte an Ca, Al, Si, V, Nb u. Ta. Bis 20% Fe_2O_3 möglich; hohe Mg- bzw. Mn-Gehalte zeigen Bildung von *Mischkristallen mit *Geikielith* $MgTiO_3$ bzw. *Pyrophanit* $MnTiO_3$ an. Weite Streuung der TiO_2-Gehalte durch Verwachsung von prim. I. mit Hämatit bzw. Magnetit, bedingt durch Entmischung beider Phasen bei sinkender Temp.; zum Übergang von geordneter zu ungeordneter Fe-Ti-Verteilung, Bildung von *Zwillings-Domänen u. den magnet. Eigenschaften von I.-Hämatit-Mischkrist. s. *Lit.*[5,6]. Fe-reiche I. werden auch als *Ferri-I.* od. *Hemo-I.* u. Ti-reicher Hämatit als *Titanohämatit* bezeichnet. Bei *Verwitterung von I., bes. in *Seifen, entsteht *Leukoxen*, der überwiegend aus *Rutil u. Pseudorutil ($Fe_2^{3+}Ti_3O_9$), Anatas u. auch amorphen Anteilen besteht u. 76–90% TiO_2 enthält.

Vork.: Wichtigstes u. verbreitetstes Titan-Mineral. In *Mondgesteinen u. *Meteoriten. Mg-reiche I. (*Picro-I.*) in *Kimberliten. In vielen *magmatischen u. *metamorphen Gesteinen als akzessor. Gemengteil (*Gesteine). Wichtige prim. *I.-Lagerstätten*, meist an Anorthosite (*Gabbros) u. Gabbros gebunden, sind Lac Tio/Quebec/Kanada (I.-Hämatit-Erz), Tellnes bei Egersund/Südnorwegen (Erz mit 18% TiO_2), ferner Kusinsk, Kopansk, Medvedevsk u. Matkal im Ural/Rußland. Auf *sek. Lagerstätten*, zusammen mit Magnetit, Rutil, *Zirkon, *Monazit, Leukoxen usw., in Schwermineral-Sanden (*Strand-Seifen*, z.T. als sog. *black sands*) in heutigen u. fossilen Küstenregionen, z.B. West- u. Ostküste Australiens, Kerala/Indien, Sri Lanka, Malaysia (zusammen mit *Kassiterit), Natal/Südafrika u. Florida/USA. Die größten Reserven haben China, Norwegen u. die frühere Sowjetunion.

Verw.: Zu >90% zur Herst. von TiO_2-Weißpigmenten, ferner zur Herst. von Titan-Metall, zunehmend, Ti-Metall ausschließlich aus Titantetrachlorid, das aus I. über Ti-reiche Schlacken (85–92% TiO_2) od. synthet. Rutil (91–96% TiO_2) als Zwischenstufen erzeugt wird. Manche I.-Erze sind für die Herst. von Keramik-Kondensatoren für die Elektro-Ind. geeignet[7]. I. liefert ferner das Rohmaterial für das sog. I.-Schwarz, eine licht- u. wetterbeständige, metallglänzende Rostschutzfarbe aus feingemahlenem I. mit Kieselsäure u. für braune

Glasurfarben. – *E* ilmenite – *F* ilménite – *I* ilmenite, ferro titanifero – *S* ilmenita

Lit.: [1] Am. Mineral. **81**, 45–50 (1996). [2] Eur. J. Mineral. **5**, 281–293 (1993). [3] Am. Mineral. **69**, 176–185 (1984). [4] Geochim. Cosmochim. Acta **49**, 2027–2040 (1985). [5] Am. Mineral. **74**, 160–176 (1989). [6] Am. Mineral. **78**, 941–951 (1993). [7] Erzmetall **49**, 309–313 (1996).
allg.: Harben u. Bates, Industrial Minerals, Geology and World Deposits, S. 282–294, London: Industrial Minerals Division of Metal Bulletin Plc 1990 ∎ Lapis **9**, Nr. 10, 7–10 (1984) („Steckbrief") ∎ Ramdohr, Die Erzmineralien u. ihre Verwachsungen, S. 1036–1054, Berlin: Akademie-Verl. 1975 ∎ Rumble (Hrsg.), Oxide Minerals (2.) (Reviews in Mineralogy Vol. 3), Washington (D. C.): Mineralogical Society of America 1981 ∎ Ullmann (5.) **A 20**, 272–276; **A 27**, 99 f. ∎ s. a. Titan. – *[HS 2614 00; CAS 12168-52-4]*

ILO. Abk. für *I*nternational *L*abour *O*rganization (= Internat. Arbeitsorganisation). Sie wurde 1919 auf gewerkschaftliche Initiative gegr. u. ist seit 1946 eine Sonderorganisation der UNO. Ihr Sitz ist Genf. ILO befaßt sich mit folgenden Aufgaben: Förderung der sozialen Gerechtigkeit durch bessere Lebens- u. Arbeitsbedingungen in allen Teilen der Welt; – Schaffung neuer Beschäftigungsmöglichkeiten; – Anerkennung von Menschenrechten; – Ausarbeitung internat. Übereinkommen; – Beschäftigung mit Fragen des Arbeitsschutzes, der Kinderarbeit u. des Mutterschutzes; – Förderung der Zusammenarbeit u. Fortbildung von Fachkräften aus den Entwicklungsländern; – Forschung auf arbeitswissenschaftlichem u. sozialpolit. Gebiet.
ILO besteht aus den drei Organen: Die Internat. Arbeitskonferenz, der Verwaltungsrat u. das Internat. Arbeitsamt. In allen Gremien sind Regierungs-, Arbeitgeber- u. Arbeitnehmervertreter gleichberechtigt vertreten.

Ilon®-Abszeß-Salbe. Salbe mit Terpentin, Terpentin-, Rosmarin-, Eucalyptus- u. Thymianöl sowie Thymol, Chlorophyll, 4-Chlor-3,5-dimethylphenol u. 3,4,5,6-Tetrabrom-*o*-kresol. *B.:* Redel.

Iloprost (Rp).

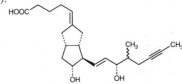

Internat. Freiname für den Thrombozyten-Aggregations-Hemmer (5*E*,13*E*,15*S*,16*RS*)-11α, 15-Dihydroxy-16-methyl-6,9α-methylen-5,13-prostadien-18-in-1-säure, $C_{22}H_{32}O_4$, M_R 360,49. I. wird wie *Alprostadil bei peripherer arterieller Verschlußkrankheit angewendet. Eingesetzt wird das *Trometamol-Salz, $C_{26}H_{43}NO_7$, M_R 481,63. I. wurde 1980 u. 1987 von Schering (Ilomedin®) patentiert. – *E* = *I* = *S* iloprost – *F* Iloprost

Lit.: ASP ∎ Merck-Index (12.), Nr. 4940 ∎ Pharm. Ztg. **140**, 3064–3069 (1995). – *[CAS 78919-13-8 (I.); 73873-87-7 (Trometamol-Salz)]*

ILS. Abk. für *E* *i*onization *l*oss *s*pectroscopy, Ionisationsverlust-Spektroskopie, s. Ionisationsenergie.

Iltis s. Musteliden.

Ilvait (Lievrit). $CaFe_2^{2+}Fe^{3+}[Si_2O_7/O/OH]$, zu den Soro-*Silicaten gehörendes Mischvalenz-Eisensilicat-Mineral mit komplizierter Struktur (z. B. *Lit.*[1]); bei 20 °C monoklin, Kristallklasse 2/m-C_{2h}. Fe^{2+} u. Fe^{3+} befinden sich auf 3 kristallograph. ungleichwertigen, oktaedr. von 6 Sauerstoffen umgebenen Punktlagen[2], $M_{(1,1)}$, $M_{(1,2)}$ u. $M_{(2)}$ (hier nur Fe^{2+}, auch Mn^{2+}). In natürlichen I. findet man alle Zwischenstadien zwischen völlig geordneter (dann monokline Symmetrie) u. völlig ungeordneter (dann orthorhomb. Symmetrie) Verteilung von Fe^{2+} u. Fe^{3+} auf die Oktaederplätze $M_{(1,1)}$u. $M_{(1,2)}$, z. T. sogar in demselben Krist. (*Lit.*[3]). Zwischen Fe^{2+} u. Fe^{3+} finden Elektronen-Übergänge statt; Untersuchung von I. mit *Mößbauer-Spektroskopie s. *Lit.*[4]. Mit steigender Temp. zwischen 333 K u. 346 K Phasenübergang von monokliner zu orthorhomb. Symmetrie (*Lit.*[5]), ebenso bei steigenden Drücken bei 1,9 GPa[6] od. 2,2 GPa[7]. Die Temp. des Phasenübergangs wird durch den Einbau von Mn^{2+} (statt Fe^{2+}) erniedrigt[8]; zur Synth. von I. s. *Lit.*[9]. Prismat. bis nadelige Krist., stengelige od. büschelige Aggregate; strahlig, faserig, derb, körnig. H. 5,5–6, D. 4,1–4,2, halbmetall. od. fettartiger Glanz; Farbe schwarz, dunkelgrün, bräunlichgrün, Strichfarbe dunkelgrün, grünlichschwarz; I. wird von Salzsäure zersetzt.

Vork.: Überwiegend als Mineral der Kontakt-*Metasomatose, u. a. in Fe-(Mn)-Si-*Skarnen, z. B. Insel Elba u. Campiglia/Toskana/Italien, Insel Serifos/Griechenland; in *Sodalith-*Syenit in Kangerdluarsuk/Grönland; in Dalnegorsk/Sibirien[3]. – $E = I$ ilvaite – F liévrite – S ilvaita

Lit.: [1] Eur. J. Mineral. **6**, 465–479 (1994). [2] Z. Kristallogr. **163**, 267–283 (1983). [3] Z. Kristallogr. **209**, 861–869 (1994). [4] Phys. Chem. Miner. **10**, 250–255 (1984); **16**(1), 55–60 (1988). [5] Adv. Phys. Geochem. **7**, 141–161 (1988); Phys. Chem. Miner. **15**, 390–397 (1988); **16**, 483–496, 606–613 (1989). [6] Z. Kristallogr. **179**, 415–430 (1987). [7] Phys. Chem. Miner. **20**, 402–406 (1993). [8] Phys. Chem. Miner. **18**, 491–496 (1992). [9] Mineral. Petrol. **37**, 97–108 (1987).
allg.: Anthony et al., Handbook of Mineralogy, Vol. II, Tl. 1, S. 364, Tucson (Arizona): Mineral Data Publishing 1995 ▪ Lapis **12**, Nr. 4, 7 ff. (1987) („Steckbrief") ▪ Rahmdohr-Strunz, S. 693 f. – *[CAS 12168-91-1]*

ILV-Werte. Abk. für *I*ndicative *L*imit *V*alue. Bei ILV-Werten handelt es sich um Richtgrenzwerte berufsbedingter Exposition. Sie werden unter Berücksichtigung toxikolog. u. arbeitsmedizin. Erkenntnisse aufgestellt. Bei Einhaltung des ILV-Wertes besteht im allg. keine Gefährdung der Gesundheit der Beschäftigten. Sie sind von den EU-Mitgliedstaaten bei der Festsetzung nationaler Grenzwerte zu berücksichtigen. – E indicative limit value – F valeurs limite indicatives – I valori indicativi limiti – S valor límite indicativo

Lit.: Richtlinie 80/1107/EWG des Rates vom 27. 11. 1980 zum Schutz der Arbeitnehmer vor der Gefährdung durch chem., physikal. u. biolog. Arbeitsstoffe bei der Arbeit (EG-ABl. L 327/8 vom 3. 12. 1980)▪Richtlinie 88/642/EWG des Rates vom 16. 12. 1988 zur Änderung der Richtlinie 80/1107/EWG des Rates vom 27. 11. 1980 (EG-ABl. L 356/74 vom 24. 12. 1988) ▪ Richtlinie 91/322/EWG der Kommission vom 29. 05. 1991 zur Festsetzung von Richtgrenzwerten zur Durchführung der Richtlinie 80/1107/EWG des Rates (EG-ABl. L 177/22 vom 05. 07. 1991).

i.m. Abk. für intramuskulär, s. Injektion.

Imap® (Rp). Injektionssuspension mit *Fluspirilen gegen Psychosen u. psychosomat. Beschwerden. *B.:* Janssen-Cilag.

Imazalil.

Common name für (±)-1-[2-Allyloxy-2-(2,4-dichlorphenyl)ethyl]-1H-imidazol, $C_{14}H_{14}Cl_2N_2O$, M_R 297,18, Schmp. 52,7 °C, LD_{50} (Ratte oral) 320 mg/kg (WHO), von Janssen Pharmaceutica entwickeltes system. *Fungizid mit protektiver u. kurativer Wirkung gegen eine Vielzahl pilzlicher Krankheitserreger, vorwiegend verwendet als Mischpartner in Beizmitteln mit Hauptwirkung gegen Streifenkrankheit im Getreidebau sowie als Spritzmittel im Zierpflanzenbau. – $E = F = I = S$ imazalil
Lit.: Farm ▪ Perkow ▪ Pesticide Manual. – *[HS 2933 29; CAS 35554-44-0]*

Imazamethabenz-methyl.

Common name für eine Mischung aus (±)-2-(4-Isopropyl-4-methyl-5-oxo-4,5-dihydro-1H-imidazol-2-yl)-4- u. -5-methylbenzoesäuremethylester, $C_{16}H_{20}N_2O_3$, M_R 288,35, Schmp. 113–153 °C, LD_{50} (Ratte oral) >5000 mg/kg (WHO), von American Cyanamid entwickeltes selektives system. Nachauflauf-*Herbizid gegen Ungräser wie Flughafer, Ackerfuchsschwanz u. Windhalm u. einige Unkräuter wie *Brassica*-Arten u. Windenknöterich im Weizen-, Gersten-, Roggen- u. Sonnenblumenbau. – $E = F$ imazamethabenz-methyl – I imazametabenz-metile – S imazametabenz-metilo
Lit.: Perkow ▪ Pesticide Manual. – *[CAS 81405-85-8]*

Imazapyr.

Common name für (±)-2-(4-Isopropyl-4-methyl-5-oxo-4,5-dihydro-1H-imidazol-2-yl)nicotinsäure, $C_{13}H_{15}N_3O_3$, M_R 261,28, Schmp. 169–173 °C, LD_{50} (Ratte oral) >5000 mg/kg (WHO), von American Cyanamid entwickeltes Totalherbizid gegen Ungräser, Unkräuter u. verholzte Pflanzen auf Nichtkulturland, im Forst u. in Gummibaum- u. Ölpalmenplantagen. – $E = F = I$ imazapyr – S imazapir
Lit.: Farm (Arsenal®) ▪ Perkow ▪ Pesticide Manual. – *[CAS 81334-34-1]*

Imazaquin. Common name für (±)-2-(4-Isopropyl-4-methyl-5-oxo-4,5-dihydro-1H-imidazol-2-yl)-3-chinolincarbonsäure, $C_{17}H_{17}N_3O_3$, M_R 311,34, Schmp. 219–224 °C (Zers.), LD_{50} (Ratte oral) >5000 mg/kg (WHO), von American Cyanamid entwickeltes selektives system. *Herbizid gegen Unkräuter im Sojabohnenbau. – $E = I$ imazaquin – F imazaquine – S imazaquina

Lit.: Farm (Scepter®) ▪ Pesticide Manual. – *[CAS 81335-37-7]*

Imazethapyr.

Common name für (±)-5-Ethyl-2-(4-isopropyl-4-me-thyl-5-oxo-4,5-dihydro-1*H*-imidazol-2-yl)nicotin-säure, $C_{15}H_{19}N_3O_3$, M_R 289,33, Schmp. 169–173 °C, LD_{50} Ratte oral >5000 mg/kg (WHO), von American Cyanamid entwickeltes system. *Herbizid gegen Un-gräser u. Unkräuter im Sojabohnenbau. – *E = F = I* imazethapyr – *S* imazetapir
Lit.: Farm (Pursuit®) ▪ Pesticide Manual. – *[CAS 81335-77-5]*

Imazosulfuron. Common name für 1-(2-Chlorimida-zol[1,2a]pyridin-3-ylsulfonyl)-3-(4,6-dimethoxypy-rimidin-2-yl)harnstoff.

$C_{14}H_{13}ClN_6O_5S$, M_R 412,81, Schmp. 183–184 °C (Zers.), LD_{50} (Ratte oral) >5000 mg/kg, von Takeda entwickeltes *Herbizid gegen breitblättrige Unkräuter im Reisanbau u. auf Rasenflächen. – *E = F* imazosul-furon – *I* imazosulfurone – *S* imazosulfurón
Lit.: Pesticide Manual. – *[CAS 122548-33-8]*

Imbibition (von latein.: imbibere = einsaugen). Durch-tränken, d. h. Flüssigkeitsaufnahme durch Gele, Fest-körper, Körpergewebe usw. Da die I. in der Regel eine Vol.-Vergrößerung des Sorptionsmittels (also *Quel-lung) bewirkt, wird sie häufig mit dieser identifiziert. – *E = F* imbibition – *I* imbibizione – *S* imbibición

Imbricatin.

$C_{24}H_{26}N_4O_7S$, M_R 514,55, cytotox. Benzyltetrahydro-*Isochinolin- sowie *Imidazol-Alkaloid aus dem See-stern *Dermasterias imbricata*. I. ist das bisher einzige Alkaloid dieser Klasse, das nicht aus einer pflanzli-chen Quelle stammt. – *E = F* imbricatine – *I = S* im-bricatina
Lit.: Biol. Bull. **176**, 73 (1989) ▪ Can. J. Chem. **69**, 20 (1991) (Synth.) ▪ J. Am. Chem. Soc. **108**, 8288 (1986). – *[CAS 105372-70-1]*

Imbun® (Rp). Film- u. Brausetabl., Ampullen u. Sup-positorien mit *Ibuprofen-Lysinsalz gegen rheumat. Erkrankungen, Schmerzen u. Schwellungen. *B.*: Merckle.

IMC. Abk. für *International Mineral & Chemical Global Inc.

IMDG Code. Abk. für den von der internat. Seeschiff-fahrtsorganisation (IMO = International Governmental Maritime Organization) 1960 herausgegebenen *Inter-national Maritime Dangerous Goods Code, eine 4-bän-dige Sammlung von internat. anzuwendenden *Trans-portbestimmungen zur Verhütung der Verschmutzung von Gewässern durch Schiffe u. für die Beförderung von *gefährlichen u. Gewässer-gefährdenden Gütern mit Seeschiffen u. einem 5. Ergänzungsbd. mit sup-plementären Richtlinien. Der Dtsch. IMDG Code um-faßt mit der GGV-See 11 Bände. *B.*: IMO; *Vertretung:* Verl. K. O. Storck, 21147 Hamburg, Stahlwiete 7.
Lit.: VO über die Beförderung gefährlicher Güter mit See-schiffen vom 24.7.1991 (BGBl. I, S. 1714).

Imene s. Nitrene.

Imeson® (Rp). Schlaftabl. mit *Nitrazepam. *B.*: De-sitin.

Imex® (Rp). Akne-Salbe mit *Tetracyclin-Hydro-chlorid. *B.*: Merz & Co.

Imhausen, Arthur (1885–1951), Chemiker, Industri-eller u. Firmengründer in Witten. *Arbeitsgebiete:* Kol-loidchemie, Nahrungsmittelchemie, industrielle Par-affin- u. Fettsäure-Synth. aus Fischer-Tropsch-Gatsch usw., Fett-Synthese.

Imhoff-Tank s. Emscherbrunnen.

Imhoff-Trichter. Ein kegelförmiges Sedimentiergefäß aus Glas od. Kunststoff mit einem Nennvol. von 1000 mL, das zur Bestimmung des Vol. absetzbarer Stoffe in Wasserproben dient. – *E* Imhoff sedimenta-tion cones – *F* cône à sédimentation d'Imhoff – *I* cono di Imhoff – *S* conos para sedimentación de Imhoff
Lit.: DIN 12672 (06/1977).

Imi®. Weißes, wasserlösl. Pulver, wirkt wegen seines Gehaltes an Tensiden, Soda u. Vergrauungsinhibitoren emulgierend auf fettige u. ölige Verunreinigungen. Seit 1929 auf dem Markt befindliches *Reinigungsmittel für stark verschmutzte Gegenstände u. Flächen aus Holz, Glas, Porzellan, Kunststoff in Haushalt, Ind. u. Gewebe, auch zum Waschen außergewöhnlich stark verschmutzter Berufskleidung. *B.*: Henkel.

Imibenconazol. Common name für (4-Chlorbenzyl)-*N*-(2,4-dichlorphenyl)-2-(1*H*-1,2,4-triazol-1-yl)thio-acetamidat.

$C_{17}H_{13}Cl_3N_4S$, M_R 411,74, Schmp. 89,5–90 °C, LD_{50} (Ratte oral) 2800 mg/kg, von Hokko Chem. Ind. Ende der achtziger Jahre eingeführtes *Fungizid gegen Pilz-erkrankungen im Obst-, Gemüse-, Blumen-, Erdnuß-

u. Teeanbau. – *E* = *F* imibenconazole – *I* imibenconazolo – *S* imibenconazola
Lit.: Pesticide Manual. – *[CAS 86598-92-7]*

...imid... s. Imide u. Imid(o)...

Imidacloprid. Common name für 1-(6-Chlor-3-pyridylmethyl)-*N*-nitro-2-imidazolidinimin.

$C_9H_{10}ClN_5O_2$, M_R 255,66, Schmp. 143,8 °C (Kristallform 1), 136,4 °C (Kristallform 2), LD_{50} (Ratte oral) 424 mg/kg, von Bayer Anfang der neunziger Jahre eingeführtes, system. *Insektizid mit Kontakt- u. Fraßwirkung gegen saugende u. beißende Insekten im Obst-, Gemüse-, Getreide-, Mais-, Kartoffel-, Zuckerrüben- u. Hopfenanbau, für Blattapplikation als auch zur Boden- u. Saatgutbehandlung geeignet, Einsatz auch zur Bekämpfung von Ectoparasiten (Flöhe, Läuse) in der Tierhaltung. – *E* = *F* = *I* = *S* imidacloprid
Lit.: Farm ▪ Perkow ▪ Pesticide Manual. – *[CAS 105827-78-9]*

Imidate. Ester der *Imidsäuren.

Imidazol (1,3-Diazol).

$C_3H_4N_2$, M_R 68,08. Farblose Krist., D. 1,030, Schmp. 90–91 °C, Sdp. 257 °C, in Wasser, Alkohol, Chloroform, Ether u. Pyridin gut, in Benzol wenig lösl.; wassergefährdender Stoff, WGK 1 (Selbsteinst.); LD_{50} (Maus oral) 880 mg/kg. Die teilw. hydrierten I.-Derivate werden systemat. als Dihydro-I. (veraltet auch als *Imidazoline*, wobei die Ziffer die Lage der verbliebenen Doppelbindung angibt), die vollständig hydrierten als *Imidazolidin* bezeichnet. Die Formel zeigt *1H*-I., doch sind auch Derivate der Isomeren *2H*-I. u. *4H*-I. bekannt. I. u. seine hydrierten Derivate sind ähnlich wie *Pyrazol unter den heterocycl. Stickstoff-Verb. wichtige Stammverb., von denen sich viele Derivate herleiten, so z.B. Histidin, Histamin, Carnosin, Hydantoin, Parabansäure sowie I.-Alkaloide wie Pilocarpin; ferner ist der I.-Ring auch ein Bestandteil des Ringsyst. der *Purine. Elektrophile Substitutionen (Halogenierung, Nitrierung, Sulfonierung) treten vorwiegend in 4- od. 5-Stellung ein, jedoch erfolgt mit Säurechloriden keine Friedel-Crafts-Reaktion mehr. Mit Diazonium-Ionen kuppelt I. v. a. in 2-Stellung; in alkal. Lsg. entstehen orangefarbene, rote od. blaue Azofarbstoffe (Pauly-Reaktion). Red.-Mittel greifen nicht an, Kaliumpermanganat ruft einen völligen Abbau hervor; mit Mineralsäuren bildet I. beständige Salze.
Herst.: I. kann man aus Glyoxal, Ammoniak u. Formaldehyd synthetisieren, daher der veraltete Name *Glyoxalin;* es ist auch aus Bromacetaldehyd-ethylenacetal durch Erhitzen mit Formamid auf 180 °C unter Einleiten von Ammoniak erhältlich. I.-Derivate werden durch Einwirkung von Formamid u. Formaldehyd auf Benzil u.a. substituierte 1,2-Diketone bei 180–200 °C erhalten. Durch Kondensation von α-Halogenketonen mit Amidinen sind ebenfalls I.-Derivate

erhältlich (H. Beyer, 1970); einen Überblick über I.-Synth. s. *Lit.*[1].

Verw.: I. u. seine Derivate dienen als Zwischenprodukte für die Kunststoff-, Farbstoff- u. Pharmazeut. Ind. sowie bei der Herst. von Textilhilfsmitteln, Schädlingsbekämpfungsmitteln u. Ionenaustauschern, als Katalysatoren bzw. Härter für Polyurethan-Schäume u. Epoxidharze; nucleophiler Katalysator für Silylierungen u. Acylierungen. Viele I.- u. Imidazolin-Derivate haben sich als Heilmittel hervorragend bewährt, z.B. *Metronidazol bei Trichomonaden-Infektionen, *Clotrimazol (Canesten) als Antimykotikum gegen Pilzinfektionen, *Clonidin als Mittel gegen Bluthochdruck u. Migräne; weitere pharmakolog. wirksame I. s. *Lit.*[2]. – *E* imidazole – *F* imidazol, imidazole – *I* imidazolo – *S* imidazol
Lit.: [1] Katritzky-Rees **5**, 345 ff; Ullmann (5.) **A 13**, 661. [2] Negwer (6.), S. 1702.
allg.: Beilstein E V **24/1**, 191–202 ▪ Chem. Rev. **74**, 471–518 (1974) ▪ Merck-Index (12.), Nr. 4948 ▪ Paquette **4**, 2793 ▪ Ullmann (4.) **13**, 173–176; (5.) **A 3**, 80; **A 8**, 312; **A 12**, 106 ▪ Weissberger **6**, 1. – *[HS 2933 29; CAS 288-32-4]*

Imidazol-Alkaloide.

R = H : Cynometrin (1)
R = CO – C₆H₅ : Cynodin (2)
Odilin (3)

Martensin A (4)   Topsentin A (5)

Gruppe von Naturstoffen pflanzlichen sowie tier. (bes. Meeresorganismen) Ursprungs, in denen das Imidazol-Ring-Syst. enthalten ist. Von den zahlreichen bisher isolierten Verb. einige *Beisp.: Cynodin*[1] ($C_{23}H_{23}N_3O_3$, M_R 389,45, Krist., Schmp. 155 °C) ist der Benzoesäureester von *Cynometrin*[2] [$C_{16}H_{19}N_3O_2$, M_R 285,35, Nadeln, Schmp. 211 °C, $[\alpha]_D^{20}$ −27° (CHCl₃)], beide Substanzen stammen aus der Rinde u. den Samen von *Cynometra*-Arten (Fabaceae). Aus Wolfsmilchgewächsen der Gattung *Alchornea* wurden die bicycl. Alkaloide *Alchornein, Alchornidin* u. *Alchornin* isoliert, die über einen ankondensierten Pyrimidin-Ring verfügen[3]. Aus dem Seestern *Dermasterias imbricata* stammt *Imbricatin, aus der Rotalge *Martensia fragilis Martensin A*[4] ($C_{18}H_{25}N_3O_2$, M_R 315,42), das einen Indol-Rest besitzt. In dem Meeresschwamm *Pseudaxinyssa* kommt das Brom-haltige *Odilin*[5] (Stevensin, $C_{11}H_9Br_2N_5O$, M_R 387,03) vor. Weitere *Beisp.:* Die fluoreszierenden *Parazoanthoxanthine, das aus dem brasilian. Baum *Pilocarpus jaborandi* isolierte *Pilocarpin, die in *Penicillium roqueforti* vorkommenden *Roquefortine u. das aus dem Mittelmeerschwamm *Topsentia genitrix* gewonnene fischgiftige *Topsentin A*[6] ($C_{20}H_{14}N_4O$, M_R 326,36), das zwei Indol-Substituenten trägt sowie *Histamin u. Zapotidin. – *E* imidazole alkaloids – *F* alcaloïde de l'imidazol – *I* alcaloidi dell'imidazolo – *S* alcaloïdes de imidazol

Lit.: [1] Tetrahedron Lett. **1973**, 1757. [2] Phytochemistry **20**, 2765 (1981); Tetrahedron **38**, 2687 (1982). [3] Aust. J. Chem. **23**, 1679 (1970). [4] Tetrahedron Lett. **24**, 2087 (1983). [5] J. Org. Chem. **50**, 4163 (1985). [6] Can. J. Chem. **65**, 2118 (1987); J. Org. Chem. **53**, 5446–5453 (1988).
allg.: Alkaloids (London) **2**, 49–104 (1984) ▪ J. Org. Chem. **52**, 5638 f. (1987); **56**, 4304 (1991) ▪ Manske **22**, 281–333 ▪ Nat. Prod. Rep. **1**, 387 ff. (1984); **5**, 351–361 (1988) ▪ Tetrahedron **38**, 2687–2695 (1982) ▪ Tetrahedron Lett. **28**, 3003–3006 (1987) ▪ Ullmann (5.) **A 1**, 400. – *[CAS 50656-83-2 (1); 50656-84-3 (2); 99102-22-4 (3); 87168-35-2 (4); 112515-42-1 (5); 28340-21-8 (Alchornein); 25801-15-4 (Alchornidin); 25819-91-4 (Alchornin)]*

Imidazolide. Carbonyldiimidazol u. a. *N*-Acylimidazole (vgl. Azole) sind milde, hochreaktive u. selektive Acylierungsmittel (s. Acylierung) für Alkohole (Bildung von Estern) u. Amine (Bildung von Amiden). Ein spezielles I. ist Carbonyldiimidazol, das mit Carbonsäuren andere I., mit Alkoholen Kohlensäurediester u. mit Aminen Harnstoffe liefert. Es kann auch als Kupplungsreagenz zur Knüpfung der Peptid-Bindung eingesetzt werden [1].

Die große Reaktionsfähigkeit der I. beruht einerseits darauf, daß die Carbonamid-Bindung durch Einbindung des freien Elektronenpaars am Stickstoff-Atom in das heteroaromat. Syst. relativ schwach ist u. leicht angegriffen werden kann, u. daß zum anderen durch Protonierung des zweiten Stickstoff-Atoms der Imidazol-Ring zu einer guten Abgangsgruppe wird (*Imidazol-Meth.*). – *E* imidazolides – *F* imidazolide – *I* imidazolidi – *S* imidazolidas
Lit.: [1] Houben-Weyl **15/2**, 326–335.
allg.: Angew. Chem. **74**, 407 (1962) ▪ Carey-Sundberg, S. 893 ▪ Hassner-Stumer, S. 358 ▪ Newer Methods Prep. Org. Chem. **5**, 61–108 (1968).

Imidazolidin s. Imidazol.

Imidazolidin-2,4-dione s. Hydantoine.

Imidazolidin-2-on (veraltet: *N,N'*-Ethylenharnstoff).

$C_3H_6N_2O$, M_R 86,09. Farblose Krist., Schmp. 131 °C, lösl. in Wasser u. heißem Alkohol, schwer lösl. in Ether; wassergefährdender Stoff, WGK 2 (Selbsteinst.).
Herst.: Aus Ethylendiamin u. CO_2, weitere Synth. für I. u. I.-Derivate s. *Lit.* [1,2]. Durch Nitrierung von I. gelangt man zum *Ethylendinitramin*. I. dient zur Herst. von Weichmachern, Lacken, Polymeren sowie Textil- u. Lederhilfsmitteln, für die Wash- u. Wear-Ausrüstung der Baumwolle. Vom I. leiten sich nicht nur pharmakolog. interessante Derivate ab, sondern auch – durch Substitution am Stickstoff – die textilchem. wichtigen Hydroxymethyl...-Appreturmittel, die im Fachjargon Dimethylolethylenharnstoffe genannt

werden. – *E* = *F* = *I* imidazolidin-2-one – *S* imidazolidina-2-ona
Lit.: [1] Weissberger **6**, 226 ff. [2] Katritzky-Rees **5**, 466 ff.
allg.: Beilstein E V **24/1**, 22 f. ▪ Merck-Index (12.), Nr. 4950. – *[HS 2933 29; CAS 120-93-4]*

Imidazolidin-2-thion (veraltet: *N,N'*-Ethylenthioharnstoff).

$C_3H_6N_2S$, M_R 102,16. Farblose Krist., Schmp. 203–204 °C, in heißem Wasser, Methanol u. Ethanol mäßig lösl., in Benzol, Ether u. Aceton unlösl.; I. gilt als Stoff mit begründetem Verdacht auf krebserzeugendes Potential (Gruppe III B MAK-Werte-Liste 1996); LD_{50} (Ratte oral) 1832 mg/kg; wassergefährdender Stoff, WGK 2 (Selbsteinst.); fortpflanzungsgefährdend.
Herst.: Aus Ethylendiamin u. CS_2. I. entsteht beim biolog. u./od. chem. Abbau von Dithiocarbamat-Fungiziden als unerwünschter Rückstand. Die zulässige Höchstmenge in allen pflanzlichen Lebensmitteln beträgt 0,05 mg/kg [1]. I. wird in der Kautschuk-Ind. als Antioxidans verwendet. – *E* = *F* imidazolidine-2-thione – *I* imidazolidin-2-tione – *S* imidazolidina-2-tiona
Lit.: [1] Rückstands-Höchstmengen-VO vom 1.9.1994 (BGBl. I, S. 2299), zuletzt geändert am 7.3.1996.
allg.: Beilstein E V **24/1**, 165 f. ▪ Chemikalien-Verbots-VO vom 19.7.1996 (BGBl. I 1996, S. 1151) ▪ Katritzky-Rees **5**, 443 ff. ▪ Merck-Index (12.), Nr. 3849 ▪ Ullmann (4.) **23**, 172 f.; (5.) **A 23**, 370 ▪ Weissberger **21**, 530 ff. – *[HS 2933 29; CAS 96-45-7; G 6.1]*

Imidazoline s. Imidazol.

Imidazolin-Rezeptor. Vermuteter *Rezeptor im Gehirn, der als Wirkort für neu entdeckte *Antihypertonika angenommen wird (I_1-Rezeptor). Die als *Agonisten wirkenden Imidazolin-Derivate der zweiten Generation (z. B. Monoxidin, Rilmenidin) senken den Blutdruck u. erniedrigen die Herzfrequenz ohne die Nebenwirkungen der α_2-Adrenozeptor-Agonisten (Sedation, trockener Mund). Erregung der mitochondrialen I_2-Rezeptoren der Astrocyten (spezielle Begleitzellen der Nervenzellen) schützt das Gehirn zum Teil vor den Folgen einer Ischämie (Minderdurchblutung). Als endogener Agonist u. vermutlicher *Neurotransmitter ist *Agmatin* (*biogenes Amin, decarboxyliertes *Arginin) gefunden worden, das sich an α_2-*Adrenozeptoren, I_1- u. I_2-Rezeptoren bindet. – *E* imidazoline receptor – *F* récepteur à imidazoline – *I* recettore imidazolinico – *S* receptor de imidazolina
Lit.: Annu. Rev. Pharmacol. Toxicol. **36**, 511–544 (1996) ▪ Clin. Exp. Pharmacol. Physiol. **23**, 845–854 (1996) ▪ J. Clin. Pharmacol. **36**, 98–111 (1996).

Imidazol-Methode s. Imidazolide.

Imide (Diacylamine). Im allg. versteht man unter I. die analog zu den *Säureanhydriden gebildeten Carbonsäureimide, die sich von cycl. *Dicarbonsäuren durch Ersatz beider OH-Gruppen durch eine gemeinsame NH-Gruppe ableiten; *Beisp.* (auch für die Namensbildung nach IUPAC-Regel R-5.7.8.3): *Maleinimid, *Phthalimid u. *Succinimid. Es werden aber auch acycl. Diacylamine der Konstitution

R^1-CO-NH-CO-R^2 als I. bezeichnet (vgl. IUPAC-Regel R-5.7.8.2).

Herst.: I. können u.a. aus *N*-alkylierten Amiden od. aus Lactamen durch α-Oxid. (s. Abb. a), aus Aminen u. Acetanhydrid in Ggw. von Magnesium (s. Abb. b), aus Amiden mit Säurechloriden (s. Abb. c) od. aus Dicarbonsäureanhydriden u. Ammoniak od. Aminen hergestellt werden (s. Abb. d).

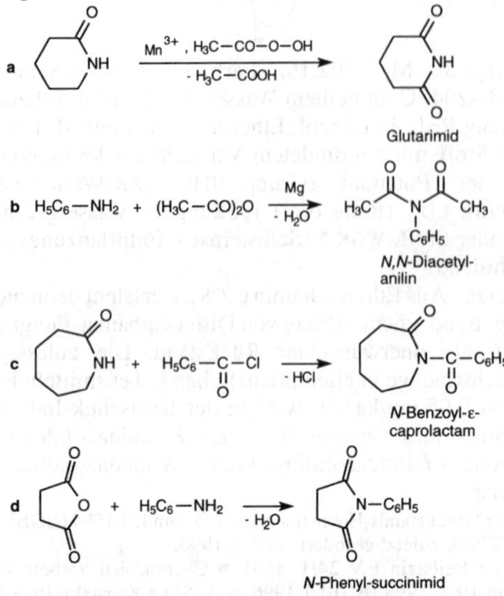

Glutarimid

N,N-Diacetyl-anilin

N-Benzoyl-ε-caprolactam

N-Phenyl-succinimid

Verw.: Im Laboratorium spielen am Stickstoff-Atom substituierte I. in Halogenierungen (vgl. *N*-Bromsuccinimid), in der Amin- od. Peptid-Synth. (vgl. Gabriel-Synthese) usw. eine Rolle. I. haben Bedeutung als Arzneimittel (s. Contergan®, Thalidomid), Fungizide u. Herbizide[1]. Sie beschleunigen das Wachstum einiger Pflanzen (s. Pflanzenwuchsstoffe). Acycl. I. spielen eine Schlüsselrolle beim Acetyl-Transfer in der Biosynth.[2]. In der Kunststofftechnik sind hochmol. *Polyimide als temperaturbeständige Duroplaste auf dem Markt. – *E* = *F* imides – *I* immidi – *S* imidas

Lit.: [1] Chem. Rev. **70**, 439 (1970). [2] Bull. Soc. Chim. Belg. **87**, 621 (1978).

allg.: Houben-Weyl **E 5/2**, 1116–1126 ▪ Katritzky et al. **5**, 305 ▪ Patai, The Chemistry of Amides, S. 335, Chichester: Wiley 1970 ▪ Patai, The Chemistry of Acid Derivates, supplement B, part 1, S. 458, Chichester: Wiley 1979 ▪ s.a. Amide. – *[HS 2925 11, 2925 19]*

Imidester s. Imidsäuren.

Imidin® N. Nasengel, -spray u. Tropfen mit dem α-Sympathomimetikum *Xylometazolin-Hydrochlorid gegen Rhinitis. ***B.:*** Pharma Werningerode.

Imid(o)... a) Präfix für NH^{2-} als Ligand in Komplexen (IUPAC-Regel I-10.4.5.5). – b) Bez. für Austausch einer Oxo-Gruppe od. Oxy-Brücke gegen NH in Säuren (IUPAC-Regeln C-451, D-5.0, R-3.4, R-5.7.1-3 u. I-9.9.3; vgl. Imidsäurechloride u. Imidsäuren); bei Verw. als Infix zu ...imid... gekürzt, wenn Vokal od. ...säure folgt; *Beisp.:* ...imidothioat R^1-C(=NH)-S-R^2, Carbonimidoyldichloride R–N=CCl$_2$ (s. Isocyaniddihalogenide), μ-Imidodischwefelsäure, -dikohlensäure $HN(SO_3H)_2$, $HN(COOH)_2$. – c) Endung der Präfixe für N-verknüpfte Imid-Reste (IUPAC-Regel C-827.2);

Beisp.: Phthalimido..., (Benzol-1,2-disulfonimido)... – *E* = *F* = *S* imido... – *I* immido...

Imidoylchloride s. Imidsäurechloride.

Imidsäurechloride (Imidoylchloride, Carboximidsäurechloride). Vor mehr als 100 Jahren synthetisierte Derivate der *Carbonsäuren, die entstehen, wenn Phosphorpentachlorid auf Säureamide einwirkt (s. Abb. 1).

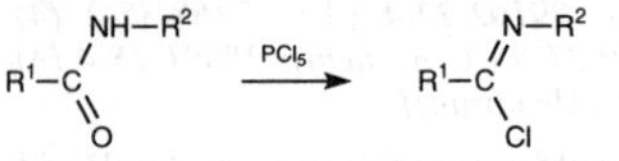

Abb. 1: Synth. von Imidsäurechloriden aus monosubstituierten Säureamiden.

Am Stickstoff-Atom unsubstituierte Amide (R^2=H) gehen leicht durch HCl-Abspaltung in *Nitrile[1] über (s. Abb. 2a), während disubstituierte Derivate in Carbonsäureimidiumchloride[2] umgewandelt werden. Geht man hier von *N,N*-Dimethylformamid aus, so erhält man das für viele Reaktionen sehr nützliche *Vilsmeier-Reagenz[3] (s. Abb. 2b).

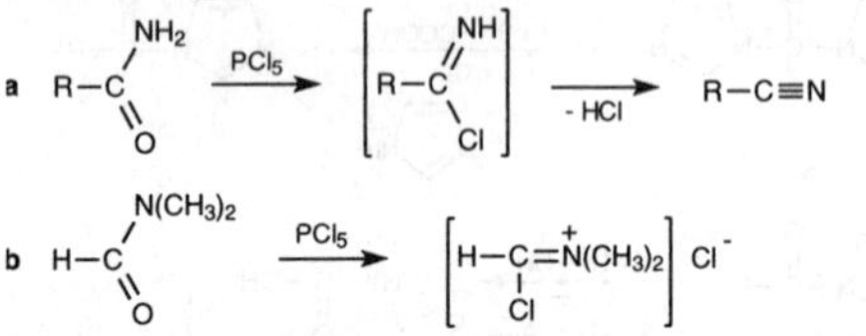

Abb. 2: Reaktion von unsubstituierten (a) u. disubstituierten Säureamiden (b).

I. stellen – ebenso wie die verwandten sog. *Isocyaniddihalogenide – wertvolle Ausgangsmaterialien für Synth. dar. – *E* imidic chlorides – *F* chlorures imidiques – *I* cloruri d' immide – *S* cloruros imídicos

Lit.: [1] J. Chem. Soc. **1962**, 2110. [2] Angew. Chem. **72**, 836 (1960). [3] Helv. Chim. Acta **61**, 1675–1681 (1978). *allg.:* Houben-Weyl **5/3**, 916–922; **8**, 346, 673–676; **E 5/1**, 628–631 ▪ Katritzky et al. **5**, 654 ▪ Patai, The Chemistry of the Carbon-Nitrogen Double Bond, S. 598–662, Chichester: Wiley 1970 ▪ Patai, The Chemistry of Amides, S. 801–816, Chichester: Wiley 1970 ▪ s.a. Amide.

Imidsäureester s. Imidsäuren.

Imidsäuren. Nicht mit *Iminosäuren zu verwechselnde, mit *Amiden *tautomere* organ. Säuren, die die Atomgruppierung R–C(NH)–OH enthalten; wie bei *Iminen ist der Carbonyl-Sauerstoff durch NH ersetzt (IUPAC-Regel R-5.7.1.3.2).

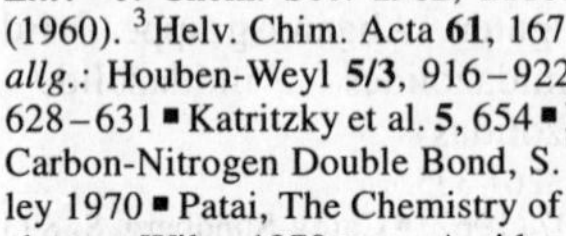

Imidsäure   Amid
Abb. 1: Imidsäure-Amid-Tautomerie.

Von den I. leiten sich formal die *Imidsäurechloride ab u. die wegen ihrer vielseitigen Reaktionen synthet. sehr nützlichen Imidsäureester, für die auch teilw. irreführende Bez. wie *Imidester, Imidate, Iminoester* od. *Iminoether* verwendet werden. Cycl. Derivate werden manchmal auch als *Lactimether* od. *O-Alkyllactime* bezeichnet. Man erhält sie z.B. durch Umsetzung von Nitrilen mit Alkoholen u. wasserfreiem Chlorwasserstoff mit nachfolgender Deprotonierung der primär gebildeten Carbonsäureesterimidiumchloride (*Pinner-Reaktion*).

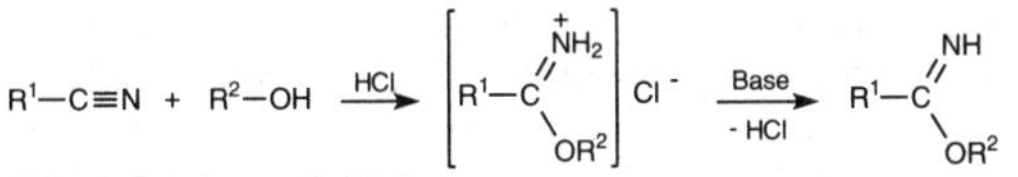

$$R^1-C\equiv N \;+\; R^2-OH \xrightarrow{HCl} \left[R^1-C\underset{OR^2}{\overset{\overset{+}{NH_2}}{\Big|}}\right] Cl^- \xrightarrow[-\,HCl]{Base} R^1-C\overset{NH}{\underset{OR^2}{\Big\backslash}}$$

Abb. 2: Synth. von Imidsäuren.

– *E* imidic acids – *F* acides imidiques – *I* acidi immidici – *S* ácidos imídicos

Lit.: Angew. Chem. **78**, 913–927 (1966) ▪ Chem. Rev. **61**, 179 (1960) ▪ Houben-Weyl E **5/1**, 812–825 ▪ Katritzky et al. **5**, 685 ff. ▪ Patai, The Chemistry of Amidines and Imidates, S. 385 f., Chichester: Wiley 1975 ▪ s. a. Imidsäurechloride.

Imigran® (Rp). Filmtabl., Fertigspritzen u. Injektionskartuschen mit dem Migränemittel *Sumatriptan-Hydrogen-Maleat. *B.:* Glaxo Wellcome.

Imine. Gruppe von leicht hydrolysierbaren organ. Verb., in denen formal das Sauerstoff-Atom von Carbonyl-Verb. durch die *Imino-Gruppe (NH) ersetzt ist u. in denen analog der Keto-Enol-Tautomerie eine Imin-*Enamin-*Tautomerie möglich ist, wobei das Gleichgew. in der Regel auf der Imin-Seite liegt.

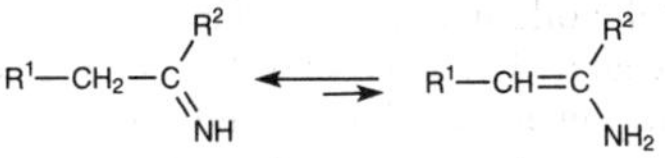

$$R^1-CH_2-C\overset{R^2}{\underset{NH}{\Big\backslash}} \;\rightleftharpoons\; R^1-CH=C\overset{R^2}{\underset{NH_2}{\Big\backslash}}$$

Beisp., auch für die systemat. Benennung nach IUPAC-Regel R-5.4.3 ist Hexan-1-imin ($R^1 = C_4H_9$, $R^2 = H$); man spricht auch von *Aldiminen, *Chinoniminen, *Ketiminen u. *Keteniminen. Bei den I. sind in vielen Fällen Stereoisomere zu erwarten; zu Synth. u. Eigenschaften niederer (*E*)- u. (*Z*)-Aldimine s. *Lit.*[1]. Spezielle Synthesemeth. für I. sind die *Thorpe- u. die *Ziegler-Reaktion. Bei der Oxid. entstehen oft *Oxaziridine. – *E* = *F* imines – *I* immine – *S* iminas

Lit.: [1] Angew. Chem. **94**, 715 (1982)

allg.: Böhme u. Viehe, Iminium Salts in Organic Chemistry (2 Bd.), New York: Wiley 1977, 1979 ▪ Katritzky et al. **3**, 403 ff. ▪ Patai, The Chemistry of the Carbon-nitrogen Double Bond, London: Wiley 1970 ▪ Patai, The Chemistry of Double-bonded Functional Groups, London: Wiley 1977 ▪ Snell-Ettre **14**, 460–494 ▪ s. a. Azomethine, Enamine, Schiffsche Basen. – *[HS 2925 20]*

Iminio… Bez. für die Atomgruppierung $=NH_2^+$ (IUPAC-Regel C-816.3; Chemical Abstracts), in der Lit. oft auch Imonio… (Beilstein's Handbuch) od. Immonio… genannt. Die neue IUPAC-Bez.[1] Azaniumyliden… ist unüblich. – *E* = *F* = *S* iminio… – *I* imminio…

Lit.: [1] Pure Appl. Chem. **65**, 1357–1455 (1993): Regel RC-82.5.8.3.

…iminium. Endung von Namen für Salze der *Imine; Bez. für die Atomgruppierung $=NH_2^+$, nach IUPAC-Regel C-816 neben der Bez. als …yliden-ammonium zulässig. Erlaubt u. in der Lit. üblich sind ggf. auch Salznamen wie …imin-hydrochlorid. – *E* = *F* …iminium – *I* …imminio – *S* …iminio

Imino… Bez. für die Atomgruppierung =NH als Substituent in organ. Verb. (s. Imine; IUPAC-Regeln C-815.3, R-3.2.1.1), für die Gruppe –NH– zwischen 2 ident. organ. Stammverb. (IUPAC-Regel C-815.1; R-2.5: Azandiyl…; *Beisp.*: 2,2′-Iminodiethanol) od. für die Brücke –NH– über kondensierten Ringsystemen (IUPAC-Regeln C-815.2, R-9.2.1.4; auch: Epimino… od. Epiazano…); vgl. Imid(o)… – *E* = *F* = *S* imino… – *I* immino…

1,1′-Iminodianthrachinon s. 1,1′-Dianthrimid.

2,2′-Iminodiethanol [Diethanolamin, DEA, Bis(2-hydroxyethyl)amin].

$$HN\overset{CH_2-CH_2-OH}{\underset{CH_2-CH_2-OH}{\Big\langle}}$$

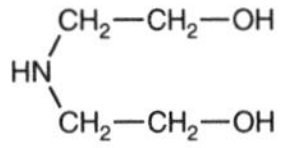

$C_4H_{11}NO_2$, M_R 105,14. Farblose Flüssigkeit od. Prismen, D. 1,093, Schmp. 28 °C, Sdp. 268 °C, lösl. in Wasser, Alkohol, Chloroform, Aceton, Methanol, Glycerin, unlösl. in Ether, Benzin u. Benzol. I. reizt Augen, Haut u. Schleimhäute (bis zur Verätzung), wassergefährdender Stoff, WGK 1; LD_{50} (Ratte oral) 710 mg/kg; Reaktion mit nitrosierenden Agentien kann zur Bildung des carcinogenen *N*-Nitrosodiethanolamins führen.

Herst.: Neben 2-*Aminoethanol u. *2,2′,2″-Nitrilotriethanol aus Ethylenoxid u. Ammoniak.

Verw.: Ähnlich wie 2,2′,2″-Nitrilotriethanol (Triethanolamin) zur Herst. von techn. Emulsionen, Möbel- u. Bodenpflegemitteln, Schuhcremes, Schmiermitteln, Putzmitteln usw., in der techn. Gasreinigung zur Entfernung saurer Gase, wie H_2S u. CO_2, als Weichhaltemittel, in der organ. Synth. zum Aufbau von Heterocyclen, als flammschützender Weichmacher für Papiere (in Form von I.-Sulfamat) u. zur Synth. von Pharmaka. – *E* 2,2′-iminodiethanol – *F* 2,2′-iminodiéthanol – *I* 2,2′-imminodietanolo – *S* 2,2′-iminodietanol

Lit.: Beilstein E IV **4**, 1514 ▪ Gesundheitsschädliche Arbeitsstoffe: toxikologisch-arbeitsmedizinische Begründung von MAK- Werten, Weinheim: Verl. Chemie bzw. VCH Verlagsges. 1972–1997 ▪ Hommel, Nr. 72 ▪ Merck-Index (12.), Nr. 3156 ▪ Ullmann (5.) **A 2**, 182; **A 10**, 1 ff. ▪ Weissermel-Arpe (4.), S. 172 f. – *[HS 2922 12; CAS 111-42-2]*

1,1′-Iminodi-2-propanol (Diisopropanolamin, DIPA).

$$HN\overset{\overset{OH}{|}}{\underset{\overset{|}{OH}}{\Big\langle}}\begin{matrix}CH_2-CH-CH_3\\[4pt]CH_2-CH-CH_3\end{matrix}$$

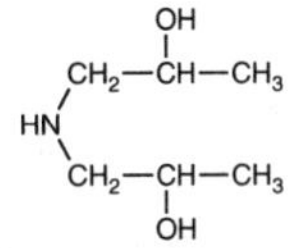

$C_6H_{15}NO_2$, M_R 133,19. Farblose Krist., D. 0,989, Schmp. 42 °C, Sdp. 249 °C, lösl. in Wasser, Alkohol, wenig lösl. in Ether. Die Dämpfe reizen – bis hin zur Verätzung – die Atemwege, die Haut u. bes. die Augen; I. kann allerg. Erscheinungen hervorrufen, wie z. B. Schwellungen im Gesichts- u. Halsbereich; wassergefährdender Stoff, WGK 2 (Selbsteinst.), LD_{50} (Ratte oral) 6720 mg/kg. I. bildet mit organ. Säuren Seifen, dient zur Neutralisation von Thioglykolsäure, zur Herst. von Emulgatoren, Absorptionsmitteln, kosmet. Präp., Schaumstabilisatoren usw., zur Reinigung von Synth.-Gas (Sulfinol-Verf.) u. zu Synthesen. – *E* = *F* = *S* 1,1′-iminodi-2-propanol – *I* 1,1′-imminodi-2-propanolo

Lit.: Beilstein E III **4**, 761 ▪ Hommel, Nr. 477 ▪ Ullmann (5.) **A 10**, 10 f. – *[HS 2922 19; CAS 110-97-4; G 8]*

3,3′-Iminodi-(1-propylamin) s. Dipropylentriamin.

Iminoester s. Imidsäuren.

Iminoether. Irreführende Bez. für Imidsäureester; s. Imidsäuren.

Iminosäuren. Nicht mit *Imidsäuren zu verwechselnde Carbonsäuren, die durch die *Imino-Gruppe substituiert sind.

Die Synth. von *Aminosäuren aus *Oxosäuren verläuft über I. als (wenig beständige) Zwischenprodukte. Aufgrund der *Tautomerie Imin ⇌ Enamin können einige I. auch als *Dehydroaminosäuren* angesehen werden. – *E* imino acids – *F* imino-acides – *I* imminoacidi – *S* iminoácidos

Lit.: Rosenthal, The Non-Protein Amino and Imino Acids of Higher Plants, New York: Academic Press 1982 ▪ Zechmeister **37**, 251–327 ▪ s. a. Aminosäuren.

Iminoxyl-Radikale s. Nitroxyl-Radikale.

Imipenem (*N*-Formimidoyl-thienamycin; Rp).

Internat. Freiname für das *β*-*Lactam-Antibiotikum (5*R*,6*S*)-3-[(2-Formimidoylamino)ethylthio]-6-((*R*)-1-hydroxyethyl)-7-oxo-1-azabicyclo[3.2.0]hept-2-en-2-carbonsäure, $C_{12}H_{17}N_3O_4S$, M_R 299,35, $[\alpha]_D^{25}$ +86,8° (c 0,05/0,1 M Phosphatpuffer, pH 7); pK_{a1} ~3,2, pK_{a2} ~9,9; λ_{max} (H_2O): 299 nm. I. ist ein bes. gegen Gramneg. Keime hochwirksames u. Lactamase-stabiles *Carbapenem* (vgl. Penicilline), wird aber von Dehydropeptidasen in der Niere schnell abgebaut. Deshalb ist es in Kombination mit *Cilastatin (ein Dehydropeptidase-Hemmer) von MSD (Zienam®) im Handel. – *E*=*I*=*S* imipenem – *F* imipénem

Lit.: ASP ▪ Beilstein EV **22/7**, 447 ▪ Florey **17**, 73–114 ▪ Hager (5.) **8**, 525–528. – *[HS 2941 90; CAS 64221-86-9]*

Imipramin (Rp).

Internat. Freiname für das tricycl. Antidepressivum 5-[3-(Dimethylamino)propyl]-10,11-dihydro-5*H*-dibenz[*b,f*]azepin, $C_{19}H_{24}N_2$, M_R 280,41, Sdp. 160 °C. Verwendet wird das Hydrochlorid, Schmp. 174–175 °C; LD_{50} (Maus oral) 400 mg/kg, (Maus i.p.) 110 mg/kg. I. wurde 1951 von Geigy (Tofranil®) patentiert u. ist generikafähig. – *E*=*F* imipramine – *I*=*S* imipramina

Lit.: ASP ▪ Beilstein EV **20/8**, 96f. ▪ DAB **1996** u. Komm. ▪ Florey **14**, 37–75 ▪ Hager (5.) **8**, 528–532. – *[HS 2933 90; CAS 50-49-7 (I.); 113-52-0 (Hydrochlorid)]*

Immedial®- u. Immedial-Licht-Farbstoffe. Gruppe von *Schwefel-Farbstoffen, die erstmals 1897 von der Firma Cassella auf Anregung von *Vidal hergestellt wurden. Heute wird der weitaus größte Teil der schwarzen Schwefel-Farbstoffe durch Verkochen von Dinitrophenol mit Natriumpolysulfid erhalten. *Immedial-Schwarz* ist ein grauschwarzes Pulver (in Alkohol unlösl.), das Baumwolle u. Zellwolle aus dem Schwefelnatrium-Bad tiefblauschwarz, licht-, weitgehend wasch- u. säureecht färbt. *Immedial-Reinblau* war der erste klare, blaue Schwefel-Farbstoff, der 1900 durch

Verschmelzen von 4-(4-Dimethylaminoanilino)-phenol mit Natriumpolysulfid (bei 110–115 °C) synthetisiert wurde. Es ist ein Kupfer-schimmerndes Pulver, das sich in Wasser bei Ggw. von Natriumsulfid klar löst; die Lsg. färbt Baumwolle licht-, säure- u. alkaliecht, doch durch Chlor wird die Farbe allmählich angegriffen.

Die Farbstoffe werden zum Färben von Baumwolle, Reyon, Zellwolle in allen Verarbeitungsstadien sowie Papier, Leder u. dgl. eingesetzt. Mit den I.-F. verwandt bzw. von ihnen abgeleitet sind die Cassulfon®-, *Hydron®- u. *Hydrosol®-Farbstoffe. *B.:* DyStar.

Lit.: Melliand Textilber. **54**, 1314–1327 (1973) ▪ Text. Prax. **1957**, 1137–1141, 1245–1250 ▪ Ullmann (4.) **22**, 1–6 ▪ s. a. Schwefel-Farbstoffe.

Immergan®. Wasserunlösl., gelblicher Ölgerbstoff auf der Basis von aliphat. *Sulfonylchloriden. I. kondensiert (durch Dehydrochlorierung) mit den *Collagen-Mol. des Hauteiweißes zu einer festen u. Alkalibeständigen Verbindungen. Mit I. hergestellte Trachten-, Handschuh-, Fensterleder usw. sind weiß, weich, licht- u. waschecht u. leicht färbbar. *B.:* BASF.

Immergrün. Kleinwüchsiger, immergrüner, zu den Apocynáceae gehörender Strauch mit harten, glänzenden Blättern u. blauen Blüten. Das Tropische I. [*Catharantus roseus* (L.) G. Don. od. *Vinca rosea* L.] ist beheimatet in trop. u. subtrop. Ländern, das Kleine I. od. Wintergrün (*Vinca minor* L.) in Mittel- u. Osteuropa. Die Blätter u. Wurzeln enthalten etwa 60 verschiedene *Indol-Alkaloide. Viele dieser *Vinca-Alkaloide werden als *Cytostatika u. Mitosehemmer (*C. roseus*) verwendet. Das *BGA hat am 20.7.1987 die Zulassung für alle I.-haltigen Präp. mit sofortiger Wirkung widerrufen. Grund: im Tierversuch zeigten sich Blutschäden im Sinne einer immunsuppressiven Wirkung, die nicht auf die Vinca-Alkaloide, sondern auf Begleit-Alkaloide zurückzuführen sind. Damit darf I. nicht mehr als Tee abgegeben werden. Von diesem Verbot nicht betroffen sind die reinen Vinca-Alkaloid-Zubereitungen. – *E* periwinkle – *F* pervenche – *I* sempreverde – *S* siempreviva, hierba doncella

Lit.: Bundesanzeiger 173/18.09.1986 (Vinca minor) ▪ Hager (5.) **6**, 1123–1134 ▪ Steinegger-Hänsel (5.), S. 548 ff. ▪ s. a. Vinca-Alkaloide.

Immissionen. 1. *Luft:* Im Sinne des *Bundes-Immissionsschutzgesetzes sind I. auf Menschen sowie Tiere, Pflanzen od. Gegenstände einwirkende *Luftverunreinigungen, Geräusche, Erschütterungen, Licht, Wärme, Strahlen u. ä. Umweltfaktoren. Im Gegensatz zu *Emissionen (Stoff- od. Strahlungsmengen am Entstehungsort) werden I. auf den Einwirkungsort bezogen. Meßgröße ist v. a. die Konz. eines Schadstoffes in der Luft, bzw. bei Staub die Menge, die sich auf einer bestimmten Fläche pro Tag od. Jahr niederschlägt (*Ablagerung); beim Lärm wird der frequenzbewertete Schallpegel angegeben (*TA Lärm). *Immissonsgrenzwerte für Luftschadstoffe sind in der *TA Luft festgelegt.

Tab.: Immissionen (Angaben in mg/m^3) in Bodennähe in der BRD; gemittelte Jahreswerte (Anfang der 90er Jahre) Quelle: Umweltbundesamt/nach Fonds der Chem. Ind. (s. *Lit.*).

	Schwefeldioxid	SchwebstaubKonz.	Stickstoffdioxid	Ozon
Reinluftgebiete				
westliche Bundesländer	0,005	0,02	0,005	0,06
östliche Bundesländer	0,01	0,02	0,005	–
ländliche Gebiete				
westliche Bundesländer	0,01	0,02–0,03	0,03	0,05
östliche Bundesländer	0,05–0,06	0,06	0,02	–
Ballungsräume				
westliche Bundesländer	0,03–0,05	0,05–0,07	0,07	0,03
östliche Bundesländer	0,10–0,13	0,1	0,03	–
Innenstadtbereiche				
westliche Bundesländer	0,02–0,03	0,04	0,05	0,04
östliche Bundesländer	0,07–0,09	0,08	0,025	–

Vgl. auch die folgenden Stichworte sowie Kraftfahrzeugabgase u. Smog.
2. *Wasser:* Auf den aquat. Lebensraum einwirkende Beschaffenheit des Wassers, die sich aufgrund aller eingeleiteten Belastungen (Emissionen) u. deren im Medium seit der Einleitung erfolgten Umsetzungen u. Verdünnungen ergibt. Der *Saprobienindex od. die *Sauerstoff-Zehrung sind z. B. immissionsbezogene Kenngrößen.
Zu I. in der BRD s. die Tabelle. – *E* = *F* immissions – *I* immissioni – *S* inmisiones
Lit.: Fonds der Chemischen Industrie (Hrsg.), Folienserie Umweltbereich Luft (2.), Frankfurt: Selbstverl. 1995 ■ s. a. Luftverunreinigungen u. Emissionsquellen.

Immissionsgrenzwerte (Immissionswerte, IW). I. sind die in der *TA Luft festgelegten Grenzwerte zum Schutz vor Gesundheitsgefahren (Nr. 2.5.1) sowie Richtwerte zum Schutz vor erheblichen Nachteilen u. Belästigungen (Nr. 2.5.2). I. gelten nur in Verbindung mit den dort beschriebenen Verf. zur Ermittlung der Immissionskenngrößen (s. TA Luft). I. werden als Langzeitwerte (IW1) u. Kurzzeitwerte (IW2) gekennzeichnet; vgl. die Tab. in *Lit.*[1]. Definitionsgemäß gelten die I. auch bei gleichzeitigem Auftreten der einzelnen Schadstoffe. Außerdem berücksichtigen sie die chem. u. physikal. Umwandlung der Schadstoffe (*MIK-Werte, Luftqualitätskriterien der EG). – *E* immission limit value, immissions standards – *F* valeurs

limites d'immission – *I* valori limiti d'immission – *S* valor límite de inmisión
Lit.: [1] Römpp Lexikon Umwelt, S. 353.

Immissionskataster. Darst. der räumlichen Verteilung der Jahresmittel- u. Kurzzeitwerte von *Immissionen für ein bestimmtes Gebiet (s. Kataster). I. können durch Berechnung aus bekannten *Emissionen (Ausbreitungsrechnungen) od. durch direkte Messungen in Meßnetzen aufgestellt werden. In Untersuchungsgebieten nach § 44 des *Bundes-Immissionsschutzgesetzes sind bestimmte Schadstoffe in einem über das Gebiet gelegten Gittermeßnetz kontinuierlich zu messen. Das I. dient zur Bewertung der Belastung der Luft u. ist zusammen mit dem *Emissionskataster eine Grundlage für *Luftreinhaltepläne. – *E* immission register – *F* registre d'immissions – *I* catasto d'immisione – *S* registro de inmisiones
Lit.: Sellner, Immissionsschutzrecht u. Industrieanlagen, München: Beck 1988.

Immissionsrate. Maß für die Aufnahme gasf. Luftinhaltsstoffe durch Materialien sowie für die Ablagerung von *Staub auf Objektoberflächen.
Lit.: Römpp Lexikon Umwelt, S. 354.

Immissionsschutz. Maßnahmen u. gesetzliche Regelungen zum Schutz von Mensch, Tieren, Pflanzen, Boden, Wasser, Atmosphäre u. Sachgütern vor schädlichen Auswirkungen von *Immissionen. *Emissionsmindernde Maßnahmen wirken als I.-Maßnahmen, wobei allerdings die Immissionsminderung nach Beseitigung der großen *Emissionsquellen u. bei natürlicher Hintergrundbelastung nur gering sein kann. Zudem verursachen I.-Maßnahmen andernorts zusätzliche Emissionen, so daß eine Gesamtbilanzierung u. Bewertung zur Ermittlung der am stärksten umweltgerechten Alternative erforderlich ist. Das wichtigste Instrument des gesetzlichen I. ist das *Bundes-Immissionsschutzgesetz u. die ihm nachgeordneten Regelungen. Infolge der Verminderung der früher sehr hohen Schwefeldioxid-Zuströme aus Mittel- u. Osteuropa sind *Smog-Verordnungen überflüssig u. teilw. außer Kraft gesetzt worden. Ein wichtiger Schritt zum internat. I. ist das in Genf 1979 gezeichnete Übereinkommen über weiträumige grenzüberschreitende Luftverunreinigungen[1], dem Protokolle über ein gemeinsames Meßprogramm („EMEP", Genf 1984) sowie zur Verminderung der Schwefeldioxid-Emissionen (Helsinki 1985, Oslo 1994), der Stickstoffoxid-Emissionen (Sofia 1988) u. der *VOC-Emissionen (Genf 1991) folgten. Die EU schreibt u. a. Luftqualitätswerte für Schwefeldioxid u. Schwebstaub (80/779/EWG), Blei (82/882/EWG) u. Stickstoffoxide (85/203/EWG) vor.
Die Bundesregierung legt dem Bundestag in mehrjährigen Abständen einen I.-Bericht vor, in dem die Immissionssituation u. Maßnahmen beschrieben, bilanziert u. bewertet werden. Im jüngsten Bericht[2] wird als Ergebnis der Maßnahmen zum I. festgestellt, daß Schwefeldioxid, Schwebstaub u. Blei als Luftverunreinigungen in der BRD keine bedeutende Rolle mehr spielen – *E* immission control – *F* contrôle des immissions – *I* controllo dell'immissione – *S* control de inmisión

Lit.: [1]BGBl. II, S. 373 (1982). [2]Sechster Immissionsschutzbericht der Bundesregierung, Bonn: BMU 1996.
allg.: Ullmann (5.) **B 7**, 451–490.

Immissionsschutzbeauftragter. Betreiber bestimmter *genehmigungsbedürftiger Anlagen, sind nach § 53 *Bundes-Immissionsschutzgesetz verpflichtet, einen od. mehrere I. zu bestellen. Die Pflichten u. Rechte eines I. entsprechen denen des *Gewässerschutzbeauftragten. – *E* commissioner for immission protection – *F* préposé à la protection anti-émission – *I* delegato per la protezione d' immissione – *S* delegado de protección contra inmisiones
Lit.: s. Bundes-Immissionsschutzgesetz

Immissionsüberwachung. Kontrolle der Immissionsbelastung durch *Luftverunreinigungen. Die I. ist Aufgabe der Länderbehörden u. erfolgt gewöhnlich durch Messung der Immissions-Konz. mit Hilfe geeigneter Meßverf. (Zusammenstellung von Verf. s. *Lit.*[1,2]). In Untersuchungsgebieten u. Smoggebieten werden die Luftverunreinigungen in kontinuierlich arbeitenden Meßnetzen od. mit Stichprobenmeßprogrammen erfaßt. Anlagenbezogene Messungen werden im Rahmen von Genehmigungsverf. od. für nachträgliche Anordnungen durchgeführt. Einzelheiten sind in verschiedenen Verwaltungsvorschriften zum *Bundes-Immissionsschutzgesetz festgelegt, insbes. in der 4. Allg. Verwaltungs-Vorschrift; s. a. TA Luft. – *E* immission monitoring – *F* surveillance des immissions – *I* sorveglianza d'immissione – *S* control de inmisiones
Lit.: [1]4. Allg. VwV zum BImSchG – Ermittlung von Immissionen in Untersuchungsgebieten (4. BImSchVwV) vom 26. 11. 93, GMBl. S. 827 (1993). [2]Kühn u. Birett, Merkblätter Gefährliche Arbeitsstoffe, Bd. 5, Teil VI-2.2.2, Loseblattsammlung, Landsberg: Ecomed (hier 1994).
allg.: Kloepfer, Umweltschutz, Randnummer 604, Loseblattsammlung, München: Beck (hier 1994) ▪ Ullmann (5.) **B 7**, 459–490.

Immissionswerte s. Immissionsgrenzwerte.

Immobilisierung. In der angewandten *Mikrobiologie, insbes. in der *Biotechnologie benutzte Bez. für die verschiedenen Verf. zum *Fixieren von Enzymen, enzymproduzierenden Mikroorganismen od. Zellen als *Biokatalysatoren auf bestimmten *Trägern. Native Enzyme werden bei der Lagerung od. beim einmaligen Batch-Ansatz durch biolog., chem. od. physikal. Einwirkungen in ihrer Aktivität reduziert. Wegen der hohen Herst.-Kosten von Enzymen besteht ein Bedarf, Enzyme zu stabilisieren. Durch die I. werden sie wiederverwendbar u. können nach der Verw. leicht wieder abgetrennt werden. Sie lassen sich in hoher lokaler Konz u. in kontinuierlichem Durchfluß einsetzen. Die Substrat-Spezifität u. die Spezifität der Reaktion sowie die Reaktivität des Enzyms darf durch die I. nicht verlorengehen. Drei grundsätzliche Meth. sind bei der I. zu unterscheiden (s. Abb.).
Quervernetzung (häufig mit *Glutaraldehyd): Quervernetzte Enzyme sind miteinander fixiert, ohne daß ihre Aktivität beeinflußt wird. Sie sind nicht mehr löslich. – *Bindung an Träger:* Die Bindung an einen Träger erfolgt durch Adsorption, Ionenbindung od. kovalente Bindung. Dies kann auch innerhalb der ursprünglichen mikrobiellen Zelle stattfinden. Das En-

Enzym - Einschluß   Mikrokapseln
Abb.: Immobilisierung von Enzymen.

zym wird durch die Fixierung nicht in seiner Aktivität beeinflußt, es kann trägergebunden mehrfach od. kontinuierlich eingesetzt werden. – *Einschluß* in eine semipermeable Membran in Form von Gelen, Mikrokapseln od. Fasern: Gekapselte Enzyme sind durch eine semipermeable Membran von der umgebenden Substrat- u. Produkt-Lsg. getrennt. Es können auch Zellen gekapselt werden. Das Enzym ist durch die Fixierung im Raum nicht in seiner Aktivität beeinflußt.
Verw.: Die ersten techn. Verf. mit immobilisierten Zellen wurden empir. optimiert u. werden noch heute eingesetzt, wie die Abwasserreinigung im *Tropfkörper. Durch I. von anaeroben Kulturen z. B. auf Sinterglasschwämmen u. damit Aufkonzentrieren der Biomasse läßt sich in neueren Verf. auch die anaerobe Abwasserreinigung erheblich beschleunigen. Ebenfalls ein altes Verf. ist die *Essig-Produktion mit dem *Generator-Verfahren. Von den neuen Prozessen mit gezielter I. haben sich bisher nur relativ wenige in großtechn. Maßstab bewährt.
Im Nahrungsmittelbereich ist der Einsatz von Zellen mit Glucose-Isomerase zur Produktion von Fructosehaltigem Sirup das wichtigste Verfahren. Die HWZ für immobilisierte Isomerase beträgt im techn. Einsatz 70–120 d. Weltweit werden mit dieser Meth. $7,5 \times 10^6$ t Isosirup produziert. Glucose-Amylase zur Glucose-Herst. im Stärke-Prozeß wird ebenfalls versuchsweise immobilisiert eingesetzt. Die Spaltung von Lactose mit Hilfe der immobilisierten β-Galactosidase aus Hefen zu Glucose u. Galactose ist in einigen Ländern verwirklicht.
Weitere techn. Verf. mit immobilisierten Syst. gibt es bei der Aminosäure-Herst., bei der Spaltung von Penicillin G zu 6-Aminopenicillansäure; in Japan wird Ethanol mit wachsenden, immobilisierten Zellen von *Saccharomyces* sp. hergestellt. Das Prinzip der Analytik mit Hilfe von immobilisierten Syst. beruht darauf, daß ein zu bestimmendes Substrat durch ein immobilisiertes Enzym umgesetzt wird. Die Veränderung der Produkt-, Substrat- od. Cosubstrat-Konz. kann mit mehreren gekoppelten Meth. verfolgt werden. *Beisp.* für diese Verf. sind Enzymelektroden (s. enzymatische Analyse). – *E* immobilization – *F* immobilisation – *I* immobilizzazione – *S* inmovilización
Lit.: Crit. Rev. Biotechnol. **14**, 75 (1994) ▪ Hartmeier, Immobilized Biocatalysts, Berlin: Springer 1986 ▪ Phillips u. Poon, Immobilization of Cells. Biotechnology Monographs, Vol. 5, Berlin: Springer 1988 ▪ Trevan, Immobilized Enzymes, Chichester: Wiley 1980.

Immonio... s. Iminio...

Immun... Bei den meisten Begriffen mit diesem Wort-Bestandteil wird hier die dtsch. Schreibweise ohne auslautendes „o" bevorzugt.

Immunadsorption. Bez. für eine immunspezif. *Affinitätschromatographie, mit deren Hilfe sich z. B. Antikörper od. Antigene quant. bestimmen u. in reiner Form isolieren lassen. Dazu werden spezielle *Immunadsorbentien* mit hoher spezif. Bindungskapazität benötigt, wie z. B. an Polyacrylamid kovalent gebundene od. auf andere Weise immobilisierte *Antikörper od. *Antigene. – $E = F$ immuno(ad)sorption – I immunoadsorbimento – S inmunoadsorción

Immunantwort. Reaktion des *Immunsystems auf einen Reiz durch *Antigene. Die I. ist für ein jeweiliges Antigen spezif., besteht in der Produktion von *Antikörpern (humorale I.), der Zell-vermittelten Immunität od. der Immuntoleranz. Außerdem unterscheidet man nach dem Zeitpunkt ihres Auftretens nach der Antigen-Stimulation eine prim. u. eine sek. Immunantwort. – E immune response – F réponse immunitaire – I risposta immunitaria – S respuesta inmunitaria
Lit.: Bodmer u. Owen, Molecular Mechanisms of the Immune Response, Cold Spring Harbor: CSH Laboratory Press 1994.

Immunbiologie. Teilgebiet der *Immunologie, das sich v. a. mit zellulären, physiolog., genet., evolutionären u. patholog. Aspekten der Immunologie beschäftigt. – E immunobiology – F immunobiologie – I immunobiologia – S inmunobiología

Immunchemie. Von *Arrhenius 1907 eingeführte Bez. für dasjenige Teilgebiet der *Immunologie, das sich mit der Chemie der Abwehr-Reaktionen des menschlichen u. tier. Körpers befaßt. Bes. Interessengebiet der I. ist die Aufklärung der Mechanismen der humoralen *Immunantwort, d. h. der Reaktionen des Organismus gegenüber *Antigenen, sowie der Erscheinungen bei der Wechselwirkung zwischen *Antikörpern (*Immunglobulinen) od. den Mol. des *Komplement-Syst. einerseits u. den Antigenen andererseits. Eine ihrer Hauptaufgaben ist somit die chem. Analyse der *Antigen-Antikörper-Reaktionen. Jedoch erfreuen sich immunchem. Arbeitsweisen weit über dieses Gebiet hinaus einer verbreiteten Anw. in Analyse, *Cytochemie (*Immuncytochemie*), *Histochemie (*Immunhistochemie*) u. medizin. (serolog.) Diagnostik. Die spezif. Meth. der I. sind u. a. *Immundiffusion u. *Immunelektrophorese, *Immunfluoreszenz, *Immunoassays, die mit Meth. der *enzymatischen Analyse gekoppelt (*Enzymimmunoassay) od. als *Radioimmunoassay ausgeführt werden können, sowie der *Immunoblot. – E immunochemistry – F immunochimie – I immunochimica – S inmunoquímica
Lit.: Kerr u. Thorpe, Immunochemistry Labfax, San Diego: Academic Press 1994 ▪ van Oss u. van Regenmortel, Immunochemistry, New York: Dekker 1994.

Immundefizienz s. Immunsuppression.

Immundiffusion. Von Oudin u. Ouchterlony 1946 bzw. 1948 entwickeltes analyt. Verf. der *Immunchemie, das prim. zur Identifizierung u. Trennung der in der Natur vorkommenden lösl. *Antigene u. *Anti-

körper aus Gemischen eingesetzt wird (*Geldiffusions-Test, Präzipitations-Test*). Dazu gießt man das Antigen-Gemisch u. das mit diesem durch *Immunisierung von Tieren gewonnene Antikörper-Gemisch in getrennte Löcher einer Agargel-Platte u. läßt die Reaktionspartner aufeinander zu diffundieren. Passende Reaktionspartner bilden im Äquivalenz-Bereich feine Präzipitatlinien im Agar. Die Meth. gestattet auch den Nachw. der Identität zweier Antigene gegenüber demselben Antikörper (*Identitäts-Reaktion, Ouchterlony-Test*). Die I. läßt sich zum Nachw. von Fremd-Protein in Fleischwaren od. von zugesetztem Protein in Getränken u. deren Grundstoffen einsetzen. Eine Weiterentwicklung ist die *Immunelektrophorese. – $E = F$ immunodiffusion – I immunodiffusione – S inmunodifusión

Immunelektrophorese. Von Grabar u. Williams 1955 entwickeltes analyt. Verf. der *Immunchemie, das eine Kombination von *Elektrophorese u. *Immundiffusions-Meth. darstellt u. prim. zur Identifizierung der einzelnen *Proteine eines Gemischs dient. Hierbei wird das Substanzgemisch (z. B. Blutserum) in einem Agarstreifen zunächst elektrophoret. aufgetrennt, dann läßt man ein *Antiserum (Immunserum) gegen die getrennten Protein-Fraktionen von der Längskante aus hineindiffundieren. Evtl. unter den Proteinen vorhandene *Antigene reagieren mit den *Antikörpern des Serums in Form von schleierartigen Präzipitations-Zonen. – E immunoelectrophoresis – F immunoélectrophorèse – I immunoelettroforesi – S inmunoelectroforesis

Immunfluoreszenz. Bez. für eine Meth. der *Cytochemie u. *Histochemie, bei der *Antigene bzw. *Antikörper nach Reaktion mit – spezif. mit *Fluorochromen markierten – Antikörpern bzw. Antigenen durch *Fluoreszenzanalyse sichtbar gemacht werden. – $E = F$ immunofluorescence – I immunofluorescenza – S inmunofluorescencia
Lit.: Caul, Immunofluorescence. Antigen Detection Techniques in Diagnostic Microbiology, London: Public Health Laboratory Service 1993.

Immungenetik s. Immunologie.

Immunglobuline (Abk. Ig). Humorale *Glykoproteine, die bei der Elektrophorese der *Plasma-, insbes. der *Serumproteine, in der sog. γ-Fraktion wandern u. daher früher *Gamma-Globuline* (γG, GG) genannt wurden. Die monomeren I. bestehen aus je 2 L- u. H-Ketten (von E light bzw. heavy), die durch *Disulfid-Brücken miteinander verbunden sind. Die I. sind *Globuline mit *Antikörper-Charakter, deren Bildung durch *Antigene induziert wird. Mengenmäßig machen sie ca. 20% des gesamten Plasma-Proteins aus. Von den I. wurden beim Menschen bisher 5 Hauptklassen identifiziert (IgA, IgD, IgE, IgG u. IgM), die sich – prim. aufgrund verschiedener H-Ketten – in ihrer Serum-Konz., der M_R (146000–970000), dem Kohlenhydrat-Gehalt, der elektrophoret. Beweglichkeit u. in ihren biolog. Eigenschaften unterscheiden. Die Hauptklassen IgA, IgG u. IgM lassen sich noch in Subklassen unterteilen (z. B. IgG1, IgG2, IgG3 u. IgG4). Die Vielfalt der I.-Klassen u. -Unterklassen sowie deren vielfältige, unterschiedliche Spezifität in der Bindung von Antigenen kommt durch Kombination verschiedener vorhandener genet. „Bauteile" [*V(D)J-Rekombination*] [1] zustande, sowie durch eine bes. hohe Mutationsrate in den entsprechenden Genen Antigen-stimulierter B-Zellen (*somat. Hypermutation*) [2]. Von den I. stammen auch die bei bestimmten Knochenmarks-Tumoren auftretenden *Paraproteine* wie die *Bence-Jones-Proteine. Auf der induzierten Bildung von I. beruht die *aktive* *Immunisierung, während bei der *passiven* Immunisierung gegen verschiedene Virus- u. Bakterien-Infektionen vorab gebildetes IgG zugeführt wird. Zur Grob-Struktur der I. s. die Abbildung.

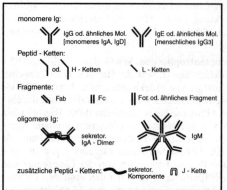

monomere Ig:

IgG od. ähnliches Mol. [monomeres IgA, IgD]

IgE od. ähnliches Mol. [menschliches IgG3]

Peptid - Ketten:

od. | H - Ketten

L - Ketten

Fragmente:

Fab | Fc | Fcε od. ähnliches Fragment

oligomere Ig:

sekretor. IgA - Dimer

IgM

zusätzliche Peptid - Ketten: sekretor. Komponente | J - Kette

Abb.: Vereinfachte Strukturen der Immunglobuline. Peptidketten u. Fragmente sind schemat. gezeigt; Disulfid-Brücken u. Kohlenhydrat-Anteile sind nicht berücksichtigt. Zur Erklärung vgl. auch den folgenden Text.

IgG: Zum detaillierteren Aufbau vgl. Antikörper. Die Bildung der IgG (M_R 146 000 bzw. 170 000 bei IgG3) – sie machen 75% der I. im Blut aus – ist v. a. bei infektiösen Erkrankungen wichtig, da die eingedrungenen Fremdzellen od. die befallenen körpereigenen Zellen an den Antigenen auf ihrer Zelloberfläche von den spezif. IgG erkannt u. durch *Antigen-Antikörper-Reaktion gebunden werden. Dazu besitzen die Y-förmigen IgG-Mol. zwei Arme (Fab von *E antigen-binding fragment*), die aus variablen Peptid-Ketten gebildet werden u. die spezif. Antigen-Bindungsdomänen enthalten. Der ebenfalls vorhandene konstante Teil (Fc: *constant fragment*) dient den Makrophagen, den Granulocyten u. den *natürlichen Killerzellen, die Fc-*Rezeptoren für IgG besitzen, sowie dem *Komplement-Syst. als Angriffspunkt, um die Zielzelle zu binden u. anschließend zu zerstören. Aufgrund der im Mol. vorhandenen Gelenke dient das IgG sozusagen als spezif. mol. Adapter bei diesen Abwehrmechanismen. IgG können als einzige Antikörper die Placenta-Schranke überwinden.

IgA: Kommt im Blut (ca. 15% der gesamten I. im Serum) als Monomer (M_R 160 000) od. Dimer vor, sowie als sekretor. Dimer (sIgA, M_R 385 000) in verschiedenen Körpersekreten wie Milch, Speichel, Tränen, Sekreten der Atemwege u. des Darms. Es ist für die Abwehr eindringender Keime an der Schleimhaut-Oberfläche verantwortlich. Bei IgA-Nephropathie (Ursache unbekannt) kommt es zu Ablagerung von IgA in der Niere [3].

IgE: IgE (M_R 188 000; weniger als 1% der I. im Blut) spielen bei allerg. Prozessen eine Rolle. Fc-Rezepto-

ren für IgE befinden sich auf Mastzellen u. Basophilen (FcεR1, hohe Affinität) [4] sowie auf Monocyten, Eosinophilen, Thrombocyten u. B-Lymphocyten (FcεR2, geringere Affinität). Allergene mit mehreren gebundenen IgE pro Mol. od. Partikel vermögen die FcεR1 auf der Oberfläche der Träger-Zellen zu aggregieren, die durch die Ausschüttung von Mediatorstoffen (z. B. *Histamin) die allerg. Reaktion auslösen.

IgD, IgM: Wie die IgD (M_R 184 000; weniger als 1% der I. im Blut) befinden sich IgM (M_R 970 000; ca. 10% der I. im Blut) in Membran-gebundener Form als Antigen-spezif. Rezeptoren auf der Oberfläche von B-Lymphocyten u. regen diese bei Bindung multivalenter Antigene zur Vermehrung u. zur Produktion von lösl. I. gleicher Spezifität an. Bei diesen handelt es sich im frühen Stadium der Immunabwehr gleichfalls um IgM, später um IgG, IgA od. IgE (*class switching, isotype switching*) [5]. Starke Vernetzung der Oberflächen-IgM durch Antigene, z. B. durch ebenfalls Zell-gebundene Eigen-Antigene, kann jedoch zur *Apoptose der B-Zellen u. somit zur Entstehung von Toleranz führen [6]. Im Gegensatz zu den IgD aktivieren IgM-Antigen-Komplexe das Komplement-System. IgM haben etwa die Struktur von 5 sternförmig durch Disulfid-Brücken verbundenen IgG-Mol. mit einer zusätzlichen J-Kette (s. Abb.).

Strukturähnlichkeiten mit den I. bestehen bei vielen Proteinen (*I.-Superfamilie*), die mit mol. Erkennung zu tun haben, z. B. bei vielen Rezeptoren wie z. B. den Antigen-Rezeptoren der T-Zellen (s. Immunsystem), *Corezeptoren (CD3, CD4, CD8 usw.; zu diesen s. Immunsystem), die *Histokompatibilitäts-Antigene, viele *Zell-Adhäsionsmoleküle wie NCAM, das *Hämolin der Insekten, das *Thy-1-Antigen u. viele andere. Die *Transkription der I.-Gene wird durch die *Octamer-Transkriptionsfaktoren reguliert. Zur Entdeckungsgeschichte der I. s. *Lit.*[7]. – *E* immunoglobulins – *F* immunoglobulines – *I* immunoglobuline – *S* inmunoglobulinas

Lit.: [1] Curr. Opin. Immunol. 9, 114 – 120 (1997); Immunol. Today **16**, 279 – 289 (1995). [2] Annu. Rev. Immunol. **14**, 441 – 447 (1996); Curr. Opin. Immunol. **8**, 206 – 214 (1996). [3] Kidney Int. **47**, 377 – 387 (1995). [4] Hamawi, IgE Receptor (FCεR1) Function in Mast Cells and Basophils, Springer 1996. [5] Curr. Opin. Immunol. **8**, 199 – 205 (1996). [6] Crit. Rev. Immunol. **15**, 255 – 269 (1995); J. Allergy Clin. Immunol. **98** (Suppl.), S 238 – S 247 (1996). [7] Immunol. Cell. Biol. 75, 65 – 68 (1997). *allg.:* Fridman u. Sautés, Cell-Mediated Effects of Immunoglobulins, Berlin: Springer 1997 ▪ Honjo u. Alt, Immunoglobulin Genes, 2. Aufl., San Diego: Academic Press 1995 ▪ Roitt et al., Kurzes Lehrbuch der Immunologie, 3. Aufl., S. 62 – 75, Stuttgart: Thieme 1995.

Immunglobulin-Schwerketten-bindendes Protein s. Binde-Protein.

Immun-IFN s. Interferone.

Immunisierung. Erzeugung einer *Immunität durch: 1. *Aktive Immunisierung:* Impfen mit lebenden, in ihrer Wirkung abgeschwächten Krankheits-Erregern od. mit toten Erregern u. deren *Toxinen bzw. mit Toxoiden (aus Toxinen erzeugten unschädlichen Verb.). Die Zufuhr derartiger *Antigene veranlaßt den Körper zur Bildung spezif. *Antikörper. Die I. wurde nach diesem Prinzip bereits 1796 von Jenner (gegen Pocken) durchgeführt u. ist heute in moderner Form (reine *Impf-stoffe in genauer Dosierung mit Impfpistole, als Schluck- od. Aerosol-Impfung) eine verbreitete Meth. zur *prophylakt. Schutzimpfung* gegen viele Infektions-Krankheiten. Heute werden die Antigene oft zusammen mit sog. *Immunstimulantien* od. *Adjuvantien* verabreicht. Die aktive I. bleibt im allg. jahrelang erhalten u. kann, wenn nötig, durch eine Nachimpfung wieder aufgefrischt werden. Die Forschung konzentriert sich z. Z. auf die I. gegen *HIV-Viren (AIDS-Erreger), *Malaria, *Hepatitis u. a. Infektionskrankheiten, gegen Krebs[1] sowie auf die Immunisierung zum Zweck der Geburtenkontrolle[2]. Als Impfstoffe sind u. a. auch synthet. *Oligopeptide sowie gentechnolog. hergestellte *Proteine u. *Desoxyribonucleinsäuren[3] in der Entwicklung. Zur 200jährigen Geschichte der Impfung s. *Lit.*[4].

2. *Passive Immunisierung:* Injektion von *Antiserum, das Antikörper (*Antitoxine) enthält, die durch einen Fremd-Organismus (vielfach Tiere, z. B. Pferd, Rind, Schaf) nach *Infektion mit dem jeweiligen Erreger gebildet wurden. Diese Form der I. ist eine *therapeut.* Maßnahme bei Infektionsgefahr, da die Wirkung sofort eintritt, allerdings auch nur einige Tage anhält. Sie wurde erstmals 1890 von E. von *Behring gegen Diphtherie angewandt. Nachteil: Diese fremden Antikörper wirken ihrerseits antigen, so daß es bei einer wiederholten passiven I. durch *Sensibilisation zu *Allergien od. gar *Anaphylaxie kommen kann. Aus diesem Grunde wechselt man bei späterer I. den Herkunfts-Organismus des *Serums (z. B. erst Pferde-, dann Rinder- u. zuletzt Hammel-Serum) od. benutzt humanisierte Antikörper (s. monoklonale Antikörper). Die Wirksamkeit dieser Seren ist im allg. gegen das *Toxin* des jeweiligen Erregers gerichtet, nicht gegen diesen selbst (Ausnahme: Milzbrandserum). – *E* immunization, immunisation – *F* immunisation – *I* immunizzazione – *S* inmunización

Lit.: [1] Curr. Opin. Immunol. **8**, 619 ff. (1996). [2] Curr. Opin. Immunol. **6**, 698 – 704 (1994). [3] Curr. Opin. Immunol. **8**, 531 – 536 (1996); Life Sci. **60**, 163 – 172 (1996). [4] Curr. Biol. **6**, 679 – 772 (1996).
allg.: Biospektrum **2**, Nr. 4, 18 – 24 (1996).

Immunität (von latein.: immunis = befreit, unversehrt). Bez. für die Eigenschaft eines Organismus, unempfindlich gegen Infektions-Erreger u./od. deren Giftstoffe zu sein. Man unterscheidet zwischen der unspezif. – im allg. *Resistenz genannten – angeborenen I., welche durch die normalerweise vorhandenen, ererbten Schutzvorrichtungen des Körpers gegeben ist (s. Immunsystem), u. der durch *Immunisierung (z. B. als Folge überstandener Infektionen od. durch *Impfen) erworbenen Immunität. Diese macht den Erwachsenen gegen einmal überstandene infektiöse Kinderkrankheiten (z. B. Scharlach, Kinderlähmung, Masern, Keuchhusten) im allg. immun. – *E* immunity – *F* immunité – *I* immunità – *S* inmunidad

Immunkomplexe. Bez. für die durch *Antigen-Antikörper-Reaktion entstehenden makromol. Komplexe aus spezif. aneinander fixierten *Antigen- u. *Antikörper-Molekülen. Meist liegen die I. als Präzipitat vor, doch kann es bei Antigen-Überschuß auch zur Bildung lösl. Komplexe kommen. Derartige I. spielen eine

Rolle bei der Entstehung bestimmter *Allergien (z. B. der sog. Serumkrankheit) od. gar *Anaphylaxien. – *E = F* immunocomplexes – *I* immunocomplessi – *S* inmunocomplejos

Immunkonjugate. Bez. für *Konjugate aus immunkompetenten Proteinen [meist monoklonalen *Antikörpern (Ak), deren Spezifität man sich dabei zunutze macht] u. a. Mol. od. Ionen. Während man in der Immunhistochemie oft Fluoreszenz-markierte Ak u. im *Enzymimmunoassay Enzym-Ak-Konjugate zum Einsatz kommen, werden die *Radioimmunkonjugate* (Ak + *Radionuklid) im *Radioimmunoassay, in der Immun-*Szintigraphie sowie in der Tumor-*Immuntherapie eingesetzt. Für letztere sind auch *Immuntoxine (Ak + *Toxin)[1] in der Entwicklung. – *E* immunoconjugates – *F* immunoconjugués – *I* immunoconiugati – *S* inmunoconjugados
Lit.: [1] Immunol. Rev. **129**, 57 – 80 (1992).

Immunmodulation s. Immunsystem.

Immuno. Kurzbez. für die 1960 gegr. Firma Immuno AG, Industriestraße 67, A-1220 Wien. *Daten* (1995): 1218 Beschäftigte, 4387 Mio. öS Umsatz. *Produktion:* Albumine, Gerinnungspräp., Immunglobuline, Impfstoffe, Heparine, Diagnostika. *Vertretung* in der BRD: Immuno GmbH, 69 126 Heidelberg.

Immuno. . . s. a. Immun. . .

Immunoassay. Aus dem Engl. (assay = Probe, Test) übernommene Sammelbez. für die verschiedenartigen Analysenmeth., die sich zur Bestimmung biolog. aktiver Substanzen (Hormone, Pharmaka, Opiate, diagnost. wichtige Proteine usw.) der *Immunchemie, insbes. der hochspezif. *Antigen-Antikörper-Reaktion (AAR) bedienen; an die Stelle von Voll-Antigenen können auch *Haptene treten. Um eine quant. Aussage über die AAR machen zu können, muß einer der Reaktionspartner mit einer gut nachweisbaren Markierungssubstanz so gekoppelt werden, daß die immunolog. Eigenschaften der Komponenten weitgehend erhalten bleiben. Die Kopplung erfolgt heute nicht selten durch das *Streptavidin/*Biotin-System. Die bekanntesten I. sind *Radioimmunoassay (RIA), *Enzymimmunoassay (EIA; mit Festphasen-Technik: ELISA), Fluoreszenz-I., Spin- u. Elektro-Immunoassay. – *E* immunoassay – *F* immuno-essai – *I* immunotest – *S* inmunoensayo

Lit.: s. Anal. Chem. **67**, R 455 – R 462 (1995) ▪ Crowther, ELISA: Theory and Practice, Totowa: Humana 1995 ▪ Diamandis u. Christopoulos, Immunoassay, San Diego: Academic Press 1996 ▪ Strobach, Kochbuch der immunologischen Analytik. Radioimmunoassay und verwandte Methoden, Stuttgart: Thieme 1994.

Immunoblot (Western blot; vgl. blotting). Aus dem Engl. übernommene Bez. für eine Abb., die durch eine Analysen-Meth. (Immuno-Blotting) erzeugt wird. Dabei werden *Proteine nach elektrophoret. Auftrennung in einem Gel (meist aus Polyacrylamid) auf eine Trägermembran (Nitrocellulose) übertragen u. mit Meth. der *Immunchemie selektiv nachgewiesen. Die Übertragung erfolgt überwiegend elektrophoret. (*Elektro-Blotting*) u. ergibt im allg. ein getreues Abbild des im Gel erzielten Auftrennungs-Musters. Zum selektiven

Nachw. von bestimmten Proteinen auf der Membran werden diese mit für sie spezif. *Antikörpern zur Reaktion gebracht. Ähnlich wie beim *Immunoassay kann mit gegen diese Antikörper gerichteten sek. Antikörpern, die entweder radioaktiv od. mit Enzymen markiert sind, detektiert werden. – $E = I = S$ immunoblot
Lit.: Methods Mol. Biol. **49**, 423–437 (1995) ▪ Mol. Biotechnol. **1**, 289–305 (1994).

Immunogenität s. Antigene.

Immunogold. Kolloidale Gold-Partikeln mit adsorptiv gebundenen *Antikörpern, die in elektronenmikroskop. Untersuchungen zur spezif. Markierung von Proteinen u. Zellbestandteilen dienen.
Anw.: Zur spezif. Detektion von *Proteinen in Gewebsschnitten u. -Abdrücken, in der Mikrobiologie, für Studien an *Peroxisomen[1]. Zur Doppelmarkierungs-Technik mit Hilfe von Goldpartikeln verschiedener Größe s. *Lit.*[2]. – *E* immunogold – *F* immuno-or – *I* immuno-oro – *S* inmuno-oro
Lit.: [1] Microscopy Res. Tech. **31**, 79–92 (1995). [2] Micron **27**, 157–165 (1996).

Immunologie. Wissenschaftliche Lehre von den körpereigenen Abwehrmechanismen u. der durch diese vermittelten *Immunität. Hier ist zunächst an die allg. u. spezif. Abwehrvorgänge zu denken, die der Körper gegen alle eingedrungenen Fremdkörper u. Keime richtet, u. die z.B. in sauren Abscheidungen (*Schweiß), Produktion lyt. Enzyme (*Lysozym) u. Vernichtung der Fremdkörper (*Phagocytose) durch bestimmte *Leukocyten (*Granulocyten, Neutrophile*) bestehen. Im engeren Sinn befaßt sich jedoch die I. nach *Burnet (Nobelpreis 1960) mit den Funktionen u. Mechanismen des *Immunsystems, die den Körper befähigen, zwischen „selbst" u. „nicht selbst", d.h. zwischen körpereigener u. -fremder Substanz zu unterscheiden, letztere durch geeignete Reaktionen zu beseitigen u. damit die biolog. Integrität des Organismus u. seiner Teile zu gewährleisten. Die sehr umfänglich u. vielschichtig gewordene moderne I. mit ihren inhaltlichen Schwerpunkten in Biologie, Chemie u. Medizin kann hier nicht erschöpfend dargestellt werden – man vgl. auch die benachbarten Stichwörter.
Meth.[1]*:* Für die Untersuchung immunolog. Reaktionen sind Meth. entwickelt worden, die im weitesten Sinne Meth. der *Immunchemie sind u. auf *Antigen-Antikörper-Reaktionen beruhen, z.B. *Agglutinations- u. *Präzipitations-Reaktionen, *Affinitätschromatographie, *Immunadsorption, *Immundiffusion, *Immunelektrophorese, hämolyt. *Plaque-Test nach *Jerne, verschiedene Verf. von *Immunoassays, *Serodiagnostik, *Immunoblot; für die *Immunhistochemie läßt sich bes. gut die *Immunfluoreszenz-Beobachtung heranziehen.
Teil- u. Grenzgebiete: Zu den *medizin.-immunolog.* Fragestellungen der I. gehören z.B. das Problem der Blutgruppen- u. Transplantat-Verträglichkeit bei Bluttransfusionen bzw. Organtransplantationen u. die *Rhesusfaktor-Unverträglichkeit. Auf das Gebiet der *Immunpathologie* führen Untersuchungen bei *Allergien, Autoimmun-Erkrankungen (s. Autoimmunität) u. *Krebs, deren immunolog. Aspekte sich stark ver-

einfacht auch so interpretieren lassen, daß im Fall der Allergie das Immunsyst. übermäßig stark reagiert, bei Autoimmun-Erkrankungen sich gegen körpereigene Bestandteile wendet, bei Krebs hingegen die entarteten Zellen als körpereigen toleriert. Im Vordergrund – auch des öffentlichen Interesses – stehen in letzter Zeit u.a. die Probleme des Immundefekts *AIDS. In der *Transplantations-I.* führt der Einsatz von Immunsuppressiva (s. Immunsuppression) zur Unterdrückung der Transplantat-Abstoßung. Die *Fortpflanzungs-* od. *Reproduktions-I.* behandelt die immunolog. Vorgänge bei *Konzeption u. Schwangerschaft. Die *(Psycho-) Neuro-I.* beschreibt Wechselwirkungen zwischen Immun- u. Nervensyst. durch *Mediatoren u. *Neurotransmitter, z.B. *Neuropeptide (*Neuroimmunmodulation*). Ähnliche Beziehungen bestehen übrigens zum endokrinen Syst. (s. Hormone); sie werden übergreifend in der *Neuro-Endokrino-I.* behandelt. Ein Grenzgebiet der I. ist auch die *Immunpharmakologie,* die einerseits die Wirkung von Arzneimitteln auf das Immunsyst., andererseits die therapeut. Nutzung von Komponenten des Immunsyst. zum Inhalt hat. Die *Immungenetik* u. die *mol. I.* beschäftigen sich hauptsächlich mit der Entwicklung u. Differenzierung der mol. Bestandteile des Immunsyst., während die *Immunhistologie* die Eigenschaften der immunkompetenten Gewebe u. Organe untersucht. Übrigens hat die I. nicht nur Bedeutung im oben beschriebenen, hauptsächlich auf Säugetiere bezogenen Sinne, sondern auch bei anderen Tieren (z.B. Insekten) u. Pflanzen treten Immunreaktionen auf. – *E* immunology – *F* immunologie – *I* immunologia – *S* inmunología
Lit.: [1] Lefkovits, Immunology Methods Manual. The Comprehensive Sourcebook of Techniques, 4 Bd. od. 1 CD-ROM, San Diego: Academic Press 1996.
allg.: Cruse u. Lewis, Illustrated Dictionary of Immunology, Boca Raton: CRC Press 1995 ▪ Elgert, Immunology. Understanding the Immune System, Chichester: Wiley 1996 ▪ Gemsa et al., Immunologie. Grundlagen, Klinik, Praxis, 4. Aufl., Stuttgart: Thieme 1997 ▪ Janeway u. Travers, Immunologie, Heidelberg: Spektrum Akadem. Verl. 1995 ▪ Roitt et al., Kurzes Lehrbuch der Immunologie, 3. Aufl., Stuttgart: Thieme 1995.
– *Serie:* Annual Review of Immunology, Palo Alto: Annual Review (seit 1983). – *Zeitschrift:* Current Opinion in Immunology, London: Current Biology (seit 1988).

Immunophiline. Funktionell definierte Gruppe von *Proteinen (M_R 12000–70000), die gewisse Immunsuppressiva (s. Immunsuppression) binden, in der Folge spezif. mit *Calcineurin wechselwirken u. so die immunsuppressive Wirkung ihrer Liganden vermitteln. Zu den I., die auch als Peptidylprolyl-*cis-trans*-Isomerasen wirken, gehören Cyclophilin (Näheres s. dort) u. das *FK506-bindende Protein, das auch *Rapamycin bindet u. den Calcium-Ionen-Fluß durch den Inosit-1,4,5-trisphosphat-abhängigen (s. Inositphosphate) *Calcium-Kanal des *endoplasmatischen Retikulums u. den *Ryanodin-Rezeptor moduliert[1]. – *E* immunophilins – *F* immunophilines – *I* immunofiline – *S* inmunofilinas
Lit.: [1] Cell **83**, 463–472 (1995).
allg.: FASEB J. **9**, 63–72 (1995) ▪ Physiol. Rev. **76**, 631–649 (1996).

Immunotoxine s. Immuntoxine.

Immunpathologie s. Immunologie.

Immunpharmakologie s. Immunologie.

Immunpräzipitation s. Präzipitation.

Immunreaktionen. Unspezif. Bez. für die *Antigen-Antikörper-Reaktion u. a. Reaktionen des *Immunsystems.
Lit.: Sedlacek u. Möröy, Immune Reactions in Headlines, Overviews, Tables and Graphics, Berlin: Springer 1995.

Immunsuppression. Unterdrückung der Immunabwehr z. B. mit einem *Antiserum, mit *ionisierender Strahlung od. mit speziellen *Immunsuppressiva*. Diese – bes. für die Transplantations-Technik u. zur Therapie von Autoimmunkrankheiten benötigten – Substanzen hemmen die Proliferation (Vermehrung) der Plasmazellen (s. Immunsystem), indem sie – soweit bekannt – direkt od. indirekt in die Synth. der *Desoxyribo- u. *Ribonucleinsäuren eingreifen. Hierher gehören Antimetaboliten mit Cytostatika-Wirkung (Folsäure-Antagonisten, Purin-Analoga vom Typ des Azathioprins), alkylierende Substanzen (Cyclophosphamid) u. bestimmte Corticosteroide. Weniger tox., da nicht allg., sondern nur auf immunkompetente Zellen cytostat. wirkend, sind *Cyclosporine, *FK506 u. *Rapamycin. Der Nachteil der unspezif. immunsuppressiven Agentien ist jedoch die erhöhte Infektions-Anfälligkeit des behandelten Organismus – schließlich wird ja das Immunsyst. allg. geschwächt. Manche Bemühungen zielen deshalb auf eine *spezif. I.*, z. B. mit antigenspezif. Immunsera, Antigen-Toxin-Konjugaten od. durch anderweitige Induzierung einer *Immuntoleranz*, wobei die allg. Abwehrkräfte erhalten bleiben. Patholog. I. od. *Immundefizienz* kann erworben sein, wie z. B. bei der viral bedingten Immunschwäche-Krankheit *AIDS od. bei Masern[1], sowie erblich bedingt bei genet. Defekten des Immunsystems. – *E = F* immunosuppression – *I* immunosoppressione – *S* inmunosupresión
Lit.: [1] Science **273**, 228–231 (1996).
allg.: Gruber, Local Immunosuppression of Organ Transplants, Berlin: Springer 1996 ▪ Hartung, Selective Immunosuppression, Berlin: Springer 1996 ▪ J. Clin. Pharmacol. 36, 1081–1092 (1996).

Immunsuppressiva s. Immunsuppression.

Immunsystem. Reaktives Syst. aus Organen, Zellen u. lösl. (*humoralen*) Faktoren, das die Unversehrtheit des Organismus gegenüber makromol. Fremdsubstanzen, Partikeln, Viren, fremden Zellen u. Geweben gewährleistet. Voraussetzung für das Funktionieren des I. ist das Erkennen von „fremd" u. „selbst". Am weitesten ist das I. der Wirbeltiere entwickelt, das in der Lage ist, auf nahezu jeden eingedrungenen Fremdfaktor (das *Antigen) spezif. zu reagieren, u. dieses soll im folgenden ausschließlich besprochen werden. Zum I. der Wirbellosen s. *Lit.*[1], zu dem der Pflanzen *Lit.*[2]. Beeinflussungen des I., z. B. durch chem. Einwirkung od. Bestrahlung, bezeichnet man als *Immunmodulation*, dabei kann es sich um *Immunstimulation* od. *Immunsuppression handeln.
Organe des I.: Das Stamm-Organ des I. ist beim Embryo der Dottersack, beim Fötus die Leber u. später das *Knochenmark, aus dessen *pluripotenten Stammzellen* sich die verschiedenen Zellen des I. entwickeln. Hier gelangen auch die B-*Lymphocyten (B-Zellen)

zur Reifung („B" von: Bursa Fabricii, dem Organ der Vögel mit entsprechender Funktion). Ein anderer Teil der Lymphocyten differenziert zu T-Lymphocyten (T-Zellen), die im *Thymus (daher „T") heranreifen. Neben diesen prim. lymphoiden Organen seien folgende sek. genannt, in denen Lymphocyten nach ihrer Reifung mit *Blut u. *Lymphe zirkulieren: Lymphknoten, Milz, Tonsillen (Mandeln) u. die lymphat. Gewebe der Schleimhäute[3]. Auch Haut[4] u. Blutgefäße[5] können von Lymphocyten durchdrungen werden. Zur Wanderung der Lymphocyten in die Gewebe s. *Lit.*[6].
Zellen des I.: Die Spezifität der Reaktionen des I. wird getragen von zwei verschiedenen Arten von *Leukocyten, nämlich von den im Knochenmark gebildeten *B-Lymphocyten* u. den aus dem Thymus stammenden *T-Lymphocyten*. Nach ihrer Funktion u. nach gewissen auf der Oberfläche befindlichen Differenzierungs-Antigenen (z. B. CD4, CD8, Abk. von *cluster of differentiation*) unterscheidet man zwischen *Helfer-* (T_H) u. *Suppressor-T-Zellen*, die zusammen als Regulator-Zellen durch Absonderung von Mediator-Substanzen (*Lymphokinen) die Funktion der anderen Zellen des I. beeinflussen. Die Existenz der Suppressor-T-Lymphocyten als eigene Klasse wird jedoch inzwischen in Frage gestellt. Nach dem charakterist. Muster der sezernierten Lymphokine unterteilt man die Lymphocyten in die Typen 1 u. 2, z. B. bei den T_H die T_H1- u. T_H2-Untergruppen, die sich u. a. in ihrer Fähigkeit unterscheiden, Toleranz zu verhindern[7]. Im allg. unterstützen die T_H1 durch Sekretion von *Interleukin 2 (IL-2), *Interferon γ u. *Tumornekrose-Faktor β eher die zelluläre u. T_H2 (IL-4 bis -6 u. -10) die humorale Immunantwort. B-Zellen werden durch direkten Kontakt ihres *Immunglobulin-artigen Rezeptors mit Antigenen aktiviert (zur Vermehrung angeregt), während T-Zellen dazu *akzessor. Zellen*, sog. *Antigen-präsentierender Zellen* bedürfen, die antigen. Fragmente zusammen mit körpereigenen *Histokompatibilitäts-Antigenen auf ihrer Oberfläche vorweisen. Cytotox. T-Lymphocyten (CTL, *Killer-T-Zellen*, T_K) sind direkt an der Antigen-spezif. Zerstörung Virus-infizierter Zellen beteiligt, indem sie sich abhängig von Fremd-Antigenen sowie Histokompatibilitäts-Antigenen an diese binden. Einige der Killer-T-Zellen, sowie vielleicht auch der unten erwähnten natürlichen Killer-Zellen, durchlöchern die Zell-Membranen mit Hilfe von *Perforinen, die Ähnlichkeit mit der C 9-Komponente des *Komplements besitzen. Mit den B-Lymphocyten, die für die Produktion von Antigen-spezif. *Antikörpern zuständig sind, werden sie als *Effektor-Zellen* zusammengefaßt.
Nach der inzwischen allg. anerkannten *Klonselektionstheorie* werden während der Reifung des I. Lymphocyten, von denen jeder Zell-Klon (jede Zell-Linie) mit Hilfe von Membran-Rezeptoren ein bestimmtes potentielles Antigen erkennt, danach selektiert, daß sie nicht auf körpereigene Strukturen reagieren – solche Klone sterben ab (*Apoptose) od. geben ihre Funktion auf – u. es ergibt sich *Immuntoleranz* des Organismus gegen sich selbst. Wird die Immuntoleranz gegenüber eigenen Antigenen durchbrochen, so kommt es zu *Autoimmunerkrankungen. T-Lymphocyten erwerben durch zusätzliche „pos." Selektion die Eigenschaft,

Fremd-Antigene nur in Verbindung mit den körpereigenen Histokompatibilitäts-Antigenen zu erkennen. Beim ersten Kontakt mit Antigen vermehren sich die reifen, aber jungfräulichen Lymphocyten u. differenzieren zu aktiven Lymphocyten (im Fall der B-Zellen *Plasmazellen* genannt) u. zu *Gedächtniszellen*, die im Ruhezustand verharren u. bei wiederholtem Antigen-Befall für eine beschleunigte Reaktion des I. sorgen, was im günstigsten Fall zur *Immunität führt. An die Stelle des Antigens kann auch ein Protein-gebundenes *Hapten treten; durch ein geeignetes *Adjuvans läßt sich die Wirkung des Antigens verstärken; durch andere Maßnahmen wiederum läßt sich Toleranz gegen bestimmte Antigene (Tolerogene) erzeugen. Einzelheiten zur Lymphocyten-Entwicklung s. *Lit.*[8], zum Immungedächtnis s. *Lit.*[9].

Rezeptoren: Nach ihrer Zusammensetzung aus Untereinheiten unterteilt man die Antigen-Rezeptoren der T-Lymphocyten (*T-Zell-Rezeptoren*, TCR)[10] in αβ-TCR, die nur Antigene erkennen, die an Histokompatibilitäts-Antigene Antigen-präsentierender Zellen gebunden sind, u. die γδ-TCR einer kleineren T-Zell-Population, über die bis jetzt weniger bekannt ist[11]. Mit den αβ-TCR assoziiert sind die invarianten CD3-Antigene, die an der Weiterleitung des Aktivierungs-Signals ins Zellinnere (*Signaltransduktion; *Diacylglycerine, *Inositphosphate u. Calcium-Ionen als *second messengers) beteiligt sind. Auch die CD4- u. CD8-Mol. sind mit dem αβ-TCR vergesellschaftet u. erhöhen dessen Affinität zu den Histokompatibilitäts-Antigenen der Klassen II bzw. I der akzessor. Zellen. Zum Antigen-Rezeptor der B-Zellen s. *Lit.*[12].

Für die Abtötung Antikörper-markierter (opsonisierter) Fremd-Zellen bzw. deren Beseitigung durch *Phagocytose sind gewisse Leukocyten zuständig, die den unspezif. Teil (Fc) des Antikörper-Mol. mit Hilfe von *Fc-Rezeptoren*[13] erkennen; dies sind z.B. *Makrophagen, Granulocyten (s. Leukocyten) u. *natürliche Killer-Zellen. Letztere sind nicht mit den oben genannten Killer-T-Zellen ident. u. vermögen Virus-befallene u. Tumor-Zellen auch in Abwesenheit von Antikörpern zu erkennen. Die zellgebundene Komplement-Komponente C3b wird ebenfalls als *Opsonin von Makrophagen erkannt u. für appetitlich befunden. Die in verschiedenen Geweben (z.B. Bindegewebe, Schleimhäute) vorkommenden *Mastzellen besitzen Fc-Rezeptoren für Immunglobulin E (IgE) u. spielen bei Hypersensitivität (Allergie) eine Rolle, indem sie bei Aktivierung durch IgE Mediatoren wie *Histamin ausschütten.

Humorale Faktoren des I.: Die aus der durch ein bestimmtes Antigen zur Vermehrung angeregten B-Zelle hervorgehenden Plasmazellen produzieren Immunglobuline (Ig) der Klassen M u. G, die sog. Antikörper, die dieses – Zell-gebundene od. lösl. – Antigen spezif. binden u. dadurch zur Abtötung od. Phagocytose vorbereiten (*Opsonisierung,* s. oben). Eine Plasmazelle kann etwa 2000 Antikörper-Mol. pro s erzeugen. Die von einem einzelnen Klon produzierten *monoklonalen Antikörper lassen sich heute experimentell erzeugen. Gegen die Antigen-Bindungs-Regionen der Antikörper (auch: hypervariable Regionen od. *Idiotypen* genannt) werden ebenfalls Antikörper gebildet (die

entsprechenden Epitope sind die Idiotope), ein Umstand, dessen Bedeutung noch nicht ganz verstanden wird u. der *Jerne zur Aufstellung einer Netzwerk-Theorie des I. veranlaßt hat. Wesentlich beteiligt ist ferner das *Komplement-Syst., ein aus verschiedenen mol. Komponenten bestehender Verstärkungsmechanismus der Immunabwehr, der – neben anderen Funktionen – ebenfalls Antigen-Antikörper-Komplexe am Fc-Teil bindet u. eine Lyse der Träger-Zellen (*Cytolyse) durch partielle Zerstörung der Membran bewirkt. Die hier geschilderten *humoralen* Immunreaktionen verlangen ein enges Zusammenwirken mit der weiter oben beschriebenen *zellulären* Immunität. Für dieses sind die Mediator-Substanzen (*Cytokine, als *Lymphokine von Lymphocyten ausgeschieden), zu denen auch *Interferone u. *Interleukine gehören, zuständig. – *E* immune system – *F* système immunitaire – *I* sistema immunitario – *S* sistema inmunitario

Lit.: [1] Cooper, Invertebrate Immune Responses, 2 Bd., Berlin: Springer 1996; Rinkevich u. Müller, Invertebrate Immunology, Berlin: Springer 1996. [2] Curr. Opin. Immunol. **8**, 3–7 (1996). [3] J. Gastroenterol. Hepatol. 12, 122–136 (1997); Kagnoff, Essentials of Mucosal Immunology, San Diego: Academic Press 1996. [4] Life Sci. **58**, 1485–1507 (1996). [5] Hansson u. Libby, Immune Functions of the Vessel Wall, New York: Harwood Academic Publishers 1996. [6] Curr. Opin. Immunol. **8**, 312–320 (1996). [7] Curr. Opin. Immunol. **8**, 336–342, 688–693 (1996); Nature (London) **383**, 787–793 (1996). [8] Curr. Opin. Immunol. **8**, 155–254, 815–842 (1996); Nature (London) **381**, 751–758 (1996). [9] Annu. Rev. Immunol. **14**, 333–367 (1996); Science **272**, 54–60 (1996). [10] Annu. Rev. Immunol. **14**, 259–274, 563–590 (1996); Curr. Biol. **7**, R 17–R 20 (1997); Curr. Opin. Immunol. **9**, 97–106 (1997); Science **274**, 209–219 (1996). [11] Curr. Opin. Immunol. **9**, 57–63 (1997); Proc. Natl. Acad. Sci. USA **93**, 2272–2279 (1996). [12] Curr. Biol. **7**, 133–143 (1997). [13] van de Winkel u. Capel, Human IgGFc Receptors, Berlin: Springer 1996.
allg.: Alberts et al., Molekularbiologie der Zelle, 3. Aufl., S. 1413–1488, Weinheim: VCH Verlagsges. 1995 ▪ Roitt et al., Kurzes Lehrbuch der Immunologie, 3. Aufl., Stuttgart: Thieme 1995 ▪ Spektrum Wiss. **1997** Nr. 1, 30–41.

Immuntherapie. Therapiemeth. mit immunolog. Hilfsmitteln wie *Antikörpern, *Lymphocyten, *Cytokinen, Immunsuppressiva (s. Immunsuppression), *Impfstoffen od. *Allergenen. Gegenwärtig ist v. a. die I. gegen Krebs[1] im Gespräch; I. wird aber auch gegen *Autoimmunerkrankungen, gegen Infektionskrankheiten usw. entwickelt bzw. angewandt. Bei der Krebs-I. wird meist versucht, die Bindungsspezifität von Antikörpern u. (Tumor-infiltrierenden) Lymphocyten für tumorspezif. Oberflächenantigene (s. Tumor-Antigene) auszunützen, um gezielte Immunreaktionen gegen Krebszellen u. solide Tumoren auszulösen od. zu verstärken od. um Antikrebsmittel (od. *Radionuklide im Fall der *Radio-I.*) zu bösartigen Zellen zu transportieren. – *E* immunotherapy – *F* immunothérapie – *I* immunoterapia – *S* inmunoterapia

Lit.: [1] Annu. Rev. Med. **47**, 481–491 (1996); Anticancer Res. **16**, 661–674, 3235–3240 (1996); Cancer Metastasis Rev. **15**, 317–364; Spektrum Wiss. Spezial **1996**, Nr. 5, Krebsmedizin, 77–84.
allg.: Immunol. Today **18**, 127–135 (1997).

Immuntoleranz s. Immunsystem.

Immuntoxine (Immunotoxine). Bez. für zu den *Immunkonjugaten gehörende, mit *monoklonalen Antikörpern synthet. gekoppelte *Toxine. Aufgrund der Spezifität der *Antikörper u. der tox. Wirkung der Toxine wird eine auf bestimmte Zelltypen (z. B. Tumor-Zellen) gerichtete medikamentöse (cytotox.) Wirkung der I. erzeugt. Statt der chem. Kopplung von Toxin u. Antikörper werden vermehrt *Fusionsproteine eingesetzt[1]. – *E* immunotoxins – *F* immunotoxines – *I* immunotossine – *S* inmunotoxinas

Lit.: [1] Mol. Med. Today **2**, 439–446 (1996). *allg.:* Annu. Rev. Immunol. **14**, 49–71 (1996) ▪ Biochim. Biophys. Acta **1198**, 27–45 (1994).

Imodium® (Rp). Kapseln u. Tropfen mit *Loperamid-Hydrochlorid gegen Diarrhöen. *B.:* Janssen.

Imolamin (Rp).

Internat. Freiname für den Coronar-*Vasodilatator *N,N*-Diethyl-5-imino-3-phenyl-1,2,4-oxadiazol-4(5*H*)-ethanamin, $C_{14}H_{20}N_4O$, M_R 260,34, Sdp. 165 °C; λ_{max} 230 nm ($A_{1cm}^{1\%}$ 655). Verwendet wurde das Hydrochlorid, Schmp. 154–155 °C. – *E* = *F* imolamine – *I* = *S* imolamina

Lit.: Hager (5.) **8**, 532 f. – *[HS 293490; CAS 318-23-0 (I.); 15823-89-9 (Hydrochlorid)]*

Imonio... s. Iminio...

IMP. Abk. für *Inosin-5′-monophosphat.

Impact. Bez. für den Einschlag eines außerird. Körpers. Beim Einschlag großer *Meteoriten, wie z. B. im Nördlinger Ries[1] in Süddeutschland od. in zahlreichen Kratern auf der Mondoberfläche, wandelt sich die enorme Menge an freiwerdender Energie unmittelbar in energiereiche Schockwellen (Stoßwellen) um, das sind mit Überschallgeschw. fortschreitende Kompressionswellen, an deren Front der Druck auf kürzeste Entfernung enorm (bis >100 GPa) ansteigt, wodurch mechan. Zerstörung, Aufschmelzung (Temp. bis >5000 °C!) od. sogar Verdampfung der Materie (auch großer Meteoriten) bzw. der betroffenen Gesteine bewirkt wird (*Schock-*Metamorphose, *Stoßwellenmetamorphose*, s. *Lit.*[2]). In den zentralen Teilen eines Einschlagskraters findet sich ein *Breccien-artiges, *Tuff-ähnliches Gestein, das nach seiner Verbreitung im Nördlinger Ries allg. als *Suevit* („Schwabenstein") bezeichnet wird. In den vom I. betroffenen Gesteinen können Hochdruck-Minerale wie *Coesit u. *Stishovit u. auch *Diamanten gebildet werden. Die künstliche Form einer Schockmetamorphose sind unterird. *Kernexplosionen*. – *E* = *F* impact – *I* impatto – *S* impacto

Lit.: [1] Pösges u. Schieber, Das Rieskrater-Museum Nördlingen, München: Pfeil 1994. [2] Fortschr. Mineral. **49**, 50–113 (1972); **51**, 256–289 (1974). *allg.:* Annu. Rev. Earth Planet. Sci. **15**, 245–270 (1987) ▪ Eur. J. Mineral. **4**, 707–755 (1992) ▪ Matthes, Mineralogie (5.), S. 357 f., 463, Berlin: Springer 1996 ▪ Melosh, Impact Cratering, Oxford: Oxford University Press 1988 ▪ Meteoritics **26**, 175–194 (1991) ▪ Spektrum Wiss. **1990**, Nr. 6, 108–116 ▪ s. a. Meteoriten.

Impact compound. Bez. für Verb., die das charakterist. Aroma eines Lebensmittels prägen. Beisp. für i. c. sind 2-*trans*-6-*cis*-*Nonadienal, das nach Gurken

riecht u. 4-(4-Hydroxyphenyl)-2-butanon (*Himbeerketon*, s. Himbeeraroma), das den typ. Geruchseindruck von Himbeeren darstellt. *Citral ist das geruchliche Prinzip des Citronenöls, während *Nootkaton die i. c. der Grapefruit ist. – *E* impact compound – *F* composés d'arômes charactéristiques – *I* composto di impatto – *S* compuestos impacto, „impact compounds"

Lit.: Belitz-Grosch (4.), S. 304 f.

Impaktoren. Von latein.: impactus = an-, aufgestoßen abgeleitete Bez. für Geräte zur *Korngrößen-Bestimmung in *Stäuben u. *Aerosolen. Das Meßprinzip beruht darauf, daß ein – durch eine Düse gebündelt ausströmender u. mit hoher Geschw. auf eine Prallplatte auftreffender – Aerosolstrahl seitlich abgelenkt wird. Größere Teilchen werden infolge ihrer Trägheit meßbar weniger abgelenkt als kleinere Teilchen. Näheres s. *Lit.* – *E* impactors – *F* impacteurs – *I* conimetri a urto, impactor – *S* impactores

Lit.: Ullmann (5.) **B 2**, 2–25 ▪ Umschau **72**, 439–441 (1972).

Impedanz (Kurzz.: Z). Definiert über Z = U/I als Widerstand in einem Wechselstromkreis. Da aufgrund von *Kondensatoren u./od. *Induktivitäten der Strom I u. die Spannung U gegeneinander phasenverschoben sein können, wird Z als komplexe Größe geschrieben. – *E* impedance – *F* impédance – *I* impedanza – *S* impedancia

Lit.: Kohlrausch, Praktische Physik, Bd. 1, S. 576, Stuttgart: Teubner 1996.

Imperatorin {9-(3-Methyl-2-butenyloxy)-7*H*-furo-[3,2-*g*] [1]benzopyran-7-on}.

$C_{16}H_{14}O_4$, M_R 270,28, Krist., Schmp. 102 °C, zu 0,5% in Engelwurz (*Angelica archangelica*), Meisterwurz (*Peucedanum ostruthium*), Bärenklau (*Heracleum* sp.) u. a. Doldenblütlern enthalten. I. gehört zur Gruppe der *Furocumarine. I. besitzt antimikrobielle Eigenschaften. – *E* imperatorin – *F* impératorine – *I* = *S* imperatorina

Lit.: Beilstein E V **19/6**, 16 ▪ Karrer, Nr. 1377 ▪ R. D. K. (4.), S. 837 ▪ Sax (8.), IHR 300 ▪ Tetrahedron **40**, 5225 (1984). – *[HS 293299; CAS 482-44-0]*

Imperial Chemical Industries s. ICI.

Imperial-Oel-Import. Kurzbez. für die 1920 gegr. Firma Imperial-Oel-Import Handelsges.mbH., 20095 Hamburg. *Produktion:* Tier. u. pflanzliche Öle u. Fette, Mineralölnebenprodukte, Chemikalien u. Teerprodukte, Tallöl, Peche, Wollfettprodukte, techn. Fettsäuren, Knochenmehl.

Impet. *Polyethylenterephthalat, glasfaserverstärkt u. flammwidrig; besitzt hohe Steifigkeit u. Temp.-Beständigkeit, gute elektr. Isolation. I. wird zur Herst. hoch belasteter Automobil- u. Elektroartikel wie Lüfterklappen, Motorenteile, Lagerschilde, Potentiometer, Steckverbinder u. Kondensatorbecher verwendet. *B.:* Hoechst.

Impfen (latein. inputare = einschneiden). 1. In der Medizin Erzeugung einer Immunität (*Immunisierung) zur Vorbeugung von Infektionskrankheiten durch Einführung von *Impfstoffen per os od. durch Injektion. 2. In der Chemie versteht man unter I. das Einbringen von Kristallisationskeimen in unterkühlte Schmelzen od. übersätt. Lsg. (vgl. Unterkühlung u. Übersättigung). Man erreicht durch die Zufuhr eines solchen *Keims, daß mehr od. weniger rasch *Kristallisation od. die Bildung eines *Niederschlags einsetzt. Dabei wirkt der eingebrachte Kristallisationskeim als Krist.-Zentrum, um das herum die übrige geschmolzene od. gelöste Substanz auskristallisiert. Bei der Züchtung von *Einkristallen muß der Impfkrist. kristallchem. ident. sein mit dem zu gewinnenden Reinstoff, während es sonst oft genügt, chem. nahe verwandte Krist. zum I. zu benutzen; *Beisp.:* *Impflegierungen. In verwandtem Sinne benutzt man die Bez. I., wenn man *Regen- od. Hagel-Wolken mit Hilfe von fein verteilten Krist. (z. B. Silberiodid) zur Bildung von Niederschlag zwingt. 3. In der Metallurgie die Bez. für ein Verf. der Schmelzbehandlung durch Zugabe fester, feinkörniger Stoffe gleicher od. unterschiedlicher Zusammensetzung mit dem Ziel, eine große Zahl von Krist.-Keimen (Eigenod. Fremdkeime) für eine Erstarrung der Schmelze bereitzustellen u. damit eine Feinkornbildung zu erreichen od. eine Unterkühlung der Schmelze zu verhindern. – *E* 1. inoculation, 2. seeding – *F* 1. vaccination, 2. inoculation – *I* 1. vaccinare, 2. inoculazione – *S* 1. vacunación, 2. inoculación
Lit. (zu 3.): Brunhuber (Hrsg.), Gießerei-Lexikon, 10. Aufl., S. 372 ff., Berlin: Schiele & Schön 1978.

Impfgut, -kultur, -material s. Inokulum.

Impflegierungen. Zum *Impfen von Schmelzen eingesetzte Leg. in Pulverform, die der Schmelze kurz vor dem Gießen od. während des Gießens zugeführt werden. Zum Impfen von *Gußeisen wird beispielsweise *Ferrosilicium verwendet. – *E = F* inoculants – *I* inoculanti – *S* inoculantes

Impföse. Eine am Kopfende kreisförmig gebogene Metallnadel, die zum Beimpfen von Nährböden verwendet wird, z. B. für die Gewinnung von Reinkulturen durch Verdünnungsausstrich (Isolierung von Einzelkolonien).

Impfstoffe. 1. Nach dem in der BRD seit 1. 1. 1978 gültigen Arzneimittelgesetz sind I. (Vakzinen) Arzneimittel, die *Antigene enthalten u. die dazu bestimmt sind, bei Menschen od. Tieren zur Erzeugung von spezif. Abwehr- u. Schutzstoffen mittels Impfen angewandt zu werden. Sie enthalten lebende, abgeschwächte od. tote Erreger (Bakterien od. Viren) bzw. deren Stoffwechselprodukte (Erregergifte/Toxoide) u. dienen zur aktiven Bildung von *Antikörpern u. damit zur Immunisierung; Näheres s. dort.
2. Zum *Impfen eingesetzte metall. u. nichtmetall. pulverförmige Stoffe, s. Impflegierungen. – *E* inocula, vaccines – *F* vaccines – *I* vacini, sieri – *S* vacunas
Lit. (zu 1): DAB **1996** u. Komm.: Monographien „Impfstoffe für Menschen", „Impfstoffe für Tiere" ▪ vgl. Immunologie u. Immunsystem. – *[HS 2918 19 (zu 1)]*

Implantation (latein.: implantatio = Einpflanzung). 1. Einpflanzung von Fremdsubstanzen, Geweben od. Organen in den Organismus durch Eingriff von außen. So werden z. B. Herzschrittmacher, Blutgefäß-Prothesen u. künstliche Gelenke implantiert, aber auch Organe von Spendern (Transplantation). Künstliche Implantate bestehen meist aus Metall-Leg., Kunststoffen od. Keramikwerkstoffen. Probleme bei der I. entstehen durch die Unverträglichkeit mancher Werkstoffe mit den sie umgebenden Geweben, durch die Möglichkeit, an ihren Oberflächen die Blutgerinnung zu fördern u. durch Immunreaktionen (s. Immunologie), die implantiertes Gewebe abstoßen.
2. Einnistung der befruchteten Eizelle in die Gebärmutterschleimhaut (s. a. Konzeption), meist als Nidation (latein.: nidus = Nest) bezeichnet.
3. Durch *Ionenimplantation, eine Technik, die zum Dotieren von *Halbleitern sowie zur Oberflächenveredelung eingesetzt wird, hofft man auch die Oberfläche von medizin. Implantaten zu verbessern, d. h. sie biokompatibler zu machen (*Lit.* [1]). – *E = F* implantation – *I* impianto – *S* 1. implantación
Lit.: [1] Phys. Unserer Zeit **20**, 156 (1989).

Implenal®. Sortiment von *Gerbhilfsmitteln aus Natrium-Salzen von aromat. u. aliphat. Dicarbonsäuren, die bei der Gerbung mit bas. Chrom-Salzen Komplexe bilden u. dadurch eine bessere Aufnahme u. Fixierung des Chrom-Gerbstoffs an die Haut bewirken. *B.:* BASF.

Implosion s. Explosion.

Implosionszündung s. Kernwaffen.

Importal®. Pulver mit dem Laxans *Lactitol. *B.:* Zyma.

Importin (Karyopherin). *Protein aus zwei Untereinheiten (I. 60 = I. α, M_R 60 000 u. I. 90 = I. β, M_R 90 000), das als *Rezeptor für cytosol. Proteine dient, die in den Zellkern transportiert werden sollen. I. erkennt die bas. *Kern-Lokalisations-Sequenz* (NLS) der zu importierenden Proteine, bindet die Proteine im *Cytosol u. geleitet sie an die Kernporen, durch die der Transport mit Hilfe des *Kernporen-Komplexes u. des *kleinen GTP-bindenden Proteins Ran/TC4 vonstatten geht. Dabei ist α für die Bindung der NLS u. β für die Anlagerung an die Kernpore verantwortlich. – *E* importin – *F* importine – *I = S* importina
Lit.: Biospektrum **1**, Nr. 4, 27 ff. (1995) ▪ Curr. Biol. **5**, 383–392 (1995).

Impra®. Sortiment von *Holzschutzmitteln in Form von Grundier- u. Imprägniermitteln sowie Lasuren. *B.:* WEYL.

Imprägnier-Harze. Flüssige bzw. durch Erwärmen verflüssigbare *Harze, mit denen poröse od. saugfähige Stoffe wie Papier, Vliese, Gewebe od. Holz getränkt (imprägniert) werden. Sie bewirken nach Aushärten eine Verfestigung der imprägnierten Materialien. Basis für I.-P. sind u. a. Epoxid-Harze, ungesätt. Polyester-Harze, Polyurethane od. Polymethacrylate. – *E* impregnating resins – *F* résin d'imprégnation – *I* resine d' imregnazione – *S* resinas de impregnación
Lit.: Batzer **3**, 302–310.

Imprägnierung (von latein.: impregnare = schwängern). Bez. für das Durchtränken poröser Stoffe, um diese z. B. flammfest, impermeabel gegenüber Wasser od. Öl, od. resistent gegenüber mikrobiellem Befall usw. zu machen. Hier ist bes. an die in Einzelstichwörtern abgehandelten Verf. der *Hydrophobierung, *Oleophobierung, *Soil-Release-Ausrüstung u. ä. Verf. von Textilien u. Leder sowie an die I. von Holz mit Flamm- u. Holzschutzmitteln zu denken, ferner an die Anw. von Fluaten in Bautenschutzmitteln u. an das Tränken von Papier. Bes. wirksam ist die I. bei Anw. von Vak. od. erhöhten Drücken. Das Eindringen der *Imprägniermittel* (Lsg. od. Emulsionen der betreffenden Wirkstoffe) kann durch Zugabe bes. Netzmittel erleichtert werden, die die Oberflächenspannung herabsetzen. Das I.-Verf. ist eine der gebräuchlichsten Herst.-Meth. für Katalysatoren: Ein poröser Träger (Aluminiumoxid, Kieselgel od. Aktivkohle) wird mit einer Lsg. od. Schmelze der katalyt. wirksamen Komponenten getränkt. wirksamen Komponenten getränkt. Unter I. von *Schaumweinen versteht man das nachträgliche Versetzen mit Kohlensäure. – *E* impregnation – *F* imprégnation – *I* impregnazione – *S* impregnación
Lit.: Encycl. Polym. Sci. Eng. **8**, 628 ff.; **17**, 890 f. ▪ Kirk-Othmer (3.) **20**, 941 ▪ Ullmann (4.) **13**, 559–562; (5.) A **5**, 349 f.

Impralit®. Umfangreiches Sortiment von *Holzschutzmitteln der Gruppen B, CF, CFB, CK, HF, SF u. Teeröle, ferner holzschützende Flammschutz- u. Feuerschutzsalze. *B.:* WEYL.

Impranil®. Marke für eine Produkt-Gruppe zur Wasch- u. Lsm.-beständigen Beschichtung u. *Kaschierung von Textilien. Die I.-Typen sind z. B. Isocyanat-modifizierte Polyester, *Polyamid- u. *Acrylsäure-Derivate, *Latex-ähnliche Polymere usw. *B.:* Bayer.

Imprapell® CO. Verf. zum Enthaaren, Bleichen u. Aufschließen von tier. Häuten. Es arbeitet in schwach saurem Puffersyst. (pH 3–3,5) unter Verw. von I. CO, einer Chlordioxid-abspaltenden Substanz, welche die Schwefel-Brücken des *Keratins zu wasserlösl. Sulfonsäuren oxidiert; Haare u. Epidermis lösen sich deshalb leicht vom collagenen Fasersyst. ab (vgl. Gerberei). Anschließend an die Haarentfernung können Pickel u. Gerbung im gleichen Faß erfolgen. Es entfallen also alkal. Äscher, Entkälkung, Beize u. Entfettung. *B.:* Hoechst.

Impressional®. Elast. Abformpaste auf *Silicon-Kautschuk-Basis mit stufenlos regulierbarer Konsistenz zur Verw. als Dental-Abdruckmasse. *B.:* Bayer.

Impuls. Physikal. Größe, die für einen Massenpunkt als Produkt aus Masse m u. Geschw.-Vektor $\bar{v}$ definiert ist: $\bar{p} = m \cdot \bar{v}$. Der I.-Vektor $\bar{p}$ hat die gleiche Richtung wie der Geschw.-Vektor u. ist in jedem Punkt der Bahn-Kurve tangential zu dieser gerichtet. Der I. hat die Einheit $kg \cdot m \cdot s^{-1}$. In einem abgeschlossenen Syst. bleibt er nach Betrag u. Richtung unverändert (*Impulserhaltungssatz*). Nach der Heisenbergschen *Unschärfebeziehung lassen sich I. u. Ort von Mikroteilchen wie *Elektronen od. Atomkerne nicht gleichzeitig beliebig genau messen. In der *Quantentheorie ist der I. als *hermitescher Operator (sog. *Impulsoperator*; s. a. Laplace-Operator) darzustellen. Als I.-Übertrag be-

zeichnet man den bei einem Stoß übertragenen Impuls. – *E* momentum – *F* impulsion, quantité de mouvement – *I* impulso – *S* impulso, cantidad de movimiento

Impulserhaltungssatz s. Impuls.

Imurek® (Rp). Tabl. u. Trockensubstanz in Durchstechflaschen mit *Azathioprin als Immunsuppressivum (s. Immunsuppression). *B.:* Glaxo-Wellcome.

IMViC-Test. Biochem. Testmeth. zur Differenzierung von Bakterien der Familie der *Enterobacteriaceae, z. B. in der Trinkwasseranalyse. Coliforme Bakterien unterscheiden sich qual. in den vier zum IMViC-T. gehörenden Untersuchungen: 1. Test auf *Indol-Bildung* aus Tryptophan mittels *Ehrlichs Reagenz (4-Dimethylaminobenzaldehyd); – 2. *Methylrot-Probe* als Nachw. der Säurebildung bei der Gärung (Farbumschlag des Indikators unterhalb von pH 4,5 von Gelb nach Rot); – 3. *Voges-Proskauer-Reaktion* zum Nachw. von in Glucose-Pepton-Medium gebildetem Acetoin (im stark alkal. Bereich Rotfärbung mit dem in Pepton enthaltenen Kreatin); – 4. Test auf *Citrat-Verwertung* in synthet. Citrat-Nährlsg. durch Trübung (d. h. Wachstum) u. Alkalisierung des Mediums (Bromthymolblau als Indikator). – *E* IMViC test – *F* test de l'IMViC – *I* test IMViC – *S* ensayo IMViC
Lit.: Schlegel (7.), S. 310.

in. Abk. für *Inch.

...in. 1) Bei Namen für *heterocyclische Verbindungen gilt „...in“ im *Hantzsch-Widman-System (IUPAC-Regel R-2.3.3.1) für 6-gliedrige ungesätt. Ringe außer in Fällen, die mit der engl. Endung „...ine“ irreführend wären u. daher mit „...inin“ enden (...bor-, ...phosph-, ...ars-, ...stib-, ...fluor-, ...chlor-, ...brom-, ...iod- u. astatinin) od. Trivialnamen behalten (Pyridin, Pyran statt *Azin, Oxin); *Beisp.:* 1,4-Arsasil*in*, aber 1,4-Azars*inin*. Endungen für 7-, 8-, 9- u. 10-gliedrige ungesätt. Hetero-Ringe sind ...epin, ...ocin, ...onin u. ...ecin.
2) In Namen für aliphat. u. cycloaliphat. Verb. u. in davon abgeleiteten Austauschnamen zeigt „...in“ eine Dreifachbindung an (IUPAC-Regeln A-3, A-11.3, R-3.1.1); *Beisp.:* Azacycloundec-6-in; vgl. ...ylidin.
3) Endung für Stoffklassen-Bez. (Betain, Carotin, ...genin, ...idin, ...hydrin, Lecithin, ...mycin, Olefin, ...osin, Penicillin, Porphyrin, Protein, Sterin, Toxin, Vitamin etc.) u. Trivialnamen (*Alkaloide, Amine u. a. Stickstoffbasen, z. B. Anilin, Melamin, Purin, Pyridin; *Aminosäuren; *Antibiotika; *Enzyme; *Farbstoffe; *Glykoside; *Hormone; *Proteine; synthet. Verb., z. B. Antipyrin, Fuchsin, Sarin, Saccharin; *Vitamine; Mineralien, z. B. Rubin, Sassolin, Turmalin).
4) Endung der Namen der *Stammhydride PH_3, AsH_3, SbH_3 u. BiH_3 (IUPAC-Regel D-5.1; neue Regeln I-7.2.2.1, R-2.1, R-5.1.3.2 lassen „...in“ neben „...an“ noch zu): Phosphin, Arsin, Stibin u. Bismutin. – *E* ...ine (N-freie Ringe meist ...in) (1., 4.), ...yne (2.), ...in (N-Basen oft ...ine) (3.) – *F* ...ine (N-freie Ringe oft ...inne) (1., 3., 4.), ...yne (2.) – *I* ...ina (1. – 4.) – *S* ...ina (1., 3., 4.), ...ino (2.)

In. Symbol für das chem. Element *Indium.

Inaktiv. Bez. für einen Stoff, der die Schwingungsebene des linear polarisierten Lichts nicht dreht, weil er kein asymmetr. C-Atom besitzt od. weil er als *Racemat od. als *Meso-Form vorliegt, vgl. Diastereo(iso)merie u. optische Aktivität; in chem. Namen wird dies manchmal mit *i*- bezeichnet. Inaktiv nennt man auch Stoffe, die sich an den in Frage kommenden chem. Reaktionen od. Katalyseprozessen nicht beteiligen (*inert* sind) od. pharmakolog. bzw. therapeut. unwirksam sind, sowie Stoffe, die nicht radioaktiv sind. Viele Stoffe lassen sich durch *Aktivierung od. Zusatz von *Aktivatoren aus dem i. Zustand herausführen – ohne deshalb schon *Aktivstoffe zu werden. Den umgekehrten Vorgang nennt man meist nicht *Inaktivierung*, sondern *Desaktivierung. – **E** inactive – **F** inactif – **I** inattivo – **S** inactivo

Inamine. Bez. für (1-Alkinyl)amine, die z. B. durch basenkatalysierte Isomerisierung von Propargylaminen (s. Abb. a), durch normale Eliminierungsreaktionen aus Halogen-enaminen (s. Abb. b) od. aus Dihalogenamin-Verb., durch elektrophile Einführung des Restes mittels Lithiumaminoacetyliden od. durch nucleophile Substitution von Halogen-Atomen od. Alkoxy-Gruppen an 1-Halogen- bzw. 1-Alkoxy-1-alkinen (s. Inether) mittels sek. Amine (od. Lithiumamide, s. Abb. c) zugänglich sind.

a
b
c

4-Amino-2*H*-oxet
Acrylsäureamid

1,2,3-Triazol
2-Diazoalkanamidin

Diese Hauptrepräsentanten der *elektronenreichen Alkine* addieren regiospezif. elektrophile Reagenzien u. elektrophile π-Syst. (*Cycloaddition). So addieren I. eine Reihe Protonen-haltiger Reagenzien H–X (X = OR, NR_2, CR_3, SR usw.); es finden z. B. Cycloadditionen statt mit Carbonyl-Gruppen u. elektrophilen Alkenen [(2+2)-*Cycloadditionen], mit 1,3-*Dipolen (z. B. Aziden u. Nitriloxiden) u. mit vielen Dienen u. Heterodienen (*Diels-Alder-Reaktionen). Die primären Cycloaddukte isomerisieren oft spontan zu offenkettigen Produkten, falls die Amino-Gruppe in einer Carboxamid-Gruppe integriert werden kann (z. B. 4-Amino-2*H*-oxet → Acrylsäureamid, s. Abb. d) od. beide valenzisomeren Produkte stehen im Gleichgew. (z. B. 5-Amino-1*H*-1,2,3-triazol ⇌ 2-Diazoalkanami-

din, s. Abb. e). – **E = F** ynamines – **I** inammine – **S** inaminas

Lit.: Ficini, Ynamines, Oxford: Pergamon 1977 ▪ Houben Weyl **5/2 a**, 646 ff.; **15**, 3267 ff. ▪ Patai, The Chemistry of Amino, Nitroso and Nitro Compounds and their Derivates, S. 623, Chichester: Wiley 1982 ▪ Tetrahedron **32**, 1448 (1976) ▪ Top. Curr. Chem. **130**, 89 (1986).

Inc. Abk. für engl.: Incorporated Company, eine „eingetragene Ges.", die als Kapitalges. in den USA etwa der Aktienges. entspricht; s. Körperschaften.

Inch. Anglo-amerikan. Längenmaß (Abk. für 1 inch: 1 in. = 1″); entspricht dem dtsch. „Zoll". Für Umrechnungen gilt: 1 in. = 2,540 cm, u. 1 cm = 0,394 inch; 1 square inch (in.^{2} od. sq in.) = 6,452 cm^2; 1 cubic inch (in.^{3} od. cu in.) = 16,387 cm^3.

Inchromieren s. Inchromverfahren.

Inchromverfahren (Inchromieren, Inkromieren). Bei diesem *Korrosionsschutz-Verf. läßt man auf Stähle mit weniger als 0,1% C bei etwa 1000 °C flüchtige Chrom-Verb. einwirken, wobei in der Stahloberfläche etwa 30 – 40% der Eisen-Atome durch *Chrom-Atome ausgetauscht werden; beim *BDS-Inkrom-Verfahren arbeitet man mit $CrCl_2$. Der Cr-Verbrauch beträgt höchstens 200 g/m^2, die Dicke der Cr-Diffusionszone liegt bei etwa 150 – 200 μm. Der so *inchromierte* Stahl (*IK-Stahl*, gelegentlich auch *chromierter* Stahl genannt) ist bis zu etwa 700 °C zunderbeständig. Die Korrosionsbeständigkeit der inchromierten Schichten ist ähnlich der von entsprechend legierten Chrom-Stählen. Bei Stählen mit mehr als 0,3% C bilden sich in der Obeflächenschicht Chromcarbid-Beläge hoher Verschleißfestigkeit. *Verw.:* Bei Verschraubungen, Spindeln, Blechteilen, Kupplungen, Rohren, Turbinenschaufeln, Stahlkugeln usw. Das I. rechnet man – im Gegensatz zum *Verchromen – zu den *Zementations-Verfahren. – **E** chromizing process – **F** chromisation – **I** processo di cromatura – **S** cromización, incromado

Lit.: DIN 50902 (07/1975) ▪ Ullmann (5.) **A 16**, 429 ▪ Winnacker-Küchler (4.) **4**, 693.

INCI. Abk. für *International *Nomenclature *Cosmetic *Ingredients.

Incidin®. Desinfektionsmittel gegen Bakterien, Viren u. Pilze, *I. M Spray extra* enthält Tributylzinnbenzoat u. 2-Propanol zur Fuß-, Strumpf- u. Schuh-Desinfektion; zur Flächen- u. Inventar-Desinfektion kommen zum Einsatz: *I. Spezial Spray* mit Formaldehyd, Glyoxal, Glutaral u. Ethanol, *I. perfekt* enthält statt Ethanol Benzalkoniumchlorid u. Oligo[di-(iminoimidocarbonyl)-iminohexamethylen], *I. Extra* die beiden letzten mit 2-Biphenylol, *I. Liquid Spray* enthält 2-Propanol, 1-Propanol u. Amphotenside, *I. Plus* enthält Glucoprotamin. *B.:* Henkel.

Incidur®. Reinigungsaktives Flächendesinfektionsmittel auf der Basis von *Glyoxal u. *Glutaraldehyd, auch als gebrauchsfertiges alkohol. Spray mit bakterizider, fungizider u. viruzider Wirkung. *B.:* Henkel-Ecolab.

Inclusion Bodies. In *Escherichia coli* (E. coli) führt die falsche Faltung von gentechn. erzeugten Fremdproteinen oft zur Ausbildung von Protein-Aggregaten, die man i. b. nennt. Diese hochmol. Komplexe sind für die zelleigenen *Proteasen schlecht zugänglich u. sind

damit recht stabil, so daß sich die Proteine leicht auf-
reinigen lassen. Im Anschluß an die Reinigung müssen sie allerdings – teilw. recht aufwendig – in die richtige räumliche Konformation gebracht werden. – *E* inclusion bodies – *F* corps d'inclusion – *I* inclusioni – *S*
cuerpos de inclusión

Lit.: Biochem. Mol. Biol. Int. **37**, 895 (1995) ▪ Curr. Opin. Biotechnol. **7**, 190 (1996) ▪ J. Biol. Chem. **271**, 11 141 (1996) ▪
Präve et al. (4.), S. 93.

Inclusionscellulosen. Bez. für *Cellulosen mit einer
gegenüber dem nativen *Polysaccharid erhöhten Reaktivität. Sie werden insbes. für Acylierungsreaktio-
nen eingesetzt. Ihre mehrstufige Herst. erfolgt durch
Alkalisierung von Cellulose mit wäss. Basen (z. B. Natronlauge), Auswaschen des Alkali mit Wasser u. Verdrängen des Wassers mit ggf. unterschiedlichen organ.
Lsm., von denen das letzte (z. B. Essigsäure bei Acety-
lierungsreaktionen) in der Cellulose, die vor der Reaktion nicht getrocknet wird, „includiert" bleibt. – *E*
inclusion celluloses – *F* celluloses d'inclusion – *I* cellulose d' inclusione – *S* celulosas de inclusión

Lit.: Houben-Weyl **E 20**, 2103 ▪ Nevell u. Zeronian, Cellulose
Chemistry and its Applications, S. 166 ff., Chichester: Ellis
Horwood Ltd. 1985.

INCO. Kurzbez. für kanad. Inco Alloys International
Ltd. Der Schwerpunkt der Geschäftstätigkeit liegt in
der Erfindung, der Entwicklung u. der Herst. von Su-
perleg. auf Nickel-Basis. *Produktion:* Mehr als ein-
hundert Leg. u. Schweißprodukte. *Vertretung* in der
BRD: Inco Alloys International Ltd., Postfach 20 04 09,
40102 Düsseldorf.

Incocal® 10. Nickel-Leg. mit 5,4% Ca, 0,2% C, 0,15%
Fe, 0,6% Si, Rest Nickel, als Entschwefelungs- u.
Desoxidationsmittel für Eisen- u. Stahlschmelzen mit
geringer Rauchentwicklung. *B.:* Inco.

Incoloy®. Marke der Inco für hochtemperaturbeständige u. korrosionsfeste *Legierung mit mittleren
Nickel- u. Chrom-Gehalten (Nickel 32–42%) u. kleinen Anteilen an Mn, Si, Co, Cu, Al, Ti, Mo, W, Nb, Rest
Fe. *B.:* Inco.

Incomag®. Nickel-Leg. mit 0,2 bzw. 34% Fe, 4–15%
Mg, bis 2,0% C u. ca. 0,2% Si als Vorleg. zur Herst. von
Gußeisen bzw. zur Entschwefelung. *B.:* Inco.

Inconel®. Nickel-Chrom-Leg., die als weitere Bestandteile z. B. Fe, Mn, Ti, Nb, Ta, Mo, Cu, Co, C u. Si
enthalten u. von großer Hitze- u. Korrosionsbeständigkeit sind. Sie werden bei entsprechender therm. u.
Korrosionsbeanspruchung z. B. in der chem. u. petrochem. Technik, in der Lebensmittel-Ind., im Turbi-
nenbau, in der Luft- u. Raumfahrt etc. eingesetzt. *B.:*
Inco.

Inconturina® SR. Extrakt aus Goldrutenkraut u. Ge-
würzsumachwurzelrinde gegen Reizblase. *B.:* OTW.

Incorporated Company s. Inc.

INCO-Verfahren. Metallurg. Verf. (auch Schwebe-
schmelzverf.) zur Erzeugung von Nichtmetallen aus
ihren sulfid. Erzen. INCO (The *I*nternational *N*ickel
*Co*mpany of Canada, Ltd.) benutzte als erstes Unternehmen techn. reinen Sauerstoff auf dem Gebiet der
Nichteisen-Metalle im Rahmen des OFS-Prozesses

(*oxygen flash smelting*[1]). Die Beschickung – beispielsweise bei Cu-Erzen 85% Sulfiderz-Konzentrat
(ca. 29% Cu, 32% Fe, 33% S, 1,3% Ni u. Rest SiO_2) sowie 15% Quarzsand – wird nach dem Trocknen im Wir-
belschichttrockner einem Ofen zugeführt u. dort von
Sauerstoff-Strahlern (O_2 85%ig ohne zusätzliche
Brenngase) zur therm. Oxid. in den Ofenraum eingeblasen. Ausgetragen werden 45% Matte (mit 47% Cu),
32% Schlacke u. 23% SO_2. Vorteile sind die geringe
Flugstauberzeugung u. der Anfall von 80%igem SO_2.
Dieses läßt sich nach einer Reinigung verflüssigen. Für
Nickel existiert ein vergleichbares Verfahren[2]. – *E*
INCO matte separation process, INCO pressure carbonyl
process, INCO flash smelting process – *F* procédé INCO
– *I* processo INCO – *S* procedimiento INCO

Lit.: [1] Ullmann (5.) **A 25**, 585; **A 7**, 492 ff. [2] Ullmann (5.) **A 17**,
175 ff., 192 ff.

Indaconitin.

R^1 = OH, R^2 = H : Indaconitin (**1**)
R^1 = H, R^2 = H : Chasmaconitin (**2**)
R^1 = H, R^2 = OH : Duclouxin (**3**)

$C_{34}H_{47}NO_{10}$, M_R 629,75, Nadeln, Schmp. 202–203 °C,
$[\alpha]_D^{21}$ +18,3° (C_2H_5OH), lösl. in Aceton, Alkohol, Chloroform, Ether, unlösl. in Wasser u. Petrolether. Stark
giftiges Alkaloid aus den Wurzeln von Eisenhut-Arten
(*Aconitum* sp., Ranunculaceae). Verwandte Verb. aus
diesen Pflanzen sind neben *Aconitin *Chasmaconitin*[1]
($C_{34}H_{47}NO_9$, M_R 613,75) u. *Duclouxin* ($C_{34}H_{47}NO_{10}$, M_R
629,75). – *E = F* indaconitine – *I = S* indaconitina

Lit.: [1] J. Nat. Prod. **35**, 55 (1972).
allg.: Beilstein E V **21/6**, 308 f. (I.), 302 f. (Chasmaconitin) ▪
J. Chem. Soc., Chem. Commun. **1977**, 12 ▪ Merck-Index (12.),
Nr. 4964. – *[HS 293990; CAS 4491-19-4(1); 6846-46-4(2);
96681-55-9(3)]*

Indalone®. Butopyronoxyl (Butyl-3,4-dihydro-2,2-di-
methyl-4-oxo-2*H*-pyran-6-carboxylat) wird als insek-
tenabweisendes Mittel eingesetzt. *B.:* Sigma-Aldrich.

Indamin. $C_{12}H_{11}N_3$, M_R 197,24. Grundkörper einer
Klasse von Farbstoffen, die Abkömmlinge des *N*-
Phenylchinondiimins (1,4-Benzochin-imin-phenyl-
limin) sind, Formel s. bei Indophenol. Man erhält I.-
Farbstoffe z. B. durch Kondensation von *p*-Nitroso-
Derivaten tert. aromat. Amine mit einem aromat. Amin
in saurer Lsg. (Synth. von Bindschedlers Grün) od.
durch gemeinsame Oxid. eines aromat. *p*-Diamins (das
mind. eine freie NH_2-Gruppe besitzt) mit einem aromat. Monoamin. Alle I. sind blau od. grün; die einfachen I. werden durch Säuren leicht in Chinone u.
Amine zersetzt. Sie finden Verw. als Indikatoren (z. B.
*Toluylenblau) u. als Zwischenprodukte für die Synth.
von Phenazin-Farbstoffen. – *E = F* indamine – *I* in-
dammina – *S* indamina

Lit.: Ullmann (4.) **13**, 175, 191; (5.) **A 3**, 215 ▪ Winnacker-
Küchler (3.) **4**, 258. – *[CAS 101-78-0]*

Indan (2,3-Dihydroinden, veraltet: Hydrinden).

C_9H_{10}, M_R 118,18. Farblose Flüssigkeit, D. 0,964, Schmp. −51,4 °C, Sdp. 178 °C, unlösl. in Wasser, mischbar mit organ. Lsm., zeigt weder Verharzung noch Autoxidation. I. ist verbreitet im Steinkohlenteer u. *Cumaron-Indenharz enthalten, kann durch Red. von *Inden mit naszierendem Wasserstoff (aus Natrium u. Alkohol) synthetisiert werden u. läßt sich umgekehrt u. a. zu Inden dehydrieren. I. ist der Grundkörper vieler, z. T. pharmakolog. wichtiger Verb. (*Lit.*[1]) wie der *1,3-Indandione, *Inden-Derivate u. Indanole, von denen sich Antibiotika, Herztherapeutika u. Insektizide ableiten. Alkyl-substituierte I. kommen als künstlicher *Moschus in den Handel. – *E* indan – *F* indane – *I* = *S* indano

Lit.: [1] Negwer (6.), S. 1703.
allg.: Beilstein E IV **5**, 1371 ▪ Ullmann (4.) **14**, 684; (5.) **A 13**, 267. – *[HS 2902 90; CAS 496-11-7]*

Indanazolin (Rp zur Anw. bei Kleinkindern).

Internat. Freiname für das als *Vasokonstriktor u. α-*Sympath(ik)omimetikum wirksame 2-(4-Indanylamino)-4,5-dihydro-1*H*-imidazol, $C_{12}H_{15}N_3$, M_R 201,27, Schmp. 109 – 113 °C. Verwendet wird das Hydrochlorid, Schmp. 182 – 184 °C, LD_{50} (Maus oral) 179 mg/kg, (Maus i.v.) 22,3 mg/kg. I. wurde 1973 u. 1975 von Nordmark (Farial®, Knoll Deutschland) patentiert. – *E* = *F* indanazoline – *I* = *S* indanazolina

Lit.: Beilstein E V **25/9**, 298f. ▪ Hager (5.) **8**, 533f. – *[HS 2933 29; CAS 40507-78-6 (I.); 40507-80-0 (Hydrochlorid)]*

1,3-Indandione. Sammelbez. für Verb., die sich vom 1,3-Indandion ableiten (vgl. die Abb. bei Indan). Insbes. die in 2-Stellung substituierten I. wirken als *Antikoagulantien; *Beisp.:* *Phenindion, *Diphacinon. Das 2,2-Dihydroxy-Derivat des I. ist das *Ninhydrin. – *E* = *F* 1,3-indandiones – *I* 1,3-indandioni – *S* 1,3-indandionas

Lit.: Beilstein E IV **7**, 2344 ▪ Kirk-Othmer (3.) **4**, 14 – 17 ▪ Nauta u. Rekker, Pharmacochemistry of 1,3-Indandiones, Amsterdam: Elsevier 1981 ▪ Negwer (6.), S. 1703 ▪ Ullmann (4.) **8**, 629 f.; (5.) **A 4**, 221 f. – *[HS 2914 39; CAS 606-23-5]*

Indanthren®. 1. Sortiment sehr echt färbender *Küpenfarbstoffe zum Färben u. Bedrucken von Cellulose-Fasern. I. T.: Spezielle Einstellung zum Kontinuefärben von Polyester-Cellulosefaser-Mischgeweben in Kombination mit Dispersionsfarbstoffen.
2. I. ist eine Marke der *BASF für bestimmte Farbstoffe der Anthrachinon-Reihe sowie für ausgesuchte *Naphtol AS-Kombinationen u. bestimmte *Phtalogen®-Farbstoffe, sofern diese bestimmte Echtheitsanforderungen wie Licht-, Wasch- u./od. Wetterechtheit erfüllen. Der Name I. ist auf das Indanthren Blau (s. Indanthren®-Farbstoffe) zurückzuführen, das 1901 von Bohn in Ludwigshafen synthetisiert wurde. Der Name ist aus *Indigo u. *Anthracen zusammengezogen; Bohn hielt diesen Farbstoff nämlich zunächst für ein Indigo-Derivat. Die Marken-Rechte werden seit der Auflösung des Indanthren Warenzeichenverbandes e. V. von der BASF wahrgenommen; nutzungsberechtigt ist ferner DyStar. – *[CAS 81-77-6]*

Indanthren®-Farbstoffe. Der erste I.-F., das I. Blau RS, wurde 1901 in der Bad. Anilin- u. Soda-Fabrik von Bohn synthetisiert. Bohn erkannte auch die hervorragenden Echtheitseigenschaften der Baumwollfärbungen mit diesem Farbstoff. Zunächst gab man den anschließend entwickelten analogen (chinoiden) Farbstoffen hoher Gesamtfarbechtheit die Namen, etwa Flavanthren, Violanthren, Pyranthron usw.; diese Namen existieren auch heute noch, wenn sie auch jetzt meist die entsprechenden Kohlenwasserstoff-Stammverb. kennzeichnen, s. a. unten. Im Jahre 1923 – im Zusammenhang mit der Gründung der I. G. Farben – einigten sich Bayer, Hoechst u. Cassella auf einen Vorschlag der BASF, alle in den genannten Firmen produzierten *Küpenfarbstoffe mit bes. guten, durch genaue Richtlinien festgelegten Echtheitseigenschaften unter der eingetragenen Marke *Indanthren gemeinsam in den Handel zu bringen. Es gab ca. 150 I.-F., die unter tausenden von Laboratoriums-Produkten ausgewählt wurden, in allen möglichen Farbtönen. I.-F. werden in großem Umfang zum Färben u. Bedrucken von Textilien aus Baumwolle, Regeneratcellulose u. Leinen verwendet. Färbungen u. Drucke mit diesen Farbstoffen weisen eine unübertroffene Farbechtheit auf. Einige der wichtigeren werden im folgenden vorgestellt; in internat. Werken findet man diese häufig auch unter den *Colour Index (C. I.)-Bez., z. B. Indanthren Brillantorange RK (Marke) als C. I. Vat Orange 3 od. C. I. 59 300 (Nicht-Marke). Die oftmals komplizierten systemat. Namen der I.-F. (kondensierte aromat. bzw. heterocycl. Syst.) findet man in Referateorganen wie Chemical Abstracts u. die der Grundkörper im *Ring Index.
Die I.-F. werden je nach Verw.-Zweck in verschiedenen Lieferformen in den Handel gebracht, z. B. als Teig, Pulver, als sog. Suprafixteige für Drucke auf pflanzlichen Fasern u. regenerierter Cellulose u. als I.-F. Colloisol für Dispersionen von kolloidalen Eigenschaften in Wasser. Zum Färben mit I.-F. s. Küpenfärberei.
Obwohl einige der I.-F. nicht mehr im Handel sind, sollen sie hier – nicht nur aus histor. Gründen – erwähnt bleiben: Zum einen können die zugrundeliegenden kondensierten Ring-Syst. (u. ihre Nomenklatur) interessant sein, zum anderen können sie als Beleg dafür dienen, daß Verb. sehr unterschiedlicher Konstitution sehr ähnlich färben können (s. Abb. Formeln 4 u. 6).
Indanthren Blau RS („Indanthren", Indanthron, Alizarinblau, 6,15-Dihydro-5,9,14,18-anthrazintetron; **1**)[1]: Schwarzblaues Pulver, das sich oberhalb 450 °C zersetzt, in organ. Lsm. u. Wasser unlösl., in konz. Schwefelsäure (unter Braunfärbung) u. in Alkalien löslich.
Herst.: In einem gußeisernen Rührkessel wird 2-*Aminoanthrachinon mit KOH, NaOH, NaNO3 und Natriumacetat geschmolzen (220 – 230 °C, Stickstoff als Schutzgas). Auch von 1-Aminoanthrachinon aus läßt sich Indanthren Blau RS herstellen. Red. des Farbstoffs mit Na-Dithionit gibt eine blaue Küpe, wenn nur eine Chinon-Gruppierung hydriert wird; der auf der Faser haftende monochinoide Farbstoff wird anschließend zur bis-chinoiden kornblumenblauen Form zurückoxidiert. Indanthren Blau RS war zeitweilig als

Abb.: Indanthren-Farbstoffe.

Lebensmittelfarbstoff zum Bläuen von Weißzucker u. zum Färben von Gelantine-Kapseln u. Dragees zugelassen, ist in der EU jedoch seit 1. 1. 1977 verboten.

Indanthren Blau BC (7,16-Dichlor-6,15-dihydro-5,9,14,18-anthrazintetron; **1**): Das Indanthren Blau BC besitzt bessere Chlor-Echtheit als I. Blau RS.

Indanthren Braun NG (C. I. Vat Brown 9, 71025): Braunfärbender I.-F. aus 1-Chloranthron, Glyoxal u. 1-Amino-5-benzamidoanthrachinon.

Indanthren Brillantgrün FFB (16,17-Dimethoxyviolanthron, 16,17-Dimethoxydinaphtho[1,2,3-*cd*;3′,2′,1′-

lm]perylen-5,10-dion; **2**)[2]: Das Dimethoxy-Derivat des Violanthrons (s. Indanthren Dunkelblau BOA u. Abb. Formel 3) gewinnt man durch Methylierung der Dihydroxy-Verb., die aus *Benzanthron zugänglich ist. Indanthren Brillantgrün FFB färbt Baumwolle aus der Küpe leuchtend grün. Der Farbstoff wurde als Caledon Jade Green 1920 in England entwickelt.

Indanthren Dunkelblau BOA („Violanthren", Violanthron, Dinaphtho[1,2,3-*cd*:3′,2′,1′-*lm*]perylen-5,10-dion; **3**)[3]: Blauschwarze Krist., violettschwarzes Pulver od. Paste, in konz. Schwefelsäure mit violettschwarzer Farbe lösl., in Alkohol spurenweise mit roter Farbe u. grünlicher Fluoreszenz lösl., in Wasser nicht. Violanthron gibt nach Red. aus violetter Küpe auf Baumwolle eine äußerst wasch-, licht- u. Chlorechte, tief violettblaue Färbung.

Herst.: Aus *Benzanthron in KOH/NaOH-Schmelze bei 180–225 °C neben seinem Isomeren Isoviolanthron (s. a. Nr. 7).

Indanthren Brillantorange GK (Dichloranthanthron, 4,10-Dichlordibenzo[*def,mno*]chrysen-6,12-dion; **4**)[4]: Herst. u. Eigenschaften entsprechen denen von Indanthren Brillantorange RK.

Indanthren Brillantorange RK (Dibromanthanthron, 4,10-Dibromdibenzo[*def,mno*]chrysen-6,12-dion; **5**)[5]: Das von Herz u. Zerweck 1925 in der Firma Cassella synthetisierte Halogen-Derivat Indanthren Brillantorange RK gewinnt man durch Bromierung von Anthanthron (vgl. Abb. Formel 4/5 mit X = H) in Ggw. von Iod oder Eisen-Salzen; es ist ein leuchtender Orangefarbstoff insbes. für wetterechte Artikel.

Indanthren Brillantorange GR (Bisbenzimidazo[2,1-*b*:2′,1′-*i*]benzo[*lmn*][3,8]phenanthrolin-8,17-dion; **6**): Das orangefarbene Indanthren Brillantorange GR wurde von Eckert u. Greune in Höchst 1930 synthetisiert; es entsteht, wenn Naphthalin-1,4,5,8-tetracarbonsäure mit *o*-Phenylendiamin kondensiert.

Indanthren Brillantrosa R (6,6′-Dichlor-4,4′-dimethylthioindigo; Formel s. Indigo)[6]: Das 1907 erstmals synthetisierte Thioindigo-Derivat färbt Baumwolle aus der Küpe bläulich-rot.

Indanthren Brillantviolett R extra („Isoviolanthren", Isoviolanthron, Dinaphtho[1,2,3-*cd*:1′,2′,3′-*lm*]perylen-9,18-dion; **7**)[7]: Ein Isomeres von Violanthron (s. a. Nr. 3), braunrote, kupferglänzende Paste od. violettschwarzes Pulver, das sich in konz. Schwefelsäure mit grauschwarzer Farbe löst. Sehr licht-, wasch- u. Chlorechter Farbstoff, der Baumwolle aus violetter Hydrosulfit-Küpe tief violettblau färbt, wird durch Verschmelzen von Di-benzanthronylsulfid mit Alkali erhalten.

Indanthren Gelb G („Flaventhren", Flavanthron, Benzo[*h*]benz[5,6]acridino[2,1,9,8-*klmna*]acridin-8,16-dion; **8**)[8]: Braune Paste od. dunkelgelbes Pulver, unlösl. in Wasser u. Alkohol, lösl. (unter Olivfärbung) in konz. Schwefelsäure.

Herst.: Man schmilzt nach Bohn 2-Aminoanthrachinon u. Ätzkali bei 300–350 °C, od. (neueres Verf.) man löst 2-Aminoanthrachinon u. Antimonchlorid in Nitrobenzol u. erwärmt zunächst auf 60–80 °C, später auf Siedetemp., od. man setzt 2-Amino-1-chloranthrachinon mit Phthalsäureanhydrid um, dimerisiert in einer Ullmann-Reaktion, spaltet alkal. die Phthalat-Reste ab

Tab.: Daten zu Indanthren-Farbstoffen.

Indanthren CAS	Formel	Summenformel	M_R	C.I.
Blau RS 81-77-6	1	$C_{28}H_{14}N_2O_4$	442,43	Vat Blue 4 69800
Blau BC 130-20-1	1 (Cl an C-7 u. -16)	$C_{28}H_{12}Cl_2N_2O_4$	513,34	Vat Blue 6 69825
Brillantgrün FFB 128-58-5	2	$C_{36}H_{20}O_4$	516,55	Vat Green 1 59825
Dunkelblau BOA 116-71-2	3	$C_{34}H_{16}O_2$	456,50	Vat Blue 20 59800
Brillantorange GK 1324-02-3	4	$C_{22}H_8Cl_2O_2$	375,21	Vat Orange 19 59305
Brillantorange RK 4378-61-4	5	$C_{22}H_8Br_2O_2$	464,11	Vat Orange 3 59300
Brillantorange GR 4424-06-0	6	$C_{26}H_{12}N_4O_2$	412,41	Vat Orange 7 71105
Brillantrosa R 2379-74-0	s. Indigo	$C_{18}H_{10}Cl_2O_2S_2$	393,30	Vat Red 1 73360
Brillantviolett R extra 128-64-3	7	$C_{34}H_{16}O_2$	456,50	Vat Violet 10
Gelb G 475-71-8	8	$C_{28}H_{12}N_2O_2$	408,42	Vat Yellow 1 70600
Gelb 3R 2172-33-0	9	$C_{42}H_{18}N_2O_6$	646,61	Vat Orange 11 70805
Goldgelb GK 128-66-5	10	$C_{24}H_{12}O_2$	332,36	Vat Yellow 4 59100
Goldorange G 128-70-1	11	$C_{30}H_{14}O_2$	406,44	Vat Orange 9 59700
Grau M 2278-50-4	12	$C_{45}H_{19}N_3O_4$	665,66	Vat Black 8 71000
Olivgrün B 3271-76-9	13	$C_{31}H_{15}NO_3$	449,47	Vat Green 3
Rot RK 3737-76-6	14	$C_{25}H_{13}NO_3$	375,38	Vat Red 35 68000
Rot FBB 2379-79-5	15	$C_{29}H_{14}N_2O_5$	470,44	Vat Red 10 67000
Rotviolett RH 5462-29-3	s. Indigo	$C_{18}H_{10}Cl_2O_2S_2$	393,30	Vat Violet 2 73385

u. cyclisiert. Der gereinigte Farbstoff wird mit Natriumdithionit-Lsg. zu einer ultramarinblauen Küpe reduziert; durch Rückoxid. auf der Baumwollfaser erzielt man Gelbtöne, ohne daß die Faser geschädigt wird.

Indanthren Gelb 3R (6H, 18H-Dinaphtho[2,3-i:2',3'-i']benzo[1,2-a:4,5-a']dicarbazol-5,7,12,17,19,24-hexon; **9**)[9]: Das 1911 erstmals synthetisierte Indanthren Gelb 3R wird heute aus 1,5-Diaminoanthrachinon u. 1-Chloranthrachinon durch Kondensation, AlCl₃-katalysierte Cyclisation u. nachfolgende Permanganat- od. Hypochlorit-Oxid. hergestellt. Ein I.-F. mit gelblichorange-farbenem Ton, in 2-Chlorphenol u. Pyridin etwas löslich.

Indanthren Goldgelb GK („Dibenzypyrenchinon", Dibenzo[b,def]chrysen-7,14-dion; **10**): Von Kränzlein et al. 1922 in Höchst erstmals synthetisierter, goldgelber, lichtechter chinoider Farbstoff.

Herst.: Aus Benzanthron mit Benzoylchlorid in Ggw. von AlCl₃ od. aus 1,5-Dibenzoylnaphthalin durch Cyclisierung in NaCl/AlCl₃-Schmelze bei 160°C u. mit Luft als Oxid.-Mittel.

Indanthren Goldorange G (Pyranthron, 8,16-Pyranthrendion; **11**)[10]: Goldorangefarbener Küpenfarbstoff, von Scholl 1904 synthetisiert.

Herst.: Aus Pyren mit Benzoylchlorid in Ggw. von AlCl₃ od. analog zu Indanthren Gelb G. Ockerfarbene Paste od. orangegelbes Pulver, in Alkohol spurenweise mit gelber Farbe u. grüner Fluoreszenz lösl., färbt Baumwolle aus der Küpe, die in der Hitze fuchsinrot, in der Kälte kirschrot aussieht, äußerst echt orange, ist allerdings ein Faserschädiger.

Indanthren Grau M {5H-Benz[6,7]indazolo[2,3,4-fgh]naphth[2",3":6',7']indolo[3',2';5,6]anthra[2,1,9-mna]acridin-5,8,13,25(24H)-tetron; **12**}[11]: Von Wilke u. Mitarbeitern 1929 synthetisierter, bläulichgrau färbender I.-F., aus 3,9-Dibrombenzanthron, Anthrapyrazol u. 1-Aminoanthrachinon durch Alkalikondensation hergestellt.

Indanthren Olivgrün B {Anthra[2,1,9-mna]naphth[2,3-h]acridin-5,10,15(16H)-trion; **13**}[12]: Vertreter der sog. Olivgruppe unter den I. F., von Wolff 1908 in der BASF entdeckt, entsteht, wenn man 3-Brombenzanthron mit 1-Aminoanthrachinon zu Anthrimidähnlichem Körper kondensiert u. dann der alkohol. Kali-Schmelze unterwirft. Indanthren Olivgrün B gibt sehr echte Olivgrünfärbungen u. wird in vielen Derivaten hergestellt.

Indanthren Rot RK {Benzo[a]naphth[2,3-h]acridin-5,8,13(14H)-trion; **14**}[13]: Als Vertreter der sehr lichtechten chinoiden Acridon-Farbstoffe gibt Indanthren Rot RK aus bordeauxfarbener Küpe rein rote Färbungen; es wurde von Lüttringhaus in der BASF 1910 synthetisiert. Es entsteht, wenn man 1-Chloranthrachinon-2-carbonsäure mit 2-Naphthylamin u. Kupfer-Pulver zu 1-(1-Naphthylamino)anthrachinon-2-carbonsäure kondensiert u. dann mit Phosphorpentachlorid behandelt. Das Indanthren Rot RK war unter den I.-F. der erste brauchbare Rotfarbstoff.

Indanthren Rot FBB {2-(1-Amino-9,10-dihydro-9,10-dioxo-2-anthryl)-anthra[2,3-*d*]oxazol-5,10-dion; **15**}[14]: Ein sehr schöner u. techn. bedeutender roter I.-F., von Kunz u. von Rosenberg in der BASF 1926 erstmals hergestellt, durch Kondensation von 2-Amino-3-hydroxyanthrachinon mit 1-Aminoanthrachinon-2-carbonsäurechlorid zugänglich.

Indanthren Rotviolett RH (5,5'-Dichlor-7,7'-dimethylthioindigo; Formel s. Indigo): Violetter Farbstoff für Hauskosmetika, der nicht in Mund- od. Zahnpflegemitteln bzw. auf od. in der Nähe der Schleimhäute angewendet werden darf. – *E* indanthrene dyes – *F* colorants Indanthrène – *I* coloranti all' indantrene – *S* colorantes Indanthrén. **B.:** BASF; DyStar.

Lit.: [1] Aebi et al., S. 148 f.; Beilstein E V **24/9**, 504 f.; Ullmann (4.) **7**, 617. [2] Beilstein E IV **8**, 3338; Ullmann (3.) **3**, 720. [3] Beilstein E IV **7**, 2748; Elsevier **14** S, 620 S; Ullmann (3.) **3**, 663, 719; (4.) **7**, 623, 636. [4] Beilstein E IV **7**, 2695 f.; Ullmann (3.) **3**, 664, 716 f.; (4.) **7**, 622. [5] Beilstein E IV **7**, 2695 f.; Ullmann (4.), **7**, 622, 637. [6] Beilstein E V **19/5**, 293; Ullmann (4.) **13**, 180. [7] Beilstein E IV **7**, 2747; Ullmann (3.) **3**, 663, 721. [8] Beilstein E V **24/8**, 632; Ullmann (4.) **7**, 623. [9] Beilstein E III/IV **24**, 2208; Ullmann (4.) **7**, 634. [10] Beilstein E IV **7**, 2742; Ullmann (3.) **3**, 664, 715. [11] J. Soc. Dyers Colour. **67**, 36 (1951). [12] Beilstein **21**, 571; Ullmann (3.) **3**, 177, 665, 724; (4.) **7**, 620, 635. [13] Beilstein E III/IV **21**, 5773; Ullmann (4.) **7**, 616. [14] Beilstein E V **27/20**, 436; Ullmann (3.) **3**, 665, 706.
allg.: Kirk-Othmer (3.) **8**, 240–270 ■ Ullmann (3.) **3**, 662 ff., 711 ff.; (4.) **7**, 611 ff. ■ Winnacker-Küchler (3.) **4**, 277 ff., 354 ff. ■ Venkataraman, The Chemistry of Synthetic Dyes, Bd. V, New York; Academic Press 1971 ■ s. a. Farbstoffe. – [HS 3204 15]

Indanthren-Reaktion. Nachw. von Benzolkohlenwasserstoffen in Benzin u. a. Lsm. (z. B. Alkohol, Ether, Aceton usw.). Man gibt zu dem zu untersuchenden Gemisch Indanthrendunkelblau (s. Indanthren-Farbstoffe) od. Indanthrenviolett RT; bei Anwesenheit von Benzol(homologen) löst sich der Farbstoff. – *E* Indanthren test – *F* réaction d'Indanthren – *I* reazione dell'indantrene – *S* prueba del Indanthrén

Indanthron s. Indanthren®-Farbstoffe.

Indanyl-carbenicillin s. Carindacillin.

Indapamid (Rp).

Internat. Freiname für das *Saluretikum (ein *Thiazid-Analogon) (±)-4-Chlor-*N*-(2-methylindolin-1-yl)-3-sulfamoylbenzamid, $C_{16}H_{16}ClN_3O_3S$, M_R 365,83, Schmp. 160–162 °C; λ_{max} 242 ± 2 nm ($A_{1cm}^{1\%}$ 590–630), 279, 286 nm, LD_{50} (Ratte i.p.) 393–421 mg/kg, (Ratte oral) >3000 mg/kg. I. wurde 1969 u. 1971 von Science Union patentiert u. ist als Generikum im Handel. – *E* = *F* = *I* indapamide – *S* indapamida

Lit.: Beilstein E V **20/6**, 348 ■ Hager (5.) **8**, 534–537. – [HS 2935 00; CAS 26807-65-8]

Indazol (Benzopyrazol).

$C_7H_6N_2$, M_R 118,14. Farblose Krist., Schmp. 147–149 °C, Sdp. 267–270 °C, in Alkohol, Ether u. heißem Wasser löslich. I. werden durch spontane Cyclisierung von *o*-Acylphenylhydrazinen erhalten, zur Herst. von I. nach Jacobson s. *Lit.*[1]. Zu den photochem. Reaktionen des I. s. *Lit.*[2]. I. bildet das Grundgerüst zahlreicher kondensierter Syst., z. B. in Naturstoffen, u. hat für die Synth. von Farbstoffen für Polyacrylnitril-Fasern Bedeutung. Von I. leiten sich die *Indazolone* (1,2-Dihydro-3*H*-indazol-3-one) ab; zu deren Synth., Eigenschaften u. Reaktionen s. *Lit.*[3]. – *E* indazole – *F* indazol, indazole – *I* indazolo – *S* indazol
Lit.: [1] Synthesis **1972**, 375 f. [2] Helv. Chim. Acta **62**, 234–270 (1979). [3] Synthesis **1978**, 633–648.
allg.: Beilstein E V **23/6**, 156 ff. ■ Katritzky-Rees **5**, 169 ff. ■ Merck-Index (12.), Nr. 4970 ■ Ullmann (4.) **8**, 251; **9**, 168; **10**, 125; (5.) **A 3**, 250 ■ Weissberger **22**, 289–382. – [HS 2933 90; CAS 271-44-3]

Indazolone s. Indazol.

Indefinite-Hartguß. Sondergüte feinkörnigen *Gußeisens mit 0,8–1,8% Cr u. 1,0–4,5% Ni zur Herst. hochverschleißfester Walzen für das Umformen von *Halbzeug aus Stahl (Blech- u. Bandwalzwerke). Walzen aus I.-H. sind weitgehend durchgehärtet u. daher auch zur Herst. von Profilwalzen für Profilstahl geeignet. Heute zunehmend ersetzt durch oberflächengehärtete Walzen aus legiertem Stahlguß. – *E* indefinite chill – *F* fonte en coquiller indéfinie – *I* ghisa temprata indefinita – *S* fundición dura indefinida
Lit.: Lueger, Lexikon der Hüttentechnik, Bd. 5, S. 695 ff., 699 ff., Stuttgart: DVA 1963.

Indeko®. Matt auftrocknende *Latex-Farbe, Lsm.- u. Schadstoff-frei für scheuerbeständige Innenanstriche nach DIN 53 778. **B.:** Caparol.

Inden.

1*H*-Inden   2*H*-Inden

C_9H_8, M_R 116,16. Farbloses Öl, D. 0,996, Schmp. –1,8 °C, Sdp. 182,6 °C, in Wasser nicht, in organ. Lsm. löslich. 2*H*-I. existiert nur in seinen Derivaten. Wegen der Doppelbindung im Cyclopentadien-Teil polymerisiert I. schon bei 20 °C u. im Dunkeln (Verharzung). An der Luft nimmt I. schnell Sauerstoff auf u. wird dabei gelb u. zähflüssig. Mit Wasserstoff u. Nickel wird I. zu *Indan reduziert. Bei Einwirkung von Natriumamid entsteht das in Kohlenwasserstoffen unlösl., salzartige *Indennatrium* (C_9H_7Na, M_R 138,14). I. ist die Stammsubstanz von vielen anderen Verb., die z. T. von pharmakolog. Interesse sind[1]. Daneben ist I. ein wichtiges Ausgangsprodukt bei der Herst. von *Cumaron-Indenharzen u. Polyindenen u. Ausgangsprodukt der *Pfau-Plattner-Synthese zur Herst. von *Azulen. Es findet sich z. B. zu 1% im Steinkohlenteer, in Petro-

leum, in ether. Ölen u. in den Reaktionsprodukten bei der Erhitzung von *Acetylen unter Luftabschluß nach Berthelot. Der Name wurde 1888 von Roser durch Zusammenziehung von Indonaphthen gebildet. – $E = I$ indene – F indène – S indeno.
Lit.: [1] Negwer (6.), S. 1703.
allg.: Beilstein E IV **5**, 1532 ▪ Ullmann (4.) **14**, 684; (5.) **A 13**, 267 f. – *[HS 2902 90; CAS 95-13-6]*

Inden-Cumaronharze s. Cumaron-Indenharze.

Inderm® (Rp). Lsg. mit *Erythromycin u. 2-Propanol gegen entzündliche Formen von Akne. *B.:* Luitpold.

Index (latein. = Anzeiger, Zeigefinger, Titel, Verzeichnis; Plural: Indices für 1. u. 2., meist Indexe für 3.). – 1. Zeichen, das zur genauen Bestimmung an alphanumer. Zeichen oben (Hochindex, Superskript) od. unten (Tiefindex, Subskript) angefügt werden; *Beisp.:* $R^1R^2C{=}O$, $d_{x^2-y^2}$. – 2. In chem. Formeln geben tiefgestellte Indexzahlen die Anzahl der in einer Verb. gebundenen gleichartigen Atome od. Gruppen an; *Beisp.:* H_2SO_4. Durch I. werden auch Ladungszahlen von Ionen sowie Ordnungszahl u. Massenzahl von Atomen angegeben; s. chemische Zeichensprache. – 3. Namens-, Begriffs-, Patent-, Formelindexe u. a. *Register*, z. B. am Ende von Büchern, Zeitschriften u. dgl. (DIN 2331, April 1980). – E index – F index (1., 3.), indice (2.) – I indice – S índice

Index Chemicus (Registry System) s. Current Abstracts of Chemistry and Index Chemicus®.

Index Nominum. Von der wissenschaftlichen Zentralstelle des Schweizer. Apothekervereins in etwa zweijährlichem Abstand herausgegebenes Synonym-Verzeichnis (16. Aufl. 1994/95), das ca. 4000 Pharmaka unter ihren *Freinamen u. Marken (ca. 25 000) erfaßt u. deren Konstitutionsformeln u. systemat. Namen (in franz. Sprache) angibt, sowie Hauptverw. u. Hersteller aufführt.

Indialith s. Cordierit.

Indican.

Bez. für zwei verschiedene Derivate des Indoxyls: 1. *Pflanzliches I.* (1H-Indol-3-yl-β-D-glucopyranosid, $C_{14}H_{17}NO_6$, M_R 295,29, R = β-D-glucosyl). Das Trihydrat bildet farblose Krist., Schmp. 57 – 58 °C (wasserfrei 178 – 180 °C, Zers.), in Wasser, Alkohol u. Aceton löslich. I. kommt in der in Indien angebauten Indigopflanze (*Indigofera tinctoria*, Schmetterlingsblütler), in geringeren Konz. auch in dem im Rheinland u. bes. in Thüringen kultivierten u. dort heute noch verwildert anzutreffenden dtsch. Färberwaid (*Isatis tinctoria*, Kreuzblütler) u. in *Polygonum tinctorium* (Färberknöterich) vor. Die dreimal im Jahr zur Blütezeit geerntete Indigopflanze wird in Indien 12 – 15 h lang in wassergefüllte Gruben gelegt, wobei das farblose I. unter dem Einfluß eines in der Pflanze vorhandenen Enzyms (*Indoxylase, Indigomulsin*) in Glucose u. *Indoxyl zerfällt; letzteres geht bei Reaktion mit Luft-Sauerstoff in blauen *Indigo über. Zur Geschichte der Indigofärbung s. *Lit.*[1].

2. *Metabol. I.* (1H-Indol-3-yl-hydrogensulfat, $C_8H_7NO_4S$, M_R 213,21, als freie Säure instabil). Das *Kalium-Salz* [$C_8H_6KNO_4S$, M_R 251,30, R = $SO_3^-K^+$, hellbraune Blättchen, Schmp. 179 – 180° (Zers.), sehr gut lösl. in Wasser] entsteht beim Abbau von *Tryptophan, z. B. bei der Eiweiß-Fäulnis im Darm u. ist deshalb in geringen Mengen in Harn u. Blut vorhanden. Der Nachw. des bei starker Darmfäulnis, Darmverschluß etc. vermehrt auftretenden I. erfolgt durch die *Obermayersche Reaktion. – $E = F$ indican – I indicano – S indicán
Lit.: [1] Biochem. Physiol. Pflanz. **184**, 321 (1989); Dragoco-Rep. **25**, 21 – 27 (1978).
allg.: Beilstein E V **21/3**, 6 ▪ Hager (5.), **4**, 467 ▪ Merck-Index (12.), Nr. 4976 ▪ Ullmann (5.), **A 14**, 149 ff. ▪ s. a. Indigo. – *(zu 2.):* Sax (7.), S. 1985. – *[HS 2938 90, 2933 90; CAS 487-60-5 (1.); 2642-37-7 (2., Kaliumsalz)]*

Indicative Limit Value s. ILV-Werte.

Indicaxanthin.

$C_{14}H_{16}N_2O_6$, M_R 308,29, orange Krist., Schmp. 160 – 162 °C (Zers.), $[\alpha]_D$ +394° (Phosphat-Puffer, pH 7), Farbstoff aus der Opuntienfeige (*Opuntia ficus-indica*) sowie Blüten von *Mirabilis jalapa* u. *Portulaca grandiflora*, der zu den Betaxanthinen gehört, die in einigen Pflanzen der Centrospermae die *Anthocyane ersetzen. I. unterliegt in Lsg. einer schnellen *E/Z*-Isomerisierung; vgl. a. Betalaine. – E indicaxanthin – F indicaxanthine – $I = S$ indicaxantina
Lit.: Beilstein E V **22/7**, 172 ▪ Czygan, Pigments in Plants (2.), S. 373 f., 383 (Biosynth.), Stuttgart: Fischer 1980 ▪ Helv. Chim. Acta **67**, 1793 (1984) ▪ Phytochemistry **11**, 2499 (1972). – *[CAS 2181-75-1]*

Indicin s. Heliotropium-Alkaloide.

Indifferent (von latein. = gleichgültig, unterschiedslos). In der Chemie bezeichnet man mit „i." feste, flüssige (z. B. Lsm.) od. gasf. Substanzen, die sich bei den in Frage stehenden chem. Vorgängen nicht beteiligen, s. a. inert. – E indifferent – F indifférent – I indifferente – S indiferente

Indigen s. Induline.

Indigo [2,2'-Biindolinyliden-3,3'-dion, 2-(1,3-Dihydro-3-oxo-2H-indol-2-yliden)-1,2-dihydro-3H-indol-3-on, C. I. Vat Blue 1, C. I. 73 000, Indigoblau].

$C_{16}H_{10}N_2O_2$, M_R 262,27. Dunkelblaue Krist. mit Kupfer-rotem Glanz, Schmp. 390 – 392 °C (subl.), in Wasser, Alkohol, Ether u. verd. Säuren unlösl., in konz. Schwefelsäure in der Kälte mit grüner, beim Erwärmen mit blauer Farbe lösl. (Sulfonierung). Durch Chromsäure wird I. zu *Isatin u. *Isatosäureanhydrid oxidiert.

Vork.: I. ist einer der ältesten organ. Farbstoffe: Die ältesten analyt. Belege für die Verw. einer I.-liefernden Pflanze in der altägypt. Färberei stammen aus der 18. Dynastie (ca. 1500–1300 v. Chr.). Im Mittelalter u. in der Neuzeit wurde in Europa mit der europ. Färberwaidpflanze u. dem ind. I. (*Indigofera tinctoria*) gefärbt, s. Indican. Natürlicherweise ist I. meist mit *Indigotin*, dem *cis*-Isomeren des I., u. mit *Indirubin* (*Indigorot) vergesellschaftet; zur Gehaltsbestimmung s. *Lit.*[1]. Nicht selten bezeichnet man auch im Dtsch. mit *Indigotin* den reinen, isomerenfreien Farbstoff [*trans*- od. (*E*)-I.] mit seiner *indigoid genannten Struktur (s. Abb.). I. wird auch von einer Mutante des Pilzes *Schizophyllum commune* gebildet, außerdem kommt es neben *6,6'-Dibromindigo*[2,3] im *Antiken* od. *Tyrischen* *Purpur der Purpurschnecken vor; zur Biosynth. vgl. *Lit.*[4].

Nachdem A. von *Baeyer schon 1870 die erste I.-Synth. ausgearbeitet, aber erst 1878 erfolgreich beendet hatte – schließlich war ihm die exakte Strukturformel damals noch nicht bekannt (erst 1883!) – erschienen in rascher Folge eine Reihe von weiteren I.-Synth., von denen sich die 1890 von Heumann durchgeführte in der Folgezeit am besten bewährte. Nach dem verbesserten Heumannschen Verf. wird auch heute noch der meiste I. synthetisiert, wenn auch gelegentlich neue I.-Synth. entwickelt werden, vgl. *Lit.*[5]. Im Jahre 1897 wurde der erste synthet. I. auf den Markt gebracht; bis dahin hatten die BASF u. Hoechst zusammen ca. 30 Mio. Mark für die Entwicklung ausgegeben. Der etwa bis zum Jahre 1900 in großem Umfang gehandelte Natur-I. stammte hauptsächlich von den Sundainseln (bes. Java) u. aus Bengalen, wo er aus kultivierten Indigofera-Arten gewonnen wurde. Der Bengal-I. enthielt 35 bis 55%, der Java-I. bis zu 80% reinen Farbstoff; die Beimengungen waren etwas *Indigorot, Indigobraun, Lehm u. Verunreinigungen. Mit der Massenerzeugung von synthet. I. verschwanden die I.-Pflanzungen allmählich. Im Jahre 1898 wurden noch 1036 t I. im Werte von 8,3 Mio. Mark ein-, 1913 dagegen 33 353 t I. im Werte von 54 Mio. Mark ausgeführt. In den 30er Jahren gingen Herst. u. Ausfuhr des I. allmählich zugunsten anderer, beständigerer *Küpen-Farbstoffe (insbes. *Indanthren-Farbstoffe) zurück; so wurden in Deutschland 1901 für 12,7, 1905 für 27,7, 1910 für rund 43, 1925 für rund 40 u. 1933 für 11,8 Mio. Mark I. hergestellt; 1976 lag der Weltbedarf bei ca. 7000 t. 1993 wurden ca. 13 000 t I. (Tendenz steigend) bei einem kg-Preis von ca. 15 \$ hergestellt. Zur Geschichte der I.-Synth. s. a. *Lit.*[6–8].

Herst.: Unter den verschiedenen Synth. des I. haben die beiden von Heumann entwickelten Verf. die größte Bedeutung erlangt. Nach dem auch heute noch praktizierten älteren (1890), von Pfleger 1901 modifizierten, Verf. geht man von N-*Phenylglycin aus, das mittels Natriumamid-Schmelze (180–200 °C) zu *Indoxyl cyclisiert wird, das durch anschließende Luftoxid. I. liefert.

Das notwendige N-Phenylglycin wurde früher aus Anilin u. Chloressigsäure, heute durch Hydrolyse von Anilinoacetonitril hergestellt, das selbst durch Kondensation von Anilin, Cyanwasserstoff u. Formaldehyd erhalten wird. Spektroskop. u. theoret. Untersuchungen

an I. u. indigoiden Syst. über Farbtiefe, Lsm.-Einflüsse, Ladungsverteilung im π-Elektronen-Syst., spektroskop. Messungen über die Beeinflußbarkeit der Ladungsverteilung durch Wasserstoff-Brückenbindungen sowie quantenmechan. Berechnungen sind in *Lit.*[9–12] beschrieben.

Verw.: I. dient in der Färberei zum Färben sowohl tier. als auch pflanzlicher Fasern. Es kommt u. a. in Teigform als Indigoküpe bzw. Indigweiß in den Handel, die das durch Red. von I. mit Natriumdithionit erhältliche Natrium-Salz (*Indigoküpe*) bzw. die freie Säure (Leukoindigo, *Indigweiß*) darstellen. Taucht man nun Wolle od. Baumwolle in eine Küpe, die 0,15–0,2% Farbstoff enthält, so färben sich die Gewebe nach dem Aufhängen an der Luft von selbst tiefblau, weil der Luftsauerstoff das Leukoindigo wieder zu I. oxidiert. Im Altertum wurde dem I. etwas *Harn zugesetzt, vgl. Küpenfärberei. I., das auch als Pulver od. Paste in den Handel gelangt, ist auch heute noch ein wichtiger Farbstoff, obwohl er in Indanthrenblau, Hydronblau u. Variaminblau starke Konkurrenten erhielt. Durch Bromierung, Chlorierung, Sulfonierung usw. leiten sich vom I. weitere Farbstoffe ab, s. die Tabelle.

Tab.: Substituenten ausgewählter Indigo-Farbstoffe.

	X	4,4'	5,5'	6,6'	7,7'
Indigo	NH	H	H	H	H
Dibromindigo	NH	H	H	Br	H
Indigocarmin	NH	H	SO$_3$Na	H	H
Tetrabromindigo	NH	H	Br	H	Br
Tetrachlorindigo	NH	Cl	H	H	Cl
Thioindigo	S	H	H	H	H
Indanthrenbrillantrosa R	S	CH$_3$,H	Cl	H	
Indanthrenrotviolett RH	S	H	Cl	H	CH$_3$
Indanthrenrotviolett RRN	S	CH$_3$	Cl	H	CH$_3$

Diese *Indigoide*, zu denen auch *Thioindigo u. einige Derivate gehören, spielen als Woll- u. Baumwoll-Küpenfarbstoffe in der Textil-Ind. sowie als Pigmente auch in der Medizin u. Mikroskopie eine bedeutende Rolle; I. ist auch als Farbstoff für Kosmetika (allerdings keine Augenkosmetika) zugelassen. Über Herkunft des Wortes Indigo s. *Lit.*[13]. – *E* indigo, indigotin – *F* indigo – *I* indaco – *S* índigo

Lit.: [1]Z. Chem. **20**, 340 f. (1980). [2]Endeavour **33**, 11–17 (1974). [3]Naturwissenschaft **66**, 110 (1979). [4]Angew. Chem. **83**, 856 f. (1971). [5]Helv. Chim. Acta **60**, 1980–1983 (1977). [6]Bäumler, Ein Jahrhundert Chemie, S. 23–30, Düsseldorf: Econ 1963. [7]Chem. Labor Betr. **31**, 384 ff. (1980). [8]Textil Chem. Color. **22**, Nr. 1, 18–22 (1990). [9]Tetrahedron **19**, Suppl. 2, 315–335 (1963). [10]Chem. Ber. **113**, 1708 (1980). [11]Dyes and Pigments **3**, 235 (1982). [12]J. Phys. Chem. **90** (13), 2901 (1986). [13]Die BASF **1960**, 85–91.

allg.: Beilstein E V **24/8**, 503f. ▪ Chem. Unserer Zeit **31** (Nr. 3), 121 (1997) ▪ Hager (5.) **1**, 167; **3**, 382; **4**, 463 ▪ Haucke u. Paetzold, Photophysikalische Chemie indigoider Farbstoffe, Leipzig: Barth 1979 ▪ Merck-Index (12.), Nr. 4977 ▪ Kirk-Othmer (4.) **6**, 866, 912, 916; **8**, 796; **14**, 154 ▪ Seefelder, Indigo,

2. Aufl., Landsberg: ecomed 1994 ▪ Ullmann (4.) **13**, 177 – 182; (5.) **A 14**, 149 – 156 ▪ Venkataraman, Chem. of Synthetic Dyes, Vol. II, S. 1003 – 1045, New York: Academic Press 1952 ▪ Winnacker-Küchler (3.) **4**, 266 ff., 348 ff.; (4.) **7**, 22 ff. ▪ Zollinger, Color Chemistry (2. Aufl.) Weinheim: VCH Verlagsges. 1991. – *[HS 3204 15; CAS 482-89-3]*

Indigoblau s. Indigo.

Indigocarmin (Indigotin I, E 132, Dinatriumsalz der 3,3′-Dioxo-2,2′-biindolinyliden-5,5′-disulfonsäure, Indigosulfonsaures Natrium, C. I. Acid Blue 74, C. I. 73 015). Formel s. Indigo, $C_{16}H_8N_2Na_2O_8S_2$, M_R 466,35. Blaues Pulver, in Wasser lösl., färbt Seide u. Wolle direkt u. wird gelegentlich in der Wollfärberei verwendet. Die Färbung gibt ein reineres Blau als beim *Indigo, doch ist die Lichtechtheit etwas geringer. I. ist sehr empfindlich gegen Oxid.-Mittel; man kann es zum Nachw. von Nitraten, Chloraten u. zur Milchprüfung benutzen. Früher wurde I. zum *Bläuen der Wäsche verwendet, ist jedoch heute von den *optischen Aufhellern in Waschmitteln verdrängt worden.
Verw.: Als Lebensmittelfarbstoff darf I. in der BRD laut Zusatzstoff-Zulassungs-VO [1] zur Färbung von Masse u. Oberfläche einer Reihe von Lebensmitteln (z. B. Kunstspeiseeis, Zuckerwaren, Cremespeisen, Brausen) verwendet werden. Auch zur Färbung von Arzneimitteln [2], kosmet. Präp. u. Futtermitteln ist I. zugelassen. I. wird auch in der Mikroskopie u. zur Nierenfunktionsprüfung verwendet. Bei der I.-Probe nach *Lepehne* werden 2 mL einer 1%igen sterilen I.-Lsg. intravenös injiziert. Normalerweise tritt Grünfärbung der Galle (Duodenalsonde) nach 15 – 40 min auf, bei Leberparenchymschäden verspätet od. gar nicht.
Toxikologie: I. zeigte in Langzeitfütterungsversuchen mit Ratten, Mäusen u. Hunden keine tox. Effekte [3]. Es wirkt weder in der Ratte noch im Kaninchen *teratogen [4]. Versuche mit Ratten zeigten, daß es nur schlecht vom Magen-Darmtrakt resorbiert wird [5]. Für I. wurde ein *ADI-Wert von 0 – 5 mg/kg Körpergew. festgelegt. – *E* indigo carmine – *F* carmin d'indigo, indigocarmine – *I* carmina d'indaco, indigo carmine – *S* carmín de índigo
Lit.: [1] ZZulV vom 22. 12. 1981 (BGBl. I S. 1633) in der Form vom 2. 3. 1988 (BGBl. I S. 203). [2] Capsugel-Liste, Basel: Capsugel AG 1988. [3] Toxicology **5**, 3 – 42 (1975); Food Cosmet. Toxicol. **13**, 167 – 176 (1975). [4] Food Chem. Toxicol. **25**, 495 – 497 (1987). [5] Cancer Lett. **30**, 315 – 320 (1986). *allg.:* Beilstein E **25/9**, 236 f. ▪ Bertram, Farbstoffe in Lebensmitteln u. Arzneimitteln, S. 91 f., 134, Stuttgart: Wissenschaftliche Verlagsges. 1989 ▪ Merck-Index (12.), Nr. 4978 ▪ Ullmann (4.) **13**, 178, 191; (5.) **A 14**, 139, 155; **A 24**, 570 ▪ s. a. Indigo. – *[HS 3204 15; CAS 860-22-0]*

Indigoid. Bez. für solche *Chromophore, die eine ähnliche räumliche u. elektron. Struktur besitzen wie der *Indigo mit dem *gekreuzt-konjugierten Syst. aus je zwei Donator- u. Akzeptor-Gruppierungen, s. *Lit.*[1,2]. Ein i. Syst. liegt z. B. auch in dem Bakterienfarbstoff *Indigoidin* [3] vor. Mit der Bez. *Indigoide* faßt man die *Indigo-Farbstoffe zusammen. – *E* indigoid – *F* indigoïde – *I = S* indigoide
Lit.: [1] Chem. Unserer Zeit **12**, 1 – 11 (1978). [2] Chem. Ztg. **100**, 373 – 379 (1976). [3] Synthesis **1979**, 948 ff; Beilstein E V **25/16**, 134. – *[HS 3204 15; CAS 2435-59-8 (Indigoidin)]*

Indigoidin s. Indigoid.

Indigoküpe s. Indigo.

Indigolith s. Turmalin.

Indigo rein BASF, BASF-Brillantindigo. *Küpenfarbstoffe auf der Basis von synthet. hergestelltem *Indigo zum Färben u. Bedrucken von *Cellulose-Fasern. *B.:* BASF.

Indigorot (2,3′-Biindolinyliden-2′,3-dion, Indirubin, Indigopurpurin, roter Indigo).

$C_{16}H_{10}N_2O_2$, M_R 262,27. Rotes Isomeres des *Indigo, das im pflanzlichen Indigo bis zu 60% enthalten sein kann. Der Farbstoff löst sich in Alkohol u. Ether, nicht aber in Wasser, verd. Säuren u. Laugen. – *E* indigo red – *F* rouge d'indigo – *I* rosso d'indaco, indirubina, indacopurpurina – *S* rojo de índigo
Lit.: Beilstein E V **2418**, 507 ▪ Ullmann (4.) **13**, 177 ▪ s. a. Indigo. – *[HS 3204 15; CAS 479-41-4]*

Indigosulfonate. Unsystemat. Bez. für Sulfonate des *Indigos, die als Indikatoren für *Redox-Systeme Verw. finden. Neben den Tri- u. Tetrasulfonaten ist hauptsächlich das Disulfonat (*Indigocarmin) von Interesse. – *E = F* indigo-sulfonates, sulfo-indigotines – *I* indacosolfonati – *S* indigosulfonatos
Lit.: Beilstein E III/IV **25**, 1974 f.

Indigotin. Trivialname, unter dem man sowohl reinen *Indigo versteht, als auch sein Stereoisomeres [*cis*- od. (Z)-Indigo]. Daneben kennt man die Bez. Indigotin I od. IA für *Indigocarmin. – *E* indigotin(e) – *F* indigotine – *I = S* indigotina – *[HS 3204 15]*

Indigweiß s. Indigo.

Indikation (von latein.: indicare = anzeigen). 1. In der Chemie versteht man unter I. die – meist opt. od. elektr. erfolgende – Anzeige eines spezif. Vorgangs, z. B. das Erreichen einer bestimmten Temp., eines bestimmten pH- od. MAK-Werts, das Auftreten od. Verbrauchen eines Überschusses bei einer *Titration u. dgl.; *Beisp.:* *Maßanalyse mit I. durch Indikatoren od. Verf. der *Elektroanalyse.
2. In der Medizin ist I. gleichbedeutend mit der *Heilanzeige*, worunter man die Ursache (*kausale I.*) od. die Symptome (*symptomat. I.*) versteht, gegen welche die notwendigen therapeut. Maßnahmen „angezeigt" sind. – *E = F* indication – *I* indicazione – *S* indicación

Indikationsoffenes Screening s. chemisches Screening.

Indikatorelemente s. geochemische Prospektion.

Indikatoren (von latein.: indicare = anzeigen). Im weitesten Sinne Sammelbez. für Stoffe od. Geräte, die Prozesse irgendwelcher Art zu verfolgen gestatten, indem sie das Erreichen od. Verlassen eines bestimmten *Zustandes signalisieren (*Indikation). Unter diese Definition fallen Begriffe wie *Feuchtigkeits- u. Temp.-I. (s. Temperaturmessung) sowie *Radioindikatoren, die durch ihre Radioaktivität chem. u. biolog. Prozesse verfolgen lassen, ebenso zur Markierung verwendete stabile *Isotope (Isotopen-I.). Bereits 1660 soll Robert

*Boyle natürliche Pflanzensäfte als I. verwendet u. I.-Papiere hergestellt haben.

Im folgenden werden solche I. behandelt, mit deren Hilfe man den Verlauf von chem. Reaktionen verfolgen od. den Zustand eines chem. Syst. charakterisieren kann. Dabei leiten sich die Namen der I. vom Verw.-Zweck (pH-, Metall- od. Redox-I.) od. vom Indikationsprinzip (Fluoreszenz- od. Chemilumineszenz-I.) ab. I. werden häufig zur Festellung des Äquivalenzpunktes bei Titrationen benutzt, aber auch für qual., halbquant. u. quant. Analysen. Sie werden dabei als spezif. Reagenzien, *Reagenzpapiere od. *Teststäbchen eingesetzt od. sind Bestandteil eines Test-Kits. Wird der I. direkt der zu untersuchenden Lsg. zugesetzt, spricht man von Innen-I. (internal indicators). In den anderen Fällen handelt es sich um Außen-I. (external indicators); die erwähnten Reagenzpapiere u. Teststäbchen sowie die sog. Tüpfel-I. sind *Beisp.* hierfür. Die gebräuchlichsten I. sind:

1. pH-I. (Säure-Base-I., Neutralisations-I., *E* acid-base indicators): Diese sind selbst Säuren od. Basen u. zeigen einen Farbschlag bei ihrer Protolyse od. Deprotolyse. Die Tab. gibt die Umschlagbereiche der in der Praxis am häufigsten verwendeten pH-I. wieder; ausführlichere Tab. sind in *Lit.*[1,2] zu finden.

Der Farbumschlag kann einfarbig od. zweifarbig sein (gilt auch für andere I.). Er sollte scharf u. visuell klar zu erkennen sein. Da dies leider selten der Fall ist, hilft man sich durch *Mischindikatoren.* Zum einen gibt man zum I. einen pH-neutralen Farbstoff, der störende Bereiche des sichtbaren Spektrums abschirmt u. dadurch den Farbumschlag leichter erkennen läßt; man spricht daher von *abgeschirmten I.* (screened indicators). Zum anderen mischt man I. mit annähernd gleichen Umschlagbereichen mit dem Ziel, daß sich die jeweils ergebende Gesamtfarbänderung leichter visuell erkennen läßt. Misch-I. sind nicht auf pH-I. beschränkt.

Mischt man mehrere pH-I. mit unterschiedlichen Umschlagbereichen, erhält man pH-I. für einen weiten pH-Bereich. Diese *Universal-I.* werden meist in Form von Test-Papieren od. -Streifen angewendet. pH-I. gibt es auch für nichtwäss. Systeme. Ein typ. *Beisp.* sind die *Hammett-Indikatoren.

2. Adsorptions-I. (*E* adsorption indicators): Diese I. werden unter Farb- od. Fluoreszenz-Reaktion von einem Niederschlag in der Nähe des Äquivalenzpunktes bei der *Fällungsanalyse adsorbiert od. desorbiert. Das bekannteste *Beisp.* für diese I. ist die argentometr. Bestimmung von Halogenen mit Fluorescin, Eosin u. a.

3. Fluoreszenz-I. (*E* fluorescent indicators): Dies sind organ. Verb., die durch Änderung der Fluoreszenz die Bestimmung chem. Parameter erlauben. Diese Änderung kann durch den pH-Wert, den Sauerstoff-Partialdruck od. die Ggw. von Metall- od. Halogen-Ionen verursacht werden. Sie werden bei Titrationen verwendet, bei denen Farbumschläge anderer I. infolge der Eigenfarbe der zu untersuchenden Probe nicht erkennbar sind, z. B. Getränke, synthet. Öle u. Harze, Detergentien u. a. *Beisp.* für Fluoreszenz-I. sind Eosin, Fluorescein (farblos bei pH 4, fluoresziert bei pH 4,5), Benzoflavin, Phloxin, Chromotropsäure, Methylumbelliferon, Benzochinolin, Morin, Naphthole, Naphthionsäure, Chinin, Acridin, Cumarin.

Tab.: pH-Indikatoren.

Indikator	Umschlagsbereich	
	pH	Farbwechsel
Kresolrot	0,2– 1,8	rot – gelb
Metanilgelb	1,2– 2,3	rot – violett
Thymolblau	1,2– 2,8	rot – gelb
m-Kresolpurpur	1,2– 2,8	rot – gelb
Tropaeolin OO	1,2– 3,2	violettrot – gelborange
2,6-Dinitrophenol	1,7– 4,4	farblos – gelb
Benzylorange	1,9– 3,3	rot – gelb
2,4-Dinitrophenol	2,0– 4,7	farblos – gelb
Benzopurpurin 4 B	2,3– 4,4	blauviolett – rot
Dimethylgelb	2,9– 4,0	rot – gelb
Kongorot	3,0– 5,2	blau – rot
Bromphenolblau	3,0– 4,6	gelb – blauviolett
Bromchlorphenolblau	3,0– 4,6	gelb – violett
Methylorange	3,0– 4,4	rot – gelborange
α-Naphthylrot	3,7– 5,0	purpur – gelborange
Bromkresolgrün	3,8– 5,4	gelb – blau
2,5-Dinitrophenol	4,0– 5,8	farblos – gelb
Mischindikator 5	4,4– 5,8	rotviolett – grün
Methylrot	4,4– 6,2	rot – gelb
Ethylrot	4,4– 6,2	rot – gelb
Chlorphenolrot	4,6– 7,0	gelb – rotviolett
Carminsäure	4,8– 6,2	gelb – rotviolett
Alizarinrot S	5,0– 6,6	gelb – violettrot
2-Nitrophenol	5,0– 7,0	farblos – gelb
Lackmus	5,0– 8,0	rot – blauviolett
Bromkresolpurpur	5,2– 6,8	gelb – violett
Bromphenolrot	5,4– 7,0	gelb – purpur
4-Nitrophenol	5,6– 7,6	farblos – gelb
Alizarin	5,8– 7,2	gelb – rotviolett
Bromthymolblau	6,0– 7,5	gelb – blau
Bromxylenolblau	6,0– 7,6	gelb – blau
Brasilin	6,0– 7,7	grünlichgelb – dunkelviolett
Nitrazingelb	6,0– 7,0	gelb – blauviolett
Hämatoxylin	6,0–11,0	gelb – violett
Phenolrot	6,4– 8,2	gelb – rot
3-Nitrophenol	6,6– 8,6	farblos – gelb
Neutralrot	6,8– 8,0	rot – gelb
Kresolrot	7,0– 8,8	gelb – violettrot
m-Kresolpurpur	7,4– 9,0	gelb – violett
Brillantgelb	7,4– 8,6	gelb – braunrot
Orange I	7,6– 8,9	gelb – rosa
α-Naphtholphthalein	7,8– 9,0	gelblich – blau
Thymolblau	8,0– 9,6	gelb – blau
p-Xylenolblau	8,0– 9,6	gelb – blau
o-Kresolphthalein	8,2– 9,8	farblos – rotviolett
Phenolphthalein	8,4–10,0	farblos – purpur
α-Naphtholbenzein	8,8–11,0	farblos – blaugrün
Thymolphthalein	9,3–10,5	farblos – blau
Wasserblau	9,4–14,0	blau – (rot) – farblos
Alizaringelb 2 G	10,0–12,0	hellgelb – orangegelb
Alizaringelb R	10,0–12,0	hellgelb – orangerot
Nilblau A	10,2–13,0	blau – violettrot
β-Naphtholviolett	10,6–12,0	orangegelb – violett
Nitramin	10,8–12,8	farblos – braunrot
Tropaeolin OOO 2	11,0–13,0	gelb – rot
Tropaeolin O	11,1–12,7	gelb – braunrot
Epsilonblau	11,6–13,0	orange – violett
Säurefuchsin	12,0–14,0	purpur – farblos

4. Chemilumineszenz-I. (*E* chemiluminescent indicators): Hierbei handelt es sich um organ. Verb., die durch Änderung ihrer Chemilumineszenz die quant. Analyse vieler Verb. gestatten. Die Lumineszenz od. deren Löschung muß meistens mit entsprechenden Geräten verfolgt werden, Titrationen sind jedoch auch visuell möglich. Da Chemilumineszenz durch Oxid.-Red.-

Prozesse verursacht wird, können diese I. als Redox-Indikatoren eingesetzt werden. Über die pH-Abhängigkeit der Redoxpotentiale können auch pH-Werte ermittelt werden. Ein *Beisp.* ist die Bestimmung der Säure-Zahl in stark gefärbten Fetten u. Ölen unter Verw. von *Lucigenin als Indikator.
5. Redox-I. (*E* redox indicators): Dies sind oxidier- od. reduzierbare I., deren Farbe sich bei Oxid. od. Red. am od. in der Nähe des Äquivalenzpunktes ändert. Es ist auch möglich, daß der I. mit einer der Komponenten des *Redoxsystems unter Bildung einer farbigen Verb. reagiert. *Beisp.:* Neutralrot, Safranin, Methylenblau.
6. Metall-I. (Metallochrom-I., komplexometr. I., *E* metallochrome indicators): Dies sind organ. Komplexbildner, die spezif. gefärbte Metallionen-Komplexe bilden. Diese Farbreaktion kann zur Detektion des Äquivalenzpunktes in der *Komplexometrie u. zur Konz.-Bestimmung in der Kolorimetrie u. Photometrie genutzt werden.
7. Analyt. Test-Kits: Die in zunehmendem Maße angebotenen analyt. Test-Kits enthalten einen spezif. Indikator, verschiedene Chemikalien u. einfache Geräte zur Dosierung u. Quantifizierung u. erlauben ohne weitere Hilfsmittel gewöhnlich schnelle Übersichtsanalysen, auch durch unerfahrene Anwender. Sie sind erhältlich zur Ermittlung chem. Parameter in nicht-biolog. Proben u. zusätzlich für biolog. Parameter in biolog. Proben (Diagnostic Kits). Sie dienen als Vortest von Proben zur Planung notwendiger Laboranalysen, zur Kontrolle von Schwimmbad- u. Fischteichwasser, Trink- u. Abwasser usw.
I.-Korrektur: Dies ist die gewöhnlich in mL angegebene Menge Titrierlsg., die Fehler der Anzeige ausgleicht. So verändern hohe Salz-Konz. die Aktivitäten der beiden I.-Formen (Salzfehler), vorhandenes Eiweiß kann durch I.-Adsorption Fehler verursachen (Eiweißfehler). Zusätzlich kann der I. selbst Titrierlsg. verbrauchen (I.-Fehler). Weitere Fehler können im eigentlichen Reaktionsablauf verborgen sein. – *E* indicators – *F* indicateurs – *I* indicatori – *S* indicadores
Lit.: [1] Analyt.-Taschenb. **2**, 267–315; **3**, 37–86. [2] Ullmann (5.) **A 14**, 127–148.
allg.: Townshend (Hrsg.), Encyclopedia of Analytical Science, S. 2109–2139, New York: Academic Press 1995.

Indikatororganismen s. Bioindikator, Indikatorpflanzen u. Gewässergütebestimmung.

Indikatorpapiere s. Reagenzpapiere.

Indikatorpflanzen (Bodenzeiger, Zeigerpflanzen). Pflanzen (s. Tab.), die eine relativ geringe Reaktionsbreite gegenüber einem wichtigen Umweltfaktor aufweisen (stenök) od. ungünstige Umweltfaktoren in ungewöhnlichem Umfang tolerieren u. durch ihre Anwesenheit (ggf. ihr Fehlen) eine Aussage über die Wirkung von Umweltfaktoren zulassen (*Bioindikator). – *E* indicator plants – *F* plantes indicatrices – *I* piante indicatori – *S* plantas indicadoras
Lit.: Ellenberg, Zeigerwerte der Gefäßpflanzen Mitteleuropas, Göttingen: Goltze 1974 ▪ Markert, Plants as Biomonitors, Weinheim: VCH Verlagsges. 1993 ▪ Schlee (2.), S. 191 ▪ Steubing u. Schwantes, Ökologische Botanik (2.), S. 366–393, Heidelberg: Quelle u. Meyer 1987.

Tab.: Beispiele für Indikatorpflanzen.

Pflanzengruppe	Standortmerkmal
*Kalkpflanzen	Kalk (Base)
Acidophyten (s. Kalkpflanzen)	Säure
*Nitrophyten	Stickstoff (Nitrat)
*Halophyten	Salze
*Metallophyten	Schwermetalle
*Hydrophyten	Saprobität (Nährstoffgehalt) von Gewässern
*Heliophyten	Licht
*Skiophyten	Schatten
*Xerophyten (s. a. CAM-Pflanzen)	Trockenheit
*Hygrophyten	Feuchte

Indikatorstäbchen s. Teststäbchen.

Indinavir (Rp).

Vorgeschlagener internat. Freiname für das (2*R*,4*S*)-2-Benzyl-5-[(*S*)-2-(*tert*-butylcarbamoyl)-4-(3-pyridylmethyl)piperazino]-4-hydroxy-*N*-((1*S*,2*R*)-2-hydroxy-1-indanyl)valeramid, $C_{36}H_{47}N_5O_4$, M_R 613,80, Schmp. 153–154 °C, andere Modif. Schmp. 167,5–168 °C; $[\alpha]_D^{22}$ +24,1° (c 0,0133/CHCl₃). Verwendet wird das Sulfat, Schmp. 150–153 °C (Zers.), erweicht bei 135 °C, LD_{50} (Ratte oral) >5000 mg/kg. I. gehört zu der neuen Hydroxyaminovaleramid-Klasse der HIV-I-Proteasen-Hemmer. Es wird immer in Kombination mit anderen *Reverse Transcriptase-Hemmern, meist mit *Zidovudin (AZT) u. *Lamivudin (3TC), gegeben. I. wurde 1993 u. 1995 von Merck & Co. patentiert u. 1996 von MSD (Crixivan®) ausgeboten. – *E* = *F* = *I* = *S* indinavir
Lit.: Merck-Index (12.), Nr. 4979 ▪ Pharm. Ztg. **141**, 4881 f. (1996). – *[CAS 150378-17-9 (I.); 157810-81-6 (Sulfat)]*

Indirekte Detektion. Detektionverf. bei der *Ionenchromatographie, wobei die Anzeige durch Abschwächung des Hintergrundsignals des Eluents durch die detektorinaktive Probe erfolgt. Die Meth. ist anwendbar bei UV-, Fluoreszenz-, amperometr., konduktometr. u. refraktometr. Detektion.
Lit.: Acc. Chem Res. **22**, 125 (1989) ▪ Anal. Chem. **54**, 462 (1982); **59**, 490 (1987) ▪ Anal. Chim. Acta **199**, 41 (1987) ▪ J. Chromatogr. **366**, 13 (1986) ▪ Z. Anal. Chem. **333**, 25 (1989).

Indirekteinleiter. Bez. für Gewerbe- od. Ind.-Betriebe, die ihr *Abwasser über eine öffentliche Abwasseranlage reinigen lassen. Diese Einleitungen sind vom *Wasserhaushaltsgesetz ausgehend in der I.-VO der Bundesländer geregelt u. in Verwaltungsvorschriften der jeweiligen Regierungspräsidien präzisiert. – *E* indirect discharger – *F* canalisation indirecte – *I* canalizzazione indiretta – *S* canalización indirecta
Lit.: ATV-Regelwerk Abwasser-Abfall A163 Tl. 1 (1992), A163 Tl. 2 Entwurf (1994), St. Augustin: ATV 1992–1994 ▪ Schendel et al., Umwelt u. Betrieb, Loseblattsammlung, Tl. 360, Berlin: E. Schmidt (seit 1990).

Indirekte Titration s. Maßanalyse.

Indirubin s. Indigorot.

Indischer Traganth s. Karaya-Gummi.

Indischgelb. 1. In Indien aus dem Harn von mit Mangoblättern gefütterten Kühen gewonnener Farbstoff. Er enthält Euxanthon, das mit *Glucuronsäure zur sog. Euxanthinsäure gepaart ist; heute ist I. weitgehend durch synthet. Farbstoffe ersetzt. – 2. s. Kaliumhexanitrocobaltat(III). – 3. Nitrierungsprodukt von Tropäolin OO (s. Tropäoline). – *E* Indian yellow – *F* jaune indien – *I* giallo indiano – *S* amarillo indiano

Indischrot. Künstliches, braunrotes, durch Brennen von Eisen-haltigem Material gewonnenes *Eisenoxid-Pigment. – *E* Indian red – *F* rouge indien – *I* rosso d' India – *S* rojo indiano – *[HS 3206 49]*

Indit s. Indium.

Indium. Chem. Symbol In, metall. Element, Ordnungszahl 49, Atomgew. 114,82. Natürliche Isotope: 115 (95,7%) u. 113 (4,3%); daneben sind künstliche Isotope ^{106}In bis ^{132}In mit HWZ zwischen 0,04 s u. 50 d bekannt. I. ist ein silberweißes, stark glänzendes Metall, D. 7,31, Schmp. 156,61 °C, Sdp. 2080 °C; bei Wärme u. Feuchtigkeit oxidiert es allmählich, bei hoher Temp. verbrennt es mit blauer Flamme zu dem gelben Oxid In_2O_3. Im Chlor-Strom verbrennt es leicht zu perlmutterglänzenden, sublimierbaren Krist. von I.-Chlorid ($InCl_3$). I. ist weicher als Blei (H. 1,2); man kann das Metall mit dem Messer zerschneiden, mit der Hand platt drücken u. schon unter geringem Druck zu Folien walzen. Beim Verbiegen eines I.-Stabs hört man das auch vom *Zinn bekannte „Schreien", das von der gegenseitigen Reibung der Kristallite herrührt. Auf Papier gibt I. einen kräftigen Strich.
Mit den in der 3. Hauptgruppe des *Periodensystems über u. unter ihm stehenden Elementen *Gallium u. *Thallium zeigt I. mit seinen Oxid.-Stufen +3, seltener +1 u. +2, in seinen Reaktionen u. Verb. große Ähnlichkeit, es löst sich jedoch im Gegensatz zu Gallium nicht in siedenden Ätzalkalien. Zur Toxizität von I. s. *Lit.*[1]; schädigende Wirkungen auf Mensch, Tiere u. Pflanzen dürften auszuschließen sein.
Vork.: Mit ca. 0,1 g/t in der äußeren, 16 km dicken Erdkruste gehört I. zu den seltenen Metallen; in der Häufigkeit steht es zwischen Bismut u. den meisten Edelmetallen. Es kommt in Form von Sulfid spurenweise in manchen Blenden vor. Im allg. ist es ähnlich wie Gallium in allen Zinkblenden u. im Mansfelder Kupferschiefer spurenweise anzutreffen. I.-Minerale sind der kub. *Indit* ($FeIn_2S_4$, mit *Kassiterit in Ostsibirien vergesellschaftet) u. der tetragonale *Roquésit* ($CuInS_2$, Einschlüsse im Bornit von Charrier, Allier, Frankreich).
Nachw.: Zur Anreicherung von I.-Spuren eignen sich Ionenaustausch-Prozesse (s. Ionenaustauscher), die Bestimmung kann gravimetr. als In_2O_3, titrimetr. mit Bis[1-(2-pyridylazo)-2-naphtholato]kupfer, Gallocyanin od. Morin als Indikator u. EDTA als Komplexbildner erfolgen. Die quant. Bestimmung von I.-Spuren gelingt mittels *Atomabsorptions- od. Atomemissionsspektroskopie od. mit elektrochem. Meth. (*Polarographie, *Voltammetrie) sowie durch Neutronenaktivierungsanalyse, s. *Lit.*[2].

Herst.: Zahlreiche Meth. zur Extraktion von I. aus Konzentraten bzw. Rückständen sind vorgeschlagen bzw. durchgeführt worden, s. a. *Lit.*[3]. So löst man z. B. I.-haltiges Zink in verd. Säuren u. stellt aus den Rückständen I.-Sulfat-Lsg. her, aus denen durch Elektrolyse schließlich das reine Metall gewonnen wird. In den USA erhält man I. v. a. aus Flug- u. Cottrellstäuben, Elektrolyseschlämmen u. a. Rückständen von Zink-, Blei- u. Cadmium-Hütten. 6*Neuner In kann durch Zonenschmelzen des Metalls od. des Halogenids erhalten werden; Näheres zur Hochreinigung u. zur Herst. von Einkrist. s. in *Lit.*[4].
Verw.: Zusatz zu *Lagermetallen, Dental-Leg., niedrigschmelzenden Loten (In-Pb-Leg., wie Glaslot, Indalloy) u. dergleichen. Ein 4%iger I.-Zusatz erhöht die Korrosionsbeständigkeit u. Lebensdauer von Blei-Lagermetallen wesentlich.
Um die Eigenschaften mancher Metalle zu verbessern, läßt man in Spezialfällen elektrolyt. abgeschiedene I.-Überzüge von etwa 50 μm Dicke durch 2-stündiges Erhitzen auf 170–180 °C in das Grundmetall eindiffundieren u. erhält so Schutzschichten, die gegen organ. Säuren u. Salzlsg., Erosion u. Abrasion beständig sind (I.-Plattierung). I. wird weiterhin für elektr. Kontakte, elektron. Zwecke, Dichten, für Schmelzsicherungen, Feuerschutzanlagen, Dioden, Halbleiter (*Indiumantimonid, -phosphid, -selenid u. -arsenid), Neutronenabsorber, Transistoren, metall. Kitt- u. Klebmassen, Glasfarben, Juwelliergegenstände, zur Verhinderung des Anlaufens von Silber-Waren u. dgl. verwendet. Weltweit beträgt der I.-Verbrauch etwa 100 t/a, davon mehr als die Hälfte in Japan. Die Weltproduktion an I. übersteigt den Bedarf (z. B. 140 t 1992); die Preise für I. sind seit 1988 gefallen.
Geschichte: Im Jahr 1863 untersuchten Reich u. Richter die Freiberger Zinkblende spektralanalyt. u. fanden dabei ein neues Element. Das von ihnen isolierte Element bezeichneten sie aufgrund seiner auffälligen indigo-blauen Flammenfärbung u. Spektrallinien als Indium. – *E* = *F* indium – *I* = *S* indio
Lit.: [1] Braun-Dönhardt, S. 206 f.; Hayes, in Seiler u. Sigel (Hrsg.) Handbook on Toxicity of Inorganic Compounds, S. 323–326, New York: Dekker 1988. [2] Fries-Getrost, S. 166–169. [3] Brauer (3.) **2**, 863–873. [4] Chem. Ztg. **97**, 331–336 (1973); CZ Chem. Tech. **2**, 233–236 (1973).
allg.: Gmelin, Syst.-Nr. 37, In, 1936 ▪ Kirk-Othmer (4.) **14**, 155–160 ▪ Snell-Ettre **14**, 518–564 ▪ Ullmann (5.) **A 14**, 157–166 ▪ Winnacker-Küchler (4.) **4**, 482 ff. – *[HS 8112 99; CAS 7440-74-6]*

Indiumantimonid. InSb, M_R 236,58. Krist., Schmp. 535 °C, durch Verschmelzen stöchiometr. Mengen von In u. Sb im Vak. hergestellt. Infolge seiner Leitfähigkeits-, photoelektr. u. a. Eigenschaften wird I. in der *Halbleiter-Technik (z. B. bei Hall-Generatoren) u. zur Herst. von Infrarotdetektoren bzw. -filtern verwendet. – *E* indium antimonide – *F* antimoniure d'indium – *I* antimoniuro di indio – *S* antimoniuro de indio
Lit.: s. Indium. – *[HS 2851 00; CAS 1312-41-0]*

Indiumarsenid. AsIn, M_R 189,74. Metall. Krist., Schmp. 943 °C, wird von Mineralsäuren kaum angegriffen. I. besitzt wie *Indiumantimonid *Halbleiter-Eigenschaften u. wird daher in der Lasertechnik, bei Hall-Generatoren usw. verwendet. – *E* indium arsenide

– *F* arséniure d'indium – *I* arseniuro di indio – *S* arseniuro de indio

Lit.: s. Indium u. Arsenide. – *[HS 2851 00; CAS 1303-11-3]*

Indiumphosphid. InP, M_R 145,79. Spröde Masse, Schmp. 1070 °C. I. besitzt *Halbleiter-Eigenschaften u. wird bes. in Solarzellen, Computerschaltungen, Gunn-Generatoren u. Lasern verwendet. Über die Herst. dünner I.-Filme aus niedermol. III/V-Komplexen als einziger Quelle, s. *Lit.*[1]. – *E* indium phosphide – *F* phosphure d'indium – *I* fosfuro di indio – *S* fosfuro de indio

Lit.: [1] Angew. Chem. **101**, 1235–1243 (1989).
allg.: s. Indium-Verbindungen. – *[HS 2848 00; CAS 22398-80-7]*

Indiumselenid. InSe, M_R 193,78. Schwarze Krist., Schmp. 660 °C. I. wird als *Halbleiter verwendet. Daneben gibt es auch I. der Formeln In_4Se_3 u. In_6Se_7. – *E* indium selenide – *F* séléniure d'indium – *I* seleniuro di indio – *S* seleniuro de indio

Lit.: s. Indium-Verbindungen. – *[HS 2842 90; CAS 1312-42-1]*

Indium-Verbindungen. Die wichtigeren I.-V. leiten sich vom dreiwertigen *Indium ab. (a) *Indiumchlorid*, Cl_3In, M_R 221,18. Gelbliche, zerfließliche Krist., D. 3,46, Schmp. 498 °C (Subl.), in Wasser gut lösl., wird zum Galvanisieren verwendet. – (b) *Indiumoxid*, In_2O_3, M_R 277,63. Weißes bis schwach gelbes Pulver, D. 7,08, Schmp. ca. 2000 °C, flüchtig bei 850 °C, unlösl. in Wasser, lösl. in heißen Mineralsäuren. In dünnen Schichten auf Flachglas ergibt In_2O_3 zusammen mit SnO_2 eine gute Wärmeisolierung. – (c) *Indiumsulfat*, $In_2(SO_4)_3$, M_R 517,83. Weißes Pulver, D. 3,439, lösl. in Wasser. – *E* indium compounds – *F* composés d'indium – *I* composti di indio – *S* compuestos de indio

Lit.: Brauer (3.) **2**, 864–873 ▪ Downs, Chemistry of Aluminium, Gallium, Indium and Thallium, London: Blackie-Chapman-Hall 1993 ▪ Kirk-Othmer (4.) **14**, 155–160 ▪ Science **262**, 880–883 (1993) ▪ s. a. Indium.

Individuendichte. Von latein.: individuum = Einzelding abgeleitete Bez. für die Anzahl von Organismen einer Flächen- bzw. Vol.-Einheit, s. Abundanz.

Lit.: Bick, Ökologie, S. 19–22, Stuttgart: Fischer 1989.

Indizierter Wasserstoff (Extra-Wasserstoff). Maximal ungesätt. heterocycl. u. *kondensierte Ringsysteme enthalten oft einzelne nicht an Ring-Doppelbindungen beteiligte, „gesätt." Atome, die man mit Stellungsziffer u. kursivem „indiziertem *H*" im Namen anzeigt (auch bei teilhydrierten Syst.; vgl. Hydro…); *Beisp.:* s. heterocyclische Verbindungen u. Inden. – *E* indicated hydrogen – *F* hydrogène indiqué – *I* idrogeno indicato

Indizierung s. Millersche Indizes.

INDO. Abk. für *I*ntermediate *N*eglect of *D*ifferential *O*verlap. Von *Pople eingeführtes semiempir. Verf. der *Quantenchemie. – *E* intermediate neglect of differential overlap – *S* desprecio intermedio de la integral de solapamiento

Lit.: Birner et al., MO-theoretische Methoden in der organischen Chemie, Berlin: Akademie 1979.

Indoaniline s. Indophenol.

Indochinite s. Tektite.

Indocyaningrün (Rp).

Kurzbez. für 1,7-Bis[1,1-dimethyl-3-(4-sulfobutyl)-1*H*-benz[*e*]indol-2-yl]heptamethinium-betain, $C_{43}H_{48}N_2O_6S_2$, M_R 753,00, Natriumsalz, λ_{max} (CH_3OH): 787 nm. Der Farbstoff wird zur Diagnostik der Herz-, Kreislauf-, Mikrozirkulations- u. Leberfunktion eingesetzt. I. ist von Paesel + Lorei (Cardio green®) u. Pulsion (ICG Pulsion®) im Handel. – *E* indocyanine green – *F* vert d'indocyanine-sodium – *S* indocianín verde

Lit.: Hager (5.) **8**, 537 f. ▪ Merck-Index (12.), Nr. 4992. – *[CAS 3599-32-4]*

Indol (1*H*-Benzo[*b*]pyrrol).

Indol   3*H*-Indol

C_8H_7N, M_R 117,15. Farblose Blättchen, in unreinem Zustand von unangenehmem, rein von blumenartigem Geruch, D. 1,22, Schmp. 52 °C, Sdp. 253 °C, leicht lösl. in Alkohol, Ether, Chloroform u. Benzol, ziemlich gut lösl. in Wasser, Reizstoff; LD_{50} (Ratte oral) 1000 mg/kg, wassergefährdender Stoff, WGK 2 (Selbsteinst.). I. ist mit Wasserdampf leicht flüchtig u. läßt sich mit der sog. *Fichtenspan-Reaktion* (s. Pyrrol) nachweisen.

Vork.: Im Jasminblütenöl (2,5%), im Neroliöl, Goldlackblütenöl, in den Blüten der falschen Akazie (*Robinia pseudacacia*) u. im Aronstab (*Arum maculatum*). In Kohlblättern ist I. an *Ascorbinsäure gebunden (als Ascorbigen). Es findet sich ferner in den zwischen 240–260 °C siedenden Steinkohlenteer-Fraktionen (0,2%) u. kommt als biochem. Abbauprodukt des in den meisten Proteinen enthaltenen Tryptophans – neben Skatol – in den Fäkalien vor. Vom I. bzw. von *Indol-5-ol leiten sich viele physiolog. od. techn. bedeutsame Stoffe ab, z. B. *Skatol, *Tryptophan, *Indican, *Serotonin, *Tryptamin, *Psilocybin (ein Halluzinogen), *Melatonin (ein Hormon), Bufotenin (ein Krötengift), *3-Indolylessigsäure (ein Pflanzenwuchsstoff), die *Melanine (Haut- u. Haarpigmente), *Isatin, *Indigo u. *Indoxyl. Einige Derivate (bes. die *Indol-Alkaloide) leiten sich vom isomeren sog. *Indolenin* (3*H*-Indol) ab, wenige dagegen vom *Isoindol. Der im Fünfring gesätt., durch katalyt. Hydrierung in Ameisensäure leicht herstellbare Abkömmling heißt *Indolin, dessen Keton-Derivate sind das sog. *Oxindol (2-Indolinon), *Indoxyl (3-Indolinon) u. *Isatin (2,3-Indolindion).

Herst.: Für I. u. seine Derivate sind eine Reihe von Synth. ausgearbeitet worden, von denen die von E. Fischer die bekannteste ist: Das Phenylhydrazon eines Aldehyds od. Ketons wird mit Zinkchlorid, Schwefelsäure od. Borfluorid als Kondensationsmittel auf etwa 180 °C erhitzt. Prim. erfolgt hierbei eine Diaza-Cope-

Umlagerung u. anschließend Abspaltung von NH_3 unter Bildung des Indol-Rings. Weitere Synth.: Durch Red. von Indoxyl mit Zinkstaub u. Alkali; aus 2'-Methylformanilid durch intramol. Ringschluß; durch dehydrierende Cyclisierung von 2-Ethylanilin, bes. für substituierte I. die *Nenitzescu- u. die *Reissert-Reaktion.

Verw.: I. wird in der Parfümerie bei der Herst. von künstlichem Jasmin- u. Neroliöl verwendet. Ferner ist es Ausgangsprodukt für die Synth. von 3-Indolylessigsäure, Tryptophan, Pharmazeutika u. Farbstoffen. Der Name kommt von Indigo u. Oleum (A. von *Baeyer, 1869). – *E* indole – *F* indol, indole – *I* indolo – *S* indol

Lit.: Beilstein E V **20/7**, 5 ▪ Chem. Rev. **69**, 227–250, 785–798 (1969) ▪ Katritzky-Rees **4**, 1 ff. ▪ Kirk-Othmer (4.) **14**, 161 ff. ▪ Merck-Index (12.), Nr. 4993 ▪ Sandberg, Indoles, San Diego: Academic Press 1996 ▪ Ullmann (4.) **13**, 207; (5.) **A 1**, 384; **A 11**, 210; **A 14**, 167 ▪ Weissberger **25**. – *[HS 2933 90; CAS 120-72-9]*

Indol-Alkaloide. Die I.-A. sind neben den *Isochinolin-Alkaloiden die größte Alkaloid-Gruppe. Sie sind weit verbreitet u. kommen in Mikroorganismen, Pilzen, Flechten, Tieren u. v. a. in Höheren Pflanzen vor, dort fast ausschließlich in Apocynaceen (*Vinca, Catharanthus, Rauwolfia, Aspidosperma, Iboga*), Loganiaceen (*Strychnos*) u. Rubiaceen (*Uncaria*), die alle zur Ordnung der Gentianales gehören sowie in Fabaceen (*Physostigma*). Grundkörper der I.-A. sind *Indol, Indolenin u. *Indolin, denen noch weitere Ringe in 2,3-Stellung angegliedert sein können. Die wichtigsten Gruppen sind: Indolethylamine, *Pyrroloindol-Alkaloide, *Iboga-Alkaloide, *Ergot-Alkaloide, β-*Carbolin-Derivate (Harman-, *Vinca- u. *Rauwolfia-Alkaloide), *Carbazol-Derivate (*Catharanthus roseus-, *Aspidosperma-, *Strychnos- u. Calebassen-*Curare-Alkaloide).

Biosynth.[1]: Das Indol-Ringsyst. wird von der Aminosäure Tryptophan geliefert, von der sich die Indolalkylamine unmittelbar ableiten (Beisp.: *Gramin). Die Vielfalt der I.-A. ergibt sich jedoch aus zusätzlichen Substituenten. Beim Harman besteht dieses Fragment aus nur zwei C-Atomen. Die meisten I.-A. enthalten jedoch *iridoide C_{10}-Fragmente, die manchmal zu 9 C-Atomen abgebaut sein können. Nach dem zusätzlichen Fragment lassen sich die I.-A. in Alkaloide mit unverändertem (*Yohimbin-Typ) bzw. umgelagertem (Seco)-Loganin-Gerüst (Aspidosperma- bzw. *Ibogain-Typ) unterscheiden. Die Alkaloide des Strychnin-Typs werden aus einem Indolethylamin u. einer C_{11}-Einheit gebildet. Bei den Ergolin-Alkaloiden entsteht der heterocycl. Grundkörper aus Tryptophan u. Isopentenylpyrophosphat. Die Synth. der I.-A. hat einen wesentlichen Beitrag zur Strukturaufklärung der I.-A. geleistet, aber auch zu Weiterentwicklungen in der präparativen organ. Synth. geführt[2]. Viele I.-A. verfügen über pharmakolog. Wirkungen u. werden therapeut. genutzt[3]. – *E* indole alkaloids – *F* alcaloïde de l'indol – *I* alcaloidi dell'indolo – *S* alcaloides de indol

Lit.: [1] Heterocycles **25**, 617–640 (1987); Nat. Prod. Chem. **3**, 257–273 (1988); Stud. Org. Chem. **26**, 497–511 (1986). [2] Chem. Ztg. **110**, 95–99 (1986); Heterocycles **27**, 1253–1268 (1988); J. Am. Chem. Soc. **110**, 5925 (1988); Nat. Prod. Chem. **3**, 187–213 (1988); Stud. Nat. Prod. Chem. **1**, 89–122 (1988);

Stud. Org. Chem. **27**, 35–58 (1986). [3] Farmaco Ed. Sci. **43**, 1097–1114 (1988); Med. Res. Rev. **8**, 231–308 (1988); Mem. Coll. Agric. Kyoto Univ. **132**, 1–59 (1988).
allg.: Alkaloids (London) **7**, 183–246 (1977); **8**, 149–215 (1978); **9**, 151–220 (1979); **10**, 141–204 (1980); **11**, 145-198 (1981); **12**, 163–247 (1982); **13**, 205–276 (1983) ▪ Ap Simon **3**, 273–438 ▪ Atta-ur-Rahman, Studies in Natural Products Chem. **1**, 3–30, 89–122; **5**, 69–196, Amsterdam: Elsevier 1988–1989 ▪ Cell. Cult. Somatic Cell Genet. Plants **5**, 371–384 (1988) ▪ Hesse, Indolalkaloide, Weinheim: Verl. Chemie 1974 ▪ Lindberg, Strategies Tactics Org. Synth., Bd. 1, S. 82–122, Orlando: Academic Press 1984 ▪ Manske **26**, 1–51; **31**, 1–28 ▪ Nat. Prod. Rep. **1**, 21–51 (1984); **2**, 49–80 (1985); **3**, 353–394 (1986); **4**, 591–637 (1987); **6**, 1–54 (1989) ▪ Nuhn (2.), Chemie der Naturstoffe, S. 580–593, Berlin: Akademie 1990 ▪ Rodd's Chem. Carbon Compd. (2.) **4 (B)**, 63–163 (1977) ▪ Stud. Nat. Prod. Chem. **1**, 31–88 (1988) ▪ Ullmann (5.) **A 1**, 384 f. ▪ Zechmeister **24**, 13–53; **26**, 1–51; **31**, 469–520; **50**, 27–56.

Indolenin s. Indol.

3-Indolessigsäure s. 3-Indolylessigsäure.

Indolin (2,3-Dihydro-1*H*-indol).

C_8H_9N, M_R 119,16. Farblose Flüssigkeit, D. 1,069, Sdp. 230 °C, in Wasser wenig, in organ. Lsm. löslich. I. wird zur Synth. von Pharmazeutika u. Farbstoffen, ferner als Wasserstoff-Donator verwendet. – *E* = *F* indoline – *I* = *S* indolina

Lit.: Beilstein E V **20/6**, 238 ▪ s. a. Indol. – *[HS 2933 90; CAS 496-15-1]*

2-Indolinon s. Oxindol.

Indolizidin s. Indolizin.

Indolizidin-Alkaloide. *Alkaloide aus verschiedenen Klassen, denen das bicycl. Gerüst des Indolizidins zugrunde liegt. Zu ihnen gehören z. B. die *Dendrobates-Alkaloide, *Pumiliotoxine, *Elaeocarpus-Alkaloide, *Ipomoea-Alkaloide, *Tylophora-Alkaloide, *Castanospermin, *Monomorin, *Swainsonin u. *Slaframin. – *E* indolizidine alkaloids – *F* alcaloïde de l'indolicidine – *I* alcaloidi dell'indolizidina – *S* alcaloides de indolizidina

Lit.: Alkaloids (London) **7**, 66 ff. (1977); **8**, 62–65 (1978); **9**, 67 f. (1979); **10**, 63 ff. (1980); **11**, 59–62 (1981); **12**, 69–72 (1982); **13**, 82–86 (1983) ▪ Alkaloids Chem. Biol. Perspect. **3**, 241–273 (1985); **4**, 1–274 (1986); **5**, 1–56 (1987) ▪ Heterocycles **25**, 659–700 (1987) ▪ Manske **28**, 183–368; **31**, 193–315; **44**, 189–257 ▪ Nat. Prod. Rep. **1**, 245 f. (1983); **2**, 235–243 (1985); **4**, 415–422 (1987) ▪ Stud. Nat. Prod. Chem. **1**, 227–303 (1988) (Synth.) ▪ Ullmann (5.) **A 1**, 363.

Indolizin.

Nach IUPAC-Regel B-2.11 u. R-9.1.23 empfohlener Name für das *Pyrrolo[1,2-a]pyridin*-Gerüst. Dieses bzw. dessen Perhydro-Derivat *Indolizidin* ist Bestandteil vieler Alkaloide; *Beisp.:* Rotundifolin, Leurosin, Eburnin, *Vinca-Alkaloide. Indolizidin-Derivate sind verantwortlich für Vergiftungen bei Weidetieren, die in den USA sog. Narrenkraut aufgenommen hatten[1]. – *E* indolizine – *F* indolicine – *I* indolizina – *S* indolizidina

Lit.: [1] Science **216**, 190 (1982).
allg.: Adv. Heterocycl. Chem. **23**, 103–170 (1978) ▪ Beilstein E V **20/7**, 47f. ▪ Synthesis **1976**, 209–236 ▪ Weissberger **30**, 117–178.

Indol-5-ol (5-Hydroxyindol).

C_8H_7NO, M_R 133,15. Farblose Krist., Schmp. 105–107 °C. I. bildet das Grundgerüst für viele physiolog. aktive Verb., wie z.B. Bufotenin (s. Psilocybin), 5-Hydroxytryptamin (*Serotonin), 5-Hydroxy-L-tryptophan sowie *Indol-Alkaloide. Im Organismus werden die I.-Derivate durch Hydroxylierung mittels *Hydroxylasen gebildet. – *E* = *F* = *S* indol-5-ol – *I* indol-5-olo
Lit.: Beilstein E V **21/3**, 18. – [HS 2933 90]

Indolole. Systemat. Sammelbez. für die hier unter *Indol-5-ol u. *Indoxyl (3-Hydroxyindol) behandelten Verbindungen.

3-Indolylessigsäure (3-Indolessigsäure, Heteroauxin, IAA, IES).

$C_{10}H_9NO_2$, M_R 175,19, Blättchen od. krist. Pulver, Schmp. 166 °C, wenig lösl. in Wasser u. Chloroform, lösl. in Aceton u. Ether, gut lösl. in Alkohol. Weit verbreiteter natürlicher Wuchsstoff in Höheren Pflanzen zur Förderung des Längenwachstums (vgl. Pflanzenwuchsstoffe). Die physiolog. wirksamen Konz. sind sehr niedrig; so reagiert die Maiswurzel noch auf 10^{-12} g I.; wird das Wirkoptimum der Konz. zu stark überschritten, tritt eine Hemmreaktion ein[1]. I. kann synthet. z.B aus Indol u. Chloressigsäure od. aus Indol u. Natriumglykolat hergestellt werden[2]. I. findet als Pflanzenwachstumsregulator prakt. Anwendung. – *E* indole-3-acetic acid, 3-indolylacetic acid – *F* acide indolylacétique – *I* acido indolilacetico – *S* ácido indolilacético
Lit.: [1] Fellenberg, Pflanzenwachstum, S. 153–157, Stuttgart: Fischer 1981; Mohr u. Schopfer, Lehrbuch der Pflanzenphysiologie, Berlin: Springer 1978. [2] J. Am. Chem. Soc. **116**, 3127 (1994).
allg.: Beilstein E V **22/3**, 65 f. ▪ Sax (8.), S. 1982f. (Toxikologie) ▪ Ullmann (4.). **13**, 207 f.; (5.) A **20**, 415, 417 ▪ Zechmeister **17**, 248–297. – *Pflanzenphysiologie:* Annu. Rev. Phytopathol. **31**, 253–273 (1993) ▪ Bot. Mag. **103**, 345–370 (1990) ▪ Curr. Plant Sci. Biotechn. Agric. **13**, 1–12 (1992) ▪ Kung u. Wu (Hrsg.), Transgenic Plants, Bd. 1, S. 195–223, San Diego: Academic Press 1993 ▪ Plant Growth Regul. **13**, 77–84 (1993) ▪ Proc. Natl. Acad. Sci. USA **90**, 11442–11445 (1993) – *Biosynth.:* Aust. J. Plant Physiol. **20**, 527–539 (1993) ▪ Plant Growth Regul. **10**, 313–327 (1991). – [HS 2933 90; CAS 87-51-4]

Indometacin (Rp).

Internat. Freiname für das nicht-steroidale *Antiphlogistikum [1-(4-Chlorbenzoyl)-5-methoxy-2-methyl-

1*H*-indol-3-yl]essigsäure, $C_{19}H_{16}ClNO_4$, M_R 357,79. Die polymorphen Krist. schmelzen bei 155 °C bzw. 162 °C; λ_{max} (CH_3OH): 316 nm ($A_{1cm}^{1\%} = 177$); pK_a 4,5; LD_{50} (Ratte i.p.) 13 mg/kg; sie sind in Wasser prakt. nicht, dagegen in Ethanol, Ether, Chloroform u. Ricinusöl löslich. Die Lagerung muß lichtgeschützt erfolgen. Lsg. sind bei neutralem bis leicht saurem pH-Wert stabil. I. ist ein Arylessigsäure-Derivat. Für Injektionen wird das Natrium-Salz-Trihydrat verwendet. I. wurde erstmals 1964 von Merck & Co. (Amuno®, MSD) patentiert u. ist generikafähig. – *E* indomet(h)acin – *F* indométacine – *I* = *S* indometacina
Lit.: ASP ▪ Beilstein E V **22/5**, 239f. ▪ DAB **1996** u. Komm ▪ Florey **13**, 211–238 ▪ Hager (5.) **8**, 538–541. – [HS 2933 90; CAS 53-86-1 (I.); 74252-25-8 (Natrium-Salz-Trihydrat)]

Indophenin s. Induline.

Indophenol [1,4-Benzochinon-mono(4-hydroxyphenylimin)].

X = NH , Y = NH_2 : Indamin
X = O , Y = NH_2 : Indoanilin
X = O, Y = OH : Indophenol

$C_{12}H_9NO_2$, M_R 199,21. Rote Nadeln od. metall. glänzende, braune Blätter, Schmp. 160 °C, leichtlösl. in heißem Wasser, verd. Salzsäure u. Soda-Lösung. Das I. bildet zahlreiche gefärbte Derivate, deren Farbstoffwirkung auf den *p*-chinoiden Ring in Verb. mit Amino- bzw. Hydroxy-Gruppen zurückzuführen ist; ähnlich verhalten sich die *Indoaniline* (s. Abb.), die ebenso wie die I. u. *Indamine zu den *Chinoniminen gerechnet werden. Die Farbstoffe werden durch Red. in die farblosen Leuko-Verb. übergeführt u. dann auf der Faser durch Oxid. mit Dichromat od. Luftsauerstoff in die gefärbte Verb. zurückverwandelt. Die durch gemeinsame Oxid. von 4-Aminophenolen u. Phenolen zugänglichen I. werden verhältnismäßig selten als Farbstoffe verwendet (z.B. als Mikroskopierfarbstoffe), doch spielen sie eine wichtige Rolle als Zwischenprodukte für die Synth. von blauen u. violetten *Schwefel-Farbstoffen; *Beisp.:* *Hydron®-Blau R, 3R, G. Unter *Indophenol-Reaktion* versteht man zum einen den auch *Berthelot-Reaktion* genannten Nachw. von Ammoniak (s. dort), wobei sich I. bildet, u. zum anderen einen Nachw. von Harzen in Zellstoff mit Hilfe von I. (I.-Reaktion nach Noll). Das aus histor. Gründen (verwirrenderweise) *2,6-Dichlorphenolindophenolnatrium genannte Dichlor-I.-Na dient als Redoxindikator u. als Reagenz auf Cholin-Esterase u. Ascorbinsäure. – *E* indophenol – *F* indophénol – *I* indofenolo – *S* indofenol
Lit.: Beilstein E IV **13**, 1077 ▪ Ullmann **8**, 786 ff. ▪ Winnacker-Küchler (3.) **4**, 258. – [HS 2925 20; CAS 500-85-6]

INDOR. Abk. für *Inter-Nuclear Double Resonance*, eine Spinentkopplungs-Meth. der *NMR-Spektroskopie, die die Identifizierung einzelner Kerne erleichtert u. die Selektivität erhöht.
Lit.: s. NMR-Spektroskopie.

Indoramin (Rp).

Internat. Freiname für das *Antihypertonikum (ein α-*Sympath(ik)olytikum) N-{1-[2-(3-Indolyl)ethyl]-4-piperidyl}benzamid, $C_{22}H_{25}N_3O$, M_R 347,44, Schmp. 208–210 °C. Verwendet wird das Hydrochlorid, das in zwei Modif. vorkommt, Schmp. 230–232 °C u. 258–260 °C. I. wurde 1969 u. 1970 von Wyeth (Wydora®, heute von Brenner Efeka) patentiert. – **E** indoramin – **F** indoramine – **I** = **S** indoramina

Lit.: Beilstein E V **22/10**, 116 ▪ Hager (5.) **8**, 542 ff. ▪ Merck-Index (12.), Nr. 5000. – [HS 293339; CAS 26844-12-2 (I.); 38821-52-2 (Hydrochlorid)]

Indospicin [(S)-6-Amidino-2-aminohexansäure].

$C_7H_{15}N_3O_2$, M_R 173,22, Nadeln, Schmp. 131–134 °C, Monohydrat des Monohydrochlorids, $[\alpha]_D^{22} +18°$ (5 m HCl), lebertox. u. teratogene Aminosäure aus Samen u. Blättern des 1968 versuchsweise als Futterpflanze eingesetzten kriechenden Indigos (Indigofera spicata u. Indigofera endecaphylla, Fabaceae). – **E** indospicin – **F** indospicine – **I** = **S** indospicina

Lit.: Aust. J. Chem. **24**, 371 (1971) (Synth.) ▪ J. Dermatol. **14**, 35–38 (1973) (Review) ▪ J. Labelled Compd. Radiopharm. **24**, 1273 (1987) (Synth.) ▪ Nature (London) **217**, 354 (1968) (Isolierung). – [CAS 16377-00-7]

Indoxyl (3-Hydroxyindol, 3-Indolol).

C_8H_7NO, M_R 133,15. Das Gleichgew. ist, wie spektroskop. Befunde zeigen, fast ausschließlich zugunsten der Keto-Form (3-Indolinon) verschoben[1]. I. tritt als Schwefelsäureester od. in glykosid. Bindung mit Glucuronsäure regelmäßig im Harn auf; es bildet gelbe Krist. vom Schmp. 85 °C (Verharzung), lösl. in Wasser, Alkalien, Alkohol u. Ether; die wäss. Lsg. zeigt gelbgrüne Fluoreszenz. I. läßt sich leicht zu *Indigo oxidieren (Zwischenprodukt bei den techn. Indigo-Synth.) u. ist auch im *Indican als durch Indoxylase abspaltbare Vorstufe des Indigo enthalten. I. hat sich als ein natürliches Fungizid erwiesen[2]. – **E** indoxyl – **F** indoxyle – **I** indossile – **S** indoxilo

Lit.: [1]Beyer-Walter, Lehrbuch der Organischen Chemie, S. 726, Stuttgart: Hirzel 1991. [2]Science **246**, 116 (1989). allg.: Beilstein E III/IV **21**, 746 ▪ Katritzky-Rees **4**, 363 ff. ▪ Ullmann **8**, 751, 784; (4.) **13**, 178; (5.) **A 1**, 212 ▪ s. a. Indigo. – [HS 293390; CAS 480-93-3]

Inductively Coupled Plasma s. ICP.

Induktion (von latein.: inducere = bewegen, herbeiführen).

1. Physikal. I.: Auf der elektromagnet. I. von Spannungen (durch Änderung des den Leiter durchsetzenden magnet. Kraftflusses) beruht das Arbeitsprinzip des Dynamos u. des Transformators, auf der I. von Strömen die Induktionsheizung (*Induktionsgesetz). Die magnet. I. (auch magnet. Flußdichte genannt, Kurzz. B) berechnet sich aus der magnet. Feldstärke H über $B = \mu_0 \cdot \mu_r \cdot H$ (μ_0 = allg. u. μ_r = relative Permeabilität). Je nach Größe von μ_r unterscheidet man die verschiedenen *magnetischen Werkstoffe; Näheres s. Lit.[1].

2. Chem. I.: Von I. spricht man im Zusammenhang mit dem *induktiven Effekt, mit *zwischenmolekularen Kräften (Induktionskräften), mit *Polarisations-Phänomenen, die als *CIDEP bzw. *CIDNP auftreten können, mit *Mitfällungs-Erscheinungen (induzierte Fällung) u. mit gekoppelten *Reaktionen (induzierte Reaktionen).

3. Biochem. I.: Durch bestimmte Substanzen (Induktoren, Inducer) od. physikal. Einflüsse hervorgerufene Biosynth. von *Proteinen durch *Transkription ihrer *Gene u. anschließende Bearbeitung u. *Translation der gebildeten *Ribonucleinsäuren. Beisp.: Häufig wird die Bildung von *Enzymen durch die Anwesenheit ihres Substrats induziert, die I. der *Hitzeschock-Proteine erfolgt durch Wärme, u. *Endotoxine induzieren *Interferone.

4. Biolog. I.: In der Individualentwicklung bezeichnet man nach Kühn „die Auslösung eines Entwicklungsvorganges an einem Teil eines Organismus durch einen anderen Teil" als Induktion. Bes. im frühen Stadium der Embryonalentwicklung übt ein bestimmter Keimbezirk, der als Organisator bezeichnet wird, einen induktiven Einfluß auf die Differenzierung des Embryos aus. Dabei wirken Proteine als Induktionsstoffe auf das reagierende Gewebe[2].

5. Mikrobiolog. I.: Durch UV-Strahlen od. bestimmte Substanzen herbeigeführter Beginn der Produktion von Phagen-Partikeln durch eine von temperenten *Phagen infizierte Wirtszelle. – **E** = **F** induction – **I** induzione – **S** inducción

Lit.: [1]Bergmann u. Schaefer, Lehrbuch der Experimentalphysik II, S. 307, Berlin: de Gruyter 1987; Demtröder, Experimentalphysik, Bd. 2, Berlin: Springer 1995. [2]Langman, Medizinische Embryologie, Stuttgart: Thieme 1989.

Induktionsgesetz. Dieses von M. *Faraday erstmals formulierte Gesetz beschreibt die in einer Leiterschleife induzierte Spannung U, deren Erzeugung in der zeitlichen Änderung des die Leiterschleife durchsetzenden magnet. Flusses Φ liegt: $U = -\dfrac{d\Phi}{dt}$.

Das neg. Vorzeichen besagt, daß die Wirkung der Induktion seiner Erzeugung entgegengesetzt gerichtet ist (Lenzsche Regel). Ist die *Induktivität L einer Spule bekannt, so ergibt sich die induzierte Spannung zu $U = -L\dfrac{dI}{dt}$, wobei I dem Strom entspricht, der durch die Spule fließt.

Induktionskoeffizient s. Induktivität.

Induktionskonstante (Kurzz.: μ_0) s. Fundamentalkonstanten u. Induktivität.

Induktionsphase s. lag-Phase.

Induktionswechselwirkung s. zwischenmolekulare Kräfte.

Induktiver Effekt (I.-Effekt). Bes. von G. N. *Lewis u. Sir C. *Ingold erarbeitetes Konzept, das die Einflüsse zu erfassen sucht, die elektropos. od. -neg. Substituenten in organ. Mol. auf die Reaktivität ausüben. Der i. E. kommt durch über σ-Bindungen übertragene Polarisation des restlichen Mol. durch die Substituenten zustande. Angaben über die Stärke des i. E. erhält man aus *Dipolmomenten. Man bezieht im allg. alle

i. E. auf Wasserstoff als Standard-Substituenten. Atome od. Atomgruppen, die stärker elektronenanziehend sind als H (z. B. Cl), zeigen einen –*I-Effekt*, elektronenschiebende Substituenten (z. B. Alkyl-Gruppen) einen +*I-Effekt*. Für verschiedene Substituenten gilt die folgende Reihenfolge, wobei das Vermögen, Elektronen anzuziehen, von links nach rechts wächst:

$$(CH_3)_3C<(CH_3)_2CH<C_2H_5<CH_3<H<C_6H_5<CH_3O<OH$$
$$<I<Br<Cl<NO_2<F$$

Ungesätt. Gruppen zeigen einen –I-Effekt mit der Reihenfolge:

$$C=C< \text{ konjugierte } C=C<C\equiv C.$$

Bes. ausgeprägt ist der i. E. bei elektro- bzw. nucleophilen *Substitutionen von aromat. Verb., wo er mit dem *Resonanz- (od. Mesomerie-)Effekt konkurriert. Wird letzterer durch das π-Elektronensyst. fortgeleitet, so ersterer durch σ-Bindungen od. durch den Raum (engl.: *through space). Seine Stärke nimmt mit wachsender Entfernung des Reaktionszentrums vom dirigierenden Substituenten ab. Hingewiesen sei auch auf die Verwandtschaft des i. E. mit dem *Ortho-Effekt u. den als *Push-Pull-Mechanismus, als *Hyperkonjugation u. durch die *Hammett-Gleichung beschriebenen Effekten. – *E* inductive effect – *F* effet inductif – *I* effetto induttivo – *S* efecto inductivo

Lit.: Angew. Chemie **86**, 275 (1974) ▪ Christen u. Vögtle, Organische Chemie, Bd. 1, Frankfurt: Salle 1988 ▪ Prog. Org. Chem. **12**, 119 (1976) ▪ Sykes, Reaktionsmechanismen der Organischen Chemie, 9. Aufl., Weinheim: VCH Verlagsges. 1988.

Induktiver Widerstand s. Induktivität.

Induktivität. 1. Bei einer Spule gibt die I. (Kurzz.: L), oft auch *Selbstinduktivität, Induktionskoeff.* od. *Selbstinduktionskoeff.* genannt, den Zusammenhang zwischen der induzierten Spannung (U) u. der Stromänderung (dI) an (s. Induktionsgesetz):

$$U=-L \cdot \frac{dI}{dt}$$

Die Einheit der I. ist das *Henry; 1 H = 1 V · s/A. Für den Fall einer zylindr. Spule der Länge l, der Querschnittsfläche A (mit $A \ll l^2$) u. der Windungszahl n gilt:

$$L=\mu_0 \cdot \frac{n^2}{l} \cdot A$$

mit μ_0 = *Induktionskonstante, magnet. Feldkonstante, magnet. Permeabilitätskonstante* [oft auch Induktionskonstante genannt; $\mu_0 = 4 \cdot \pi \cdot 10^{-7}$ N/A^2 = 1,2566370614 · 10^{-6} V · s/(A · m)]. Für Spulen mit endlicher Länge s. *Literatur.* Der *induktive Widerstand* einer Spule berechnet sich zu $R_L = i \cdot \omega \cdot L$; da Strom u. Spannung um die Phase $\pi/2$ gegeneinander verschoben sind, wird keine elektr. Energie verbraucht u. der induktive Widerstand als *Schein-* bzw. *Blindwiderstand* bezeichnet.

2. Beim Transformator gibt die *Gegen-I.* (Kurzz.: M) den Zusammenhang zwischen der Änderung des Primärstroms dI_1/dt u. der Sekundärspannung U_2 an: $U_2 = -M \cdot dI_1/dt$. M berechnet sich aus den I. der Spulen zu $M = k \cdot \sqrt{L_1 \cdot L_2}$, wobei k als Kopplungsgrad bezeichnet wird. k = 1 bedeutet stärkste Kopplung, d. h. beide Spulen werden vom selben magnet. Fluß durchsetzt; k = 0 bedeutet völlige Entkopplung. Induktionsnormale u. Messungen der I. s. *Literatur.* –

E inductivity – *F* inductivité – *I* induttanza – *S* inductividad

Lit.: Kohlrausch, Praktische Physik 1, S. 631 ff., Stuttgart: Teubner 1996.

Induktoren s. Effektoren, Enzyme, Induktion u. Regulation.

Indulfan ® plus. Flächen-*Desinfektionsmittel auf der Basis von Aldehyden u. *quartären Ammonium-Verbindungen. *B.:* Henkel.

Induline (Indulin-Farbstoffe). Gruppe von violetten, grauen bis blauen *Phenazin-Farbstoffen (*Azin-Farbstoffe*), die den *Safraninen u. *Nigrosinen nahestehen. Das gewöhnliche I. spritlösl. (Solidblau, Azinblau, Indigen, Indophenin, Druckblau) ist ein blauschwarzes od. braunschwarzes Pulver, das durch Verschmelzen von 4-Aminoazobenzol mit salzsaurem Anilin u. Anilin erhalten u. zur Herst. schwarzer Spritlacke, als Rußzusatz im Zeitungsdruck sowie als Indigoersatz im Kattundruck verwendet wird. Es besteht aus 5-phenylierten Polyanilinophenazinium-Salzen od. deren Basen u. entsteht auch bei dem *Baeyer-(Indophenin)-Test zum Nachw. von Thiophen mittels Isatin. I. spritlösl. wird durch Sulfonierung in I. wasserlösl. umgewandelt, das als Natrium-Salz zum Färben von Wolle u. Seide Verw. finden kann. – *E = F* indulines – *I* induline – *S* indulinas

Lit.: Beilstein E V **25/15**, 239 ▪ Ullmann (4.) **8**, 229; (5.) **A 3**, 220 ▪ Winnacker-Küchler (3.) **4**, 253 ▪ s. a. Azin-Farbstoffe. – *[HS 3204 13]*

Industrial Research and Development Advisory Committee s. IRDAC.

Industriechemikalien. Sammelbez. für techn. *Chemikalien, die – im Gegensatz zu *Feinchemikalien – vorzugsweise innerhalb der *chemischen Industrie selbst weiterverarbeitet u. zur Herst. veredelter Produkte gebraucht werden. Zu diesen nicht nur von der *industriellen Chemie, sondern auch von der *Biotechnologie zur Verfügung gestellten I. zählen v. a. organ. u. anorgan. Grund- od. Schwerchemikalien, Hilfsstoffe, Katalysatoren, Lsm., Gase (*Industriegase) u. viele andere Stoffe. – *E* industrial chemicals – *F* produits chimiques industriels – *I* prodotti chimici industriali – *S* productos químicos industriales

Industriefasern. Bez. für *Fasern, die im Gegensatz zu den *Textilfasern zu techn. Zwecken genutzt werden u. für die in der Regel hohe Elastizitätsmoduln u. hohe Steifigkeit charakterist. sind. Zu den I. zählen Naturfasern wie *Sisal od. *Jute, anorgan. Fasern aus z. B. *Quarz, *Glas, *Borcarbid od. *Aluminiumoxid, weiterhin *Kohlenstoff- u. Graphit-Fasern sowie Fasern aus synthet. organ. Polymeren wie z. B. die Olefin-, Vinyl- od. Aramid-Fasern. I. finden Verw. z. B. in Schnüren, Seilen, Filtertüchern, Planen u. als Verstärkungsfasern für Kunststoffe. – *E* industrial fibers – *I* fibre industriali – *S* fibras industriales

Lit.: Elias (5.) **2**, 502, 538 ff.

Industriefußböden. Sammelbegriff für Fußböden vielfältiger industrieller Nutzung (innerbetriebliche Transportwege, Lagerflächen, Fußböden in Werkshallen, Betriebsräumen, Laboratorien u. dgl.). Im weitesten Sinne sind den I. alle Fußböden zuzuordnen, die nicht Wohnzwecken dienen u. nicht als Straßen im Außenbereich genutzt werden. Neben ausreichender Tragfähigkeit, Verschleißfestigkeit u. möglichst reinigungsfreundlichen u. pflegeleichten Eigenschaften werden je nach seinem Einsatz von einem I. spezielle Eigenschaften verlangt, wie z. B. extrem gute Ebenheit bzw. Plangenauigkeit in computergesteuerten Hochregallagern, Beständigkeit gegen diverse Chemikalien u. Lsm. in Produktionsräumen, Laboratorien od. Tanklagern, elektr. Leitfähigkeit in explosionsgefährdeten Räumen, Porenfreiheit in Cleanräumen z. B. in Medizin, Pharmazie od. Elektronik.

Die Konstruktion von I. entspricht meistens einem komplexen Mehrschichtaufbau z. B. aus Planum, Sauberkeitsschicht, Feuchtigkeitssperrschicht, Tragbeton mit Gebäudedehnungsfugen, Randfugen u. Arbeitsfugen, Estrich u. speziellen Oberflächen-Deckschichten. Letztere können bestehen aus z. B. bituminösen Belägen, Faser- od. *Polymerbeton, Reaktionskunststoffen auf der Basis von *Epoxidharzen, *Polyestern, *Polymethacrylaten od. *Polyurethanen, Bahnen od. Platten aus *Kunststoffen (z. B. *PVC) od. *Elastomeren (z. B. *Synthesekautschuk) od. *Keramik.

Für verschiedene Bestandteile der I. existieren z. T. in anderen Zusammenhängen aufgestellte Normen für Zusammensetzung, Eigenschaften u. Prüfung, z. B. für I. aus *Kunstharz AGI Arbeitsblatt A 80 (01/1981), für *Beton DIN 1045 (07/1988) u. a. Normen, für *Estriche DIN 18 560 Tl. 1 – 4 sowie 7 (05/1992), für *Bitumen DIN 1995 (10/1989). – *E* industrial floors – *F* sols industriels – *I* pavimenti industriali – *S* suelos industriales

Lit.: Industriefußböden '95 – Industrial Floors '95, Ostfildern: Techn. Akademie Esslingen 1995 ▪ Lohmeyer, Betonböden im Industriebau, Düsseldorf: Beton 1988 ▪ Seidler (Hrsg.), Industriefußböden, 3. Aufl., Renningen-Malmsheim: expert 1994.

Industriegase. Sammelbez. für brennbare u. nicht brennbare *Gase, die in techn. Umfang erzeugt werden, wie z. B. *Wasserstoff, *Sauerstoff, *Stickstoff, *Kohlendioxid, *Acetylen, *Ethylen, *Edelgase, *Ammoniak, *Wassergas, *Generatorgas, *Stadtgas, *Synthesegas etc., die in Einzelstichwörtern u. auch unter Begriffen wie *Brenngase, *Flüssiggase, *Druckgase, *Schutzgase etc. abgehandelt sind. – *E* industrial gases – *F* gaz industriels – *I* gas industriali – *S* gases industriales

Industrie-Gemeinschaft Aerosole e. V. s. IGA.

Industriegewerkschaft (IG). Neben Gewerkschaft (zur anderen Bedeutung der Bez. s. dort) Bez. für einen Zusammenschluß von Arbeitnehmern aus Ind., Handel u. Gewerbe. Zweck u. Aufgabe einer Gewerkschaft ist es (das folgende ist § 4 der Satzung der *Industriegewerkschaft Chemie-Papier-Keramik von 1988 entnommen), „die Arbeitnehmer ihres Organisationsbereichs zur Wahrung ihrer wirtschaftlichen u. sozialen Interessen u. zur Verbesserung ihrer Lebensbedingungen zusammenzuschließen mit dem Ziel, die wirtschaftliche Ausbeutung der Menschen zu beseitigen. Das soll vornehmlich erreicht werden durch: Erzielung günstiger Lohn-, Gehalts- u. Arbeitsbedingungen; Mitbestimmung in allen wirtschaftlichen u.

sozialen Fragen mit dem Ziel der Verwirklichung der Wirtschaftsdemokratie einschließlich der Vergesellschaftung der dafür in Frage kommenden Ind.; Verwirklichung des Rechts auf Arbeit; Verbot der Aussperrung; Verbesserung der Sozialversicherung u. des Gesundheitsschutzes; Förderung der Gleichberechtigung weiblicher Arbeitnehmer; Qualifizierung erwerbstätiger Frauen zur Wahrnehmung beruflicher, polit. u. gesellschaftlicher Rechte u. Funktionen; gewerkschaftliche Jugendarbeit, Jugendliche in die Organisation zu integrieren; Förderung der sozialen u. gesellschaftlichen Integration ausländ. Arbeitnehmer; Förderung u. Verbesserung des beruflichen Schul- u. Ausbildungswesens; Mitwirkung bei der Wahl der Arbeitnehmervertretungen (z. B. Betriebsräte, Aufsichtsräte, Selbstverwaltungsorgane) u. deren Unterstützung bei der Durchführung ihrer gesetzlichen u. sonstigen Aufgaben; Heranziehung u. Heranbildung gewerkschaftlicher Vertrauensleute; Förderung u. Vertiefung der Allgemeinbildung u. des gewerkschaftlichen u. wirtschaftlichen Wissens sowie Stärkung des demokrat. Bewußtseins der Mitglieder. Dabei sind die Jugendlichen bes. zu berücksichtigen; Unterstützung der Mitglieder bei Streiks u. Aussperrung; Unterstützung der Mitglieder, die wegen ihres Eintretens für die Grundsätze der Gewerkschaft gemaßregelt werden; Gewährung von Rechtsschutz; Gewährung von weiteren Unterstützungen, wie sie in den §§ 26 bis 34 der Satzung aufgeführt sind; unentgeltliche Lieferung des vom Hauptvorstand herausgegebenen Zentralblatts; Zusammenarbeit mit gleichartigen dtsch. u. ausländ. Gewerkschaften sowie mit nat. u. internat. Vereinigungen von Gewerkschaften."

In der BRD gibt es z. Z. (1997) 16 Gewerkschaften, die im Dtsch. Gewerkschaftsbund (DGB, ca. 9,7 Mio. Mitglieder, davon 6,1 Mio. Arbeiter, 2,8 Mio. Angestellte u. 0,8 Mio. Beamte; Organisationsgrad 34%; Sitz in 40476 Düsseldorf, Hans-Böckler-Str. 39) zusammengeschlossen sind, ferner die Dtsch. Angestellten-Gewerkschaft (DAG, ca. 520000 Mitglieder; 20355 Hamburg, Karl-Muck-Platz 1) u. den Christlichen Gewerkschaftsbund Deutschlands (CGB, ca. 300000 Mitglieder, 53179 Bonn, Konstantinstr. 13). Die Mehrzahl der Arbeitnehmer der *chemischen Industrie ist in der *Industriegewerkschaft Chemie-Papier-Keramik organisiert. Andere gehören der IG Bau-Steine-Erden, Bergbau u. Energie, Metall bzw. den Gewerkschaften Druck u. Papier, Holz u. Kunststoff, Leder, Textil-Bekleidung an.

Geschichte: Die IG ist aus dem „Zentralen Verband der Fabrik-, Land- u. sonstigen Hilfsarbeiter Deutschlands" (Fabrikarbeiterverband 1890 – 1933), dem sich in den zwanziger Jahren auch der „Keramische Bund" angeschlossen hatte, hervorgegangen. Heute gilt die IG aufgrund ihrer Konstruktion als Arbeiter u. Angestellte vertretende Einheitsgewerkschaft als Vorbild verwandter Organisationen in freiheitlich regierten Ländern. Dachverband nat. Gewerkschaftsbünde ist der Internat. Bund Freier Gewerkschaften (37–41, Rue Montagne aux Herbes Potagères, B-1000 Bruxelles). – *E* trade union – *F* syndicat – *I* sindacato industriale – *S* sindicato

Industriegewerkschaft Chemie-Papier-Keramik
[IG-Chemie (Papier Keramik)]. Sitz 30167 Hannover, Königsworther Platz 6. Mit ca. 740000 Mitgliedern (1995) ist die IG Chemie als Interessenvertretung der in den genannten Ind.-Zweigen Beschäftigten u. Auszubildenden in der BRD die drittgrößte unter den 16 *Industriegewerkschaften u. Gewerkschaften des DGB. Die IG Chemie ist in 9 Bezirke untergliedert; mehr als 40000 ehrenamtliche Funktionäre vertreten die – im vorstehenden Stichwort erläuterten – Interessen der IG Chemie in den Betrieben, die in der Satzung 1988 wie folgt gruppiert werden: *Chem. Ind.:* Anorgan. u. organ. Chemikalien u. Grundstoffe, Kunststoffe, Gummi, synthet. Kautschuk u. Asbest, Erdöl u. Erdgas, Kernchemie, Chemiefaser; chem.-techn. Erzeugnisse, pharmazeut. Erzeugnisse, kosmet. Erzeugnisse; *Papier-Ind.:* Zellstoff, Holzschliff, Strohstoff, Papier, Karton u. Pappe, Papier, Pappe, Papiermaché, Karton od. Faserplatten auch in Verbindung mit Natur- od. Kunststoffen; *keram. Ind.:* Feinkeramik, Grobkeramik, Glas; *Umwelttechnologie.* Die IG Chemie hat mit der IG Bergbau u. Energie sowie der Gewerkschaft Leder 1992 ein Kooperationsabkommen mit dem Ziel getroffen, zur IG Bergbau, Chemie, Energie zu fusionieren. Der Gründungskongreß soll im September 1997 stattfinden. *Publikationen:* gp-magazin, Gewerkschaftliche Umschau, Pressestimmen, Betriebs- und Sonderpublikationen.
Lit.: Geschäftsbericht 1991–1994, Hannover: IG Chemie-Papier-Keramik ▪ Weber u. Hermann, Vom Fabrikarbeiterverband zur Industriegewerkschaft Chemie-Papier-Keramik, Köln: BUND-Verl. 1989 ▪ 1890–1990: 100 Jahre Industriegewerkschaft Chemie-Papier-Keramik, Köln: BUND-Verl. 1990. – *Organisation:* International Federation of Chemical Energy, Mine and General Workers Unions (ICEM), B-1050 Brüssel, Avenue de Emile de Beco 109.

Industrielle Chemie. Die i. C. ist im engeren Sinn die Umsetzung von Stoffen im großen Maßstab zur Herst. verkaufbarer chem. Produkte. In der i. C. werden im allg. wissenschaftliche Erkenntnisse aus dem Labormaßstab über Technikums- u. Pilot-Plant-Maßstäbe in großtechn. Chemieanlagen übertragen. Hierzu greifen Naturwissenschaften – z.B. Chemie, Physik, Biologie, Mathematik – u. Ingenieurwissenschaften (Technik) – z.B. mechan. u. chem. Verfahrenstechnik, chem. Reaktionstechnik – ineinander, da die Handhabung u. Umsetzung von Stoffen im großtechn. Maßstab gegenüber dem Labormaßstab qual. u. quant. veränderte Problemstellungen aufwirft, z.B. Zerkleinern großer Mengen von Feststoffen zur Schaffung reaktiver Oberflächen, Abführung großer Wärmemengen aus chem. Reaktoren etc. Die vielfach terminolog. nur unscharfe Abgrenzung gegenüber *technischer Chemie,* *chemischer Technologie* od. *Verfahrenstechnik* erklärt sich aus der Vielfalt der Problemstellungen der industriellen Chemie.
Wichtige Faktoren bei der Planung von *Chemieanlagen* u. der Entwicklung der spezif. Verfahrenstechnik (weitere Gesichtspunkte s. dort) sind die Berücksichtigung der Belange von *Umweltschutz u. *Arbeitssicherheit sowie das vorausschauende Erkennen möglicher Störfälle (*Störfallanalyse,* z.B. mittels PAAG-Verf., s. *Lit.*). Eine eindrucksvolle Übersicht der Lei-

stungen der i. C. bieten *ACHEMA, INCHEBA u. a. Ausstellungen. – *E* industrial chemistry – *F* chimie industrielle – *I* chimica industriale – *S* química industrial
Lit.: Cook u. Cullen, Chemical Plant and its Operation, Oxford: Pergamon 1980 ▪ Philipp u. Stevens, Grundzüge der Industriellen Chemie, Weinheim: Verl. Chemie 1986 ▪ Schulze u. Hassan, Methoden der Material- u. Energiebilanzierung bei der Projektierung von Chemieanlagen, Weinheim: Verl. Chemie 1981 ▪ Sharp u. West, The Chemical Industry, Chichester: Horwood 1982 ▪ Technische anorganische Chemie, Leipzig: Grundstoff-Ind. 1982 ▪ Ullmann (5.) **A 1 – A 28**, **B 1 – B 8** ▪ Vauck u. Müller, Grundoperationen chemischer Verfahrenstechnik, Weinheim: VCH Verlagsges. 1988 ▪ Weissermel-Arpe (4.) ▪ Winnacker-Küchler (4.) **1 – 6**.

Industrielle Mikrobiologie (techn. Mikrobiologie). Die i. M. befaßt sich mit der techn. Nutzung des Biosynthesepotentials von Mikroorganismen. Sie ist ein Teilgebiet der *Biotechnologie, das die Erkenntnisse der *Mikrobiologie u. *Verfahrenstechnik für Entwicklung u. Betrieb von Produktionsprozessen mit Mikroorganismen od. für die Entsorgung von *Altlasten (z. B. Sanierung kontaminierter Böden) benutzt.
– *E* industrial microbiology – *F* microbiologie industrielle – *I* microbiologia industriale – *S* microbiología industrial
Lit.: Annu. Rev. Microbiol. **48**, 525 (1994) ▪ Crit. Rev. Biotechnol. **15**, 13 (1995) ▪ Yeast **11**, 1331 (1995).

Industriemechaniker. Industrieller Metallberuf mit 3,5-jähriger Ausbildungsdauer, der aus einer einjährigen Grundausbildung, einer ebenfalls einjährigen berufsgruppenspezif. Fachbildung u. einer 1,5-jährigen fachrichtungsspezif. Fachbildung besteht. Im Zuge der Neuordnung der industriellen Metallberufe 1987 wurden für den I. die vier Fachrichtungen Produktionstechnik, Betriebstechnik, Maschinen- u. Syst.-Technik sowie Geräte- u. Feinwerktechnik geschaffen. Der I. hat insbes. im Produktionsbereich der chem. Ind. vielfältige Einsatzmöglichkeiten.
Lit.: Blätter zur Berufskunde, 1-II A 701–704, Bielefeld: Bertelsmann (aktualisierte Aufl. 1996).

Industriemeister, Fachrichtung Chemie (I. F. C.). Produktionsorientierter *Chemie-Beruf, bei dem der I. F. C. (Chemiemeister) die Kenntnisse u. Fertigkeiten eines *Chemikanten besitzen, den techn. Produktionsablauf in seinem Bereich beherrschen u. in der Lage sein muß, Personal zu führen. 1979 hat das BMBW die VO über die Prüfung zum anerkannten Abschluß „Geprüfter Industriemeister – Fachrichtung Chemie" erlassen. In dieser VO sind Zulassungsvoraussetzungen, Gliederung u. Inhalt der Prüfung sowie die Bez. des Abschlusses festgelegt. Die Inhalte gliedern sich in einen fachrichtungsübergreifenden, fachrichtungsspezif. u. einen berufs- u. arbeitspädagog. Teil. Sie werden in einem ca. 950 h umfassenden Lehrgang vermittelt; darin ist die Vorbereitung zur Ausbildereignungsprüfung (AEVO) mit ca. 120 h enthalten. Die Prüfungen werden vor der *IHK abgelegt.
Das Arbeitsgebiet eines I. F. C. umfaßt: Mitwirkung beim Einrichten der Fertigung, Mitarbeiten bei der Planung des Arbeitsablaufes, Verteilung der Arbeiten auf die Mitarbeiter unter Berücksichtigung ihrer Eignung u. Leistungsfähigkeit, Überwachung der Fertigung, der Fertigungstermine, der Instandhaltung der Arbeitsmit-

tel u. Betriebseinrichtungen sowie die Sorge für Ordnung im Betrieb, Überwachung des Arbeitsbereichs auf Arbeitshygiene u. Unfallsicherheit, Förderung des Betriebsklimas, Mitarbeit bei der Anw. von Lohnregelungen, Beraten bei der Einstellung, Umbesetzung u. Entlassung von Mitarbeitern, Einführen neuer Belegschaftsmitglieder in deren Arbeitsbereich, Anleiten von Mitarbeitern, Anhalten zu unfallfreiem Arbeiten u. Mitwirkung bei der Ausbildung von Jugendlichen. Der I. F. C. kann sich an *Fachhochschulen zum Dipl.-Ing. (FH) Fachrichtung Chemie od. Verf.-Technik fortbilden. – *E* foreman in chemical industry – *F* maître de chimie – *I* mastro nel campo della chimica industriale – *S* maestro en química industrial
Lit.: Der Industriemeister, Hamburg: Feldhaus 1995.

Industriemelanismus. Von latein.: industria = reger Fleiß, Unternehmungsgeist u. griech.: melanizein = schwarz werden hergeleitete Bez. für das in Ballungsräumen häufigere Auftreten dunkler Formen von an sich hellen Schmetterlingen u. einigen anderen Tieren. I. wurde erstmals im großräumig verschmutzten Industriegebiet um Birmingham u. Manchester am Birkenspanner *(Biston betularia)* beobachtet. Seine genet. bedingte, normalerweise recht seltene dunkle (melanist.) Form wurde ab 1848 häufiger, bis sie um 1900 bereits 83 % der Birkenspanner-Population ausmachte. Mittlerweile ist die dunkle Form, als vermutete indirekte Folge der Luftreinhaltung, wieder relativ selten geworden. – *E* industrial melanism – *F* mélanisme industriel – *I* melanismo industriale – *S* melanismo industrial
Lit.: Römpp Lexikon Umwelt, S. 357.

Industriereiniger. Sammelbez. für Formulierungen mit unterschiedlichen Gehalten an *Tensiden, *Buildern u. a. reinigungsaktiven Inhaltsstoffen, deren Leistungsprofil für bestimmte Reinigungsaufgaben optimiert ist. I. werden oft bei Raumtemp. od. darunter eingesetzt (*Kaltreiniger). Bes. zur Entfernung stark ölhaltiger Verschmutzungen sind I. häufig nach dem Prinzip der *Mikroemulsionen aufgebaut. *Beisp.* sind Metallreiniger, Motorreiniger u. Kesselwagenreiniger. – *E* industrial clean(s)ers

Industrie- u. Handelskammer s. IHK.

Industrieverband Körperpflege- u. Waschmittel e.V. Der IKW mit Sitz in 60329 Frankfurt, Karlstr. 21, vertritt die Interessen der zusammengeschlossenen Firmen gegenüber Behörden, Öffentlichkeit u. internat. Organisationen.

Induzierte Mitfällung s. Mitfällung.

Induziertes Dipolmoment s. Dipolmoment.

Inelastische Streuung. Stoßprozeß zwischen mikroskop. Teilchen (z. B. Atome, Mol. od. Photonen), bei dem ein Teil der vorhandenen Energie in innere Energie (Rotations- u. Schwingungsenergie od. elektron. Anregungsenergie) umgewandelt wird. Z. B. können H_2-Mol. in Stößen mit H^+-Ionen in einen energet. höherliegenden Schwingungszustand angeregt werden. Rotations- u. Schwingungsanregung von Mol. kann auch durch *Photonen erfolgen; Näheres s. Raman-Spektroskopie. – *E* inelastic scattering – *F* dispersion inélastique – *I* dispersione inelastica – *S* dispersión inélastica

Lit.: Bernstein, Atom – Molecule Collision Theory, New York: Plenum 1979.

Inert. Von latein.: iners = untätig, träge abgeleitetes u. meist als Synonym für *indifferent, gelegentlich auch für *inaktiv, benutztes Adjektiv, mit dem man die unter den jeweiligen Bedingungen chem. reaktionsträgen bzw. -unfähigen Stoffe belegt. Es gibt gasf., flüssige od. feste i. Stoffe, die in der Regel ausgezeichnete Eigenschaften als *Träger besitzen. Zu den gasf. i. Stoffen zählt man die *Inertgase, die auch als *Schutzgase Verw. finden. Selbstverständlich können unter bes. drast. Bedingungen auch i. Gase zur Reaktion gebracht werden: Man denke an die NH_3-Gewinnung aus Stickstoff, an die Bildung von *Edelgas-Verbindungen od. an die Zers. der *FCKW in der höheren Atmosphäre. Als i. Flüssigkeiten gelten *perfluorierte Verbindungen (s. a. Fluorkohlenwasserstoffe), Siliconöle u. *Chloraromaten. Als *Kühlmittel u. *Wärmeübertragungsmittel sind insbes. die *Chlorkohlenwasserstoffe wegen ihrer neg. Umwelteigenschaften (vgl. PCB) in Mißkredit gekommen. In der *Gaschromatographie benutzt man als i. stationäre Phasen auch Paraffine, Wachse u. polymere Ether u. Ester. Feste Materialien wie Oxidkeramiken, Porzellan, Glas, Quarz, Graphit, Edelmetalle, V-Stähle, Kunstharze werden als i. bezeichnet, wenn sie z. B. als Werkstoffe für Rohrleitungen, Behälter, Reaktionsgefäße mit anderen Stoffen in Kontakt treten, ohne damit zu reagieren, d. h. ohne *Korrosion zu erleiden.
Der Begriff *i. Stäube* war früher üblich bei der Beurteilung u. Einstufung von gesundheitsgefährdendem *Feinstaub für solche Staubarten, bei denen mutagene, krebserzeugende, fibrogene, tox. od. allergisierende Wirkungen nicht zu erwarten sind (Al u. seine Oxide, Graphit mit Quarz-Gehalt <1 %, Eisenoxide, Magnesiumoxid u. Titanoxid); zu den MAK-Grenzwerten s. Feinstaub.
Als *i. Komplexe* bezeichnet man Komplexe wie z. B. die *Blutlaugensalze, die durch einen geringen Ligandenaustausch charakterisiert sind. – *E* inert – *F* = *I* = *S* inerte

Inertal®. Stickstoff/CO_2-Schutzgasgemisch zum Verpacken von Lebensmitteln. *B.:* Messer Griesheim GmbH.

Inertgase. Sammelbez. für *inerte *Gase, d. h. solche Gase, die im jeweiligen Reaktionssyst. nicht reagieren. Meist benutzt man I. zum Verdrängen od. Verdünnen (*Inertisierung) anderer, reaktiver Gase, insbes. des Sauerstoffs u. oder.
Verw.: Bei *Schutzgas-*Schweißverfahren (*Beisp.:* Argonarc-, Heliarc-, MIG-, WIG-Verf.), bei der Gewinnung O_2-empfindlicher Metalle (*Beisp.:* Mo, Nb, Ta, Ti, W, Zr), in *Glühlampen, in Silos zur Vermeidung von *Staubexplosionen, bei der chem. Umsetzung u. Aufarbeitung Oxid.-empfindlicher Stoffe etc., z. B. *Destillationen. Als *Schutzgase verwendet man häufig Edelgase od. Stickstoff, aus wirtschaftlichen Überlegungen ggf. auch durch Verbrennung herstellbares N_2+CO_2-I., dagegen selten Schwefelhexafluorid. Der Austausch der in Behältern, Reaktoren od. Rohrleitungen befindlichen Luft gegen ein I. kann erfolgen nach dem *Verdrängungsprinzip* (bei hohem Gasdich-

teunterschied u. laminarer Strömung), nach dem *Mischungsprinzip* (turbulente Einleitung eines I.-Überschusses) od. nach dem *Druckwechselverf.* (wiederholte Evakuierung u. I.-Befüllung). – *E* inert gases, non-reactive gases – *F* gaz inertes – *I* gas inerti – *S* gases inertes
Lit.: Kirk-Othmer (3.) **15**, 936 f.; (4.) **17**, 161 ▪ Ullmann (4.) **20**, 697–705; (5.) **A 22**, 275–288 ▪ s. a. Edelgase, Schutzgase.

Inertinit. Eines der *Macerale der *Braun- u. *Steinkohle.
Lit.: Kirk-Othmer (3.) **6**, 227 ff.; (4.) **6**, 427 ff., 495 ▪ Ullmann (5.) **A 7**, 155 f.

Inertisierung. Im weitesten Sinn Bez. für das *inert-, d. h. unreaktivmachen eines Stoffs od. Systems. Von I. im Sinne von *Phlegmatisierung spricht man bei der Herabsetzung der *Explosions-Gefahr Sauerstoff-empfindlicher, zündfähiger Substanzen od. bei der Verhinderung von *Staubexplosionen, indem man den Sauerstoff-Gehalt explosionsfähiger Stoffgemische mit *Inertgasen (s. a. Schutzgase) auf eine gefahrlose Konz. herabsetzt. Maßzahlen findet man in den Explosionsschutz-Richtlinien. – *E* inertization – *F* inertisation – *I* inertizzazione – *S* inertización
Lit.: Ullmann (4.) **20**, 697 ff.

Inether. Bez. für 1-Alkoxy- u. 1-Aryloxy-1-alkine, die z. B. durch *Eliminierung aus Halogenvinylethern od. Halogenacetaldehyd-acetalen od. durch Umsetzung der daraus oft unmittelbar erhaltenen

a $\quad R^1 \neq H$

$R^1O-C\equiv C-R^2$

b $\quad R^1 = -\overset{O}{\underset{\parallel}{C}}-R, -\overset{O}{\underset{\parallel}{S}}-R, -P(OR)_2$

Metall(alkoxyacetylene) mit Elektrophilen erhältlich sind (s. Abb. a). Über 1-Alkinyliodonium-Salze (s. Iod-organische Verbindungen) sind auch die 1-Alkinylester von Carbonsäuren, von Sulfonsäuren u. von Phosphonsäure-Derivaten herstellbar[1] (s. Abb. b). Die Reaktionsfolge – Herst. von (Alkoxyethinyl)carbinolen u. deren Umwandlung in α,β-ungesätt. Carbonsäureester (*Meyer-Schuster-Umlagerung) – wird sehr oft bei Naturstoff-Synth. angewandt. – *E* inethers – *F* inéthers – *I* inetere – *S* inéteres
Lit.: [1] J. Am. Chem. Soc. **108**, 7832 (1986); **111**, 2225 (1989). *allg.:* Brandsma, Preparative Acetylenic Chemistry, Amsterdam: Elsevier 1971 u. 1988 ▪ Brandsma u. Verkruijsse, Synthesis of Acetylenes, Allenes and Cumulenes, Amsterdam: Elsevier 1981 ▪ Houben-Weyl **5/2 a**, 147 f.; **15**, 3146 ff.

Infarkt (latein.: infarcire = hineinstopfen). Absterben eines Organs od. Organteiles nach Unterbrechung der Blutzufuhr durch Verschluß der versorgenden Arterie. Ein Herzinfarkt z. B. (s. a. Herz u. Arteriosklerose) kommt meist durch arteriosklerot. Verschluß einer der Herzkranzarterien zustande. – *E* infarction, infarct – *F* infarctus – *I* = *S* infarto

Infauna (Endofauna). Wassertiere, die als Bohrer in festem Substrat (Gestein, Holz, Schalen) od. als Graber in Kies, Sand od. Schlamm leben. Gegensatz: Epifauna, die auf einem Substrat siedelnden Tiere. – *E* = *I* = *S* infauna, endofauna – *F* infaune, endofaune
Lit.: Bick, Ökologie. S. 165, Stuttgart: Fischer 1989 ▪ Odum, Grundlagen der Ökologie, 2 Bd. (2.), S. 549 ff., Stuttgart: Thieme 1983.

InfectoBicillin® (Rp). Saft u. Tabs mit *Phenoxymethyl-penicillin-Benzathin gegen Infektionen. *B.:* Infectopharm.

Infectocillin® (Rp). Saft u. Filmtabl. mit *Phenoxymethyl-penicillin-Kalium gegen Infektionen. *B.:* Infectopharm.

Infectomycin® (Rp). Saft u. Pulver mit *Erythromycin-Estolat gegen Infektionen. *B.:* Infectopharm.

Infektion (latein.: inficere = hineinbringen, anstecken). Eindringen von Krankheitserregern in den Organismus. Eine I. kann über verschiedene Wege vor sich gehen. Häufig geschieht sie als Durchdringung der Schleimhäute od. über kleinste Wunden in der Haut u. den Schleimhäuten. Manche Erreger passieren aktiv die Haut od. gelangen durch Stich od. Biß von Überträgern wie z. B. Insekten ins Blut. Auch eine I. von der Mutter auf das ungeborene Kind über eine Durchdringung der Plazenta ist bei manchen Erregern möglich. Nach Eindringen in den Organismus führen Krankheitserreger, meist nach einer bestimmten Inkubationszeit, entweder zu einer lokalen I. des Eintrittsgebietes od. zu einer allg. I. des gesamten Organismus. Ob eine I. zu einer I.-Krankheit führt, hängt u. a. von dem Zustand der körpereigenen Abwehr des befallenen Organismus u. von den krankheitserzeugenden Eigenschaften (*Pathogenität*) der Erreger ab. Die pathogene Wirkung von *Bakterien beruht oft auf der Wirkung von *Toxinen. Der Bekämpfung von I. dient neben anderen hygien. Maßnahmen die *Chemotherapie. Ein vorbeugender Schutz gegenüber bestimmten Erregern od. ihrer Toxine kann durch *Immunisierung hergestellt werden. – *E* = *F* infection – *I* infezione – *S* infección
Lit.: Brandis et al., Lehrbuch der Medizinischen Mikrobiologie, Stuttgart: Fischer 1994.

Infektionskrankheiten. Krankheiten, die durch die *Infektion mit Krankheitserregern (Viren, Bakterien od. Pilzen) entstehen. Nicht jede Infektion führt zu einer I., dies hängt von bestimmten Eigenschaften des befallenen Organismus u. der Erreger ab. Der meist typ. Verlauf der verschiedenen I. kommt durch spezielle schädigende Wirkungsweisen der sich vermehrenden Erreger, z. B. durch Einwirkung giftiger Stoffwechselprodukte (*Toxine) zustande. Viele I. sind ansteckend. – *E* infectious diseases – *F* maladies infectieuses – *I* malattie infettive – *S* enfermedades infecciosas

Inferol® MSA. Mercerisiernetzmittel (s. Mercerisierhilfsmittel) u. Kresol-freies Laugiermittel (s. Mercerisation) für Laugen von 10 bis 32° Bé, nicht schäumend, auf der Basis von Alkylsulfonaten. *B.:* Dr. Th. Böhme KG, Chem. Fabrik GmbH & Co.

Infiltrationsanästhesie s. Lokalanästhetika.

Infixe. Von latein.: infigere = hineinheften abgeleitete Bez. für Silben, die man in *Suffixe od. *Präfixe einfügt u. die in chem. Namen eine Änderung der bezeichneten Teilstruktur anzeigen. *Beisp.:* Austausch der O-Atome funktioneller Gruppen gegen andere Atome od. Gruppen (...ol→...thiol, ...carbonsäure→...carbohydrazonsäure, Phosphorsäure→

Phosphoramidsäure), Einführung von Ladungen in Austauschpräfixe (aza...→azonia..., bora...→borata...). – $E = F$ infixes

Inflam® (Rp). Kapseln, Suppositorien u. Spray mit dem *Antirheumatikum *Indometacin, *I. Salbe* zusätzlich mit *Polidocanol. *B.:* Lichtenstein.

Inflammatorische Makrophagen-Proteine s. Monokine.

Inflanefran® (Rp). Tropfen mit *Prednisolon-21-acetat gegen Augenentzündungen. *B.:* Pharm-Allergan.

Inflatin s. Lobelin.

Influenza s. Grippe.

Influenzkonstante s. Dielektrizitätskonstante.

Informations- u. Behandlungszentren für Vergiftungsfälle. Zentren, meist Kliniken od. Pharmakologisch-Toxikologische Inst., die mit durchgehendem 24-h-Dienst in *Vergiftungs-Notfällen zur Verfügung stehen. Zentrale ist die *Beratungsstelle für Vergiftungserscheinungen*, Pulsstr. 3–7 in 14059 Berlin, Tel.: (030) 3 02 30 22. Eine Liste der I. u. B. f. V. im Bundesgebiet findet sich u. a. in der *Roten Liste u. in Lehrbüchern der Toxikologie u. der Notfallmedizin.

Infractine.

R = H : β-Carbolin-1-propionsäure (1)
R = CH₃ : Infractin (2)

Infractopicrin (3)

Gruppe von β-*Carbolin-Alkaloiden, z. B. *β-Carbolin-1-propionsäure* ($C_{14}H_{12}N_2O_2$, M_R 240,26, Nadeln, Schmp. 215°C) aus dem Immergrün-Gewächs *Picrasma quassioides* u. ihr Methylester *Infractin* ($C_{15}H_{14}N_2O_2$, M_R 254,29, Krist., Schmp. 145–146°C), der aus *Cortinarius infractus* (Bitterer Schleimkopf) isoliert wurde. Neben Infractin kommen in Fruchtkörpern des Blätterpilzes auch das *6-Hydroxyinfractin* u. der Bitterstoff *Infractopicrin* ($C_{17}H_{13}N_2O^+$, M_R 261,30, Kation; als Chlorid $C_{17}H_{13}ClN_2O$, M_R 296,76) vor[1]. – $E = F$ infractines – I infrattine – S infractinas

Lit.: [1] Tetrahedron Lett. **25**, 2341 (1984). *allg.:* Chem. Pharm. Bull. **32**, 3579 (1984) ▪ Phytochemistry **23**, 453 (1984). – *Synth.:* Justus Liebigs Ann. Chem. **1993**, 153–159 ▪ Pharmazie **50**, 182 (1995). – [HS 2939 90; CAS 89915-39-9(1); 91147-07-8(2); 91147-09-0(3)]

Infractopicrin s. Infractine.

Infrarotchemilumineszenz. Wenn bei chem. Reaktionen Mol. in angeregten Schwingungszuständen erzeugt werden, können sie durch Aussenden von *Infrarotstrahlung in niedriger liegende Schwingungszustände übergehen; diese Erscheinung nennt man Infrarotchemilumineszenz. Wie v. a. von J. C. *Polanyi (Nobelpreis 1986) gezeigt wurde, ermöglicht das Studium der I. detaillierte Einblicke in die Dynamik chem. Reaktionen. – *E* infrared chemiluminescence – *F* chimioluminiscence infrarouge – *I* chemioluminescenza infrarossa – *S* quimioluminescencia infrarroja

Lit.: s. bimolekulare Reaktion u. Elementarreaktionen.

Infrarotoptik. Opt. Komponenten, wie Linsen, Strahlteiler, Spiegel usw., die für *Infrarotstrahlung eingesetzt werden. Im nahen Infrarot können auch opt. Gläser, z. B. Kronglas (0,35–2,1 μm) u. Pyrex (0,35–2,3 μm) u. a. Saphir (0,25–4,0 μm) eingesetzt werden. Für langwelligere Strahlung wird auch oft Germanium od. Silicium (1,3–6,8 μm) verwendet. Das am meisten verwendete Material für I. ist ZnSe (Zinkselenid), das von 0,6 μm bis ~18 μm eine sehr hohe Transmission aufweist, z. B. bei $\lambda = 0,6$ μm (*CO_2-Laser) ist der Absorptionskoeff. $\alpha \leq 5 \cdot 10^{-4}$ cm⁻¹. Der relativ hohe Brechungsindex bei dieser Wellenlänge (n = 2,4) führt zu Reflexionsverlusten von rund 30%. Sofern diese Verluste nicht toleriert werden können, sollten opt. Komponenten aus ZnSe antireflex beschichtet sein. Ferner dürfen ZnSe-Oberflächen nie mit einer Säure gereinigt werden, da das dabei entstehende Hydrogenselenid ein auch bei kleiner Konz. hochgiftiges Gas ist (*Selenide). Lichtwellenleiter (s. Lichtleitfaser) sind bis $\lambda = 1,8$ μm realisierbar; Fasern für größere Wellenlängen sind noch Gegenstand der Entwicklung. – *E* infrared optic – *F* optique infrarouge – *I* ottica a raggi infrarossi – *S* óptica infrarroja

Lit.: Hilton, Precise Refractive Index Measurements of Infrared Materials, SPIE 1307, 516–521 (1990) u. SPIE 1498, 128–137 (1991).

Infrarotspektroskopie s. IR-Spektroskopie.

Infrarotstrahler. Bez. für *Lampen, die ihre Energie im infraroten Spektralbereich (s. Infrarotstrahlung) abstrahlen. Als Strahlungsquellen benutzt man in der Technik Glühkörper wie schwarze Strahler u. Kohlenbogenlampe, die elektr. od. mit Gas beheizt werden, *Glühlampen (nur bis zu einer Wellenlänge von 2,5 μm), Siliciumcarbid-Stäbe etc., in Spektrophotometern sog. *Nernst-Stifte. Aufgrund der viel höheren spektralen Dichte werden zunehmend *Laser eingesetzt. CO₂-, CO-, Dioden-, Nd/Yag-, Nd/Glas-, Erbium-, Holmium- u. *Farbzentren-Laser emittieren u. a. im infraroten Spektralbereich. Ebenfalls verbreitete Anw. finden Leucht-Dioden auf der Basis von 3–5 Elementen (s. Tab.). Der stärkste I. ist die *Sonne.

Tab.: Eigenschaften von Leucht-Dioden als Infrarotstrahler (nach *Lit.*[1]).

Typ	Wellenlänge [nm]	Quanteneffizienz [%]	Typ. Ausgangsleistung [mW bei 50 mA]
GaAs : Zn	900	3–4	2–3
GaAs : Si	940	9–14	6–9
AlGaAs : Si	880	11–18	8–13
AlGaAs	780–880	20–27	15–20
AlGaAs(S)*	820–880		
InGaAsP(S)*	1300–1500		

(S)* steht für schmale Emissionsfläche.

Verw.: In *Heizgeräten zur Raumheizung, im Laboratorium zur Heizung von Apparaturen (*Beisp.:* *Destillation), in der Gasanalyse (*Beisp.:* URAS®) u. zur Erzeugung von Infrarotstrahlung (z. B. für die *IR-Spektroskopie od. die *Reflexions-Spektroskopie), in der Reprographie zur *Thermokopie, in der Werkstoffprüfung u. dgl. zur *Thermographie, in Technik, Haus-

halt u. Ind. zur *Infrarottrocknung, in der Medizin zur Wärmetherapie usw. – *E* infrared radiators – *F* radiateurs infrarouges – *I* radiatore a raggi infrarossi – *S* radiadores infrarrojos
Lit.: [1] Encyclopedia of Applied Physics, Bd. 8, S. 508, Weinheim: VCH Verlagsges. 1994.
allg.: Kohlrausch, Praktische Physik 2, S. 155, Stuttgart: Teubner 1996.

Infrarotstrahlung (IR-, Ultrarot-, Wärmestrahlung). Für das menschliche Auge nicht mehr sichtbare, von vielen Tieren (z. B. Schlangen, s. *Lit.*[1]) aber sehr wohl wahrgenommene elektromagnet. *Strahlung, die sich an den sichtbaren Spektralbereich zu längeren Wellenlängen hin (*Mikrowellen) anschließt u. die von *Infrarotstrahlern emittiert wird (s. Abb. bei Anregung). Im allg. rechnet man zur I. den Wellenlängenbereich von 760 nm bis 0,5 mm, wobei man noch (bes. in der *IR-Spektroskopie) in Bereiche unterteilt:
Nahes Infrarot (NIR): 760 nm – 2,5 μm
Mittleres Infrarot (MIR): 2,5 – 25 μm
Fernes Infrarot (FIR): 25 – 1000 μm.
I. entsteht, wenn Elektronen aus therm. angeregten *Schwingungs-Zuständen von Mol. in den *Grundzustand zurückfallen.
Stoffe, die für I. transparent sind, werden als *diatherman* bezeichnet. Dagegen spricht man bei Stoffen, welche Wärme absorbieren, von *athermanen* Materialien. Näheres über opt. Materialien für die IR-Technik s. Infrarotoptik. Als Detektoren eignen sich Bleisulfid u. -tellurid, Thermoelemente, Bolometer etc. u. PVDF-Folien[2]; Näheres s. bei Kirk-Othmer (*Lit.*).
Verw.: In der Technik (s. die benachbarten Stichwörter), in der *Spektroskopie (s. a. IR-Spektroskopie), in der *Photochemie etc., vgl. a. die Stichwörter Thermo...- u. Wärme...
Geschichte: Die I. wurde 1800 von Sir Friedrich Wilhelm Herschel (1738–1822, engl. Astronom) entdeckt. Mit Theorie u. Anw. der I. beschäftigten sich bes. Ampère, *Nernst, C. *Schäfer u. *Townes. – *E* infrared radiation – *F* rayonnement infrarouge – *I* radiazione infrarossa – *S* radiación infrarroja
Lit.: [1] Spektrum Wiss. **1982**, Nr. 5, 106–115. [2] Encyclopedia of Applied Physics, Bd. 3, S. 259, Weinheim: VCH Verlagsges. 1992.
allg.: Colthup, Infrared Spectroscopy, Bd. 8, S. 105–126, Encyclopedia of Physical Science and Technology, San Diego: Academic Press 1992 ▪ Encyclopedia of Applied Physics Bd. 2, S. 391, 394, Weinheim: VCH Verlagsges. 1992 ▪ Gehrz et al., Infrared Astronomy, Bd. 2, S. 125–152, Encyclopedia of Physical Science and Technology, San Diego: Academic Press 1992 ▪ Kirk-Othmer (4.) **14**, 379; **16**, 809 ▪ Siegel u. Howell, Thermal Radiation Heat Transfer, Washington: Hemisphere 1981 ▪ Stahl u. Miosga, Infrarottechnik, Heidelberg: Hüthig 1980 ▪ Walther u. Gerber, Infrarotmeßtechnik, Berlin: Technik 1983 ▪ Wolfe, Infrared Technology, Bd. 8, S. 127–142, Encyclopedia of Physical Science and Technology, San Diego: Academic Press 1992 ▪ s. a. IR-Spektroskopie. – *Zeitschriften u. Serie:* International Journal of Infrared and Millimeter Waves, New York: Plenum (seit 1980) ▪ Reviews of Infrared and Millimeter Waves, New York: Plenum (seit 1983).

Infrarottrocknung. In der Ind. ebenso wie im Haushalt benutztes Verf. zum *Trocknen durch Infrarotbestrahlung der Oberflächen von Gegenständen, Textilwaren, Häuten, Filmen, pflanzlichen Produkten usw.; ferner setzt man die I. zur Beschleunigung der Film-

bildung bei lackierten Gegenständen (z. B. Autos, Kühlschränke, Fahrräder usw.) ein; Autos schickt man zur *Lackhärtung einige min durch einen Trocknungstunnel, in dem *Infrarotstrahler angebracht sind. Fahrradrahmen trocknen in Heißluft in ca. 45 min, bei Infrarotbestrahlung schon nach 7 min. Bes. geeignet für die I. sind *Lacke auf der Basis von Alkyd-, Phenol- u. Harnstoff-Harzen, Asphaltlacke u. dgl. Für die Lacktrocknung ist der Wellenlängenbereich der Strahlung von ca. 1–2 μm geeignet; am besten arbeiten hier die Dunkelstrahler (vgl. Infrarotstrahler) mit dem Energiemaximum um 3 μm; diese wandeln über 96% der elektr. Energie in Wärme um, wobei die Primärstrahlung der Heizwendeln meist in Keramik- od. Metallmänteln in längerwellige Sek.-Strahlung umgewandelt wird. Um Strahlungsverluste zu vermeiden, ist der Heizfaden des Trockenstrahlers häufig im Brennpunkt eines parabol., mit aufgedampftem Aluminium verspiegelten Reflektors angebracht. – *E* infrared drying – *F* séchage par rayons infrarouges – *I* essiccazione a raggi infrarossi – *S* secado por rayos infrarrojos
Lit.: s. Infrarotstrahlung u. Trocknen.

Infrasil®. *Quarzglas, insbes. Quarzglas mit hoher Infrarotdurchlässigkeit u. daraus hergestellte Teile für opt. Geräte. *B.:* Heraeus Quarzglas GmbH.

Infusion (latein.: infundere = hineingießen). Einführung größerer Flüssigkeitsmengen in den Körper über eine Vene (intravenöse I.) od. in den Darm (Einlauf). Intravenöse I. werden zur Zufuhr von Nährstoffen, Medikamenten, Elektrolyten od. Flüssigkeit v. a. in der Intensivmedizin zur Korrektur z. B. des Wasser-, Elektrolyt- od. Kohlenhydrat-Haushalts sowie zur *parenteralen Ernährung eingesetzt. Zu diagnost. Zwecken können Kontrastmittel infundiert werden. I. werden über eine Vene eingelegte Verweilkanülen od. Katheter appliziert, in bestimmten Fällen wird auch in Arterien infundiert. – *E = F* infusion – *I* fleboclisi – *S* infusión

Infusorienerde s. Kieselgur.

Infusum. Von latein.: infundere = hineingießen abgeleitete Bez. für *Aufguß*, eine neben den *Decocten u. Mazeraten (*Mazeration) gebräuchliche Form von wäss. *Extrakten bestimmter *Drogen. Infusa werden erhalten, indem man zerkleinerte, heilstoffhaltige Pflanzenteile (ähnlich wie einen Teeaufguß) mit heißem Wasser behandelt u. nach der Abkühlung den heilmittelhaltigen Aufguß durch Seihen od. Abpressen von den ausgelaugten Pflanzenteilen trennt. – *E* infusum, infusion – *F* infusion – *I* infuso – *S* infusión
Lit.: DAB 7 u. Komm. („wäss. Drogen-Auszüge") ▪ Hager (4.) **7a**, 204–210.

Ingelan®. Gel mit *Isoprenalin-Sulfat bzw. Puder (mit zusätzlicher *Salicylsäure) gegen Juckreiz, allerg. Hautausschläge u. Insektenstiche. *B.:* Boehringer-Ingelheim.

Ingenieur. Sammelbez. für höhere techn. Berufe verschiedener Fachrichtungen, denen die systemat. Bearbeitung techn. Probleme als Anw. naturwissenschaftlicher Erkenntnisse gemein ist; vgl. Ingenieurwissenschaften. Aufgrund der von den Bundesländern erlassenen Ingenieurgesetze von 1970/71 ist die Berufsbez. in der BRD geschützt. Zur Führung der Bez. I. ist u. a. berechtigt, wer ein Studium an einer inländ. wissenschaftlichen *Hochschule od. *Fachhochschule abgeschlossen hat od. wer berechtigt war, die frühere Bez. „Ing. grad." zu führen.

Die Ausbildung zum I. kann an einer Techn. Hochschule (TH) od. Techn. Universität (TU) erfolgen u. dauert in der BRD durchschnittlich 13 Semester. Sie schließt mit dem akadem. Grad Diplom-Ingenieur ab. Dieser Abschluß berechtigt zur Promotion (Dr.-Ing.). Im Gegensatz zum wissenschaftlich-theoret. Studium an Universitäten ist das im Mittel 9-semestrige Fachhochschulstudium Anw.-bezogener. Schwerpunkte des Universitätsstudiums sind die therm. u. mechan. Grundoperationen, die Entwicklung von Verf. zur Stoffumwandlung sowie die Planung entsprechender Verf.-techn. Anlagen; auch nehmen die Belange des Arbeits- u. Umweltschutzes u. der Betriebssicherheit einen breiten Raum ein. Beim Fachhochschulstudium steht die Vermittlung konstruktiver u. fertigungstechn. Kenntnisse im Vordergrund. Bei erfolgreichem Abschluß des FH-Studiums wird ebenfalls der akad. Grad „Dipl.-Ing." verliehen, der teilw. mit dem Zusatz (FH) zu versehen ist. Die Kurzbez. *Chemieingenieur bezieht sich auf Absolventen der Fachrichtungen Chemie od. Verf.-Technik; im engeren Sinn sind damit die an den Fachhochschulen ausgebildeten Diplomingenieure gemeint. Alternativ zum Hochschulstudium bieten 15 Berufsakademien (BA) in der BRD einen dreijährigen Bildungsgang an, der eine betriebliche Tätigkeit integriert. Nach zwei Jahren wird mit dem Ingenieurassistenten der erste berufsbildende Abschluß erreicht, nach 3 Jahren endet die Ausbildung mit dem Dipl.-Ing. (BA).

I. werden hauptsächlich in der Ind. u. Behörden eingesetzt, wobei die beruflichen Entwicklungsmöglichkeiten in aller Regel von der absolvierten Hochschulart abhängig sind. Die I. der wissenschaftliche Hochschulen arbeiten bevorzugt in Forschung u. Lehre, in der planer.-konstruktiven u. fertigungstechn. Entwicklung sowie in Führungs- u. Verwaltungsaufgaben, während der FH-ausgebildete I. praxisbezogene Aufgaben in Konstruktion, techn. Entwicklung, Betriebstechnik u. Anw. wissenschaftlicher Erkenntnisse bearbeitet. – *E* engineer – *F* ingénieur – *I* ingegnere – *S* ingeniero

Lit.: Blätter zur Berufskunde, 3-IQ 01, 2-IR 30 u. 2-ID 31, 2-IP50, Bielefeld: Bertelsmann (aktualisierte Aufl. 1996) ▪ Henning u. Staufenbiel, Das Ingenieurstudium, Köln: Staufenbiel 1993 ▪ Studien- u. Berufswahl 1996/97, Bad Honnef: Bock 1996.

Ingenieurwissenschaften. Aus den fünf klass. Technik-Disziplinen Bauingenieurwesen, Bergbau u. Hüttenwesen, Elektrotechnik, Maschinenbau u. Verf.-Technik haben sich heute weit über 100 Fachrichtungen innerhalb der I. herausgebildet; zahlreiche davon mit Chemiebezug (*Chemie-Ingenieurwesen). Diese Fachrichtungen, insbes. Verf.-Technik, Chemie-Ingenieurwesen, chem. Technologie, Biotechnologie, Lebensmitteltechnologie, Textilchemie, Kunststofftechnik od. Umwelttechnik, werden an 19 wissenschaftlichen *Hochschulen u. 41 *Fachhochschulen als Stu-

diengänge bzw. Schwerpunkte angeboten. Die Grenzen zu anderen Fachrichtungen, z. B. zur Metall-Verarbeitung, Produktionstechnik od. Werkstofftechnik sind fließend. Das ingenieurwissenschaftliches Studium schließt mit dem akadem. Grad Dipl.-Ing. ab, vgl. Ingenieur. – *E* engineering sciences – *F* sciences de l'ingénieur – *I* ingegneria – *S* ingeniería

Ingestion [Konsum, Konsumption, Konsum(a)tion]. In der *Ökologie Aufnahme von Nahrung durch Tiere bzw. Heterotrophe. Auch als Bez. für den aufgenommenen Anteil der verfügbaren Nahrung, s. ökologische Effizienz. Zur Boden-I. durch Kinder s. *Lit.*[1]. – *E* ingestion, consumption – *F* ingestion, consommation – *I* ingestione – *S* ingestión, consumo

Lit.: [1] Environmental Research **51**, 147–162 (1990). *allg.:* Schultz, Die Ökozonen der Erde, S. 61 ff., Stuttgart: Ulmer 1988.

Ingold, Sir Christopher (Kelk) (1893–1970), Prof. für Organ. Chemie, Univ. London. *Arbeitsgebiete:* Reaktionsmechanismen in der organ. Chemie, Chiralität, Mol.-Spektroskopie, Mesomerie, Nitronium-Salze, Benzol-Struktur, Einführung der Begriffe elektrophil, nucleophil, Mesomerie, induktiver Effekt usw.

Lit.: Lexikon der Naturwissenschaftler, S. 230 ▪ Neufeldt, S. 156, 180, 188, 196, 387 ▪ Pötsch, S. 219 ▪ Poggendorff **7 b/4**, 2147–2154.

Ingramycin s. Albocyclin.

Ingwer. Wurzelstock (Rhizom) der in Südostastien heim., in vielen Tropengebieten angebauten Staude *Zingiber officinale* Roscoe (Zingiberaceae), der getrocknet (vor dem Trocknen wird die Korkschicht entfernt), in Zuckersirup eingelegt od. kandiert u. zunehmend auch frisch in den Handel kommt. I. riecht aromat., ist ungeschält gelblichgrau, geschält gelblich bis bräunlich, schmeckt brennend, enthält etwa 2–3% ether. Öl u. ein extrahierbares Oleoresin, das der Träger der *Scharfstoffe ist (s. Ingweröl), 3–5% Fett, 3–8% Rohfaser, bis 8% Asche, 12% Wasser usw.; in frischem Ingwer findet sich Zingibain, ein Eiweißspaltendes Enzym. I. wird als Gewürz (Gebäck, Kompotte, Ingwerlimonade, Liköre usw.) benutzt (z. B. auch ein wichtiger Bestandteil von *Curry), zu Konfekt verarbeitet (oft mit Schokolade überzogen) u. auch als Scharfstoff arzneilich (in *Stomachika) sowie in asiat. Gerichten verwendet. Der sog. *Dtsch. I.* (*Kalmus) gehört zu den Araceae. – *E* ginger – *F* gingembre – *I* zenzero – *S* jengibre

Lit.: Bundesanzeiger 85/05.05.1988; 164/01.09.1990; 50/13.03.1990 ▪ Hager (4.) **6 c**, 568–575 ▪ Melchior u. Kastner, Gewürze, S. 152–157, 165 f., Berlin: Parey 1974 ▪ Schormüller, S. 651 ▪ Ullmann (5.) **A 11**, 229 ▪ Wichtl (3.), S. 631 f. – *[HS 0910 10, 2006 00]*

Ingweröl. Grünlichgelbes, flüchtiges, beim Lagern dickflüssig werdendes ether. Öl, D. 0,87–0,88, n_D^{20} 1,488–1,494, $[\alpha]_D^{20}$ −28° bis −45°; in Wasser nicht, in Alkohol u. Ether löslich. Das nicht scharf schmeckende, aromat. nach Ingwer riechende u. durch Wasserdampfdest. mit einer Ausbeute von 2–3% aus *Ingwer gewonnene I. enthält u. a. Camphen, Phellandren, *Zingiberen (ca. 70%), Curcumen, Cineol, Geranylacetat, Terpineol, Terpinen, Borneol, Citral usw.; der Hauptgeruchsträger ist Zingiberol. Näheres zur Bestimmung der Aroma-Komponenten des ether. Öls s. *Lit.*[1].

Verw.: Zur Likörbereitung u. als Fixateur in der Parfümerie, hauptsächlich zum Aromatisieren von Lebensmitteln, v. a. von Erfrischungsgetränken. Durch Extraktion der Ingwerwurzel läßt sich ein nichtflüchtiges, gelbes, öliges *Oleoresin* gewinnen, das die Scharfstoffe, hauptsächlich Gingerol, Shogaol, *Zingeron u. einige homologe Ketone enthält; gelegentlich wird auch das gesamte Gemisch als *Gingerol* bezeichnet. Als eigentlicher Scharfstoff wird das *[6]-Gingerol*

[6]-Gingerol

Zingeron

$[C_{17}H_{26}O_4, M_R\ 294,39, D.\ 1,0713, [\alpha]_D +26,5° (CHCl_3)]$ angesehen. – *E* ginger oil – *F* huile de gingembre – *I* olio allo zenzero – *S* aceite de jengibre

Lit.: [1]Perfum. Flavor. **9** (5), 1 (1984); **13** (4), 69 (1988); **15** (1), 66 (1990); **16** (6), 53 (1991); Dev. Food. Sci. **34**, 579–594 (1994); **20** (2), 54 (1995).

allg.: Roth u. Kormann, Duftpflanzen, Pflanzendüfte, S. 226, Landsberg: ecomed 1997. – *Toxikologie:* Food Cosmet. Toxicol. **12**, 901 (1974). – *[HS 3301 29; CAS 8007-08-7 (I.); 23513-14-6 ([6]-Gingerol)]*

INH. Abk. für *Isoniazid.

Inhacort® (Rp). Dosier-Aerosol mit *Flunisolid gegen Bronchialasthma. *B.:* Boehringer-Ingelheim.

Inhalationsnarkotika (Inhalationsanästhetika). Sammelbez. für solche *Narkotika, die über die Lunge aufgenommen werden u. Schmerz- u. Bewußtlosigkeit hervorrufen. Verwendet werden gasf. (v. a. *Lachgas) od. leicht flüchtige, flüssige Substanzen (z. B. *Enfluran, *Isofluran, *Halothan, *Methoxyfluran; Diethylether wird wegen Explosivität, schlechter Steuerbarkeit der Narkose u. geringer therapeut. Breite nicht mehr verwendet). Da man hier die Narkose je nach Gaszufuhr vertiefen od. mindern kann, bezeichnet man diese Stoffe auch als *steuerbare* („lenkbare") Narkotika im Gegensatz zu den gespritzten Narkosemitteln (*Injektionsnarkotika). Näheres zur Pharmakologie der I. s. *Lit.*[1]. – *E* inhalation anesthetics, volatile anaesthetics – *F* anesthésiques d'inhalation – *I* narcotici inalatori – *S* anestésicos por inhalación

Lit.: [1]Dtsch. Apoth. Ztg. **124**, 1649–1662 (1984); Kuschinsky u. Lüllmann, Kurzes Lehrbuch der Pharmakologie u. Toxikologie, S. 327–331, Stuttgart: Thieme 1989.

allg.: Ehrhart-Ruschig, S. 267–272 ▪ IARC Monogr. **11** (1976) ▪ Mutschler (7.), S. 234–237 ▪ Neurotransmissions (RBI) **1997** (Nr. 13), 1–7 ▪ Top. Curr. Chem. **93**, 91–125 (1980) ▪ s. a. Anästhetika, Narkotika u. Schmerzmittel.

Inhibin. Aus Sperma- od. Follikelflüssigkeit isolierbares *Glykoprotein mit M_R 32000 (2 entfernt miteinander verwandte Untereinheiten α u. β, die durch *Disulfid-Brücken miteinander verknüpft sind), das in der Hypophyse einen hemmenden Einfluß auf die Sekretion von *Follitropin ausübt u. sowohl dadurch als auch direkt die Follikel- u. Sperma-Bildung hemmt. Lokale Regulationsfunktionen übt I. auch in Gehirn, Placenta, Nebenniere u. Knochenmark aus. Die β-Un-

tereinheit tritt in 2 Formen, β_A bzw. β_B, auf. Die Aminosäure-Sequenz der β-Kette weist in hohem Grad Übereinstimmung mit dem *transformierenden Wachstumsfaktor β auf. Zwei β-Untereinheiten des I. können zu *Activin zusammentreten, einem *Hormon mit gegenteiligem physiolog. Effekt. Ähnliche Wirkungen wie I. zeigt *Follistatin. – *E* inhibin – *F* inhibine – *I* inibina – *S* inhibina

Lit.: Ann. Endocrinol. **57**, 385–394 (1996) ▪ Frontiers Neuroendocrinol. **17**, 476–509 (1996) ▪ Proc. Soc. Exp. Biol. Med. **214**, 328–339 (1997).

Inhibiting factors. Dem Engl. entnommene Sammelbez. für die Gegenspieler der *Releasing-Hormone, also hormonelle Hemmstoffe im weitesten Sinne. Die durch Anhängen von „IF" (an die Abk. des Hormons) od. von *...statin benannten, in Einzelstichwörtern behandelten i. f. werden vom *Hypothalamus ausgeschüttet (vgl. a. Hormone). – *E* = *I* inhibiting factors – *F* facteurs inhibiteurs – *S* factores inhibidores

Inhibition. Von latein.: inhibere = anhalten, hindern abgeleitet, in Wissenschaft u. Technik Bez. für die Hemmung od. vollständige Unterbindung der verschiedenartigsten Vorgänge. Die I. kann zustande kommen durch Zusatz od. durch Überhandnehmen geeigneter Inhibitoren; *Beisp.* s. dort. – *E* = *F* inhibition – *I* inibizione – *S* inhibición

Inhibitoren. Von *Inhibition abgeleitete allg. Bez. für Substanzen, die sozusagen wie neg. *Katalysatoren wirken.

1. *Chem. wirkende I.* hemmen od. unterbinden chem. Reaktionen, v. a. *Kettenreaktionen wie die Autoxid. od. Polymerisationen. Für diese Zwecke häufig benutzte Verb. sind Phenol-Derivate wie Dibutylmethylphenol (BHT, s. 2,6-Di-*tert*-butyl-4-methylphenol) od. Butylhydroxyanisol (BHA, s. tert-Butylmethoxyphenol), die als *Antioxidantien in Nahrungsmitteln unerwünschte oxidative Veränderungen unterbinden; ihre Funktion erfüllen sie als *Radikal-Fänger. Monomeren Olefinen (z. B. Styrol) setzt man häufig phenol. I. (*Verzögerer*) zu, damit vorzeitige u. damit unkontrollierte Polymerisationen unterbleiben. Bei katalyt. Prozessen fungieren I. als *Katalysatorgifte.

2. *In der Biochemie* spielen v. a. Enzym-I. (*Antienzyme, *Antimetabolite) eine Rolle (s. a. Enzyme), wobei deren Wirkung auf *kompetitiver Hemmung, auf *Allosterie-Effekten od. auf (irreversibler) chem. Reaktion beruhen kann. Es gibt zahlreiche natürliche Enzym-I. (*Lit.*[1]), aber auch viele Chemikalien u. Gifte wirken auf diese Weise (z. B. als Cholin- bzw. Acetylcholin-Esterase-Hemmer). Zur Enzymhemmung macht man heute oft Gebrauch von *Suizid-Substraten.

3. *In der Botanik* spricht man weniger von I. als von *Hemmstoffen, wenn von der gewollten od. ungewollten Beeinträchtigung des Pflanzenwachstums die Rede ist; im weiteren Sinne rechnet man diese – teilw. als Herbizide genutzten – I. zu den *Pflanzenwuchsstoffen.

4. *In der Technik* werden I. an vielen Stellen gezielt eingesetzt. So beruht etwa die Wirkung pulverförmiger *Feuerlöschmittel auf einem Inhibitionseffekt. Bei Beton werden vielfach *Erstarrungsverzögerer einge-

setzt, um die Verarbeitungszeit zu verlängern. Im *Korrosionsschutz versteht man als I. solche Stoffe, deren Anwesenheit in einem Angriffsmittel die Korrosion hemmt. Je nachdem, welche Teilreaktion gehemmt ist, werden anod. od. kathod. I. unterschieden. Nach anderen Gesichtspunkten kann man auch in physikal. I. u. chem. I. differenzieren, wobei erstere aufgrund van-der-Waalsscher Kräfte od. durch elektrostat. Anziehung auf der Metalloberfläche adsorbiert werden, wohingegen letztere durch chem. Reaktionen mit dem zu schützenden Metall od. mit Komponenten des Korrosionsmediums eine Schutzschicht auf dem Metall aufbauen. Dies kann wie im Fall der Sparbeizen-I. in der Bildung zusammenhängender (z. B. oxid.) Schichten bestehen (*Passivatoren*), in der Ausfällung schwerlösl. Verb. (*Deckschichtbildner*) od. in der elektrochem. bzw. reduktiven Schichtenbildung durch Metalle. Als chem. I. werden auch sog. *Destimulatoren* wirksam, indem sie im Korrosionsmedium vorhandene anregende Stoffe (*Stimulatoren*, z. B. Sauerstoff) durch Red. desaktivieren; *Beisp.*: Sulfite, Hydrazin. Man unterscheidet zwischen prim. u. sek. I., die ihrerseits wieder untergliedert sind in Elektrolytrand-, Grenzflächen-, Membran-I. u. Passivatoren. Näheres zu Korrosions-I. u. ihrer Wirkung s. *Lit.*[1,2]. – *E* inhibitors – *F* inhibiteurs – *I* inibitori – *S* inhibidores

Lit.: [1] Kirk-Othmer (3.) **6**, 28–35; **7**, 135–138; (4.) **7**, 566–569. [2] Winnacker-Küchler (3.) **6**, 608 ff.; (4.) **4**, 654–657. *allg.:* (*zu* 2.): Zollner, Handbook of Enzyme Inhibitors, 2. Aufl., Weinheim: VCH Verlagsges. 1992.

Inhomogen s. Heterogen.

Inifer-Polymerisation. Ein Verf. der *kationischen Polymerisation von *Monomeren, wie z. B. Isobuten od. Vinylarenen (Styrol), das eine sehr gute Kontrolle der Initiierungs- u. Übertragungsschritte, eine nahezu vollständige Unterdrückung von Abbruchreaktionen u. die Herst. von *Polymeren mit definierten Endgruppen ermöglicht. Die I.-P. (abgeleitet von den engl. Bez. „*initiator*" u. „*transfer* agent") greift auf *Initiatoren zurück, die gleichzeitig als Kettenüberträger wirken. Es entstehen *Telechele Polymere, die an beiden Kettenenden Reste tragen, die vom Initiator stammen. Als Initiatoren fungieren Syst. aus Alkyl(aryl)chloriden u. Bortrichlorid od. Trimethylaluminium. Die mit 2-Chlor-2-phenylpropan/Bortrichlorid gestartete Polymerisation von Isobuten verläuft nach folgendem Mechanismus:

Sie führt zu einem *Polyisobuten mit einer 2-Chlorpropyl- u. einer Phenyl-Endgruppe. Setzt man anstelle des 2-Chlor-2-phenylpropans (I, Minifer) 1,4-Bis- (II, Binifer) od. 1,3,5-Tris-(1-chlor-1-methyl-ethyl)ben-

zol (III, Trinifer) ein, erhält man *telechel(isch)e Polymere mit 2 bzw. 3 reaktiven Endgruppen, über die Folgereaktionen durchgeführt werden können.

– *E* inifer polymerization – *F* polymérisation „inifer" – *I* polimerizzazione inifer – *S* polimerización inifer
Lit.: Compr. Polym. Sci. **3**, 638 ff. ■ Houben-Weyl **E 20**, 110, 792 ff ■ Odian (3.), S. 428.

Iniferter (abgeleitet von der engl. Bez. *ini*tiator – trans*fer* agent – chain *ter*minator). I. ist die Bez. für eine Klasse von *Initiatoren für die *radikalische Polymerisation, die sich durch folgende Charakteristika auszeichnet: 1. Eines (od. beide) der Radikale, die durch den Initiatorzerfall entstehen, sind sehr langlebig u. nicht (od. nur sehr langsam) in der Lage, eine Polymerisation auszulösen. Rekombination mit dem zweiten Initiatorfragment ist daher der dominierende Mechanismus für den (vorübergehenden od. endgültigen) Abbruch des Kettenwachstums. Zusätzlich trägt dazu Kettenübertragung auf den Initiator bei.
2. Die Bindung, die durch eine solche Abbruch-Reaktion gebildet wird, ist therm. od. photochem. labil u. kann durch Homolyse wieder gespalten werden, wodurch erneut ein zu weiterem Wachstum fähiges Radikal entsteht.
3. Rekombination von Radikalen ist der einzige zugelassene Kettenabbruch-Mechanismus; Abbruch durch z. B. Disproportionierung spielt keine Rolle. Der idealisierte Mechanismus kann somit wie folgt zusammengefaßt werden:

Initiierung: $\quad\quad\quad$ R–R′ → R˙+R″˙
Kettenwachstum: $\quad$ R˙+M → R–M˙ →→→ R–(M)$_n$–M˙
Kettenübertragung: R–(M)$_n$–M˙+R–R′ → R–(M)$_n$–M–R′+R˙
Kettenabbruch: $\quad$ R–(M)$_n$–M˙+R″˙ ⇌ R–(M)$_n$–M–R′

Die obigen Merkmale machen den I. ungeeignet zur Darst. hochmol. Polymerer, da die Initiierungs- u. Wachstumsgeschw. bei allen heute bekannten Syst. zu gering sind. Anw. fanden I. allerdings bereits bei der pseudolebenden radikal. Polymerisation sowie bei der Herst. von *Block- u. *Pfropf-Copolymeren. Typ. I. sind z. B. Phenyl-triphenylmethyl-diazen, Dibenzoyldisulfan od. Tetraphenyl-bernsteinsäuredinitril. – *E* = *F* = *I* = *S* iniferters
Lit.: Compr. Polym. Sci. **3**, 143 ■ Houben-Weyl **E 20**, 72 f.

...inin s. ...in.

INIS (Abk. für *I*nternational *N*uclear *I*nformation *Sy*stem). Ein internat. Informationssyst. mit Daten zur friedlichen Nutzung der Kernenergie. Es wird von der *IAEA in Zusammenarbeit mit ihren Mitgliedsländern u. einigen internat. Organisationen betrieben. 1996 gibt es 91 Mitgliedsländer u. 17 internat. Organisationen, die INIS beigetreten sind. INIS stellt einen vollständigen Informationsservice für Lit. in den Bereichen Kernforschung u. Kerntechnik zur Verfügung. Die Serviceleistungen von INIS umfassen den INIS-

Atomindex sowie mehrere kumulative Indexe, einen Microfiche-Service, einen Magnetbanddienst, einen Online-Service, eine Referenzserie u. einen Computerprogramm-Service. Seit 1987 wird INIS als bibliograph. Datenbank über den Host STN International öffentlich angeboten. Als Partner für die BRD ist das *Fachinformationszentrum Karlsruhe zuständig.

Lit.: STN Summary Sheet der Datenbank INIS, STN International, c/o Fachinformationszentrum Karlsruhe 1996.

Initialsprengstoffe. Von latein.: initium = Anfang, Eingang abgeleitete Bez. für solche *Explosivstoffe, die – in Mengen von 10 bis 100 mg eingesetzt – in der Lage sind, größere Mengen trägerer Explosivstoffe zur *Explosion od. *Detonation zu bringen (*Zündsprengstoffe*). Das in Gewehrpatronen befindliche *Cellulosenitrat kann allein durch den Aufschlag des beim Abdrücken vorschnellenden Gewehrbolzens nicht zur Explosion gebracht werden, da es nur geringe Stoßempfindlichkeit besitzt, u. die in Bergwerken verwendeten *Wettersprengstoffe u. Ammonsalpeter-Sprengstoffe sind so reaktionsträge, daß sie durch Schlag, Stoß od. durch die Hitze einer abbrennenden Zündschnur nicht detonieren. Auch das in Granaten, Minen, Bomben u. dgl. meist verwendete, seit 1865 bekannte *Trinitrotoluol neigt, für sich genommen, so wenig zu Explosionen, daß seine Eignung als Sprengstoff erst 1891 erkannt wurde. In den obigen u. ä. Fällen verwendet man als I. in *Sprengkapseln, Zündhütchen (vgl. Zündmittel) od. zur Zündung von sog. *Verstärker-Ladungen (*Booster*) u. a. *Quecksilberfulminat, *Bleiazid, Silberazid, *Tetrazen, *Bleitrinitroresorcinat; sie sind alle durch hohe Empfindlichkeit gegen Reibung, Stoß, Schlag u. Erhitzung ausgezeichnet. Quecksilberfulminat wird z. B. schon durch Erhitzen auf 160 °C (Zündschnur) bzw. durch einen aus 4 cm Höhe herabfallenden 2 kg-Fallhammer zur Detonation gebracht. Die Gewehrpatronen haben am Boden ein wenig Quecksilberfulminat od. Bleiazid u. dgl., das durch den aufschlagenden Bolzen zur Detonation gebracht wird u. hierbei auch eine Explosion des Cellulosenitrat-Pulvers verursacht. Die Erfindung der Initialzündung mit Sprengkapseln erfolgte 1867 durch *Nobel. – *E* primary explosives, initial detonating agents – *F* explosifs d'amorçage – *I* inneschi – *S* explosivos iniciadores, explosivos iniciales, explosivos primarios

Lit.: Kirk-Othmer (3.) **9**, 565–572; (4.) **10**, 16–21 ▪ Meyer, Explosivstoffe, 6. Aufl., S. 173 f., Weinheim: Verl. Chemie 1985 ▪ Ullmann (4.) **21**, 671 f.; (5.) **A 10**, 155 f.

Initiation. Von latein.: initium = Anfang abgeleitete Bez. für das Anfangsglied einer Reaktionssequenz. I. ist gleichbedeutend mit *Startreaktion*, insbes. bei *Kettenreaktionen (s. a. Initiatoren) od. bei der in den *Ribosomen nach Maßgabe des *genetischen Codes (s. dort das Codon AUG) ablaufenden Protein-Biosynthese. – *E = F* initiation – *I* iniziazione – *S* iniciación

Initiationsfaktoren (Abk. IF). Proteine, die für die Startreaktion der Biosynth. der *Proteine, der *Ribonucleinsäuren (RNA) od. *Desoxyribonucleinsäuren (DNA), d.h. für die Initiierung der *Translation, *Transkription bzw. *Replikation, od. für die Einleitung anderer Prozesse (z. B. *Carcinogenese) von Bedeutung sind. Man kennt über zehn *eukaryontische I.

(eIF; zu deren Nomenklatur s. *Lit.*[1]) der Translation[2]; besser bekannt sind jedoch die I. der bakteriellen Translation (IF-1 bis IF-3, M_R 8000, 75 000 bzw. 30 000), die – neben Magnesium-Ionen u. Guanosin-5'-triphosphat (s. Guanosinphosphate) – am Komplex der kleinen *Ribosomen-Untereinheit mit Messenger-RNA u. Formylmethionyl-Transfer-RNA beteiligt sind. Als I. der bakteriellen Transkription gilt der *Sigma-Faktor, der sich an bestimmte Abschnitte der Desoxyribonucleinsäuren (*Promoter* od. *Promotoren) bindet u. spezif. Komplexe mit RNA-Polymerase stabilisiert; als deren Untereinheit wird er zuweilen auch angeführt. Neben dem länger bekannten IF σ^{70} (M_R 70 000) hat man u. a. ein σ^{32} (M_R 32 000) gefunden, das sich an Promotoren der Gene für *Hitzeschock-Proteine bindet. Bei der eukaryont. Transkription fungieren in allg. das *TATA-bindende Protein u. die *Transkriptionsfaktoren TF IIA, TF IIB, TF IID, TF IIE, TF IIF u. TF IIH als Initiationsfaktoren[3]. – *E* initiation factors – *F* facteurs d'initiation – *I* fattori d' iniziazione – *S* factores de iniciación

Lit.: [1] Eur. J. Biochem. **186**, 1 ff. (1989). [2] Eur. J. Biochem. **236**, 747–771 (1996). [3] Proc. Nat. Acad. Sci. USA **94**, 15–22 (1997); Trends Biochem. Sci. **21**, 327–335 (1996). *allg.:* Stryer 1996, S. 888 f., 899 ff., 942, 950 f.

Initiatoren. Verb., die eingesetzt werden, um chem. (Ketten-)Reaktionen zu starten (initiieren). Die I. werden dabei während des Initiierungsschrittes verbraucht u. ihre Fragmente z. T. in die entstehenden Verb. eingebaut. Breite Anw. finden I. v. a. bei *Polymerisationen. Hierbei wird aus dem Initiator (I) durch chem., therm. od. photochem. Reaktionen eine aktivierte Spezies (I*) erzeugt, die mit einem *Monomer-Mol. (M) zu einem aktiven Produkt IM* reagiert. An dieses lagert sich dann in der als Kettenwachstum bezeichneten Phase eine große Anzahl (n) weiterer Monomer-Mol. an:

$$I \rightarrow I^*$$
$$I^* + M \rightarrow IM^*$$
$$IM^* + nM \rightarrow IM_nM^*$$

Bei *anionischen Polymerisationen ist I* ein Anion, das aus I. wie Natriumamid, Natriumalkoholaten, Alkoxiden, Cyaniden od. Metall-organ. Verb., z. B. Butyllithium, gebildet wird. *Kationische Polymerisationen werden u. a. durch Protonen starker Säuren od. Lewis-Säuren gestartet. I. für *Radikalketten-Polymerisationen sind Verb., die leicht in *Radikale zerfallen. Dazu gehören u. a. Azo-Verb. wie das Azodiisobutyronitril (AIBN, **1**), Peroxide wie z. B. *Benzoylperoxid (**2**), ferner Hydroperoxide u. Perester. Für radikal. Polymerisationen bei tiefen Temp. werden weiterhin häufig sog. Redox-I., Syst. aus oxidierenden u. reduzierenden Komponenten eingesetzt, z. B. Wasserstoffperoxid/Eisen(II) (**3**) od. Cumolhydroperoxid/Eisen(II) (**4**), bei deren Reaktion Radikale erzeugt werden. Redox-I. werden insbes. bei Polymerisationen in wäss. Syst., z. B. bei *Emulsionspolymerisationen, verwendet.

Wichtiges Kriterium für die Wahl eines I. für die therm. initiierte Radikalketten-Polymerisation ist dessen HWZ bei der gewünschten Polymerisations-Temp., die Tab.-Werken (z. B. *Lit.*[1]) entnommen werden kann.

$$1 \quad H_3C-\underset{\underset{CN}{|}}{\overset{\overset{CH_3}{|}}{C}}-N=N-\underset{\underset{CN}{|}}{\overset{\overset{CH_3}{|}}{C}}-CH_3 \longrightarrow 2\ H_3C-\underset{\underset{CN}{|}}{\overset{\overset{CH_3}{|}}{C}}{}^{\bullet} + N_2$$

$$2 \quad \underset{H_5C_6}{}\overset{O}{\overset{\|}{C}}-O-O-\overset{O}{\overset{\|}{C}}\underset{C_6H_5}{} \longrightarrow 2\ H_5C_6-\overset{O}{\overset{\|}{C}}-O^{\bullet}\ \left(\xrightarrow[-2\,CO_2]{}\ 2\ {}^{\bullet}C_6H_5\right)$$

$$3 \quad H-O-O-H + Fe^{2+} \longrightarrow H-O^{\bullet} + H-O^{-} + Fe^{3+}$$

$$4 \quad H_5C_6-\underset{\underset{CH_3}{|}}{\overset{\overset{CH_3}{|}}{C}}-O-O-H + Fe^{2+} \longrightarrow H_5C_6-\underset{\underset{CH_3}{|}}{\overset{\overset{CH_3}{|}}{C}}-O^{\bullet} + H-O^{-} + Fe^{3+}$$

Da viele Monomere in Abwesenheit von *Inhibitoren auch ohne I.-Zusatz spontan polymerisieren können, die I. in diesen Fällen also quasi nur beschleunigend fungieren, werden I. häufig auch Beschleuniger genannt. – *E* initiators – *F* initiateurs – *I* iniziatori – *S* iniciadores
Lit.: [1] Brandrup u. Immergut, Polymer Handbook, 3. Aufl., S. II/1 – II/65, New York: Wiley 1989. *allg.:* Compr. Polym. Sci. **3**, 98 – 146 ▪ Elias (5.) **1**, 373 ff., 445 ff. ▪ Houben-Weyl E **20**, 19 – 59, 116 – 123 ▪ Odian (3.), S. 211, 358, 399 ▪ s. a. Polymerisation u. einzelne Polymerisationsverfahren.

Inium-Verbindungen s. Onium-Verbindungen.

Injektion. Einspritzung flüssiger Mittel in den Körper zur ärztlichen Behandlung, zum Impfen od. zu diagnost. Zwecken. Injiziert wird je nach Anw. u. a. direkt in die Blutbahn über die Vene (intravenös = i. v.) od. über die Arterie (intraarteriell = i. a.), in den Muskel (intramuskulär = i. m.), unter die Haut (subcutan = s. c.) od. in den Liquorraum (intrathekal, intralumbal). Die dazu erforderlichen Spritzen u. Kanülen sind hierzulande nach DIN genormt. Beim *Impfen kommen auch Impfpistolen zum Einsatz, die die Impfstoffe mit hohem Druck injizieren. – *E* = *F* injection – *I* iniezione – *S* inyección

Injektionsnarkotika (Injektionsanästhetika). Sammelbez. für solche *Narkotika, die intravenös verabreicht werden u. Schmerz- u. Bewußtlosigkeit hervorrufen. Im Gegensatz zu den *steuerbaren* *Inhalationsnarkotika sind die I. *nicht- bzw. schlecht steuerbare* Narkosemittel. Sie werden hauptsächlich zur Narkoseeinleitung od. für Kurznarkosen verwendet. Gebräuchlich sind z. B. Barbitursäure-Derivate (*N-methylierte-*, z. B. *Hexobarbital, *Methohexital-Natrium u. *Thio-Barbiturate*, z. B. *Thiopental Natrium, *Thiobutabarbital), *Propanidid, *Ketamin, 4-*Hydroxybuttersäure, *Etomidat. Bei der Neurolept-Analgesie werden gleichzeitig ein starkes *Analgetikum u. ein *Neuroleptikum gegeben, was zu starker Sedierung führt. – *E* injection anestetics – *F* anesthésiques d'injection – *I* narcotici per iniezione – *S* anestésicos por inyección, anestésicos endovenosos
Lit.: Dtsch. Apoth. Ztg. **124**, 1823 – 1829 (1984) ▪ Mutschler (7.), S. 237 – 242 ▪ s. a. Narkotika.

Injektorbelüftung. Bez. für eine Vorrichtung zur Belüftung von *Abwasser bei der *biologischen Abwasserbehandlung, s. Ejektorbelüftung.
Lit.: ATV, Lehr- u. Handbuch der Abwassertechnik (3.), Bd. 4, S. 346 – 349, Berlin: Ernst 1985.

Inkaway®. Hochwirksamer Reiniger für alle Arten von Tinten u. Lacken, auch für Produkte auf Wassergrundlage im Flexodruck, UV-Druck od. Tiefdruck. Der Reiniger zeichnet sich durch geringe Verdunstungsrate, hohen Flammpunkt, biolog. Abbaubarkeit u. Wassermischbarkeit aus. *B.:* ISP.

Ink-Jet-Druckverfahren s. Druckverfahren.

Ink-Jet-Tinten. I.-J.-T. sind niedrigviskose, licht- u. wasserechte *Farbstoff-Präparationen, die eine schnelle Trockenzeit u. eine definierte Oberflächenspannung besitzen. Da beim Ink-Jet-Verf. die I.-J.-T. berührungslos vom Farbstoffträger durch Mikroprozessor-gesteuerte Düsen mit hoher Geschw. aufgesprüht werden, dürfen sie aber nicht im Schreibkopf eintrocknen od. ihn korrodieren. – *E* ink-jet inks – *I* inchiostro per la stampa a getto d'inchiostro – *S* tintas ink-jet
Lit.: Rouette, Lexikon für Textilveredlung, S. 897 f., Dülmen: Laumann 1995.

Inklusion (von latein.: includere = einschließen). 1. Einschluß kleiner Stoffmengen (Verunreinigungen, Lsm., Gase u. dgl.) in andere Substanzen; *Beisp.:* Metalloxide u. -sulfide in Metallen, Verunreinigungen in Edelsteinen, Benzol od. Tetrachlormethan zwischen Fadenmol. von Wolle u. Seide, s. a. Mitfällung u. Einschlußverbindungen. – 2. Begriff aus der Mengenlehre. – *E* = *F* inclusion – *I* inclusione – *S* 1. inclusión

Inklusions-Polymerisation s. Einschluß-Polymerisation.

Inkohärenz s. Kolloidchemie.

Inkohlung. Bez. für den chem. noch nicht restlos geklärten Prozeß der *Kohle-Entstehung. Diese Diagenese führt in Zeiträumen von Jahrmillionen von frischem Pflanzenmaterial über die (in Einzelstichwörtern näher charakterisierten) Stufen Huminsäuren u. Torf zu Braunkohle, Steinkohle, Anthrazit u. Graphit. Dabei verringert sich der Anteil der flüchtigen Bestandteile (H, O, N) immer mehr zugunsten des Kohlenstoff-Gehalts, der zum Schluß fast 100% beträgt. Die H : C- bzw. die O : C-Verarmung ist anschaulich in einem Diagramm dargestellt worden, s. die Abb. in *Lit.*[1]. Die I., bei der häufig auch *Fossilien eingebettet werden, verläuft in verschiedenen Phasen.
Für die *biochem. Phase* der I. ist Sauerstoff-Mangel, wie er in Sümpfen u. Marschen herrscht, nötig, um den oxidativen Abbau der Pflanzen zu Kohlendioxid u. Wasser zu verhindern. Anaerobe Bakterien zersetzen zunächst die Kohlenhydrate, Stärke u. Pektin, dann Polyosen u. Cellulose. Lignin wird nur langsam, Harze, Wachse u. Sporopollenine werden fast überhaupt nicht angegriffen; aus ihnen bilden sich die verschiedenen *Macerale. Bei der reduktiven Zers. entstehen Methan, Kohlendioxid u. Wasser; Zwischenprodukte sind organ. Säuren u. Phenole, die in höherer Konz. die Bakterien abtöten. Im Lauf der Zeit bilden sich dicke kompakte Schichten – der *Torf.
In der *geochem. Phase* der I. sind Druck u. Temp. für die Zunahme der Dichte der Kohle – die sog. *Kompaktion* (s. Kompaktieren) – verantwortlich. Geolog. Alter einer Kohle u. ihr *Inkohlungsgrad gehen jedoch nicht unbedingt parallel. Geolog. Prozesse wie Vulka-

nismus u. die Faltung von Gebirgen wirken beschleunigend auf die Anthrazit-Bildung. – *E* coalification, carbonification, incarbonization – *F* carbonisation – *I* carbonizzazione – *S* carbonización
Lit.: [1] Hutzinger 1 **A**, 78.
allg.: Ullmann (4.) **14**, 288–292; (5.) **A** 7, 157 f. ▪ s. a. Kohle.

Inkohlungsgrad. Der I. ist ein Maß für die Elementarzusammensetzung von wasser- u. aschefreien (waf) *Kohlen u. wird durch den Gehalt an flüchtigen Bestandteilen beschrieben. Der durch Reflexionsmessungen an Vitriniten (s. Macerale) bestimmte Grad der *Inkohlung ist – zusammen mit der Maceral-Gruppenanalyse – ein Kriterium für die Verw.-Möglichkeit einer Kohle. – *E* coal rank – *F* degré de carbonisation – *I* stato di carbone – *S* grado de carbonización

Inkompatibilität. Von spätlatein.: compati = mitleiden, sympathisieren abgeleitete Bez. für allg. Unverträglichkeit, Unvereinbarkeit. In der Medizin u. Pharmazie bezeichnet man solche (pharmazeut.) Präp. als inkompatibel, die nicht gleichzeitig angewendet werden können, da sie in unerwünschter Weise miteinander reagieren (z. B. durch Oxid., Red., Ausfällung, Salz-Bildung u. dgl.) od. die physiolog. gegensätzliche Wirkungen hervorrufen. In der Immunologie spielen *Histokompatibilitäts-Antigene eine wichtige Rolle bei der I. körperfremder mit körpereigenen Geweben bes. bei Transplantationen. In diesen Fällen versucht man, durch Anw. von Immunsuppressiva (s. Immunsuppression) *Kompatibilität* (Verträglichkeit) zu erreichen. Im biolog. Sprachgebrauch bedeutet I. die Unverträglichkeit zweier Organismen, aufgrund welcher trotz funktionsfähiger Geschlechtszellen keine Nachkommen erzeugt werden können. I. besteht z. B. definitionsgemäß zwischen verschiedenen Arten; bei zwittrigen Pflanzen tritt meist Selbst-I. auf. – *E* incompatibility – *F* incompatibilité – *I* incompatibilità – *S* incompatibilidad

Inkorporierung (Inkorporation). Einbau eines *allothigenen Stoffes (od. seiner Folgeprodukte) in einen Organismus od. ein Gestein (z. B. Einbau von *Chloranilin in pflanzliches *Lignin[1]); üblicherweise wird darüberhinaus auch der Aufnahmevorgang als I. verstanden, z. B. die *Ingestion (Aufnahme durch den Mund) u. die Inhalation (Aufnahme durch die Atemwege). Gegensatz: *Dekorporierung. Zur I. radioaktiver Stoffe s. *Lit.*[2]. – *E* = *F* incorporation – *I* incorporazione – *S* incorporación
Lit.: [1] Korte (3.), S. 77. [2] Römpp Lexikon Umwelt, S. 360.

Inkrement. Von latein.: incrementum = Wachstum, Zuwachs abgeleitete Bez. für einen kleinen differentiellen Zuwachs einer veränderlichen Größe (Zuschlag; Gegensatz: *Dekrement* = Abnahme, Verminderung). *Beisp.:* *Atomrefraktionen u. *Bindungsinkremente sind I. für die Berechnung der Molrefraktion einer Verb. (vgl. Refraktion); Analoges gilt für die Berechnung des *Parachors u. der *Aktivitäts-Koeffizienten[1] aus Inkrementen. – *E* increment – *F* incrément – *I* = *S* incremento
Lit.: [1] Z. Chem. **18**, 81–88 (1978).

Inkrete s. Endokrinologie u. Sekretion.

Inkromverfahren s. BDS-Inkrom-Verfahren u. Inchromverfahren.

Inkubation. Von latein.: incubare = brüten abgeleitete Bez. für – 1. das labormäßige Heranzüchten mikrobieller Keime, meist in Inkubatoren (*Brutschränken) u. – 2. den Zeitraum (die I.-Zeit) zwischen *Infektion u. Krankheitsausbruch bei infektiösen Erkrankungen. Bei den meisten Infektionskrankheiten beträgt die I.-Zeit einige Tage bis Wochen, kann in Extremfällen aber auch nur einige Stunden (z. B. bei Cholera) od. auch Jahre (z. B. bei *Lepra od. *AIDS) dauern. Während der I.-Phase vermehren sich die Krankheitserreger so stark, daß schließlich die Krankheit manifest wird. – *E* = *F* incubation – *I* incubazione – *S* incubación

Inkubationsphase s. lag-Phase.

Inkubator s. Brutschrank.

INN. Abk. für engl.: *I*nternational *N*on-Proprietary *N*ame = internat. Freiname; s. Freinamen. – *E* INN – *F* = *I* = *S* DCI

Innenraumbelastung. Bez. für die nicht gewerblich bedingte *Immission biolog., chem. u. physikal. *Noxen (Hausstaub, Chemikalien, Lärm) in Innenräumen des kommunalen Bereiches (Wohnräume), im Unterschied zur Arbeitsplatzbelastung. Unerwünschte Stoffe können aus den natürlichen Bestandteilen der Baustoffe (Radon), durch Rückstände in Materialien (Baumaterialien, Möbel, Fußbodenbeläge, u. a.) od. durch bewußt angewendete Produkte (Sprays, Reinigungs- u. Pflegemittel, Konservierungs- u. Desinfektionsmittel, Räucherstäbchen), insbes. – als bedeutenste Quelle – durch das Rauchen[1], emittiert werden. I. können auch durch leichtflüchtige Wasserinhaltsstoffe (Duschen, Baden), durch Ofenfeuerung, Kerzen u. Brennstofflagerung, als Pyrolyseprodukte bei der Essensbereitung, durch Ausdünstungen von Zimmerpflanzen od. durch Milben (Kot) u. Pilze (Sporen) entstehen. Stoffe können sich in Abhängigkeit von den physikal. u. chem. Eigenschaften (Dampfdruck, Löslichkeit, Adsorptionsgrad) in die Innenraumluft verflüchtigen u. vom Menschen mit der Atemluft (Inhalation) od. über die Haut (Ganzkörperaufnahme) inkorporiert werden. Sie können auch von anderen festen Oberflächen wieder adsorbiert bzw. absorbiert werden. Dabei können weniger flüchtige Stoffe in Materialien des Wohnraums persistieren u. zu chron. Expositionen des Menschen führen. *Beisp.:* *Formaldehyd, Bestandteile von Reinigungs- u. Pflegemitteln, Konservierungsmittel, *Haloforme aus Anw. von Desinfektionsmitteln, insbes. in Krankenhäusern, s. a. sick building-syndrome. – *E* indoor air pollution – *F* charge intracavitaire – *I* contaminazione dell'interno – *S* contaminación del aire en lugares cerrados
Lit.: [1] Chem. Unserer Zeit **28**, 280–290 (1994).
allg.: Baechler et al., Sick Building Syndrome, Pante Ridge: Noyes Data 1991 ▪ EPA u. NIOSH (Hrsg.), Building Air Quality, Pittsburgh: US Government Printring Office 1991 ▪ Korte (3.), S. 109 f. ▪ Pluschke, Luft-Schadstoffe in Innenräumen, Berlin: Springer 1996 ▪ Samet u. Spengler (Hrsg.), Indoor Air Pollution, Baltimore: John Hopkins Univ. Press 1991 ▪ Umwelt (UBA) **1996**, 123.

Innere Energie s. Enthalpie, Freie Energie u. Hauptsätze.

Innere Komplexsalze s. Chelate u. Koordinationslehre.

Innere Reibung s. Viskosität.

Innermolekular s. intramolekular.

Inner-Orbital-Komplexe s. Ligandenfeldtheorie u. Koordinationslehre.

Innohep®. Injektionslsg. mit *Tinzaparin-Natrium, ein von Heparin aus Schweinedarmmukosa durch enzymat. Spaltung mit Heparinase gewonnenes niedermol. Heparin, mittlere M_R 3000–6000, zur postoperativen Primärprophylaxe von Thrombosen. *B.:* Braun Melsungen.

Innovation (latein.: innovatio, Erneuerung). In der allg. Wissenschaftstheorie ist I. ein Prozeß, in dessen Verlauf neues Wissen auftritt. Im engeren Sinne werden darunter Neuerungen wissenschaftlich-techn. Natur verstanden, z.B. neuartige Lösungen für ein bestimmtes Problem wie Einführung eines neuen Produkts od. Anw. eines neuen Verfahrens. Die *chemische Industrie gilt als bes. innovationsfreudig u. bringt als Folge des techn. u. wissenschaftlichen Fortschritts viele I. hervor. Veränderte wirtschaftliche Strukturen, wie sie z.B. durch die Erdölkrise od. die Umweltdiskussion ausgelöst worden sind, begünstigen die Innovation.
Kleine u. mittlere Unternehmen (*KMU) gelten als bes. innovativ. So stammen von 2,3 Mio. neuen Arbeitsplätzen, die zwischen 1982 u. 1994 in Westdeutschland neu entstanden, zwei Drittel von neu gegründeten Unternehmen. Die Erhaltung der Wettbewerbsfähigkeit in Schlüsseltechnologien wie z.B. Informationstechnik, Biotechnologie, speziellen physikal. Technologien u. neuen Materialien ist zunehmend auch eine wirtschaftspolit. Aufgabe geworden, so daß die staatliche I.-Förderung sowohl durch Schaffung fiskal. u. finanzieller Rahmenbedingungen als auch durch direkte *Forschungsförderung ein wichtiges Wettbewerbsinstrument der Ind.-Länder geworden ist. – *E = F* innovation – *I* innovazione – *S* innovación
Lit.: Freyend, Handbuch der Forschungs- u. Innovationsförderung, Köln: Dtsch. Wirtschaftsdienst 1993 ▪ Nachr. Chem. Tech. Lab. **44**, 437, 927f., 1171f. (1996).

Innovationsstimulierung der deutschen Wirtschaft ... s. INSTI.

ino-. Aus dem Griech. (Genitiv von is = Sehne) abgeleitetes Präfix zur Bez. kettenförmiger *Silicate. – *E = F = I = S* ino-

Ino. Abk. für *Inosin.

Inofin®. Dach- u. Dichtungsbahnen; Chlor-freies, weichmacherfreies, thermoplast. *Polyolefin, homogen schweißbar. *B.:* Grünau.

Inokosteron.

$C_{27}H_{44}O_7$, M_R 480,64, Krist., Schmp. 255°C. Isomeres des *Ecdysons (mit einer OH-Gruppe an C-26 statt an C-25) u. vergleichbarer Insektenhormon-Wirkung. I. kommt in zahlreichen Pflanzen vor. – *E* inokosterone – *F* inocostérone – *I* inocosterone – *S* inocosterona
Lit.: Naturwissenschaften **59**, 91–98 (1972) ▪ Sax (8.), IDD 000 ▪ Tetrahedron **32**, 3015ff. (1976); **50**, 7247 (1994). – [*CAS 15130-85-5*]

Inokulum (Impfgut, Impfkultur, Impfmaterial). Bez. für lebendes Zellmaterial, mit dem in *Mikrobiologie u. *Zellkultur ein Nährmedium beimpft wird, um eine Zellvermehrung od. die Bildung von Stoffwechselprodukten zu erreichen. Das Impfen erfolgt üblicherweise unter asept. Bedingungen, um Fremdorganismen in der *Kultur zu vermeiden. – *E = F* inoculum – *I* inoculo – *S* inóculo
Lit.: Crueger-Crueger (3.), S. 98 f.

Inorganic Crystal Structure Database (ICSD). Die ICSD stellt die umfassendste Datensammlung von vollständig beschriebenen Kristallstrukturen (Gitterkonstanten, Raumgruppe, Lageparameter, etc.) anorgan. Verb. dar. Die der Lit. entnommenen Datensätze werden vor der Aufnahme in die ICSD auf ihre innere Konsistenz u. Plausibilität überprüft. Ende 1995 enthielt die ICSD etwa 40000 Einträge mit einer jährlichen Fortschreibung von rund 1800 Datensätzen. Die Lit. ist seit der ersten Strukturaufklärung 1915 vollständig erfaßt. Zur Abgrenzung gegen die Cambridge Structural Database dürfen die aufgenommenen Verb. keine C–C/C–H-Bindungen enthalten. Sie müssen aber mind. ein Nichtmetall enthalten, um Überschneidungen mit dem Metals File des National Research Council of Canada zu vermeiden. Die ICSD wird gemeinsam vom *Fachinformationszentrum Karlsruhe u. dem *Gmelin-Institut herausgegeben. Sie ist als CD-ROM verfügbar, die mit einer Suchoberfläche u. einem Graphikprogramm zur 3-D Darst. versehen ist.

Inosilicate s. Silicate.

Inosin (9-β-D-Ribofuranosyl-1,9-dihydro-6*H*-purin-6-on, 9-Ribosylhydroxanthin; Kurzz.: Ino).

$C_{10}H_{12}N_4O_5$, M_R 268,23. Als Dihydrat farblose Nadeln, Schmp. 90°C, in wasserfreier Form Schmp. 218°C (Zers.), in siedendem Wasser u. Alkohol löslich. I. ist durch Kochen mit 0,1 N Schwefelsäure in *Hypoxanthin u. D-*Ribose spaltbar u. kann aus *Adenosin unter Einwirkung von Adenosin-Desaminase (EC 3.5.4.4) erhalten werden. Das *Nucleosid I. kommt in Fleisch u. Fleischextrakt, in Zuckerrüben, Hefen usw. vor u. tritt im Organismus als Zwischenprodukt des Nucleotid-Stoffwechsels auf (z.B. beim Abbau von Adenosin). – *E = F* inosine – *I = S* inosina
Lit.: Beilstein E V **26/13**, 180–184. – [*HS 293490; CAS 58-63-9*]

Inosin-3′,5′-monophosphat s. Inosin-5′-monophosphat.

Inosin-5′-monophosphat (IMP, Inosinsäure).

$C_{10}H_{13}N_4O_8P$, M_R 348,21 (freie Säure). Von *Hypoxanthin abgeleitetes *Nucleotid, das wie das entsprechende *Adenosin-5′-monophosphat (AMP) u. Guanosin-5′-monophosphat (GMP, s. Guanosinphosphate) zu den Purin-Nucleotiden zählt. Farbloser, angenehm salzig-säuerlich schmeckender, leicht wasserlösl. Sirup, der bei Trocknung über Schwefelsäure in eine glasige Masse übergeht. IMP kommt frei im Muskel vor, wo es unter dem Einfluß von *AMP-Desaminase* (EC 3.5.4.6), bes. bei Ermüdung, aus AMP gebildet wird. Umgekehrt dient IMP als Vorstufe für die Bildung von AMP u. GMP. In geringen Konz. finden sich auch das cycl. *Inosin-3′,5′-monophosphat* (cyclo-IMP, cIMP) sowie Inosin-5′-di- u. -triphosphat im Muskelgewebe u. im Blut. In gebundener Form findet sich IMP als seltenes Nucleotid in Transfer-*Ribonucleinsäuren, wo es durch posttranskriptionale Modifizierung gebildet wird[1]. IMP wurde im Fleisch-Extrakt bereits 1847 von *Liebig nachgewiesen, der auch die *Geschmacksverstärker-Wirkung des IMP erwähnte. Der Name ist von griech.: is (Genitiv: inós) = Faser, Muskel abgeleitet. – *E = F* inosine 5′-monophosphate – *I* inosina 5′-monofosfato – *S* 5′-monofosfato de inosina
Lit.: [1] Biochimie **78**, 488–501 (1996).
allg.: Beilstein E V **26/13**, 190 ff.

Inosin-Pranobex s. Dimepranol-acedoben.

Inosinsäure s. Inosin-5′-monophosphat.

Inosite (Inositole, Cyclohexan-1,2,3,4,5,6-hexaole, Kurzz.: Ins).

myo -Inosit

$C_6H_{12}O_6$, M_R 180,16. Gruppe von sechswertigen, cycl. Alkoholen (*Cyclite), die 8 Diastereomere [s. Diastereo(iso)merie] bilden. Die Isomeren werden durch verschiedene kursiv gesetzte Präfixe unterschieden, die die relativen Positionen der Hydroxy-Gruppen zueinander charakterisieren (oberhalb/unterhalb der Ringebene): *cis*- (1,2,3,4,5,6/0), *epi*- (1,2,3,4,5/6), *allo*-(1,2,3,4/5,6), *myo*- (1,2,3,5/4,6), *neo*- (1,2,3/4,5,6), *muco*- (1,2,4,5/3,6), *chiro*- (1,2,4/3,5,6) u. *scyllo*-(1,3,5/2,4,6). *Chiro*-I. bildet Enantiomere (s. Enantiomerie), somit ergeben sich insgesamt 9 Stereoisomere (s. Stereoisomerie), die alle in der Natur vorkommen. Am wichtigsten ist der *myo*-I. (süß schmeckende Krist., wasserfrei D. 1,725, Schmp. 225–227 °C, leicht lösl. in Wasser, wenig in Alkohol, unlösl. in Ether). Der früher auch *meso*-I. genannte *myo*-I. findet sich frei im Muskelgewebe [Name von griech.: mȳs (Genitiv: myós) = Maus, Muskel u. is (Genitiv: inós) = Faser, Muskel] sowie in vielen pflanzlichen u. tier. Organen. Der menschliche Körper enthält ca. 40 g; *myo*-I. hat für viele Organismen die Bedeutung eines Wachstumsfaktors u. ist z. B. ident. mit dem früher als *Bios I* bezeichneten Hefe-Wachstumsfaktor (vgl. Biotin, Geschichte), der zuweilen dem Vitamin-B-Komplex zugeordnet wurde. Im Organismus kann *myo*-I. aus D-*Glucose-6-phosphat über 1L-*myo*-Inosit-1-phosphat als Zwischenprodukt gebildet werden [beteiligte Enzyme: Inosit-1-phosphat-Synthase (EC 5.5.1.4) u. Inosit-1-phosphatase (EC 3.1.3.25)]. Der menschliche Bedarf wird hauptsächlich aus Obst u. Getreide gedeckt, in denen *myo*-I. wie auch in anderen Pflanzenorganen in Form von *myo*-Inosithexakisphosphat (*Phytinsäure) vorkommt. Im Darm wird der allein resorbierbare I. durch Phosphatasen (z. B. eine pflanzliche Phytase, EC 3.1.3.26) freigesetzt. *myo*-*Inositphosphate wirken in tier. Zellen als *second messengers, *Phosphatidylinosite sind als *Phospholipide in biolog. *Membranen enthalten. Den Struktur-verwandten Verb. *Lindan (ein *muco*-Derivat) u. *Streptomycin (der Streptidin-Rest leitet sich vom *scyllo*-I. ab) hat man *Antimetaboliten-Eigenschaften unterstellt. – *E = F* inositols – *I* inositoli – *S* inositoles
Lit.: Beilstein E IV **6**, 7919 ff. – *[HS 2906 13]*

Inosit-hexanicotinat s. Inositolnicotinat.

Inosithexaphosphat s. Phytinsäure; vgl. Inosit.

Inositide s. Phosphatidylinosite.

Inosit-Lipide s. Phosphatidylinosite.

Inositolnicotinat (Inositolniacinat).

R = CO—

Internat. Freiname für den *Vasodilatator u. *Lipidsenker *myo*-Inosit-hexanicotinat, $C_{42}H_{30}N_6O_{12}$, M_R 810,73, Schmp. 254–255 °C; λ_{max} (0,1 M HCl): 261 nm ($A_{1cm}^{1\%}$ 396); prakt. unlösl. in Wasser u. vielen organ. Lsm., lösl. in verd. Säuren. I. ist als Generikum im Handel. – *E* inositol nicotinate – *F* nicotinate d'inositol – *I* inositolo nicotinato – *S* nicotinato de inositol
Lit.: Beilstein E V **22/2**, 67 ■ Hager (5.) **8**, 546 ff. – *[HS 2933 39; CAS 6556-11-2]*

Inositphosphate.

1D-*myo*-Inosit-1,4,5-trisphosphat (Ins-1,4,5-P₃, IP₃, s. Abb., freie Säure: $C_6H_{15}O_{15}P_3$, M_R 420,10, lösl. in Wasser) ist ein *second messenger für verschiedene *Neurotransmitter, *Hormone u. *Wachstumsfaktoren (z. B. *Acetylcholin, *epidermaler Wachstumsfaktor, *Vasopressin), der die Ausschüttung von Calcium-

Ionen aus dem *endoplasmatischen bzw. *sarkoplasmatischen Retikulum ins *Cytoplasma bewirkt, sowie auch indirekt – nach Umwandlung in D-myo-Inosit-1,3,4,5-tetrakisphosphat (Ins-1,3,4,5-P_4, IP_4) – deren Einstrom in die Zelle. Der erhöhte cytoplasmat. Calcium-Gehalt sowie gleichzeitig mit IP_3 entstehende *Diacylglycerine aktivieren synergist. *Protein-Kinase C, die durch Phosphorylierung verschiedener Proteine an Serin- od. Threonin-Resten das Signal weiterträgt. Letztendliche Effekte der IP_3-Kaskaden sind u. a. *Glykogen-Abbau in der Leber, Aggregation von *Thrombocyten, Kontraktion von glattem *Muskel, Sehprozeß der Wirbellosen, Wahrnehmung von Gerüchen u. bitterem Geschmack, Sekretion von: *Histamin (Mastzellen), *Serotonin (Thrombocyten), *Insulin (β-Zellen), L-*Adrenalin (Chromaffin-Zellen), *Amylase (Pankreas).

Biosynth. u. Abbau: IP_3 entsteht neben Diacylglycerinen aus 1-Phosphatidyl-1D-myo-inosit-4,5-bisphosphaten (1-PtdIns-4,5-P_2, PIP_2, s. Phosphoinositide), wenn eine *Phospholipase C (*Phosphoinositidase*) durch ein Rezeptor-abhängiges *G-Protein aktiviert wird. Durch Phosphatasen kann es zu 1D-myo-Inosit-1,4-bisphosphat inaktiviert u. über 1D-myo-Inosit-4-phosphat zu myo-*Inosit abgebaut werden. Ein alternativer Abbauweg führt über IP_4, das am Calcium-Einstrom von außen in die Zelle mitwirkt, u. 1D-myo-Inosit-1,3,4-trisphosphat in weiteren Schritten ebenfalls zu myo-Inosit. Neben den genannten I. sind noch eine ganze Reihe isomerer, in unterschiedlichem Maß phosphorylierter od. cycl. Phosphate des myo-Inosits aufgefunden worden, die enzymat. ineinander umwandelbar sind. Lithium-Salze blockieren ihren Abbau zu myo-Inosit durch myo-Inosit-1-phosphatase[1] (E. C. 3.1.3.25). Es wird angenommen, daß innerzelluläre Konz.-Gefälle verschiedener I. noch ungeklärte regulator. Aufgaben erfüllen. Zu myo-Inosithexakisphosphat, das die Sauerstoff-Abgabe aus *Hämoglobin beschleunigt, s. a. Phytinsäure. Zur Bindung von I. an verschiedene Proteine s. *Lit.*[2]. Eine kurze Übersicht über I. u. die Synth. ihrer Derivate aus D-Glucose gibt *Lit.*[3]. – *E* = *F* inositol phosphates – *I* inositolfosfati – *S* inositol-fosfatos

Lit.: [1] Brain Res. Rev. **22**, 183–190 (1996). [2] Curr. Biol. **6**, 537–540 (1996). [3] Acc. Chem. Res. **29**, 503–513 (1996). *allg.:* Alberts et al., Molekularbiologie der Zelle, 3. Aufl., S. 879–885, Weinheim: VCH Verlagsges. 1995 ■ Int. J. Biochem. Cell Biol. **27**, 1231–1248 (1995). – *[HS 291900]*

Inositphosphatide s. Phosphatidylinosite.

Inosit-Phospholipide s. Phosphatidylinosite.

Inotodiol. Trivialname für (22 R)-Lanosta-8,24-dien-3β,22-diol, $C_{30}H_{50}O_2$, M_R 442,73. Formel s. bei Lanosterin mit OH an C-22; ein *Lanosterin-Antimetabolit, der ursprünglich aus dem Birkenpilz *Inonotus obliquus* isoliert wurde u. dem cytostat. Eigenschaften zugeschrieben werden. I. ist Bestandteil von *Tschaga, einem Krebsmittel der russ. Volksmedizin u. Wundermittel in Solschenizyns Roman „Krebsstation". – *E* = *F* = *S* inotodiol – *I* inotodiolo

Lit.: Beilstein E IV **6**, 6525 ■ Tetrahedron **30**, 977–986 (1974). – *[CAS 35963-37-3 (22-R-Form); 64907-49-9 (22-S-Form)]*

Inotropie. Von griech.: is (inos) = Muskel, Faser u. *...trop hergeleitete Bez. für die Beeinflussung der Kontraktionskraft des Herzmuskels durch das vegetative Nervensyst. od. durch Medikamente. So geht eine pos. inotrope Wirkung vom *Sympathikus-Reiz aus, eine neg. inotrope vom *Parasympathikus-Reiz. Medikamente mit pos. inotroper Wirkung sind z. B. die *Digitalisglykoside. – *E* inotropism – *F* inotropie – *I* inotropia – *S* inotropía, inotropismo

INPADOC. Abk. für *International Patent Documentation Center*, eine 1972 von dem österreich. Minister für Handel u. Ind. u. dem Direktor der WIPO (World Intellectual Property Organization) gegr. GmbH, die in die EPO (European Patent Organization) integriert ist. Aufgabe von INPADOC ist die Erfassung u. Verbreitung des techn. Wissens, das in Patentdokumenten beschrieben wird. INPADOC besitzt die weltweit größte Patentdatenbank mit allen Gebieten der Naturwissenschaft u. Technik u. einen entsprechenden Informationsservice. Es werden die folgenden Services von INPADOC zur Verfügung gestellt: Services using Computer Output on Microfiche (COM), Services using Magnetic Tape, Online Services über die Hosts DIALOG, MAXWELL u. STN International sowie einen Zugriff auf die Datenbank PATOLIS der Japan Patent Information Organization (JAPIO) über INPADOC in Wien, Individual Requests for Information u. die Patent Document Delivery Services.

Die vollständige INPADOC-Datenbank enthält (Stand: 1997) die bibliograph. Daten (Zitate) zu 25 Mio. Patentdokumenten u. 34 Mio. Rechtsstandsdaten. Der wöchentliche Zuwachs beträgt ca. 25 000 Zitate u. 40 000 Rechtsstandsdaten. Die Zitate umfassen die vollständige Patent-I. wie nat. u. internat. Patentklassifikationen, Anmelde-, Publikations-, u. Prioritäts-I., Angaben zum Rechtsstand von 22 Ländern sowie die zugehörigen Patentfamilien. Einige Hosts bieten zusätzlich eine Datenbank mit dem aktuellsten Bestand der Patentdokumentation an. Die Patentdokumentation umfaßt 65 Länder u. die 3 internat. Patentorganisationen ARIPO (African Regional Industrial Property Organization), EPO u. WIPO. Die Datenbank entspricht der INPADOC Patent Gazette u. dem INPADOC Rechtsstandsdienst.

INPAMONITOR. Abk. für *INternational PAtent MONITORing*. INPAMONITOR enthält den aktuellen Vier-Wochen-Bestand der *INPADOC-Datenbank einschließlich Rechtsstandsdaten.

Inquilinen (Einmieter, Einwohner, Synöken). Von latein.: inquilinus = Mieter; bezeichnet Tiere, die Bauten, Nester, Bohrgänge, Minen, Gallen od. a. Wohnungen anderer Organismenarten besiedeln; s. a. Synökie. – *E* inquilines – *F* inquilins, locataires – *I* inquilini – *S* inquilinos

Lit.: Oecologia **80**, 145 ff. (1989).

INS. Abk. für *Ionen-Neutralisations-Spektroskopie.

Insekten (Insecta). Als Klasse im Tierstamm der *Arthropoden (Gliederfüßler) stellen die I. mit derzeit etwa 1,2 Mio. bekannten Arten ca. 4/5 der gesamten Tierwelt; etwa 40 000 Arten sind davon in Mitteleuropa heimisch. Bei im Grunde, von der Evolution her gesehen, sehr einheitlichem, aber sehr erfolgreichem Bauplan imponieren die I. durch die unerhörte Mannigfaltigkeit der Gestalten, der Biologie u. der Ökologie. So haben sie, mit Ausnahme des Meeres, alle Lebensräume (Nischen) erobern können. Die oft hochspezialisierte Gestalt u. Lebensweise lassen folgende gemeinsame Merkmale erkennen:

1. Der Körper ist segmentiert u. mehr od. weniger deutlich in Kopf, Brust u. Hinterleib gegliedert. Von dieser Segmentierung leitet sich auch die Bez. I. her: Von latein. insectum = eingekerbt, daher auch die Benennung *Kerbtiere, Kerfe.*

2. Der Kopf der I. trägt ein Paar Fühler (Antennen) als Tast- u. Geruchsorgane, ein Paar *Facettenaugen* u. (meist) 3 Punktaugen (Ocellen). Die Mundwerkzeuge sind entweder zum Kauen, Lecken, Saugen od. Stechen eingerichtet, auch Kombinationen sind möglich.

3. Die Ausbildung von 3 Beinpaaren am Brustsegment, daher auch die Bez. *Hexapoda* = Sechsfüßler.

4. Die *Atmung erfolgt über ein feinverzweigtes Röhrensyst. (Tracheen), das zu den einzelnen Organen hinzieht u. mit einigen Hauptgängen über verschließbare Atemlöcher (Stigmen) mit der Außenluft in Verb. steht.

5. Das Blutgefäßsyst. ist offen, d. h. es existiert kein Adernsyst., sondern ein röhrenförmiges Herz bewirkt eine gewisse Zirkulation der Leibeshöhlenflüssigkeit; in dieser – der *Hämolymphe* – ließen sich Erythrocruorin (s. Hämoglobin), Fibrinogen-ähnliche Gerinnungs-Proteine u. *Trehalose als Blutzucker nachweisen. Manche kältetoleranten I. (Hornissen, Skorpionsfliegen, arkt. Laufkäfer) enthalten in ihrer Hämolymphe bestimmte Proteine od. gar Glycerin, die als *Gefrierschutzmittel wirken.

6. Die Körperbedeckung bildet ein aus *Resilin u. *Chitin bestehendes Außenskelett *(Cuticula)*, das durch dünne Zwischenhäute (Intersegmentalhäute) in seinen einzelnen Teilen gegeneinander beweglich ist u. in das die farbgebenden Pigmente – häufig Carotinoide wie z. B. bei Marienkäfern – eingelagert sind. Bis auf die Gruppe der Ur-I. (*Beisp.:* Silberfischchen) besitzen alle I. ein od. zwei Paar Flügel, die allerdings auch sek. verlorengehen können u. nicht in allen Lebensstadien vorhanden sein müssen.

Die wissenschaftliche I.-Kunde (*Entomologie*) hat die Klasse der I. in 6 Unterklassen mit insgesamt 35 Ordnungen gegliedert, letztere v. a. nach dem Bau der Flügel u. der Mundwerkzeuge. Die Unterklassen 1–5 enthalten jeweils nur 1 Ordnung u. stellen die *Apterygota*, die prim. ungeflügelten, sog. Ur-I. dar. Die 6. Unterklasse (*Pterygota*, prim. geflügelte I.) umfaßt die restlichen Ordnungen 6–35. Die 35 Ordnungen im Überblick s. die Tabelle.

Entwicklung: Das Larvenwachstum wird durch gelegentliche Häutungen ermöglicht. Dabei wird eine neue Haut unter der alten, nicht wachstumsfähigen Chitin-Hülle gebildet, die schließlich gesprengt u. abgestreift wird. Unter der Mitwirkung von *Phenoloxidasen (Tyrosinasen) kommt dann die neue *Cuticula zur Härtung u. Ausfärbung. Der letzten Larvenhäutung geht bei den Holometabola die Anlage einer Puppenhaut voraus, u. die ausgewachsene Larve verpuppt sich (Puppenhäutung). Die Häutungsvorgänge werden

Tab.: Ordnungen der Insekten.

Hemimetabole Insekten (sog. unvollkommene Verwandlung: Kein Puppenstadium zwischen letztem Larvenstadium u. der Imago)

Ordnung
1. Diplura (Doppelschwänze)
2. Protura (Beintastler)
3. Collembola (Springschwänze)
4. Archaeognatha (Felsenspringer)
5. Zygentoma (Silberfischchen)
6. Ephemeroptera (Eintagsfliegen)
7. Odonata (Libellen)
8. Plecoptera (Steinfliegen)
9. Embioptera (Embien)
10. Dermaptera (Ohrwürmer)
11. Mantodea (Fangschrecken: z. B. Gottesanbeterin)
12. Blattaria (Schaben: z. B. Küchenschabe, Dtsch. Schabe)
13. Isoptera (Termiten)
14. Notoptera (Vertreter in Nordamerika u. Asien)
15. Phasmida (Gespenstschrecken)
16. Ensifera (Langfühlerschrecken = Laubheuschrecken u. Grillen)
17. Caelifera (Kurzfühlerschrecken = Feldheuschrecken)
18. Zoraptera (Bodenläuse)
19. Psocoptera (Holzläuse, Staubläuse, Flechtlinge)
20. Phthiraptera (Tierläuse: Haarlinge, Federlinge, Menschenlaus)
21. Thysanoptera (Fransenflügler, Blasenfüße)
22. Auchenorrhyncha (Zikaden: Singzikaden, Schaumzikaden)
23. Sternorrhyncha (Pflanzenläuse: z. B. Blattläuse, Reblaus, Schildläuse)
24. Heteroptera (Wanzen: z. B. Wasserwanzen, Baumwanzen, Bettwanze)

Holometabole Insekten (sog. vollkommene Verwandlung: Zwischen letztem Larvenstadium u. der Imago ist das Puppenstadium eingeschaltet)

Ordnung
25. Megaloptera (Schlammfliegen)
26. Raphidioptera (Kamelhalsfliegen)
27. Planipennia (Netzflügler: z. B. Florfliege, Ameisenjungfer, Hafte)
28. Coleoptera (Käfer: z. B. Blattkäfer, Bockkäfer, Hirschkäfer)
29. Strepsiptera (Fächerflügler)
30. Hymenoptera (Hautflügler: Ameisen, Bienen, Wespen)
31. Siphonaptera (Flöhe)
32. Trichoptera (Köcherfliegen)
33. Lepidoptera (Schmetterlinge: z. B. Weißlinge, Bläulinge, Fleckenfalter, Eulen, Spanner)
34. Mecoptera (Schnabelfliegen: z. B. Skorpionsfliege)
35. Diptera (Zweiflügler: z. B. Schnaken, Stechmücken, Bremsen, Fliegen, Schwebfliegen)

durch *Häutungshormone* gesteuert, s. Ecdyson, Juvenilhormon u. Insektenhormone.

In den vielfältigen Lebensräumen der I., mit oft extremen Klima- u. Ernährungsbedingungen, lassen sich viele Beisp. für das Orientierungsvermögen u. Verhalten nach jedem der bekannten Sinne finden. Dies gilt z. B. auch auf dem Gebiet des relativ gut erforschten Fortpflanzungsverhaltens mit oft sehr komplizierten Verhaltensweisen. Hier spielen auch die *chem. Sinne* eine wichtige Rolle, so der *Geschmack bei der Überreichung von Geschenken in Form von Beutetieren od. körpereigenen Geschmackssekreten vom Männchen an die Partnerin. Der hochentwickelte Geruchs-Sinn dient – z. B. bei vielen Schmetterlingen – den Männchen zum Auffinden der Weibchen, die bestimmte

Sexuallockstoffe (s. Insektenlockstoffe) ausscheiden. Über den Geruch (u. z. T. auch den Geschmack) wirken auch die anderen *Pheromone, die sich v. a. bei staatenbildenden I. (Termiten, Ameisen, Bienen, Wespen) finden u. zur sozialen Kommunikation, zur Wegemarkierung, als *Alarmstoffe etc. dienen. Der Geschmackssinn, der bei den I. außer in der Mundregion auch an den Füßen, speziellen Schmeckhaaren des Rüssels u. der Tarsen (Fußglieder) lokalisiert sein kann, läßt z. B. eine Unterscheidung verschiedener Zucker bei der Auswahl der Nahrung zu. Manche I. besitzen opt. Verständigungsformen, wie sie sich im stillen Leuchten des Glühwürmchens od. rhythm. Blinken trop. Leuchtkäfer äußern; diese *Biolumineszenz entsteht in bestimmten Organen durch Oxid. von *Luciferin unter Einwirkung von *Luciferase. Ebenfalls der opt. Verständigung u. Signalgebung dienen die Farben u. Muster auf Schmetterlingsflügeln; das Schillern der Farben kommt durch *Interferenz-Erscheinungen an den Schuppen zustande. Die akust. Orientierung bei I. erfolgt entweder über Hörorgane an verschiedenen Körperstellen – bei Laubheuschrecken z. B. an den Vorderbeinen – od. über Sinneshaare an Beinen, Fühlern usw. Auf diese Weise können nicht nur Wellenbewegungen in der Luft, sondern auch im Wasser wahrgenommen werden, u. selbst Bodenschwingungen werden von manchen I. mit Hilfe sog. Vibrationsorgane in den Beinen registriert. Die bes. von Grillen u. Heuschrecken mit Hilfe von Schrilleisten u. dgl. an Flügeln od. Beinen erzeugten Laute lassen sich in Lock-, Werbe- od. Kampfgesänge gliedern. Viele I. verfügen über aggressiv wirkende Substanzen in Form von Giften u. Abwehrstoffen (s. Insektengifte), die zum Beutefang, zur Abschreckung u./od. Verteidigung dienen. Für das Überleben in ihrer Umwelt produzieren I. die verschiedenartigsten Chemikalien, z. B. Spreitungsflüssigkeiten zur Fortbewegung auf der Wasseroberfläche, antisept. Substanzen gegen Mikrobenbefall u. sogar Pflanzenwuchsstoffe, mit denen die Blattschneiderameisen ihre Pilzkulturen behandeln.

Bedeutung: In bezug auf den Menschen lassen sich die I. in nützliche, belanglose od. allenfalls lästige (*Lästlinge*) u. in schädliche (*Schädlinge*) Arten einteilen. Nutzen ergibt sich z. B. aus der Tätigkeit vieler Blütenbesucher, die die Bestäubung vermitteln u. dadurch auch bei vielen Kulturpflanzen den Fruchtansatz gewährleisten. Die bodenbewohnenden Ur-I. tragen wesentlich zur Aufschließung der Ackerkrume bei. Viele I. bilden die Nahrung anderer Tiergruppen (Vögel, Fische) od. *carnivorer Pflanzen wie der Venusfliegenfalle, andere sind Feinde u./od. *Parasiten von Schadinsekten. Als direkten Nutzer kann man den Seidenspinner bezeichnen, dessen Puppengespinst aus einem einzigen, bis zu 4000 m langen Faden besteht, der zu *Seide verarbeitet wird. *Honig u. *Bienenwachs sind altbekannte Produkte der Honigbiene, deren *Bienengift auch medizin. verwendet wird. Nützliche I.-Produkte sind auch *Schellack, verschiedene Farbstoffe wie *Cochenille u. *Kermes. Aus dem Vork. bes. großer *Chromosomen bei *Drosophila melanogaster zieht man wissenschaftlichen Nutzen insbes. bei der Untersuchung von *Genen. Bei den durch I. verur-

sachten Schäden ist u. a. zu denken an Schäden, die durch Fraß (ggf. bis zur völligen Vernichtung) an Nutzpflanzen, Lebensmittelvorräten, Holz-, Textil- u. Pelzwaren entstehen. Auch I.-Folgeschäden, die durch Krankheitsübertragung auf Menschen, Haustiere u. Kulturpflanzen entstehen, sind oft beträchtlich. Bisweilen kann der Schaden sogar ein doppelter sein, etwa wenn z. B. bestimmte Blattläuse mit ihrer Saugtätigkeit pflanzenpathogene *Viren übertragen. Aber auch humanpathogene Erreger können durch I. verbreitet werden, z. B. durch Zecken u. Stechmücken. Bes. gefürchtete Beisp. sind: Die Übertragung der *Schlafkrankheit durch Tsetsefliegen, der *Malaria durch Anopheles-Mücken, der *Filariasis durch Kriebelmücken u. der *Pest durch Rattenflöhe, der Frühsommer-Meningo-Encephalitis (FSME) durch Zecken usw. Im Gegensatz zu Tieren vermögen viele Pflanzen Abwehrmechanismen gegen I. zu entwickeln. Dem Menschen hingegen kann zwar strikte Einhaltung von *Hygiene einen gewissen Schutz vor I.-Einwirkungen bieten, doch hat der z. T. enorme volkswirtschaftliche Schaden, der von I. verursacht werden kann, zur Entwicklung intensiver Bekämpfungsmeth. geführt. So werden heute die Schad-I. chem. mit *Insektiziden vernichtet od. mit *Insektenabwehrmitteln wenigstens ferngehalten; auch *Insektenlockstoffe, mit anschließender Vernichtung der auf diese Weise gesammelten I., werden eingesetzt. Die zunehmende Problematik der *chem.* *Schädlingsbekämpfung – wichtige Aspekte sind hier *Resistenz-Entwicklung u. *Rückstands-Probleme – hat zu einer intensiveren Suche nach *biolog.* Bekämpfungsmeth. geführt, ohne daß jedoch diese Bemühungen (außer im Fall des *Bacillus thuringiensis) schon durchschlagende Erfolge gezeigt hätten. Erinnert sei hier an den Einsatz insektenpathogener Viren, die Anw. von Hormonen u. Pheromonen od. das *Autozid-Verfahren. In jüngerer Zeit wurde auch die Anw. insektenpathogener Pilze erprobt, die den Chitin-Panzer der I. mechan. sprengen. Auf einer Hemmung der Chitin-Biosynth. beruht dagegen z. B. die Wirkung von *Diflubenzuron. Das Fernziel ist die selektive Bekämpfung von Schad-I. bei weitestgehender Schonung von nützlichen od. harmlosen Arten. Auch durch *Herbizide können I. geschädigt werden, obwohl einige in der Lage sind, solche Mittel zu verarbeiten od. gar selbst zu synthetisieren (*Beisp.:* *Myrmicacin).

Geschichte: Die I. sind eine Organismengruppe, die in frühen *Erdzeitaltern bereits in zahlreichen Arten verbreitet war: Es sind ca. 12000 als *Fossilien bekannt. Aus diesen Funden geht hervor, daß die ersten I. bereits im Devon (vor ca. 400 Mio. Jahren) auftraten. Aus dem Karbon (vor etwa 300 Mio. Jahren) sind Libellen mit 75 cm Flügelspannweite bekannt. Die eigentliche Entfaltung der I. begann jedoch erst in der Kreide vor rund 100 Mio. Jahren – möglicherweise im Gefolge der hier einsetzenden Entwicklung der Blütenpflanzen. – *E* insects – *F* insectes – *I* insetti – *S* insectos

Lit.: Honomichl u. Bellmann, Biologie u. Ökologie der Insekten, CD-ROM, Stuttgart: Fischer 1996 ▪ Seifert, Entomologisches Praktikum, 3. Aufl., Stuttgart: Thieme 1995.

Insektenabwehrmittel (Insektenvertreibungsmittel, *Repellentien). Schon seit Urzeiten werden Mensch u.

Vieh von *Insekten geplagt. Eine schon seit der Steinzeit geübte Meth., lästigen od. schädlichen Insekten ihren Aufenthalt unattraktiv od. unangenehm zu machen, ist das Anzünden von Feuern mit aromat. od. streng riechenden Kräutern od. Hölzern u. starker Rauchentwicklung.

Auch die Behandlung der Haut mit stark riechenden Substanzen zur Abwehr von Insekten ist seit der Antike bekannt. Um die Wende zum 20. Jh. war eine Reihe natürlicher *etherischer Öle als I. im Gebrauch, die nachfolgend tabellar. aufgeführt werden:

Tab.: Natürliche ether. Öle als Insektenabwehrmittel.

*Anisöl	*Geraniumöl	*Orangenblütenöl
*Bergamotteöl	Kiefernöle	*Pfefferminzöl
Birkenholzteer	Kokosnußöl	*Poleiöle (Pennyroyalöl)
*Campher	*Lavendelöl	*Pyrethrum
*Citronellöl	*Muskatnußöl	*Thymianöl
Eucalyptusöl	*Nelkenöl	*Zimtöl

Wegen ihrer trotz intensiven Geruchs überwiegend unzureichenden Wirksamkeit u. ihrer z.T. mangelnden Verträglichkeit in höheren Konz. wurden diese Stoffe in heutigen I. weitgehend verdrängt durch besser wirksame synthet. Substanzen. Es handelt sich dabei überwiegend um hochsiedende Flüssigkeiten od. niedrig schmelzende krist. Stoffe, die bei Raumtemp. langsam verdampfen u. den Stoffklassen der Amide, Alkohole, Ester u. Ether angehören. Von den heute in I.-Präp. ca. 15 häufig eingesetzten Wirkstoffen (s. *Lit.*) sei hier das als bestes Allround-Repellent bezeichnete *N,N*-Diethyl-3-methyl-benzamid (DEET) erwähnt, $C_{12}H_{17}NO$, M_R 191,27.

Es wirkt abwehrend gegen Stechmücken, Bremsen, Sandfliegen, Zecken, Stechfliegen, Milben, Flöhe u. Wanzen. Die Anw. erfolgt üblicherweise in Präp. mit Konz. bis zu 35%. I. werden angeboten in Form von Lsg., Emulsionen, Gelen, Stiften, Rollern, Pump-Sprays u. Aerosol-Sprays. Basis sind meist wäss.-alkohol. Lsg. unter Zusatz fettender Substanzen u. leichter Parfümierungen. Nach Applikation auf der Haut bildet sich über dieser durch die verdampfenden Wirkstoffe ein die Insekten abstoßender Gasmantel. Die Wirkungsdauer ist unterschiedlich lang gegenüber den verschiedenen Spezies: z.B. bei DEET-Präp. gegen Mücken ca. 6–8 h, gegen Zecken jedoch nur ca. 2 h. Bis 1986 waren I. zur Mückenabwehr den kosmet. Mitteln zugeordnet u. damit den Regeln des *LMBG u. der Kosmetik-VO unterworfen. Seit 1986 sind sie als Arzneimittel eingestuft u. unterliegen damit den Vorschriften des Arzneimittel-Gesetzes (AMG).

I. werden nicht nur zum Schutz des Menschen verwendet. Zum Schutz von Weidetieren werden z.B. sog. *Bremsenöle* verwendet. Im *Pflanzenschutz hat sich die seit 1882 ursprünglich vornehmlich im Weinbau als *Fungizid verwendete „Bordeaux"- bzw. *Kupferkalk-Brühe* als insektenabwehrend erwiesen. Textilien u. Teppiche werden mit *Mottenbekämpfungsmitteln

gegen Mottenfraß geschützt; hierbei überschneiden sich die Wirkungsweisen von Insektenabwehr u. Insektenvernichtung (s. Insektizide); gleiches gilt z.B. auch für *Holzschutzmittel. – *E* insect repellents – *F* insectifuges – *I* veleni degli insetti – *S* insectífugos, repelentes para insectos

Lit.: Umbach, Kosmetik, 2. Aufl., Stuttgart: Thieme 1995.

Insektenfallen s. Insektenlockstoffe.

Insektengifte. Substanzen, die von über 50 000 Arten der *Insekten zum Schutz od. zum Beuteerwerb ausgeschieden werden u. für andere Lebewesen mehr od. weniger giftig sind. Diese Insekten produzieren in verschiedenen Haut- u. Körperdrüsen Abwehr- od. Angriffsstoffe, die z.B. bei Bedrohung, Berührung od. Verletzung aus dem Körper austreten. Auch durch Ausspritzen od. Sprühen (z.B. Ameisen) od. unter Verw. von stechenden Mundwerkzeugen (z.B. Mücken, Wanzen) u. Hinterleibsstacheln (Hornissen, Wespen, Bienen, s.a. Bienengift) werden I. appliziert. In Verb. mit Hautdrüsen kennt man bei manchen Schmetterlingsraupen giftige Brennhaare, bei einigen Käfern auch giftige Hämolymphe, die z.B. *Cantharidin enthält.

An Wirkstoffen der I. wurden z.B. Polypeptide u. freie Aminosäuren, Steroide, Chinone, Terpene, biogene Amine, Alkaloide, organ. Säuren u. Aldehyde gefunden. Bei Wirbeltieren am stärksten wirksam ist das Sekret der Ernteameisen, das mit seinen Phospholipasen, *Hyaluronidase, sauren Phosphatasen, Lipasen u. Esterasen stark hämolyt. wirkt. Chem. bes. eingehend wurden die Abwehrstoffe bestimmter Land- u. Schwimmkäfer untersucht. Im Wehrsekret des Gelbrandkäfers wurde *Cortexon u. bei einem anderen Schwimmkäfer das Sexualhormon *Testosteron gefunden. Beide Hormone wirken bei evtl. Feinden der Käfer (Fische, Frösche) außerordentlich toxisch. Ein Laufkäfer versprüht ein Sekret, das überwiegend aus *Methacrylsäure besteht, die – auf dem Gegner polymerisierend – diesen „festnagelt". Der Bombardierkäfer verfügt über eine „Mischbatterie", in der er Hydrochinone u. Wasserstoffperoxid mischt. Die entstehenden giftigen Chinone werden dann explosionsartig dem Feind entgegengeschleudert. Viele Insekten produzieren jedoch ihre Gifte nicht selbst, sondern nehmen sie im Raupenstadium aus den Futterpflanzen auf (z.B. *Cardenolide od. *Pyrrolizidin-Alkaloide) od. bauen gar Herbizide für ihre Zwecke ab, z.B. *2,4-D zu 2,5-Dichlorphenol (Heuschrecken). Die Toxizität von I. aus *Hymenoptera (Bienen, Wespen, Hornissen) beruht nicht nur auf dem Gehalt an biogenen Aminen u. Phospholipasen, sondern auch auf der Ggw. von *Kininen, die durch Erhöhung der Durchlässigkeit von Kapillaren u. Gefäßerweiterung zu Blutdruckabfall u. schmerzhaften Muskelkontraktionen führen. Viele I.-Wirkungen gehen auf immunolog. Reaktionen zurück, d.h. auf *Allergie-Erscheinungen bis zur *Anaphylaxie.

Die nach Einwirkung von I. oft benutzten sog. *Insektenstichmittel* können in Form von Stiften, Pasten od. Lsg. angewendet werden; sie sollen schmerzstillend, desinfizierend, kühlend u. neutralisierend wirken. Bei Wespenstichen eignen sich schwach saure, bei den übrigen Insektenstichen schwach alkal. Substanzen, z. B. Kalkwasser, Ammoniakwasser, Natron, Soda, Borax u. dgl. Schmerzlindernd wirken äußerlich anwendbare *Anästhetika u. entzündungshemmende *Antihistaminika; *Menthol u. *Thymol besitzen sowohl schmerzlindernde, kühlende als auch desinfizierende Eigenschaften. – *E* insect venoms – *F* venins d'insectes – *I* veleni delgi insetti – *S* venenos de insectos

Lit.: Mebs, Gifttiere, Stuttgart: Wiss. Verlagsges. 1992 ▪ Teuscher u. Lindequist, Biogene Gifte, 2. Aufl., Stuttgart: Fischer 1994.

Insekten-Hämoglobin s. Hämoglobin.

Insektenhormone. Von bes. Bedeutung sind die I., die die Häutungsvorgänge (*Metamorphose* der *Insekten) regulieren. Eine Häutung wird durch die Ausschüttung eines Neurosekrets eingeleitet; dieses sog. *prothoracotrope Hormon* aus dem Gehirnganglion stimuliert eine Brustdrüse zur Abgabe von *Ecdyson, dem eigentlichen Häutungshormon, das die Puppenhäutung (Larve → Puppe) u. die Imaginalhäutung (Puppe → Insekt) auslöst. Da man zunächst annahm, daß für die beiden Stadien verschiedene I. zuständig seien, prägte man Bez. wie *Verpuppungshormon* u. *Schlüpfhormon*, doch werden die jeweiligen Funktionen vom gleichen *Häutungshormon* (Ecdyson u. verwandte Verb. wie Ecdysteron u. *Inokosteron) wahrgenommen. Dem Ecdyson wirkt zunächst das von den Corpora allata (eine Art *Hypophyse) gebildete *Juvenilhormon entgegen, das zwar die Larvenhäutung zuläßt (kleine Larve → große Larve), aber die Metamorphose hemmt. Im letzten Larvenstadium nimmt die Juvenilhormon-Bildung ab, u. das nun überwiegend sezernierte Ecdyson bewirkt die Metamorphose (Larve → Puppe). Beim fertigen Insekt wird wieder Juvenilhormon gebildet, das dann als *gonadotropes Hormon die Eireifung anregt. Die Beschäftigung mit dem Ecdyson hat ganz allg. zur Aufklärung des Wirkungsmechanismus der *Hormone (insbes. der Steroidhormone) beigetragen: An den Riesenchromosomen bestimmter Mückenarten ließ sich die durch Ecdyson induzierte Genaktivität an der Ausbildung sog. *Puffs* (Aufblähungen bestimmter *Chromosomen-Abschnitte durch Entspiralisierung u. Dereprimierung der DNA) beobachten.

Man hat schon früh versucht, die I. im *Pflanzenschutz einzusetzen. Das Ecdyson selbst u. seine – auch in Pflanzen vorkommenden u. möglicherweise dort eine Schutzfunktion gegen Insektenbefall ausübenden – Verwandten Ecdysteron u. Inokosteron haben bisher für die Insektenbekämpfung keinen prakt. Nutzen gezeigt. Erfolgversprechender waren Versuche mit Juvenilhormon od. analog wirkenden *Juvenoiden*, d. h. auch aus Pflanzen isolierten Terpenoiden (Farnesol-Derivaten). Auch das *Juvabion der nordamerikan. Balsamtanne scheint regulierend in Insektenpopulationen einzugreifen, doch sind diese Verb. nur in der relativ kurzen Zeitspanne vor der Verpuppung wirksam. Bessere Wirkung verspricht man sich von den sog. *Precocenen, Chromen-Derivaten pflanzlichen Ursprungs, die in den Corpora allata die Juvenilhormon-Synth. unterbinden. Dadurch unterbleibt die Rei-

fung der Larven, obwohl die Metamorphose eintritt. Mit fluorierten *Mevalonsäure-Derivaten gelang eine Hemmung der Juvenilhormon-Biosynth. ohne Zerstörung der Corpora allata. Andere Versuche zur Bekämpfung von Schadinsekten zielen auf die Verw. von Hormon-ähnlich wirkenden terpenoiden *Pheromonen, die – im Gegensatz zu den innersekretor. wirkenden I. – der äußeren „chem." Kommunikation zwischen verschiedenen Individuen einer Art dienen, z. B. als *Insektenlockstoffe. Evolution u. Biosynth. dieser Pheromone stehen in engem Zusammenhang mit denen der terpenoiden Insektenhormone. Die in den Wehrsekreten bestimmter Käfer gefundenen Steroidhormone (s. Insektengifte) sind keine I. im eigentlichen Sinn. Lokalisation, Struktur u. Wirkungsweise der I. sind in den letzten Jahren zunehmend Gegenstand der Forschung. Dabei fand man, daß es – entgegen früherer Vorstellungen – bei Insekten (analog zu anderen hochentwickelten Tiergruppen) eine Vielzahl hormonell wirksamer Faktoren gibt, die verschiedene Lebensprozesse steuern. – *E* insect hormones – *F* hormones d'insectes – *I* ormoni degli insetti – *S* hormonas de insectos

Lit.: Eckert, Tierphysiologie, 2. Aufl., Stuttgart: Thieme 1993 ▪ Honomichl u. Bellmann, Biologie u. Ökologie der Insekten, CD-ROM, Stuttgart: Fischer 1996 ▪ Karlson, Kurzes Lehrbuch der Biochemie, 14. Aufl., Stuttgart: Thieme 1994.

Insektenlockstoffe. Die zu den *Pheromonen gehörenden, von *Insekten selbst produzierten *Sexuallockstoffe* wie *Bombykol, *Brevicomin, *Disparlur, *Frontalin, *Grandisol, *Ipsdienol, *Lineatin, *Muscalur, *Multistriatin, *Periplanon, *Quadron, *Serricornin, *Verbenol u. a. Von den Weibchen verschiedener Insektenarten als Duftstoffe ausgeschiedene I. wirken auch noch in hoher Verdünnung anlockend auf die männlichen Partner, die einer solchen Duftspur wegen ihres hochentwickelten Geruchssinns zu folgen vermögen, vgl. Geruch u. Pheromone. Nicht selten haben die I. neben ihrer artspezif. Wirkung noch einen Lockeffekt auf artfremde, ggf. sogar räuber. Spezies – man spricht dann von *Kairomonen. Verschiedentlich werden I. auch von männlichen Individuen produziert, bes. bei verschiedenen Käfer-Arten. Interessant aus der Sicht der *Coevolution sind bestimmte Orchideen-Arten. Sie bedienen sich solcher I., um männliche Insekten zum Kopulationsverhalten auf der Blüte zu veranlassen, wobei diese unabsichtlich die Blüten bestäuben. Chem. handelt es sich bei den I. häufig um Alkohole od. Carbonsäuren u. deren Ester, die sich von Alkenen od. Alkadienen ableiten; auch terpenoide od. heterocycl. Verb. können I.-Aktivität aufweisen. Für die Wirksamkeit der I. spielt in vielen Fällen das Verhältnis von *cis/trans*-Isomeren zueinander bzw. die Chiralität der I. eine bestimmende Rolle. Anlockend auf Insekten wirken auch viele in ihrer natürlichen Umgebung auftretende Fremdstoffe, bes. solche, die mit dem Nahrungserwerb zusammenhängen; *Beisp.:* Blüten- u. Fruchtduftstoffe, typ. Gerüche bestimmter Pflanzen (z. B. *Cucurbitacine bei Kürbis- u. Gurkengewächsen), *Schweiß in bestimmter Aminosäuren-Zusammensetzung.

Im *Pflanzenschutz macht man sich die Wirkung der I. zunutze, indem man sie als Köderstoffe zum Anlocken von Insekten benutzt, sei es zur anschließenden Vernichtung (*Insektenfallen*) od. zur Populationskontrolle vor od. nach einer Behandlung mit *Insektiziden od. zum Fang für wissenschaftliche Zwecke. Zur *Schädlingsbekämpfung mit I. können sowohl die arteigenen Pheromone Verw. finden als auch natürliche od. synthet. Fremdstoffe, sofern sie eine insektenattraktive Wirkung besitzen. So haben sich z. B. Methyleugenol, Anisylaceton, Geraniol/Eugenol in einer Mischung 9 : 1 u. dgl. als I. für bestimmte Insektenarten bewährt. Jedem Schmetterlingsfreund ist die Zubereitung von Ködermischungen aus vergärender Sirup- u. Zuckerlsg. unter Zusatz verschiedener „Geheimsubstanzen" bekannt. Auch ungewollte Attraktivitätseffekte können auftreten: So erwies sich ein bestimmter Autolack als vorzüglicher I. für bestimmte Käfer; wirksame Komponente war ein Lackrohstoff auf Acrylat-Basis. – *E* insect attractants – *I* attrattivi per insetti – *S* atrayentes de insectos
Lit.: Wehner u. Gehring, Zoologie, 23. Aufl., Stuttgart: Thieme 1995 ▪ s. a. Pheromone.

Insektenstichmittel s. Insektengifte.

Insektenvertreibungsmittel s. Insektenabwehrmittel.

Insektizide. Bez. für *Pflanzenschutz- u. *Schädlingsbekämpfungsmittel, die sich in ihrer Wirkung bes. gegen Insekten u. deren Entwicklungsformen richten. Weltweit existieren ca. 1 Mio. Insektenarten, von denen etwa 10 000 als Schädlinge von Bedeutung sind. Man unterscheidet zwischen *Hygieneschädlingen* wie Fliegen, Bremsen, Mücken, Schaben, Wanzen od. Flöhen, die Krankheiten auf Mensch u. Tier übertragen können (Vektoren), *Pflanzenschädlingen*, die Kultur- od. Zierpflanzen befallen, *Vorratsschädlingen* u. *Forstschädlingen*. Die I. lassen sich in verschiedene Gruppen aufteilen, wobei jedoch ein- u. derselbe Wirkstoff durchaus mehreren Gruppen angehören kann. Die Aufnahme der Wirkstoffe kann über die Atemwege (*Atemgifte*), über den Magen-Darm-Trakt (*Fraßgifte*) od. durch Berührung (*Kontaktgifte*) erfolgen. Bei I., die sich gegen die Eier bzw. Larven von Insekten richten, spricht man von *Oviziden* bzw. *Larviziden*. Bei den im Pflanzenschutz eingesetzten I. unterscheidet man bezüglich der Verteilung des Wirkstoffs in der Pflanze zwischen *systemischen u. nicht-system. Verbindungen. Die I. gelangen, wie auch die anderen Pflanzenschutzmittel, in der Regel in aufbereiteter Form in den Handel, d. h. sie enthalten Zusätze, die eine auf die jeweilige Anw. ausgerichtete optimale Ausbringung, Verteilung u. Entfaltung des Wirkstoffs ermöglichen sollen (*Formulierung). Die Ausbringung kann gasf. (als Begasungs- od. Räuchermittel, im Hygienebereich in Form von Sprays, Elektroverdampfern od. getränkten Papierstreifen), flüssig (in der Regel als verd. wäss. Lsg.), pulverförmig od. als Granulat erfolgen.
Chem. unterscheidet man zunächst zwischen natürlichen u. synthet. Insektiziden. Zu den *natürlichen I.* gehören die *Pyrethroide, *Rotenoide u. *Alkaloide (z. B. *Nicotin) sowie *N*-Isobutylamide unverzweigter ungesätt. Fettsäuren u. aus Bakterien isolierte *Endo-

toxine. Die *synthet. I.* lassen sich in anorgan. u. organ. Verb. unterteilen. Zu den *anorgan. I.* gehören die (in der BRD als Pflanzenschutzmittel verbotenen) Arsen-Präp., Kryolith, Fluorosilicate, Natriumfluorid, Cyanwasserstoff, Phosphorwasserstoff u. Sulfurylfluorid. Zu den *organ. I.* zählen folgende Verb.-Klassen: *Chlorkohlenwasserstoffe:* z. B. *DDT, *Aldrin, *Dieldrin, *Chlordan, *Lindan, *Heptachlor, *Camphechlor. Diese Verb. sind oft sehr persistent u. reichern sich aufgrund ihrer guten Fettlöslichkeit meist im Fettgewebe von Warmblütern an. Von den oben genannten Verb. ist laut Pflanzenschutz-Anw.-VO (vom 19. 12. 1980 in der Fassung vom 27. 7. 1988) in der BRD nur noch Lindan (mit Einschränkungen) zugelassen.
Phosphorsäureester: Bekanntester Vertreter ist *Parathion (E 605®). Die insektizide Wirkung der Phosphorsäureester wurde in den 30er Jahren von G. *Schrader entdeckt u. führte in der Folgezeit zur Synth. zahlreicher Wirkstoffe, die in der Regel leicht hydrolyt. od. biolog. abgebaut werden.
Carbamate: z. B. *Carbaryl, *Carbofuran, *Propoxur. Sie besitzen den gleichen Wirkungsmechanismus wie die Phosphorsäureester u. sind ebenfalls gut abbaubar.
Synthet. Pyrethroide: z. B. Allethrin, *Cyfluthrin, *Permethrin *sowie* Acylharnstoffe, Amidine, Dinitrophenole, Thiocyanate, Zinn-organ. Verb. u. a.; neue Klassen sind Phenylpyrazole (z. B. *Fipronil) u. Nitroguanidine (z. B. *Imidacloprid).
Die *Wirkungsweise* der I. ist uneinheitlich. Phosphorsäureester u. Carbamate blockieren die Cholin-Esterase (Acetylcholin-Esterase), ein Enzym, das nach der Übertragung eines Nervenimpulses den Überträgerstoff Acetylcholin hydrolyt. abbaut. Die Blockierung führt zu einer Dauererregung u. schließlich zum Tod. Phosphorsäureester u. Carbamate sind auch für Warmblüter schon bei relativ geringer Aufnahmemenge tox., wobei Carbamat-Vergiftungen wegen der besseren Reversibilität in der Regel glimpflicher verlaufen. Für beide Substanzklassen stehen Gegenmittel (Antidote) zur Verfügung (z. B. Atropin). Pyrethroide wirken auf die Natrium-Kanäle in den Nervenmembranen. Acylharnstoffe hemmen die Synth. des zum Aufbau des Schutzpanzers benötigten Chitins bei Insektenlarven. Diese sind dadurch nach der Häutung nicht mehr überlebensfähig.
Die Wirkung der I. kann im Laufe der Zeit dadurch eingeschränkt werden, daß die Insekten durch Gewöhnung, Selektion od. Mutation eine Unempfindlichkeit gegen bestimmte I. entwickeln (*Resistenz) u. die Populationen nach einiger Zeit wieder ihre ursprüngliche Stärke erreichen. Ein weiteres Problem stellt die Störung des ökolog. Gleichgew. dar: Schädlinge, die vor dem Einsatz von Insektiziden nur von untergeordneter Bedeutung waren (Sekundärschädling), werden plötzlich ihrer natürlichen Feinde beraubt u. können sich ungehindert vermehren. Der *integrierte Pflanzenschutz* (s. Pflanzenschutz) gewinnt deshalb immer mehr an Bedeutung. In begrenztem Umfang können die I. durch Alternativ-Verf. ersetzt werden. Dazu zählt die Verw. von *Insektenlockstoffen (Pheromonen, Kairomonen), *Chemosterilantien (s. Autozid-Verfahren) u. *Repellentien. – *E* = *F* insecticides – *I* insetticidi – *S* insecticidas

Lit.: Fest u. Schmidt, The Chemistry of Organophosphorus Pesticides, Berlin: Springer 1982 ▪ Haug u. Hoffmann (Hrsg.), Chemistry of Plant Protection, Bd. 4 u. 5, Berlin: Springer 1990 ▪ Kirk-Othmer (4.) **14**, 524–602 ▪ Ullmann (5.) **A 14**, 263–320 ▪ Wegler, Chemie der Pflanzenschutz- u. Schädlingsbekämpfungsmittel, Bd. 1, 3 u. 7, Berlin: Springer 1970, 1976, 1981.

Inselsilicate s. Silicate.

Insemination (latein.: in = hinein u. seminare = säen). Befruchtung einer Eizelle ohne Geschlechtsverkehr. Dabei wird die künstliche Befruchtung einer Frau mit dem Samen ihres Ehemannes als *homologe I.* bezeichnet, die ethisch u. jurist. nicht unproblemat. Befruchtung mit dem Samen eines anonymen Spenders als *heterologe Insemination.* Als *extrauterine I.* bezeichnet man die Befruchtung einer Eizelle außerhalb des mütterlichen Körpers (in vitro). – *E* insemination – *F* insémination – *I* inseminazione – *S* inseminación

Insertion. 1. In der *Genetik Bez. für eine Art von *Mutation, bei der *Nucleotide (1 Basenpaar od. längere Sequenzen) zusätzlich in die DNA eines Organismus eingebaut werden (Gegensatz *Deletion). I. werden hervorgerufen durch *Mutagene, wie z.B. die *Acridin-Farbstoffe, die sich in die DNA-Helix einschieben (*Interkalation) u. bei der folgenden DNA-Replikation zu einer Deletion od. I. führen. I. werden außerdem hervorgerufen durch *Insertionssequenzen (IS-Elemente) u. *Transposone, wodurch das codierende Gen am Ort der Integration meistens inaktiv wird. In der *Gentechnologie werden I. durch gezielten Einbau kurzer DNA-Sequenzen zur Induktion von Mutationen an bestimmten Positionen im Genom benutzt (*in vitro-Mutagenese); s. a. genetischer Code u. die Textstichwörter.
2. In der organ. Chemie bezeichnet man mit I. die Fähigkeit einer *reaktiven Zwischenstufe od. eines reaktiven Teilchens, z.B. eines *Carbens, sich in Bindungen „einzuschieben" (s. Einschiebungsreaktionen). So sind I. in C–H-Bindungen typ. für Carbene im *Singulettzustand.* In der Metall-organ. Chemie spielen I.-Reaktionen eine große Rolle. So insertieren ungesätt. Liganden in eine Metall-Ligand-Bindung. Im Falle von Kohlenmonoxid wird dieses direkt in organ. Verb. eingebaut (vgl. Carbonylierung) u. man erhält so – auch im industriellen Maßstab (s. Oxosynthese) – Aldehyde, Ketone u. Carbonsäure-Derivate. Auch Alkene insertieren in Metall-Wasserstoff-Bindungen. Diese I. ist der entscheidende Reaktionsschritt bei der katalyt. *Hydrierung von Alkenen. – *E = F* insertion – *I* inserzione – *S* inserción

Lit. (zu 1.): Knippers (6.), S. 227, 281 f. ▪ Lewin, Gene, Lehrbuch der Molekularen Genetik, Weinheim: VCH Verlagsges. 1988. – (*zu 2.):* Hegedus, Organische Synthesen mit Übergangsmetallen, S. 24 ff., Weinheim: VCH Verlagsges. 1995 ▪ March (4.), S. 199 ff., 603 ff. ▪ s. a. Carbene, Carbonylierung u. Metall-organische Reaktionen.

Insertionselemente s. Insertionssequenzen.

Insertionspolymerisation s. Koordinationspolymerisation.

Insertionssequenzen (Insertionselemente, IS-Elemente). DNA-Sequenzen unterschiedlicher Länge (ca. 800–2000 Basenpaare), die mit mehreren Kopien im Genom von Mikroorganismen (Bakterien, Pilzen, Viren) u. höheren Eukaryonten vorkommen. Die I. tra-

gen an den Enden kurze gegenläufige Wiederholungen ähnlicher *Nucleotid-Sequenzen (*inverted repeats*) u. codieren im zentralen Bereich Proteine, die für die Transposition verantwortlich sind (Transposasen). I. können an mehr od. weniger beliebigen Stellen (bevorzugt an den sog. Hotspots) ins Genom integriert u. wieder freigesetzt werden, ohne daß eine Homologie zwischen den Nucleotid-Sequenzen der I. u. der Integrationsstelle nötig wäre (illegitime *Rekombination). In der Regel wird bei der Integration der I. die Funktion des ursprünglich an diesem Ort lokalisierten Gens zerstört. Der Einbau von I. hat aufgrund von *Terminatoren eine polare Wirkung auf die distal zum Promotor liegenden Gene, die kaum od. gar nicht mehr transkribiert werden. Manchmal können I. aber auch Promotoren tragen, die beim Einbau in entsprechender Orientierung zur konstitutiven Bildung der nachfolgenden Genprodukte führen. Bei der Transposition einer I. wird zunächst die Integrationsstelle um einige Nucleotide versetzt geschnitten. Die I. wird dann eingebaut u. die vorhandene Einzelstrang-DNA durch Reparatursynth. verdoppelt. Dadurch entstehen gleichgerichtete kurze Nucleotid-Folgen in der Empfänger-DNA, die sog. *direct repeats.*

```
NNNNN ATGCA NNNNN    Insertionssequenz
NNNNN TACGT NNNNN
```

```
  direct repeat                              direct repeat
NNNNN ATGCA 123456789-Transposon-987654321 ATGCA NNNNN
NNNNN TACGT 123456789-Transposon-987654321 TACGT NNNNN
            inverted repeat    inverted repeat
```

– *E* insertion sequences – *F* séquences d'insertion – *I* sequenze di inserzione – *S* secuencias de inserción

Lit.: Curr. Top. Microbiol. Immunol. **204**, 1 (1996) ▪ Knippers (6.), S. 209 ff. ▪ Stryer 1996, S. 871 f.

Insidon® (Rp). Dragées mit *Opipramol-Hydrochlorid gegen depressive Zustände, psychoreaktive Störungen etc. *B.:* Novartis Pharma.

In situ. Von latein.: situs = Lage abgeleitete Ortsangabe in Medizin u. Archäologie (in ursprünglicher, natürlicher Lage) u. in der Chemie (im selben Gefäß, in *Eintopfreaktion). – *E = F = I = S* in situ

In situ-Polymerisation. Verf. zur Herst. von *Polymer-Blends durch *Polymerisation eines *Monomeren A in Ggw. eines bereits vorgebildeten Polymeren B. Drei Fälle sind dabei zu unterscheiden: Im einfachsten Fall wird ein nicht-vernetzbares Polymer B in einem nicht-vernetzbaren Monomer A gelöst u. A anschließend polymerisiert. Je nach der Verträglichkeit der Polymeren A u. B während u. nach der Polymerisation entstehen hierbei homogene od. heterogene Mischungen der Polymeren A u. B. Zur Herst. von *interpenetrierenden polymeren Netzwerken mittels i. s.-P. quillt man dagegen ein bereits vernetztes Polymeres B in einem selbst unter Vernetzung polymerisierenden Monomeren A auf; bei der sich anschließenden i. s.-P. von A entstehen heterogene Materialien, die aus mehr od. weniger stark separierten Mikrophasen der beiden Netzwerkbildner aufgebaut sind. Der techn. wichtigste Fall der i. s.-P. führt zu Kautschuk-modifizierten, schlagzähen *Thermoplasten. Hier wird ein pfropf- u./od. vernetzbares Polymer B, z.B. ein *Dien-Kautschuk, in einem Monomeren A, z. B. Styrol, gelöst, dessen Polymerisation einen Thermoplasten ergibt. Bei diesen i. s.-P. entstehen in der Regel mehrphasige Syst., in denen die Kautschuk-Phase überwiegend als disperse Phase vorliegt. Je nach Anteil, Größe, Größenverteilung u. Aufbau der dispersen Phase werden schlagzähe Kunststoffe mit sehr verschiedenen Eigenschaften erhalten. – *E* in-situ polymerization – *F* polymérisation en site – *I* polimerizzazione in situ – *S* polimerización in situ *Lit.:* Elias (5.) **2**, 624, 650.

Instabil s. Stabilität.

Instant-Photographie. Von *E* instant = Augenblick abgeleiteter Begriff für *Sofortbildphotographie*, s. Photographie u. Farbphotographie. – *E* instant photography – *F* photographie à développement instantané – *I* fotografia immediata – *S* fotografía de revelado instantáneo

Instant-Produkte (von *E* instant = sofortig). Bez. für meist pulverförmige, in Wasser sofort u. rückstandslos lösl. Produkte überwiegend auf dem Gebiet der Nahrungs- u. Heilmittel (Kaffee-, Tee-, Kakao-, Milch-Produkte, Fertigsuppen etc.). Die Herst. erfolgt durch Extraktion der Nahrungs- u. Heilmittel u. anschließendes Trocknen, überwiegend durch *Gefrierod. *Sprühtrocknung. Neuerdings werden auch techn. Produkte, wie Tapetenkleister u. ä. als I.-P. angeboten (z. B. *Metylan®, *Optalin®). – *E* instant products – *F* aliments instantanés, produits instantanés – *I* prodotti solubili – *S* alimentos instantáneos, productos instantáneos
Lit.: Kirk-Othmer (3.) **6**, 518 ff., 646–682; **22**, 641–644; (4.) **6**, 800, 802–805, 1005–1048 ▪ Ullmann (4.) **16**, 68 f.; (5.) **A 7**, 328 ff.; **A 11**, 532; **A 16**, 618 f. ▪ s. a. Gefriertrocknung.

In statu nascendi (latein.: im Zustand des Entstehens). Bez. für den bes. reaktionsfähigen Zustand vieler Stoffe im Augenblick ihrer Bildung aus anderen Stoffen. So vermag z. B. frisch durch Einwirkung von verd. Salzsäure od. verd. Schwefelsäure auf Zink erzeugter (*nascierender, naszierender*) *Wasserstoff* verd. wäss. Kaliumpermanganat-Lsg. zu entfärben od. wäss. orangegelbe Kaliumdichromat-Lsg. zu blaugrüner Chrom(III)-Salz-Lsg. zu reduzieren. Demgegenüber ist Wasserstoff, der sich nicht i. s. n. befindet (z. B. gasf. Wasserstoff aus dem *Kippschen Apparat od. aus der Stahlflasche), nicht in der Lage, die beiden Salzlsg. zu reduzieren. Techn. ausgenutzt wird z. B. die Red. von Nitrobenzol zu Anilin mit Hilfe von aus Eisen-Pulver u. Salzsäure erzeugtem nascierendem Wasserstoff. In nascierendem Zustand liegt Wasserstoff nicht in mol. Form als H_2, sondern an Metall (z. B. Zn) gebunden als Hydrid od. adsorbierte H-Atome vor; findet das reaktive Hydrid jedoch keinen Reaktionspartner, so reagiert dieses sehr rasch mit H_3O^+-Ionen zu Wasserstoff-Molekülen. – *E* nascent state, in statu nascendi – *F* en état de gestation – *I* nello stato nascente – *S* en estado naciente

INSTI. Abk. für Innovationsstimulierung der dtsch. Wirtschaft durch wissenschaftlich-techn. Information. Ziel von INSTI, das vom BMBF von 1995 bis zum Jahr 2000 gefördert wird, ist die Schaffung eines erfinder- u. innovationsfreundlicheren Klimas in der BRD zur Verstärkung der Innovationstätigkeit als wesentliche Grundlage für die Sicherung der Wettbewerbsfähigkeit von Unternehmen. Die Nutzung von Patentinformationen soll gesteigert werden, so daß bestehende Ideenressourcen stärker als bisher zur Umsetzung neuer Produkte eingesetzt werden. An dem INSTI-Projekt beteiligen sich private Anbieter u. öffentliche Einrichtungen wie z. B. Patentanwälte, regionale Patentinformationszentren, Informationsvermittler, Unternehmensberater, Erfinderförderzentren u. Technologietransferzentren. Sie verbinden ihre verschiedenen Leistungsangebote zu einem umfassenden Netzwerk. – INTERNET-Adresse: http://www.insti.de

Instillagel®. Gel mit *Lidocain-Hydrochlorid, *Chlorhexidin-digluconat, Methyl- u. Propyl-4-hydroxybenzoat bei Katheterisierung, Endoskopien, Sondierungen usw. *B.:* Farco-Pharma.

Institute for Scientific Information s. ISI.

Institut für Angewandte Chemie Berlin-Adlershof e. V. (ACA). Das ACA mit Sitz in 12484 Berlin, Rudower Chaussee 5, wurde am 11. 11. 1993 gegr. u. beschäftigt ca. 200 Mitarbeiter, die überwiegend aus den Adlershofer Chemie-Inst. der ehem. Akademie der Wissenschaften der DDR hervorgegangen sind. Schwerpunkte der Forschung sind angewandte Katalyse u. chem. Technologie sowie die Entwicklung spezieller Funktionsmaterialien. Das ACA, das eine wesentliche Ergänzung zur Grundlagenforschung an den chem. Inst. der Max-Planck-Ges. u. den Universitäten in Berlin darstellt, wird seiner Mittlerrolle zwischen chem. Grundlagenforschung u. techn. Anw. durch seine Zusammenarbeit mit chem. Betrieben u. anderen industriellen Bereichen sowie mit Universitäten u. anderen Hochschulen im In- u. Ausland gerecht. – INTERNET-Adresse: http://www.aca.fta-berlin.de

Institut für die Pädagogik der Naturwissenschaften an der Universität Kiel (IPN). Das IPN mit Sitz in 24098 Kiel, Olshausenstraße 62, das ca. 130 Mitarbeiter beschäftigt, ist Mitglied der *WBL u. soll durch seine Forschung die Pädagogik der Naturwissenschaften weiterentwickeln u. fördern. Es entwickelt u. untersucht neue Lehr- u. Lernverf. einschließlich der dafür erforderlichen Lehr- u. Lernmittel in den Fächern Physik, Chemie u. Biologie sowie im fächerübergreifenden naturwissenschaftlichen Unterricht. – INTERNET-Adresse: http://www.ipn.uni-kiel.de

Institut für Erdölforschung (IfE). Das IfE mit Sitz in 38678 Clausthal-Zellerfeld, Walther-Nernst-Str. 7, ist eine Anstalt des öffentlichen Rechts u. dient der wissenschaftlichen Forschung auf den Gebieten Erdöl, Erdgas u. deren Produkte, der Aus- u. Fortbildung von Fachkräften sowie der internat. Zusammenarbeit. Das IfE beschäftigt ca. 80 Mitarbeiter, davon 30 Wissenschaftler. Es gliedert sich in vier Fachabteilungen: (1) *Erdöl Erdgas-Gewinnung u. -Aufbereitung, (2) Mineralölverarbeitung u. -anw., (3) Mineralöl u. Umwelt, (4) Analytik. Wichtigste Arbeitsgebiete sind Charakterisierung von Erdölen, Kolloidchemie des Erdöls, Öl-Wasser- u. Öl-Gas-Grenzflächenphänomene, tert. Erdöl-Gewinnung, spezielle Erdöl/Erdgas-Analytik sowie pVT-Analytik. *Publikationen:* Jahrestätigkeitsbericht, Forschungsberichte, jährliches Mitteilungsblatt.

Institut für Spektrochemie und angewandte Spektroskopie. Die Aufgabe des 1952 gegr. Inst. mit Sitz in 44139 Dortmund, Bunsen-Kirchhoff-Str. 11, besteht in der physikal.-techn. Grundlagenforschung auf dem Gebiet der angewandten *Spektroskopie. Das Inst. ist eine Einrichtung der *Blauen Liste u. beschäftigte 1996 etwa 125 Mitarbeiter. Arbeitsschwerpunkte sind: Spektrochem. Verbundverf. für Elementspurenanalyse, Untersuchungen von Feststoffoberflächen, neuere Verf. der Multielementanalyse u. organ. Spurenanalyse, Analytik zur Atmosphärenchemie sowie die Entwicklung chem. Sensoren. – INTERNET-Adresse: http://www.isas-dortmund.de

Institut für Strahlenhygiene (ISH). Das ISH mit Sitz in 85764 Oberschleißheim, Ingolstädter Landstr. 1, arbeitet insbes. auf dem Gebiet der *Strahlenschutz-Vorsorge u. wurde am 1. 11. 1989 dem neu gegr. Bundesamt für Strahlenschutz (BfS) zugeordnet. Das ISH ist auch Collaborating Centre der WHO für Untersuchungen der Wirkungen von Strahlung auf die Gesundheit. Seit 1992 ist das Sekretariat der „Internat. Kommission für Strahlenschutz bei Nichtionisierenden Strahlen" (ICNIRP) am ISH eingerichtet. – INTERNET-Adresse: http://www.bfs.de

Instrumentation. Für den Bereich der *Chemischen Analyse bzw. der *Klinischen Chemie versteht man unter I. im allg. Anw. u. Einsatz von *Instrumenten, um menschliche Fähigkeiten zu erweitern, zu ergänzen od. zu ersetzen[1]. I. bezieht sich im Unterschied zur *Automation u. *Mechanisation auf die Herst. u. Übertragung von Informationen. Im Bereich der *industriellen Chemie versteht man unter I. die Anw. u. den Einsatz von Instrumenten, die die Beobachtung, das *Messen u. die Regelung bei industriellen Prozessen besorgen od. erleichtern, d. h. in diesem Fall ist I. die Sammelbez. für Meß-, Registrier- u. Regelungstechnik. Ihr Hauptzweck für die Chem. Ind. besteht darin, die Produktion zu optimieren. Angesichts der Datenmenge bedient man sich heute meist der sog. *Prozeßrechner zum Austausch der Informationen. – $E = F$ instrumentation – I strumentación – S instrumentación
Lit.: [1] Pure Appl. Chem. **52**, 2495–2507 (1980); **54**, 2011–2073 (1982).
allg.: s. Automation u. Instrumente.

Instrumente. Bez. für einfache od. zusammengesetzte Vorrichtungen, die zum Beobachten, *Messen u. Berechnen einer Größe dienen u. die darin enthaltene Information liefern. Sie verbessern, erweitern, ergänzen od. ersetzen auf diese Weise menschliche Fähigkeiten. Die Anw. u. der Einsatz von I. anstelle von menschlichen Fähigkeiten bezeichnet man als *Instrumentation. Im allg. muß ein zur *instrumentellen Analyse* (vgl. physikalische Analyse) geeignetes I. folgende Aufgaben erfüllen: 1. Erzeugen eines Energiesignals; – 2. Einwirken des Energieflusses auf die Probe; – 3. Detektieren des durch die Wechselwirkung der Energie mit der Probe entstandenen Signals; – 4. Verstärken u. Verarbeiten des Signals; – 5. Berechnen der analyt. Information; – 6. Anzeigen des Ergebnisses. Das jeweilige Analyseverf. bestimmt Art u.

Aussehen der einzelnen Komponenten des Instruments. Die Instrumentation der jeweiligen Analyseverf. wird daher häufig unter dem jeweiligen Stichwort beschrieben. – $E = F$ instruments – I strumenti – S instrumentos
Lit.: Finkelstein, Measurement and Instrumentation Science, Amsterdam: Elsevier 1994 ■ Silverman u. Silver, Modern Instrumentation, Bristol: Inst. Phys. Pub. 1995 ■ Wayne, Chemical Instrumentation, Oxford: Oxford University Press 1995.

Instrumentelle Analyse s. physikalische Analyse.

Instruments S. A. Kurzbez. für die franz. Firma Instruments S. A., 75001 Paris. *Tochterges.:* Jobin Yvon. *Produktion:* Monochromatoren, opt. Gitter, Emissions- u. Absorptionsspektrometer, Dichrographen, Geräte zur spektroskop. Oberflächenanalyse, Dilatometer, Chromatographen. *Vertretung* in der BRD: Instruments S. A. GmbH, 82008 Unterhaching.

Insulin. *Hormon der Bauchspeicheldrüse (*Pankreas), in der es in den β-Zellen der *Langerhansschen Inseln* (daher Name von latein.: insula = Insel) gebildet wird. I. findet sich in allen Wirbeltieren einschließlich Fischen u. selbst in Seesternen, Würmern u. Einzellern.
Struktur: I. ist ein zweikettiges *Polypeptid (M_R ca. 6000), dessen A-Kette (s. Abb.) aus 21 Aminosäure-Resten (AR) mit einer B-Kette aus 30 AR über 2 *Disulfid-Brücken verbunden ist.

Abb.: Primärstruktur von Human-Insulin.

Die A- u. B-Kette werden bei ihrer Biosynth. zunächst zusammenhängend als *Präproinsulin* (Mensch: 110 AR) synthetisiert u. auch noch nach Abspaltung einer hydrophoben Signalsequenz vom Amino-Ende im *endoplasmatischen Retikulum durch einen weiteren Peptid-Anteil, nämlich das sog. *C-Peptid* (connecting peptide), zusammengehalten, so daß ein biolog. inaktives Mol. aus 84 AR vorliegt, das als *Proinsulin* bezeichnet wird. Die Kette des C-Peptids umfaßt beim Mensch 31 AR; sie verknüpft die Aminosäure 1 der A-Kette mit Aminosäure 30 der B-Kette. Durch enzymat. Abspaltung des C-Peptids entsteht das aktive Hormon, das in sekretor. Granula gespeichert wird. Die Unterschiede in den Primärstrukturen der I. aus verschiedenen Organismen sind gering; vom abgebildeten Human-I. unterscheidet sich z. B. Rinder-I. durch Ala-Ser-Val in Position 8–10 der A-Kette u. Ala statt Thr am Schluß der B-Kette. I. tritt durch Bindung an Zink-Ionen leicht zu höheren Aggregaten mit M_R 12000, 24000 usw. zusammen. Chem. ähnelt I. den *Insulinartigen Wachstumsfaktoren, die das Skelett-Wachstum beeinflussen, u. dem *Relaxin.
Physiologie: Die Freisetzung von I. aus den β-Zellen wird u.a. durch D-*Glucose u. *Glucagon-artiges Peptid 1 stimuliert, durch L-*Noradrenalin, *Somatostatin, *Galanin, *Leptin u. *Prostaglandine dage-

gen inhibiert[1]. Gemeinsam mit seinem Gegenspieler (*Antagonist) Glucagon hält I. den Blutzucker-Spiegel innerhalb bestimmter physiolog. Grenzen konstant; dabei hat Glucagon anhebende, I. absenkende Wirkung. Letztere resultiert aus einer gesteigerten D-Glucose-Utilisierung durch erhöhte *Glykolyse, *Glykogen- u. Fett Bildung in Leber, Fettgewebe u. Muskeln. I. vergrößert die für D-Glucose spezif. Zellmembran-Permeabilität, indem es für den Einbau zusätzlicher *Glucose-Transporter in die Zellmembranen von Fett-, Muskel- u. angrenzenden Endothel-Zellen sorgt. Der in Hefe vorkommende *Glucose-Toleranzfaktor*, ein Chrom-Komplex, wirkt als *essentieller Cofaktor für Insulin. Die Inaktivierung des I. geschieht durch die Leber, wo es nach *Endocytose relativ rasch abgebaut wird[2].

Mol. Wirkung: Der *I.-Rezeptor* ist ein tetrameres Membran-Protein aus je zwei α- u. β-Untereinheiten (UE), die durch Disulfid-Brücken miteinander verbunden sind. Wenn I. an die auf der Außenseite der Zelle befindliche α-UE bindet, phosphorylieren sich die durch die *Membran reichenden β-UE gegenseitig durch Katalyse einer Phosphatgruppen-Übertragung aus *Adenosin-5'-triphosphat (Kinase-Aktivität). Im weiteren Verlauf werden cytoplasmat. Proteine (*I.-Rezeptor-Substrate*) phosphoryliert[3], die ihrerseits Proteine mit *SH2-Domänen binden können. Dies führt – nach weiteren Schritten der *Signaltransduktion – einerseits zu einer Modulation der Aktivität verschiedener *Enzyme u. andererseits zur Regulation der Expression bestimmter *Gene[4].

Pathologie: Bei abs. od. relativem Mangel an I., bedingt durch Autoimmun-Reaktionen (s. Autoimmunität) gegen die β-Zellen bzw. durch anderweitig gestörte I.-Sekretion od. bei I.-Resistenz[5] kommt es zu *Hyperglykämie bzw. *Diabetes mellitus (*Zuckerkrankheit*). Die Behandlung des Diabetes ohne I.-Resistenz erfolgt mit parenteral verabreichtem I. (oral verabreichtes I. würde von den Verdauungsorganen inaktiviert), mit *Antidiabetika (z. B. *Acarbose) u. durch Diät (z. B. mit Zucker-Austauschstoffen); zu I.-artigen Wirkungen von Vanadium-Verb. s. *Lit.*[6]. I.-Mangel führt daneben zur Störung des Fett- u. Eiweiß-Stoffwechsels u. somit zu Gewichts-Abnahme u. Muskelschwund.

Herst. u. Verw.: Zur Sicherstellung der I.-Versorgung sind schon in den 60er Jahren Versuche zur Synth. des Hormons unternommen worden. Auch heute noch ist der totalsynthet. Zugang zu aufwendig. Die Herst. des I. ging daher früher überwiegend vom tier. Pankreas aus (Rinder- u. Schweine-I.). Heute wird zunehmend Human-I. eingesetzt, das mit Hilfe rekombinierter DNA (vgl. Gentechnologie) durch Fermentation in *Escherichia coli* hergestellt wird[7]. Bei der Dosierung des I. soll einerseits die ausreichende Versorgung gewährleistet sein, andererseits muß Überdosierung vermieden werden, denn diese kann verstärkend auf eine vorhandene Fettsucht wirken u. außerdem zu *Hypoglykämie u. ggf. zu *hypoglykäm. Schock* führen. Therapeut. wurde dieser I.-Schock gelegentlich zur Behandlung bestimmter Psychosen herangezogen. Die krankhafte Überproduktion von I. (*Hyperinsulinismus*) ist häufig durch Pankreastumoren od. funktio-

nelle Störungen der *Hypophyse bedingt. Als Maßstab für die Wirksamkeit eines I.-Präp. dient die internat. I.-Einheit. Diese entspricht 0,04167 mg des 4. internat. Standards, einer Mischung aus 52% Rinder- u. 48% Schweine-Insulin. Die Bestimmung von I. erfolgt meist durch *Radioimmunoassay.

Geschichte: Erste Zusammenhänge zwischen Diabetes u. gestörter Pankreasfunktion beobachtete bereits Cowley 1788; dieser Befund wurde 1 Jh. später von Mehring u. Minkowski durch Exstirpations-Experimente am Pankreas bestätigt. Die 1869 von Langerhans entdeckten Inselzellen wurden 1900 durch Schulze u. durch Ssobolew als Entstehungsort des gesuchten Stoffes erkannt, der 1905 von Meyer „Insulin" genannt wurde. Die weitere Entwicklung geht von *Banting u. Best (erstes I.-Präp. 1921) über Abel (erste Rein-Darst. 1926) u. *Sanger (Konstitutions-Formel 1955) zu Zahn, Katsoyannis u. Kung, denen voneinander unabhängig zwischen 1963 u. 1965 mit ihren Arbeitsgruppen die Totalsynth. gelang; Reminiszenzen aus der Kung-Gruppe s. *Lit.*[8]. Durch Crowfoot-*Hodgkin u. Mitarbeiter gelangte 1969 die Röntgenstrukturanalyse zum Abschluß. – *E* insulin – *F* insuline – *I = S* insulina

Lit.: [1] Am. J. Physiol. – Cell Physiol. **40**, C 1781 – C 1799 (1996). [2] Clin. Invest. Med. **19**, 149 – 160 (1996). [3] Annu. Rev. Pharmacol. Toxicol. **36**, 615 – 658 (1996). [4] Physiol. Rev. **76**, 1109 – 1161 (1996). [5] Moller, Insulin Resistance, Chichester: Wiley 1994. [6] Crit. Rev. Biochem. Mol. Biol. **31**, 339 – 359 (1996). [7] Diabetes Care **16** Suppl. 3, 133 – 142 (1993). [8] Trends Biochem. Sci. **20**, 289 – 292 (1995).
allg.: Stryer 1996, S. 812 ff., 818 f. – *[HS 2937 91; CAS 9004-10-8, 11061-68-0 (Human-I.)]*

Insulin-artige Wachstumsfaktoren (insulin-like growth factors, IGF, non-suppressible insulin-like activity, NSILA). Dem *Insulin chem. verwandte einkettige Peptidhormone, von denen im menschlichen Serum zwei Formen aufgefunden wurden: IGF I (*Somatomedin C, 7648,7) u. IGF II (Somatomedin A, M_R 7469,5). Sie werden in verschiedenen Geweben unter dem Einfluß von *Somatotropin synthetisiert[1]. Als *Wachstumsfaktoren zeigen sie eher lang anhaltende Wirkungen auf Fett- u. Bindegewebszellen. Die IGF regen zelluläre Bewegungen an[2]. Sie sind trotz beträchtlicher struktureller Ähnlichkeiten immunchem. von Insulin zu unterscheiden. Während der IGF I-Rezeptor mit dem Insulin-Rezeptor vieles gemeinsam hat u. neben IGF II auch Insulin bindet, ist dies beim IGF II-Rezeptor, der auch IGF I nur schwach bindet, nicht der Fall. Im Serum sind die IGF zum größten Teil an regulator. Proteine gebunden[3]. – *E* insulin-like growth factors – *F* facteur de croissance analogue à l'insuline – *I* fattore di crescita simile all'insulina – *S* factores de crecimiento semejantes a la insulina

Lit.: [1] Hormone Res. **45**, 61 – 66 (1996). [2] Trends Endocrinol. Metab. **8**, 1 – 6 (1997). [3] Int. J. Biochem. Cell Biol. **28**, 619 – 637 (1996).
allg.: Physiol. Rev. **76**, 1005 – 1026 (1996) ■ Int. J. Biochem. Cell Biol. **28**, 499 – 510 (1996). – *[CAS 67763-96-6 (IGF I); 67763-97-7 (IGF II)]*

Insulin-like growth factors s. Insulin-artige Wachstumsfaktoren.

Insulin-Rezeptor s. Insulin.

Intal®. Aerosol, Pulver u. Lsg. zur Inhalation mit *Cromoglicinsäure-Dinatriumsalz gegen Bronchialasthma, allerg. Bronchitis, Heuschnupfen. **B.:** Rhône Poulenc Rorer.

Integrale Membran-Proteine s. Membranen (biolog. Membranen).

Integralschaumstoffe (Strukturschaumstoffe, mikrozelluläre Schaumstoffe). I. sind (nach DIN 7726, 05/1982) *Schaumstoffe, die über den gesamten Querschnitt chem. ident. sind, deren Dichte von außen nach innen aber kontinuierlich abnimmt. Sie sind gekennzeichnet durch einen porösen Kern u. eine nahezu massive Randzone.
Die Herst. der I. – bes. solcher aus *Polyurethanen – erfolgt durch sog. *Formverschäumung*. Bei dieser wird das zu verschäumende Reaktionsgemisch in flüssiger Form in kalte Formen eingetragen, die es nach Beendigung der Verschäumungsreaktion vollständig ausfüllt. Das beim Verschäumungsprozeß eingestellte Temp.-Gefälle vom Formeninneren zur Formenwand bewirkt eine unterschiedliche Ausdehnung des verdampfenden Treibmittels über den Formenquerschnitt u. damit die beschriebenen Dichteunterschiede. I. werden außer aus Polyurethanen v. a. aus *Polyethylen, *Polypropylen, *Polystyrol, *ABS u. *Polycarbonaten hergestellt u. zeichnen sich insbes. durch niedriges Gew., hohe Biegefestigkeit u. einfache Verarbeitung aus.
Verw.: Zur Herst. von Sitz- u. Formpolstern sowie Kopf-, Arm- u. Fußstützen für Autos; in der Möbel-Ind., zur Herst. von Schutzverkleidungen von elektr. Geräten u. a. – *E* selfskinning foam, (structural foam) – *F* mousse à peau intégrée, mousse structurale – *I* espanso integrale – *S* plásticos celulares con película integral
Lit.: Elias (5.) **2**, 656 ▪ Klepek, Konstruieren mit PUR-Integral-Hartschaumstoff, München: Hanser 1980.

Integrasen. Zu den *Recombinasen gehörende Enzyme, die für die spezif. Integration (Einführung) viraler *Gene in das Wirts-Genom verantwortlich sind. *Beisp.:* I. des Bakteriophagen λ^1, I. des AIDS-Virus (HIV-1)[2]. – *E* integrases – *F* intégrases – *I* integrasi – *S* integrasas
Lit.: [1] Science **276**, 49 ff., 126–131 (1997). [2] Science **266**, 1946, 2002–2006 (1994).
allg.: J. Biol. Chem. **271**, 19633–19636 (1996).

Integration host factor (IHF; *E* für Wirts-Faktor für Integration). Heterodimeres, *Desoxyribonucleinsäure (DNA)-bindendes Protein des Bakteriums *Escherichia coli*, das neben einer DNA-Gyrase (s. Topoisomerasen) u. einer Phagen-eigenen *Integrase bei der Integration der DNA des Bakteriophagen λ ins Wirts-Genom benötigt wird. Als *Histon-ähnliches Protein erfüllt es normalerweise im Bakterium Aufgaben bei der *Replikation u. der Regulation der Genexpression[1]. – *E* integration host factor – *F* facteur hôte de l'intégration – *I* fattore di integrazione dell' ospite – *S* factor huésped de integración
Lit.: [1] Mol. Microbiol. **16**, 1–7 (1995).

Integratoren. Bez. für elektron. Geräte zur Flächenermittlung. Sie dienen der qual. u. quant. Bestimmung von Komponenten bei vielen Chromatographiearten u. in der NMR-Spektroskopie. – *E* integrators – *F* intégrateurs – *I* integratori – *S* integradores

Integrierte Optik. 1969 von S. E. Miller geprägter Begriff, unter dem man die Optik miniaturisierter, opt. Schaltungen versteht, in denen Lichtsignale erzeugt, durch Lichtwellenleiter geführt u. durch geeignete Effekte, z. B. mittels Elekro-Optik, verarbeitet u. detektiert werden. Hierbei werden zunehmend die Einzelkomponenten wie *Diodenlaser, Photodioden, Verzweiger-Modulatoren, Sender- u. Empfangselektronik gemeinsam auf einem Halbleitersubstrat aufgebaut u. immer weiter miniaturisiert. I. O. findet Anw. in der Nachrichtentechnik, opt. Computer. – *E* integrated optic – *F* optique intégrée – *I* ottica integrata – *S* óptica integrada
Lit.: Auracher et al., in Junge (Hrsg.), Integrierte Optik, Verteilen, Modulieren, Multiplexen, Jahrbuch Optoelektronik 1988, S. 19, Weinheim: VCH Verlagsges. 1988 ▪ Ebeling, Integrierte Optoelektronik, Berlin: Springer 1989 ▪ Encyclopedia of Physical Science and Technology, Bd. 7, S. 567, San Diego: Academic Press 1992.

Integrierter Pflanzenbau. Bez. für einen Pflanzenbau, der unter ausgewogener Beachtung ökolog. u. ökonom. Erfordernisse durchgeführt wird. Dabei sind alle geeigneten Verf. des Acker- u. Pflanzenbaus standortgerecht aufeinander abzustimmen. Betriebsplanung u. -organisation, Gestaltung der Feldstruktur u. ihres Umfelds, Sorten- u. Saatgutwahl, Bodenbearbeitung, Anbau u. Bodennutzung, Pflanzenernährung u. Pflanzenschutz (integrierter Pflanzenschutz, s. Pflanzenschutz) sind sinnvoll miteinander zu verknüpfen. – *E* integrated plant cultivation – *F* culture intégrée de plantes, production végétale intégrée – *I* coltivazione integrata di piante – *S* producción vegetal integrada, cultivo integrado de plantas
Lit.: Chaube, Plant Disease Management, S. 305–311, CRC Press: Boca Raton 1990 ▪ VCI (Hrsg.), Umwelt u. Chemie von A–Z, Freiburg: Herder 1989 ▪ Wetzel, Integrierter Pflanzenschutz u. Agrarökologie, Halle/Saale: STZ 1995.

Integrierter Pflanzenschutz s. Pflanzenschutz.

Integrine. Heterodimere Membran-durchspannende Proteine (M_R >200 000), die bei Wirbeltieren meist als Zelloberflächen-Rezeptoren für Komponenten der *extrazellulären Matrix (EM) bei Zell-Adhäsions- u. -Wanderungs-Prozessen mitwirken. An der Innenseite der Plasmamembran sind sie an Fokalkontakten (s. Adhärenzverbindungen) u. Hemidesmosomen (s. Desmosomen) mit Proteinen des *Cytoskeletts verbunden (*Beisp.:* *Fibronectin- u. *Laminin-Rezeptoren). Die Wechselwirkung der I. mit ihren Matrix-gebundenen Liganden dient dabei nicht nur der Kraft-, sondern auch der Informationsübertragung. Sie signalisieren den Anheftungszustand u. die Zusammensetzung der EM mit Hilfe von *Protein-Kinasen[1] u. Calcium-Ionen[2] ins Zellinnere. u. beeinflussen dadurch Wanderungsgeschw., *Proliferation, *Genexpression, *Differenzierung u. Überlebenschance der Zellen. Als gemeinsame Erkennungssequenz besitzen die Liganden der I. die Aminosäure-Sequenz Arg-Gly-Asp (RGD). – *E* integrins – *F* intégrines – *I* integrine – *S* integrinas
Lit.: [1] J. Mol. Med. **75**, 35–44 (1997). [2] Bioessays **19**, 47–55 (1997).

allg.: Bioessays **18**, 655–660 (1996) ▪ Corbi, Leukocyte Integrins. Structure, Expression and Function, Berlin: Springer 1996 ▪ J. Am. Soc. Nephrol. **7**, 1091–1097 (1996) ▪ Mol. Med. Today **2**, 304–313 (1996) ▪ Nature (London) **385**, 537–540 (1997).

Inteine. Von „*Int*ron-analoge Prot*eine*" abgeleitete Bez. für selbst-spleißende *Proteine. Obwohl unter *Spleißen meist der entsprechende an *Ribonucleinsäuren stattfindende Prozeß verstanden wird, kennt man seit einiger Zeit, v. a. bei *Archaea, einige Beisp. von Proteinen mit funktioneller Analogie zu selbstspleißenden *Introns: Diese I. sind in der Lage, sich selbst aus Vorläuferproteinen herauszuschneiden u. die Enden der flankierenden Abschnitte (*Exteine*) zu verbinden. Auch konnte sowohl bei Protein-Produkten von Introns wie auch bei I. in einigen Fällen nachgewiesen werden, daß sie Endonuclease-Aktivität besitzen u. darüber hinaus die Einbringung sie selbst codierender Genabschnitte in die geeignete Wirts-*Desoxyribonucleinsäure veranlassen (*Intron-* bzw. *I.-Homing*). Durch die Mechanismen des Spleißens u. des Homings werden die I. (u. analoge Introns) zu *mobilen genet. Elementen*, die einiges mit *Viren gemeinsam haben, nur daß letztere Zellen infizieren können. – *E* inteins – *F* intéines – *I* inteine – *S* inteínas
Lit.: Spektrum Wiss. **1997**, Nr. 2, 16–22 ▪ Trends Biochem. Sci. **20**, 351–356 (1995).

Intensität s. Lambert-Beersches Gesetz.

Intensive Größen s. Extensive Größen.

Intensiv-Haarkuren s. Haarbehandlung (2.).

Intensivkühler s. Kühler.

Intercellular adh(a)esion molecules s. Zell-Adhäsionsmoleküle.

Interface. Dem Engl. entlehnte Bez. aus der Datenverarbeitung für das Bindeglied zwischen Meßgerät u. Computer.

Interferenz. Von latein.: inter = zwischen u. ferre = tragen abgeleitete Bez. für die Gesamtheit der *Überlagerungserscheinungen* zweier od. mehrerer Wellen. Überlagert man zwei Wellen $\psi_a = a \cdot \sin(\omega t - k x + \varphi_a)$ u. $\psi_b = b \cdot \sin(\omega t - k x + \varphi_b)$, mit der gleichen Wellenlänge λ, so erhält man für den Fall, daß beide Wellen die gleiche Phase φ besitzen (d. h. $\varphi_a = \varphi_b$, wodurch der Wellenberg von ψ_a auf den Wellenberg von ψ_b trifft):
$$\psi_c = (a+b) \cdot \sin(\omega t - k x + \varphi_a).$$
Die Amplitude dieser Welle ist genau die Summe der Amplituden der Einzelwellen; die Überlagerung wird *pos. I.* genannt. Sind die beiden Ausgangswellen (wieder gleiche Wellenlänge λ) um eine halbe Wellenlänge gegeneinander verschoben ($\varphi_b = \varphi_a + 180°$; der Wellenberg von ψ_a trifft auf das Wellental von ψ_b), was einer Phasenverschiebung um $\pi = 180°$ entspricht, so erhält man als Resultierende:
$$\psi_d = (a-b) \cdot \sin(\omega t - k x + \varphi_a),$$
eine Welle, deren Amplitude kleiner als die der Ausgangswellen ist; dies wird *neg. Interferenz* genannt. Falls a = b ist, wird die Amplitude von ψ_d gleich Null, d. h. beide Ausgangswellen löschen sich aus. Phasenverschiebungen zwischen Wellen können durch Reflexion an Spiegeln od. durch Beugung an Gittern erfolgen, sowie durch unterschiedliche Laufstrecken, wobei neben dem geometr. Wegunterschied auch ein ggf. unterschiedlicher Brechungsindex berücksichtigt werden muß.
I. ist ein globales Phänomen, das bei allen Wellen auftritt: Licht u. alle anderen elektromagnet. Wellen, Schallwellen, auch bei der Überlagerung von mathemat. Wellenfunktionen im Rahmen der Quantenmechanik. Damit die Überlagerung I.-Strukturen zeigt, müssen die Wellen I.-fähig sein, d. h. eine gleiche Wellenlänge besitzen (*monochromat.*), u. es muß eine konstante Phasenbeziehung zwischen ihnen bestehen (*Kohärenz*).
I. wird u. a. beobachtet in der Optik: Reflexionsbeschichtung, Antireflexbeschichtung, Farben dünner Schichten (Seifenblase, Ölfilm auf der Wasseroberfläche, Insektenflügel, Glimmer, Opal); in der Spektroskopie: Monochromator, Fourier-Interferometer, Fabry-Perot-Interferometer, Etalon, Laser; in der Akustik: Klangfarbe von Instrumenten, Akustik eines Raums. Neueste Bestrebungen zielen dahin, Geräuschbelästigung durch Antischall (um 180° phasenverschobene Schallwelle) zu mindern[1]. I. begrenzt das Auflösungsvermögen opt. Instrumente.
Mit I. bezeichnet man in der Medizin u. a. die gegenseitige Störung od. Behinderung verschiedener Organismen od. Infektionen, vgl. Interferone. – *E* interference – *F* interférence – *I* interferenza – *S* interferencia
Lit.: [1] Phys. Unserer Zeit **20**, 180 (1989).
allg.: Demtröder, Experimentalphysik 2, Berlin: Springer 1996.

Interferenzpigmente. Nach DIN 55 943 (11/1993) sowie DIN 55 944 (04/1990) Bez. für *Glanzpigmente, deren farbgebende Wirkung ganz od. vorwiegend auf dem Phänomen der *Interferenz beruht, z. B. Perlmutt-(Iris-)Pigmente (s. Perlglanzpigmente) od. feuergefärbte Metallbronzen. – *E* interfering pigments – *F* pigments d'interférence – *I* pigmenti di interferenza – *S* pigmentos de interferencia

Interferenzschicht. Aufbau aus mehreren *dünnen Schichten, bestehend aus dielektr. Materialien mit unterschiedlichen Brechungsindizes. An den Trennflächen zwischen den Schichten wird jeweils ein Teil des einfallenden Lichtes reflektiert, wobei sich die einzelnen Teilreflexe überlagern. Je nach Dicke u. Material der Schichten löschen sich die Reflexe aus (*neg.* *Interferenz; Antireflexbeschichtung) od. verstärken sich (*pos.* Interferenz; Spiegel mit Reflexionskoeff. nahe 1).
Entscheidend für die Art der Interferenz ist das Verhältnis von Lichtwellenlänge zur opt. Weglänge durch die Schichten. Somit ist der Reflexionskoeff. von der Wellenlänge u. von dem Winkel zwischen Lichtstrahl u. Oberfläche abhängig. Da I. keine Eigenabsorption, wie z. B. Metallschichten, besitzen, heizen sie sich nicht auf u. werden deshalb für Laserspiegel verwendet.
In der Natur kommen I. bei Vogelfedern u. Insektenschuppen vor u. erzeugen dort die sog. Schillerfarben. Die Entstehung von Farben dünner Schichten bzw. Plättchen (Seifenblase, Benzin od. Öl auf Wasser,

Glimmer, Topas) beruht ebenfalls auf Interferenz. – *E* interference coatings – *F* couche d'interférences – *I* strato di interferenza – *S* capa de interferencia, revestimiento de interferencia

Lit.: Hecht, Optik, Reading: Addison Wesley 1989 ▪ Klein u. Furtak, Optik, Berlin: Springer 1988 ▪ Thelen, Design of Optical Interference Coatings, New York: McGraw-Hill 1989.

Interferometer. Opt. Instrument, dessen Meßprinzip auf der *Interferenz des Lichtes beruht. Außer zur Winkel- u. Längenmessung werden I. bes. in der Spektroskopie eingesetzt. Die wichtigsten I. sind hierbei das *Michelson-Interferometer, das *Mach-Zener-Interferometer u. das *Fabry-Pérot-Interferometer. – *E* interferometer – *F* interféromètre – *I* interferometro – *S* interferómetro

Interferometrie. Verf., bei dem man den Lichtbrechungsindex eines Gases od. einer Flüssigkeit schnell u. genau bestimmen kann, indem man ihn mit dem Brechungsindex (s. Refraktion) eines bekannten Gases od. einer Flüssigkeit vergleicht. Dabei wird ein von einer Lichtquelle (heute im allg. ein *Laser od. das Fluoreszenzlicht der Meßprobe) ausgehender Lichtstrahl durch einen Strahlteiler in 2 Teilstrahlen zerlegt. Nachdem der eine Teilstrahl durch das Untersuchungsmedium, der andere Teilstrahl durch den Vgl.-Standard gelaufen ist, werden beide Strahlen wieder vereinigt, wobei der durch ihren unterschiedlichen Weg bedingte *Gangunterschied* einen *Interferenz-Effekt erzeugt, der ein Maß für die Brechungsindex-Differenz zwischen Untersuchungsmedium u. Vgl.-Standard bildet; zum Strahlengang u. Auflösungsvermögen s. Michelson-Interferometer   Mach-Zener-Interferometer, u. Etalon. – *E* interferometry – *F* interférométrie – *I* interferometria – *S* interferometría

Lit.: Bonse u. Rauch, Neutron Interferometry, Oxford: Univ. Press 1979 ▪ Chamberlain, The Principles of Interferometric Spectroscopy, New York: Wiley 1979 ▪ Ferraro u. Basile, Techniques Using Fourier Transform Interferometry (Fourier Transform Infrared Spectr. 3), New York: Wiley 1982 ▪ Kirk-Othmer (4.) **15**, 7, 32 ▪ Martin, Infrared Interferometric Spectrometers, Amsterdam: Elsevier 1980.

Interferone (Abk. IFN). Von *Isaacs u. *Lindenmann 1956 geprägte Bez. für Proteine (*Cytokine), die auf äußeren Reiz hin von *Zellen gebildet werden, zwar antivirale, aber Virus-unspezif. Aktivität aufweisen u. bis zu einem gewissen Grad artspezif. sind; Mäuse-IFN wirkt z. B. nicht antiviral in menschlichen Zellen. Man nennt die schon seit etwa 1935 bekannte Erscheinung, daß bei bereits Virus-infizierten Personen eine gleichzeitige od. rasch folgende 2. Virus-Infektion nicht mehr od. nur teilw. wirksam wird, *Virus-Interferenz* (daher der Name). Ähnliche Phänomene beobachtet man im Pflanzenreich, denn die IFN entsprechen dort die *Phytoalexine. Die biolog. Aktivität der IFN gegen *Viren wird auch zur Konz.-Bestimmung herangezogen; als Einheit gilt die Menge, die das Wachstum eines Virus auf die Hälfte vermindert (1 mg reines IFN entspricht etwa 1 Mrd. Einheiten).

Chem. u. biolog. Eigenschaften: Die IFN, von denen im allg. jede Tierart eigene Formen besitzt (meist mehrere mit verschiedenen *Antigen-Eigenschaften), sind in der Regel *Glykoproteine mit M_R zwischen 10000 u. 60000. Man unterscheidet nach Struktur u. Funk-

tion zwei Haupttypen von IFN: *Typ I* umfaßt die IFN-α (von denen es wiederum etliche Unterformen gibt; Mensch: M_R 10000–20000) u. IFN-β (Mensch: M_R 22000) sowie die selteneren IFN-ω u. -τ. IFN-α wird von Leukocyten u. den meisten Virus-befallenen Zellen synthetisiert; IFN-β wird jedoch v. a. von Fibroblasten (bestimmten Bindegewebszellen) hergestellt. Die Typ-I-IFN binden sich an einen gemeinsamen Rezeptor, der eine *Protein-Kinase (*Jak) aktiviert, welche wiederum bestimmte *Transkriptionsfaktoren (STAT) phosphoryliert. Auf diesem Weg gelangt das IFN-Signal in den Zellkern u. führt letztendlich zur Biosynth. von Proteinen, die mit der Virus-Vermehrung interferieren. So wird u. a. durch eine 2′,5′-Oligoadenylat-Synthetase indirekt zum Abbau viraler *Ribonucleinsäuren beigetragen u. durch eine Protein-Kinase der Zell-eigene *Initiationsfaktor eIF-2α inhibiert. IFN-β wird manchmal als IFN-β_1 von IFN-β_2 (od.: *Interleukin 6) abgegrenzt. *Typ-II-IFN* od. IFN-γ (Dimer, M_R ca. 40000) ist im Gegensatz zu IFN-α u. -β Säure-labil. Es wird als *Lymphokin von aktivierten T_H1-*Lymphocyten (s. a. Immunsystem) u. von *natürlichen Killerzellen abgegeben. Es gilt, abgesehen von seiner antiviralen Aktivität, als Modulator des Immunsyst. (*Immun-IFN*) u. unterstützt dieses bei der Bekämpfung der Virus-Infektion (Aktivierung von *Makrophagen, zelluläre Immunantwort). Die Vermehrung von T_H2-Zellen, die eher für die Förderung der Antikörper-Produktion (humorale Immunantwort) zuständig sind, wird gedrosselt. Der IFN-γ-Rezeptor signalisiert ebenfalls über den Jak/STAT-Weg.

Herst.: Zur Isolierung u. Reinigung von IFN lassen sich spezif. *Antigen-Antikörper-Reaktionen insbes. mit monoklonalen *Antikörpern ausnutzen; durch *Affinitätschromatographie kann man in einem Schritt eine 5000fache Anreicherung erzielen. War man mit der Gewinnung von IFN zunächst auf die Aufarbeitung menschlichen Zellmaterials (Leukocyten, Thymocyten, Tumorzellen, Fibroblasten) angewiesen, so ist heute die techn. IFN-Herst. aus *Gewebezüchtung möglich geworden. Noch eleganter arbeitet die heute ebenfalls industriell betriebene *Gentechnologie, mit deren Hilfe geklonte Bakterien gezwungen werden, IFN zu synthetisieren.

Verw.: Die hochgespannten Erwartungen in den therapeut. Nutzen der IFN sind aufgrund unerwarteter Nebenwirkungen etwas geschrumpft. Jedoch kommen die IFN gegen bestimmte Formen von Krebs, multipler Sklerose u. Hepatitis-C-Virus-Infektion[1] durchaus zum Einsatz. – *E* interferons – *F* interférons – *I* interferoni – *S* interferones

Lit.: [1] FEMS Microbiol. Rev. **14**, 279–288 (1994). *allg.:* FASEB J. **9**, 1577–1584 (1995) ▪ J. Biol. Regul. Homeostat. Agents **10**, 1–7 (1996) ▪ Spektrum Wiss. **1995**, Nr. 7, 78–85. – *[HS 350400; CAS 9008-11-1]*

Interhalogen-Verbindungen. Bez. für die Verb. verschiedenartiger *Halogen-Atome untereinander. Sie haben im einfachsten Fall die Zusammensetzung XY (z. B. BrF, ICl, ClF) u. sind durchweg bekannt. Ihre physikal. u. chem. Eigenschaften ähneln denen der Elemente, s. *Lit.*[1]. Daneben sind auch I.-V. der Zusammensetzung XY_3, XY_5 u. IF_7 bekannt; diese *hypervalenten Moleküle entstehen bei der Einwirkung von überschüssigem Y_2 auf die einfachen Verb. XY nach der Gleichung:

$$XY + nY_2 \rightarrow XY_{2n+1} \ (n = 1, 2, 3).$$

Die Neigung zu dieser Anlagerung steigt mit zunehmendem Atomgew. von X. Demzufolge ist von den Heptahalogeniden nur das Iodheptafluorid (IF_7) bekannt. In der Nomenklatur der I.-V. wird das elektropositivere Element vorangestellt; Näheres s. bei den einzelnen Verb.-Klassen, z.B. Chlorfluoride, Iodfluoride, -chloride u. -bromide. Zu den I.-V. gehören im weitesten Sinn auch die Polyhalogenid-Anionen, z.B. im Cäsiumdichloroiodid u. in den *Polyiodiden sowie die Verb. zwischen Halogenen u. *Pseudohalogenen, z.B. *Chlorcyan. – *E* interhalogen compounds – *F* composés interhalogénés – *I* composti degli interalogeni – *S* compuestos interhalogenados
Lit.: [1] Brauer (3.) **1**, 166–176, 302–310. *allg.*: Hollemann-Wiberg (101.), S. 465–471 ▪ Klapötke u. Tornieporth-Oetting, Nichtmetallchemie, S. 403–408, Weinheim: VCH Verlagsges. 1994 ▪ s.a. Halogen(id)e.

Interkalation. Von latein.: intercalare = einschieben abgeleitete Bezeichnung. In der Anorg. Chemie versteht man unter I. die Einlagerung von Atomen od. kleinen Mol. in die *Kristallgitter-Ebenen insbes. von *Schichtengittern*. Solche *Einlagerungsverbindungen *(Interkalate)* sind bes. von *Graphit bekannt (s. Graphit-Verbindungen).
In der Biochemie insbes. der *Nucleinsäuren spricht man von I., wenn sich bestimmte Mol. – z.B. Farbstoffe vom Homidium-, Proflavin- od. Mepacrin-Typ od. Antibiotika wie Actinomycin, Daunorubicin od. Mitomycin – in die Doppelhelix der *Desoxyribonucleinsäure derart einschieben, daß sowohl die *Re(du)plikation* als auch die *Transkription* nicht mehr „ordnungsgemäß" ablaufen können. Die I. dieser Mol. wird deshalb für ihre chemotherapeut. Wirkung verantwortlich gemacht. – *E = F* intercalation – *I* intercalazione – *S* intercalación
Lit.: Dresselhaus et al., Intercalated Graphite, Amsterdam: North-Holland 1983 ▪ Huheey, Anorganische Chemie, S. 759 ff., Berlin: de Gruyter 1988 ▪ Wittingham u. Jacobson, Intercalation Chemistry, New York: Academic Press 1982.

Interkama s. Automation (Ausstellungen).

Interkristalline Korrosion s. Korrosion u. Kristallisation.

Interleukine (Abk.: IL). Zu den *Cytokinen gehörende Mediator-Stoffe (meist *Glykoproteine mit M_R 14000–26000) des *Immunsystems, die in geringen Konz. von *Leukocyten produziert werden u. auf Wachstum (als *Wachstumsfaktoren), Differenzierung u. Aktivität von Zellen des Immunsyst. nach parakrinem od. autokrinem Mechanismus (s. Hormone, Klassifizierung) Einfluß nehmen (*Immunmodulation*). Ihre Wirkung entfalten sie prim. durch Bindung an *Rezeptoren auf der Oberfläche der Zielzellen; im Endeffekt wird die *Transkriptions-Rate bestimmter *Gene verändert. Dabei besitzen die einzelnen IL mehrfache Aufgaben (*pleiotrope Aktivität*) u. mit denen der jeweils übrigen IL überlappende Funktionen. Durch mononukleare Phagocyten (*Monocyten u. *Makrophagen) wird *IL-1* (M_R 17000) produziert, von

dem es zwei verschiedene Formen gibt (IL-1α u. IL-1β), die nur wenig Übereinstimmung in der Primärstruktur besitzen, jedoch ähnliche Effekte auf Zielzellen ausüben. Dazu gehört u.a. die Induktion der Synth. von IL-2 in T-*Lymphocyten (T-Zellen). Erhöhte Konz. von IL-1 führen zu entzündlichen Prozessen.
IL-2 (M_R 15000) wird von T_H1-Zellen (vgl. Immunsystem) sezerniert u. ist in der Lage, Makrophagen, natürliche Killerzellen u. B-Lymphocyten (B-Zellen) zu aktivieren u. die Vermehrung von T-Zellen anzuregen. Im Gegensatz zu ruhenden besitzen durch Antigen od. IL-1 aktivierte Lymphocyten Rezeptoren für IL-2; zu den Wirkungen des IL-2 auf das Nervensyst. s. *Lit.*[1].
IL-3 (auch: multi-CSF, s. Kolonie-stimulierende Faktoren, M_R 25000) hat Wachstums-stimulierende u. differenzierende Wirkung auf verschiedene hämatopoet. Vorläuferzellen u. ist ein Wachstums-Faktor für Mastzellen. *IL-4* (auch: B-Zellen-stimulierender Faktor 1, BSF-1, M_R 20000) bewirkt Proliferation (Vermehrung) u. Differenzierung von B- u. T-Zellen u. regt die Produktion von IgE u. dessen Rezeptor an. *IL-5* (M_R 20000) nimmt Einfluß auf die Differenzierung von eosinophilen Granulocyten (s. Leukocyten). IL-4 u. IL-5 werden von T_H2-Zellen gebildet u. induzieren in B-Zellen getrennt die beiden verschiedenen Antigen-Rezeptor-Polypeptidketten. Von *IL-6* (auch: *Interferon β_2, M_R 25000) sind Differenzierungs- u. Wachstums-Effekte auf Lymphocyten bekannt. Als *Hepatocyten-stimulierender Faktor* (HSF) spielt es eine Rolle in der akuten Phase (bei Infektionen, Verletzungen usw.). IL-2 bis IL-6 werden von T-Lymphocyten produziert, IL-6 auch durch Makrophagen. *IL-7* aus Stromazellen des Knochenmarks stimuliert T-Zellen, fördert das Wachstum von Lymphocyten u. ihren Vorläufern u. regt Monocyten zur *Monokin-Produktion an. *IL-8* ist ein *Chemotaxis-Lockstoff (α-*Chemokin) für Neutrophile. *IL-9* ist ein Wachstumsfaktor für *Mastzellen u. T-Zellen. *IL-10* wirkt immunsuppressiv u. entzündungshemmend, inhibiert die Produktion von Interferon γ durch T_H1-Zellen. *IL-11*, von den Stroma-Zellen des Knochenmarks produziert, hat Wachstums- u. Differenzierungs-Effekte auf verschiedene Zellen des blutbildenden Syst., aber auch auf einige nichthämatopoet. Zielzellen. Das heterodimere *IL-12* wird vorwiegend von *Antigen-präsentierenden Zellen hervorgebracht u. regt T-Zellen u. *natürliche Killerzellen zur Produktion von Interferon γ, zur Vermehrung u. Differenzierung an. Die biolog. Wirkungen von *IL-13* gleichen weitgehend denen des IL-4. *IL-14* kann B-Zell-Vermehrung bewirken u. die Antikörper-Sekretion hemmen. *IL-15* wird von Makrophagen produziert u. übt ähnliche Funktionen wie IL-2 aus. *IL-16* (M_R 14000) bindet im tetrameren Zustand CD4, ein Oberflächen-Antigen der Helfer-T-Zellen, lockt letztere chemotakt. an u. aktiviert sie.
Die Bindung einiger IL an ihre *Rezeptoren* erfolgt zweistufig: Zunächst Bindung an die eine Untereinheit (UE), dann Hinzutreten einer anderen UE. Die UE werden z.T. promiskuös verwendet: Es gibt z.B. ein γc (common gamma), das IL-2, -4, -7, -9 u. -15 gemeinsam ist[2], während IL-4 u. -13 dieselbe α-UE benützen. IL-3 teilt sich mit IL-5, IL-2 mit IL-15 jeweils eine β-UE. Der

weitere Signalweg erfolgt über die Aktivierung von *Protein-Kinasen der *Jak-Familie u. STAT-*Transkriptionsfaktoren zum Zellkern. IL-8-Rezeptoren signalisieren jedoch über *G-Proteine u. besitzen wahrscheinlich 7 in die Membran eingebettete α-Helices; zur Struktur des IL-1/IL-1-Rezeptor-Komplexes s. *Lit.*[3]. – *E* interleukins – *F* interleukines – *I* interleuchine – *S* interleucinas

Lit.: [1] Brain Res. Rev. **21**, 246–284 (1996). [2] Annu. Rev. Immunol. **14**, 179–205 (1996). [3] Nature (London) **386**, 190 f. (1997).
allg.: Alberts et al., Molekularbiologie der Zelle, 3. Aufl., S. 1475 f., Weinheim: VCH Verlagsges. 1995 ▪ Roitt et al., Kurzes Lehrbuch der Immunologie, 3. Aufl., S. 116–119, Stuttgart: Thieme 1995. – *IL-1:* Life Sci. **59**, 61–83 (1996). – *IL-2:* Immunol. Today **17**, 481–486 (1996). – *IL-3:* J. Mol. Biol. **259**, 524–541 (1996). – *IL-4:* Biospektrum **1**, Nr. 2, 8–14 (1995). – *IL-5:* Takatsu, Interleukin-5 and Its Receptor System: From Genes to Disease, Berlin: Springer 1995. – *IL-6:* Mackiewicz et al., Interleukin-6-type Cytokines, New York: N. Y. Acad. Sci. 1995. – *IL-7:* J. Leukocyte Biol. **58**, 623–633 (1995). – *IL-8:* J. Lab. Clin. Med. **128**, 134–145 (1996). – *IL-9:* J. Leukocyte Biol. **57**, 353–360 (1995). – *IL-10:* de Vries u. de Waal-Malefyt, Interleukin-10, Berlin: Springer 1995. – *IL-11:* Cancer Chemother. Pharmacol. **38** Suppl., S 99–S 102 (1996). – *IL-12:* Life Sci. **58**, 639–654 (1996). – *IL-13:* Nature (London) **362**, 248 ff. (1993). – *IL-14:* Proc. Natl. Acad. Sci. USA **90**, 6330–6334 (1993). – *IL-15:* J. Clin. Immunol. **16**, 134–143 (1996). – *IL-16:* Immunol. Today **17**, 476–481 (1996).

Interleukin-1β-Konversions-Enzym (ICE, Caspase 1, EC 3.4.22.36). Cytoplasmat. *Cystein-Protease (Tetramer aus zwei Heterodimeren aus p20, M_R 20 000, u. p10, M_R 10 000), die für die Biosynth. von *Interleukin 1β aus Prointerleukin 1β benötigt wird. Dem ICE verwandte Proteasen (z. B. das Ced-3-Protein des Fadenwurms *Caenorhabditis elegans*) sind maßgeblich an der *Apoptose beteiligt; zu deren Unterdrückung durch virale Inhibitoren s. *Lit.*[1]. – *E* interleukin-1β converting enzyme – *F* enzyme de conversion de l'interleukine-1β – *I* enzima di conversione dell'interleuchina-1β – *S* enzima conversora (enzima de conversion) de la interleucina-1β

Lit.: [1] Nature (London) **386**, 517–521 (1997).
allg.: Cell **87**, 171 (1996) ▪ Immunity **4**, 195–201 (1996) ▪ Nature (London) **380**, 723–726 (1996) ▪ Trends Neurosci. **19**, 555–562 (1996).

Intermediäre Filamente (IF). Neben den Mikrofilamenten (aus F-*Actin, Durchmesser 6 nm) u. den *Mikrotubuli (aus *Tubulin, Durchmesser 23 nm) faserige Bestandteile des *Cytoskeletts tier. Zellen. Die gegenüber Salzen u. Detergenzien überraschend stabilen IF besitzen eine Stärke von 10 nm u. bestehen in verschiedenen Zelltypen aus jeweils verschiedenen Proteinen. So findet man beim Typ I des IF (in Epithel-Zellen) *Keratine, beim Typ II *Vimentin (Bindegewebe), *Desmin (Muskel) u. *saures fibrilläres Glia-Protein (GFAP; in Glia-Zellen), beim Typ III in Nervenzellen die *Neurofilament-Proteine, u. schließlich umgeben die Typ-IV-IF, die aus sog. *Laminen bestehen, als Kernfaserschicht (*Kernlamina*) die Zellkerne. Obwohl die genannten Proteine sich im M_R beträchtlich unterscheiden (40 000–130 000), sind ihnen strukturelle Gemeinsamkeiten zu eigen, so z. B. eine α-helikale, langgestreckte Domäne mit Sequenz-Verwandt-

schaft. Mit ihrer Hilfe bilden sich miteinander verdrillte Dimere aus, die sich zu stäbchenförmigen Tetrameren zusammenlagern, welche dann in großer Zahl u. gestaffelter Anordnung zu den kabelartigen Strukturen der IF zusammentreten. Die Struktur der IF wird durch spezif. *Phosphorylierung reguliert[1]. Die Funktion der IF, die den Zellkern umgeben, von dort bis an die Zell-Peripherie reichen, über *Desmosomen mit Nachbar-Zellen u. über Hemidesmosomen mit der *extrazellulären Matrix verbunden sein können, ist u.a. wohl die, der Zelle gegenüber Zugkräften mechan. Festigkeit zu verleihen u. den Kern an der Plasmamembran zu vertäuen. – *E* intermediate filaments – *F* filaments intermédiaires – *I* filamenti intermediari – *S* filamentos intermediarios

Lit.: [1] Bioessays **18**, 481–487 (1996); J. Biochem. **121**, 407–414 (1997); Semin. Cell Develop. Biol. **7**, 741–749 (1996).
allg.: Alberts et al., Molekularbiologie der Zelle, 3. Aufl., S. 941, Weinheim: VCH Verlagsges. 1995 ▪ Cancer Metastasis Rev. **15**, 413–525 (1996) ▪ Parry u. Steinert, Intermediate Filament Structure, Berlin: Springer 1995 ▪ Protein Profile **2**, 801–952 (1995).

Intermediäre Verbindungen (Intermediärverb.). Unsystemat. Bez. sowohl für *chemische Verbindungen, die aufgrund ihrer geringen *Lebensdauer nicht isolierbar, wohl aber nachweisbar sind (vgl. Zwischenstufen), als auch für längerlebige u. ggf. isolierbare Stoffe (vgl. Zwischenprodukte). – *E* intermediates, transients – *F* composés intermédiaires – *I* composti intermediari – *S* compuestos intermediarios

Intermediärstoffwechsel s. Stoffwechsel.

Intermediate network s. Internet.

Intermedin s. Melanotropin.

Intermetallische Verbindungen. Im Gefüge von Leg. auch als intermetall. Phasen bezeichnete chem. Verb. aus zwei od. mehr metall. Elementen, deren Struktur sich von jener der Metalle deutlich unterscheidet. Neben kub. treten auch tetragonale u. komplexere Strukturen auf. Im Gitter liegen außer metall. auch Atom- u. Ionenbindungsanteile vor, letztere verbunden mit Halbleitereigenschaften. Neben i. V. mit stöchiometr. Zusammensetzung entsprechend den vorhandenen Valenzen gibt es solche, bei denen diese exakte Zusammensetzung nur einen Sonderfall in einem breiten Homogenitätsbereich darstellt. Dies folgt aus dem Bestreben, bei den gegebenen Bindungsverhältnissen ein Gitter mit möglichst hoher *Koordinationszahl u. *Packungsdichte auszubilden. Metall-Bindung u. -Eigenschaften sind dabei um so stärker ausgeprägt, je höher die Koordinationszahl ist, z. B. bei der Gruppe der *Laves-Phasen. *Hume-Rothery-Phasen bilden breite Homogenitätsbereiche, ebenso i. V. mit Einlagerungsstrukturen. Bei Anwachsen der homöopolaren bzw. heteropolaren Bindungsanteile kristallisieren die i. V. in Gittern mit niederer Koordinationszahl, wie z. B. die *Zintl-Phasen. Die Schmp. der i. V. liegen deutlich über denen der Metallkomponenten, ihre elektr. Leitfähigkeit erheblich niedriger. Ihre Sprödigkeit verhindert zumeist eine techn. Anw. in reiner Form. In metall. Gefügen als Phasen auftretende i. V. können in feindisperser Form die Festigkeit steigern

od. in gröberer Form zu einer Versprödung der Leg. führen, darüber hinaus können sie die Korrosionsbeständigkeit beeinträchtigen. In jüngerer Zeit sind i. V. wie Nickel-, Titan- u. Eisenaluminide [1] wegen ihrer geringen spezif. Masse, ihrer hohen Festigkeit auch bei höheren Temp., ihrer Hochtemp.-Beständigkeit u. ihrer hohen Schmp. zunehmend interessant für therm. Grenzanw. in der Triebwerkstechnik geworden (Turbinenaggregate, Abgasturbolader). Es wird angenommen, daß i. V. die techn. hochbedeutsame Kluft zwischen *Superlegierungen u. modernen *keramischen Werkstoffen überbrücken können. – *E* intermetallics – *F* composé intermétallique – *I* composto intermetallico – *S* compuesto intermetálico
Lit.: [1] Materials and Corrosion **1996**, Nr. 12, 47.
allg.: Brockhaus Enzyklopädie, Bd. 10, 19. Aufl., S. 568ff., Mannheim: F. A. Brockhaus 1989 ▪ Gräfen (Hrsg.), Lexikon Werkstofftechnik, S. 479ff., Düsseldorf: VDI 1993 ▪ Lenk (Hrsg.), Fachlexikon ABC Physik, 2. Aufl., S. 419ff., Frankfurt/M.: Harry Deutsch 1989 ▪ Sauthoff, Intermetallics, Weinheim: VCH Verlagsges. 1995.

Intermig®-Rührer. Bez. für einen Rührertyp für *Bioreaktoren bestehend aus Rührarmen mit Blättern, die unter einem Anstellwinkel befestigt sind. Sie wirken axial u. werden bei hochviskosen u. strukturviskosen Kulturlsg. eingesetzt. – *E* Intermig stirrer – *F* agitateur Intermig – *I* agitatore meccanico Intermig – *S* agitador Intermig
Lit.: Crueger-Crueger (3.), S. 71 ff.

Intermolekular. Bez. für alle Vorgänge bzw. Kräfte, die *zwischen* mehreren, gleichen od. ungleichen, Atomen od. Mol. stattfinden bzw. wirken. Bei chem. *Reaktionen übertreffen die i. Reaktionen die *intramolekularen bei weitem an Zahl u. Bedeutung. *I. Kräfte* sind hier als *zwischenmolekulare Kräfte u./od. *Van-der-Waals-Kräfte behandelt. – *E* = *S* intermolecular – *F* intermoléculaire – *I* intermolecolare

International Air Transport Association Dangerous Goods Regulations s. IATA-DGR.

International Atomic Energy Agency s. IAEA.

International Commission on Radiation Units and Measurements s. ICRU.

International Commission on Radiological Protection s. ICRP.

International Council for Scientific and Technical Information s. ICSTI.

International Council for Scientific Unions s. ICSU.

International Critical Tables. Ein Tab.-Werk mit wichtigen physikal., chem. u. technolog. Daten (z.B. Schmp., Ausdehnungskoeff., Löslichkeitsverhältnisse, Druck- u. Zugfestigkeit usw.). Das Werk erschien 1926–1933 bei McGraw-Hill (New York) unter der Leitung der National Academy of Sciences (Hrsg.: Washburn); die Lit. wurde bis etwa 1924 berücksichtigt. – *E* international critical tables – *I* tabelle critiche internazionali

Internationale Einheiten (Abk.: IE). Auf dem Verhalten von sog. *Internat. Standard-Präp.* beruhendes biolog. Einheitensyst. für Wirkstoffe, s. biologische Standardisierung. Die Präp. für Hormone, Vitamine,

Antibiotika u. Arzneimittel werden beim National Institute for Medical Research (London), diejenigen für Antitoxine, Antiseren, Blutgruppen-Testseren, Antigene usw. beim Statens Serum-Inst. (Kopenhagen) aufbewahrt. Die entsprechenden Vgl.-Stellen in der BRD sind die Standard-Abteilung des MPI für experimentelle Medizin (Göttingen), das Paul-Ehrlich-Inst. (Frankfurt) sowie das Sekretariat des Europ. Arzneibuches (Straßburg). Unter einer IE versteht man bei synthet. zugänglichen Substanzen eine definierte Gew.-Menge bzw. diejenige kleinste Menge eines internat. *Standard-Präp., die unter genau festgelegten Bedingungen bestimmte, genau definierte Wirkungen hervorrufen kann. *Beisp.:* 1 IE Thyrotropin = 13,5 mg, 1 IE Insulin = 41,67 µg (bezogen auf den 4. Internat. Insulin-Standard), 1 IE Hyaluronidase = 100 µg, 1 IE Digitalis purpurea = 76 mg. Angaben über I. E. von Vitaminen s. dort. Eine ausführliche, systemat. Aufstellung von internat. biolog. Standard- u. Referenzpräp. mit Angaben von Einführungsjahr, Abgabeform u. Bezugsquelle findet man in den Wissenschaftlichen Tab. (s. *Lit.*). Die I. E. haben mit den *Einheiten des *SI nichts zu tun. – *E* International Units (IU) – *F* unité internationales – *I* unità internazionali – *S* unidades internacionales
Lit.: Documenta Geigy, S. 749–754, Basel: Geigy 1968 ▪ s. biologische Standardisierung.

Internationale Freinamen (Kurzbez.) s. Freinamen.

Internationale praktische Temperaturskale s. Temperaturskalen.

Internationales Einheitensystem s. SI u. Basiseinheiten.

Internationale Standard-Buchnummer s. ISBN.

Internationale Temperaturskale s. Temperaturskalen.

Internationale Vereinigung für soziale Sicherheit s. IVSS.

International Federation of Chemical, Energy, Mine and General Worker's Union s. ICEM.

International Federation of Pharmaceutical Manufacturers Association s. IFPMA.

International Labour Organization s. ILO.

International Maritime Dangerous Goods Code s. IMDG Code.

International Mineral & Chemical Global Inc. (IMC). Kurzbez. für die International Mineral & Chemical Global Inc., Northbrook, Illinois 60 062. *Daten* (1996): 9200 Beschäftigte, 3 Mrd. $ Umsatz. *Produktion:* Düngemittel, Futterzusatzstoffe, Insektizide u.a. Pestizide, Pharmarohstoffe, Feinchemikalien, Phosphorsäure, Phosphate.

International Nomenclature Cosmetic Ingredients (INCI). Von der europ. Kosmetik-Ind. u. der Europ. Kommission gemeinsam erarbeitete Nomenklatur zur Kennzeichnung von Inhaltsstoffen von kosmet. Mitteln entsprechend der Europ. Kosmetik-Richtlinie. Danach tragen chemische Verb. eine INCI-Bez. in engl. Sprache, pflanzliche Inhaltsstoffe werden in der EU ausschließlich nach Linné in latein. Sprache aufgeführt, sog. Trivialnamen wie „Wasser", „Honig" od.

„Meersalz" werden ebenfalls in latein. Sprache angegeben.

Lit.: ABl. der EG vom 1.6.1996.

International Nuclear Information System s. INIS.

International Organization for Standardization s. ISO.

International Patent Documentation Center s. INPADOC.

International Patent Monitoring s. INPAMONITOR.

International Thermonuclear Experimental Reactor s. ITER.

International Union of Biochemistry and Molecular Biology s. IUBMB.

International Union of Crystallography s. IUCr.

International Union of Pharmacology s. IUPhar.

International Union of Pure and Applied Chemistry s. IUPAC.

International Union of Pure and Applied Physics s. IUPAP.

Interne Konversion s. Photochemie u. Konversionselektronen.

Interner Standard s. NMR-Spektroskopie.

Internet. Abk. für *Inter*mediate *net*work. Das I. ist der weltumspannende Zusammenschluß von Tausenden von lokalen Netzwerken, der ein kooperatives Arbeiten der Rechnerbenutzer über Rechnergrenzen hinweg durch standardisierte Datenaustauschverf. (Protokolle) ermöglicht. Hervorgegangen ist das I. aus dem Arpanet der „*Advanced Research Projects Agency*", einer Unterabteilung des US-Verteidigungsministeriums. Den Durchbruch zu einer breiten Nutzung schaffte das I. durch die Entwicklung eines neuen Informationssyst., des World-Wide-Web od. WWW, das 1989 als internes Kommunikationsverf. im *CERN in Genf entwickelt wurde. Die Globalisierung der Informationsstrukturen spielt auch für die Chemieinformation eine immer größere Rolle u. bietet große Chancen für die wissenschaftliche Kommunikation. Neben Firmen, Organisationen, Universitäten, Verl., Forschungszentren etc., die ihre Dienste u. Informationen in der Regel kostenfrei anbieten, offerieren immer mehr kommerzielle Anbieter ihre Dienste über das Internet. So bietet das FIZ-Technik 120 Datenbanken an, in denen kostenpflichtig recherchiert werden kann. Mittlerweile ist eine große Menge an chem. Informationen im I. zugänglich, die jedoch nur schlecht durch herkömmliche Suchmaschinen erschlossen werden können. Ein guter Einstieg, um sich einen Überblick über Chemie-Ressourcen im I. zu verschaffen, ist die Seite: Chemistry Information on the Internet (http://www.gdch.de/chemlink.htm) der *GDCh.

Interozeptoren s. Rezeptoren.

Interpenetrierende polymere Netzwerke (Durchdringungsnetzwerke; Kurzz. IPN). Bez. für sich gegenseitig durchdringende Netzwerke von *Polymeren, die chem. ident. od. verschieden sein können, wobei jedes für sich kovalent od. nicht kovalent verknüpft ist. Ist eine Polymerkomponente von IPN-Syst. reversibel vernetzt, z.B. ein Acrylsäureanhydrid-*Copolymer, kann sie nach Spalten der Vernetzungsstellen aus dem Netzwerk des zweiten Polymeren extrahiert werden; in diesem Fall spricht man von einem *Semi-IPN.*

IPN sind nach unterschiedlichen Meth. herstellbar:

1. Durch vernetzende (Co-)Polymerisation (**in situ*-Polymerisation) von *Monomeren, mit denen ein bereits bestehendes polymeres Netzwerk durchtränkt ist (sog. *sequentielle* IPN). Hier können Erst- u. Zweitpolymer chem. ident. sein; in diesem Fall spricht man von Homo-IPN (*Beisp.*: Styrol/Divinylbenzol-Copolymere). Durch Kombination eines elast. Erst- (wie z. B. Polyacrylaten) mit einem spröden Zweit-Polymer (Polystyrol) sind zweiphasige Verbundstoffe zugänglich.

2. Durch simultane Polymerisation einphasiger Gemische von nach unterschiedlichen, nicht interferierenden Mechanismen reagierenden Monomeren od. *Prepolymeren (sog. *simultan interpenetrierende* IPN, Kurzz. *SIN*). SIN resultieren, wenn z. B. homogene Mischungen aus polyfunktionellen Alkoholen u. Isocyanaten in einer *Polyaddition umgesetzt werden u. simultan dazu (Meth)acrylate in Ggw. polyfunktioneller Vinyl-Comonomerer in einer *radikalischen Polymerisation auspolymerisiert werden.

3. Sog. *Latex-IPN werden erhalten entweder bei der Vermischung von Latices chem. unterschiedlicher Polymerer mit anschließender Verfilmung u. Verfestigung od. durch Polymerisation von Vernetzer-haltigen Monomermischungen, mit denen ein vorgelegter „Saat-Latex" zuvor gequollen wurde. Nach dem erstgenannten Verf. werden bevorzugt Polyurethan-Latices mit Latices anderer Polymeren zu sog. *IEN* (inter-penetrating *e*lastomeric *n*etworks) kombiniert.

IPN zählen zu der Gruppe der Mehrphasen-Polymere. Sie sind von theoret. Interesse, da in ihnen die einzelnen Phasen durch die Netzwerkstruktur stabilisiert sind. Auch in der Praxis ergeben sich für die IPN eine Reihe von Anw.-Möglichkeiten. Diese sind z.B. dadurch gegeben, daß durch Kombination unterschiedlicher Polymerer in den IPN wichtige Eigenschaften, wie *Glasübergangstemperatur, Elastizität, Festigkeit u. a., synergist. einzustellen sind. Eine größere Anzahl von Produkten auf IPN-Basis ist bereits zur Marktreife entwickelt worden. Es handelt sich bei diesen u. a. um IPN aus Butylkautschuk/Polyestern, Polyacrylaten/Polyurethanen/Polystyrol, Kautschuk/Polypropylen od. Polypropylen/Epoxid-Kautschuk. Anw. finden sie in Automobilteilen, Reifen, Schläuchen, Riemen, Isoliermaterial für Elektrokabel, Ionenaustauscher-Harzen, wetterfesten Beschichtungsmaterialien, künstlichen Zähnen u. a. – *E* interpenetrating polymeric networks – *F* réseaux polymères interpénétrants – *I* resticoli polimeri interpenetranti – *S* redes poliméricas interpenetrantes

Lit.: Adv. Chem. Ser. **239** (1994) ▪ Compr. Polym. Sci. **6**, 423–436 ▪ Encycl. Polym. Sci. Eng. **8**, 279–341 ▪ Houben-Weyl **E 20**, 656–662 ▪ Sperling u. Kim, IPNs Around the World, New York: Wiley 1997.

Interplanarwinkel s. Konformation.

Interpolymere. Veraltete Bez. für *Copolymere.

Interpolymerisation. Veraltete Bez. für *Copolymerisation.

Interstellare Materie. Materie von geringer Dichte im Raum zwischen den Sternen, über deren allg. Verbreitung erst seit den dreißiger Jahren dieses Jh. Gewißheit besteht (s. z.B. *Lit.*[1]). Das Sternsystem (Galaxis), zu dem die Sonne gehört, hat eine Gesamtmasse von ca. 200 Mrd. Sonnenmassen; etwa 10% hiervon entfallen auf die i. Materie. Letztere besteht zu 99% aus Gas u. zu 1% aus feinen Staubteilchen. Staub u. Gas sind gut durchmischt u. werden von Magnetfeldern u. der *Kosmischen Strahlung beeinflußt. Unsere Kenntnis über die i. M. stammt überwiegend aus Untersuchungen im opt. u. Radiowellen-Bereich; in jüngerer Zeit gewinnen auch Untersuchungen im infraroten Bereich an Bedeutung (z.B. mit dem IRAS-Satelliten). Leuchtende Gas- u. Staubwolken bezeichnet man als *Nebel*; ihre Gasdichten liegen bei $10-100\ cm^{-3}$ u. sie enthalten im Mittel weniger als ein Staubteilchen pro m^3. Man unterscheidet zwischen *Emissionsnebeln*, bei denen das Gas von eingebetteten heißen Sternen zum Leuchten angeregt wird, u. *Reflexionsnebeln*, deren Staub das Licht anderer Sterne reflektiert. Der hellste Emissionsnebel ist der große Orionnebel (M42), der etwa 1500 Lichtjahre von der Erde entfernt ist u. einen Durchmesser von ca. 30 Lichtjahren besitzt. Er gilt als Sternentstehungsgebiet. Emissionsnebel senden häufig Licht in Form der Balmerlinien (s. Balmer-Serie u. Atommodelle) aus, deren Entstehung folgendermaßen erklärt wird: Heiße Sterne senden energiereiche UV-Strahlung aus, die Wasserstoff-Atome der interstellaren Gases zu ionisieren vermag (s. Ionisation); hierbei entstehen Wasserstoff-Kerne (*Protonen) u. *Elektronen. Mit einer gewissen Wahrscheinlichkeit können Protonen Elektronen einfangen, wobei sich Wasserstoff-Atome in höheren elektron. Zuständen bilden, die dann unter Lichtemission (u. a. der Balmerlinien) kaskadenförmig in den *Grundzustand übergehen.

Im 19. Jh. wurde von dem italien. Astronomen A. Secchi entdeckt, daß es auch ausgedehnte „Dunkelwolken" gibt, die das Licht der hinter ihnen befindlichen Sterne verschlucken. Aus diesem Grunde ist ein Großteil der Ebene unserer Galaxie im sichtbaren od. ultravioletten Bereich der Beobachtung nicht zugänglich (wohl aber im IR- u. Radiowellen-Bereich). Die Teilchendichten solcher Wolken liegen bei $10-10^6$ cm^{-3}; für Gegenden mit *Maser-Aktivität wurden sogar Werte bis zu $10^9\ cm^{-3}$ postuliert. Dichte interstellare Wolken sind üblicherweise mit 10–50 K sehr kalt. Wie man seit kurzem weiß, werden sie gelegentlich durch interstellare Schockwellen (Geschwindigkeit: $5-15\ km\ s^{-1}$), z.B. resultierend aus Supernovae-Explosionen (s. kosmische Strahlung), lokal auf einige Tausend K aufgeheizt, um dann in einigen Jahrzehnten wieder auf ihre ursprüngliche Temp. abzukühlen. Mol. werden v.a. in dichten interstellaren Wolken gefunden, vornehmlich anhand ihrer reinen Rotationsübergänge, die mit Radioteleskopen beobachtet werden können. Bisher wurden mehr als 100 verschiedene *interstellare Moleküle entdeckt; Näheres s. dort. Ihre Bildung erfolgt sowohl über *Ionen-Molekülreaktionen, die zumeist *exotherm u. ohne *Aktivierungsenergie verlaufen, als auch über an den Staubteilchen katalysierte Reaktionen; die Bildung von H_2 – dem bei weitem am häufigsten vorkommenden interstellaren Mol. – stellt

man sich überwiegend auf letzterem Wege vor. Zudem kennt man inzwischen eine Reihe von Radikalreaktionen, deren Geschwindigkeitskonstanten mit abnehmender Temp. zunehmen u. die daher für die Chemie der interstellaren Wolken von Relevanz sein können.

Über die chem. Zusammensetzung der $0,2-0,01\ \mu m$ großen Staubteilchen ist noch wenig bekannt; möglicherweise bestehen sie aus Graphit, Silikaten, gefrorenem Wasser, Eisen usw.

Die mittlere Teilchendichte des interstellaren Gases außerhalb der Wolken liegt nur bei $0,1-1$ Wasserstoff-Atom pro cm^3; dies ist auch die überwiegende Teilchensorte. In 10% dieser Gebiete ist der Wasserstoff ionisiert (sog. HII-Gebiete); Gebiete mit neutralem Wasserstoff heißen HI-Gebiete. Die wichtigste Linie in den HI-Gebieten im Bereich der Radiowellen ist die 21,105 cm-Linie des atomaren Wasserstoffs (Übergang zwischen den Hyperfeinstrukturkomponenten des elektron. Grundzustands).

Die Untersuchung der i. M. hat eine zentrale Bedeutung für unsere Kenntnis über die Entstehung von Sternen. Schon Immanuel Kant hatte vermutet, daß Sterne aus „nebelhafter Materie" entstehen. Für die Richtigkeit dieser Annahme existieren inzwischen einige Indizien, z.B. daß die jungen, d.h. nur wenige Mio. Jahre alten, blauen Sterne hoher Leuchtkraft häufig in od. nahe bei interstellaren Wolken gefunden werden. V.a. die kalten, dichten interstellaren Wolken sind für die Sternentstehung von großer Bedeutung. – *E* interstellar matter – *F* matière interstellaire – *I* materia interstellare – *S* materia interestelar

Lit.: [1] Scheffler, Interstellare Materie, Braunschweig: Vieweg 1988.
allg.: Dickman et al., Molecular Clouds in the Milky Way and External Galaxies, Lecture Notes in Physics, Bd. 315, Berlin: Springer 1988 ▪ Elsässer, Weltall im Wandel, Die neue Astronomie, Stuttgart: DVA 1985 ▪ Hollenbach u. Thronson, Interstellar Processes, Dordrecht: Reidel 1987 ▪ Verschuur, Interstellar Matters, Berlin: Springer 1989.

Interstellare Moleküle. Mol., die im interstellaren Raum, d.h. dem Raum zwischen den Sternen, vorkommen (s. a. interstellare Materie). Die meisten i. M. wurden mit Radioteleskopen entdeckt; solche Mol. müssen ein permanentes *Dipolmoment besitzen. Einige einfache Mol., wie H_2, das am häufigsten vorkommende i. M., wurden im ultravioletten Spektralbereich gefunden. In jüngerer Zeit findet auch die hochauflösende *IR-Spektroskopie zur Untersuchung von in Sternnähe vorkommenden i. M. Anwendung. Auf diese Weise wurden z.B. C_3 u. C_5 entdeckt[1]. Die bis Ende 1994 bekannten i. M. sind in der Tab. auf Seite 1947 aufgeführt. – *E* interstellar molecules – *F* molécules interstellaires – *I* molecole interstellari – *S* moléculas interestelares
Lit.: [1] Science **241**, 1319 (1988); **244**, 562 (1989).
allg.: Angew. Chem. **102**, 627–641 (1990) ▪ Annu. Rev. Phys. Chem. **46**, 27 (1995) ▪ s.a. interstellare Materie.

Interstellare Wolken s. interstellare Materie.

Interstitialzellen-stimulierendes Hormon s. Lutropin.

Interstitiell. Von latein.: interstitium = Zwischenraum abgeleitetes Adjektiv, z.B. in Wortverb. wie i. Gewebe (Zwischengewebe, *Bindegewebe), i. Verb. (s. Interkalation u. Einlagerungsverbindungen), i. Atome

Tab.: Liste der bis zum 31. 12. 1994 entdeckten interstellaren Moleküle.

Anzahl der Atome

2	3	4	5	6	7	8	9	10	11	13
H_2	H_2O	NH_3	HC_3N	CH_3OH	HC_5N	$HCOOCH_3$	HC_7N	CH_3C_5N[b]	HC_9N	$HC_{11}N$
OH	CH_2	H_2CO	$HCCNC$	CH_3CN	CH_3CCH	CH_3C_3N	$(CH_3)_2O$	$(CH_3)_2CO$[b]		
SO	NH_2	$HNCO$	$HNCCC$	CH_3NC	CH_3NH_2		CH_3CH_2OH			
SO^{+}[b]	H_2S	H_2CS	C_4H	CH_3SH	CH_3CHO		CH_3CH_2CN			
SiN	N_2H^{+}	$HNCS$	H_2CNH	NH_2CHO	H_2CCHCN		CH_3C_4H			
SiO	SO_2	C_3N	H_2C_2O	H_2CCH_2[a]	C_6H					
SiS	HNO	C_3H^{lin}	NH_2CN	C_5H						
NO	H_2D^{+}[b])	C_3H^{ring}	$HCOOH$	HC_2COH						
CH^{+}	HCN	C_3O	CH_4[a]	HC_3NH^{+}						
CH	HNC	C_3S	SiH_4[a]	H_2C_4						
CC	C_2H	$HOCO^{+}$	C_3H_2							
CN	C_2O	$HOCH$[a]	CH_2CN							
CO	C_2S	$HCNH^{+}$[b]	C_4Si							
CO^{+}	$SiCC$	H_3O^{+}	C_5[a]							
CSi	HCO	H_2CN								
CS	HCO^{+}	$HCCN$								
CP	HOC^{+}[b]									
NH	OCS									
NS	HCS^{+}									
HCl	C_3[a]									
$NaCl$	$MgNC$									
KCl	$NaCN$									
$AlCl$	N_2O									
AlF										
PN										

[a]) Mol. wurden mit Infrarot-Spektroskopie in sternnahen Bereichen entdeckt.
[b]) Identifizierung noch unsicher.

(*Zwischengitteratome) u. Interstitialzellen-stimulierendes Hormon (ICSH, s. Lutropin). – **E** interstitial – **F** intersticiel – **I** interstiziale – **S** intersticial

Interstitielle Mischkristalle s. Kristallbaufehler.

Interstitielle Verbindungen s. Einlagerungsverbindungen.

Intersystem crossing (ISC). Unter diesem, dem Engl. entlehnten Begriff versteht man in der *Photochemie im allg. den unter *Spin-Umkehr verlaufenden Übergang eines Mol. aus dem 1. angeregten *Singulett- in den energet. tiefstliegenden *Triplett-Zustand. – **E** = **F** = **S** intersystem crossing – **I** intersystem crossing, incrocio intersistemi

Lit.: Klessinger u. Michl, Excited States and Photochemistry of Organic Molecules, Weinheim: VCH Verlagsges. 1995.

Intimpflegemittel. Sammelbez. für eine Untergruppe der *Kosmetika, die als *Hautpflegemittel aufgrund ihrer bes. Zusammensetzung im Genital- u./od. Analschleimhautbereich Anw. finden können u. zwar prinzipiell bei beiden Geschlechtern. Der Reinigung dienen Waschmittel auf der Basis wäss. Lotionen od. Shampoos, die Imidazol-Derivate, Sulfobernsteinsäureester od. Betaine als Tenside einsetzen. Intimdesodorantien mit bakteriziden Wirkstoffen sind als Sprays (*Intimsprays*) od. Waschtüchlein im Handel; übliche Zusätze sind geruchsüberdeckende Riechstoffe, während *Antihidrotika weniger eingesetzt werden als in normalen *Desodorantien. Alkohol als Lsm.-Komponente wird wegen möglicher Schleimhautreizungen nicht mehr verwendet. – **E** feminine hygiene products – **F** produits des soins intimes – **I** prodotti per la cura intima – **S** productos para la higiene íntima femenina
Lit.: Umbach (Hrsg.), Kosmetik, 2. Aufl., S. 136–139, Stuttgart: Thieme 1995 ▪ s. a. Kosmetik, Kosmetika.

Intoxikation s. Vergiftung.

Intralumbal s. Injektion.

Intramin®-Farbstoffe. Gemische aus *Naphtol AS®-Derivaten u. diazotierbaren Basen, die (in Wasser gelöst bzw. dispergiert) bes. auf Polyester-Fasern appliziert werden u. dann nach Diazotierung in den Fasern zum Azo- od. Bisazo-Farbstoff gekuppelt werden. Vorzugsweise für Schwarzfärbung. **B.**: DyStar.

Intramin-schwarz®. *Dispersionsfarbstoff, der nach dem Färben auf der Faser diazotiert wird, mit hoher Deckkraft u. Thermomigrations-Echtheit. **B.**: DyStar.

Intramolekular. Fachsprachliche Bez. für solche Prozesse bzw. Kräfte, die – im Gegensatz zu *intermolekularen – *innerhalb* der einzelnen Mol. stattfinden bzw. wirken; *Beisp.*: Isomerisierung, Konformationsänderung, Umlagerung, Cyclisierung, Lactonisierung, Dehydratisierung, Fragmentierung, Charge-Transfer-Reaktionen, Ausbildung von i. Wasserstoff-Brücken. Weil im Fall der i. Reaktionen die zwei reagierenden funktionellen Gruppen am selben Mol. fixiert sind, ist die Angabe der Reaktionsmolekularität hier nicht so einfach; man spricht deshalb oft von *effektiver *Molekularität*; Näheres hierzu u. zur Kinetik von i. Reaktionen s. *Lit.*[1,2]. – **E** = **S** intramolecular – **F** intramoléculaire – **I** intramolecolare

Lit.: [1] Adv. Phys. Org. Chem. **17**, 183–278 (1980). [2] Angew. Chem. **93**, 553–566 (1981).

Intramolekulare Substitution s. Substitution.

Intramuskulär s. Injektion.

Intrauterinpessare (IUP). Nichthormonelles Verhütungsmittel (s. a. Antikonzeptionsmittel) zum Einführen in die Gebärmutterhöhle. Heute stehen u. a. mehrfach gebogene Plastikspiralen, Kupfer-haltige, meist T-förmige Pessare u. Progesteron-haltige Pessare zur Verfügung. Die Wirksamkeit der I. ist nicht ganz so hoch wie die der hormonellen Kontrazeptiva, aber höher als die der übrigen Meth. der Empfängnisverhütung. Die Wirkung beruht auf einer Verhinderung der Einnistung des befruchteten Eies in die Gebärmutterschleimhaut. – *E* intrauterin device (IUD) – *F* pessaire intrautérin – *I* pessari intrauterini – *S* dispositivo intrauterino, DIU

Intravenös s. Injektion.

Intrinsic factor (*E* von latein.: intrinsecus = im Inneren). Von Castle 1929 entdecktes *Glykoprotein des Magensaftes mit einem M_R von ca. 60000, das an Zucker-Komponenten u. a. L-*Fucose u. D-*Galactose enthält u. gegen Proteolyse im Darm durch seinen *N*-*Acylneuraminsäure-Gehalt geschützt wird. Mit *Vitamin B_{12} (*extrinsic factor*) bildet der i. f. einen Komplex, der im unteren Teil des Dünndarms (Ileum) Rezeptor-abhängig resorbiert wird. Da dieser Vorgang die bevorzugte Resorptionsform des Vitamins B_{12} darstellt, führt ein Fehlen des i. f. zu Vitamin-B_{12}-Mangel im Organismus, u. es kommt zu hyperchromen *Anämien (s. Hyperchromie), zu denen v. a. die perniziöse Anämie gehört. – *E* intrinsic factor – *F* facteur intrinsèque – *I* fattore intrinseco – *S* factor intrínseco
Lit.: Baillieres Clin. Haematol. **8**, 515–531 (1995). – *[CAS 9008-12-2]*

Intrinsische Viskosität s. Huggins-Gleichung u. Viskosität.

Intrinsisch leitfähige Polymere s. elektrisch leitfähige Polymere.

Intron. Auch als intervenierende Sequenz bezeichneter, nicht-codierender DNA-Abschnitt eines Eukaryonten-Gens, der einen codierenden Bereich (*Exon) unterbricht. Das bei der *Transkription zunächst entstehende prim. Transkript enthält neben den Exon- auch die I.-Sequenzen, die beim *Spleißen ausgeschnitten werden. Nur die Exon-Regionen werden zur reifen mRNA verknüpft, die I.-Transkripte (bis zu 75% des prim. Transkripts) werden im Zellkern abgebaut. Die Synth. reifer rRNA u. tRNA erfolgt ebenfalls über das Ausschneiden von I.-Sequenzen aus dem prim. Transkript. Genstückelung kommt bei allen Klassen von Eukaryonten vor (vermehrt bei höheren Eukaryonten), in Mitochondrien- u. Chloroplasten-Genen, bei einigen *Archaea, nicht jedoch bei Eubakterien. Bei allen höheren Eukaryonten beginnt die I.-Sequenz mit dem Dinucleotid 5'-GT-3' u. endet mit 5'-AG-3'; bei Chloroplasten u. Mitochondrien fehlen diese sog. *Consensus-Sequenzen. Anzahl, Position u. Sequenz von I. sind für das betreffende gestückelte Gen ein unveränderliches Merkmal. Die Funktion der I. ist noch weit-

gehend unbekannt. – *E* = *F* intron – *I* introne – *S* intrón
Lit.: Knippers (6.), S. 283 ff., 388 f. ■ Lewin, Gene, S. 362 ff., Weinheim: VCH Verlagsges. 1988 ■ Stryer 1996, S. 116 ff., 894 ff., 905 ff.

Intron A® Injection (Rp). Injektionslsg. mit *Interferon alfa-2b gegen Haarzellen-Leukämie. *B.:* Essex Pharma GmbH.

Intronics. Wenig gebräuchliche, von „intramolecular ionics" abgeleitete Bez. für *Zwitterionen.

Intrusion. In der *Petrographie Bez. für das Eindringen (Aufsteigen, Intrudieren) von *Magma in höher gelegene Teile der Erdkruste; auch Bez. für einen magmat. Gesteinskörper, der sich in geschmolzenem Zustand einen Weg in umgebendes Gestein gebahnt hat; s. a. magmatische Gesteine.
Der Begriff wird auch in anderem Zusammenhang verwendet, s. Spritzgießen. – *E* = *F* intrusion – *I* intrusione – *S* intrusión

Intrusivgesteine s. magmatische Gesteine.

Intumeszenz. Von latein.: intumescere = anschwellen abgeleitete Bez., unter der man in der Medizin eine Anschwellung von *Geweben versteht, bei Krist. bzw. Werkstoffen die Aufblähung bzw. das Quellen u. Schäumen insbes. bei Hitzeeinwirkung. Aufgrund ihres I.-Verhaltens werden *Intumeszenzmassen* auf der Basis von Ammoniumpolyphosphaten u./od. Dicyandiamid als *Flammschutzmittel verwendet. – *E* = *F* intumescence – *I* intumescenza – *S* intumescencia
Lit.: Thiele (Hrsg.), Handlexikon der Medizin, S. 1216, München: Urban u. Schwarzenberg 1980 ■ Ullmann (5.) **A 11**, 126.

Intybin s. Lattich u. Zichorien.

Inulase (Inulinase, 2,1-*β*-D-Fructan-Fructanhydrolase, EC 3.2.1.7). Enzym, das den Abbau von *Inulin zu D-*Fructose katalysiert. – *[CAS 9025-67-6]*

Inulin (Dahlin, Alantin, Alant-Stärke).

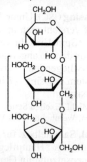

Farbloses hygroskop. Pulver, das sich in Wasser (bes. beim Erwärmen) zu einer kolloidalen Lsg. auflöst, unlösl. in Alkohol u. Ether. I. ist gegen Alkalien (ähnlich wie Stärke u. Glykogen) ziemlich beständig, reduziert Fehlingsche Lsg. nicht, gibt mit Iod keine Blaufärbung u. schmilzt bei 180 °C unter Zersetzung. I. ist ein lineares *Polyfructosan mit ca. 30–60 *Fructose-Einheiten in *β*2-1-Bindung, die in der furanosiden Form vorliegen. Wahrscheinlich wird die Kette von *Glucose (Gesamtanteil 2–3%) abgeschlossen; die Molmasse liegt bei ca. 5000. I. findet sich allein od. mit *Stärke zusammen als Reserve-Kohlenhydrat in Dah-

lienknollen, Artischocken, Topinamburknollen, Zichorienwurzeln, Löwenzahnwurzeln, in den Zellen von *Alant = Inula*-Arten (Name) u. a. Korbblütlern (s. Asteraceen), seltener auch in verwandten Pflanzenfamilien (Campanulaceae, Lobeliaceae). In den Zellsäften dieser Pflanzen ist das I. in übersätt. Zustand gelöst; es krist. rasch aus dem Zellsaft aus, falls dieser z. B. aus einer verletzten Zelle fließt. In größeren Mengen gewinnt man I. aus dem wäss. Extrakt der Knollen durch Fällen mit Alkohol u. Ausfrieren. Mit Hilfe von Säuren od. Enzymen (Inulase) wird I. vollständig zu Fructose abgebaut u. kann zur Gewinnung von Fructose u. zur Bereitung von Brot für Zuckerkranke (Diabetikerbrot) sowie zur Nierenfunktionsprüfung verwendet werden. I. wurde erstmals von Rose 1804 aus dem Rhizom von *Inula helenium* isoliert.
Anw.: Als lösl. Ballaststoff mit Diabetiker-Eignung u. nicht-kariogenen Eigenschaften erfreut sich I. heute zur Herst. funktioneller Lebensmittel stetig steigender Beliebtheit. I. kann sowohl zur Ballaststoffanreicherung als auch als partieller Fett- u. Zuckerersatz verwendet werden[1-3]. – *E* inulin – *F* inuline – *I = S* inulina
Lit.: [1] Crit. Rev. Food Sci. Nutr. **33**, 103–148 (1993). [2] Z. Lebensmittel **46**, 18–24 (1995). [3] Dtsch. Milchwirtsch. (Leipzig) **47**, 697 f. (1996).
allg.: Carbohydr. Res. **26**, 401 (1973); **48**, 1 (1976) ▪ Diabetologia **20**, 268–273 (1981) ▪ Hultman, in Curtius, Clin. Biochem. Princ. Methods 2, S. 908, Berlin: Springer 1974 ▪ Ind. Obst. Gemüseverwert. **72**, 467–470 (1987) ▪ Karrer, Nr. 679 ▪ Methods Carbohydr. Chem. **5**, 157 (1965) ▪ Nuhn, Chemie der Naturstoffe (2.), S. 210, 216, Stuttgart: Wissenschaftliche Verlagsges. 1990 ▪ Proc. Biochem. **15**, 2, 4, 32 (1980) ▪ Stärke **38**, 91–94 (1986); **39**, 335–343 (1987) ▪ Ullmann (4.) **A 12**, 471. – *[HS 110820; CAS 9005-80-5]*

Inulinase s. Inulase.

Invariante Kette (Ii, CD74). *Glykoprotein (M_R 31 000, Nebenform durch alternatives *Spleißen M_R 41 000), das im *endoplasmatischen Retikulum als Trimer 3 Mol. neu synthetisierter *Histokompatibilitäts-Antigene der Klasse II bindet u. dadurch als *Chaperon fungiert. Während des Transports zur Zelloberfläche wird Ii bis auf ein Oligopeptid (CLIP) abgebaut, das zunächst an Klasse-II-Mol. gebunden bleibt, aber später durch antigene Peptide ersetzt wird [vgl. Antigene (Antigen-Präsentierung)]. Zu geringerem Teil wird Ii auch in die Zellmembran integriert. Darüber hinaus ist es für die Reifung u. Antigen-Aktivierung von B-*Lymphocyten nötig[1]. – *E* invariant chain – *F* chaîne invariante – *I* catena invariante – *S* cadena invariante
Lit.: [1] Science **274**, 106 ff. (1996).
allg.: Cell **84**, 505 ff. (1996) ▪ J. Immunol. **158**, 187–199 (1997).

Invasin. I. gehört zu den bakteriellen Virulenzfaktoren. Es handelt sich um ein großes Protein, das in der äußeren Zellmembran lokalisiert ist u. den Bakterien das Eindringen in andere Zellen erlaubt. – *E* invasin – *F = I* invasine – *S* invasina
Lit.: Methods Enzymol. **236**, 566 (1994) ▪ Microbiol. Rev. **60**, 316 (1996).

Invasion. Von latein.: invadere = eindringen hergeleitete Bez. für: 1. In der *Ökologie* das Eindringen von Lebewesen, z. B. Lemmingen od. Tannenhähern, in Regionen, in denen sie normalerweise nicht leben (Immigration). – 2. In der *Pathologie* den Befall eines Organismus (Wirtes) mit *Parasiten (Infestation) od. das Eindringen von Zellverbänden in Nachbargewebe od. -organe. Im Unterschied zur Infektion (gelegentlich auch als Synonym gebraucht) vermehrt sich der Parasit im befallenen Wirt nicht, z. B. Dasselfliegenlarven. – 3. In der *Pharmakologie* u. *Toxikologie* die Aufnahme (*Resorption) u. Verteilung eines Pharmakons od. eines *Toxins. – *E = F* invasion – *I* invasione – *S* invasión
Lit.: Diamond u. Case (Hrsg.), Community Ecology, S. 65–79, New York: Harper & Row 1986 ▪ Elton, The Ecology of Invasions by Animals and Plants, London: Wiley 1958.

Inverkehrbringen. Nach § 3 Abs. 9 *Chemikaliengesetz ist I. die Abgabe an Dritte od. die Bereitstellung für Dritte. Als I. gilt auch ein Import, jedoch nicht ein Warentransit unter zollamtlicher Überwachung, soweit keine Be- u. Verarbeitung erfolgen. Vor dem ersten I. in der EU ist ein *Neustoff anzumelden, nach Erreichen bestimmter Vermarktungs- bzw. Importmengen sind weitere Prüfungen erforderlich (s. Chemikaliengesetz). – *E* release into circulation – *F* mettre en circulation – *I* messa in circolazione – *S* puesta en circulación
Lit.: s. Chemikaliengesetz.

Inverse Emulsionspolymerisation. Bei der i. E. wird die wäss. Lsg. eines hydrophilen *Monomers mit Hilfe von Wasser-in-Öl (W/O)-Emulgatoren in einer hydrophoben Flüssigkeit emulgiert u. anschließend eine *radikalische Polymerisation gestartet. Die i. E. verläuft bes. glatt u. führt zu stabilen Syst., wenn man von Mikroemulsionen ausgeht. Die *Emulsionen bleiben auch dann niedrigviskos, wenn die Monomeren in der wäss. Phase hochkonz. sind u. zu *Polymeren mit hoher Molmasse umgesetzt werden. Wird die Emulsion nach beendeter Polymerisation in Wasser eingegossen, so invertiert sie, u. die gebildeten Polymere lösen sich rasch auf.
Die i. E. wurde bes. intensiv untersucht am Beisp. der Polymerisation von Acrylamid, die in rein wäss. Syst. erhebliche Viskositätsprobleme bereitet. – *E* inverse emulsion polymerization – *F* polymérisation en emulsion inverse – *I* polimerizzazione inversa in emulsione – *S* polimerización en emulsión invertida
Lit.: Compr. Polym. Sci. **4**, 225–229 ▪ Houben-Weyl **E 20**, 1182 ff.

Inverse Fette (Retro-Fette). Während *Fette u. Öle Ester dreiwertiger Alkohole (*Glycerin) mit Monocarbonsäuren darstellen, sind die sog. i. F. Ester von Fettalkoholen mit vicinalen Tricarbonsäuren (z. B. Tricarballylsäure, s. 1,2,3-Propantricarbonsäuren). Im Fettstoffwechsel können die i. F. nicht genutzt werden; sie werden unverdaut ausgeschieden. – *E* inverse fats – *F* graisses inverses – *I* grassi inversi – *S* grasas inversas
Lit.: Fette Seifen Anstrichm. **74**, 321 (1972).

Inverse Micellen. Bez. für in apolaren Lsm. aus ion. *Tensiden in Ggw. geringer Mengen Wasser gebildete Aggregate, deren polarer Kern aus den hydratisierten Kopfgruppen der Tensidmol. besteht, während die hydrophoben Reste die Grenzfläche zwischen Micelle u.

Lsm. bilden. I. M. können Wasser u. wasserlösl. Verb. solubilisieren. – *E* inverse micelles – *F* micelles inverses – *I* micelle inversi – *S* micelas inversas

Inversion. Von latein.: inversio = Umkehrung abgeleitete Bez. für unterschiedliche Vorgänge in Naturwissenschaft u. Technik.

1. Von I. spricht man allg. dann, wenn z. B. zwei Stoffe ihre Plätze u./od. Funktionen vertauschen; *Beisp.:* I. bei der Herst. von *Emulsionen, Phasenumkehr bei *Destillationen, Inversionstemp. (s. Joule-Thomson-Effekt), *inverse Fette, *Invertseifen, Inversionswetterlagen, *Kristallsysteme, inverse Spinelle (s. Spinelle), bei *Halbleitern beim Übergang von n- zu p-Leitung, d. h. von Überschußleitung (Elektronen-Leitung) in Mangelleitung (*Defektelektronen-Leitung) usw.

2. In der Chemie bezeichnet man mit I. allg. eine einsinnig verlaufende Konfigurationsänderung, z. B. bei tetraedr. Konfigurationen am „asymmetr." C-Atom (s. Abb.) auch bei pyramidalen Konfigurationen an unsymmetr. substituierten N-Atom. Die Abb. gibt schemat. die Konfigurationsverhältnisse wieder, die vorliegen, wenn in der mittleren Verb. der Substituent 4 durch die Gruppen 5 od. 6 ersetzt wird. *Nucleophile *Substitutionen können mit Konfigurationsumkehr (*Inversion*) od. mit Konfigurationserhalt (*Retention*) verbunden sein; die Wahrscheinlichkeit für das Eintreten des einen od. anderen Falles hängt insbes. vom eintretenden u. den schon vorhandenen Substituenten u. von den Reaktionsbedingungen ab. Die bei einer Substitutionsreaktion beobachtete Retention der Konfiguration kann auch das Ergebnis zweier aufeinanderfolgender I. sein (s. z. B. *Lit.*[1], S. 452). Mit den Substituenten H_2C–COOH (1), COOH (2), H (3), Cl (4) u. OH (5 bzw. 6) stellt die Abb. die von *Walden untersuchte Umwandlung der (–)-Chlorbernsteinsäure (A) in (+)-Äpfelsäure (B^1, mittels KOH) bzw. in (–)-Äpfelsäure (B^2, mittels Ag_2O) dar.

Dem Entdecker zu Ehren wird die erstgenannte, nach S_N2-Mechanismus (s. Substitution) ablaufende Reaktion als Typ *Waldensche Umkehrung* genannt. Bildlich kann man sich die I. wie das Umklappen eines Regenschirms im Sturm vorstellen. In einigen Fällen können auch *sigmatrope Reaktionen mit einer I. verbunden sein.

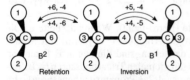

Abb.: Substitution an A unter Inversion (Produkt B^1) od. Retention (Produkt B^2).

3. Bez. für die Spaltung der die Polarisationsebene linear polarisierten Lichtes nach rechts drehenden *Saccharose (Rohrzucker) in ein Gemisch aus gleichen Teilen von *Glucose u. *Fructose durch verd. Säuren od. das Enzym *Invertase; dieses Gemisch (*Invertzucker) dreht die Polarisationsebene des Lichtes nach links, da D-Fructose stärker links- als D-Glucose rechtsdrehend ist. Die Geschw. der I., die eine der

techn. wichtigen *Hydrolyse-Reaktionen darstellt, kann man bei einer gegebenen Saccharose-Lsg. mit dem Polarimeter anhand der von ca. +66° nach ca. –22° fortschreitenden Drehung bequem verfolgen. Eine Unterbrechung der I. kann man mit Alkalien vornehmen. Derartige Messungen wurden schon von *Wilhelmy etwa 1850 ausgeführt; dieser fand, daß die I.-Geschw. in jedem Augenblick der Saccharose-Konz. proportional ist u. „erfand" bei dieser Gelegenheit den Begriff der *Reaktionsgeschwindigkeit. Bei der Herst. von *Kunsthonig arbeitet man mit Vorliebe mit sehr verd. Säuren, längeren Zeiträumen u. höherer Temp.; man braucht nachher die geringen Säurespuren nicht mehr zu neutralisieren, da sie die Süßigkeit des Kunsthonigs nicht beeinträchtigen, sondern noch etwas erhöhen. Der Nektar (s. Honig) enthält wenig invertierte Saccharose; im Bienenmagen wird die I. unter dem Einfluß von Enzymen beschleunigt, so daß der Bienenhonig im wesentlichen ein Gemisch aus Glucose u. Fructose ist. Die Süßigkeit von Kunsthonig u. Bienenhonig ist v. a. auf die bes. süße Fructose zurückzuführen. In den mit Saccharose gesüßten, säurehaltigen Limonaden u. bei den mit Saccharose bestreuten Obstkuchen findet unter dem Einfluß der organ. Säuren ebenfalls eine langsame I. statt. Die I. der Saccharose ist eine der am frühesten bekannt gewordenen katalyt. Reaktionen der organ. Chemie; sie wurde schon 1806 von Clément Desormes beobachtet. Heute nimmt man die I. meist mit immobilisierten Invertase-Präp. vor.

4. In der Meterologie[2] Bez. für eine Umkehrung der natürlichen Temp.-Abnahme in der Atmosphäre mit steigender Höhe. Dadurch wird der Austausch zwischen bodennahen u. höheren Luftschichten behindert (austauscharme Wetterlage). Über Ballungsgebieten (*Belastungsgebiete) können I. die Verdünnung u. Elimination von Luftverunreinigungen derart vermindern, daß *Immissions-Grenzwerte überschritten werden, ohne daß *Emissions-Grenzwerte wie die der TA-Luft dabei erreicht werden (s. Smog). – $E = F$ inversion – *I* inversione – *S* inversión

Lit.: [1] Christen u. Vögtle, Organische Chemie, Bd. 1, Frankfurt: Salle 1988. [2] Römpp Lexikon Umwelt, S. 366. *allg.:* Fortschr. Chem. Forsch. **15**, 311–377 (1970); **19**, 61–96 (1971) ▪ Top. Stereochem. **6**, 19–106 (1971).

Inversionsaufspaltung s. Inversionsschwingung.

Inversionsbarriere. Energiebarriere zur Planarität bei Mol. mit pyramidaler *Gleichgewichtsgeometrie (z. B. Ammoniak). Information über die Höhe einer I. läßt sich erhalten mittels *NMR-Spektroskopie bei verschiedenen Temp., hochauflösender Rotationsschwingungs-Spektroskopie od. mit Hilfe von *ab initio-Rechnungen. Nach Rechnungen mit der *CEPA-Meth. besitzt NH_3 eine I. von $22,4$ kJ mol^{-1} (*Lit.*[1]), in sehr guter Übereinstimmung mit einem spektroskop. Wert von $21,9$ kJ mol^{-1} (*Lit.*[2]). Bei *Phosphinen sind die I. mit ca. 140 kJ mol^{-1} deutlich höher. – *E* barrier to inversion – *F* barrière d'inversion – *I* barriera di inversione – *S* barrera de inversión

Lit.: [1] J. Chem. Phys. **87**, 1453 (1987). [2] J. Mol. Spectrosc. **101**, 30 (1983).

Inversionsschwingung. Spezielle Schwingung eines pyramidalen (z. B. NH_3) od. lokal pyramidalen Mol.

(z. B. $H_3C–CH_2–NH_2$) mit niedriger *Inversionsbarriere. Z. B. führt die I. beim NH_3-Mol. eine pyramidale *Konfiguration in die zu ihr äquivalente spiegelbildliche Konfiguration über. Das Vorliegen einer I. äußert sich im Rotationsschwingungsspektrum in Form der sog. *Inversionsaufspaltung*, d. h. Energiezustände, die bei unendlich großer Inversionsbarriere exakt gleiche Energie besäßen, werden bei endlicher Barrierenhöhe aufgespalten. Niedrige Inversionsbarrieren bewirken eine beträchtliche Aufspaltung. Beim NH_3-Mol. beträgt die Aufspaltung im Schwingungsgrundzustand $0,79\ cm^{-1}$, im ersten angeregten Zustand $35,7\ cm^{-1}$. Beim H_3O^+-Ion mit einer niedrigen Inversionsbarriere von $9,2\ kJ\ mol^{-1}$ macht die Aufspaltung im Grundzustand bereits $54\ cm^{-1}$ aus. – *E* inversional vibration – *F* vibration d'inversion – *I* oscillazione di inversione – *S* vibración de inversión

Inversionstemperatur (Kurzz.: T_i). Temp.-Wert, bei dem der *Joule-Thomson-Koeff.* genau Null ist; Näheres s. Joule-Thomson-Effekt.

Invertase. Sammelbez. für solche Enzyme, die *Saccharose in D-Glucose u. D-Fructose (das Gemisch heißt *Invertzucker) spalten. Die früher *Saccharasen* od. *Sucrasen* genannten I. sind typ. *Hydrolasen, die *Disaccharide hydrolyt. zerlegen. Im engeren Sinn versteht man unter I. die *β-Fructofuranosidase* (EC 3.2.1.26; früher: *β-h-Fructosidase* od. Fructosaccharase), die Saccharose vom Fructose-Teil her angreift. Je nach Herkunft – aus Hefen od. anderen Pilzen, Höheren Pflanzen od. Darm-Schleimhaut – haben die I. M_R zwischen 210000 u. 270000. Im erweiterten Sinn begreift man als I. auch die α-*Glucosidase (EC 3.2.1.20, auch: Glucoinvertase, Glucosaccharase), die Saccharose vom D-Glucose-Ende her spaltet. Die beiden I. lassen sich an ihrem Verhalten gegenüber *Raffinose unterscheiden: Erstere spaltet aus dieser D-Fructose ab, letztere nicht.
Verw.: Zur Kunsthonig-Herst., in der Konditorei bei der Herst. von Marzipan, Fondantmasse, Pralinen usw. zur teilw. Spaltung der Saccharose, die in Zuckerwaren unerwünschterweise erhärtet, in den weichbleibenden Invertzucker. – *E* = *F* invertase – *I* invertasi – *S* invertasa – *[HS 350790]*

Invertebraten (von latein.: vertebra = Gelenk, Wirbel). Bez. für die Gesamtheit der *Wirbellosen Tiere*, die ca. 90–95% aller Tiere ausmachen u. zu denen die in Einzelstichwörtern behandelten Einzeller, Schwämme, Hohltiere, Würmer, Arthropoden (*Krebse, *Spinnen, *Insekten), Mollusken (Weichtiere) u. Echinodermata (Stachelhäuter) gehören. Gegensatz: *Vertebraten. – *E* invertebrates – *F* invertebrés – *I* invertebrati – *S* invertebrados
Lit.: Wehner u. Gehring, Zoologie, 23. Aufl., Stuttgart: Thieme 1995.

Inverted repeat s. Insertionssequenzen.

Invertseifen (Kationseifen). Gewöhnliche *Seifen sind anion. Tenside der allg. Formel: $R–COO^-$. I. sind dagegen kation., grenzflächenakt. Substanzen der allg. Formel: R_4N^+. Seifen u. I. sind hinsichtlich ihres Schaum- u. Netzvermögens sowie der Erniedrigung der Grenzflächenspannung des Wassers vergleichbar.

I. sind jedoch für die Formulierung von *Waschmitteln nicht geeignet, da sie auf die Faser aufziehen und den Schmutz aus der Waschflotte wieder auf der Faser ablagern würden. Im Gegensatz zu Seifen sind I. wenig härteempfindlich, d. h. sie werden durch Calcium- u. Magnesium-Ionen nicht als schwerlösl. Salze gefällt, zudem haben sie in Abhängigkeit von ihrem Substitutionsmuster geringe bis starke mikrobizide Eigenschaften u. werden daher als Desinfektionsmittel verwendet. – *E* invert soaps – *F* savons inversés, savons invertis – *I* saponi invertiti – *S* jabones invertidos
Lit.: s. Kationtenside, Desinfektionsmittel.

Invertzucker. Bez. für das unter *Inversion des opt. Drehsinns entstehende Gemisch aus *Glucose u. *Fructose, das sich bildet, wenn Saccharose mit Säure od. enzymat. hydrolysiert wird. Zur enzymat. Inversion werden in der Süßwaren-Ind. techn. Präp. aus speziellen Hefestämmen angewendet. Prinzipiell zum gleichen 1:1-Gemisch von Glucose u. Fructose gelangt man auch durch Hydrolyse der Stärke zu Glucose u. deren Isomerisierung mittels Isomerase; Näheres zur Herst. u. Verw. dieses Isosirups s. bei Glucose-Isomerase. Nach der Zuckerarten-VO vom 8.3.1976 muß I. mind. 62% Trockenmasse enthalten. Produkte mit einem Gehalt an I. von 3–50% werden als *Invertflüssigzucker* bezeichnet, solche mit einem Gehalt an I. über 50% als *I.-Sirup*. I. besitzt eine etwas höhere Süßkraft als Saccharose.
Verw.: In der Süßwaren-, Brau- u. Nahrungsmittel-Industrie als Ausgangsmaterial für die Herst. von *Sorbit u. *Mannit u. in der Medizin zur parenteralen Ernährung u. als Adjuvans bei der Behandlung von Herz-, Kreislauf- u. Leberinsuffizienzen sowie bei der Verödung von Venen. – *E* invert sugar – *F* sucre inverti, sucre interverti – *I* zucchero invertito – *S* azúcar invertido, invertosa
Lit.: Panocoast u. Junk, Handbook of Sugars (2.), Westport: AVI 1980 ▪ Ullmann (5.) **24**, 749ff. ▪ s. a. Glucose, Glucose-Sirup. – *[HS 170290]*

Invertzuckercreme s. Kunsthonig.

Investitionen. Die I. in der chem. Ind. der BRD lagen 1995 bei ca. 12,2 Mrd. DM im Inland u. 7,5 Mrd. DM im Ausland. Die auf den Umsatz bezogene I.-Quote lag 1995 bei 5,6%. Ca. 10% der I. werden für Sachanlagen im Umweltschutzbereich ausgegeben, die hauptsächlich dem Gewässerschutz, der Abfallbeseitigung u. der Luftreinhaltung zugute kommen. Die I. schaffen neue Wachstumspotentiale u. sichern die Wettbewerbsfähigkeit. Gleiches gilt für die Forschungsausgaben, die 1995 etwa 10 Mrd. DM betrugen. – *E* investments – *F* investissements – *I* investimenti – *S* inversiones

In vitro (latein.: im Glas). Attribut für medizin.-naturwissenschaftliche Experimente, die unter künstlichen Bedingungen („im Reagenzglas") u. nicht am od. im lebenden Organismus (*in vivo*) durchgeführt werden; *Beisp.*: *Gewebezüchtung. – *E* = *F* = *I* = *S* in vitro

In vitro-Mutagenese (gezielte Mutagenese). Verf. der *Gentechnologie, mit dem im Gegensatz zur ungezielten *Mutagenese mit Strahlung od. chem. Agenzien bestimmte Sequenzen des Erbmaterials gezielt verändert werden können, z. B. durch *Deletion, *Insertion, Austausch einzelner Basen od. durch Mutagenese definierter DNA-Abschnitte.

Zur Einführung einer *Deletion* in ein ringförmiges DNA-Mol. wird die betreffende DNA-Sequenz durch eine *Restriktionsendonuclease geschnitten. Nachdem die Einzelstrangbereiche an der Schnittstelle durch spezif. Exonucleasen abverdaut sind, werden die verkürzten Enden durch eine *Ligase verknüpft.

Zur Einführung einer *Insertion* wird bei der Linker-/Adaptor-Technologie in eine mit einem Restriktionsenzym erzeugte Schnittstelle ein *Adaptor-Mol. od. ein *Linker-Mol.[1] (ein chem. synthetisierter Doppelstrang mit der Erkennungsstelle für ein Restriktionsenzym) eingebaut.

Punktmutationen in speziellen DNA-Bereichen werden bei der *Bisulfit-Mutagenese* durch Desaminierung von Cytosin-Resten mittels Natriumbisulfit im Bereich einzelsträngiger DNA induziert. Bei der Synth. des komplementären Strangs kommt es zu GC → AT-Transitionen. Der Einbau von *Nucleotid-Analoga*[2] führt ebenfalls zu Punktmutationen. Eine sehr spezif. u. breit anwendbare Meth. ist die i.v.-M. mittels *synthet. Oligonucleotide*[3]. Ein Oligonucleotid, dessen Sequenz komplementär zu dem Abschnitt einer Einzelstrang-DNA ist, der mutiert werden soll, wird chem. synthetisiert, wobei ein Austausch von ein od. mehreren Basen im Vgl. zur Wildtyp-Sequenz vorgenommen wird. Das modifizierte Oligonucleotid hybridisiert mit dem einzelsträngigen DNA-Mol. u. dient als Primer für die enzymat. Synth. eines komplementären Doppelstrangs (s. PCR). Nach dem *Klonieren enthalten 50% der entstehenden Doppelstrang-DNA den angestrebten Basenaustausch. Die Oligonucleotid-Mutagenese ist Grundlage des *Protein Engineering u. wird derzeit v. a. in der Grundlagenforschung zur Aufklärung von Struktur-Wirkungs-Beziehungen genutzt. – *E* site-specific mutagenesis [(site-)directed] – *F* mutagénèse dirigée (sur un site) – *I* mutagenesi in vitro – *S* mutagénesis dirigida

Lit.: [1] Proc. Natl. Acad. Sci. USA **75**, 6012 (1978). [2] J. Mol. Biol. **118**, 533 (1978). [3] Anal. Biochem. **232**, 254 (1995). *allg.:* Knippers (6.), S. 280 ff. ▪ Primrose, Biotechnologie, Heidelberg: Spektrum der Wissenschaft Verlagsges. 1990 ▪ Primrose, Techniken der Genanalyse, Heidelberg: Spektrum Akadem. Verl. 1996. ▪ Stryer 1996, S. 850 ff.

In vitro-Transkription. Von der DNA-abhängigen RNA-Polymerase (s. Polymerasen) katalysierter Einbau der vier aktivierten *Nucleotide (ATP, UTP, GTP u. CTP) in ein Polynucleotid im zellfreien System. Als Matrize dient dazu isolierte od. synthetisierte DNA. – *E* in vitro transcription – *F* transcription in vitro – *I* trascrizione in vitro – *S* transcripción in vitro

Lit.: Anal. Biochem. **220**, 420 (1994) ▪ Methods Mol. Biol. **31**, 289 (1994); **37**, 121 (1995).

In vitro-Translation. Biosynth. von Proteinen im zellfreien System. Nach dem *Zellaufschluß wird das Homogenat zentrifugiert. Man setzt dem Überstand GTP (s. Guanosinphosphate), *ATP bzw. ein ATP-regenerierendes Syst. u. Magnesium-Ionen, sowie eine Mischung (od. Auswahl) der 20 proteinogenen Ami-

nosäuren zu. Die i. v.-T. wird durch Zugabe einer isolierten od. synthet. *mRNA gestartet. Die am häufigsten verwendeten zellfreien Syst. sind Reticulocytenlysat von Kaninchen od. Lysat aus Weizenkeimlingen. – *E* in vitro translation – *F* transduction in vitro – *I* traslazione in vitro – *S* traducción in vitro

Lit.: Methods Mol. Biol. **37**, 215 (1995); **49**, 207 (1995); **58**, 485 (1996).

In vivo s. in vitro.

Involucrin. *Protein (M_R 70 000 beim Mensch) aus Keratinocyten (Oberhaut-Zellen), das zuerst im Cytosol auftritt, während der Verhornung der Oberhaut (terminale *Differenzierung der Keratinocyten) jedoch an die Innenseite der Zellmembran gebunden wird u. dort eine unlösl. Hülle bildet. Dabei werden unter Katalyse durch Transglutaminase (EC 2.3.2.13) *Isopeptid-Bindungen zwischen I. u. Membran-Proteinen hergestellt. – *E* involucrin – *F* involucrine – *I* = *S* involucrina

Lit.: J. Investig. Dermatol. **100**, 613–617 (1993).

Involutin.

(relative Konfiguration)

$C_{17}H_{14}O_6$, M_R 314,29, blaßgelbe Nadeln, Schmp. 171–174 °C (Zers.), $[\alpha]_D$ –23°. Kommt in Fruchtkörpern des Kahlen Kremplings (*Paxillus involutus*, Basidiomycetes) vor u. ist für die braune Verfärbung der Pilze an Druckstellen verantwortlich; vgl. a. Gyrocyanin u. Gyroporin. – *E* involutin – *F* involutine – *I* = *S* involutina

Lit.: Chem. Ber. **106**, 3223 (1973) ▪ J. Chem. Soc. Perkin Trans. 1, **1973**, 1529 ▪ Turner **1**, 47; **2**, 20, 499 ▪ Zechmeister **51**, 63–70. – *[CAS 13677-78-6]*

Inzucht. Fortpflanzung durch Paarung eng verwandter Lebewesen. Da durch I. rezessive Gene häufiger homozygot werden, können seltene Erbkrankheiten in kleinen isolierten Populationen häufiger auftreten. Normalerweise ist der Effekt von z. B. Ehen zwischen Cousine u. Cousin auf Kindersterblichkeit, IQ, Statur u. a. multifaktorielle Eigenschaften nicht groß genug, um sich auszuwirken. Die laienhafte Vorstellung, daß Verwandtenehen zu verschiedensten körperlichen u. psych. Anomalien u. Degenerationen führen, ist unbegründet. – *E* inbreeding – *F* union consanguine, consanguinité – *I* riproduzione fra insanguinei – *S* consanguinidad, procreación entre consanguíneos

Lit.: Klein, Genetik in der medizinischen Praxis, Stuttgart: Thieme 1988.

Io. Chem. Symbol für *Ionium.

Iobenzaminsäure (Rp).

Internat. Freiname für das *Röntgenkontrastmittel *N*-(3-Amino-2,4,6-triiodbenzoyl)-*N*-phenyl-β-alanin, $C_{16}H_{13}I_3N_2O_3$, M_R 662,00, Schmp. 133–134,5 °C; in Wasser prakt. nicht, in Ethanol schwer löslich. I. wurde 1962 von Österreichische Stickstoffwerke patentiert.

– *E* iobenzamic acid – *F* acide iobenzamique – *I* acido iobenzamico – *S* ácido iobenzámico
Lit.: Hager (5.) **8**, 567 ff. ■ Merck-Index (12.), Nr. 5028. – *[HS 2924 29; CAS 3115-05-7]*

Iobitridol (Rp).

Internat. Freiname für das Röntgenkontrastmittel *N,N'*-Bis(2,3-dihydroxypropyl)-5-[3-hydroxy-2-(hydroxymethyl)propaionamido]-2,4,6-triiod-*N,N'*-dimethyl-isophthalamid, $C_{20}H_{28}I_3N_3O_9$, M_R 835,17. I. ist von Guerbet (Xenetix®) im Handel. – *E = F = S* iobitridol
Lit.: Acta Radiol. Suppl. **400**, 1–92 (1996). – *[CAS 136949-58-1]*

Iocarminsäure (Rp).

Internat. Freiname für das *Röntgenkontrastmittel 5,5'-(Adipoyldiamino)bis(2,4,6-triiod-*N*-methyl-isophthalamidsäure), $C_{24}H_{20}I_6N_4O_8$, M_R 1253,87, Schmp. 302 °C; in Wasser schwer lösl.; Lagerung lichtgeschützt. Verwendet wird auch das Dimeglumin-Salz $C_{38}H_{54}I_6N_6O_{18}$, M_R 1644,30. I. wurde 1966 von Mallinckrodt patentiert. – *E* iocarmic acid – *F* acide iocarmique – *I* acido iocarmico – *S* ácido iocármico
Lit.: Merck-Index (12.), Nr. 5029. – *[HS 2924 29; CAS 10397-75-8 (I.); 54605-45-7 (Dimeglumin-Salz)]*

Iocetaminsäure (Rp).

Internat. Freiname für das *Röntgenkontrastmittel (±)-3-(*N*-Acetyl-3-amino-2,4,6-triiodanilino)-2-methyl-propionsäure, $C_{12}H_{13}I_3N_2O_3$, M_R 613,96, Schmp. 224–225 °C; λ_{max} (C_2H_5OH): 236 nm ($A_{1cm}^{1\%}$ 428); in Wasser prakt. nicht, in Ethanol, Ether u. Benzol etwas löslich. I. wurde 1967 von Dagra patentiert. – *E* iocetamic acid – *F* acide iocétamique – *I* acido iocetamico – *S* ácido iocetámico
Lit.: Hager (5.) **8**, 569 f. ■ Merck-Index (12.), Nr. 5030. – *[HS 2924 29; CAS 16034-77-8]*

Iod (von griech.: iodes = veilchenfarbig, nach der Farbe des Dampfs). Chem. Symbol I. Neben der fachsprachlichen Bez. findet man noch die veraltete Schreibweise Jod, chem. Symbol J; der Duden (21. Aufl. 1996) erlaubt beide Schreibweisen. Auch in Mineral- u. Arzneimittelnamen ist die ältere Schreibweise meist beibehalten worden. Iod ist ein nichtmetall., anisotopes Element, Ordnungszahl 53, Atomgew. 126,9045, mit mehr als 30 künstlichen Isotopen ^{110}I–^{140}I u. HWZ von 0,65 s bis $1,57 \cdot 10^7$ a.

I. steht in der 17. Gruppe (7. Hauptgruppe) des *Periodensystems (*Halogene). Seine Wertigkeit ist infolgedessen meist –1, seltener +1, +2, +3 bis +7, vgl. Iodate u. Iodoxide. Die Verb. sind in der Regel farblos. Reines I. bildet schwarzgraue, Graphit-artige, rhomb. krist. Blättchen, D. 4,93, Schmp. 113,5 °C, Sdp. 184,5 °C, die sich schon bei 20 °C allmählich (oft unter Bräunung der näheren Umgebung) verflüchtigen (*Sublimation). Beim Erhitzen bis zum Sdp. entstehen blauviolett gefärbte giftige Dämpfe von charakterist. Geruch, die zu heftigen, katarrhal. Reaktionen der Nasen- u. Augenschleimhäute führen („I.-Schnupfen"); MAK-Wert 1 mg/m³. In den I.-Dämpfen liegt das I. großenteils zweiatomig vor, jedoch kommen in Abhängigkeit von Druck u. Temp. auch I_4-Mol. vor. Bei hohen Temp. erfolgt Zerfall in freie Atome, s. Dissoziation. In Wasser löst sich I. bei 20 °C nur sehr wenig (1:3500) u. ähnlich wie in den Sauerstoff-haltigen organ. Lsm. (Alkohol, Ether, Aceton) mit bräunlichgelber bis brauner Farbe, während es sich in den Sauerstoff-freien Lsm. (Schwefelkohlenstoff, Benzol, Chloroform, Tetrachlormethan u. dgl.) mit violetter bzw. roter Farbe löst. Die Violettfärbung wird durch freie I_2-Mol., die Braunfärbung dagegen durch labile Additionsverb. zwischen I_2-Mol. u. Lsm.-Mol. (*Charge-transfer-Komplexe) verursacht. Bemerkenswert an I. ist auch sein starkes Streuvermögen für Röntgenstrahlen, was seine Funktion in *Röntgenkontrastmitteln erklärt.

Reaktionen: I_2 ist wesentlich reaktionsträger als die übrigen Halogene; es verbindet sich z.B. weniger energ. mit Wasserstoff, u. der entstehende *Iodwasserstoff läßt sich durch Erhitzen großenteils wieder in I_2 u. Wasserstoff zurückverwandeln (s. chemische Gleichgewichte). I_2 vereinigt sich direkt (ggf. bei leichtem Erwärmen) mit Schwefel, Phosphor, Eisen, Quecksilber, Antimon, Silicium, Nickel od. Kalium zu *Iodiden, aus Schwefelwasserstoff scheidet es S ab ($H_2S + I_2 \rightarrow 2 HI + S$), mit Ammoniak entstehen *Iodstickstoff u. mit Fluor *Iodfluoride. An ungesätt. organ. Verb. (Ethylen, Ölsäure, Linolsäure usw.) wird I_2 angelagert, was man auch analyt. nutzt, s. Iod-Zahl. I. kann als einfach neg. Ion in mehreren Formen, als I^- (s. Iodide) u. I_3^- bis I_9^- (s. Iod-Kaliumiodid-Lösung), Polyiodide sowie als pos. geladenes Kation auftreten, z.B. in Iodperchlorat u. den Iod(I)- u. Iod(III)-acetaten $I(O-CO-CH_3)_3$. Das I.-Kation I_2^+ bildet sich beim Auflösen von I_2 u. $S_2O_6F_2$ (Molverhältnis 2:1) in Fluorschwefelsäure, bei der Oxid. von I. in Fluorschwefelsäure mit Iodsäure od. Kaliumpersulfat u. bei der Oxid. von I. in 65 %igem Oleum mit Schwefeltrioxid. Höhere Oxid.-Stufen zeigt I. auch in (Diacetoxyiodo)-benzol, in Ringverb., in denen es als Ringglied gebunden ist, z.B. in 1,3,2-Benzodiiodoxol-Derivaten od. *Iodonium-Verbindungen. Die bekanntesten Säuren des I. sind Iodwasserstoffsäure, Iodsäure u. Periodsäure.

Nachw.: Freies I. erkennt man an dem violetten, typ. riechenden Dampf, an der braunen alkohol. u. rotvioletten Schwefelkohlenstoff-Lsg., an der Bildung von blauer Iodstärke (s. Iodstärke-Reaktion) usw.; Iodid-Ionen in Iodiden geben folgende charakterist. Reaktionen: Mit Silbernitrat entsteht ein gelber Niederschlag von Silberiodid (z.B. $AgNO_3 + NaI \rightarrow$

$AgI + NaNO_3$), der in Ammoniak sehr schwer, in Natriumthiosulfat- u. Kaliumcyanid-Lsg. dagegen leicht lösl. ist. Quecksilber(I)-nitrat gibt im Überschuß einen gelbgrünen, Quecksilber(II)-nitrat einen roten Niederschlag (HgI_2), Bleiacetat-Lsg. einen gelben Niederschlag (PbI_2). Bei Zusatz von Chlorwasser zu einer Iodid-Lsg. scheidet sich bräunliches I. aus: $2KI + Cl_2 \rightarrow 2KCl + I_2$, das beim Umschütteln mit Schwefelkohlenstoff diesen rotviolett färbt. Zur quant. Bestimmung von freiem I. existiert eine Vielzahl von Meth., z.B. Titration mit Thiosulfat-Lsg. (vgl. Iodometrie), gravimetr. Bestimmung als Silberiodid, Photometrie od. amperometr. Titration [1]; zum Nachw. mit o-Tolidin s. Lit.[2].

Physiologie: Für die Wirbeltierorganismen hat I. die Funktion eines *Spurenelements; es ist Bestandteil der Schilddrüsenhormone *Thyroxin u. *3,3',5-Triiod-L-thyronin u.a. *Iodaminosäuren. Der Körpervorrat an I. beträgt 10 – 30 mg, wovon etwa 99% in der *Schilddrüse vorliegen. Nach einem Bericht der WHO liegt das Optimum der I.-Zufuhr bei 150 – 200 µg/d, die bei normaler Kochsalz-Zufuhr mit der Nahrung auch reichlich aufgenommen werden. Außerdem wird zur Sicherstellung der I.-Versorgung in vielen Ländern eine Iodierung des Kochsalzes (*iodiertes Speisesalz) vorgenommen, s. Lit.[3]. I.-Mangel in der Nahrung bzw. im Trinkwasser – wie er z.B. in Gebirgsgegenden auftreten kann – hat nicht selten eine *Hypothyreose, ggf. mit Bildung eines *Kropfs, u. bei Kindern ggf. Kretinismus zur Folge. Bestimmte Isothiocyanate (wie z.B. aus Glucobrassicin u.a. *Glucosinolaten) hemmen aufgrund ihres ähnlichen Ionenradius die Anreicherung von I. in der Schilddrüse, was ebenfalls zum Kropf führen kann. Bei überempfindlichen Menschen u. bei Überdosierung kann es dagegen zum sog. *Iodismus* mit Juck- u. Niesreiz, I.-Ausschlag od. I.-Akne (I.-Allergie mit „I.-Schnupfen"), in schweren Fällen zur *Hyperthyreose u. I.-Basedow kommen. Bes. Vorsicht mit I.-haltigen Präp. ist bei Patienten mit Schilddrüsenläsionen geboten (Lit.[4]). Bei I.-Vergiftungen (schon 30 g I.-Tinktur kann tödlich wirken) verordnet man als Gegenmittel reichliche Mengen von Stärkegel, Mehlbrei, Eiweiß od. verd. Natriumthiosulfat-Lsg., die das I. binden bzw. in weniger schädliche Verb. überführen, s. Lit.[5]. Unter den künstlichen Isotopen des I. besitzen einige als *Radio-I.* Bedeutung in Kerntechnik u. Nuklearmedizin, s. insbes. Lit.[6].

Von den bei der Kernspaltung entstehenden I.-Isotopen wird ^{131}I (HWZ: 8,04 a) als eines der gefährlichsten Radionuklide angesehen, das von einem Kernkraftwerk emittiert wird. Jedoch hat sich beim Störfall von Three Mile Island gezeigt, daß die ^{131}I-Freisetzung erheblich geringer ist als zuvor berechnet (Lit.[7]). Über das Verhalten von ^{131}I im Organismus s. Lit.[8]. Um die Aufnahme von Radio-I. in die Schilddrüse zu blockieren, wird die Einnahme von I.-Tabl. empfohlen, die inaktives I. in Form von Kaliumiodid enthalten. Das ebenfalls bei Kernreaktionen entstehende u. auch natürlich vorkommende ^{129}I (HWZ: $15,7 \cdot 10^6$ a) bedingt wegen seiner geringen Aktivität keine Umweltgefährdung.

Vork.: I. gehört zu den seltenen Elementen: Nur etwa 3 Zehnmillionstel der festen Erdkruste dürfte aus diesem Element bestehen. In den Böden u. Gesteinen hat man mit Hilfe verfeinerter Meth. Spuren von I. nachweisen können; so fand man z.B. in je 100 g wasserfreien, süddtsch. Feinböden im Minimum 63, im Maximum 1200, im Durchschnitt etwa 350 µg Iod. Spuren von I.-Wasserstoff hat man in den vulkan. Dünsten des Vesuvs gefunden. Auch einige Mineralquellen enthalten I.; in den USA (Woodhall Spa bei Lincoln) gibt es sogar eine Quelle, deren Wasser durch I. braun gefärbt ist. Das in sehr geringen Mengen in den Urgesteinen enthaltene I. wandert bei deren Verwitterung z.T. als Alkali- u. Erdalkaliiodid in die Böden u. mit dem Regen- bzw. Flußwasser teilw. ins Meer; ein anderer Teil vergast bei der therm. Zers. der Iodide, u. da die I.-Dämpfe 8,65mal so schwer wie Luft sind, reichern sie sich allmählich in den tiefgelegenen Gebieten u. so v.a. in den Meeren an. Das Meerwasser enthält etwa 0,05 g/t Iod. Einige Meeresorganismen (Algen, Tang, *Korallen in Form des Gorgonins, Hornschwämme) reichern erhebliche Mengen von I. an [bei den *Schwämmen bis zu 14, bei *Blasentang, Knotentang (Ascophyllum nodosum) od. *Kelp u.a. *Algen bis 19 g I. je kg Trockengew.], so daß man auch heute noch aus deren Asche [Varec(h)] I. wirtschaftlich gewinnen kann. Techn. wichtige I.-Verb. bilden die *Chilesalpeter-Lager, in denen bis zu 0,1% I. enthalten sind, u. zwar hauptsächlich als Natriumiodat ($NaIO_3$), weniger als Natriumperiodat ($NaIO_4$) u. Calciumiodat [$Ca(IO_3)_2$].

Herst.: Früher wandte man an den Küsten der Normandie, der Bretagne, Schottlands, Norwegens, Rußlands, Japans u. Kaliforniens die während der Flut an den Strand geschwemmten Tange (Fucus-Arten) gesammelt u. verbrannt, wobei in den Aschen etwa 0,1 bis 0,5% I. (zumeist in Form von Iodiden, weniger als Iodat) zurückblieben. Heute hat die I.-Gewinnung aus Algenasche nur noch lokale Bedeutung (ca. 2% der Weltproduktion). In Chile führt man den Natriumiodat-reichen Endlaugen (aus denen der Salpeter vorher auskrist.) SO_2 zu, wobei I. ausfällt:

$$2NaIO_3 + 4H_2O + 5SO_2 \rightarrow Na_2SO_4 + 4H_2SO_4 + I_2.$$

Bedeutende Mengen I. werden aus Salzsolen hergestellt, die bei der Erdöl- u. Erdgas-Förderung anfallen. Sie enthalten zwischen 30 u. mehr als 100 ppm I., das als Iodid vorliegt u. aus diesem mit Chlor freigesetzt, mit Luft ausgeblasen u. in schwefelsaurer Lsg. mit SO_2 reduziert wird. Aus der erhaltenen Lsg. von Iodwasserstoffsäure wird durch gasf. Chlor elementares I. ausgeschieden:

$$2NaI + Cl_2 \rightarrow I_2 + 2NaCl$$
$$I_2 + SO_2 + 2H_2O \rightarrow 2HI + H_2SO_4$$
$$2HI + Cl_2 \rightarrow 2HCl + H_2.$$

Bei einer alternativen Arbeitsweise wird I. als Polyiodid an Anionen-Austauschern adsorptiv angereichert. Die Weltproduktion (ohne GUS-Länder) betrug 1992: 13 500 t; die Haupterzeugerländer sind Japan u. Chile.

Zur Reinstherst. von I. geht man von Kaliumiodid aus, dem man Halogen-freies Kupfersulfat zusetzt. Die Wiedergewinnung aus Iodid-Lsg. kann leicht mit Sauerstoff u. Stickoxiden als Vermittler erfolgen. Näheres u. andere Meth. der Herst. s. Lit.[9], u. zur Herst. von I.-Lsg. s. Lit.[10]. Während ^{129}I u. ^{131}I bei der Spaltung von Uran u. ^{125}I aus zerfallendem ^{124}Xe od. ^{125}Xe entstehen, muß ^{123}I durch Bestrahlung des natürlichen ^{127}I mit Protonen u. Zerfall des entstehenden ^{123}Xe hergestellt werden (*Lit.*[6]).

Verw.: In der Medizin kann I. in elementarer od. gebundener Form verwendet werden als Antimykotikum u. Antiseptikum (vgl. Iodoform u. Iod-Tinktur), in Arzneimitteln gegen Schilddrüsenstörungen, in *Röntgenkontrastmitteln (deren Freinamen oft mit Io... beginnen) u. als KI im iodierten Speisesalz in I.-armen Gebirgsgegenden. I. wird auch vereinzelt zur *Entkeimung von Wasser in Badeanstalten herangezogen, zumal es weniger aggressiv ist als Chlor. Allerdings muß dem Wasser dann zusätzlich ein Algizid zugesetzt werden. Der intensiven Nutzung als mikrobizides Mittel stehen die Neigung zur Hautfärbung u. die mögliche Allergisierung im Weg. Beides kann man umgehen, wenn man das I. an sog. *Iodophore vom Typ des PVP bindet. Näheres zur Verw. als Desinfektionsmittel s. *Lit.*[11]. Bei sog. diffusem, tox. Kropf ist das künstliche radioaktive Iodisotop ^{131}I (ein β-Strahler) in 95% aller Fälle erfolgreich. In der Schilddrüsendiagnostik wird ^{131}I heute meist durch ^{123}I ersetzt.

Weiter verwendet man I. für Katalysatoren (z.B. bei der stereospez. Polymerisation von Butadien, bei Sulfurierung aromat. Verb., Alkylierung u. Kondensation aromat. Amine), in Stabilisatoren (für Nylon u. PVC), für Farbstoffe u. Tinten, zur Herst. reinster Metalle nach dem *Aufwachsverfahren, in der Photographie u. zur Auslsg. der Regenbildung aus Wolken (Silberiodid), für Futtermittelzusätze, als Laser (*Lit.*[12]), in der analyt. Chemie (s. Iodometrie), zur Bestimmung der *Iod-Zahl, beim *Radioimmunoassay, zum Nachw. von Stärke (s. Iodstärke-Reaktion), *Glykogen u. Tannin, zur Herst. von *Karl-Fischer-Reagenz usw. Über I. enthaltende Aktivkohle können Quecksilber-Spuren, z.B. aus Gasströmen, entfernt werden. Durch Dotierung von Polyacetylen mit I. läßt sich in Kunststoffen elektr. Leitfähigkeit in der Größenordnung von Kupfer erzielen, s. *Lit.*[13]. Zur Anw. hypervalenter I.-Verb. in organ. Synth. s. *Lit.*[14].

Geschichte: Die Kropfbildung bei I.-Mangel war schon im Altertum bekannt, denn bereits um 1500 vor unserer Zeitrechnung bekamen Kropfkranke die I.-haltigen Schilddrüsen von Schafen od. Aschen von Meerschwämmen verordnet. Bei der Herst. von Schießpulver wurde I. 1811 von dem französ. Seifensieder Courtois in einer Soda entdeckt, die aus der Asche von Strandpflanzen gewonnen wurde. Die weitere Erforschung des Elements erfolgte ab 1813 durch Clément-Desormes u. Gay-Lussac; letzterer erkannte dessen Verwandtschaft mit Chlor u. schuf die wissenschaftliche Benennung (*Lit.*[15]). – *E* iodine – *F* iode – *I* iodio – *S* yodo, iodo

Lit.: [1] Townshend, Encyclopedia of Analytical Science, S. 2252–2260, London: Academic Press 1995. [2] Fries-Getrost, S. 171 f. [3] Aebi et al., S. 214. [4] Dtsch. Med. Wochenschr. **103**, 1434 (1978). [5] Braun-Dönhardt, S. 213; Ludwig-Lohs (6.), S. 241 ff. [6] Chem. Ztg. **107**, 145–157, 197–205 (1983). [7] Chem. Ztg. **110**, 115 f. (1986). [8] Chem. Ztg. **101**, 253 f. (1977); Hutzinger **3 A**, 255 ff. [9] Brauer (3.) **1**, 291–294. [10] DAB **10**. [11] Wallhäußer, Praxis der Sterilisation, Desinfektion, Konservierung, S. 599 f., Stuttgart: Thieme 1988. [12] Brederlow et al., The High-Power Iodine Laser, Berlin: Springer 1983. [13] ECN

Chemscope, Speciality Chemicals Supplement 01/1988, S. 32, 35 f. [14] Acc. Chem. Res. **19**, 244–250 (1986). [15] Gay Lussac, Untersuchungen über das Jod (Ostwalds Klassiker der exakten Wissenschaften, Bd. 4, 1. unveränderter Abdruck, Leipzig: Akadem. Verlagsges. 1921).

allg.: Büchner et al., Industrial Inorganic Chemistry, S. 184–188, Weinheim: VCH Verlagsges. 1989 ■ Bulman, in Seiler u. Sigel (Hrsg.), Handbook on Toxicity of Inorganic Compounds, S. 327–339, New York: Dekker 1988 ■ DAB **10** ■ Gmelin, Syst.-Nr. 8, J, 1933 ■ Kirk-Othmer (4.) **14**, 709–737 ■ Snell-Ettre **14**, 584–613 ■ Ullmann (5.) A **14**, 381–391 ■ s. a. Halogene. – *[HS 2801 20; CAS 7553-56-2; G 6.1]*

Iod... a) Im Deutschen bevorzugte Bez. für Iod als Substituent in Namen von organ. Verb.; als Ligand in Komplexen u. [neben Infix ...iodid(o)...] bei Austausch von OH gegen I in mehrbasigen anorgan. Säuren dagegen *Iodo...* – b) Von griech.: ioeide's = violett abgeleitete Vorsilbe; vgl. Iodopsin. – *E = I* iodo... – *F* iod(o)... – *S* yodo..., iodo...

Iodamid (Rp).

Internat. Freiname für das *Röntgenkontrastmittel 3-Acetamido-5-acetamidomethyl-2,4,6-triiodbenzoesäure, $C_{12}H_{11}I_3N_2O_4$, M_R 627,94, Schmp. 255–257 °C; in 100 mL Wasser von 22 °C sind 0,3 g löslich. Die Lagerung muß lichtgeschützt erfolgen. Verwendet wird auch das Meglumin-Salz, $C_{19}H_{28}I_3N_3O_9$, M_R 823,16. I. wurde 1964 u. 1967 von Eprova patentiert. – *E = F = I* iodamide – *S* iodamida

Lit.: Florey 15, 337–365. – *[HS 2924 29; CAS 440-58-4 (I.); 18656-21-8 (Meglumin-Salz)]*

Iodaminosäuren. Carbonsäuren, die außer der Amino-Gruppe als funktioneller Gruppe Iod enthalten. Speziell meint man oft die Iod-haltigen aromat. L-Aminosäuren aus dem *Thyroglobulin der *Schilddrüse, die z. T. *Hormon-Funktionen im Organismus erfüllen (s. Thyroid-Hormone).

R^1	R^2	R^3	R^4	
H	H	H	H	L-*Thyronin
I	I	H	H	3,5-*Diiod-L-thyronin (T$_2$)
I	I	I	H	3,3',5-*Triiod- L-thyronin (T$_3$)
I	I	I	I	L-*Thyroxin [3,3',5,5'-Tetraiod- L-thyronin (T$_4$)]

R^1	R^2	
H	H	L-*Tyrosin
I	H	3-Iod-L-tyrosin
I	I	3,5-*Diiod-L-tyrosin (Iodgorgosäure)

Diese I., deren wichtigster Vertreter L-*Thyroxin 1915 von *Kendall erstmals isoliert wurde, sind durch Extraktion von Schilddrüsen-Gewebe od. synthet. zugänglich; sie werden therapeut. zur Regulierung von Schilddrüsen-Dysfunktionen (*Hyper- u. *Hypothyreose) eingesetzt. – *E* iodo amino acids – *F* acides aminés iodinés – *I* iodoam(m)inoacidi – *S* yodoaminoácidos, aminoácidos yodados

Iodargyrit s. Jodargyrit.

Iodate. Salze der *Iodsäure der allg. Formel $M^I IO_3$; daneben gibt es aber auch (infolge Addition von Iodsäure) Hydrogeniodate $[M^I H(IO_3)_2]$ u. Dihydrogeniodate $[M^I H_2(IO_3)_3]$, wobei M^I ein einwertiges Metall bedeutet. Die gewöhnlichen I. sind mit Ausnahme der Alkali-I. in Wasser schwer lösl., krist. gut (farblos) u. entwickeln beim Erhitzen Sauerstoff, sind jedoch keine so wirksamen u. energ. Oxid.-Mittel wie die chem. verwandten *Chlorate (z.B. $KClO_3$) od. Bromate. I. fanden früher wie die letzteren Verw. in der *Oxidimetrie *(Iodatometrie)*. Man erhält I. durch (ggf. elektrolyt.) Oxid. von Iodiden in alkal. Lsg. od. durch Auflösen von Iod in heißen Alkali- od. Erdalkalihydroxid-Lösung. – $E = F$ iodates – I iodati – S yodatos, iodatos
Lit.: Gmelin, Syst.-Nr. 8, J, 1933, S. 505–522 ▪ Hollemann-Wiberg (101.), S. 484 f. ▪ Kirk-Othmer (4.) **14**, 727 ▪ Ullmann (5.) **A 14**, 388 ▪ s. a. Iod. – *[HS 2829 90]*

Iodatometrie s. Oxidimetrie.

Iodazid. IN_3, M_R 168,92. Farblose, äußerst explosive, feste Substanz, entsteht bei der Einwirkung von Iod auf Silberazid [1]. Über die stereospezif. Addition von I. an Olefine unter Bildung von β-Iodalkylaziden s. *Lit.*[2]. – E iodine azide – F azide d'iode – I azide di iodio – S azida de yodo
Lit.: [1] Angew. Chem. **91**, 527–534 (1979). [2] J. Am. Chem. Soc. **87**, 4203 (1965).
allg.: Klapötke u. Tornieporth-Oetting, Nichtmetallchemie, S. 266–269, Weinheim: VCH Verlagsges. 1994 ▪ s. a. Iod. – *[CAS 14696-82-3]*

Iod-Azid-Reaktion. In Ggw. von 2-wertigem Schwefel ablaufende Reaktion zwischen Stickstoffwasserstoffsäure u. Iod:

$$2 N_3^- + I_2 \rightarrow 2 I^- + 3 N_2$$

unter Entfärbung der Lsg. u. Stickstoff-Entwicklung. Mit ihrer Hilfe lassen sich anorgan. u. organ. Schwefel-Verb. (außer Sulfiten u. Sulfaten) sowie Metall-Ionen, die Komplexe mit Schwefel-haltigen Liganden bilden, qual. u. quant. bestimmen, s. *Lit.*[1]; z.B. bei der Untersuchung der *Haar-Struktur die freien Thiol-Gruppen im *Keratin[2]. – E iodine-azide reaction – F réaction iode-azide – I reazione di iodo-azide – S reacción yodo-azida
Lit.: [1] Analyst (London) **111**, 1001–1012 (1986). [2] Riechst. Aromen Kosmet. **27**, 328 f. (1977).

Iodbenzol. C_6H_5I, M_R 204,01. Farblose Flüssigkeit, die sich beim Aufbewahren infolge Iod-Abscheidung braun färbt. D. 1,83, Schmp. –31 °C, Sdp. 188–189 °C, unlösl. in Wasser, lösl. in Alkohol, hautreizend. Die Herst. erfolgt durch Iodierung von Benzol in Ggw. von Salpetersäure.
Verw.: Als Immersionsflüssigkeit zur Bestimmung des Brechungsindex von Mineralien (n_D^{20} 1,6200), Reagenz für die Ullmann-Synth. von Biarylen, zur Kupplung mit sek. Aminen, Acryl-Verb. u. Allylalkoholen, zur Synth. von Cinnamylphosphonaten, zur Pd-katalysierten Arylierung von $4H$-1,3-Dioxinen; zur Herst. von Pharmazeutika. – $E = I$ iodobenzene – F iodobenzène – S yodobenceno, iodobenceno
Lit.: Beilstein E IV **5**, 688 ▪ Org. React. **27**, 345 (1982) ▪ Synthesis **1983**, 169 ▪ Tetrahedron **36**, 3327 (1980) ▪ Tetrahedron

Lett. **33**, 6845 (1992) ▪ Ullmann (4.) **13**, 427; (5.) **A 14**, 389. – *[HS 2903 69; CAS 591-50-4; G 3]*

Iodbromide. *Interhalogen-Verbindung mit Iod als elektropos. Partner. (a) *Iodmonobromid:* IBr, M_R 206,81. Dunkelgraue, stechend riechende Krist., D. 4,416, Schmp. 40 °C, Sdp. 116 °C (Zers.), lösl. in Wasser, Alkohol, Chloroform, Ether, CS_2. Es wird zur Bromierung, als *Hanuš-Reagenz zur Bestimmung der Iod-Zahl verwendet. – (b) *Iodtribromid,* IBr_3, M_R 366,62. Dunkelbraune Flüssigkeit, lösl. in Wasser, Ether u. Alkohol. – E iodine bromides – F bromures d'iode – I bromuri di iodio – S bromuros de yodo
Lit.: Brauer (3.) **1**, 304 f. ▪ Gmelin, Syst.-Nr. 8, J, 1933, S. 631–637 ▪ Kirk-Othmer (4.) **14**, 727 ▪ Synthetica **2**, 230 f. ▪ Ullmann (4.) **13**, 425. – *[HS 2812 90; CAS 7789-33-5 (a); 7789-58-4 (b)]*

Iodcasein. Iodiertes *Casein, wird als hormonfreier Viehfutterzusatz zur Erhöhung der Milchleistung verwendet. – *[HS 3501 10]*

Iodchloride. *Interhalogen-Verbindung mit Iod als elektropos. Partner. – (a) *Iodmonochlorid;* ICl, M_R 162,36, rotbraunes Öl bzw. rubinrote Nadeln, D. 3,2, Schmp. 14 °C (β-Form), 27 °C (α-Form), Sdp. 97 °C. ICl entsteht, wenn Chlor über Iod geleitet od. Iod mit Königswasser gekocht wird, zerfällt in Wasser zu HCl, HIO_3 u. I_2. ICl wird, in Essig gelöst, zur Bestimmung der *Iod-Zahl verwendet (*Wijs-Lsg.*). – (b) *Iodtrichlorid:* ICl_3, M_R 233,26, gelbe, an der Luft zerfließliche, stechend riechende Nadeln, D. 3,117, Sdp. 77 °C (Zers.), in Alkohol, Ether, Benzol mit dunkelroter Farbe lösl., wird durch Wasser zersetzt:

$$2 ICl_3 + 3 H_2O \rightarrow 5 HCl + ICl + HIO_3.$$

ICl_3 entsteht, wenn Cl_2 auf ICl einwirkt. In der präparativen organ. Chemie kann ICl sowohl zur Chlorierung (in Abwesenheit von Lsm., s. *Lit.*[1]) als auch zur Iodierung Verw. finden[2]; Addition an ungesätt. Verb. gibt vicinale Chlor-Iod-Derivate. Mit ICl_3 lassen sich ebenfalls Chlorierungen von Aromaten herbeiführen. Beide Verb. ätzen die Haut. – E iodine chlorides – F chlorures d'iode – I cloruri di iodio – S cloruros de yodo
Lit.: [1] Houben-Weyl **5/3**, 943. [2] Houben-Weyl **5/3**, 582.
allg.: Brauer (3.) **1**, 303 ff. ▪ Gmelin, Syst.-Nr. 8, J, 1933, S. 606–629 ▪ Helv. Chim. Acta **56**, 2101–2107 (1973) ▪ Kirk-Othmer (4.) **14**, 727 f. ▪ Synthetica **1**, 220 f., 224 ▪ Synthetic Reagents, Bd. 5, S. 85–164, Chichester: Horwood 1983. – *[HS 2812 10; CAS 7790-99-0 (a); 865-44-1 (b)]*

Ioddioxid s. Iodoxide.

Iodessigsäure. $I–CH_2–COOH$, $C_2H_3IO_2$, M_R 185,95. Farblose Rhomben, Schmp. 82 °C, lösl. in Wasser u. Alkohol, reizt (bis zur Verätzung) Augen, Haut u. Schleimhäute. Die Herst. erfolgt aus *Chloressigsäure mit Kaliumiodid. Die Eigenschaft von I., viele Enzyme zu blockieren, kann bei biochem. Arbeiten ausgenutzt werden. – E iodoacetic acid – F acide iodoacétique – I acido iodoacetico – S ácido yodoacético
Lit.: Beilstein E IV **2**, 534 ▪ Kirk-Othmer **8**, 420; (3.) **1**, 176; (4.) **1**, 172 ▪ Ullmann **9**, 141; (4.) **13**, 428. – *[HS 2915 90; CAS 64-69-7; G 8]*

Iodethan s. Ethyliodid.

Iod-Farbzahl s. Farbzahl.

Iodfenfos s. Iodfenphos.

Iodfenphos (Iodphenphos, Iodofenvos, Iodophenphos, Iodfenfos).

Common name für *O*-(2,5-Dichlor-4-iodphenyl)-*O,O*-dimethyl-thiophosphat, $C_8H_8Cl_2IO_3PS$, M_R 412,99, Schmp. 76 °C, LD_{50} (Ratte oral) 2100 mg/kg (WHO), von Ciba 1966 eingeführtes nicht-system. *Insektizid u. *Akarizid für den Haushalts- u. Hygienebereich, für Lagerhäuser u. Ställe. – *E = F* iodofenphos – *I* iodofenfos – *S* yodofenfos, iodofenfos
Lit.: Farm ▪ Perkow. – *[HS 292010; CAS 18181-70-9]*

Iodfluoride. *Interhalogen-Verbindungen mit elektropos. Iod. – (a) *Iodpentafluorid:* IF$_5$, M_R 221,90, farblose, an der Luft rauchende, sehr reaktionsfähige Flüssigkeit, D. 3,75 (0 °C), Schmp. 9,4 °C, Sdp. 104,5 °C; die Dämpfe greifen die Atmungsorgane heftig an. In Wasser zerfällt diese von *Moissan hergestellte Verb. in Iodsäure u. Fluorwasserstoffsäure. – (b) *Iodheptafluorid:* IF$_7$, M_R 259,89, farblose Flüssigkeit od. Krist., D. 2,8, Schmp. 4,5 °C (subl.).
I. wurden erstmals von *Ruff (1930) hergestellt. Außer den beschriebenen I. kennt man noch Iodmonofluorid (IF) u. Iodtrifluorid (IF$_3$). – *E* iodine fluorides – *F* fluorures d'iode – *I* fluoruri di iodio – *S* fluoruros de yodo
Lit.: Braker u. Mossman, Matheson Gas Data Book, S. 416–419, Lyndhurst: Matheson 1980 ▪ Brauer (3.) **1**, 171–176 ▪ Chem. Rev. **41**, 422–428 (1947) ▪ Encycl. Gaz, S. 847–852 ▪ Gmelin, Syst.-Nr. 8, J, 1933, S. 601 f. ▪ Kirk-Othmer (4.) **14**, 728 ▪ Ullmann (5.) **A 11**, 341 f. – *[HS 281290; CAS 7783-66-6 (a); 16921-96-3 (b)]*

Iodgorgosäure s. 3,5-Diiodtyrosin u. Iodaminosäuren.

Iodide. Verb., in denen Iod als der elektroneg. Bestandteil auftritt. Zu den anorgan. I. gehören die Salze der Iodwasserstoffsäure, z. B. Kaliumiodid (KI), Tetramethylammoniumiodid, [N(CH$_3$)$_4$]$^+$I$^-$ u. die als I. der Sauerstoffsäuren aufzufassenden Iod-Verb. der Nichtmetalle, z. B. Phosphortriiodid u. a. *Säure-I.* (s. Säurehalogenide). Organ. Säure-I. sind die *Acyl-I.* wie Acetyliodid (H$_3$C–CO–I). Auch die Iodkohlenwasserstoffe werden als I. bezeichnet, z. B. Ethyliodid (C$_2$H$_5$I). Aromat. I. (z. B. *Iodbenzol) verlieren beim Belichten atomares Iod, u. die verbleibenden Radikale sind zu vielerlei Reaktionen befähigt. Zur Verw. organ. I. in Arzneimitteln s. *Lit.*[1]. Von den anorgan. I. sind die der Alkali- u. Erdalkalimetalle farblos u. in Wasser leicht lösl.; viele von ihnen vermögen Iod zu lösen u. *Polyiodide zu bilden, vgl. Iod-Kaliumiodid-Lösung. In Wasser schwer bzw. nicht lösl. sind das weiße CuI das grüngelbe HgI, das rote HgI$_2$, das schwarzbraune BiI$_3$, das gelbe AgI sowie das tiefgelbe TlI. Durch Hitzezers. an einem elektr. beheizten Wolfram-Draht lassen sich Metalle aus ihren I. in reinster Form darstellen (*Aufwachsverfahren). Eine analoge Zers. erfolgt in den *Halogenlampen (*Iodlampen). Die Bestimmung der I. kann potentiometr. od. kolorimetr. erfolgen, s. a. Iod. – *E* iodides – *F* iodures – *I* ioduri – *S* yoduros

Lit.: [1] Negwer (6.), S. 1704 f.
allg.: Gmelin, Syst.-Nr. 8, J, 1933, S. 362–403 ▪ Kirk-Othmer (4.) **14**, 726 ▪ Ullmann (5.) **A 14**, 388 ▪ s. a. Iod u. Halogenide.

Iodiertes Speisesalz. Bez. für Speisesalz, dem zur *Kropf-Prophylaxe das Spurenelement Iod in Form von Natrium- od. Kaliumiodat zugesetzt wird. In der BRD wird die Verw. von i. S. durch die VO zur Änderung der Vorschriften über i. S. vom 16.6.1989 (BGBl. I, S. 1123) geregelt. Der Iod-Gehalt muß danach zwischen 15 u. 25 mg/kg Salz liegen. Die Verw. von i. S. ist nötig, da in der BRD die täglich aufgenommene Iod-Menge mit 70–80 µg ein erhebliches Defizit gegenüber der von der Ges. für Ernährung empfohlenen Iod-Menge von 180–220 µg/d aufweist. Da auch der Verzehr von Seefischen u. Meerestieren (die einzigen Lebensmittel, die nennenswerte Mengen an Iod enthalten) den Iod-Mangel nicht beseitigen kann, wird derzeit eine tägliche Aufnahme von 5 g i. S. empfohlen. Die von der WHO empfohlene Iodierung von Speisesalz ist inzwischen von ca. 50 Staaten eingeführt worden u. hat in zahlreichen Ländern zu einer Red. der Kropfhäufigkeit um über 50% geführt. Zum Nachw. von Iod in Speisesalz s. *Lit.*[1]. – *E* iodized table salt – *F* sel de table iodé, sel iodé – *I* sale commestibile contenente iodio – *S* sal de mesa yodada
Lit.: [1] Dtsch. Lebensm. Rundsch. **82**, 357–361 (1986).
allg.: Aktuel. Ernähr. **13**, 195–199 (1988); **14**, 229 ff. (1989) ▪ Ernähr. Umsch. **34**, 196 (1987); **35**, 16 ff. (1988) ▪ Dtsch. Ärztebl. **82**, 3349–3354 (1985). – *Organisationen:* Arbeitskreis für Jodmangel, Endenicher Allee 11–13, 53115 Bonn ▪ s. a. Iod. – *[HS 250100]*

Iodierung. Einführung von Iod in organ. Mol. durch Addition bzw. *Substitution (s. a. nucleophile Substitution). Die I. kann z. B. mit Iod, Iodmonochlorid, Phosphortriiodid, Säureiodiden, *N*-Iodsuccinimid, *N*-Iodacetamid u. a. durchgeführt werden. Zur Vermeidung von Nebenreaktionen geht man häufig von Chloriden od. Bromiden aus, die mit Natriumiodid in Aceton die entsprechenden *Iodide ergeben (*Finkelstein-Reaktion*); der Austausch profitiert von der Schwerlöslichkeit von Natriumchlorid od. -bromid in Aceton u. kann deshalb zum Nachw. prim. Chloride od. Bromide herangezogen werden.

Iod-Aromaten lassen sich auch durch den Austausch der Diazonium-Gruppe gegen Iod herstellen (*Sandmeyer-Reaktion). – *E* iodination – *F* iod(ur)ation – *I* ioduarazione – *S* yodación
Lit.: Houben-Weyl 5/4, 517–678, 718–776 ▪ Patai, The Chemistry of the Carbon-Halogen Bond, Tl. 1 u. 2, Chichester: Wiley 1973 ▪ Ullmann **8**, 352, 358, 361; (5.) **A 14**, 389 ▪ s. a. Halogenierung.

Iodimetrie s. Iodometrie.

Iodination s. Schilddrüse.

Iodinin (1,6-Phenazindiol-5,10-dioxid).

$C_{12}H_8N_2O_4$, M_R 244,21, rote Krist., Schmp. 236 °C (Zers.), lösl. in DMSO, unlösl. in Hexan, Ethanol. Farbstoff aus *Chromobacterium iodinium*, aktiv gegen Gram-pos. Bakterien, Pilze u. Hefen; zur Biosynth. aus Shikimisäure s. *Lit.*[1]. – *E* = *F* iodinin – *I* = *S* iodinina
Lit.: [1] Tetrahedron Lett. **1974**, 4201.
allg.: Agric. Biol. Chem. **52**, 301–306 (1988) ■ Beilstein E V 23/13, 363. – *[CAS 68-81-5]*

Iodiodkalium-Lösung s. Iod-Kaliumiodid-Lösung.

Iodipamid. Kurzbez. für die unter ihrem Freinamen *Adipiodon behandelte Verbindung.

Iodisation s. Schilddrüse.

Iodit s. Jodargyrit.

Iodixanol (Rp).

Internat. Freiname für 5,5′-[(2-Hydroxy-1,3-propandiyl)bis(acetylimino)]bis[*N,N*′-bis(2,3-dihydroxypropyl)-2,4,6-triiodisophthalamid], $C_{35}H_{44}I_6N_6O_{15}$, M_R 1550,19, Schmp. 240–250 °C, *n* 1,4128 (c 50/H_2O), *d* 1,266 (c 50/H_2O), LD_{50} (Maus i.v.) 42,75 g/kg. I. wird als Iod-haltiges Röntgenkontrastmittel zur zerebralen Angio-, peripheren Arterio-, Uro- u. Venographie u. zur Kontrastverstärkung bei Computertomographie eingesetzt. Es wurde 1984 von Nyegaard patentiert u. ist von Nycomed (Visipaque®) im Handel. – *E* = *F* = *S* iodixanol – *I* iodixanolo
Lit.: Merck-Index (12.), Nr. 5044. – *[CAS 92339-11-2]*

Iod-Kaliumiodid-Lösung (Iodiodkalium-Lsg., Kaliumpolyiodid-Lsg.). Bez. für eine elementares *Iod enthaltende wäss. Lsg. von Kaliumiodid, die bes. in der *Iodometrie in Form von Lsg. verschiedener Normalitäten (0,1 N- u. 0,01 N-Lsg.) verwendet wird. Wäss. Lsg. von Kaliumiodid lösen Iod zu Kaliumtriiodid, bei höheren Konz. auch unter Bildung der Anionen I_5^-, I_7^- u. I_9^- (*Kaliumpolyiodiden*); auf diese Weise „löst" sich in Wasser wesentlich mehr Iod, als seiner Löslichkeit entspricht. Das Kaliumtriiodid wurde schon 1877 von Johnson als erstes *Polyiodid rein hergestellt; es heißt deshalb auch *Johnsons Salz*. Das Iod ist in diesen *Polyiodiden* so leicht gebunden, daß es bei chem. Reaktionen aller Art (z. B. Stärke-Nachw.) leicht abgegeben wird; die I.-K.-L. verhält sich daher prakt. wie eine echte, konz. Iod-Lösung. Eine in der Mikroskopie verwendete I.-K.-L. ist die *Lugolsche Lösung. – *E* iodine-potassium iodide solution – *F* solution de potassium iodo-iodurée – *I* soluzione di iodoioduro potassico – *S* solución de yodo y yoduro potásico
Lit.: Gmelin, Syst.-Nr. 8, J, 1933, S. 654 ff. ■ Shriver et al., Anorganische Chemie, S. 452 f., Weinheim: VCH Verlagsges. 1992 ■ s. a. Iodometrie.

Iod-Kohle. Gekörnte, Iod-haltige *Aktivkohle, die Quecksilber-Dämpfe bindet. Die Anw. von I.-K. erfolgt dabei in der Weise, daß man das verschüttete Quecksilber sorgfältig zusammenfegt u. eine ca.

10 mm starke Schicht I.-K. darüberlegt. – *E* iodized activated carbon – *F* charbon actif iodé – *I* carbone attivo iodurato – *S* carbón activo yodado

Iodlactamisierung s. Lactone.

Iodlactonisierung s. Lactone.

Iod-Laser. *Chemischer Laser, bei dem angeregte Iod-Atome durch UV-Photo-Dissoziation von z. B. CF_3I erzeugt werden. Der Laserübergang findet zwischen den Niveaus $^2P_{1/2} \rightarrow {}^2P_{3/2}$ statt, mit der Emissionswellenlänge $\lambda = 1,3152$ µm. Große I.-L., mit Leistungen bis 300 GW (bei einer Pulslänge von 300 ps) wurden aufgebaut, um Laser-induzierte Plasmen u. a. für die *Kernfusion zu erzeugen u. zu untersuchen; in der BRD: MPI für Quantenoptik, Garching. – *E* iodine laser – *F* laser à iode – *I* laser a iodio – *S* láser de yodo
Lit.: Brederlow, Fill u. Witte, The High Power Iodine Laser, Berlin: Springer 1983 ■ Encyclopedia of Physical Science and Technology, Bd. 8, S. 434, 437 f., San Diego: Academic Press 1992.

Iodo... s. Iod...; auch veraltete Bez. für *Iodyl...

Iodofenvos s. Iodfenphos.

Iodoform (Triiodmethan). CHI_3, M_R 393,73. Gelbe, glänzende Blättchen, hexagonale Tafeln od. zitronengelbes, feines Pulver, Geruch Safran-artig, D. 4,008, Schmp. 123 °C, Sdp. ca. 218 °C; fast unlösl. in Wasser, wenig lösl. in fetten Ölen u. Glycerin, gut lösl. in Chloroform u. Schwefelkohlenstoff. I. ist hautreizend u. kann zu Überempfindlichkeitsreaktionen führen; LD_{50} (Ratte oral) 355 mg/kg.
Herst.: Durch Elektrolyse einer warmen, wäss. Lsg. von Kaliumiodid, Soda u. Ethanol od. Aceton, im Laboratorium auch durch die 1870 von Lieben aufgefundene (vgl. *Lit.*[1]) *Iodoform-Reaktion*; zum Mechanismus dieser Reaktion sowie ihrer Bedeutung für die analyt. Chemie s. Haloforme.
Verw.: I. wurde früher als Antiseptikum verwendet, da es unter dem Einfluß von Wundfeuchtigkeit kleine, desinfizierende Iod-Mengen abscheidet. Heute wird es wegen seines Geruchs u. der Schädlichkeit bei zu hoher Dosierung (kann Schlaflosigkeit, Halluzinationen, Delirien, Krämpfe usw. hervorrufen) vielfach durch andere Präp. ersetzt; in der organ. Synth. wird es als Vorstufe für Mono- u. Diiodcarbene verwendet. – *E* iodoform – *F* iodoforme – *I* iodoformio – *S* yodoformo, iodoformo
Lit.: [1] J. Chem. Educ. **36**, 572 (1959).
allg.: Beilstein E IV **1**, 97 ■ Kirk-Othmer **11**, 864; (4.) **14**, 729 ■ Merck-Index (12.), Nr. 5054 ■ Moeschlin, Klinik u. Therapie der Vergiftungen, S. 74, 268, Stuttgart: Thieme 1986 ■ Paquette **4**, 2825. – *[HS 2903 30; CAS 75-47-8; G 8]*

Iodometrie. Meth. der *Maßanalyse (s. a. Oxidimetrie), bei der das Redoxsyst. $2I^- \rightleftharpoons I_2 + 2e^-$ sowohl in der Form des Oxid.-Mittels Iod als auch in der Form des Red.-Mittels Iodid für eine *Titration eingesetzt wird. Da das *Normalpotential I^-/I_2 mit 0,535 V ziemlich genau in der Mitte der *Spannungsreihe liegt, erklärt sich die vielfältige Anw. der Iodometrie. Zur iodometr. Titration mit Iod verwendet man in KI gelöstes I_2 (*Iod-Kaliumiodid-Lösung) bzw. ein Gemisch aus KI u. KIO_3

im Stoffmengenverhältnis 5:1, das beim Ansäuern Iod liefert; *Beisp.*:

$$AsO_3^{3-} + I_2 + H_2O \rightleftharpoons AsO_4^{3-} + 2\,I^- + 2\,H^+$$
$$H_2S + I_2 \rightleftharpoons S_{(s)} + 2\,I^- + 2\,H^+$$
$$Sn^{2+} + I_2 \rightleftharpoons Sn^{4+} + 2\,I^-$$

Für die Titration mit Iodid wird gelöstes KI im Überschuß verwendet u. das gebildete I_2 mit Thiosulfat-Lsg. zurücktitriert:

$$I_2 + 2\,S_2O_3^{2-} \rightleftharpoons 2\,I^- + S_4O_6^{2-},$$

z.B. können folgende Analyten tritriert werden:

$$2\,Fe^{3+} + 2\,I^- \rightleftharpoons 2\,Fe^{2+} + I_2$$
$$H_2O_2 + 2\,I^- + 2\,H^+ \rightleftharpoons 2\,H_2O + I_2$$
$$2\,CrO_4^{2-} + 6\,I^- + 16\,H^+ \rightleftharpoons 2\,Cr^{3+} + 3\,I_2 + 8\,H_2O$$

Die Indikation kann elektrochem., d.h. potentiometr. erfolgen. Eine weitere Möglichkeit bietet *Stärke, die mit Iod eine tiefblaue Einschlußverbindung ergibt (*Iodstärke-Reaktion). – *E* iodometry – *F* iodométrie – *I* iodometria – *S* yodometría

Lit.: Jander u. Jahr (fortgeführt von Schulz), Theorie und Praxis der Titrationen mit chemischer u. physikalischer Indikation, 15. Aufl., Berlin: de Gruyter 1989 ▪ Otto, Analytische Chemie, Weinheim: VCH Verlagsges. 1995.

Iodonium-Verbindungen. Als typ. Vertreter der *Halonium-Verbindungen sind die I.-V. anderen *Onium-Verbindungen, wie den Ammonium- u. Oxonium-Verb., vergleichbare ion. Verb., deren Kation aus zweibindigem Iod mit zwei organ., meist aromat. Resten besteht. Iodoniumhydroxide entstehen z.B., wenn man äquimolare Gemische von *Iodylbenzol (H_5C_6–IO_2) u. *Iodosylbenzol (H_5C_6–IO) mit Wasser u. Silberoxid behandelt, nach der Gleichung:

$$H_5C_6IO + H_5C_6IO_2 + AgOH \rightarrow [I(C_6H_5)_2]OH + AgIO_3.$$

Das entstandene Diphenyliodoniumhydroxid gibt z.B. ähnlich wie andere ion. Hydroxide mit wäss. Metallsalz-Lsg. Niederschläge von Metallhydroxiden, u. mit Mineralsäuren bildet es beständige Salze. Die I.-V. haben die allg. Formel $[IR_2]X$, wobei R ein organ. Radikal (speziell Aryl-Gruppen) u. X die Hydroxy-Gruppe od. einen einwertigen Säurerest bedeuten. Zu ihrer Herst. bedient man sich mit Vorteil der Kupplung von Aryl-Verb. mit Derivaten vom Typ Aryl-I(O–CO–CH$_3$)$_2$ s. Iodosylbenzoldiacetat. – *E* iodonium compounds – *F* composés d'iodonium – *I* composti di iodonio – *S* compuestos de yodonio

Lit.: Houben-Weyl **5/4**, 672–675.

Iodophenphos s. Iodfenphos.

Iodophore (von griech.: phorós = tragend). Bez. für *Träger- od. *Carrier-Materialien aus Polycarbonsäuren, *Tensiden od. Polymeren wie *Polyvinylpyrrolidon (PVP), welche 0,5 bis 3% Iod als sog. aktives Iod komplex gebunden enthalten. Infolge festerer Iod-Bindung als in üblichen *Iod-Tinkturen färben I. die Haut nicht, besitzen einen schwächeren Iod-Geruch sowie geringere Korrosivität u. Toxizität. I. werden in Desinfektionsmitteln, Antiseptika u. Fungiziden verwendet. – *E* iodophores, tamed iodine – *F* iodophores – *I* iodofori – *S* yodóforos, iodóforos

Lit.: Wallhäußer, Praxis der Sterilisation, 4. Aufl., S. 601 ff., Stuttgart: Thieme 1988 ▪ s.a. Iod.

Iodophthalein-Natrium (Rp).

Internat. Freiname für das Dinatriumsalz von 3,5,3',5'-Tetraiodphenolphthalein (vgl. a. Phenolphthalein), ein *Röntgenkontrastmittel zur Gallenblasendarst., $C_{20}H_8I_4Na_2O_4$, M_R 865,88, lösl. in Wasser, zersetzt sich teilw. unter Lufteinwirkung u. absorbiert CO_2. Lagerung in luftdicht verschlossenen Gefäßen. – *E* iodophthalein sodium – *F* sodium-iodophtaléine – *I* sodio iodoftaleina – *S* yodoftaleína sódica

Lit.: Beilstein E III/IV **18**, 1949 ▪ Hager (4.) **2**, 13; **5**, 257. – *[HS 2932 29; CAS 2217-44-9]*

Iodopsin. Bez. für das *rot-empfindliche Zäpfchen-Pigment* in der Netzhaut des Huhns. Ein ähnliches *Chromoprotein ist auch beim Menschen für die Rot-Empfindlichkeit des Farbsehens verantwortlich (Absorptions-Maximum beim Mensch 560 nm, beim Huhn 562 nm). I. entsteht aus 11-*cis*-*Retinal (Vitamin-A-Aldehyd) u. dem entsprechenden Zäpfchen-*Opsin im *Sehprozeß. Wie man aus den Gen-Sequenzen ableitet, sind die drei farbempfindlichen Sehpigmente (für Rot, Grün u. Blau) untereinander sowie mit dem *Rhodopsin der Stäbchen-Zellen verwandt. – *E* iodopsin – *F* iodopsine – *I* iodopsina – *S* yodopsina

Lit.: Biophys. Chem. **56**, 57–62 (1995). – *[CAS 1415-94-7]*

Iod-organische Verbindungen. Neben den „normalen" Iodalkanen (*Alkyliodiden*) spielen in neuerer Zeit hypervalente I.-o. V. (vgl. hypervalente Moleküle) eine große Rolle in der organ. Synth. (s. Abb. a). So gelingt mit ihrer Hilfe die sehr schonende Oxid. von empfindlichen Alkoholen (Dess-Martin-Oxidation) zu Carbonyl-Verb., die Oxygenierung von Alkenen (*cis*-*Hydroxylierung), die Knüpfung von Kohlenstoff-Kohlenstoff-Bindungen, z.B. die Herst. von Eninen durch Reaktion von Alkinyliodoniumtosylaten mit Vinylcupraten (s. Abb. b), u. die Synth. von Aminen in einer dem *Hofmannschen Abbau entsprechenden Reaktionssequenz.

– *E* iodo-organic compounds – *F* composés organiques de l'iode – *I* composti iodoorganici – *S* compuestos iodo-orgánicos

Lit.: Chem. Rev. **96**, 1123–1178 (1996) ▪ Nachr. Chem. Tech. Lab. **39**, 828 (1991) ▪ Tetrahedron **53**, 1179 ff. (1997) ▪ Waldmann, Organic Synthesis Highlights II, S. 223 ff., Weinheim: VCH Verlagsges. 1995.

Iodoso... s. Iodosyl...

Iodosyl... Nach IUPAC-Regeln C-10.1, C-106.1, I-8.4.2.2 u. R-4.1 Bez. für die Atomgruppierung –IO als Substituent in organ. Verb.; frühere Bez.: Iodoso... – $E = F$ iodosyl... – I iodosil... – S yodosil..., iodosil...

2-Iodosylbenzoesäure.

$C_7H_5IO_3$, M_R 264,02. Blättchen, Schmp. 200 °C (auch 230 °C u. 235 °C angegeben) (Zers.); unlösl. in Ether, lösl. in heißem Wasser u. Alkohol. I. wird zur Bestimmung von Glutathion, Cystein u. Thiol-Gruppen in Proteinen verwendet. – E 2-iodosylbenzoic acid – F acide 2-iodosylbenzoïque – I acido 2-iodosilbenzoico – S ácido 2-yodosilbenzoico

Lit.: Beilstein E III **9**, 1433 ▪ Biochemistry **18**, 3810–3814 (1979); **20**, 443, 6997 (1981). – *[HS 2931 00; CAS 304-91-6]*

Iodosylbenzol. C_6H_5IO, M_R 220,01. Gelbes, scharf riechendes Pulver, Schmp. 210 °C (Zers., explodiert). I. kann durch Spaltung von *Iodosylbenzoldiacetat hergestellt werden; es entsteht auch bei der Oxid. von *Iodbenzol mit Ozon. I. ist eine unbeständige Substanz, die schon beim Stehenlassen, rascher beim Erhitzen, zu Iodbenzol u. Iodylbenzol disproportioniert; letzteres explodiert bei 237 °C. I. ist ein kräftiges Oxid.-Mittel, bes. in Ggw. von Ruthenium-Katalysatoren. – E iodosylbenzene – F iodosylbenzène – I iodosilbenzene – S yodosilbenceno, iodosilbenceno

Lit.: Beilstein E IV **5**, 692 ▪ Paquette **4**, 2846 ▪ Varvoglis, The Organic Chemistry of Polycoordinated Iodine, S. 131, New York: VCH Verlagsges. 1992. – *[HS 2931 00; CAS 536-80-1]*

Iodosylbenzoldiacetat. Trivialname für die systemat. als *Diacetoxyiodobenzol* (Diacetoxy-phenyliodan) zu bezeichnende Verb. H_5C_6–$I(O$–CO–$CH_3)_2$, $C_{10}H_{11}IO_4$, M_R 322,10. Fast weißes bis schwach gelbliches, krist. Pulver, Schmp. 159–161 °C (Zers.), unlösl. in Wasser, schwer lösl. in Ether u. Benzol, leicht lösl. in Chloroform, Ethanol u. Eisessig. I. wird für organ.-präparative Zwecke verwendet; einen Überblick über die vielfachen Verwendungsmöglichkeiten gibt Paquette (*Lit.*). – E iodosylbenzene diacetate – F diacétate de iodosylbenzène – I diacetato di iodosilbenzene – S diacetato de yodosilbenceno

Lit.: Acc. Chem. Res. **19**, 244 (1986) ▪ Beilstein E IV **5**, 693 ▪ Paquette **2**, 1479 ▪ Varvoglis, The Organic Chemistry of Polycoordinated Iodine, S. 131, New York: VCH Verlagsges. 1992. – *[HS 2931 00; CAS 3240-34-4]*

Iodosyliodat(V) s. Iodoxide.

Iodoxaminsäure (Rp). Internat. Freiname für das *Röntgenkontrastmittel 3,3′-(4,7,10,13-Tetraoxahexadecandioyldiamino)-bis(2,4,6-triiodbenzoesäure), $C_{26}H_{26}I_6N_2O_{10}$, M_R 1287,93. Verwendet wurde das Di-

Meglumin-Salz, $C_{40}H_{60}I_6N_4O_{20}$, M_R 1678,36. I. wurde 1971 von Bracco patentiert. – E iodoxamic acid – F acide iodoxamique – I acido iodoxamico – S ácido iodoxámico

Lit.: Florey **20**, 303–336. – *[HS 2924 29; CAS 31127-82-9 (I.); 51764-33-1 (Di-Meglumin-Salz)]*

Iodoxide. (a) *Diiodtetroxid* [Iodosyliodat(V), Ioddioxid], I_2O_4, M_R 317,81. Gelbe Krist., D. 4,2, zersetzt sich zwischen 75 u. 130 °C in Diiodpentoxid u. Iod. – (b) *Diiodpentoxid* (Iodsäureanhydrid), I_2O_5, M_R 333,81. Farblose Krist., D. 4,799, zerfällt oberhalb von 300 °C in seine Elemente. Es entsteht, wenn man *Iodsäure auf 180–200 °C erhitzt, ist also als Anhydrid derselben aufzufassen. Löst man I. in Wasser, so bildet sich wieder Iodsäure zurück. Im Gegensatz zu allen anderen Halogenoxiden ist I_2O_5 eine exotherme Verb., die z. B. auch bei ca. 170 °C mit CO vollständig unter Bildung von CO_2 reagiert, was bei der Mikro-Kohlenstoff-Bestimmung ausgenutzt wird, vgl. Elementaranalyse. – (c) *Diiodheptoxid*, I_2O_7, M_R 365,80. Orangefarbene, feste Substanz, entsteht durch Entwässern von Periodsäure.

Ferner existieren noch Oxide der Zusammensetzung I_2O, IO (sehr instabil), I_2O_3, IO_2 u. I_4O_9. – E iodine oxides – F oxydes d'iode – I ossidi di iodio – S óxidos de yodo

Lit.: Adv. Inorg. Chem. Radiochem. **5**, 42–63 (1963) ▪ Brauer (3.) **1**, 318, 345 ▪ Gmelin, Syst.-Nr. 8, J, 1933, S. 432–441 ▪ Kirk-Othmer (3.) **13**, 664 f. ▪ Ullmann (4.) **13**, 425 f. – *[HS 2811 29; CAS 12399-08-5 (a); 12029-98-0 (b); 12055-74-2 (c)]*

Iodoxy... Veraltete Bez. für *Iodyl...

Iodphenphos s. Iodfenphos.

Iodplatinat-Reagenz. Sprühlsg. aus gleichen Vol.-Teilen einer 1,1%igen wäss. Kaliumiodid-Lsg. u. einer 0,135%igen wäss. Hexachloroplatin(IV)säure-Lsg., die zweckmäßigerweise erst kurz vor Gebrauch zu mischen ist. I.-R. dient zum Nachw. von Alkaloiden u. a. Stickstoff-haltigen Heterocyclen in der Dünnschichtchromatographie. – E iodoplatinate reagent – F réactif d'iodoplatinate – I reagente con iodoplatinato – S reactivo de yodoplatinato

Iod-Polyvinylpyrrolidon s. Polyvinylpyrrolidone.

Iod-Präparate s. Iod, Iodtinktur, Röntgenkontrastmittel.

Iod-Quarz-Lampen s. Halogenlampen.

Iodsäure. HIO_3, M_R 175,91. Farblose, rhomb. glasglänzende, piezoelektr. Krist., D. 4,650, Schmp. 110 °C (Zers.), in Wasser sehr leicht lösl., unlösl. in Alkohol, Chloroform u. Ether. Zur Reaktion mit H_2SO_3 s. Landoltsche Zeitreaktion. Beim Erhitzen auf 220 °C geht I. vollständig in ihr Anhydrid I_2O_5 (s. Iodoxide) über. Ihre Salze heißen *Iodate.

Herst.: Durch Erwärmen von Natriumiodat mit Schwefelsäure od. durch Kochen (0,5 h) von feingepulvertem Iod mit der 10fachen Menge rauchender Salpetersäure. Neben dieser I. ist noch – zumindest in ihren Salzen – eine *Ortho-I.* bekannt. – *E* iodic acid – *F* acide iodique – *I* acido iodico – *S* ácido yódico

Lit.: Gmelin, Syst.-Nr. 8, J, 1933, S. 469–479 ▪ Kirk-Othmer (3.) **13**, 665 f. ▪ Ullmann (5.) **A 14**, 389. – *[HS 2811 19; CAS 7782-68-5]*

Iodsäureanhydrid s. Diiodpentoxid unter Iodoxide.

Iodstärke-Reaktion. Für *Iod charakterist. Reaktion mit Stärke, die beim Zusammenbringen einer Iod- u. einer Stärke-Lsg. unter Bildung der intensiv blau gefärbten *Iodstärke* abläuft. Mittels Raman- u. Mößbauer-Spektroskopie konnte nachgewiesen werden, daß die Iod-Atome als eindimensionale Ketten mit I_3^--Gruppen in Einschlußkanälen der *Amylose eingelagert sind (*Einschlußverbindungen); die Reaktion verläuft mit Iod u. *Glykogen statt Stärke analog, aber unter Braunfärbung. Erwärmt man die blaue Iodstärke, so verschwindet die Färbung allmählich; sie kehrt bei der Abkühlung wieder zurück, falls man nicht zu lange erhitzt hat. Die Blaufärbung verschwindet auch bei Zusatz von viel Alkohol (offenbar wird hierbei das Iod wieder herausgelöst) od. Natriumthiosulfat (dieses überführt das freie Iod in Natriumiodid). Eine ähnliche Blaufärbung bildet das Iod auch mit einigen anderen organ. Verb. (z. B. mit Hydratcellulose u. wäss. Lsg. von Polyvinylalkohol) u. mit bas. Lanthan- od. Praseodymacetat.

Die Empfindlichkeit der I.-R. hängt von der Anwesenheit von Iodid-Ionen ab. Mit der I.-R. lassen sich noch 0,2 µg Iod erkennen. Sie spielt in der *Iodometrie als Indikator-Reaktion eine wichtige Rolle, weil man mit ihr bei *Titrationen das Auftreten eines Iod-Überschußes feststellen kann. Die I.-R. nutzt man auch beim qual. Nachw. von Nitriten mit *Kaliumiodidstärke-Papier* bzw. von SO₂ od. Sulfiten mit *Kaliumiodatstärke-Papier* (vgl. Reagenzpapiere). Für manche Zwecke besser geeignet ist die *Zinkiodidstärke-Lsg.*, die in folgender Weise bereitet werden kann: Man löst 2 g Stärke (lösl.) u. 10 g Zinkchlorid in 50 mL siedendem Wasser. Nach dem Erkalten wird einer farblosen Lsg. von 0,5 g Zinkfeile u. 1 g Iod in 5 mL Wasser versetzt, hierauf die Flüssigkeit mit Wasser auf 500 mL verdünnt u. filtriert. Wenn man mit dieser Lsg. Papierstreifen imprägniert, entsteht *Zinkiodidstärke-Papier.* Ebenfalls dem Nachw. von Salpetriger Säure (Blaufärbung) dient *Trommsdorffs Reagenz* aus 4 Tl. Stärke, 20 Tl. ZnCl₂ u. 1 Tl. ZnI₂ in 1 L Wasser. – *E* iodine-starch reaction – *F* réaction iodo-amidonnée – *I* reazione dell'amido ioduranto – *S* reacción yodo-almidón

Lit.: J. Am. Chem. Soc. **100**, 3215 ff. (1978).

Iodstickstoff. Schwarzbraune Produkte von wechselnder Zusammensetzung (NH₂I, NHI₂, NI₃), die entstehen, wenn man z. B. *Iod-Tinktur mit überschüssiger, starker, wäss. Ammoniak-Lsg. ausfällt. Bringt man den Niederschlag auf ein Faltenfilter u. wäscht ihn rasch nacheinander mit verd. Ammoniakwasser, Alkohol u. zuletzt mit Ether aus, so kann das noch Ether-feucht in kleinen Portionen auf Brettstücke ver-

teilte Produkt (I.) nach dem Trocknen schon bei Berührung mit einer Federfahne mit lautem Knall unter Abgabe violetter Iod-Dämpfe explodieren. Im Wasser zersetzt sich I. in Stickstoff, Iod, Ammoniumiodid u. Ammoniumiodat. I. kann auch durch *Blitzlicht (Elektronenblitze) zur Detonation gebracht werden. – *E* nitrogen iodide – *F* iodure d'azote – *I* ioduro di azoto – *S* yoduro de nitrógeno

Lit.: Gmelin, Syst.-Nr. 8, J, 1933, S. 595–599.

***N*-Iodsuccinimid** (Abk.: NIS).

$C_4H_4INO_2$, M_R 224,98. Farblose Krist., D. 2,245, Schmp. ca. 200 °C (Zers.), lösl. in Aceton u. Methanol, unlösl. in Ether, Zers. mit Wasser, Kontakt mit Haut u. Schleimhäuten ist zu vermeiden. I. wird analog *N*-Brom- u. *N*-Chlorsuccinimid als selektives Iodierungs- u. Dehydrierungsmittel verwendet. – *E* = *F* *N*-iodosuccinimide – *I* *N*-iodosuccinimmide – *S* *N*-yodosuccinimida, *N*-iodosuccinimida

Lit.: Beilstein E V **21/9**, 544 ▪ J. Org. Chem. **46**, 1927 (1981); **47**, 3006 (1982); **48**, 3126 (1983); **58**, 3194 (1993) ▪ Paquette **4**, 2845 ▪ Synthesis **1981**, 394 ▪ Synthetica **2**, 232 f. – *[CAS 516-12-1]*

Iod-Tinktur (Ethanol-haltige Iod-Lsg.). Klare, braunrote Flüssigkeit, die aus 2,5 Tl. Iod, 2,5 Tl. Kaliumiodid, 28,5 Tl. Wasser sowie 66,5 Tl. Alkohol (90%) besteht, D. 0,926–0,931; auch Lsg. anderer Zusammensetzungen sind im Gebrauch. I.-T. wird äußerlich zu desinfizierenden Pinselungen verwendet, ferner verd. zur Injektion in patholog. Hohlräume u. zu anderen medizin. Zwecken, gerät jedoch zunehmend außer Gebrauch u. wird heute häufig durch *Iodophore ersetzt. – *E* iodine tincture – *F* teinture d'iode – *I* tintura di iodio – *S* tintura de yodo

Lit.: DAB **1996** u. Komm. – *[HS 3004 90]*

Iodtrimethylsilan. I–Si(CH₃)₃, M_R 200,09. Farblose, brennfähige, ätzende Flüssigkeit, D. 1,406, Sdp. 106 °C, FP. <1 °C, in organ. Lsm. löslich. Es ist ein sehr vielseitig verwendbares Reagenz, sowohl zur Spaltung von Ethern, Estern u. Lactonen als auch zur Synthese. – *E* iodotrimethylsilane – *F* iodotriméthylsilane – *I* iodotrimetilsilano – *S* yodotrimetilsilano

Lit.: Angew. Chem. **91**, 648 f. (1979) ▪ Beilstein E IV **4**, 4009 ▪ Chem. Ztg. **103**, 183 ff. (1979); **104**, 253–268 (1980) ▪ J. Org. Chem. **43**, 3698 (1978) ▪ Synthesis **1980**, 861–868; **1981**, 67 f. – *[HS 2931 00; CAS 16029-98-4]*

3-Iod-L-tyrosin s. Iodaminosäuren.

Iodwasser. Bräunlichgelbe Lsg. von Iod in Wasser, enthält bei 20 °C bis zu 29 mg Iod in 100 ml Wasser. – *E* iodine water – *F* eau d'iode – *I* acqua di iodico – *S* agua de yodo

Iodwasserstoff. HI, M_R 127,91. Farbloses, ätzend wirkendes Gas, das an feuchter Luft weiße Nebel bildet, Schmp. –50,8 °C, Sdp. –35,4 °C, Litergew. 5,79 g, in Wasser ist I. sehr gut lösl. (*Iodwasserstoffsäure), WGK 1. I. zerfällt bei höherer Temp. in die Elemente, wobei sich ein (bes. von *Bodenstein untersuchtes) *chemisches Gleichgewicht einstellt. HI hat ähnlich wie *Chlorwasserstoff einen stechenden

Geruch, ist giftig u. verhältnismäßig leicht oxidierbar, wobei Wasser u. freies Iod entstehen. Durch Abkühlung mit Trockeneis u. Ether kann man ihn schon bei gewöhnlichem Luftdruck in eine farblose, den Strom sehr schlecht leitende Flüssigkeit überführen, die als wasserfreies, ionisierendes Lsm. für analyt. u. präparative Reaktionen in Frage kommt. Gasf. HI dient zur Herst. der Säure, zur Iodierung von organ. Verb. usw., vgl. folgendes Stichwort.

Herst.: Im Laboratorium kann I. durch Einwirkung von Wasser auf Phosphortriiodid ($PI_3 + 3 H_2O \rightarrow H_3PO_3 + 3 HI$) bzw. Einleiten von H_2S in eine wäss. Iod-Aufschlämmung ($H_2S + I_2 \rightarrow 2 HI + S$) erhalten werden; die techn. Herst. erfolgt durch Reaktion von Wasserstoff mit Iod-Dämpfen in Ggw. eines Platin-Katalysators. HI kommt in Stahlflaschen mit grauem Anstrich in den Handel. – *E* hydrogen iodide – *F* iodure d'hydrogène – *I* ioduro di idrogeno – *S* yoduro de hidrógeno

Lit.: Brauer (3.) **1**, 299–302 ▪ Gmelin, Syst.-Nr. 8, J, 1933, S. 245–359 ▪ Hager **5**, 326 ▪ Hommel, Nr. 919, 920 ▪ Kirk-Othmer (4.) **14**, 726 ▪ Ullmann (5.) **A 14**, 388 f. – *[HS 2811 19; CAS 10034-85-2; G 2]*

Iodwasserstoffsäure. Ähnlich wie *Chlor- wasserstoff löst sich auch *Iodwasserstoff (HI) in Wasser außerordentlich leicht: 1 L Wasser löst bei 10 °C 425 L Iodwasserstoff-Gas u. es entsteht eine etwa 70%ige, rauchende I. (D. ca. 2,0). I. wirkt ebenso wie HI-Gas ätzend u. reizend auf Haut u. Schleimhäute, insbes. von Augen u. Atemwegen. Erwärmt man konz. HI.-Lsg., so entweicht so lange Iodwasserstoff, bis eine 57%ige, bei 127 °C konstant siedende I. (D. 1,7) entstanden ist (azeotropes Gemisch). Daneben lassen sich noch Hydrate des HI isolieren: mit 2 H₂O (Schmp. –43 °C), 3 H₂O (Schmp. –48 °C), 4 H₂O (Schmp. –36 °C). I. färbt sich bei Zutritt von Luft u. im Licht allmählich braun, da ein Teil des gelösten Iodwasserstoffs durch Luft zu Iod oxidiert wird u. dieses sich an die in der Lsg. vorhandenen Iodid-Ionen unter Bildung von gefärbten *Polyiodid-Ionen anlagert. Diese Reaktion wird durch Spuren von Oxid.-Mittel beschleunigt, durch Kupfer-Drehspäne verlangsamt bzw. verhindert. Zur Stabilisierung (Bindung von freiwerdendem Iod) wird der I. oft 50%ige Phosphorige Säure zugesetzt; über eine Explosion bei der Dest. einer solcherart behandelten Säure s. *Lit.*[1]. Metalle werden durch I. zu *Iodiden aufgelöst; bei Zusatz von Basen tritt ebenfalls Iodid-Bildung unter Neutralisation ein (z. B. NaOH + HI → NaI + H₂O), u. durch Chlor od. Brom wird I. unter Iod-Abgabe (Bräunung) zersetzt.

Verw.: Ebenso wie HI wird I. zur Herst. von organ. u. anorgan. Iod-Verb. wie z.B. Pharmazeutika, Desinfektionsmitteln, Iod-Präp. u. als Red.-Mittel gebraucht, in der analyt. Chemie zur Ether-Spaltung von Methoxy-Verb. (*Zeisel-Methode, s. a. Ether). – *E* hydriodic acid – *F* acide iodhydrique – *I* acido iodidrico – *S* ácido yodhídrico

Lit.: [1] Sichere Chemiearbeit **25**, 92 (1973). *allg.:* s. Iodwasserstoff. – *[HS 2811 19; G 8]*

Iodyl... Nach IUPAC-Regeln C-10.1, C-106.1, I-8.4.2.2 u. R-4.1 Präfix für die Atomgruppierung –IO₂ als Substituent in organ. Verb.; veraltete Bez.:

Iodoxy..., Iodo... – *E* = *F* iodyl... – *I* iodil... – *S* yodil..., iodil...

Iodylbenzol. C₆H₅IO₂, M_R 236,01, lange Nadeln die beim Erhitzen auf 237 °C explodieren. I. kann durch Oxid. von *Iodbenzol mit *Caroscher Säure (H₂SO₅) erhalten werden. Aus *Iodosylbenzol entsteht I. durch Disproportionierung neben Iodbenzol. – *E* iodylbenzene – *F* iodylbenzène – *I* iodilbenzene – *S* yodilbenceno, iodilbenceno
Lit.: Beilstein E IV **5**, 693. – *[CAS 693-33-3]*

Iod-Zahl (Abk.: IZ). Maßzahl für den Grad der Ungesättigtheit einer Verbindung. Nach Wijs titriert man im Mol. vorhandene Doppelbindungen mit elementarem Brom u. rechnet auf den Verbrauch an Iod um. Bei der Hydrier-IZ erfolgt die Bestimmung über die Wasserstoff-Aufnahme. – *E* iodine value – *F* indice d'iode – *I* numero (indice) di iodio – *S* índice de yodo

Iodzinkstärke-Lösung (Zinkiodidstärke-Lsg.) s. Iodstärke-Reaktion.

Ioglicinsäure (Rp).

Internat. Freiname für das *Röntgenkontrastmittel 5-Acetamido-2,4,6-triiod-*N*-[(methylcarbamoyl)methyl]-isophthalamidsäure, C₁₃H₁₂I₃N₃O₅, M_R 670,97, Schmp. 284–285 °C. – *E* ioglicic acid – *F* acide ioglicique – *I* acido ioglicico – *S* ácido ioglícico
Lit.: Hager (5.) **8**, 576 f. – *[HS 2924 29; CAS 49755-67-1]*

Ioglycaminsäure (Rp).

Internat. Freiname für das *Röntgenkontrastmittel *N*,*N*′-Oxydiacetyl-bis(3-amino-2,4,6-triiodbenzoesäure), C₁₈H₁₀I₆N₂O₇, M_R 1127,71, Schmp. 222 °C unter Wiedererstarren, Zers. bei 281 °C. Verwendet wurde das Dimeglumin-Salz, C₃₂H₄₄I₆N₄O₁₇, M_R 1518,14. I. wurde 1957 u. 1958 von Schering patentiert. – *E* ioglycamic acid – *F* acide ioglycamique – *I* acido ioglicamico – *S* ácido ioglicámico
Lit.: Beilstein E IV **14**, 1123 f. ▪ Hager (5.) **8**, 577. – *[HS 2924 29; CAS 2618-25-9 (I.); 14317-18-1 (Dimeglumin-Salz)]*

Iohexol (Rp).

Internat. Freiname für das *Röntgenkontrastmittel (±)-*N*,*N*′-Bis(2,3-dihydroxypropyl)-5-[*N*-(2,3-dihydroxypropyl)acetamido]-2,4,6-triiodisophthalamid, C₁₉H₂₆I₃N₃O₉, M_R 821,14, Schmp. 174–180 °C; λ_{max} 245 nm; LD₅₀ (Maus i.v.) 52,41–54,14 g/kg. I. wurde 1977 u. 1981 von Nyegaard patentiert u. ist von Nycomed (Accupaque®) u. Schering (Omnipaque®) im Handel. – $E = F = I = S$ iohexol

Lit.: Hager (5.) **8**, 577 ff. – *[HS 2924 29; CAS 66108-95-0]*

Iomeprol (Rp).

Internat. Freiname für *N,N'*-Bis-(2,3-dihydroxypropyl)-2,4,6-triiod-5-(*N*-methylglycolamido)isophthalamid, $C_{17}H_{22}I_3N_3O_8$, M_R 777,09. I. wird als Iod-haltiges Röntgenkontrastmittel zur Angiographie eingesetzt. Es wurde 1995 von Byk Gulden (Imeron®) ausgeboten. – $E = S$ iomeprol – F ioméprol – I iomeprolo

Lit.: Eur. J. Radiol. **18**, 1–12, 51–60 (1994) ▪ J. Chromatogr. **525**, 401–409 (1990). – *[CAS 78649-41-9]*

Ionen. Bez. für elektr. geladene Teilchen von atomarer od. mol. Größenordnung. Die ersten Vorstellungen über I. wurden v. a. durch die Untersuchung der *elektrolytischen Dissoziation gewonnen; Näheres s. dort. Die in Lsg. befindlichen, beim Anlegen einer Gleichspannung zur *Kathode wandernden (pos. geladenen) I. nennt man *Kationen*, die zur *Anode wandernden (neg. geladenen) I. werden als *Anionen* bezeichnet. Die Kationen entstehen aus neutralen Teilchen durch die Abgabe, die Anionen durch die Aufnahme von Elektronen. Im ersten Fall muß die *Ionisationsenergie aufgebracht werden, im zweiten wird Energie freigesetzt, wenn das Neutralteilchen ein zusätzliches Elektron zu binden vermag (s. a. Elektronenaffinität). In Lsg. sind die energet. Verhältnisse allerdings durch die Wechselwirkung der I. mit Lsm.-Mol. u. untereinander wesentlich komplizierter. In Gasen od. Dämpfen bilden sich I. durch Zufuhr von therm. od. elektr. Energie (z. B. in *Gasentladungen) od. durch *ionisierende Strahlung. Die elektron. u. geometr. Struktur freier I. läßt sich mit Meth. der hochauflösenden Spektroskopie bestimmen, z. B. Mikrowellen-, Infrarot- od. Elektronenanregungsspektroskopie (s. *Lit.*[1]). Daneben liefern *ab initio-Rechnungen wichtige Information über die Eigenschaften von I. (s. *Lit.*[2]). Reaktionen zwischen freien I. u. Neutralmol. sind von großer Bedeutung für die Chemie interstellarer Wolken (s. interstellare Materie), die Chemie der Atmosphäre od. die *Plasmachemie. Sie können z. B. mit Meth. der *Massenspektrosmetrie od. der Ionen-Zyklotron-Resonanzspektroskopie (s. ICR-Spektroskopie) untersucht werden; Näheres s. Ionen-Molekül-Reaktionen. Hochgeladene I. lassen sich mit *Teilchenbeschleunigern erzeugen (s. a. Schwerionen u. Coulomb-Explosion); sie können z. B., wenn auch mit geringer Wahrscheinlichkeit, zur Erzeugung überschwerer Elemente verwendet werden[3].

Ebenso wie Elektronen lassen sich auch I. elektromagnet. bündeln. Diese *Ionenstrahlen dienen nicht nur wissenschaftlichen Untersuchungen, sondern auch techn. Anw., z. B. zur Herst. von sehr feinporigen Filtern od. zur sog. *Ionenimplantation. Die Luft ist infolge natürlicher Radioaktivität der Erdkruste u. kosm. Strahlung immer ganz schwach ionisiert. Die I. in at-

mosphär. *Aerosolen teilt man manchmal nach ihrem Durchmesser ein in Klein- (0,1 nm), Mittel- (1 nm), Groß- (10 nm), Langevin- (1000 nm) u. Ultragroß-I. (1 μm).

I. sind in flüssiger Phase außerordentlich häufig anzutreffen. Z. B. verlaufen prakt. alle wichtigen Stoffwechsel-Prozesse in tier. u. pflanzlichen Organismen über I.; I. sind zudem an sämtlichen elektrochem. Vorgängen (s. Elektrochemie) u. an den zahlreichen *Ionenreaktionen der anorgan. Chemie beteiligt. Einige I. sind farbig; z. B. sind die Kupfertetraaqua-I. $\{[Cu(H_2O)_4]^{2+}\}$ blau u. die Permanganat-I. (MnO_4^-) violett, während die Na^+-, K^+-, Mg^{2+}-, Zn^{2+}-, Cl^--, NO_3^--, SO_4^{2-}-, PO_4^{3-}-I. u. v. a. farblos sind. Die *I.-Farbe* kann jedoch unter dem Einfluß des Lsm. (Solvatisierung, Komplexbildung usw.) in zahlreichen Fällen eine Veränderung erfahren. So ist das Cu^{2+}-I. im festen $CuCl_2$ dunkelgrün, in wäss. Lsg. dagegen infolge Bildung des Komplexes $[Cu(H_2O)_4]^{2+}$ blau. Diese I.-Farbe kann zur Identifizierung einer I.-Art dienen. Durch Einteilung der Stoffe in Gruppen mit gleicher I.-Art ergibt sich bes. für die anorgan. u. analyt. Chemie eine wesentliche Vereinfachung. So spalten z. B. alle Brønsted-Säuren Wasserstoff-I. (*Protonen) ab, deren Konz. jeweils mit den gleichen Meßverf. bestimmt werden kann, s. pH. Alle lösl. Chloride spalten in Wasser Chlor-I. ab, die jedesmal mit dem Reagenz Silbernitrat (bzw. Ag^+-I.) den gleichen Niederschlag von Silberchlorid geben, sich durch *HPLC von anderen I. trennen lassen u. die mit *ionenselektiven Elektroden (*Sensoren*) elektrochem. erfaßt werden können. Auf bestimmten Gruppeneigenschaften von I. beruhen auch die *Trennungsgänge der anorgan. analyt. Chemie.

In Lsg. liegen I. nicht in freiem Zustand vor, sondern an sie ist eine bestimmte Anzahl von Lsm.-Mol. gebunden (s. a. Hydratation u. Solvatation). So sind z. B. die Natrium-I., die beim Lösen von Kochsalz in Wasser entstehen, in der ersten Koordinationssphäre von 6 Wasser-Mol. in oktaedr. Anordnung umgeben. Die Bindungsenergien für die Bindung eines Lsm.-Mol. an ein einfach geladenes Zentral-I. liegen bei ca. 100 kJ mol^{-1}; bei mehrfach geladenen I. können sie erheblich größer sein. Die Anzahl der Lsm.-Mol. in der ersten Koordinationssphäre beeinflußt auch die Fähigkeit der I., am Stromtransport teilzunehmen. Ein Maß hierfür sind die molaren *Ionengrenzleitfähigkeiten*, deren Werte für einige einfach geladene I. in der Tab. aufgeführt sind.

Tab.: Molare Ionengrenzleitfähigkeiten $\lambda_0^\pm$ in wäss. Lsg. bei 298 K [Ω^{-1} m^2 mol^{-1}].

Kation	λ_0^+	Anion	λ_0^-
H^+	0,03498	OH^-	0,01986
Li^+	0,00387	F^-	0,00554
Na^+	0,00501	Cl^-	0,00764
K^+	0,00735	Br^-	0,00781
Rb^+	0,00778	I^-	0,00768
Ag^+	0,00619	NO_3^-	0,00715
NH_4^+	0,00736	CH_3COO^-	0,00409

Sehr große Werte haben in wäss. Lsg. die H^+ u. OH^--I., da sie die Wasserstoff-Brückenstruktur des Wassers ausnutzen (s. Grotthus-Mechanismus). Bemerkenswert ist auch, daß die Ionengrenzleitfähigkeit des kleinen Lithium-Kations nur etwa halb so groß ist wie die des wesentlich größeren Kalium-Kations. Ersteres vermag in einem elektr. Feld zwischen zwei *Elektroden nur etwa halb so rasch zu wandern wie letzteres, da es in der ersten Koordinationssphäre im Mittel von 12 Wasser-Mol. umgeben ist, das Kalium-I. hingegen lediglich von 4. Der effektive *Ionenradius, der für die Wanderungsgeschwindigkeit maßgeblich ist, ist damit beim Lithium-Kation größer als beim Kalium-Kation. In festem Zustand treten I. in I.-Krist. auf. Z. B. bildet Kochsalz ein aus Na^+- u. Cl^--I. aufgebautes *I.-Gitter*; Näheres s. bei chemische Bindung, S. 675. I.-Verb. haben in festem Zustand nur eine geringe elektr. Leitfähigkeit (bezüglich interessanter Ausnahmen s. *Lit.*[4]), die durch Wanderung der I. über Leerstellen u./od. Zwischengitterplätze verursacht wird. Sie ist Temp.-abhängig u. hat üblicherweise Werte zwischen 10^{-4} u. $10^{-6}\ \Omega^{-1}\ m^{-1}$. Beim Schmelzen nimmt die Leitfähigkeit stark zu; die I. in der Schmelze lassen sich durch Anlegen eines elektr. Feldes zwischen zwei Elektroden trennen (*Schmelzelektrolyse). Obwohl I.-Krist. meistens hohe *Gitterenergien besitzen, sind sie im allg. gut wasserlöslich, da die zum Aufbrechen des I.-Gitters notwendige Energie durch *Hydratation der I. überkompensiert wird.

Geschichte: Die Bez. „Ionen" soll 1834 von M. *Faraday aufgrund eines Vorschlags von W. Whewell geprägt worden sein. Systemat. Untersuchungen stammen von *Hittorf, *Clausius u. bes. *Arrhenius, auf den die Theorie der *elektrolytischen Dissoziation zurückgeht. – $E = F$ ions – I ioni – S iones

Lit.: [1] Maier, Ion and Cluster-Ion Spectroscopy and Structure, Amsterdam: Elsevier 1989. [2] Baer et al., The Structure, Energetics and Dynamics of Organic Ions, Chichester: Wiley 1996. [3] Spektrum Wiss. **1988**, Nr. 9, 42–52. [4] Huheey, Anorganische Chemie, S. 204–209, Berlin: de Gruyter 1988.
allg.: Barthel, Ionen in nichtwäßrigen Lösungen, Darmstadt: Steinkopff 1976 ■ Bowers, Gas Phase Ion Chemistry, 3 Bd., New York: Academic Press 1979–1984 ■ Tanaka et al., Ions and Molecules in Solution, Amsterdam: Elsevier 1983 ■ s. a. Carbanionen, Carbeniumionen, Carbokationen.

Ionenausschlußverfahren s. Ionenchromatographie.

Ionenaustauschchromatographie (IEC = Ion Exchange Chromatography, Austauschchromatographie, heteropolare Chromatographie). Trennverf. der *Ionenchromatographie unter Verw. von speziellen *Ionenaustauschern zur Trennung ion. Spezies durch Verteilung zwischen einer stationären u. einer mobilen Phase. Sie wird überwiegend in Säulen durchgeführt u. hat sich aus apparativer Sicht zu einem speziellen Teil der modernen *HPLC (High Performance Liquid Chromatography, Hochleistungs-Flüssigkeitschromatographie) entwickelt. High Performance bedeutet schmale Banden, hohe Auflösung, adäquate Schnelligkeit u. kontinuierliche Detektion. Dazu benötigt man in der I. spezielle Austauscher mit geringer Kapazität u. schnellem Massenaustausch. Die Teilchen dieser Austauscher bestehen aus einem inerten Kern aus sulfonierten Copolymerisaten auf Polystyrol-Basis u. enthalten auf der Oberfläche aminierte, poröse Latex-Teilchen. Andere Austauscher basieren auf modifizierten XAD-Harzen. Auch auf Kieselgel-Basis lassen sich leistungsfähige Austauscher herstellen. Zur Trennung von Biopolymeren wurden sog. Tentakelaustauscher hergestellt. Bei ihnen sitzen die Austauschergruppen nicht starr an der Matrix, sondern frei beweglich an flexiblen Polymerketten. Trennungen von Biopolymeren sind dadurch unter Erhalt der *Konformation möglich.

Die Trennung von Kationen an sulfonierten Polystyrol-Harzen erfolgt aufgrund der unterschiedlichen Affinität der Ionen zum Austauscher. Für einfach geladene Ionen gilt die Reihenfolge: Li^+, $H^+ < Na^+ < K^+ < Rb^+ < Cs^+ < Ag^+$, gefolgt von den doppelt geladenen Kationen $Mg^{2+}, Ca^{2+} < Sr^{2+} < Ba^{2+}$. Bei doppelt geladenen Übergangsmetall-Kationen gibt es keine eindeutige Ordnung, sie werden aber fester gebunden als Ca^{2+} u. Mg^{2+}. Für die Trennung von Anionen an Polystyrol-Harzen mit quartären Ammonium-Gruppen gilt folgende Reihenfolge: $OH^- < F^- < Cl^- < Br^-$, $NO_3^- < SO_4^{2-} < I^-$.

Als Detektionsverf. bietet sich die Messung der elektr. Leitfähigkeit an. Ein Problem bildet dabei die große Hintergrundleitfähigkeit des Eluenten, der selber ein Elektrolyt ist u. zudem in großem Überschuß im Vgl. zum Analyten vorliegt. Bei der sog. Einsäulentechnik löst man dieses Problem, indem man sehr verd. Eluenten benutzt u. die so minimierte Leitfähigkeit elektron. kompensiert. Bei der Suppressortechnik ergänzt eine zweite Ionenaustauschersäule, die sog. Suppressorsäule, die Detektionseinheit. Sie hat die Aufgabe, die hohe Hintergrundleitfähigkeit des Eluenten chem. zu verringern u., wenn möglich, den Analyten in eine stärker leitende Form zu überführen. Nachteilig ist hierbei, daß sich die Suppressorsäule mit der Zeit erschöpft u. danach regeneriert werden muß. Der Säule nachgeschaltete Membransuppressoren dagegen können kontinuierlich regeneriert werden. Das Prinzip einer derartigen Einrichtung im Falle des Analyten Cl^- in Form von NaCl mit dem Eluenten $NaHCO_3$ geht aus der Abb. hervor.

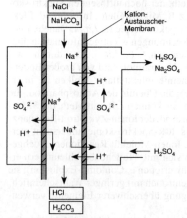

Abb.: Membransuppressor.

Der Membransuppressor besteht aus zwei Kation-Austauscher-Membranen (s. Ionenaustauscher), zwischen denen sich der Analyt NaCl im Eluenten $NaHCO_3$ bewegt. Auf der anderen Seite der Membranen wird in diesem Fall H_2SO_4 als Regenerationsmittel im Gegenstrom geführt. Die Kationenaustauscher-Membranen tauschen Na^+- gegen H^+-Ionen, wodurch der Eluent in schwach leitende H_2CO_3 u. der Analyt in stark leitende HCl übergeführt wird. Bei einer Weiterentwicklung der Membransuppressoren wird das Regenerationsmittel – im beschriebenen Fall H^+-Ionen – durch Elektrolyse von Wasser aus dem Eluenten erzeugt, wodurch auf elegante Weise ein Vorratsbehälter für Regenerierflüssigkeit mit Fördersyst. eingespart wird. Neben der Leitfähigkeitsdetektion kann jede andere in der HPLC verwendete Detektionsart eingesetzt werden. Darunter sind UV-Absorption, auch mit indirekter Absorption, elektrochem. Detektion (speziell amperometr. od. gepulst amperometr.) sowie die Meth. der Nachsäulenderivatisierung.

Anw.: Der Anw.-Bereich der I. ist extrem weit; er reicht von der Bestimmung von einfachen anorgan. Ionen bis zu Aminosäuren, Kohlenhydraten u. Anionen u. Kationen von Proteinen u. Nucleotiden. Am häufigsten kommt die I. jedoch bei der Wasseranalyse zum Einsatz, d. h. der Analyse von anorgan. u. organ. Ionen in Trink-, Grund- u. Abwasser. Sie wird häufiger für Anionen als für Kationen eingesetzt, da letztere auch leicht photometr. bestimmt werden können. Sulfate waren ohne I. schwer zu bestimmen, ebenso wie Nitrate u. Nitrite sowie die Oxoanionen von Schwefel u. Phosphor. – *E* ion exchange chromatography – *F* chromatographie avec échangeurs d'ions – *I* cromatografia a scambio ionico – *S* cromatografía de intercambio iónico

Lit.: Analyt.-Taschenb. 7, 276–297 ▪ Townshend (Hrsg.), Encyclopedia of Analytical Science, S. 2261–2267, New York: Academic Press 1995 ▪ Weis, Handbuch der Ionenchromatographie, Weinheim: VCH Verlagsges. 1991.

Ionenaustauscher. Sammel-Bez. für feste Stoffe od. flüssige Lsg., welche fähig sind, pos. od. neg. geladene Ionen aus einer wäss. Elektrolyt-Lsg. unter Abgabe äquivalenter Mengen anderer Ionen aufzunehmen. Entsprechend der elektr. Ladung der am Austausch beteiligten Ionen spricht man von *Kationen-* u. *Anionenaustauscher*; I., die mit beiden Ionenarten wechselwirken, bezeichnet man als amphoter. Die synthet. hergestellten I. können zunächst nach ihrer äußeren Form klassifiziert werden: Feste Körner od. Partikel, feste Membranen, Papiere od. Schichten, organ. Lsg. von I.-Verbindungen. Weiterhin können die I. entsprechend ihrer *Matrix* u. *funktionellen Gruppen* eingeteilt werden. Am häufigsten werden feste Körner u. Partikel von folgenden Typen verwendet: I.-Harze, deren Matrix durch Kondensation (Phenol-Formaldehyd) od. durch Polymerisation (Copolymere aus Styrol u. Divinylbenzol sowie Methacrylaten u. Divinylbenzol) erhalten wurden (s. Abb. 1 u. 2).

Stark saure Kationenaustauscher tragen Sulfonsäure-Gruppen, die schwach sauren Carbonsäure- od. Phosphonsäure-Gruppen. Stark bas. Anionenaustauscher enthalten gewöhnlich quartäre Ammonium-Gruppen, während die schwach bas. prim., sek. od. tert. Amino-Gruppen aufweisen. Chelat-Harze haben Chelat-bildende Gruppen, welche O-, N-, od. S-Donoratome beinhalten. Andere synthet. hergestellte I. besitzen ein hydrophiles Cellulose-Gerüst od. bestehen aus vernetztem Dextran od. Agarose u. tragen saure (Carboxy-

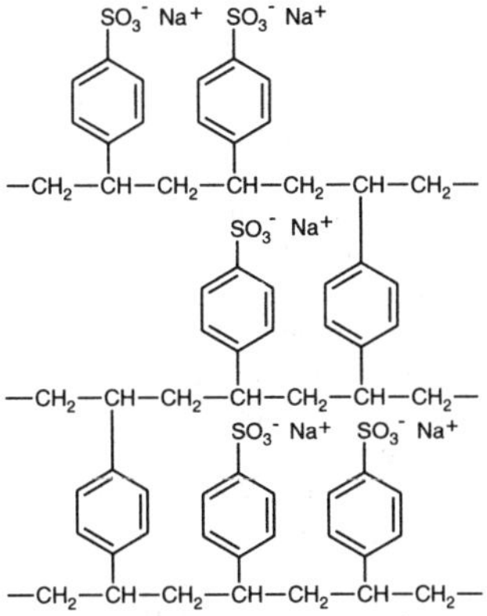

Abb. 1.: Kationen-Austauscher (schemat.).

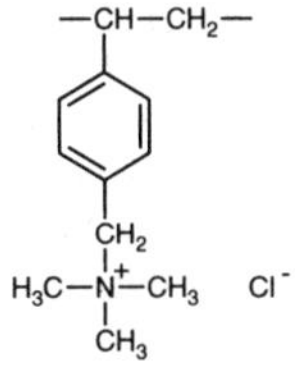

Abb. 2.: Anionen-Austauscher (schemat.).

methyl-, Sulfoethyl-) u. bas. (Aminoethyl-, Diethylaminoethyl- u. a.) funktionelle Gruppen. Anorgan. I., die teils natürlichen Ursprungs sind, wie *Zeolithe, *Montmorillonite, *Attapulgite, *Bentonite u. a. Aluminiumsilicate, schließen auch saure Salze polyvalenter Metallionen wie Zirconiumphosphat, Titanwolframat, Nickelhexacyanoferrat(II) u. a. ein. Abhängig von der Natur der Elemente u. dem pH-Wert der Lsg. zeigen die wäss. Oxide der tri- u. tetravalenten Metallionen Kationen- u. Anionenaustauscher-Eigenschaften.

Für die *Ionenaustauschchromatographie werden spezielle Austauscher mit niedriger Kapazität u. guten hydrodynam. u. Massentransfer-Eigenschaften benötigt. Die sphär. Körner bestehen aus einem inerten Kern (Copolymerisat aus Styrol, Divinylbenzol od. Kieselgel) mit einer dünnen Oberfläche mit I.-Eigenschaften.

Ionenaustauschpapiere werden durch Einbetten von fein verteilten I. in Papier hergestellt od. bestehen aus Cellulose-Austauschern, od. es werden dünne Schichten aus Austauschern mit einem inerten Material auf Trägern fixiert. Das Einsatzgebiet dieser beiden Formen ist die *Dünnschichtchromatographie. I.-Membranen sind dünne Filme (0,1–0,6 mm) mit adäquater Festigkeit. Sie besitzen die Fähigkeit, unter dem Einfluß einer Potentialdifferenz entweder nur für Kationen od. Anionen durchlässig zu sein (permselektive Membranen, s. Elektrodialyse). Flüssige I. sind Lsg. von hochmol. Säuren (Kationenaustauscher) od. Basen (Anionenaustauscher). Sie sind kaum wasserlösl., aber lösl. in wenig od. unpolarem Lösungsmittel.

Die Eigenschaften der I. werden durch ihre physikal. u. chem. Parameter bestimmt. Die wichtigsten chem. Parameter sind die Austauschkapazität (bezogen auf die Vol.- od. Masseneinheit), die Natur der funktionellen Gruppen, die Wasseraufnahme, die Porosität u.

Festigkeit der Matrix sowie die chem. Stabilität (gegen Säuren u. Alkalien, Redox-Prozesse u. Strahlung). *Verw.:* I. spielen eine enorme Rolle im lebenden Organismus. Sie sind nicht nur für eine selektive Ausscheidung biolog. Substanzen verantwortlich, sondern auch für Transportvorgänge von Ionen durch Zellmembranen, so auch für die Signalleitung im Nervensystem. Ionenaustauschprozesse haben auch eine wichtige Funktion im Pflanzenreich, weil die Ionenaustausch-Eigenschaften der natürlichen Silicate im Boden die Zusammensetzung der Bodenflüssigkeiten bestimmen, die die Pflanzen ernähren. Synthet. I. haben sich in Labor u. Ind. zu wichtigen Werkzeugen entwickelt. Sie lassen sich in einer Vielzahl von Prozessen einsetzen, die man in drei Gruppen unterteilt:

1. Substitution: Ein interessierendes Ion wird aus der Lsg. entfernt u. durch ein unwichtiges ersetzt.

2. Trennung: Eine Lsg. mit unterschiedlichen Ionen wird durch eine Austauschersäule geleitet. Die Ionen werden nach ihrer Affinität zum I. getrennt (s. a. Ionenaustauschchromatographie). Diese Selektivität wird von der Ionenladung, dem *Ionenradius u. a. Faktoren beeinflußt. Für Kationen ergeben sich folgende Affinitäten:

$$Li^+ < H^+ < Na^+ < Cs^+ < Mg^{2+} < Ca^{2+} < Al^{3+} < Ce^{4+}$$

für Anionen:

$$F^- < Cl^- < Br^- < NO_3^- < HSO_4^- < I^-.$$

3. Entfernen aller Ionen: Benutzt man nacheinander od. gleichzeitig (Mischbett) Kationenaustauscher in der H^+-Form u. Anionenaustauscher in der OH^--Form, so werden alle Ionen aus der Lsg. entfernt; übrig bleibt reines Wasser.

Verw.: Industriell wird der größte Teil der hergestellten I. für die Wasserbehandlung verwendet. Sie spielen eine große Rolle bei der Enthärtung von Wasser (Austausch von Härte-bildenden Ionen wie Ca^{2+}, Mg^{2+} gegen Na^+; vgl. Härte des Wassers), Entsalzen von Wasser bzw. Herst. von ultrareinem Wasser, Entfernen von Nitrat aus dem Trinkwasser, Behandlung von Kondensaten in der Kraftwerkchemie u. Dekontamination von Wasser in der Atom-Industrie. Der geringere Teil dient speziellen Anw. in der Nahrungsmittel- u. Pharma-Ind., in der Galvanotechnik sowie bei der Herst. u. Reinigung bestimmter Chemikalien u. in der Analytik. Die Anw.-Beisp. sind so zahlreich, daß die folgende Aufzählung unvollständig bleiben muß. I. werden eingesetzt zur Entsäuerung von Fruchtsäften, zum Entfernen von Ameisensäure aus Formaldehyd, von Mineralsäuren aus Alkoholen, zur Entmineralisierung von Zuckersirup, Glucose, Glycerin, Alkoholen, Glykolen, Citronensäure u. Milchsäure, zur selektiven Entfernung von Verunreinigungen, z. B. Entfernen von Ca^{2+} aus Natriumchlorid. Sie werden in der Zuckerrüben-Ind. zur Enthärtung eingesetzt (Austausch von Ca^{2+} gegen Na^+), zum Entfernen von Na^+ aus Milch (Diätmilch). Die Herst. von organ. Säuren aus deren Salzen u. umgekehrt die gezielte Herst. von deren Salzen ist mit I. möglich. Sie werden ebenso eingesetzt zur Isolierung u. Reinigung von pharmazeut. Verb. sowie zur Anreicherung von Edelmetallen. Da beladene I. im Gleichgew. mit Wasser ihre Gegenionen langsam abgeben, können entsprechend geladene

I. als Langzeitdünger für Hydrokulturen eingesetzt werden. Den gleichen Effekt nutzt man bei *Depot-Präparaten von Arzneimitteln. I. haben weiterhin Bedeutung erlangt als Katalysatoren bei Reaktionen, die durch Wasserstoff- od. Hydroxy-Ionen katalysiert werden, z. B. bei Veresterungen, Verseifungen, Hydrolysen usw. Flüssige I. dienen z. B. zur Extraktion von Uranylsulfat bei der Kernbrennstoffaufarbeitung. Sie werden weiterhin in *Ionenselektiven Elektroden verwendet.

Geschichte: Bei bodenkundlichen Untersuchungen wurde der Ionenaustausch in der Mitte des 19. Jh. erstmals erkannt: 1850 beobachteten Thomson u. Way, daß Ackerboden die Fähigkeit besitzt, Ammonium-Ionen gegen Calcium- u. Magnesium-Ionen auszutauschen. 1870 konnte Lemberg zeigen, daß eine Reihe von natürlichen Mineralien, v. a. die Zeolithe, zum Ionenaustausch befähigt sind. Die ersten synthet. I. erhielt Gans (1905). Die Ionen-austauschenden Eigenschaften von bestimmten Kunstharzen wurden 1933 von Adams u. Holmes entdeckt. Die älteste Erwähnung des Ionenaustauschs findet sich in der Bibel (2. Moses, 15), wo auf die Überführung von Bitter- in trinkbares Wasser durch Einlegen von alten Baumstämmen hingewiesen wird: Bekanntlich ist verrottete Cellulose ein guter Austauscher für Mg-Ionen. – *E* ion exchangers – *F* échangeurs d'ions – *I* scambiatore di ioni – *S* intercambiadores de iones

Lit.: Dorfner, Ion Exchangers, Berlin: de Gruyter 1991 ▪ Townshend (Hrsg.), Encyclopedia of Analytical Science, S. 2267–2273, New York: Academic Press 1995 ▪ Ullmann (5.) **A 14**, 393–459.

Ionenaustauscherharze. I. sind vernetzte *Polyelektrolyte (s. a. Ionenaustauscher). Die Mehrzahl der techn. relevanten I. basieren dabei auf vernetzten Styrol-Divinylbenzol-*Copolymeren (**1**). Diese werden durch Behandlung mit z. B. SO_3 in stark saure Kationenaustauscher (**2**) überführt. Einführung von Chlormethylen-Gruppen in (**1**) u. anschließende Umsetzung von (**3**) mit Trimethylamin od. die Reaktion von (**1**) mit *N*-Chlormethylphthalimid u. anschließende Verseifung ergeben dagegen die stark bas. Anionenaustauscher (**4**) bzw. (**6**).

Abb.: Herst. von Ionenaustauscherharzen.

Schwach saure Kationenaustauscherharze gewinnt man z. B. durch Copolymerisation von Divinylbenzol mit Acrylsäureestern u. anschließende Verseifung der Ester-Gruppen. Daneben sind noch zahlreiche weitere I. bekannt, z. B. auf Basis von Aminoplasten, Cellulose od. Phenol-Formaldehyd-Harzen. So konnten Methylensulfonsäure-Gruppen enthaltende Phenol-

Formaldehyd-Harze (*Amberlit) erfolgreich zur Trennung der *Lanthanoide herangezogen u. so einzelne Verb. der Seltenen Erden auch in größeren Mengen rein dargestellt werden.

Die I. quellen in Wasser stark auf, wodurch die ion. Gruppen zugänglich u. die niedermol. Gegenionen austauschbar werden. Die beladenen I. sind durch Behandlung mit Säuren bzw. Laugen zu regenerieren. Die Austauschkapazität der I. wird durch die Anzahl dissoziierbarer Gruppen pro Monomerbaustein u. den Vernetzungsgrad bestimmt. – *E* ion-exchange resins – *F* résines d'échanges ioniques – *I* resine scambiatrici di ioni – *S* resinas de intercambio iónico

Lit.: Elias (5.) **1**, 561 ▪ s. a. Ionenaustauscher.

Ionenbindung s. chemische Bindung.

Ionenchromatographie (IC). Bez. für eine Meth. zur Trennung von ion. Spezies durch Verteilung zwischen einer stationären u. einer mobilen Phase. Die Trennung erfolgt hierbei durch Ionenaustausch (HPIC = High Performance Ion Chromatography), Ionenausschluß (HPICE = High Performance Ion Chromatography Exclusion) od. Ionenpaarbildung (*Ionenpaarchromatographie). Für die Elution werden Elektrolyte verwendet, wobei die Retentionszeiten der einzelnen Ionen von deren Affinitäten zur stationären Phase bestimmt werden. Die Detektion der getrennten Ionen erfolgt v. a. durch Messung der Leitfähigkeit (s. Ionenaustauschchromatographie).

Die Anw. der I. kann durch Kombination mit weiteren Detektorsyst. wie UV-Absorption, Amperometrie u. Fluoreszenz in Verb. mit Nachsäulenderivatisierung erheblich erweitert werden. Einsatz findet die I. in der Kraftwerkchemie (Wasser-, Dampf- u. Kondensatqualität), bei galvan. Bädern, Reinheitskontrollen in der Halbleiter-Ind., Qualitätskontrollen in der Nahrungs- u. Genußmittel-Ind. usw. – *E* ion chromatography – *F* chromatographie d'ions – *I* cromatografia ionica – *S* cromatografía iónica

Lit.: Sarzanini (Hrsg.), International Ion Chromatography Symposium 1994, Amsterdam: Elsevier 1995 ▪ Townshend (Hrsg.), Encyclopedia of Analytical Science, S. 2261–2315, New York: Academic Press 1995 ▪ Weiß, Ionenchromatographie, 2. Aufl., Weinheim: VCH Verlagsges. 1991.

Ionen-Cyclotron-Resonanz-Spektroskopie s. ICR-Spektroskopie.

Ionendosis (Kurzz.: J). Menge der elektr. Ladungen dQ (eines Vorzeichens), die durch ionisierende Strahlung in dem Volumenelement d$V_a = dm_a/\rho_a$ (m = Masse, ρ = Dichte) in Luft gebildet wird: $J = dQ/dm_a$.

Der Index „a" steht für *E* air (= Luft). Die SI-Einheit ist C/kg; bis 1985 wurde 1 Röntgen (1 R = 2,58 · 10^{-4} C/kg) verwendet. – *E* ion dose – *F* dose d'ions – *I* dose ionica – *S* dosis de iones

Lit.: Petzold u. Krieger, Strahlenphysik, Dosimetrie u. Strahlenschutz (3.), Bd. 1, Stuttgart: Teubner 1992 ▪ Reich (Hrsg.), Dosimetrie ionisierender Strahlung, Stuttgart: Teubner 1990 ▪ s. a. Dosis u. Dosimetrie.

Ionendosisleistung (Kurzz.: J̇). Ableitung der Ionendosis (J) nach der Zeit (t): J̇ = dJ/dt. Die SI-Einheit der I. ist A/kg; s. a. Ionendosis.

Ionene. Im eigentlichen Sinne sind I. polyquartäre *Polymere, für die folgende Strukturelemente charakterist. sind:

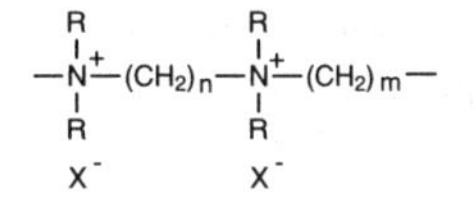

mit z.B. R = Alkyl (Methyl, Ethyl); X = Br, Cl; n ≥ 2; m ≥ 2

Abb. 1: Charakterist. Strukturelemente von Ionenen.

Wichtigste Meth. zur Herst. von I., die zur Gruppe der *ionischen Polymeren gehören, ist die Umsetzung von ditert. Diaminen mit α, ω-Dihalogenalkanen. Derartig gewonnene I. können über die Kettenlänge ihrer Edukte klassifiziert werden, das Polymer aus N,N,N',N'-Tetramethylethylendiamin (n = 2) u. Ethylendichlorid (m = 2) z. B. als 2,2-Ionen-chlorid. I. resultieren u. a. auch aus der Selbstkondensation von Aminoalkylhalogeniden (**a**), der Umsetzung von sek. Monoaminen mit ungesätt. Dihalogeniden (**b**) od. aus der Reaktion von ditert. Diaminen mit Bis(2-chlorethyl)ether (**c**).

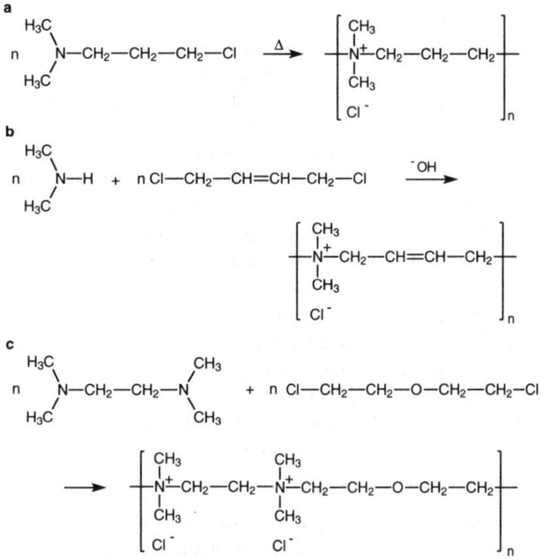

Abb. 2: Herst. von Ionenen.

Eigenschaften u. Molmassen der I. sind u. a. abhängig von der Kettenlänge der ihnen zugrundeliegenden Diamine u. Dihalogenide. I. werden u. a. als Flockungsmittel verwendet. – *E* ionenes – *F* ionènes – *I* ioneni – *S* ionenos

Lit.: Encycl. Polym. Sci. Eng. **11**, 501 ff.

Ionenfalle. Apparatur, um Ionen über längere Zeit, d. h. Stunden, Tage od. auch Wochen, ohne Kontakt zu materiellen Wänden zu speichern. Da durch ein stat. elektr. Feld allein kein in allen Raumrichtungen bindendes Potential aufgebaut werden kann, wird die Überlagerung eines stat. elektr. u. eines stat. magnet. Feldes (*Penning Falle) od., in einer Quadrupol-Anordnung, die Überlagerung eines stat. u. eines wechselnden elektr. Felds (*Paul Falle) benötigt. – *E* ion trap – *F* piège à ions – *I* trappola ionica – *S* trampa de iones

Lit.: Kirk-Othmer (4.) **15**, 1075.

Ionen-Getter-Pumpe s. Getter u. Ionenpumpe.

Ionengitter s. Kristallstrukturen.

Ionengrenzleitfähigkeit s. Ionen.

Ionenimplantation (Ionenstrahldotierung). Von *Implantation abgeleitete Bez. für ein im Jahre 1938 erstmals beschriebenes, aber erst seit Anfang der 60er Jahre techn. eingesetztes Verf. der *Dotierung von Feststoffen (*Targets) mit Fremd-Atomen, die als *Ionenstrahlen zur Anw. kommen. Der Aufbau der I.-Apparatur ähnelt dem in der Massenspektrometrie gebräuchlichen (s. die Abb. des Massenspektrometers dort) stark: Der Strahl wird ebenfalls ionisiert durch ein Magnetfeld geleitet, um ihn zu fokussieren u. um Verunreinigungen abzutrennen. Anschließend werden die Ionen beschleunigt u. man läßt sie auf das Target aufprallen. Je nach Anw. arbeitet man mit Energien von einigen eV bis zu einigen MeV, wobei höhere Energien eine größere Eindringtiefe der Ionen erreichen lassen; z.B. dringen 30 keV Bor-Ionen in Silicium einige 100 nm ein. Bei der I. arbeitet man bei Temp. zwischen $-196\,°C$ u. $+300\,°C$. Nicht selten geht aber hierbei die Kristallstruktur verloren, weshalb zur Ausheilung des Strahlungsschadens in vielen Fällen anschließend auf $600-900\,°C$ erhitzt werden muß.

Verw.: I. werden hauptsächlich beim *Metallschutz u. zur Herst. von *Halbleitern (s. a. MOS-FET) eingesetzt sowie bei der Entwicklung neuer Katalysatoren u. Legierungen. Die I. als Meth. ist sowohl verwandt mit der *Glimm-Nitrierung u. der *Kathodenzerstäubung – speziell der *Ionenzerstäubung* (E ion sputtering) – als auch mit *Diffusionsverfahren. Nicht eigentlich als Verf. der I., sondern vielmehr der *Ionenplattierung*, faßt man die Herst. *dünner Schichten auf, die bei wesentlich niedrigeren Spannungen, aber höheren Ionen-Konz. abläuft; *Beisp.:* Stahlplattierung von Spiegelglas, Aufbringung von Graphit-Überzügen auf Stahllager od. von Metallen auf Kunststoff. – *E* ion implantation – *F* implantation d'ions – *I* impianto ionico – *S* implantación de iones

Lit.: Agajanian, Ion Implantation in Microelectronics, New York: Plenum 1981 ▪ Ashworth et al., Ion Implantation into Metals, Oxford: Pergamon 1982 ▪ Auciello et al., Ion Bombardment Modification of Surfaces: Fundamentals and Application, Amsterdam: Elsevier 1989 ▪ Behrisch, Sputtering by Particle Bombardment, Bd. 1, Berlin: Springer 1981 ▪ Brown (Hrsg.), The Physics and Technology of Ion Sources, New York: John Wiley 1989 ▪ Hirvonen, Ion Implantation, New York: Academic Press 1980 ▪ Kirk-Othmer (4.) **14**, 691, 783; **16**, 28, 429 ▪ Picraux u. Choyke, Metastable Materials Formation by Ion Implantation, Amsterdam: Elsevier 1982 ▪ Ryssel u. Glawischnig, Ion Implantation (2 Bd.), Berlin: Springer 1982, 1983 ▪ Smidt, Ion Implantation for Material Processing, Park Ridge, NJ: Noyes Data Corp. 1983 ▪ Williams, Ion Implantation and Beam Processing, Sydney: Academic Press 1984.

Ioneninduzierte Röntgenfluoreszenzanalyse s. Röntgenfluoreszenzspektroskopie.

Ionenkanäle. Biolog. *Membranen sind normalerweise für polare Mol. u. Ionen undurchlässig. Zur Aufnahme der notwendigen Nährstoffe u. Ionen – letztere oft zum Zweck der Signalübertragung – sind *Zellen daher auf bestimmte Transport-Syst. angewiesen. Hierzu gehören u. a. die I., die meist selektiv für bestimmte Ionen geeignete Poren in der Membran ausbilden. Chem. sind sie Proteine od. Glykoproteine, die sich aufgrund hydrophober α-Helices (s. Helix, Proteine) von wechselnder Anzahl in die Lipid-Doppelschichten der Membranen einlagern. Von den *Ionophoren unterscheiden sie sich im allg. durch höhere M_R. Im Gegensatz zu den mol. Pumpen od. *Ionenpumpen ermöglichen I. nur *passiven* *Transport, d. h. nur in Richtung eines Konz.-Gefälles. Während die sog. *Carrier den Transport durch *Konformations-Änderungen u. evtl. Ausbildung von Zwischen-Verb. mit dem Ion vermitteln u. ähnlich den *Enzymen einer Sättigungs-Kinetik unterliegen, ist der Durchstrom durch I. meist Diffusions-kontrolliert. Die Durchlässigkeit (Leitfähigkeit) der I. kann jedoch reguliert werden, z. B. durch das Membran-Potential (*Spannungsabhängige I.*), durch Liganden (manche *Rezeptoren sind selbst I., andere kontrollieren solche mit Hilfe von *G-Proteinen), durch mechan. Reiz od. durch den Phosphorylierungs-Zustand (durch *Kinasen u. *Phosphatasen bewirkt). I. können durch ihre Aktivität die Durchlässigkeit vom Membranen um das 10^{14}-fache erhöhen; der Strom durch einen einzelnen I. liegt im Pico-Ampère-Bereich. Einige I. können verschiedene Zustände unterschiedlicher Leitfähigkeit einnehmen. Die Untersuchung der Durchlässigkeit von einzelnen I. kann mit Hilfe der *Patch-Clamp-Technik erfolgen, wobei Ströme in mikroskop. kleinen Membranbereichen gemessen werden. Als Modell-Syst. werden zuweilen Eizellen des südafrikan. Froschs *Xenopus laevis* herangezogen. *Beisp.* s. Calcium-, Chlorid-, Kalium- u. Natrium-Kanäle; zu künstlichen I. s. *Lit.*[1]. – *E* ion channels – *F* canaux ioniques – *I* canali ionici – *S* canales iónicos

Lit.: [1] Chem. Unserer Zeit **31**, 20–26 (1997). *allg.:* Aidley u. Stanley, Ion Channels: Molecules in Action, Cambridge: Cambridge University Press 1996 ▪ Alberts et al., Molekularbiologie der Zelle, 3. Aufl., S. 618–649, Weinheim: VCH Verlagsges. 1995 ▪ Conley (Bd. 4: u. Brammer), The Ion Channel Factsbook, 4 Bd., San Diego: Academic Press 1995–1996.

Ionenkettenpolymerisation s. ionische Polymerisation.

Ionenkristalle s. Kristalle.

Ionenleiter. Bei der Ionenleitung erfolgt der Ladungstransport durch eine gerichtete Wanderung elektr. geladener Ionen unter dem Einfluß eines elektr. Feldes. Dieser Mechanismus steht im Gegensatz zur Leitfähigkeit in *Metallen u. *Halbleitern, bei denen die elektr. Leitfähigkeit durch Wanderung von Elektronen erfolgt. Ionenleitung ist ebenfalls im Gegensatz zur Elektronenleitung mit einem merklichen Materietransport verbunden, der zu meßbaren Materialabscheidungen an den Elektroden führen kann (s. z. B. Elektrolyse). Ionenleitung tritt auf in ionisierten Gasen (Plasmen), in Lsg. u. Schmelzen, die Ionen enthalten, sowie in ion. gebundenen Festkörpern, bevorzugt in *Isolatoren. Der Beitrag der Ionenleitung zur elektr. Leitfähigkeit von *Halbleitern u. Metallen ist im allg. vernachlässigbar. Die Ionenleitung in Festkörpern ist ein therm. aktiver Prozeß, bei dem die Ionen eine Potentialbarriere überwinden od. durchtunneln müssen, um von einem Platz zum nächsten zu kommen. Durch ein angelegtes elektr. Feld erhält dieser Prozeß eine Vorzugsrichtung. Kleine Ionen (wie H^+, Li^+) können dabei über *Zwischengitterplätze* wandern, große Ionen nur über *Gitterplätze*, d. h. hier ist eine gewisse Konz. von unbesetzten Plätzen (Fehlstellen) im Gitter nötig. Dabei kann es sich um die bei endlichen Temp. aufgrund des *Entropie-Terms in der freien Energie stets vorhandene intrins. (od. Eigen-) Fehlstellenkonz. handeln od. um zusätzlich durch *Dotierung erzeugte Fehlstellen. Der Einbau z. B. eines Ca^{2+}-Ions in ein Alkalihalogenid auf einem Kationen-Platz führt aus Neutralitätsgründen zur Bildung einer Kationen-Fehlstelle.

Bei der Temp.-Abhängigkeit in normalen Ionenleitern lassen sich folgende Bereiche der elektr. Leitfähigkeit σ unterscheiden (s. Abb.).

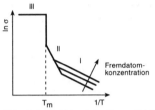

Abb.: Schemat. Darst. der Temp.-Abhängigkeit von Ionenleitern (willkürliche Einheiten).

Im *Bereich I* ist die Fehlstellen-Konz. durch die Fremdatomkonz. festgelegt u. damit probenabhängig. Die Steigung der Kurve ist im wesentlichen durch die Barriere bei Platzwechselvorgängen gegeben.
Im *Bereich II* setzt die therm. Erzeugung von Eigenfehlstellen ein, die Steigung der Kurve ergibt die zur Erzeugung von Fehlstellen nötige Energie. Bei T_m schmilzt der Festkörper; in der Schmelze tragen alle Ionen zum Stromtransport bei, was die sprunghafte Zunahme von σ erklärt.
Im *Bereich III* bleibt dann die Ionenleitung näherungsweise konstant.
Neben den normalen I. gibt es die schnellen I. *Superionenleiter*, deren Ionenleitfähigkeit einige Zehnerpotenzen über der normaler I. liegt; zu diesen zählen z. B. Li_3N od. AgI. LiN_3 besteht aus hexagonalen Li_2N-Ebenen, die über Li-Brücken miteinander verbunden sind. In den Ebenen sind die Potentialbarrieren für Platzwechselvorgänge für die Li^+-Ionen sehr gering. Bei geeigneter Dotierung od. Abweichung von der Stöchiometrie folgt daraus die hohe Ionenleitfähigkeit. Die elektron. Bandlücke liegt bei etwas über 2 eV, so daß hier Elektronen- u. Ionenleitung nebeneinander vorliegen. Die experimentelle Trennung beider Beiträge ist z. B. durch Verw. von Mo-Elektroden möglich, die mit Li_3N kein Li^+ austauschen. Im kub. flächenzentrierten AgI-Gitter haben die im Vgl. zum I^--Ion sehr kleinen Ag^+-Ionen nicht nur einen möglichen Gitterplatz in der Mitte zwischen vier I^--Ionen, sondern zusätzlich noch vier weitere äquivalente Plätze. Diese Tatsache u. die niedrigen Potentialbarrieren zwischen diesen Plätzen erklären wieder die hohe Ionenleitfähigkeit. Mit zunehmender Temp. beobachtet man oberhalb von T_{crit} eine weitere steile Zunahme der Ionenleitfähigkeit, die auf einen Prozeß zurückzuführen ist, der sich näherungsweise als Schmelzen des

Ag^+-Teilgitters interpretieren läßt. – *E* ion conductors – *F* conducteurs d'ions – *I* conduttori ionici – *S* conductores de iones

Lit.: Festkörperprobleme **XVIII**, 77 (1978) ▪ Gobrecht, in Bergmann u. Schaefer (Hrsg.), Lehrbuch der Experimentalphysik, Bd. 2, Elektrizität und Magnetismus, Kap. VII, Berlin: de Gruyter 1971 ▪ Pohl, Einführung in die Physik, Bd. 2, Elektrizitätslehre, Kap. XV, XVI u. XXVB, Heidelberg: Springer 1963.

Ionenmikroskop. Mikroskoptyp, der in gleicher Weise funktioniert wie ein *Elektronenmikroskop, wobei anstelle eines Elektronenstrahls ein Ionenstrahl verwendet wird. Die Auflösung des I. reicht mit ~100 nm zwar nicht an die des Elektronenmikroskops heran, dafür können aber dickere Objekte untersucht werden. Da Ionen viel schwerer als Elektronen sind, können sie ohne wesentlichen Verlust an Bildschärfe durch dickere Schichten hindurchtreten. Die Objekte erscheinen transparent wie bei einem Lichtmikroskop, jedoch mit einer Schärfentiefe u. einer Auflösung, die in die Nähe des Rasterelektronenmikroskops kommt. Es können Techniken der Computertomographie eingesetzt u. so Schnittbilder erzeugt werden, ohne daß man das Objekt tatsächlich durchschneiden muß. Ferner lassen sich Spurenelementverteilungen in den Schnittbildern darstellen, wenn man die Ionen-induzierte Emission von Röntgenstrahlung zur Bilderzeugung einsetzt. – *E* ion microscope – *F* microscope ionique – *I* microscopio ionico – *S* microscopio iónico
Lit.: Phys. Bl. **41**, 130 (1985).

Ionenmikrosonde s. Ionenstrahl-Mikroanalyse.

Ionen-Molekül-Reaktionen. Unter I.-M.-R. versteht man im allg. Reaktionen zwischen geladenen Atomen od. Mol. (*Ionen) u. Neutral-Mol., die in der Gasphase ablaufen, so z. B. die Reaktion $H_2^+ + H_2 \rightarrow H_3^+ + H$, die von großer Wichtigkeit für die Chemie der interstellaren Wolken (s. a. interstellare Materie) ist. Die einfachsten I.-M.-R. sind *Ladungsübertragungsreaktionen* vom Typ $A^+ + B \rightarrow A + B^+$ od. $A^- + B \rightarrow A + B^-$, bei denen lediglich ein Elektron übertragen wird. Solche Reaktionen, z. B. $N_2^+ + O_2 \rightarrow N_2 + O_2^+$, spielen eine bedeutende Rolle in der Ionosphäre.
Bes. wichtige I.-M.-R. sind *Protonenübertragungsreaktionen* vom Typ $HA^+ + B \rightarrow A + HB^+$ od. *Hydridübertragungsreaktionen* vom Typ $AH^- + B \rightarrow A + BH^-$; auch mehrere andere Reaktionstypen (z. B. S_N2-*Substitution) kommen bei I.-M.-R. vor.
Die Untersuchung von I.-M.-R. erfolgt meist mit massenspektroskop. Techniken (s. Massenspektrosmetrie), wozu auch die *ICR-Spektroskopie zählt, od. mittels radiolyt. Meth. (s. Strahlenchemie); eine wichtige Rolle spielt hierbei die *Isotopenmarkierung (s. Isotope u. Isotopie-Effekte). Die meisten I.-M.-R. sind sehr schnelle Reaktionen, da sie im allg. keine od. nur kleine *Aktivierungsenergien benötigen. Für einfache exotherme bimolekulare I.-M.-R. liegen die Reaktionsgeschwindigkeitskonstanten (s. Kinetik) üblicherweise im Bereich von 10^{14} L mol^{-1} s^{-1}. Ein einfaches Modell zur Beschreibung von I.-M.-R. zwischen Ionen u. unpolaren Mol., d. h. Mol. ohne permanentes *Dipolmoment, ist das *Langevin-Modell*. Es nimmt eine langreichweitige anziehende Wechselwirkung

zwischen Ion u. Mol. der Form $-q^2 \, \alpha/(4\,\pi\varepsilon_0)^2\,2\,R^4$ an, wobei q die Ladung des Ions, α die *Polarisierbarkeit des Mol. u. R der Abstand zwischen Ion u. Mol. sind; ε_0 ist die elektr. Feldkonstante. Für den reaktiven *Wirkungsquerschnitt Q erhält man im Rahmen dieses Modells $Q = \pi\,\{2\,\alpha q^2/(4\,\pi\varepsilon_0)^2\,E_{kin}\}^{1/2}$; d.h. Q nimmt mit zunehmender kinet. Energie der Reaktanden E_{kin} ab – im Gegensatz zu den meisten Reaktionen zwischen Neutral-Molekülen. Die Reaktionsgeschwindigkeitskonstante ist nach dem Langevin-Modell unabhängig von der Temperatur. Dies ist in qual. Übereinstimmung mit dem Experiment – im allg. zeigen I.-M.-R. eine deutlich geringere Abhängigkeit von der Temp. als Reaktionen zwischen neutralen Spezies.

I.-M.-R. spielen eine wichtige Rolle in Plasmen (s. Plasmachemie), Flammen, der oberen Atmosphäre der *Erde u. in den Atmosphären anderer *Planeten, in *Kometen u. in der Chemie der interstellaren Wolken. Im letzten Fall unterscheidet man zwischen Gasphasenreaktionen u. Reaktionen, die an kleinen Staubpartikeln katalysiert werden. Die Gewinnung von Labordaten über solche Reaktionen ist wichtig, um realist. Modelle über die Bildung u. Häufigkeitsverteilung *interstellarer Moleküle aufstellen zu können. – *E* ion-molecule reactions – *F* réactions entre molécules et ions – *I* reazioni tra ioni e molecole – *S* reacciones entre moléculas e iones

Lit.: Ausloos u. Lias, Structure/Reactivity and Thermochemistry of Ions, Dordrecht: Reidel 1987 ▪ Ng et al., Unimolecular and Bimolecular Ion-Molecule Reaction Dynamics, Chichester: Wiley 1995.

Ionen-Neutralisations-Spektroskopie (INS). Bez. für eine von Hagstrum 1966 erstmals vorgestellte Meth. zur Untersuchung von Metalloberflächen hinsichtlich ihrer Zusammensetzung u. der Struktur ihres Valenzbandes. Bei der – mit der *Ionenstreu-Spektroskopie verwandten – INS läßt man *Ionenstrahlen (z.B. He⁺) auf Metallproben aufprallen. Die Ionen werden neutralisiert. Der Energiegewinn hierbei führt bei Metall-Atomen zur Emission eines *Auger-Elektrons* (s. Auger- u. Elektronen-Spektroskopie), dessen Energieinhalt Aussagen über die Oberflächen-Zusammensetzung gestattet. – *E* ion neutralisation spectroscopy – *F* spectroscopie par neutralisation d'ions – *I* spettroscopia di neutralizzazione ionica – *S* espectroscopia por neutralización de iones

Lit.: Brümmer et al. (Hrsg.), Handbuch der Festkörperanalyse mit Elektronen, Ionen und Röntgenstrahlen, Braunschweig: Vieweg 1980 ▪ Fiermans et al. (Hrsg.), Electron and Ion Spectroscopy of Solids, New York: Plenum Press 1978 ▪ Kohlrausch, Praktische Physik 2, S. 718, Stuttgart: Teubner 1996.

Ionenpaarchromatographie (MPIC Mobile Phase Ion Chromatography; RP-IPC Reverse Phase Ion Pair Chromatography). Verf. der *Ionenchromatographie zur Trennung von v.a. hydrophoben ion. Spezies. Als stationäre Phase kommen RP-Phasen (s. RP-HPLC) u. neutrale makropore Polystyrol/Divinylbenzol-Copolymerisate in Betracht. Das Eluens enthält neben anorgan. u. organ. Modifiern sog. Ionenpaar-Reagenzien; für die Anionanalyse verwendet man Basen wie Ammoniumhydroxid od. Tetrabutylammoniumhydroxid, in der Kationanalyse entsprechend Säuren wie Hexanod. Octansulfonsäuren. Der Mechanismus der Trennung ist mit dem der *Phasen-Transfer-Katalyse vergleichbar. Durch die Zugabe eines Gegenions (Counterion) sollen sich elektr. neutrale Ionenpaare bilden, die an der hydrophoben Phase getrennt werden. Die Retention des Analyten wird durch die Art des Gegenions, seine Konz. sowie die Art u. Menge des Modifiers beeinflußt, so daß für die Selektivität der Trennung eine große Variationsbreite besteht.

Verw.: Die I. ist eine dominierende Technik auf dem Feld der Biomedizin. Dort sind viele der interessierenden Verb. ion. od. ionisierbar, u. chromatograph. Trennungen durch Gegenion-unterstützte Verteilung sind möglich. Der Anw.-Bereich ist extrem groß u. umfaßt gering hydrophile Aminophenole wie Catecholamin, Carbonsäuren, hydrophobe tricycl. Amine, Aminosäuren, Peptide, Nucleinsäure-Derivate u. Proteine u.a. Verb., die ion. vorliegen. – *E* ion pair chromatography – *F* chromatographie à paire d'ions – *I* cromatografia a coppia ionica – *S* cromatografía de par iónico

Lit.: Hearn (Hrsg.), Ion Pair Chromatography, Chromatographic Science Series, Vol. 31, New York: Dekker 1985 ▪ J. Chromatogr. **492**, 299–318 (1989) ▪ Townshend (Hrsg.), Encyclopedia of Analytical Science, S. 2627–2633, New York: Academic Press 1995.

Ionenplattierung s. Ionenimplantation.

Ionenprodukt. Bez. für das Produkt der Konz. (genauer: *Aktivitäten) aller infolge *elektrolytischer Dissoziation in einer Lsg. vorhandenen Ionen. Bes. Bedeutung hat das I. zum einen allg. als *Löslichkeitsprodukt u. zum anderen als I. des reinen Wassers (K_w) für die Definition des *pH-Wertes: Bei 25 °C beträgt das I. reinen Wassers, erhältlich aus *EMK-Messungen (z.B. mit einer galvan. Zelle des Aufbaus +Ag/AgCl/KCl/KOH/H₂/Pt–), $K_w = a_{H^+}\cdot a_{OH^-} = 1{,}008\cdot10^{-14}$ mol²/L². K_w hängt beträchtlich von der Temp. ab; bei 0 °C beträgt es $1{,}15\cdot10^{-15}$ u. bei 60 °C schon $9{,}5\cdot10^{-14}$ mol²/L². Gemäß $pK_w = -\lg K_w$ u. $pH = -\lg a_{H^+}$ hat reines Wasser bei 25 °C den pK_w-Wert 14 u. den *pH-Wert 7. – *E* ionic product – *F* produit ionique, produit de solubilité – *I* prodotto ionico – *S* producto iónico

Lit.: Atkins, Physikalische Chemie, 2. Aufl., Weinheim: VCH Verlagsges. 1996 ▪ Dickersen et al., Prinzipien der Chemie, 2. Aufl., Berlin: de Gruyter 1988 ▪ Hamann u. Vielstich, Elektrochemie I, 2. Aufl., Weinheim: VCH Verlagsges. 1985.

Ionenpumpe. 1. In der Vak.-Technik auch als *Ionenzerstäuber-* od. *Ionen-Getter-Pumpen* bezeichnete Pumpen, mit denen Hoch- u. Ultrahochvak. erreicht wird. In einer Gasentladung werden beschleunigte Elektronen erzeugt, die Gasmol. ionisieren. Die so erzeugten Ionen treffen, durch elektr. u./od. magnet. Felder geführt, auf die Kathode. Dort zerstäuben sie das Kathodenmaterial (oft Titan), das sich als Getterfilm auf die umgebenden Oberflächen legt u. dabei die Gasteilchen bindet (*Getter). Die Elektrodenanordnung ist als *Diode od. Triode ausgeführt. Der Arbeitsbereich liegt bei $p < 10^{-3}$ hPa; die Lebensdauer (Betriebszeit · Druck) einer Titan-Kathode beträgt $\sim$50 000 h$\times 10^{-4}$ Pa, wobei längerer Betrieb in organ. Dämpfen zu vermeiden ist. Die magnet. Induktion am Ansaugflansch kann 10^{-4} T betragen, ferner ist der Austritt weicher *Röntgenstrahlung möglich.

2. In der Biochemie bezeichnet man als I. Membran-*Proteine, die den aktiven Transport von Ionen durch biolog. *Membranen hindurch gegen ein bestehendes Konz.-Gefälle bewirken; als Energie-Quelle dient meist die Hydrolyse von *Adenosin-5'-triphosphat zu *Adenosin-5'-diphosphat. Wenn kein Ladungsausgleich durch gleichsinnigen Transport (*Symport) eines Gegenions od. gegensinnigen Transport (*Antiport) eines gleichgeladenen Ions erfolgt, ist der Transport *elektrogen*, u. das elektr. Membranpotential ändert sich dabei. Beisp. gibt die folgende Tabelle.

Tab.: Zusammenstellung von Ionen-Transport-ATPasen.

transportierte Ionen	Vork.
Ca^{2+}	Plasmamembran, *sarkoplasmatisches u. *endoplasmatisches Retikulum, s. Calcium-Pumpen
Ca^{2+}, Mg^{2+}	Plasmamembran, s. Calcium-Pumpen
H^+	Plasmamembran, *Mitochondrien, Chloroplasten (s. ATP-Synthasen), Vakuolen u. a. cytoplasmat. Membranen
H^+, K^+	Plasmamembran, apikal (Magen u. Darm)
Na^+, K^+	Plasmamembran, basolateral (s. Natrium-Kalium-ATPase)

– *E* ion pump – *F* pompe ionique – *I* pompa a ionizzazione – *S* bomba iónica

Lit. (zu 1.): Kohlrausch, Praktische Physik 1, S. 84, 104, Stuttgart: Teubner 1996 ▪ Wutz, Adam u. Walcher, Theory and Practice of Vacuum Technology, Braunschweig: Vieweg 1989. – (*zu 2.*): Adam, Länger u. Stark, Physikalische Chemie u. Biophysik, S. 324, Berlin: Springer 1995 ▪ Länger, Electrogenic Ion Pumps, Sunderland: Sinauer Associates 1991.

Ionenquelle s. Massenspektrometrie.

Ionenradikale s. Radikal-Ionen.

Ionenradius. 1. Halbmesser eines als starre Kugel betrachteten *Ions im Kristallgitter. Werte für I. sind erhältlich durch Aufteilung der röntgenograph. ermittelten Atomabstände (s. Kristallstrukturanalyse) auf die einzelnen Ionen. Dies ist allerdings auf verschiede Art möglich, weshalb man in der Lit. Differenzen zwischen den Werten verschiedener Autoren findet. Der erste Versuch zur Bestimmung des Radius eines Ions stammt von Landé (1920). Er nahm an, daß das Li⁺-Ion zu klein sei, um in Krist. der Halogenide die gegenseitige Berührung der wesentlich größeren Halogenid-Ionen zu verhindern; mit dieser Hypothese konnte der I. für Halogenid-Ionen bestimmt werden. Die erste umfangreichere I.-Skala wurde von V. M. *Goldschmidt aufgestellt. Ein theoret. Verf. zur Aufteilung des Atomabstands zwischen Kation u. Anion stammt von *Pauling. Als Kriterium für die „Abgrenzung" eines jeden Ions kann das Minimum der Elektronendichte zwischen den Ionen verwendet werden; hierauf basiert die I.-Skala von Shannon[1]. Eine vergleichende Diskussion der verschiedenen Meth. findet man in *Lit.*[2].

Der I. nimmt innerhalb einer Periode von links nach rechts ab; bei konstanter Ionenladung (z. B. bei den dreiwertigen Lanthanoiden) ist die Abnahme gleichmäßig u. gering. Innerhalb einer Gruppe des Periodensyst. nimmt der I. mit steigender *Ordnungszahl

zu; z. B. Li⁺ (90 pm), Na⁺ (116 pm), K⁺ (152 pm), Rb⁺ (166 pm) u. Cs⁺ (181 pm). Mit zunehmender Ionenladung erfolgt eine starke Verkleinerung des I., z. B. Na⁺ (116 pm), Mg²⁺ (86 pm) u. Al³⁺ (67,5 pm). Die angegebenen Werte – nach Shannon (1976) – beziehen sich auf oktaedr. Koordination. Sowohl für *Kationen als auch für *Anionen wächst der I. mit steigender *Koordinationszahl (s. die Tab.); s. a. Atomradius.

Tab.: Abhängigkeit des Ionenradius von der Koordinationszahl (nach *Lit.*[2]).

Ion	Koordinations-zahl	Ionenradius [pm]
Ag^+	2	81
	4	114
	4[a]	116
	5	123
	6	129
	7	136
	8	142
Ba^{2+}	6	149
	7	152
	8	156
	9	161
	10	166
	11	171
	12	175
O^{2-}	2	121
	3	122
	4	124
	6	126
	8	128

[a] quadrat.-planar

2. In flüssiger Phase sind Ionen solvatisiert (s. Solvatation) u. der effektive I. hängt von der Größe der Solvathülle ab. Er läßt sich näherungsweise berechnen über die Formel $r = q/6\pi\eta u$, wobei q die Ladung des Ions, η die *Viskosität des Lsm. u. u die Beweglichkeit des Ions (Quotient aus Wanderungsgeschw. u. elektr. Feldstärke) sind. – *E* ionic radius – *F* rayon ionique – *I* raggio ionico – *S* radio iónico

Lit.: [1] Acta Crystallogr. Sect. **B 25**, 925 (1969); Sect. **A 32**, 751 (1976). [2] Huheey, Anorganische Chemie, Berlin: de Gruyter 1988. *allg.*: Dickersen et al., Prinzipien der Chemie, 2. Aufl., Berlin: de Gruyter 1988 ▪ Handbook **70**, F-187 ▪ Kittel, Einführung in die Festkörperphysik, 10. Aufl., München: Oldenbourg 1993 ▪ O'Keeffe u. Navrotsky, Structure and Bonding in Crystals, Bd. 2, New York: Academic Press 1981 ▪ Pauling, Die Natur der chemischen Bindung, 3. Aufl., Weinheim: Verl. Chemie 1976 ▪ Wells, Structural Inorganic Chemistry, 5. Aufl., Oxford: Clarendon Press 1984.

Ionenreaktionen. Sammelbez. für alle *Reaktionen zwischen *Ionen, v. a. im gelösten Zustand. Diese – sie umfassen einen großen Teil der Reaktionen in der anorgan. Chemie – verlaufen meist mit extrem großer Reaktionsgeschw. u. bei lösl. *Elektrolyten gewöhnlich von der Art der *Gegenionen unabhängig. Gießt man z. B. Lsg. von Kochsalz mit Silbernitrat zusammen, so fällt sofort ein dicker, weißer Niederschlag von Silberchlorid aus nach der Gleichung:

$$AgNO_3 + NaCl \rightarrow AgCl + NaNO_3.$$

Der gleiche Niederschlag von Silberchlorid entsteht auch, wenn man Salzsäure, Kaliumchlorid, Calciumchlorid, Magnesiumchlorid, Eisenchlorid od. andere lösl. Chloride mit wäss. Silbernitrat-Lsg. zusammenbringt. Bei diesen Reaktionen treten jedesmal Silber-Ionen mit Chlor-Ionen zu unlösl. Silberchlorid zusammen, während die übrigen Ionen unverändert in der Lsg. verbleiben; Ionengleichung:

$$Ag^+ + Cl^- \rightarrow AgCl.$$

In der organ. Chemie sind solche rasch verlaufenden ion. Reaktionen seltener. Allerdings lassen sich auch hier die Mechanismen vieler langsamer verlaufender Reaktionen über Ionen od. über sog. *Kryptoionen* formulieren, *Beisp.:* *Nucleophile u. *elektrophile Reaktionen. Langsam ablaufende I. – einige apostrophiert man als *chem. Uhren* – bezeichnet man als *Zeitreaktionen. – *E* ionic reactions – *F* réactions ioniques – *I* reazioni ioniche – *S* reacciones iónicas

Ionenrückstreu-Spektroskopie s. Ionenstreu-Spektroskopie.

Ionenselektive Elektroden. Elektroden, die ein bestimmtes Ion in Gegenwart anderer Ionen selektiv anzeigen (s. a. ionenselektive Feldeffekt-Transistoren). Der früher gebrauchte Ausdruck „ionenspezif." ist zu eng gefaßt u. soll deshalb nicht verwendet werden (*Lit.*[1]). Prinzipiell sind i. E. wie *Glaselektroden, d. h. mit einer ionenspezif. Membran aufgebaut (s. Abb. in *Lit.*[2]). I. E. sprechen auf Ammonium- u. Metall-Ionen in Meßlsg. an, bes. auf einwertige Kationen, wie z. B. Na^+, K^+, Li^+, Rb^+, Cs^+ u. Ag^+. Die gemessenen Potentiale sind logarithm. abhängig von der Aktivität der zu messenden Ionenart sowie von der Aktivität einzelner Stör-Ionenarten, gewichtet mit einer entsprechenden Selektivitätskonstante, auch *Selektivitätskoeff.* genannt, deren prakt. Werte zwischen 10^{-1} u. 10^{-5} liegen (*Lit.*[2,3]).
Die Art der Membranen bestimmt die Leistungsfähigkeit der i. E., wobei man *Festkörper-* u. *Flüssigkeitsmembranen* unterscheidet. Bei ersteren kennt man neben *Homogenmembranen* wie Glasmembranen (z. B. aus Kali- od. Natron-Gläsern für K- od. Na-i. E.), Kristallmembranen (z. B. aus AgBr, Ag_2S od. AgI/Ag_2S für entsprechende Anionen-selektive Elektroden) u. sog. nichtporösen Membranen (z. B. homogene Mischungen aus PVC u. geladenen Spezies) auch sog. *Heterogenmembranen* aus ionenaktiven Stoffen u. inerten Materialien. *Flüssigkeitsmembranen* bestehen aus einem inerten porösen *Träger, auf den in organ. Lsm. gelöste – anion., kation. od. neutrale – *Ionophore aufgezogen sind. Mit einfachen Mitteln lassen sich solche flüssigen u. festen i. E. selbst herstellen (*Lit.*[3]).
Verw.: Zu Routineuntersuchung im Laboratorium u. im Umweltschutz, zur Verfolgung der Kinetik von anorgan. u. organ. Reaktionen od. von Stoffwechselvorgängen in Zellen (mittels Mikroelektroden) od. sogar zur Bestimmung des Vol. von Makromol. (*Lit.*[4]). – *E* ion selective electrodes – *F* électrodes sélectives – *I* elettrodi selettivi – *S* electrodos selectivos de iones
Lit.: [1] Pure Appl. Chem. **53**, 1907 (1981). [2] Barrow, Physikalische Chemie, Braunschweig: Vieweg 1984. [3] Chem. Unserer Zeit **23**, 207 (1989). [4] Z. Chem. **22**, 189 f. (1982).
allg.: Analyt.-Taschenb. **1**, 245–267 ▪ Cosofret, Membrane Electrodes in Drug-Substances Analysis, Oxford: Pergamon 1982 ▪ Encyclopedia of Physical Science and Technology, Bd. 9, S. 645, San Diego: Academic Press 1992 ▪ Kirk-Othmer (4.) **2**, 682; **4**, 203; **14**, 829 ▪ Lübbers et al., Progress in Enzyme

and Ion-Selective Electrodes, Berlin: Springer 1981 ▪ Ma u. Hassan, Organic Analysis Using Ion-Selective Electrodes (2 Bd.), London: Academic Press 1982 ▪ Morf, The Principles of Ion-Selective Electrodes and of Membrane Transport, Amsterdam: Elsevier 1981 ▪ Sykova et al., Ion-Selective Microelectrodes and Their Use in Excitable Tissues, New York: Plenum 1981 ▪ Zeuthen, The Application of Ion-Selective Microelectrodes, Amsterdam: Elsevier 1981 ▪ s. a. Elektroanalyse u. Elektroden.

Ionenselektive Feldeffekt-Transistoren (ISFET). Feldeffekt-Transistoren (s. Halbleiter, MOS-FET u. Transistor) ohne Gate-Elektrode, so daß der Bereich des Gate-Isolators direkten Kontakt mit einem Elektrolyten hat (s. Abb.).

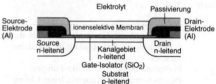

Abb.: Ionenselektive Feldeffekt-Transistoren.

Die Leitfähigkeit zwischen Source u. Drain, die üblicherweise durch die Gate-Spannung gesteuert wird, ist nun durch Prozesse bestimmt, die an der Grenzschicht zwischen Flüssigkeit u. Gate-Isolator ablaufen.
Die Ionenselektivität wird erreicht, indem auf dem Gate-Isolator eine Membranschicht aufgebracht wird, die entweder nur für eine Ionenart transparent ist od., bei genereller Ionenundurchlässigkeit, mit einer bestimmten Ionenart eine spezif. Oberflächenreaktion eingeht.
Um bioaktive Substanzen (z. B. Penicillin) selektiv nachzuweisen, enthält die Membranschicht Enzyme od. Antikörper, deren hochspezif. Stofferkennung in der Regel nach dem *Schlüssel-Schloß-Prinzip* verläuft. Das Spektrum der mit ISFET nachweisbaren Ionenarten entspricht im wesentlichen dem der *ionenselektiven Elektroden. ISFETs haben den Vorteil eines wesentlich kleineren u. kompakteren Aufbaus, so daß sie u. a. als Biosensoren ggf. in den Körper eingeführt werden können. Z. Z. stellt die Langzeitstabilität noch ein Problem dar, denn durch Korrosion, Licht u. Diffusionsvorgänge können die Parameter eines ISFETs beeinflußt werden. – *E* ionenselective field effect transistor – *F* transistor à effet de champ sélectif d'ions – *I* transistori ionoselettivi ad effetto di campo – *S* transistor de efecto de campo selectivo de iones
Lit.: Phys. Unserer Zeit **21**, 113 (1990).

Ionensonde s. Ionenstrahl-Mikroanalyse.

Ionenstärke (Symbol I). Von G. N. *Lewis u. Randall eingeführtes Konz.-Maß für Elektrolyt-Lsg.:

$$I = \tfrac{1}{2}\sum_i z_i^2 c_i.$$

Hierbei sind c_i die Konz. (in mol/L) der einzelnen Ionensorten u. z_i ihre *Ladungszahlen. *Beisp.:* Berechnung der I. von 0,06 molarer Na_2HPO_4-Lsg. mit $c_1 = 2[Na^+] = 2 \cdot 0{,}06$ mol/L $= 0{,}12$ mol/L, $c_2 = [HPO_4^{2-}] = 0{,}06$ mol/L; $z_1^2 = 1$; $z_2^2 = 4$ ergibt I$= \tfrac{1}{2}$ ($1 \cdot 0{,}12$ mol/L $+ 4 \cdot 0{,}06$ mol/L)$= 0{,}18$ mol/L. – *E* ionic strength – *F* force ionique – *I* forza ionica – *S* fuerza iónica

Ionenstrahldotierung s. Ionenimplantation.

Ionenstrahlen. Bez. für mehr od. weniger gebündelte Strahlen schnell bewegter *Ionen, die in einer *Ionenquelle* – häufig durch *Gasentladung – aus Atomen od. Mol. erzeugt werden u. sich fokussieren bzw. auf eine gemeinsame Geschw. bringen lassen. Je höher die Geschw. der Ionen, auf die sie durch eine Beschleunigungsspannung gebracht werden, desto weniger wichtig wird die Breite der Geschw.-Verteilung (E velocity bunching); bes. hochenerget. u. hochionisierte Teilchen bezeichnet man als *Schwerionen.

Verw.: In der Forschung zur Untersuchung von Stoßprozessen (s. Ionen-Molekül-Reaktionen), die Schwerionen in der Kernphysik, techn. in der Elektronenmikroskopie etc., beim Ionenstrahlätzen (s. Ätzen), zum Dotieren mittels Ionenimplantation[1], in der Massenspektroskopie, der Ionenstrahl-Mikroanalyse u. der Ionenstreu-Spektroskopie, zur Feinsteuerung von Raumsonden [Ionentriebwerk (*Lit.*[2]), s. Raketentreibstoffe]. – E ion beams – F rayons d'ions – I irradiazione ionica – S rayos de iones

Lit.: [1] Kirk-Othmer (4.) **14**, 693. [2] Phys. Bl. **41**, 292 (1985). *allg.:* Brown, The Physics and Technology of Ion Sources, New York: John Wiley 1989 ▪ Kirk-Othmer (4.) **15**, 774 ▪ Wilson u. Stephens, Low-Energy Ion Beams 1980, Bristol: Hilger 1980.

Ionenstrahl-Mikroanalyse (ISMA). Auch *Sekundärionen-Massenspektrometrie* (SIMS) genanntes u. seit Mitte der 60iger Jahre in der ehem. UdSSR von Fogel entwickeltes Verf. zur Untersuchung der Oberflächen von Festkörpern, insbes. zur Spurenanalyse von u. in Metallen. Dabei wird die Probenoberfläche im Hochvak. mit einem Primär-Ionenstrahl (O, Cl, Ar u. a. Gase) beschossen, wodurch ionisierte Teilchen aus der Oberfläche herausgeschlagen werden (E sputtering). Diese *Sekundärionen* werden wie in der *Massenspektrometrie üblich analysiert. Die ISMA kann so betrieben werden, daß nacheinander einzelne Schichten der Probenoberfläche abgetragen u. analysiert werden, woraus man ein Bild nicht nur von der Zusammensetzung, sondern auch von der Verteilung der Komponenten z. B. in Leg. gewinnt. SIMS-Sputter-Tiefenprofile liefern mit wenigen Ausnahmen allerdings nur qual. Informationen. Der hierbei mögliche dynam. Bereich von mehr als sechs Größenordnungen wird z. Z. mit keinem anderen Oberflächen-Analyseverf. erreicht (*Lit.*[1]). Durch Verringerung des Primärionenstrahls kann die ISMA allerdings auch prakt. zerstörungsfrei ablaufen, da dann nur die oberste Schicht angegriffen wird. Das Arbeiten mit der *Ionen(mikro)sonde* (E ion microprobe) hat in der *Oberflächenchemie gegenüber der *Elektronenstrahl-Mikroanalyse, Auger-(Elektronen-)Spektroskopie u. *Ionenstreu-Spektroskopie den Vorteil, daß bis in den ppb-Bereich fast alle Elemente (auch Isotope) nachgewiesen werden können. – E ion probe microanalysis, ion microprobe mass analysis (IMMA) – F microanalyse par sonde ionique – I microanalisi tramite raggi ionici – S microanálisis por sonda iónica

Lit.: [1] Phys. Bl. **45**, A 827 (1989); Nachr. Chem. Tech. Lab. **37**, M1 (1989). *allg.:* Benninghoven, Rüdenauer u. Werner, Secondary Ion Mass Spectrometry, New York: John Wiley 1987 ▪ Kohlrausch, Praktische Physik 2, S. 719 ff., Stuttgart: Teubner 1996.

Ionenstreu-Spektroskopie (ISS). Bez. für ein Verf. der *Oberflächenchemie zur Untersuchung der Oberfläche von Festkörpern, z. B. von Metallen od. Kunststoffen. Bei der auch *Ionenrückstreu-Spektroskopie* od. *LEIS-(low energy ion scattering-)Spektroskopie* genannten ISS läßt man *Ionenstrahlen von niederenerget. Edelgas-Ionen (<5 keV) auf die Probenoberfläche (*Target) prallen. Die rückgestreuten Ionen sind energieärmer, u. aus dem Energieverlust kann auf die Art der Oberflächenatome geschlossen werden, wobei alle Elemente, die schwerer sind als das einfallende Ion, nachgewiesen werden können. Wasserstoff in monomol. Schicht absorbiert od. chem. gebunden ist somit mit ISS nicht nachweisbar. Mit Ionen höherer Energie (0,1 – 1 MeV) lassen sich Aufschlüsse über die Tiefenstruktur der Werkstoffe gewinnen; man bezeichnet diese spektroskop. Meth. mit *RIBS* (Rutherford *ion back scattering*) od. *HEIS* (high energy ion scattering); sie ist bes. empfindlich für schwere Elemente in leichter Matrix. Ab Eisen sind benachbarte Elemente aufgrund des limitierten Massenauflösungsvermögens kaum noch unterscheidbar. Ein Störeffekt der ISS – die Neutralisation niederenerget. Ionen – wird in der *Ionen-Neutralisations-Spektroskopie (INS) gezielt ausgenutzt. – E ion scattering spectroscopy – F spectroscopie par dispersion ionique – I spettroscopia di dispersione ionica – S espectroscopia de dispersión iónica

Lit.: Kirk-Othmer (3.) **2**, 671, 676–680 ▪ Kohlrausch, Praktische Physik 2, S. 731, Stuttgart: Teubner 1996 ▪ Rabalais, Scattering and Recoiling Spectroscopy, Encyclopedia of Physical Science and Technology, Bd. 14, S. 762–772, San Diego: Academic Press 1992 ▪ Ullmann (5.) **3**, 566 ▪ s. a. Ionenstrahlen u. Oberflächenchemie.

Ionentriebwerke s. Raketentreibstoffe.

Ionenwolke. Die in einem Lsm. gelösten *Ionen verteilen sich so, daß in der Gleichgewichtssituation ihre Position durch elektrostat. Kräfte (abstoßend zwischen gleichsinnig u. anziehend zwischen entgegengesetzt geladenen Teilchen) u. durch die therm. Bewegung bestimmt ist. In isotropem Medium bildet sich bezüglich eines willkürlich herausgegriffenen Zentral-Ions eine kugelsymmetr. I. aus entgegengesetzt geladenen Ionen aus. Jedes einer I. zuzuordnende Ion ist seinerseits wiederum Zentral-Ion seiner eigenen ionalen Umgebung. Der Radius einer I. läßt sich näherungsweise nach der *Debye-Hückel-Onsager-Theorie berechnen.

Legt man ein elektr. Feld an, so werden pos. u. neg. geladene Ionen in entgegengesetzter Richtung beschleunigt u. die beschriebene Ladungsverteilung wird zerstört. Die I. um ein wanderndes Ion muß sich ständig neu aufbauen, wozu die sog. *Relaxationszeit* erforderlich ist. Damit eilt das Zentral-Ion auf seinem Weg durch die Lsg. seiner I. stets ein wenig voraus u. die I. verliert ihre Kugelsymmetrie (sog. Relaxations- od. Asymmetrie-Effekt). – E ionic atmosphere – F nuage ionique – I nuvola ionica – S nube iónica, atmósfera iónica

Lit.: Hamann u. Vielstich, Elektrochemie I, 2. Aufl., Weinheim: Verl. Chemie 1985.

Ionenzerstäuber-Pumpe s. Ionenpumpe.

Ionenzerstäubung s. Ionenimplantation u. Ionenpumpe.

Ionisation (Ionisierung). Allg. Bez. für den Vorgang der Ionenbildung (s. Ionen), die aus der Abspaltung od. der Anlagerung elektr. geladener Teilchen (im allg. *Elektronen) an neutrale Atome od. Mol. resultiert. Elektronen-Anlagerung ist meist ein exothermer Prozeß (*Elektronenaffinität), während Elektronen-Abspaltung immer die Zufuhr von Energie (*Ionisationsenergie) erfordert. In polaren Lsm. kann die I. auch spontan erfolgen, häufig unter *Heterolyse von kovalent gebundenen Mol., wofür Gutmann Gesetzmäßigkeiten abgeleitet hat; die Bildung von Ionen in wäss. Lsg. von Säuren, Basen u. Salzen wird bes. in der englischsprachigen Lit. immer noch oft I. statt *elektrolytische Dissoziation genannt. Als I. wird auch die Bildung von Ionen bezeichnet, die z. B. aus CH-aciden Verb. aufgrund dissoziativer Prozesse hervorgehen; zum Nachw. der I. u. zur Bestimmung der I.-Konstanten solcher Verb. (z. B. *Carbokationen) eignet sich *Tetranitromethan. In der Mehrzahl der hier betrachteten Fälle wird die I. durch Energiezufuhr von außen erreicht, wobei auch Mehrfach-I. auftreten kann; so werden z. B. zur Realisierung eines *Röntgenlasers durch Mehrphoton-I. Selen-Atome 32-fach ionisiert, so daß sie eine Helium-ähnliche Elektronenkonfiguration aufweisen. Ebenfalls mehrfach geladene Calcium- u. Eisen-Ionen werden durch therm. I. in der Sonnenatmosphäre gebildet; ähnliche *Schwerionen können auch in *Teilchenbeschleunigern erzeugt werden. Die I. kommt zustande durch Umwandlung von kinet. Energie in Elektronen- bzw. Ionen-*Stoßprozessen (z. B. bei der *Massenspektrometrie als Stoß-I.), von elektron. Energie in Form elektromagnet. Strahlung (*ionisierende Strahlung, Photo-I., *Gasentladung, s. a. Photoeffekte) sowie aufgrund von chem. Reaktionen angeregter Mol., z. B. in *Flammen u. Reaktionsgasen von Raketen (Chemi-I.). Strahlungs-I. wird techn. z. B. in *Zählrohren, in I.-Dosimetern (vgl. Dosimetrie) u. in I.-Kammern (*Detektoren) zum Nachw. ionisierender Strahlung ausgenutzt. So bestimmt man die Intensität von *Röntgenstrahlung u. *kosmischer Strahlung mit I.-Kammern, in denen ein Sättigungsstrom zu messen ist, wenn sämtliche im Gasraum erzeugten Ionen an den Elektroden der Kammer entladen werden. Eine I. kann auch unter dem Einfluß hochfrequenter (*ICP) bzw. starker elektr. Felder eintreten (Feld-I.); vgl. die benachbarten u. die Stichwörter Elektro… sowie *Massenspektrometrie, wo die I. durch Elektronenstoß, chem. I., Feld-I. od. Felddesorption zu ganz unterschiedlich strukturierten Spektren führt. In der Technik wird I. herbeigeführt z. B. zur Beseitigung od. Erzeugung *elektrostatischer Aufladungen; Beisp.: *Pulverbeschichtung, *Entstaubung von Gasen, *Arbeitssicherheit, Klimatechnik usw. – $E = F$ ionisation – I ionizzazione – S ionización

Ionisationsdichte s. Strahlenchemie u. LET.

Ionisationsenergie (Ionisierungsarbeit od. -energie; häufig benutztes Symbol: I). Bez. für die Arbeit, die man aufwenden muß, um ein *Elektron aus einem gasf. Atom zu lösen, d. h. unendlich weit davon zu entfernen (*Ionisation). Die Energie, die zum Lösen des am schwächsten gebundenen Elektrons notwendig ist, wird erste I. I_1 genannt; entsprechend sind I_2 für das

zweite, I_3 für das dritte entfernte Elektron usw. definiert. Sie ist bei den einzelnen Elementen sehr verschieden, wie die Tab. auf Seite 1975 zeigt (weitere Werte s. in Lit.[1], von Atomen s. Lit.[2], S. 457, u. von Mol. s. Lit.[2], S. 460). Da die I. im allg. in Elektronenvolt angegeben wird, spricht man auch von Ionisationsspannung.

Ein Blick auf die Tab. läßt folgende Gesetzmäßigkeiten erkennen: Die Edelgase brauchen zur Abspaltung des ersten Elektrons hohe Energien, da sie eine stabile Edelgasschale haben, aus der sich Elektronen nur schwer entfernen lassen. Bei den Alkalimetallen genügen niedrige I., da das einzelne äußere Elektron (Leucht-, *Valenzelektronen, s. a. Atombau) nur schwach an den Kern gebunden u. daher mit niedrigerem Energieaufwand abzulösen ist. Um ein zweites Elektron bei den Alkalimetallen abzutrennen, sind bes. hohe Energien nötig, da ein Elektron aus einer Edelgasschale zu entfernen ist; bei Na beträgt der Aufwand für die Entfernung des zweiten Elektrons ca. 47 eV. Analog benötigt man bei den Erdalkalimetallen zur Entfernung des zweiten Elektrons (das Alkali-ähnlichen Charakter hat) zwar mehr, aber bezogen auf die Ionisation eines einfach geladenen Ions, eine relativ geringe Energie. Zur Entfernung des dritten Elektrons aus der Edelgasschale wird dann sehr viel Energie benötigt: Beisp.: Mg: $I_1 = 7,646$ eV, $I_2 = 15,0$ eV u. $I_3 = 80,2$ eV. Diese Gesetzmäßigkeiten, die eine wichtige Stütze für die Annahme einer schalenförmigen Anordnung der Elektronen bei den verschiedenen Atomarten darstellt, läßt sich bis zu den Elementen der 4. Gruppe weiterverfolgen. Bei den Elementen mit höherer Ordnungzahl braucht man zur Entfernung der einander entsprechenden Elektronen im allg. geringere Energien als bei den verwandten Elementen mit niederen Ordnungszahlen (Be 9,322 eV, Mg 7,646 eV, Ca 6,113 eV), weil die *Atomradien mit den Ordnungzahlen der Elemente zunehmen (Be 112, Mg 160, Ca 196 pm) u. daher die äußersten Elektronen infolge ihres größeren Kernabstands nicht mehr so stark vom Kern angezogen werden. Dieselbe Erklärung trifft für Elektronen zu, die sich aufgrund von Multiphotonen-*Anregung auf sehr kernfernen Bahnen bewegen – bei Wasserstoff kennt man Anregungsstufen mit $n \geq 100$ ($n =$ Hauptquantenzahl u. Energieniveau, s. Atombau). Hier genügen zur vollständigen Abtrennung des Elektrons schon 0,00136 eV.

Die I. der Elemente kann man aus den Atomspektren (s. Atombau) ermitteln, in denen Serien von Spektrallinien mit jeweils einer bestimmten Grenze auftreten (Absorptionskante im Röntgen-Spektrum), die der I. für ein bestimmtes Orbital entspricht. Den Zusammenhang zwischen I. u. Orbitalenergie stellt *Koopmans Theorem her. Auf dem Weg über *Born-Haber-Kreisprozesse sind die I. auch aus anderen Parametern ableitbar, u. über die Beziehung: *Elektronegativität = 1/2 ($I + E_{ea}$) sind sie auch mit *Elektronenaffinitäten E_{ea} verknüpfbar. Bei der Bestimmung der I. von Verb. (insbes. organ.) bedient man sich überwiegend der *Massenspektrometrie, einschließlich ihrer Varianten wie der Felddesorptions- u. Feldionisations-, der Chemiionisations- u. der Photoionisations-Meth. (Lit.[4]). Bei diesen Techniken nutzt man die Tatsache, daß bei der Ionisation von Mol. (durch Elektronen- od.

Tab.: Ionisationsenergie neutraler Atome (nach *Lit.*[3]).

Ordnungs-zahl	Element	Grund-zustand	Ionisations-energie [eV]	Ordnungs-zahl	Element	Grund-zustand	Ionisations-energie [eV]
1	H	$^2S_{1/2}$	13,595	53	I	$^2P^0_{3/2}$	10,451
2	He	$^1S_0$	24,588	54	Xe	$^1S_0$	12,130
3	Li	$^2S_{1/2}$	5,392	55	Cs	$^2S_{1/2}$	3,894
4	Be	$^1S_0$	9,322	56	Ba	$^1S_0$	5,212
5	B	$^2P^0_{1/2}$	8,298	57	La	$^2D_{3/2}$	5,577
6	C	$^3P_0$	11,260	58	Ce	$^1G^0_4$	5,466
7	N	$^4S^0_{3/2}$	14,534	59	Pr	$^4I^0_{9/2}$	5,422
8	O	$^3P_2$	13,618	60	Nd	$^5I_4$	5,489
9	F	$^2P^0_{3/2}$	17,422	61	Pm	$^6H^0_{5/2}$	5,554
10	Ne	$^1S_0$	21,564	62	Sm	$^7F_0$	5,631
11	Na	$^2S_{1/2}$	5,139	63	Eu	$^8S^0_{7/2}$	5,666
12	Mg	$^1S_0$	7,646	64	Gd	$^9D^0_2$	6,141
13	Al	$^2P^0_{1/2}$	5,986	65	Tb	$^6H^0_{15/2}$	5,852
14	Si	$^3P_0$	8,151	66	Dy	$^5I_8$	5,927
15	P	$^4S^0_{3/2}$	10,486	67	Ho	$^4I^0_{15/2}$	6,018
16	S	$^3P_2$	10,360	68	Er	$^3H_6$	6,101
17	Cl	$^2P^0_{3/2}$	12,967	69	Tm	$^2F^0_{7/2}$	6,184
18	Ar	$^1S_0$	15,759	70	Yb	$^1S_0$	6,254
19	K	$^2S_{1/2}$	4,341	71	Lu	$^2D_{3/2}$	5,426
20	Ca	$^1S_0$	6,113	72	Hf	$^3F_2$	6,65
21	Sc	$^2D_{3/2}$	6,562	73	Ta	$^4F_{3/2}$	7,89
22	Ti	$^3F_2$	6,820	74	W	$^5D_0$	7,98
23	V	$^4F_{3/2}$	6,740	75	Re	$^6S_{5/2}$	7,88
24	Cr	$^7S_3$	6,766	76	Os	$^5D_4$	8,7
25	Mn	$^6S_{5/2}$	7,437	77	Ir	$^4F_{9/2}$	9,1
26	Fe	$^5D_4$	7,870	78	Pt	$^3D_3$	9,0
27	Co	$^4F_{9/2}$	7,864	79	Au	$^2S_{1/2}$	9,225
28	Ni	$^3F_4$	7,638	80	Hg	$^1S_0$	10,437
29	Cu	$^2S_{1/2}$	7,478	81	Tl	$^2P^0_{1/2}$	6,108
30	Zn	$^1S_0$	9,394	82	Pb	$^3P_0$	7,416
31	Ga	$^2P^0_{1/2}$	5,999	83	Bi	$^4S^0_{3/2}$	7,289
32	Ge	$^3P_0$	7,899	84	Po	$^3P_2$	8,42
33	As	$^4S^0_{3/2}$	9,81	85	At	$^2P^0_{3/2}$	8,8
34	Se	$^3P_2$	9,752	86	Rn	$^1S_0$	10,748
35	Br	$^2P^0_{3/2}$	11,814	87	Fr	$^2S_{1/2}$	3,8
36	Kr	$^1S_0$	13,999	88	Ra	$^1S_0$	5,279
37	Rb	$^2S_{1/2}$	4,177	89	Ac	$^2D_{3/2}$	5,17
38	Sr	$^1S_0$	5,695	90	Th	$^3F_2$	6,08
39	Y	$^2D_{3/2}$	6,22	91	Pa	$(4,3/2)_{11/2}$	5,89
40	Zr	$^3F_2$	6,84	92	U	$(9/2,3/2)^0_6$	6,05
41	Nb	$^6D_{1/2}$	6,88	93	Np	$(4,3/2)_{11/2}$	6,19
42	Mo	$^7S_3$	7,099	94	Pu	$^7F_0$	6,06
43	Tc	$^6S_{5/2}$	7,28	95	Am	$^8S^0_{7/2}$	5,993
44	Ru	$^5F_5$	7,37	96	Cm	$(7/2,3/2)^0_2$	6,02
45	Rh	$^4F_{9/2}$	7,46	97	Bk	$^6H^0_{15/2}$	6,23
46	Pd	$^1S_0$	8,34	98	Cf	$^5I_8$	6,30
47	Ag	$^2S_{1/2}$	7,576	99	Es	$^4I^0_{15/2}$	6,42
48	Cd	$^1S_0$	8,993	100	Fm	$^3H_6$	6,50
49	In	$^2P^0_{1/2}$	5,786	101	Md	$^2F^0_{7/2}$	6,58
50	Sn	$^3P_0$	7,344	102	No	$^1S_0$	6,65
51	Sb	$^4S^0_{3/2}$	8,641	103	Lr	$^2D_{3/2}$	8,6
52	Te	$^3P_2$	9,009				

Photonen-Stoß etc.) nicht nur Mol.-Ionen, sondern auch geladene Bruchstücke des Mol. auftreten können (*Auftrittspotential*), wenn die Energie der stoßenden Teilchen die I. um den Energiebedarf der Fragmentierungsreaktion überschreitet. Weitere Meth. sind die *Beam-Foil-Spektroskopie u. die verschiedenen Verf. der *Elektronenspektroskopie, insbes. *ESCA, *Auger-Spektroskopie (AES), *Photoelektronen- u. Photoionenspektroskopie (*Lit.*[5]). Mit der AES verwandte Meth. sind die sog. *ILS (ionization loss spectroscopy = Ionisationsverlust-Spektroskopie) u. verschiedene Varianten der APS (appearance potential spectroscopy = Auftrittspotential-Spektroskopie). Die I. von organ. Verb. liegen im allg. um 10 eV (7 – 12 eV); umfangreiche Aufstellungen von Zahlenwerten finden sich in *Lit.*[1,3,6]. – *E* ionisation (amerikan.: ionization) energy – *F* énergie d'ionisation – *I* energia di ionizzazione – *S* energía de ionización

Lit.: [1] Handbook **75**, 10-205 bis 207 (Atome), 10-208 bis 226 (Moleküle), 4-114 bis 121 (Seltenerdmetalle). [2] Kohlrausch, Praktische Physik 3, Stuttgart: Teubner 1996. [3] Lide, Critical Data in Physics and Chemistry, Encyclopedia of Physical Science and Technology, Bd. 3, S. 786, New York: Academic Press 1987. [4] Letochov, Laser Photoionization Spectroscopy, New York: Academic Press 1987. [5] Berkowitz, Photoabsorption, Photoionization and Photoelectron Spectroscopy, New York: Academic Press 1979; Carlson, Photoelectron and Auger Spectroscopy, New York: Plenum Press 1975; Eland, Photoelectron Spectroscopy, London: Butterworths 1974. [6] J. Phys. Chem. Ref. Data (im Index nach entsprechendem Element schauen).

Ionisationsisomerie s. Koordinationslehre.

Ionisationskammer s. Ionisation u. Zählrohre.

Ionisationsspannung s. Ionisierungsenergie.

Ionisationsverlust-Spektroskopie s. Ionisationsenergie.

Ionisch. Der Begriff „i." soll bedeuten, daß ein Prozeß über *Ionen verläuft bzw. ein Stoff solche enthält; *Beisp.:* i. *Polymerisation, i. *Farbstoffe (z. B. *kationische Farbstoffe). – *E* ionic – *F* ionique – *I* ionico – *S* iónico

Ionische Polymere. Als i. P. werden *Polymere bezeichnet, die ion. Gruppen als Bestandteil der Hauptkette od. als seitenständige Substituenten enthalten. Als ion. Gruppen der i. P. können u. a. Salze von Carbon-, Sulfon- u. Phosphonsäuren fungieren, weiterhin Ammonium-, Sulfonium- od. Phosphonium-Gruppen sowie schließlich Metallkomplexe. Art u. Anzahl der (an- u. kat-)ion. Gruppen können in weiten Grenzen variieren u. sind bestimmend für die Einteilung der i. P. in unterschiedliche Klassen. Polymere, die eine hohe Anzahl ion. Gruppen tragen wie z. B. Salze der Poly(meth)acrylsäuren od. quaternisierte Polyvinylpyridine u. im allg. wasserlösl. sind, werden als *Polyelektrolyte bezeichnet. Polymere mit geringerem Gehalt an ion. Gruppen werden als *Ionomere bezeichnet. *Ionene schließlich sind i. P. mit definierter Anordnung von quartären Ammonium-Gruppen, die als integrale Bestandteile der Polymer-Hauptketten auftreten. I. P. mit sowohl an- als auch kation. Gruppen sind *Polyampholyte. Der Aufbau der i. P. kann einerseits durch Polymerisation, Polykondensation od. Polyaddition von Monomeren erfolgen, die die ion. Gruppen bereits als solche enthalten, andererseits können sie durch *polymeranaloge Reaktionen zuvor nicht-ion. Polymerer unter Erhalt der Elektrolyt-Funktionalitäten (z. B. Quaternisierung von Polyvinylpyridin od. Sulfonierung von Polystyrol) erhalten werden. Zu Eigenschaften u. Verw. s. die einzelnen Vertreter u. Klassen der ionischen Polymere. – *E* ionic polymers – *F* polymères ioniques – *I* polimeri ionici – *S* polímeros iónicos

Lit.: Eisenberg u. Kiner, Ion-containing Polymers, New York: Academic Press 1977 ▪ Encycl. Polym. Sci. Eng. **8**, 393 – 423 ▪ s. a. die einzelnen ion. Polymere.

Ionische Polymerisation (Ionenkettenpolymerisation). Bez. für *Polymerisationen, bei denen das Kettenwachstum der entstehenden *Polymeren über ion. Zentren mit elektrophilen od. nucleophilen Eigenschaften verläuft. Die aktiven Zentren am Ende der wachsenden Polymerkette können z. B. Carbanionen od. Alkoholate (*anionische Polymerisation) sowie Carbenium-Ionen (*kationische Polymerisation) sein. Die Reaktivität der aktiven Zentren wird maßgeblich davon beeinflußt, ob diese mit ihren Gegenionen als Kontaktionenpaare, solvatgetrennte Ionenpaare od. „freie" Ionen vorliegen u. hängt somit entscheidend von der Wahl des Lsm. u. der Gegenionen ab. Bevorzugt werden i. P. als *Lösungspolymerisationen in aprot. Lsm. (Kohlenwasserstoffe, Ether) durchgeführt. Im Gegensatz zur *radikalischen Polymerisation erlaubt es die i. P. in gewissem Umfang, taktische Polymere darzustellen. – *E* ionic polymerization – *F* polymérisation ionique – *I* polimerizzazione ionica – *S* polimerización iónica

Lit.: Elias (5.) **1**, 369 ff. ▪ Houben-Weyl E **20**, 94 – 134.

Ionisierende Strahlung. Unter i. S. versteht man eine *Strahlung, die unmittelbar (direkt) od. mittelbar (indirekt) die Materie, die sie durchstrahlt, durch Stoß zu ionisieren vermag. *Direkte i. S.* besteht aus geladenen Teilchen (z. B. Elektronen = β-Strahlen, Positronen, Protonen, Deuteronen, Helium-Kerne = α-Strahlen); *indirekte i. S.* besteht aus ungeladenen Teilchen (z. B. Neutronen) od. Photonen (Röntgen- u. Gammaquanten), die in der Lage sind, Energie auf geladene Teilchen zu übertragen, die ihrerseits durch Stoß zu ionisieren vermögen (*Compton-Streuung). Schemat. sind diese Vorgänge, die auch die Bedeutung des linearen Energietransfers (*LET) u. die Entstehung der *Bremsstrahlung u. der *Delta-Strahlen beinhalten, bei *Radioaktivität u. *Strahlenchemie dargestellt. Eine bestimmte Photonen- od. Teilchenenergie als Grenze zwischen nicht-i. S. (z. B. sichtbares Licht) u. i. S. läßt sich nicht angeben, da die zur *Stoßionisation* benötigte Energie auch von der Art des ionisierten Gases abhängt. Als Strahlenquellen kommen u. a. in Frage: Natürliche u. künstliche *Radionuklide, die α-, β-, γ-Strahlen aussenden (s. Radioaktivität u. Gammastrahlen), *Kernreaktoren, *Teilchenbeschleuniger, Röntgengeräte (s. Röntgenstrahlung), Vak.-UV-Strahler, auch Laser (*Röntgenlaser). Der qual. Nachw. der i. S. kann z. B. durch die Induktion einer *Gasentladung erfolgen, u. zur quant. Bestimmung dienen Ionisationskammern u. *Zählrohre sowie Kalorimeter, Thermolumineszenzdosimeter, chem. u. physikal. Dosimeter, Szintillationszähler, Halbleiterdioden u. Faradaykäfige. Welcher Detektor für welche Strahlungsquelle, welches Strahlungsfeld u. welche Dosis eingesetzt wird s. Dosimetrie. Die Einheit für die *Energie-* bzw. *Äquivalent-Dosis* ist das Joule pro Kilogramm (J/kg) mit den bes. Namen *Gray (Abk. Gy) bzw. *Sievert (Abk. Sv); gültig waren bis 1985 auch noch *Rad: 1 rd = 0,01 J/kg = 0,01 Gy u. *Rem: 1 rem = 0,01 J/kg = 0,01 Sv. Die Einheit der *Energie-* od. *Äquivalentdo-

sisleistung ist das *Gray pro Sekunde bzw. *Sievert pro Sekunde (Watt pro Kilogramm, W/kg), das der *Ionendosis* das Coulomb pro Kilogramm (C/kg, bis 1985 auch noch das Röntgen: 1 R = 258 µC/kg) u. das der *Ionendosisleistung* das Ampere pro Kilogramm (A/kg). In der *Genetik u. *Radiologie spricht man daneben von einer *genet. signifikanten Dosis* (GSD), s. *Lit.*[1].

Im Organismus wirkt die i. S. nicht nur durch *Radiolyse auf direktem Wege u. durch Erzeugung von *Radikalen schädigend u. ggf. als *Carcinogen auf das Gewebe, sondern durch Einwirkung auf DNA u. Chromosomen auch als *Mutagen u. *Teratogen (*Lit.*[2]). Deshalb sind beim Umgang mit i. S. die Sicherheitsbestimmungen sorgfältigst zu beachten, insbes. die *Strahlenschutz-VO (s. a. *Lit.*[3]).

Die Letaldosis $LD_{50/30}$ (d. h. 50% Todesfälle bei der bestrahlten Population innerhalb von 30 d) beträgt für den Menschen 4,5 Gray = 4,5 J/kg. Setzt man die spezif. Wärme von menschlichem Weichteilgewebe gleich der spezif. Wärme von Wasser, so entspricht diese Energiezufuhr von 4,5 J/kg einer Temp.-Erhöhung um 1/1000 °C.

Der Mensch ist in seiner Umgebung einer natürlichen u. einer zivilisationsbedingten Dosis an i. S. ausgesetzt. Tab. 1 gibt die jährliche Äquivalentdosis an.

Tab. 1: Jährliche Äquivalentdosis.

Natürliche Strahlenexposition:	
Kosm. Strahlung [a]	~ 0,3 mSv
durch terrest. Strahlung von außen [b]	0,5 mSv
inkorporierte natürliche radioaktive Stoffe	0,3 mSv
	~ 1,1 mSv
Zivilisator. Strahlenexposition:	
Kerntechn. Anlagen [c]	< 0,01 mSv
Medizin: Röntgendiagnostik [d]	0,50 mSv
radioaktive Stoffe u. ionisierende Strahlen in Forschung, Technik u. Haushalt [c]	< 0,02 mSv
Fallout von Kernwaffenversuchen [c]	< 0,01 mSv

Zu [a,b,c,d] s. Text.

Bei den Werten dieser Tab. ist zu bedenken, daß es sich um Mittelwerte handelt (aus *Lit.*[4], S. 141; in *Lit.*[5], S. 313 werden etwas größere Werte angegeben). Auf die mit a bis d gekennzeichneten Punkte wird im Folgenden detailliert eingegangen:
a) Die Dosis der Höhenstrahlung beträgt ~0,5 mSv/a bezogen auf einen Ort 50° nördlicher Breite auf Meeresniveau (NN) (Für Details s. Abb. kosmische Strahlung). Innerhalb eines Bereiches von einigen 1000 m verdoppelt sich dieser Wert etwa alle 1500 m. *Zahlenbeisp.:* Ein 14-tägiger Urlaub (Zeit: 1/24 a) im Hochgebirge (Höhe: 3000 m) ergibt als zusätzliche Strahlenexposition:

$$\frac{4 \cdot 0,5}{24}\, mSv = 0,08\, mSv.$$

b) Die stärkste Belastung infolge Inkorporation natürlicher radioaktiver Stoffe, gerade für die Atemorgane, ergibt sich durch Radon, das aus dem Boden entweicht. In den letzten Jahren wurden mehrere Meßprogramme zur Erhebung der Konz. von ^{222}Rn u. seiner Zerfallsprodukte in der Raumluft von Häusern durchgeführt. Es wurden ~100 000 Wohnungen in den USA untersucht u. Konz. von $1-100\,000$ Bq $\cdot$ m^{-3} gefunden (*Lit.*[6]). In der

BRD ist das Radon-Problem weniger krit., wie Radon-Messungen in ~ 6000 Wohnungen zeigen (*Lit.*[7]). Die folgende Abb. gibt neben der Radon-Konz. jeweils den Perzentilwert (Prozentangabe der Messungen, die oberhalb der entsprechenden Konz. liegen) u. die daraus folgende Äquivalentdosisleistung für die Atemorgane an.

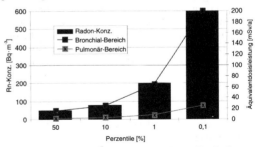

Abb. 1: Radon-Konz. u. Äquivalentdosisleistung für die Atemorgane.

Bezüglich der hieraus resultierenden Strahlenwirkung u. zum Strahlenschutz s. *Lit.*[8].
c) Nach einer Veröffentlichung des Bundesgesundheitsamtes beträgt die Strahlenbelastung der Bevölkerung durch friedliche Nutzung der Kernenergie ≤10 µSv/a, durch Fernsehen ~7 µSv/a u. durch frühere Kernwaffenversuche ~10 µSv/a (*Lit.*[9]). Die zusätzliche Belastung, die sich in dem ersten Jahr nach dem Tschernobyl-Unfall ergab, ist regional sehr verschieden. Abb. 2 gibt die Werte für die effektive Körperdosis an; Dosiswerte allein für die Schilddrüse liegen höher.

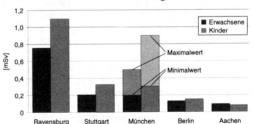

Abb. 2: Effektive Körperdosis bei Strahlenbelastung.

Da die durch diesen Unfall hervorgerufene radioaktive Belastung abnimmt, sind diese Werte als einmalige Belastung auf die Dosis des gesamten Lebens zu addieren u. nicht auf die jährliche Belastung. Umgerechnet ergibt sich als Mittelwert für die jährliche effektive Dosis als Folge des Tschernobyl-Unfalls in der BRD: 0,19 mSv (*Lit.*[4]).
d) Anhaltspunkte für die Strahlenbelastung bei Röntgenuntersuchungen gibt Tab. 2 (*Lit.*[10]):

Tab. 2: Strahlenbelastung bei Röntgenuntersuchungen.

untersuchter Bereich	Äquivalentdosis [mSv]			
	Hautoberfläche	Knochenmark	Gonaden weiblich	Gonaden männlich
Herzkatheter	410	90	36	17
Nierenangiographie	300	10	30	12
Magen/Darm	160	7	4	1,4
Becken	20	1	4	2
Lunge	1	0,2	0,03	0,01

Bei der Betrachtung dieser Werte ist zu bedenken, daß die Bestrahlung bei Röntgenaufnahmen in einem sehr kurzen Zeitbereich erfolgt. Die Dosisleistung, die den Grad einer Strahlenschädigung maßgeblich beeinflußt, ist hier um ein Vielfaches höher als bei den anderen Belastungsarten, die oft gleichmäßig über das gesamte Jahr verteilt auf den Körper einwirken. Bei einem Schilddrüsen-Szintigramm (Injektion von 0,5 mCi = 18,5 MBq Technetium-99m-Pertechnetat) ergibt sich eine Ganzkörperdosis von 0,07 mSv, eine Gonadendosis von 0,1 mSv u. eine Dosis für die Schilddrüse von 1 mSv. Bei Untersuchungen mit dem langlebigen Iod-131 ist bei gleicher Aktivität die Dosis ~3000mal größer (Lit.[11]). Bei der Strahlentherapie sind Oberflächendosen von 60 – 100 Gy nicht selten.

Die Abschätzung, welche Strahlendosis mit welchem kurzzeitigen wie langzeitigen Gesundheitsrisiko verbunden ist, ist eine nur schwer zu beantwortende Frage. Auf Grund der Kernwaffenexplosionen in Hiroshima u. Nagasaki liegen gesicherte Daten über die Schädigung durch hohe Strahlendosen vor. Langzeitstudien über die verschiedenen Krebsrisiken werden weitergeführt (Lit.[12]). Um von diesen hohen Werten auf das Gefahrenpotential bei kleinen Dosen zu extrapolieren, existieren mehrere Modelle (s. Lit.[13], Abb.). Die einfachste, die lineare Extrapolation, würde eine höhere Krebshäufigkeit ergeben, als beobachtet wird. Ausgedehnte Studien favorisieren daher einen linear-quadrat. Anstieg; was bedeutet, daß niedrigere Dosen weniger schädigen, als der rein linearen Extrapolation entspricht. Es gibt aber auch Argumente für ein Schwellenverhalten, d. h. unterhalb einer bestimmten Dosis ist i. S. überhaupt nicht schädigend. Bei einer Studie zur Krebshäufigkeit (Malignome, Sarkome, Leukämie) in Abhängigkeit von der natürlichen Strahlenexposition wurde die Schweiz in drei Zonen eingeteilt: Zone I: $D \leq 1,2$ mSv/a, Zone II: $D \leq 1,8$ mSv/a und Zone III: $D = 1,8 - 2,5$ mSv/a. Für die Zonen I u. II ergab sich eine größere Krebshäufigkeit als für die am stärksten strahlenexponierte Zone III. Eine ähnliche Untersuchung wurde in den USA in Staaten mit unterschiedlich hoher natürlicher Strahlenexposition durchgeführt. Gruppe A: $D \geq 1,65$ mSv/a, B: $D \geq 1,4$ mSv/a u. C: $D < 1,4$ mSv/a. Die Analyse ergab, daß die Bevölkerung in den Staaten mit der höheren Dosis (A u. B) somat. u. genet. am gesündesten war. Ein Grund hierfür wird in dem Reparaturmechanismus des menschlichen Körpers gesehen. Da während der Evolution die natürliche Strahlenbelastung permanent existierte, hat der Körper Enzyme entwickelt, die Einzel- u. auch Doppelstrangbrüche der DNA in wenigen Minuten reparieren. Die Aktivität dieser Enzyme kann durch geringe Dosen i. S. stimuliert werden (Lit.[14]).

Bei der Abschätzung des Strahlenrisikos u. der daraus zu erwartenden Krebshäufigkeit müssen ferner Änderungen der Lebens- u. Ernährungsgewohnheiten mit einbezogen werden (Lit.[15]). Berücksichtigt man beim Rauchen allein das Lungenkrebsrisiko, so entspricht das Gefahrenpotential einer Zigarette dem einer effektiven Strahlendosis von 0,11 mSv (s. Lit.[4], S. 169). Die Schädigung bei der gleichzeitigen Einwirkung von Zigarettenrauch u. i. S. ist stärker als die Addition, aber geringer als das Produkt der Einzeleinwirkungen.

Unter der INTERNET-Adresse http://www.bfs.de kann man aktuelle Werte über die Gamma-Ortsdosisleistung u. die Aktivitätskonz. in der Luft erhalten. Die wöchentlich aktualisierten Daten stammen aus über 2000 ortsfesten Meßstationen in der BRD u. werden vom Bundesamt für Strahlenschutz zusammengestellt.

Verw.: Trotz umfangreicher Untersuchungen hat sich die i. S. als „Reagenz" zur Auslösung chem. Reaktionen gegenüber herkömmlichen Energiequellen bisher nicht durchsetzen können – Ausnahmen sind die Herst. von Ethylbromid, die Sulfochlorierung u. Sulfoxid., sowie die Vernetzung von Polymeren u. Lacken. Weitere Anw. findet die *Bestrahlung mit i. S. in der Nuklearmedizin u. der Radiologie, z. B. in der Krebsbekämpfung u. Immunsuppression, in der Sterilisation von Medizinprodukten u. pharmazeut. Erzeugnissen od. deren Bestandteilen. Die Bestrahlung von Lebensmitteln aller Art, egal zu welchem Zweck (z. B. bei Befall durch Insekten, zur Keimhemmung bei Kartoffeln od. Keimreduzierung bei Gewürzen, Fisch u. Fleisch), ist durch das Lebensmittel- u. Bedarfsgegenständegesetz von 1993 in der BRD verboten (im Gegensatz zu anderen EU-Ländern). Weitere Beisp. für die Anw. der i. S. für Strukturuntersuchungen, für die Radiographie etc. s. bei den einzelnen Strahlungsarten wie *Gammastrahlen, *Röntgenstrahlung etc. – *E* ionizing radiation – *F* rayonnement ionisant – *I* radiazione ionizzante – *S* radiación ionizante

Lit.: [1] Dtsch. Ärztebl. **78**, 1903 – 1915 (1981); Umschau **80**, 754 – 759 (1980). [2] Chem. Unserer Zeit **24**, 37 (1990); von Sonntag, The Chemical Basis of Radiaton Biology, London: Taylor & Francis 1987. [3] Die neue Strahlenschutzverordnung, Kissing: WEKA Fachverl. 1990. [4] Rassow, Risiken der Kernenergie, Weinheim: VCH Verlagsges. 1988. [5] Reich (Hrsg.), Dosimetrie ionisierender Strahlung, Stuttgart: Teubner 1989. [6] UNSCEAR Sources, Effects and Risks of Ionization Radiation, New York: UNO 1988. [7] Bundesministerium des Inneren (Hrsg.), Radon in Wohnungen u. im Freien, Erhebungsmessungen in der BRD, Bonn: BMI-Bericht 1985. [8] Phys. Bl. **45**, 430 (1989); ICRP, Lung Cance Risk for Indoor Exposures to Radon Daughters, Report 50, Oxford: Pergamon 1987; BEIR, Health Risks of Radon and Other Internally Deposited Alphaemitters (BEIR-IV-Report), Washington D. C.: National Academy Press 1988. [9] Umweltradioaktivität u. Strahlenbelastung, Bonn: Bundesministerium des Inneren 1982. [10] Kiefer u. Kölzer, Strahlen u. Strahlenschutz, Berlin: Springer 1987. [11] Feiendegen et al., Strahlenschutz, Radioaktivität u. Gesundheit, München: Bayerisches Staatsministerium für Landesentwicklung u. Umweltfragen 1986. [12] Preston u. Pierce, The Effect of Changes in Dosimetry on Cancer Mortality Risk Estimates in the Atomic Bomb Survivors, Technical Report RERF TR 9-87, Hiroshima: RERF 1987; Roesch (Hrsg.), US-Japan Joint Reassessment of Atomic Bomb Radiation Dosimetry in Hiroshima and Nagasaki, Vol. I, Hiroshima: RERF 1987. [13] Phys. Bl. **45**, 16 (1989). [14] Phys. Unserer Zeit **17**, 80, 107 (1986). [15] Phys. Bl. **45**, 16 (1989). *allg.*: Boice jr. u. Fraumeni jr. (Hrsg.), Radiation Carcinogenesis-Epidemiology and Biological Significance, New York: Raven Press 1984 ■ Buttlar u. Roth, Radioaktivität, Fakten, Ursachen, Wirkungen, Berlin: Springer 1990 ■ DIN 6814 u. 25 401 (jeweils mehrteilig) ■ Food for Human Use (Hdb. Nutrit. Value Processed Food 1), Boca Raton: CRC Press 1981 ■ Josephson u. Peterson, Preservation of Food by Ionizing Radiation (3 Bd.), Boca Raton: CRC Press 1983 ■ NCRP, Ionizing Radiation Exposure of the Population of the United States, Report No. 93, Bethesda, USA: 1987 ■ Paretzke et al., Somatische Strahlenrisiken niedriger Dosen ionisierender Strahlung, Neuherberg: GSF-Bericht 1986 ▪ Petzold u. Krieger, Strahlenphysik, Dosimetrie u. Strahlenschutz, Bd. 1 u. 2, Stuttgart: Teubner 1988, 1989 ▪ Richtlinien zum Schutze gegen ionisierende Strahlen bei Verwendung u. Lagerung offener radioaktiver Stoffe, Heidelberg: BG Chemie 1984 ▪ SSK, Empfehlung zur Begrenzung der beruflichen Strahlenexposition, Bundesanzeiger Nr. 9 vom 9. 1. 1988 ▪ UNSCEAR, Genetic and Somatic Effects of Ionizing Radiation, Report to the General Assembly, with Annexes, New York: UNO 1986 ▪ Upton et al. (Hrsg.), Radiation Carcinogenesis, New York: Elsevier 1986.

Ionisierung. . . s. Ionisation. . .

Ionisierungsarbeit, -energie s. Ionisationsenergie.

Ionisierungspotential s. Ionisationsenergie.

Ionitrierung s. Glimm-Nitrierung.

Ionium. Histor. Bez. für das Isotop 230 des *Thoriums (Symbol: Th) als Glied der Uran-Radium-Zerfallsreihe, s. Radioaktivität. – *E* = *F* ionium – *I* ionico – *S* ionio

Ionogen (von *Ionen u. . . .*gen). Beschreibung einer Ionen-bildenden od. durch Ionen verursachten Eigenschaft, z. B. bei *Tensiden, die man in *ani.* (anionaktiv), *kati.* (kationaktiv) u. *nichti.* unterteilt. – *E* ionogen – *F* ionogène, ionogénique – *I* ionogenico – *S* ionógeno

Ionographie. Selten benutztes Synonym für *Elektrophorese od. die *Kernspaltspuren-Methode. – *E* ionography – *F* ionographie – *I* ionografia – *S* ionografía

Ionolumineszenz s. Lumineszenz.

Ionomere. I. sind Copolymere, die große Anteile hydrophober *Monomerer u. kleine Anteile von Comonomeren enthalten, die ion. Gruppen tragen. Diese Elektrolyt-Funktionalitäten können dabei sowohl in der Hauptkette vorliegen als auch in seitenständigen Substituenten. Die Bez. I. wurde von der Firma DuPont ursprünglich für thermoplastische Copolymere aus Ethylen u. bis zu 15% Carboxy-Gruppen-haltigen Monomeren wie Methacrylsäure eingeführt. Industriell werden heute vier Typen von Ionomeren hergestellt:

Abb.: Typen von Ionomeren.

Die Syst. **1–3** werden durch direkte Copolymerisation erhalten, wohingegen bei **4** ein zunächst gebildetes Copolymer anschließend sulfoniert wird. **2** u. **3** werden als Säuren eingesetzt, **1** u. **4** dagegen nachträglich in Salze der Elemente der 1. u. 2. Gruppe, insbes. des Natriums, u. in Salze des Zinks, überführt.

Die Einführung weniger ion. Gruppen in ansonsten hydrophobe Polymere führt zu Mikrophasen-Separation. Da an den sich bildenden Ionendomänen Ionen verschiedener Ketten beteiligt sind, stellen diese Assoziate Vernetzungsbereiche dar, die jedoch bei höheren Temp. wieder aufgelöst werden können. Dadurch werden die I. thermoplast. verarbeitbar. Die Vernetzung der I. inhibiert weiterhin die Krist. der hydrophoben Segmente, weshalb z. B. **1** bei 20 °C eine wesentlich höhere Transparenz u. Zähigkeit aufweist als nicht modifiziertes *Polyethylen. **1** zeichnet sich gegenüber diesem zusätzlich durch erhöhte Elastizität u. Beständigkeit gegenüber Alkalien, organ. Lsm. u. Ölen aus. Falls die *Glasübergangstemperatur T_g der hydrophoben Kettensegmente unterhalb der Gebrauchstemp. liegt, stellen die I. thermoplast. Elastomere dar; bei einer T_g oberhalb der Gebrauchstemp. sind die I. dagegen reversible Duromere. Weiterhin eignen sich I. bes. gut für z. B. Extrusionsbeschichtungen, weil sie wegen der polaren Gruppen gut auf unterschiedlichsten Trägermaterialien haften u. porenfreie Überzüge bilden. Generell sind die Eigenschaften der I. über ihren Gehalt an ion. Gruppen u. den Kation-Typ breit variierbar.

Verw.: I. auf Polyethylen-Basis werden u. a. als Folien für Verpackungs- u. Beschichtungsmaterialien verwendet. Sie finden weiterhin Einsatz zur Herst. von Schläuchen u. elektron. Artikeln, perfluorierte I. auch als Ionenaustausch-Membranen. – *E* ionomers – *F* ionomères – *I* ionomeri – *S* ionómeros

Lit.: Batzer **1**, 15; **3**, 75 ff. ▪ Elias (5.) **1**, 799; **2**, 135 ▪ Encycl. Polym. Sci. Eng. **8**, 393 – 423 ▪ Macromol. Rev. **16**, 41 ff. (1981).

Ionone s. Jonone.

Ionophore. Von Pressman 1967 eingeführte u. aus *Ionen u. . . .*phor zusammengesetzte Bez. für meist makrocycl. Verb. mit M_R im allg. <2000, die reversibel *Chelate od. andere Komplexe mit Ionen bilden u. aufgrund ihrer relativ hydrophoben Oberfläche diese als *Carrier durch sonst für Ionen undurchlässige biolog. *Membranen transportieren können. Natürlich vorkommende I. sind einige *Makrolide u. *Peptid-Antibiotika (z. B. *Enniatine, *Nonactin, *Valinomycin), Polyether-Antibiotika (wie *Lasalocid, *Monensin, *Nigericin, *Salinomycin) u. *Siderochrome. Für viele Zwecke noch wirksamer sind synthet. hergestellte I. wie z. B. die *Kryptanden, *Kronenether, offenkettige *Polyether, *Katapinate u. Derivate der *Ethylendiamintetraessigsäure. Während die oben erwähnten Makrolid-Antibiotika Metall-Ionen in sich einschließen, bilden manche I. (z. B. *Gramicidin A, *Melittin) oligomere Kanäle aus, in denen die Ionen durch die Membranen geschleust werden – hier spricht man gelegentlich von *Quasi-Ionophoren.* Diese grenzen sich hauptsächlich durch ihr relativ geringes M_R von den aus (Glyko-)Protein bestehenden Membrandurchspannenden *Ionenkanälen ab. Aufgrund ihrer – durch Selektivitätskoeff. erfaßbaren – spezif. Eigenschaften eignen sich synthet. I. als Komplexbildner für *ionenselektive Elektroden – bei Verw. geeigneter chiraler I. können diese enantioselektiv wirken. – *E* = *F* ionophores – *I* ionofori – *S* ionóforos

Lit.: Alberts et al., Molekularbiologie der Zelle, 3. Aufl., S. 604 f., Weinheim: VCH Verlagsges. 1995.

Ionosphäre s. Erde.

Ionotox. Emissionsmeßgerät für HF, HCl u. F_2 im ppm-Bereich. Prinzip: Ionenselektive Elektroden nach Anreicherung des Schadstoffes in einer verdüsten Absorptionslösung. *B.:* Bayer Diagnostic München, Geschäftsbereich Compur Monitors.

Ionotrope Gele. Von H. F. *Thiele erstmals beschriebene doppelbrechende, hochelast., reversibel quellbare u. ionenaustauschende *Gele aus geordneten Fadenmol., herstellbar mittels *Ionotropie. Als Modellsubstanz bes. geeignet ist *Alginsäure bzw. Na-*Alginat mit Cu^{2+} als Gegenion. – *E* ionotropic gels – *F* gels ionotropiques – *I* gel ionotropici – *S* geles ionotrópicos

Lit.: s. Ionotropie.

Ionotropie. Von H. F. *Thiele geprägter Begriff für das „Ordnen von Fadenmol. durch Ionendiffusion". Durch gerichtete Diffusion von Ionen in *Sole fadenförmiger *Makromoleküle od. Kolloide (s. Kolloidchemie) fibrillarer Struktur entsprechend gegensinniger Ladung lassen sich *ionotrope Gele herstellen, deren Strukturen denen biolog. Materialien verblüffend ähnlich sind. Bei schonendem kolloidchem. Abbau biolog. Substanzen („Histolyse") lassen sich mittels der I. die biolog. Strukturen rekombinieren („Histogenese"). Der I. wird daher prinzipielle Bedeutung bei der Bildung biolog. Strukturen zugeschrieben. Prakt. Bedeutung besitzt die I. z. B. für die Herst. sehr gut verträglicher chirurg. Implantate, wie Blutgefäße, Haut u. dgl. – *E* ionotropy – *F* ionotropie – *I* ionotropia – *S* ionotropía

Lit.: Thiele, Histolyse u. Histogenese, Gewebe u. ionotrope Gele, Prinzip einer Strukturbildung, Frankfurt: Akadem. Verlagsges. 1967.

Iontophorese. Bez. für ein Verf. der *Elektrophorese, bei dem ionogene Arzneimittel unter dem Einfluß des elektr. Stromes durch die Haut in den Körper gebracht werden können. – *E* iontophoresis – *F* iontophorèse – *I* iontoforesi – *S* iontoforesis

Ion-Trap-Detektor. Massenselektiver Detektor für die Kapillar-Gaschromatographie, der auf dem Prinzip der *Ionenfalle u. *Paulfalle (W. Paul, Nobelpreis für Physik 1989) beruht. Er besteht aus zwei übereinanderliegenden geerdeten Polkappen mit einer zwischenliegenden, isoliert angebrachten Ringelektrode. Die obere Polkappe enthält zwei Glühkathoden (Filamente), die untere den Ionendetektor (Multiplier). Zur Erzeugung eines Massenspektrums werden während der Ionisierungsphase durch Elektronenstoß die gebildeten Fragmentionen durch ein HF-Feld der Ringelektrode gespeichert („getrapt"). Während der Scanphase werden durch kontinuierliche Änderung der HF-Amplitude Ionen bestimmter Masse nacheinander auf den Ionendetektor gelenkt. Durch Korrelation der HF-Scanrampe mit dem Ausgangssignal des Multipliers erhält man das Massenspektrum der analysierten Verbindung. – *E* ion trap detector – *F* détecteur à piège à ions – *I* detector ionico memorizzante – *S* detector de trampa de iones

Lit.: Cooks u. Kaiser, Acc. Chem. Res. **23**, 213 – 219 (1991) ▪ Mass Spectrometry and Ion Processes **106** (1991) (special issue) ▪ Townshend (Hrsg.), Encyclopedia of Analytical Science, S. 2832 – 2839, New York: Academic Press 1995.

Iopamidol (Rp).

Internat. Freiname für das *Röntgenkontrastmittel (*S*)-*N,N'*-Bis[2-hydroxy-1-(hydroxymethyl)ethyl]-2,4,6-triiod-5-lactamidoisophthalamid, $C_{17}H_{22}I_3N_3O_8$, M_R 777,09; Zers. ohne Schmelzen bei ~300 °C, $[\alpha]_D^{20}$ –2,01° (c 10/H_2O); pK_a 10,7; λ_{max} (H_2O): 242 nm ($A_{1cm}^{1\%}$ 371); LD_{50} (Maus i.v.) 44,5 g/kg, in Wasser sehr leicht löslich. I. wurde 1976 u. 1977 von Savac patentiert u. ist von Byk Gulden (Solutrast®) im Handel. – *E* = *F* = *S* iopamidol – *I* iopamidolo

Lit.: Florey **17**, 115 – 154 ▪ Hager (5.) **8**, 580 ff. – *[HS 2924 29; CAS 60166-93-0]*

Iopansäure (Rp).

Internat. Freiname für das *Röntgenkontrastmittel (±)-2-(3-Amino-2,4,6-triiodbenzyl)buttersäure, $C_{11}H_{12}I_3NO_2$, M_R 570,94, Schmp. 155,2 – 157 °C (Racemat), 162 – 163 °C, $[\alpha]_D^{20}$ ±5,2° (c 2/C_2H_5OH, Enantiomere). I. ist in Wasser nicht, in verdünnten Alkalien sowie in Ethanol (95%) u. a. organ. Lsm. löslich; Lagerung lichtgeschützt u. luftdicht verschlossen. I. wurde 1955 von Sterling Drug patentiert. – *E* iopanoic acid – *F* acide iopanoïque – *I* acido iopanoico – *S* ácido iopanoico

Lit.: Beilstein E IV **14**, 1741 ▪ Florey **14**, 181 – 206 ▪ Hager (4.) **5**, 261. – *[HS 2922 49; CAS 96-83-3]*

Iopentol (Rp).

Internat. Freiname für das Röntgenkontrastmittel *N,N'*-Bis(2,3-dihydroxypropyl)-5-[*N*-(2-hydroxy-3-methoxypropyl)acetamido]-2,4,6-triiodisophthalamid, $C_{20}H_{28}I_3N_3O_9$, M_R 835,17. I. wird als nichtion. Iod-haltiges Röntgenkontrastmittel zur Angio-, Phlebo-, Urographie u. Computertomographie eingesetzt. Es wurde 1984 von Nyegaard patentiert u. ist von Nycomed (Imagopaque®) im Handel. – *E* = *S* iopentol – *F* Iopentol – *I* iopentolo

Lit.: ASP ▪ Merck-Index (12.), Nr. 5073. – *[HS 2924 29; CAS 89797-00-2]*

Iopodinsäure (Rp).

Internat. Freiname für das *Röntgenkontrastmittel 3-[3-(Dimethylaminomethylenamino)-2,4,6-triiodphenyl]propionsäure, $C_{12}H_{13}I_3N_2O_2$, M_R 597,96, Schmp. 168–169 °C, Zers. bei 225 °C. I. ist in Wasser prakt. nicht, in verd. Schwefelsäure, Ethanol u. a. organ. Lsm. leicht löslich. Verwendet werden das Natrium-Salz (Biloptin®, Schering), Schmp. 303–304 °C, sehr leicht lösl. in Wasser, leicht lösl. in Methanol u. Ethanol, LD_{50} (Maus i.v.) 290 mg/kg, (Maus oral) 2570 mg/kg, u. das Calcium-Salz, Schmp. 298–302 °C. – **E** iopodic acid – **F** acide iopodique – **I** acido iopodinico – **S** ácido iopódico

Lit.: Merck-Index (12.), Nr. 5087. – *[CAS 5587-89-3 (I.); 1151-11-7 (Calcium-Salz); 1221-56-3 (Natrium-Salz)]*

Iopromid (Rp).

Internat. Freiname für das *Röntgenkontrastmittel (±)-N,N'-Bis(2,3-dihydroxypropyl)-2,4,6-triiod-5-(2-methoxyacetamido)-N-methylisophthalamid, $C_{18}H_{24}I_3N_3O_8$, M_R 791,12; LD_{50} (Maus i.v.) 34,29 g/kg. I. wurde 1980 u. 1982 von Schering (Ultravist®) patentiert. – **E = F = I** iopromide – **S** iopromida

Lit.: Hager (5.) **8**, 582 f. – *[HS 2924 29; CAS 73334-07-3]*

Iopronsäure (Rp).

Internat. Freiname für das *Röntgenkontrastmittel (±)-2-[2-(3-Acetamido-2,4,6-triiodphenoxy)ethoxymethyl]buttersäure, $C_{15}H_{18}I_3NO_5$, M_R 673,03, Schmp. 130 °C; LD_{50} (Maus oral) 1950 mg/kg, (Maus i.v.) 1090 mg/kg. I. wurde 1972 u. 1974 von Bracco patentiert. – **E** iopronic acid – **F** acide iopronique – **I** acido iopronico – **S** ácido ioprónico

Lit.: Merck-Index (12.), Nr. 5077. – *[HS 2924 29; CAS 37723-78-7]*

Iopydol s. Iopydon.

Iopydon (Rp).

Internat. Freiname für das *Röntgenkontrastmittel 3,5-Diiod-4(1H)-pyridon, $C_5H_3I_2NO$, M_R 346,89, Schmp. 321 °C (Zers.). I. wird zusammen mit seinem N-(2,3-Dihydroxypropyl)-Derivat *Iopydol* (Rp)., $C_8H_9I_2NO_3$, M_R 420,97, Schmp. 161 °C, für die Broncho- u. Cystographie verwendet. Beide Substanzen sind in Wasser prakt. nicht löslich. Sie sind in Kombination von Byk Gulden (Hytrast®) im Handel. – **E = F** iopydone – **I** iopidone – **S** iopidona

Lit.: Beilstein E V 21/7, 164. – *[HS 2933 39; CAS 5579-93-1 (I.); 5579-92-0 (Iopydol)]*

Iotalaminsäure (Rp).

Internat. Freiname für das *Röntgenkontrastmittel 5-Acetamido-2,4,6-triiod-N-methylisophthalamidsäure, $C_{11}H_9I_3N_2O_4$, M_R 613,92, Schmp. 285 °C (Zers.). In Wasser schwer, in Natronlauge leicht u. in anderen Alkalihydroxiden ebenfalls löslich. Verwendet werden das Meglumin- u. das Natrium-Salz. I. wurde 1964 von Mallinckrodt (Conray®, außer Handel) patentiert. – **E** iothalamic acid – **F** acide iothalamique – **I** acido iotalamico – **S** ácido iotalámico

Lit.: Hager (5.) **8**, 584. – *[HS 2924 29; CAS 2276-90-6 (I.); 13087-53-1 (Meglumin-Salz); 1225-20-3 (Natrium-Salz)]*

Iotrolan (Rp).

Internat. Freiname für das *Röntgenkontrastmittel (±)-N,N'-Bis[3,5-bis(1-hydroxymethyl-2,3-dihydroxypropylcarbamoyl)-2,4,6-triiodphenyl]-N,N'-dimethylmalonamid, $C_{37}H_{48}I_6N_6O_{18}$, M_R 1626,24; LD_{50} (Maus i.v.) >55,50 g/kg. I. wurde 1981 u. 1982 von Univ. Calfornia, Berkeley patentiert u. ist von Schering (Isovist®) im Handel. – **E = F = I** iotrolan – **S** iotrolán

Lit.: ASP ■ Hager (5.) **8**, 587 ff. – *[HS 2924 29; CAS 79770-24-4]*

Iotroxinsäure (Rp).

Internat. Freiname für das *Röntgenkontrastmittel 3,3'-(3,6,9-Trioxaundecandioyldiamino)bis(2,4,6-triiodbenzoesäure), $C_{22}H_{18}I_6N_2O_9$, M_R 1215,82. I. wurde 1974 von Schering (Biliscopin®) patentiert. – **E** iotroxic acid – **F** acide iotroxique – **I** acido iotroxico – **S** ácido iotróxico

Lit.: Hager (5.) **8**, 587 f. – *[HS 2924 29; CAS 51022-74-3]*

Ioversol (Rp).

Internat. Freiname für N,N'-Bis-(2,3-dihydroxypropyl)-5-[N-(2-hydroxyethyl)glycolamido]-2,4,6-triiodisophthalamid, $C_{18}H_{24}I_3N_3O_9$, M_R 807,12, Schmp. 186–198 °C; d^{27} 1,371 (c 678,41 mg/mL); LD_{50} (Maus i.v.) 36,04 g/kg. I. wird als nichtion. Iod-haltiges Röntgenkontrastmittel zur Angio-, Uro- u. Computertomographie eingesetzt. Es wurde 1983 von Mallinckrodt (Optiray®) patentiert. – $E = F = S$ ioversol – I ioversolo
Lit.: ASP ▪ Merck-Index (12.), Nr. 5083. – *[CAS 87771-40-2]*

Ioxaglinsäure (Rp).

Internat. Freiname für das *Röntgenkontrastmittel N-(2-Hydroxyethyl)-2,4,6-triiod-5-{2-[2,4,6-triiod-3-(N-methylacetamido)-5-(methylcarbamoyl)benzamido]acetamido}isophthalamidsäure, $C_{24}H_{21}I_6N_5O_8$, M_R 1268,89. I. wurde 1977 von Guerbet (Hexabrix®) patentiert. – E ioxaglic acid – F acide ioxaglique – I acido iossaglico – S ácido ioxáglico
Lit.: Hager (5.) **8**, 588 f. – *[HS 2924 29; CAS 59017-64-0]*

Ioxitalaminsäure (Rp).

Internat. Freiname für das *Röntgenkontrastmittel 5-Acetamido-N-(2-hydroxyethyl)-2,4,6-triiodisophthalamidsäure, $C_{12}H_{11}I_3N_2O_5$, M_R 643,94. I. wurde 1969 von Nyegaard patentiert u. ist von Byk Gulden (Telebrix®) im Handel. – E ioxitalamic acid – F acide ioxitalamique – I acido iossitalamico – S ácido ioxitalámico
Lit.: Hager (5.) **8**, 589 f. – *[HS 2924 29; CAS 28179-44-4]*

Ioxynil. T ☠

Common name für 4-Hydroxy-3,5-diiodbenzonitril, $C_7H_3I_2NO$, M_R 370,92, Schmp. 212 °C, LD_{50} (Ratte oral) 110 mg/kg (GefStoffV), von Amchem Products Inc. (Union Carbide) u. May & Baker 1963 eingeführtes schwach system. Nachauflauf-*Herbizid gegen eine Vielzahl von Unkräutern im Getreidebau, oft in Kombination mit anderen *Herbiziden. – $E = F = I$ ioxynil – S ioxinil
Lit.: Farm ▪ Perkow ▪ Pesticide Manual. – *[HS 2926 90; CAS 1689-83-4]*

IP. Abk. für *Isoelektrischer Punkt.

Ipalat®. Lutsch-Pastillen mit Primel-Extrakt, *Menthol, *Fenchel- u. *Anisöl gegen Reizhusten u. Heiserkeit; I. Erkältungsbalsam enthält Kiefernnadel- u. Eukalyptus-Öl. *B.:* Pfleger.

Ipalbidin, Ipalbin s. Ipomoea-Alkaloide.

Ipatieff, Wladimir N. (1867–1952), Prof. für Chemie, Leningrad, ab 1931 Ind.-Chemiker in Chicago sowie Direktor des Catalytic High Pressure Laboratory, das heute seinen Namen trägt. *Arbeitsgebiete:* Katalysatoren zur Hydrierung, Erfindung der Ipatieff-Bombe, einem Autoklaven, mit der die Methansynth. aus den Elementen gelang, Petrochemie, Einsatz von Misch-katalysatoren.
Lit.: Lexikon der Naturwissenschaftler, S. 230 ▪ Neufeldt, S. 99 ▪ Pötsch, S. 219 ▪ Strube et al., S. 72, 155, 164.

Ipconazol. Common name für 2-(4-Chlorbenzyl)-5-isopropyl-1-(1H-1,2,4-triazol-1-ylmethyl)cyclopentanol.

$C_{18}H_{24}ClN_3O$, M_R 333,86, Schmp. 88–90 °C, LD_{50} (Ratte oral) 1338 mg/kg, von Kureha entwickeltes *Fungizid gegen ein breites Spektrum von Pilzerkrankungen in Reis- u. a. Kulturen. – $E = F$ ipconazole – I ipconazolo – S ipconazola
Lit.: Pesticide Manual. – *[CAS 125225-28-7]*

Ipecacuanha (Brechwurzel). 10–15 cm lange u. etwa 5 mm dicke Wurzelstücke von wildwachsenden od. angebauten Exemplaren der in trop. Urwäldern Mittel- u. Südamerikas heim. Rubiaceae-Arten *Cephaelis ipecacuanha* A. Rich. (*Uragoga ipecacuanha*) u. *C. acuminata* Karsten (*U. granatensis*). Die kratzend bitter schmeckenden I. enthalten 2–4% *Isochinolin-Alkaloide [v. a. Emetin (s. dort) u. *Cephaelin*, neben deren Dehydro-Verb. *O-Methylpsychotrin* u. *Psychotrin* sowie *Emetamin*, s. dazu Tab. u. Abb.], ferner Saponine, Glykoside, die glykosid. I.-Säure, Fruchtsäuren sowie 30–40% Stärke.

R	C=N	C=C	
H	—	—	Cephaelin (1)
H	1',2'	—	Psychotrin (4)
CH_3	—	—	Emetin
CH_3	1',2'	—	O-Methylpsychotrin (3)
CH_3	1',2	3',4'	Emetamin (2)
CH_3	—	2,3	2-Dehydroemetin

Abb.: Ipecacuanha-Alkaloide.

Tab.: Daten zu Ipecacuanha-Alkaloiden.

Verb.	Summenformel/ M_R	Schmp. [°C]	$[\alpha]_D$	CAS
1	$C_{28}H_{38}N_2O_4$ 466,62	115–116	$[\alpha]_D^{20}$ −43,4° (c 2/CHCl$_3$)	483-17-0
2	$C_{29}H_{36}N_2O_4$ 476,62	142–143		483-19-2
3	$C_{29}H_{38}N_2O_4$ 478,62	123–124	$[\alpha]_D^{20}$ +43,2°	
4	$C_{28}H_{36}N_2O_4$ 464,60	128	$[\alpha]_D^{15}$ +69,3°	7633-29-6

Die Alkaloide (s. a. Ipecacuanha-Alkaloide) der I. wirken in kleinen Mengen expektorierend u. sekretolyt., in großen Dosen durch Reizung der Schleimhäute u.

dadurch *Parasympathikus-Reizung brecherregend sowie Haut, Augenschleimhaut u. Atemwege reizend. Emetin wirkt als Protoplasma- u. *Mitosehemmer auf die Erreger der Amöben-Ruhr. Die Indianer in Brasilien haben I. schon seit Jh. in Form von konz. Abkochungen gegen diese Krankheit verwendet.
Verw.: Als *Emetikum u. in *Expektorantien; als Amöbizid wird eher das synthet. 2-Dehydroemetin verwendet. Als einheim. Ersatzmittel wurden früher statt I. die Wurzeln vom *Veilchen benutzt. – **E** ipecacuanha – **F** ipécacuana – **I = S** ipecacuana
Lit.: DAB 1996 u. Komm. ▪ Hager (5.) **4**, 771–788 ▪ Wichtl (3.), S. 313 f. ▪ s. a. Emetin.

Ipecacuanha-Alkaloide [Ipeca(c)-Alkaloide].

Zu den *Bisbenzylisochinolin-Alkaloiden gehörende Gruppe von Verb. aus den Wurzeln der mittelamerikan. Rubiacee *Cephaelis ipecacuanha*, zu denen u. a. das amöbizide *Emetin u. sein Methylether *Cephaelin* gehören; s. a. Ipecacuanha. I.-Sirup wird in der Medizin als *Emetikum verwendet.
Biosynth.: Die I.-A. bestehen aus ein od. zwei Isochinolin-Einheiten u. einer Monoterpenoid-Einheit. Dementsprechend haben sich Geraniol über Loganin u. Secologanin nach Kondensation mit Dopamin u. Bildung des Desacetylipecosid u. Desacetylisoipecosid als Vorstufen erwiesen. – **E** ipecac(uanha) alkaloids – **F** alcaloïdes de l'ipéca(cuana) – **I** alcaloidi dell'ipecacuana – **S** alcaloides de ipecacuana
Lit.: Beilstein E V **23/13**, 611 f. ▪ J. Org. Chem. **56**, 6873 (1991) ▪ Hager (5.) **4**, 771–788; **8**, 18 ff. ▪ Manske **22**, 1–50; **25**, 48–57 ▪ Nuhn (2.), S. 579 ▪ Sax (8.), Nr. CCX-125, EAL 500, EAN 000, 500, IGF 000. – [HS 2939 90]

Ipecin s. Emetin.

IPN.

1. Kurzz. für *interpenetrierende polymere Netzwerke. – 2. Abk. für *Institut für die Pädagogik der Naturwissenschaften an der Universität Kiel.

Ipo(h) s. Upas.

Ipomeamaron(ol) s. Ipomeanin.

Ipomeanin [1-(3-Furanyl)-1,4-pentandion].

	R[1]	R[2]	R[3]	R[4]	
	O			O	Ipomeanin (1)
	H	OH		O	1-Ipomeanol (2)
	O		H	OH	4-Ipomeanol (3)
	H	OH	H	OH	1,4-Ipomeadiol (4)

| | X = CH₂OH : Ipomeamaronol (5) |
| | X = CH₃ : Ipomeamaron (6) |

Tab.: Physikal.-chem. Daten des Ipomeanins u. der Ipomeanole.

Nr.	Summen-formel	M_R	LD_{50} (Maus p.o.)	CAS
1	$C_9H_{10}O_3$	166,17	26 mg/kg	496-06-0
2	$C_9H_{12}O_3$	168,19	79 mg/kg	34435-70-6
3	$C_9H_{12}O_3$	168,19	38 mg/kg	32954-58-8
4	$C_9H_{14}O_3$	170,21	104 mg/kg	53011-73-7
5	$C_{15}H_{22}O_4$	266,33		26767-96-4
6	$C_{15}H_{22}O_3$	250,33		494-23-5

Lebertox., nierentox., cytostat. Stoffwechselprodukt, das unter Streßbedingungen in verschimmelten *Süß-

kartoffeln gebildet wird, bes. bei Infektion durch *Ceratocystis fimbriata* od. *Fusarium solani*. Zu diesen Stoffen zählen auch die Ipomeanole, die sich von I. ableiten: *1-Ipomeanol, 4-Ipomeanol, 1,4-Ipomeadiol, Ipomeamaronol* u. *Ipomeamaron*. Letztere beiden Verb. sind Sesquiterpene u. rufen bei Tieren atyp. Pneumonien hervor. – **E** ipomeanin – **F** ipoméanine – **I = S** ipomeanina
Lit.: Beilstein E V **17/11**, 137 (1); **19/4**, 195 (6); **19/5**, 487 (5) ▪ Bull. Chem. Soc. Jpn. **55**, 3225 (1982) ▪ Cole u. Cox, Handbook of Toxic Fungal Metabolites, S. 717–737, New York: Academic Press 1981 ▪ J. Am. Chem. Soc. **99**, 1487 (1977) ▪ Sax (8.), IGF 300.

Ipomeanole s. Ipomeanin.

Ipomin s. Ipomoea-Alkaloide.

Ipomoea-Alkaloide.

R = Glc : Ipalbin
R = H : Ipalbidin

Indolizidin-Alkaloide aus Windengewächsen der Gattung *Ipomoea*; die u. a. in Mexiko beheimateten Pflanzen werden dort als Halluzinogene genutzt u. in unseren Breiten als Ziergewächse kultiviert. Haupt-Alkaloide sind die Glykoside *Ipalbin* ($C_{21}H_{29}NO_6$, M_R 391,46, Krist., Schmp. 118 °C) u. *Ipomin* ($C_{30}H_{35}NO_8$, M_R 537,61), dessen Glucose-Rest zusätzlich in der 4-Position mit 4-Hydroxyzimtsäure verestert ist, das entsprechende Aglykon wird *Ipalbidin* ($C_{15}H_{19}NO$, M_R 229,32, Krist., Schmp. 144–146 °C) genannt. Weitere Alkaloide sind *Lysergsäure-Derivate u. Ergometrin (vgl. Ergot-Alkaloide). – **E** ipomoea alkaloids – **F** alcaloïde de l'ipomée – **I** alcaloidi dell'ipomoea – **S** alcaloides de ipomoea
Lit.: Beilstein E V **21/3**, 434 ff. ▪ Hager (5.) **5**, 534–545 ▪ J. Nat. Prod. **50**, 152 (1987) ▪ R. D. K. (4.), S. 427 f. ▪ Ullmann (5.) **A 1**, 363. – *Synth.*: Helv. Chim. Acta **69**, 2048 (1986) ▪ J. Chem. Soc. Perkin Trans. 1 **1985**, 261 ▪ J. Chem. Res. (S) **1979**, 1 ▪ J. Org. Chem. **51**, 3915 (1986) ▪ Tetrahedron **33**, 1733 (1977) ▪ Tetrahedron Lett. **1977**, 979; **1981**, 2127. – [HS 2939 90; CAS 23544-46-9 (Ipalbin); 65370-71-0 (Ipomin); 31470-51-6 (Ipalbidin)]

Ipomoea-Harz (Orizaba-Harz).

Graubraunes, etwas kratzend schmeckendes *natürliches Harz, das in Wasser unlösl., in Ether zu ca. 70% u. in Alkohol vollständig lösl. ist. Das I.-H. ist durch Alkohol-Extraktion aus den Wurzeln der mexikan. Winde *Ipomoea orizabensis* (Convolvulaceae) erhältlich. Es wird auch *mexikan. Skammoniaharz* genannt, was allerdings häufig zu Verwechslungen mit *Skammonium* (Gummiharz aus der Wurzel von *Convolvulus scammonia* od. *C. syriacus*) führt. Charakterist. für I.-H. ist sein Gehalt an *Glykoretinen*, Glykosiden von C_{12}/C_{16}-Hydroxyfettsäuren mit Oligosacchariden, deren freie Hydroxy-Gruppen außerdem mit niederen Fettsäuren verestert sind. Die Glykoretine sollen äußerst stark abführen u. Erbrechen, in höheren Dosen Darmkrämpfe hervorrufen. Der Ether-lösl. Anteil des I.-H. wird oft *Orizabin* genannt: er ist nach seiner Zusammensetzung ident. mit *Jalapin* aus Jalapen-Harz u. mit *Scammonin* aus Skammonium (s. oben) u. gibt bei Hydrolyse 11-Hydroxypalmitinsäure (*Jalapinolsäure), Glucose, D-Fu-

cose u. Rhamnose sowie flüchtige Fettsäuren. Auch das Harz aus *Ipomoea turpethum*, einem aus Indien stammenden Windengewächs, enthält ähnlich zusammengesetzte Glykoside od. Harzglykoside (sog. *Turpethin*). Einige *Ipomoea*-Arten enthalten *Halluzinogene vom *Lysergsäure- u. Clavin-Typ (*Ergot-Alkaloide); *Beisp.*: die mexikan. *I. violacea* liefert (neben *Rivea corymbosa*) das zu kult. Zwecken verwendete *Ololiuqui. Eine andere Art (*I. batatas*) ist ein in trop. Gebieten vielgenutztes Nahrungsmittel, das auch als *Süßkartoffel* od. als *Batate bezeichnet kultiviert wird. Bei dieser rufen Gewebeschädigungen (z. B. Insektenfraß) die Bildung tox. Stoffwechselprodukte, vgl. Ipomeanin hervor. Es sei darauf hingewiesen, daß die Beziehungen zwischen den *Ipomoea*-, *Exogonium*- u. *Convolvulus*-Arten sehr verwickelt u. Verwechslungen daher häufig sind. – *E* ipom(o)ea resin – *F* résine d'ipomoea – *I* resina di ipomoea – *S* resina de ipomoea
Lit.: Braun-Frohne (6.), S. 324 f. ▪ Brücher, Tropische Nutzpflanzen, Berlin: Springer 1977 ▪ Zechmeister **34**, 224 – 227. – [HS 1301 90]

Ipratropiumbromid (Rp).

Internat. Freiname für das *Parasympath(ik)olytikum *N*-Isopropylatropiniumbromid, $C_{20}H_{30}BrNO_3$, M_R 412,37, Schmp. 230 – 232 °C; λ_{max} (CH$_3$OH): 252, 258, 264 nm (A$_{1cm}^{1\%}$ 3,56, 4,36, 3,30), LD$_{50}$ (Maus oral) 1001 mg/kg, (Maus i.v.) 12,29 mg/kg, in Wasser u. Ethanol leicht löslich. I. wurde 1968 u. 1970 von Boehringer Ingelheim (Atrovent®, Itrop®) patentiert. – *E* ipratropium bromide – *F* bromure d'ipratropium – *I* ipratropio bromuro – *S* bromuro de ipratropio
Lit.: ASP ▪ Beilstein E V 21/1, 256 ▪ DAB **1996** u. Komm. ▪ Hager (5.) **8**, 590 ff. – [HS 2933 90; CAS 22254-24-6 (I.); 66985-17-9 (Monohydrat)]

Iprazochrom (Rp).

Internat. Freiname für (±)-3-Hydroxy-1-isopropyl-5,6-indolindion-5-semicarbazon, $C_{12}H_{16}N_4O_3$, M_R 264,28. I. wird als Sesquihydrat in der Migräneprophylaxe eingesetzt. Es ist von Berlin-Chemie (Divascan®) im Handel. – *E* = *F* = *I* iprazochrome – *S* iprazocromo
Lit.: Cryst. Res. Technol. **21**, 1221 – 1228 (1986). – [HS 2933 90; CAS 7248-21-7 (I.); 105815-92-7 (Sesquihydrat)]

Iprodion.

Common name für 3-(3,5-Dichlorphenyl)-*N*-isopropyl-2,4-dioxoimidazolidin-1-carboxamid, $C_{13}H_{13}Cl_2N_3O_3$,

M_R 330,17, Schmp. ca. 136 °C, LD$_{50}$ (Ratte oral) 3500 mg/kg (WHO), von Rhone-Poulenc entwickeltes Kontakt-*Fungizid gegen *Botrytis cinerea* im Wein-, Zierpflanzen-, Gemüse- u. Erdbeerbau, sowie weitere Krankheiten im Obstbau. – *E* = *F* = *I* iprodione – *S* iprodiona
Lit.: Farm ▪ Perkow ▪ Pesticide Manual. – [HS 293321; CAS 36734-19-7]

Iproniazid (Rp).

Internat. Freiname für den *Monoaminoxidase-Hemmer Isonicotinsäure-(*N*'-isopropylhydrazid), $C_9H_{13}N_3O$, M_R 179,22, Schmp. 112,5 – 113,5 °C, in Wasser u. Ethanol leicht löslich. Verwendet werden das Dihydrochlorid, Schmp. 227 – 228 °C, u. das Phosphat, Schmp. 175 – 184 °C, λ_{max} (CH$_3$OH): 265 nm (A$_{1cm}^{1\%}$ 166). I. wurde 1954 von Hoffmann-La Roche patentiert. – *E* iproniazid – *F* = *I* iproniazide – *S* iproniazida
Lit.: Beilstein E V 22/2, 220 f. ▪ Hager (5.) **8**, 593. – [HS 2933 39; CAS 54-92-2 (I.); 305-33-9 (Phosphat)]

IPS. Kurzz. für schlagzähes *Polystyrol (Kautschuk-modifiziertes Polystyrol).

Ipsdienol (2-Methyl-6-methylen-2,7-octadien-4-ol).

$C_{10}H_{16}O$, M_R 152,24, Öl. Die (*R*)-Form von I. {[α]$_D$ –13,6° (CH$_3$OH)} ist ein *Pheromon des Borkenkäfers *Ips confusus*, einem Schädling der Gelb-Kiefer (*Pinus ponderosa*), während die (*S*)-Form ein Pheromon von *Ips paraconfusus* ist[1]. *2,3-Dihydro-I.* (Ipsenol, $C_{10}H_{18}O$, M_R 154,25) ist ebenfalls ein Pheromon der Borkenkäfer[2]. Einen Überblick über die Vielzahl der Pheromone verschiedener Borkenkäfer-Arten sowie deren Einsatz in der Forstwirtschaft gibt *Lit.*[1], zur Biosynth. s. *Lit.*[3]. – *E* = *S* ipsdienol – *F* ipsdiénol – *I* ipsdienolo
Lit.: [1] Chem. Unserer Zeit **19**, 11 – 21 (1985). [2] Acta Chem. Scand. Ser. B **37**, 1 (1983); **41**, 442 (1987); **43**, 777-782 (1989); Chem. Br. **1990**, 124 – 127; Helv. Chim. Acta **73**, 353 – 358 (1990); J. Chem. Soc. Chem. Commun. **1989**, 295; Tetrahedron Lett. **34**, 3781 (1993). [3] Insect Biochem. **23**, 655 – 662 (1993).
allg.: Ap Simon **4**, 76 – 78, 113, 467 – 469; **9**, 294 – 303 (Synth.) ▪ J. Am. Chem. Soc. **108**, 483 (1986) ▪ J. Org. Chem. **52**, 5261 (1987) ▪ Naturwissenschaften **61**, 365 f. (1974); **62**, 488 (1975); **63**, 43 f., 92 (1976); **64**, 98 f. (1977) ▪ Phytochemistry **27**, 2759 (1988) ▪ Synthesis **1982**, 742 f. ▪ Tetrahedron **39**, 883 (1983) ▪ Tetrahedron Lett. **30**, 6679 – 6682 (1989); **46**, 4463 – 4472 (1990). – [CAS 35628-00-3 ((S)-I.); 60894-97-5 ((R)-I.); 35628-05-8 ((S)-Ipsenol)]

Ipsenol s. Ipsdienol.

Ipso-. Von Perrin u. Skinner 1971 geprägte u. von latein.: ipse = selbst abgeleitete Bez. für Substitutionen an dem C-Atom eines aromat. Rings, das bereits einen Substituenten trägt. Bei der elektrophilen *Substitution (*Beisp.*: Nitrierung von Alkylaromaten) ist der

Angriff in *o*-, *m*- od. *p*-Stellung meist gegenüber dem *ipso*-Angriff bevorzugt. – $E = F = I = S$ *ipso*-
Lit.: Chem. Rev. **79**, 323–330 (1979) ▪ IUPAC, Compendium of Chemical Terminology, Oxford: Blackwell 1987 ▪ Pure Appl. Chem. **53** 239–258 (1981); **55**, 1326 (1983).

Ipsonit. Schwarzes, unschmelzbares Asphalt-Verwitterungsprodukt, in Schwefelkohlenstoff nur wenig lösl., enthält 50–80% chem. gebundenen Kohlenstoff, in Oklahoma, Arkansas u. Nevada verbreitet. – $E = F = I$ ipsonite – S ipsonita

IPS-TFT-LCD s. LCD.

Ir. Symbol für das chem. Element *Iridium.

IR. 1. Abk. für Infrarot (*Beisp.:* *IR-Spektroskopie). – 2. Kurzz. (nach ASTM, BS, ISO) für den „synthet." Naturkautschuk *cis*-1,4-*Polyisopren (Isoprenkautschuk).

Iraldein®. Marke für Riechstoffe mit Veilchennoten, bestehend aus *Methyljonon mit unterschiedlichem Gehalt an den α-, β-, γ- u. δ-Isomeren. *B.:* Haarmann u. Reimer.

...iran. Endung der Namen für gesätt., dreigliedrige, Stickstoff-freie Heteromonocyclen (IUPAC-Regel R-2.3.3.1); *Beisp.:* *Oxiran. Die ungesätt. Vertreter erhalten das Suffix ...iren; *Beisp.:* Oxiren. Ungesätt. bzw. gesätt. N-haltige Dreiringe erhalten die Suffixe ...irin bzw. ...iridin; *Beisp.:* *Azirine, Oxaziridin. – *E* ...irane – *F* ...iran(n)e – *I* = *S* ...irano

IRC. Abk. für *intrinsic reaction coordinate*. Von *Fukui (Nobelpreis 1981) eingeführter Begriff (s. *Lit.*[1]), der mit „eigentliche Reaktionskoordinate" übersetzt werden kann. Die IRC entspricht einem Reaktionsweg auf einer in massegewichteten kartes. Koordinaten dargestellten Potentialhyperfläche, wobei sich die Atomkerne mit unendlich kleiner Geschw. bewegen (idealisiertes Gleiten). Sie verknüpft den Sattelpunkt einer Reaktion mit den Reaktanden u. Produkten in ihrer *Gleichgewichtsgeometrie. Die Geometrieänderung des reagierenden Syst. längs der IRC wird nach Fukui als „Reaktions-Ergodographie" bezeichnet. Näheres zur Konstruktion der IRC u. der Anw. dieses Konzepts auf einfache chem. Reaktionen s. *Lit.*[2]. – *E* intrinsic reaction coordinate – *F* coordonnées intrinsèques de réaction – *I* coordinata di reazione intrinseca – *S* reacción de coordinación intrínseca
Lit.: [1] J. Phys. Chem. **74**, 4161 (1970). [2] Daudel u. Pullman, The World of Quantum Chemistry, Dordrecht: Reidel 1974; J. Am. Chem. Soc. **97**, 1–7 (1975); **98**, 6395–6397 (1976).

IRDAC. Abk. für Industrial Research and Development Advisory Committee of the European Commission. IRDAC ist ein EG-Ausschuß, der die Kommission in Fragen der industriellen Forschung u. Entwicklung berät. *Publikationen:* IRDAC News, Strategy Papers.

Irdengut, Irdenware s. keramische Werkstoffe.

Ireland-Claisen-Umlagerung. Diese Modifikation der *Claisen-Umlagerung hat Bedeutung in der organ. Synth. wegen der schonenden Reaktionsbedingungen u. der vorhersagbaren Stereochemie. Wie bei der Claisen-Umlagerung handelt es sich um eine [3,3]-*sigmatrope Umlagerung (vgl. Allyl-Umlagerung),

bei der Allylester von Carbonsäuren, nach Generierung der Esterenolate, in γ,δ-ungesätt. Carbonsäuren umlagern.

– *E* Ireland-Claisen-Rearrangement – *F* réarrangement de Ireland-Claisen – *I* trasposizione di Ireland-Claisen – *S* transposición de Ireland-Claisen
Lit.: Aldrichim. Acta **26**, 17 (1993) ▪ March (4.), S. 1139 ▪ Trost-Fleming **7**, Kap. 7.2.

...iren s. ...iran.

IRFNA. Abk. für *Inhibited Red Fuming Nitric Acid*, als Gemisch aus HNO_3 mit 14% NO_2, 2,5% H_2O u. 0,5% F_2 zusammen mit 1,1-Dimethylhydrazin als *Raketentreibstoff geeignet.
Lit.: Baker, The Rocket, S. 267, London: New Cavendish Books 1978.

Irgacolor®. Mischphasen-Oxid-*Pigmente für den Einsatz in hochwertigen Kunststoffen u. Anstrichstoffen. *B.:* Ciba.

Irgacor®, Irgamet®. Korrosions-*Inhibitoren (s. a. Korrosionsschutzmittel) auf organ. Basis für Lacke. *B.:* Ciba.

Irgacure®. Photoinitiatoren für die photochem. Härtung von Spachtelmassen, Lacken, Druckfarben, photopolymeren Bildaufzeichnungssyst. (z. B. *Photoresists, Druckplatten) usw. *B.:* Ciba.

Irganox®. *Antioxidantien u. Hitzestabilisatoren für Kunststoffe, Elastomere, Fasern u. Schmiermittel auf der Basis von (3,5-Di-*tert*-butyl-4-hydroxyphenyl)-propionsäureestern z. B. des *Pentaerythrits od. des *1-Octadecanols. *B.:* Ciba.

Irgaplast®. *Weichmacher aus epoxidiertem Sojabohnenöl, Octyloleat u. Butyloleat. *B.:* Ciba Additive GmbH.

Irgazin®. Organ. *Pigmente für die PVC-Färbung auf der Basis von Tetrachlorisoindolinon-Phthalocyanin-, Perylen-, Azomethin-Cu-Komplex- u. Monoazo-Derivaten. *B.:* Ciba.

Iridale. Klasse von monocycl. *Triterpenen mit zumeist 30 C-Atomen, einem hochsubstituierten Cyclohexan-Ring u. einer (*E,E*)-konfigurierten Homofarnesyl-Seitenkette. Sie sind biogenet. Vorläufer der *Irone, der Duftstoffe des Irisöls u. werden aus *Squalen gebildet[1]. – *E* iridals – *I* iridali – *S* iridales
Lit.: [1] Helv. Chim. Acta **71**, 1331–1338 (1988); **73**, 433 (1990). *allg.:* Justus Liebigs Ann. Chem. **1990**, 563; **1992**, 269 ▪ Zechmeister **50**, 1 (1986).

...iridin s. ...iran.

Iridin (7-*O*-β-D-Glucopyranosyloxy-3′,5-dihydroxy-4′,5′,6-trimethoxyisoflavon).

R = H : Irigenin
R = β-D-Glucopyranosyl : Iridin

$C_{24}H_{26}O_{13}$, M_R 522,46, Nadeln, Schmp. 208 °C (Monohydrat), 217 °C (wasserfrei), lösl. in heißem Alkohol, unlösl. in Chloroform u. Ether. I. ist ein Glucosid aus den Wurzeln von *Iris florentina*, *Iris germanica* u. *Iris pallida*. Das Aglykon von I., *Irigenin* ($C_{18}H_{16}O_8$, M_R 360,32, blaßgelbe Krist., Schmp. 185 °C), wirkt antifungisch. I. ist auch eine Bez. für ein Weichharz, das als Alkohol-Extrakt aus *Iris versicolor* erhalten werden kann sowie für ein *Protamin aus Sperma der Regenbogenforelle. – *E* iridin – *F* iridine – *I = S* iridina

Lit.: Beilstein E V **18/5**, 679 ▪ Chem. Pharm. Bull. **21**, 2323 (1973) ▪ Karrer, Nr. 1666 ▪ Physiol. Plant Pathol. **8**, 225 (1976) ▪ Phytochemistry **11**, 3097 (1972). – *[HS 293890; CAS 491-74-7 (I.); 548-76-5 (Irigenin)]*

Iridium (von griech.: iris = Regenbogen; so benannt wegen der verschiedenen Farben seiner Salze); chem. Symbol Ir, Metall, Element, Ordnungszahl 77, Atomgew. 192,217±0,003. Natürliche Isotope (in Klammern Häufigkeit): 191 (37,3%) u. 193 (62,7%); ferner kennt man künstliche Isotope des I. (^{182}Ir – ^{198}Ir, HWZ zwischen 4,9 s u. 74 d). I. steht in der 9. Gruppe des *Periodensystems u. tritt in der Hauptsache in den Oxid.-Stufen +3, +4 u. 0, seltener in –3, –1, +1, +2, +5 u. +6 auf. I. ist mit einer Dichte von 22,56 nach *Osmium (Dichte 22,59)[1] das schwerste Element unseres Lebensraums, Schmp. 2443 °C, Sdp. 4527±100 °C, im elektr. Lichtbogen destillierbar. I. ist ein silberweißes, sehr hartes (H. 7, Brinellhärte 170), sprödes, zu den *Platin-Metallen gehörendes *Edelmetall, das vielfach sogar Platin an Korrosionsbeständigkeit übertrifft: Es wird selbst durch Salzsäure-Salpetersäure-Gemische kaum angegriffen. Pulverisiertes I. reagiert bei Rotglut mit Sauerstoff (Bildung von schwarzem I.-Dioxid) u. Chlor, wobei in Abhängigkeit von der Temp. u. dem Verteilungsgrad des I. I.-Trichlorid (dunkelolivgrün) bzw. -Tetrachlorid (braun) entsteht. Mit Fluor wird das leichtflüchtige gelbe I.-Hexafluorid gebildet, das beim Erwärmen in IrF_5 u. Fluor zerfällt. Durch Schmelzen mit Na_2O_2, BaO_2 od. $Ba(NO_3)_2$ wird I. in Iridate überführt, die sich in HCl/HNO_3 zu dem Komplex $H_2[IrCl_6]$ lösen. Das 3-wertige I. bildet Komplexe der Koordinationszahl 6; *Beisp.:* Hexacyano- u. Chloro-Komplexe, in denen stellvertretend Nitro-, Aquo-, Ammin-, Oxalato-Gruppen od. organ. Liganden (Dimethylglyoxim, Thioether, Thioharnstoffe) gebunden sind; auch Komplexe mit N_2 sind bekannt. Außerdem vermag I. *Metallocene zu bilden [sog. *Iridocenium*-Verb., Bis(cyclopentadienyl)iridium(III)-Salze].

Nachw.: Mit Natriumdiethyldithiocarbamat od. *p*-Phenylendiamin (s. *Lit.*[2]), bevorzugt durch *Röntgenfluoreszenzspektroskopie, *Photometrie, *Chromato-

graphie, *Atomabsorptionsspektroskopie, *Neutronenaktivierungsanalyse od. elektrochem. Methoden[3].

Vork.: I. gehört zu den sehr seltenen Elementen; nur ca. 0,003 ppb der festen, obersten Erdkruste dürfte aus diesem Metall bestehen; es ist hauptsächlich im Erdinnern konzentriert. Als Edelmetall der Platin-Gruppe kommt I. nicht in Form von Verb., sondern nur gediegen vor, u. zwar ist es häufig im Roh-Platin od. mit Osmium legiert (*Osmiridium* mit <24% Os, *Iridosmium* mit >55% Os u. *Aurosmirid* mit je 25% Au u. Os). Daneben findet man I. auch in Form von kleinen, runden Körnern von der Mohs-Härte 6,5 – 7. Hauptfundstellen sind Westsibirien, Kanada, Südafrika, Tasmanien, Borneo u. Japan. Spuren von I. wurden auch in einigen natürlichen Gold-Vork., im Meteor-Eisen u. auf der Sonne festgestellt. Nach *Lit.*[4] fand man eine bes. hohe I.-Konz. in den Sedimenten der ausgehenden Kreidezeit u. schließt daraus auf ein damals eingetretenes außerird. Ereignis, das nicht nur diese I.-Mengen auf die Erde gebracht hat, sondern auch (z. B. durch sehr hohe Strahlenbelastungen) für das Aussterben vieler Arten (z. B. der Saurier) verantwortlich sein könnte. I. gewinnt man zusammen mit den anderen *Platin-Metallen (s. dort u. die ausführlichen Darst. in *Lit.*[5]).

Verw.: I. wird z. Z. hauptsächlich als Elektrodenmaterial verwendet (Beschichtung von Titan-Anoden für O_2-Entwicklung in saurer Lösung u. a. Verf.)[6]. Wegen seiner großen Sprödigkeit wird I. ansonsten nur legiert eingesetzt, z. B. zur Herst. von Füllfederspitzen, in Leg. mit 70% Platin zu sehr harten u. korrosionsbeständigen Injektionsnadeln, Kontakten für Flugzeug- u. Automobilmotoren, Zündkerzen für Flugzeug-Kolbenmotoren, Dental-Leg., Instrumententeilen, hochwertigen Juwelierwaren (hier wird Platin z. B. durch Zusatz von 10% I. gehärtet), Normalstäben (das „Urmeter" in Paris besteht aus einer Leg. von 90% Platin u. 10% I.), zu Laboratoriumstiegeln, zu Thermoelementen (diese ermöglichen Temp.-Messungen bis zu 2200 °C), Echolotausrüstungen, Katalysatoren[7].
In der unbemannten Raumfahrt dient reines I. wegen seiner außerordentlichen mechan., therm. u. Korrosions-Beständigkeit als Hüllmaterial für den Kernbrennstoff in Radionuklid-Batterien (vgl. *Lit.*[7]). Das I.-Isotop 192 (β- u. γ-Strahler) hat Bedeutung für Werkstoffprüfungen mittels Gammagraphie, z. B. von Stahlblechen auf Schweißfehler usw., sowie als Radionuklid in der Strahlentherapie von Krebs-Erkrankungen. Die *Iridium-Verbindungen haben techn. kaum Bedeutung mit Ausnahme von IrO_2 als Elektrodenmaterial[8]. I. wurde 1804 von *Tennant zusammen mit Osmium bei der Analyse von Rohplatin entdeckt, s. *Lit.*[7]. – *E = F* iridium – *I = S* iridio

Lit.: [1] Platinum Met. Rev. **33** (1), 14 ff. (1989). [2] Fries-Getrost, S. 170. [3] Townshend, Encyclopedia of Analytical Science, S. 2367 ff., London: Academic Press 1995. [4] New Sci. **82**, 798 (1979). [5] Brauer (3.) **3**, 1733 – 1737; Kirk-Othmer (3.) **18**, 250, 261 ff. [6] Degussa AG: Edelmetall-Taschenbuch (2.), S. 253, Heidelberg: Hüthig-Verlag 1995. [7] Platinum Met. Rev. **31** (1), 32 – 41 (1987). [8] Degussa AG: Edelmetall-Taschenbuch (2.), S. 409 ff., Heidelberg: Hüthig-Verl. 1995.
allg.: Gmelin, Syst.-Nr. 67, Ir, 1939, Erg.-Bd. 1 u. 2, 1978 ▪ Hollemann-Wiberg (101.), S. 1562 – 1574 ▪ Houben-Weyl **13/9b**, 463 – 626 ▪ Wilkinson-Stone-Abel II **8**, 303 – 417 ▪ s. a. Platin-Metalle. – *[HS 711041; CAS 7439-88-5]*

Iridiumoxide s. Iridium-Verbindungen.

Iridiumtrichlorid s. Iridium-Verbindungen.

Iridium-Verbindungen. *Iridium(III)-oxid*, Ir_2O_3, M_R 432,43. Schwarzes Pulver, löst sich langsam in kochender Salzsäure, zerfällt bei ca. 1000 °C in die Elemente u. wird mit HNO_3 oxidiert zu *Iridium(IV)oxid*, IrO_2, M_R 224,22, ein in Säuren unlösl. schwarzes Pulver mit metall. Leitfähigkeit, das ebenfalls bei Gelbglut in die Elemente zerfällt.

Iridiumtrichlorid, $IrCl_3$, M_R 298,58. Olivgrüne, gelbe od. dunkle Krist., D. 5,3, Zers. bei 763 °C. *Hexachloroiridium(IV)-säure*, $H_2[IrCl_6]$, M_R 406,95 als Hexahydrat. Dunkelbraune, hygroskop., in Wasser leicht lösl. Kristalle. *Ammoniumhexachloroiridat(IV)*, $(NH_4)_2[IrCl_6]$, M_R 441,01. Schwarzrote, in Wasser fast unlösl. Krist., D. 2,856, die leicht in das braune, sehr leicht lösl. *Ammoniumhexachloroiridat(III)*, M_R 459,05, $(NH_4)_3[IrCl_6]$, überführt werden können.

Bes. wichtig sind die zahlreichen komplexen I.-V., auch mit organ. Liganden, die sich sowohl vom 3- als auch vom 4-wertigen *Iridium ableiten. – *E* iridium compounds – *F* composés d'iridium – *I* composti di iridio – *S* compuestos de iridio

Lit.: s. Iridium. – *[HS 2843 90]*

Iridocenium-Verbindungen s. Iridium.

Iridodial s. Iridoide.

Iridoide.

Iridodial

Gruppe von Monoterpenen (s. Terpene), deren Struktur ein Cyclopentan-Gerüst zugrunde liegt, bzw. die sich von diesem durch Ringöffnung zu *Seco-I.* u. erneutem Ringschluß ableiten. 80% der bisher beschriebenen pflanzlichen I. kommen als hydrophile Glykoside vor. I. tragen oft zahlreiche Hydroxy-Gruppen, so daß auch nach Glykosid-Spaltung noch sehr polare Aglykone zurückbleiben. Die I. liegen meist in einer typ. Lactol(=Halbacetal)-Form vor, die zu der sehr reaktiven Dial-Form im Gleichgew. steht. Wird das Gleichgew. in Richtung Dial-Form verschoben, sind zahlreiche Reaktionen zu erwarten: z.B. mit Aminosäuren, bes. Tryptophan u. Tyrosin zu Alkaloiden (vgl. Reserpin, Ajmalin, Strychnin, Vinca- u. Valeriana-Alkaloide usw.). Auf gleiche Weise konnten durch biomimet. Synth. pharmakolog. interessante Alkaloiden gewonnen werden. Die lipophilen I.-Ester, I.-Ether u. I.-Lactone sind eher als Stoffwechsel-Zwischenprodukte zu bezeichnen. Sie besitzen verschiedene Wirkungen auf das ZNS, so z.B. die Lockstoffe *Nepetalacton*, *Iridodial*, *Iridomyrmecin* u. *Teucrium-Lacton C* ($C_{10}H_{14}O_2$, M_R 166,22).

Die Umsetzung dieses I.-Typs zu den reaktionsfreudigen 1,4- bzw. 1,5-Dialdehyden ist auf enzymat. Wege intra- u. extrazellulär möglich. Iridoide 1,5-Dialdehyde kommen in Ameisen u. Blattkäfern vor, 1,4-Dialdehyde z.B. in Mollusken, Knöterichgewächsen, Winterastern usw. Sie wirken fraßhemmend, cytotox.,

Nepetalacton aus *Nepeta cataria*, (Lamiaceae) (*Katzenminze*) "lockt Katzen u. katzenartige Raubtiere an"

Matatabi-Ether aus *Actinidia polygama*, (Actinidiaceae) "lockt Katzen u. katzenartige Raubtiere an"

Iridomyrmecin aus *Iridomyrmex* "Ameisenlockstoff"

Teucrium-Lacton C aus *Teucrium marum*, (Lamiaceae) "Witterung für Marder und Füchse"

Valepotriate aus *Valerianaceae* "*Katzenkraut*" ZNS-erregend u. -dämpfend R^1, R^2, $R^3 = C_1–C_4$ Alkyl

schneckentox., antibiot. u. fungizid. Der sesquiterpenoide Trialdehyd *Isovelleral aus Reizkern ist mutagen. Verschiedene Organismen speichern die Dialdehyde in einer unschädlichen Form, aus der sich erst nach Angriff bzw. Reiz der aggressive Dialdehyd bildet. Die bekannteste biolog. Eigenschaft der Iridoidhaltigen Pflanzen ist ihr bitterer Geschmack. Diese Bitterstoffe liegen z.B. in der *Chinarinde, im Enzian (*Amarogentin, vgl. Gentiopikrin) usw. vor. Der bittere Geschmack wird wahrscheinlich durch Reaktion der Dialdehyde mit Proteinen der Geschmacksnerven erzeugt. Es wurden auch wachstumshemmende Eigenschaften bei I. festgestellt. – *E* iridoids – *F* iridoïdes – *I* iridoidi – *S* iridoides

Lit.: ACS Symp. Ser. **380**, 397–402 (1988) ▪ Nat. Prod. Rep. **5**, 419–464 (1988) ▪ Pharm. Unserer Zeit **14**, 33–39 (1985) ▪ Phytochemistry **23**, 945–950 (1984). – *Biosynth.:* Angew. Chem. **95**, 840–853 (1983) ▪ J. Nat. Prod. **43**, 649 (1980); **52**, 701–705 (1989) ▪ Zechmeister **50**, 169–237. – *Synth.:* Ap Simon **7**, 275–454 ▪ Chem. Lett. **1989**, 1925–1928 ▪ Justus Liebigs Ann. Chem. **1990**, 253–260 ▪ Tetrahedron **45**, 681–686 (1989).

Iridomyrmecin. $C_{10}H_{16}O_2$, M_R 168,24, Krist., Schmp. 61 °C, Sdp. 104–108 °C (200 Pa), $[\alpha]^D +210°$ (C_2H_5OH), in Wasser wenig, in Ether gut löslich, Formel s. Iridoide. I. ist ein *Insektengift, das aus dem Körper der Ameise *Iridomyrmex humilis* isoliert wurde. Es wirkt auch gegen *DDT-resistente Insekten u. hemmt Gram-pos. Bakterien, s.a. Iridoide. – *E* iridomyrmecin – *F* iridomyrmécine – *I* = *S* iridomirmecina

Lit.: Beilstein E V **17/9**, 237 ▪ Habermehl, Gift-Tiere u. ihre Waffen (5.), S. 78–85, Berlin: Springer 1994 ▪ J. Chem. Soc., Chem. Commun. **1994**, 479 ff. ▪ Nat. Prod. Lett. **1**, 217 ff. (1992) ▪ Tetrahedron Lett. **33**, 1543 ff., 2823 f. (1992). – *[CAS 485-43-8]*

Iridosmium s. Iridium.

Irigenin s. Iridin.

...irin s. ...iran.

Irinotecan (Rp).

Internat. Freiname für (+)-(4S)-4,11-Diethyl-4-hydroxy-3,14-dioxo-3,4,12,14-tetrahydro-1H-pyrano[3',4':6,7]indolizino[1,2-b]chinolin-9-yl-[1,4'-bipiperidin]-1'-carboxylat, $C_{33}H_{38}N_4O_6$, M_R 586,69, schwach gelbes Pulver, Schmp. 222–223 °C, verwendet wird das Hydrochlorid-Trihydrat, Schmp. 256,5 °C, $[\alpha]_D^{20}$ +67,7° (c 1/H_2O); λ_{max} (C_2H_5OH): 221, 254, 359, 372 nm; LD_{50} (Maus i.p.) 177,5, (Maus oral) 765,3. I. ist ein Cytostatikum, das zur Klasse der DNA- *Topoisomerase-I-Hemmer gehört. Es wurde 1985 u. 1986 von Yakult Honsha patentiert u. ist von Rhône-Poulenc Rorer (Campto®) gegen fortgeschrittenes Kolorektalcarcinom in Frankreich im Handel, in der BRD in der klin. Prüfung. – *E* irinotecan – *F* irinotécane – *I* irinotecano – *S* irinotecán

Lit.: J. Nat. Cancer Inst. **85**, 271–291 (1993) ▪ Merck-Index (12.), Nr. 5104 ▪ Pharm. Ztg. **140**, 4232–4237 (1995). – *[CAS 97682-44-5 (I.); 100286-90-6 (Hydrochlorid); 136572-09-3 (Hydrochlorid-Trihydrat)]*

Iriodin®. Weiße u. farbige *Perlglanz-Pigmente auf der Basis von Glimmer u. Titandioxid bzw. Eisen(III)-oxid. Die Farbeffekte kommen durch Absorption u. Interferenz zustande; Anw. in Druckfarben, Kunststoffeinfärbungen, Lacken. Für Außenanw., z.B. Autolacke, stehen spezielle wetterresistente I. WR-Typen zur Verfügung. *B.:* Merck.

Irisches Moos s. Carrageen.

Irisdeszenz. Bez. für das Phänomen, daß bei *Folien u. *Filmen, die aus vielen übereinanderliegenden Schichten unterschiedlicher *Polymerer aufgebaut sind, durch Lichtbeugung an den einzelnen Grenzschichten irisierende Farben auftreten können. Intensität u. Wellenlängen des reflektierten Lichtes hängen dabei von der Dicke der einzelnen Schichten, von deren Gleichmäßigkeit u. deren opt. Dichte ab. Durch geeignete Wahl der Schichtzahl, der Abfolge der Schichtdicken u. der Brechungsindices einzelner Schichten kann man erreichen, daß das gesamte sichtbare Spektrum des Lichtes reflektiert wird. Derartige Polymerfilme sehen metall. aus. – *E* = *F* iridescence – *I* iridescenza – *S* iridescencia

Lit.: Elias (5.) **1**, 1004.

Irispigmente s. Interferenzpigmente u. Perlglanzpigmente.

Iris(wurzel)öl. Gelbe bis gelbbraune, wachsartige Masse, oft auch Irisbutter od. (fälschlicherweise) Iris-Concret genannt, mit einem leicht fettigen, süßen, fruchtig-blumigen, warm-holzigen Veilchenduft; Schmelzbereich 38–50 °C. Der Hauptbestandteil der Irisbutter, *Myristinsäure, kann durch Ausfällen mit Alkohol od. durch Extraktion mit alkal. Reagentien entfernt werden, so daß in einer Ausbeute von 10–20% ein flüssiges Produkt resultiert, das sog. „zehnfache" Irisöl od. Iris-Absolue.

Herst.: Durch Wasserdampfdest. aus den getrockneten, gemahlenen u. zwei bis drei Jahre gelagerten Wurzelstöcken der Schwertlilienarten *Iris pallida* u. *Iris germanica*, die hauptsächlich in Italien bzw. in Marokko kultiviert werden; Ausbeute max. 0,1%. Da diese Art der Gewinnung aufwendig ist u. entsprechend teure Produkte liefert, werden auch in zunehmendem Maße die preisgünstigeren Irisresine eingesetzt, die durch verschiedene Extraktionsverf. mit Lsm. hergestellt werden.

Zusammensetzung[1]: Die Irisbutter besteht zu 80–90% aus Alkancarbonsäuren, darunter als Hauptbestandteil *Myristinsäure*. Das flüssige Irisöl enthält als Hauptkomponenten die *Irone (ca. 20–30% *cis-α*-Iron u. ca. 30–40% *cis-γ*-Iron), die im wesentlichen auch Geruch u. Geschmack bestimmen. Das Öl aus *I. pallida*, das sensor. wertvoller ist, enthält überwiegend die rechtsdrehenden, das aus *I. germanica* die linksdrehenden Enantiomeren[2]. Die Irone sind in den frischen Iriswurzeln nicht vorhanden; sie bilden sich erst während der Lagerung durch oxidativen Abbau aus den *Iridalen[3]. Um diesen langwierigen Prozeß zu umgehen, werden in jüngerer Zeit auch mikrobiolog. Verf. für den Abbau der Iridale zu den Ironen angewendet[4].

Verw.: Irisöl gehört zu den kostbarsten Naturprodukten. Es wird daher nur in allerkleinsten Dosierungen verwendet, z.B. in hochwertigen Parfüms od. zur Aromatisierung von Lebensmitteln wie Likören, Süß- u. Backwaren. – *E* orris (root) oil – *F* huile de racine d'iris – *I* olio iridato – *S* aceite de (rizoma de) iris

Lit.: [1] Riv. Ital. Essenze Profumi Piante Off. **63**, 141 (1981); Helv. Chim. Acta **72**, 1400 (1989). [2] J. Essent. Oil Res. **5**, 265 (1993). [3] Zechmeister **50**, 1. [4] Phytochemistry **34**, 1313 (1993). *allg.:* Ohloff, S. 162 ▪ Parfüm. Kosmet. **71**, 411, 532 (1990). – *Toxikologie:* Food Cosmet. Toxicol. **13**, 895 (1975). – *[HS 330129; CAS 8002-73-1 (Öl); 8023-76-5 (Resin)]*

Irium. Handelsname für Natriumlaurylsulfat (vgl. Natriumdodecylsulfat u. Fettalkoholpolyglykolethersulfate).

Irone (2-Methyljonone).

(2R, 6R)-α-Iron

(R)-β-Iron

(2R, 6S)-γ-Iron

$C_{14}H_{22}O$, M_R 206,33, zähe Öle, lösl. in Dichlormethan. I. sind Veilchenriechstoffe aus dem Irisöl, kommen aber auch in Schneeglöckchen, Levkojen, Seidelbast, Goldlack u. bes. in den Wurzelknollen verschiedener Schwertlilien vor. Es sind Doppelbindungs- u. Stereoisomere des 4-(2,5,6,6-Tetramethyl-1-cyclohexenyl)-3-buten-2-ons u. Isomere der *Methyljonone. Man unterscheidet α-, β-, γ- u. die offenkettigen

Pseudo-Irone. Von den I. sind verschiedene Enantiomere u. Diastereoisomere bekannt[1]. Die I. sind u. a. durch Kondensation von Methylcyclocitral mit Aceton od. durch Ether-Extraktion aus Iriswurzeln zugänglich[2]. Zur Biosynth.[3] vgl. Iridale. I. wird in der Parfüm-Ind. für Veilchennoten verwendet. – *E = S* irones – *F* irone – *I* ironi

Lit.: [1]Helv. Chim. Acta **67**, 318, 325 (1984); **72**, 1400–1415, 1515–1521 (1989). [2]Agric. Biol. Chem. **47**, 581 (1983); Dev. Food Sci. **18**, 801–804 (1988); Helv. Chim. Acta **71**, 619–623 (1988); J. Chem. Soc. Perkin Trans. 1 **1982**, 1303; J. Org. Chem. **45**, 16 (1980); Tetrahedron **43**, 85–92 (1987). [3]Naturwiss. Rundsch. **43**, 395 f. (1990).

allg.: Beilstein E IV **7**, 377 ff. ▪ Karrer, Nr. 534–537 ▪ Theimer, Fragrance Chemistry, S. 305–308, New York: Academic Press 1982 ▪ Ullmann (5.) **A 11**, 173 f., 236 ▪ Zechmeister **8**, 146–206; **50**, 1–26. – *[HS 2914 23; CAS 79-69-6 (α-I.); 79-70-9 (β-I.); 79-68-5 (γ-I.)]*

Irresolubel. Eigenschaft eines Stoffs, nach Abscheidung aus einer Lsg. nicht wieder auflösbar zu sein.

Irreversibel (von latein.: in = un... u. revertere = umkehren). Als i. bezeichnet man Vorgänge, die nicht umkehrbar sind, also z. B. viele physiolog. Prozesse od. die Bildung i. Kolloide (s. Kolloidchemie). In der chem. *Thermodynamik sind z. B. alle *Zustandsänderungen, die unter *Entropie-Zunahme verlaufen, *i. Prozesse*, z. B. *Diffusion, *Wärmeübertragungs-Lösungen (vgl. Carnotscher Kreisprozeß), Reibung, Lösungs-Phänomene u. a. *Nicht-* od. *Ungleichgew.*-Vorgänge, s. a. Chemische Gleichgewichte u. 2. Hauptsatz der Thermodynamik (Entropiesatz, s. Hauptsätze). Um die Aufklärung der Gesetzmäßigkeiten der i. Prozesse in *thermodynamischen Systemen haben sich bes. *Onsager u. *Prigogine (Chemie-Nobelpreise 1968 bzw. 1977) verdient gemacht. – *E = S* irreversible – *F* irréversible – *I* irreversibile

Lit.: Atkins, Physikalische Chemie, Weinheim: VCH Verlagsges. 1996 ▪ Bergmann u. Schaefer, Lehrbuch der Experimentalphysik, Bd. 1, S. 710, Berlin: de Gruyter 1990 ▪ Garrido, Stochastic Processes in Nonequilibrium Systems, Systems Far from Equilibrium (Lecture Notes Phys. 84, 132), Berlin: Springer 1978, 1980 ▪ Lerner u. Trigg, Encyclopedia of Physics, S. 694, Weinheim: VCH Verlagsges. 1991 ▪ Yao, Irreversible Thermodynamics, New York: Van Nostrand Reinhold 1981. – *Zeitschriften:* Journal of Non-Equilibrium Thermodynamics, Berlin: De Gruyter (seit 1976).

IR-Spektroskopie (Infrarot-, UR-, Ultrarotspektroskopie). Bez. für ein von W. W. Coblentz 1905 erstmals praktiziertes, heute zur Routinemeth. entwickeltes Verf. der opt. *Spektroskopie, bei dem die Absorptionsspektren von anorgan. u. organ. festen, flüssigen od. gasf. Verb. im Bereich des nahen (NIR), mittleren (MIR) u. fernen Infrarot (FIR) zur qual. bzw. quant. Analyse u. zur Konstitutionsermittlung herangezogen werden; zur Wellenlängenbegrenzung s. Infrarotstrahlung. Während die *sichtbaren* u. *UV-Spektren* durch Elektronensprünge zustande kommen (*UV-Spektroskopie als *Elektronenspektroskopie), sind die IR-Spektren *Schwingungsspektren*, die dadurch zustande kommen, daß innerhalb der Mol. die an den Bindungen beteiligten Atome *Schwingungen ausführen – Näheres zur Anzahl der anregbaren Schwingungs-Freiheitsgrade s. dort. Man kann sich nämlich ein mehratomiges Mol. als eine Gruppierung von Massenpunk-

ten (den Atomkernen) vorstellen, die geometr. in einer bestimmten Weise zueinander angeordnet sind u. durch „Federn" (diese sollen die Kräfte der jeweiligen *chemischen Bindungen versinnbildlichen) in Gleichgew.-Lagen gehalten werden, um die sie Schwingungen ausführen, wenn ihnen die nötige Anregungsenergie in Form von IR-Strahlung zugeführt wird. Bedingung für die *Anregung ist, daß mit der Schwingung eine period. Änderung des *Dipolmoments des Mol. verbunden ist. Bewegen sich 2 solche Atomkerne annähernd in Richtung der „Feder" (des „Valenzstrichs"), so liegen *Valenzschwingungen* vor (Streckschwingungen, s. Abb. 1, S. 1990, bei HCl, N_2O u. CO_2 mit V. S. bezeichnet). Dagegen spricht man bei Änderungen des von Valenzkräften eingeschlossenen Winkels bei dreiatomigen Mol. von sog. *Deformationsschwingungen* (s. Abb. 1, D. S.). Gruppen mit Atomkernen von verschiedenen Massen (z. B. C≡N, C=O, C–Cl, C–H usw.) u./od. verschiedenen Bindungsarten (C=C, C≡C usw.) haben verschieden starke Absorptionsbanden u. absorbieren in jeweils verschiedenen, vielfach charakterist., begrenzten Bereichen, wie die Tab. zeigt.

Tab.: Korrelationen wichtiger IR-aktiver Bindungen u. ihrer charakterist. Absorptionen.

Bindung	Verb.-Klasse	Absorption $\nu\,[cm^{-1}]$	Typ	Int.
C–H	Alkane	2850–2960	V. S.	s
		1350–1470	D. S.	m
		1430–1470	D. S.	m
		1375	D. S.	m
	Alkene	3020–3080	V. S.	m
	cis-disubstituiert	675– 730	D. S.	w
	trans-disubstituiert	960– 970	D. S.	s
	gem-disubstituiert	885– 895	D. S.	s
	Alkine	3300	V. S.	s
	Aromaten	3000–3100	V. S.	w
C–C	*gem*-Methyl-Gruppen	1370–1385	D. S.	s
C=C	Alkene	1640–1680	V. S.	v
C≡C	Alkine	2150–2260	V. S.	v
C–C	Aromaten	1450–1600	V. S.	m
C–O	Alkohole, Ether, Carbonsäuren, Ester	1000–1300	V. S.	s
C=O	Aldehyde, Ketone, Carbonsäuren, Ester	1690–1760	V. S.	s
O–H	Alkohole, Phenole isoliert	3590–3650	V. S.	v
	H-verbrückt	3200–3600	V. S.	s
	Carbonsäuren H-verbrückt	2400–3300	V. S.	v
N–H	Amine, Amide	3300–3500	V. S.	m
		1550–1650	D. S.	s
C–N	Amine	1180–1360	V. S.	m
C≡N	Nitrile	2210–2260	V. S.	m
C–Hal	Fluoride	1000–1400	V. S.	s
	Chloride	600– 800	V. S.	s
	Bromide	500– 600	V. S.	s
	Iodide	500	V. S.	s

Abk.: ν = Wellenzahl. Typ = Schwingungstyp: V. S. = Valenzschwingung, D. S. = Deformationsschwingung; Int. = Intensität: s = stark (strong), m = mittelstark (medium), w = wenig intensiv (weak), v = variierend (variable)

In *Lit.*[1] sind diese Korrelationen bildlich dargestellt; Abb. derartiger Bandendiagramme findet man in Lehrbüchern der organ. Chemie u. in Tab.-Werken wie z. B. in *Lit.*[2], wo auch anorgan. Mol. berücksichtigt sind.

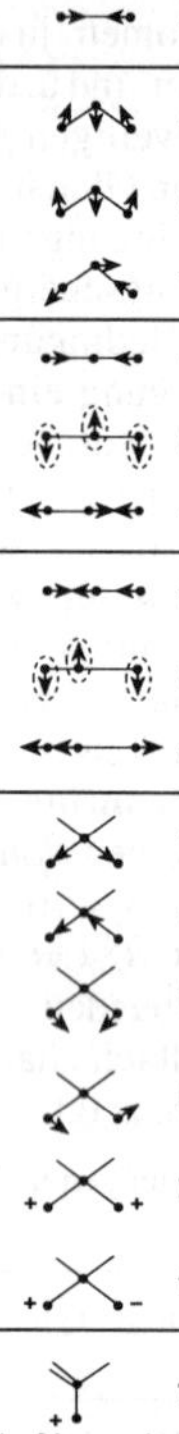

HCl	⟶⟵	ν	= 2886 cm⁻¹	V. S.
H_2O		ν_s	= 3654 cm⁻¹	V. S.
		δ	= 1595 cm⁻¹	D. S.
		ν_{as}	= 3756 cm⁻¹	V. S.
CO_2		ν_s	= 1337 cm⁻¹	V. S.
		δ	= 668 cm⁻¹	D. S.
		ν_{as}	= 2350 cm⁻¹	V. S.
N_2O		$\nu_{N=O}$	= 1285 cm⁻¹	V. S.
		δ	= 589 cm⁻¹	D. S.
		$\nu_{N\equiv N}$	= 2224 cm⁻¹	V. S.
CH_2		ν_s		V. S.
		ν_{as}		V. S.
		δ		D. S.
		ρ		D. S.
		$\varkappa$		D. S.
		τ		D. S.
CH		γ		D. S.

Abb. 1: Normalschwingungen einfacher Moleküle. Es bedeuten: V. S. = *Valenzschwingungen* u. D. S. = *Deformationsschwingungen*. Im einzelnen: *v* = *Streckschwingung*, symmetr.
(s) od. asymmetr. (as) (*E stretching vibration*); δ = *Spreiz-
schwingung*, Deformationsschwingung in der Ebene (*E in plane
bending vibration*); ρ = *Pendelschwingung* in der Ebene (*E
rocking vibration*); $\varkappa$ = w = *Kippschwingung* aus der Ebene, nach
vorn (+) u. nach hinten (–) (*E wagging vibration*); τ = t = *Tor-
sionsschwingung* aus der Ebene (Drillschwingung) (*E twisting
vibration*); γ = *Deformationsschwingung* aus der Ebene (*E out
of plane bending vibration*).

Aus der Bedingung, daß die Schwingungen mit Änderungen des Dipolmoments einhergehen müssen, um
IR-spektroskop. wirksam werden zu können, folgt, daß
bei symmetr. Mol. wie H_2, N_2, O_2 keine IR-Spektren zu
beobachten sind. Dagegen können solche Verb. durch
die *Raman-Spektroskopie (s. die Linienzuordnung
dort) untersucht werden. Man spricht deshalb von in-
frarot(in)aktiven u. raman(in)aktiven Bindungen.
Beide Meth. ergänzen einander, u. bei beiden können
in bestimmten Fällen aus der Überlagerung von *Ro-
tations- u. Schwingungsspektren (z. B. im FIR) *Rota-
tionsschwingungsspektren hervorgehen.
Konventionelle IR-Spektrometer bestehen im wesentlichen aus Lichtquelle, Monochromator, Empfänger
sowie Registrier- u. Auswerteeinheit. Als Lichtquelle
(IR-Quelle, Strahler) werden *Nernststifte (hochschmelzende Stäbchen aus 85% ZrO_2 u. 15% Y_2O_3),
Nichromwendeln od. Globare (SiC-Stab) bei Temp.
von 1200–1600 °C verwendet. Die Spektrometer
(Strahlengang s. Abb. 2) werden in der Regel als Zwei-
strahlgeräte betrieben. Das von der Lichtquelle ausgesandte Licht wird durch ein Spiegelsyst. in zwei Strahlen zerlegt, in einen Meß- u. einen Referenzstrahl.
Beide Strahlen fallen danach auf einen mit einer Frequenz von ca. 5 Hz rotierenden Sektorspiegel, der Ver-

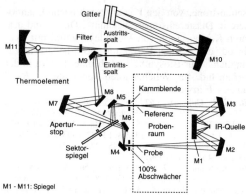

M1 - M11: Spiegel

Abb. 2: Schemat. Strahlengang eines Gitter-IR-Spektrometers.

gleichs- u. Meßstrahl zeitlich nacheinander auf den
Eintrittsspalt des *Monochromators reflektiert. Der
Monochromator zerlegt die Lichtstrahlen, wobei das
Spektrum durch Drehen der Gitter auf den Austritts-
spalt abgebildet wird. Als Empfänger dient z. B. ein
empfindliches *Thermoelement, dessen Verstärker auf
Nullabgleich bei gleicher Intensität von Meß- u. Re-
ferenzstrahl geschaltet ist. Absorbiert nun die Probe
Energie, entsteht ein Strom, der über einen Motor eine
Kammblende so in den Referenzstrahl einführt, bis
gleiche Intensität von Meß- u. Referenzstrahl wieder
hergestellt ist. Die Stellung der Kammblende kann als
Maß für die Absorption über die Registriereinheit ausgewertet werden.

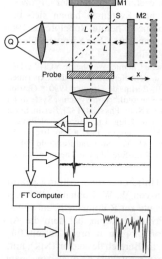

Abb. 3: Prinzip eines FT-IR-Spektrometers (nach *Lit.*[3]). Es
bedeuten: Q = Lichtquelle; D = Detektor; A = Verstärker; M1 =
fester Spiegel; M2 = beweglicher Spiegel.

Die konventionellen IR-Spektrometer werden in zunehmendem Maße durch Fourier-Transform-(FT)-IR-
Spektrometer verdrängt. Abb. 3 zeigt das Prinzip eines derartigen Gerätes. Das Herzstück des FT-IR-Spektrometers ist das *Michelson-Interferometer. Der
Breitband-IR-Strahl einer therm. Quelle (Q) trifft auf
einen Strahlteiler (S), der im Idealfall die Hälfte des
Strahles durchläßt u. die andere Hälfte reflektiert. Der
reflektierte Teil wird nach Durchlaufen einer Distanz

L vom festen Spiegel (M1) wieder auf den Strahlteiler reflektiert. Der durchgelassene Teil durchläuft eine Strecke gleicher Länge u. trifft auf einen beweglichen Spiegel (M2), der sich entlang seiner opt. Achse zusätzlich um die Strecke x bewegt. Die vom Strahlteiler nach der Reflexion vereinigten kohärenten Strahlen haben einen Gangunterschied von $\Delta = 2$ x u. interferieren. Der von der Bewegung des Spiegels modulierte Strahl durchläuft die Probe u. wird auf den Detektor (D) fokussiert. Dort wird das Interferogramm registriert. Durch einen mathemat. Prozeß, die *Fourier-Transformation, erhält man ein Einstrahlspektrum u. durch Vergleich mit dem Referenzspektrum (Untergrund) das analoge Spektrum wie von dispersiven Geräten. Zwei Detektor-Typen werden hauptsächlich für FT-IR-Geräte für den mittleren IR-Bereich eingesetzt. Dies sind der Deutero-triglycin-sulfat (DTGS)-pyroelektr. Detektor u. der Quecksilber-Cadmium-Tellurid (MCT)-Photodetektor. Der DTGS-Typ, der bei Raumtemp. arbeitet u. einen großen Frequenzbereich abdeckt, ist der üblicherweise eingesetzte Detektor. Der MCT-Typ besitzt ein schnelleres Ansprechverhalten u. ist empfindlicher als der DTGS-Detektor. Da er aber mit flüssigem Stickstoff gekühlt werden muß u. zudem sowohl einen eingeschränkten Frequenz- als auch dynam. Bereich aufweist, ist er Spezialzwecken vorbehalten.

Die FT-IR-Spektrometer haben gegenüber den konventionellen Geräten eine Reihe von Vorteilen. Bei Gittergeräten wird die Strahlungsenergie als Funktion der sich durch den Monochromator kontinuierlich ändernden Wellenlänge aufgenommen. Dabei erreicht, in Abhängigkeit von der gewählten Auflösung, nur ein geringer Bruchteil (<0,1%) der ursprünglichen Lichtintensität den Detektor. Im FT-IR-Gerät dagegen erreichen alle von der Lichtquelle ausgesandten Frequenzen simultan den Detektor. Dies führt zu einem beträchtlichen Vorteil bezüglich Zeitersparnis u. zu einem großen Signal/Rausch-Verhältnis. Dieser Vorteil ist auch als Multiplex- (od. Fellgett's) Vorteil bekannt. Infolge der runden Aperturen mit großer Oberfläche gegenüber Spalten haben FT-IR-Geräte einen um Größenordnungen erhöhten Intensitäts- (od. Jacquinot's) Vorteil. Die Aufnahmezeit für ein Spektrum entspricht der Zeitspanne, die der bewegliche Spiegel im Interferometer benötigt, um seine Strecke zurückzulegen. Da sich der Spiegel sehr schnell bewegt, kann ein Spektrum innerhalb eines Bruchteils einer Sekunde aufgenommen werden. Mit Hilfe eines HeNe-Lasers kann die Position des beweglichen Spiegels u. damit die Wellenlänge sehr genau bestimmt werden (Connes' Vorteil).

Die am häufigsten bei Routine-Anw. eingesetzte Meth. ist die *Transmissions-Messung. Sie ist auf alle Arten von Proben anwendbar. Für Gase u. Flüssigkeiten benötigt man Küvetten mit IR-durchlässigen Fenstern (Dicke jeweils in Klammern) aus Glas (bis höchstens 2,5 µm), Quarz (bis 3 µm), Lithiumfluorid (bis 5,4 µm), Flußspat (bis 8 µm), Natriumchlorid (bis 15 µm), Kaliumbromid (10–15 µm), KRS-5 (Thalliumbromid u. -iodid, 15–40 µm) u. dgl. u. für feste Proben entsprechende Probenhalter. Für flüssige u. gelöste Proben gibt es eine große Variation an Küvettentypen, darunter beheizbare, Durchflußküvetten u.

solche mit variablem Lichtweg. Da die meisten Substanzen starke IR-Absorber sind, müssen solche Zellen einen kleinen (0,025–1 mm) opt. Lichtweg aufweisen. Sie sind daher aus zwei IR-transparenten Fenstern mit unterschiedlichen Spacern (Abstandshalter bei Küvetten) aufgebaut. Bei Gasen muß der Lichtweg sehr groß sein (20 cm bis km), da ihre IR-Absorption gering ist u. die zu messende Spezies oft nur einen Bruchteil des gesamten Gasvol. ausmacht. Für feste Proben eignet sich auch die Einbettungstechnik in Nujol od. Hexachlorbenzol sowie die Preßlingtechnik in KBr, das unter Druck (10 t/cm^2) sog. Kaltflüssigkeit zeigt, d. h. unter Druck glasartig durchsichtig wird. Proben, die für die Transmissions-Messung ungeeignet sind (Pasten, Beschichtungen von Oberflächen, Kunstfasern, wäss. Lsg.) lassen sich meist bequem mit der sog. ATR-Technik (E *a*ttenuated *t*otal *r*eflection = abgeschwächte Totalreflexion) untersuchen. Die Probe wird dabei auf einen Krist. mit hohem Brechungsindex aufgebracht (KRS-5, Germanium, AgCl). Die den Krist. unter ein- od. mehrmaliger Totalreflexion passierende IR-Strahlung wird nach Maßgabe der aufgebrachten Substanz Wellenlängen-abhängig geschwächt, wobei ein der Absorptionskurve sehr ähnliches Spektrum entsteht. Die ATR-Technik bildet auch die Grundlage einer raschen *Blutalkohol-Bestimmungs-Methode.

Bei der Transmissionsmessung passieren die IR-Strahlen der Lichtquelle (I_0) die Küvette, worin die Mol. der Substanz jeweils Strahlen von bestimmter Wellenlänge in bestimmten Prozentsätzen absorbieren, so daß ein Absorptionsspektrum zustande kommt, das für jede einzelne organ. Verb. mehr od. weniger charakterist. ist. Die vom Empfänger registrierte IR-Strahlungsabsorption (I) wird in eine Signalspannung von 10^{-7} bis 10^{-9} V umgewandelt, auf das 10^6- bis 10^9-fache verstärkt u. so umgeformt, daß in einem elektron. Registriergerät („Schreiber") die jeweilige IR-Durchlässigkeit der Substanz in Abhängigkeit von der Wellenlänge λ als Kurvenzug (IR-*Spektrum*) auf dem Registrierpapier (s. Registrieren) erscheint. Auf der Abszisse werden die Wellenlängen (bzw. deren Reziproke, die heute bevorzugten *Wellenzahlen v*) aufgetragen, die dazugehörige Ordinate gibt die Transmission (τ) an; die jeweiligen Absorptionswerte solcher photometr. Absorptionskurven sind auf ca. 1%, die Wellenzahlenangaben auf ca. ±0,02% genau. Man registriert IR-Spektren im allg. wie in Abb. 4 wiedergegeben. Dabei wird der Wellenzahlbereich 400–2000 cm^{-1} (diese Dimension wurde früher auch *Kayser genannt) linear gedrängt dargestellt. Von seiten der IUPAC sind Vorschläge zur Vereinheitlichung der Messung u. Auswertung (insbes. für Dokumentationszwecke) u. der Veröffentlichung gemacht worden [4].

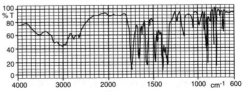

Abb. 4: IR-Spektrum von 4-Nitrobiphenylcarbonsäure in KBr (nach *Lit.*[5]).

Verw.: Beim Vgl. zahlreicher IR-Spektren zeigte sich, daß bestimmte funktionelle Gruppen (z. B. C=O, =CH₂, –C=C–, C–Cl, C≡N usw.) immer wieder (auch wenn sie in ganz verschiedenen Verb. vorkommen) an der gleichen od. annähernd gleichen Stelle des IR-Spektrums gleiche Absorptionen aufweisen. So zeigen z. B. die Carbonylgruppen-haltigen Aldehyde, Ketone, Ester u. Carbonsäuren alle bei einer Wellenzahl von 1700 cm⁻¹ (≈6 µm) starke Absorption. Wenn also bei einer chem. reinen, in ihrer Struktur noch unbekannten organ. Verb. das IR-Spektrum in der Gegend um 1700 cm⁻¹ starke Absorption zeigt, darf man annehmen, daß in der Verb. ein Aldehyd, Keton, Ester od. eine organ. Säure vorliegt. Entsprechendes gilt für alle übrigen, in der Tab. aufgeführten Gruppen. Die IR-S. ist somit ein wichtiges Hilfsmittel sowohl bei der *Konstitutions-Ermittlung von organ. Verb. als auch bei der *Identifizierung u. Reinheitsprüfung, wozu sich der Vgl. mit bekannten IR-Spektrensammlungen anbietet. Erleichtert wird dieser Vgl. durch Rechner, die Softwarepakete mit wirkungsvollen Such- u. Bibliotheksfunktionen enthalten. Sie gestatten auch den Aufbau eigener Spektrenbibliotheken. Quant. Analysen über Eichkuren sind ebenso möglich wie qual. Analysen durch Spektrenvgl. u. Spektrensubtraktion. Vielseitige mathemat. Funktionen erleichtern die Datenverarbeitung. Schließlich übernimmt der Rechner die Steuerung des Spektrometers u. den Datentransfer.

Bei chem. Umsetzungen kann man durch IR-Messungen nicht isolierbare Zwischenprodukte nachweisen u. so den Reaktionsverlauf klarstellen. Auch Mischungen u. Verunreinigungen lassen sich in geeigneten Fällen mit der IR-S. erkennen. Die IR-S. hat bei der Erforschung von Naturstoffen u. Zwischenprodukten, bei der Betriebskontrolle von Gemischen u. Reinchemikalien u. allg. bei der Routineanalyse so ausgezeichnete Dienste geleistet, daß sie aus dem heutigen Laboratorium nicht mehr wegzudenken ist. Spezielle Anw. findet die IR-S. in der *Gasanalyse, da die handlichen u. z. T. als Einstrahlgeräte eingesetzten Spektrometer, die meist eine sog. *nichtdispersive* Technik benutzen (NDIR), mehrere Gase nebeneinander quant. bestimmen können. Neben den Laborgasanalysen hat die Transmissions-Gasphasen-Spektroskopie Bedeutung gewonnen bei der Charakterisierung von Luftverunreinigungen, bei Rauchgas- u. Abgas-Messungen von Verbrennungs-Kraftmaschinen sowie bei der Beurteilung der Luftqualität an Arbeitsplätzen. Ein weiteres Einsatzgebiet für die IR-S. stellt die *Atemalkohol-Analyse* dar. Die IR-S. läßt sich auch mit anderen Analysemeth. koppeln, als Detektor z. B. in der Gaschromatographie (s. Kopplungstechniken). FT-IR-Spektrometer enthalten anstatt eines Dispersionsmittels Interferometer. Demgegenüber benutzt die sog. *Hadamard-Transform-Spektroskopie* (HTS, *Hadamard-Spektroskopie*, nach J. S. Hadamard, einem franzö. Mathematiker, 1865–1963) zwar einen Monochromator, macht die Dispersion jedoch wieder rückgängig[6]. Speziellen Anw. dient die IR-S. im *Nahen* (NIR-Spektroskopie) bzw. im *Fernen Infrarot* (FIR-Spektroskopie); die erstere (13000–4000 cm⁻¹ = 0,76–2,5 µm) erfaßt die Oberschwingungen der Grundschwingungen, die in letzter Zeit stärker beachtete FIR-Spektroskopie (400–20 cm⁻¹ = 2,5–500 µm) weist *Rotations-Übergänge der Mol. nach. Sie liefert ferner Informationen z. B. über *Wasserstoffbrückenbindungs-Syst. (intermol. Schwingungen) sowie über Verb., die relativ schwere Atome enthalten (intramol. Valenz- u. Deformationsschwingungen). Im elektromagnet. Spektrum schließt sich an das FIR das Gebiet der *Mikrowellen an (s. *Mikrowellen-Spektroskopie*). In vielen Fällen ist die *Raman-Spektroskopie eine notwendige Ergänzung zur IR-Spektroskopie. – *E* IR spectroscopy – *F* spectroscopie I.R – *I* spettroscopia infrarossa – *S* espectroscopia infrarroja

Lit.: [1] Otto, Analytische Chemie, S. 255, Weinheim: VCH Verlagsges. 1995. [2] Pachler, Matlok u. Gremlich, in Merck (Hrsg.), Merck-FT-IR-Atlas, Weinheim: VCH Verlagsges. 1988. [3] Ullmann (5.) **B** 5, 431. [4] Pure Appl. Chem. **50**, 231–236 (1978). [5] Klemmer, Infrarot-Spektroskopie, S. 74, Stuttgart: Franckh 1969. [6] Anal. Chem. **61**, 723 A (1989). *allg.:* Günzler u. Heise, IR-Spektroskopie, Weinheim: VCH Verlagsges. 1996 ▪ Schrader (Hrsg.), Infrared and Raman Spectroscopy, Weinheim: VCH Verlagsges. 1995 ▪ Ullmann (5.) **B** 5, 429–469.

IR-Strahlung s. Infrarotstrahlung.

Irtan® (Rp). Nasenspray u. Augentropfen mit dem Antiallergikum *Nedocromil. *B.:* Fisons/Rhône Poulenc Rorer.

Iruxol® (Rp). Salbe mit *Clostridium histolyticum*-*Collagenase u. *Chloramphenicol zur enzymat. Wundreinigung u. vor Hauttransplantationen. *B.:* Knoll.

Irvine, Sir James Colquhoun (1877–1952), Prof. für Chemie, Univ. St. Andrews, Schottland. *Arbeitsgebiete:* Kohlenhydrate, speziell Polysaccharide, Strukturbestimmung bei Cellulose, Inulin, Stärke, Zuckern.
Lit.: Irvine, The Avenue of Years – A Memoir of Sir James Irvine, Edinburgh: Blackwood 1970 ▪ J. Chem. Soc. **1954**, 476–491.

Isaacs, Alick (1921–1967), Prof. für Medizin, London. *Arbeitsgebiete:* Virologie, Bakteriologie, Entdeckung des *Interferons (zusammen mit J. *Lindenmann, 1956).
Lit.: Neufeldt, S. 256.

I-Säure. Zur Gruppe der *Buchstabensäuren zählende Naphthylaminsulfonsäure, s. Naphtholsulfonsäuren.

ISAF-Ruße (von engl.: *intermediate super abrasion furnace black*). Internat. Typenbez. für Ofen-*Ruß hoher Abriebfestigkeit, vornehmlich eingesetzt in *Gummi-Mischungen für Laufflächen von Autoreifen. – *E* ISAF carbon black – *F* noir de carbone ISAF – *I* nerofumo di fornace di super abrasione – *S* negros de humo ISAF
Lit.: Hofmann, Kautschuk-Technologie, S. 340, Stuttgart: Gentner 1980.

Isatin (1*H*-Indol-2,3-dion, 2,3-Indolindion).

$C_8H_5NO_2$, M_R 147,13. Orangerote Prismen, Schmp. 204 °C, subl., lösl. in Benzol, in kaltem Wasser wenig, in heißem Wasser besser. I. entsteht bei der Oxid. von *Indigo mit Salpetersäure od. Chromsäure (neben

*Isatosäureanhydrid); seine Red. verläuft je nach dem Reduktionsmittel über die Zwischenstufen Dioxindol u. Oxindol bis zum Indol.
Verw.: Küpenfarbstoff, Reagenz auf Kupfer-Ionen, Thiophen (*Baeyer-Test unter Bildung von Indulinen), Thiole u. Indican. Zur Herst. von Diphesatin, Oxyphenisatin, Triacetyloxyphenisatin u. a; früher in Laxantien verwendet I.-Derivate werden heute wegen leberschädigender Wirkung nicht mehr eingesetzt. – *E* isatin – *F* isatine – *I* = *S* isatina
Lit.: Beilstein E V **21/10**, 221 ▪ Henning, Die Leberschädigung durch Phenolisatine, Stuttgart: Thieme 1978 ▪ Katritzky-Rees **4**, 77 f. ▪ Merck-Index (12.), Nr. 5116 ▪ Moeschlin, Klinik u. Therapie der Vergiftungen, S. 387, Stuttgart: Thieme 1986. – *[HS 2933 79; CAS 91-56-5]*

Isatosäureanhydrid   [2*H*-3,1-Benzoxazin-2,4(1*H*)-dion].

$C_8H_5NO_3$, M_R 163,13. Hellgelbliche Krist., Schmp. 233 °C (Zers.), in verd. Laugen leicht lösl.; Berührung von Augen u. Haut ist zu vermeiden, Dämpfe sollten nicht eingeatmet werden; wassergefährdender Stoff, WGK 1 (KBWS). Das auf verschiedenen Wegen zugängliche I. dient als Zwischenprodukt z. B. zur Herst. von Pflanzenschutz- u. Schädlingsbekämpfungsmitteln, Pharmazeutika, Farbstoffen, Riechstoffen u. Korrosionsinhibitoren. – *E* isatoic anhydride – *F* anhydride isatoïque – *I* anidride isatoico – *S* anhídrido isatoico
Lit.: Adv. Heterocycl. Chem. **28**, 127–182 (1981) ▪ Beilstein E V **27/13**, 72 ▪ Katritzky-Rees **3**, 1029 ▪ Paquette **4**, 2893. – *[HS 2934 90; CAS 118-48-9]*

Isazophos.

Common name für *O*-(5-Chlor-1-isopropyl-1*H*-1,2,4-triazol-3-yl)-*O*,*O*-diethyl-thiophosphat, $C_9H_{17}ClN_3O_3PS$, M_R 313,74, Sdp. 100 °C (0,133 Pa), LD$_{50}$ (Ratte oral) 60 mg/kg (WHO), von Ciba-Geigy entwickeltes *Nematizid u. *Insektizid mit system. Wirkung gegen Schädlinge im Bananen-, Mais-, Gemüse-, Zier- u. Sportrasenbau. – *E* = *F* = *I* = *S* isazofos
Lit.: Farm ▪ Perkow ▪ Pesticide Manual. – *[HS 2933 90; CAS 42509-80-8]*

ISBN. Abk. für *I*nternat. *S*tandard-*B*uch*n*ummer (seit 1973), bei der nach internat. Vereinbarung eine Codierung aller Bücher nach Landes- (3 für BRD), Verl.-, Artikelnummer u. Reihenschlüssel erfolgt.

ISC. Abk. für *intersystem crossing.

Iscador®. Ampullen mit wäss. Auszügen aus *Misteln, die nach anthroposoph. Ansicht gegen Geschwulste wirken sollen. *B.*: Weleda.

Ischämie s. Xanthin-Oxidase.

ISDN. Abk. für *Isosorbid-dinitrat.

IS-Elemente s. Insertionssequenzen.

Isenthalpe. In funktionellen Darst. (z. B. *Zustandsdiagrammen) Bez. für eine Kurve, längs derer die *Enthalpie H = U + p · dV konstant u. der Druck als Funktion der Temp. aufgetragen ist. Beim *Joule-Thomson-Effekt entspannt man komprimierte Gase „auf der I." (*isenthalp. Drosseleffekt*). – *E* = *F* isenthalpe – *I* isoenthalpa – *S* isentalpa

Isentrope s. Adiabate.

Isethionate s. Isethionsäure.

Isethionsäure (2-Hydroxyethansulfonsäure). $HO–CH_2–CH_2–SO_3H$, $C_2H_6O_4S$, M_R 126,13. Farblose, sirupöse, stark saure Flüssigkeit, bildet über konz. Schwefelsäure eine stark hygroskop. Krist.-Masse, mischbar mit Wasser u. Alkohol. Mit organ. Basen bildet I. gut kristallisierende Salze, die v. a. in Pharmazeutika verwendet werden (internat. Freiname: *Isethionate*). – *E* isethionic acid – *F* acide iséthionique – *I* acido isetionico – *S* ácido isetiónico
Lit.: Beilstein E IV **4**, 84. – *[HS 2905 50; CAS 107-36-8]*

ISFET. Abk. für *Ionenselektive Feldeffekt-Transistoren.

ISH s. Institut für Strahlenhygiene.

Ishwaran.

$C_{15}H_{24}$, M_R 204,36, Öl, Sdp. (133 Pa) 80–82 °C, $[\alpha]_D$ –40° ($CHCl_3$). I. ist ein tetracycl. Sesquiterpen aus den Wurzeln der Indischen Osterluzei (*Aristolochia indica*). Es kommt auch in hydroxylierter Form in der Pflanze vor: *Ishwarol*, $C_{15}H_{24}O$, M_R 220,35, Sdp. 110 °C (133 Pa). – *E* = *I* ishwarane – *S* ishwarana
Lit.: Ap Simon **5**, 492–498. – *Isolierung*: Tetrahedron **26**, 2371 (1970). – *Synth.*: Can. J. Chem. **50**, 5455 (1972); **58**, 2613 (1980) ▪ J. Chem. Soc., Chem. Commun. **1977**, 587, 880. – *[CAS 26620-70-2 (I.); 28957-57-5 (Ishwarol)]*

ISI. Abk. für *I*nstitute for *S*cientific *I*nformation mit Sitz in Philadelphia, Pennsylvania, USA. ISI, gegr. 1958, betreibt die Erfassung, Auswertung u. Verbreitung von Informationen v. a. aus dem naturwissenschaftlichen Bereich. Die Publikationen von ISI enthalten aktuelle Informationen zu den einzelnen Fachgebieten u. zu multidisziplinären Bereichen. Darüber hinaus werden retrospektive Suchmöglichkeiten geboten, mit denen zitierte Lit.-Referenzen verfolgt werden können. Hierdurch kann man feststellen, in welchen Publikationen bestimmte Arbeiten zitiert werden. Die Arbeitsgebiete von ISI umfassen die folgenden Sachgebiete: Biowissenschaften, klin. Medizin, Physik u. Chemie, Landwirtschafts- u. Ernährungswissenschaften, Ingenieurwissenschaften u. Technologie, Sozialwissenschaften u. Verhaltensforschung.
ISI gibt eine Vielzahl von Produkten heraus, u. a. eigene Buchreihen, einzelne Bücher, Newsletters u. Datenbanken (CD-ROM, INTERNET u. ONLINE). Zu den wichtigsten Buchreihen zählen *Current Contents (CC), *Science Citation Index (SCI), *Current Ab-

stracts of Chemistry and Index Chemicus (CAC & IC) u. Current Chemical Reactions (CCR). Als Datenbanken werden u. a. angeboten: SciSearch (u. a. verfügbar über die Online Hosts DIALOG u. Data-Star), Current Chemical Reactions (CCR) u. Index Chemicus Online. – INTERNET-Adresse: http://www.isinet.com

Isländischer Doppelspat s. Calcit.

Isländisches Moos. Dtsch. Name für *Cetraria islandica* (Cetra riaceae = Moosflechten), eine *Flechte (kein *Moos) aus nördlichen Ländern, die von Island, Norwegen u. Schweden exportiert wird. Aus der gepulverten Flechte lösen sich etwa 50 Gew.-% beim Kochen mit stark verd. Natriumhydrogencarbonat-Lsg., u. beim Abkühlen der Lsg. entsteht eine Gallerte. Der Extrakt besteht aus einem Polysaccharid-Gemisch von *Lichenin u. Isolichenin, einer Reihe von bitter schmeckenden Flechtensäuren (Fumarprotocetrar-, Protocetrar- u. Cetrarsäure) sowie *Protolichesterinsäure* ($C_{19}H_{32}O_4$, M_R 324,46) die sich bei der Aufar-

$H_3C-(CH_2)_{12}$ ... Protolichesterinsäure   Lichesterinsäure

beitung in *Lichesterinsäure* ($C_{19}H_{32}O_4$, M_R 324,46) umwandelt, u. *Usninsäure als antibiot. wirkendem *Flechten-Farbstoff.

Verw.: Als Schleimdroge bei Heiserkeit u. Husten, als Bittertonikum, äußerlich bei schlecht heilenden Wunden, zu kosmet. Präp., Haarfixiermitteln, Zusatz zu Biskuitmehl u. dgl. – *E* Iceland moss – *F* lichen d'Islande – *I* musco d'Islanda – *S* liquen de Islandia *Lit.:* Bundesanzeiger 43/02.03.1989 ▪ Hager (5.) **4**, 790–795 ▪ Wichtl (3.), S. 343 f. – *[HS 1211 90]*

Isla-Moos®. Husten- u. Bronchitis-Pastillen mit Extrakt aus *Isländischem Moos; Isla-Mint zusätzlich mit Pfefferminz-Öl. *B.:* Engelhard.

Islandicin (1,4,5-Trihydroxy-2-methylanthrachinon).

(Struktur)   R = H   : Islandicin   R = OH : 7-Hydroxy-I.

$C_{15}H_{10}O_5$, M_R 270,24, dunkelrote, glänzende Plättchen, Schmp. 220–221 °C. Octaketid aus dem Mycel von *Penicillium islandicum* mit antibiot. Eigenschaften. Es kommt auch in der Hülsenfrucht *Cassia occidentalis* (Schmetterlingsblütler) sowie in *Asahinea chrysanta* vor. Das 3-Hydroxy-I. ($C_{15}H_{10}O_6$, M_R 286,24, rote Krist., Schmp. 233 °C) kommt in *Helminthosporium* u. a. Fungi imperfecti sowie in der Wurzelrinde von *Ventilago calyculata* vor. – *E* islandicin – *F* islandicine – *I* = *S* islandicina *Lit.:* Turner **1**, 158; **2**, 515 ▪ Zechmeister **51**, 125. – *Biosynth.:* J. Org. Chem. **43**, 1627 (1978) ▪ Justus Liebigs Ann. Chem. **1981**, 2106–2247. – *Isolierung:* Beilstein E IV **8**, 3572 ▪ Karrer, Nr. 1278. – *Synth.:* Can. J. Chem. **62**, 1922 (1984) J. Chem. Soc., Chem. Commun. **1981**, 108 ▪ J. Org. Chem. **48**, 5373 (1983); **50**, 5433 (1985). – *[CAS 476-56-2 (I.); 8970-80-4 (3-Hydroxy-I.)]*

Isler-Stickelberger, Otto (geb. 1910), Direktor bei Hoffmann-La Roche, Basel (seit 1975 pensioniert). *Ar-*

beitsgebiete: Synth. von Vitamin A, E, K_1 u. K_2, von Carotinoiden, Ubichinonen u. verwandten Verb., Stereochemie, techn. Naturstoffsynth., Lebensmittelfarbstoffe. *Lit.:* Chimia **43**, 162 (1989) ▪ Kürschner (16.), S. 1588 f.

ISMA. Abk. für *Ionenstrahlmikroanalyse.

Ismo® (Rp). Tabl. mit *Isosorbid-mononitrat gegen Herzkranzgefäß-Erkrankungen.   *B.:*   Boehringer-Mannheim.

IS 5 mono-ratiopharm® (Rp). Tabl. u. Retardkapseln mit *Isosorbid-mononitrat gegen coronare Herzkrankheiten, zur Prophylaxe von Angina-pectoris-Anfällen. *B.:* Ratiopharm.

Iso. . . (griech.: ísos = gleich). Vorsilbe zur Bez. der Gleichheit einer Eigenschaft; *Beisp.:* Isomerie, Isotop, Isobare, vgl. die folgenden Stichwörter. Als Vorsilbe in den Namen von chem. Verb. drückt Iso. . . aus, daß es sich um ein *Isomeres* (*Isomerie) zu einer Verb. gleicher Bruttoformel handelt, deren Name hieran anschließt; *Beisp.:* Die Isocyansäure (O=C=NH) ist ein Isomeres der Cyansäure (HO–C≡N), Isoephedrin ist ein Epimeres des Ephedrins, Isomenthol ein Diastereomeres des Menthols, Isocrotonsäure ein Stereoisomeres der Crotonsäure, Isoeugenol ein Doppelbindungsisomeres des Eugenols, Isophthalsäure bzw. Isochinolin sind Stellungsisomere von Phthalsäure bzw. Chinolin. Wegen dieses unspezif. Gebrauchs der Vorsilbe sollten keine weiteren Benennungen unter Verw. von Iso. . . (über die von der IUPAC für einige Trivialnamen sanktionierten Fälle hinaus) vorgenommen werden. Nach IUPAC-Regeln A-2.1, A-2.25 u. R-9.1.19 sind nur noch die folgenden Namen zulässig, u. das auch nur für die unsubstituierten Kohlenwasserstoffe bzw. deren Reste: Isobutan, Isopentan u. Isohexan. Ferner ist noch Isopropyl. . . als Name der Gruppe ($H_3C)_2CH$– zulässig.

$H_3C–CH–R$ (CH$_3$)   R = CH_3 : Isobutan   R = $CH_2–CH_3$: Isopentan   R = $CH_2–CH_2–CH_3$: Isohexan

In jedem Fall wird das Präfix Iso. . . bei der alphabet. Einordnung berücksichtigt; der frühere Gebrauch von *i*-, der die Einordnung beim Stammnamen vorsah (z. B. *i*-Pentan bei Pentan), ist von der IUPAC aufgegeben worden. Manche Autoren u. Chemikalienkataloge verfahren hier anders. In Kurzz. von Weichmachern u. von Polymeren kann Iso. . . durch I abgekürzt sein [s. I (2.)]. – *E = F = I = S* iso. . .

ISO. Abk. für die 1926 als ISA u. 1946 neu gegr. International Organization for Standardization mit Sitz in 1, Rue de Varembé, CH-1211 Genève 20. Seit 1951 gehört das *DIN (früher: Dtsch. Normenausschuß, DNA) der ISO an. Ziel u. Zweck der Organisation, der Anfang 1997 nat. *Normungs-Organisationen aus über 100 Ländern angehörten, ist „die Förderung der Ausarbeitung von Normen in der Welt, um den internat. Austausch von Gütern u. Dienstleistungen zu erleichtern u. eine Zusammenarbeit auf intellektuellem, wissenschaftlichem, technolog. u. wirtschaftlichem Gebiet zu entwickeln". Das Arbeitsgebiet der ISO umfaßt alle Bereiche der Normung mit Ausnahme von Elektrotechnik u. Elektronik, für die die IEC zuständig ist.

ISO u. IEC bilden gemeinsam ein einheitliches internat. Normungssyst. – der Welt größtes nichtstaatliches Syst. für freiwillige industrielle u. techn. Zusammenarbeit auf internat. Ebene. Der ISO-Katalog enthält mehr als 10 000 bisher veröffentlichte internat. Normen (1997). Die Arbeit der ISO wird von 212 techn. Komitees durchgeführt, auf dem Chemiesektor z. B. im ISO/TC 47 (Technical Committee). *Publikationen:* ISO Catalogue (jährlich), ISO Memento (jährlich), ISO Bulletin (monatlich), ISO International Standards, ISO Standards Handbooks and Comendia, ISO 9000 News. – INTERNET-Adresse: http://www.iso.ch

Isoalkane s. Alkane.

Isoalkene s. Alkene.

Isoalloxazin.

Isomeres des *Alloxazins, $C_{10}H_6N_4O_2$, M_R 214,18. In der Natur sind Derivate des I., v.a. von dessen *Flavin genanntem 7,8-Dimethyl-Derivat, weit verbreitet, z. B. *Flavin-adenindinucleotid, *Lumiflavin, *Riboflavin. – *E* = *F* = *I* isoalloxazine – *S* isoalloxazina

Lit.: Helv. Chim. Acta **60**, 348–379 (1977); **62** 593–608 (1979) ▪ Nuhn, Chemie der Naturstoffe (2.), Berlin: Akademie 1990. ▪

Isoaminil (Rp).

Internat. Freiname für das *Antitussivum (±)-4-Dimethylamino-2-isopropyl-2-phenylvaleronitril, $C_{16}H_{24}N_2$, M_R 244,38, Sdp. 138–146 °C (400 Pa); λ_{max} (0,1 M HCl): 268 nm ($A_{1cm}^{1\%}$ 20). Verwendet wird auch das Dihydrogencitrat, Schmp. 63–64 °C. I. wurde 1959 u. 1960 von Kali-Chemie patentiert. – *E* = *F* = *I* isoaminile – *S* isoaminilo

Lit.: ASP ▪ Hager (5.) **8**, 596 f. – *[HS 2926 90; CAS 77-51-0 (I.); 28416-66-2 (Citrat)]*

Isoamyl... Veraltete Bez. für *Isopentyl...

Isoascorbinsäure [(*R*)-5-((*R*)-1,2-Dihydroxyethyl)-3,4-dihydroxy-5*H*-furan-2-on, Isovitamin C, Erythorbinsäure].

$C_6H_8O_6$, M_R 176,13. Glänzende Krist., Zers. 174 °C, lösl. in Wasser, Alkohol, Pyridin. L-I. ist ein Epimeres der L-*Ascorbinsäure u. besitzt zwar deren *Redukton-Eigenschaften, aber nur 5% der Vitamin-C-Aktivitäten.
Verw.: Als Antioxidans für Lebensmittel, z. B. zur Verhütung von Geschmacksveränderungen als Bier-Zusatz od. für verpackte Fleischwaren u. Tiefkühlfrüchte. – *E* isoascorbic acid – *F* acide isoascorbique – *I* acido isoascorbico – *S* ácido isoascórbico

Lit.: Beilstein E V **18/5**, 26. – *[HS 2932 29; CAS 89-65-6]*

Isobare (von griech.: baros = Schwere, Gewicht).
1. (Singular: Isobar, das; Plural: Isobare): In der Kernphysik Bez. für *Nuklide, deren Atomkerne gleiche Massenzahl (also gleiche Anzahl von *Nukleonen), dagegen verschiedene Ordnungszahlen u. damit unterschiedliche Anzahlen an Protonen (u. somit auch an Neutronen) haben; *Beisp.:* $^{17}_7N$, $^{17}_8O$ u. $^{17}_9F$. Die beiden letzteren nennt man auch *Spiegelkerne* ($^{17}_8O$ mit 8 Protonen u. 9 Neutronen bzw. $^{17}_9F$ mit 9 Protonen u. 8 Neutronen). Die Stabilität der I. wird in der *Mattauchschen Regel formuliert.
2. (Singular: Isobare, die; Plural: Isobaren): In funktionellen Darst. (z. B. *Zustandsdiagrammen) Bez. für eine Kurve, längs derer der Zahlenwert für den Druck konstant bleibt. Die I. verbindet z. B. die – bei einem bestimmten Druck – bei *Zustandsänderungen einander zugeordneten Werte von Vol. u. Temp. eines Gases miteinander (s. a. Hauptsätze), wobei gilt: $V = V_o(1 + \alpha \cdot t)$ mit $\alpha = 1/273,15$ Grad^{-1} u. t = Temp. in Grad Celsius. – *E* 1. isobar, 2. isobars – *F* 1. isobare, 2. isobares – *I* isobara – *S* 1. isobara, 2. isóbaros

Isobenzofuran (Benzo[*c*]furan).

C_8H_6O, M_R 118,14. Farblose, sehr unbeständige Krist., Schmp. ca. 20 °C, Isomeres des *Benzofurans. Über eine *Retro*-Dien-Synth. zur Herst. von I. s. *Lit.*[1]. Isobenzofurane werden als die reaktivsten bekannten Diels-Alder-Diene beschrieben. Von präparativer Bedeutung ist *1,3-Diphenylisobenzofuran* ($C_{20}H_{14}O$, M_R 270,34, Schmp. 128–130 °C), ein hochreaktives Dien. Es ist geeignet zum Abfangen von instabilen Dienophilen als Diels-Alder-Addukte; weiterhin ist es ein nützliches Reagenz zur Synth. von polyaromat. Verbindungen. – *E* isobenzofuran – *F* isobenzofurane – *I* = *S* isobenzofurano

Lit.: [1] J. Chem. Soc., Chem. Commun. **1972**, 347. *allg.:* Adv. Heterocycl. Chem. **26**, 135 ff. (1980) ▪ Beilstein E V **17/2**, 17 ▪ Heterocycles **9**, 865–901 (1978) ▪ Paquette **4**, 2223. – *[HS 2932 99; CAS 270-75-7 (I.); 5471-63-6 (1,3-Diphenylisobenzofuran)]*

Isoblausäure s. Blausäure u. Isocyanide.

Isoborneole (2*exo*-Bornanol).

(+)-Isoborneol

$C_{10}H_{18}O$, M_R 154,25, Stereoisomere der Borneole (+)-(1*S*)- u. (–)-(1*R*)-I., Schmp. 212–214 °C, $[\alpha]_D$ ±33° bis ±34°, kommen in der Natur nur vereinzelt vor, sie sind lösl. in Alkohol u. Ether, unlösl. in Wasser. I. entstehen durch Red. von Campher, Schmp. des Racemats 210–215 °C.
Verw.: I. u. ihre acetylierten Derivate werden wie die *Borneole zur Herst. von Kosmetika mit Fichtennadelgeruch verwendet. – *E* = *S* isoborneol – *F* isobornéol – *I* isoborneolo

Lit.: Beilstein E IV **6**, 282 ▪ Merck-Index (12.), Nr. 5143 ▪ Ullmann (5.) **A 11**, 171. – *[HS 2906 19; CAS 16725-71-6 ((+)-I); 10334-13-1 ((–)-I.)]*

Isobornylacetat (2-*exo*-Bornylacetat).

$C_{12}H_{20}O_2$, M_R 196,29. Farblose, wasserklare, fichtennadelähnlich riechende Flüssigkeit, Racemat: D. 0,991, Schmp. 29 °C, Sdp. 220–224 °C, mäßig lösl. in 60%igem Alkohol. Kontakt mit der Flüssigkeit bewirkt Reizung der Augen u. leichte Reizung der Haut; bei Aufnahme durch den Mund Erregungszustände u. narkot. Wirkung. Das Handelsprodukt ist mind. 94%ig (D. 0,978–0,984), empfindlich gegen Licht, Luft, Alkali; es wird im Körper zu *Borneol gespalten.
Verw.: I. wird in Riechstoffkompositionen verwendet (für Badepräp., Seifenparfüms, Desodorantien, Sprays, Bohnerwachs usw.). I. ist ein Zwischenprodukt der Campher-Synthese. – *E* isobornyl acetate – *F* acétate d'isobornyle – *I* acetato di isobornile – *S* acetato de isobornilo
Lit.: Beilstein E IV **6**, 282 ▪ Hommel, Nr. 456 ▪ Ullmann (4.) **20**, 228; (5.) **A 11**, 177. – *[HS 2915 39; CAS 125-12-2; G 3]*

Isobornylchlorid.

$C_{10}H_{17}Cl$, M_R 172,70, Krist. aus Pentanol, Schmp. 161,5 °C. I. ist lösl. in Ether, Petrolether, weniger in Alkohol. – *E* isobornyl chloride – *F* chlorure d'isobornyle – *I* cloruro di isobornile – *S* cloruro de isobornilo
Lit.: J. Am. Chem. Soc. **63**, 1273 (1941). – *[CAS 6120-13-4]*

Isobutan s. Butan.

Isobuten (Isobutylen) s. Buten.

Isobuten-Isopren-Copolymer s. Butylkautschuke.

Isobutoxy... Nach IUPAC-Regeln C-205.1 u. R-9.1.26b Bez. für die unsubstituierte Gruppierung –O–CH₂–CH(CH₃)₂; vgl. Isobutyl...; Chemical Abstracts-Bez. (2-Methylpropoxy)... – *E* = *F* isobutoxy... – *I* isobutossi... – *S* isobutoxi...

Isobuttersäure s. Buttersäure.

Isobutyl... Nach IUPAC-Regeln A-2.25 u. R-9.1.19b Bez. für die Atomgruppierung –CH₂–CH(CH₃)₂; nur für den unsubstituierten Rest zu verwenden; Chemical Abstracts-Bez. (2-Methylpropyl)...; I.-Verb. sind in diesem Werk im allg. bei den Butyl-Verb. u. I.-Ester bei den Säuren abgehandelt (*Beisp.:* Isobutylacetat s. Essigsäurebutylester). – *E* = *F* isobutyl... – *I* = *S* isobutil...

Isobutylalkohol s. Butanole.

Isobutylamin s. Butylamine.

Isobutylbenzoat s. Benzoesäureisobutylester.

Isobutylbromid s. Butylbromide.

Isobutylchlorid s. Butylchloride.

Isobutyliden... Bez. für die Atomgruppierung =CH–CH(CH₃)₂; vgl. Isobutyl...

Isobutylidendiharnstoff [IBDU, 1,1-Diureidoisobutan, *N,N″*-(2-Methylpropyliden)bisharnstoff].

$$(H_3C)_2CH–CH \begin{matrix} NH–CO–NH_2 \\ NH–CO–NH_2 \end{matrix}$$

$C_6H_{14}N_4O_2$, M_R 174,20, Schmp. 207–208 °C. Der aus Harnstoff u. Isobutyraldehyd zugängliche I. dient als Langzeitdüngemittel. – *E* isobutylidenediurea – *F* isobutylidène-diurée – *I* = *S* isobutilidendiurea
Lit.: Ullmann (5.) **A 10**, 364. – *[HS 2924 10; CAS 6104-30-9]*

Isobutylnitrit. (H₃C)₂CH–CH₂–O–NO, $C_4H_9NO_2$, M_R 103,12. Farblose, mit Alkohol mischbare, mit Wasser zersetzliche Flüssigkeit, D. 0,8699, Sdp. 67 °C. I. wird aus Isobutylalkohol, Natriumnitrit u. verd. Schwefelsäure hergestellt u. dient als Nitrosierungs- u. Diazotierungsreagenz in der organ. Synthese. – *E* isobutyl nitrite – *F* nitrite d'isobutyle – *I* nitrito di isobutile – *S* nitrito de isobutilo
Lit.: Beilstein E IV **1**, 1595. – *[CAS 542-56-3]*

Isobutylsenföl s. Senföle.

Isobutylvinylether s. Vinylether.

Isobutyraldehyd s. Butyraldehyde.

Isobutyroguanamin s. Guanamine.

Isobutyryl... (2-Methylpropionyl...). Bez. für die Atomgruppierung –CO–CH(CH₃)₂ (IUPAC-Regeln C-404.1 u. R-9.1.28a); Chemical Abstracts-Bez.: (2-Methyl-1-oxopropyl)... – *E* = *F* isobutyryl... – *I* isobutirril... – *S* isobutiril...

***N*-Isobutyrylnorlolin** s. Loline.

Isocarboxazid (Rp).

Internat. Freiname für den *Monoaminoxidase-Hemmer *N′*-Benzyl-5-methyl-3-isoxazolcarbohydrazid, $C_{12}H_{13}N_3O_2$, M_R 231,25, Schmp. 105–106 °C; in heißem Wasser sehr schwer löslich. I. wurde 1959 von Hoffmann-La Roche patentiert. – *E* isocarboxazid – *F* = *I* isocarboxazide – *S* isocarboxazida
Lit.: Beilstein E V **27/15**, 36 ▪ Florey **2**, 295–314 ▪ Hager (5.) **8**, 599 f. – *[HS 2934 90; CAS 59-63-2]*

Isochinolin (Benzo[*c*]pyridin).

C_9H_7N, M_R 129,16. Farblose, nicht unangenehm riechende Flüssigkeit bzw. Krist., D. 1,091, Schmp. 26,5 °C, Sdp. 243 °C, unlösl. in Wasser. I. besitzt ziemlich stark bas. Charakter u. kommt in kleinen Mengen im Steinkohlenteer vor. Viele sog. *Isochinolin-Alkaloide sind Abkömmlinge des Isochinolins. Zur Herst. des I. u. seiner Derivate sind zahlreiche Synth. entwickelt worden, so z. B. die *Bischler-Napieralski-Reaktion, die modifizierte *Gabriel-Synthese u. die Pictet-Spengler-Reaktion.
Verw.: Zur Synth. von Farbstoffen, Insektiziden, Malariaheilmitteln u. a. Arzneimitteln (*Lit.*[1]), Vulkanisa-

tionsbeschleunigern usw. – *E* isoquinoline – *F* isoquinoléine – *I* isochinolina – *S* isoquinoleína

Lit.: [1] Negwer (6.), S. 1707.

allg.: Beilstein E V **20/7**, 333 ▪ Grethe, Isoquinolines (Chemistry of Heterocyclic Compounds 38/1), New York: Wiley 1981 ▪ Kirk-Othmer (3.) **19**, 556–572 ▪ Ullmann (4.) **9**, 312; (5.) A **22**, 467. – *[HS 2933 40; CAS 119-65-3]*

Isochinolin-Alkaloide. Die I.-A. stellen eine sehr große Gruppe von Alkaloiden dar, die gemäß ihrer Strukturvielfalt in verschiedene Untergruppen eingeteilt werden. I.-A. finden sich bis auf einige wenige Ausnahmen (Bakterien) in Pflanzen. Die Biosynth. des Isochinolin-Ringsyst. erfolgt in einer Art *Mannich-Reaktion aus 4-Hydroxy-phenethylamin u. (4-Hydroxyphenyl)brenztraubensäure, die beide aus Tyrosin gebildet werden. Es entstehen zunächst Norlaudanosolin u. Coclaurin als Schlüsselverb., von denen sich die anderen Alkaloide ableiten. Die strukturelle Vielfalt der I.-A. kommt u. a. durch die Möglichkeit der oxidativen Kupplung aufgrund der Anwesenheit phenol. Hydroxy-Gruppen sowohl am Isochinolin-Teil als auch am Benzyl-Rest zustande. Die wichtigsten I.-A.-Typen sind: *Benzylisochinolin*-Typ, *Protoberberin*-Typ, *Phthalidisochinolin*-Typ, *Pavin*-Typ, *Proaporphin*-Typ, *Aporphin*-Typ, *Thebain-Morphin*-Typ. Der Norlaudanosinmethylether *Reticulin ist eine weitere Schlüsselsubstanz für viele I.-A., unter anderem der Vorläufer der *Opium-Alkaloide des Thebain-Morphin-Typs.

Benzyl-I.-A.: *Laudanosin, Reticulin u. *Papaverin sind Beisp. für diese I.-A., die u. a. in Mohn (*Papaver*)-Arten vorkommen. Die *Bisbenzyl-I.-A.* entstehen durch Ether-Brücken-Bildung zweier Benzyl-I.-A.; die Zahl der Brücken variiert zwischen eins u. drei. Die Verknüpfung erfolgt zwischen den Isochinolin-Syst. (Kopf-Kopf) u. den Benzyl-Resten (Schwanz-Schwanz) bzw. umgekehrt. Eine enorme Strukturvielfalt ist die Folge, es sind über 200 Verb. bekannt. Im *Tubocurarin liegen zwei Ether-Brücken jeweils zwischen einem Benzyl-Rest u. dem Isochinolin-Teil (Kopf-Schwanz) des anderen I. vor. *Protoberberin-I.-A.:* Die *N*-Methyl-Gruppe der Benzyl-I.-A. ist bei diesem I.-A.-Typ mit dem Benzyl-Rest in *ortho*-Pos. verknüpft, so daß ein Syst. aus vier Sechsringen entsteht. Aus Reticulin entsteht auf diese Weise *Berberin, das durch die Erweiterung des Chromophors gelb gefärbt ist. Hierzu gehören auch die *Corynanthe-Alkaloide. *Phthalid-I.-A.:* Dieser Typ kommt v. a. in Papaveraceen vor. Hierzu gehört z. B. das *(–)-α-Narcotin, ein Hauptalkaloid des *Opiums sowie *Hydrastin. *Aporphin-I.-A.:* Sie sind nach den Bisbenzyl-I.-A. die zweitgrößte I.-A.-Gruppe (vgl. die Formeln bei Boldin). Sie kommen in zahlreichen Pflanzenfamilien vor. Biosynthet. leiten sie sich von den Benzyl-I.-A. ab. Aus *Morphin entsteht andererseits durch Behandlung mit Säure das *Apomorphin. Die natürlichen Aporphin-I.-A. tragen Sauerstoff-Substituenten an den C-Atomen 6 u. 7 des Isochinolin-Rings (vgl. Glaucin). *Thebain-Morphin-I.-A.:* Diese Alkaloide entstehen durch oxidative Kupplung aus Benzyl-I.-A. u. werden vorwiegend aus *Opium, dem getrockneten Milchsaft des Schlafmohns (*Papaver somniferum*) isoliert, z. B.

*Morphin, *Papaverin, *Codein, *Thebain, vgl. Morphin-Alkaloide.

Pavin-Typ: Alkaloide dieses Typs entstehen durch intramol. Cyclisierung aus den Benzyl-I.-A., wodurch ein Bicyclooctan-Ring entsteht. Weitere wichtige Gruppen sind *Cularin-Alkaloide, *Ochotensin, *Emetin u. verwandte I.-A., Rheadan-, *Erythrina-, *Kaktus-, *Corydalis-, Colchicum-, *Ancistrocladus-u. *Ipecacuanha-Alkaloide. Zur Synth. der I.-A. dienen v. a. die *Pictet-Spengler-, *Bischler-Napieralski-u. Pomeranz-Fritsch-Reaktion. Die I.-A. sind starke Reizgifte. Nach der Aufnahme bewirken sie zunächst zentrale Erregung, Übelkeit, Erbrechen, blutige Diarrhöen, Harndrang, Hämaturie, Schwindel, Benommenheit, Krämpfe, Atemnot, Kollaps, dann Lähmung, insbes. des Atemzentrums. Auf der Haut verursachen sie Brennen, Rötung, Blasenbildung, evtl. Nekrosen. Die Opium-Alkaloide verfügen über eine starke analget. Wirkung. Tetrahydro-I.-A. können sich aus *biogenen Aminen u. Acetaldehyd nicht nur in Pflanzen, sondern auch im Säugetierorganismus bilden. Hier besteht ein Zusammenhang mit der *Rauschgift-Wirkung u. dem zum *Alkoholismus führenden *Sucht-Potential des Ethanols [1]. – *E* isoquinoline alkaloids – *F* alcaloïde de l'isoquinoline – *I* alcaloidi dell'isochinolina – *S* alcaloides de isoquinolina

Lit.: [1] Naturwissenschaften **66**, 22–27 (1979).

allg.: Alkaloids (London) **9**, 89–125 (1979); **10**, 84–125 (1981); **11**, 78–116 (1981); **12**, 94–134 (1982); **13**, 122–171 (1983) ▪ Ap Simon **3**, 1–272 ▪ Manske **21**, 255–327; **29**, 141–184 ▪ Nat. Prod. Rep. **1**, 355–370 (1984); **2**, 81–96 (1985); **3**, 153–169 (1986); **4**, 677–702 (1987); **5**, 265–292 (1988); **6**, 405–432 (1989); **8**, 339–366 (1991); **9**, 365–389 (1992); **10**, 449–470 (1993); **11**, 555–576 (1994) ▪ Pharm. Unserer Zeit **16**, 69–76 (1987) ▪ Phillipson, Roberts u. Zenk (Hrsg.), The Chemistry and Biology of Isoquinoline Alkaloids, Berlin: Springer 1985 ▪ Shamma, The Isoquinoline Alkaloids, New York: Academic Press 1972 ▪ Ullmann (5.) A **1**, 367–382. – *Biosynth.:* Chem. Heterocycl. Compd. **38**, 275–379 (1981). – *Pharmakologie:* Nahrstedt, Schriften-Reihe der Bundesapothekerkammer Wissenschaftliche Fortbildung, Gelbe Reihe **12**, 77–101 (1984) ▪ Planta Med. **55**, 163 ff. (1989). – *Synth.:* Ap Simon **3**, 1–272 ▪ Ciba Found. Symp. **137**, 213–227 (1988) ▪ J. Nat. Prod. **49**, 745–778 (1986) ▪ Pure Appl. Chem. **58**, 685–692 (1986) ▪ Stud. Nat. Prod. Chem. **1**, 187–226 (1988); **6**, 467–502 (1990). – *[HS 2939 90]*

Isocholesterin s. Lanolin.

Isochore (von griech.: chora = Raum). In funktionellen Darst. (z. B. *Zustandsdiagrammen) Bez. für eine Kurve, längs derer der Zahlenwert für das Vol. konstant bleibt. Die I. verbindet z. B. die – bei einem bestimmten Vol. – bei *Zustandsänderungen einander zugeordneten Werte von Druck u. Temp. eines Gases, wobei gilt: $p = p_0(1 + \gamma t)$, $\gamma = 1/273,15 \text{ Grad}^{-1}$ u. t = Temp. in Grad Celsius, s. a. Hauptsätze. – *E* = *F* isochore – *I* isocora – *S* isocora

Isochroman s. Isochromen.

Isochromen (1*H*-2-Benzopyran).

C_9H_8O, M_R 132,16. Die 3,4-Dihydro-Verb. heißt *Isochroman*. Zur Synth. des I. ausgehend von *Isocu-

marin (Isochromen-1-on) s. *Lit.*[1], zur Synth. aus Inden-oxid s. *Lit.*[2], Schmp. 21,5 °C. Bei 20 °C polymerisiert I. innerhalb von 2 d zu einer zähen Masse. – *E* isochromene – *F* isochromène – *I* isocromene – *S* isocromeno
Lit.: [1] Chem. Ber. **91**, 2636 (1958). [2] Katritzky-Rees **3**, 765 f.
allg.: Beilstein E V **17/2**, 21. – *[HS 2932 99; CAS 253-35-0]*

Isocillin® (Rp). Filmtabl. u. Trocken-Saft mit *Phenoxymethylpenicillin-Kalium gegen Infektionen. **B.:** Hoechst.

Isocitrat-Dehydrogenasen, Isocitrat-Lyase s. Isocitronensäure.

Isocitronensäure (1-Hydroxypropan-1,2,3-tricarbonsäure; als Salz: Isocitrat).

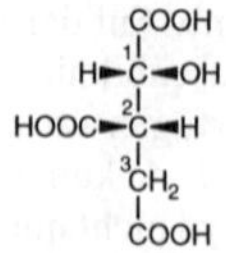

$$
\begin{array}{c}
\text{COOH} \\
\text{H}-\overset{1}{\text{C}}-\text{OH} \\
\text{HOOC}-\overset{2}{\text{C}}-\text{H} \\
\overset{3}{\text{CH}}_2 \\
\text{COOH}
\end{array}
$$

$C_6H_8O_7$, M_R 192,13. Das abgebildete L_g-threo- od. (1*R*,2*S*)-Diastereomer kommt u. a. in Blättern verschiedener Crassulaceen vor u. ist ein Zwischenprodukt des *Citronensäure-Cyclus. Es entsteht durch die Wirkung von *Aconitase aus *Citronensäure über *cis*-*Aconitsäure als Zwischenstufe. Unter Katalyse von *Isocitrat-Dehydrogenasen*[1] (EC 1.1.1.41 u. 1.1.1.42) wird I. durch Oxid. in Oxalbernsteinsäure u. durch Decarboxylierung weiter in 2-Oxoglutarsäure überführt. Im pflanzlichen u. mikrobiellen *Glyoxylsäure-Cyclus* wird I. in Bernsteinsäure u. Glyoxylsäure gespalten (durch *Isocitrat-Lyase*, EC 4.1.3.1). Während erstere auch im Citronensäure-Cyclus vorkommt u. wie dort weiter umgesetzt wird, wird letztere in einer *Aldol-Addition auf den Acetyl-Rest des *Acetyl-CoA übertragen, was nach Hydrolyse L-Äpfelsäure ergibt, ebenfalls ein Zwischenprodukt des Citronensäure-Cyclus. Ob der Citronensäure- od. der Glyoxylat-Cyclus benutzt wird, wird in *Escherichia coli* durch Phosphorylierung/Dephosphorylierung der Isocitrat-Dehydrogenase geregelt. – *E* isocitric acid – *F* acide isocitrique – *I* acido isocitrico – *S* ácido isocítrico
Lit.: [1] Plant Sci. **105**, 1–14 (1995).
allg.: Beilstein E IV **3**, 1270 f. – *[CAS 6061-97-8 (1R,2S)]*

Isoconazol (Rp).

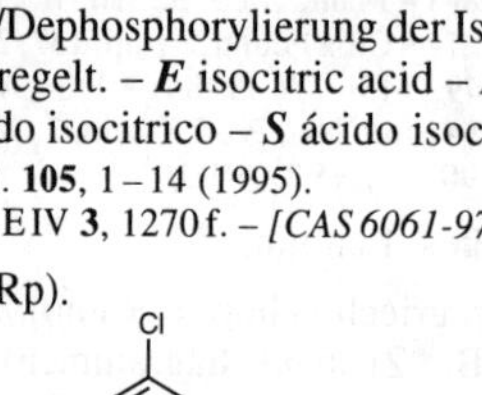

Internat. Freiname für das top. als *Antimykotikum wirksame (±)-1-[2,4-Dichlor-β-(2,6-dichlorbenzyloxy)phenethyl]imidazol, $C_{18}H_{14}Cl_4N_2O$, M_R 416,13. Verwendet wird das Nitrat, Schmp. 182–183 °C. I. wurde 1970, 1973 u. 1974 von Janssen patentiert u. ist von Schering (Travogen®) im Handel. – *E = F* isoconazole – *I* isoconazolo – *S* isoconazol
Lit.: ASP ■ Beilstein E V **23/4**, 320 ■ DAB **1996** u. Komm. ■ Hager (5.) **8**, 601. – *[HS 2933 29; CAS 27523-40-6 (I.); 24168-96-5 (Nitrat)]*

Isocorydin [(*S*)-11-Hydroxy-1,2,10-trimethoxyaporphin, Luteanin]. $C_{20}H_{23}NO_4$, M_R 341,41, Krist., Schmp. 185 °C, $[\alpha]_D$ +215° (CHCl₃), Formel s. Glaucin. In vielen Pflanzenfamilien vorkommendes *Isochinolin-Alkaloid mit sedativer, cholinerger Wirkung; LD_{50} (Ratte i.p.) 10,9 mg/kg. Isocorydin-*N*-oxid ($C_{20}H_{23}NO_5$, M_R 357,41) kommt in der Berberitze vor. – *E = F* isocorydine – *I = S* isocoridina
Lit.: Beilstein E V **21/6**, 132 f. ■ Pharmazie **23**, 82 (1968). – *[HS 2939 90; CAS 475-67-2]*

Isocrotonoyl... ((*Z*)-2-Butenoyl..., Allocrotonoyl...). Nach IUPAC-Regel C-404.1 Bez. für die *cis*-konfigurierte Atomgruppierung –CO–CH=CH–CH₃; vgl. Crotonoyl... – *E = F* isocrotonoyl... – *I = S* isocrotonoil...

Isocrotonsäure s. Butensäure.

Isocumarine (Isocoumarine, 1*H*-Isochromen-1-one, 1*H*-2-Benzopyran-1-one). Isomere der Cumarine; die Stellung der Carbonyl-Gruppe u. des Sauerstoff-Atoms im Pyron-Ring ist vertauscht; s. a. Isochromen. – *E* isocumarins – *F = I* isocumarine – *S* isocumarina
Lit.: Zechmeister **49**, 1–78.

Isocure®. Bindemittel für gasaushärtbare *Polyurethan-Harze zur Kernherst. in Gießereien. **B.:** Ashland-Südchemie-Kernfest.

Isocyan... s. Isocyanide.

Isocyanate. Salze (M^+–N=C=O) u. *N*-substituierte organ. Derivate (R–N=C=O) der in freiem Zustand mit Cyansäure tautomeren Isocyansäure (HNCO). Organ. I. sind Verb., bei denen die Isocyanat-Gruppe (–N=C=O) an einen organ. Rest gebunden ist. Polyfunktionale I. mit zwei od. mehr Isocyanat-Gruppen im Mol. sind wertvolle Bausteine in der *Polymer-Synth.*, sie besitzen deshalb große techn. Bedeutung.
Die große Reaktionsfähigkeit der I. ist verantwortlich für ihre Giftigkeit u. die starke Reizwirkung auf die Haut u. die Schleimhäute bes. der Atemwege. Für alle Arbeiten mit I. gelten deshalb strenge Sicherheitsbestimmungen; z. B. MAK 0,01 ppm.
Herst.: Techn. stellt man I. aus Aminen u. Phosgen her, mit nachfolgender HCl-Abspaltung aus dem entstandenen Carbamoylchlorid, evtl. unter Zusatz von tert. Aminen als HCl-Fängern *(Phosgenierung)*. Diese Reaktion wurde auch zur Herst. des sehr giftigen *Methylisocyanats angewandt u. hat den schweren Chemieunfall in *Bhopal mitverursacht[1].

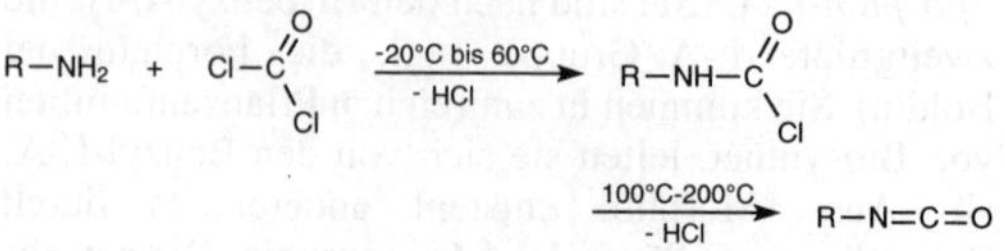

Abb. 1: Isocyanat-Herst. durch Phosgenierung.

Man versucht deshalb, die Phosgenierung der Amine zu umgehen u. durch weniger gefährliche Meth. zu ersetzen, so z. B. durch die katalyt. *Carbonylierung von aromat. Nitro-Verb. od. Aminen; vgl. *Lit.*[2]. Auch als Zwischenprodukt der *Curtius-Umlagerung, des

*Hofmannschen u. *Lossen-Abbaus treten I. in Erscheinung.

Verw.: Aufgrund ihrer Reaktionsfähigkeit sind die I. in der organ. Chemie vielbenutzte Zwischenprodukte.

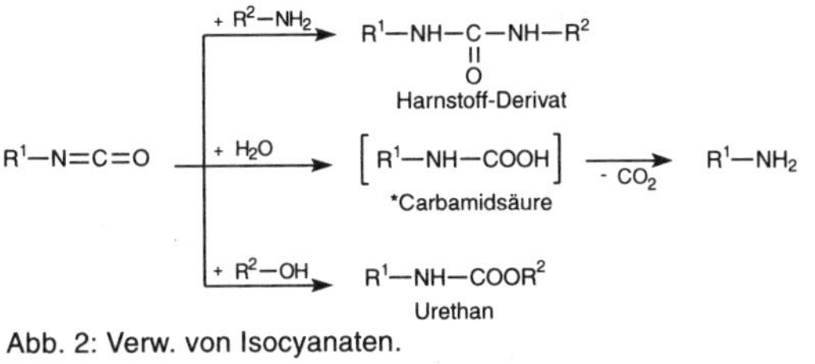

Abb. 2: Verw. von Isocyanaten.

Sie reagieren leicht mit H-aktiven Verb. wie z. B. Alkoholen od. Aminen, wobei *Urethane bzw. Harnstoff-Derivate entstehen. Mit Wasser erfolgt heftige Reaktion zu Aminen unter CO_2-Entwicklung (s. a. *Lit.*[1]); deshalb dienen sie, v. a. *Phenylisocyanat, im Laboratorium zur Derivatisierung dieser Verb., z. B. für die Racemattrennung durch Gaschromatographie[3]. Die Entdeckung von O. *Bayer, durch Polyaddition von *Diisocyanaten an Diole u./od. Polyole *Polyurethane (PUR) herstellen zu können, ist heute Grundlage einer bedeutenden Kunststoff-Ind. geworden. Derartige I.-Folgeprodukte finden als PUR-Harze, -Lacke, -Elastomere, -Schaumstoffe, -Klebstoffe usw. weiteste Verwendung. Die techn. wichtigsten I. (vgl. Diisocyanate) sind *Diisocyanatotoluol* (TDI, 2,4-*Toluoldiisocyanat, entweder das 2,4-Isomere od. ein Isomerengemisch im Verhältnis 80 : 20 bis 65 : 35 von 2,4- zu 2,6-Isomeren), *Hexamethylendiisocyanat (HMDI) u. das – ebenfalls Isomere u. Oligomere enthaltende – *4,4′-Diisocyanatodiphenylmethan* [MDI, *4,4′-Methylendi(phenylisocyanat)], das auch in der Holz-Ind. als Klebstoff für die Herst. von Spanplatten verwendet wird. Im Jahre 1991 wurde die Weltproduktion von TDI auf 1 100 000 t u. die von MDI auf 1 400 000 t geschätzt. – *E = F* isocyanates – *I* isocianati – *S* isocianatos

Lit.: [1] Nachr. Chem. Techn. Lab. **33**, 590 (1985). [2] Weissermel-Arpe (4.), S. 408–413. [3] Angew. Chem. **94**, 709 (1982).
allg.: BIA-Report, Isocyanate, Sankt Augustin: Hauptverband der gewerblichen Berufsgenossenschaften 1995 ▪ Gmelin, Syst.-Nr. 14, C, Tl. D 1, 1971; D 3, 1976 ▪ Houben-Weyl E 4, 741–834 ▪ Katritzky et al. **5**, 961 ff. ▪ Kirk-Othmer (3.) **13**, 789–818, ausführliche I.-Bibliographie 816 ff.; (4.) **14**, 902 ff. ▪ Patai, The Chemistry of Cyanates and Their Thio Derivatives (2 Bd.), New York: Wiley 1977 ▪ Snell-Ettre **15**, 94–124 ▪ Ullmann (5.) **A14**, 611–625 ▪ Winnacker-Küchler (4.) **6**, 221 ff. – *[HS 2929 10]*

Isocyanat-Harze (Polyisocyanat-Harze). Bez. (nach DIN 55 958, 12/1988) für auf aliphat., cycloaliphat. u. aromat. Isocyanaten basierende *Kunstharze, die freie Isocyanat-Gruppen enthalten.

Isocyanato... Präfix für die Gruppierung –N=C=O als Substituent in organ. Verb. (IUPAC-Regeln C-833 u. R-5.7.9.2) u. für Austausch von –OH gegen =N=C=O in mehrbasigen anorgan. Säuren (IUPAC-Regel R-3.4); *Beisp.:* Isocyanatokohlensäure = OCN–COOH [Infix: Isocyanatid(o)...; *Beisp.:* Phosphorisocyanatidsäure = OCN–PO(OH)₂]. Der N-verknüpfte Ligand O=C=N⁻ ist nach IUPAC-Regel I-10.4.5.5 mit (Cyanato-N)... zu bezeichnen. – *E = F* isocyanato... – *I = S* isocianato...

Isocyaniddihalogenide. Gruppenbez. für die nach IUPAC-Regel C-451.4 als N-substituierte *Carbonimidoyldihalogenide* zu benennenden Verb. des Typs R–N=CX₂ (X = Halogen), die sich formal von Imidokohlensäure [HN=C(OH)₂] ableiten. Die Alkyl-, Aryl- u. Acyl-I. sind (bes. letztere) sehr reaktionsfähige Verb., mit denen eine Vielzahl präparativ nützlicher Reaktionen durchgeführt werden können ähnlich wie mit den N-substituierten *Imidsäurechloriden. – *E* isocyanide dihalides – *F* dihalogénures d'isocyanure – *I* isocianodialogenuri – *S* dihalogenuros de isocianuro

Lit.: Houben-Weyl E 4, 524–542 ▪ Patai, The Chemistry of Cyanates and Their Thio Derivatives, Bd. 2, S. 969–1001, Chichester: Wiley 1977.

Isocyanide. Nach IUPAC-Regel R-5.7.9.2 Gruppenbez. für organ. Verb., die die Atom-Gruppierung –NC (*Isocyan...*) enthalten. Die I. leiten sich ebenso wie die *Cyanide (*Nitrile) von der *Blausäure ab, die als HCN od. HNC zu reagieren vermag.

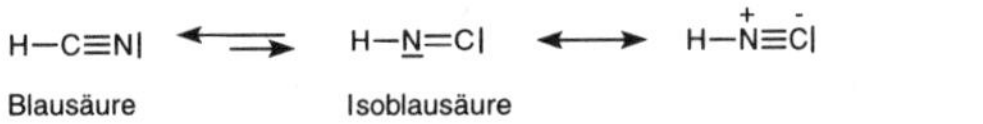

Abb. 1: Gleichgewicht Blausäure – Isoblausäure.

Die Formeln entsprechen 2 tautomeren Formen des Mol., die miteinander im Gleichgew. stehen, das fast ganz auf der Seite der Blausäure liegt; doch sind von der Isoblausäure ebenfalls organ. Derivate bekannt, die als I. bezeichnet werden (ältere Bez. sind *Isonitrile* od. *Carbylamine*). Einige kommen in der Natur vor, z. B. das *Xantocillin.

Die I. sind meist flüssig, sie unterscheiden sich von den Cyaniden durch den außerordentlich durchdringenden, widerwärtigen Geruch, die größere Giftigkeit u. die tieferen Siedepunkte. So siedet z. B. Methylcyanid (H₃C–C≡N, *Acetonitril) bei 81,5 °C, Methylisocyanid (H₃C–N̄≡C̄|) schon bei 60 °C. Die molare Verbrennungswärme ist bei den I. um 60–85 kJ höher als bei den Nitrilen, sie sind leichter als Wasser u. in diesem nur wenig löslich. Bei höherer Temp. können sich die I. in Cyanide umlagern.

Herst.: Die Herst. der I. erfolgt z. B. in einer von A. W. von *Hofmann entdeckten u. von *Ugi[1] mit Hilfe der Phasentransfer-Technik verbesserten Synth. durch Einwirkung von Chloroform auf prim. Amine in Ggw. von Kalilauge. Die Reaktion kann als qual. Nachw. für prim. Amine verwendet werden *(Isonitril-Probe)* (s. Abb. 2a).

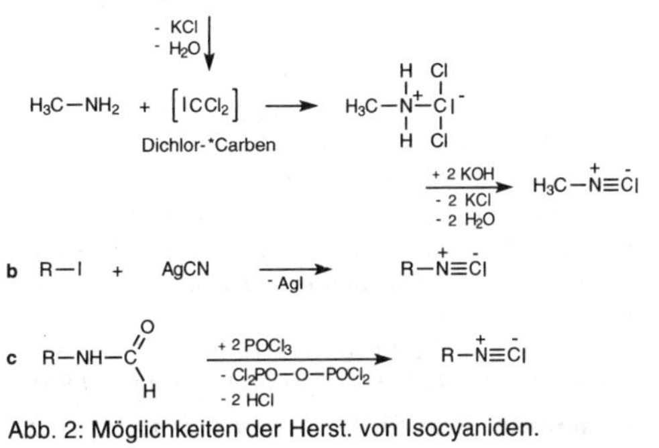

Abb. 2: Möglichkeiten der Herst. von Isocyaniden.

Weitere Möglichkeiten sind die Umsetzung von Alkylhalogeniden mit Silbercyanid (vgl. Kornblum-Regel) (s. Abb. 2 b) u. die Dehydratisierung von Formamiden mit Phosphoroxidchlorid od. Phosgen[2,3] (s. Abb. 2 c).

Reaktionen: I. sind gegen Alkalien beständig, hydrolysieren aber leicht mit verd. Säuren zu prim. Aminen u. Ameisensäure. Unter den Bedingungen der katalyt. *Hydrierung lassen sich I. zu sek. Aminen hydrieren. α-Metallierte I.[4,5] sind wertvolle *Syntheseäquivalente für das Amin-d^1-*Synthon (s. Abb. 3), bei dem die normale Amin-Reaktivität umgepolt ist (vgl. Retrosynthese u. Umpolung).

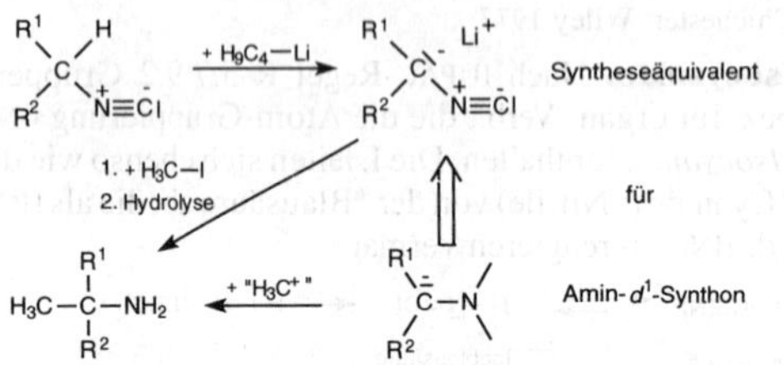

Abb. 3: Isocyanide als Amin-d^1-Synthone.

Eine bekannte Reaktion der I. ist auch die *Passerini-Reaktion. Ein in der Synth. vielfach einsetzbares I. ist *p*-*Tolylsulfonylmethyl-isocyanid. Die Verwandtschaft der I. mit dem strukturell ähnlichen Kohlenmonoxid kommt in den Liganden-Eigenschaften beider Verb. zum Ausdruck[6] (s. a. metallorganische Verbindungen). – *E* isocyanides – *F* isocyanures – *I* isocianuri – *S* isocianuros

Lit.: [1] Angew. Chem. **84**, 587 (1972). [2] Angew. Chem. **77**, 492–504 (1965). [3] Angew. Chem. **94**, 826–835 (1982). [4] Angew. Chem. **86**, 878–893 (1974). [5] Angew. Chem. **89**, 351–360 (1977). [6] Angew. Chem. **105**, 681 (1993).
allg.: Houben-Weyl **8**, 351–355; E **5/2**, 1611–1658 ▪ Katritzky et al. **3**, 693 ff. ▪ Org. Prep. Proced. Int. **11**, 293–311 (1979) ▪ Patai, The Chemistry of the Cyano Group, S. 853–884, Chichester: Wiley 1970 ▪ Patai, The Chemistry of Triple-Bonded Functional Groups, 2 Bd., Chichester: Wiley 1983 ▪ Ugi, Isonitril Chemistry, New York: Acadamic Press 1971.

Isocyansäure. $HN=C=O$, M_R 43,03 ist eine T ☠ oberhalb von 0 °C wenig beständige, zur Polymerisation neigende Flüssigkeit. Unter Kühlung mit festem Kohlendioxid ist sie monatelang haltbar. Wäss. Lsg. zersetzen sich rasch in NH_3 u. CO_2, während verd. Lsg. in indifferenten Lsm. einige Zeit haltbar sind. Gasf. I. riecht stechend u. ist tränenreizend. Hautkontakt verursacht heftige Schmerzen, Blasenbildung u. Entzündungen.
Herst.: Durch therm. Zers. von *Cyanursäure. Reine I. zersetzt sich bei 0 °C innerhalb 1 h in ein festes, weißes Polymerisationsprodukt aus *Cyamelid u. Cyanursäure. Zur Isomerie von I. u. *Cyansäure u. zur Struktur der von beiden Säuren abgeleiteten Salze u. Ester s. die Ausführungen bei Cyansäure. – *E* isocyanic acid – *F* acide isocyanique – *I* acido isocianico – *S* ácido isociánico
Lit.: Gmelin, Syst.-Nr. 14, C, Tl D1, 1971, S. 327–346 ▪ Merck-Index (12.), Nr. 5181. – *[HS 2811 19; CAS 75-13-8]*

Isocyanurate. Bez. für Derivate der Isocyanursäure (s. Cyanursäure).

Isocyanurchlorid s. Trichlorisocyanursäure u. Chlorisocyanursäuren.

Isocyanursäure. Tautomere Form der Cyanursäure (s. dort).

Isocyclische Verbindungen. Im eigentlichen Sinne eine Bez. für solche *cyclischen Verbindungen, deren Ringglieder aus derselben Atom-Sorte bestehen; dementsprechend spricht man manchmal auch von *homocycl. Verbindungen.* Da aber der Begriff „i. V." nicht nur auf Fälle wie z. B. Cycloschwefel, Cyclotetrasilan, Pentazol, Cyclohexan, Benzol etc. beschränkt, sondern weitgehend unspezif. gebraucht wird (so zur Bez. gleicher Ringgliederzahl sogar bei ganz ungleichen Spezies: Benzol u. Pyridin), scheint es geraten zu sein, die Verw. des Terminus aufzugeben, der auch keinen Eingang in die IUPAC-Nomenklatur gefunden hat; *Beilstein's Handbuch der organischen Chemie versteht „i. V." als Sammelbez. für *alicyclische u. carbocycl. *aromatische Verbindungen, also synonym für *Carbocyclen. – *E* isocyclic compounds – *F* composés isocycliques – *I* composti isociclici – *S* compuestos isocíclicos

Isodecanol (Isodecylalkohol). $C_{10}H_{22}O$, M_R 158,28. Trivialname für ein Isomerengemisch von verzweigtkettigen, prim. C_{10}-Alkoholen aus der *Oxo-Synthese. Farblose Flüssigkeit, D. 0,834, Schmp. –54 °C, Sdp. 215–222 °C, unlösl. in Wasser. Die Dämpfe (bes. wenn sie durch Erhitzen in hoher Konz. vorliegen) reizen die Augen u. die Atemwege. In hohen Konz. haben sie eine schwach betäubende Wirkung. Kontakt mit der Flüssigkeit führt zu Reizung der Augen.
Verw.: Zu Weichmachern (verestert mit Phthalsäure, Adipinsäure, Sebacinsäure, Azelainsäure), Schaumbekämpfungsmitteln (in der Lack-, Papier-, Textil-, Farben-, Zucker-Ind.), Lsm. (für Gummi, Harze, Lacke, Öle, Fette, Farbstoffe), zur Herst. von Parfüms, industriellen Reinigungsmitteln u. Schmierstoffen; I.-Ester anorgan. u. organ. Säuren werden bes. zur Uran-Extraktion aus Phosphor-sauren Lsg. sowie als Stabilisatoren bei der Herst. von Vinylchlorid-Copolymeren eingesetzt. – *E = S* isodecanol – *F* isodécanol – *I* isodecanolo
Lit.: Brauer, Gefahrstoff-Sensorik, Landsberg: Ecomed Verlagsges. 1988 ▪ Hommel, Nr. 407 ▪ Weissermel-Arpe (4.), S. 147. – *[HS 2905 19; CAS 25339-17-7; G 3]*

Isode(s)misch s. anisodesmisch.

Isodesmosin s. Desmosin.

Isodiazomethan (Kohlenoxid-hydrazon) s. Diazomethan.

Isodiimin s. Diimin.

Isodimorphie. Unterschiedlich verwendeter Begriff der *Kristallchemie. 1. Im Sinne von „doppelter Isomorphie" wird darunter die Erscheinung verstanden, daß die beiden krist. *Modifikationen einer dimorphen Substanz (s. Polymorphie) mit den beiden Formen einer anderen dimorphen Substanz *Isomorphie zeigen; *Beisp.:* Zinksulfid u. Cadmiumsulfid können sowohl in kub. (*Zinkblende u. Hawleyit) als auch in hexagonalen Gittern (*Wurtzit, *Greenockit) kristallisieren. 2. Im Sinne von *Heteromorphie* wird die Bez. I. verwendet, wenn zwei Salze von verschiedenem Typ *Mischkristalle bilden, wobei die eine Kristallform dominierend wirkt u. sich dem zweiten Salz aufzwingt; *Beisp.:* Das normalerweise rhomb. krist. $MgSO_4 \cdot 7 H_2O$ wird als monoklines Salz vom monoklinen $FeSO_4 \cdot 7 H_2O$ eingebaut. – *E* isodimorphism – *F* isodimorphisme – *I = S* isodimorfismo

Isodispers s. Kolloidchemie.

Isododecan. Trivialname für ein C_{12}-Lsm. für Lacke, Farben, Polymerisations-Lsg., das vorwiegend 2,2,4,6,6-Pentamethylheptan enthält.

Isododecen. Trivialname für ein auch *Propylentetramer* od. *Tetrapropylen* genanntes Tetrameres des **Propens.

Isodose. Nach DIN 25401 Tl. 8 (09/1986) ist die I. „der geometr. Ort für alle Punkte, an denen eine Dosisgröße den gleichen Wert hat". – *E = F = I* isodose – *S* isodosa, curva isodósica
Lit.: Krieger u. Petzold, Strahlenphysik, Dosimetrie u. Strahlenschutz 2, Stuttgart: Teubner 1989.

Isodragol®. Glycerintris(3,5,5-trimethylhexansäureester) als synthet. Fettstoff zur Verw. in kosmet. u. pharmazeut. Präparaten. *B.:* Dragoco.

Isodurol. Trivialname für 1,2,3,5-*Tetramethylbenzol.

Isodynamie s. Stoffwechsel.

Isodynamische Enzyme s. Isoenzyme.

Isoelektrische Fokussierung (IEF, Elektrofokussierung). Von latein.: focus = Brennpunkt, Schnittpunkt abgeleitete Bez. für eine Trennmeth. der *Elektrophorese, bei der amphotere, geladene Teilchen (z. B. Proteine, Peptide) im elektr. Feld durch einen pH-Gradienten bis zu dem pH-Wert wandern, an dem ihre Nettoladung null ist; dieser pH-Wert wird *isoelektrischer Punkt genannt. Das Trennprinzip beruht also auf der pH-Wert-Abhängigkeit der Ladungseigenschaften von amphoteren, geladenen Teilchen. So enthalten z. B. Proteine Carboxy-Seitengruppen, die bei niedrigem pH-Wert als COOH-Gruppen ungeladen u. bei hohem pH-Wert als COO⁻-Gruppen geladen sind; umgekehrt sind die Amino-, Imidazol- u. Guanidin-Seitengruppen bei niedrigem pH-Wert als NH_3^+-Gruppen geladen u. bei hohem pH-Wert als NH_2-Gruppen ungeladen. Die Nettoladung eines Proteins resultiert aus der Summe aller Ladungen der Seitengruppen. Am Isoelektrischen Punkt kompensieren sich pos. u. neg. Ladungen (vgl. Abb.); er ist für jedes Protein eine physiko-chem. Konstante.

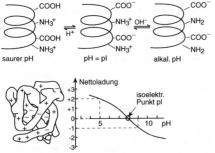

Abb.: Abhängigkeit der Nettoladung eines Proteins vom pH-Wert. Ein Protein mit dieser Nettoladungskurve hat bei pH 5 zwei pos., bei pH 9 eine neg. Nettoladung; nach *Lit.*[1].

Voraussetzung für die Anw. der Trennmeth. ist das Erzeugen stabiler pH-Gradienten. Dazu gibt es z. Z. zwei Konzepte. Zum einen verwendet man freie Träger-*Ampholyte. Dies sind niedermol. Ampholyte hoher Pufferkapazität mit unterschiedlichen isoelektr. Punkten, die sich im elektr. Feld entsprechend fokussieren u. ihren pH-Wert auf die Umgebung übertragen. Zum anderen verwendet man immobilisierte pH-Gradienten, die z. Z. nur auf Polyacrylamid-Basis herstellbar sind. Der pH-Gradient wird aus sog. Immobilinen – das sind Acrylamid-Derivate mit puffernden Gruppen – aufgebaut u. im Gel einpolymerisiert. Immobiline sind entweder Säuren od. Basen. Durch Mischen verschiedener Immobiline wird ein bestimmter pH-Wert eingestellt. Ein Gradient entsteht durch kontinuierliches Verändern des Immobiline-Mischungsverhältnisses. Der Vorteil dieser immobilisierten pH-Gradienten liegt in ihrer berechenbaren Anpassung an das Trennproblem. Man erreicht sehr flache pH-Gradienten für hohe Auflösung, die über die gesamte Trennzeit stabil bleiben.
Verw.: Zur Protein-Isolierung, auch im präparativen Maßstab. Es lassen sich selbst Proteine trennen, die sich nur geringfügig in ihrer chem. Struktur, z. B. in nur einer od. wenigen Aminosäuren unterscheiden wie etwa Isoenzyme, verschiedene Hämoglobine, Blutgruppensubstanzen, Immunglobuline u. a. – *E* isoelectric focussing – *F* focalisation isoélectrique – *I* messa a fuoco isoelettrica – *S* enfoque isoeléctrico
Lit.: [1] Analyt. Taschenb. **7**, 345 – 373 (1988).
allg.: Townshend (Hrsg.), Encyclopedia of Analytical Science Bd. 2, S. 1068 – 1075, New York: Academic Press 1995 ▪ Ullmann (5.) **B 3**, 11 – 20.

Isoelektrischer Punkt (IP). Bez. für denjenigen *pH-Wert einer wäss. Lsg., bei dem gelöste *amphotere Elektrolyte ungeladen erscheinen. Der i. P. ist für jeden *Ampholyten eine charakterist. Größe u. bei Abwesenheit anderer Elektrolyte in unendlicher Verdünnung ident. mit dem Ladungsnullpunkt (*E* point of zero charge, PZC). Dieser ist dadurch charakterisiert, daß die Summe der tatsächlichen Ladungen der Partikel (Nettoladung) null ist. Z. B. sind bei Aminosäuren u. a. *Zwitterionen beide Größen ident., da sie hier durch Fremdionen nicht beeinflußt werden. Bei makromol. Ampholyten fallen i. P. u. Ladungsnullpunkt nicht mehr ohne weiteres zusammen. So wird z. B. die für Eiweiße charakterist. Lage des i. P. von der Anzahl der sauren u. bas. Gruppen u. deren Lage im Mol. beeinflußt. Man bestimmt den i. P. von Eiweißen meist elektrophoret. aufgrund des Minimums der Wandergeschw. im elektr. Feld, seltener durch Messung des mit dem isoelektr. Zustand verbundenen Flockungsmaximums od. des Minimums von Löslichkeit. Eine Aufstellung der i. P. von Proteinen u. Mineralien findet sich in *Lit.*[1]. Eine bes. Rolle spielt der i. P. bei der *isoelektrischen Fokussierung. – *E* isoelectric point, point of zero charge (PZC) – *F* point iso-electrique – *I* punto isoelettrico – *S* punto isoeléctrico
Lit.: [1] J. Chromatogr. **127**, 1 – 28 (1976); **220**, 115 – 194 (1981) ▪ Ullmann (5.) **A 9**, 436; **B 2**, 3 – 12.

Isoelektronisch. Unterschiedliche Atome od. Ionen gleicher Elektronenzahl u. -konfiguration nennt man isoelektronisch. I. sind daher $C^{4-}/N^{3-}/O^{2-}/F^-/Ne/Na^+$/

$Mg^{2+}/Al^{3+}/Si^{4+}$ sowie $CH_4/NH_3/H_2O/HF/Ne$ od. F^-/OH^- (*Hydrid-Verschiebungssatz), wobei ein gebundenes H-Atom ebenso wie eine negative Ladung ein zusätzliches Elektron einbringen, weil dabei nicht zwischen bindenden u. nichtbindenden Elektronen unterschieden wird, od. $[Ti(CO)_6]^{2-}/[V(CO)_6]^-/[Cr(CO)_6]/$ $[Mn(CO)_6]^+/[Fe(CO)_5]/[Mn(CO)_5]^-/[Cr(CO)_5]^{2-}$, wobei das Elektronenpaar des Zwei-Elektronen-Donors CO sowie die Gesamtladung des Komplexes in die Elektronenbilanz des Zentralatoms einbezogen werden. Die eingeschränkte Bez. isovalenzelektron. trifft z. B. auf die Reihe $NH_3/PH_3/AsH_3$ zu, weil bei unterschiedlicher Gesamtelektronenzahl die Zahl u. Konfiguration der Valenzelektronen gleich sind. Moleküle u. Ionen gleicher Atom- u. Elektronenzahl heißen bei gleicher Elektronenkonfiguration i. (z. B. $TeO_4^{2-}/IO_4^-/XeO_4$); ist auch die Ladung gleich, so spricht man von *Isosterie; zur Äquivalenz i. Molekülfragmente s. isolobal u. zur Geschichte des Konzepts bzw. zu seiner Erweiterung auf sog. *Paraelemente* s. *Lit.*[1]. – *E* isoelectronic – *F* iso-électronique – *I* isoelettronico – *S* isoelectrónico *Lit.*: [1] Chem. Ztg. **106**, 1–11, 239–248 (1982).

Isoenzyme (*Isozyme*, selten: isodynam. Enzyme). Viele enzymat. Umwandlungen können in ein- u. demselben Organismus durch mehr als eine mol. Spezies eines *Enzyms bewirkt werden. Diese im gleichen Sinne wirksamen *multiplen Enzym-Formen* werden dann als I. bezeichnet, wenn ihre Unterschiedlichkeit genet. bedingt u. nicht auf an die Protein-Biosynth. anschließende Modif. zurückzuführen ist. Sie unterscheiden sich mehr od. weniger stark hinsichtlich ihrer physikal. Eigenschaften, Michaelis-Konstante, Inaktivierungstemp., ihres pH-Wert-Optimums, *isoelektrischen Punkts u. auch ihrer Wanderungsgeschw. in der Elektrophorese – bei dieser Art der Trennung wurden 1957 von T. *Wieland u. G. *Pfleiderer erstmals die 5 I. der *Lactat-Dehydrogenase entdeckt. Häufig lassen sich die I. durch *isoelektrische Fokussierung trennen u. mit Hilfe präzipitierender Antikörper analysieren. Die Bestimmung der I. durch *enzymatische Analyse wird in der klin. Chemie zur Diagnostik benutzt. I. werden in 3 Gruppen eingeteilt: 1. Produkte verschiedener Gen-Orte (*Beisp.*: *Malat-Dehydrogenase der Mitochondrien u. des Cytosols der Herzmuskelzelle); – 2. Heteropolymere aus genet. unterschiedenen Polypeptid-Untereinheiten, von denen mehrere Hybridformen vorkommen (*Beisp.*: Die 5 I. der Lactat-Dehydrogenase); – 3. genet. bedingte Enzymvarianten od. *Allelozyme* (*Beisp.*: Die genet. Varianten der menschlichen Glucose-6-phosphat-Dehydrogenase). Zur Evolution von I. s. *Lit.*[1]. – *E = F* isoenzymes – *I* isenzimi – *S* isoenzimas *Lit.*: [1] Ogita u. Markert, Isozymes. Structure, Function and Use in Biology and Medicine, NewYork: Wiley-Liss 1990.

Isoetarin (Rp).

Internat. Freiname für das bronchienerweiternd wirkende *Sympath(ik)omimetikum (±)-1-(3,4-Dihydroxyphenyl)-2-isopropylamino-1-butanol, $C_{13}H_{21}NO_3$,

M_R 239,31; λ_{max} (0,1 M H_2SO_4) 222 nm ($A_{1cm}^{1\%}$ 190). Verwendet werden das Hydrochlorid, Schmp. 196–208 °C, auch 212–213 °C angegeben, λ_{max} (0,1 M HCl) 280 nm ($A_{1cm}^{1\%}$ 104), u. das Mesilat, Schmp. 162–168 °C. I. wurde 1936 von I. G. Farben patentiert. – *E* isoet(h)arine – *F* isoétarine – *I = S* isoetarina *Lit.*: ASP ▪ Beilstein E III **13**, 2415 ▪ Hager (5.) **8**, 601 ff. – *[HS 292250; CAS 530-08-5 (I.); 50-96-4 (Hydrochlorid); 7279-75-6 (Mesilat)]*

Isoeugenol [2-Methoxy-4-(1-propenyl)phenol].

(E)-Form

$C_{10}H_{12}O_2$, M_R 164,20, Öl, Schmp. –10 °C, Sdp. 266 °C, lösl. in Alkohol u. Ether. Das mit Eugenol isomere I. kommt in einer *E*-Form [Schmp. 33 °C, Sdp. 140 °C (1,6 kPa)], u. in einer *Z*-Form [Öl, Sdp. 133 °C (1,7 kPa)] vor. I. riecht schwächer, aber angenehmer als Eugenol. Es kommt in verschiedenen ether. Ölen (Ylang-Ylang-Öl, Muskatnußöl, Champacablütenöl) vor. Synthet. läßt es sich aus Eugenol durch Erhitzen mit Kaliumhydroxid in wenig Wasser gewinnen. Die Oxid. von I. mit alkal. Permanganat-Lsg. liefert *Vanillin.

Verw.: In der Parfüm-Ind. (Nelkenduft, auch als Methylether) u. als Konservierungsmittel, sowie Zwischenprodukt der Vanillin-Synthese. – *E = S* isoeugenol – *F* isoeugénol – *I* isoeugenolo *Lit.*: Beilstein E IV **6**, 6324 ▪ Gildemeister **3 d**, 442 ff. ▪ Karrer, Nr. 187 ▪ Merck-Index (12.), Nr. 5186 ▪ Ullmann (5.) **A 8**, 372. – *[HS 290950; CAS 97-54-1 (I.); 5932-68-3 (E–Form); 5912-86-7 (Z-Form)]*

Isofenphos.

T

Common name für 2-[Ethoxy(isopropylamino)thiophosphoryloxy]benzoesäure-isopropylester, $C_{15}H_{24}NO_4PS$, M_R 345,39, farbloses Öl, LD_{50} (Ratte oral) ca. 20 mg/kg (Bayer), von Bayer eingeführtes *Insektizid mit Kontakt- u. Fraßgiftwirkung gegen Bodeninsekten im Gemüse-, Raps-, Mais- u. Bananenanbau. – *E* isofenphos – *F* isophenphos – *I = S* isofenfos *Lit.*: Farm ▪ Perkow ▪ Pesticide Manual. – *[HS 293090; CAS 25311-71-1]*

Isoflavone. Zu den *Flavonoiden zählende, gelegentlich auch als Isoflavonoide bezeichnete Gruppe von meist gelblich gefärbten *Pflanzenfarbstoffen, die sich von Isoflavon ableiten; allerdings spielen die I. eine weniger bedeutende Rolle als die mit ihnen isomeren *Flavone. Der Grundkörper Isoflavon (3-Phenylchromon, 3-Phenyl-4H-1-benzopyran-4-on) kommt in Kleearten vor.

Isoflavon

		5	7	3'	4'
1	Isoflavon	H	H	H	H
2	Daidzein	H	OH	H	OH
3	Genistein	OH	OH	H	OH
4	Prunetin	OH	OCH₃	H	OH
5	Biochanin A	OH	OH	H	OCH₃
6	Orobol	OH	OH	OH	OH
7	Santal	OH	OCH₃	OH	OH
8	Pratensein	OH	OH	OH	OCH₃

Tab.: Daten von Isoflavonen.

Verb.	Summen-formel	M_R	Schmp. [°C]	CAS
1	$C_{15}H_{10}O_2$	222,24	150	574-12-9
2	$C_{15}H_{10}O_4$	254,24	323 (Zers.)	486-68-8
3	$C_{15}H_{10}O_5$	270,24	301–302	446-72-0
4	$C_{16}H_{12}O_5$	284,26	240	552-59-0
5	$C_{16}H_{12}O_5$	284,26	212–216	491-80-5
6	$C_{15}H_{10}O_6$	286,24	271	480-23-9
7	$C_{16}H_{12}O_6$	300,26	223	529-60-2
8	$C_{16}H_{12}O_6$	300,26	272–273	2284-31-3

Einige bekanntere I. sind *Daidzein* (4′,7-Dihydroxy-I.), als 7-*O*-Glucosid Daidzin in Sojamehl; *Genistein* (4′,5,7-Trihydroxy-I.) aus Sojabohnen u. Rotklee; *Prunetin* (4′,5-Dihydroxy-7-methoxy-I.) aus der Rinde von Pflaumenbäumen; *Biochanin A* (5,7-Dihydroxy-4′-methoxy-I.) aus Kichererbsen, Rotklee u. a. Klee-arten; *Orobol* (3′,4′,5,7-Tetrahydroxy-I.); *Santal* (3′,4′,5-Trihydroxy-7-methoxy-I.) aus Sandelholz, Rotholz u. a. Hölzern; *Pratensein* (3′,5,7-Trihydroxy-4′-methoxyisoflavon) aus frischem Rot- od. Wiesen-klee. Einige dieser in Klee-Arten u. Leguminosen wie Luzerne u. a. vorkommenden I. zeigen Estrogen-Wir-kung auf Weidetiere u. können ggf. zu Fortpflan-zungsstörungen bei diesen führen[1]. Daneben sind auch Abkömmlinge des Isoflavanons (s. Formel, an C-2 u. C-3 hydriert) bekannt, u. in weiterem Sinne leiten sich auch die *Rotenoide von den I. ab; zum Metabolismus der I. in der lebenden Pflanze s. *Lit.*[2]. Biosynthet. ent-stehen die I. aus entsprechenden *Chalkon-Derivaten, über Synth. von – ggf. auch hydroxylierten – I., s. *Lit.*[3]. Manche I. wirken antiarteriosklerot.[4] u. antifungisch. – *E = F* isoflavones – *I* isoflavoni – *S* isoflavonas

Lit.: [1] Endeavour **35**, 11–113 (1976); Food Addit. Contam. **2**, 73–106 (1985). [2] Naturwissenschaften **67**, 40 f. (1980); Czy-gan (Hrsg.), Pigments in Plants (2.), S. 188, 198–214, Berlin: Akademie-Verl. 1980; Zechmeister **34**, 198–214. [3] Synthesis **1976**, 326; **1978**, 843. [4] Stud. Org. Chem. **23**, 321–324 (1986). *allg.:* Chem. Ind. (London) **1995**, 412 (Genistein) ■ J. Chem. Soc., Chem. Commun. **1995**, 1317 f. ■ Karrer, Nr. 1644–1673, 4670–4683 ■ Nat. Prod. Rep. **12**, 321–338 (1995) ■ Schweppe, S. 334–337 ■ Zechmeister **28**, 1–73; **40**, 105–152; **43**, 1–266 ■ Z. Naturforsch. Teil C **45**, 147–153 (1990).

Isofluorphat s. Diisopropylfluorophosphat.

Isofluran (Rp).

$$F_3C-\overset{\overset{\displaystyle Cl}{|}}{C}H-O-CHF_2$$

Internat. Freiname für das *Inhalationsnarkotikum (±)-(1-Chlor-2,2,2-trifluorethyl)(difluormethyl)ether, $C_3H_2ClF_5O$, M_R 184,49, Sdp. 48,5 °C, n_D^{20} 1,3002; leicht mischbar mit organ. Lsm., Fetten u. Ölen. I. hat bes. kurze An- u. Abflutzeiten. Es wurde 1970 von Air Re-duction patentiert u. ist als Generikum im Handel. – *E = F* isoflurane – *I = S* isoflurano

Lit.: ASP ■ Hager (5.) **8**, 603 ff. – [HS 2909 19; CAS 26675-46-7]

Isofol®. 2-Alkylalkanole (C_{12}–C_{24}), die durch alkal. katalysierte Dimerisierung aus prim. Alkoholen her-gestellt werden. *B.:* Condea.

Isofulminate. Alte Bez. für (Fulminato-*C*)-Metall-komplexe (IUPAC- u. CAS-Bez.), M–C≡N→O. Von den tautomeren Formen der *Knallsäure, H–O–NC u. H–C≡N→O, ist nur letztere bekannt (*„Isoknallsäure"*); ähnlich *Cyansäure, *Isocyansäure. Die Ester R–O–NC heißen *Fulminate, die isomeren Verb. R–C≡N→O aber nicht I., sondern Nitril-*N*-oxide. – *E = F* isofulminates – *I* isofulminati – *S* isofulminatos

Lit.: Gmelin, Syst.-Nr. 14, C, Tl. D 1, 1971 ■ s. a. Textstich-wörter.

Isogenopak®. Weichmacherfreie PVC-*Kalander-Fo-lie für die Ummantelung isolierter Heizungsrohre. *B.:* Kalle Pentaplast.

Isoglaucon® (Rp). Augentropfen mit *Clonidin-Hy-drochlorid gegen Glaukom. *B.:* Basotherm.

Isoglucose s. D-Fructose.

Isoharnstoffe (veraltet: Pseudoharnstoff). Nach IUPAC-Regeln C-972 u. R-9.1.31 Bez. für Verb. vom Typ

$$R^1O-C\overset{\displaystyle N-R^2}{\underset{\displaystyle NH-R^3}{\big<}}$$

I. werden von Chemical Abstracts als Derivate der *Carbamimidsäure* (R^{1-3} = H) benannt. Die I. lassen sich formal von der tautomeren Form des *Harnstoffs ab-leiten u. sind im allg. durch Alkohol-Anlagerung an *Carbodiimide od. an *Cyanamid zugänglich.

Verw.: O-Methylisoharnstoff ist – bes. in Form seiner *Uronium-Salze [$H_2N-C(OCH_3)=NH_2$]$^+X^-$ – ein nützli-ches Reagenz, z. B. zur Guanidin-Synth. aus Aminen. Allg. sind I. gute Veresterungs- u. Alkylierungsmittel, u. Phenole lassen sich über ihre I.-Derivate durch *Hy-drogenolyse in die entsprechenden aromat. Kohlen-wasserstoffe überführen[1]. – *E = S* isoureas – *F* isourées – *I* isourea

Lit.: [1] Chem. Ber. **107**, 907 (1974). *allg.:* Houben-Weyl **E 4**, 587–597 ■ Katritzky et al. **6**, 631 ff. ■ Synthesis **1979**, 561–576.

Isohumulon s. Humulon.

Isohydrie. Lsg., deren Wasserstoff-Ionen-Konz. mit dem physiolog. *pH-Wert der Körperflüssigkeiten übereinstimmen, nennt man isohydrisch. Die Forde-rung der I. von Injektions- u. Infusionslsg. ist aus Grün-den der Arzneistoffstabilität nicht immer zu realisie-ren. Bei der Applikation in die Blutbahn ist ein Ab-weichen von der I. eher tolerabel (schnelle Verdün-nung, große Pufferkapazität) als bei intramuskulärer bzw. subcutaner Injektion (langsame Verdünnung, ge-ringe Pufferkapazität) od. der Anw. am Auge; s. a. Säure-Basen-Gleichgewicht. Liegt der pH-Wert der zu applizierenden Lsg. in der Nähe (aber nicht exakt im Bereich) des physiolog. Werts, spricht man von *Euhy-drie*. – *E* isohydria – *F* isohydrie – *I* isoidria – *S* iso-hidria

Lit.: Bauer, Frömming u. Führer, Pharmazeutische Technolo-gie, 4. Aufl., Stuttgart: Thieme 1993.

Isoindol (*2H*-Benzo[*c*]pyrrol).

C_8H_7N, M_R 117,15. Sehr unbeständiges, nur bei tiefer Temp. isolierbares Isomeres des Indols, zur Synth. s. *Lit.*[1]; substituierte I. sind leichter herstellbar[2]. Eine gute Übersicht über die Chemie der Isoindole (Meth.

der Synth., theoret. u. physikal. Aspekte, chem. Eigenschaften sowie Verw. der Isoindole) gibt *Lit.*[3]. – *E = F* isoindole – *I* isoindolo – *S* isoindol
Lit.: [1] Katritzky-Rees **4**, 352 f. [2] Synthesis **1972**, 45 f. [3] Russ. Chem. Rev. **63** (12), 997 ff. (1994).
allg.: Adv. Heterocycl. Chem. **10**, 113–147 (1969); **29**, 341 ff. (1981) ▪ Beilstein E V **20/7**, 45 ▪ Katritzky-Rees **4**, 172 f. ▪ Ullmann (5.) **A 9**, 240. – *[CAS 270-69-9]*

Isoindolinon-/Isoindolin-Pigmente. Grünliche bis rötliche Gelbpigmente, die chem. in den *Azomethin- u. *Methin-Typ klassifiziert werden.

Azomethin-Typ:

$X^1 = O$	: Isoindolinon-Pigmente
$X^1 = N-R$	: Isoindolin-Pigmente

R = substituiertes aromat. od. heterocycl. Diamin

X^2 bis $X^5 = H$, CH_3, OCH_3, NO_2, Cl

Methin-Typ:

Isoindolin-Pigmente

R^1 bis $R^4 = CN$, $CO-NH-Alkyl$, $CO-NH-Aryl$

Abb.: Isoindolinon-/Isoindolin-Pigmente.

Wegen ihrer guten *Licht- u. Wetterechtheiten sowie ihres Glanzes u. ihrer Thermostabilität werden sie hauptsächlich als Farbmittel für Plastik, hochwertige Autolacke u. *Druckfarben eingesetzt. – *E* isoindolidone-/isoindoline pigments – *I* pigmenti di isoindolinone, isoindolina – *S* pigmentos de isoindolinón (isoindolina)
Lit.: Herbst u. Hunger, Industrielle Organische Pigmente, S. 398 ff., Weinheim: VCH Verlagsges. 1993.

Isokaffeesäure s. Kaffeesäure.

Isokautschuk. Bez. für *Kautschuk-Derivate (**3**), die in zweistufiger Reaktion aus z. B. *Naturkautschuk (**1**) zugänglich sind. Zunächst wird dabei (**1**) durch HCl in Ggw. von H_2SnCl_6 in festes, weißes Kautschukhydrochlorid (**2**) überführt, das zu Filmen u. Folien verarbeitbar ist. (**2**) geht anschließend unter Abspaltung von HCl u. gleichzeitiger Isomerisierung in den I. (**3**) über.

– *E* isorubber – *F* isocaoutchouc – *I* isocaucc iù – *S* isocaucho
Lit.: Elias (5.) **2**, 144.

Isoket® (Rp). Tabl., Infusionslsg., Kapseln, Salbe u. Spray mit *Isosorbid-dinitrat bei Herzinfarkt u. Angina pectoris-Anfällen. *B.:* Schwarz Pharma AG.

Isoketten s. Ketten.

Isola. Kurzbez. für die 1912 gegründete Isola AG, 52353 Düren, eine 100%ige Tochterges. der Rütgers

AG, Frankfurt. *Daten* (1995): 2010 Beschäftigte, 634,1 Mio. DM Umsatz. *Produktion:* Basismaterialien für die Elektronik, techn. Schichtpreßstoffe u. Formteile aus Duroplasten für Elektrotechnik, Maschinenbau, Feinwerktechnik u. Leuchten-Ind., Hochleistungsverbundwerkstoffe für die Luft- u. Raumfahrt. *Tochterges.* in Großbritannien, Frankreich, Italien, Belgien, USA u. der Schweiz.

Isolan®-Farbstoffe. 2 : 1-Azometallkomplex-Farbstoffe zum Färben von Wolle u. Polyamid. *B.:* Bayer.

Isolatoren (Isoliermittel, Isolierstoffe). 1. Für den elektr. Strom s. Dielektrika, Isolierlacke u. Isolieröle. – 2. Für *Wärme u. *Kälte s. Wärmeisolierung u. Wärmedämmstoffe. – 3. Für *Schall s. Schalldämmstoffe. – 4. Für *Baustoffe s. Bautenschutzmittel. – 5. Bei *Anstrichstoffen s. Absperrmittel. – *E* insulators – *F* isolants – *I* isolatori, isolanti – *S* aislantes

L-Isoleucin [(2*S*,3*S*)-2-Amino-3-methylpentansäure; Kurzz. I od. Ile; das (3*R*)-Epimere heißt L_S-Alloisoleucin, Kurzz. aIle].

$C_6H_{13}NO_2$, M_R 131,17. L-I. ist eine *Aminosäure, wachsartige, glänzende Krist., Schmp. 284 °C (Zers.), sublimiert bei 168–170 °C, $[\alpha]_D^{20}$ +11,29° (c 3/H_2O); die DL-Form, Schmp. 292 °C (Zers.), u. die L-allo-Form, Schmp. 280 °C (Zers.), $[\alpha]_D^{20}$ +14,0° (c 2/H_2O), sind synthet. erhältlich. Ile ist in Wasser mäßig, in heißem Alkohol kaum lösl., unlösl. in Ether. Ile kommt neben L-Leucin in der Melasse, in Casein (1,43%), in Stachelhäutern u. in den Keimlingen der Futterwicke (*Vicia sativa*) vor. Es gehört zu den *essentiellen Protein-bildenden Aminosäuren; Tagesbedarf des Erwachsenen ca. 1,4 g.
Stoffwechsel: Ile entsteht durch *Transaminierung aus 3-Methyl-2-oxopentansäure, zu der es auch wieder abgebaut wird. Letzlich ist L-*Threonin die biosynthet. Vorstufe, während der Abbau weiter zu *Acetyl-CoA u. Propionyl-CoA führt; diese betreten den *Citronensäure-Cyclus, letzteres nach Carboxylierung, Racemisierung u. Umlagerung zu Succinyl-CoA (*Coenzym B_{12}-abhängige Reaktion).
Herst.: Durch Extraktion aus Eiweiß-Hydrolysaten od. durch Fermentation z. B. von Glucose-Lsg. in Ggw. von 2-Aminobuttersäure od. von Essigsäure.
Verw.: In der Mikrobiologie, in Aminosäure-Infusionslsg. u. in chem. definierten Diäten. – *E = F* isoleucine – *I = S* isoleucina
Lit.: Beilstein E IV **4**, 2774–2777. – *[HS 2922 49; CAS 73-32-5 (L-I.); 1509-34-8 (L-alle)]*

Isolichenin s. Lichenin.

Isolierlacke (Drahtlacke). Nach DIN 46456 (VDE 0360 Tl. 1 09/1974) Bez. für Lsm.-haltige, flüssige, pigmentierte od. nichtpigmentierte, physikal. u./od. chem. trocknende Stoffe od. Stoffgemische, die nach dem Trocknen elektr. isolieren u. gegen mechan. u. chem. Einwirkungen schützen. I. werden in möglichst dünner u. homogener Schicht auf Kupfer- od. Aluminium-Drähte aufgebracht („*Lackdraht*"); sie sind gemäß oben angegebener DIN eingeteilt in Typen bestimmter Wärmefestigkeit mit Nenn- u. Grenz-Temp. von 120 °C bis 200 °C.

Die früher üblichen Öl-, Alkyd-, Epoxy- u. Polyvinyl-formal-Lacke sind heute weitgehend abgelöst durch Polyester-, Polyamidimid- u. bes. wärmebeständige Polyesterimid-Lacke sowie die lötbaren Polyurethan-Lacke. Außerdem kennt man sog. Tränklacke, Tränkharze u. Gießharze, die bes. zur Verbesserung der Verlustwärmeableitung, als Schutz gegen Umwelteinfluß u. zur mechan. Verfestigung der in Spulen usw. verwickelten Lackdrähte eingesetzt werden. Ursprünglich wurden die Drähte mit Seide, Kunstseide, Baumwolle, Papier u. dgl. umsponnen. – *E* insulating varnishes – *F* vernis isolants – *I* vernici isolanti – *S* barnices aislantes

Lit.: Ullmann (4.) **15**, 481–486; (5.) **14**, 359.

Isoliermittel s. Isolatoren.

Isolieröle (Schalteröle). Nach DIN-IEC 1039 (11/1995) Bez. für Isolierflüssigkeiten zur Verw. in elektrotechn. Anlagen, wie Transformatoren, Kondensatoren, Schaltgeräten, Kabeln mit Ölkanälen u. dgl., bestehend aus *Mineralölen, synthet. aromat. Kohlenwasserstoffen (*Alkylbenzolen, Alkyldiphenylethanen od. Alkylnaphthalinen), *Polybutenen od. Silicon-Flüssigkeiten. Der Einsatz von *PCB in I. ist heute weitgehend verboten. – *E* insulating oils – *F* huiles isolantes, huiles d'isolement – *I* oli isolanti – *S* aceites aislantes

Lit.: Kirk-Othmer (3.) **13**, 551 f. ■ Ullmann (4.) **20**, 607–612; (5.) **A 14**, 360 f.

Isolierstoffe s. Isolatoren.

Isolierte Doppelbindungen s. Diene u. Doppelbindung, vgl. a. Konjugation.

Isolierung. In der *Chemie* gebräuchliche Bez. für die Abtrennung einer Substanz – z. B. eines *Naturstoffs – aus einem Stoffgemisch durch *Trennverfahren. Meist folgt der I. die *Identifizierung der durch verschiedene Meth. der *Reinigung von Fremdstoffen befreiten Substanz. – *E* isolation – *F* isolement – *I* isolamento – *S* aislamiento

Isolobal (von griech.: isos = gleich u. lobos = Lappen). Von Roald *Hoffmann u. Mitarbeitern 1976 eingeführte Bez. (*Lit.*[1]) für elektron. äquivalente Fragmente innerhalb eines Moleküls. Fragmente werden i. genannt, wenn sie in Anzahl, Symmetrieeigenschaften, Energie u. Gestalt ihrer *Grenzorbitale ähnlich sind, u. wenn diese mit der gleichen Zahl von Elektronen besetzt sind (*Lit.*[2,3]). So ist z. B. $Mn(CO)_5$ isolobal mit CH_3; die i. Beziehung wird folgendermaßen dargestellt.: $CH_3 \leftarrow \rightarrow Mn(CO)_5$. Bei beiden *Radikalen hat das einfach besetzte *Molekülorbital ähnliche Gestalt u. Energie; Näheres s. *Lit.*[3]. – *E = F = S* isolobal – *I* isolobale

Lit.: [1] Inorg. Chemie **15**, 1148 (1976). [2] Science **211**, 995 (1981). [3] Angew. Chem. **94**, 725 (1982).
allg.: Huheey, Anorganische Chemie, S. 669–672, Berlin: de Gruyter 1988.

Isolobinin s. Lobelia-Alkaloide.

Isolysergsäure s. Lysergsäure.

Iso Mack® (Rp). Tabl., Kapseln u. Spray mit *Isosorbid-dinitrat gegen coronare Durchblutungsstörungen u. Angina pectoris. *B.:* Mack.

Isomalt s. Palatinit®.

Isomaltit (6-*O*-α-D-Glucopyranosyl-D-glucit, früher auch: 1-*O*-α-D-Glucopyranosidosorbit).

$C_{12}H_{24}O_{11}$, M_R 344,32, Schmp. 165,5–167 °C, $[\alpha]_D^{28}$ +89° (H_2O), relative Süßkraft von 0,5. I. ist nicht kariogen, wirkt jedoch stark laxierend; s. a. Palatinit. – *E = F = S* isomaltitol – *I* isomaltitolo

Lit.: Beilstein E III/IV **17**, 3004.

Isomaltol [1-(3-Hydroxy-2-furyl)-ethanon].

$C_6H_6O_3$, M_R 126,11. Verb. mit karamelartigem, nußartigem Geruch. Entsteht im Verlauf der *Maillard-Reaktion beim Erhitzen von zuckerhaltigen Lebensmitteln; s. Brot. – *E = F = S* isomaltol – *I* isomaltolo

Lit.: Beilstein E V **18/1**, 121. – [CAS 3420-59-5]

Isomaltose s. Maltose u. Stärke.

Isomax®-Verfahren. Petrochem. Verf. der UOP, das aus dem Lamax- u. dem Isocrack-Verf. entwickelt worden ist u. bei dem minderwertige, höhersiedende Erdöl-Fraktionen in Ggw. von Wasserstoff katalyt. in wertvollere, niedrigersiedende Kohlenwasserstoffe überführt werden, ohne daß dabei größere Mengen an Methan, Ethan u. C_3-Kohlenwasserstoffen entstehen. Beim I.-V. handelt es sich um einen Zweistufenprozeß, in dessen erster Stufe Schwefel- u. Stickstoff-Verb. entfernt (Desulfurierung, Denitrifikation) sowie Olefin-Hydrierung, Hydrocracking u. Sättigung der aromat. Kohlenwasserstoffe vorgenommen werden. In der zweiten Stufe finden im Isocracker Spaltung u. Isomerisierung von Paraffinen, Desalkylierung alkylierter aromat. Verb. u. die *Hydrodesalkylierung von Naphthenen statt. Die Produkte des I.-V. sind je nach Wahl der Katalysatorsyst. *Flüssiggase (C_3/C_4-Kohlenwasserstoffe), *Benzine u. *Cycloalkane in verschiedenen Anteilen. Als *RCD Isomax* (Reduced Crude Desulfurization) dient das Verf. zur Entschwefelung von *Heizölen. – *E* isomax process – *F* procédé Isomax – *S* procedimiento isomax

Lit.: Ullmann E, 10f.; (4.) **10**, 696, 702 ■ Winnacker-Küchler (3.) **3**, 242–248.

Isomenthol s. Menthol.

Isomerasen. *Enzyme, die *Isomerisierungen katalysieren. Im Nomenklatur-Syst. der *IUBMB bilden sie die Klasse 5. Man unterscheidet je nach Reaktionstyp *Racemasen* u. *Epimerasen* (EC 5.1), *cis-trans*-I. (EC 5.2), intramol. Oxidoreduktasen (EC 5.3; z. B. Aldose-Ketose-I. sowie Keto-Enol-I. od. *Tautomerasen*), intramol. Transferasen (EC 5.4; *Mutasen*), intramol. Lyasen (EC 5.5; *Cyclo-I.*) u. a. I. (EC 5.99; z. B. Topo-I.). Einige Beisp. sind bei *Glykolyse erwähnt. Von bes. techn. Bedeutung ist *Glucose-Isomerase für die Herst. von *Glucose-Sirup. Bei *Desoxyribonucleinsäuren (DNA) kennt man auch sog. *Topo-I.*, die die *Topologie (hier: helicale Verdrillung) zirkulärer DNA ändern. – *E* isomerases – *F* isomérases – *I* isomerasi – *S* isomerasas

Isomere. Von *Iso… u. griech.: méros od. merís = Teil abgeleitete Bez. für Teilchen (Atome, Mol.), die *Isomerie mit anderen Teilchen zeigen; Näheres s. dort. – *E* isomers – *F* isomères – *I* isomeri – *S* isómeros

Isomerie. 1. In der *Chemie* Bez. für die Erscheinung, daß Verb. aus den gleichen Anzahlen der gleichen Atome bestehen, sich jedoch hinsichtlich ihrer Anordnung unterscheiden können. *Isomer* sind somit chem. Verb. mit gleichen *Brutto-, jedoch verschiedenen *Strukturformeln. Die zueinander im Verhältnis der I. stehenden Verb. werden *Isomere od. Isomeren genannt. *Beisp.* verschiedener I.-Typen: Ethanol (C_2H_5OH) u. Dimethylether ($H_3C-O-CH_3$) zeigen ebenso *Konstitutionsisomerie* od. *Struktur-I.* (unterschiedliche Verknüpfung der Atome od. Atomgruppen) wie die drei Xylole (*Stellungsisomerie* od. *Substitutions-I.*) od. die Butene (*Doppelbindungs-I.*). Bei letzteren kommt (bei 2-Buten) noch eine *Stereoisomerie (*cis-trans-Isomerie*) als weitere I.-Möglichkeit hinzu. Ferner kennt man noch innerhalb der *Stereo-I.* *Konfigurations-I.* [s. a. Enantiomerie u. Diastereo-(iso)merie]. Die *Konformations-I. ist ebenfalls eine Form der Stereo-I.; *Beisp.:* Sessel- u. Twistform des Cyclohexans. Bei gehinderter Rotation um Einfachbindungen kann es zur Ausbildung von *Atropisomerie kommen. Zur Abgrenzung der I.-Arten voneinander s. a. die IUPAC-Regeln Sektion E (Stereochemie u. *Lit.*[1]). Eine bes. Form der I. ist die *Tautomerie. Bei Komplexen kennt man weitere I.-Möglichkeiten (IUPAC-Regeln D-2.6), bei Hydraten die sog. *Hydratisomerie* (vgl. Koordinationslehre), bei Verb.-Klassen wie Catenanen, Knoten u. dgl. od. Einschlußverb. die sog. *topolog. I.*, bei Verb. mit *fluktuierenden Bindungen (*Topomeren*) I. durch *Topomerisierung.
Geschichte: Die frühesten Überlegungen zur I. sollen von *Jungius stammen, die ersten systemat. Beobachtungen machte Meinecke 1817–1819, bevor *Liebig 1823 bei der Elementaranalyse der Silber-Salze von Cyansäure u. Knallsäure feststellte, daß diese beiden Stoffe trotz ihrer chem. Verschiedenheiten die gleiche Bruttoformel besitzen. Der Begriff I. wurde 1830 von *Berzelius in die Chemie eingeführt; er verstand darunter Stoffe, die „die gleichen Elementaratome, aber in ungleicher Weise zusammengelegt" enthalten. Zur Geschichte des I.-Begriffs s. *Lit.*[2,3]
2. In der *Kernphysik u. *Kernchemie tritt *Kernisomerie auf; Näheres s. dort.
3. Bei Mol. mit äquivalenten Kernen, die einen von Null verschiedenen *Kern-Spin besitzen, liegt *Ortho-Para-Isomerie vor, s. dort. – *E* isomerism – *F* isomérisme – *I* isomeria – *S* isomería

Lit.: [1] Pure Appl. Chem. **45**, 11–30 (1976). [2] J. Chem. Educ. **36**, 330–333 (1959). [3] Endeavour **34**, 28–33 (1975).
allg.: Quinkert, Egert u. Griesinger, Aspekte der organischen Chemie – Struktur, S. 15 f., Basel: Helv. Chim. Acta 1995.

Isomerisationspolymerisation. Eine Bez. für *Polymerisationen, die unter Umlagerung der zu polymerisierenden *Monomeren während des Polymerisationsschrittes erfolgen. Aus dem chem. Aufbau der repetierenden Einheiten (B) des resultierenden Polymeren ist dann nicht mehr unmittelbar auf die Struktur des Ausgangsmonomeren (A) rückzuschließen. I. verlaufen somit nach dem allg. Schema:

$$n \, A \rightarrow -[B]_n-$$

Das Ausmaß der Umlagerung, die nicht in allen Fällen quant. verläuft, hängt ab von der relativen Stabilität der miteinander über die Isomerisierungsreaktion in Konkurrenz stehenden aktiven Kettenenden sowie von dem Verhältnis der Geschw. von Umlagerungs- u. Kettenwachstumsreaktion. Neben der Ausbildung eines stabileren aktiven Kettenendes kann auch der Abbau von Ringspannung die Triebkraft für die Isomerisierung der Monomerbausteine sein, wie dies z. B. im β-Pinen der Fall ist:

β-Pinen

Zu weiteren Beisp. für I. s. Exotenpolymerisation. – *E* isomerization polymerization – *F* polymérisation d'isomérisation – *I* polimerizzazione di isomerizzazione – *S* polimerización de isomerización
Lit.: Elias (5.) **1**, 126, 400, 555 ■ Encycl. Polym. Sci. Eng. **8**, 463–487 ■ Houben-Weyl **E 20**, 104 ff. ■ Odian (3.), S. 367.

Isomerisierung. Bez. für die Überführung einer Verb. in ein *Isomer(es). Da es mehrere Formen der *Isomerie gibt, sind auch ebenso viele I. möglich. I.-Reaktionen als typ. *intramolekulare Vorgänge sind Bestandteile nahezu aller *Umlagerungs-Reaktionen der organ. Chemie. Die Mehrzahl der I. benötigt zur Auslösung die Ggw. von Katalysatoren, Einwirkung von UV-Strahlung, Hitze, Protonen, *Isomerasen. Bei den Olefinen kann man durch I. Doppelbindungen verschieben, Cyclisierung od. Kettenverzweigung hervorrufen bzw. ändern od. *cis-trans*-Formen ineinander umwandeln, s. *cis-trans*-Isomerie. Bei Fettsäuren mit isolierten Doppelbindungen (Linolsäure, Linolensäure) erhält man durch I. konjugierte Doppelbindungen. Bei der *Valenzisomerisierung, auch als Bindungs-I. bezeichnet, werden Bindungen (Einfach- od. Mehrfachbindungen) verschoben. Zur theoret. Beschreibung werden vielfach die *Woodward-Hoffmann-Regeln herangezogen (s. a. elektrocyclische u. pericyclische Reaktionen).
In günstigen Fällen lassen sich I. spektroskop. verfolgen, z. B. mit *NMR-Spektroskopie od. anhand des Auftretens *isosbestischer Punkte (s. das UV-Spektrum des sich bei Belichtung umlagernden Colchicins bei *UV-Spektroskopie). Es gibt aber auch Fälle, in denen die Isomeren ununterscheidbar sind, z. B. bei sog. degenerierten Umlagerungen od. *Automerisierungen, die man heute *Topomerisierungen nennt.
I. treten nicht nur *in vitro*, sondern auch – in lebenswichtigen Funktionen – *in vivo* in Erscheinung, d. h. im pflanzlichen u. tier. *Stoffwechsel; *Beisp.:* *Sehprozeß, *Glykolyse, *Racemisierung usw., s. a. Iso-

merasen. In der Technik sind die I. im allg. übersichtlicher. Von erheblicher Bedeutung sind die *Beckmann-Umlagerungen von Oximen zu Lactamen, die gezielte Verschiebung von Doppelbindungen, bes. aber die Umwandlung geradkettiger Paraffine (n-Butan, n-Pentan, n-Hexan u. dgl.) in verzweigte, klopffeste Typen (Isobutan, Isopentan, Isooctan usw.), z. B. wird Methylcyclopentan mit $AlCl_3/H_2O$ zu Cyclohexan isomerisiert. I. sind auch Bestandteil von Hydroformier- u. verwandten Prozessen. Bei derartigen I. wird stillschweigend berücksichtigt, daß oft ein mehrstufiger Prozeß durchlaufen wird mit Spaltung in Bruchstücke, Bildung von olefin. Mol. u. Oligomerisation; s. a. Photochemie. – *E* isomerization – *F* isomérisation – *I* isomerizzazione – *S* isomerización
Lit.: s. Isomerie u. Umlagerungen.

Isomerose. Bez. für ein synthet., mit Hilfe von Xyloseisomerase (s. Isomerasen) gewonnenes Gemisch aus D-Glucose u. D-Fructose.

Isomethepten.

$$(H_3C)_2C=CH-CH_2-CH_2-\underset{\underset{CH_3}{|}}{CH}-CH_3 \quad \overset{NH-CH_3}{}$$

Internat. Freiname für das spasmolyt. u. vasokonstriktor. wirksame *Sympath(ik)omimetikum (±)-*N*,6-Dimethyl-5-hepten-2-amin, $C_9H_{19}N$, M_R 141,26, Sdp. 58–59 °C (931 Pa), n_D^{15} 1,4472; in Wasser nicht, in Ethanol, Ether, Chloroform u. Aceton leicht löslich. Verwendet wird das Hydrochlorid, Schmp. 68–69 °C, LD_{50} (Maus i.v.) 17,5 mg/kg. I. wurde 1934 von Knoll, 1941 von Bilhuber patentiert. – *E* isomeptene – *F* isométheptène – *I* isometeptene – *S* isomethepteno
Lit.: Beilstein E III **4**, 467 ▪ Hager (5.) **8**, 607 f. – *[HS 2921 19; CAS 503-01-5 (I.); 6168-86-1 (Hydrochlorid)]*

Isomethyljonone s. Methyljonone.

Isomonit® (Rp). Tabl. u. Kapseln mit *Isosorbid-5-mononitrat gegen coronare Herzkrankheit u. Angina pectoris. *B.:* Hexal.

Isomorphe Substitution s. Kristallstrukturanalyse.

Isomorphie (Homöomorphie). Von Eilhard *Mitscherlich 1818 entdeckte Erscheinung in der *Kristallchemie, wonach chem. verschiedene Substanzen eine prinzipiell gleiche Kristallstruktur besitzen können. Dabei können die Atomabstände u. in Ausnahmefällen auch die *chemische Bindung verschieden sein; *Beisp.:* Alle in der kub. dichtesten Kugelpackung kristallisierenden Elemente (Cu, Al, Pb, Au, Ag, Ce, ...) bzw. die vielen Vertreter des NaCl-Typs (NaCl, KCl, LiF, AgBr, MgO, PbS). Für das Auftreten gleicher Strukturen bei verschiedener chem. Zusammensetzung ist wesentlich, daß die Größenverhältnisse der Bausteine, d. h. die *Atom- bzw. *Ionenradien ähnlich sind u. daß die räumlichen Bindungstendenzen der Atome einigermaßen gleich sind.
Isomorphe Verb. können miteinander *Mischkristalle bilden. Je nachdem, ob sich die Strukturbestandteile eines Kristallgitters vollständig bzw. nur in begrenztem Umfang durch andere ersetzen lassen, spricht man von *vollständiger* (Mischkristallbildung ohne Mischungslücke bzw. *unvollständiger* I. (mit Mischungslücke, Unterschiede in den Gitterabständen bis ca. 6%). Wird im Kristallgitter nur ein einzelner

Bestandteil (Atom, Ion) durch einen anderen von gleichem Radius ersetzt, so spricht man von *Diadochie*. *Dimorphe Substanzen* (vgl. Polymorphie) können *Isodimorphie zeigen; dieser Begriff umfaßt auch den der sog. *Heteromorphie*. In gewissem Gegensatz zur I. steht die *Morphotropie* (von *...morph u. *...trop). Hierunter versteht man nach V. M. *Goldschmidt das Phänomen, daß chem. eng verwandte Stoffe bei gleichem Formeltyp ganz unterschiedlich kristallisieren; *Beisp.:* TiO_2 (Rutil-Typ), ThO_2 (Fluorit-Typ). – *E* isomorphism – *F* isomorphie – *I* = *S* isomorfismo
Lit.: Ramdohr-Strunz, S. 124 f.

Isoniazid (Rp).

Internat. Freiname für das *Tuberkulostatikum Isonicotinsäurehydrazid (4-Pyridincarbohydrazid, INH), $C_6H_7N_3O$, M_R 137,14. Farblose Krist., Schmp. 171,4 °C; λ_{max} (H_2O) 266 nm ($A_{1cm}^{1\%}$ 378), (0,01 M HCl) 265 nm ($A_{1cm}^{1\%}$ 420); LD_{50} (Maus i.p. u. i.v.) 149 mg/kg, in Wasser mäßig lösl., in Ether u. Benzol unlösl., Lagerung: lichtgeschützt u. luftdicht verschlossen.
I. wird in der Tuberkulose-Bakterien-Zelle enzymat. zu Isonicotinsäure gespalten u. wirkt dort als Antimetabolit der cytoplasmat. Nicotinsäure. Da unter alleiniger I.-Therapie rasch Resistenz eintritt, wird es im allg. in Kombination mit anderen Tuberkulostatika wie *Rifampicin u. *Ethambutol eingesetzt. I. wurde 1952 von Hoffmann-La Roche patentiert. u. ist von Fatol (Isozid®) u. Hefa Pharma (tebesium®) im Handel. – *E* isoniazid – *F* = *I* isoniazide – *S* isoniazida
Lit.: ASP ▪ DAB **1996** u. Komm. ▪ Florey **6**, 183–258 ▪ Hager (5.) **8**, 609–612. – *[HS 2933 39; CAS 54-85-3]*

Isonicotinsäure (4-Pyridincarbonsäure).

$C_6H_5NO_2$, M_R 123,11. Farblose Nadeln, Schmp. 319 °C, subl., wenig lösl. in kaltem Wasser, unlösl. in Ether u. Benzol; LD_{50} (Ratte oral) 5000 mg/kg, wassergefährdender Stoff, WGK 2 (Selbsteinst.).
Herst.: Durch Direkt-Oxid. von 4-Methylpyridin od. durch Ammonoxid. von 4-Methylpyridin u. anschließende Verseifung des Isonicotinsäurenitrils.
Verw.: Zur Synth. von Isonicotinsäurehydrazid u. a. Pharmazeutika; zusammen mit Barbitursäure für die spektroskop. Bestimmung von Cyaniden in Wasser[1]. – *E* isonicotinic acid – *F* acide isonicotinique – *I* acido isonicotinico – *S* ácido isonicotínico
Lit.: [1] J. Environm. Anal. Chem. **10**, 99–106 (1981). *allg.:* Beilstein E V **22/2**, 188 f. ▪ Merck-Index (12.), Nr. 5204 ▪ Ullmann (4.) **19**, 605, 611, 613; (5.) **A 22**, 415. – *[HS 2933 39; CAS 55-22-1]*

Isonicotinsäurehydrazid s. Isoniazid.

Isonitrile s. Isocyanide.

Isonitril-Probe s. Isocyanide.

Isonitroso... s. Hydroxyimino....

Isonitroso-Verbindungen s. Oxime u. Hydroxyimino...

Isononanol (Isononylalkohol). $C_9H_{20}O$, M_R 144,26. Trivialname für ein Gemisch isomerer prim., verzweigter C_9-Alkohole, das durch *Oxo-Synthese aus verzweigten Octenen (Trimethylpentenen) gewonnen wird; Hauptkomponente: 3,5,5-Trimethyl-1-hexanol. Farblose, schwach Campher-ähnlich riechende Flüssigkeit, D. 0,827–0,830, Sdp. 193–202 °C, in Wasser kaum löslich. Die Dämpfe, die durch Erhitzung verstärkt frei werden, reizen die Augen u. die Atemwege. Kontakt mit der Flüssigkeit führt ebenfalls zu Reizung der Augen u. – weniger stark – der Haut, wobei die Flüssigkeit auch über die Haut aufgenommen werden kann; Leber- u. Nierenschäden sind bei massiver Exposition möglich.
Verw.: Als Lsm., zur Herst. von Weichmachern (z. B. DINA, DINP) sowie als Zusatz zu Antischaummitteln. – *E* = *F* = *S* isononanol – *I* isononanolo
Lit.: Hommel, Nr. 412 ▪ Ullmann (5.) A 1, 292 ▪ Weissermel-Arpe (4.), S. 147 f. – *[CAS 27458-94-3; G 3]*

Isononansäure. $C_9H_{18}O_2$, M_R 158,24. a) Kurzbez. für 7-Methyloctansäure. – b) Trivialname für ein nach *Oxo-Synthese von C_9-Aldehyden durch Oxid. erhaltenes Gemisch isomerer, verzweigtkettiger C9-Carbonsäuren (hauptsächlich 3,5,5-Trimethylhexansäure). Klare, fast farblose, schwach sauer riechende Flüssigkeit, D. 0,895–0,902, Sdp. 232–236 °C; Dämpfe u. Flüssigkeit reizen stark Augen, Haut u. Atemwege.
Verw.: Zu Alkydharzen, Sikkativen für Lacke u. Ölfarben, Schmieröladditiven, Stabilisatoren u. Weichmachern für PVC-Polymerisate, Fungiziden, Kosmetikgrundstoffen. Das von I. abgeleitete Säurechlorid ist ein Zwischenprodukt für Isononanoylperoxid. – *E* isononanoic acid – *F* acide isononanoïque – *I* acido isononanoico – *S* ácide isononanoico
Lit.: Hommel, Nr. 593 ▪ Ullmann (5.) A 5, 236, 244 ▪ Weissermel-Arpe (4.), S. 149. – *[CAS 693-19-6 (a); 26896-18-4 (b)]*

Isononen s. Propen.

Isononylalkohol s. Isononanol.

Isooctan.

$$H_3C-\underset{\underset{CH_3}{|}}{\overset{\overset{CH_3}{|}}{C}}-CH_2-\underset{\underset{CH_3}{|}}{CH}-CH_3$$

F 🔥

Unsystemat. Name für 2,2,4-Trimethylpentan, C_8H_{18}, M_R 114,23. Farblose, leicht entzündbare, bewegliche Flüssigkeit, D. 0,692, Schmp. –107,5 °C, Sdp. 99,3 °C, FP. –12 °C, in Wasser unlösl., lösl. in Benzol, Toluol, Chloroform, Schwefelkohlenstoff usw.
Verw.: Als Flugzeugbenzin, Vgl.-Substanz in der Gaschromatographie, Bezugssubstanz bei der Bestimmung der Klopffestigkeit von *Motorkraftstoffen (OZ = 100, s. Octan-Zahl), Lsm. für Lacke, Waschflüssigkeit für Molekularsiebe bei der Paraffin-Gewinnung, Lsm. bzw. Suspensionsmittel bei der Herst. von Niederdruck-Polyethylen bzw. -Polypropylen. I. kann aus Isobuten über *2,4,4-Trimethyl-1-penten (Isoocten) mit anschließender Hydrierung od. aus Isobutan mit Buten u. anschließender Isomerisierung hergestellt werden. – *E* = *F* isooctane – *I* isoottano – *S* isooctano

Isooctanol (Isooctylalkohol). 1. Irreführende Bez. für *2-Ethyl-1-hexanol. – 2. Trivialname für ein Isomerengemisch verzweigter, prim. Octanole, $H_{15}C_7$–CH_2OH, $C_8H_{18}O$, M_R 130,23. Farblose, klare Flüssigkeit, D. 0,830–0,834, Sdp. 184–190 °C, mit den meisten organ. Lsm. mischbar. I. wird in großem Umfang durch *Oxo-Synthese gewonnen.
Verw.: Als Alkohol-Komponente zur Herst. von Estern mit Phthalsäure (DIOP), Maleinsäure, Adipinsäure (DIOA), Sebacinsäure, die als Weichmacher Verw. finden, als hydraul. Flüssigkeit, Kunstharz-Lsm., Antischaummittel, Emulgator, zur Herst. von synthet. trocknenden Ölen, Bohrölen, Schmierölen, zur Einführung von Isooctyl-Gruppen. – c) Kurzbez. für 6-Methylheptanol. – *E* = *F* = *S* isooctanol – *I* isoottanolo
Lit.: Ullmann (5.) A 1, 288 f. ▪ Weissermel-Arpe (4.), S. 147 f. – *[HS 2905 19; CAS 26952-21-6 (b); 1653-40-3 (c)]*

Isooctansäure. $C_8H_{16}O_2$, M_R 144,21. Trivialname für ein Gemisch verzweigtkettiger aliphat. C_8-Carbonsäuren, das durch Oxid. entsprechender Aldehyde od. Alkohole aus der *Oxo-Synthese entsteht; klare, fast farblose, schwach ranzig riechende, Augen- u. Hautreizende Flüssigkeit, Sdp. ca. 230 °C. Zur Verw. s. Isononansäure. – *E* isooctanoic ac – *F* acide isooctanoïque – *I* acido isoottanoico – *S* ácido isooctanoico
Lit.: Hommel, Nr. 594 ▪ Ullmann (5.) A 5, 236 f. ▪ Weissermel-Arpe (4.), S. 149 f. – *[CAS 25103-52-0]*

Isoocten s. 2,4,4-Trimethyl-1-penten.

Isooctyl... (*i*-Octyl). Mehrdeutige, abzulehnende Bez. für verzweigte Octyl-Reste: a) *6-Methylheptyl...*, –$(CH_2)_5$–$CH(CH_3)_2$ (IUPAC-Regel A-2.25). – b) *2-Ethylhexyl...*, –CH_2–$CH(C_2H_5)$–$(CH_2)_3$–CH_3 (in Freinamen meist I., oft noch unkorrekter *Octyl... genannt). – c) *1,1,3,3-Tetramethylbutyl...*, –$C(CH_3)_2$–CH_2–$C(CH_3)_3$ (vgl. Isooctan; meist *tert*-Octyl...). – *E* = *F* isooctyl... – *I* isoottil... – *S* isooctil...

Isooctylalkohol s. Isooctanol u. 2-Ethyl-1-hexanol.

Isooctylester. Meist als Weichmacher gebrauchte Ester von *Isooctanolen, bes. von *2-Ethyl-1-hexanol.

Isoölsäuren. Sammelbez. für die bei der Fetthärtung neben der *Elaidinsäure als Nebenprodukt anfallenden festen, ungesätt. Säuren. – *E* isooleic acids – *F* acides iso-oleïques – *I* acidi isooleici – *S* ácidos isooleicos
Lit.: Chem. Tech. (Heidelberg) 4, 423–426 (1975).

Isoosmotische Lösungen s. isotonische Lösungen.

Isopar®. Lsm. auf der Basis von Isoparaffinen (s. Paraffine u. Alkane). *B.:* EXXON Chemical.

Isoparaffine s. Alkane u. Paraffine.

Isopentan s. 2-Methylbutan.

Isopentanole s. Methylbutanole.

Isopentene s. Methylbutene.

Isopentenoide s. Isoprenoide.

Isopentenole s. Methylbutenole.

Isopentenyl... Mehrdeutige, abzulehnende Bez. für die 3 isomeren 3-Methylbutenyl-Reste: a) 3-Methyl-

1-butenyl („*1-Isopentenyl*"), –CH=CH–CH(CH₃)₂. – b) 3-Methyl-2-butenyl („*2-Isopentenyl*", „*Dimethylallyl*", *Prenyl*), –CH₂–CH=C(CH₃)₂; *Beisp.*: N^6-Isopentenyladenin (s. Zeatin). – c) 3-Methyl-3-butenyl („*3-Isopentenyl*"), –CH₂–CH₂–C(CH₃)=CH₂; *Beisp.*: Isopentenyl-diphosphat (Isopentenyl-pyrophosphat, IPP, C_5-3-en-PP) ist neben Dimethylallyldiphosphat (DMAP) eine Schlüssel-Vorstufe in der Biosynth. der *Isoprenoide. – *E* isopentenyl... – *F* isopentényl... – *I* = *S* isopentenil

Isopentyl... (3-Methylbutyl...). Bez. für die früher *Isoamyl...* genannte unsubstituierte Atomgruppierung –CH₂–CH₂–CH(CH₃)₂ (IUPAC-Regeln A-2.25 u. R-9.1.19b). Die Ester der *Isopentylalkohole (Isoamylalkohole*, s. Methylbutanole) sind im allg. unter den Säurekomponenten zu finden; *Beisp.*: *Essigsäurepentylester (Isopentylacetat). – *E* = *F* isopentyl... – *I* = *S* isopentil...

Isopentylacetat s. Essigsäurepentylester.

Isopeptide. Sammelbez. aus der Protein-Chemie für solche Peptide, bei denen die Verknüpfung der Aminosäuren nicht durch die üblichen *Peptid-Bindungen zwischen den α-ständigen Amino- u. Carboxy-Gruppen zustande kommt, sondern unter Beteiligung der endständigen od. Seitenketten-Funktion von Diaminocarbonsäuren od. Aminodicarbonsäuren. Die dadurch entstehenden Brücken sind verantwortlich für die *Vernetzung in Proteinen wie *Collagenen, *Fibrin u. *Elastin od. in durch Erhitzen denaturierter Gelatine. – *E* = *F* isopeptides – *I* isopeptidi – *S* isopéptidos

Isophoron (3,5,5-Trimethyl-2-cyclohexenon).

Xi ✖

$C_9H_{14}O$, M_R 138,21. Wasserklare, Augen, Haut u. Schleimhäute reizende Flüssigkeit, D. 0,92, Schmp. –8 °C, Sdp. 215 °C, in Wasser wenig lösl., mit organ. Lsm. mischbar. I. gilt als Stoff mit begründetem Verdacht auf krebserzeugendes Potential, Gruppe III B, MAK 2 ppm (MAK-Werte-Liste 1996); LD_{50} (Ratte oral) 2330 mg/kg; wassergefährdender Stoff, WGK 1 (Selbsteinst.); I. entsteht durch Kondensation von 3 Mol. Aceton.
Verw.: Lsm. für Vinylharze (Polyvinylchlorid-Pasten), Klebstoffe, Celluloseester usw.; in organ. Synthesen. – *E* = *F* isophorone – *I* isoforone – *S* isoforona
Lit.: Beilstein E IV **7**, 165 ▪ Hommel, Nr. 358 ▪ Ullmann (4.) **7**, 33; **9**, 693, 698; (5.) **A 1**, 89; **A 8**, 50. – *[HS 2914 29; CAS 78-59-1; G 3]*

Isophosphamid s. Ifosfamid.

Isophthalsäure (1,3-Benzoldicarbonsäure, veraltet: *m*-Phthalsäure).

$C_8H_6O_4$, M_R 166,13. Farblose Nadeln, Schmp. 348 °C, in kaltem u. heißem Wasser sehr schwer lösl., subl. unzersetzt. I. bildet im Gegensatz zur *Phthalsäure kein monomeres cycl. Anhydrid infolge größerer Entfer-

nung der COOH-Gruppen; man erhält I. durch Oxid. von 1,3-Xylol. I. wird zur Herst. von *Aramiden, Polyestern u. Kunstharzen für Hochtemp.-beständige Elektroisolierlacke bzw. für ölfreie Alkydharze verwendet. – *E* isophthalic acid – *F* acide isophtalique – *I* acido isoftalico – *S* ácido isoftálico
Lit.: Beilstein E IV **9**, 3292 ▪ Merck-Index (12.), Nr. 5214 ▪ Ullmann (4.) **22**, 519–528; (5.) **A 5**, 250 ▪ Weissermel-Arpe (4.), S. 426. – *[HS 2917 39; CAS 121-91-5]*

Isophytol.

$C_{20}H_{40}O$, M_R 296,54, Öl, Sdp. 107–110 °C (1,3 Pa), D_4^{20} 0,8519, lösl. in organ. Lsm., fast unlösl. in Wasser. I. ist Zersetzungsprodukt von *Chlorophyll; racem. Isomerengemische können aus *Linalool u. *Citral hergestellt werden. I. dient zur Herst. von Vitamin E u. K_1. – *E* = *F* isophytol – *I* isofitolo – *S* isofitol
Lit.: Beilstein E IV **1**, 2208 f. ▪ J. Org. Chem. **28**, 45 (1963). – *[HS 2905 22; CAS 505-32-8]*

Isopiestische Lösungen. Von *Iso... u. griech.: piestos = zusammenpreßbar abgeleitete Bez. für Lsg. mit gleichem *Dampfdruck. Auf der Bildung von i. L. durch *isotherme Dest.* beruht ein sehr genaues Verf. der *Molmassen-Bestimmung, das von Signer entwickelt wurde. – *E* isopiestic solutions – *F* solutions isopiestiques – *I* soluzione isopiestica – *S* soluciones isopiésticas

Isopilosin.

$C_{16}H_{18}N_2O_3$, M_R 286,33, Krist., Schmp. 182–183 °C. Alkaloid aus *Pilocarpus microphyllus* u. *P. jaborandi* (Rutaceae), wo es neben seinem 3-Epimer *Pilosin* {Carpidin, Carpilin, Schmp. 101–104 °C (Dihydrat), 171–172 °C (wasserfrei), $[\alpha]_D$ +83,9° (C_2H_5OH)} vorliegt. Pilosin ähnelt in seiner pharmakolog. Wirkung dem *Pilocarpin. – *E* isopilosine – *F* isopilosin – *I* = *S* isopilosina
Lit.: Beilstein E V **27/32**, 113 ▪ Helv. Chim. Acta **55**, 1053 (1972); **57**, 2199 (1974) ▪ J. Org. Chem. **39**, 1864 (1974) ▪ Tetrahedron Lett. **1975**, 97. – *[CAS 491-88-3 (I.); 13640-28-3 (Pilosin)]*

Isopimarsäure.

$C_{20}H_{30}O_2$, M_R 302,46, Schmp. 163–165 °C. I. ist eine in *Kolophonium vorkommende *Harzsäure auf Diterpen-Basis; zu Eigenschaften u. Verw. s. natürliche Harze. – *E* isopimaric acid – *F* acide isopimarique – *I* acido isopimarico – *S* ácido isopimárico
Lit.: Beilstein E IV **9**, 2181. – *[HS 3806 90; CAS 5835-26-7]*

Isopolysäuren (Homopolysäuren). Gruppenname für anorgan. *Polysäuren*, die partielle *Anhydride der Säuren darstellen u. im Gegensatz zu den *Heteropolysäuren nur Zentralatome *einer* Sorte enthalten;

Beisp. für Salze sind: Dinatrium-*disulfat ($Na_2S_2O_7$), Dinatriumtetraborat (*Borax, $Na_2B_4O_5(OH)_4 \cdot 8H_2O$), Pentanatrium-*triphosphat ($Na_5P_3O_{10}$, vgl. Kondensierte Phosphate). Insbes. Molybdate u. Wolframate sowie Oxometallate einiger anderer Übergangsmetalle neigen zur Bildung von I. unter Wasserabspaltung; *Beisp.*:

$$7[MoO_4]^{2-} + 8H^+ \rightleftharpoons [Mo_7O_{24}]^{6-} + 4H_2O$$
$$[Mo_7O_{24}]^{6-} + [MoO_4]^{2-} + 4H^+ \rightleftharpoons [Mo_8O_{26}]^{4-} + 2H_2O;$$

weitere Beisp. sind $[Mo_8O_{27}^{6-}]_n$, $[W_{10}O_{32}]^{4-}$, $[H_2W_{12}O_{40}]^{6-}$; zur Nomenklatur s. IUPAC-Regeln I-9.7 u. I-9.8. – *E* isopolyacids – *F* isopolyacides – *I* isopoliacidi – *S* isopoliácidos

Lit.: Angew. Chem. **103**, 56–70 (1991) ▪ Hollemann-Wiberg (101.), S. 1464–1469, 1423, 1435 f. ▪ s. a. Heteropolysäuren.

Isopren (2-Methyl-1,3-butadien).

C_5H_8, M_R 68,12, unbeständige, leicht oxidierbare Flüssigkeit, Sdp. 34 °C, Schmp. –120 °C, D_4^{20} 0,681, unlösl. in Wasser, lösl. in Ether u. Alkohol. I. ist Grundbaustein der isoprenoiden Naturstoffe wie der *Terpene, *Steroide, *Kautschuk usw., vgl. auch Isoprenoide u. Isopren-Regel. I. entsteht in geringem Umfang bei der trockenen Dest. von Kautschuk u. bei der Pyrolyse von *Terpentinöl. I. kommt als Stoffwechselprodukt im menschlichen Atem vor (ca. 2–4 mg/d); über I. im Zigarettenrauch vgl. *Lit.* [1].
Die techn. Herst. von I. erfolgt aus der Raffination von Erdöl, durch katalyt. Dehydrierung von Olefinen mit 5 C-Atomen, durch *Prins-Reaktion von Isobuten mit Formaldehyd u. anschließender Spaltung des 4,4-Dimethyl-1,3-dioxans, mittels Propen-Dimerisierung u. a. Verf. [2].
Verw.: Bes. zur Herst. von *cis*-*Polyisopren (I.-Kautschuk) u. zur Copolymerisation mit Isobuten (*Butylkautschuk) u. mit Acrylnitril [3]. I. läßt sich auch metallkatalyt. oligomerisieren: Z. B. Dimerisierung zu *Myrcen [4] u. Terpen-artigen Strukturen [5]. Katalyt. Hydrierung liefert *Methylbutene [6]. Allg. wird die Einführung eines Isopren-Rests als *Prenylierung* bezeichnet [7].
Geschichte: I. wurde 1860 von Williams entdeckt. Er beobachtete, daß es bei längerem Aufbewahren immer zähflüssiger wird (Polymerisierung), aber erst Fritz *Hofmann fand 1909, daß man I. durch Wärmebehandlung (mit od. ohne Katalysatoren) in den Wärmekautschuk überführen kann; dieser steht dem Naturkautschuk strukturell sehr nahe. Unabhängig von Hofmann fand *Harries (1910), daß sich I. in Kautschuk umwandeln läßt, wenn man es zusammen mit Essigsäure in einem geschlossenen Rohr erhitzt. Eine abweichende Darst. der I.-Geschichte findet sich in *Lit.* [8]. – *E = I* isoprene – *F* isoprène – *S* isopreno

Lit.: [1] Gildemeister **7**, 525. [2] Encyl. Polym. Sci. Eng. **8**, 487–564; Inf. Chim. **206**, 163–178, 181–184 (1980); Ullmann (5.) **A1**, 346; (5.) **A14**, 629–635; Winnacker-Küchler (4.) **5**, 167 f., 204–207, 216; **6**, 514–518. [3] Ullmann (4.) **13**, 379–389; Winnacker-Küchler (3.) **5**, 189 ff., 193 ff. [4] Synthesis **1977**, 307 f. [5] Mitteilungsbl. Chem. Ges. DDR **34**, 122–127 (1987). [6] Biochem. Biophys. Res. Commun. **99**, 1456 (1981). [7] Angew. Chem. **94**, 63 (1982). [8] Chem. Unserer Zeit **1**, 40–47 (1969).

allg.: Adv. Organomet. Chem. **17**, 141–194 (1979) ▪ Beilstein EIV **1**, 1001 ff. ▪ Ceausescu, Stereospecific Polymerisation of Isoprene, Oxford: Pergamon Press 1983 ▪ Hommel, Nr. 359 ▪ IEC Prod. Res. Develop. **18**, 254–258 (1979) ▪ Kirk-Othmer (4.) **14**, 934 (Review) ▪ Rubber World **183**, 87–91 (1980) ▪ Ullmann (5.) **A14**, 627–644 – *[HS 2901 24; CAS 78-79-5]*

Isoprenalin (Rp, ausgenommen Zubereitungen zum äußeren Gebrauch in einer Konz. bis zu 0,5 Gew.-%).

$$HO\text{—}\underset{HO}{\bigcirc}\text{—}\underset{OH}{\underset{|}{CH}}\text{—}CH_2\text{—}NH\text{—}CH(CH_3)_2$$

Internat. Freiname für das auch *Isoproterenol* genannte β-*Sympath(ik)omimetikum, Broncholytikum u. Vasodilatans (±)-1-(3,4-Dihydroxyphenyl)-2-(isopropylamino)ethanol [(±)-*N*-Isopropyl-noradrenalin], $C_{11}H_{17}NO_3$, M_R 211,26; Racemat: Schmp. 155,5 °C; pK_a 8,64, LD_{50} (Ratte oral) 3675 mg/kg; Hydrochlorid: Schmp. 170–171 °C, LD_{50} (Ratte oral) 2221±93 mg/kg; Sulfat-Dihydrat: Schmp. 128 °C; (–)-(*R*)-Form: Schmp. 164–165 °C, $[\alpha]_D^{19}$ –45,0° (c 2/2N HCl); L-Form-Hydrochlorid: Zers. bei 162–163 °C, $[\alpha]_D^{20}$ –50°. I. wurde 1943 von Boehringer Ingelheim (Ingelan®) patentiert u. ist auch von Kattwiga (Kattwilon®) im Handel. – *E* isoprenaline – *F* isoprénaline – *I = S* isoprenalina

Lit.: ASP ▪ Beilstein E IV **13**, 2932 ▪ DAB **1996** u. Komm. (Sulfat) ▪ Hager (5.) **8**, 614–617. – *[HS 2922 50; CAS 7683-59-2 (I.); 149-53-1 ((±)-I.); 51-31-0 ((R)-I.); 2964-04-7 ((S)-I.); 6078-56-4 ((±)-I.-Sulfat); 299-95-6 (I.-Sulfat); 949-36-0 ((±)-I.-Hydrochlorid); 51-30-9 (I.-Hydrochlorid)]*

Isoprenkautschuk s. Polyisoprene.

Isoprenoide (Isopentenoide). Gruppenbez. für solche Naturstoffe, die aus *Isopren-Einheiten (s. Isopren-Regel) aufgebaut sind (z. B. *Sesqui-, *Di- u. *Triterpene, *Iridoide, *Carotinoide, *Steroide, *Naturkautschuk u. a.). Viele nicht-isoprenoide Naturstoffe verfügen über isoprenoide Seitenketten, z. B. *Tocopherole, *Ubichinone, *Chlorophyll, od. enthalten im Gerüst eingebaute isoprenoide Strukturen, z. B. monoterpenoide Indol-Alkaloide, *Penitreme, *China-Alkaloide. – *E* isoprenoids – *F* isoprénoïdes – *I* isoprenoidi – *S* isoprenoides

Lit.: ACS Symp. Ser. **562** (1994) ▪ Methods Enzymol. **110** (1985) ▪ Porter u. Spurgeon, Biosynthesis of Isoprenoid Compounds (2 Bd.), New York: Wiley 1981, 1983 ▪ Zechmeister **34**, 1–80, 249–299.

Isopren-Regel. Nach frühen Beobachtungen von *Berthelot (1860) u. *Wallach, die Terpene auf der Basis von C_5H_8-Einheiten klassifizierten, u. der Vermutung von Bonner (1941), daß der isoprenoide Vorläufer von Naturkautschuk ähnlich entstehen könnte wie z. B. β-Methylcrotonsäure aus Aceton u. Essigsäure, formulierte *Ružička 1953 die I.-R. für die Biosynth. isoprenoider Naturstoffe [1].
Gemäß dieser Regel können bestimmte acycl. Terpene nach ion. od. radikal. Mechanismen kondensieren, so daß alle bekannten Mono-, *Sesqui- u. *Diterpene, sowie im Fall von *Squalen als acycl. Vorläufer auch die *Triterpene u. *Steroide in pflanzlichem u. tier. Gewebe abgeleitet werden können. Vorläufer für „aktives Isopren" ist *Mevalonsäure, die biogenet. ihrerseits aus 3 Mol. Acetyl-CoA gebildet wird. Nur (+)-(*R*)-Me-

valonsäure wird in Markierungsexperimenten eingebaut. Tchen beobachtete, daß das erste Zwischenprodukt bei der Bildung von Squalen aus Mevalonsäure deren Monophosphatester ist (5-Phosphomevalonsäure)[2]. Die Arbeitskreise von Bloch[3] u. Lynen[4] erkannten Isopent-3-enylpyrophosphat (IPP) als „aktives Isopren". Lynen zeigte im Anschluß daran, daß IPP zunächst zu Dimethylallylpyrophosphat (DMAP, Isopent-2-enylpyrophosphat) isomerisiert. Das Gleichgew. dieser Reaktion liegt auf der Seite von DMAP. IPP u. DMAP kondensieren zu Geranylpyrophosphat, das wiederum mit DMAP zu Farnesylpyrophosphat usw. weiterreagieren kann. Die Kondensation der Terpene erfolgt also im Gegensatz zu klass. Kondensationsreaktionen unter Beteiligung von Phosphat im allg. in einer Kopf-Schwanz-Reaktion. Im Gegensatz hierzu stellt die Kondensation von 2 Mol. Farnesylpyrophosphat zu Squalen eine Kopf-Kopf- bzw. Schwanz-Schwanz-Reaktion dar. Das gleiche gilt für die Dimerisierung von Geranylgeranylpyrophosphat zu den *Carotinoiden. Hydroxy-Gruppen werden phosphoryliert u. eliminiert. Infolge ihrer allyl. Natur können Zwischenprodukte alkylierend wirken. Eine schemat. Übersicht der mit der I.-R. verbundenen Biosynthesewege findet sich in *Lit.*[5]. – *E* isoprene rule – *F* règle de l'isoprène – *I* regola isoprenica – *S* regla del isopreno

Lit.: [1] Experientia **9**, 357 (1953). [2] Adv. Steroid Biochem. Pharmacol. **1**, 51 (1971). [3] Proc. Nat. Acad. Sci. (USA) **44**, 998 (1958). [4] Angew. Chem. **70**, 738 (1958). [5] Nuhn, Chemie der Naturstoffe (2.), S. 466–521, Berlin: Akademie-Verl. 1990. *allg.*: Herbert, The Biosynthesis of Secondary Metabolites (2.), 63–95, London: Chapman & Hall 1989 ▪ Mann, Secondary Metabolism (2.), 95–171, Oxford: Univ. Press 1987 ▪ Porter u. Spurgeon, Biosynthesis of Isoprenoid Compounds (2 Bd.), Chichester: Wiley 1981.

Isoprocarb.

Common name für (2-Isopropylphenyl)-*N*-methylcarbamat, $C_{11}H_{15}NO_2$, M_R 193,25, Schmp. 93–96 °C, LD_{50} (Ratte oral) ca. 450 mg/kg (Bayer), von Bayer 1970 eingeführtes *Insektizid mit Kontakt- u. Fraßgiftwirkung gegen Zikaden, Blattläuse, Blattwanzen, Käfer, Obstmaden u. Psylliden (Blattflöhe) im Reis-, Kakao- u. Obstbau. – *E* = *I* = *S* isoprocarb – *F* isoprocarbe

Lit.: Farm ▪ Pesticide Manual. – *[HS 2924 29; CAS 2631-40-5]*

Isopropalin.

Common name für 4-Isopropyl-2,6-dinitro-*N,N*-dipropylanilin, $C_{15}H_{23}N_3O_4$, M_R 309,37, LD_{50} (Ratte oral) >5000 mg/kg (WHO), von Eli Lilly 1969 eingeführtes selektives *Herbizid gegen Unkräuter u. Ungräser im Tabak- u. Tomatenbau. – *E* isopropalin – *F* isopropaline – *I* = *S* isopropalina

Lit.: Farm ▪ Perkow. – *[HS 2921 49; CAS 33820-53-0]*

Isopropamidiodid (Rp).

Internat. Freiname für das *Parasympath(ik)olytikum (3-Carbamoyl-3,3-diphenylpropyl)diisopropylmethyl-ammoniumiodid, $C_{23}H_{33}IN_2O$, M_R 480,43, Schmp. 198–201 °C (Zers.), auch 189–191,5 °C angegeben, in kochendem Wasser leicht lösl.; Lagerung lichtgeschützt. – *E* isopropamide iodide – *F* iodure d'isopropamide – *I* isopropamide ioduro – *S* yoduro de isopropamida

Lit.: Beilstein E IV **14**, 1853 ▪ Florey **2**, 315–338 ▪ Hager (5.) **8**, 617 f. – *[HS 2924 29; CAS 71-81-8]*

Isopropanol. Im Laborjargon viel gebrauchter, nach IUPAC-Regel C-201.1 aber unzulässiger Name für 2-*Propanol. Begründung: Es gibt keinen Kohlenwasserstoff „Isopropan", von dem sich der Name ableiten könnte (vgl. Alkohole); allenfalls zulässig ist Isopropylalkohol, weil es eine *Isopropyl-Gruppe gibt. – *E* isopropanol, isopropyl alcohol – *F* isopropanol, alcool isopropilique – *I* isopropanolo – *S* isopropanol, alcohol isopropílico

Isopropanolamin s. Aminopropanole.

Isopropenyl... Nach IUPAC-Regel A-3.5 u. R-9.1.19b Bez. für die unsubstituierte Atomgruppierung –C(CH₃)=CH₂. – *E* isopropenyl... – *F* isopropényl... – *I* = *S* isopropenil...

Isopropenylacetat s. Essigsäureisopropenylester.

Isopropenylbenzol s. α-Methylstyrol.

Isopropoxy... Bez. für die unsubstituierte Atomgruppierung –O–CH(CH₃)₂ (IUPAC-Regel C-205 u. R-9.1.26b). – *E* = *F* isopropoxy... – *I* isopropossi... – *S* isopropoxi...

Isopropyl... Nach IUPAC-Regel A-2.25 u. R-9.1.19b Bez. für die unsubstituierte Atomgruppierung –CH(CH₃)₂. Mit Ausnahme der in den folgenden Stichwörtern erwähnten Verb. finden sich die Isopropyl-Verb. im allg. bei den entsprechenden Propyl-Verb.; *Beisp.:* Isopropylamin s. Propylamine, Isopropylchlorid s. Propylchloride, Isopropylalkohol s. Propanole. Die Ester des 2-Propanols (Isopropylester) sind bei den Säureestern abgehandelt; *Beisp.:* Isopropylacetat s. Essigsäurepropylester. – *E* = *F* isopropyl... – *I* = *S* isopropil...

Isopropylbenzol s. Cumol.

Isopropyliden... Nach IUPAC-Regel A-4.1 u. R-9.1.19b Bez. für die unsubstituierte Atomgruppierung =C(CH₃)₂; bei Kohlenhydraten (IUPAC/IUB-Regel Carb-32) u. a. Naturstoffen auch für den Brückensubstituenten –C(CH₃)₂– [–O–C(CH₃)₂–O– heißt Isopropylidendioxy...]. – *E* isopropylidene... – *F* isopropylidène... – *I* = *S* isopropiliden...

Isopropylmethylbenzole s. Cymole.

Isopropylphenazon s. Propyphenazon.

Isopropylsenföl s. Senföle.

Isopropyltropolone s. Thujaplicine.

Isoproterenol s. Isoprenalin.

Isoprothiolan.

Common name für 1,3-Dithiolan-2-ylidenmalon-säure-diisopropylester, $C_{12}H_{18}O_4S_2$, M_R 290,39, Schmp. 54–54,5 °C, LD_{50} (Ratte oral) 1190 mg/kg (WHO), von Nihon Noyaku entwickeltes system. *Fungizid gegen *Pyricularia oryzae* im Reisbau. – *E* = *F* isoprothiolane – *I* isoprotiolano – *S* isoprotiolán
Lit.: Farm ■ Pesticide Manual. – *[HS 2934 90; CAS 50512-35-1]*

Isoproturon.

Common name für 3-(4-Isopropylphenyl)-1,1-dimethylharnstoff, $C_{12}H_{18}N_2O$, M_R 206,29, Schmp. 155 °C, LD_{50} (Ratte oral) 1800 mg/kg (WHO), von Hoechst, Ciba-Geigy u. Rhône-Poulenc entwickeltes selektives system. *Herbizid gegen Ungräser u. einige Unkräuter im Getreidebau. – *E* = *F* isoproturon – *I* isoproturone – *S* isoproturón
Lit.: Farm ■ Perkow ■ Pesticide Manual. – *[HS 2924 21; CAS 34123-59-6]*

Isoptin® (Rp). Ampullen u. Tabl. mit *Verapamil-Hydrochlorid gegen tachykarde Rhythmusstörungen, Angina pectoris, akute Coronarinsuffizienz; I. RR plus zusätzlich mit dem Diuretikum *Hydrochlorothiazid. *B.:* Knoll.

Isopto®-Max (Rp). Augen-Tropfen u. -Salbe mit *Dexamethason, *Neomycin-sulfat u. *Polymyxin-B-Sulfat gegen infektiöse, bakterielle Augenentzündungen. *B.:* Alcon-Thilo.

ISO-PUREN® (Rp). Tabl. u. Kapseln mit *Isosorbiddinitrat gegen coronare Herzkrankheit u. Angina pectoris. *B.:* Isis/Puren.

Isoquercitrin s. Johanniskraut u. Querecetin.

Isorhamnetin s. Termone.

Isosafrol [5-(1-Propenyl)-1,3-benzodioxol, 1,2-(Methylendioxy)-4-(1-propenyl)benzol].

$C_{10}H_{10}O_2$, M_R 162,19. Das mit *Safrol isomere I. ist eine farblose, nach Anis riechende Flüssigkeit: *cis*-I. [D. 1,118, Schmp. –22 °C, Sdp. 77–79 °C (4,7 hPa)]; *trans*-I. [D. 1,120, Schmp. 7 °C, Sdp. 86 °C (4,5 hPa)]; lösl. in Alkohol, Ether u. Benzol; wassergefährdender Stoff, WGK 2 (Selbsteinst.); Schweiz: Stoff der Giftklasse 1 mit carcinogenem Potential. I. entsteht bei Druckerhitzung von Safrol mit alkohol. Kalilauge.
Verw.: Als Zwischenprodukt bei der Synth. von *Piperonal, zur Seifenparfümierung u. zum Aufhellen anatom. Präparate. – *E* isosafrole – *F* isosafrol, isosafrole – *I* isosafrolo – *S* isosafrol
Lit.: Beilstein E V 19/1, 552 ■ IARC-Monogr. **10**, 231 ff. ■ Merck-Index (12.), Nr. 5243 ■ Ullmann (4.) **20**, 243; (5.) **A 11**, 198. – *[HS 2932 99; CAS 120-58-1 (Gemisch); 17627-76-8 (cis); 4043-71-4 (trans)]*

Isosarsasapogenin s. Smilagenin.

Isosbestische Punkte (von *Iso… u. griech.: sbesis = Auslöschung). In der Absorptionsspektroskopie Bez. für die Punkte gleicher mol. Absorptionskoeff. bei einer definierten Wellenlänge. Das Auftreten von i. P. im Absorptionsspektrum weist auf einen linearen Zusammenhang der Konz.-Änderungen der in der Untersuchungslsg. nebeneinander vorliegenden, verschiedenen absorbierenden Spezies hin, wenn z. B. pH-Wert, Zeit, Temp., Belichtungsdauer variiert werden. – *E* isosbestic points – *F* points isosbestiques – *I* punti isosbestici – *S* puntos isosbésticos
Lit.: s. Spektroskopie.

Isosirup s. Glucose-Isomerase.

Isosorbid-dinitrat (Rp, Abk. ISDN).

Internat. Freiname für den zur Behandlung der Angina pectoris geeigneten *Vasodilatator 1,4:3,6-Dianhydro-D-glucit-dinitrat, $C_6H_8N_2O_8$, M_R 236,14, Schmp. 70 °C, $[\alpha]_D^{20}$ +135°, in Wasser schwer, in den meisten organ. Lsm. besser löslich. Im Organismus wird I. zu Isosorbid-2- u. *Isosorbid-5-mononitrat metabolisiert. I. ist als Generikum von vielen Firmen im Handel. – *E* isosorbide dinitrate – *F* dinitrate d'isosorbide – *I* isosorbide dinitrato – *S* dinitrato de isosorbida
Lit.: ASP ■ Beilstein E V **19/3**, 204 ■ Florey **4**, 225–244 ■ Hager (5.) **8**, 620 ff. – *[HS 2920 90; CAS 87-33-2]*

Isosorbid-5-mononitrat (Rp). Internat. Freiname für 1,4:3,6-Dianhydro-D-glucit-5-nitrat, $C_6H_9NO_6$, M_R 191,14, Schmp. 90 °C, $[\alpha]_D^{20}$ +144° (H_2O). I. ist ein *Vasodilatator u. wird zur Behandlung von Angina pectoris eingesetzt. Formel s. Isosorbid-dinitrat, jedoch an C-2 ein OH statt O-NO₂. I. ist als Generikum von vielen Firmen im Handel. – *E* isosorbide mononitrate – *F* mononitrate d'isosorbide – *I* isosorbide mononitrato – *S* mononitrato de isosorbida
Lit.: Beilstein E V **19/3**, 204 ■ Hager (5.) **8**, 622 ff. – *[HS 2932 90; CAS 16051-77-7]*

Isospin. Physik. Größe der *Kernphysik u. Physik der *Elementarteilchen, die 1932 von *Heisenberg u. Iwanenko eingeführt wurde. Der I. ist ein *Vektor in einem speziellen dreidimensionalen Raum, dem I.- od. Isoraum, u. wird mathemat. wie der *Spin behandelt. Analog zu diesem sind die Einstellmöglichkeiten des I. quantisiert; die möglichen Werte werden von der I.-Quantenzahl T geregelt, die häufig selbst als I. bezeichnet wird. Zu einem gegebenen Wert von T gibt es $2T+1$ Einstellmöglichkeiten bezüglich der Quantisierungsachse, z. B. haben *Proton u. *Neutron eine I.-Quantenzahl T = ½ mit den Einstellmöglichkeiten $T_z = +½$ für das Proton u. $T_z = -½$ für das Neutron; diese beiden Teilchen bilden ein I.-Dublett. – *E* = *F* = *I* = *S* isospin
Lit.: s. Elementarteilchen.

Isostannit s. Stannit.

Isostenase® (Rp). Kapseln u. Tabl. mit *Isosorbid-dinitrat gegen Angina pectoris, nach Herzinfarkt. *B.:* Azupharma.

Isosterie. Von *Langmuir (1919) geprägte Bez. für den bes. *isoelektronischen Zustand, daß Mol. od. Ionen bei gleicher Anzahl an Atomen die gleiche Gesamtzahl an Elektronen, die gleiche Elektronenkonfiguration u. die gleiche Gesamtladung besitzen; *Beisp.:* Kohlenmonoxid u. Stickstoff, Kohlendioxid u. Distickstoffoxid, Benzol u. Borazol, Diazomethan u. Keten. Zur Geschichte des I.-Begriffs s. *Lit.*[1]. Isostere Verb.-Paare lassen sich aufgrund einer einfachen Regel auffinden, wenn man von zwei Atomen einer beliebigen Verb. das eine durch ein Atom mit einer um x höheren, das andere durch ein Atom mit einer um x kleineren Ordnungszahl ersetzt; *Beisp.:* $H_2C=CH_2$ u. $H_2N\rightarrow BH_2$, vgl. Bor-Stickstoff-Verbindungen. Die physikal. Eigenschaften von isosteren Verb. sind einander sehr ähnlich; man kann deshalb aufgrund von bekannten Eigenschaften einer Verb. auf diejenigen ihrer isosteren Partner schließen, was die Suche nach Verb. mit gewünschten Eigenschaften sehr erleichtert. Deshalb hat man I.-Überlegungen auch in die pharmazeut. Chemie einbezogen u. benutzt sie bei der Suche nach neuen Pharmaka mit agonist. u. antagonist. Wirkung (sog. *Bioisosterie* z.B. von ≡CH u. ≡N). In verwandtem Sinne spricht man von I. bei solchen *Effektoren, die eine *kompetitive Hemmung von *Enzymen aufgrund ihrer Ähnlichkeit mit dem Enzymsubstrat hervorrufen, s. dagegen Allosterie. – *E* isosterism – *F* isostérie – *I* isosterismo – *S* isosterismo
Lit.: [1] Chem.-Ztg. **106**, 1–11 (1982). *allg.:* Fortschr. Chem. Forsch. **13**, 167–225 (1969/1970) ▪ Chem. Soc. Rev. **8**, 563 (1979).

Isosweet. Handelsbez. für hochfructosehaltigen *Glucose-Sirup (sog. Isosirup).

Isotachophorese. Bez. für eine Meth. der *Elektrophorese, bei der die Trennung gleichsinnig geladener Mol. aufgrund ihrer unterschiedlichen Beweglichkeit in einem elektr. Feld erfolgt. Außer der Probe enthält das Syst. noch ein Leit-Ion L (*E* leading ion) mit größerer u. ein End-Ion T (*E* tailing ion) mit kleinerer Beweglichkeit als die der Probe-Ionen. Haben bei konstanter Stromstärke alle Ionen nach dem *Gesetz von *Kohlrausch* (Wanderungsgeschw. = Feldstärke × Beweglichkeit) die gleiche Wanderungsgeschw., so muß sich zwischen ihnen ein Gefälle der Feldstärke einstellen. Dadurch werden alle Ionen gleicher Beweglichkeit im Bereich einer bestimmten Feldstärke in scharf abgegrenzten Zonen konzentriert, die mit gleicher Geschw. wandern (griech.: ísos = gleich u. táchos = Geschw.; Name!). Die analyt. I. arbeitet im allg. trägerfrei, jedoch lassen sich bei Anw. von Träger-Ampholyten auch präparative Trennungen durchführen. Anw.-Gebiete für die I. sind z.B. Trennungen von Peptiden, Metaboliten, Nucleotiden, Aminosäuren, Fettsäuren, aber auch anorgan. Ionen. – *E* isotachophoresis – *F* isotachophorèse – *I* isotachiforesi – *S* isotacoforesis
Lit.: Analyt.-Taschenb. **3**, 139–165 ▪ Encyclopedia Analytical Science, Bd. 2, S. 1075–1082, New York: Academic Press 1995 ▪ J. Chromatogr. **334**, 157–195 (1985).

Isotaktische Polymere. Bez. für *Polymere mit chiralen od. prochiralen Atomen in der Hauptkette, deren Mol. durch eine regelmäßige Abfolge konfigurativer Grundeinheiten nur einer einzigen Art charakterisiert sind. So können z.B. die Kohlenstoff-Atome einer Polymer-Hauptkette asymmetr. (z.B. im Polypropylenoxid, I) od. pseudoasymmetr. sein (z.B. im Polymethylmethylen, II od. *Polypropylen, III). Während bei I die Asymmetrie unmittelbare Folge der vier verschiedenen Substituenten des asymmetr. Kohlenstoff-Atoms (*) ist, ist die Pseudoasymmetrie bei II od. III lediglich Ergebnis der unterschiedlich langen Restketten R^1 u. R^2 am pseudoasymmetr. Kohlenstoff-Atom (*). Aus diesem Grunde sind letztere auch nicht opt. aktiv.

Abb.: Isotaktische Polymere.

Schreitet man nun derartige Polymerketten wie I – III von einem Kettenende beginnend C-Atom für C-Atom immer in einer Richtung ab, so wird man im Falle der i. P. finden, daß alle (pseudo)asymmetr. Kohlenstoffatome entlang der Kette die gleiche relative Konfiguration aufweisen (dagegen alternierend für *syndiotaktische Polymere, regellos für *ataktische Polymere). In der sog. Natta-Projektion (die Polymer-Hauptkette liegt in der Papierebene, die Substituenten stehen ober- u. unterhalb davon) sind die i. P. I – III unter A – C gezeigt, in der Fischer-Projektion unter D – F. Es zeigt sich damit, daß im Falle der i. P. die sog. konfigurative Repetiereinheit mit der konfigurativen Grundeinheit ident. ist; Näheres zur Terminologie s. Makromoleküle u. Taktizität.
Enthalten die i. P. zwei verschiedene chirale od. prochirale Atome in der Hauptkette, so kann man von *diisotakt. Polymeren* sprechen, wenn die Polymerketten bezüglich jedes dieser beiden (pseudo-)asymmetr. Zentren isotakt. sind. Die i. P. sind – ebenso wie die *syndiotaktischen u. disyndiotakt. – *takt. Polymere* u. stehen damit im Gegensatz zu den *ataktischen Polymeren; vgl. die Gegenüberstellung bei Taktizität u. bei Polypropylen. – *E* isotactic polymers – *F* polymères isotactiques – *I* polimeri isotattici – *S* polímeros isotácticos
Lit.: Elias (5.) **1**, 136 ▪ Lechner, Gehrke u. Nordmeier, Makromolekulare Chemie, S. 20f., Berlin: Birkhäuser 1993 ▪ Odian (3.), S. 604.

Isotaktizität s. Taktizität u. isotaktische Polymere.

Isotaxie-Index. Eine zur Charakterisierung der Stereoregularität von *Polypropylen verwendete Kenngröße. Der I.-I. definiert den Masse-Gehalt (in %) an in siedendem *n*-Heptan unlösl., isotakt. Polypropylen

einer Polymer-Probe. Atakt. Polypropylen u. Stereo-Block-Polypropylen (Polypropylen mit atakt. u. isotakt. Blöcken im selben Mol.) sind in diesem Lsm. löslich. – *E* isotactic index – *F* indice isotactique – *I* indice isotattico – *S* índice isotáctico
Lit.: Batzer **2**, 45 ▪ DIN 16 774 (03/1980) ▪ Houben-Weyl **E 20**, 741.

Isotetracenone. Gruppe von tetracycl. *Polyketid-Naturstoffen, denen das 3,4,4a,12b-Tetrahydro-2*H*-benzo[*a*]anthracen-1,7,12-trion-Syst. zugrunde liegt:

Die Pos. 3, 4a, 8 u. 12b sind entsprechend der Biosynth. meist hydroxyliert u. glykosyliert. Die Pos. 9 trägt C-glykosid. gebundene Zuckerreste. Andere Bez. für diesen Strukturtyp sind: Angucyclinone, Anthracycline, Benzo[*a*]anthrachinone. Die zumeist antibiot. wirksamen I. wurden aus Streptomyceten-Kulturen isoliert. *Beisp.*: *Aquayamycin, Capoamycin, Kerriamycine, Sakyomycine, *Saquayamycine, *Urdamycine, Vineomycine. – *E* isotetracenones – *F* isotétracénones – *I* isotetracenoni – *S* isotetracenonas
Lit.: Angew. Chem. (Int. Ed. Engl.) **29**, 1051 – 1053 (1990) ▪ J. Antibiot. **39**, 1657 – 1669 (1986) ▪ J. Org. Chem. **58**, 2447 – 2551 (1993) ▪ Nat. Prod. Rep. **9**, 103 – 138 (1992) ▪ Tetrahedron Lett. **34**, 3769 (1993).

Isotherme (von griech.: isos = gleich u. thermos = warm). In funktionellen Darst. (z.B. *Zustandsdiagrammen, vgl. Gasgesetze) Bez. für eine Kurve, längs derer der Zahlenwert für die Temp. konstant bleibt. Die I. verbindet z.B. die – bei einer bestimmten Temp. – einander zugeordneten Werte von Druck u. Vol. eines Gases gemäß dem *Boyle-Mariotteschen Gesetz: p · V = konstant. Isotherme Dest. kann zu *Molekulargewichtsbestimmungen* herangezogen werden, s. isopiestische Lösungen. *Zustandsänderungen laufen dann isotherm ab, wenn das reagierende Syst. weder Wärme aufnimmt noch abgibt (*Beisp.*: *Carnotscher Kreisprozeß); nicht-isotherme Reaktionsabläufe lassen sich durch *Kalorimetrie, *Differentialthermoanalyse u. verwandte Verf. beobachten. – *E* isotherm – *F* isotherme – *I* isoterma – *S* isotermas

Isothiazole.

X = NH : Pyrazol   Imidazol
X = O : Isoxazol (1,2-Oxazol)   Oxazol (1,3-Oxazol)
X = S : Isothiazol (1,2-Thiazol) Thiazol (1,3-Thiazol)

Gruppenbez. für Verb., die sich von der Stammverb. Isothiazol (C_3H_3NS, M_R 85,12 farblose, Pyridin-artig riechende Flüssigkeit, D. 1,1706, Sdp. 115 °C, in Wasser wenig, in organ. Lsm. gut lösl.) durch Substitution ableiten. Während I. selbst erst 1956 hergestellt werden konnte, sind Derivate u. das Isomere *Thiazol schon länger bekannt. Da einige substituierte I. in Pharmazeutika, als Fungizide, Algizide u. Schleimbekämpfungsmittel Verw. finden, sind zahlreiche Synth. für die Verbindungsklasse entwickelt worden, z.B. die Cyclisierung von β-Imino-thioketonen mit Iod.

Die hydrierten I.-Derivate heißen *Dihydroisothiazole* (früher: Isothiazoline) u. *Isothiazolidine*. – *E = F* isothiazoles – *I* isotiazoli – *S* isotiazoles
Lit.: Beilstein E V **27/5**, 568 ▪ Eicher u. Hauptmann, Chemie der Heterocyclen, S. 160 f., Stuttgart: Thieme 1994 ▪ Gilchrist, Heterocyclenchemie, S. 328 f., Weinheim: VCH Verlagsges. 1995 ▪ Houben-Weyl **E8 a**, 668 ff. ▪ Katritzky-Rees **6**, 131 – 175 ▪ Weissberger **4**, 225 – 274. – *[CAS 288-16-4 (Isothiazol)]*

Isothiocyanate. Salze (M^+N=C=S) u. *N*-substituierte organ. Derivate (R–N=C=S) der mit Thiocyansäure tautomeren Isothiocyansäure (HNCS). Die organ. I. tragen oft von alters her (wegen ihres Vork. u. ihrer geruchlichen Eigenschaften) Trivialnamen mit der Endung *...senföl, vgl. Senföle, Allylisothiocyanat u. Benzylisothiocyanat. Allerdings liegen die I. in der Pflanze nicht als solche vor, sondern entstehen erst – bei Zerstörung des Gewebes – durch enzymat. Spaltung der sog. *Glucosinolate, s. a. *Lit.*[1]. Die organ. I. haben vielfach antimikrobielle u. fungistat. Eigenschaften u. finden auch arzneiliche Verwendung 2-Phenylethyl-I. aus weißen Rüben ist für Fliegen giftiger als *Aldrin od. *Dieldrin. Da die organ. I. präparativ vielseitig nutzbar sind, existieren viele Synth., so z.B. die Umsetzung von prim. Aminen mit Schwefelkohlenstoff in Ggw. von Natronlauge (*Kaluza-Reaktion*; vgl. Tschugaeff-Reaktion).

Die Chlorierung der I. liefert Isocyaniddichloride; s. Isocyaniddihalogenide. – *E = F* isothiocyanates – *I* isotiocianati – *S* isotiocianatos
Lit.: [1] Pharm. Unserer Zeit **11**, 151 – 155 (1982). *allg.*: Houben-Weyl **E 4**, 834 – 883 ▪ Katritzky et al. **5**, 1021 ff. ▪ Patai, The Chemistry of Cyanates and their Thio Derivatives (2 Tl.), Chichester: Wiley 1977 ▪ Ullmann (5.) **A 26**, 751 ff. ▪ s. a. Isocyanate u. Senföle.

Isothiocyanato... Präfix für die Gruppe –N=C=S als Substituent in organ. Verb. (IUPAC-Regeln C-833 u. R-5.7.9.2) u. für Austausch von –OH gegen –N=C=S in mehrbasigen anorgan. Säuren (IUPAC-Regel R-3.4); *Beisp.*: Isothiocyanatokohlensäure = SCN–COOH [Infix: Isothiocyanatid(o)...; *Beisp.*: Phosphor(isothiocyanatid)säure = SCN–PO(OH)$_2$]. Der N-verknüpfte Ligand S=C=N⁻ ist nach IUPAC-Regel I-10.4.5.5 mit (Thiocyanato-*N*)... zu bezeichnen. – *E = F* isothiocyanato... – *I = S* isotiocianato...

Isothipendyl.

Internat. Freiname für das *Antihistaminikum (±)-10-[2-(Dimethylamino)propyl]-10*H*-pyrido[3,2-*b*][1,4]benzothiazin, $C_{16}H_{19}N_3S$, M_R 285,41, Sdp. 171–174 °C (53,2 Pa), λ_{max} (0,1 M H_2SO_4): 245, 315 nm ($A_{1cm}^{1\%}$ 959, 180), LD_{50} (Maus i.p.) 65 mg/kg, (Maus oral) 222 mg/kg. Verwendet wird auch das Hydrochlorid. I. wurde 1961 von Degussa patentiert. – *E* = *F* isothipendyl – *I* isotipendile – *S* isotipendilo
Lit.: Beilstein E V 27/28, 225 ▪ Hager (5.) **8**, 624 f. – [HS 2934 90; CAS 482-15-5 (I.); 1225-60-1 (Hydrochlorid)]

Isothujon s. Thujon.

Isotocin s. Oxytocin.

Isotone. Bez. für *Nuklide mit gleichen Neutronenzahlen, aber unterschiedlichen Protonenzahlen. *Beisp.*: $_1^2$H u. $_2^3$He. – *E* = *F* isotones – *I* isotoni – *S* isótonos

Isotonische Lösungen (griech.: tonos = Spannung u. *iso…). Im allg. Bez. für Lsg. mit gleichem osmot. Druck (isoosmolare Lsg., vgl. hypertonische Lösungen). Speziell versteht man unter i.L. solche Lsg., die den gleichen osmot. Druck wie das menschliche *Blut haben, z.B. 0,9% *Kochsalz-, *Ringer- u. *Tyrode-Lösung. Sie eignen sich daher zur intravenösen Injektion od. Infusion. – *E* isotonic solutions – *F* solutions isotoniques – *I* soluzioni isotoniche – *S* soluciones isotónicas

Isotope. Von griech.: ísos = gleich u. tópos = Platz (d.h. am gleichen Platz im Periodensyst.) abgeleitete Bez. für die *Nuklide eines *chemischen Elements. I. sind Nuklide gleicher Kernladungs- od. Ordnungszahl (Protonenzahl), aber unterschiedlicher Anzahl der im Kern enthaltenen Neutronen u. damit unterschiedlicher Massenzahl (Nukleonenzahl); s. dagegen Isotone u. Isobare. I. unterscheiden sich außer durch die Masse auch durch Drehimpuls (Kernspin), magnet. Moment u. elektr. Quadrupolmoment (ein Maß für die Abweichung der Ladungsverteilung von der Kugelsymmetrie).
Zur eindeutigen Kennzeichnung der I. benutzt man die für Nuklide allg. gebräuchliche Schreibweise $_Z^A$X (X = chem. Symbol, A = Massenzahl, Z = Kernladungszahl), für die stabilen I. des Schwefels also $_{16}^{32}$S, $_{16}^{33}$S, $_{16}^{34}$S u. $_{16}^{36}$S. Daneben wird auch die Schreibweise S-32, S-33 usw. verwendet. Elemente, die nur ein stabiles Nuklid besitzen, nennt man Reinelemente od. anisotope Elemente; *Beisp.:* Be, Na, Co, Cs u. Bi. Die Mehrzahl der Elemente hat jedoch zwei u. mehr, Zinn sogar 10 stabile Isotope.
Die Massen der Nuklide werden als relative Größen in bezug zum Kohlenstoff-I. C-12 angegeben, dessen relative Masse gleich 12 gesetzt wird. Multipliziert man die Masse jedes stabilen I. mit der relativen Häufigkeit, mit der es in der Natur vorkommt, u. summiert auf, dann erhält man das *Atomgewicht des Elements, wie es z.B. im Periodensyst. angegeben wird.
Neben 267 stabilen Nukliden sind heute ca. 1600 instabile Nuklide bekannt. Sie werden auch als Radionuklide bezeichnet u. zusätzlich durch Halbwertszeit, Zerfallsart u. charakterist. Energien gekennzeichnet. Von jedem Element sind meist eine Fülle von *Radioisotopen bekannt. Einige Elemente kommen in der Natur nur in Form radioaktiver Nuklide vor (z.B. Po, Rn, Ra, Th, U). Die meisten Radionuklide werden aber künstlich durch *Kernreaktionen erzeugt, s.a. Kernchemie u. Radioaktivität. Einen guten Überblick über Anzahl u. Eigenschaften der stabilen u. instabilen Isotope der Elemente geben die Nuklidkarten, z.B. die Karlsruher Nuklidkarte[1]. Die Eigenschaften der Radioisotope sind in Tab.-Werken zusammengefaßt[2,3].
Da die I. eines Elements die gleiche Anzahl an Protonen im Kern aufweisen, haben sie auch die gleiche Anzahl an Elektronen in der Hülle. Sie verhalten sich somit chem. gleichartig. Die Unterschiede in den oben angegebenen Eigenschaften führen aber doch zu charakterist. Effekten (*Isotopie-Effekte). Sie beruhen teilw. auf den unterschiedlichen physikal. Eigenschaften der Kerne, z.B. Wirkungsquerschnitt für Kernreaktionen, teilw. auf den unterschiedlichen Massen. Die Massendifferenz führt z.B. zu kinet. Isotopie-Effekten. So beträgt der Unterschied der Einbauraten von $^{14}CO_2$ u. $^{12}CO_2$ bei der *Photosynthese ca. 3%, was bei der Altersbestimmung mit der Radiokarbon-Methode (s. Radiokohlenstoffdatierung) berücksichtigt werden muß. Die unterschiedlichen Eigenschaften der I. eines Elements in *chemischen Verbindungen u. bei *Reaktionen macht man sich bei der *Isotopentrennung zunutze.
Viele Radio-I. lassen sich anhand ihrer charakterist. Strahlung leicht nachweisen. Sie werden deshalb in vielfältiger Weise benutzt, um das Verhalten der reinen Elemente od. deren Verb. in der belebten wie unbelebten Natur zu erforschen. Geeignete I. werden in markierte Verb. eingebaut; sie dienen dann als *Tracer, die es erlauben, z.B. die Umsetzung eines organ. Mol. im Metabolismus aufzuklären. Die Benutzung stabiler I. (C-13, N-15, O-18) bereitet im allg. größere experimentelle Schwierigkeiten, da hier der Nachw. meist über massenspektroskop. Meth. erfolgen muß.
Da sich die I. eines Elements unter gegebenen Bedingungen etwas unterschiedlich verhalten können, versucht man aus von der Standardverteilung abweichenden I.-Verhältnissen Rückschlüsse auf die Entstehungsbedingungen zu ziehen. Dies ist v.a. Gegenstand der I.-Geochemie, aber auch in der *Kosmologie werden Untersuchungen der I.-Verhältnisse in Meteoriten u.a. extraterrestr. Material durchgeführt[4]. – *E* = *F* isotopes – *I* isotopi – *S* isótopos
Lit.: [1] Lieser, Einführung in die Kernchemie, Weinheim: VCH Verlagsges. 1991. [2] Lederer u. Sherley, Table of Isotopes, New York: Wiley 1978. [3] Erdtmann u. Soyka, The Gamma Rays of the Radionuclides, Weinheim: Verl. Chemie 1979. [4] Dickin, Radiogenetic Isotope Geology, Cambridge: University Press 1995.
allg.: Jones, Isotopes: Essential Chemistry & Applications II, London: The Royal Society of Chemistry 1988.

Isotopenaustausch s. Austauschreaktionen, markierte Verbindungen u. Isotopie-Effekte.

Isotopenbatterien s. Radionuklide.

Isotopeneffekte s. Isotopie-Effekte.

Isotopen-Indikatoren s. Isotope, markierte Verbindungen, Radioindikatoren u. Tracer.

Isotopenmarkierung. Unter I. versteht man den gezielten Einbau von bestimmten *Isotopen (z.B. D, T für H, ^{13}C, ^{14}C für ^{12}C, ^{17}O, ^{18}O für ^{16}O) in organ. Mol. zumeist mit der Absicht, bestimmte Reaktionsmechanismen aufzuklären; so konnte mit ihrer Hilfe die *Hydrolyse* von *Estern unter Verw. von ^{18}O-markiertem Wasser klargestellt werden, indem Weg (a) bestätigt u. Weg (b) ausgeschlossen werden konnte.

Die Detektion der markierten Verb. ist von dem verwendeten Isotop abhängig; so können ^{14}C-markierte Verb. *radiochem.*, ^{18}O-markierte *massenspektrometr.* u. Deuterium-markierte *NMR-spektroskop.* identifiziert werden (s. a. Isotope u. Isotopie-Effekt). – *E* isotopic labeling – *F* marquage (par isotope), traçage – *I* marcatura di isotopi – *S* marcado con isótopos
Lit.: Adv. Phys. Org. Chem. **2**, 3–91 (1964) ▪ March (4.), S. 226–230 ▪ s. a. Tracer.

Isotopentrennung. Für viele Zwecke in Wissenschaft u. Technik benötigt man chem. Elemente u. Verb. in Isotopen-reiner od. zumindest in Isotopen-angereicherter Form; *Beisp.:* *Deuterierte u. *markierte Verbindungen, Uran-*Kernbrennstoffe mit mind. 3% ^{235}U, ^{3}H u. ^{6}Li für Kernfusionsexperimente. Zur Auftrennung der natürlicherweise vorliegenden *Isotopen-Gemische in die einzelnen Komponenten wurden eine Reihe von physikal. u. chem. Verf. ausgearbeitet. Der Trenneffekt der einzelnen Meth. ist sehr unterschiedlich, weshalb die einzelnen Trennstufen (oft mehrere Tausend) in *Kaskaden* zusammengefaßt werden. Zu den Verf., die u. a. den Unterschied in den Kernmassen (s. a. Isotopie-Effekte) der Isotope ausnutzen, gehört die Trennung mit Hilfe der *Massenspektrometrie. Diese beruht auf der Trennung von Ionen unterschiedlicher Masse durch eine Kombination von elektr. u. magnet. Feldern. Beim allg. Anwendungsfall wird ein solches Ionen-Gemisch entweder durch Elektronenbombardement eines Gases od. durch thermoion. Emission erhalten u. dann im Massenspektrometer in seine Komponenten zerlegt, z. B. in dem 1941 durch *Lawrence errichteten u. später auch in Oak Ridge betriebenen *Calutron* (*Cali*fornia *U*niversity Cyclo*tron*). Eine andere Meth. der I. aufgrund unterschiedlicher Kernmassen ist das *Zentrifugieren (meist als *Gaszentrifugen-Verf.* bezeichnet). Hierbei wird die Trennung von gasf. u. flüssigen Gemischen verschiedener Isotope eines Elementes od. auch von Verb., bei denen ein Element in Form verschiedener Isotope enthalten ist, mittels rasch laufender Zentrifugen erreicht. Das bereits während des 2. Weltkrieges in Deutschland u. in den USA auf seine Brauchbarkeit zur Abtrennung des spaltbaren Urans 235 aus dem natürlichen Uran untersuchte Verf. wird an gasf. Uranhexafluorid (subl. bei 56 °C) zur Gewinnung von ^{235}UF$_6$ für Kernbrennstoffe eingesetzt.
Auf Differenzen der Molekülgeschw. beruhen die Verf. der *Diffusion. Bei dem in der Kernforschungsanstalt Karlsruhe entwickelten *Trenndüsen-Verf.* wird ein gasf. Isotopen-Gemisch durch eine *Laval-Düse expandiert, wobei die leichtere Komponente infolge

ihrer höheren Diffusionsgeschw. allmählich seitwärts aus dem gekrümmten Gasstrahl herausdiffundiert, während die schwerere noch geradlinig weiterfliegt. In dem schon länger praktizierten, bes. in den USA weiterentwickelten *Trennwand-Diffusions-Verf.* wird ausgenutzt, daß (nach dem Gesetz von Graham u. Bunsen) leichtere Gasmol. rascher als schwerere durch eine poröse Wand diffundieren (*Atmolyse): Gasf. ^{235}UF$_6$ durchdringt eine derartige Trennwand um 0,4% schneller als ^{238}UF$_6$; bei kleineren Mol. ist der Anreicherungsfaktor noch größer. Allerdings ist das Trennwandverf. sehr energieaufwendig. Bei den verschiedenen Trennverf., die auf der von Enskog (1911) u. Chapman (1917) theoret. vorausgesagten, experimentell schwer feststellbaren *Thermodiffusion beruhen, reichern sich in einem Gasgemisch, in dem ein Temp.-Gefälle vorliegt, die leichteren Gasmol. im wärmeren, die schwereren im kälteren Bereich an; *Beisp.:* *Clusius-Trennrohr. Eine neue Variante dieses Verf. benutzt eine rotierende *Trennscheibe*, mit der der Thermodiffusion eine Konvektionsströmung überlagert wird, s. Kirk-Othmer (*Lit.*). Um die einzelnen I.-Verf. besser miteinander vergleichen zu können, hat man den Begriff der *Uran-Trennarbeit* (UTA; *E* separative work unit, SWU) eingeführt; DIN 25 401 Tl. 6 (09/1989) zieht statt dessen die Bez. Trennwert vor u. definiert diesen zusammen mit Trennfaktor, Trenneffekt etc. Weitere Trennverf. bedienen sich der *Gaschromatographie* (Bruner, *Lit.*), andere des *Ionenaustauschs* mit u. ohne Kryptanden-Gruppen u. wieder andere Verf. nutzen die *fraktionierte Dest.:* Erwärmt man ein flüssiges Gemisch z. B. von Quecksilber-Isotopen, so verdampfen die leichteren schneller als die schwereren, u. man kann die ersteren dann an einer gekühlten Wand über der Flüssigkeit festfrieren lassen. Beim Quecksilber erhielt man dabei schließlich ein „Destillat" vom Atomgew. 200,564 u. einen „Rückstand" vom Atomgew. 200,632. Durch Ausnutzung der Dampfdruckunterschiede kann man auch ^{14}N$_2$/^{15}N$_2$, D$_2$O/H$_2$O u. D$_2$/H$_2$ (verflüssigt) voneinander trennen. Der Dampfdruck von ^{12}CH$_4$ zwischen Schmp. u. Sdp. ist im Mittel um 0,5% größer als der von ^{13}CH$_4$; dadurch wird eine großtechn. Anreicherung von ^{13}C möglich. Die I. bei der *Elektrolyse* einer Lsg. ist die Folge der unterschiedlichen Entladungsgeschw. der Ionen u. somit eine Funktion der chem. Eigenschaften der Isotope. Man gewinnt so z. B. *Deuteriumoxid bei der Wasserelektrolyse; da der leichtere Wasserstoff bevorzugt gegenüber *Deuterium abgeschieden wird, besteht der unzersetzte Rest vorwiegend aus Deuteriumoxid. Auch rein chem. Verf. der I. sind bekannt geworden, die z. B. auf *Austauschreaktionen* beruhen. So kann Deuterium durch *Austauschreaktionen im Syst. Wasserstoff/Wasser, Wasserstoff/Ammoniak, Schwefelwasserstoff/Wasser usw. angereichert werden u. über die I.-Prozesse mit Hilfe *solvatisierter Elektronen*. Auch *photochem. Reaktionen* bieten sich zur I. an, denn in ihren elektron. *Anregungs-Zuständen unterscheiden sich freie od. in Mol. gebundene Atome isotop. deutlicher als in ihren *Grundzuständen. Seitdem abstimmbare *Laser (s. durchstimmbare Laser u. Farbstoff-Laser) verfügbar sind, wurden Verf. zur isotopenselektiven Mehrphotonenionisation entwickelt; so wird am Lawrence Livermore Laboratory eine größere Anlage zur Uran-I. mit Lasern (AVLIS, von *E Atomic Vapor Laser Isotope Separation*) betrieben. – *E* isotope separation – *F* séparation des isotopes – *I* separazione isotopica – *S* separación de isótopos

Lit.: Bruner, Isotope Separation by Gas Chromatography, New York: Wiley 1980 ▪ Ehrfeld, Elements of Flow and Diffusion Processes in Separation Nozzles, Berlin: Springer 1983 ▪ Hsu, Separations by Centrifugal Phenomena (Techn. Chem. 16), S. 50–110, New York: Wiley 1981 ▪ Kirk-Othmer (4.) **15**, 44 ▪ Laser Optoelektronik **17** (3), 263 (1985) ▪ Phys. Unserer Zeit **17**, 69 (1986) ▪ Ravn et al., Electromagnetic Isotope Separators and Techniques Related to Their Applications, Amsterdam: North-Holland 1981 ▪ Winnacker-Küchler (3.) **2**, 561–566, 592–595, 608–612 ▪ s. a. Radionuklide, Trennverfahren.

Isotopenverdünnungsanalyse. Bez. für eine auf Hahn[1] u. von Hevesy[2] zurückgehende Meth. der *quantitativen Analyse, bei der dem zu bestimmenden Stoff eine geringe, genau definierte Menge desselben, aber markierten, Stoffs zugesetzt wird. Zur Markierung benutzt man bevorzugt *Radioisotope, deren Aktivität sich bes. leicht verfolgen läßt. Bei Verw. stabiler *Isotope muß die umständlichere Massenspektroskopie hinzugezogen werden. Nach der Abtrennung eines beliebigen Teils des so markierten Stoffs läßt sich aus der Abnahme der Isotopenhäufigkeit od. der spezif. *Radioaktivität (aus der „Verdünnung“) auf die Menge des zu bestimmenden Stoffs schließen. Ist der zu bestimmende Stoff radioaktiv, so mischt man den stabilen Stoff zu u. ermittelt dessen quant. Abnahme (*umgekehrte I.*).

Verw.: Verschiedene Meth. der Altersbestimmung, z. B. die Blei- od. Kalium-Argon-Meth., Bestimmung von Stoffwechsel- od. Photosynth.-Metaboliten, Analyse von Leg., Rückständen, Kunstwerken, Fossilien etc., s. weitere Beisp. bei *Mikro- u. *Spurenanalyse. – *E* isotope dilution analysis – *F* dilution isotopique – *I* analisi diluente degli isotopi – *S* (análisis por) dilución isotópica

Lit.: [1] Z. Phys. Chem. **103**, 461 (1923). [2] Z. Anal. Chem. **88**, 1 (1932).

allg.: Anal. Chim. Acta **258**, 317–324 (1992) ▪ Townshend (Hrsg.) Encyclopedia of Analytical Science, Bd. 4, S. 2399 –2409, New York: Academic Press 1995.

Isotopie-Effekte. Aus Massenunterschieden von *Isotopen, die an chem. Bindungen beteiligt sind, resultierende Unterschiede in den Nullpunktsenergien der Bindungen. Diese bes. an *markierten Verbindungen beobachtbaren Effekte äußern sich u. a. in verschiedenartigen Reaktionsgeschw. (*kinet. I.-E.*) u. in der Aufspaltung von Spektrallinien (*Hyperfeinstruktur). Die Effekte sind um so kleiner, je kleiner die relativen Massendifferenzen $\Delta m/m$ sind, also umgekehrt bei H/D/T angesichts der Massenverhältnisse 1/2/3 am größten. Die I.-E. sind von Bedeutung bei präparativ od. analyt. genutzten *Austauschreaktionen, bei kinet. Untersuchungen, beim Studium von Gleichgew.-Reaktionen, enzymat. Reaktionen, Eliminierungs- od. Substitutions-Reaktionen etc. Auch die physikal. Eigenschaften der Verb. unterliegen dem Einfluß der I.-E., z. B. die Molvol., Dampfdrücke, die spinabhängigen Spektroskopie-Verf., chromatograph. Eigenschaften, Trennverf. etc. – *E* isotope effects – *F* effets isotopiques – *I* effetti isotopici – *S* efectos isotópicos

Lit.: Angew. Chem. **95**, 327 (1983) ▪ Atkins, Physikalische Chemie, S. 611, Weinheim: VCH Verlagsges. 1996 ▪ Phys. Bl. **37**, 181 (1981) ▪ Willi, Isotopeneffekte bei chemischen Reaktionen, Stuttgart: Thieme 1983.

Isotrehalose s. Trehalose.

Isotretinoin s. Retinoide u. Tretinoin.

ISOTREX® (Rp). Gel mit Iso-*Tretinoin gegen Akne vulgaris. *B.:* Stiefel.

Isotropie. Gegensatz zu *Anisotropie.

Isotypie (von griech.: isos = gleich u. typos = Wesen, Charakter). Stoffe, die analoge Zusammensetzung u. gleiche *Kristallstruktur haben, jedoch keine *Mischkristalle miteinander bilden, werden nach einem Vorschlag von Rinnes als *isotyp* bezeichnet; so sind z. B. Kochsalz (NaCl), Bleisulfid (PbS) u. Magnesiumoxid (MgO) isotyp. *Anisotyp* sind Verb., die gleiche Kristallstruktur haben, in denen jedoch Kationen u. Anionen vertauscht sind. *Beisp.:* Thoriumoxid (ThO₂) kristallisiert im Flußspat-Typ u. ist anisotyp mit Lithiumoxid (Li₂O), das im Antiflußspat-Typ kristallisiert. Treten Verb. in mehreren Kristallstruktur-Typen auf, so werden sie als *polytyp* bezeichnet. – *E* isotypism – *F* isotypie – *I* isotipia – *S* isotipismo

Lit.: Ramdohr-Strunz, S. 123 ▪ s. a. Kristalle.

Isovaleraldehyd s. 3-Methylbutyraldehyd.

Isovaleriansäure s. 3-Methylbuttersäure.

N-Isovalerylnorlolin s. Loline.

Isovelleral.

$C_{15}H_{20}O_2$, M_R 232,32, Krist., Schmp. 105–106 °C, $[\alpha]_D$ +293° (CHCl₃), mutagener sesquiterpenoider Dialdehyd (Marasman-Derivat) aus Pilzen der Gattung *Lactarius* (Milchlinge). Der sehr reaktive Aldehyd entsteht erst bei Verletzung des Fruchtfleisches aus dem Stearinsäureester u. a. Fettsäureestern von *Velutinal. Durch seinen brennend scharfen Geschmack schützt I. die Fruchtkörper gegen Fraßfeinde. – *E* = *F* isovelleral – *I* isovellerale – *S* isoveleral

Lit.: Tetrahedron Lett. **24**, 4631 (1983); **32**, 2541 (1991) ▪ Turner **2**, 242, 246. – *Synth.:* J. Chem. Soc. Chem. Commun. **1990**, 865 f., 1260 ▪ J. Org. Chem. **55**, 3004 f. (1990); **57**, 5979 (1992). – *[CAS 37841-91-1]*

Isoviolanthron s. Indanthrenbrillantviolett R extra unter Indanthren®-Farbstoffe.

Isovitamin C s. Isoascorbinsäure.

Isoxaben.

Common name für *N*-[3-(1-Ethyl-1-methylpropyl)-5-isoxazolyl]-2,6-dimethoxybenzamid, $C_{18}H_{24}N_2O_4$, M_R 332,40, Schmp. 176–179 °C, LD₅₀ (Ratte oral) >10 000 mg/kg (WHO), von Elanco (Eli Lilly) entwickeltes selektives *Herbizid gegen Unkräuter im Getreidebau. – *E* = *F* = *I* isoxaben – *S* isoxabén

Lit.: Farm ▪ Perkow ▪ Pesticide Manual. – *[CAS 8255-53-7]*

Isoxapyrifop. Common name für 2-{2-[4-(3,5-Dichlor-2-pyridyloxy]phenoxy)propionyl}isoxazolidin.

$C_{17}H_{16}Cl_2N_2O_4$, M_R 383,23, Schmp. 121–122 °C, LD_{50} (Ratte oral) 500 mg/kg, von Hokko Chem. Ind. Anfang der neunziger Jahre eingeführtes, selektives system. *Herbizid gegen Unkräuter u. Ungräser in Getreide- u. Reiskulturen. – $E = F = I = S$ isoxapyrifop
Lit.: Pesticide Manual. – *[CAS 87757-18-4]*

Isoxathion.

O,O-Diethyl-O-(5-phenyl-3-isoxazolyl)-thiophosphat, $C_{13}H_{16}NO_4PS$, M_R 313,31, Sdp. 160 °C (20 Pa), LD_{50} (Ratte oral) 112 mg/kg (WHO), von Sankyo 1972 eingeführtes *Insektizid mit Kontakt- u. Fraßgiftwirkung gegen eine Vielzahl von Schädlingen in zahlreichen Kulturen. – $E = F$ isoxathion – I isosatione – S isoxation
Lit.: Farm ▪ Pesticide Manual. – *[HS 2934 90; CAS 18854-01-8]*

Isoxazole. Gruppenbez. für Verb., die sich von der Stammverb. Isoxazol, C_3H_3NO, M_R 96,06 (Formel s. bei Isothiazol, vgl. das isomere Oxazol) ableiten. Es ist eine farblose Flüssigkeit, D. 1,078, Schmp. 9 °C, Sdp. 95 °C. Natürlich vorkommende I.-Derivate sind die *Ibotensäure u. *Muscimol aus Fliegenpilzen (*Amanita muscaria*) u. a. Amanita-Arten. Partiell hydrierte I. werden als *Dihydroisoxazole* (früher: Isoxazoline), vollständig hydrierte I. als *Isoxazolidine* bezeichnet. I. u. seine hydrierten Derivate sind auch Baustein verschiedener Arzneimittel, z. B. *Isoxicam* (s. Oxicame). Eine Standardmeth. zur Herst. von I. ist die Kondensation von 1,3-Dicarbonyl-Verb. mit Hydroxylamin (s. Abb.). Spezielle I. lassen sich auch durch *1,3-dipolare Cy-

cloaddition von *Nitriloxiden an Alkine herstellen; s. *Lit.*[1]. I. besitzen präparative Bedeutung aufgrund der leichten Ringöffnung (Bildung von β-Oxonitrilen) u. als „verkappte" 1,3-Dicarbonylverbindungen. – $E = F = S$ isoxazoles – I isossazoli
Lit.: [1] Angew. Chem. **93**, 576–579 (1981), engl.: **20**, 601. *allg.:* Beilstein E V **27/5**, 569 ff. ▪ Eicher u. Hauptmann, Chemie der Heterocyclen, S. 138 f., Stuttgart: Thieme 1994 ▪ Houben-Weyl E **8 a**, 45 ff. ▪ Katritzky-Rees **6**, S. 1–130 ▪ Weissberger **17**, 1–232; **49**, 1 ff. – *[CAS 288-14-2 (Isoxazol)]*

Isoxsuprin.

Internat. Freiname für das β-*Sympath(ik)omimetikum (±)-1-(4-Hydroxyphenyl)-2-(1-methyl-2-phenoxyethylamino)-1-propanol, $C_{18}H_{23}NO_3$, M_R 301,39,

Schmp. 102,5–103,5 °C. Verwendet wird das Hydrochlorid, Schmp. 203–204 °C; LD_{50} (Maus oral) 1750 mg/kg, (Maus i.p.) 164 mg/kg. I. wurde 1962 von Philips patentiert. – $E = F$ isoxsuprine – $I = S$ isoxsuprina
Lit.: Beilstein E IV **13**, 2690 ▪ Hager (5.) **8**, 630 ff. – *[HS 2922 50; CAS 395-28-8 (I.); 579-56-6 (Hydrochlorid)]*

Isozid® (Rp). Tabl. u. Ampullen mit dem *Tuberkulostatikum *Isoniazid, *I. comp* enthält zusätzlich *Pyridoxin-Hydrochlorid. *B.:* Fatol.

Isozyme s. Isoenzyme.

ISP. Kurzbez. für den amerikan. Chemiekonzern ISP International Speciality Products Inc., Wayne, New Jersey 07470, USA. Die Firma war bis 1942 eine Tochterges. der ehem. I. G. Farben u. firmierte bis 1989 als GAF General Aniline and Film Corp. *Daten* (1994): ca. 2400 Beschäftigte, 500 Mio. $ Umsatz. *Produktion:* Acetylen-Chemie: Zwischenprodukte, Lsm., Pyrrolidon-Polymere u. Copolymere, strahlenhärtbare Vinylether, kosmet. Rohstoffe, Konservierungsmittel, Spezialreiniger u. Stripper. Filtertechnik: Beutelfilter, Filterbeutel. *Tochterges.* in der BRD: ISP Global Technologies GmbH, Emil-Hoffmann-Str. 1 a, 50996 Köln.

Isradipin (Rp).

Internat. Freiname für Isopropyl-methyl-4-(2,1,3-benzoxadiazol-4-yl)-1,4-dihydro-2,6-dimethyl-3,5-pyridindicarboxylat, $C_{19}H_{21}N_3O_5$, M_R 371,39, Schmp. 168–170 °C, (+)-(S)-Form 142 °C, R(−)-Form 140 °C, $[\alpha]_D^{20}$ +6,7° (c 1,5/C_2H_5OH), verwendet wird das Racemat. I. wurde als *Calcium-Antagonist zur Behandlung der essentiellen Hypertonie 1980 u. 1984 von Sandoz patentiert u. ist von Schwarz Pharma (Vascal®) u. Wander Pharma (Lomir®) im Handel. – $E = F$ isradipine – $I = S$ isradipina
Lit.: ASP ▪ Hager (5.) **8**, 632 f. ▪ Merck-Index (12.), Nr. 5260. – *[HS 2934 90; CAS 75695-93-1; 88977-22-4]*

Israel Chemicals Ltd s. ICL.

ISS. Abk. für *Ionenstreu-Spektroskopie.

Issleib, Kurt (1919–1994), Prof. (emeritiert) für Anorgan. Chemie, Univ. Halle. *Arbeitsgebiete:* Organophosphorchemie, Phosphor-Pharmaka, niederkoordinierte Phosphorverb. etc. Liebig-Denkmünze der GDCh (1991), Verfasser von über 300 Publikationen u. zahlreicher Patente.
Lit.: Nachr. Chem. Tech. Lab. **39**, Nr. 10, 1187 (1991).

Isua-Sphären. Von dem Gießener Paläontologen Pflug (*Lit.*[1,2]) als fossile Zellen interpretierte Einschlüsse organ. Substanzen, die in dem 3,8 Mrd. Jahre alten, zu den ältesten Gesteinen der Erde zählenden kohligen Isua-Quarzit im Südwesten Grönlands gefunden worden sind (vgl. *Lit.*[3]). – E Isua spheres – F sphères d'Isua – I sfere Isua – S esferas de Isua
Lit.: [1] Nature (London) **280**, 483 (1979). [2] Topics Curr. Chem. **139**, 44–50 (1987). [3] Chem. Unserer Zeit **15**, 211 (1981).

…it. 1. In den Namen von chem. Verb. häufig auftretende Nachsilbe. Auf …it endende *Salze* leiten sich von solchen Sauerstoffsäuren ab, in deren Anion das Zentralatom nicht in seiner höchsten Oxid.-Stufe vorliegt (*Beisp.:* Chlorite, Sulfite, Phosphite, Arsenite, Hypochlorite). Solche Salze enthalten weniger Sauerstoff als diejenigen, deren Namen auf …at enden. Die beiden Endungen wurden 1787 von *Lavoisier (Méthode de Nomenclature Chimique) eingeführt. 2. Bes. häufig trifft man das Suffix …it in *Mineraliennamen* an. Hier hat es seinen Ursprung in der griech. Adjektivendung -ites (od. -itis), die „verbunden mit, gehörend zu, gleich" bedeutet (*Beisp.:* Anthrazit, Hämatit); es wurde von *Dana als Standardendung bei der Systematisierung der Mineraliennamen verwendet. 3. Auch eine Reihe von Naturstoffen (in Analogie zu den ebenfalls natürlich auftretenden Mineralien) erhielten auf …it endende Namen, wie die *Cyclite u. die *Zuckeralkohole (z.B. Inosit, Mannit, Quercit, Sorbit). 4. Schließlich findet sich …it auch als Nachsilbe in Namen von Explosivstoffen (z.B. Dynamit, Cordit). – *E* = *F* 1., 2., 4. …ite, 3. …itol – *I* 1. ito, 2.+4. ite, 3. itolo – *S* 1. …ito, 2., 3., 4. …ita, 3. auch …itol

Itabirit s. gebänderte Eisensteine.

Itacolumit (Gelenksandstein, Gelenkquarzit). Von dem Fundort Itacolumi bei Ouro Preto in Brasilien abgeleitete Bez. für einen *Glimmer-haltigen *Quarzit od. *Sandstein, der an einzelnen Stellen infolge starker Verzahnung u. nachfolgender Anlösung der Körner elast. biegsam geworden ist. – *E* = *F* = *I* itacolumite – *S* itacolumita

Itaconsäure (Methylenbernsteinsäure).

$$H_2C=C-CH_2-COOH$$
$$| \atop COOH$$

$C_5H_6O_4$, M_R 130,10 farblose hygroskop. Krist., Schmp. 167–168 °C (162–164 °C Zers.), lösl. in Wasser u. Alkohol, mäßig lösl. in Ether, Chloroform u. Benzol. I. entsteht bei der Fermentation von Melasse, Glucose etc. mit *Aspergillus terreus*. Sie wird auch bei der trockenen Dest. von *Citronensäure gebildet, wobei zunächst unter Wasserabspaltung *Aconitsäure entsteht, die zu I.-Anhydrid decarboxyliert u. dehydratisiert wird, welches zu I. hydrolysiert werden kann. *Verw.:* Als Co-Monomer in Kunststoffen, als Weichmacher. – *E* itaconic acid – *F* acide itaconique – *I* acido itaconico – *S* ácido itacónico
Lit.: Beilstein E IV 2, 2228 f. ▪ J. Org. Chem. **51**, 4150 (1986) (Synth.) ▪ Kirk-Othmer (4.) **14**, 952 (Review) ▪ Synth. Commun. **23**, 2307 (1993) (Synth.) ▪ Ullmann (5.) **A 7**, 105; **A 8**, 535. – [HS 2917 19; CAS 97-65-4]

Itai-Itai-Krankheit (japan.: itai-itai = Aua-Aua). 1955 anläßlich einer Massenvergiftung geprägter Name für eine mit schmerzhaften Skelettveränderungen aufgrund von Knochenerweichung einhergehende Krankheit als Folge chron. *Cadmium-Vergiftung. – *E* itai-itai disease – *F* maladie de Itai-Itai – *I* malattia itai-itai – *S* enfermedad itai-itai
Lit.: Arch. Toxicol. **19**, 152 (1961) ▪ Environ. Res. **10**, 280 (1975).

ITD. Abk. für Illustrationstiefdruck. ITD ist das Gegenstück zu Hoch- bzw. Buchdruck. Es ist ein Druckverf. zum Bedrucken von Papier (z.B. Kataloge, Broschüren mit hoher Aufl.). Beim ITD sind die zu druckenden Elemente (Näpfchen) in die Oberfläche der Druckform (verkupferter Stahlzylinder) vertieft. Diese Näpfchen werden durch Ätzen, elektron. gesteuerte Gravur mittels Diamantstichel od. Laserstrahl erzeugt. Beim Drucken wird das Substrat (Papierbahn) gegen den Druckzylinder gepreßt, wodurch die dünnflüssige Druckfarbe aufgrund der Kapillarwirkung aus den Näpfchen übertragen wird. – *E* publication gravure printing – *I* l'incisione profonda di illustrazione – *S* huecograbado de ilustraciones

ITER (Abk. für *E* International *T*hermonuclear *E*xperimental *R*eactor). Im Rahmen einer internat. Kooperation geplanter *Fusionsreaktor* (30 m hoher Divertor-Tokamak mit einem Plasmaring von 8 m Radius). Mit einer 100 MW Startheizung zum Zünden der Fusion soll das Plasma eine Fusionsleistung von 1500 MW über eine Pulsdauer von ≥1000 s erzeugen. Über den Standort des Reaktors wird nicht vor 1998 entschieden; der Betrieb soll frühestens 2008 aufgenommen werden. Die Gesamtkosten werden auf 10 Mrd. DM geschätzt. – *E* international thermonuclear experimental reactor – *I* reattore termonucleare sperimentale e internazionale – *S* reaktor experimental termonuclear internacional
Lit.: Phys. Bl. **52**, 157, 536 (1996).

…itis (Plural: …itiden). Endung vieler Krankheitsbez., bedeutet *Entzündung, z.B. Pleuritis (Rippenfellentzündung), Neuritis (Nervenentzündung) usw. – *E* = *S* …itis – *F* = *I* …ite

Itraconazol (Rp).

Internat. Freiname für (±)-2-*sec*-Butyl-4-[4-(4-{[(2*R**,4*S**)-2-(2,4-dichlorphenyl)-2-(1*H*-1,2,4-triazol-1-ylmethyl)-1,3-dioxolan-4-ylmethoxy]phenyl}piperazino)phenyl]-2,4-dihydro-3*H*-1,2,4-triazol-3-on, $C_{35}H_{38}Cl_2N_8O_4$, M_R 705,64, Schmp. 166,2 °C; pK_a 3,7; LD$_{50}$ (Maus oral) >320 mg/kg. I. ist wie *Ketoconazol u. *Fluconazol ein lokal u. oral applizierbares Antimykotikum. Es zeichnet sich im Vgl. mit diesen durch eine höhere Wirkstärke, Wirkung auch gegen *Aspergillus*-Arten u. bessere Verträglichkeit aus. Es wurde 1980 u. 1981 von Janssen (Sempera®, Siros®, Janssen-Cilag/Glaxo Wellcome) patentiert. – *E* itraconazole – *F* itraconazol – *I* itraconazolo – *S* itraconazola
Lit.: ASP ▪ Hager (5.) **8**, 633–636. – [HS 2934 90; CAS 84625-61-6]

Itrop® (Rp). Amp. u. Filmtabl. mit *Ipratropiumbromid gegen Herzrhythmusstörungen. *B.:* Boehringer-Ingelheim.

ITS-90. Abk. für Internationale Temperaturskala, s. Temperaturskalen.

I-Typ-Granit s. Granite.

I. U. Abk. für International Unit, s. Internationale Einheiten.

IUBMB. Abk. von *International Union of Biochemistry and Molecular Biology*, dem 1955 als International Union of Biochemistry (IUB) gegr. u. 1991 in IUBMB umbenannten Dachverband nat. biochem. Ges. mit 47 Mitgliedern (1996). Ziel der IUBMB ist die Förderung der internat. Zusammenarbeit in der *Biochemie u. mol. Biologie durch Organisation von Kongressen u. Symposien, Vereinheitlichung der biochem. Nomenklatur (ggf. zusammen mit der *IUPAC) u. Zusammenarbeit mit anderen Mitgliedsges. der *ICSU. *Publikationen*: IUBMB Newsletter, Biochemistry and Molecular Biology International, Trends in Biochemical Sciences (TIBS). – INTERNET-Adresse: http://ubeclu.unibe.ch/mci/iubmb/index.html

IUCr. Abk. für International Union of Chrystallography, einem 1947 gegründeten Dachverband mit Sitz in 2 Abbey Square, Chester CH1 2HU (GB). Ziel der IUCr, der 38 Mitgliedsges. (1997) angehören, ist die Förderung der internat. Kooperation in der Kristallographie. *Publikationen:* Acta Crystallographica, Journal of Applied Christallography, Journal of Synchrotron Radiation, International Tables for Chrystallography, IUCr Newsletter. – INTERNET-Adresse: http://www.iucr.ac.uk *Lit.:* IUCr Newsletter (seit 1992) ▪ Epelboin, World Directory of Chrystallographers, Dordrecht: Kluwer 1997.

...ium. Nach IUPAC-Regel C-82 u. R-5.8.2 systemat. Endung in den Namen von durch Protonierung od. Alkylierung entstandenen Kationen; *Beisp.* s. dort; vgl. ...onium u. ...ylium. – $E = F$ ...ium – $I = S$ ...io

IUP. Abk. für *Intrauterinpessare.

IUPAC. Abk. von *International Union of Pure and Applied Chemistry* (Internat. Union für Reine u. Angewandte Chemie); Sekretariat: Bank Court Chambers, 2–3 Pound Way, Cowley Centre, GB-Oxford OX4 3YF. Der Umzug des Sekretariats in den Research Triangle Park, North Carolina, USA, ist für April 1997 geplant. Die 1919 als Nachfolgeorganisation der International Association of Chemical Societies gegr. Ges. hat sich folgende Ziele gesetzt: Gewährleistung der dauerhaften Zusammenarbeit zwischen den verschiedenen *chemischen Gesellschaften u. Akademien, Koordination aller wissenschaftlichen u. techn. Kräfte u. Hilfsmittel, Förderung der reinen u. angewandten Chemie auf allen Gebieten, bes. durch Abhalten von Konferenzen (im zweijährigen Turnus), Kongressen u. Symposien, Zusammenarbeit mit Schwesterges. (wie *IUPAP, *IUBMB etc.), die ebenso wie IUPAC Mitglieder der *ICSU sind. Eine sehr wesentliche Aufgabe ist die Erarbeitung internat. gültiger *Nomenklaturen u. Terminologien, z. T. in Zusammenarbeit mit der *ISO. Neben Fragen der chem. Nomenklatur werden z. B. auch chem. Symbole u. Konstanten festgelegt u. Analysenmeth. vereinheitlicht. Ferner wird die Forschung auf sämtlichen Gebieten der Chemie gefördert u. koordiniert.
Finanziell wird die IUPAC von den Mitgliedern getragen, den 40 National Adhering Organizations, z. B. Akademien der Wissenschaft, nat. chem. Ges. od. in der BRD der *Deutsche Zentralausschuß für Chemie. Zu den Mitgliedern gehören ferner Firmen der chem. Ind. (z. Z. etwa 160 aus 24 Ländern). Weitere Mittel kommen von der UNESCO, nat. Vereinigungen u. Einzelpersonen. *Publikationen:* *Nomenklaturen der organ. Chemie (sog. Blaues Buch), der anorgan. Chemie (sog. Rotes Buch) u. der physikal. Chemie (sog. Grünes Buch), Sitzungsberichte (Comptes Rendus). – *Zeitschriften:* Pure and Applied Chemistry u. Chemistry International (früher: IUPAC Information Bulletin). Hinweise auf die IUPAC-Veröffentlichungen u. -Aktivitäten enthalten auch die Organe der jeweiligen chem. Ges., z. B. Nachrichten aus Chemie, Technik u. Laboratorium für die *Gesellschaft Deutscher Chemiker. *Lit.:* IUPAC Handbook 1987–1989, Oxford: Blackwell Scientific Publications 1988 ▪ Kirk-Othmer (3.) **16**, 28–46. – INTERNET-Adresse: http://chemistry.rsc.org/rsc/iupac.htm

IUPAC-Regeln s. Nomenklatur.

IUPAP. Abk. von *International Union of Pure and Applied Physics*. Die 1923 gegr. Ges. ist der Dachverband nat. physikal. Ges., darunter der Dtsch. Physikal. Gesellschaft. 1996 gehörten ihr 44 Ges. an; sie hat z. Z. ihren Sitz an der Univ. Gothenburg, Vice-Chancellor office, Vasaparken, S-411 24 Göteborg, Schweden. Die IUPAP war maßgeblich an der Einführung des internat. Einheitensyst. (*SI-Einheiten) beteiligt. – INTERNET-Adresse: http://www.physics.umanitoba.ca/IUPAP

IUPhar. Abk. von *International Union of Phar*macology. Die 1959 als Sektion der IUPS gegr. u. seit 1963 unabhängige Ges. vereint die pharmakolog. u. toxikolog. Ges. von 52 Ländern zu einem weltweiten Dachverband. IUPhar ist als nichtstaatliche, wissenschaftliche Organisation Mitglied des *ICSU. Sitz des Generalsekretariats ist gegenwärtig in B-1200 Brussels, Avenue de Mounier 73. Aufgabe der IUPhar ist die internat. Darstellung der pharmakolog. Wissenschaften u. die Förderung der Forschung, die sich mit der Wechselwirkung von Mol. u. biolog. Syst. befaßt. Ihre drei wissenschaftlichen Sektionen sind klin. Pharmakologie, Toxikologie u. Arzneimittelstoffwechsel. Seit 1961 finden im 3-Jahres-Rhythmus Weltkongresse u. Generalversammlungen statt, die mit den Terminen der IUPS u. *IUBMB alternieren. *Publikationen:* Trends in Pharmacological Sciences (TIPS), IUPhar Newsletter. – INTERNET-Adresse: http://iuphar.pharmacology.unimelb.edu.au

i.v. Abk. für *intravenös*, s. Injektion.

Iv. Prüfprädikat bei *Holzschutzmitteln (gegen Insekten vorbeugend wirksam). *Lit.:* DIN 4076 Tl. 5 (11/1981); DIN 68 800 Tl. 3 (04/1990).

Ivanoff-Reaktion s. Ivanov-Reaktion.

Ivanov-Reaktion (Ivanoff-Reaktion). Aldol-artige Addition von Arylessigsäuren, z. B. *Phenylessigsäure, an Aldehyde od. Ketone in Ggw. einer *Gri-

$$H_5C_6\text{—}CH_2\text{—}COOH \xrightarrow[- \ 2\,RH]{+2\,R\text{—}Mg\text{—}Cl}$$

$$\left[H_5C_6\text{—}\overset{\ominus}{C}H\text{—}COOMgCl\right] \ MgCl^+ \xrightarrow[2.\ H_2O\ (H^+)]{1.\ R^1\text{—}\overset{R^2}{\underset{\|}{C}}=O} \quad R^1\text{—}\overset{R^2}{\underset{\underset{HO}{|}}{\overset{|}{C}}}\text{—}\overset{}{\underset{\underset{C_6H_5}{|}}{CH}}\text{—}COOH$$

gnard- od. Lithium-organischen Verbindung. Die Reaktion profitiert davon, daß die Methylen-Gruppe der Phenylessigsäure CH-acide ist u. deprotoniert werden kann. Die I.-R. kann zur Herst. von β-*Hydroxycarbonsäuren ausgenutzt werden (vgl. a. Reformatsky-Reaktion). Zur Diasteroselektivität der I.-R. s. *Lit.*[1]. – *E* Ivanov reaction – *F* réaction d'Ivanov – *I* reazione di Ivanoff – *S* reacción de Ivanov

Lit.: [1] Justus Liebigs Ann. Chem. **1980**, 1108.
allg.: March (4.), S. 946 ▪ Trost-Fleming **2**, 210.

Ivarancusaöl s. Vetiveröl.

Ivel® Schlaf Dragees. Filmtabl. mit *Baldrian- u. *Hopfen-Trockenextrakt. *B.:* Knoll Deutschland.

Ivermectin (MK-933, Mectizan, Ivomec).

R = —C(S)H—C₂H₅ : Ivermectin B₁ₐ , 22,23-Dihydro-avermectin B₁ₐ
|
CH₃

R = —CH(CH₃)₂ : Ivermectin B₁ᵦ , 22,23-Dihydro-avermectin B₁ᵦ

I. ist ein Gemisch zweier sehr ähnlicher Makrolid-Antibiotika, die semisynthet. aus *Avermectin gewonnen werden. Man unterscheidet *I.* B_{1a} ($C_{48}H_{74}O_{14}$, M_R 875,11) u. *I.* B_{1b} ($C_{47}H_{72}O_{14}$, M_R 861,08), die als Gemisch, das mind. 80% I. B$_{1a}$ enthält, eingesetzt werden. Es ist ein weißes Pulver, $[\alpha]_D^{20}$ +71,50±3° (c 0,75/CHCl₃), λ_{max} (CH₃OH) 238,2 nm. I. wirkt in sehr geringen Dosen selektiv antibiot. gegen eine Vielzahl von Nematoden u. parasitären Arthropoden (Anthelmintikum, Insektizid, Akarizid). Ursprünglich wurde I. für die Veterinärmedizin entwickelt, inzwischen ist es jedoch auch das Mittel der Wahl zur Therapie der Onchozerkose (*Filariasis, „Flußblindheit") des Menschen, insbes. in Afrika u. Zentralamerika. I. kann aufgrund seiner langen biol. HWZ als Einmaldosis alle 6–12 Monate verabreicht werden. Man kann I. als einen wichtigen Durchbruch bei der Kontrolle von parasitären Krankheiten in der Dritten Welt bezeichnen. – *E* ivermectin – *F* ivermectine – *I* = *S* ivermectina

Lit.: Anal. Profiles Drug Subst. **17**, 155–184 (1988) ▪ Chemosphere **18**, 1565–1572 (1989) ▪ Merck-Index (12.), Nr. 5264 ▪ Sax (8.), S. 2067 (Toxikologie) ▪ Trop. Med. Parasitol. **38**, 8 (1987) ▪ Ullmann (5.) A 2, 197; A 4, 94 f. – *Pharmakologie:* Annu. Rev. Microbiol. **45**, 445–474 (1991) ▪ Drug Metab. Rev. **18**, 289–302 (1987) ▪ J. Infect. Dis. **156**, 463 (1987) ▪ Parasitol. Today **4**, 226 ff. (1988); **9**, 154–159 (1993). – *Reviews:* ACS Symp. Ser. **255**, 5–20 (1984) ▪ Chem. Br. **25**, 692–696 (1989) ▪ J. Vet. Pharmacol. Ther. **7**, 1–16 (1984) ▪ Med. Res. Rev. **13**, 61–79 (1993) ▪ Science **221**, 823–828 (1983). – *Synth.:* Heterocycles **27**, 45 (1988) ▪ Lindberg, Strategies Tactics Org. Synth., Bd. 2, S. 221–261, New York: Academic Press 1989. – [HS 2941 90; CAS 70288-86-7 (I.); 71827-03-7 u. 70161-11-4 (I.B$_{1a}$); 70209-81-3 (I.B$_{1b}$)]

IVFF. Abk. für Internal Valence Force Field, s. Kraftkonstanten.

Ivomycin s. Boromycin.

IVSS. Abk. für die internat. Vereinigung für soziale Sicherheit mit Sitz in Genf beim internat. Arbeitsamt hat über 300 Mitglieder (Regierungsbehörden u. Anstalten) in mehr als 120 Staaten, von denen sich die Hälfte mit Arbeitsicherheit befassen. Sie wurde 1927 in Brüssel als „Internat. Zentralstelle der Krankenkassen u. Hilfsvereine" gegründet. Hauptziel ist die Förderung u. der Ausbau der sozialen Sicherheit in allen Teilen der Welt.

IW s. Immissionsgrenzwerte.

Ixan®. Polyvinylidenchlorid für wäss. Dispersionen zur Anw. in Lacken u. Beschichtungen. *B.:* Solvay.

Ixef®. Polyarylamid-Formmassen, glasfaserverstärkt, kohlenstoffaserverstärkt, gefüllt, für das *Spritzgießen techn. Formteile. *B.:* Solvay.

Ixoten® (Rp). Manteltabl. mit *Trofosfamid als *Cytostatikum. *B.:* Asta Medica.

IZ. Abk. für *Iod-Zahl.

Izod-Test. In Großbritannien genormter *Kerbschlagbiegeversuch, bei dem eine einseitig eingespannte, gekerbte Probe mit prismat. Querschnitt in einem Pendelschlagwerk gebrochen wird. Maß der Schlagzähigkeit ist die auf den engsten Querschnitt bezogene, beim Bruchvorgang verbrauchte Schlagarbeit. Im Gegensatz zu den in der BRD gebräuchlichen Kerbschlagbiegeversuchen gestattet der I.-T. die Verw. von längeren Probestäben mit mehreren Kerben. – *E* Izod (impact) test – *F* essai d'Izod – *I* prova d'Izod – *S* ensayo de Izod

Lit.: Lueger, Lexikon Werkstoffe und Werkstoffprüfung, Bd. 3, S. 345 ff., Stuttgart: DVA 1961.

IZ-Pumpe. Abk. für *I*onen*z*erstäuberpumpe, s. Ionenpumpe.

J

J. 1. In der dtsch. Lit. früher verwendetes Symbol für das chem. Element *Iod (früher *Jod*). – 2. Symbol für die Einheit *Joule, für die *Reaktionsgeschwindigkeit, für die Kopplungskonstante in der *NMR-Spektroskopie, für die Stromdichte, den Fluß, den sog. Staudinger-Index (J_0, auch [η], s. Viskosität), eine *Quantenzahl, in älteren Darst. auch für Wärmeäquivalent, Äquivalentgew. od. ionale Konzentration. Die sog. J-Teilchen aus der *Elementarteilchen-Physik werden heute als Ψ-Teilchen bezeichnet. – 3. Kurzz. für die *Ionendosis (bzw. J für die *Ionendosisleistung). – 4. In Zeitschriften-Kurzbez. Abk. für „Journal".

Jabłoński-Termschema s. Photochemie.

Jaborandi-Blätter. Aus Südamerika eingeführte, 7–15 cm lange, 4–5 cm breite Blätter verschiedener strauchförmiger *Pilocarpus*-Arten (u. a. *P. jaborandi*, Holmes, Rutaceae), aus denen das Alkaloid *Pilocarpin gewonnen wird. – *E* jaborandi – *F* feuilles de Jaborandi – *I* foglie del jaborandi – *S* (hojas de) jaborandi
Lit.: Hager (5.) **6**, 127–135 ▪ Steinegger-Hänsel (5.), S. 556 ff. ▪ s. a. Pilocarpin. – *[HS 1211 90]*

Jackfrucht (von malaiisch chakka = Frucht des Brotfruchtbaums). Bez. für die bis 1 m langen, bis 30 cm dicken u. bis zu 15 kg schweren Früchte des J.-Baums *Artocarpus heterophylla* (Moraceae, Maulbeergewächse), der in Indien heim. ist u. auch in Süd- u. Mittelamerika angebaut wird. Verzehrt werden das rohe od. gekochte Fruchtfleisch sowie die gerösteten Samen. Im Aroma der J., in dem erstaunlicherweise Terpene vollständig zu fehlen scheinen, konnten 16 Ester u. 4 Alkanole nachgewiesen werden. Mit der J. verwandt ist die kleinere, in ähnlicher Weise genutzte *Brotfrucht* (*Artocarpus communis*), die in Polynesien u. in der Karibik angebaut wird. – *E* Jack fruit – *F* jacquier – *I* frutto Jack – *S* jaqueira, jaca, yace, fruta del pobre
Lit.: Franke, Nutzpflanzenkunde, 5. Aufl., Stuttgart: Thieme 1992. – *[HS 0810 90]*

Jacob, François (geb. 1920), Prof. für Genetik, Collège de France u. Inst. Pasteur, Paris. *Arbeitsgebiete:* Bakteriengenetik, Regulation der Genaktivität, alloster. Hemmung von Enzymen usw.; Nobelpreis 1965 für Medizin od. Physiologie zusammen mit *Monod u. *Lwoff.
Lit.: Lexikon der Naturwissenschaftler, S. 230 ▪ Neufeldt, S. 263, 376 ▪ The International Who's Who (16.), S. 750.

Jacobsen-Epoxidierung. *Stereoselektive *Epoxidierung von (*Z*)-Alkenen mit Natriumhypochlorit u. einem chiralen Mangan-Katalysator (vgl. Sharpless-Epoxidierung).

z.B.: R^1 = C$_6$H$_5$, R^2 = CH$_3$; *ee = 92%

– *E* Jacobsen epoxidation – *I* epossidazione di Jacobsen – *S* epoxidación de Jacobsen
Lit.: Ojima, Catalytic Asymmetric Synthesis, S. 159 ff., Weinheim: VCH Verlagsges. 1993 ▪ s. a. Sharpless-Epoxidierung.

Jacobsen-Reaktion. Von O. Jacobsen (1840–1889) entdeckte Alkyl-Wanderung in Polyalkylbenzolsulfonsäuren bzw. Halogen-Wanderung in Polyhalogenbenzolsulfonsäuren unter der Einwirkung von konz. Schwefelsäure.

– *E* Jacobsen reaction – *F* réaction de Jacobsen – *I* reazione di Jacobsen – *S* reacción de Jacobsen
Lit.: Hassner-Stumer, S. 186 ▪ March (4.) S. 565 ▪ Org. React. **1**, 370–385 (1942).

Jacobson, Paul (1859–1923), Prof. für Organ. Chemie, Berlin. *Arbeitsgebiete:* Heterocycl. Verb., Ausarbeitung einer Indazol-Synth.; Generalsekretär der Dtsch. Chem. Ges. u. Leiter der Redaktion des von Beilstein begonnenen Hdb. „Handbuch der Organischen Chemie" (heute *Beilsteins Handbuch der Organischen Chemie) von 1896 bis 1919.
Lit.: Pötsch, S. 221 f.

Jacutin® (Rp). Emulsion u. Gel mit *Lindan gegen parasitäre Hauterkrankungen, insbes. Krätze u. Läuse; J. N als Sprühdose mit Allethrin u. *Piperonylbutoxid. *B.:* Hermal.

Jade. Gemeinsame Bez. für die Edelstein-Qualitäten der mineralog. verschiedenen Mineralarten *Jadeit u. *Nephrit (*Edelsteine und Schmucksteine). Am begehrtesten ist der durch einen Chrom-Gehalt smaragdgrüne *Imperial-J.* (Smaragd-J.). Zahlreiche natürliche u. künstliche Materialien wurden u. werden zur *Imitation* [1] von J. benutzt u. mit eigenen Handelsnamen [1] belegt, z. B. „*New Jade*" für eine *Serpentin-Abart; ferner werden Imitationen aus J.-ähnlichen Gläsern [2] od. aus Plastik hergestellt; zur Identifizierung von gebleichtem u. mit Wachs u. Kunststoffen imprägniertem J. s. *Lit.* [3]. Zu Geschichte, Mineralogie, Farbe, Vork. u. Bearbeitung von J. s. *Lit.* [1]. – *E = F = S* jade – *I* giada
Lit.: [1] Aufschluß **43**, 65–82 (1992). [2] Z. Dtsch. Gemmol. Ges. **42**, Nr. 4, 171–177 (1993). [3] J. Gemmol. **24**, 475–483 (1995). *allg.:* Chu u. Chu, Jade – Stein des Himmels, Stuttgart: Kos-

mos-Franckh 1982 ▪ Eppler, Praktische Gemmologie (5.), S. 311–318, Stuttgart: Rühle-Diebener 1994 ▪ s. a. Jadeit u. Edelsteine und Schmucksteine. – *[CAS 12601-21-7]*

Jadeit. $NaAl[Si_2O_6]$, zu den Klino-*Pyroxenen gehörendes, farbloses, weißes od. blaß- bis tiefgrün (durch Chrom), gelegentlich auch rosa, rotviolett (durch Mangan) od. schwarz (durch Fe^{3+} anstelle von Al^{3+}) gefärbtes monoklines Mineral, Krist.-Klasse $2/m$-C_{2h}; zur *Struktur* s. *Lit.*[1]. J. bildet fast nur dichte, körnige bis faserig verfilzte, mikrokrist., durchscheinende bis undurchsichtige, überaus zähe Massen. H. 6,5–7, D. 3,2–3,4.

Vork.: V. a. in *Gesteinen der *Hochdruckmetamorphose, z. B. in Glaukophanschiefern (*Amphibole) auf der Insel Syros/Griechenland; in der kaliforn. Küstenkette in *Quarz-J.-Gesteinen, mehrorts in den Alpen u. in Sanbagawa/Japan. J. ist wesentlicher Bestandteil von *Omphacit*, dem grünen Pyroxen des Gesteins *Eklogit; zur Stabilität von J. u. Omphacit bei hohen Drücken u. Temp. s. z. B. *Lit.*[2].

Verw.: Wegen seiner außerordentlichen Zähigkeit wurde J. vom vorgeschichtlichen Menschen zu Waffen verarbeitet. Unter der Bez. *Jade, die auch *Nephrit umfaßt, ist er ein beliebtes Material für Schmuck- u. z. T. sehr filigrane Ziergegenstände. Die Hauptvork. von J. für Schmuckzwecke sind in Nord-Myanmar (Burma), z. T. als bis 33 t schwere Gerölle u. Blöcke; weitere Vork. gibt es in Kalifornien, Mexiko, Guatemala, Japan u. Kasachstan. J. ist in China sowie im Westen erst während der Herrschaft des Kaisers Chien-Lung (1736–1795) bekannt geworden. Jade-Artikel, die älter sind als die zweite Hälfte des 18. Jh., sind kein burmes. J., sondern Nephrit aus einer der damals bekannten Lagerstätten. Die *Namen* J. u. Jade stammen von „pietra de ijada" (= Lendenstein), einer Bez. für grüne Steine, die die Spanier als Amulette bei den Indianern Mittelamerikas fanden u. die sie als Heilmittel gegen Nierenleiden auch in Europa einführten. – *E* jadeite – *F* jadéite – *I* giadeite – *S* jadeíta

Lit.: [1] Am. Mineral. **51**, 956–971 (1966). [2] Phys. Chem. Miner. **23**, 476–486 (1996).
allg.: Deer et al., S. 187–195 ▪ Deer, Howie u. Zussman, Rock-Forming Minerals (2.), Vol. 2A, Single-Chain Silicates, S. 462–481, London: Longman 1978 ▪ Lüschen, die Namen der Steine, S. 243, Thun: Ott 1979 ▪ Matthes, Mineralogie (5.), S. 136, Berlin: Springer 1996 ▪ s. a. Pyroxene u. Jade. – *[CAS 12003-54-2]*

Jäckle, Herbert (geb. 1949), Prof. für Genetik, Univ. München (seit 1988), Max-Planck-Inst. für Entwicklungsbiologie (bis 1988), EMBL Heidelberg. *Arbeitsgebiete:* Mol. Analyse der Embryogenese von Insekten.
Lit.: Kürschner (16.), S. 1600 ▪ Nachr. Chem. Tech. Lab. **40**, Nr. 11, 1288 (1992).

Jägahyd®. *Alkydharze u. Epoxyester zur Herst. von *Lacken u. *Druckfarben. *B.:* Jäger.

Jägalux®. Polymerharze zur Herst. von strahlenhärtenden *Lacken, *Druckfarben u. *Klebstoffen. *B.:* Jäger.

Jägapol®. Gesätt. *Polyesterharze zur Herst. von *Lacken. *B.:* Jäger.

Jäger. Kurzbez. für die 1939 gegr. Firma Ernst Jäger, Fabrik Chemischer Rohstoffe GmbH + Co. OHG, 40 599 Düsseldorf. *Produktion:* Kunstharze, Acrylate, Alkydharze, Dispersionen.

Jäkle Chemie. Kurzbez. für die 1886 gegr. Firma Wilhelm Jäkle Säurenchemikalien, 90 431 Nürnberg. *Produktion:* Säuren, Laugen, Grundchemikalien.

Jaenicke, Lothar (geb. 1923), Prof. für Biochemie, Univ. Köln. *Arbeitsgebiete:* Cytochemie, Regulation von Stoffwechselreaktionen, Entwicklungsbiochemie, Sinnesphysiologie, Chemotaxis, Gamone u. a. pflanzliche Lock- u. Naturstoffe.
Lit.: Kürschner (16.), S. 1605 ▪ Nachr. Chem. Tech. Lab. **32**, 816 (1984) ▪ Wer ist wer (35.), S. 665.

Jaenicke, Rainer (geb. 1930), Prof. für Physikal. Biochemie, Univ. Regensburg. *Arbeitsgebiete:* Struktur-Funktionsbeziehung von Proteinen, Faltung u. Assoziation von Proteinen, mol. Anpassung (Thermo-, Halo- u. Barophilie).
Lit.: Kürschner (16.), S. 1605 ▪ Nachr. Chem. Tech. Lab. **39**, Nr. 12, 1449 (1991) ▪ Wer ist wer (35.), S. 665.

Jaffé-Reaktion. Sammelbez. für mehrere mit dem Namen Jaffé (verschiedene Namensträger) verbundene Farbreaktionen.
1. Reaktion auf *Cyanide*: Diese geben mit Pikrinsäure im alkal. Medium eine kräftige Rotfärbung.
2. Reaktion auf *Kreatin u. *Kreatinin: Häufig angewendete Meth. zur Bestimmung des Gesamt-Kreatinins in Harn u. Serum sowie in Fleischextrakten u. Fleischextrakt-haltigen Lebensmitteln. Bei dieser Reaktion entstehen aus Kreatinin u. alkal. Pikrat-Lsg. über das Kreatinpikrat zwei *Meisenheimer-Komplexe, deren Gleichgew.-Einstellung pH-Wert-abhängig ist, u. die bei 484 bzw. 384 nm absorbieren. Da zahlreiche Substanzen wie z. B. *Glucose od. *Lävulinsäure stören, wurde ein gekoppelter Enzym-Jaffé-Farbtest entwickelt, der eine verbesserte Spezifität aufweist.
3. Reaktion auf *Gallenfarbstoffe (Jaffé-Schlesinger-Test): Nachw. von Gallenfarbstoffen aufgrund der beim Versetzen mit alkohol. Zinkacetat-Lsg. in alkal. Medium auftretenden Fluoreszenz. – *E* Jaffé reactions – *F* réactions de Jaffé – *I* reazione di Jaffé – *S* reacción de Jaffé
Lit. (zu 2.): Arch. Pharm. (Weinheim, Ger.) **317**, 571 ff. (1984) ▪ Dtsch. Lebensm. Rundsch. **83**, 4–7 (1987). – *(zu 3.):* Zechmeister **26**, 66.

Jagdpulver. Bez. für *Schießpulver, das für jagdliche Zwecke verwendet wird. Nach seiner Körnung wird Jagdschwarzpulver eingeteilt in J. F: 0,2–1,2 mm, FF: 0,2–1,04 mm, FFF: 0,2–0,7 mm, FFFF: 0,15–0,43 mm. – *E* hunting gunpowder – *F* poudre de chasse – *I* polvere da caccia – *S* pólvora de caza
Lit.: Meyer, Explosivstoffe, 6. Aufl., S. 252 ff., 262 f., Weinheim: Verl. Chemie 1985. – *[HS 3601 00]*

Jagotex®. Acrylat-Copolymere, PUR-Dispersionen u. Acrylnitril-Polymere zur Herst. von Klebstoffen u. Lacken. *B.:* Jäger.

Jahn-Teller-Effekt. Von H. A. Jahn u. E. *Teller 1937 vorhergesagter Effekt (*Lit.*[1]), der in weiten Bereichen von Chemie u. Physik eine Rolle spielt (eine ausführliche Bibliographie der Lit. bis 1980 findet man in *Lit.*[2]). Nach dem *Jahn-Teller-Theorem* sind entartete

Elektronenzustände nichtlinearer Mol. instabil. In einer solchen Situation verzerrt sich das Kerngerüst derart, daß die Entartung aufgehoben wird, was mit einer Symmetrieerniedrigung verknüpft ist. Z.B. ist CH_4^+ in der tetraedr. Struktur, wobei das dreifach entartete t_2-Orbital (s. chemische Bindung) mit 5 Elektronen besetzt ist, instabil. Die stabilste Kernlage (*Gleichgewichtsgeometrie) hat lediglich C_{2v}-Symmetrie (s. *Lit.*[3]). Der J.-T.-E. tritt häufig bei Koordinationsverb. auf (s. a. Koordinationslehre), z.B. bei solchen mit Cu^{2+} als Zentralion. Bei Cu^{2+}-Komplexen mit 6 gleichartigen Liganden ist die oktaedr. Anordnung instabil, da dann das zweifach entartete e_g-Orbital (s. a. Ligandenfeldtheorie) nur mit 3 Elektronen besetzt ist. Bei linearen Mol. tritt der *Renner-Teller-Effekt* auf. – *E* Jahn-Teller effect – *F* effet Jahn-Teller – *I* effetto Jahn-Teller – *S* efecto Jahn-Teller

Lit.: [1] Proc. R. Soc. London, Ser. A **161**, 220–235 (1937). [2] Bersuker, The Jahn-Teller Effect, A Bibliographic Review, New York: Plenum 1984. [3] J. Chem. Phys. **88**, 1775–1785 (1988). *allg.:* Adv. Chem. Phys. **57**, 59–246 (1987) ▪ Adv. Quantum Chem. **15**, 85–160 (1982) ▪ Bersuker, The Jahn-Teller Effect and Vibronic Interactions in Modern Chemistry, New York: Plenum 1984 ▪ Englman, The Jahn-Teller-Effect in Molecules and Crystals, New York: Wiley 1972.

Jak (Janus-Kinasen). Gruppe verwandter (Protein-)Tyrosin-Kinasen (s. Protein-Kinasen), die mit der cytoplasmat. Seite aktivierter *Rezeptoren von *Cytokinen (z.B. *hämatopoetischen Wachstumsfaktoren, *Interferonen od. *Interleukinen) u. *Hormonen (z.B. *Somatotropin, *Prolactin) assoziieren. Dadurch aktiviert, phosphorylieren die Jak spezif. *Tyrosin-Reste in bestimmten *Transkriptionsfaktoren (STAT-Familie). Letztere wiederum sind für die Aktivierung der *Gene zuständig, die als Antwort auf das extrazelluläre Cytokin-Signal transkribiert werden. Der Jak/STAT-Weg ist ein relativ kurzer Weg der intrazellulären *Signaltransduktion. Zur Jak-Familie gehört auch Tyk2. Möglicherweise besteht auch eine Verbindung von den Jak zur Signalkette der *Ras-Proteine u. *Mitogen-aktivierten Protein-Kinasen[1]. – *E* = *F* = *I* = *S* Jak

Lit.: [1] Curr. Biol. **6**, 668–671 (1996). *allg.:* FASEB J. **10**, 1578–1588 (1996) ▪ Silvennoinen u. Ihle, Signaling by the Hematopoietic Cytokine Receptors, Berlin: Springer 1996 ▪ Wilks u. Harpur, Intracellular Signal Transduction. The JAK-STAT Pathway, Berlin: Springer 1996.

Jakobsit s. Spinelle.

Jalape. Zu den Windengewächsen (Convolvulaceae) gehörende u. in Mexiko u. Brasilien beheimatete Pflanzen der Gattungen *Ipomoea, Merremia, Operculina* u. *Convolvulus*, deren Wurzeln hühnereigroße Verdickungen aufweisen. Die betreffenden Arten enthalten etwa 10% *J.-Harz*, das zu etwa 60% aus dem Ethanol-lösl., makromol. (M_R ca. 31 000), stark abführend wirkenden Glykoresin *Convolvulin* besteht. Es besitzt einen widerlichen Geruch, u. sein Geschmack ist fade, später bitter u. kratzend. Das Harz wird in Form von Pulver, Tabl. u. Tinkturen als Abführmittel verwendet. Den Ether-lösl. Teil des Harzes (7%) nennen manche Autoren *Jalapin*, das in seiner Zusammensetzung dem *Orizabin* des Ipomoeaharzes (sog. *falsches J.-Harz*) u. dem *Scammonin* aus Scam-

monium entspricht; Näheres s. bei Ipomoea-Harz. – *E* jalap – *F* jalape – *I* gialappa – *S* jalapa

Lit.: Hager (5.) **5**, 534–550 ▪ Steinegger-Hänsel (5.), S. 65–68 ▪ s. Ipomoea-Harz.

Jalapin s. Ipomoea-Harz u. Jalapinolsäure.

Jalapinolsäure (11-Hydroxypalmitinsäure, 11-Hydroxyhexadecansäure).

$$H_3C-(CH_2)_4-\underset{\underset{OH}{|}}{CH}-(CH_2)_9-COOH$$

$C_{16}H_{32}O_3$, M_R 272,43, Schmp. 66 °C. J. ist die Säurekomponente des Jalapins, eines Ether-lösl. Glykosids des Jalapen-Harzes, aus dem es durch säurehydrolyt. Spaltung neben Fucose, Glucose u. Rhamnose gewonnen werden kann; s. a. Ipomoea-Harz. – *E* jalapinolic acid – *F* acide jalapinolique – *I* acido jalapinolico – *S* ácido jalapinólico

Lit.: Beilstein E IV **3**, 929 ▪ s. a. Ipomoea-Harz. – *[CAS 502-75-0]*

Jambulbaum. Rinde, Früchte u. Samen der ostind. Pflanze *Syzygium cumini* (Myrtaceae). Die Pflanzenteile sind harzig u. Gerbstoff-haltig, die Früchte enthalten außerdem flüchtige u. fette Öle. J. wirkt gegen Diarrhoe. – *E* jambul – *I* eugenia cumini – *S* ciruelo de Java

Lit.: Braun-Frohne (6.), S. 546. – *[HS 121190]*

Jamesonit (Federerz). $Pb_4FeSb_6S_{14}$ bzw. $4 PbS \cdot FeS \cdot 3 Sb_2S_3$, monoklines, zu den Komplex-Sulfiden gehörendes, metall., z. T. auch seidenartig glänzendes, bleigraues, im feinsten „Zundererz" braun durchscheinendes, oft bunt anlaufendes Erzmineral mit grauschwarzer Strichfarbe, Krist.-Klasse $2/m$-C_{2h}. Langprismat., nadelige, faserige, auch gebogene bis kreisförmige (von Baia Mare/Rumänien[1]) Krist., einzeln od. in Büscheln; radiale, büschelige od. faserig verfilzte Aggregate, auch dichte Massen. Näheres s. *Lit.*[1,2]. H. 2,5, D. 5,63. Chem. Zusammensetzung nach der Formel: 40,2% Pb, 2,7% Fe, 35,5% Sb, 21,6% S, mit Gehalten an Cu u. Bi.

Vork.: In hydrothermalen Pb-Ag-Zn-Gängen, z.B. Erzgebirge, Harz, Cornwall/England, Pribram/Böhmen, Mexiko, Bolivien, Idaho/USA. – *E* = *F* = *I* jamesonite – *S* jamesonita

Lit.: [1] Mineral. Rec. **17**, 375f. (1986). [2] Aufschluß **36**, 145–150 (1985). *allg.:* Anthony et al., Handbook of Mineralogy, Vol. 1, S. 247, Tucson (Arizona): Mineral Data Publishing 1990 ▪ Ramdohr, Die Erzmineralien u. ihre Verwachsungen, S. 821–826, Berlin: Akademie-Verl. 1975 ▪ Ramdohr-Strunz, S. 480. – *[CAS 16091-73-9]*

Janák, Jaroslav (geb. 1924), Direktor am Internat. chromatograph. Labor der Tschechoslovak. Akademie der Wissenschaften, Brno, Mitglied der ehem. Tschechoslovak. Akademie der Wissenschaften. *Arbeitsgebiete:* Gaschromatographie (Inhaber des ersten Patents über Gaschromatographie), Gasanalyse, Umweltschutz, Erdölchemie.

Lit.: Int. Lab. **1972**, Nr. 4, 8–13.

Jander, August Gerhart (1892–1961), Prof. für Anorgan. Chemie, Univ. Greifswald u. TU Berlin. *Arbeitsgebiete:* Verb. des V, Nb, Mo, W, Ta, Wasser-ähnliche Lsm., z.B. SO_2, Polysäuren, konduktometr. Maßanalyse, Hydrolyse, Solvolyse, Schwebstoffe, Diffu-

sion, Dialyse; Autor (zusammen mit Jahr) des chem. Standardwerkes „Maßanalyse".
Lit.: Lexikon der Naturwissenschaftler, S. 231 ▪ Pötsch, S. 223.

Janke & Kunkel. s. IKA-Maschinenbau.

Janovsky-Reaktion. Eine auf der Bildung von roten od. blauvioletten *Meisenheimer-Komplexen beruhende Reaktion zur Unterscheidung der Isomeren von *aromat.* Polynitro-Verbindungen. Die Farbkomplexe bilden sich mit Aceton in konz. Lauge, wobei Mononitro-Verb. eine gelbe, die meisten 1,3-Dinitro-Verb. eine blaue u. Trinitro-Verb. eine rote Färbung ergeben. Die Reaktion kann auch umgekehrt bei Verw. von z. B. 3,5-Dinitrobenzoesäure zum Nachw. der Enolate von Aldehyden u. Ketonen (*Kedde-Reaktion) dienen. – *E* Janovsky reaction – *F* réaction de Janovsky – *I* reazione di Janovsky – *S* reacción de Janovsky
Lit.: J. Chem. Soc. **1965**, 4615 ▪ Laatsch, Die Technik der organischen Trennungsanalyse, Stuttgart: Thieme 1988.

Jansen, Martin (geb. 1944), Prof. für Anorgan. Chemie, Univ. Hannover, Bonn. *Arbeitsgebiete:* Anorgan. Festkörperchemie u. Materialforschung, Struktursystematik u. physikal. Eigenschaften binärer u. ternärer Oxide.
Lit.: Kürschner (16.), S. 1618.

Janssen. Kurzbez. für die belg. Firma Janssen Pharmaceutica N. V., B-2340 Beerse, eine 100%ige Tochterges. der amerikan. *Johnson & Johnson. *Produktion:* Human- u. veterinärmedizin. Arzneimittel. Pharmazeut. Zwischenprodukte u. Feinchemikalien. *Vertretung* in der BRD: Janssen GmbH, 41470 Neuss (Arzneimittel).

Janthitreme. Die J. sind octacycl. tremorgene *Mykotoxine aus *Penicillium janthinellum,* einem roggenpathogenen Pilz. Die J. sind intensiv fluoreszierende Feststoffe, deren komplexe Strukturen teilw. noch unbekannt sind.

R¹ = H , R² = OH : J.E
R¹ = Ac , R² = OH : J. F
R¹ = Ac , R² = H : J.G

Tab.: Daten zu den Janthitremen.

	Formel	M_R	CAS
J. E.	$C_{37}H_{49}NO_6$	603,80	90986-50-8
J. F.	$C_{39}H_{51}NO_7$	645,84	90986-52-0
J. G.	$C_{39}H_{51}NO_6$	629,84	90986-51-9

Die J. sind eng verwandt mit den *Paspalitremen u. *Penitremen. – *E* janthitrems – *I* jantitreme – *S* jantitremas
Lit.: Appl. Environ. Microbiol. **39**, 272 (1980) (J. A) ▪ Bioact. Mol. **1**, 501–511 (1986) ▪ J. Food Prot. **44**, 715–722 (1981) ▪ J. Chem. Soc., Perkin Trans. 1 **1984**, 697–701 ▪ J. Chromatogr. **248**, 150–154 (1982); **392**, 333–347 (1987); **404**, 195–214 (1987) ▪ Phytochemistry **32**, 1431 (1993) (J. B u. J. C) ▪ Zechmeister **48**, 20–25, 38–43.

Janusgrün B (Diazingrün, C. I. 11 050).

$C_{30}H_{31}ClN_6$, M_R 511,07. Ein kation. *Azo-Farbstoff auf Phenazin-Basis (Janus-Farbstoff), der in der mikroskop. Färbetechnik, in der *Galvanotechnik u. als Redoxindikator (s. Redoxsystem) verwendet wird. – *E* Janus green B – *F* vert Janus – *I* verde di Giano B – *S* verde Janus
Lit.: Beilstein E V **25/18**, 278f. ▪ Ullmann (5.) **A 3**, 217. – *[HS 3204 13; CAS 2869-83-2]*

Janus-Kinasen s. Jak.

Japanische Mispeln (Wollmispel, Wellmispel). Der in Japan u. China heim. u. in Indien u. im Mittelmeerraum kultivierte Baum *Eriobotrya japonica* gehört zu den Rosaceae. Die bis zu birnengroßen, auch im Dtsch. oft *Loquats* genannten, ähnlich einer Birne aufgebauten Scheinfrüchte werden frisch, als Gelee, Konfitüre od. Kompott verzehrt. – *E* loquats – *F* bibassiers, néfliers du Japon – *I* nespoli del Giappone – *S* nísperos del Japón
Lit.: Franke, Nutzpflanzenkunde, 5. Aufl., Stuttgart: Thieme 1992.

Japanisches Heilpflanzenöl. *Pfefferminzöl aus *Mentha arvensis* L. var. *piperascens* (= ssp. *haplocalyx*)

Japanlacke. Allg. Bez. für weiße od. farbige Öllacksorten od. Emaillacke, die bes. für Außenanstriche (Fensteranstriche u. dgl.) verwendet werden. Der sehr beständige echte J. aus den Wundsäften des japan. Lackbaums (Firnisbaum, *Rhus verniciflua,* *Sumach-Gewächs) wird hierzulande, zumal er oft allergisierend wirkt, als *Firnis kaum benutzt. Einen schwarzglänzenden Japanemaillack für Nähmaschinen, Fahrräder, Schreibmaschinen u. dgl. erhält man z. B. aus 42 Tl. Stearinpech, 8 Tl. Gilsonitasphalt, 2 Tl. Leinölfirnis u. 48 Tl. Lackbenzin. – *E* Japan lacquers – *F* laque du Japon – *I* lacche del Giappone – *S* lacas Japonesas
Lit.: Hager (5.) **6**, 457 ▪ Hoechst High Chem. Magazin **16**, 61 (1994) ▪ Ullmann (4.) **12**, 527. – *[HS 1301 90, 3205 00]*

Japanpapier s. Papier.

Japansäure s. Japanwachs.

Japan Science and Technology Corporation s. JST.

Japanwachs (Japantalg, Cera japonica). Farbloses od. gelbliches, reines Pflanzenfett, das in Japan aus den Früchten eines baumförmigen *Sumach-Gewächses (*Rhus succedanea*) durch Auskochen gewonnen wird, D. 0,97–1,00, Schmp. 51–55 °C, SZ 22–23, VZ 217–237, unverseifbares J. 1,0–1,6%, IZ 10–15. Hauptbestandteil: Palmitinsäureglycerinester, ferner Ester der sog. *Japansäure* (Heneicosandisäure[1], $C_{21}H_{40}O_4$, M_R 356,55, Schmp. 112–113 °C), *Phellogensäure* (Docosandisäure, $C_{22}H_{42}O_4$, M_R 370,57, Schmp. 122–124 °C) u. *Tricosandisäure* ($C_{23}H_{44}O_4$, M_R 384,60, Schmp. 127,5 °C).

Verw.: Ersatz für Bienenwachs, z. B. in Kerzen; bei der Textilveredlung u. Lederzurichtung sowie zur Herst. von *Knetmassen. Als J. kommt auch japan. Bienenwachs in den Handel. – *E* Japan wax – *F* cire du Japon – *I* cera del Giappone, grasso del Giappone – *S* ceras Japonesas

Lit.: [1] Karrer, Nr. 846.

allg.: Hamilton (Hrsg.), Waxes: Chemistry, Molecular Biology and Functions, S. 257–310, Dundee: The Oily Press 1995 ▪ Janistyn **1**, 501 f. ▪ Merck-Index (12.), Nr. 5270 ▪ Kirk-Othmer **24**, 470 – *[HS 1515 90; CAS 8001-39-6 (J.); 505-56-6 (Phellogensäure)]*

Japonilur [(4*R*,5*Z*)-5-Tetradecen-4-olid].

$C_{14}H_{24}O_2$, M_R 224,34, Öl, Sdp. 140–141 °C (93 Pa), $[\alpha]_D^{21}$ –70,4° (CHCl$_3$). Sexuallockstoff der Weibchen des Japankäfers *Popillia japonica* (Scarabaeidae). J. wird in den USA zum Massenfang des Käfers eingesetzt. J. u. sein um zwei C-Atome verkürztes Homologes kommen in vielen Scarabaeiden vor. – *E* japonilure – *I* (4*R*,5*Z*)-5-tetradecen-olide – *S* Japonilur

Lit.: Naturwissenschaften **80**, 181 ff. (1993) ▪ Tetrahedron **49**, 5961 (1993) (Synth.). – *[CAS 64726-91-6]*

Japp-Klingemann-Reaktion. Eine von den Autoren 1887 erstmals beschriebene Herstellungsweise von Aryl-*Hydrazonen aus *Diazonium-Verbindungen u. 2-Alkyl-1,3-dicarbonyl-Verb., z. B. substituierte *Acetessigsäureester*, in alkal. Medium. Die Reaktion ist ein Beisp. für die *Azokupplung* mit CH-aciden Verb. [s. Kupp(e)lung] u. die sog. *Säurespaltung* (s. Acetessigester) von *β*-Dicarbonyl-Verb.; im Zusammenhang mit der *Indol-Synth. nach Emil *Fischer ist die J.-K.-R. wertvoll in der Heterocyclen-Synthese.

– *E* Japp-Klingemann reaction – *F* réaction de Japp-Klingemann – *I* reazione di Japp-Klingemann – *S* reacción de Japp-Klingemann

Lit.: Hassner-Stumer, S. 188 ▪ Laue-Plagens, S. 190 ▪ Org. React. **10**, 143–178 (1959) ▪ s. a. Diazonium-Verbindungen.

Jargon s. Zirkon.

Jarosit (Gelbeisenerz). Bas. Eisensulfat-Mineral der Formel $KFe_3^{3+}[(OH)_6/(SO_4)_2]$, krist. trigonal, Struktur von synthet. J. s. *Lit.*[1]; J. ist Glied einer großen Gruppe isostruktureller Minerale bzw. Verb. der allg. Formel $RA_3[(OH)_6/(BO_4)_2]$; darin steht *R* für ein ein- od. zweiwertiges Kation, z. B. Na$^+$ bei *Natro-J.*, *A* für Fe^{3+} od.

Al (z. B. *Alunit) u. *B* für Schwefel, Phosphor od. Arsen. Kleine tafelige od. rhomboedr. Krist., meist derb in körnigen od. schuppigen Aggregaten, als Krusten od. mit traubiger Oberfläche. H. 3–4, D. 3,1–3,3; ockergelb, nelken- u. schwärzlichbraun, Strich gelb, glasartiger Glanz.

Vork.: In *Oxidationszonen von *Pyrit-haltigen Lagerstätten, z. B. Barranco Jaroso (Name!)/Sierra Almaghera/Spanien, vielerorts in den USA; ferner Erzgebirge, Chile, Iran. In der Umgebung heißer Quellen u. in hydrothermalen Alterationszonen von Pb-Zn-Ag-Lagerstätten, z. B. Balya/Türkei; zur Stabilität von J. u. Natro-J. bei 150–250 °C s. *Lit.*[2].

Bedeutung: In der Hydrometallurgie dient die Fällung von J. zur Entfernung von Eisen aus sauren, Sulfat-reichen Lsg.; zur Deponierung der bei der elektrolyt. Zink-Gewinnung anfallenden, mit wasserlösl. problemat. Schwermetallen stark verunreinigten J.-Rückstände s. *Lit.*[3]. – *E = F* jarosite – *I* jarosite, ocra di ferro – *S* jarosita

Lit.: [1] Neues Jahrb. Mineral., Monatsh. **1976**, 406–417. [2] Geochim. Cosmochim. Acta **57**, 2417–2429 (1993). [3] Erzmetall **49**, 314–321 (1996).

allg.: Ramdohr-Strunz, S. 603 ▪ Roberts, Campbell u. Rapp, Encyclopedia of Minerals (2.), S. 411, New York: Van Nostrand Reinhold 1990. – *[CAS 12207-14-6]*

Jarsin® 300. Dragees mit *Johanniskraut-Trockenextrakt gegen Depressionen. *B.:* Lichtwer.

Jasmacyclat®. Riechstoff, Methylcyclooctylcarbonat, blumig, krautig, natürlicher Jasmin-Duft. *B.:* Henkel.

Jasmin. Bez. für eine etwa 200 Arten umfassende Gattung der Ölbaumgewächse (Oleaceae), die hauptsächlich in trop. u. subtrop. Gebieten heim. ist u. v. a. in den Mittelmeerländern kultiviert wird. Die langröhrigen Blüten sind weiß, gelb od. rot u. z. T. stark duftend. Wegen ihrer geruchlichen Qualitäten werden J.-Blüten in Ostasien zum Parfümieren von Tee verwendet; außerdem sagt man ihnen aphrodisierende Eigenschaften nach. Aus den Blüten von *Jasminum grandiflorum* L. (*echter J.*) wird das in der Parfüm- u. Seifen-Ind. verwendete *Jasminöl* (*Jasminabsolue) gewonnen. Essenzen aus den Blüten des in Nordeuropa u. Nordamerika heim., zu den Steinbrechgewächsen gehörenden *falschen J.* (Pfeifenstrauch, *Philadelphus coronarius* L., Saxifragaceae), werden dagegen in der Homöopathie verwendet. Ein weiterer sog. falscher J. ist der in Nord- u. Mittelamerika heim. *gelbe J.* (Gift-J., *Gelsemium sempervirens*, Loganiaceae), dessen Wurzeln *Indol-Alkaloide enthalten, z. B. das früher gegen Keuchhusten u. Nervenschmerzen verwendete, allerdings sehr giftige, parasympathomimet. wirkende *Gelsemin. – *E* jasmine – *F* jasmin – *I* gelsomino – *S* jazmín

Lit.: Hager (4.) **4**, 1107–1110; **5**, 309 f.; **6a**, 617 ▪ Drageco-Rep. **22**, 4–9 (1975) ▪ s. a. Jasminabsolue. – *[HS 1211 90]*

Jasminabsolue. Dunkeloranges bis rötlich-braunes, etwas dickflüssiges Öl mit einem intensiven, süß-blumigen, warmen, honigartigen Duft mit fruchtig-kräuterartigen Untertönen.

Herst.: Durch Extraktion von Jasminblüten (*Jasminum grandiflorum* L., Oleaceae) z. B. mit Hexan, die zunächst zum wachshaltigen Jasminconcrete führt;

Ausbeute ca. 0,3%. Aus dem Concrete erhält man dann das Absolue durch Ausfällen der Wachse mit Alkohol; Ausbeute ca. 50%. Hergestellt wird J. z.B. in Südfrankreich, Marokko, Ägypten u. Indien. In China u. Indien wird auch noch aus einer anderen Jasminart, *J. sambac* (L.) Ait., ein Absolue gewonnen. Die Weltjahresproduktion liegt bei etwa 10 t.

Zusammensetzung[1]: J. besteht etwa zur Hälfte aus leichterflüchtigen Bestandteilen, wovon mit ca. 30% *Essigsäurebenzylester die Hauptkomponente ist. Daneben tragen auch viele andere Verb. wie z.B. *Linalool (ca. 5–10%), *p*-*Kresol (ca. 2%), *Indol (ca. 3%), *Eugenol (ca. 3%), *Jasmon (ca. 3%) u. *Methyljasmonat* ($C_{13}H_{20}O_3$, M_R 224,30) (ca. 1%) zum typ. Geruch bei.

Methyljasmonat

Verw.: Wegen der mühsamen u. aufwendigen Art der Gewinnung gehört J. zu den kostbaren Parfümrohstoffen u. wird heute nur noch in kleinen Mengen in teuren Parfüms verwendet. Der am natürlichen Vorbild orientierte Duftkomplex „Jasmin" findet aber nach wie vor in Parfümkompositionen breiteste Verw. u. ist der am häufigsten verwendete Blütendufttyp. – *E* jasmin(e) absolute – *F* absolu de jasmin – *I* essenza di gelsomino – *S* Jazmín absoluto

Lit.: [1] Perfum. Flavor **2** (6), 37 (1977); **13** (2), 69 (1988); **17** (3), 68 (1992); **19** (2), 64 (1994); **20** (4), 39 (1995). *allg.:* Gildemeister **6**, 557 ▪ Das H & R Buch Parfüm, Aspekte des Duftes. Lexikon der Duftbausteine, S. 176, Hamburg: Glöss 1991. – *Toxikologie:* Food Cosmet. Toxicol. **14**, 331 (1976). – *[HS 330122; CAS 8022-96-6 (J.); 1211-29-6 (Methyljasmonat)]*

Jasminaldehyd s. α-Pentylzimtaldehyd.

Jasminlacton.

(–)-(5*R*)-δ-J.   (+)-(4*R*)-γ-J.

$C_{10}H_{16}O_2$, M_R 168,24, Öl, Sdp. 95–96,5 °C (40 Pa), Duftstoff aus *Jasmin[1]. (–)-δ-J. ([α]$_D$ –30,4°, unverd.) ist im Jasmin u. Teearoma enthalten; (+)-γ-J. in Pfirsich- u. Mangoaroma. – *E* jasmine lactone – *I* lattone di gelsomino – *S* lactona de jazmín

Lit.: [1] Agric. Biol. Chem. **45**, 2639 (1981); Beilstein E V **17/9**, 219; Helv. Chim. Acta **45**, 1250 (1962); **64**, 1247 (1981). *allg.:* Beilstein E V **17/9**, 219 ▪ Helv. Chim. Acta **74**, 787 ff. ▪ Z. Lebensm. Unters. Forsch. **196**, 307–328 (1993). – *[CAS 136173-93-8 ((–)-δ); 66972-29-0 ((±)-δ); 155682-86-3 ((+)-γ]*

Jasminöl s. Jasminabsolue.

Jasmolin, Jasmolon s. Pyrethroide.

(*Z*)-Jasmon

$C_{11}H_{16}O$, M_R 164,25, Öl, Sdp. 134–135 °C (1,6 kPa), D_4^{20} 0,9437, lösl. in Alkohol u. Kohlenwasserstoffen,

fast unlösl. in Wasser. J. ist zu etwa 3% im *Jasminabsolue, *Orangenblütenöl, *Pfefferminzöl u. Teearoma enthalten. Es wird wegen seines angenehmen Dufts zur Herst. von Parfums verwendet. Es sind zahlreiche Synth. bekannt[1]. – *E* jasmone – *I* (Z)-jasmone – *S* jasmona

Lit.: [1] Agric. Biol. Chem. **46**, 1757 (1982); Bull. Chem. Soc. Jpn. **54**, 505 (1981); **55**, 3931 (1982); **57**, 1691 (1984); Can. J. Chem. **54**, 3869 (1976); **60**, 1256 (1982); Chem. Lett. **1981**, 1189; J. Chem. Soc. Chem. Commun. **1990**, 684 ff.; Zh. Org. Khim. **25**, 2631 f. (1989); Z. Naturforsch. Tl. B **41**, 263 (1986). *allg.:* Ap Simon **4**, 430 ▪ Beilstein E IV **7**, 337 ▪ Karrer, Nr. 521. – *[HS 291429; CAS 488-10-8 (J.)]*

Jasmonsäure [3-Oxo-2-(2-*cis*-pentenyl)-cyclopentanessigsäure].

(3*R*,7*S*)-J. [(+)- *iso*-J.,(+)-*epi*-J.]   (3*R*,7*R*)-J. [(–)-J.; R = H]

$C_{12}H_{18}O_3$, M_R 210,27. J. fungiert in Pflanzen als *second messenger der *Signaltransduktion. Nach Struktur u. Biosynth. ähnelt J. den tier. *Prostaglandinen. Biosynthet. wird zunächst (3*R*,7*S*)-J. gebildet, die dann zu (3*R*,7*R*)-J. epimerisiert. Die biolog. aktive Form höherer Pflanzen ist vermutlich (3*R*,7*S*)-Jasmonsäure. In Nachtschattengewächsen (Kartoffel, Tomate) wird bei Gewebeschädigung, z.B. durch Schädlings-Fraß od. ultraviolettes Licht[1], das Protein *Systemin gebildet, das sich als *Pflanzenhormon an Membran-ständige *Rezeptoren in der gesamten Pflanze, also auch in den unverletzten Pflanzenteilen, bindet. Durch eine *Lipase wird dann zunächst *Linolensäure aus der Membran freigesetzt, die in mehreren Stufen unter Beteiligung von *Lipoxygenase in J. umgesetzt wird. Diese wiederum ist in der Lage, u.a. die Produktion eines *Proteinase-Inhibitors zu bewirken, der die Verdaulichkeit der Pflanze herabsetzt (Schutzmechanismus). Auch Ester (R meist CH$_3$) u. *Aminosäure-Konjugate (R meist Ile, Val od. Leu) sowie weitere Derivate der J. haben verschiedene biolog. Wirkungen im Pflanzenreich. – *E* jasmonic acid – *F* acide jasmonique – *I* acido gelsomonico – *S* ácido jazmónico

Lit.: [1] Nature (London) **383**, 826–829 (1996). *allg.:* Angew. Chem. **107**, 1715 (1995) ▪ Annu. Rev. Plant Physiol. Plant Mol. Biol. **44**, 569–589 (1993) ▪ Richter, Biochemie der Pflanzen, S. 460 ff., Stuttgart: Thieme 1996 ▪ Plant Cell **6**, 1197–1209 (1996). – *[CAS 6894-38-8]*

Jaspamid (Jasplakinolid).

$C_{36}H_{45}BrN_4O_6$, M_R 709,68, Öl; Cyclodepsipeptid aus Meeresschwämmen der Gattung *Jaspis*. J. wirkt anti-

fung., insektizid u. antineoplastisch. – *E* jaspamide, jasplakinolide – *I* jaspamide – *S* jaspamida
Lit.: Isolierung: J. Am. Chem. Soc. **108**, 3123 (1986) ▪ Pept. Chem. **1987**, 355. – *Synth.:* Synthesis **1995**, 199–206. – *[CAS 102396-24-7]*

Jaspilit s. gebänderte Eisensteine.

Jaspis. Undurchsichtige, massive, feinkörnige bis dichte Varietät von *Quarz mit bis zu >20% Beimengungen von Fremdmaterial; dadurch zahlreiche Farben, z. B. rot (durch *Hämatit), gelb u. braun (durch *Goethit), weiß od. grau (durch *Tonminerale), grün (u. a. durch *Chlorit), lauchgrün (Varietät *Plasma*), blaugrau („*Porzellan-J.*"); meist mehrfarbig. Es gibt gebänderte („*Band-J.*"), gefleckte, auch wolkige J.-Abarten; Auswahl aus der Vielzahl von Handelsnamen s. Eppler (*Lit.*). J. kann wesentlicher Bestandteil von Kieselhölzern (versteinerten Hölzern; z. B. Petrified Forest/Arizona/USA, Mainfranken)[1], von Hornstein u. Chert (*Kieselgesteine) u. von *gebänderten Eisensteinen sein. Schön gefärbte J. werden für Schmucksteine, kunstgewerbliche Gegenstände u. Steinmosaike verwendet. – *E* jasper – *F = S* jaspe – *I* diaspro
Lit.: [1]Weise (Hrsg.), Versteinertes Holz (extraLapis No. 7), München: Ch. Weise 1994.
allg.: Eppler, Praktische Gemmologie (5.), S. 287–294, Stuttgart: Rühle-Diebener 1994 ▪ Rykart, Quarz-Monographie (2.), S. 370 f., Thun: Ott 1995 ▪ s. a. Quarz, Edelsteine u. Schmucksteine. – *[CAS 18587-85-4]*

Jasplakinolid s. Jaspamid.

jato. Normwidrige Abk. für Jahres-Tonnen (t/a), z. B. bei Produktions- od. Verbrauchsmengen.

Jatrochemie s. Iatrochemie.

Jatropham [(5*R*)-1,5-Dihydro-5-hydroxy-3-methyl-2*H*-pyrrol-2-on].

$C_5H_7NO_2$, M_R 113,12, Krist., Schmp. 119–123 °C od. 131–132 °C, $[\alpha]_D^{25}$ –76,2° (CH_3OH), kommt ebenso wie ihr 5-*O*-β-Glucopyranosid in den oberird. Teilen u. der Zwiebel von *Lilium martagon* (Türkenbund, Liliaceae) u. *L. hansonii* vor. J. besitzt Antitumor-Wirkung. – *E* jatropham – *I* iatrofame – *S* jatrofam
Lit.: Alkaloids (London) **12**, 36 (1982) ▪ Beilstein E V **21/12**, 64 ▪ Heterocycles **22**, 1733 (1984) ▪ J. Pharm. Sci. **62**, 1206 (1973) ▪ Phytochemistry **31**, 1084 f.; 2767–2775 (1992). – *[HS 293990; CAS 50656-76-3]*

Jatrophon.

$C_{20}H_{24}O_3$, M_R 312,41, Nadeln, Schmp. 152–153 °C, $[\alpha]_D^{24}$ +292° (C_2H_5OH), lösl. in Ethanol. Makrocycl. Diterpen aus *Jatropha gossypiifolia* (Euphorbiaceae, Wolfsmilchgewächse). J. ist im Tierexperiment gegen verschiedene Krebsarten wirksam. 2β-Hydroxy-J. ($C_{20}H_{24}O_4$, M_R 328,41) u. 2α-Hydroxy-J. aus den Wurzeln der gleichen Pflanze sind ebenfalls wirksam gegen Tumorzellen. Andere *Jatropha*-Arten sind wegen ihrer Nesselgifte berüchtigt[1]. – *E* jatrophone – *F* iatrophone – *I* iatrofone – *S* jatrofona
Lit.: [1]Angew. Chem. **93**, 164–183 (1981). – *Isolierung:* J. Am. Chem. Soc. **92**, 4476 (1970); **98**, 2295 (1976).
allg.: Beilstein E V **17/11**, 473 ▪ J. Am. Chem. Soc. **111**, 6648 (1989); **114**, 7692 (1992) (Synth.) ▪ Lindberg (Hrsg.), Strategies and Tactics in Organic Synthesis, Bd. 1, S. 224, New York: Academic Press 1984 ▪ Pharm. Unserer Zeit **19**, 34 (1990). – *[CAS 29444-03-9 (J.); 85201-83-8 (2β-Hydroxy-J.); 85152-62-1 (2α-Hydroxy-J.)]*

Jauche. Harn von Tieren mit nur geringen Mengen von Kot, Einstreu sowie ggf. Wasser. J. ist ein natürlicher organ. Dünger u. wird wie *Gülle, *Mist u. *Kompost als Wirtschaftsdünger bezeichnet. Die landwirtschaftliche Verwertung von J. unterliegt dem Düngemittelgesetz[1] u. der Dünge-VO[2].
Zur Problematik der Überdüngung landwirtschaftlicher Nutzflächen durch Überschußmengen von Tierexkrementen s. Gülle. – *E* liquid manure – *F* purin – *I* liquame – *S* purin, agua de estiércol
Lit.: [1]Düngemittelgesetz vom 15. 11. 1977 (BGBl. I, S. 2134, zuletzt geändert durch Gesetz vom 27. 9. 1994, BGBl. I, S. 2705). [2]Düngeverordnung vom 26. 1. 1996 (BGBl. I, S. 118).

Javabohnen s. Rangoonbohnen.

Javajute s. Rosella.

Javanische Gelbwurz s. Curcuma.

Javanite s. Tektite.

Jayflex®. *Weichmacher auf der Basis von *Phthalsäureestern. *B.:* Deutsche EXXON Chemical GmbH.

JECFA. Abk. für das 1956 gegr. Joint Expert Committee on Food Additives. Das JECFA übt eine beratende Funktion gegenüber der *FAO/*WHO u. deren Mitglieds-Staaten aus. Zu seinen Aufgaben gehören u. a. die Ausarbeitung von allg. Prinzipien der Verw. von Lebensmittelzusatzstoffen u. Empfehlungen zur Methodik der Prüfung, Auswertung u. Interpretation toxikolog. Untersuchungen. Des weiteren arbeitet JECFA Spezifikationen für Lebensmittelzusatzstoffe aus.

Jefferisit s. Vermiculit.

Jellin® (Rp). Creme, Gel, Lotion u. Salbe mit *Fluocinolonacetonid, *J. Neomycin* zusätzlich mit *Neomycin-sulfat, *J. polyvalent* enthält dazu noch *Nystatin, gegen entzündliche, juckende u. allerg. Hautaffektionen. *B.:* Grünenthal.

Jenacard® (Rp). Tabl. u. Kapseln mit *Isosorbiddinitrat gegen coronare Herzkrankheit u. Angina pectoris. *B.:* Jenapharm.

Jenaer Glas®. Ursprünglich Bez. der von O. Schott erfundenen u. im 1884 gegr. *Jenaer Glaswerk Schott u. Gen.* entwickelten hitze- u. chemikalienbeständigen Borosilicat-Gläser, die als Haushalts- u. Laborglas Anw. fanden. Später Sammelbez. für alle vom Glaswerk unter dieser Marke vertriebenen Glastypen (*Glas). *B.:* Schott Glaswerke.

Jenapharm. Kurzbez. für den 1950 gegr. ehem. VEB Jenapharm, heute Jenapharm GmbH & Co. KG, Otto-

Schott-Straße 15, 07745 Jena. *Produktprofil:* Hormonale Kontrazeptiva, Antiklimakterika, sonstige Sexualhormone, Corticoide, Herz-Kreislaufmittel, Antibiotika, Antirheumatika, Lokalanästhetica u. Vitamine.

Jensen, Johannes Hans Daniel (1907–1973), Prof. für Theoret. Physik, Univ. u. Max-Planck-Inst. für Physik, Heidelberg. *Arbeitsgebiete:* Theoret. Physik, Häufigkeit der Elemente im Kosmos, Elementarteilchen, Kernphysik, Atombau. Für die Entwicklung des Kernschalenmodells zusammen mit *Goeppert-Mayer u. *Wigner Nobelpreis für Physik 1963.
Lit.: Lexikon der Naturwissenschaftler, S. 232 ▪ Neufeldt, S. 224, 360 ▪ Nobel Prize Lectures Physics 1963–1970, Amsterdam: Elsevier 1972.

Jerez s. Sherry.

Jerne, Niels Kaj (1911–1994), Prof. für Biochemie u. Immunologie, Genf, Pittsburgh u. Basel. 1966–1969 Direktor des Paul-Ehrlich-Inst., Frankfurt/Main. *Arbeitsgebiete:* Experimentelle Therapie, Immunologie, Antikörper, Plaque-Test, Klonselektionstheorie. Er erhielt 1984 zusammen mit *Köhler u. *Milstein für seine grundlegenden immunolog. Arbeiten u. die Erkennung des Prinzips der monoklonalen Antikörper den Nobelpreis für Physiologie od. Medizin.
Lit.: Steinberg u. Lefkovits, The Immune System (2 Bd.), Basel: Karger 1981.

Jervin.

R¹ = H, R² = O   : Jervin
R¹ = β-D-Glc*p*, R² = O : Pseudojervin
R¹ = H, R² = H₂   : Cyclopamin
R¹ = β-D-Glc*p*, R² = H₂ : Cycloposin

Alkaloid aus verschiedenen *Veratrum*-Arten (vgl. Tab.) mit steroidaler Struktur. J. u. einige Derivate sind stark teratogen wirksam. Sie verursachen bei weidenden trächtigen Schafen Zyklopsie (Einäugigkeit) der Feten. Bes. teratogen ist *Cyclopamin.* Weitere Derivate s. Abb. u. Tabelle. – *E* jervine – *S* jervina
Lit.: Beilstein E III/IV **27**, 3592 (Pseudo-J.); E V **27/8**, 472 (Cyclopamin, Cycloposin); **27/4**, 122 (J.) ▪ J. Nat. Prod. **38**, 56–86

(1975) ▪ Manske **43**, 1–118 ▪ R. D. K. (3.), S. 897 ▪ Ullmann (5.) **A 1**, 400. – *Reviews:* Alkaloids: Chem. Biol. Perspect. **4**, 389 (1984). – *Synth.:* Can. J. Chem. **53**, 1796 (1975). – *Toxikologie:* Chem. Abstr. **79**, 143 407 e (1973); Sax (7.), S. 2074. – *[HS 2939 90]*

Jesaconin s. Aconin.

JESSI. Abk. für *J*oint *E*uropean *S*ubmicron *S*ilicon *I*nitiative, ein im Rahmen von *EUREKA 1986 gestartetes Kooperationsprojekt zur Bündelung des regional zersplitterten europ. Mikroelektronikpotentials mit einer Geschäftsstelle in 81925 München, Elektrastraße 6 a. In JESSI arbeiten unter industrieller Führung mehr als 3000 Forscher u. Ingenieure aus rund 180 europ. Unternehmen u. Forschungseinrichtungen zusammen. Die dtsch. Beteiligung liegt bei ca. 200 Mio. DM jährlich. Ein großer Teil der Projekte wurde bereits mit Ergebnissen von internat. Rang erfolgreich abgeschlossen. JESSI hat die Weltmarktposition vieler beteiligter Unternehmen verbessert. *Publikationen:* JESSI News (vierteljährlich). – INTERNET-Adresse:http://www.jessi.org

Jet, Jett s. Gagat.

JET. Abk. für *J*oint *E*uropean *T*orus, ein EG-Forschungsprojekt zur kontrollierten *Kernfusion. Im JET-Projekt wird als Teil des *EURATOM-Fusionsprogramms ein Fusionsreaktor (*Kernreaktor) im engl. Culham erprobt, um durch Verschmelzen der Kerne leichter Atome (Plasmaphysik) eine neue, prakt. unbegrenzte Energiequelle zu erforschen.

Jet-Cooking. In der Stärke-Ind. angewandtes kontinuierliches Verf. zur Herst. von Stärke-Verzuckerungsprodukten. Durch direkten Heißdampf-Eintrag bei 125–160 °C wird die Stärke aufgeschlossen u. danach mit Enzymen verflüssigt u. verzuckert. – *E* jet cooking – *F* cuisson par jet calorifique – *I* forno a getto – *S* horno a chorro

Jet-Färberei. Bez. für ein Textil-Färbeverf. mittels Düsen-Färbeanlagen, bei dem zur intensiven Benetzung die zu färbende Ware gemeinsam mit dem Färbebad durch Düsen (*E* jet) getrieben wird. – *E* jet dyeing – *F* teinture jet – *I* tintoria jet – *S* tintura jet
Lit.: Rouette, Lexikon für Textilveredlung, Bd. 2, S. 917–928, Dülmen: Laumann Verl. 1995. ▪ Textilbetrieb **1981**, Nr. 3, 70–93 ▪ Textilveredlung **10**, 297 ff., 348 ff. (1975); **11**, 169 ff. (1976).

Tab.: Daten von Jervin u. Derivaten.

Alkaloid	Summenformel	M_R	Schmp. [°C]	$[\alpha]_D$	Vork.	CAS
Jervin	$C_{27}H_{39}NO_3$	425,61	243–244	–147° (C_2H_5OH)	*Veratrum album* var. *grandiflorum*, *V. californicum* u. a. V.-Arten, *Amianthium muscaetoxicum*	469-59-0
Pseudojervin [3-*O*-(β-D-Glucopyranosyl)jervin]	$C_{33}H_{49}NO_8$	587,75	300–301 (Zers.)	–131° $(CHCl_3/C_2H_5OH)$	*V. album* u. a. V.-Arten	36069-05-3
Cyclopamin (11-Desoxojervin)	$C_{27}H_{41}NO_2$	411,63	237–238	–48° $(CHCl_3/CH_3OH)$	*V. californicum* *V. album*	4449-51-8
Cycloposin [3-*O*-(β-D-Glucopyranosyl)-cyclopamin]	$C_{33}H_{51}NO_7$	573,77	267–269	–51° (C_2H_5OH)	*V. californicum*	23185-94-6

JFZ. Abk. für Iod-Farbzahl, s. Farbzahl.

JHP-Rödler®. Tropfen mit japan. Heilpflanzenöl (*Pfefferminzöl aus *Mentha arvensis*); innerlich bei Erkältungen, Magen-Darmbeschwerden u. als Cholagogum – äußerlich bei Kopf- u. Gelenkschmerzen sowie rheumat. Beschwerden. *B.:* Woelm Pharma.

Jigger. Bez. für einen Apparat zum *Färben von Textilbahnen, wobei das Färbegut von einer Walze abgerollt, durch die Färbeflotte geführt u. auf einer anderen Walze aufgerollt wird; der Vorgang wird automat. vielfach wiederholt. – *E* = *S* jigger – *F* teigneuse large, jigger – *I* jigger, canale a scosse, canale trasportatore oscillante
Lit.: s. Jet-Färberei.

jj-Kopplung. Quantenmechan. Kopplungsschema für Drehimpulse, z. B. von *Elektronen in einem Atom od. Molekül. Nach diesem Schema werden zunächst *Bahndrehimpuls $\vec{l}$ u. *Spin $\vec{s}$ jedes einzelnen Teilchens zu einem resultierenden Drehimpuls $\vec{j}$ gekoppelt. jj-K. liegt vor, wenn die Spin-Bahn-Wechselwirkung zwischen Spin u. Bahnbewegung jedes individuellen Teilchens deutlich größer ist als die mittlere Stärke sonstiger Zwei-Teilchen-Wechselwirkungen. Dies ist bei Atomen mit hoher *Ordnungszahl der Fall. Bei leichten Atomen liegt LS- od. Russel-Saunders-Kopplung (s. Magnetochemie) vor. Beide Arten von Kopplungen sind theoret. Grenzfälle; in der Praxis hat man es häufig mit einem komplizierteren Fall „intermediärer" Kopplung zu tun. – *E* jj coupling – *F* couplage jj – *I* accoppiamento jj – *S* acoplamiento jj

Jochum, Clemens (geb. 1949), Dr. rer. nat., Mitglied des Direktoriums des *Beilstein-Instituts in Frankfurt.

Jod. Herkömmliche u. in der dtsch. Rechtschreibung übliche Schreibweise für das fachsprachlich als *Iod bezeichnete u. dort beschriebene Element. Mit Ausnahme des *Jodargyrits sind auch die Verb. unter Iod... zu finden.

Jodargyrit (Iodargyrit, Iodoargyrit, Iodsilber, Iodit). β-AgI, frisch farblose, an Luft grau, gelb od. bräunlich werdende, dünne, biegsame, fettartig glänzende, leicht schmelzende blättchenförmige Krist. od. schuppige Aggregate von *Silberiodid, H. 1–1,5, D. 5,7; krist. hexagonal, wandelt sich bei 146 °C in kub. rotes α-AgI um.
Vork.: In *Oxidationszonen von Silber-*Lagerstätten in ariden Gebieten als sek. Mineral, z.B. Mexiko, Chile, Broken Hill/Australien, Nevada u. Arizona/USA. – *E* = *F* iodargyrite – *I* iodargirite, iodirite – *S* yodargirita
Lit.: Ramdohr-Strunz, S. 486 ▪ Roberts, Campbell u. Rapp, Encyclopedia of Minerals (2.), S. 400, New York: Van Nostrand Reinhold 1990 ▪ Ullmann (5.) A 14, 383; A 24, 114. – [CAS 7783-96-2]

Joghurt (Yoghurt, von türk.: yogurt = gegorene Milch). J. stammt aus Bulgarien, wo er ursprünglich hauptsächlich aus Ziegen- u. Schafsmilch hergestellt wurde. Heute wird bei der Herst. meist von pasteurisierter u. auf einen bestimmten Fettgehalt eingestellter Kuhmilch ausgegangen, wobei die Erhöhung der Trockenmasse entweder durch Wasserentzug od. durch Zusatz von Magermilchpulver erfolgt. Die Milch wird dann mit Mischkulturen der thermophilen Bakterienarten *Streptococcus thermophilus* u. *Lactobacillus bulgaricus* versetzt u. bei 42–45 °C 3 h dickgelegt. Genußfertiger J. hat einen pH-Wert von etwa 4,0–4,2, enthält 0,7–1,1% Milchsäure u. zeichnet sich durch einen säuerlichen Geschmack aus. Wird in Produkten wie z.B. Bioghurt *L. bulgaricus* durch *L. acidophilus* ersetzt (ergänzt mit *Bifidobacterium bifidum*), so erhält man milder schmeckende Produkte, bei denen im Vgl. zu J. auch der Anteil der vom Menschen leichter verwertbaren L(+)-Milchsäure an der Gesamtsäure erhöht ist.

Charakterist. für das Aroma von J. sind Stoffwechselprodukte der Milchsäure-Bakterien wie Diacetyl, Dimethylsulfid, Essigsäure, Milchsäure sowie verschiedene andere Aldehyde, Ketone u. Ester. Ethanal ist entscheidend am J.-Aroma beteiligt u. liegt in guten Produkten in Konz. von 13–16 µg/kg vor. 100 g J. enthalten durchschnittl. 86,1 g H_2O, 4,8 g Protein, 3,75 g Fett, 3,5 g Kohlenhydrate, 300 KJ (70 kcal.) u. 0,86 g Mineralstoffe. Der Vitamin-Gehalt ist durchschnittlich, der Säure-Gehalt jedoch relativ hoch.
J. wird sowohl stichfest, gerührt als auch trinkfähig (Trink-J.) hergestellt. Die VO über Milcherzeugnisse legt für J. verschiedene Fettgehaltsstufen fest (s. Tab.).

Tab.: Fettgehaltsstufen von Joghurt.

Bez.	Fettgehalt [%]	
Joghurt	mind. 3,5	
fettarmer Joghurt	mind. 1,5	höchstens 1,8
Magermilchjoghurt	höchstens 0,3	
Sahnejoghurt	mind. 10,0	

Neben dem sog. Natur-J. ohne Zusätze ist auch eine Vielzahl von J.-Produkten mit geschmacksgebenden Zusätzen im Handel. Hier sind v.a. die Frucht-J.-Erzeugnisse zu erwähnen, die heute einen Marktanteil von 70% haben. In jüngster Zeit sind verstärkt sog. präbiot. J. (enthalten z.T. lösl. *Ballaststoffe u. präbiot. Bakterien) am Markt zu finden. – *E* yogurt, yoghourt – *F* ya(h)ourt – *I* iogurt, yogurt – *S* yogur
Lit.: Cult. Dairy Prod. J. **21**, 6–12 (1986) ▪ Dairy Ind. Int. **52**, 15 f. (1987) ▪ Dtsch. Molk. Ztg. **105**, 654 ff. (1984) ▪ Food Technol. **43**, 92–99 (1989) ▪ J. Dairy Res. **55**, 281–307 (1988) ▪ J. Food Protect. **43**, 939–977 (1980) ▪ Klupsch, Saure Milcherzeugnisse, Milchmischgetränke u. Desserts (2.), Gelsenkirchen-Buer: Mann 1984 ▪ Neth. Milk Dairy J. **42**, 121–134, 135–146 (1988) ▪ Rasic u. Kurmann, Joghurt, Bern: Stämpfli 1978 ▪ Tamine u. Robinson, Yoghurt – Science and Technology, Oxford: Pergamon Press 1985 ▪ Ullmann (4.) **16**, 715 ▪ World Rev. Nutr. Diet. **56**, 217–258 (1988). – [HS 0403 10]

Jogs. Bez. für einen bestimmten Typ von Defekten in Kristallgittern makromol. Substanzen. Die J. sind wie die *Kinken u. Reneker-Defekte auf konformative Fehler zurückzuführen u. zählen zu den speziellen makromol. Punktdefekten. Bei Kinken u. J. wird ein Teil einer all-*trans*-Konformation kristallisierten Kohlenwasserstoffkette (z. B. *Polyethylen) durch „falsche" *gauche*-Konformationen parallel zur Längsachse verschoben. Diese Fehler werden als Kinken bezeichnet, wenn die Verschiebung kleiner ist als der Kettenabstand selbst. Bei J. ist dagegen die Verschiebung größer als der Kettenabstand. – *E* = *I* = *S* jog
Lit.: Elias (5.) **1**, 742.

Johannisbeeren. In Trauben wachsende, säuerlich schmeckende Beerenfrüchte von 1–2 m hohen Sträuchern aus der Familie der Saxifragaceae. Rote u. Weiße J. (*Ribes rubrum* L.) bzw. Schwarze J. (*R. nigrum* L.) enthalten in je 100 g Frischgew. durchschnittlich (Werte für Schwarze J. in Klammern): 85,7 (82) g Wasser, 12,1 (16,1) g Kohlenhydrate, 1,4 (1,0) g Proteine, 0,2 (0,1) g Fett, 120 (220) I. E. Vitamin A, 41 (136) mg Vitamin C, Spuren des Vitamin B-Komplexes, 2,3 (3,0) g Citronensäure, 50 (400) mg Äpfelsäure, 19 (4) mg Oxalsäure. Der dunkle Farbstoff der Schwarzen J. ist ein, papierchromatograph. trennbares, Gemisch von Cyanidin-3-β-rutinosid, Delphinidin-3-β-rutinosid (s. Anthocyanidine) u. a. Bestandteilen. Als Komponenten des Aromakomplexes der Schwarzen J. wurden ca. 150 Verb. identifiziert; zur gaschromatograph. Untersuchung von Muttersäften Schwarzer J. s. *Lit.*[1]. Als Hauptkomponente des für Schwarze J. typ. Geruchs von *Bucco wurden *Menthenthiole erkannt[2], die schon in sehr geringen Mengen (als Grenzwert wird 1 ppb angegeben) wahrnehmbar sind. Die Zusammensetzung eines künstlichen J.-Aromas findet man in *Lit.*[3].

Verw.: Sowohl Rote als auch Schwarze J. werden zu Marmeladen u. Gelees, Fruchtsäften, Obstweinen u. Fruchtsaftlikören (*Cassislikör*) verarbeitet. Schwarze J. werden wegen ihres hohen Vitamin-C-Gehalts bei Erkältungen empfohlen u. sind ein altes Hausmittel bei Gicht, Rheuma, Halsentzündungen, die getrockneten Beeren sind als Diuretikum Bestandteil von Tees. Auch die Blätter der Schwarzen J. werden in schweiß- u. harntreibenden Tees sowie äußerlich zur Wundbehandlung verwendet; sie enthalten Gerbstoffe, Rutin, Emulsin, Vitamin C u. ein ether. Öl mit Cymol u. a. Terpenoiden. – *E* currants – *F* groseilles, cassis – *I* ribes – *S* grosellas

Lit.: [1] Riechst. Aromen Körperpflegem. **24**, 62–68, 92–99, 128–136 (1974). [2] Helv. Chim. Acta **54**, 1801–1805 (1971). [3] Hager (4.) **7 b**, 33.
allg.: Franke, Nutzpflanzenkunde, 5. Aufl., Stuttgart: Thieme 1992 ▪ Hager (5.) **6**, 472 ff. ▪ Lebensm. Wiss. Technol. **10** (Nr. 6), 337–340 (1977) ▪ Schormüller, S. 534, 542, 561 ▪ Wichtl (3.), S. 499 f. – *[HS 08 10 30, 08 11 20, 08 13 40]*

Johannisblut s. Hypericin.

Johannisbrotbaum. Immergrüner, in Mittelmeerländern heim. Baum *Ceratonia siliqua* aus der Familie der J.-Gewächse (Caesalpiniaceae). Er ist durch seine vielfältig verwertbaren, entfernt mit den *Hülsenfrüchten verwandten, Früchte von Bedeutung. Bei den Früchten handelt es sich um glänzend dunkelbraune, nicht aufspringende, flache, leicht gebogene, 10–15 cm lange Hülsen, in deren süß u. eigenartig schmeckendem Fruchtfleisch (enthält Isobuttersäure u. ca. 30% Saccharose) zahlreiche braune Samen eingebettet sind. Letztere enthalten im Endosperm einen gummiartigen Samenschleim, der zu ca. 90% aus hochmol. Galacto-*Mannan besteht. Dieses zählt zu den vom Organismus nicht verwertbaren Kohlenhydraten, die im Darm aufquellen, Säuren binden, Gifte adsorbieren u. eine reinigende Wirkung im Verdauungstrakt entfalten.

Verw.: Die Früchte werden in unreifem, getrocknetem Zustand als sog. *Johannisbrot* verzehrt, spielen aber auch bei der Tabakfermentierung, der Viehfütterung u. der Getränke- u. Alkohol-Bereitung aus dem Fruchtsaft eine Rolle. Gemahlenes Johannisbrot kann als Kaffee- u. Kakao-Ersatz für Schokolade dienen, auch in Coca-Cola® sind Extrakte enthalten. Das aus dem Samen gewonnene, auch *Carobin, Carubin* od. *Karobbe* genannte *J.-Kernmehl* quillt in kaltem Wasser auf u. gibt zähere Lsg. als viele Traganth-Typen, bildet aber kein Gel. Es ist ebenso wie seine Polyether als *Verdickungsmittel für *Eiscreme (bis 6 g/kg), für diätet. Lebensmittel, Kaugummi, Tabakwaren, aber auch für Appreturen u. Schlichten (auch in veresterter Form), zu Zeugdruckfarben, Papierleimung u. dgl. verwendbar. Das einzelne Samenkorn des J. wurde mit seinem verhältnismäßig konstanten Gew. von 0,2 g u. seiner aus dem Orient stammenden Bez. „Karat" zur Gewichtseinheit der Edelsteinkunde. – *E* carob tree, St. John's bread tree, locust bean tree – *F* caroubier – *I* carrubo – *S* algarrobo
Lit.: Franke, Nutzpflanzenkunde, 5. Aufl., Stuttgart: Thieme 1992.

Johanniskraut. Zur Familie der Guttiferae gehörende, weit verbreitete krautige Pflanze *Hypericum perforatum* L. (Hypericaceae) mit goldgelben rispigen Blütenständen. Die Pflanze enthält bis 1% ether. Öl mit α-*Pinen, Monoterpenen u. *n*-Alkanen, außerdem (bes. in den Blüten) die Flavonoide *Quercetin, sein 3-Galactosid (*Hyperin*) u. *Rutin sowie *Quercitrin u. Isoquercitrin. Arzneilich genutzt werden das zur Blütezeit gesammelte Kraut als Tee od. in Form daraus gewonner Tinkturen sowie das durch Ölauszug (z. B. mittels Olivenöl) aus den frischen Blüten gewonnene tiefrote, klare *J.-Öl*, das ca. 0,1% *Hypericin enthält. Letzteres ist verantwortlich für den *photodynamischen Effekt, d. h. für *Hautsensibilisationen* u. für den *Hypericismus* bei Weidetieren. Von den vielfältigen traditionellen Verw. hat sich nur die leichte antidepressive Wirkung bestätigt. Es ist z. Z. nicht geklärt, auf welche Inhaltsstoffe sie zurückzuführen ist. – *E* St. John's wort – *F* millepertius, herbe de la Saint-Jean – *I* iperico – *S* hipericón, hierba de San Juan
Lit.: Bundesanzeiger 228/05. 12. 1984 u. 43/02. 03. 1989 ▪ Dtsch. Apoth. Ztg. **136**, 1015–1022 (1996) ▪ Hager (5.) **5**, 474–495 ▪ Wichtl (3.), S. 309 f. – *[HS 12 11 90]*

Johannsenit. $Ca(Mn,Fe)[Si_2O_6]$, zu den Klino-*Pyroxenen gehörendes monoklines Mineral, Struktur wie Diopsid (*Pyroxene), s. *Lit.*[1], Eisen-reiche Varietäten werden als *Eisen-reicher J.* bezeichnet. Derb od. als radialstrahlige, sphärolith. Aggregate aus Fasern od. Prismen; kurzsäulige Krist.; grau, grün bis braun od. schwarz; H. 6, D. 3,27–3,54.
Vork.: Hauptsächlich in durch *Metasomatose umgewandelten *Kalken u. in Mangan-haltigen *Skarnen; *Beisp.:* Campiglia/Toskana/Italien, Madan/Bulgarien, Puebla u. Hidalgo/Mexiko, mehrorts in den USA u. in Japan. – *E* = *F* = *I* johannsenite – *S* johannsenita
Lit.: [1] Am. Mineral. **52**, 709–720 (1967).
allg.: Anthony et al., Handbook of Mineralogy, Vol. II, Tl. 1, S. 385, Tucson (Arizona): Mineral Data Publishing 1995 ▪ Deer et al., S. 170–176 ▪ Ramdohr-Strunz, S. 718 ▪ s. a. Pyroxene. – *[CAS 14654-03-6]*

Johimbin s. Yohimbin.

Johnson & Johnson. Kurzbez. für den 1885 gegr. Konzern in New Bruneswick, New Jersey 08933, USA. *Daten* (1995): 82300 Beschäftigte, 18,8 Mrd. US $ Umsatz. *Produktion:* Pharmazeutika, Produkte für den Krankenhaus- u. Zahnarztbedarf, Produkte zur Gesundheitspflege, Kosmetik u. Textil- u. Papierprodukte. *Tochterges.* in der BRD: Johnson & Johnson GmbH; Postfach 103161, 40022 Düsseldorf.

Johnson Matthey. Kurzbez. für die 1851 gegr. engl. Firma Johnson Matthey Plc, London SW 1Y 5BQ. *Produktion:* Edelmetalle, Edelmetall-Verb.- u. Katalysatoren, Seltenerdmetalle u. Verb., Industriechemikalien, keram. Pigmente, Elektro- u. Elektronikbauteile, Autokatalysatoren. *Vertretung* in der BRD: Johnson Matthey GmbH, Sulzbach/Ts., Karlsruhe, München.

Johnsons Salz s. Iodkaliumiodid-Lösung u. Kaliumiodid.

Johnson Wax. Kurzbez. für die 1886 gegr. amerikan. Fa. S. C. Johnson & Son Inc., Racine, Wisconsin 53403. *Daten* (1995): 13600 Beschäftigte, 3 Mrd. $ Umsatz. *Produktion:* Putz-, Polier- u. Reinigungsmittel für Haushalt-, Automobil- u. Großraumpflege. *Vertretung* in der BRD: Johnson WAX GmbH, Postfach 1355, 42757 Haan.

Joint European Submicron Silicon Initiative s. JESSI.

Joint European Torus s. JET.

Joint Expert Committee on Food Additives s. JECFA.

Jojoba. In der Sonora-Wüste (zwischen Kalifornien u. Mexiko) heim., mannshoher Strauch *Simmondsia chinensis* (Buxaceae) mit graugrünen, lederartigen Blättern.
Inhaltsstoffe: Die olivengroßen Samen enthalten ca. 50% Wachs (*Jojoba-Öl*) u. im Rückstand bis zu 32% Proteine. Das gelbliche Wachs hat eine ähnliche Zusammensetzung wie *Spermöl*, denn es besteht im wesentlichen aus ungesätt. Estern, z.B. der Eicosen- u. der Docosensäure mit den entsprechenden C_{20}- u. C_{22}-Alkoholen, nicht aber aus Triglyceriden, D. 0,864–0,899, Schmp. ca. 12°C, Sdp. ca. 400°C, IZ 82–88, VZ 92–95.
Verw.: J.- od. Simmondsia-Wachse sind sehr hautfreundlich u. werden in großem Umfang in der kosmet. Ind. in Haar- u. Hautpflegemitteln eingesetzt. Aufgrund seiner therm. Stabilität (bis ca. 300°C) kann es – hauptsächlich in sulfurierter Form – auch als Schmieröl für heißlaufende Maschinen verwendet werden. Hydriertes J.-Öl dient als Träger (Carrier) für Pharmaka, es besitzt die Eigenschaften des *Carnaubawachses* u. findet ähnliche Anwendung. – *E = F = S* jojoba – *I* ioioba
Lit.: Chem. Ind. (London) **1993**, 94 f. ▪ Schuster, Ölpflanzen in Europa, S. 204 ff., Frankfurt/Main: DLG 1992 ▪ Ullmann (5.) **A 4**, 102; **A 10**, 236 ▪ Wisniak, The Chemistry and Technology of Jojoba Oil, Champaign: Am. Oil. Chem. Soc. 1987. – *[HS 151560; CAS 61789-91-1]*

Joliot, Jean Frédéric (1900–1958), Prof. für Physik, Inst. du Radium u. Laboratoire de Physique et Chimie Nucléaire, Paris. *Arbeitsgebiete:* Entdeckung der künstlichen Radioaktivität (zusammen mit seiner Frau Irène *Joliot-Curie), Wirkung von Neutronen auf Par-

affin, Ausnutzung der Kernenergie u. Entwicklung des ersten franzos. Reaktors, Organisation des franzos. Atomforschungszentrums Orsay. Er erhielt 1935 zusammen mit seiner Frau den Nobelpreis für Chemie.
Lit.: Biquard, Frédéric Joliot-Curie: The Man and his Theories, New York: Eriksson 1966 ▪ Krafft, S. 93 f., 153 ▪ Lexikon der Naturwissenschaftler, S. 233 ▪ Nachmansohn, S. 133, 142, 315 ▪ Neufeldt, S. 181, 186, 366 ▪ Pötsch, S. 224 ▪ Poggendorff **7 b/4**, 2294–2299.

Joliot-Curie, Irène (1897–1956), Prof. für Physik, Inst. du Radium, Paris. Tochter von Marie *Curie u. Pierre *Curie, Ehefrau von J. Frédéric *Joliot. *Arbeitsgebiete:* Herst. der radioaktiven Isotope von Phosphor, Silicium u. Stickstoff; zusammen mit ihrem Mann Entdeckung der künstlichen Radioaktivität. Hierfür erhielten beide 1935 den Nobelpreis für Chemie.
Lit.: Krafft, S. 93, 153 ▪ Lexikon der Naturwissenschaftler, S. 233 ▪ Neufeldt, S. 186, 366 ▪ Pötsch, S. 224.

Joliotium (Symbol Jl). Von der IUPAC-Kommission vorgeschlagener Name für das Element mit der Ordnungszahl 105 (Eka-Tantal, Unnilpentium, Unp), das 1967 unter der Leitung von Flerov im Kernforschungszentrum Dubna bei Moskau durch Beschuß von Americium mit Neon-Kernen gewonnen wurde:

$$^{243}_{95}Am + ^{22}_{10}Ne \rightarrow ^{260}_{105}Eka\text{-}Ta + 5\ n$$
$$^{243}_{95}Am + ^{22}_{10}Ne \rightarrow ^{261}_{105}Eka\text{-}Ta + 4\ n.$$

Der ursprüngliche Namensvorschlag war Nielsbohrium, in den USA u. bei CAS heißt das Element offiziell *Hahnium.

Jomax®. Creme u. Salbe mit *Bufexamac gegen Ekzeme u. Dermatitiden verschiedener Genese. *B.:* Hexal.

Jones, Ewart Ray Herbert (geb. 1911), Prof. (emeritiert) für Organ. Chemie, Univ. Manchester u. Oxford. *Arbeitsgebiete:* Naturstoffe, insbes. Vitamin A_2, ungesätt. Fettsäuren, Antibiotika, pflanzliche Sterine, Ausarbeitung präparativer Meth. in der Steroidchemie (*Jones-Oxidation).
Lit.: The International Who's Who (16.), S. 777.

Jones-Oxidation. Eine von *Jones zusammen mit Sir Ian Heilbron (1886–1959) entwickelte schonende Oxid.-Meth. für sek. Alkohole, die *nicht* unter Verschiebung evtl. vorhandener Doppelbindungen in die Konjugation verläuft: Man läßt eine Lsg. von Chrom(VI)-oxid in Schwefelsäure (*Jones-Reagenz*) zu einer gerührten u. gekühlten Lsg. des Alkohols in Aceton tropfen.

Auch prim. Alkohole können oxidiert werden. Das Jones-Reagenz wird durch Chromtrioxid-Dipyridin (*Collins-Reagenz*), Pyridiniumchlorochromat (*Corey-Reagenz*) u. a. Oxid.-Mittel auf Chrom(VI)-Basis ergänzt[1]. – *E* Jones oxidation – *F* oxydation de Jones – *I* ossidazione di Jones – *S* oxidación de Jones
Lit.: [1] Aust. J. Chem. **31**, 1113 (1978).
allg.: Paquette **2**, 1273 ff. ▪ Trost-Fleming **7**, 253 ▪ s.a. Chromoxide u. Oxidation.

Jones-Reagenz s. Jones-Oxidation.

Jonone (Ionone). $C_{13}H_{20}O$, M_R 192,30, Gruppe natürlicher Veilchenduftstoffe, die durch oxidativen Abbau von Tetraterpenoiden (Carotine) entstehen [1] (vgl. auch Irone).

(+)-α-Jonon   β-Jonon   γ-Jonon
                (Boronion)

Tab.: Daten von Jononen.

	Sdp. [°C (Pa)]	$[\alpha]_D^{20}$	CAS
α-J.	80,2 (133)	+347°	24190-29-2
β-J.	110 (718)	–	79-77-6
γ-J.	–	–15,6° (C_2H_5OH)	24190-32-7

J. sind weitverbreitet in Gemüsen u. Früchten, bes. in Beeren, Tee u. Tabak [2]. Im Veilchenblütenöl stellt α-J. mit 22% die Hauptkomponente. Beide opt. Antipoden werden gefunden [3]. In ether. Ölen der Costuswurzel, in *Lawsonia*-Arten u. im Blütenöl von *Boronia megastigma* überwiegt das β-Jonon. γ-J. ist Bestandteil des Öls von *Tamarindus indica*. Die J. gehören, zusammen mit den *Damasconen u. *Damascenonen, zu den geruchsstärksten organ. Verb., wobei das β-J. noch mit 3×10^9 Mol. pro mL (0,1 ppb) Luft wahrgenommen werden kann [4]. Für die z. T. drast. Wahrnehmungsunterschiede der Isomeren fehlt noch eine schlüssige mol. Deutung. Zur Synth. s. *Lit.* [5]. Synthet. J. werden unter verschiedenen Handelsnamen bei der Herst. von Seifen, Parfüms, allg. Veilchengerüchen verwendet. Ferner dienen die leicht zugänglichen J. als Ausgangsverb. z. B. zur Synth. von Vitamin A, Damasconen [6] u. Isomethyljononen. Dem α-Isomethyljonon wird in dieser Gruppe von den Parfümeuren die feinste Iris/Veilchennote zugeschrieben. – *E* = *S* ionones – *F* ionone – *I* iononi

Lit.: [1] Zechmeister **35**, 431. [2] Gildemeister **3 c**, 368; Karrer, Nr. 531, 532; Beilstein E IV **7**, 361; Food Cosmet. Toxicol. **13**, 549 (1975). [3] Agric. Biol. Chem. **51**, 1271 (1987); Dtsch. Lebensm.-Rundsch. **87**, 277 (1991); Helv. Chim. Acta **75**, 1023 (1992). [4] Perfum & Flavor **3**, 11 (1978). [5] Chem. Lett. **1976**, 1033; Tetrahedron Lett. **43**, 85 (1987). [6] Helv. Chim. Acta **56**, 310 (1973).

Jordan, Ernst Pascual (1902–1980), Prof. für Theoret. Physik, Rostock u. Hamburg. *Arbeitsgebiete:* Quantenmechanik, Statist. Mechanik auf quantentheoret. Grundlage, Statistik u. Kausalität, Relativitätstheorie, Kosmologie, Metaphysik; Vertreter einer positivist. Erkenntnistheorie.

Lit.: Krafft, S. 62, 103, 104, 162 ▪ Kürschner (12.) S. 1445 ▪ Lexikon der Naturwissenschaftler, S. 234 ▪ Nachmansohn, S. 58, 64.

Jordanit. $Pb_{14}(As,Sb)_6S_{23}$, zu den Komplex-Sulfiden (Sulfosalzen) gehörendes dunkelbleigraues, gelegentlich bunt angelaufenes, metall. glänzendes, monoklines Mineral, Krist.-Klasse 2/m-C_{2h}; *Struktur* s. *Lit.* [1]. Meist kleine, flächenreiche, scheinbar hexagonale Krist., häufiger derbe Massen od. nierig-traubige Aggregate; H. 3, D. 6,4, Strich schwarz.

Vork.: In manchen Blei-Zink-*Lagerstätten, z. B. in Siebenbürgen/Rumänien, Wiesloch/Baden, Schle-sien/Polen, Silverton/Colorado/USA; gute Krist. im Wallis/Schweiz. – *E* = *F* = *I* jordanite – *S* jordanita

Lit.: [1] Z. Kristallogr. **139**, 161–185 (1974).
allg.: Anthony et al., Handbook of Mineralogy, Vol. I, S. 250, Tucson (Arizona): Mineral Data Publishing 1990 ▪ Ramdohr, Die Erzmineralien u. ihre Verwachsungen, S. 810 ff., Berlin: Akademie-Verl. 1975 ▪ Schröcke-Weiner, S. 298. – *[CAS 12173-67-0]*

Jordisit s. Molybdändisulfid.

Jorissens Reagenz. Farbreagenz zum qual. Alkaloid-Nachw.: Man löst 1 g Zinkchlorid in einer Mischung aus 30 mL reiner Salzsäure u. 30 mL dest. Wasser u. dampft die zu untersuchende Substanz mit dem Reagenz auf dem Wasserbad zur Trockne ein, wobei je nach Alkaloid verschiedene Farbreaktionen auftreten können, z. B. Berberin gelb, Chinin blaßgrün, Narcein olivgrün, Strychnin rosa, Thebain gelb, Veratrin rot. – *E* Jorissen reagent – *F* réactif de Jorissen – *I* reagente Kahane – *S* reactivo de Jorissen

Josamycin (Rp).

Internat. Freiname für das *Makrolid-*Antibiotikum 3-*O*-Acetyl-4^B-*O*-isovaleryl-leucomycin V aus Kulturen von *Streptomyces narbonensis* var. *josamyceticus*, $C_{42}H_{69}NO_{15}$, M_R 828,01, Schmp. 120–121 °C, auch 130–133 °C angegeben, $[\alpha]_D^{25}$ –70° (c 1/C_2H_5OH), λ_{max} (0,001 N HCl): 232 nm ($A_{1\,cm}^{1\%}$325), in Wasser sehr schwer, in Ethanol u. a. organ. Lsm. leicht löslich. In Lsg. wird das Propionat verwendet. J. wurde 1966 von Microbiochemical Res. Found. u. 1976 von Yamanouchi (Wilprafen®) patentiert. – *E* josamycin – *F* josamycine – *I* = *S* josamicina

Lit.: Beilstein E V **18/10**, 532 ▪ Hager (5.) **8**, 639 ff. – *[HS 2941 90; CAS 16846-24-5]*

Josephson, Brian David (geb. 1940), Prof. für Physik, Cambridge, England. *Arbeitsgebiete:* Theoret. Physik, Leitungsphänomene, Supraleitung, theoret. Ableitung des heute nach ihm benannten Effekts. Hierfür Nobelpreis für Physik 1973 (zusammen mit *Esaki u. Giaever). In jüngster Zeit befaßt sich J. mit den Themen Interdisziplinarität in den Wissenschaften, myst. u. künstler. Formen des Wissens.

Lit.: Lexikon der Naturwissenschaftler, S. 234 ▪ Neufeldt, S. 266, 362 ▪ The International Who's Who (16.), S. 781.

Josephson-Effekt. Bez. für Erscheinungen bei der Supraleitung durch eine dünne isolierende Schicht, die 1962 von *Josephson vorhergesagt u. später experimentell nachgewiesen wurden. Sind zwei Supraleiter durch eine etwa 1–2 nm dicke isolierende Schicht getrennt (z. B. Pb/PbO/Pb), so kann doch ein Gleichstrom fließen, wobei nur an der Isolatorschicht ein Spannungsabfall auftritt (*Gleichstrom-Josephson-Effekt*). Der Ladungstransport durch die Isolationsschicht erfolgt durch den *Tunneleffekt, allerdings nicht von einzelnen Elektronen sondern durch *Cooper-Paare, wie sie von der BCS-Theorie (s. Supraleitung) gefordert werden. Aus der Strom-Spannungskennlinie läßt sich die Existenz u. die Breite der Energielücke des Supraleiters bestimmen.

Wird der Strom über einen Maximalwert erhöht, beobachtet man an den Supraleitern einen Spannungsabfall U_s. Es herrscht also eine Potentialdifferenz u. die tunnelnden Cooper-Paare können bei dem Tunnelprozeß Energie aufnehmen. Da aber nach der BCS-Theorie die Energie eines Cooper-Paares in einem Supraleiter genau festgelegt ist, muß die beim Tunneln freiwerdende Energie E beim Eintritt in den zweiten Supraleiter wieder abgegeben werden, was durch Emission eines Photons der Energie $h \cdot \nu$ erfolgt. Durch Ausmessen der Wellenlänge der emittierten Strahlung konnte experimentell bewiesen werden, daß bei der Supraleitung Ladungsträger die Ladung 2 e besitzen. Neben dem Spannungsabfall U_s beobachtet man ferner einen Wechselstrom der Frequenz $f = 2e \cdot U_s/h$ *(Wechselstrom-Josephson-Effekt)* mit h = Plancksches Wirkungsquantum, der zur Erzeugung einer sehr konstanten u. hochgenauen Gleichspannung eingesetzt wird (*Josephson-Spannungsnormal). Unter einem SQUID (*E* *S*uperconducting *Qu*antum *I*nterference *D*evice) versteht man supraleitende Ringe od. Zylinder mit einem od. zwei Bereichen schwacher Kopplung. Man beobachtet immer ein Spannungssignal, wenn ein magnet. Flußquant h/2e in den supraleitenden Ring ein- od. austritt. SQUIDs werden zur Messung von magnet. Flußänderungen u. Stromänderungen mit hoher Auflösung eingesetzt. – *E* Josephson effect – *F* effet de Josephson – *I* effetto di Josephson – *S* efecto Josephson
Lit.: Barone u. Paterno, Physics and Applications of the Josephson Effect, New York: Wiley 1982 ▪ Buckel, Supraleitung, 5. Auflage, Weinheim: VCH Verlagsges. 1994 ▪ Hahlbohm u. Lübbig, SQUID (2 Bd.), Berlin: de Gruyter 1977, 1981 ▪ Phys. Unserer Zeit **6**, 126 f. (1975) ▪ Spektrum Wiss. **1980**, Nr. 7, 90 – 107.

Josephson-Spannungsnormal. Beruht auf dem *Josephson-Effekt u. erlaubt Gleichspannungen von 1 V mit einer relativen Unsicherheit von 10^{-8} zu reproduzieren. Hierzu wird ein Nb-Nb-Punktkontakt od. ein Pb-PbO-Pb-Dünnschichtelement in flüssigem Helium mit einem Gleichstrom gespeist u. gleichzeitig einer Hochfrequenz f (10 – 70 GHz) ausgesetzt. In der Gleichspannung-Gleichstrom-Kennlinie ergeben sich äquidistante Stufen konstanter Spannung bei

$$U_n = n \cdot \frac{h}{2e} \cdot f$$

(n = ganze Zahl, h = Plancksches Wirkungsquantum, e = Elementarladung). Die hierdurch direkt erzeugten Spannungen liegen im Bereich einiger mV u. werden hochverstärkt.

Die Bedeutung des J.-S. zur Erzeugung von hochkonstanten Spannungen ist in den letzten Jahren zu Gunsten des von Klitzing-Effekts (*Quanten-Hall-Effekt) zurückgegangen.
Lit.: Encyclopedia of Applied Physics, Bd. 5, S. 334 ff., Weinheim: VCH Verlagsges. 1993 ▪ Encyclopedia of Physical Science and Technology, Bd. 16, S. 212, San Diego: Academic Press 1992 ▪ Kohlrausch, Praktische Physik 2, S. 849 ff., Stuttgart: Teubner 1996.

Jost, Wilhelm (geb. 1903), Prof. für Physikal. Chemie, Hannover, Marburg, Göttingen. *Arbeitsgebiete:* Dif-

fusionsprozesse bes. in Festkörpern, Fehlordnung fester Stoffe, Katalyse, Trennverf. u. Thermodynamik von Mischphasen, Reaktionskinetik, bes. Kinetik von Gasreaktionen u. schnellen Reaktionen, Ausbreitung von Flammen, Detonationen u. Stoßwellen.
Lit.: Ber. Bunsenges. Phys. Chem. **72**, 493 f. (1968) ▪ Kürschner (15.), S. 2087 ▪ Nachr. Chem. Tech. Lab. **11**, 219 (1963); **16**, 206 (1968).

Joule (Kurzz.: J). Nach James Prescott Joule (1818 – 1889) benannte Einheit der Arbeit, Energie u. Wärmemenge (Kraft × Weg = Leistung × Zeit). $1\,J = 1\,N \cdot m = 1\,V \cdot C = 1\,W \cdot s = 10^7\,erg = 0{,}239\,cal$; $1\,cal = 4{,}1868\,J$. Seit dem 1. 1. 1978 ist allein das J. gültig, auch für die Angabe des Nährwerts von Nahrungsmitteln anstelle der früher üblichen *Kalorien. Über die Aussprache – „dschuul" od. „dschaul" – herrscht Uneinigkeit. – $E = F = S$ joule – *I* Joule
Lit.: DIN 1301 Tl. 1 – 3 (12/1993) ▪ IUPAC, Größen, Einheiten und Symbole in der Physikalischen Chemie, Weinheim: VCH Verlagsges. 1996.

Joule, James Prescott (1818 – 1889), Chemiker, Leiter der väterlichen Brauerei. *Arbeitsgebiete:* Wirkung elektromagnet. Kräfte, Gasgesetze, Molekularkinetik, Mitbegründer der Wärmelehre. Er lieferte erste Ansätze zu einer Thermodynamik der galvan. Elemente u. entdeckte 1841 das Joulesche Gesetz der Stromwärme. Er vermutete nach Expansionsversuchen mit Gasen als einer der ersten, daß Wärme kein Stoff, sondern eine Bewegung von Teilchen ist. 1852/53 fand er bei Versuchen über die innere Energie der Gase zusammen mit W. Thomson den *Joule-Thomson-Effekt. Nach ihm ist die physikal. Einheit der Arbeit, Energie u. Wärmemenge, *Joule, benannt.
Lit.: Lexikon der Naturwissenschaftler, S. 234 ▪ Pötsch, S. 226.

Joule-Effekt s. Magnetische Werkstoffe.

Joule-Kelvin-Effekt, ident. mit *Joule-Thomson-Effekt.

Joule-Thomson-Effekt. Ein von *Joule u. W. Thomson (s. Lord Kelvin) 1852 erstmals beobachteter Effekt, der sich in der Abkühlung eines *realen Gases* äußert, wenn dieses von höherem auf niedrigeren Druck entspannt wird, z. B. beim Expandieren durch poröse Schichten, Düsen od. Drosselventile. Bei dieser Gasentspannung tritt kein Wärmeaustausch mit der Umgebung auf; d. h. die Zustandsänderung verläuft adiabat. (*Adiabate). Die Abkühlung tritt also zu Lasten des (entspannten) Gases ein, das (in thermodynam. günstigen Fällen) so bis zur Verflüssigung abgekühlt werden kann. Die Temp.-Änderung ΔT ist gegeben durch $\Delta T = \mu \cdot \Delta p$. Der Faktor

$$\mu = \left[T \left(\frac{\delta V}{\delta T} \right)_p - V \right] / c_p$$

(c_p = spezif. Wärmekapazität bei konstantem Druck) wird *Joule-Thomson-Koeff.* genannt. Er ist für ideale Gase gleich Null; für reale Gase kann er je nach Temp. pos. od. neg. sein. Entsprechend tritt bei der Drosselung Abkühlung od. Erwärmung auf. Die Temp. bei der $\mu = 0$ ist, wird *Inversionstemperatur T_i genannt. Für alle bekannten Gase außer H_2 u. He gilt bei Raumtemp. $\mu > 0$, d. h. sie können durch Drosselung bis zur

Verflüssigung abgekühlt werden; *Beisp.:* Gewinnung von *flüssiger Luft. In der *Kältetechnik nutzt man den J.-T.-E. prakt. aus, wobei man den Wirkungsgrad des Prozesses durch Vorkühlung des Arbeitsgases noch erhöhen kann. Die Temp. T_i läßt sich aus den Van-der-Waalsschen-Konstanten a u. b berechnen, wobei noch einfache Beziehungen zur sog. *Boyle-Temp.* (T_B) u. zur *krit. Temp.* (T_K) bestehen:

$$T_i = 2 T_B = \frac{2a}{R \cdot b} = \frac{27}{4} \cdot T_K .$$

Näheres s. bei Gasgesetze u. Kritische Größen. Einige Werte für T_i (bei niedrigen bis mittleren Drücken), unterhalb derer Gase einen Abkühlungseffekt zeigen: He 16 K, H_2 193 K, N_2 850 K, O_2 1040 K, CO_2 ca. 2000 K. – *E* Joule-Thomson effect – *F* effet Joule-Thomson – *I* effetto Joule-Thomson – *S* efecto Joule-Thompson
Lit.: Kohlrausch, Praktische Physik 1, S. 429, Stuttgart: Teubner 1996 ▪ s. a. Gase.

Joule-Thomson-Koeffizient s. Joule-Thomson-Effekt.

JP. Abk. für engl.: jet propellant = *Düsenkraftstoff, insbes. bei militär. Verw., s. a. Kerosin.

J-Säure. Zur Gruppe der *Buchstabensäuren zählende Naphthylaminsulfonsäuren, s. Naphtholsulfonsäuren.

JST. Abk. für *Japan Science and Technology Corporation,* die 1996 aus der Vereinigung des Japan Information Center for Science and Technology (JICST) mit der Research Development Corporation of Japan (JRDC) entstand. – INTERNET-Adresse: http://www.jst-c.go.jp

JU. Nach DIN 60001 Tl. 4 (08/1991) Kurzz. für Bastfasern aus *Jute.

Juchten. Bez. für einen parfümist. Duftstoff mit der charakterist. Note des mit Birkenteeröl u. Sandelholz behandelten Leders (*Juchtenleder,* s. Gerberei). Ein *Beisp.* für einen synthet. J.-Riechstoff s. *Lit.*[1]. – *E* Russia leather scent – *F* cuir de Russie – *I* cuoio di Russia – *S* cuero o piel de Rusia
Lit.: [1] Janistyn 2, 373 f.
allg.: s. Parfümerie.

Juckreiz (latein.: pruritus). In den obersten Hautschichten lokalisierte, dem Schmerz verwandte Empfindung. J. kann mechan. u. chem. sowie von einer Reihe endogener Substanzen wie *Histamin, Proteasen u. Gallensäuren ausgelöst werden u. tritt im Rahmen innerer Erkrankungen u. Hautkrankheiten, z. B. *Diabetes mellitus, *Ikterus, *Ekzemen, *Nesselfieber, *Skabies u. *Allergien auf. Die Behandlung besteht in der Beseitigung der Ursache, symptomat. kommen u. a. *Antihistaminika zur Anwendung. In jedem Falle wirksame spezif. Mittel (Antipruriginosa) gibt es z. Z. nicht. – *E* itching – *F* démangeaison – *I = S* prurito
Lit.: Bernhard, Itch: Mechanisms and Management of Pruritus, New York: McGraw-Hill 1994.

Juglon (5-Hydroxy-1,4-naphthochinon, C. I. 75500 Natural Brown 7). $C_{10}H_6O_3$, M_R 174,16; gelbe Nadeln od. Prismen, Schmp. 164–165 °C (Subl.), wenig lösl. in heißem Wasser, gut lösl. in Chloroform, Benzol, Alkohol, Ether, mit roter Farbe in wäss. alkal. Lösung. J. ist wasserdampfflüchtig. Es kommt in *Juglans*-Arten

(Walnuß, Butternuß) vor, in Blättern u. Nüssen von *Carya illinoensis* (Hickory-Art, Bitternuß), weiterhin in *Penicillium diversum.* J. wirkt allelopath. (vgl. Allelopathie), antimikrobiell u. blutungsstillend. Zur Biosynth. s. *Lit.*[1]. – *E* juglone – *I* giuglone – *S* juglona
Lit.: [1] Prog. Bot. **54**, 218 (1993).
allg.: Beilstein E IV **8**, 2368 f. ▪ J. Med. Chem. **21**, 26 (1978) ▪ Phytother. Res. **4**, 11 ff. (1990) ▪ Schweppe, S. 194 ▪ Synthesis **1977**, 644; **1985**, 781 ▪ Turner **1**, 133 ▪ Turner (Hrsg.), Naturally Occurring Quinones III, S. 154, London: Chapman & Hall 1987. – *[HS 2914 69; CAS 481-39-0]*

Jun s. Fos.

Jungermann, Kurt (geb. 1938), Prof. für Biochemie, Univ. Freiburg u. Göttingen. *Arbeitsgebiete:* Biochemie u. Molekularbiologie der Hepatocyten-Heterogenität (metabol. Zonierung), Regulation von Stoffwechsel u. Hämodynamik der Leber durch das Nerven- u. Hormonsystem.
Lit.: Kürschner (16.), S. 1661.

Jungfernöl s. Olivenöl.

Jungius (Junge), Joachim (1587–1657), Philosoph, Arzt, Botaniker u. Mathematiker, Prof. in Rostock, Helmstedt, Hamburg. *Arbeitsgebiete:* Aufbau der Materie, Ersatz des überkommenen Begriffs der „Elemente" – die 4 des Altertums u. 3 weitere der Alchemisten – durch einen neuen, auf der Korpuskulartheorie beruhenden, atomist. Elementbegriff, Überlegungen zur Isomerie, Begründung der ersten dtsch. wissenschaftlichen Gesellschaft. *Schriften*: Doxoscopiae Physicae Minores (1630) bzw. Majores (nachgelassen).
Lit.: Krafft, S. 191 ff. ▪ Krafft u. Meyer-Abich, Große Naturwissenschaftler, S. 181 f., Stuttgart: Fischer 1970 ▪ Lexikon der Naturwissenschaftler, S. 235 ▪ Pötsch, S. 227.

Junipen s. Longifolen.

Justieren vgl. Kalibrieren.

Jute (von altind.: iata = Haarflechte). Hellgelbe bis bräunlichgelbe *Bastfasern (Kurzz. JU) von 2 ind. Lindengewächsen (vorwiegend *Faserpflanzen *Corchorus capsularis*), die 3–5 m hohe Sträucher bilden u. hauptsächlich in Bengalen angebaut werden. J. ist nach der Baumwolle die weltwirtschaftlich wichtigste Pflanzenfaser; man stellt aus ihren gröberen Sorten Säcke u. Matten, zusammen mit Holzwolle Garne u. Seile, aus den feineren Sorten (evtl. nach Bedrucken mit Farben) Läufer, Möbelstoffe, Teppiche, Vorhänge usw. her. Als J.-Ersatz eignen sich *Kenaf, *Rosella u. *Urena. – *E = F* jute – *I* iuta – *S* yute
Lit.: Encycl. Polym. Sci. Eng. **6**, 681 f. ▪ Kirk-Othmer (3.) **10**, 191; (4.) **10**, 735 ▪ Stout, in Lewin u. Pearce, Fiber Chemistry, New York: Dekker 1985 ▪ Ullmann (4.) **9**, 247, 253; **11**, 193, 196; (5.) A **5**, 398 f. – *[HS 5303 10, 5303 90]*

Jutzi, Peter (geb. 1938), Prof. für Anorgan. Chemie, Univ. Bielefeld. *Arbeitsgebiete:* Metallorgan. Chemie, π-Komplexe von s- u. p-Block-Elementen, δ- u. π-Cyclopentadienyl-Verb., Silicium- u. Phosphor-Chemie.
Lit.: Kürschner (16.), S. 1665 ▪ Wer ist wer (35.), S. 689.

Juvabion (Todomatusäuremethylester).

R = H : Todomatusäure
R = CH₃ : Juvabion

aromat. Todomatusäure

$C_{16}H_{26}O_3$, M_R 266,38, Öl, $[\alpha]_D^{50} +93°$ (Aceton). Sesquiterpen aus dem Holz der Balsamtanne (*Abies balsamea*) mit *Juvenilhormon-Wirkung. J. hindert Larven von Insekten der Familie Pyrrhocorridae, die Adultform auszubilden. J. ist auch in aus Balsamtannen hergestelltem Papier enthalten (Papierfaktor). *Todomatusäure* ($C_{15}H_{24}O_3$, M_R 252,35) selbst kommt ebenfalls in der Balsamtanne vor. *Aromat. Todomatusäure* [4-(1,5-Dimethyl-3-oxohexyl)-benzoesäure, $C_{15}H_{20}O_3$, M_R 248,32] ist ein Inhaltsstoff der Douglasie (*Pseudotsuga menziesii*). – *E* juvabione – *I* giuvabione – *S* juvabiona

Lit.: Ap Simon **2**, 253–261 ▪ Beilstein E III **10**, 2950 (J.), E IV **10**, 2704 (Todomatusäure) ▪ Biosci. Biotechnol. Biochem. **56**, 1589 (1992) ▪ J. Am. Chem. Soc. **102**, 774 (1980); **105**, 5477 (1983) ▪ J. Chem. Soc., Chem. Commun. **1995**, 2403 ▪ Synthesis **1994**, 1249 ▪ Tetrahedron Lett. **33**, 589 (1992) ▪ Ullmann (5.) A **4**, 89. – *[CAS 17904-27-7 (J.); 6753-22-6 (Todomatusäure); 17844-11-0 (aromat. Todomatusäure)]*

JuvenEX®. Schädlingsbekämpfungsmittel für Räume auf der Basis von *Juvenilhormon u. Natur-*Pyrethrum. *B.*: Frowein GmbH & Co.

Juveniles Wasser. Bez. für ein Wasser, das aus großen Tiefen als „jungfräuliche Quelle" erstmals zutage tritt, wie z. B. die heißen Karlsbader Quellen. Das Gegenteil von *j. W.* ist *vadoses Wasser* (von latein.: vadosus = seicht); dieses nimmt schon lange am Kreislauf des Wassers teil u. dringt von neuem als *Regen u. Fluß- bzw. *Meerwasser in die Erde ein. Hierher gehört das meiste Wasser, das auf der Erdoberfläche vorkommt, vgl. das Sankey-Diagramm bei *Wasser. – *E* juvenile water – *F* eau juvénile – *I* acqua iuvenile – *S* agua juvenil

Lit.: s. Wasser.

Juvenilhormone. Von den Corpora allata (eine Art *Hypophyse) der *Insekten sezernierte *Häutungshormone*, deren Wirkung in der Herbeiführung einer Larvenhäutung besteht; Näheres zur spezif. Wirkung s. bei Insektenhormone. Das abgebildete J. (Neotenin,

(2*E*,6*E*,10*R*,11*S*)-10,11-Epoxy-7-ethyl-3,11-dimethyl-2,6-tridecadiensäuremethylester, $C_{18}H_{30}O_3$, M_R 294,43)

wurde aus Seidenraupen isoliert; dasjenige aus Getreidekäfern, Tabakschwärmern etc. ist (*E*,*E*)-Epoxyfarnesensäuremethylester-10,11-(*R*)-oxid (in der Formel CH_3 statt C_2H_5 in Pos.-11), von dem man weiß, daß er biolog. Transmethylierungen hemmt. Inzwischen kennt man eine Reihe von z. T. ähnlich strukturierten Verb. mit J.-Wirkung (sog. *Juvenoide*), so z. B. Derivate der 4-(1,5-Dimethylhexyl)-benzoesäure, *Juvabion u. verschiedene Farnesen-Abkömmlinge. Eine Reihe von Stoffen zeichnet sich durch eine spezif. Hemmwirkung auf die Biosynth. der J. in den Corpora allata aus. Solche Substanzen, die man als *Anti-J.* od. *Precocene (vgl. a. Insektenhormone) bezeichnet, werden von Pflanzen zum Selbstschutz produziert. Sie dienen heute als Vorbilder für neuartige *Pflanzenschutzmittel u. *Insektizide. Ihre Wirkung kann auf zweierlei Weise zustande kommen: Mangel an J. bewirkt vorzeitige Metamorphose zu nicht ausgereiften Individuen, während ein Überangebot an J. zusätzliche Larvenhäutungen zu nicht lebens- bzw. fortpflanzungsfähigen Riesenimagines einleitet. Das Juvenoid *Pro-Drone* pervertiert die Differenzierung bei Feuerameisen. In den USA wurde 1975 erstmals ein J.-artig wirksames Sesquiterpen *(Methopren)* als *Larvizid zugelassen. – *E* juvenile hormones – *F* hormones juvéniles – *I* ormoni allati, ormoni iuvenili – *S* hormonas juveniles

Lit.: Honomichl u. Bellmann, Biologie u. Ökologie der Insekten, CD-ROM, Stuttgart: Fischer 1996 ▪ Merck-Index (12.), Nr. 5287.

Juwelen s. Edelsteine u. Schmucksteine.

Juwelierborax s. Borax.

Juza, Robert (1904–1996), Prof. für Anorgan. Chemie, Univ. Kiel. *Arbeitsgebiete:* Metall-Nitride, Grenzflächenvorgänge, Kolorimetrie kolloidaler Lsg., tensimetr. Untersuchungen an Metall-Sulfiden u. Phosphiden, Krist.-Chemie ternärer Nitride u. Arsenide, Ammono-Thermalsynthese.

Lit.: Kürschner (16.), S. 1665 ▪ Nachr. Chem. Tech. Lab. **17**, 447f. (1969).

JZ. Abk. für *Iod-Zahl.

K

κ (kappa). Zehnter Buchstabe des *griechischen Alphabets.
1. In Komplexen bezeichnet κ Koordinationsstellen (IUPAC-Regeln I-7.3.3.2, -10.6.2.2, -10.8.3). An Ligandennamen od. -namensteile mit Bindestrich angehängte κ-Bez. enthalten ggf. Metallatom-Nummern (bei mehrkernigen Verb.), κ, hochgestellte κ-Stellenanzahl u. kursive Ligandenatomsymbole; *Beisp.:* Nonacarbonyl-1$\kappa^5 C$,2$\kappa^4 C$-cobaltrhenium($Co-Re$) [(OC)$_4$Co$^{(2)}$–Re$^{(1)}$(CO)$_5$], Tetrakis(μ-acetato-κO:$\kappa O'$)diaqua-1κO,2κO-dikupfer [(H$_2$O)Cu(CH$_3$CO$_2$)$_4$Cu(H$_2$O)].
2. Bei *Naphthalin war *kata- od. κ- Bez. für 1,7-Disubstitution.
3. Symbol für physikal.-chem. Größen; *Beisp.:* Kompressibilität, spezif. Leitwert (s. elektrische Leitfähigkeit), magnet. Suszeptibilität, molarer natürlicher Absorptionskoeffizient ($\kappa = \varepsilon \ln 10$), selten statt *$\gamma$ für das Verhältnis der *Molwärmen C$_p$/C$_V$.

k. 1. Kurzz. für *Kilo… (10^3, 1000); *Beisp.:* kJ, keV. – 2. Symbol für physikal.-chem. *Konstanten, *Koeffizienten u. a. Größen; *Beisp.:* *Boltzmann-Konstante, *Reaktionsgeschwindigkeitskonstante in der *Kinetik, Stoff- u. Wärmeübergangskoeff., einer der *Millerschen Indizes, Strahlungsabsorptionsindex, Wärmeleitfähigkeit (auch λ).

K. 1. Symbol für das Element *Kalium, das K-*Meson, die innerste Elektronenschale im *Atombau u. die *Aminosäure *Lysin (IUB-Peptidnotation). – 2. Einheitensymbol für *Kelvin; veraltet für *Kayser (=cm^{-1}; *Wellenzahl) u. „Kerze" (HK: *Hefnerkerze; IK: internat. Kerze; vgl. Candela). – 3. Symbol für physikal.-chem. *Konstanten u. *Koeffizienten; *Beisp.:* Gleichgewichtskonstante, *Löslichkeitsprodukt, *Verteilungskoeffizient, Michaelis-Konstante K$_M$ (s. Enzyme), Kerr-Konstante (meist B), dekad. Absorptionskoeff. (meist a), Kompressionsmodul (κ^{-1}). – 4. Früher schrieb man der „K-Region" in aromat. *kondensierten Ringsystemen carcinogene Wirkung zu [1].
Lit.: [1] Nickon u. Silversmith, Organic Chemistry: The Name Game, S. 120, Oxford: Pergamon 1987.

K 1. Prüfprädikat bei *Holzschutzmitteln (behandeltes Holz führt bei Chrom-Nickel-Stählen nicht zu Lochkorrosion).
Lit.: DIN 4076 Tl. 5 (11/1981).

KA s. Kläranlage.

Kaban® (Rp). Salbe u. Creme mit *Clocortolon-pivalat u. -caproat gegen Hauterkrankungen u. Verbrennungen, in geringerer Dosierung als *Kabanimat®*. *B.:* Asche.

Kabel s. Filament.

Kabelvergußmassen. Nach DIN/VDE genormte, heiß od. kalt zu verarbeitende Massen aus Bitumen, Asphalt, Gießharzen auf der Basis von Epoxid- od. Isocyanat-Harzen sowie von Siliconkautschuken zum Vergießen von Kabelzubehörteilen. – *E* cable compounds, insulating compounds – *F* mélanges isolants pour câbles – *I* miscela di colata per cavi – *S* pez aislante para cables
Lit.: DIN 57291/VDE 0291 Tl. 2 (11/1979). – [HS 2715 00, 3907 30]

Kachkaroff-Matignon-Verfahren s. Schwefelsäure (Geschichte).

Kaddigöl s. Wacholderteeröl.

Kadefungin® (Rp). Vaginaltabl. u. -creme mit *Clotrimazol gegen *Candida*-Infektionen. *B.:* Kade.

Kade-Öl s. Wacholderteeröl.

Kadsurenon.

C$_{21}$H$_{24}$O$_5$, M$_R$ 356,42, Krist., Schmp. 62–65 °C, $[\alpha]_D^{22}$ +3,2°. *Lignan aus der chines. Pfefferart *Piper futokadsura*, das als *PAF-(Platelet Activating Factor)-Rezeptor-Antagonist wirkt. K. u. zahlreiche Derivate werden als Arzneimittel bei entzündlichen, asthmat. u. kardiovaskulären Krankheitsbildern geprüft. – *E* kadsurenone – *F* cadsurénone – *I* cadsurenone – *S* cadsurenona
Lit.: Adv. Inflammation Res. **11**, 83 (1986) ▪ Br. J. Pharmacol. **87**, 287 (1986) ▪ J. Lipid Mediators **1**, 125–137 (1989) ▪ Phytochemistry **24**, 2079 (1985) ▪ Proc. Natl. Acad. Sci. (USA) **82**, 672–678 (1985) (Isolierung) ▪ Tetrahedron Lett. **27**, 309 (1986) (Synth.); **29**, 6689 (1988). – [CAS 95851-37-9]

Käfer (Coleoptera). Ordnung der *Insekten. Entwicklung läuft über eine vollkommene Verwandlung (Holometabolie) von der Larve über die Puppe zur Imago, dem erwachsenen Insekt. Die K. stellen mit z. Z. ca. 350 000 bekannten, aber auf mind. 400 000–500 000 geschätzten Arten die umfangreichste Ordnung im Tierreich überhaupt dar. Davon leben in Mitteleuropa etwa 6000–8000 Arten. Mit Neuentdeckungen ist v. a. in den trop. Regenwäldern zu rechnen. Die Größendimensionen der K. reichen von 0,25 mm (Gattung *Nanosella*, Ptiliidae = Federflügler, Nordamerika) bis 21 cm (*Titanus giganteus*, Bockkäfer aus Südamerika). Die K. besitzen einen harten Hautpanzer aus *Chitin u. derbe Vorderflügel, welche die häutigen Hinterflügel u. den weichhäutigen Hinterleib schützen. Beachtlich ist die unterschiedliche Ausbildung der Beine, z. B. zu Lauf-, Grab-, Sprung- od. Schwimm-

beinen. Diese u. a. funktionsmorpholog. Anpassungen haben die erfolgreiche Besetzung der verschiedensten ökolog. Nischen ermöglicht. Die meisten K. sind Pflanzenfresser. Viele von ihnen gelten dabei aus der Sicht des Menschen als Pflanzenschädlinge (*Beisp.:* Kartoffel-, Borken- u. Mai-K.), andere zählen zu den Vorrats- u. Materialschädlingen (*Beisp.:* Speck-, Samen- u. einige Bock-K.). Zur Bekämpfung dieser K. werden *Insektizide eingesetzt, wobei man sich ggf. auch der K.-*Pheromone bedient. Andere K.-Arten sind dagegen nützlich, wie z.B. die Marien- u. die Bunt-K., indem sie andere Schadinsekten fressen. Reine Raub-K. sind z.B. die Sandlauf-, Taumel- u. Schwimmkäfer. Einige der K. gelten als passiv od. aktiv giftig, so z.B. der Öl-K., der das Hautgift *Cantharidin enthält, u. der Gelbrand-K., dessen corticoides Hormon *Cortexon narkotisierend auf Fische wirkt. Der sog. Bombardier-K. „schießt" mit einem Gemisch aus Hydrochinon u. Wasserstoffperoxid zentimeterweit auf seine Feinde. – *E* beetles, bugs – *F* coléoptères – *I* coleottero – *S* escarabajos, coleópteros
Lit.: Freude, Harde u. Lohse, Die Käfer Mitteleuropas (11 Bd.), Krefeld: Göcke & Evers 1964–1983 ■ Honomichl u. Bellmann, Biologie u. Ökologie der Insekten, CD-ROM, Stuttgart: Fischer 1996.

Käfig-Effekt. In der Chemie allg. Bez. für den Einfluß, den die mol. Umgebung – ein „Käfig" aus Lsm.-Mol., aus Ionen im Kristallgitter od. aus einer Polymer-Matrix – auf eine chem. Reaktion ausübt, indem sie beispielsweise die *Diffusion von Edukten od. Produkten verhindert. – *E* cage effect – *F* effet cage – *I* effetto a gabbia – *S* efecto jaula

Käfig-Einschlußverbindungen s. Clathrate u. Einschlußverbindungen, vgl. aber folgendes Stichwort.

Käfigverbindungen. Nicht-systemat. Name für im allg. *polycyclische Verbindungen, die oft bes. Symmetrieeigenschaften besitzen u. dadurch opt. ansprechend aussehen. Man spricht in diesem Zusammenhang von „reizvollen" od. „exot. Molekülen"[1,2]. Paradebeisp. sind Mol., die von den platon. Körpern (Tetraeder, Hexaeder ≡ Würfel, Oktaeder, Dodecaeder u. Ikosaeder) abgeleitet werden (s. platonische Moleküle u. platonische Kohlenwasserstoffe)[3]. Die Namensgebung für K. bevorzugt im allg. nicht die IUPAC-Regeln für polycycl. Verb., sondern Trivialnamen, die das Aussehen der Verb. widerspiegeln[4].

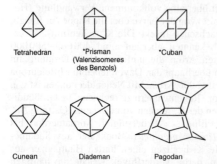

Tetrahedran   *Prisman   *Cuban
                   (Valenzisomeres
                   des Benzols)

Cunean   Diademan   Pagodan

Abb. 1: Ausgewählte Käfigverbindungen mit ihren Trivialnamen.

Die Synth. von K. stellt auf Grund der thermodynam. Instabilität (Ringspannung, anomale Bindungslängen u. -winkel) oft eine große Herausforderung dar, u. in ihrem Verlauf wurden neue Synthesemeth. entdeckt u. neue theoret. Modelle entwickelt. Neben den reinen Kohlenstoff-K. gibt es auch K. mit Heteroelementen, bes. Bor (*Carborane) u. Phosphor[5] sowie reine anorgan. Vertreter wie die höheren *Borane.

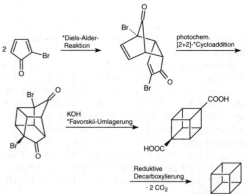

Abb. 2: Cuban-Synthese.

In Abb. 2 ist die Synth. von *Cuban skizziert, die illustrativ die Synthesestrategien für K. widerspiegelt. Neben der reinen Synth. von K. spielt zunehmend die Frage eine Rolle, ob diese gespannten Mol. gezielt zu wertvollen ringoffenen Verb. umgewandelt werden können[6]. Aus der Vielzahl der Beisp. soll die stereoselektive Umwandlung einer K. in ein *Triquinan genannt werden, das in der racem. Synth. von Naturstoffen wie beispielsweise Hirsuten eine Rolle spielt (s. Abb. 3).

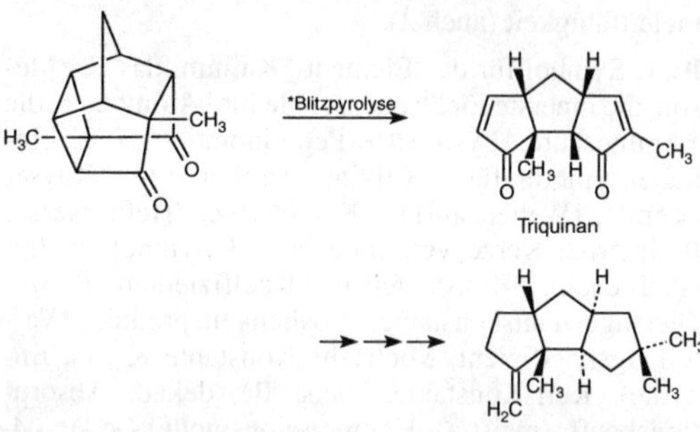

H₃C— ... —CH₃   *Blitzpyrolyse   Triquinan

Abb. 3: Synth. von (±)-*Hirsuten aus einer Käfigverbindung.
– *E* cage compounds – *F* composés en cage – *I* composti a gabbia – *S* compuesto de jaula

Lit.: [1] Bild Wiss. **11**, 90–97 (1974). [2] Naturwissenschaften **64**, 397–402 (1977). [3] Chem. Unserer Zeit **15**, 52–61 (1981). [4] Nickon u. Silversmith, The Name Game, New York: Pergamon Press 1987. [5] Stang u. Dietrich, Modern Acetylene Chemistry, S. 173 ff., Weinheim: VCH Verlagsges. 1995. [6] Aldrichim. Acta **28**, 95–104 (1995).
allg.: Chem. Rev. **96**, 389 ff. (1996) ■ Kontakte (Merck) **2**, 37–48 (1982) ■ Osawa u. Yonemitsu, Carbocyclic Cage Compounds, Chemistry and Applications, Weinheim: VCH Verlagsges. 1992 ■ Vögtle, Reizvolle Moleküle der Organischen Chemie, Stuttgart: Teubner 1989.

Kälte. Umgangssprachliche Bez. für das Fehlen von *Wärme, d.h. das Kaltsein von Gegenständen, Syst.

etc. In der *Sinnesphysiologie wird der Eindruck „Kälte" durch spezif. *Rezeptoren der Haut vermittelt, die Abweichungen von der normalen *Körpertemperatur signalisieren. Das Wärmewohlbefinden des Menschen wird neben den wesentlichen Faktoren wie Lufttemp., Luftbewegung u. Luftfeuchte auch von der Temp. der Umgebungsflächen bestimmt, mit der ein Austausch von Wärmestrahlung stattfindet [1]. Dem Schutz der Haut vor K. dienen spezielle *Hautpflegemittel. Zur Erzeugung u. Anw. von K. s. die folgenden Stichwörter sowie die Stichwörter *Gefrier...*, *Kryo...* u. *Tieftemp....*; zur Messung tiefer Temp. s. Temperaturmessung. – *E* cold-(ness) – *F* froid – *I* freddo – *S* frío

Lit.: [1] Phys. Unserer Zeit **20**, 97 (1989).

Kältebad s. Kältemischung.

Kältedämmstoffe s. Wärmedämmstoffe.

Kältemischungen. Mischungen von festen Stoffen (Salze, verfestigte Gase) mit Wasser, organ. Flüssigkeiten, Schnee, Eis usw., die die zum Lösen bzw. Schmelzen der festen Stoffe erforderliche Wärmemenge dem Lsm. bzw. der Umgebung entziehen. Für Gemische aus mind. zwei Stoffen, die sich endotherm auflösen u. sich somit dabei abkühlen, läßt sich die Wirkung leicht mit Hilfe der Phasenlehre (s. Phasengesetz u. Eutektikum) deuten. Solche Gemische, z. B. aus Salzen u. Eis od. Schnee, streben unter Auflösung des Salzes u. Schmelzen des Eises einer tief gelegenen eutekt. Temp. zu, sofern man dafür sorgt, daß stets festes Salz, Eis u. Lsg. nebeneinander vorliegen. Da sich das Phasengleichgew. immer nur bei einer ganz bestimmten Temp. einstellt, befindet sich das Syst. so lange außerhalb des Gleichgew.-Zustands, bis diese Temp. (u. somit das Gleichgew.) erreicht ist. Die K. werden v. a. im chem. Laboratorium verwendet u. sind weniger für industrielle Zwecke, geschweige denn für

Tab.: Mit Kältemischungen erreichbare Temperaturen.

erreichbare Temp. [°C]	Stoff A	[g A/ 100 g K.]	Stoff B
0	Eis	–	Wasser
– 2	Na_2CO_3	6	Eis
– 3,4	NH_4Cl	23	Wasser
– 4	$MgSO_4$	16	Eis
– 5,3	$NaNO_3$	43	Wasser
– 7,8	$BaCl_2$	22	Eis
– 10	NaCl	26	Wasser
– 11	KCl	18,9	Eis
– 12	$CaCl_2 \cdot 6H_2O$	71	Wasser
– 15	NH_4Cl	14,0	Eis
– 16	NH_4SCN	57	Wasser
– 19	$(NH_4)_2SO_4$	38	Eis
– 21	NaCl	23	Eis
– 28	NaBr	39	Eis
– 34	$MgCl_2$	14	Eis
– 37	66,1%ige H_2SO_4	48	Schnee
– 40	$CaCl_2 \cdot 6H_2O$	55	Eis
– 50	$CaCl_2$	30,2	Eis
– 63	KOH	30,9	Eis
– 72	CO_2 (fest)	–	Alkohol
– 77	CO_2 (fest)	–	Chloroform
– 86	CO_2 (fest)	–	Aceton
–100	CO_2 (fest)	–	Ether

die kontinuierliche Kälteerzeugung geeignet. Die Tab. gibt die erreichbaren Temp. einiger *Kältebäder* an. Bei K. aus Kohlendioxid (fest) u. organ. Lsm. sind keine Gew.-Angaben gemacht.

Weitere, z. T. abweichende Angaben über die Zusammensetzung von K. findet man oft in *Experimentierbüchern, *Tabellenwerken u. *Handbüchern. Genügt die Wirkung einer K. nicht, so kühlt man mit flüssiger Luft bzw. mit flüssigem Stickstoff (bis –196 °C), s. Kältetechnik. Die Wahl der K. richtet sich nach der Kühltemp. u. der Wärmemenge, die abgeführt werden muß. Verwendet man K. aus festem CO_2 u. organ. Lsm., so ist zu beachten, daß bei Einbringen des CO_2 das Lsm. zunächst sehr stark aufschäumt; das Tragen einer Schutzbrille ist beim Umgang mit festem CO_2 unerläßlich. Zur Isolierung gegen äußere Wärmeeinstrahlung ist die Bereitung der K. im *Dewar-Gefäß zweckmäßig. Eine K. ist nach einmaligem Gebrauch nicht mehr verwendbar. – *E* freezing mixtures – *F* mélanges frigorifiques – *I* miscele refrigeranti – *S* mezclas frigoríficas

Lit.: Kohlrausch, Praktische Physik, Bd. 3, S. 346, Stuttgart: Teubner 1996 ▪ s. a. Kältetechnik.

Kältemittel s. Kältetechnik.

Kältetechnik. Nach dem 2. *Hauptsatz der Thermodynamik kann *Wärme (wie dies bei der Kälteerzeugung erfolgt) von einem Bereich tieferer Temp. zu einem höherer Temp. nur dann transportiert werden, wenn Arbeit geleistet wird. Die K. befaßt sich mit der Konstruktion der dafür notwendigen Maschinen bzw. Anlagen, Regeleinrichtungen usw. sowie mit den Anw. der künstlich erzeugten *Kälte. Die Verf. zur Kälteerzeugung beruhen hauptsächlich auf Kreisprozessen mit einem *Kältemittel* (s. unten). Zu den angewandten physikal. Effekten gehören hauptsächlich der *Joule-Thomson-Effekt, in untergeordnetem Maße auch *Peltier- u. *magnetokalor. Effekt*. Beispielsweise arbeiten *Kompressionskältemaschinen* nach dem sog. Kaltdampfprozeß. Das Prinzip dieser Maschine beruht darauf, daß ein gasf. Kältemittel durch Druck verflüssigt wird. Die dabei auftretende Wärme wird durch Luft- bzw. Wasserkühlung abgeleitet. Beim Entspannen verdampft das Kältemittel u. entzieht dabei die notwendige Wärme dem Kühlraum bzw. der Kühlsole. Eine z. B. in Haushaltskühlschränken eingesetzte Kompressionskältemaschine besteht im wesentlichen aus Kompressor, Kühler, Drosselventil u. Verdampfer mit Kühlraum. Bes. tiefe Temp. erreicht man dabei mit Hilfe der Kaskadenschaltung unter Verw. verschiedener Kältemittel u. Kühlung nach dem *Gegenstromprinzip (*Linde-Verf.* zur Herst. von *flüssiger Luft). Seltener als Kompressionskältemaschinen werden *Absorptionskältemaschinen* eingesetzt. Deren Arbeitsprinzip beruht darauf, daß gewisse Stoffe Kältemitteldämpfe absorbieren können, die durch Beheizen wieder ausgetrieben werden können. Bei diesen Maschinen, die in der Hauptsache aus einem Austreiber, Kondensator, Verdampfer u. Absorber bestehen, wird das Kühlmittel unter Erwärmung absorbiert, nach dem Ableiten der Wärme wieder ausgetrieben, wobei Abkühlung eintritt, verflüssigt, verdampft u. erneut absorbiert usw. Der Vorgang kann auch mehrstufig, kontinuierlich u. diskontinuierlich durchgeführt werden.

Nach DIN 8962 (08/1968) versteht man unter *Kältemitteln* solche Flüssigkeiten, die in einem Kälte erzeugenden Syst. durch *Verdampfen bei niedriger Temp. u. niedrigem Druck *Wärme aufnehmen u. durch Verflüssigen bei höherer Temp. u. höherem Druck Wärme abgeben. Kältemittel sind also die Arbeitsstoffe in Kältemaschinen; im Gegensatz zu *Kältemischungen lassen sie sich im Kreislauf verwenden. Ihre Güte wird hauptsächlich durch ihre physikal. u. therm. Eigenschaften, insbes. durch die Lage ihrer Inversionstemp. (vgl. Joule-Thomson-Effekt) bestimmt. Auch physiolog. Eigenschaften, Brennbarkeit u. Explosivität sind wichtige Gesichtspunkte. Bes. die *FCKW hatten in der K. umfangreiche Anw. gefunden u. auf zahlreichen Gebieten ältere Kältemittel wie Ammoniak verdrängt. Während früher rund 40% der in der BRD jährlich verbrauchten 100 000 t Chlorkohlenwasserstoffe als Arbeitsflüssigkeit für Kälteaggregate verwendet wurden, ist heute aufgrund der Umweltproblematik (Ozon-Abbau in der Atmosphäre, s. Ozon u. antarktisches Ozonloch) die Produktion von FCKW in der BRD auf Null gesetzt. Beim Verschrotten der Kühlaggregate ist man bestrebt, diese Stoffe aufzufangen (*Lit.*[1]). Anstelle von FCKW werden in der K. Stoffe wie $CH_2F–CF_3$ (1,1,1,2-Tetrafluorethan, Kurzz. H-FKW 134a) od. $CF_3–CHF–CF_3$ (1,1,1,2,3,3,3-Heptafluorpropan, Kurzz. H-FKW 227) eingesetzt, die, da sie kein Chlor enthalten, ein wesentlich kleineres Ozon-Abbaupotential besitzen als *Frigen® 12 (*Lit.*[2]). Ammoniak ist bis zu einer Temp. von –65 °C, Kohlendioxid –50 °C, Dichlormethan –60 °C, Dichlordifluormethan –65 °C, Schwefeldioxid –45 °C, Trichlorfluormethan –25 °C u. Wasser +5 °C als Kältemittel anwendbar. Eine Zusammenstellung der wichtigsten Kältemittel, ihrer Daten u. Anw. findet man z. B. in *Lit.*[3]. Neben den erwähnten gibt es – für spezielle Anw. – noch andere Möglichkeiten der *Kälteerzeugung*. Die nach dem *Stirling-Prinzip* (*Stirlingscher Kreisprozeß) arbeitende *Gaskältemaschine* – techn. bes. von Philips weiterentwickelt – kann man als „umgekehrten Heißluftmotor" verstehen. Techn. von Bedeutung ist ferner die *Dampfstrahlkühlanlage*, bei der ein aus einer Düse mit großer Geschw. austretendes Treibmittel (Luft, Wasserdampf) ein Kältemittel infolge Unterdrucks am Düsenaustritt ansaugt. Dadurch entsteht im Verdampfer Verdunstungskälte, die zur Kälteleistung ausgenutzt wird. In steigendem Maße wird in der K. bes. zur Punktkühlung der *Peltier-Effekt ausgenutzt, bes. in der Medizin, Mikroskopie u. im Laboratorium. Die bes. von *Giauque (1895–1982) untersuchte Erscheinung, daß gewisse paramagnet. Salze [z. B. $KCr(SO_4)_2 \cdot 12 H_2O$] bei der Temp. des flüssigen Heliums im starken Magnetfeld adiabat. entmagnetisiert werden u. dabei Wärme abgeben (*magnetokalor. Effekt*), hat in der Tiefsttemp.-Technik, wie das Verf. der *Kernkühlung*, Bedeutung erlangt (*absolute Temperatur u. *Lit.*[4]). Bei der Anw. der K. ist die *Kälteisolierung* von entscheidender Wichtigkeit, auch im Laboratorium in den sog. *Kryostaten. Dazu werden Rohrleitungen u. Behälter z. B. mit verschäumten Kunststoffen, expandiertem, bitumengebundenem Kork u. gepreßtem Mineralfasermaterial als Kälte- u. *Wärmedämmstoffe isoliert. Behälter sind häufig nach dem Prinzip der *Dewar-Gefäße konstruiert. Oft wird die Kälte nicht direkt am Ort der Erzeugung gebraucht. Man benötigt deshalb sog. *Kälteträger* (*Kryostate).

Verw.: Die K. findet ihre Hauptanw. bes. bei der Gasverflüssigung u. -zerlegung, z. B. bei der Gewinnung von O_2, N_2 u. Edelgasen aus *flüssiger Luft, beim *Haber-Bosch-Verfahren (Abkühlung des Ammoniaks), beim Verflüssigen von Cl_2, O_2, CO_2, HCl, F_2, SO_2, Butan, Propan usw., für den Transport (s. a. Flüssiggase), bei organ. Synth. u. in der Metallurgie zur Abfuhr der Reaktionswärme, beim Recycling von Altreifen (zum Trennen des Gummis von der Karkasse) u. allg. zum sog. *Debonding* durch Kälte (*Lit.*[5]). Weitere Anw.-Gebiete sind Techniken wie *Gefriertrocknung, *Kaltmahlung, *Klimatechnik, *Tieftemperaturchemie u. -technik, Kryobiologie, Kryobiochemie (*Lit.*[6]) u. Kryotherapie (z. B. zur Warzenentfernung od. zur Zerstörung von Hauttumoren). Im Haushalt bedient man sich der K. z. B. bei der Konservierung von Lebensmitteln, da die Zers.- u. mikrobiellen Abbauprozesse bei niedrigen Temp. stark verlangsamt ablaufen – es gibt allerdings auch kälteliebende Mikroorganismen, die ausgesprochene *Psychrophilie zeigen.

Geschichte: 1852 entdeckten *Joule u. Thomson (s. Lord Kelvin) den nach ihnen benannten *Joule-Thomson-Effekt, der zur Grundlage der Tieftemp.-Technik wurde. C. P. Cailletet u. R. Pictet gelang 1877 erstmals die Verflüssigung von Sauerstoff, Kohlenmonoxid u. Acetylen. Die K. selbst u. somit das Arbeitsgebiet der Tieftemperaturchemie wurden jedoch erst durch die prakt. Anw. des Joule-Thomson-Effekts – die von Carl von *Linde ins Großtechnische übertragene Luftverflüssigung – eröffnet. – *E* refrigeration technique, cryogenics – *F* technique frigorifique, technique du froid – *I* criotecnica – *S* técnica frigorífica, ingeniería de refrigeración

Lit.: [1] Phys. Unserer Zeit **20**, 65 (1989). [2] GT 06/89 und GM 01/89 Frankfurt: Hoechst 1989. [3] Winnacker-Küchler (3.), **2**, 428, 438; **4**, 52 – 55; **7**, 591 f.; Frigen-Fibel für die Kälte-, Klima u. Energietechnik, Frankfurt: Hoechst, 1988; Chem. Tech. **7**, 137 – 143, 323 – 328 (1978). [4] Spektr. Wiss. **1990**, Nr. 2, 72. [5] Gas aktuell **15**, 11 – 14 (1978). [6] Nachr. Chem. Tech. Lab. **29**, 540 – 543 (1981).
allg.: Drees u. Zwicker, Kühlanlagen, Berlin: Verl. Technik 1979 ▪ Edeskuty u. Williamson, Liquid Cryogens (2 Bd.), Boca Raton: CRC Press 1983 ▪ Kirk-Othmer (4.) **7**, 659 – 683 ▪ Seiffert, Kälteschutz in der Lebensmittel-Frischhaltung u. der Verfahrenstechnik, Karlsruhe: Braun 1982 ▪ Ullmann **1**, 297 – 332; (4.) **3**, 185 – 218. – *Zeitschriften:* Compressed Gases and Cryogenics Report, New York: Van Nostrand Reinhold (seit 1980). – *Organisationen:* Deutscher Kältetechnischer Verein c/o Inst. für Thermodynamik u. Wärmetechnik, 70550 Stuttgart ▪ Institut International du Froid, 177, boulevard Malesherbes, F-75017 Paris ▪ s. a. FCKW.

Kältethermostat s. Kryostate.

Kämmererit s. Chlorite.

Kämmlinge s. Naturfasern.

Kaempferol (3,4′,5,7-Tetrahydroxyflavon). Formel s. Flavone. $C_{15}H_{10}O_6$, M_R 286,24, gelbe Nadeln (wäss. C_2H_5OH), Schmp. 276 – 278 °C, λ_{max} 365 nm. K. ist ein Flavonol, das neben dem *Quercetin in Form unterschiedlichster Glykoside zu den in Pflanzen am häufigsten auftretenden *Flavonoiden zählt. 0,3%ige wäss. ethanol. Lsg. werden für photometr. Bestim-

mungen von Ga, In u. Sn(IV) verwendet (λ_{max} 430 nm, log ε 4,6). – *E* kaempferol
Lit.: Karrer, Nr. 1497–1509 ▪ Merck-Index (12.), Nr. 5288 ▪ Schweppe, S. 328. – *[HS 2932 90; CAS 520-18-3]*

Känozoikum s. Erdzeitalter.

Kaersutit s. Hornblenden.

Käse. Die Käse-VO vom 14. 4. 1986 (BGBl. I, S. 412) definiert K. als „frische od. in verschiedenen Graden der Reife befindliche Erzeugnisse, die aus dickgelegter Käsereimilch hergestellt sind". Es gibt derzeit ca. 4000 K.-Sorten, die nach verschiedenen Gesichtspunkten unterteilt werden können, z. B. nach:
– der verwendeten *Milch (Kuh-, Ziegen-, Schaf-, Büffel-, Rentier-K.);
– der Art der Dicklegung (Lab-, Sauermilch-, Molken-K.);
– dem Wassergehalt der fettfreien K.-Masse (s. Tab. 1);
– dem Fettgehalt in der Trockenmasse (s. Tab. 2).

Tab. 1: Unterteilung der Käsesorten nach dem Wassergehalt in der fettfreien Käsemasse.

Käsegruppe	Wassergehalt in der fettfreien Käsemasse	Beisp.
Hartkäse	56% od. weniger	Emmentaler
Schnittkäse	mehr als 54–63%	Tilsiter
halbfester Schnittkäse	mehr als 61–69%	Edelpilzkäse
Sauermilchkäse	mehr als 60–73%	Harzer, Handkäse
Weichkäse	mehr als 67%	Camembert
Frischkäse	mehr als 73%	Rahmfrischkäse

Tab. 2: Unterteilung der Käsesorten nach dem Fettgehalt in der Trockenmasse.

Fettgehaltsstufe	Fettgehalt in der Trockenmasse
Doppelrahmstufe	mind. 60%, höchstens 65%
Rahmstufe	mind. 50%
Vollfettstufe	mind. 45%
Fettstufe	mind. 40%
Dreiviertelfettstufe	mind. 30%
Halbfettstufe	mind. 20%
Viertelfettstufe	mind. 10%
Magerstufe	weniger als 10%

Herst.: Die Herst. von K. umfaßt im wesentlichen die Gewinnung der K.-Masse u. die Reifung. Die zur K.-Herst. verwendete Milch muß eine ausreichende Säuerungs- u. Labungsfähigkeit besitzen u. frei von Antibiotika u. a. Arzneimitteln sein, die die K.-Reifung beeinträchtigen würden. Sie wird auf den gewünschten Fettgehalt eingestellt. Mögliche Zusätze sind Calcium-Salze zur Verbesserung der *Lab-Fällung, Nitrate gegen anaerobe Sporenbildner (Schnittkäse) sowie Farbstoffe (z. B. Lactoflavin, β-Carotin). Die so behandelte Milch wird dann „dickgelegt". Die Dicklegung erfolgt bei der Säure-Fällung durch Zugabe von Milchsäurebildenden Bakterien (z. B. *Lactobacillus lactis*, *Streptococcus lactis*), die bei Temp. zwischen 20 u. 30 °C innerhalb eines Tages soviel Milchsäure erzeugen, daß Säure-*Casein ausfällt. Bei der Lab-Fällung verwendet man zur Casein-Fällung Lab-Präp. die aus den Mä-

gen saugender Kälber od. gentechnolog.[1] hergestellt werden. Die Lab-Präp., die der Milch bei etwa 33 °C zugegeben werden, führen innnerhalb von 10–50 min zur Fällung des Caseins. Meist werden zusätzlich Säure-Wecker zugesetzt, die die Lactose zu Milchsäure vergären u. somit im K.-Bruch Fäulnisprozesse verhindern. Das ausgefallene Protein-Gel wird unter Erwärmung („Brennen") mechan. bearbeitet, wodurch unter Abscheidung der Molke eine Verfestigung des K.-Bruchs erfolgt. Die Trennung von Bruch u. Molke erfolgt durch Ablaufen od. Abpressen unter gleichzeitiger Formung der Masse. Die geformte K.-Masse wird mit Salz trocken eingerieben od. in eine ca. 20%ige Salzlake gelegt, wobei der teilw. Austausch der Molke durch die Salzlake die Rindenbildung u. die bakterielle Reifung des K. fördert. Zum Natrium- u. Kochsalz-Gehalt von K. s. *Lit.*[2]. Zur Erzielung des gewünschten Reifegrads werden die ausgeformten K.-Laibe bei bestimmten Temp. u. Feuchtigkeitswerten gelagert. Die Tab. 3 gibt einen Überblick über die Reifungszeiten von verschiedenen Käse-Sorten.

Tab. 3: Reifungszeiten verschiedener Käsearten.

Käseart	Reifungszeit
Frischkäse	nicht gereift
Sauermilchkäse	1–2 Wochen
Weichkäse	2 Wochen
halbfester Schnittkäse	3–5 Wochen
Schnittkäse	5 Wochen
Hartkäse	2–8 Monate

Die Reifung läuft bei Hart- u. Schnitt-K. im ganzen Laib gleichzeitig ab; bei Weich-K. jedoch erfolgt sie von innen nach außen. Die Ausbeute pro 100 kg Milch liegt bei 8 kg (Hart-K.) bis 12 kg (Weich-K.). Während der Reifung wird Lactose durch Milchsäure-Bakterien zu Milchsäure abgebaut, wodurch der pH-Wert auf Werte von 4,0 bis 5,6 fällt. Dies führt u. a. zu einer Wachstumshemmung von Verderbniserregern. Im Verlauf der Reifung wird Casein durch die mikrobiellen Proteasen zu Peptiden u. Aminosäuren abgebaut. Einige von ihnen werden weiter zu *biogenen Aminen wie z. B. *Tryptamin Cadaverin (*1,5-Pentandiamin) u. *Tyramin[3,4] abgebaut.
Art u. Umfang des Fettabbaus während der Reifung hängen von den Reifungsorganismen ab. Mikrobielle Lipasen setzen dabei Fettsäuren frei, durch deren Abbau aromawirksame Carbonyl-Verb. entstehen, die zusammen mit Peptiden den K.-Geschmack u. das *Käse-Aroma prägen.
Die bei den Weich-K. sich vollziehende Reifung geht von Enzymen aus, die von Mikroorganismen auf der Oberfläche des K. gebildet werden. Nach den auf der Oberfläche angesiedelten Mikroorganismen wird unterschieden zwischen Weich-K. mit Schmiere[5] (z. B. Romadur, Limburger) u. Weich-K. mit Oberflächenschimmel (Camembert, Brie). Schimmelpilze, insbes. der zur Herst. von Blau- u. Grünschimmel-K. eingesetzte *Penicillium roqueforti*, bauen kurz- u. mittelkettige Fettsäuren u. a. zu Methylketonen ab, die einen wesentlichen Beitrag zum Aroma liefern. Die Qualität von K. kann durch sog. K.-Fehler wie z. B. die Spät-

blähung u. die mikrobielle Bildung von bitter schmeckenden Peptiden nachteilig beeinflußt werden. *Geschichte:* Die ältesten bildlichen Darst. von Milch u. K. sind ca. 6000 Jahre alt u. stammen von den Sumerern. Eine erstaunliche Fertigkeit in der K.-Gewinnung hatten auch schon die Römer entwickelt. Im Mittelalter pflegten bes. die Klöster die K.-Herstellung. Der eigentliche Durchbruch zur K.-Wirtschaft gelang Ende des letzten, Anfang dieses Jh., nach der Erfindung der Zentrifuge u. als man damit begann, die Züchtung der Kühe auf Milchleistung auszurichten. Das Wort K. stammt vom latein. „caseus" ab.

Der Pro-Kopf-Verbrauch in der BRD einschließlich Schmelz-K. lag im Jahr 1995 bei 21,1 kg. – *E* cheese – *F* fromage – *I* formaggio – *S* queso)

Lit.: [1] Milchwissenschaft **42**, 787 ff. (1987); **43**, 71 – 75 (1988). [2] Mitt. Geb. Lebensmittelunters. Hyg. **78**, 106 – 132 (1987). [3] J. Dairy Sci. **68**, 2840 – 2846 (1985). [4] Lindner, Toxikologie der Nahrungsmittel (4.), S. 49 f., Stuttgart: Thieme 1990. [5] Dtsch. Molk. Ztg. **106**, 1706 – 1710 (1985).

allg.: Arch. Lebensmittelhyg. **36**, 18 – 22 (1985) ▪ Belitz-Grosch (4.), S. 479 – 485 ▪ Biss, Practical Cheesemaking, Malborough: Crowood Press 1986 ▪ Davies u. Law, Advances in the Microbiology and Biochemistry of Cheese and Fermented Milk, London: Elsevier 1984 ▪ Eck (Hrsg.), Cheesemaking: Science and Technology, New York: Lavoisier Publ. 1987 ▪ Fox (Hrsg.), Cheese: Chemistry, Physics and Microbiology (2 Bd.), London: Elsevier 1987 ▪ J. Dairy Sci. **68**, 531 – 540 (1985); **70**, 1748 – 1760, 1761 – 1769 (1987) ▪ J. Food Protect. **49**, 395 – 399 (1986) ▪ Kallweit et al., Qualität tierischer Nahrungsmittel, S. 263 – 270, Stuttgart: Ulmer 1988 ▪ Krämer, Lebensmittelmikrobiologie, S. 192 – 203, Stuttgart: Ulmer 1987 ▪ Lebensmitteltechnik **11**, 602 – 605 (1988) ▪ Lebensm. Technol. **21**, 9 ff., 34 – 44 (1988) ▪ Münster, Käse selbst gemacht: Gesundes aus der Milch von Kuh, Schaf u. Ziege, Schaafheim: Pala 1987 ▪ Prog. Ind. Microbiol. **19**, 245 – 283 (1984) ▪ Robinson (Hrsg.), Modern Dairy Technology, Vol. 2, Advances in Milk Products, S. 159 – 214, London: Elsevier 1986 ▪ Scott, Cheesemaking Practice (2.), London: Elsevier 1986 ▪ Ullmann (5.) **A 6**, 163 – 172 (1986) ▪ s. a. Milch. – *[HS 0406]*

Käse-Aroma. Die Ausbildung des K.-A. geht – abhängig von der *Käse-Sorte – mit einem mehr od. weniger langen Reifeprozeß einher u. erfolgt nahezu ausschließlich auf enzymat. bzw. biolog.-chem. Reaktionswegen. Dabei sind die Milchbestandteile Protein, Fett u. Lactose die wichtigsten Substrate für die Aromabildung. Zum K.-A. tragen sehr viele Verb., so z. B. Butandion u. Acetoin, Methylketone, freie Fettsäuren u. Aminosäuren, Amine, Peptide, Pyrazine, Phenole, Lactone u. flüchtige Schwefel-Verb. bei. Eine *impact compound des Aromas von Camembert ist das 1-Octen-3-ol, das für die Pilznote verantwortlich ist. In Käsen mit bakterieller Oberflächenreifung sind Phenol, Kresol u. Acetophenon sowie Methylthioester niederer Fettsäuren für das Aroma von Bedeutung. – *E* cheese flavor – *F* arôme de fromage – *I* aroma del formaggio – *S* aroma de queso

Lit.: Nahrung **24**, 71 – 83 (1980) ▪ Food Chem. **9**, 115 – 129 (1982) ▪ Milchwissenschaft **40**, 197 ff. (1985).

Käsepappel s. Malve.

Käsereihilfsstoffe. Sammelbez. für Stoffe, die weder der *Milch entstammen noch *Lebensmittel darstellen u. die bei der Herst. od. Verarbeitung von *Käse zur Korrektur der Milchbeschaffenheit bzw. zur Erzielung od. Aufrechterhaltung einer guten Käsequalität techn.

notwendig sind. Abgesehen von Kochsalz u. Enzymen gelten die übrigen K. als *Zusatzstoffe, z. B. Calciumchlorid als Zusatz zur Käsereimilch, um die *Casein-Fällung zu verbessern. Natrium- u. Kaliumnitrat, die in Schnittkäse durch Chlostridien verursachte Spätblähung verhindern sollen, zählen ebenso zu den K. wie die Konservierungsstoffe Kaliumsorbat, Nisin u. Natamycin. Bei der Herst. von Schmelzkäse werden die Salze der Milch-, Citronen- u. Phosphorsäure in Mengen von 2 – 3% zugesetzt, um beim Schmelzvorgang eine Eiweiß-Denaturierung u. Phasentrennung zu verhindern. Zu den K. zählen auch Ascorbate, Alginate u. a. *Verdickungsmittel sowie *Käsewachse. Die Art u. Menge der in der BRD zulässigen K. sind in der Käse-VO vom 14.4.1986 (BGBl. I, S. 412) geregelt. – *E* cheese making auxiliaries – *F* produits d'aide à la fabrication du fromage – *I* ausiliari di caseificio – *S* auxiliares para la fabricacion de queso

Käseschmelzsalze. Der Zusatz von K. führt zusammen mit der Einwirkung von Wärme dazu, daß während des Schmelzvorgangs aus dem unlösl. Gel des Labkäses (Paracaseincalcium) ein lösl. Sol (Paracaseinnatrium) wird, das fließfähig, homogen, pasteurisierbar u. abfüllbar ist. Als K. werden Lactate, Citrate u. v. a. Phosphate eingesetzt; s. a. Käsereihilfsstoffe u. Schmelzkäse. – *E* cheese melting salts – *F* sels fondants pour fromage – *I* fondente salifero per il formaggio – *S* sales de fusión para queso

Lit.: Dtsch. Milchwirtsch. (Leipzig) **27**, 1037 – 1041 (1984) ▪ Fachgruppe Lebensmittelchemie u. gerichtliche Chemie in der GDCh (Hrsg.), Phosphate. Anwendung u. Wirkung in Lebensmitteln, Hamburg: Behrs 1983.

Käsewachse. Bez. für *Wachse od. ähnliche Überzüge, die auf *Käse aufgebracht werden zum Schutz vor mikrobiellen, speziell pilzlichen Infektionen. Nach der Käse-VO vom 14.4.1986 (BGBl. I, S. 412) dürfen als K. Bienenwachs, natürliche Hartparaffine u. mikrokrist. Wachse – einzeln od. im Gemisch – zum Beschichten von Hartkäse, Schnittkäse u. halbfestem Schnittkäse mit geschlossener Rinde od. Haut verwendet werden. Natürlichen Hartparaffinen u. mikrokrist. Wachsen können niedermol. Polyolefine, Polyethylen, Polyisobutylen (bis zu 10%) od. Butyl- bzw. Cyclo-Kautschuk (bis zu 3%) zugesetzt werden. Kunststoffdispersionen auf der Basis von Polyethylen, Polyvinylester, Polyacrylsäureester u. Polymerisaten der Malein- u. Fumarsäureester sind zum Beschichten von Hartkäsen, Schnittkäsen u. halbfesten Schnittkäsen zugelassen. Zur Färbung von K. sind gemäß Zusatzstoffzulassungs-VO nur *Lebensmittelfarbstoffe (z. B. Rubinpigment BK = E 180) zugelassen. – *E* cheese waxes – *F* cire à fromage – *I* cere di formaggio – *S* ceras para queso

Kaffee. Die von der Fruchtschale vollständig u. von der Samenschale (Silber-Häutchen) nach Möglichkeit befreiten, rohen (Roh-K.) od. gerösteten (Röst-K.), ganzen od. zerkleinerten Samen von Pflanzen der Gattung *Coffea*, wie auch das daraus zubereitete Getränk. Nach der Kaffee-VO vom 12.2.1981 (BGBl. I, S. 225) darf Röst-K. einen Wasser-Gehalt von höchstens 50 g/kg aufweisen. K.-Extrakt (lösl. K., Instant-K.) muß nach dieser VO mind. 960 g/kg Trockenmasse enthalten, pastenförmiger 700–850 g/kg u. flüssiger 150–550 g/kg; letzterer darf außerdem bis zu 120 g Zucker (auch karamelisiert) enthalten. Zur Zusammensetzung von Instant-K. s. *Lit.*[1].

Der *K.-Strauch* (*Coffea arabica*, Rubiaceae, Labkrautgewächse) stammt ursprünglich aus Äthiopien. Er wächst bes. gut in trop. Gebieten (mittlere Jahrestemp. 15–25 °C, 600–1200 m über dem Meeresspiegel). Die *K.-Frucht* (K.-Kirsche) ist eine dunkelrote, kirschenähnliche, meist zweisamige Steinfrucht mit länglichen, annähernd bohnenförmigen Samen (K.-Bohnen), die bei einsamigen Früchten (10–15%) mehr rundlich sind (Perl-K.). Von den ca. 70 *Coffea*-Arten sind nur die beiden Arten *C. arabica* (rund 75% der Weltproduktion) u. *C. canephora* (rund 25% der Weltproduktion) von großer Bedeutung.

Zur Gewinnung des Roh-K. muß das Fruchtfleisch entfernt werden. Dies geschieht nach 2 Verf.: Bei der *trockenen Aufarbeitung* werden die K.-Früchte auf Trockenterrassen an der Sonne getrocknet u. anschließend mit Schälmaschinen das getrocknete Fruchtfleisch, die Pergamenthaut u. das Silber-Häutchen entfernt. Bei der *nassen Aufbereitung* wird im Pulper das weiche Fruchtfleisch von den K.-Kirschen abgequetscht. An den so behandelten Bohnen haften noch erhebliche Mengen Fruchtfleisch, die in einer 12–48stündigen Gärung durch K.-eigene Enzyme abgebaut werden u. dann durch Waschen leicht entfernt werden können. Die Bohnen werden getrocknet u. ebenfalls in Schälmaschinen weiter verarbeitet. Durch *Rösten bei Temp. von 200–250 °C erhält man aus dem Roh-K. den Röst-K. mit seinem typ. *Kaffee-Aroma. Während des Röstvorgangs gehen tiefgreifende Änderungen vor sich, die äußerlich u. a. durch Vol.-Zunahme (50–80%), Gew.-Minderung (Einbrand, 13–20%) sowie Struktur- u. Farbveränderungen gekennzeichnet sind[2]. Während in der Vergangenheit hauptsächlich Kontakt-Konvektions-Röst-Verf. (Röstzeit 6–15 min) angewendet wurden, überwiegen heute Kurzzeit-Röstverf. (Röstzeit 2–5 min). Zu Veränderungen von Eigenschaften u. Inhaltsstoffen des K. im Vgl. mit konventioneller Röstung s. *Lit.*[3,4]. Die chem. Zusammensetzung von Röst-K. kann, in Abhängigkeit von Sorte u. Röstgrad, erheblichen Schwankungen unterliegen. Gerösteter K. enthält u. a. 1,5–3,5% Wasser, ca. 9% Protein, ca. 30% Polysaccharide, ca. 1% Oligosaccharide, 11–15% Lipide, 4–5% Asche, 4–7% *Chlorogensäuren, 1–1,5% *Coffein sowie rund 30% derzeit noch unbekannte Bestandteile. Eine ausführliche Aufstellung der Inhaltsstoffe des K. findet sich in *Lit.*[5]. Für den sauren Geschmack des K.-Getränks sind v. a. die Essig- u. die Citronensäure verantwortlich[6]. Die mengenmäßig wichtigsten Säuren des K. sind die Chlorogensäuren. Dabei handelt es sich um Ester („Depside") aus *Kaffeesäure u. *Chinasäure. Die Hauptverb., 3-Caffeoylchinasäure, bildet teilw. einen hydrophoben π-Mol.-Komplex mit Coffein im molaren Verhältnis 1:1. Coffein ist im wesentlichen für die anregende Wirkung des K. verantwortlich[7]. Der Coffein-Gehalt einer Tasse K. schwankt zwischen 70–140 mg[8]. Die Bindung zwischen Coffein u. den Chlorogensäuren wird bereits im Magen gespalten u. das Coffein schnell in die Blut-

bahn überführt; beim Abbau im Organismus entstehen v. a. Methyl- u. Dimethylxanthine, Methyl- u. Dimethylharnsäuren. Da Coffein bei manchen Menschen bereits in relativ geringen Mengen unerwünschte physiolog. Wirkungen (Schlafstörungen, Herz- u./od. Kreislaufbeschwerden) hat, sind Verf. entwickelt worden, dem K. das Coffein weitgehend zu entziehen. Die entcoffeinierten Produkte beanspruchten 1994 einen Marktanteil von 16%. Eine Übersicht über die z. Z. gebräuchlichen Verf. der Entcoffeinierung gibt die folgende Tabelle.

Tab.: Verf. zur Entcoffeinierung des Kaffees.

„klass." Verf.	
Europa:	Extraktion mit organ. Lsm.
USA:	Extraktion mit Wasser, diesen Extrakt mit organ. Lsm. extrahieren
„moderne" Verf.	
Extraktion mit überkrit. CO_2 (70–90 °C, 100–200 bar), daraus an Aktivkohle adsorbiert	
Extraktion mit Wasser, daraus ebenfalls adsorbiert	

Die Analytik des Coffeins ist insbes. für entcoffeinierte K. wichtig, da diese gemäß Kaffee-VO nur noch höchstens 0,1% Coffein enthalten dürfen[9]. Neben Coffein enthält K. auch Stoffe, die bei empfindlichen Personen zu einer Reizung des Magens führen. Zur Entfernung dieser Stoffe wurden verschiedene Verf. entwickelt. Dabei wird versucht, durch Wasserdampfbehandlung der Rohbohne unter erhöhtem Druck bestimmte Stoffe (z. B. Röststoffe, K.-Wachse, phenol. Säuren) zu entfernen (sog. *Lendrich* od. *KVW-Verf.*, von Kaffee-Veredlungs-Werk Hamburg). Der Marktanteil dieser mildbehandelten Sorten lag 1994 bei 16%.

Über die physiolog. Wirkungen von K. herrscht noch keine endgültige Klarheit. So befassen sich zahlreiche Arbeiten mit der *Mutagenität des Kaffees[10,11,12]. Bei Bakterien, Insekten u. Säugerzellen werden manchmal schwache Effekte gefunden, die aber den Schluß zulassen, daß bei den vom Menschen konsumierten Dosen keine Gefahr besteht. Die Erhöhung des Blutcholesterin-Spiegels nach K.-Genuß ist weltweit umstritten[13,14]. Ein Zusammenhang zwischen K.-Genuß u. Herzinfarkt od. Bluthochdruck konnte bisher nicht nachgewiesen werden[15,16].

Geschichte: K. wird erstmals von dem arab. Arzt Rhazes (um 900 nach unserer Zeitrechnung) erwähnt; er war zuerst ein Nahrungsmittel, dann ein Arzneiprodukt, schließlich (ab etwa 1250) ein Getränk. Das Wort K. kommt möglicherweise vom arab. qahwah = Wein, vielleicht auch von der abessin. Landschaft Kaffa. Heute ist Roh-K. nach Erdöl das zweitwichtigste Welthandelsprodukt. Die Hauptanbaugebiete liegen in Süd- u. Mittelamerika, Westafrika u. Indonesien. Insgesamt wurden 1988 492 399 t Roh-K. in die BRD importiert. In der BRD wurden 1988 386 000 t Röst-K. u. 11 500 t lösl. K. hergestellt. Der Verbrauch wurde 1988 mit 189,3 L K.-Getränk pro Kopf angegeben u. sank 1992 auf 180 Liter. – *E* coffee – *F = S* café – *I* caffè

Lit.: [1] Banbury Rep. **17**, 21–43 (1985). [2] Lebensm. Ind. **33**, 278 f. (1986). [3] Kaffee Tee Markt **34** (4), 3–6 (1984). [4] Lebensmittelchem. Gerichtl. Chem. **39**, 25–29 (1985). [5] Prog. Clin. Biol. Res. **158**, 91–147 (1984). [6] Z. Lebensm. Unters. Forsch. **181**, 206–209 (1985). [7] Dews, Caffeine. Perspectives

from Recent Research, Berlin: Springer 1984. [8] Stavric et al., ACS. Agriculture and Food Chemistry Conference, 21 – 24 October 1984, Las Vegas, NV, Abstract Nr. 28. [9] J. Chromatogr. **291**, 453 – 459 (1984). [10] Food Chem. Toxicol. **22**, 971 – 975 (1984). [11] Environ. Mol. Mutagen. **11**, 195 – 206 (1988). [12] J. Agric. Food Chem. **37**, 881 – 886 (1989). [13] Kaffee Tee Markt **36** (12), 3 – 6 (1986). [14] Ernährung 12, 796 – 800 (1988). [15] Kaffee Tee Markt **36** (11), 3 – 7 (1986). [16] Dtsch. Med. Wochenschr. **111**, 1289 ff. (1986).
allg.: Belitz-Grosch (4.), S. 849 – 862 ▪ Castelein u. Verachtert, Coffee Fermentation in Biotechnology, in Rehm u. Reed (Hrsg.), Vol. 5, S. 587 ff. Weinheim: Verl. Chemie 1985 ▪ Chem. Unserer Zeit **18**, 17 – 23 (1984) ▪ Clarke u. Macrae, Coffee, Vol. 1 – 6, London: Elsevier Science Publisher 1985 – 1988 ▪ Clifford u. Willson (Hrsg.), Coffee: Botany, Biochemistry and Production of Beans and Beverage, Westport: AVI Publishing Company 1985 ▪ Debry, Coffee and Health, Montrouge: Libbey Eurotext 1994 ▪ Dtsch. Lebensm. Rundsch. **87**, 69 – 75 (1991) ▪ Garattini, Caffeine, Coffee and Health, New York: Raven 1993 ▪ 11. u. 12. Internat. Wissenschaftliches Kolloquium über Kaffee, Paris: ASIC 1985 u. 1987 ▪ Lebensmittelchem. Gerichtl. Chem. **43**, 25 – 33 (1989) ▪ Maier, Kaffee, Berlin: Parey 1981 ▪ Prog. Clin. Biol. Res. **158**, 75 – 89 (1984) ▪ Ullmann **9**, 147 – 158; (4.) **13**, 429 ff.; (5.) **A 7**, 315 – 339 ▪ Winnacker-Küchler (3.) **3**, 564 ff. ▪ Z. Lebensm. Unters. Forsch. **178**, 1 ff. (1984); **180**, 15 – 20 (1985); **182**, 1 – 7 (1986); **189**, 219 – 222 (1989) – *Zeitschriften:* Colloque International sur la Chimie du Café, Paris: ASIC (seit 1965). – *Organisationen:* Bundesverband der Hersteller von löslichem Kaffee, Am Sandtorkai 4, 20457 Hamburg ▪ Dtsch. Kaffee-Verband, Pickhuben 3, 20457 Hamburg ▪ Association Scientifique Internationale du Café (ASIC), 42, rue Scheffer, F-75016 Paris ▪ Bureau Européen du Café, 3 rue d'Assaut, Bruxelles ▪ Fachverband der Kaffeemittelindustrie, Reuterstr. 151, 53115 Bonn ▪ s. a. Coffein. – *[HS 0901]*

Kaffee-Aroma. Während der Röstung von Rohkaffee wird das typ., der Rohbohne fehlende K.-A. gebildet. Es besteht wie andere *Aromen aus einer Vielzahl von Komponenten, deren Nachw. u. Identifizierung heute vorwiegend mittels Gaschromatographie u. Massenspektroskopie erfolgt. Seit dem Beginn der achtziger Jahre wurden rund 150 neue Verb. identifiziert[1,2,3,4], so daß z.Z. rund 730 flüchtige Verb. im Röstkaffee bekannt sind. Der Gesamtaroma-Gehalt beträgt etwa 700 – 800 mg/kg. In Arabica-Handelsmischungen konnten 240 der wasserdampfflüchtigen Aromastoffe, entsprechend etwa 85 – 95 % des Gesamtaroma-Gehalts, quant. bestimmt werden[5]. Dabei überwiegen mengenmäßig die Furan-Derivate (38 – 45 %), gefolgt von Pyrazinen (25 – 30 %), Pyridinen (3 – 7 %), aliphat. u. aromat. Nicht-Heterocyclen (3 – 5 %), Pyrrolen (2 – 3 %), alicycl. Verb. (unter 0,5 %), Thiophenen (0,45 %), Thiazolen (0,15 %) u. Oxazolen (unter 0,15 %). Als essentielle Komponenten des K.-A. werden Schwefel-haltige Furan-Derivate u. Dithiolane angesehen. Zu diesen *impact compounds des K.-A. werden z.B. Kahweofuran (2,3-Dihydro-6-methylthieno[2,3-*c*]furan), 2-Ethylfuran u. Thiobutyrolacton gezählt. Sie besitzen einen röstig, schwefligen Aromacharakter. 2-Furylmethanthiol, das schon seit den zwanziger Jahren bekannt ist, besitzt im *Kaffee den größten Aromawert (15 000) dieser Verb.-Klasse. Der Gehalt Schwefel-substituierter Furan-Verb. nimmt während der Lagerung von Röstkaffee unter Luftzutritt zu, so daß dadurch der Altgeschmack erklärt werden könnte. Thiophene werden im Röstkaffee in erheblich höheren Konz. gebildet als Thiazole. Ihre Be-

deutung für das K.-A. ist noch nicht geklärt. Modellversuche zeigen, daß die Bildung zahlreicher Aromastoffe im Kaffee aus der Reaktion von Saccharose mit Serin od. Threonin erklärt werden kann. Näheres s. Lit.[6]. – *E* coffee flavor – *F* arôme de café – *I* aroma del caffè – *S* aroma de café
Lit.: [1] J. Agric. Food Chem. **29**, 1078 – 1082 (1981). [2] Chem. Mikrobiol. Technol. Lebensm. **7**, 28 – 32 (1981). [3] Z. Lebensm. Unters. Forsch. **185**, 362 – 365 (1987). [4] J. Agric. Food Chem. **35**, 340 – 346 (1987). [5] Chem. Mikrobiol. Technol. Lebensm. **10**, 176 – 187 (1987). [6] Z. Lebensm. Unters. Forsch. **184**, 478 – 484, 485 – 493 (1987).
allg.: Chem. Ind. (London) **1988**, 592 – 596 ▪ Lebensmittelchem. Gerichtl. Chem. **40**, 84 – 88 (1986) ▪ Prog. Food Nutrit. Sci. **5**, 71 – 79 (1981) ▪ Vernin u. Vernin, in Vernin (Hrsg.), Chemistry of Heterocyclic Compounds in Flavors Aromas, S. 72 – 150, Chichester: Ellis Horwood 1982.

Kaffeechinon s. Kaffeesäure.

Kaffee-Ersatz (Kaffeesurrogat). Nach der Kaffee-VO vom 12. 2. 1981 versteht man unter K.-E. ein Erzeugnis aus gerösteten Pflanzenteilen, das durch Aufgießen mit heißem Wasser ein kaffeeähnliches Getränk ergibt u. das dazu bestimmt ist, *Kaffee zu ersetzen.
Herst.: Zur Herst. von K.-E. kann eine Vielzahl von Ausgangsmaterialien verwendet werden, z. B. Gerste, Roggen, Sorghum-Hirse u. ä. Stärke-reiche Früchte, Gersten-, Roggen- u. Weizenmalz, Zuckerrüben u. a. Wurzelgewächse, Feigen, Datteln, Johannisbrot, Erdnüsse, Sojabohnen u. Eicheln. Die *Zichorie zählt gemäß der Kaffee-VO nicht zu den K.-E.-liefernden Pflanzen. In K.-E. dürfen geringe Mengen an Speiseölen u. -fetten, Zuckerarten, Melasse, Kochsalz u. Pflanzenauszügen enthalten sein. Die Rohstoffe werden nach dem Reinigen eingeweicht, gemälzt u. gedämpft. Dabei wird die vorhandene Stärke zu leicht karamelisierbaren Kohlenhydraten abgebaut. Die anschließende Röstung erfolgt bei Temp. bis zu 200 °C. Die hierbei gebildeten Röststoffe geben dem Getränk Farbe u. Aroma. Unter den Aromastoffen wurden zahlreiche der auch im *Kaffee-Aroma vorhandenen Komponenten gefunden. Der bekannteste u. wirtschaftlich nicht unbedeutende K.-E. ist der sog. *Malzkaffee*, bei dem es sich um die kandierten od. glasierten ganzen Körner von feucht geröstetem *Gersten-*Malz handelt. Charakterist. Bestandteil ist das *Maltol.
Insgesamt gesehen ist der Pro-Kopf-Verbrauch an K.-E. deutlich rückläufig (1965 31 L, 1992 6,4 L). In der gleichen Zeit stieg der Kaffee-Verbrauch dagegen von 105,4 L auf 180 L (1992). – *E* coffee surrogate – *F* surrogat, succédané de café – *I* surrogato di caffè – *S* sucedáneo de café
Lit.: Belitz-Grosch (4), S. 859 ff. ▪ Clare u. Macrae (Hrsg.), Coffee, Vol. 5, Related Beverages, London: Elsevier 1987.

Kaffeekohle. Bez. für eine *medizinische Kohle, die durch Totrösten von *Kaffee hergestellt u. gelegentlich noch gegen Verdauungsstörungen, Ruhr, Zahnfleischentzündungen etc. empfohlen wird, s. a. Aktivkohle u. medizinische Kohle. – *E* coffee coal – *F* charbon de café – *I* carbone di caffè – *S* carbón de café
Lit.: Hager (4.) **3**, 699.

Kaffeerost. Durch den Pilz *Hemileia vastatrix* verursachte Erkrankung des Kaffeestrauchs. Erkennbar an orangefarbenen Flecken auf der Unterseite der Blätter.

Zur Bekämpfung des K. werden noch immer Kupfer-haltige *Fungizide eingesetzt. – *E* coffee rust – *F* rouille du caféier – *I* malattia del caffè – *S* roya del cafeto

Lit.: Crop Protection **1**, 385–404 (1982).

Kaffeesäure ((*E*)-3,4-Dihydroxyzimtsäure).

R = H : Kaffeesäure
R = CH$_3$: Ferulasäure

$C_9H_8O_4$, M_R 180,15, gelbliche Krist., Schmp. 223–225 °C (Zers.), bildet ein Monohydrat. K. ist in kaltem Wasser schwer, in heißem Wasser u. Ethanol leicht lösl. u. reduziert Fe(III) zu Fe(II). K. ist eine weit verbreitete Pflanzensäure, auch in Form ihrer Ester (vgl. Chlorogensäure) u. Glykosiden. Ebenso ist *Ferulasäure* ($C_{10}H_{10}O_4$, M_R 194,19, Schmp. 174 °C) in vielen Pflanzen[1,2] enthalten. Die (*Z*)-Form der K. wird als *Iso-K.* bezeichnet. Sie findet sich bes. im Olivenöl u. in Erdnüssen. Die (*Z*)-Form der Ferulasäure ist ebenfalls ein Naturstoff.

Wirkung: K. wirkt wegen der leichten Oxidierbarkeit zum *o*-Chinon (*Kaffeechinon*, $C_9H_6O_4$, M_R 178,14) allergen. K. wird zum Nachw. von Eisen(III), Ferulasäure als Konservierungsmittel verwendet. – *E* caffeic acid – *F* acide caféique – *I* acido caffeico – *S* ácido cafeico

Lit.: [1] Pharm. Unserer Zeit **14**, 113 (1985). [2] Pharm. Unserer Zeit **13**, 68 (1984).

allg.: Beilstein E IV **10**, 1776 ▪ Karrer, Nr. 957 ▪ Nat. Prod. Rep. **12**, 101–133 (1995) ▪ Turner **2**, 11 f., 32 ▪ Zechmeister **35**, 83 ff. – *Biosynth.:* Phytochemistry **9**, 2115 (1970). – *[HS 2918 29; CAS 501-16-6 (K.); 4361-87-9 (Iso-K.); 15416-77-0 (Kaffeechinon); 537-98-4 ((E)-Ferulasäure); 1014-83-1 ((Z)-Ferulasäure)]*

Kaffee-Surrogat s. Kaffee-Ersatz.

Kaffeezusätze. Unter K. versteht der Gesetzgeber „gereinigte Pflanzenteile, Zuckerarten od. Mischungen dieser Stoffe in geröstetem Zustand, die dazu bestimmt sind, als Zusatz zu *Kaffee, *Zichorie od. *Kaffee-Ersatz verwendet zu werden". K. dürfen geringe Mengen von Speiseölen u. -fetten, Kochsalz, Melasse u. Pflanzenauszügen enthalten. – *E* coffee adjuncts – *F* additifs du café – *I* additivi del caffè – *S* aditivos del café

Kahanes Reagenz. Magnesiumacetat-Uranylacetat-Lsg. zur quant. Na-Bestimmung.

Herst.: In einer Mischung aus 51 mL abs. Ethanol u. 44 mL dest. Wasser löst man nacheinander 3,3 g Uranylacetat u. 10,2 g Magnesiumacetat u. fügt 2,2 g Eisessig hinzu. – *E* Kahane reagent – *F* réactif de Kahane – *I* reagente Kahane – *S* reactivo de Kahane

Kahmhaut. Aus Mikroorganismen gebildeter Film an der Oberfläche nährstoffreicher, stehender Flüssigkeiten, z. B. *Fruchtsäfte.

Kainat-Rezeptor s. Glutamat-Rezeptoren.

Kainit (Kainitit). KMg[Cl/SO$_4$] · 3 H$_2$O bzw. KCl · MgSO$_4$ · 3 H$_2$O, monoklin-prismat. krist. Mineral, Krist.-Klasse 2/m-C$_{2h}$, *Struktur* s. *Lit.*[1]. Gewöhnlich zuckerkörnige Aggregate u. derbe Massen, in reinstem Zustand weiß, häufig aber gelblich, seltener grau u. rot; nicht hygroskop.; H. 3, D. 2,1. K. löst sich in Wasser

sehr leicht, mit salzig-bitterem Geschmack; aus der Lsg. krist. *Schönit aus. Kalium ist oft z. T. durch Na ersetzt, so daß gewöhnlicher K. meist nur 12 – 15% K$_2$O enthält.

Vork.: In den perm. Salz-Lagern Norddeutschlands (Staßfurter Abraum-Salze) u. andernorts im Zechstein (*Erdzeitalter) Mitteleuropas (meist sek. aus *Kieserit, *Sylvin u. *Carnallit entstanden); ferner in New Mexico/USA u. Galizien/Polen. Verw. als *Kalidünger (für Futterrüben, Wiesen usw.). – *E* = *I* kainite – *F* kaïnite – *S* cainita

Lit.: [1] Am. Mineral. **57**, 1325–1332 (1972).

allg.: Ramdohr-Strunz, S. 615 f. ▪ Rösler, Lehrbuch der Mineralogie (4.), S. 671, Leipzig: VEB Dtsch. Verl. für Grundstoffind. 1988 ▪ Winnacker-Küchler (4.) **2**, 280 f. ▪ s. a. Evaporite u. Kaliumchlorid. – *[HS 3104 10; CAS 1318-72-5]*

Kainitit s. Kainit.

Kainsäure s. Domoinsäure.

Kairomone (von griech.: kairoma = befestigte Kette des Gewebes). Signalstoffe, die zwischen Individuen verschiedener Art wirken (im Gegensatz zu *Pheromonen; s. a. Insektenlockstoffe) u. deren Lockeffekt mit einem ökolog. Vorteil verbunden ist (Beisp.: Blütenduft-Stoffe). – *E* kairomones – *F* cairomone – *I* cairomoni – *S* cairomonas

Kaiser. Kurzbez. für das 1940 gegr. Unternehmen Kaiser Aluminum Corp., Houston, Texas 77 257. *Produktion:* Hüttenaluminium, Aluminium-Halb- u. -Fertigprodukte, Aluminiumoxid u. -fluorid. *Daten* (1995): 10 029 Beschäftigte, 1,7 Mrd. $ Umsatz.

Kaiser, Wolfgang (geb. 1925), Prof. für Experimentalphysik, TU München. *Arbeitsgebiete:* Laserphysik, ultrakurze Phänomene in der Mol.-Physik (Schwingungslebensdauern), Halbleiterphysik (Relaxation heißer Ladungsträger), Biophysik (ultraschnelle Ladungstrennung als Primärprozeß der Photosynth.).

Lit.: Kürschner (16.), S. 1686 ▪ Wer ist wer (35.), S. 696.

Kaiserling-Flüssigkeit s. Konservierung (anatom. Präp.).

Kaiser-Wilhelm-Gesellschaft s. Max-Planck-Gesellschaft.

Kajeputöl. Ether. Öl aus den in Australien u. Indonesien heim. *Melaleuca*-Arten (Myrtaceae), im Handel als dest. K. bzw. rektifiziertes Kajeputöl. Das K. wird durch Wasserdampfdest. aus Blättern u. Sprossen gewonnen, D. 0,915–0,932, Schmp. 50 °C, Geruch nach Eucalyptus u. *Campher. Enthält ca. 50% *Cineol sowie Nerolidol, Terpineol frei u. verestert, Valeraldehyd, Benzaldehyd, L-α-*Pinen, L-*Limonen, Dipenten, *Sesquiterpene, Sesquiterpenalkohole, Azulen. K. wirkt *in vitro* antimikrobiell u. als Anthelmintikum.

Verw.: Als Bestandteil von Fertigarzneimitteln gegen katarrh. Erkrankungen der Atemwege, bei neuralg. Beschwerden des Stütz- u. Bindegewebes u. zur Aufhellung in der Mikroskopie. – *E* cajeput oil – *F* essence de cajeput – *I* olio di caieput – *S* aceite de cajeput

Lit.: Braun-Frohne (6.), S. 361 ▪ Gildemeister **6**, 304–313 ▪ Hager (5.) **1**, 611 f. – *[HS 3301 29]*

Kakao. Unter K. versteht man das feinstgemahlene Erzeugnis, das aus den aufbereiteten Samen des K.-Baums (*Theobroma cacao*, Sterculiaceae) gewonnen u. als Grundstoff für die Herst. von *Schokolade u.

Schokoladenprodukten sowie K.-Getränken verwendet wird. Der Name kommt von aztek.: kakau (cacau) = K.-Kern, während das Wort xocoatl (xococ = sauer, herbwürzig u. atl = Wasser) für das ungesüßte K.-Getränk im Laufe der Zeit zu *Schokolade* wurde. Der aus Südamerika stammende K.-Baum wird heute hauptsächlich in den Tropengebieten von Mittelamerika u. Äquatorialafrika angebaut. Wegen seiner Empfindlichkeit gegen Sonne u. Wind wird er oft mit Schattenpflanzen (K.-Mutter) wie stehengebliebenen Urwaldbäumen, Bananen, Kokospalmen usw. kultiviert. Der in Plantagen auf 2–4 m Höhe beschnittene Baum trägt das ganze Jahr über gleichzeitig Blüten u. Früchte. Ein Baum liefert pro Jahr etwa 20–50 Früchte. Sie sind 15–25 cm lang, 7–10 cm dick, haben eine gurkenartige Form u. enthalten 25–50 Samen (Bohnen), die in ein schleimiges, 10% Glucose- u. Fructose enthaltendes Fruchtmus (Pulpa) eingebettet sind. Die Bohne selbst ist etwa 2 cm lang, 1 cm breit u. wiegt nach dem Trocknen weniger als 1 g.

Man kennt heute ca. 20 verschiedene Sorten des K.-Baums, von denen jedoch nur die beiden Sorten Criollo u. Forastero große wirtschaftliche Bedeutung haben.

Gewinnung: Bei der Ernte werden die vollreifen Früchte vom Baum geschnitten u. samt dem Fruchtmus aus der Schale gelöst. Anschließend werden die Füchte einer mehrtägigen Fermentation unterworfen. Zu Beginn der Fermentation werden die im Fruchtmus vorhandenen Zucker vergoren, wodurch die Temp. auf 45–50 °C ansteigt u. die Reaktion sauer (pH = 4,6) wird. Unter diesen Bedingungen verlieren die Samen ihre Keimfähigkeit u. die Zellwände werden zerstört. Sameneigene Proteasen bauen das Fruchtmus ab, das als Gärsaft abfließt. Gleichzeitig erfolgen Geschmacks-, Aroma- u. Farbbildung sowie die teilw. Oxid. u. Kondensation der adstringierend schmeckenden Gerbstoffe zu wasserunlösl. Brenzcatechin-Gerbstoffen (*Phlobaphene*), die für die braune Farbe des K. verantwortlich sind. Näheres s. *Lit.* [1]. Zur Zusammensetzung fermentierter, lufttrockener K.-Kerne s. die Tabelle.

Tab.: Zusammensetzung von Kakaokernen.

Bestandteil	Anteil [%]
Fett	54,0
Wasser	5,0
Rohprotein	11,5
Polyhydroxyphenole	6,0
Cellulose	9,0
Stärke	6,0
Mono- u. Oligosaccharide	1,0
Pentosane	1,5
Carbonsäuren	1,5
Coffein	0,2
Theobromin	1,2
Asche	2,6
sonstige Stoffe	0,5

Zum Vork. von *biogenen Aminen in K. s. *Lit.* [2]. Die fermentierten Bohnen werden getrocknet u. von Fremdstoffen befreit. Beim anschließenden Rösten sinkt der Wassergehalt auf 2%; Essigsäure, Essigsäureester u. a. unerwünschte Aromastoffe werden entfernt, die mikrobielle Belastung verringert. Bes. Be-

deutung hat der Röstprozeß für die Bildung des *Kakao-Aromas u. die Vertiefung der Farbe. Es hat sich gezeigt, daß für eine optimale Aromabildung relativ enge Temp.-Bereiche – je nach K.-Sorte zwischen 110 u. 130 °C – eingehalten werden müssen [3]. Die analyt. Bestimmung des Röstgrades von K. kann mit Hilfe von Leitsubstanzen wie dem Dihydroxymaltol erfolgen [4]. Nach dem Abkühlen werden die gerösteten Bohnen zu K.-Bruch gebrochen u. die Schalen u. Keimwürzelchen entfernt. Im Anschluß daran werden die K.-Kerne zerkleinert u. vermahlen, wobei eine homogene, fließfähige Masse, die K.-Masse entsteht. Um den Geschmack durch teilw. Abstumpfung der Säure zu mildern, die Farbe zu vertiefen u. das K.-Pulver benetzbar zu machen, wird der K.-Kernbruch alkal. aufgeschlossen. Dieses Verf. wurde 1928 von C. I. van Houten eingeführt. Als Aufschlußmittel sind gemäß der Kakao-VO in der Form vom 21.3.1983 (BGBl. I, S. 107) Alkalicarbonate u. a. alkal. reagierende Stoffe (z. B. Magnesiumoxid, Kaliumhydroxid, Ammoniumhydroxid) zugelassen. Der Aufschluß bewirkt, daß die Stärke verquillt, die sauren Anteile neutralisiert werden u. das Zellgefüge gelockert wird. Die so aufgeschlossene K.-Masse enthält, ebenso wie normale K.-Masse, 52–58% *Kakaobutter. Um aus der Masse K.-Pulver herzustellen, wird ein Teil des Fettes unter hohem Druck abgepreßt. Der dabei entstehende, steinharte Preßkuchen wird dann zu K.-Pulver vermahlen. Je nach Fettgehalt unterscheidet man K.-Pulver mit mind. 20% K.-Butter-Gehalt u. stark entöltes K.-Pulver mit mind. 8% K.-Butter-Gehalt. K.-Pulver wird als Halbfabrikat sehr vielseitig weiterverwendet, so z. B. zur Herst. von Puddingpulver, Füllmassen u. Getränken. Bei der Herst. von *Schokolade geht man dagegen von nicht aufgeschlossener K.-Masse aus.

Geschichte: In Zentralamerika wurden K.-Bäume bereits zu Beginn des 12. Jh. angepflanzt. Die Azteken bauten K. schon lange vor der Eroberung durch die Spanier an. Zwar ist der K. bereits zu Kolumbus Zeiten erwähnt, doch wurde er erst durch Cortez um 1530 in Europa eingeführt. Im Mittelalter wurde K. nicht für sich allein, sondern nur zusammen mit Gewürzen (Paprika, Anis, Nelken, Zimt usw.) verzehrt. Beliebt wurde das Getränk erst, als man begann, es zu süßen. Von Spanien aus wurde das K.-Getränk Mitte des 17. Jh. nach Italien, Frankreich, Holland u. England gebracht.

Die Welterzeugung an K. liegt heute bei etwa 2 Mio. t/a. Dabei ist die Republik der Elfenbeinküste der größte K.-Erzeuger, gefolgt von Brasilien. – *E* cocoa, cacao – *F* cacao, chocolat – *I* = *S* cacao

Lit.: [1] Lebensmittelchem. Gerichtl. Chem. **37**, 57–63 (1983); J. Sci. Food Agric. **36**, 583–598 (1985). [2] Gordian **87**, 223 f. (1987). [3] Lebensmittelchem. Gerichtl. Chem. **32**, 27–31 (1978). [4] Z. Lebensm. Unters. Forsch. **185**, 188–194 (1987). *allg.:* Beckett (Hrsg.), Industrial Chocolate Manufacture and Use, London: Blackie 1988 ■ Belitz-Grosch (4.), S. 870–876 ■ Can. J. Food Sci. Technol. **14**, 269–282 (1981) ■ Chem. Mikrobiol. Technol. Lebensm. **12**, 52–57 (1989) ■ Hager **6 c**, 89–107 ■ J. Sci. Food Agric. **36**, 289–296 (1986) ■ Kramer u. Härtlein, Technologie der Kakaoerzeugnisse, Leipzig: Fachbuchverl. 1981 ■ Lebensmittelchem. Gerichtl. Chem. **43**, 49–55 (1989) ■ Minifie, Chocolate, Cocoa, And Confectionery (3.), New York: Van Nostrand 1989 ■ Reed (Hrsg.), Biotechnology Vol. 5, S. 529–575, Weinheim: Verl. Chemie 1983 ▪ Ullmann (5.) **A 7**, 23–37 ▪ Wood u. Lass, Cocoa (4.), London: Longman 1987 ▪ Z. Lebensm. Unters. Forsch. **185**, 114–118 (1987) ▪ Z. Zucker- u. Süßwarenwirtschaft **37**, 154–162 (1984). – *Organisationen:* International Cocoa Trades Federation. Cereal House, 58, Mark Lane, London EC3R 7NE. – *[HS 1805 00]*

Kakao-Aroma. Das eigentliche K.-A. entsteht erst beim schonenden Rösten (110–130 °C) des fermentierten *Kakaos. Frische Kakaobohnen besitzen einen Essig-artigen Geruch u. Geschmack. Im Verlauf der Fermentation der Kakaobohnen werden freie Aminosäuren, Peptide u. reduzierende Zucker gebildet[1]. Diese haben sich als wesentliche Aromavorstufen für das K.-A. erwiesen. Es ist geprägt durch eine Vielfalt von Ester-artigen, karamell-nussigen bis herben kakaotyp. Geruchsnoten. Gegenwärtig sind mehr als 450 im Röstkakao gefundene Verb. bekannt, die mehr od. weniger stark an der Ausbildung des K.-A. beteiligt sind. Die Tab. gibt einen Überblick über Art u. Anzahl der im K.-A. nachgewiesenen Verbindungen[2].

Tab.: Art u. Anzahl der Verb. im Kakao-Aroma.

47	Kohlenwasserstoffe
28	Alkohole
24	Aldehyde
41	Ketone
57	Ester
27	Stickstoff-haltige Verb.
15	Schwefel-haltige Verb.
53	Säuren
7	Phenole
14	Pyrrole
9	Pyridine, Choline
80	Pyrazine, Chinoxaline
7	Thiazole
11	Oxazole
34	Furane, Lactone

Es gilt als gesichert, daß die Bildung des K.-A. im wesentlichen durch die *Maillard-Reaktion bzw. durch deren Folgereaktionen erfolgt. Eine Verb., die als *impact compound für das K.-A. bezeichnet werden könnte, ist bisher nicht bekannt, jedoch gibt es Stoffgruppen, wie z. B. die 2-Phenyl-2-alkenale u. Piperazin-2,5-dion-Theobromin-Komplexe (Molverhältnis 1 : 2), die einen Beitrag zum K.-A. leisten. Das K.-A. kann durch Fehlaromen (z. B. „schimmelig", „bitter") nachteilig beeinflußt werden[3]. Während für das Fehlaroma „schimmelig" Methylketone verantwortlich gemacht werden, scheinen zu hohe Konz. der Purine u. Diketopiperazine für das Fehlaroma „bitter" verantwortlich zu sein.
Bei der Herst. von *Schokolade erfolgt die Umwandlung vom herben K.-A. zum feineren Schokoladen-Aroma in einem als „Conchieren" bezeichneten Verf.-Schritt. Die Geschmacksverfeinerung erfolgt dabei im wesentlichen durch Verminderung flüchtiger Aromastoffe[4]. – *E* cocoa flavor – *F* arôme de cacao – *I* aroma del cacao – *S* aroma de cacao
Lit.: [1] Lebensmittelchem. Gerichtl. Chem. **37**, 57–63 (1983). [2] Lebensmittelchem. Gerichtl. Chem. **43**, 49–55 (1989). [3] Gordian **89** (9), 169 ff. (1989). [4] Hoskin u. Dimick, in Beckett (Hrsg.), Industrial Chocolate Manufacture and Use, S. 108–121, London: Blackie House 1988.

allg.: Gordian **85** (6), 119 ff. (1985) ▪ Lebensmittelchem. Gerichtl. Chem. **37**, 63–69 (1983) ▪ Süßwaren Tech. Wirtsch. **28**, 422–426 (1984) ▪ s. a. Aromen u. Kakao.

Kakaobutter (Kakaoöl). K. ist das Fett der Kakaobohne. Es ist in den Speicherkeimblättern lokalisiert (50–58%) u. fällt als Nebenprodukt der Kakao-Fabrikation an. K. ist eine schwach gelblich gefärbte, etwas nach *Kakao riechende Masse, D. 0,975, VZ 192–197. Sie bildet 6 Krist.-Formen mit Schmp. zwischen 17,3 u. 36,3 °C; Näheres s. *Lit.*[1]. K. enthält ca. 25% Palmitin-, 37% Stearin-, 34% Öl- u. 3% Linolsäure, sie schmilzt im Mund mit deutlich kühlem Geschmack. Vermutlich wird das Schmelzverhalten von K. durch die Glycerid-Struktur bedingt. Sie besteht zu weniger als 1% aus gesätt. Triglyceriden, dagegen zu ca. 80% aus ungesätt. Oleoglyceriden (50% Oleopalmitostearin, 25% Oleodistearin) u. zu ca. 20% aus Dioleoglyceriden (Palmitodiolein u. Stearodiolein). Im unverseifbaren Teil der K. konnten bis jetzt 39 Sterine u. Triterpenalkohole identifziert werden[2]. Der Nachw. einzelner Sterine kann als Hinweis der Verfälschung von K. mit *Kakaobutter-Austauschfetten herangezogen werden[3].
Verw.: Als Schokoladenzusatz (v. a. bei Milchschokolade u. Kuvertüren), Grundmasse von Zäpfchen, Salben usw. – *E* cocoa butter – *F* beurre de cacao – *I* burro di cacao – *S* manteca de cacao
Lit.: [1] Fette Seifen Anstrichm. **83**, 249–254 (1981). [2] Fette Seifen Anstrichm. **87**, 150–155 (1985). [3] Dtsch. Lebensm. Rundsch. **78**, 73–77 (1982).
allg.: Belitz-Grosch (4.), S. 575 f. ▪ DAB **10** ▪ Gordian **87**, 77–82 (1987) ▪ s.a. Fette u. Öle u. Kakao. – *[HS 1804 00]*

Kakaobutter-Austauschfette. Spezialfette, die einer der *Kakaobutter vergleichbare Fettsäure-Zusammensetzung u. Glycerid-Struktur aufweisen. Sie können Kakaobutter teilw. ersetzen, ohne sensor. u. verarbeitungstechn. Eigenschaften neg. zu beeinflussen. Natürliche Pflanzenfette mit Kakaobutter-ähnlicher Zusammensetzung (z. B. Borneotalg, Sheabutter u. Mowrah-Butter) stehen nur sehr begrenzt zur Verfügung, weshalb die Verw. von Fett-Fraktionen aus pflanzlichen u. tier. Fetten wie Palmöl, Rinder- u. Hammeltalg größere Bedeutung hat. – *E* cocoa butter equivalents – *F* succédané de beurre de cacao – *I* grassi intercambiabili del burro di cacao – *S* grasas sucedáneas de la manteca de cacao
Lit.: Lebensm. Ind. **31**, 82 ff. (1984). – *[HS 1804 00]*

Kakaoöl s. Kakaobutter.

Kakerlaken s. Schaben.

Kaki (Kakipflaume, Chines. bzw. Japan. Dattelfeige, Dattelpflaume od. Persimone). Tomaten-ähnliche, orange- bis gelbfarbene Beerenfrucht des aus der Ukraine stammenden, bis ca. 8 m hohen K.-Baums (*Diospyros kaki*, Ebenaceae), der in subtrop. Regionen (Mittelmeergebiet, Ostasien, USA) kultiviert wird. Die K.-Frucht hat bes. in überreifem Zustand ein weiches, fast zerfließendes, sehr süß schmeckendes Fruchtfleisch. Je 100 g eßbarer Anteil enthält im Mittel 78,6 g Wasser, 20 g Kohlenhydrate (als Zucker), 0,7 g Eiweiß, 0,4 g Fett, außerdem ca. 4,5–6,5 mg Carotinoide, von denen das Provitamin-A-akt. *Cryptoxanthin mit 30–35% den Hauptbestandteil stellt. In Abhängigkeit von der Sorte enthalten K. auch größere Mengen Gerbsäuren.

Verw.: Frisch zu Obstsalat, für Quarkspeisen, als Marmelade, getrocknet als sog. *K.-Feigen,* in der Volksmedizin gegen Schilddrüsenerkrankungen. – *E* kaki, persimmon – *F* kaki – *I* cachi – *S* kaki, caqui

Lit.: Franke, Nutzpflanzenkunde, 5. Aufl., Stuttgart: Thieme 1992.

Kako... Von griech.: kakós = übel, schlecht abgeleitete Vorsilbe entsprechender Bedeutung, s. die folgenden Beispiele. *Gegensatz:* Eu... – *E* = *F* = *I* = *S* caco...

Kakodyl... Veralteter Name für das Präfix *Dimethylarsino...,* s. a. Arsine u. Kakodyloxid.

Kakodyloxid [Oxybis(dimethylarsin)]. Bildet sich als äußerst unangenehm riechende (griech.: kakodes = stinkend), selbstentzündliche Flüssigkeit, Schmp. –25 °C, Sdp. 120 °C beim Erhitzen von *Arsenik mit Natriumacetat:

$$As_2O_3 + 4\,H_3C\text{-}COONa \rightarrow$$
$$(H_3C)_2As\text{-}O\text{-}As(CH_3)_2 + 2\,Na_2CO_3 + 2\,CO_2.$$

Die Reaktion findet Anw. in der qual. Analyse als *K.-Probe* auf Arsen od. Essigsäure. Von K. leiten sich Kakodylchlorid, $(H_3C)_2As\text{-}Cl$ u. a. sehr reaktionsfähige Verb. ab. Sie enthalten den Kakodyl-Rest $(H_3C)_2As\text{-}$ (systemat.: Dimethylarsino...), der als dimeres Kakodyl $(H_3C)_2As\text{-}As(CH_3)_2$ isoliert werden kann; s. Arsine. – *E* cacodyl oxide – *F* oxyde de cacodyle – *I* cacodilossido – *S* óxido de cacodilo – *[CAS 503-80-0]*

Kakosmophore s. Riechstoffe.

Kakothelin (= Cacothelin, 2,3-Dihydro-4-nitro-2,3-dioxo-9,10-secostrychnidin-10-säure).

$C_{21}H_{21}N_3O_7$, M_R 427,41. Das chinoide Nitro-Derivat des *Strychnins bildet gelbe, in Wasser kaum lösl. Krist.; es wird als Redoxindikator (z. B. für Sn-Bestimmungen) u. als Nachw.-Reagenz für Metalle wie Sn, V, Ca, Fe(III) usw. benutzt. – *E* cacotheline – *F* cacothéline – *I* = *S* cacotelina

Lit.: Beilstein E III/IV **27**, 8014 ▪ Fries-Getrost, S. 136, 350 ▪ Merck-Index (12.), Nr. 1641 ▪ Z. Analyt. Chem. **153**, 346 (1956); **155**, 334 (1957). – *[HS 2939 90; CAS 561-20-6]*

Kaktus-Alkaloide. Man kennt ca. 2000 Kakteen-Arten (Stammsukkulenten, vgl. Sukkulenten) trop. u. subtrop. Wüstengebiete, von denen einige *Halluzinogene enthalten, z. B. die in Mexiko beheimateten *Lophophora*-Arten, die zusammen mit anderen halluzinogenen Kakteen als *Peyotl od. „Peyote" bezeichnet werden. Sie enthalten ca. 5% Alkaloide wie *Meskalin, Anhalonin, *Lophophorin, Pellotin (Peyotin, s. Anhalonium-Alkaloide) u. a., vorwiegend *Isochinolin-Alkaloide u. *Phenylethylamine. Unter den Farbstoffen der Kakteenblüten finden sich mehrere *Betalaine, z. B. *Indicaxanthin. – *E* cactus alkaloids – *F* alcaloïdes du cactus – *I* alcaloidi del cactus – *S* alcaloides del cactus

Lit.: J. Chem. Ecol. **13**, 2069–2081 (1987) ▪ J. Nat. Prod. **47**, 839–845 (1984); **49**, 735 ff. (1986) ▪ Pharm. Unserer Zeit **14**, 129–137 (1985) ▪ Phytochemistry **22**, 1263–1270, 2101 f. (1983) ▪ s. a. Isochinolin-Alkaloide u. Rauschgifte. – *[HS 2939 90]*

Kaktusfeigen. Gelbe od. rote, z. T. stachelige, sehr saftige Beerenfrüchte des 3–4 m hoch werdenden Feigenkaktus (*Opuntia ficus-indica*, Cactaceae). Das kernreiche Fruchtfleisch enthält ca. 11% Zucker, 0,1% Säure, 6% Eiweiß, 1,3% Cellulose, 0,27% Fett u. verschiedene *Betalaine (bes. Indicaxanthin). Es erinnert geschmacklich an Melonen u. Birnen u. wird frisch verzehrt od. zur Bereitung eines berauschenden Getränkes benutzt. Der Feigenkaktus selbst, dessen Stengelglieder einen Traganth-ähnlichen Gummi u. Polysaccharid-Schleime enthalten u. daher ausgezeichnete Wasserspeicher sind, dient – bes. in seinen stachelarmen Zuchtformen – als wertvolles Viehfutter in Trockenzeiten. – *E* indian figs – *F* figues de Barbarie – *I* fichi d'India – *S* higos chumbos

Lit.: Brücher, Tropische Nutzpflanzen, S. 405 f., Berlin: Springer 1977. – *[HS 0810 90]*

Kala-Azar s. Leishmaniosen.

Kalabarbohnen s. Calabarbohnen.

Kalamität (Plage). Von latein.: calamitas = Schaden hergeleitete Bez. für die Schadphase bei der Massenvermehrung (s. Massenentwicklung) von (tier.) Schädlingen in der Agrarwirtschaft. – *E* calamity – *F* calamité – *I* calamità – *S* calamidad

Lit.: Börner, Pflanzenkrankheiten u. Pflanzenschutz, S. 28–31, Stuttgart: Ulmer 1983.

Kalander (von griech.: kylindros über französ.: calandre = Walze). Anordnung von mehreren, typischerweise übereinander angebrachten, ggf. kühl- od. heizbaren Walzen, die meist als Ganzmetallwalzen, auch mit ebasl. Beschichtungen z. B. aus Baumwolle, Papier, Gummi od. Kunststoff ausgeführt sind. K. dienen zur pressenden u. walzenden Bearbeitung von Papier, Kautschuk (zur *Mastikation), Folien (zum *Kaschieren), in der Textil-Ind. zur *Appretur u. Appretur-Nachbehandlung von Geweben, Gewirken u. Gestricken sowie zum Kaschieren od. Beschichten von Geweben z. B. für Fußbodenbeläge. Beim Bearbeitungsprozeß durch *Kalandern (Kalandrieren)* wird die Ware unter geeigneten Walzendrücken, -temp. u. -antriebsgeschw. in definierter Bahn zwischen den K.-Walzen hindurchgeführt, wobei sie bestimmte Dicken-, Dichte- od. Transparenzwerte od. auch Oberflächeneffekte wie Glanz, Glätte, Prägungen usw. erhält. Die Art der gewünschten Wirkung bzw. des zu bearbeitenden Materials führen zu vielen Spezialausführungen der K. wie Präge-, Roll-, Friktions-, Chintz-, Gaufrier-, Chaising-, Satinier-K. etc. – *E* calenders – *F* calandres – *I* calandra – *S* calandria

Lit.: Encycl. Polym. Sci. Eng. **2**, 1985, 607–622 ▪ Ullmann (5.) A **11**, 88 f. ▪ Winnacker-Küchler (4.) **6**, 470, 594 ff.

Kaldo-Verfahren. Verf. der Eisen-Metallurgie zum *Frischen von *Stahl, bei dem Sauerstoff mit einer Lanze in einem unter einem Winkel von 25° schräggestellten, drehbaren Tiegel (Kaldo-Rotor) mit einem flachen Winkel auf die Schmelzoberfläche geblasen wird[1], heute ersetzt durch moderne Sauerstoff-Blas-

verf. mit besserer Wirtschaftlichkeit u. höherer Stahlreinheit, wie *LD-, *LDAC- u. *OBM-Verfahren. In der Nichteisen-Metallurgie ist das K.-V. als TBRC (*Top-Blown-Rotary-Converter*)-Verf. beispielsweise zur Verhüttung von Blei-Konzentraten noch üblich[2]. – *E* Kaldo process – *F* procédé Kaldo – *I* processo di Kaldo – *S* procedimiento Kaldo
Lit.: [1] Lueger, Lexikon der Hüttentechnik, Bd. 5, S. 302, Stuttgart: DVA 1963. [2] Winnacker-Küchler (4.) **4**, 444.

Kali. Sammelbez. für die natürlich vorkommenden *Kalisalze, die sich von arab.: al Kali = Pflanzenasche ableitet. Im Jahr 1758 entdeckte Marggraf, daß es zwei verschiedene *Alkalien gibt, nämlich ein aus Kochsalz-reichen Strandpflanzen bei der Verbrennung gewonnenes Alkali (Soda) u. ein aus Weinstein u. Holzasche gewonnenes (Pottasche). Das erstere nannte er *vegetabil.* od. *Pflanzen-Alkali*, das zweite dagegen *mineral. Alkali*. Klaproth fand 1796, daß man Marggrafs Pflanzen-Alkali auch aus Mineralien gewinnen kann. Einige Zeit später ließ man den arab. Artikel „al" weg u. bezeichnete mit *Kali* das Pflanzenkali von Marggraf. Mit % Kali od. % K_2O erfolgt in der Kali-Ind. u. im Handel die Gehaltsangabe von *Kalisalzen, gleichgültig, ob es sich um Sylvin, Carnallit od. a. handelt. Das analyt. bestimmte Kalium wird auf K_2O umgerechnet (Umrechnungsfaktor: 1,2045). *Beisp.:* Sylvin, KCl: 52,44%, K = 63,2% K_2O. Die Angabe K_2O ist hier die Größe, mit der verschiedene Kalisalze wertmäßig verglichen werden; sie gibt keinen Hinweis darauf, ob die betreffende chem. Verb. tatsächlich O (=Sauerstoff) enthält. – *E* potash – *F* potasse – *I* potassa – *S* potasa – *[HS 3104 10]*

Kaliammonsalpeter. Mischdünger aus Ammoniumnitrat u. Kaliumchlorid, enthält 16% N u. 28% K_2O od. 18% N u. 25% K_2O. K. ist für alle Böden (bes. bei Roggen u. Hafer) geeignet. – *E* potassium ammonium nitrate – *I* nitrato d' ammonio potassico – *S* salitre amónico-potásico
Lit.: Ullmann (4.) **7**, 521; (5.) **A 2**, 252 ■ s. a. Düngemittel, Kalisalze.

Kalibleichlauge s. Kaliumhypochlorit u. Eau de Javelle.

Kalibrieren. 1. Vgl. von Maßen (Gewichte, Vol.-, Längenmaße u. dgl.) u. Meßgeräten (Waagen, Mengenzähler, Stoppuhren u. v. a.) mit Normalen. Betrifft dieser Vorgang Geräte für im öffentlichen Verkehr durchgeführte Messungen, so spricht man von Eichen. Eichungen u. Prüfungen von Meßgeräten werden von den Eichämtern u. staatlich anerkannten Prüfstellen vorgenommen, die ihre Normale an die *Physikalisch-Technische Bundesanstalt* (PTB) als oberste Eichbehörde anschließen.
Auch für Meßgeräte, die nicht den Bestimmungen des amtlichen Meßwesens unterliegen, besteht oft die Notwendigkeit, sie prüfen u. kalibrieren zu lassen, u. sie auf staatliche Normale höchster Genauigkeit zurückzuführen. Der vom Staat u. der Wirtschaft gemeinsam betriebene *Deutsche Kalibrierdienst* (DKD) kalibriert in seinen von der PTB anerkannten, d. h. akkreditierten Laboratorien diese Meßgeräte u. stellt darüber Zertifikate aus, die von den Staaten innerhalb Europas anerkannt werden.

2. Kalibrieren von Analysenverfahren. Zur Bestimmung eines Analyten auf der Grundlage einer analyt. Messung muß prinzipiell jedes Analysenverf. kalibriert werden. Bei der Kalibrierung wird die Intensität des analyt. Signals in Abhängigkeit von der Masse, dem Gehalt od. der Konz. des Analyten in einem *Standard durch eine Kalibrierfunktion, in der Regel eine Gerade, modelliert. – *E* calibrate – *F* calibrage – *I* calibrare – *S* calibrar

Kali-Chemie Kurzbez. für die 1899 gegr. Firma Kali-Chemie AG, 30173 Hannover. Seit 1.1.90 Beherrschungsvertrag mit Solvay Deutschland GmbH. 1991 hat die dtsch. Solvay-Gruppe ihre Organisationsstruktur neu geordnet. Die Deutsche Solvay-Werke GmbH u. die Kali-Chemie AG wurden unter der Oberges. Solvay Deutschland AG, Hannover, zusammengeführt. Die Ges. übernimmt Dienstleistungen für Tochterges. bzw. ehem. Beteiligungsgesellschaften.

Kali-Chemie Akzo GmbH. Sitz 30 173 Hannover, die 1960 gegr. Firma stellt Schwefel (Crystex®) her. An der Firma sind zu jeweils gleichen Teilen die Kali-Chemie AG u. Akzo Nobel Chemicals S. A., Genf beteiligt.

Kali-Chemie Pharma GmbH. Sitz 30 173 Hannover. Die 100%ige Tochterges. der *Kali-Chemie stellt Arzneimittel her. Tochterges. (100%): Giulini Pharma GmbH, Lyssia GmbH.

Kalidünger. *Kalium ist ein unentbehrlicher Nährstoff für alle Pflanzen, in denen es in Ionen-Form z. T. in größeren Mengen vorkommt (z. B. enthält Asche aus Kartoffelknollen ca. 60% K_2O). In den Pflanzen fördert K. v. a. den notwendigen Quellungszustand der Plasmakolloide u. aktiviert verschiedene Enzymsysteme. Da mit den Ernten Jahr für Jahr große Mengen der Kalisalze dem Boden entzogen werden, muß man das verlorene Kali durch *Düngung wieder zuführen. Die K. bestehen aus aufgearbeiteten *Kalisalzen, die als Kali-Einzeldünger angeboten werden (Kainit, Kalidüngesalz, Kalimagnesia, Kaliumchlorid u. Kaliumsulfat), u. die in verschiedenen Korngrößen u. K_2O-Gehalten (s. hierzu Kali) zwischen 25 u. 62% erhältlich sind. Auch Mehrnährstoff- (NK-, PK-) u. Volldünger (NPK-Dünger) werden produziert, s. Düngemittel. – *E* potassium fertilizers – *F* engrais potassiques – *I* concime potassico – *S* fertilizantes potásicos
Lit.: Kirk-Othmer (4.) **10**, 77–80, 475–478 ■ Ullmann (4.) **10**, 246 ■ s. a. Düngemittel. – *[HS 3104. .]*

Kalifeldspäte s. Feldspäte.

Kaliglimmer s. Muscovit.

Kalignost®. *Natriumtetraphenylborat zum Nachw. von K, Rb, Cs, NH_4 u. Alkaloiden. *B.:* Heyl.

Kaliko s. Nessel.

Kalilauge. Lsg. von *Kaliumhydroxid in Wasser; die Lsg. von Kaliumhydroxid in Alkoholen heißt *alkohol. K.*, sie ist v. a. für *Verseifungen wichtig. Die wäss. K. des *Deutschen Arzneibuchs enthält etwa 15% Kaliumhydroxid, D. 1,135. K. ist klar, farblos, bläut roten Lackmus, ätzt die Haut u. gibt beim Kochen mit Fetten Seife. Die K. wird am besten in Gefäßen mit Kautschuk- od. Kunststoffstopfen aufbewahrt, da sich

Glasstöpsel im Flaschenhals leicht festsetzen. Es ist für guten Verschluß zu sorgen, weil sonst Kohlendioxid aus der Luft aufgenommen wird u. die K. hierbei allmählich in eine Kaliumcarbonat-Lsg. übergeht:

$$2\,KOH + CO_2 \rightarrow K_2CO_3 + H_2O.$$

Normal-K. (s. Normallösungen) enthält in einem Liter Lösung genau 1 Mol festes KOH (56,11 g). Verd. K. der Konz. 1–5% muß mit dem Gefahrensymbol „Reizend" gekennzeichnet werden, während K. >5% mit dem Gefahrensymbol „Ätzend" zu kennzeichnen ist. Bei 0°C lösen sich 97, bei 20°C 112 u. bei 100°C 178 g Kaliumhydroxid in je 100 g Wasser. Eine 10%ige K. hat die D. 1,09, die 20%ige 1,18, die 30%ige 1,29 u. die 50%ige 1,51. Man kann die D. einer K. mit dem *Aräometer bestimmen u. die Konz. in Tab. nachschlagen. Eine genauere Konz.-Bestimmung ergibt die *Titration mit Normal-Salzsäure unter Verw. von Methylorange als Indikator (*Alkalimetrie), vgl. Maßanalyse.
Verw.: In der Seifen-Ind. (Schmierseifen, Rasierseifen), Photographie (Entwickler-Alkali zum Ansatz des 4-Aminophenol-Entwicklers, zur Ablösung der Gelatine-Schicht von Glasplatten), zur Pottasche-Herst., Farbstoff-Synth. u. Elementaranalyse (Absorption von Kohlendioxid); mengenmäßig wird sie in der Anw. von Natronlauge erheblich übertroffen. – *E* potash lye – *F* solution de potasse caustique – *I* lisciva di potassa – *S* solución de potasa cáustica
Lit.: s. Kaliumhydroxid. – *[HS 2815 20; CAS 1310-58-3 (KOH)]*

Kalimagnesia (Schwefelsaure Kalimagnesia, Kaliummagnesiumsulfat, Patentkali). Ein *Kalidünger, der aus einem entwässerten Gemisch von *Schönit ($K_2SO_4 \cdot MgSO_4 \cdot 6\,H_2O$), *Langbeinit ($K_2SO_4 \cdot 2\,MgSO_4$) od. *Leonit ($K_2SO_4 \cdot MgSO_4 \cdot 4\,H_2O$) od. auch aus einer Mischung von *Kieserit ($MgSO_4 \cdot H_2O$) u. *Kaliumsulfat besteht u. einen Mindestgehalt von 25% K_2O u. 8% MgO aufweist. K. wird im Frühjahr u. Herbst als Spezialdüngemittel auf mittleren u. schweren bis moorigen Böden verwendet. – *E* potash magnesia – *F* potasse magnésique – *I* magnesia potassica – *S* magnesia potásica
Lit.: Ullmann (4.) **10**, 221 f.; **13**, 483; (5.) **A 10**, 348 ▪ Winnacker-Küchler (4.) **2**, 349 ▪ s. a. Düngemittel. – *[HS 3104 30]*

Kalinine s. Laminine.

Kalinor®. Brausetabl. mit Kaliumcitrat, -hydrogencarbonat u. Citronensäure, K. retard P Kapseln mit Kaliumchlorid gegen Kalium-Mangelzustände. *B.:* Knoll Deutschland.

Kalipenie s. Kalium (physiolog. Eigenschaften).

Kalisalpeter. Neben Nitrokalit u. *Salpeter althergebrachter Name für natürlich als Mineral vorkommendes KNO_3, s. a. Kaliumnitrat; krist. rhomb., Krist.-Klasse mmm-D_{2h}, Krist. nur synthet. bekannt. Farblose od. weiße bis graue, nadelige bis haarförmige, glasglänzende Aggregate, körnige Krusten, auch mehlig; mehrere Spaltbarkeiten, Bruch muschelig, spröde; H. 2, D. 1,9–2,1, sehr leicht löslich. Im Unterschied zum Na-Salpeter (*Natriumnitrat) nicht hygroskop.; K. war deshalb zur Herst. von *Schwarzpulver begehrt.
Vork.: K. entsteht überwiegend unter Mitwirkung von Mikroorganismen aus tier. Abfällen; in manchen Kalk-

höhlen als Bodenausblühung, z.B. mehrorts in den USA, in Nord-Chile, Bolivien, Nordafrika, Aragonien/Spanien u. Ungarn. – *E* (potassium) saltpeter, niter (amerikan.), saltpetre, nitre (engl.) – *F* salpêtre – *I* salnitro, nitrato di potassio – *S* salitre, nitrato de potasio
Lit.: Ramdohr-Strunz, S. 563 f. ▪ Roberts, Campbell u. Rapp, Encyclopedia of Minerals (2.), S. 611, New York: Van Nostrand Reinhold 1990 ▪ s. a. Kaliumnitrat. – *[CAS 7757-79-1]*

Kali & Salz. Kurzbez. für die 1889 gegr., später in Salzdetfurth AG umbenannte u. seit 1972 unter dem jetzigen Namen firmierende Kali und Salz Beteiligungs-AG (K + S), 34 111 Kassel, an der die BASF zu 75% beteiligt ist. Wichtige *Tochter- u. Beteiligungsges.:* Kali u. Salz GmbH (51%), Deutsches Kalisyndikat (83%). *Daten* (1994): 9310 (K + S-Gruppe) Beschäftigte, 250 Mio. DM Kapital, 95 Mio. DM Umsatz. *Produktion:* Kalisalz, Steinsalz, Düngemittel, anorgan. Chemikalien, insbes. von Kalium, Magnesium, Natriumchlorid.

Kalisalze. Diese Salze, die unpräzise als *Kali, früher z.T. auch als (Staßfurter) *Abraumsalze bezeichnet wurden, sind die Rohstoffe für *Kalidünger. Sie haben sich in großen Salz-Lagerstätten gebildet, die in fast allen geolog. Epochen entstanden. In Deutschland waren deren Bildungs-Bedingungen während der Zechsteinzeit (vor über 240 Mio. Jahren) am günstigsten. Damals gab es im heutigen Norddeutschland mehrere große, flache Meeresbecken, die vom offenen Ozean durch Meerengen u. zeitweilige z.T. untermeer. Barren getrennt waren. Bei dem heißen, trockenen Klima der Zechsteinzeit schieden sich die im Meerwasser gelösten Salze am Boden der Meeresbecken aus, u. zwar nach dem Prinzip der *fraktionierenden *Kristallisation*: Zuerst Tonsedimete (Salzton), hierauf nacheinander Carbonate (Kalk, Dolomit), Sulfate (Gips, Anhydrit), Steinsalz (oft kilometerdicke Schichten) u. zuletzt die verschiedenen Kalium- u. Magnesium-Salze. Am Aufbau der K.-Lager sind hauptsächlich *Sylvin, *Carnallit u. *Kieserit beteiligt.

Tab.: Kalisalze.

Sylvin	KCl
Carnallit	$KCl \cdot MgCl_2 \cdot 6\,H_2O$
Kainit	$KCl \cdot MgSO_4 \cdot 3\,H_2O$
Polyhalit	$K_2SO_4 \cdot MgSO_4 \cdot 2\,CaSO_4 \cdot 2\,H_2O$
Glaserit	$3\,K_2SO_4 \cdot Na_2SO_4$
Langbeinit	$K_2SO_4 \cdot 2\,MgSO_4$
Schönit	$K_2SO_4 \cdot MgSO_4 \cdot 6\,H_2O$
Leonit	$K_2SO_4 \cdot MgSO_4 \cdot 4\,H_2O$
Syngenit	$K_2SO_4 \cdot CaSO_4 \cdot H_2O$

Bevorzugt abgebaut werden die Sylvin-Gesteine, nämlich *Sylvinit* (Steinsalz mit Sylvin) u. *Hartsalz* (Steinsalz mit Sylvin u. Kieserit od. Anhydrit).
In Deutschland finden sich Kali-Vork. bei Magdeburg (Staßfurt), in Anhalt, im Werra- u. Südharzgebiet. Im Hannoverschen Gebiet liegen die Kali-Horizonte meist in 2000–4000 m Tiefe; sie können nur an den Stellen abgebaut werden, an denen das Zechstein-Salz mit seinen Kali-Flözen in bergbaulich erreichbare Regionen emporgedrungen ist. Die oberrhein. Lagerstätten gehören dem Tertiär an. Einen Überblick über La-

gerstätten, Gewinnung, Aufarbeitung etc. in der BRD gibt das Bergbau-Hdb. (*Lit.*[1]). Die ehem. UdSSR u. die USA sind mit dem Ausbau verschiedener K.-Fundstätten in ihrer Kali-Versorgung autark. Eines der reichsten K.-Vork. der Erde wurde 1962 in Saskatchewan (Kanada) in Abbau genommen; nach Schätzungen liegen die Reserven dieses Lagers bei 4,2 Mrd. t K. mit einem Reinkali-Gehalt von 25–35% K_2O. Beim Erschließen dieser Fundstätten wurde auch das Aussol-Verf. *(Solution Mining)* entwickelt, wobei man eine Bohrung bis zur Schicht der K. vortreibt, diese mit Wasser herauslöst u. die Sole nach oben pumpt. Damit können auch K. mit niedrigem K_2O-Gehalt wirtschaftlich gewonnen werden, z. B. KCl aus Staßfurter Carnallit-Salzen (8–9% K_2O, im Vgl. zu Hartsalz mit 12–15% K_2O; s. *Lit.*[2]). Große K.-Vorräte enthält das Tote Meer (schätzungsweise 1,5 Mrd. t KCl, dazu 16 Mrd. t $MgCl_2$ u. 0,5 Mrd. t Brom-Salze), die durch Eindunstenlassen in Salz-Gärten genutzt werden. Eine Möglichkeit, K. aus *Meerwasser zu gewinnen, bietet das *Kjelland-Verfahren.

Bei der Verarbeitung der konventionell geförderten Kali-Rohsalze (zur Kali-Rohsalz-Verarbeitung s. a. *Lit.*[1]) werden nach Zerkleinerung des Materials *Löse*- u. vielfach damit kombiniert *Flotations-Verf.* sowie die *elektrostat. Trockentrennung* angewandt. Bei Flotations-Verf. nutzt man die spezif. Affinität einer Mischung aus Palmityl-, Stearyl- u. Oleylaminen (aus Rindertalg herstellbar) für KCl-Krist., beim Heißlöseverf. die bei verschiedenen Temp. unterschiedliche Löslichkeit der Rohsalz-Bestandteile aus. So kann eine bei 25–30°C gesätt. Steinsalz-Lsg. nach Erhitzen auf 100–110°C eine erhebliche Menge Kaliumchlorid auflösen, während die Aufnahmefähigkeit für Steinsalz sich kaum ändert.

Der Zusammensetzung des zu verarbeitenden Rohsalzes paßt man sich durch spezielle Verf.-Schritte an, z. B. bei der *Flotation durch selektiv wirkende Sammler u. Hilfsreagenzien. Beim neu entwickelten elektrostat. Verf. wird das feingemahlene Rohsalz mit sog. Konditionierungsmitteln (Carbon- od. Sulfonsäuren) versetzt, wonach es sich leicht durch Luftreibung elektrostat. aufladen läßt. Die unterschiedlich geladenen Kochsalz-, Magnesiumsulfat- u. K.-Krist. läßt man anschließend zwischen Kondensatorplatten herabrieseln, wobei die Körnchen unterschiedlich abgelenkt werden. So gelingt es, auf völlig trockenem Wege das Rohsalz in seine verschiedenen Bestandteile zu zerlegen, vgl. auch *Lit.*[3]. Die Aufarbeitung der K. ergibt ein umfangreiches Sortiment von *Kali-Düngern; als wichtige Nebenprodukte sind z. B. Magnesiumsulfat, -oxid. -chlorid sowie Bromide wie auch Rubidium-Salze zu erwähnen.

Von der gesamten Kali-Rohsalz-Förderung verbleiben oft mehr als ¾ als Rückstand, der unter Tage als Versatz untergebracht od. über Tage zu weißen Halden deponiert wird. Die bei den Löseverf. entstehenden Salz-Abwässer (pro t K. etwa 20 m^3) führen zu Entsorgungsproblemen; zur Verschmutzung der Werra bzw. des Rheins durch Abwässer der Kali-Ind. s. *Lit.*[4]. Eine umweltfreundliche Beseitigung ist durch die Versenkung der Abwässer in geolog. Formationen möglich, sofern diese nach oben u. unten durch Tonschichten abgedichtet sind. Beträchtlich vermindert wurden die Abwassermengen mit Einführung der Trockentrennung (s. oben), mit der heute etwa die Hälfte aller in der BRD geförderten Kali-Rohsalze aufbereitet wird. Die Hohlräume ausgebeuteter Salz-Lager bieten sich als Endlagerstätten (zur *Entsorgung* für bestimmten Ind.-Müll u. *radioaktive Abfälle (Gorleben) an.

Geschichte: Die ersten K.-Lager wurden entdeckt, als eine seit dem Mittelalter auf Speisesalz verarbeitete Salzsole im Harzgebiet um 1850 allmählich versiegte u. man dort 1852–1856 einen Schacht anlegte, um das Salz bergmänn. zu gewinnen. Da man sich damals nur für das Kochsalz interessierte, mußte man zuerst die bitter schmeckenden oberen Kalium- u. Magnesium-Salze beiseite räumen u. nannte sie deshalb Abraumsalze. Diese wurden zunächst ungenutzt auf die Halden geworfen, aber nach einer Anregung von J. von Liebig entstand schon 1861 die erste K.-Fabrik, in der Kali-Verb. für landwirtschaftliche u. industrielle Zwecke gewonnen wurden. Vor dem 1. Weltkrieg lieferte Deutschland 96% der Weltproduktion an Kalisalzen. Im Jahr 1988 betrug die Weltförderung an K. (berechnet als K_2O) 32,1 Mio t; davon entfielen auf die ehem. UdSSR 35,2%, Kanada 25,1%, die ehem. DDR 10,9%, die BRD 7,1%, Frankreich 5,2%, die USA 4,7% u. Israel 3,9% (*Lit.*[5]). Einen Überblick über den dtsch. Kali-Markt gibt *Lit.*[6]. Die Weltvorräte werden auf über 10^{10} t (berechnet als K) geschätzt. – *E* potash salts – *F* sels potassiques naturels – *I* sali potassici – *S* sales potásicas, sales de potasa

Lit.: [1] Das Bergbau-Handbuch (5.), Essen: Glückauf 1994. [2] Phosphorus and Potassium, Nr. 167, S. 26–32 (1990). [3] Chem. Ing. Tech. **53**, 916–924 (1981); **55**, 39–45 (1983); Kali-Steinsalz **9**, 287–295 (1986). [4] Naturwiss. Rundsch. **34**, 389 f. (1981); Pure Appl. Chem. **29**, 345–364 (1972). [5] British Geological Survey, World Mineral Production 1984–88, Preliminary Statistics, Nottingham: Keyworth 1989. [6] Phosphorus and Potassium, Nr. 166, S. 17 ff. (1990).

allg.: Büchner et al., Industrial Inorganic Chemistry, S. 208–214, Weinheim: VCH Verlagsges. 1989 ▪ Dreyer, Underground Storage of Oil and Gas in Salt Deposits and Other Non-Hard Rocks, Stuttgart: Enke 1982 ▪ Gmelin, Syst.-Nr. 22, K, Anhang-Bd. Ozeanische Salzablagerungen, 1942; Erg. Bd. 1970 ▪ Huske u. Fulda, Kali, Leipzig: Grundstofind. 1990 ▪ Kirk-Othmer (4.) **19**, 1058–1092 ▪ Ullmann (5.) A **22**, 39–103 ▪ Winnacker-Küchler (4.) **2**, 268–333, 349 ▪ Zharkov, History of Paleozoic Salt Accumulation, Berlin: Springer 1981. – *Zeitschrift:* K + S-Information, Werkzeitschrift der Kali-und-Salz AG, Kassel. – *Organisationen:* Kaliverein, 30159 Hannover ▪ International Potash Institute, Schneidergasse 27, CH-4051 Basel. – *[HS 3104 10]*

Kaliseife. Gelblichbraune, weiche, schlüpfrige, durchscheinende Masse, die sich in der doppelten Menge Wasser od. Alkohol (zu sog. *Kaliseifenspiritus*) klar od. fast klar löst u. in der Medizin als Hautreinigungs- u. mildes Desinfektionsmittel, veterinärmedizin. gegen Räudemilben u. Glatzflechte noch beschränkte Anw. erfährt. – *E* potash soft soap – *F* savon mou, savon de potasse – *I* sapone potassico – *S* jabón potásico

Lit.: s. Seifen.

Kalitrans®. Brausetabl. mit Kaliumhydrogencarbonat bzw. Retard-Kapseln mit Kaliumchlorid gegen *Kalium-Mangel. **B.:** Fresenius.

Kalium. Chem. Symbol K, metall. Element, Ordnungszahl 19, Atomgew. 39,0983±0,0001 (s. *Lit.*[1]), das natürlicherweise aus den Isotopen 39 (93,2581%), 40 (0,0117%) u. 41 (6,7302%) besteht. Daneben sind künstliche Isotope u. Isomere ^{37}K bis ^{45}K mit HWZ zwischen 0,95 s u. 22,4 h bekannt. Das K.-Isotop 40 ist radioaktiv (β^-- u. β^+-Strahler, HWZ 1,3 Mrd. a); es hat sich im Laufe der letzten 2 Mrd. Jahre unter Aussendung von β-Strahlen großenteils in das Calcium-Isotop 40 umgewandelt, das heute rund 97% des Ca ausmacht. Auch das Überwiegen des Ar-Isotops 40 in der Erdatmosphäre wird auf die Bildung aus diesem Isotop zurückgeführt, vgl. a. Kalium-Argon-Methode. K. ist stets 1-wertig, entsprechend seiner Stellung in der 1. Gruppe (*Alkalimetalle) des *Periodensystems. D. 0,862 (20°C), Schmp. 63,65°C, Sdp. 774°C. K. zeigt v. a. große Ähnlichkeit mit *Natrium u. *Rubidium, den beiden senkrechten Nachbarn im Periodensystem. Da das K$^+$-Ion farblos ist, sind auch die K.-Verb. ungefärbt, sofern nicht das Anion farbig ist (z. B. Kaliumdichromat u. Kaliumpermanganat). Das K.-Atom besitzt ein einsames Außenelektron, das sich nicht nur leicht anregen (*Leuchtelektron), sondern infolge seines großen Kernabstands auch leicht ablösen läßt, wobei K$^+$ entsteht (s. a. Atombau u. Ionen). Unter bes. Bedingungen läßt sich K. auch in das Anion überführen (*Lit.*[2]). Graphit bildet mit K. Einlagerungsverb. (vgl. Graphit-Verb.), weshalb die elektrolyt. Herst. des K. an Kohle-Elektroden mit Schwierigkeiten verbunden ist.
Metall. reines K. wird z. B. in Form von grauschwarzen zylindr. Stücken unter Mineralöl gehandelt u. aufbewahrt, da es mit Wasser sofort lebhaft reagiert u. an der Luft nacheinander in K.-oxid, K.-hydroxid u. K.-carbonat übergeht. Die frischen Schnittflächen des wachsweichen, leicht schneidbaren K. glänzen silbrig-bläulich wie angeschnittenes Blei; der Glanz verliert sich in wenigen Sekunden infolge Oxid. (Vorsicht! K. nur mit trockenen, kalten Geräten berühren!). Wirft man ein etwa weizenkorngroßes Stückchen von metall. K. vorsichtig in eine mit kaltem Wasser gefüllte Schüssel, so schmilzt es sofort wie das Natrium zu einem Kügelchen zusammen, das zusehends kleiner wird u. mit einem rotvioletten Flämmchen (brennender Wasserstoff, durch mitgerissene K.-Dämpfe gefärbt) immer rascher auf dem Wasser umherschießt. Hierbei findet zwischen K. u. Wasser folgende Reaktion statt:

$$2\,K + 2\,H_2O \rightarrow 2\,KOH + H_2;$$

das Wasser reagiert nachher alkal., weil sich Kalilauge gebildet hat. Metall. K. verbrennt sogar auf Eis mit intensiver, bes. gut durch ein *Cobalt-Glas beobachtbarer violetter *Flammenfärbung. Dies kann man zur Flammenspektroskopie ausnutzen (*Lit.*[3]). Die qual. Analyse des K. kann mit Hilfe schwerlösl. Salze wie K.-perchlorat, K.-hexanitrocobaltat od. mikroanalyt. als K.-hexachloroplatinat bzw. K.-Kupfer-Bleihexanitrit erfolgen (*Lit.*[4]). Aufgrund des ähnlichen Ionenradius stören allerdings Ammonium-Ionen die Nachweise. Die quant. Bestimmung kann u. a. gravimetr. od. titrimetr. mit Natriumtetraphenylborat, mit *ionenselektiven Elektroden od. durch *Atomabsorptionsspek-

troskopie vorgenommen werden[5]. Die Neigung des K., ebenso wie andere *Alkalimetalle mit Kronenethern, Kryptanden u. *Makrolid-Antibiotika Komplexe zu bilden, ist nicht nur zum Verständnis physiolog. K.-Transportvorgänge wichtig, sondern läßt sich auch zur Analyse u. sogar zur Isotopentrennung ausnutzen (*Lit.*[6]).
Physiolog. Eigenschaften: K. spielt im tier. u. pflanzlichen Organismus eine sehr wichtige Rolle. Es wird von den Pflanzenwurzeln in stärkerem Maße als andere Kationen aufgenommen – das Salzkraut (*Salsola kali*) enthält 20% K., aber kein Natrium! Ein Teil des K. liegt als freies K$^+$ im Zellsaft vor u. beeinflußt osmot. Vorgänge in der Zelle (Wasserhaushalt der Pflanze). Ein anderer Teil des K. ist an die Plasmakolloide in den Pflanzenzellen gebunden u. bewirkt zusammen mit anderen Kationen einen für die Stoffwechselvorgänge günstigen Quellungszustand. K. ist unentbehrlich für die Photosynth. u. Atmung, es aktiviert eine Reihe von Enzymen. K.-Mangel führt u. a. zur Anreicherung von Zuckern in den Pflanzen, während es zur Verminderung der Cellulose-Bildung kommt; deshalb muß K. durch Düngung zugeführt werden, s. a. Kalidünger, Düngemittel u. Düngung. Im tier. Organismus steigern K$^+$-Ionen Glykolyse, Lipolyse, Gewebsatmung u. die Synth. von Proteinen u. Acetylcholin. In all diesen Fällen pos. Katalyse wirken Na$^+$-Ionen antagonist., d. h. sie hemmen die erwähnten Vorgänge. Innerhalb der Zellen ist der K.-Gehalt hoch (hier befinden sich immerhin 98% der im menschlichen Körper gebundenen 140 g K), außerhalb dagegen der Natrium-Gehalt. Einstellung u. Aufrechterhaltung des Konz.-Gefälles K/Na in der Zelle erfolgen durch die *Natrium-Kalium-ATPase; das Gefälle ist verantwortlich für die Einstellung des osmot. Drucks in den Zellen, für die Erregbarkeit von Muskeln u. Nerven u. für die Flüssigkeitsausscheidung. Im Harn wird das Verhältnis K/Na durch *Aldosteron u. a. *Mineralcorticosteroide* (s. Corticosteroide) reguliert. Der minimale Tagesbedarf des Menschen liegt bei 0,8 g, die durchschnittliche Zufuhr mit der Nahrung bei 2–4 g/d. K.-Mangel (*Hypokaliämie* od. *Kalipenie*, s. *Lit.*[7]) macht sich bes. durch Appetitverlust, Muskelschwäche, Herzrhythmusstörungen u. Digitalis-Überempfindlichkeit, K.-Überschuß (*Lit.*[8]) dagegen durch Auftreten von Muskelkrämpfen bemerkbar. Stoffe, welche die Salz-Ausschüttung mit dem Harn verstärken, nennt man *Sal(idi)uretika. Aufgrund seiner vielfältigen Wirkungsstätten ist K. also ein lebenswichtiges Element, das dem Körper ggf. therapeut. in Form flüssiger K.-Präp. (K.-acetat, -hydrogencarbonat, -citrat, -chlorid etc.) zugeführt werden muß.
Vork.: Infolge seiner außerordentlichen Reaktionsfähigkeit kommt K. in der Erdkruste nur in Form von Verb. vor, sein Anteil an der obersten, 16 km dicken Schicht der Erdkruste beträgt etwa 2,41% (Natrium 2,63%); es gehört also zu den 10 häufigsten Elementen der Erdkruste. Wahrscheinlich haben sich die K.-Verb. infolge ihres geringeren spezif. Gew. mehr an der Erdoberfläche angereichert; dafür spricht, daß sich K. nicht mit Eisen (Erdkern) legieren läßt, daß die Eisen-Meteorite kein K. enthalten, wohl aber die Stein-

Meteoriten. Kalifeldspat (K[AlSi$_3$O$_8$], *Orthoklas) u. Kaliglimmer (KAl$_2$[OH,F]$_2$[AlSi$_3$O$_{10}$], *Muscovit) sind wichtige Bestandteile vieler Erstarrungsgesteine (Granite, Quarzporphyre usw.). Bei der Verwitterung der Erstarrungsgesteine wird das in den *Feldspäten chem. gebundene K. großenteils in lösl. Verb. überführt. Diese wandern aber nicht (wie die in ähnlicher Menge u. auf ähnliche Weise entstehenden Natrium-Verb.) ins Meer, sondern sie werden von den Calcium-Zeolithen der *Böden gebunden u. gegen Calcium-Verb. ausgetauscht. Deshalb findet man z. B. in den *Sedimentgesteinen etwa 2,3%, im *Meerwasser dagegen nur 0,038% chem. gebundenes Kalium. Relativ viel K. wird von den Pflanzen aufgenommen (Kartoffeln, Tabak, Rüben sind bes. K.-reich); bei der Verbrennung dieser Pflanzen hinterbleibt eine K.-carbonat-reiche Asche (Pottasche – von diesem Begriff leiten sich die engl. u. franzos. Namen „potassium" ab). In abgeschnürten Meeresbecken od. eingetrockneten Binnenmeeren finden dagegen erhebliche Anreicherungen an K.-Verb. statt; *Beisp.:* Großer Salzsee in den USA (2,4% K.-Salze), Kara-Bogas-Bucht am Kasp. Meer (5,2%), Totes Meer (3,5%). Über die bedeutenden K.-Vork. in Salz-Lagerstätten u. deren Entstehung s. Kalisalze.

Herst.: Durch Red. von geschmolzenem K.-chlorid mit Natrium:

$$KCl + Na \rightarrow K + NaCl.$$

Dabei wird Na-Dampf von 870 °C in einer Füllkörperkolonne der KCl-Schmelze entgegen geleitet. Das sich bildende Metalldampf-Gemisch wird im oberen Teil der Kolonne fraktioniert u. die entstandene NaCl-Schmelze unten abgezogen. Ein anderes Verf. besteht in der Umsetzung von K.-fluorid mit Calciumcarbid bei 1000–1100 °C:

$$2 KF + CaC_2 \rightarrow CaF_2 + 2 C + 2 K.$$

Früher ausgeübte Verf. der Schmelzflußelektrolyse von K.-hydroxid od. -chlorid werden heute nicht mehr durchgeführt; Näheres zur präparativen Herst. u. Reinigung s. *Lit.*[9].

Verw.: Metall. K. spielt in der Technik nur eine geringfügige Rolle. Die Weltproduktion ist mit ca. 200 t/a (~0,1% der Natrium-Produktion) unbedeutend; es ist fast überall durch das billigere u. leichter zu handhabende Natrium verdrängt worden. Man braucht K. noch am häufigsten in der organ. Synth., z. B. bei der Herst. K.-organ. Verbindungen. Als selektives Red.-Mittel u. für Alkylierungen kann K.-Graphit (s. Graphit-Verb.) eingesetzt werden. Als erstaunlich vielseitiges Reagenz hat sich auf SiO$_2$ aufgezogenes K. erwiesen (*Lit.*[10]); zur umfangreichen präparativen Anw. von K. s. *Lit.*[11]. Von der leichten Abspaltbarkeit des Außenelektrons des K. machte man bei den Alkali-Photozellen Gebrauch, die entweder eine K.- od. Cäsium-Schicht enthielten u. anfangs in der Tonfilm- u. Fernsehtechnik verwendet wurden. Wegen ihrer guten Wärmeleitfähigkeit dienen K. u. K.-Natrium-Leg. als Kühlmittel in Kernreaktoren. In der Medizin spielt das Radioisotop ^{42}K als Tracer-Element eine Rolle. Die weitaus wichtigste Anw. aller K.-Verb. bildet der Einsatz der Kalisalze als Düngemittel.

Geschichte: s. Kalisalze u. Natrium. – *E = F* potassium – *I* potassio – *S* potasio

Lit.: [1] J. Phys. Chem. Ref. Data **24**, 1561 (1995). [2] Pure Appl. Chem. **61**, 1555–1562 (1989). [3] Z. Chem. **19**, 383 f. (1979). [4] Chem. Labor Betr. **26**, 98–102 (1975). [5] Townshend, Encyclopedia of Analytical Science, S. 4101–4105, London: Academic Press 1995. [6] Helv. Chim. Acta **65**, 1687–1693 (1982). [7] Blum u. Classen, Aktuelle Probleme der Kalipenie, Aulendorf: Cantor 1978. [8] Am. Rev. Med. **33**, 521–554 (1982). [9] Brauer (3.) **2**, 935–950. [10] Angew. Chem. **93**, 1123 f. (1981). [11] Synthetica **1**, 225–229.
allg.: Aitken, Sodium and Potassium in Nutrition of Mammals, Slough: Commonwealth Agric. Bureau 1976 ■ Annu. Rev. Biophys. Bioeng. **7**, 1–18 (1978) ■ Annu. Rev. Nutr. **1**, 69–94 (1981) ■ Annu. Rev. Physiol. **41**, 241–256 (1979) ■ Braun-Dönhardt, S. 214 ■ DAB **10**, Komm. ■ Giebisch (Hrsg.), Potassium Transport Physiology and Pathophysiology, Orlando: Academic Press 1987 ■ Gmelin, Syst.-Nr. 22, K, 1936–1938; Erg.-Bd. 1970 ■ Hart u. Beumel, The Chemistry of Lithium, Sodium, Potassium, Rubidium, Cesium and Francium, Oxford: Pergamon 1975 ■ Hommel, Nr. 304 ■ Kernan, Cell Potassium, New York: Wiley 1980 ■ Kirk-Othmer (4.) **19**, 1047–1057 ■ Ludewig u. Lohs, Akute Vergiftungen, S. 246 ff., Stuttgart: Fischer 1981 ■ Natrium u. Kalium in Medikamenten u. Nahrungsmitteln, Berlin: Arzneimittel Inform. Dienst 1982 ■ Seldin u. Giebisch (Hrsg.), The Regulation of Potassium Balance, New York: Raven Press 1989 ■ Snell-Bieri **17**, 353–411 ■ Sparks, in Stewart (Hrsg.), Potassium Dynamics in Soils, Advances in Soil Science, Bd. 6, S. 1–63, Berlin: Springer 1987 ■ Tannen (Hrsg.), Potassium Metabolism, Orlando: Grune & Stratton 1987 ■ Ullmann (5.) **A 22**, 31–38 ■ Whang (Hrsg.), Potassium: Its Biological Significance, Boca Raton: CRC Press 1983 ■ Winnacker-Küchler (4.) **4**, 337 f. ■ Wood u. Somerville, Arrhythmias and Myocardial Infarction: The Role of Potassium, London: Academic Press 1981. – *[HS 2805 19; CAS 7440-09-7; G 4.1]*

Kaliumacetat. H$_3$C–COOK, C$_2$H$_3$KO$_2$, M$_R$ 98,14. Weißes Pulver, hygrosk., D. 1,8, Schmp. 292 °C, geruchlos, mild schmeckend, lösl. in Wasser u. Alkohol; LD$_{50}$ (Ratte oral) 3250 mg/kg; wassergefährdender Stoff, WGK 1.

Verw.: In der Medizin zur Behandlung od. Verhinderung von Kalium-Mangel, als Diuretikum, zur Reinigung von Penicillin. K. ist zugelassen als Lebensmittelzusatzstoff E 261; findet überwiegend als Säureregulator Verwendung. In der Photographie u. Galvanoplastik findet K. gelegentlich Verw. als feuchtigkeitsentziehendes Mittel u. Zusatz zu Tonungsbädern. – *E* potassium acetate – *F* acétate de potassium – *I* acetato di potassio – *S* acetato de potasio

Lit.: Beilstein EIV **2**, 111 ■ Gmelin, Syst.-Nr. 22, K, 1936–1938, S. 921–936 ■ Hager (5.) **1**, 533, 656 ■ Merck-Index (12.), Nr. 7764 ■ Ullmann **6**, 793; (5.) **A 1**, 58. – *[HS 2915 29; CAS 127-08-2]*

Kaliumalginat. Wasserlösl. Kalium-Salze der Alginsäure; zur Verw. s. dort.

Kalium-O-alkyldithiocarbonate s. Kaliumxanthate.

Kaliumaluminat. K$_2$O·Al$_2$O$_3$·3 H$_2$O, M$_R$ 196,16. Glänzende, harte Krist., lösl. in Wasser (alkal. Reaktion), unlösl. in Alkohol, entsteht beim Verschmelzen von Ätzkali mit Al$_2$O$_3$ od. durch Einwirkung von KOH auf Tonerdehydrat. Verw. auf dem Baustoffsektor (Betondichter) bes. im Tunnel-, Talsperren- u. Brückenbau. – *E* potassium aluminate – *F* aluminate de potassium – *I* alluminato di potassio – *S* aluminato de potasio

Lit.: Gmelin, Syst.-Nr. 35, Al, Tl. B, 1934, S. 447 f. – *[HS 2841 10; CAS 12003-63-3]*

Kaliumaluminiumsulfat s. Alaun.

Kaliumantimonat s. Kaliumhexahydroxoantimo-nat(V).

Kaliumantimon(III)-oxidtartrat (Kaliumantimonyl-tartrat) s. Brechweinstein.

Kalium-Argon-Methode (^{40}K/^{40}Ar-Datierung). Bez. für ein Verf. der *Geochronologie, das auf der mas-senspektrometr. Bestimmung des zu etwa 12% durch K-Einfang (*Kernreaktionen) aus dem Kalium-Isotop 40 gebildeten, in Mineralien (z. B. *Glimmer, *Feld-späte, *Hornblende, *Glaukonit, *Illit), Gesteinen (z. B. *Dolerit, *Basalt), *Meteoriten u. *Mondgestei-nen eingeschlossenen Argon-Isotops 40 beruht. Aus dem Verhältnis ^{40}Ar/^{40}K läßt sich auf das Alter der Probe schließen. Die K.-A.-M. ist eine Anw. der *Iso-topen-Verdünnungsanalyse zur *Altersbestimmung. Sie wird hauptsächlich zur Datierung von *magmati-schen u. *metamorphen Gesteinen, zunehmend aber auch von *Sedimenten verwendet; die günstige HWZ von ^{40}K (1,25 Mrd. a) ermöglicht die Datierung von Proben aus allen Perioden der Erdgeschichte bis herab zu einigen tausend Jahren; zur K/Ar-Datierung von *Tonmineralen s. *Lit.*[1], zum Einsatz von *Kryptome-lan für die Datierung von Verwitterungsvorgängen in Böden s. *Lit.*[2]. K/Ar-Alter sind fehlerhaft, wenn nach der Verfestigung der Gesteine Ereignisse eintraten, die (z. B. durch Diffusionsvorgänge) zu einem Gewinn od. Verlust von Argon u. Kalium führten.
Heute wird statt der K.-A.-M. zunehmend die *Argon-Argon-Meth.*[3] (^{40}Ar/^{39}Ar-Meth.) eingesetzt; dabei wird durch Bestrahlung im Reaktor das Isotop ^{40}K in das Isotop ^{39}Ar überführt. Der Vorteil dieser Meth. liegt darin, daß beide Argon-Isotope in einem Meßvorgang bestimmt werden können u. die separate Kalium-Ana-lyse entfällt; zur Isolierung der Gase aus speziellen Mi-neralkörnern können *Laser eingesetzt werden[4]. – *E* potassium-argon dating – *F* méthode au potassium-ar-gon – *I* metodo di potassio-argon – *S* datación con po-tasio-argón
Lit.: [1]Bull. Rech. Elf-Aquitaine **19**, 197–223 (1995). [2]Science **258**, 451 (1992); Am. Mineral. **79**, 80–90 (1994). [3]Umschau **75**, 359–367 (1975). [4]Geochim. Cosmochim. Acta **58**, 3519–3525 (1994).
allg.: Faure, Principles of Isotope Geology (2.), S. 66–116, New York: Wiley 1986 ▪ Geyh u. Schleicher, Absolute Age De-termination, S. 54–74, Berlin: Springer 1990.

Kaliumbi... s. Kaliumhydrogen....

Kaliumbitartrat s. Kaliumhydrogentartrat.

Kaliumboranat s. Kaliumborhydrid.

Kaliumborfluorid s. Kaliumtetrafluoroborat.

Kaliumborhydrid (Kaliumtetrahydridoborat, Kalium-boranat). K[BH$_4$], M$_R$ 53,94. Nichthygroskop., luftbe-ständiges, farbloses Pulver, D. 1,178, Zers. bei ca. 500 °C, lösl. in Wasser u. flüssigem Ammoniak, un-lösl. in Benzol, Ether u. Dioxan.
Herst.: NaBH$_4$ + KOH → KBH$_4$ + NaOH; K. fällt aus, wenn eine Lsg. von NaBH$_4$ in Methanol/Wasser mit wäss. Kalilauge versetzt wird.
Verw.: Spezif. Red.-Mittel für Carbonyl-Gruppen von Aldehyden u. Ketonen. – *E* potassium boron hydride

– *F* borohydrure de potassium – *I* idruro potassico di boro – *S* borohidruro de potasio
Lit.: Gmelin, Syst.-Nr. 22, K, 1936–1938, S. 805 f. ▪ Synthe-tica **2**, 234–238 ▪ Ullmann (5.) **A 13**, 213. – *[HS 285000; CAS 13762-51-1]*

Kaliumbromat. KBrO$_3$, M$_R$ 167,00. Weißes, krist. Pulver, D. 3,27, Schmp. 434 °C, bei 370 °C Zers. unter Abspaltung von Sauerstoff; in Was-ser lösl., nahezu unlösl. in Alkohol. Die Herst. erfolgt durch Auflösung von Brom in heißer konz. Kalilauge u. Abtrennung des schwerer lösl. K. von dem gleich-zeitig entstehenden, leichter lösl. Kaliumbromid durch Kristallisation. K. wird in der Maßanalyse (s. Oxidi-metrie) u. als Einkrist. in der Piezoelektrik verwendet. – *E* potassium bromate – *F* bromate de potassium – *I* bromato di potassio – *S* bromato de potasio
Lit.: Gmelin, Syst.-Nr. 22, K, 1936–1938, S. 515–571 ▪ Hom-mel, Nr. 882 ▪ Kirk-Othmer (4.) **4**, 567 ▪ Ullmann (5.) **A 4**, 426. – *[HS 282990; CAS 7758-01-2; G 5.1]*

Kaliumbromid. KBr, M$_R$ 119,00. Farblose, glänzende, luftbeständige, würfelförmige Krist. od. Pulver, D. 2,75, Schmp. 732 °C, Sdp. 1435 °C. K. bildet keine Hy-drate; bei 20 °C lösen sich 65 g, bei 100 °C 105 g K. in 100 g Wasser, in Alkohol wenig löslich.
Verw.: In der *Photographie zur Herst. der Bromsil-ber-Emulsionen auf Platten u. Filmen, als Zusatz zu Photoentwicklern (verzögert Entwicklung, wirkt ge-gen Schleierbildung), Bleichbädern u. Tonungslsg.; in der Medizin hat die Verw. als Nervenberuhigungsmit-tel heute keine Bedeutung mehr. Wegen seiner Trans-parenz für *Infrarot-Strahlung (0,23–40 μm) benutzt man K. zur Herst. von Einkrist., aus denen Prismen u. a. opt. Material für die *IR-Spektroskopie angefer-tigt werden. K. verhält sich unter Druck wie eine sog. Kaltflüssigkeit u. wird daher in der IR-Spektroskopie als Lsm. (*K.-Preßling*) verwendet. – *E* potassium bro-mide – *F* bromure de potassium – *I* bromuro di potas-sio – *S* bromuro de potasio
Lit.: DAB 10 u. Komm. ▪ Gmelin, Syst.-Nr. 22, K, 1936–1938, S. 515–571 ▪ Kirk-Othmer (4.) **19**, 1080 ▪ Ullmann (5.) **A 4**, 423. – *[HS 282751; CAS 7758-02-3]*

Kalium-*tert*-butoxid (Kalium-*tert*-butanolat, Kalium-2-methyl-2-propanolat). (H$_3$C)$_3$C–O–K, C$_4$H$_9$KO, M$_R$ 112,21. Farbloses bis schwach gelbliches, hautreizen-des Pulver, subl. bei 220 °C (1,3 hPa), Schmp. 256–258 °C, in Wasser unter Zers. lösl., in Alkoholen gut, in Ether u. Benzol nur schwer löslich. K. ist eine in der organ. Chemie vielgebrauchte Base, z. B. für Dehy-drobromierungen, Dehydrochlorierungen, zur Synth. von Enaminen aus α-Aminonitrilen, Katalysator für Michael-Reaktionen, zur Herst. von β-Lactamen, für Wittig-Reaktionen. – *E* potassium *tert*-butoxide – *F* *tert*-butoxyde de potassium – *I* *tert*-butossido di potassio, tert-butanolato di potassio – *S* *terc*-butóxido de potasio
Lit.: Beilstein E IV **1**, 1612 ▪ Chem. Rev. **74**, 45–86 (1974) ▪ Paquette **6**, 4189 ▪ Synthetica **1**, 230–243 ▪ Ullmann (4.) **7**, 220; (5.) **A 1**, 300. – *[HS 290519; CAS 865-47-4; G 4.1]*

Kaliumcanrenoat (Rp). Internat. Freiname für das Kalium-Salz, C$_{22}$H$_{29}$KO$_4$, M$_R$ 396,56, der 17-Hy-droxy-3-oxo-17α-pregna-4,6-dien-21-carbonsäure, C$_{22}$H$_{30}$O$_4$, M$_R$ 358,47, die frei als γ-Lacton (Canrenon), C$_{22}$H$_{28}$O$_3$, M$_R$ 340,46, vorliegt; in Wasser bei pH ≥8,5 lösl., Schmp. 149–151 °C, verfestigt sich wieder u. schmilzt bei 165 °C, $[\alpha]_D$ +24,5° (CHCl$_3$), λ_{max} 283 nm (ε 26 700). K. wurde als Diuretikum 1959 u. 1961 von Searle (Aldactone®, Boehringer Mannheim) patentiert u. ist generikafähig. K. zählt zu den injizierbaren *Aldosteron-Antagonisten. Da es aber im Körper (im Gegensatz zu *Spironolacton) carcinogene Epoxide bildet, wurde seine Anw. stark eingeschränkt. – *E* potassium canrenoate – *F* canrénoate de potassium – *I* potassio canrenoato – *S* canrenoato de potasio

Lit.: Beilstein E V **17/11**, 476 f. (Canrenon) ▪ Hager (5.) **8**, 644 f. – *[HS 2918 90; CAS 2181-04-6 (K.); 976-71-6 (Canrenon)]*

Kaliumcarbonat (Pottasche). K$_2$CO$_3$, M_R 138,21. Weißes, ungiftiges, hygroskop., körniges Pulver od. krist. Massen, D. 2,428, Schmp. 891 °C. Bei 25 °C lösen sich 113,5 g, bei 130 °C rund 196 g K. in je 100 g Wasser mit stark alkal. Reaktion; K. bildet verschiedene Hydrate. Bei Säure-Zusatz braust K. unter Kohlendioxid-Entwicklung lebhaft auf:

$$K_2CO_3 + H_2SO_4 \rightarrow K_2SO_4 + CO_2 + H_2O.$$

Leitet man in konz. K.-Lsg. viel Kohlendioxid ein, so fällt das schwerer lösl. *Kaliumhydrogencarbonat aus. Im übrigen zeigt K. in Eigenschaften u. Verw. große Ähnlichkeit mit der nahe verwandten Soda.

Herst.: Früher hat man in waldreichen Gegenden Mitteleuropas Holz zum Zweck der K.-Gewinnung verbrannt. Die *Holzasche laugte man in Holzbottichen mit Siebböden aus, bis die Lsg. etwa 25% Salze enthielt. Diese Laugen wurden in Töpfen (Pötten) eingedampft, daher die Bez. *Pottasche.* Zum Schluß wurde der Rückstand geglüht, um kohlige Überreste vollends zu verbrennen. Statt Holz kann man auch andere Pflanzenreste – schließlich nannte man früher K. *vegetabil.* od. *Pflanzen-Alkali* – verbrennen, z. B. Melasseschlempe aus der Rübenzuckerfabrikation od. Sonnenblumenstiele.

Die weitaus größeren K.-Mengen werden heute in der BRD durch *Carbonisieren* von Kalilauge u. durch das *Magnesia-Verf.* hergestellt. Beim ersten Verf. elektrolysiert man eine Kaliumchlorid-Lsg. (s. Chloralkali-Elektrolyse), wobei sich am neg. Pol Kalilauge bildet; in diese leitet man Kohlendioxid-Gas u. erhält dann ziemlich reines K.:

$$2\,KOH + CO_2 \rightarrow K_2CO_3 + H_2O.$$

Bei dem 1900 im Staßfurter Gebiet eingeführten, heute noch selten angewandten *Magnesia-Verf.* (erfunden von Engel u. Precht) leitet man Kohlendioxid in eine Kaliumchlorid-Lsg. (aus *Sylvin leicht erhältlich), in der Magnesiumcarbonat (MgCO$_3 \cdot 3$ H$_2$O) aufgerührt ist; dabei scheidet sich ein schwerlösl. Doppelsalz ab;

$$2\,KCl + 3\,MgCO_3 + H_2O + CO_2 \rightarrow$$
$$2\,MgCO_3 \cdot 2\,KHCO_3 + MgCl_2,$$

das man bei etwa 60 °C unter Durchleiten von Kohlendioxid in (leichtlösl.) K. u. (unlösl.) Magnesium-

carbonat zerlegt. Auch aus Kalkstickstoff u. Kaliumsulfat (*Piesteritz-Verf.*) sowie aus Kaliumformiat (*Formiat-Pottasche-Verf.*) wird fabrikmäßig K. hergestellt, s. a. *Lit.*[1]

Verw.: Zur Herst. von Seifen (insbes. Schmierseifen; schon die Gallier gewannen Seife aus Fett u. Pottasche), Gläsern (s. Glas, *Geschichte*), Kaliwasserglas, Salzen (z. B. Blutlaugensalz, Cyanid, Dichromate usw.), Kaltasphalten (im Straßenbau), Farben, Smalte, keram. Gegenständen, als Trockenmittel u. Adsorbens im Laboratorium u. in der Technik, in der Photographie als Entwickler-Alkali von Negativen, zur Herst. von Emails, Kühlsolen, als Backpulver (*Lit.*[2]) usw. – *E* potassium carbonate – *F* carbonate de potassium – *I* carbonato di potassio – *S* carbonato de potasio

Lit.: [1] Winnacker-Küchler (4.) **2**, 521 f. [2] Ullmann (5.) **A 4**, 342. *allg.:* Gmelin, Syst.-Nr. 22, K, 1936–1938, S. 822–857 ▪ Kirk-Othmer (4.) **19**, 1081 ▪ Ullmann (5.) **A 22**, 91 ff. – *[HS 2836 40; CAS 584-08-7]*

Kaliumcarbonyl. Veraltete, unzutreffende Bez. für die unter *Kohlenoxidkalium beschriebene Verbindung.

Kaliumchlorat. KClO$_3$, M_R 122,55. Farb-lose, wasserfreie, glänzende, monokline Tafeln od. weißes Pulver, D. 2,34, Schmp. 370 °C, in Wasser mäßig lösl. (WGK 2), unlösl. in Alkohol. K. verliert oberhalb seines Schmp. zunächst 1/3 seines Sauerstoffs unter Bildung von *Kaliumperchlorat; bei über 550 °C zerfällt es völlig in Kaliumchlorid u. Sauerstoff:

$$2\,KClO_3 \rightarrow KClO_4 + KCl + O_2.$$

Diese Zers. findet bei Zusatz von Braunstein-Pulver als Katalysator schon bei 150–200 °C statt; ähnliche, z. T. etwas schwächere katalyt. Wirkung haben z. B. auch Eisen-, Kupfer- u. Mangansulfat. In Anwesenheit oxidierbarer Substanzen kann K. beim Erhitzen (gelegentlich auch schon bei Reibung, Stoß u. Schlag) heftig explodieren, weshalb bei seiner Handhabung *äußerste Vorsicht* angebracht ist, vgl. Merkblatt (*Lit.*[1]). Die Herst. erfolgt im Anschluß an die elektrolyt. *Natriumchlorat-Herst. durch Umsetzung der Zellenlauge mit festem KCl (*Lit.*[2]).

Verw.: In der Zündhölzer-Fabrikation, in Sprengstoffen (s. Chlorat-Sprengstoffe), Leuchtzusätzen, als Beimischung bei *Initialsprengstoffen. Die Entdeckung des K. wird sowohl Higgins (1777) als auch Berthollet (1787) zugeschrieben. – *E* potassium chlorate – *F* chlorate de potassium – *I* clorato di potassio – *S* clorato de potasio

Lit.: [1] Merkblatt (F10) für Arbeiten mit Kalium- u. Natriumchlorat, Weinheim: Verl. Chemie 1971. [2] Ullmann (5.) **A 6**, 512. *allg.:* Blaue Liste, S. 218 ▪ Gmelin, Syst.-Nr. 22, K, 1936–1938, S. 473–502 ▪ Hommel, Nr. 305 ▪ Kirk-Othmer (4.) **5**, 1000 ff. ▪ Ullmann (5.) **A 6**, 502 f. – *[HS 2829 19; CAS 3811-04-9; G 5.1]*

Kaliumchlorid. KCl, M_R 74,55. Farblose, Kristallwasser-freie, salzig schmeckende Würfel, D. 1,984, Schmp. 776 °C, subl. bei ca. 1500 °C; gut lösl. in Wasser, unlösl. in Aceton u. Ether. Bei radioaktiver Bestrahlung färben sich K.-Krist. violett (s. Farbzentren). K. zeigt in den meisten Eigenschaften große Ähnlichkeit mit dem sehr nahe verwandten Natriumchlorid. Es tritt in der Natur als *Sylvin u. als Bestandteil von

*Carnallit u. *Kainit auf. K. wird aus diesen nach verschiedenen Verf. gewonnen (s. Kalisalze) u. gelangt meist in noch unreiner Form als *Kalidünger in den Handel. Es wird als Ausgangsmaterial für die Herst. vieler Kalium-Verb. (durch Elektrolyse von K. erhält man z. B. Kalilauge, Ätzkali, Pottasche u. dgl.), in Härtesalzen (Metallverarbeitung), in der Email-Ind. (Schwebemittel), zur Weinstein- u. Weinsäure-Reinigung, in der Seifenfabrikation usw. verwendet. Hochreines K. dient wegen seiner guten Durchlässigkeit für *Infrarot-Strahlung (0,2 – 30 μm) zur Herst. von Einkrist. für opt. Zwecke, z. B. für Prismen u. Küvettenmaterialien in der *IR-Spektroskopie u. als Monochromatorkrist. für die Röntgenbeugung. – *E* potassium chloride – *F* chlorure de potassium – *I* cloruro di potassio – *S* cloruro de potasio

Lit.: Braun-Dönhardt, S. 214 f. ▪ DAB 10 u. Komm. ▪ Gmelin, Syst.-Nr. 22, K, 1936 – 1938, S. 349 – 472 ▪ Kirk-Othmer (4.) **19**, 1061 – 1075 ▪ Pharm. Unserer Zeit **6**, 131 – 149 (1977) ▪ Seifert, Untersuchung der Kristallisation von Kaliumchlorid aus wäßriger Lösung, Düsseldorf: VDI 1979 ▪ Ullmann (5.) **A 22**, 52 – 84 ▪ s. a. Kalisalze. – *[HS 310420; CAS 7447-40-7]*

Kaliumchromalaun s. Chromalaun.

Kaliumchromat. K_2CrO_4, M_R 194,19. Wasserfreie, zitronengelbe, prismenförmige Krist., D. 2,73, Schmp. 968 °C, die sich oberhalb 670 °C in eine rote hexagonale α-Modif. umwandeln u. in Wasser lösl., in Alkohol unlösl. sind. Bei Berührung mit brennbaren Stoffen feuergefährlich. Die Herst. erfolgt durch Umsetzung von *Kaliumcarbonat mit *Kaliumdichromat.

Verw.: K. wurde fast vollständig durch das preiswertere *Natriumchromat ersetzt u. wird nur noch für sehr spezif. Anw., wie z. B. in der photograph. Ind., benutzt. K. ist giftig u. wirkt als starkes Oxid.-Mittel ätzend auf Haut u. Schleimhäute. Es verursacht an verletzten Hautstellen schlecht heilende Wunden u. kann Nierenschäden u. Verdauungsstörungen bewirken. Bei empfindlichen Personen kann K. zu Sensibilisierung u. zu allerg. Reaktionen führen (s. a. Chromate). Wie bei allen Alkalichromaten besteht auch bei K. der Verdacht auf carcinogene Wirkung (krebserzeugend, Kategorie 2 nach TRG 5 905). Weitere Kaliumchromate sind das *Kaliumdichromat u. das *Kaliumtetraperoxochromat(V)*, [K₃Cr(O₂)₄], Kaliumperchromat, zur Herst. s. *Lit.*[1])]; letzteres kann sich spontan zersetzen u. zur Erzeugung von *Singulett-Sauerstoff dienen. – *E* potassium chromate – *F* chromate de potassium – *I* cromato di potassio – *S* cromato de potasio

Lit.: [1] Brauer 3, 1527.
allg.: DAB **9**, 479 ▪ Gmelin, Syst.-Nr. 52, Cr, Tl. B, 1962, S. 511 – 542 ▪ Giftliste ▪ Ullmann (5.) **A 7**, 86 f. – *[HS 284150; CAS 7789-00-6]*

Kaliumchromsulfat s. Chromalaun.

Kaliumcitrat (Trikaliumcitrat).

$$\begin{array}{l} CH_2-COOK \\ | \\ HO-C-COOK \\ | \\ CH_2-COOK \end{array}$$

Das als Monohydrat, $C_6H_5K_3O_7$, M_R 306,39, vorliegende K. bildet farblose, hygroskop. Krist. od. ein grobes Pulver, D. 1,98, Schmp. 230 °C (Zers.), leicht lösl. in Wasser, prakt. unlösl. in Alkohol. K. wird bei Hy-

pokaliämie u. als Diuretikum verwendet, außerdem dient K. in der Photographie zur Bereitung von Gelatine-Emulsionen u. Kupfertonbädern. – *E* potassium citrate – *F* citrate de potassium – *I* citrato di potassio – *S* citrato de potasio

Lit.: Beilstein E IV **3**, 1274 ▪ DAB **1996** u. Komm. ▪ Hager (5.) **8**, 648 f. – *[HS 291815; CAS 866-84-2 (K.); 7778-49-6 (Monohydrat)]*

Kaliumcobalt(III)-nitrit s. Kaliumhexanitrocobaltat.

Kaliumcyanat. KOCN, M_R 81,12. Farblose Krist., D. 2,056, Schmp. 315 °C, lösl. in Wasser, schwer lösl. in Alkohol. K. entsteht bei der Oxid. von *Kaliumcyanid z. B. mit H_2O_2, NaOCl od. Ozon sowie aus Harnstoff u. Kaliumcarbonat. Beim Erhitzen auf 700 – 800 °C zerfällt K. wieder in Kaliumcyanid u. a. Verb., in wäss. Lsg. hydrolysiert es zu Ammoniumcarbonat. K. wird zur Herst. von Harnstoff-Derivaten u. Carbamaten, in der Härtereitechnik u. als Kontaktherbizid verwendet. – *E* potassium cyanate – *F* cyanate de potassium – *I* cianato di potassio – *S* cianato de potasio

Lit.: Beilstein E IV **3**, 82 ▪ Gmelin, Syst.-Nr. 22, K, 1936 – 1938, S. 890 – 894 ▪ Synthetica **2**, 239 – 243 ▪ Ullmann (5.) **A 8**, 157 f. – *[HS 283800; CAS 590-28-3]*

Kaliumcyanid (Cyankali). KCN, M_R 65,12. Farblose, hygroskop., giftige Krist. [letale Dosis Mensch 120 – 250 mg; LD_{50} (Ratte oral) 5 mg/kg]; D. 1,52, Schmp. 635 °C, in Wasser mit alkal. Reaktion sehr leicht (WGK 3), in Alkohol nur wenig lösl.; die Lsg. riecht infolge Hydrolyse nach Cyanwasserstoff:

$$KCN + H_2O \rightarrow HCN + KOH.$$

Bei erhöhter Temp. zersetzt sich die Lsg. in Ammoniak u. Kaliumformiat:

$$KCN + 2H_2O \rightarrow NH_3 + HCOOK.$$

Säuren aller Art (auch die Magen-Salzsäure) entwickeln aus K. Blausäure, daher ergibt sich beim Einnehmen von K. das Bild einer etwas langsamer verlaufenden *Blausäure-Vergiftung:

$$KCN + HCl \rightarrow KCl + HCN;$$

MAK: 5 mg/m³. An der Luft geht K. wegen Kohlensäure-Einwirkung allmählich in ungiftiges Kaliumcarbonat über:

$$2KCN + H_2CO_3 \rightarrow K_2CO_3 + 2HCN.$$

Wegen der hierbei entweichenden giftigen Blausäure-Dämpfe muß K. gut verschlossen aufbewahrt werden.

Herst.: Techn. wird K. heute hergestellt durch Neutralisation von Blausäure mit Kalilauge u. nachheriges Eindampfen, früher dagegen durch Einwirkung von Kohlenoxid u. Ammoniak auf Pottasche bei etwa 600 °C unter Verw. von Eisen als Katalysator:

$$K_2CO_3 + 2NH_3 + 3CO \rightarrow 2KCN + 2H_2O + H_2 + 2CO_2,$$

durch den ähnlichen *Beilby-Prozeß*:

$$K_2CO_3 + 4C + 2NH_3 \rightarrow 2KCN + 3CO + 3H_2,$$

durch Glühen eines Gemenges von Kaliumhydroxid od. Pottasche mit Blut, Horn usw., durch Erhitzen von *Blutlaugensalz od. aus der Gasreinigungsmasse. Aus Cyanid-Bädern stammendes unverbrauchtes K. wird z. B. durch Oxid. mit H_2O_2 od. anderen starken Oxid.-Mitteln entgiftet (Bildung von *Kaliumcyanat), früher durch Auflösen in verd. Eisen(II)-sulfat-Lsg. (Bildung von unschädlichem Blutlaugensalz).

Verw.: In der Cyanid-Laugerei, zum galvan. Vergolden, Versilbern, Vernickeln usw., in der Härtereitechnik zur Oberflächenbehandlung von Eisen-Werkstoffen in Schmelzen u. in der organ. Synth. zur Herst. von Nitrilen. Früher fand K. Anw. bei der Lötrohranalyse zur Red. von Metalloxiden, im graph. Gewerbe als Fixiermittel im nassen Kollodium-Verf., in der Photographie als Klärmittel bei Photopapieren, als Zusatz zu Verstärkern, Silber-Lsm. usw.; statt K. wird auf verschiedenen Gebieten das billigere *Natriumcyanid verwendet. – *E* potassium cyanide – *F* cyanure de potassium – *I* cianuro di potassio – *S* cianuro de potasio
Lit.: Beilstein E IV 2, 56 ▪ DAB 9, Komm., 478 ▪ Hommel, Nr. 112 ▪ Kirk-Othmer (4.) 7, 774 ff. ▪ Merkblatt für gefährliche Arbeitsstoffe M002 der BG Chemie, Ausgabe 4/85 ▪ Ullmann (5.) A 8, 165–170 ▪ Winnacker-Küchler (4.) 2, 195 ff. – *[HS 2837 19; CAS 151-50-8; G 6.1]*

Kaliumdichromat. $K_2Cr_2O_7$,, M_R 294,18. Große, nicht hygroskop., orangerote, trikline Kristalltafeln, D. 2,7, Schmp. 397 °C (gibt hierbei eine fast schwarze Flüssigkeit, die sich bei Abkühlung wieder rötlich färbt), lösl. in Wasser unter schwach saurer Reaktion (WGK 3), unlösl. in Alkohol. K. zerfällt beim Erhitzen über 400 °C in Kaliumchromat, Chromoxid u. Sauerstoff:

$$4 K_2Cr_2O_7 \rightarrow 2 Cr_2O_3 + 4 K_2CrO_4 + 3 O_2.$$

K. wirkt als starkes Oxid.-Mittel, weshalb beim Kontakt mit brennfähigen organ. Stoffen Vorsicht geboten ist. K. entwickelt mit Salzsäure Chlor u. oxidiert mit Schwefelsäure prim. Alkohole zu Aldehyden bzw. Carbonsäuren, wobei das Dichromat in grünes, dreiwertiges Chromsulfat übergeht. Bei Zusatz von Kalilauge schlägt die orangerote Farbe der K.-Lsg. in hellgelb um, u. es entsteht *Kaliumchromat:

$$K_2Cr_2O_7 + 2 KOH \rightarrow 2 K_2CrO_4 + H_2O.$$

Herst.: Man läßt auf Natriumdichromat-Lsg. Kaliumchlorid einwirken:

$$Na_2Cr_2O_7 + 2 KCl \rightarrow K_2Cr_2O_7 + 2 NaCl.$$

Verw.: In der *Oxidimetrie u. *Iodometrie als *Urtitersubstanz, zum Nachw. von Blei (Blei-Salzlsg. geben mit K.-Lsg. schöne gelbe, in Laugen u. Säuren lösl. Niederschläge von Blei(II)-chromat) u. Wasserstoffperoxid, zur Herst. von *Chrom-Pigmenten, in der Photographie, zur Herst. von *Chromschwefelsäure. In seinen techn. Anw. wird K. zunehmend durch das kostengünstigere *Natriumdichromat ersetzt. Die Giftigkeit von K. ist vergleichbar mit der des *Kaliumchromats. – *E* potassium dichromate – *F* dichromate de potassium – *I* dicromato di potassio – *S* dicromato de potasio
Lit.: DAB 9, 259 ▪ Gmelin, Syst. Nr. 52, Cr, Tl. B, 1962, S. 543–581 ▪ Giftliste ▪ Ullmann (5.) A 7, 87 ▪ Winnacker-Küchler (4.) 2, 654, 664. – *[HS 2841 40; CAS 7778-50-9]*

Kaliumdicyanoargentat (Kaliumsilbercyanid). $K[Ag(CN)_2]$, M_R 199,00. Farblose, sehr giftige, lichtempfindliche Krist., lösl. in Wasser u. Alkohol, entsteht beim Lösen von AgCl in einer KCN-Lösung. K. findet Verw. zur galvan. Versilberung. – *E* potassium dicyanoargentate – *F* dicyanoargentate de potassium – *I* dicianoargentato di potassio – *S* dicianoargentato de potasio – *[HS 2843 29; CAS 506-61-6]*

Kaliumdi(deuterio/hydrogen)phosphate s. Kaliumphosphate.

Kaliumdisulfat (Kaliumpyrosulfat). $K_2S_2O_7$, M_R 254,32. Farblose Nadeln, Pulver u. geschmolzene Stücke, D. 2,512, Schmp. >300 °C, wasserlösl., entsteht beim Erhitzen von $KHSO_4$ unter Wasserabspaltung. Verw. als Flußmittel bei Analysen. – *E* potassium disulfate – *F* disulfate de potassium – *I* disolfato di potassio – *S* disulfato de potasio
Lit.: Gmelin, Syst.-Nr. 22, K, 1936–1938, S. 753 f. – *[HS 2833 29; CAS 7790-62-7]*

Kaliumdisulfit (Kaliummetabisulfit, Kaliumpyrosulfit, „festes Kaliumhydrogensulfit"). $K_2S_2O_5$, M_R 222,33. Farblose Krist. od. Pulver, D. 2,34, Schmp. 190 °C (Zers.), lösl. in Wasser, unlösl. in Alkohol. K. spaltet in Säuren Schwefeldioxid ab:

$$K_2S_2O_5 + 2 HCl \rightarrow 2 KCl + 2 SO_2 + H_2O.$$

Herst.: Durch Erhitzen von Kaliumhydrogensulfit (Wasser-Abspaltung) od. durch Einwirken von überschüssigem Schwefeldioxid auf Kaliumhydrogensulfit-Lauge.
Verw.: Bei der Most- u. Weinbereitung; die Säuren des Mostes setzen aus dem K. Schwefeldioxid frei (s. oben), das die schädlichen Kleinlebewesen im Wachstum stärker hemmt als die hochwertigen, erwünschten Heferassen. Auf diese Weise wird auch das umständlichere Ausschwefeln der Fässer entbehrlich. K. ist nach der Zusatzstoff-Zulassungs-VO (s. Zusatzstoffe) auch in anderen Lebensmitteln zugelassen, ferner wird es in der Photographie zum Ansäuern von Fixierbädern, als Konservierungsmittel in Entwicklern, in Unterbrechungsbädern u. dgl. verwendet. – *E* potassium disulfite – *F* disulfite de potassium – *I* disolfito di potassio – *S* disulfito de potasio
Lit.: Gmelin, Syst.-Nr. 22, K, 1936–1938, S. 702–708 ▪ Ullmann (4.) 21, 102. – *[HS 2832 20; CAS 16731-55-8]*

Kaliumeisen(III)-sulfat (Kaliumeisenalaun) s. Eisenalaune.

Kaliumferr(i/o)cyanid s. Blutlaugensalze.

Kaliumfluoborat s. Kaliumtetrafluoroborat.

Kaliumfluoride. (a) *Kaliumfluorid*, KF, M_R 58,10. Weißes, hygroskop., zerfließliches Pulver, D. 2,481, Schmp. 860 °C, Sdp. 1505 °C, in Wasser gut lösl., unlösl. in Alkohol. Es kristallisiert aus wäss. Lsg. als reguläres Dihydrat, $KF \cdot 2 H_2O$ (Würfel), Schmp. 41 °C im eigenen Kristallwasser. Die wäss. Lsg. reagiert infolge Hydrolyse alkalisch. Aus Lsg. mit überschüssiger *Flußsäure kristallisiert.
(b) *Kaliumhydrogendifluorid* (saures K., Kaliumbifluorid), $KF \cdot HF$ bzw. KHF_2, M_R 78,10. Farblose, zerfließliche Krist., D. 2,37, Schmp. ca. 225 °C (Zers.), beim Erhitzen entweicht HF u. KF bleibt zurück, WGK 1. Aus wasserfreiem HF kann KF in Form folgender *saurer K.* auskristallisieren: $KF \cdot 2 HF$ (Schmp. 72 °C) od. $KF \cdot 3 HF$ (Schmp. 66 °C).
Herst.: Aus Fluorwasserstoff (od. Hexafluorokieselsäure) mit Kaliumhydroxid:

$$2 HF + KOH \rightarrow KHF_2 + H_2O.$$

Verw.: In der Email-Ind., zur Herst. von Glasuren, als Zement-Zusatz (verhindert *Ausblühen), als Oxidauflösende Komponente von Aluminium-Schweißpulver, zum Hartlöten von Metallen, in der Gärungstechnik (wirkt z. B. in 0,5%iger Lsg. stark antisept., ist aber giftig), als Holzschutzmittel (in F-Salzen), zum Mattieren von Glas, zur Entfernung von Rost- u. Tintenflecken, zur Herst. von Fluorwasserstoff, Kalium-Metall u. Fluor, als Katalysator bei Polymerisations- u. Kondensations-Reaktionen zur Einführung von Fluor in organ. Verb., zur Erzeugung korrosionsverhütender Fluorid-Schichten auf Magnesium u. Magnesium-Leg. usw.; Kaliumfluoridtetrahydrat wird als Niedrigtemp.-Speicher in der Wärmespeicherung verwendet. – *E* potassium fluorides – *F* fluorures de potassium – *I* fluoruri di potassio – *S* fluoruros de potasio

Lit.: Gmelin, Syst.-Nr. 22, K, 1936 – 1938, S. 324 – 343 ▪ Hommel, Nr. 294 ▪ Kirk-Othmer (4.) **11**, 416 – 420 ▪ Lück, Chemische Lebensmittelkonservierung, S. 228, Berlin: Springer 1977 ▪ Synthesis **1983**, 169 – 184 ▪ Ullmann (5.) **A 11**, 330 f. ▪ Winnacker-Küchler (4.) **2**, 540 – 543. – *[HS 2826 19; G 6.1, 8]*

Kaliumfluoroborat s. Kaliumtetrafluoroborat.

Kalium-D-gluconat.

$$HO-CH_2-\overset{\overset{H}{|}}{\underset{\underset{OH}{|}}{C}}-\overset{\overset{H}{|}}{\underset{\underset{H}{|}}{C}}-\overset{\overset{OH}{|}}{\underset{\underset{OH}{|}}{C}}-\overset{\overset{H}{|}}{\underset{\underset{H}{|}}{C}}-COOK$$

$C_6H_{11}KO_7$, M_R 234,25. Farbloses Pulver, Schmp. 183 – 185 °C (Zers.), lösl. in Wasser, unlösl. in Alkohol u. Aceton. Das aus Kaliumhydroxid od. -carbonat u. D-Gluconsäure zugängliche K. findet Verw. in Kalium-Präparaten. – *E* potassium gluconate – *F* gluconate de potassium – *I* gluconato di potassio – *S* gluconato de potasio

Lit.: Beilstein E IV **3**, 1256 ▪ Merck-Index (12.), Nr. 7796. – *[HS 2918 16; CAS 299-27-4]*

Kaliumgraphit s. Graphit-Verbindungen.

Kaliumhexachloroplatinat(IV) [Kaliumplatin(IV)-chlorid]. $K_2[PtCl_6]$, M_R 485,99. Kleine, gelbe, reguläre Oktaeder, D. 3,5, Zers. bei 250 °C, hinterläßt beim Erhitzen KCl u. Pt, lösl. in heißem, wenig lösl. in kaltem Wasser, unlösl. in Alkohol u. Ether. Verw. in der Photographie. – *E* potassium hexachloroplatinate(IV) – *F* hexachloroplatinate(IV) de potassium – *I* esacloro platinato(IV) di potassio – *S* hexacloroplatinato(IV) de potasio

Lit.: Brauer (3.) **3**, 1712 f. ▪ Gmelin, Syst.-Nr. 68, Pt, Tl. C, 1942, S. 177 – 186. – *[HS 2843 90; CAS 16921-30-5]*

Kaliumhexacyanoferrate s. Blutlaugensalze.

Kaliumhexafluorosilicat (Kaliumsilicofluorid). $K_2[SiF_6]$, M_R 220,27. Weißes Pulver od. Krist., D. 2,27, therm. Zers. unter Bildung von SiF_4 u. KF, wenig lösl. in kaltem Wasser, unlösl. in Alkohol, wird durch heißes Wasser z. T. in KF, HF u. SiO_2 hydrolysiert.
Verw.: Zur Herst. von Emails, Milchgläsern, Insektiziden, zur Aluminium-Fabrikation usw. – *E* potassium fluosilicate – *F* hexafluorosilicate de potassium – *I* esafluorosilicato di potassio – *S* hexafluorosilicato de potasio

Lit.: Blaue Liste, S. 227 ▪ s.a. Fluorokieselsäure. – *[CAS 16871-90-2]*

Kaliumhexafluorozirconat. $K_2[ZrF_6]$, M_R 283,41. Farblose Krist., D. 3,48, wenig lösl. in kaltem, lösl. in heißem Wasser.

Verw.: Zur Herst. von Zirconium. – *E* potassium hexafluorozirconate – *F* hexafluorozirconate de potassium – *I* esafluorozirconato di potassio – *S* hexafluorocirconato de potasio
Lit.: Gmelin, Syst.-Nr. 42, Zr, 1958, S. 412 ff. – *[CAS 16923-95-8]*

Kaliumhexahydroxoantimonat(V) (Kaliumantimonat, früher als Kaliumpyroantimonat bezeichnet). $K[Sb(OH)_6]$, M_R 262,89. Weißes, körniges Pulver, das in kaltem Wasser ziemlich schwer, in heißem leichter lösl. ist. Da sich das Natriumantimonat in Wasser noch viel weniger löst, benutzt man K.-Lsg. zum Nachw. von Natrium-Salzen durch Niederschlagsreaktion. Die Herst. erfolgt aus Antimonpentoxid mit überschüssigem Ätzkali. – *E* potassium hexahydroxoantimonate(V) – *F* hexahydroxoantimoniate(V) de potassium – *I* esaidrossoantimonato(V) di potassio – *S* hexahidroxoantimoniato(V) de potasio
Lit.: DAB **9**, Komm., 480 ▪ Gmelin, Syst.-Nr. 22, K, 1936 – 1938, S. 1038 – 1042. – *[HS 2841 90; CAS 12208-13-8]*

Kaliumhexahydroxostannat(IV) (Kaliumstannat). $K_2[Sn(OH)_6]$ bzw. $K_2SnO_3 \cdot 3 H_2O$, M_R 298,93. Farblose, trigonale Krist., D. 3,197. In Wasser lösl., in Alkohol unlöslich.
Verw.: Bei der galvan. Verzinnung z. B. von Stahlblechen, Haushaltsgegenständen usw. sowie bei der stromlosen Tauchverzinnung von Aluminium-Leg. (z. B. Motorkolben in der Auto-Ind.), ferner in Textilfärberei u. -druck. – *E* potassium hexahydroxostannate(IV) – *F* hexahidroxostannate(IV) de potassium – *I* esaidrossostannato(IV) di potassio – *S* hexahidroxoestannato(IV) de potasio – *[CAS 12027-61-1]*

Kaliumhexanitrocobaltat(III) [Trikalium-hexakis(nitrito-*N*)cobaltat(3–), Fischers Salz, Indischgelb, Cobaltgelb]. $K_3[Co(NO_2)_6] \cdot 1,5 H_2O$, M_R 479,28. Tiefgelbe, glänzende Prismen u. Doppelpyramiden, D. 5,18, in kaltem Wasser schwerlösl., in heißem Wasser u. Mineralsäuren zersetzlich, unlösl. in Alkohol. K. scheidet sich als gelbes Pulver aus, wenn man Kaliumsalz-Lsg. zu gelöstem Natriumhexanitrocobalt gießt.
Verw.: In der Öl-, Aquarell-, Glas- u. Porzellanmalerei sowie als Kautschukzusatz. Die Bildung von K. dient auch als Cobalt-Nachweis. – *E* potassium hexanitrocobaltate(III) – *F* hexanitrocobaltate(III) de potassium – *I* esanitrocobaltato(III) di potassio – *S* hexanitrocobaltato(III) de potasio
Lit.: Gmelin, Syst.-Nr. 58, Co, Tl. A, 1932, S. 409 – 412; Erg.-Bd., 1961, S. 776 ff. – *[HS 2842 90; CAS 13782-01-9]*

Kaliumhydrogencarbonat (veraltet: Kaliumbicarbonat, Doppelkohlensaures Kalium). $KHCO_3$, M_R 100,12. Farblose, trockene, durchscheinende Krist., D. 2,17, lösl. in Wasser (alkal. Reaktion), in Alkohol unlöslich. Es zerfällt beim Erhitzen auf etwa 200 °C in Kaliumcarbonat, Wasser u. Kohlendioxid:

$$2 KHCO_3 \rightarrow K_2CO_3 + H_2O + CO_2$$

u. braust mit Säuren unter Kohlendioxid-Entwicklung lebhaft auf:

$$KHCO_3 + HCl \rightarrow KCl + H_2O + CO_2.$$

Herst.: Beim Einleiten von viel Kohlendioxid in eine konz. Kaliumcarbonat-Lsg. fällt K. in krist. Form aus, da dieses schwerer lösl. ist als Kaliumcarbonat (in Umkehrung der oberen Gleichung).

Verw.: Herst. von Kaliumcarbonat u. anderer reiner Kalium-Verb., in der pharmazeut. Ind. u. für Feuerlöschpulver. – *E* potassium hydrogencarbonate – *F* hydrogénocarbonate de potassium – *I* idrogencarbonato di potassio – *S* hidrogenocarbonato de potasio
Lit.: DAB **10** u. Komm. ▪ Kirk-Othmer (4.) **19**, 1082 ▪ Ullmann (5.) **A 22**, 100. – *[HS 2836 40; CAS 298-14-6]*

Kaliumhydrogendifluorid s. Kaliumfluoride.

Kaliumhydrogenoxalat s. Kaliumoxalate.

Kaliumhydrogenperoxomonosulfat. $KHSO_5$, M_R 152,16. Das – im Handel als *Tripelsalz* ($2\,KHSO_5 \cdot KHSO_4 \cdot K_2SO_4$, Marken Caroat® u. Oxone®) erhältliche – Monokalium-Salz der *Caroschen Säure ist ein Zwischenprodukt bei der Herst. von *Kaliumperoxodisulfat u. Caroscher Säure. K. wird als starkes Bleich- u. Oxid.-Mittel in verschiedenen Reinigungsmitteln u. zur Schrumpffestausrüstung der Wolle verwendet. – *E* potassium hydrogenperoxomonosulfate – *F* hydrogénoperoxomonosulfate de potassium – *I* idrogenperossomonosolfato di potassio – *S* hidrogenoperoxomonosulfato de potasio
Lit.: J. Org. Chem. **25**, 1901–1906 (1960) ▪ Kirk-Othmer (3.) **17**, 13–18 ▪ Ullmann (5.) **A 19**, 188 ▪ Winnacker-Küchler (4.) **2**, 588–591. – *[HS 2833 40; CAS 10058-23-8]*

Kaliumhydrogenphthalat.

$C_8H_5KO_4$, M_R 204,22. Farblose Krist., D. 1,636, lösl. in Wasser, wenig lösl. in Alkohol. K. wird zur Herst. von Pufferlsg., als Titersubstanz für Alkalilaugen in der Maßanalyse u. als Einkrist. in der Röntgenspektroskopie verwendet. – *E* potassium hydrogen phthalate – *F* hydrogénophtalate de potassium – *I* idrogenftalato di potassio – *S* hidrogenoftalato de potasio
Lit.: Beilstein E II **9**, 583. – *[HS 2917 39; CAS 877-24-7]*

Kaliumhydrogensulfat (veraltet: Kaliumbisulfat, Kaliumhydrosulfat). $KHSO_4$, M_R 136,16. Farblose, durchscheinende, zerfließliche Platten od. Krist., D. 2,322, Schmp. 214 °C, in Wasser sehr leicht lösl. (saure Reaktion); bei stärkerem Erhitzen entsteht unter Wasser-Abspaltung *Kaliumdisulfat u. zuletzt Kaliumsulfat u. Schwefeltrioxid. Herst. durch Auflösen von Kaliumsulfat in überschüssiger, verd. Schwefelsäure:

$$K_2SO_4 + H_2SO_4 \rightarrow 2\,KHSO_4.$$

Verw.: Zum Aufschluß schwerlösl. Verb., zur Reinigung von Platin-Tiegeln, Herst. von Volldüngern (Umsetzung mit Calciumphosphat), als Katalysator u. Wasser-abspaltendes Mittel z.B. bei der Herst. von Anisol, Methyl-, Ethylacetat. – *E* potassium hydrogensulfate – *F* hydrogénosulfate de potassium – *I* idrogensolfato di potassio – *S* hidrogenosulfato de potasio
Lit.: DAB **9**, Komm., 480 ▪ Gmelin, Syst.-Nr. 22, K, 1936–1938, S. 745–750 ▪ Hommel, Nr. 1080 ▪ Kirk-Othmer (3.) **18**, 922. – *[HS 2833 29; CAS 7646-93-7]*

Kaliumhydrogensulfid s. Kaliumsulfide.

Kaliumhydrogensulfit (veraltet: Kaliumbisulfit). $KHSO_3$, M_R 120,16. Ebenso wie andere *Hydrogensulfite ist K. nur in wäss. Lsg. bekannt, aus der durch Konzentrieren *Kaliumdisulfit auskristallisiert; zur

Verw. s. dort. – *E* potassium hydrogensulfite – *F* hydrogénosulfite de potassium – *I* idrogensolfito di potassio – *S* hidrogenosulfito de potasio – *[HS 2832 30; CAS 7773-03-7]*

Kaliumhydrogentartrat [(+)-(R,R)-*Weinsäure-Monokaliumsalz, veraltet: Kaliumbitartrat].
KOOC-CHOH-CHOH-COOH, $C_4H_5KO_6$, M_R 188,18. Die (+)-(R,R)-Form liegt vor als weißes, krist., schwerlösl. Pulver, D. 1,954, $[\alpha]_D^{20}$ +10° (10% wäss. HCl); Geschmack u. Reaktion sauer, löst sich temperaturabhängig in Wasser, in Ethanol unlöslich. (+)-K. ist im Saft von Weintrauben u. v. a. Beerenfrüchten enthalten. Es scheidet sich zusammen mit Calciumtartrat an den Wänden von Weinfässern meist nach der Gärung in Form von harten Krusten (*Weinstein*) ab, wodurch der Säuregehalt des Weins im Mittel um 2–3 g/L abnehmen kann.
Verw.: In Mischung mit $NaHCO_3$ zu Backpulver, als Arzneimittel bei Verdauungsstörungen, zum Weißsieden gelbgewordener Silberwaren, als Beize in der Färberei, bei Verzinnungen, in der Galvanoplastik. – *E* potassium hydrogen tartrate – *F* hydrogénotartrate de potassium – *I* idrogentartrato di potassio – *S* hidrogenotartrato de potasio
Lit.: Beilstein E IV **3**, 1222 ▪ Gmelin, Syst.-Nr. 22, K, 1936–1938, S. 962–968. – *[HS 2918 13]*

Kaliumhydroxid (Ätzkali). KOH, M_R 56,11. Farblose, Haut u. Schleimhäute ätzende Krist., D. 2,04, Schmp. 360 °C, Sdp. 1324 °C, in 0,5 Tl. Wasser u. 2,5 Tl. Alkohol unter Erwärmen leicht lösl. (WGK 1); die stark alkal. reagierende, ätzende wäss. Lsg. heißt *Kalilauge. In festem Zustand bildet K. ein Mono-, Di- u. Tetrahydrat; es kommt gewöhnlich in Form von trockenen, harten, weißen Stangen od. Pulver, Schuppen, Brocken, Plätzchen, Tabl. u. dgl. luftdicht verschlossen in den Handel. An der Luft zieht K. energ. Wasser u. Kohlendioxid an, wobei eine zerfließliche, Kaliumcarbonat-haltige Masse entsteht.
Herst.: Durch Eindampfen der bei einer Kaliumchlorid-Elektrolyse (s. Chloralkali-Elektrolyse) entstehenden Kalilauge od. (älteres Verf.) durch Umsetzung von Pottasche mit gelöschtem Kalk u. Eindampfen des Kalilauge-haltigen Filtrats

$$K_2CO_3 + Ca(OH)_2 \rightarrow CaCO_3 + 2\,KOH.$$

Verw.: Als Trockenmittel (stark hygroskop.), Absorptionsmittel für Kohlendioxid (in Sauerstoff-Geräten wird das ausgeatmete Kohlendioxid von einer Patrone mit fein verteiltem Natriumhydroxid u. K. aufgenommen), für Alkali-Schmelzen in der Farbstoffherst., zur Herst. von Waschrohstoffen u. Seifen, Entschwefelung von Erdöl, Elektrolyse von Wasser, Elektrolyt für Akkumulatoren sowie zur Herst. von Kaliumcarbonat u. a. Kalium-Verb., s. a. Kalilauge. – *E* potassium hydroxide – *F* hydroxyde de potassium – *I* idrossido di potassio – *S* hidróxido de potasio
Lit.: Braun-Dönhardt, S. 229 f. ▪ DAB **10** u. Komm. ▪ Gmelin, Syst.-Nr. 22, K, 1936–1938, S. 201–239 ▪ Hommel, Nr. 111, 113 ▪ Kirk-Othmer (3.) **19**, 1083 f. ▪ McKetta **7**, 22–34 ▪ Ullmann (5.) **A 22**, 94 ▪ Winnacker-Küchler (4.) **2**, 432. – *[HS 2815 20; CAS 1310-58-3; G 8]*

Kaliumhyperoxid s. Kaliumoxide.

Kaliumhypochlorit. KOCl, M_R 90,55. In fester Form nicht existierendes Kalium-Salz der *Hypochlorigen Säure, das nur in wäss. Lsg. (*Kalibleichlauge*, s. Eau de Javelle) in den Handel gelangt. – *E* potassium hypochlorite – *F* hypochlorite de potassium – *I* ipoclorito di potassio – *S* hipoclorito de potasio
Lit.: s. Hypochlorige Säure u. Hypochlorite. – *[HS 2828 90; CAS 7778-66-7]*

Kaliumiodat. KIO₃, M_R 214,00. Kleine, harte, farblose Krist., D. 3,9, Schmp. 560 °C, in Wasser sehr leicht lösl., sonst wie *Natriumiodat. K. ist neben letzterem im *iodierten Speisesalz enthalten. Daneben wird es zur Oxid. von *Schwefel-Farbstoffen verwendet, als Urtitersubstanz für die *Oxidimetrie, zur Morphin-Bestimmung u. zum Nachw. reduzierender Stoffe durch *Iodstärke-Reaktion. – *E* potassium iodate – *F* iodate de potassium – *I* iodato di potassio – *S* yodato de potasio
Lit.: DAB **9**, Komm., 482 f. ▪ Gmelin, Syst.-Nr. 22, K, 1936–1938, S. 668–680 ▪ Ullmann (5.) **A 14**, 398 ▪ s. a. Iodate. – *[HS 2829 90; CAS 7758-05-6]*

Kaliumiodid. KI, M_R 166,00. Farblose Würfel, D. 3,12, Schmp. 723 °C, Sdp. 1325 °C, in Wasser sehr leicht unter starker Abkühlung lösl.; je 100 g Wasser lösen bei 0 °C 128 g, bei 20 °C 144 g, bei 100 °C 209 g K.; 100 g Alkohol lösen 1,75 g K.; die wäss. Lsg. reagiert neutral, zersetzt sich aber an Luft u. Licht allmählich unter Gelbfärbung (Iod-Abscheidung). K.-Lsg. lösen unter *Polyiodid-Bildung viel Iod auf, wobei sich zunächst KI₃ (*Johnsons Salz*) bildet, s. a. Iod-Kaliumiodid-Lösung. Die Herst. erfolgt durch Red. von Kaliumiodat od. durch Neutralisation von Iodwasserstoffsäure mit Kaliumcarbonat-Lösung.
Verw.: In der photograph. Ind., zur Herst. von K.-Stärkepapier (s. Iodstärke-Reaktion), zusammen mit *Quecksilberiodid zur Herst. von *Thoulets Lösung, zusammen mit *Bleiiodid (als KPbI₃) zum Nachw. von Wasserspuren, mit Platinchlorid bzw. Bismutiodid zum Nachw. von Alkaloiden (*Iodplatinat- bzw. *Dragendorffs Reagenz), in der *Iodometrie, zur Herst. anderer Iod-Verb.; bei der Herst. von *iodiertem Speisesalz sollte wegen der besseren Stabilität *Kaliumiodat verwendet werden. K. dient wegen seiner IR- u. UV-Transparenz (für *Infrarot-Strahlung von 0,25–35 µm durchlässig) als – allerdings feuchtigkeitsempfindliches – Fenster- u. Prismenmaterial für Szintillations- u. opt. Zwecke sowie als Einbettungsmittel in der *IR-Spektroskopie, über die medizin. Verw. von K. s. Iod u. Iod-Tinktur. – *E* potassium iodide – *F* iodure de potassium – *I* ioduro di potassio – *S* yoduro de potasio
Lit.: Brauer (3.) **1**, 302, 306 ▪ DAB **10** u. Komm. ▪ Gmelin, Syst.-Nr. 22, K, 1936–1938, S. 586–652 ▪ Kirk-Othmer (4.) **19**, 1084 ▪ Ullmann (5.) **A 14**, 388. – *[HS 2827 60; CAS 7681-11-0]*

Kalium-Kanäle. *Ionenkanäle, die selektiv Kalium-Ionen durch biolog. *Membranen treten lassen. Man kennt Spannungs-abhängige K.-K., die sich bei Änderungen des elektr. Membran-Potentials öffnen (zum Mechanismus s. *Lit.*[1]), Calcium-Ionen-sensitive K.-K., solche, die mit *Rezeptoren gekoppelt sind u. a., die auf *Adenosin-5'-triphosphat (ATP), Natrium-Ionen od. das Anschwellen der Zelle reagieren. K.-K. tragen wesentlich zur Regulierung des Potentials der Zell-

membran bei. *Beisp.:* Bes. Interesse finden K.-K. des Herzmuskels[2] als Angriffspunkte für *Antiarrhythmika sowie die ATP-sensitiven K.-K. der pankreat. β-Zellen, die durch die als *Antidiabetika wirkenden *Sulfonylharnstoffe blockiert werden[3]; zu pflanzlichen K.-K. s. *Lit.*[4]. – *E* potassium channels – *F* canaux potassiques – *I* canali del potassio – *S* canales de potasio
Lit.: [1] Nature (London) **385**, 272–275 (1997). [2] Annu. Rev. Physiol. **58**, 363–394 (1996); Physiol. Rev. **76**, 49–67 (1996). [3] Diabetes **45**, 845–853 (1996). [4] Bot. Acta **109**, 94–101 (1996). *allg.:* Biospektrum **3**, Nr. 3, 21–26 (1997).

Kaliummagnesiumsulfat s. Kalimagnesia.

Kaliummanganat(VI) s. Manganate.

Kaliummanganat(VII) s. Kaliumpermanganat.

Kaliummetabisulfit s. Kaliumdisulfit.

Kaliummetaperiodat s. Kaliumperiodat.

Kaliummetaphosphat s. Kaliumphosphate.

Kaliummethanolat s. Kaliummethoxid.

Kaliummethoxid (Kaliummethanolat, Kaliummethylat). CH₃OK, M_R 70,13. Farbloses, stark ätzendes, sehr hygroskop. Pulver, D. 1,7, in Alkohol lösl., in Wasser heftig unter Zers. reagierend. Das ab 90–100 °C selbstentzündliche, nicht mit Wasser löschbare (mit trockenem Sand abdecken) K. findet Verw. wie *Natriummethoxid. – *E* potassium methoxide – *F* méthoxyde de potassium – *I* metossido di potassio – *S* metóxido de potasio
Lit.: Beilstein E III **1**, 1184 ▪ Synthetica **1**, 225 f. ▪ Ullmann (5.) **A 1**, 300. – *[HS 2905 19; CAS 865-33-8; G 4.1]*

Kaliummethylat s. Kaliummethoxid.

Kalium-Natrium-ATPase s. Natrium-Kalium-ATPase.

Kalium-Natrium-Legierungen. Gruppe von – an Luft selbstentzündlichen – Leg. des Na u. K, z. B. mit 44% K u. 56% Na (D. 0,886, Schmp. 19 °C, Sdp. 825 °C) od. mit 78% K u. 22% Na (D. 0,819, Schmp. –11 °C, Sdp. 784 °C).
Verw.: Für Heizbäder u. Wärmeaustausch-Syst., bes. für Schnelle Brutreaktoren; als Red.-Mittel. – *E* potassium sodium alloys – *F* alliages de sodium et de potassium – *I* leghe di potassio e sodio – *S* aleaciones de sodio y potasio
Lit.: Foust, Sodium NaK Engineering Handbook (5 Bd.), New York: Gordon & Breach 1972–1979 ▪ Hommel, Nr. 316 ▪ Kirk-Othmer (4.) **18**, 917 ff. ▪ Ullmann (5.) **A 22**, 34 f. ▪ Winnacker-Küchler (4.) **4**, 338. – *[G 4.3]*

Kalium-Natrium-Pumpe s. Natrium-Kalium-ATPase.

Kaliumnatrium-(R,R)-tartrat (Natronweinstein). Das gewöhnlich als Tetrahydrat vorliegende K.

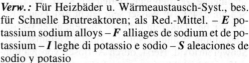

$C_4H_4KNaO_6$, M_R 210,16, bildet farblose, an der Luft oberflächlich verwitternde, orthorhomb., holoedr. Krist., D. 1,79, Schmp. 70–80 °C. K. verliert bei 100 °C 3 Mol. Kristallwasser, geht bei 130–140 °C in den wasserfreien Zustand über, zersetzt sich bei 220 °C, ist in Wasser leicht lösl., nahezu unlösl. in Alkohol. Die wäss. Lsg. reagiert schwach alkalisch. Zwi-

schen −18 °C u. + 24 °C sind K.-Krist. Ferroelektrika.
Herst.: Aus Kaliumhydrogentartrat (*Weinstein*) durch Neutralisation mit Natriumcarbonat. K. wurde (nach *Lit.*[1]) schon 1648–1660 von dem französ. Apotheker Seignette (1623–1663) in der Hafenstadt La Rochelle hergestellt; daher die histor. Bez. *Seignette-Salz* od. die im angloamerikan. Sprachraum übliche Bez. *Rochelle-Salz.*
Verw.: Früher benutzt als Laxans u. Konservierungsmittel, als Red.-Mittel bei der Versilberung von Spiegeln. Die piezoelektr. Eigenschaften von K.-Einkrist. werden in elektron. Schwingkreisen (z. B. Tonabnehmer) ausgenutzt. In der Analytik ist K. Bestandteil der Fehlingschen Lösung. – *E* potassium sodium tartrate – *F* tartrate de sodium et de potassium – *I* tartrato di potassio e sodio – *S* tartrato de sodio y potasio
Lit.: [1] J. Chem. Educ. **36**, 314–318 (1959).
allg.: Beilstein E IV **3**, 1223 ▪ DAB **9**, Komm., 137 f. ▪ Gmelin, Syst.-Nr. 22, K, 1936–1938, S. 1162–1222 ▪ Hager (5.) **8**, 654 ▪ Ullmann (4.) **11**, 417; **24**, 435; (5.) **A 11**, 568. – *[HS 2918 13; CAS 304-59-6]*

Kaliumnitrat. KNO_3, M_R 101,10. Farblose, wasserfreie Krist. od. weißes, trockenes, luftbeständiges Pulver, D. 2,109, Schmp. 334 °C, ab 400 °C partielle, ab 750 °C vollständige Zers. unter Bildung nitroser Gase. K. ist unlösl. in Alkohol, sehr leicht lösl. in Wasser (unter starker Abkühlung, vgl. unten); die kühlend bitter schmeckende Lsg. reagiert neutral. Bei 129 °C geht die rhomb. Modif. in die trigonale über. K. gibt bei Rotglut Sauerstoff ab u. oxidiert bei höherer Temp. organ. Verb., Kohle, Schwefel usw. rasch unter explosionsartigen Erscheinungen. In der Natur kommt K. als *Kalisalpeter in z. T. größeren Lagern vor.
Herst.: Bis um 1400 reichten die kleinen, aus Indien u. China („Chines. Schnee") bezogenen, natürlich vorkommenden Kalisalpeter-Mengen aus, um den Bedarf der Schießpulver-Werkstätten zu decken; später beutete man auch die kleineren Salpeter-Lager in Ungarn, Galizien, Südrußland u. Spanien aus. Etwa um 16. Jh. bis 1820 wurde der Kalisalpeter in den Salpeter-armen Ländern (bes. in Deutschland u. Frankreich) in sog. Salpeter-Plantagen gewonnen. Etwa von 1820 an wurde in größerem Umfang *Chilesalpeter eingeführt, der sich wegen seiner hygroskop. Eigenschaften freilich nicht gut zur *Schwarzpulver-Fabrikation eignete. Man brachte daher zu heißgesätt. Chilesalpeter-Lsg. etwa äquivalente Mengen Kaliumchlorid, wobei das in der Hitze schwächer lösl. Kochsalz ausfiel u. K. aus der filtrierten, abgekühlten Lsg. auskristallisierte. Je 100 g Wasser lösen bei 100 °C 175 g Natriumnitrat bzw. 246 g Kaliumnitrat, aber nur 56,6 g Kaliumchlorid bzw. 39,1 g Natriumchlorid; bei 0 °C lösen sich je 100 g Wasser dagegen 73 g Natriumnitrat, 28,5 g Kaliumchlorid, 35,6 g Natriumchlorid u. nur 13 g Kaliumnitrat, weshalb letzteres bei geeigneter Temp. ziemlich rein auskristallisierte. Dieser Vorgang wird als *Konversion*, das hierbei gewonnene K. als *Konversions-Salpeter* bezeichnet. Heute wird K. techn. v. a. durch Umsetzung von Nitraten mit KCl od. K_2SO_4 hergestellt. Auch durch Einwirkung von Salpetersäure auf Kalium-Salze ist K. zugänglich, wobei man zur Gewinnung prinzipiell auch von *Meerwasser ausgehen kann (*Kjelland-Verfahren).

Verw.: Zur Herst. von Schwarzpulver, Feuerwerkskörpern, Leuchtsätzen, Kältemischungen, Salz-Bädern für hohe Temp. (Mischung aus gleichen Tl. KNO_3 u. Natriumnitrat bis 700 °C verwendbar), zum Aufschluß von Pyrit, für Pökelsalz-Mischungen (salzt man Fleisch mit einem Gemisch aus 300 Tl. Kochsalz, 5 Tl. KNO_3 u. 15 Tl. Zucker ein, so verhindert der Salpeter eine Zers. des roten Blutfarbstoffs, u. das Fleisch behält seine frische, rote Farbe, s. a. Nitritpökelsalz), Asthma-Papiere (sog. Salpeter-Papier) u. -Räucherpulver (Gemische aus K. u. Atropin-haltigen Pflanzenteilen: Salpeter beschleunigt Verbrennung), Tabakbeizen, in der Keramik, Färberei, Druckerei, Glasfabrikation, Email-Ind., Metallverarbeitung (Schweiß- u. Härtesalze), Käserei, in Phthalsäureanhydrid-Anlagen (Heyden-Verf.). Da K. harntreibend wirkt, hat man es früher auch als Diuretikum arzneilich benutzt. – *E* potassium nitrate – *F* nitrate de potassium – *I* nitrato di potassio – *S* nitrato de potasio
Lit.: DAB **9**, Komm., 484 ▪ Gmelin, Syst.-Nr. 22, K, 1936–1938, S. 269–323 ▪ Hommel, Nr. 306 ▪ Kirk-Othmer (4.) **10**, 477 f.; **19**, 1084–1087 ▪ Noyes, Potash and Potassium Fertilizers 1966, Park Ridge: Noyes 1966 ▪ Ramdohr-Strunz, S. 563 f. ▪ Ullmann (5.) **B 2**, 3–10 f. – *[HS 2834 21; CAS 7757-79-1; G 5.1]*

Kaliumnitrit. KNO_2, M_R 85,10. Farblose bis gelbliche, leicht zerfließliche, hygroskop., prismat. Krist., D. 1,915, Schmp. 440 °C, in Wasser mit alkal. Reaktion sehr leicht lösl. (WGK 2).
Herst.: Durch Absorption von Stickstoffmonoxid u. -dioxid in einer Lsg. von Kaliumcarbonat:

$$K_2CO_3 + NO + NO_2 \rightarrow 2 KNO_2 + CO_2,$$

früher auch durch Schmelzen von Kaliumnitrat mit Blei:

$$KNO_3 + Pb \rightarrow KNO_2 + PbO.$$

Verw.: Zum Diazotieren, in der Photographie (Zusatz zu Emulsionen zur Erzielung von Auskopierschichten) u. in der Nickel- u. Cadmium-Analyse. – *E* potassium nitrite – *F* nitrite de potassium – *I* nitrito di potassio – *S* nitrito de potasio
Lit.: Gmelin, Syst.-Nr. 22, K, 1936–1938, S. 263–268 ▪ Hommel, Nr. 884 ▪ Ullmann (5.) **A 17**, 284. – *[HS 2834 10; CAS 7758-09-0; G 5.1]*

Kaliumnitrosodisulfonat s. Fremys Salz.

Kaliumoleat.

$$H_3C\diagdown\!\diagup\!\diagdown\!\diagup\!\diagdown\!\diagup\!\diagdown\!=\!\diagdown\!\diagup\!\diagdown\!\diagup\!\diagdown\!\diagup COOK$$

$C_{18}H_{33}KO_2$, M_R 320,56. Gelbliche, seifenartige Masse, lösl. in Wasser u. Alkohol. Wird u. a. zur Hautreinigung u. zur Herst. anderer Oleate verwendet. – *E* potassium oleate – *F* oléate de potassium – *I* oleato di potassio – *S* oleato de potasio – *[HS 2916.15; CAS 143-18-0]*

Kaliumosmat(VI). $K_2[OsO_2(OH)_4]$ od. $K_2OsO_4 \cdot 2 H_2O$, M_R 368,42. Rotviolette Krist., lösl. in Wasser, unlösl. in Alkohol u. Ether. K. wird durch Einleiten von *Osmiumtetroxid-Dämpfen in Kalilauge hergestellt u. zur Bestimmung Stickstoff-haltiger Stoffe im Wasser, zur Herst. von reinstem Osmium, als Katalysator bei der Zers. von Peroxiden u. zur Hydroxylierung von Alkenen zu cis-Diolen verwendet. – *E* potassium osmate –

F osmiate de potassium – *I* osmato di potassio – *S* osmiato de potasio
Lit.: Brauer (3.) **3**, 1746 ▪ Synthesis **1972**, 610 f. ▪ Ullmann (5.) **A 21**, 109 ▪ s. a. Osmium. – *[HS 2843 90; CAS 19718-36-6]*

Kaliumoxalate. (a) *Kaliumoxalat* (Dikaliumhydrat, Monohydrat KOOC–COOK · H$_2$O, M_R 166,22. Monokline, farblose Krist., D. 2,127, verlieren beim Erhitzen das Kristallwasser, gut lösl. in Wasser; findet Verw. in der chem. Analyse (gibt mit Calcium-Lsg. weiße Niederschläge aus Calciumoxalat), Galvanoplastik, früher auch in der Photographie zur Bereitung von Eisenoxalat-Entwicklern.

(b) *Kaliumhydrogenoxalat* (Monokaliumoxalat), KOOC–COOH, M_R 128,13. Farblose Krist., D. 2,044, mäßig lösl. in Wasser, findet sich z. B. im Sauerklee (*Oxalis acetosella*), Sauerampfer, *Rhabarber; techn. wenig wichtig.

(c) *Kaliumtrihydrogendioxalat* (Kaliumtetraoxalat), Dihydrat, KHC$_2$O$_4$ · H$_2$C$_2$O$_4$ · 2 H$_2$O, M_R 254,19. Wichtigstes Kaliumoxalat, das aufgrund seines von Savary 1773 entdeckten Vork. im Sauerklee (vgl. Bitterklee) oft *Sauerklee-* od. *Bitterkleesalz* genannt wird. Das Handelsprodukt („Kleesalz") ist oft ein Gemenge aus Kaliumtetraoxalat u. Monokaliumoxalat. Kleesalz bildet weiße, undurchsichtige, prismat. Krist. od. ein feines, geruchloses Kristallmehl, D. 1,836, unlösl. in Alkohol, lösl. bei 20 °C zu 4,3 Gew.-% in Wasser; beim Erhitzen auf 128 °C entweicht das Kristallwasser. Die Herst. erfolgt durch Absättigung einer Oxalsäure-Lsg. zur Hälfte bzw. zu einem Viertel ihres Äquivalentgew. mit Kaliumcarbonat.
Verw.: Zur *Fleckentfernung von Tinten- u. Rostflecken (gibt mit Eisen lösl. Doppelsalze), zum Reinigen von Holz u. Strohhüten, in der Zeugdruckerei. Alle Kaliumoxalate sind giftig (WGK 2), Gegenmittel: Kalkwasser od. Kreide, die im Magen unlösl. Niederschläge von Calciumoxalat bilden. – *E* potassium oxalates – *F* oxalates de potassium – *I* ossalati di potassio – *S* oxalatos de potasio
Lit.: Beilstein E IV **2**, 1823 ▪ Braun-Dönhardt, S. 282 ▪ Gmelin, Syst.-Nr. 22, K, 1936 – 1938, S. 936 – 956 ▪ Ullmann **A 18**, 256 f. – *[HS 2917.11; CAS 583-52-8]*

Kaliumoxide. Kalium bildet mehrere Verb. mit Sauerstoff, deren Benennungen uneinheitlich sind, insbes. in den Fällen (b) u. (c).
(a) *Kaliumoxid* (veraltet: Kaliummonoxid), K$_2$O, M_R 94,20. Farblose, an der Luft unbeständige Krist., D. 2,32, bei 350 °C Zers.; K$_2$O gibt mit Wasser sofort Kaliumhydroxid bzw. Kalilauge

$$K_2O + H_2O \rightarrow 2 KOH;$$

an der Luft nimmt festes K$_2$O Sauerstoff auf u. geht in Kaliumperoxid über. Die Herst. erfolgt durch Verbrennung von Kalium bei vermindertem Luftzutritt od. aus metall. Kalium u. Kaliumnitrat durch Erhitzen unter Luftzutritt.
(b) *Kaliumhyperoxid* (veraltet: Kaliumsuperoxid), KO$_2$, M_R 71,10. Gelbe Krist., D. 2,14, Schmp. 380 °C (Zers.), die beim Erhitzen von K im O$_2$-Strom entstehen. KO$_2$ reagiert mit Wasser zu KOH, H$_2$O$_2$ u. O$_2$ u. wird deshalb in der organ. Chemie als Oxid.-Mittel verwendet, außerdem neben Natriumchlorat als Sauerstoff-Quelle

in Atemschutzgeräten (Selbstretter), da es mit Wasserdampf unter CO$_2$-Bindung Sauerstoff abspaltet.
(c) *Kaliumperoxid* (veraltet: Kaliumsuperoxid od. -dioxid), K$_2$O$_2$, M_R 110,20. Weißes, amorphes Pulver, Zers. bei ca. 490 °C. Das durch Erhitzen von Kaliumhyperoxid (b) im Vak. zugängliche K$_2$O$_2$ zersetzt sich in Wasser unter O$_2$-Entwicklung; Gemische mit brennbaren Stoffen sind feuergefährlich, K$_2$O$_2$ ist als Oxid.- u. Bleichmittel verwendbar.
(d) Kalium bildet ferner noch ein rotes *Kaliumtrioxid*, K$_2$O$_3$, M_R 126,19, sowie ein *Kaliumozonid*, KO$_3$, M_R 87,10, das durch Einwirkung von Ozon auf K$_2$O bzw. KOH entsteht. – *E* potassium oxides – *F* oxydes de potassium – *I* ossidi di potassio – *S* óxidos de potasio
Lit.: Angew. Chem. **100**, 1388 f. (1988) ▪ Brauer (3.) **2**, 953 – 957 ▪ Hommel, Nr. 308, 1000 ▪ Kirk-Othmer (4.) **19**, 1055 ▪ Ullmann (5.) **A 19**, 181 f.

Kaliumozonid s. Kaliumoxide.

Kaliumperchlorat. KClO$_4$, M_R 138,55. Farblose, rhomb. Krist., D. 2,52, Schmp. 610 °C, oberhalb 400 °C Zers. unter Sauerstoff-Abspaltung u. Chlorid-Bildung. K. ist in kaltem Wasser so schwer lösl., daß man diese Eigenschaft zum K.-Nachw. – Fällung mit Perchlorsäure-Lsg. – ausnutzt. Schwefel, Kohle usw. verbrennen in geschmolzenem K. ähnlich wie in *Kaliumchlorat.
Herst.: Techn. wird. K. durch anod. Oxid. einer KClO$_3$-Lsg. dargestellt. In Chile erhält man K. durch Umkrist. von *Chilesalpeter, der stets bis zu 1% K. enthält; dieses muß wegen seiner Giftwirkung auf die Pflanzen aus dem zur Düngung bestimmten Salpeter entfernt werden.
Verw.: Früher zur Herst. von Sicherheitssprengstoffen im Bergbau u. von Feuerwerks- u. Knallkörpern, in der Photographie als Zusatz von Sensibilisierungslsg.; über K. als Ursache von Leukopenie, Agranulocytose u. aplast. Anämie s. *Lit.*[1]. – *E* potassium perchlorate – *F* perchlorate de potassium – *I* perclorato di potassio – *S* perclorato de potasio
Lit.: [1] Dtsch. Med. Wochenschr. **1962**, 1427.
allg.: Gmelin, Syst.-Nr. 22, K, 1936 – 1938, S. 502 – 514 ▪ Hommel, Nr. 307 ▪ Ullmann (5.) **A 6**, 515 – 521 ▪ s. a. Perchlorate. – *[HS 2829 90; CAS 7778-74-7; G 5.1]*

Kaliumperchromat s. Kaliumchromat.

Kaliumperiodat (Kaliummetaperiodat). KIO$_4$, M_R 230,00. Farblose Krist. od. weißes, körniges Pulver, D. 3,62, Schmp. 582 °C, bei höheren Temp. Zers., lösl. in ca. 80 Tl. kaltem Wasser, in heißem Wasser leichter. In saurer Lsg. ist K. ein starkes Oxid.-Mittel, das z. B. in der chem. Analyse (für photometr. Mangan-Bestimmungen) verwendet wird. – *E* potassium periodate – *F* periodate de potassium – *I* periodato di potassio – *S* peryodato de potasio
Lit.: Brauer (3.) **1**, 336 ▪ Gmelin, Syst.-Nr. 22, 1936 – 1938, S. 681 – 684. – *[HS 2829 90; CAS 7790-21-8]*

Kaliumpermanganat [Kaliummanganat (VII)]. KMnO$_4$, M_R 158,03. Tiefpurpurrote, fast schwarze, metall. violett bis blau glänzende, rhomb. Prismen, D. 2,703, oberhalb 240 °C Zers. unter Sauerstoff-Abspaltung in Kaliummanganat(VI), Manganit u. Sauerstoff:

$$10\,KMnO_4 \rightarrow 3\,K_2MnO_4 + 2\,K_2O \cdot 7\,MnO_2 + 6\,O_2.$$

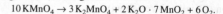

Je 100 g Wasser lösen bei 10 °C 4,4 g, bei 30 °C 9,1 g u. bei 75 °C 32,4 g K. mit tiefvioletter Färbung. Die Lsg. sind prakt. vollkommen beständig, wenn man dafür Sorge trägt, daß sie nicht mit reduzierenden Verb. (Papier, Staubteilchen u. dgl.) in Berührung kommen. Die Lsg. werden gewöhnlich in braunen Flaschen aufbewahrt, obwohl sie gegen Licht verhältnismäßig unempfindlich sind. K. wirkt auch in verd. (neutraler, saurer u. alkal.) Lsg. als starkes Oxid.-Mittel; von solchen Lsg. wird sogar Filtrierpapier oxidiert, weshalb man durch Glaswolle od. Asbest filtrieren muß. Bei den Oxid.-Vorgängen entstehen oft braune Flecke von Braunstein. Unter Entflammung reagieren mit K. z.B. Glycerin, Ethylenglykol, Mannit, Methylglykol, Triethanolamin, Acetaldehyd, Benzaldehyd. Infolge seiner starken Oxid.-Wirkung zerstört K. auch Geruchstoffe, Gifte u. vernichtet viele Bakterien od. behindert sie im Wachstum. Das starke Oxid.-Vermögen des K. wird u. a. in der *Manganometrie* (s. Oxidimetrie) ausgenutzt. Bei der Red. von K. mit *Natriumperborat erfolgt langsamer Übergang des violetten MnO_4^- zum Mn^{2+} über grünes MnO_4^{2-}, blaues MnO_4^{3-} u. braunes MnO_4^{4-}. Aufgrund dieses bemerkenswerten Farbwechsels nannte man K. das (mineral.) *Chamäleon*; nach anderen Quellen hat diese Bez. K_2MnO_4 (s. Manganate) charakterisiert.

Herst.: Durch Oxid. einer Mischung aus *Braunstein u. KOH mit Luft zu Manganat(VI), entweder über Manganat(V) in einem zweistufigen *Röst-(Schmelz)-Verf.:*

1. $2 MnO_2 + 6 KOH + 0,5 O_2 \xrightarrow{\sim 400°C} 2 K_3MnO_4 + 3 H_2O$
2. $2 K_3MnO_4 + 0,5 O_2 \xrightarrow{\sim 200°C} 2 K_2MnO_4 + K_2O$

od. in einem *Flüssigphase-Verf.:*

$$MnO_2 + 2 KOH + 0,5 O_2 \xrightarrow{\sim 230°C} K_2MnO_4 + H_2O.$$

Anschließend wird das so erhaltene Kaliummanganat(VI) in wäss. Kalilauge gelöst u. elektrochem. an Anoden aus Nickel od. Monel-Metall zu K. oxidiert:

$$2 K_2MnO_4 + 2 H_2O \xrightarrow{Elektrolyse} 2 KMnO_4 + 2 KOH + H_2.$$

Verw.: In der organ. Synth. als Oxid.-Mittel, wobei auch in organ. Lsm. gearbeitet werden kann, wenn man Phasentransfer-Katalysatoren benutzt (s. Phasen-Transfer-Katalyse) od. K. auf Träger aufzieht, zur Reinigung von Stahl-, Draht- u. Profiloberflächen von Beiz- u. Verkokungsrückständen, bei der Wasser-Aufbereitung zur Entfernung von Mangan, Eisen u. als Algizid, als Bleichmittel u. Antiseptikum, zur Geruchsbeseitigung in Tierkörperverwertungsanstalten, Fischmehlfabriken usw., in der Oxidimetrie, zur Herst. von Blitzlichtpulver, in fester Kristallform od. in Pastenform als Blutstillungsmittel, als Gegengift bei Vergiftungen mit Blausäure, Kaliumcyanid (Abbau über KCNO), Opium, Morphium u. Phosphor, in der Photographie als Schleierentferner, Abschwächer, Bleichmittel, Fixiernatronzerstörer. – *E* potassium permanganate – *F* permanganate de potassium – *I* permanganato di potassio – *S* permanganato de potasio

Lit.: Büchner et al., Industrial Inorganic Chemistry, S. 284 f., Weinheim: VCH Verlagsges. 1989 ■ DAB **10** u. Komm. ■ Gmelin, Syst.-Nr. 56, Mn, Tl, C 2, 1975, S. 146 – 190 ■ Hommel, Nr. 114 ■ Kirk-Othmer (4.) **15**, 1022 – 1039 ■ Lee, in Trahanovsky, Oxidation in Organic Chemistry, Part D, S. 147 – 206, New York: Academic Press 1982 ■ Ullmann (5.) **A 16**, 133 – 140 ■ Winnacker-Küchler (4.) **2**, 641 – 650. – *[HS 2841 61; CAS 7722-64-7; G 5.1]*

Kaliumperoxid s. Kaliumoxide.

Kaliumperoxodisulfat (Handelsbez. auch Kaliumpersulfat). $KO_3S–O–O–SO_3K$, M_R 270,32. Farblose Krist., in etwa 50 Tl. Wasser lösl., unlösl. in Alkohol. Die beim Erhitzen zerfallende Verb. ist in wäss. Lsg. verhältnismäßig beständig u. wirkt oxidierend:

$$K_2S_2O_8 + H_2O \rightarrow KHSO_5 + KHSO_4$$
$$KHSO_5 + H_2O \rightarrow KHSO_4 + H_2O_2.$$

K. wird durch Umsetzen von Ammoniumpersulfat mit Kaliumhydrogensulfat od. durch direkte anod. Oxid. gewonnen.

Verw.: Als Bleichmittel (z.B. bei Schmier- u. Kernseifen), als Oxid.-Mittel (z.B. in der *Elbs-Reaktion), in der chem. Analyse (Trennung von Mangan u. Chrom), in der Photographie (Abschwächer, Fixiernatronzerstörer, Brauntoner), als Initiator für Emulsionspolymerisationen, in der Textil-Ind. zum Entschlichten, zum Bleichen von dunklen Naturfasern, zum Entwickeln von Küpenfarben, zum Abziehen von Färbungen, zur Oberflächenbehandlung von Metallen (Beizen, Färben), zur Enteisenung von Metallsalz-Lösungen. – *E* potassium peroxodisulfate – *F* peroxodisulfate de potassium – *I* perossodisolfato di potassio – *S* peroxodisulfato de potasio

Lit.: Brauer (3.) **1**, 393 ■ Gmelin, Syst.-Nr. 22, K, 1936 – 1938, S. 758 – 763 ■ Hommel, Nr. 309 ■ Kirk-Othmer (4.) **18**, 217 ff. ■ Ullmann (5.) **A 19**, 189 ff. ■ Winnacker-Küchler (4.) **2**, 588 – 591. – *[HS 2833 40; CAS 7727-21-1]*

Kaliumperrhenat [Kaliumrhenat(VII)]. $KReO_4$,, M_R 289,30, wasserfreie, tetragonale Bipyramiden, D. 4,68, Schmp. 555 °C, Sdp. 1370 °C, die im Gegensatz zum nahe verwandten Kaliumpermanganat farblos sind.

Herst.: Aus Flugstäuben, die bei der Verhüttung von Molybdän- u. Rhenium-haltigen Kupfer-Kiesen (Re-Gehalte bis zu einigen tausend ppm) anfallen, werden die ReO_4^--Ionen mit Wasser herausgelaugt u. durch Zusatz von Kaliumchlorid in Form des schwerlösl. K. ausgefällt. Erhitzt man K. im Wasserstoff-Strom, so entsteht reines *Rhenium als graues Pulver. – *E* potassium perrhenate – *F* perrhénate de potassium – *I* perrenato di potassio – *S* perrenato de potasio

Lit.: Brauer (3.) **3**, 1633 f. ■ Gmelin, Syst.-Nr. 70, Re, 1941, S. 127 – 131. – *[HS 2841 90; CAS 10466-65-6]*

Kaliumpersulfat s. Kaliumperoxodisulfat.

Kaliumphosphate. (a) *Kaliumdihydrogenphosphat* (prim. od. einbas. K., Kaliumbiphosphat, KDP), KH_2PO_4, M_R 136,09. Weißes Salz, D. 2,33, Schmp. 253 °C [Zers. unter Bildung von Kaliummetaphosphat $(KPO_3)_x$], leicht lösl. in Wasser, unlösl. in Alkohol. Verw. als Düngemittel, in Farbfilmbehandlungslsg., als (bei ≥ 150 °C ferroelektr.) elektropt. Krist., Frequenzverdoppler, in Kerr-Zellen (s. Kerr-Effekt). Das dideuterierte Derivat Kaliumdideuteriophosphat (KDDP) ist unterhalb seiner Curie-Temp. (−51 °C) ferroelektr.; wegen ihrer piezoelektr. u. elektropt. Eigenschaften eignen sich Einkrist. aus KDDP als Frequenzverdoppler u. Modulator-Kristalle.

(b) *Dikaliumhydrogenphosphat* (sek. od. zweibasiges K.), K_2HPO_4, M_R 174,18. Amorphe, weiße Stücke, leicht lösl. in Wasser, wenig lösl. in Alkohol, wurde z.B. bei Rheumatismus, Skrofulose u. dgl. verwendet.

(c) *Trikaliumphosphat* (tert. od. dreibasiges K.), K_3PO_4, M_R 212,27. Weißes, zerfließliches, körniges Pulver, D. 2,56, Schmp. 1340 °C, in Wasser mit alkal. Reaktion leicht lösl., entsteht z. B. beim Erhitzen von Thomasschlacke mit Kohle u. Kaliumsulfat. Trotz des höheren Preises wird in der Reinigungsmittel-Ind. die leichter lösl., daher hochwirksamere K.- gegenüber der entsprechenden Natrium-Verb. vielfach bevorzugt.

(d) *Kaliumdiphosphat* (Kaliumpyrophosphat). Das Trihydrat $K_4P_2O_7 \cdot 3\,H_2O$, M_R 384,38, ist ein farbloses, hygroskop. Pulver, D. 2,33, unlösl. in Alkohol, lösl. in Wasser, der pH-Wert der 1%igen Lsg. bei 25 °C beträgt 10,4. Verw. in Textilhilfsmitteln zur Verhütung von Härte-Niederschlägen, als Seifenzusatz, zur Verzinnung, H_2O_2-Stabilisierung, Tonreinigung, bei Erdölbohrungen.

(e) *Kaliummetaphosphat* (Kurrolsches Salz, vgl. kondensierte Phosphate u. Polyphosphate), $(KPO_3)_x$. Farblose Krist., D. 2,25, in Wasser unlösl., bildet mit Natrium-Salzen Lsg. unterschiedlicher Viskosität u. wird durch Entwässern von Kaliumdihydrogenphosphat, aus Harnstoffphosphaten od. Polyphosphorsäure hergestellt. Die Kaliumpolyphosphate finden in der Wasch- u. Reinigungsmittel-Ind., zur Fleischverarbeitung sowie in der Kosmetik zur Herst. von Emulsionen Verw. u. sind ferner für Düngemittelzwecke in Betracht gezogen worden. Zum möglichen Auftreten von Verhaltensstörungen bei Kindern nach Aufnahme von Phosphat aus der Nahrung s. Hafer (*Lit.*). – *E* potassium phosphates – *F* phosphates de potassium – *I* fosfati di potassio – *S* fosfatos de potasio
Lit.: DAB **10** u. Komm. ▪ Ferroelectrics **71**, 1–4; **72**, 1–4 (1987) ▪ Gmelin, Syst.-Nr. 23, K, 1936–1938, S. 984–1008 ▪ Hafer, Nahrungsphosphat als Ursache für Verhaltensstörungen u. Jugendkriminalität, Heidelberg: Kriminalstatistik-Verl. 1978 ▪ Kirk-Othmer (4.) **10**, 478; **18**, 688 f., 699, 701; **19**, 1087 ▪ Ullmann **A 19**, 495 f. ▪ Winnacker-Küchler (4.) **2**, 348 f., 362 f. ▪ s. a. Düngemittel. – *[HS 283524; CAS 7778-77-0 (a); 7758-11-4 (b); 7778-53-2 (c); 7320-34-5 (d); 7790-53-6 (e)]*

Kaliumplatin(IV)-chlorid s. Kaliumhexachloroplatinat.

Kaliumpolyiodid-Lösung s. Iodkaliumiodid-Lösung.

Kaliumpolysulfide s. Kaliumsulfide.

Kalium-Präparate. Sammelbez. für arzneilich angewandte wasserlösl. Salze des *Kaliums; Näheres zur Physiologie s. dort. – *E* potassium preparations – *F* préparations de potassium – *I* preparati di potassio – *S* preparados de potasio

Kaliumpyrophosphat s. Kaliumdiphosphat unter Kaliumphosphate.

Kaliumpyrosulfat s. Kaliumdisulfat.

Kaliumpyrosulfit s. Kaliumdisulfit.

Kaliumquecksilber(II)-cyanid s. Kaliumtetracyanomercurat(II).

Kaliumquecksilberiodid [Kaliumtetraiodomercurat (II)] s. Thoulets Lösung.

Kaliumrhenat(VII) s. Kaliumperrhenat.

Kaliumrhodanid s. Kaliumthiocyanat.

Kaliumsilbercyanid s. Kaliumdicyanoargentat.

Kaliumsilicate. Sammelbez. für die Kalium-Salze der verschiedenen *Kieselsäuren, die ähnlich aufgebaut sein dürften wie die entsprechenden *Natriumsilicate; zur Verw. s. a. Silicate u. Wasserglas. – *E* potassium silicates – *F* silicates de potassium – *I* silicati di potassio – *S* silicatos de potasio – *[HS 283920]*

Kaliumsilicofluorid s. Kaliumhexafluorosilicat.

Kaliumsorbat. $H_3C\text{–}CH=CH\text{–}CH=CH\text{–}COOK$, $C_6H_7KO_2$, M_R 150,22. Farb-, geruch- u. geschmackloses Pulver od. Granulat, D. 1,363, bei ca. 270 °C Zers., gut lösl. in Wasser. K. wird hauptsächlich als Konservierungsstoff (EG-Nummer: E 202) für Lebensmittel u. Futtermittel verwendet; Näheres s. bei Sorbinsäure. – *E* potassium sorbate – *F* sorbate de potassium – *I* sorbato di potassio – *S* sorbato de potasio
Lit.: Beilstein E III **2**, 1456 ▪ Römpp Lexikon Lebensmittelchemie, S. 785 ▪ Ullmann (5.) **A 4**, 386; **A 24**, 508. – *[HS 291619; CAS 24634-61-5]*

Kaliumstannat s. Kaliumhexahydroxostannat(IV).

Kaliumstearat. $H_3C\text{–}(CH_2)_{16}\text{–}COOK$, $C_{18}H_{35}KO_2$, M_R 322,56. Weißes Pulver, gewöhnlich mit leichtem Fettgeruch, wenig lösl. in kaltem, leichter lösl. in heißem Wasser od. Alkohol (alkal. Reaktion). Wird als Textilhilfsmittel od. zur Herst. von Schmierseifen verwendet. – *E* potassium stearate – *F* stéarate de potassium – *I* stearato di potassio – *S* estearato de potasio
Lit.: Beilstein E IV **2**, 1212. – *[HS 2915.70; CAS 593-29-3]*

Kaliumsulfat. K_2SO_4, M_R 174,26. Farblose, rhomb. Krist. od. krist. Krusten, D. 2,67, Schmp. 1069 °C, Sdp. 1689 °C, in Alkohol unlösl., in Wasser verhältnismäßig leicht lösl.: Je 100 g Wasser lösen bei 0 °C 7,35 g, bei 20 °C 11,11 g, bei 50 °C 16,5 g, bei 100 °C 24,1 g K_2SO_4. K. findet sich als Doppelsalz in verschiedenen Mineralen der *Kali- u. *Abraumsalze, so im Schönit, Leonit, Langbeinit, Polyhalit, Glaserit.
Herst.: *Glauber stellte das schon im 14. Jh. bekannte K. aus Kaliumchlorid u. Schwefelsäure her; heute geschieht dies in der Wirbelschicht unter direkter Beheizung auf 700 °C. Eine weitere Möglichkeit zur K_2SO_4-Gewinnung ist die Umsetzung von KCl mit den Sulfaten anderer Metalle, bes. Magnesiumsulfat als Bestandteil od. Begleiter von Kalisalzen, z. B. Kieserit u. Schönit:

$$2\,KCl + 2\,MgSO_4 \xrightarrow{+6\,H_2O} K_2SO_4 \cdot MgSO_4 \cdot 6\,H_2O + MgCl_2$$

$$K_2SO_4 \cdot MgSO_4 \cdot 6\,H_2O + 2\,KCl \xrightarrow{-6\,H_2O} 2\,K_2SO_4 + MgCl_2.$$

Nach dem *Hargreaves-Verfahren setzt man KCl mit einem Gemisch aus Schwefeldioxid, Luft u. Wasser um:

$$2\,KCl + SO_2 + 0,5\,O_2 + H_2O \rightarrow K_2SO_4 + 2\,HCl$$

(unter Verwertung des anfallenden Chlorwasserstoffs).
Verw.: Zur Herst. von Kaliumalaun, Kaliwasserglas, Persulfat, Pottasche, Phlegmatoren, Mineralwässern, synthet. Gummi, Mischdüngern, zur Weinstein- u. Weinsäure-Reinigung, in der Farbstoff-, Sprengstoff- u. pharmazeut. Ind., als Feuerlöschmittel, Kalidünger für Chlorid-empfindliche Kulturen (z. B. Weinbau) u. als Kochsalz-Ersatz in diätet. Lebensmitteln. – *E* potassium sulfate – *F* sulfate de potassium – *I* solfato di potassio – *S* sulfato de potasio
Lit.: Büchner et al., Industrial Inorganic Chemistry, S. 212, Weinheim: VCH Verlagsges. 1989 ▪ DAB **9**, Komm., 484 f. ▪

Gmelin, Syst.-Nr. 22, K, 1936–1938, S. 708–744 ▪ Kirk-Othmer (4.) **19**, 1075–1079 ▪ Ullmann (5.) **A 22**, 84–91 ▪ Winnacker-Küchler (4.) **2**, 319–324. – *[HS 3104 30; CAS 7778-80-5]*

Kaliumsulfhydrat s. Kaliumsulfide.

Kaliumsulfide. (a) *Kaliumsulfid* (Schwefelkalium, Kaliummonosulfid), K_2S, M_R 110,26. Farblose Masse, D. 1,8, Schmp. 840 °C, WGK 2. Herst. durch Erwärmen der miteinander vermischten Elemente (Feuererscheinung, heftige Reaktion), durch Red. von Kaliumsulfat mit Kohle bei höherer Temp. ($K_2SO_4 + 2C \rightarrow K_2S + 2CO_2$) od. durch Auflösen von Kalium in verflüssigtem Ammoniak u. Zugabe von Schwefel. In wäss. Lsg. ist K_2S erhältlich, indem man eine KOH-Lsg. zunächst mit Schwefelwasserstoff sättigt u. das hierbei entstehende *Kaliumhydrogensulfid* (veraltet: Kaliumsulfhydrat) durch Zugabe der gleichen Menge KOH in das Sulfid überführt:

$$KOH + H_2S \rightarrow KHS + H_2O$$
$$KHS + KOH \rightarrow K_2S + H_2O.$$

In der Kälte kristallisiert $K_2S \cdot 5H_2O$ aus. Reinstes K_2S ist farblos; gelbliche Verfärbungen rühren von *Polysulfiden, grünliche von Eisensulfid her.
(b) *Kaliumpolysulfide.* Ziemlich unbeständige, bei Einwirkung von Luftfeuchtigkeit u. Kohlendioxid unter Schwefelwasserstoff-Entwicklung zerfallende Verb. von der allg. Formel K_2S_x mit $x = 3 – 7$. Die als Kalium-Derivate der *Sulfane aufzufassenden K-Polysulfide entstehen, wenn man in einer Lsg. von Kaliumhydrogensulfid Schwefel auflöst. Durch Zusammenschmelzen von 1 Tl. Schwefel u. 2 Tl. Pottasche bei 250 °C unter Luftabschluß (sonst verbrennt der Schwefel) erhält man die sog. *Schwefel-Leber* (Hepar sulfuris): In frischem Zustand lederbraune bis grüngelbe Stücke, die sich in Wasser fast vollständig mit alkal. Reaktion u. gelbgrüner Farbe lösen. Sie ist ein Gemisch aus Kaliumpolysulfid, Kaliumsulfat u. Kaliumthiosulfat. Die in Wasser gelöste u. leicht angesäuerte Schwefel-Leber (meist genügt schon die „Kohlensäure" der Luft) scheidet Schwefel in feiner Verteilung aus (Schwefel-Milch). Schwefel-Leber dient u. a. zur Herst. künstlicher Schwefel-Bäder, gegen Flechte, Gicht, Rheumatismus, Haarkrankheiten, zur Hautpflege für Arbeiter in Blei- u. Quecksilber-Werken, zum Dunkelbeizen von Edelmetallen (Bildung dunkler Sulfide), zum Färben von Pelzen. – *E* potassium sulfides – *F* sulfures de potassium – *I* solfuri di potassio – *S* sulfuros de potasio
Lit.: Blaue Liste, S. 214 ▪ Brauer (3.) **1**, 373–378 ▪ Hommel, Nr. 310. – *[HS 2830 90; CAS 1312-73-8; G 4.2, 9]*

Kaliumsulfit. $K_2SO_3 \cdot 2H_2O$, M_R 158,25. Farblose Krist., lösl. in ca. 3,5 Tl. Wasser, wenig lösl. in Alkohol. Luft oxidiert K. langsam zu Sulfat, u. schon schwache Säuren zersetzen K. unter SO_2-Entwicklung. Verw. in Photoentwicklern, in der Färberei als *Reservierungsmittel bei Küpenfarbstoff-Estern unter unlösl. Azo-Farbstoffen (Variaminblau-Artikeln), Weißreserve unter Anilinschwarz. – *E* potassium sulfite – *F* sulfite de potassium – *I* solfito di potassio – *S* sulfito de potasio
Lit.: Blaue Liste, S. 21 ▪ Kirk-Othmer (3.) **18**, 922. – *[HS 2832 20; CAS 10117-38-1]*

Kaliumsuperoxid s. Kaliumoxide.

Kaliumtellurit. K_2TeO_3, M_R 253,79. Weißes, körniges Pulver, bei 460–470 °C Zers., in Wasser mit alkal. Reaktion lösl.; Verw. in Lsg. 1 : 50 000 zur Erkennung lebender pathogener Bakterien in Seren u. dgl.; diese rufen durch Red. charakterist. Schwärzung hervor. – *E* potassium tellurite – *F* tellurite de potassium – *I* tellurite di potassio – *S* telurito de potasio – *[HS 2842 90; CAS 7790-58-1]*

Kaliumtetracyanomercurat(II) (Kaliumquecksilber(II)-cyanid). $K_2[Hg(CN)_4]$, M_R 382,86. Farblose, wasserlösl., sehr giftige Krist.; Verw. in der Spiegelfabrikation zur Verhütung der Vergilbung von Silber-Überzügen. – *E* potassium tetracyanomercurate(II) – *F* tétracyanomercurate(II) de potassium – *I* tetracianomercurato(II) di potassio – *S* tetracianomercuriato(II) de potasio – *[HS 2837 20; CAS 591-89-9]*

Kaliumtetrafluoroborat [Kaliumfluo(ro)borat, Kaliumborfluorid]. $K[BF_4]$, M_R 125,90. Weißes Pulver bzw. farblose Rhomben od. Würfel, D. 2,5, Schmp. 530 °C (Zers.), schwer lösl. in Wasser u. Alkohol. K. wird durch Wasser langsam zersetzt; die wäss. Lsg. reagiert sauer u. greift Glas an. Beim Erhitzen auf 593 °C zerfällt es vollständig in KF u. BF_3.
Verw.: Als Lötmittel, Bestandteil von Phosphatierungsbädern, Abdecksalz beim Schmelzen von Leichtmetall (bes. Aluminium-Schrott), bei elektrochem. Vorgängen u. in Formsanden bei Aluminium- u. Mangan-Schmelzen. – *E* potassium tetrafluoroborate – *F* tétrafluoroborate de potassium – *I* tetrafluoroborato di potassio – *S* tetrafluoroborato de potasio
Lit.: Brauer (3.) **1**, 236 ▪ Gmelin, Syst.-Nr. 22, K, 1936–1938, S. 818 ff. ▪ Kirk-Othmer (4.) **11**, 315 ▪ Ullmann (5.) **A 4**, 314. – *[HS 2826 90; CAS 14075-53-7]*

Kaliumtetrahydridoborat s. Kaliumborhydrid.

Kaliumtetraiodomercurat s. Thoulets Lösung.

Kaliumtetraoxalat s. Kaliumoxalate.

Kaliumtetraperoxochromat(V) s. Kaliumchromat.

Kaliumtetrathionat. $K_2S_4O_6$, M_R 302,43. Farblose, monokline Krist., D. 2,296, lösl. in Wasser, unlösl. in Alkohol. Verw. in der Bakteriologie, um bei der Anreicherung von Typhus-, Paratyphus- u. a. Erregern (u. verwandter Salmonellen) die Überwucherung mit anderen Keimen zu verhindern. – *E* potassium tetrathionate – *F* tétrathionate de potassium – *I* tetrationato di potassio – *S* tetrationato de potasio
Lit.: Brauer (3.) **1**, 398 f. – *[CAS 13932-13-3]*

Kaliumthiocyanat (Kaliumrhodanid). KSCN, M_R 97,18. Farblose, zerfließliche, hygroskop. Krist., D. 1,886, Schmp. 170–174 °C (Zers.), in Wasser mit neg. Wärmetönung sehr leicht lösl., wirkt korrosiv u. greift bei längerer Einwirkung die Haut an.
Herst.: Durch Zusammenschmelzen von Kaliumcyanid u. Schwefel, techn. aus Ammoniumthiocyanat u. KOH bzw. K_2CO_3.
Nachw.: K. gibt wie die übrigen Thiocyanate schon mit sehr verd. Eisen(III)-Salzlsg. eine intensiv rote Färbung aus $Fe(SCN)_3$.
Verw.: Zum Nachw. von Eisen, in der Photographie (zum Tönen, Sensibilisieren, Stabilisieren), in der Gal-

vanotechnik, zur Synth. von organ. Thio- u. Isothio-cyanaten, Schädlingsbekämpfungsmitteln, Textilhilfs-mitteln u. dgl., zur Herst. von Metallbeizen, in der Tex-til-Ind. als Hilfsmittel beim Drucken u. Färben, in der Metallurgie zur selektiven Extraktion von Zr, Hf, Th u. a. Metallen. – *E* potassium thiocyanate – *F* thiocya-nate de potassium – *I* tiocianato di potassio – *S* tioci-anato de potasio

Lit.: Beilstein E IV **3**, 301. – *[HS 2838 00; CAS 333-20-0]*

Kaliumtrihydrogendioxalat s. Kaliumoxalate.

Kaliumtrioxid s. Kaliumoxide.

Kaliumxanthate (Kaliumxanthogenate, Kalium-*O*-al-kyldithiocarbonate). Gruppe von Kalium-Salzen der *Xanthogensäuren* der allg. Formel RO–CS–SK (R = Kohlenwasserstoff-Rest), im allg. feste gelbe Sub-stanzen mit stechendem Geruch, die in Wasser lösl. sind, reizen Haut u. Schleimhäute. Als erstes Xanthat wurde das Kaliumethylxanthat 1822 von Zeise aus KOH, Schwefelkohlenstoff u. Ethanol hergestellt.

Tab.: Schmelz- u. Zersetzungstemp. techn. wichtiger Kaliumxanthate.

Xanthat	Schmelz-bereich [°C]	Zersetzungs-bereich [°C]
H₃C–O–CS–SK	180–200	165–185
H₅C₂–O–CS–SK	220–250	210–225
H₃C–(CH₂)₂–O–CS–SK	220–250	220–240
(H₃C)₂CH–O–CS–SK	220–250	230–275
H₃C–(CH₂)₃–O–CS–SK	250–280	235–255
(H₃C)₂CH–CH₂–O–CS–SK	220–250	250–265
H₅C₂–CH(CH₃)–O–CS–SK	220–250	220–260

Verw.: Die K. werden hauptsächlich als Sammler für die Flotation von sulfid. Metallerzen eingesetzt. – *E* potassium xanthates – *F* xanthates de potassium – *I* xantati di potassio – *S* xantatos de potasio

Lit.: Beilstein E IV **3**, 402 ff. ▪ Ullmann (4.) **24**, 511 ff.; (5.) **B 2**, 23–5, 23–21 ▪ s. a. Xanthogenate – *[HS 2915 90; CAS 140-89-6 (Kaliumethylxanthat)]*

Kaliwasserglas s. Wasserglas.

Kalk s. Baustoffe u. Düngekalk (*Düngemittel) sowie die hier folgenden Stichwörter. Gebrannter K. s. Cal-ciumoxid, gelöschter K. s. Calciumhydroxid.

Kalkammoniak. Ein nur noch in geringem Umfang verwendeter Handelsdünger (gekörnt) aus einem Ge-misch von Ammoniumchlorid (NH₄Cl) u. Kalk (CaCO₃) mit einem Stickstoff-Gehalt von 15% u. einem Kalk-Gehalt von 32–35%; vgl. a. folgendes Stichwort.

Kalkammonsalpeter. Handelsdünger aus einem Ge-misch von Kalk (CaCO₃) u. Ammoniumnitrat (NH₄NO₃) mit etwa 26%, in anderen europ. Ländern auch bis 28% Stickstoff u. ca. 22% Kalk. K. wird in Form streubarer Körner durch Prillen od. Granulieren hergestellt. Er eig-net sich für alle Böden (z. B. auch als Kopfdünger bei Spätgemüse, zur Düngung von Viehweiden, Ölfrüch-ten usw.) u. kann mit *Superphosphat gemischt wer-den. Bei längerer Lagerung bildet sich eine oberfläch-liche Kruste, die man nicht entfernen soll, da sie den darunter befindlichen Salpeter vor Luftfeuchtigkeit schützt. Mit (Ätz-)kalk-haltigen *Düngemitteln (ge-brannter Kalk, Kalkstickstoff, Thomasmehl, Rhenania-

Phosphat) soll K. nicht gemischt werden, da sich sonst aus dem Ammoniumnitrat gasf. Ammoniak entwickelt, das nutzlos entweicht. Unter normalen Verhältnissen streut man im Frühjahr etwa 250 kg K. je ha Anbau-fläche. K. gehört zu den beliebtesten Düngemitteln; er wirkt rasch u. ist bei allen Pflanzen anwendbar. K. wurde erstmals 1928 von der BASF in großtechn. Maß-stab erzeugt. – *E* calcium ammonium nitrate (CAN) – *F* „ammonitrate“, nitrate d'ammoniaque calcique – *I* nitrato d' ammonio e calcio – *S* „nitrocalamón“, nitrato amónico y carbonato cálcico, nitrato amónico-cálcico

Lit.: Ullmann (4.) **7**, 520; **10**, 220; (5.) **A 2**, 252; **A 10**, 347 ▪ Winnacker-Küchler (4.) **2**, 336, 345, 371 ▪ s. a. Düngemittel. – *[HS 3102 40]*

Kalkbrennen s. Calciumoxid.

Kalkdünger s. Düngemittel.

Kalke (Kalksteine). Zu den Carbonat-Gesteinen gehörende *Sedimentgesteine vorwiegend organoge-nen Ursprungs, die überwiegend aus *Calciumcarbo-nat (CaCO₃) bestehen. Organ. entstandene K. werden zunächst biogen als *Aragonit, Magnesium-reicher *Calcit (>4 Mol-%, in der Regel 11–19 Mol-% MgCO₃) u. Mg-armer Calcit ausgefällt; während der Diagenese (s. Sedimentgesteine) lösen sich die meta-stabilen Phasen auf u. werden als (Mg-armer) Calcit u./od. *Dolomit wieder ausgeschieden. Nicht-carbo-nat. Bestandteile der K. sind *Quarz, *Tonminerale, *Feldspäte, *Pyrit, *Hämatit, Hornstein (*Kieselge-steine) u. *Apatit, auch *Gips u. *Anhydrit. Die drei wichtigsten, am Aufbau der K. beteiligten Kompo-nenten sind: 1. *Mikrit* (mikrokrist. Calcit, Korngröße <5 µm, z. T. als „Carbonatschlamm“ bezeichnet), – 2. *Sparit* (sparit. Calcit; meist porenfüllender Zement mit Korngrößen >5 µm bis zu 1 mm) u. – 3. *Allochems*; zu letzteren gehören u. a. *Ooide* (*Oolithe), *Peloide* [(Kot-)Pillen, meist fäkaler Herkunft], *Bioklasten* (Überreste der skelettartigen Hartteile Carbonat-ab-scheidender Organismen, z. B. von Muscheln od. Ko-rallen), *Intraklasten* (zu neuen Partikeln aufgearbei-tete, bereits abgelagerte Sedimente) u. *Onkoide* (bio-gene Bildung mit konzentr. Lagenstruktur). Da die Löslichkeit von CaCO₃ in Ozeanteilen mit warmem Oberflächen- u. kaltem Tiefenwasser mit der Tiefe stark ansteigt, treten in tieferen Teilen der Ozeane, im Pazifik z. B. ab etwa 4000 m (sog. *Carbonat-Kom-pensationstiefe*), K. nur noch untergeordnet auf. Zur *Klassifikation* u. *Nomenklatur*, den Zementen u. der Diagenese der K. s. die zusammenfassenden Darst. bei Tucker (*Lit.*) u. Füchtbauer (*Lit.*); letzterer unter-scheidet zwischen *Partikel-K.* u. *K. ohne sichtbare Partikel* (*Kalklutite* od. feinkrist. bzw. grobkrist. K.). Lockere Partikel-K. werden als *Kalksande* bezeichnet. Für die speziellen Zwecke der Erdölgeologie ist die von *Dunham* in *Lit.*[1] vorgeschlagene Nomenklatur ge-eignet (die Übersetzung der Begriffe ins Dtsch. er-scheint nicht sinnvoll):

1. mudstone = Kalk mit <10% Partikeln
2. wackestone = Partikel schwimmen in Matrix (auch „float-stone“ genannt)
3. packstone = mit Matrix; die Partikel stützen sich ab
4. grainstone = Partikel ohne Matrix; mit od. ohne Zement
5. boundstone = Komponenten organogen miteinander ver-bunden

Eine weithin gebräuchliche Einteilung wurde von Folk (*Lit.*[2]) vorgeschlagen, s. die Tabelle.

Tab.: Klassifikation der Kalksteine nach ihrer Zusammensetzung nach Folk (*Lit.*[2]); zitiert in Tucker, *Lit.*, S. 125.

Carbonat-Partikel	Bez. der Kalksteine		
	zementiert durch Sparit	mit mikrit. Matrix	
Skelettfragmente (Bioklasten)	Biosparit	Biomikrit	
Ooide	Oosparit	Oomikrit	
Peloide	Pelsparit	Pelmikrit	
Intraklasten	Intrasparit	Intramikrit	
in situ - Bildung	Biolithit	Kalkstein mit Fenstergefüge Dismikrit	

Füchtbauer (*Lit.*) empfiehlt eine Nomenklatur, die mit derjenigen der *Sandsteine in Übereinstimmung gebracht ist.

Marine K. entstehen meist durch Verfestigung entweder von Kalk-Schlämmen (rezent z. B. auf der Bahama-Plattform gebildet) od. von mechan. abgelagerten Klasten verschiedener Herkunft od. durch direkte biogene Anlagerung; sie werden zu dichten, fast porenfreien *strukturlosen K.* verfestigt. Tiefwasser-K. (*pelag. K.*) sind dichtkörnig u. oft knollig ausgebildet. K. mit >50% Kalk-Skeletten von Lebewesen werden als *Fossil-K.* od. Schill-K. bezeichnet, ggf. als Foraminiferen-K., Korallen-K. usw.; *Lumachellen* bestehen vorwiegend aus Molluskenschill. Aus der Lebenstätigkeit von Blaugrünalgen (Cyanobakterien) sind die *Stromatolithe (auch terrestr.) entstanden. *Biokalklithite* bestehen überwiegend aus gerüstbauenden Organismen in Lebensstellung; hierher gehören die massigen, ungeschichteten *Riff-K.* („Massenkalk"). Als *Bioherme* werden kuppelförmige, als *Biostrome* flache organ. Fest-K. bezeichnet. *Kreide (Schreibkreide, z. B. von der Insel Rügen)* ist ein dichtkörniger, schwach verfestigter, poröser, oft *Feuerstein-Knollen enthaltender K., der fast ausschließlich aus Schalen von Mikroorganismen, bes. Coccolithen u. *Foraminiferen, besteht.

Terrestr. K. sind meist Ausscheidungen aus Lsg., oft unter Beteiligung von pflanzlichen Organismen, od. unverfestigte feinkörnige K.-Schlämme (z. B. die anorgan. entstandene *Seekreide*). *Beisp.:* Viele Algensedimente, v. a. Stromatolithe; der zellig-poröse, häufig lockere u. oft Blätter u. a. Pflanzenteile umschließende *Kalktuff*; der lagige *Travertin* (z. B. in Italien) u. die poröse, derbe Massen od. Überzüge bei Quellen bildenden *Kalksinter* (Sinter-K.; z. B. die Sinterterrassen im Yellowstone Park/USA). In Höhlen entstehen *Höhlensinter* u. *Tropfsteine*; *Stalaktiten* wachsen an der Decke hängend, *Stalagmiten* vom Boden nach oben. In vielen Teilen der Erde bilden sich kalkige Böden aus, die als Krusten-K., *Caliche od. Calcretes bezeichnet werden. Anlösen festländ. K. durch Süßwasser ergibt häufig eine unregelmäßige, „ausgekolkte" Oberfläche (*Karst*-Bildung, Verkarstung).

Zwischen K., *Ton(steinen) u. *Sandsteinen gibt es alle Übergänge; K. mit 5–15% Tongehalt werden als *mergelige K.*, solche mit 15–25% Tongehalt als *Mergel-K.* u. solche mit 25–35% Ton als *Kalkmergel* be-

zeichnet. Während der Diagenese können die K. in *Dolomit umgewandelt werden (Dolomitisierung); durch *Metamorphose entstehen *Marmore. K. sind sehr verschieden gefärbt, vorherrschend weißlich, gelblich od. grau. Härte u. Dichte sind gering, entsprechend der Mohs-Härte 3 des Calcits.

Vork.: Weltweit verbreitet; in der BRD wird K. hauptsächlich in Nordrhein-Westfalen (z. B. Dornap-Wülfrath, Sauerland), Baden-Württemberg (z. B. Schwäb. Alb), Bayern (u. a. Fränk. Jura, Unterfranken), Thüringen, Sachsen u. Brandenburg (z. B. Rüdersdorf bei Berlin) gefördert; zu K.-Lagerstätten u. Verw. in den alten Bundesländern s. *Lit.*[3].

Verw.: Sehr vielseitig; beispielsweise als Baustein (polierfähige sedimentäre K. werden oft ebenfalls als Marmor bezeichnet, z. B. Treuchtlinger Marmor); als Schotter u. Splitt (hierzu auch *Kalkhartsteine*, das sind verkieselte, harte K.); als Rohstoff für die Zement-Ind.; zur Herst. von gebranntem K. (*Brannt-K.*); in der Eisenhütten-Ind. als Zuschlag im Hochofen; bei der Glasherst.; als Rohstoff für chem. Großprozesse (z. B. Soda-Fabrikation); zur Rauchgasentschwefelung; in der Land-, Forst- u. Teichwirtschaft zur Kalkung (Kalkdüngung) von Böden, als Futter-K. u. zur Neutralisation übersäuerter Gewässer; gemahlen als Füllstoff für Bitumendecken u. (hier auch Kreide od. Calcit) in Gummiprodukten u. Kunststoffen.

Gesundheitsschutz: K. gelten als gesundheitlich unschädlich; jedoch sollten zu hohe K.-Staubgehalte in der Luft wegen ihrer austrocknenden Wirkung auf Mund u. obere Atemwege u. der Verursachung von Augenreizungen vermieden werden; Richtwerte s. Ullmann (*Lit.*). – *E* limes, limestones – *F* roches calcaires – *I* calci (calcari) – *S* rocas calcáreas, calizas

Lit.: [1] Dunham, in Ham (Hrsg.), Classification of Carbonate Rocks (Memoir 1), S. 108–121, Tulsa (Oklahoma): Am. Assoc. Petrol. Geol. 1962. [2] Bull. Am. Assoc. Petrol. Geol. **43**, 1–38 (1959). [3] Bundesanstalt für Geowissenschaften u. Rohstoffe (BGR) Hannover (Hrsg.), Steine u. Erden in der Bundesrepublik Deutschland – Lagerstätten, Produktion u. Verbrauch – (Geolog. Jahrb. Reihe D, Heft 82), S. 277–284, Stuttgart: Schweizerbart 1986.

allg.: Adams, MacKenzie u. Guilford, Atlas der Sedimentgesteine in Dünnschliffen, S. 34–74, Stuttgart: Enke 1986 ▪ Flügel, Mikrofazielle Untersuchungsmethoden von Kalken, Berlin: Springer 1978 (engl. 1982) ▪ Füchtbauer (Hrsg.), Sedimente u. Sedimentgesteine (Sediment-Petrologie Tl. II), 4. Aufl., S. 233–401, 419–434, Stuttgart: Schweizerbart 1988 ▪ Harben u. Bates, Industrial Minerals, Geology and World Deposits, S. 41–48, London: Industrial Minerals Division of Metal Bulletin Plc 1990 ▪ Moore, Carbonate Diagenesis and Porosity (Developments in Sedimentology 46), Amsterdam: Elsevier 1989 ▪ Morse u. MacKenzie, Geochemistry of Sedimentary Carbonates (Developments in Sedimentology 48), Amsterdam: Elsevier 1990 ▪ Schneiderham u. Harris (Hrsg.), Carbonate Cements, Tulsa (Oklahoma): Society of Economic Paleontologists and Mineralogists 1985 ▪ Scholle, A Colour Illustrated Guide to Carbonate Rock Constituents, Textures, Cements, and Porosities (Mem. 27), Tulsa (Oklahoma): Am. Assoc. Petrol. Geol. 1983 ▪ Tucker, Einführung in die Sedimentpetrologie, S. 101–165, Stuttgart: Enke 1985 ▪ Tucker u. Wright, Carbonate Sedimentology, Oxford: Blackwell 1990 ▪ Ullmann (5.) **A 15**, 317–345. – *Organisationen:* Bundesverband der Deutschen Kalkindustrie, Annastr. 67–71, 50968 Köln, hier auch: European Lime Association (EuLA) (Europäischer Kalkverband); International Lime Association (ILA), Minato-ku, Tokyo 105, Japan – *Zeitschriften:* Zement-

Kalk-Gips ZKG International, Wiesbaden: Bauverl. (monatlich). – *[CAS 1317-65-3]*

Kalken. Allg. Bez. für 1. das Aufbringen eines *Anstrichs mit *Kalkfarbe; – 2. Bodenverbesserung durch Ausbringen von *Düngekalk. – *E* 1. lime, 2. liming – *F* 2. chaulage – *I* 1. imbiancare a calce, 2. calcinare – *S* 2. encalado, enmienda caliza

Kalkfarbe. Nach DIN 55945 (09/1996) ist K. eine „wäss. Aufschlämmung von gelöschtem Kalk, der ggf. Pigmente u./od. geringe Mengen anderer Bindemittel zugefügt sind". K. finden als Anstrichfarben Verw., denn nach dem Anstrich erstarrt das Calciumhydroxid unter Aufnahme von Kohlendioxid (aus der Luft) zu hartem Kalk, der die Farbstoffkörnchen mit der Unterlage fest verbindet. Gelöschter Kalk läßt sich als Bindemittel verwenden bei Ocker, Neapelgelb, Marsgelb, Marsrot, Eisenrot, Ultramarin, Chromoxidgrün, Guignetgrün, Umbra, Manganschwarz u. einer Reihe von organ. Pigmenten; dagegen darf man Bleiweiß, Chromgelb, Berliner Blau, Zinkgelb u. Zinkgrün nicht mit Kalk mischen, da hier Zers. stattfindet. – *E* limewash, lime paint – *F* peintures à chaux – *I* colore a calce – *S* pinturas a la cal

Lit.: Gatz (Hrsg.), Lexikon der Anstrichtechnik, 8. Aufl., Bd. 1, S. 125 f., München: Callwey 1987 ▪ Ullmann (4.) **8**, 338.

Kalkgipsmörtel. Kalkmörtel mit Gipszusatz; Verw. im Innenputz für Hochbauten.

Lit.: DIN 18550 Tl. 2 (01/1985) ▪ Scholz, Baustoffkenntnis, 12. Aufl., S. 377, Düsseldorf: Werner 1991.

Kalkglimmer s. Margarit.

Kalkhartstein s. Kalke.

Kalkhydrat s. Calciumhydroxid.

Kalklicht (Drummondsches Kalklicht) s. Drummond.

Kalklöschen s. Calciumhydroxid.

Kalkmeidend s. Kalzifug.

Kalkmergel. Nach Correns (*Lit.*[1]) Bez. für Kalksteine (*Kalke) mit 25–35% *Ton; *Mergelkalk* enthält 15–25% Ton. In der Zement-Ind. werden als K.-Steine solche Kalke definiert, die 65–85% CaCO₃ u. 15–35% Ton, mit geringen Gehalten an MgCO₃, enthalten, also die Mergelkalke mit einschließen (s. *Lit.*[2]).

Vork.: Münsterland, Raum Hannover, Fränk. Jura, Schwäb. Alb u. Mainzer Becken (s. *Lit.*[2]). Gelegentlich kommt K. als sog. *Turonkalk* in flachen Bänken mit einem Kalk-Gehalt von 77–80% vor.

Verw.: Zur Herst. von Zement- u. Wasserkalk; als Düngemittel. Zur Herst. von Eisen-Portlandzement, Hochofenzement usw.; im ofenfertigen Rohmaterial muß der Gehalt an CaCO₃ u. MgCO₃ bei ca. (77–)80% u. höher liegen, mit MgCO₃ <3 Mol-% (*Lit.*[2]). – *E* calcareous marl – *F* marne calcaire, chaux marneuse – *I* terra calcarea argillosa, marna – *S* marga calcárea, marga caliza

Lit.: [1] Correns, Einführung in die Mineralogie (2.), S. 248, Berlin: Springer 1968. [2] Bundesanstalt für Geowissenschaften u. Rohstoffe (BGR) Hannover (Hrsg.), Steine u. Erden in der Bundesrepublik Deutschland (Geolog. Jahrb. Reihe D, Heft 82), S. 277–284, Stuttgart: Schweizerbart 1986.

Kalkmilch s. Calciumhydroxid.

Kalkmörtel s. Calciumhydroxid.

Kalkocker s. Ocker.

Kalkpflanzen. Botan. Bez. für solche grünen *Pflanzen, die auf alkal. Böden, d. h. also durchweg auf *Kalkböden* wachsen. Hierher gehören z. B. Gerste, Ackersenf, Feldrittersporn, Schwarzkümmel, Huflattich, Luzerne. Die gegenteilig reagierenden acidophilen Pflanzen, die auf schwach saurem Boden, d. h. im allg. auf Silicatböden wachsen, bezeichnet man als *Kieselpflanzen* (Kalkflieher od. Kalkmeider). Hierher gehören Hafer, viele Sumpf- u. Moorpflanzen wie z. B. Sonnentau, Heidelbeere, Heidekraut, Seggen, Wollgräser, viele Moose u. Farne. Während *kalkholde* Arten überwiegend auf Kalkböden vorkommen, bleiben *kalkstete* Pflanzen ausschließlich auf solche Böden beschränkt u. können deshalb als *Kalkzeiger* verwendet werden. Die beiden Gruppen der acidophilen u. basophilen Pflanzen (*Acidophyten* u. *Baso-* od. *Basiphyten*) können als sog. *Indikatorpflanzen dienen. Zur pflanzlichen Ernährung s. Pflanzenphysiologie. – *E* calcareous soil plants – *F* plantes calcicoles – *I* piante di terreno calcareo – *S* plantas calcícolas

Lit.: Larcher, Ökologie der Pflanzen, Stuttgart: Ulmer 1984.

Kalksalpeter. Umgangssprachliche Bez. für einen hygroskop., schnell wirkenden Salpeter-Dünger (s. Calciumnitrat) für alle landwirtschaftlichen u. gärtner. Kulturen, mit 28% CaO u. 15,5% N (Verhältnis Nitrat-N:Ammonium-N 9 : 1). – *E* lime salpetre – *F* nitrate de chaux – *I* nitrato di calcio – *S* nitrato de cal

Lit.: Ullmann (4.) **10**, 220; (5.) **A 10**, 347 ▪ Winnacker-Küchler (4.) **2**, 334, 359 ▪ s. a. Düngemittel. – *[HS 3102 70]*

Kalksandsteine (Abk. KS). 1. *Natürliche KS* sind Kalk-reiche *Sandsteine, bei denen die *Quarz- od. andere Körnchen in eine Grundmasse aus Kalk so eingelagert sind, daß sie sich nicht mehr gegenseitig berühren. Bautechn. verhalten sich diese Steine ähnlich wie Kalksteine (*Kalke).

2. *Künstliche KS* sind nach DIN 106[1] Mauersteine, die aus den natürlichen Rohstoffen Kalk [im Reaktionsbehälter als Branntkalk (*Calciumoxid)] u. Kieselsäure-haltigen Zuschlägen (meist Quarzsand) durch Verdichtung, Formung u. Aushärten unter Dampfdruck (bei Temp. von 160–220 °C etwa 4–8 h) hergestellt werden. Beim Härtevorgang wird durch die heiße Dampfatmosphäre Kieselsäure von der Oberfläche der Sandkörner angelöst. Sie bildet mit dem Bindemittel Kalkhydrat krist. Bindemittelphasen, die *Calcium-Silicat-Hydrate* (CSH), z. B. *Tobermorit, *Xonotlit (bei Überhärtung auch *Gyrolith) beinhalten, die auf die Sandkörner aufwachsen u. diese fest miteinander verzahnen. Es entstehen keine Schadstoffe; für KS wurde eine Ökobilanz[2] erstellt mit den Zielen: Weitere Reduzierung des Verbrauchs von Primärenergieträgern, kurze Transportwege für Rohstoffzulieferung u. Produktauslieferung (zahlreiche Standorte von KS-Werken, auch in den neuen Bundesländern), Rohstoffschonung durch Recycling u. Entlastung der Deponien durch Abfallvermeidung; zu Mineralbestand, *Gefüge u. physikal. Eigenschaften von KS s. *Lit.*[3].

Verw.: Als Vollsteine, Lochsteine, Blocksteine, Hohlblocksteine, Plansteine, Bauplatten, frostbeständige Vormauersteine u. Verblender für tragendes u. nichttragendes Mauerwerk, vorwiegend zur Erstellung von

Außen- u. Innenwänden. – *E* 1. calcareous sandstones, 2. sandlime-bricks – *F* 1. grès argilo-calcaires, pierres chaux-grès, 2. briques silico-calcaires, briques de sable-calcaire, briques en chaux et sable – *I* arenarie calcaree, 2. arenareniti – *S* 1. areniscas calcáreas, 2. ladrillos silicocalcáreos

Lit.: [1] DIN 106, Tl. 1 (09/1980); Tl. 2 (11/1980). [2] Kalksandstein-Information GmbH & Co. KG, Hannover (Hrsg.), Kalksandstein – Fakten zur Ökobilanz, Düsseldorf: Beton-Verl. 1996. [3] Fortschr. Mineral. **58**, 37–67 (1980). *allg.:* Cordes et al., in Kalksandstein-Information GmbH & Co. KG, Hannover (Hrsg.), Kalksandstein: Planung, Konstruktion, Ausführung (3.), Düsseldorf: Beton-Verl. 1994. – *Organisationen:* Bundesverband Kalksandsteinindustrie e. V., 30401 Hannover.

Kalkseife. Unlösl., schmierendes, nichtschäumendes u. nichtreinigendes Reaktionsprodukt, das als milchiger Niederschlag wechselnder Zusammensetzung entsteht, wenn man eine klare Seifenlsg. zu „hartem" Leitungswasser fließen läßt (s. Härte des Wassers). In Waschbecken u. Badewanne entsteht K. als unansehnlicher Schmierrand; in Textilien kann sie sich beim Waschen als Niederschlag im Gewebe festsetzen u. dadurch – wie auch durch Fleckenbildung – wesentlich zur Alterung der Faser u. der Färbung beitragen. Diese Effekte lassen sich (falls keine Enthärtung des Wassers vorgenommen wird) durch Zusatz geeigneter *Tenside vermeiden: *Alkylphenolpolyglykolether, *Fettalkoholpolyglykolether u. a. Verb. setzen das *K.-Dispergiervermögen* so weit herauf, daß die K. kolloidal in Lösung bleiben. Bei Bauten kann sich K. bilden, wenn man auf nicht ganz abgebundenen (d. h. in Carbonat umgewandelten) Kalkmörtel Anstriche mit fetten Ölen aufträgt. – *E* lime soap – *F* savon de chaux – *I* sapone calcareo – *S* jabón de cal

Kalksilicatfels s. Felse.

Kalksilicatgestein. Bez. für *metamorphe Gesteine (Kalksilicat-*Felse u. Kalksilicatschiefer), die im wesentlichen aus Ca- u. Ca(Mg,Fe)-Silicaten zusammengesetzt sind, so *Pyroxene der Diopsid-Hedenbergit-Reihe, *Granate der Grossular-Andradit-Reihe, *Zoisit, *Vesuvian, *Tremolit; seltener enthalten sie auch *Quarz, *Calcit u. *Wollastonit. Sie sind aus unreinen, kieseligen *Kalken, *Mergeln u. *Dolomiten entstanden. – *E* lime silicate rock – *F* roche de silicate de calcaire – *I* roccia calcarea di silicato – *S* roca de silicato de cal

Lit.: Matthes, Mineralogie (5.), S. 364, 390, 394, Berlin: Springer 1996 ■ Yardley, An Introduction to Metamorphic Petrology, S. 126–146, London: Longman Scientific & Technical 1989 ■ s. a. metamorphe Gesteine.

Kalksinter s. Kalke.

Kalk-Soda-Verfahren s. Natriumhydroxid.

Kalkspat s. Calcit

Kalksteine s. Kalke.

Kalkstickstoff. Histor. Name für die hier chem. als *Calciumcyanamid beschriebene u. in ihrer techn. Bedeutung bei *Düngemitteln näher behandelte Verb. $CaCN_2$. Eine ausführliche Darst. von Eigenschaften, Herst. u. Verw. von K. findet sich in der *Lit.* – *E* lime

nitrogen – *F* azote calcique – *I* azoturo di calcio – *S* cal nitrogenada, cianamida cálcica
Lit.: Winnacker-Küchler (4.) **2**, 620–626. – *[HS 3102 70]*

Kalktongranat s. Granate.

Kalktuff s. Kalke.

Kalkuranglimmer (Kalkuranit) s. Autunit.

Kalkwasser s. Calciumhydroxid.

Kalkzeiger s. Kalkpflanzen.

Kallait s. Türkis.

Kallase (Callase). Pflanzliches Enzym, das z. B. im Roh-*Papain od. in Pollenschläuchen sowie Samenanlagen von Petunien vorkommt u. *Kallose spezif. abbaut. – *E* = *F* callase – *I* callasi – *S* calasa

Kalle-Säure s. Naphtholsulfonsäuren (Tab.).

Kallidin (Lysylbradykinin). Zur Gruppe der Plasma-*Kinine gehörendes Decapeptid der Sequenz: Lys-Arg-Pro-Pro-Gly-Phe-Ser-Pro-Phe-Arg, $C_{56}H_{85}N_{17}O_{12}$, M_R 1188,40. Aus seinem Vorläufer in der α_2-Globulin-Fraktion des Blutplasmas, dem niedermol. *Kininogen* (Kallidinogen; M_R 68 000) wird K. durch Gewebs-*Kallikrein in Freiheit gesetzt. Im Blut kann K. durch Aminopeptidasen unter Abspaltung des endständigen Lysins in *Bradykinin umgewandelt werden. Wie dieses wirkt auch K. blutdruck-senkend, peripher Gefäßerweiternd, Schmerz-erzeugend u. stimulierend auf die glatte Muskulatur. – *E* kallidin – *F* kallidine – *I* callidina – *S* calidina

Lit.: Beilstein E III/IV **22**, 92. – *[CAS 342-10-9]*

Kallidinogen s. Kallidin.

Kallidinogenase s. Kallikreine.

Kallikreine (Kininogenine). Proteolyt. Enzyme, genauer: *Serin-Proteasen, die sich in einigen Schlangengiften u. als inaktive Vorstufen od. *Zymogene (Prä-K., *Kallikreinogene*) in Plasma (Plasma-K., Serum-K., EC 3.4.21.34, M_R 107 000) u. Pankreas, Speicheldrüsen, Darmwand, Lunge (Gewebs-K., glanduläres K., EC 3.4.21.35, M_R 27 000–43 000) finden. Im Blut werden die Prä-K. unter Mitwirkung des *Hageman-Faktors* (Faktor XII a der *Blutgerinnung) in die aktiven Plasma-K. umgewandelt, welche wiederum die Plasma-*Kinine [z. B. *Kallidin durch Gewebs-K. *(Kallidinogenase)*, *Bradykinin durch Plasma-K.] durch Abspaltung aus ihren Globulin-Vorstufen (*Kininogenen*) aktivieren u. deshalb zu den *Kininogenasen* gezählt werden. Die K. spielen außerdem eine zentrale Rolle bei Blutgerinnung (Plasma-K. aktivieren ihrerseits den Hageman-Faktor u. Faktor VII) u. Fibrinolyse (*Plasminogen kann durch Plasma-K. aktiviert werden) u. wirken auch bei Immunabwehr, Nierenfunktion, Blutdruckregulation u. Spermienwanderung mit. Das freie K. wird in seiner Funktion durch verschiedene *Inhibitoren gehemmt (z. B. *Aprotinin u. das *Serpin *Kallistatin*[1]). Es sei darauf hingewiesen, daß Kallikrein® eine Marke von *Bayer ist. – *E* kallikreins – *F* kallicréines – *I* callicreine – *S* calicreínas

Lit.: [1] Biol. Chem. Hoppe-Seyler **376**, 705–713 (1995). *allg.:* Gen. Pharmacol. **27**, 55–63 (1996). – *[HS 2937 99]*

Kallikreinogene s. Kallikreine.

Kallinikos s. Erdöl (Geschichte).

Kallose (Callose, von latein. callosus = schwielig, verhärtet). Ein pflanzliches *Glucan aus unverzweigten Ketten von ca. 100 *Glucose-Resten in β-1,3-Bindung. Unlösl. in Wasser u. *Schweizers Reagenz (Kupferoxidammoniak), mehr od. weniger lösl. in 1%iger Kalilauge. Wird durch *Kallase in Glucose, v. a. aber in *Biosen u. *Triosen zerlegt. K. läßt sich mit einem *Fluorochrom, das aus *Wasserblau zu gewinnen ist, spezif. anfärben u. im Fluoreszenzmikroskop nachweisen. Es wurde in zahlreichen höheren *Pflanzen (auch Braunalgen u. Pilzen) nachgewiesen, wo es z. B. in Wurzelzellen, Pollen, Pollenschläuchen, Samenanlagen etc. auftritt. Am meisten verbreitet scheint das Vork. als *Siebröhren-K.* zu sein. Diese K. verschließt im Herbst bei Höheren Pflanzen die Poren der Siebplatten in den Leitbündeln u. kann im Frühjahr wieder aufgelöst werden. – *E* = *F* callose – *I* callosi – *S* calosa

Kalmus. Geschälter, getrockneter, würzig riechender Wurzelstock von *Acorus calamus* L., einer in der BRD in Sümpfen verbreiteten Araceae. K. enthält 1,5 – 3,5% ether. Öl (enthält u. a. *Asaron – viel β- u. wenig α-Form – weshalb bes. für innere Anw. die Asaron-freien amerikan. K.-Rassen empfohlen werden). Gerbstoffe, Bitterstoffe, Acorin, Cholin, Dextrin, Dextrose, Stärke, Methylamin usw.
Verw.: Zur Gewinnung von *Kalmusöl sowie wegen seiner Bitterstoffe in Form von Tee od. Aufgüssen als Stomachikum u. Carminativum, in Magenbittern, äußerlich als Badezusatz, für Mundwässer u. Zahnpasten u. ggf. als Gewürz anstelle von *Ingwer (K. wird daher auch Dtsch. Ingwer genannt) u. *Muskatnuß. –
E calamus – *F* acore odorant – *I* calamo aromatico – *S* acoro, cálamo aromático
Lit.: Hager (4.) **2**, 1082 – 1085 ▪ Melchior u. Kastner, Gewürze, S. 166 ff., Berlin: Parey 1974 ▪ Wichtl (3.), S. 116 f. – *[HS 121190]*

Kalmusöl. Aus europ. *Kalmus durch Wasserdampfdest. gewinnbares dickflüssiges, gelbes bis braunes, Campher-artig angenehm würzig riechendes, bitteres ether. Öl, Ausbeute 1,5 – 3,5%, bei asiat. Kalmus bis 6%.
Zusammensetzung [1]: K. besteht hauptsächlich aus sesquiterpenoiden Verbindungen. Charakterist. Kalmus-Inhaltsstoff ist *cis*-*Asaron, das in Ölen europ. Ursprungs zu ca. 10%, in ind. u. ostasiat. Ölen zu über 80% enthalten ist.
Verw.: K. wird in der Parfüm.-Ind. zur Erzeugung von würzigen Duftnoten verwendet, auch in kleinen Mengen zur Aromatisierung alkohol. Getränke. Jedoch ist wegen der Carcinogenität von Asaron diese Nutzung bedenklich bzw. auf Asaron-freie amerikan. Kalmus-Arten beschränkt. – *E* calamus oil – *F* essence de calamus (rotin) – *I* olio di calamo – *S* aceite de cálamo
Lit.: [1] Dtsch. Apoth. Ztg. **122**, 2463 – 2466 (1982); **125**, 1290 (1985); Perfum. Flavor. **11** (3), 52 (1986); Römpp Lexikon Naturstoffe, S. 338.
allg.: R. D. K. (4.), S. 91 f. ▪ Roth u. Kormann, Duftpflanzen, Pflanzendüfte, S. 227, Landsberg: Ecomed 1996 ▪ Ullmann (5.) **A 11**, 218. – *[HS 330129]*

Kalomel. Von griech.: kalos = schön u. melas = schwarz abgeleiteter mittelalterlicher Name für

*Quecksilber(I)-chlorid: Hg_2Cl_2 wird beim Übergießen mit NH_3 schwarz durch feinverteiltes Hg-Metall, welches im Gemisch mit $Hg(NH_2)Cl$ ausfällt. Die Kalomel-Reaktion dient zur analyt. Unterscheidung von AgCl und Hg_2Cl_2, die beide farblos u. schwerlöslich sind. Zur Verw. von Hg_2Cl_2 in der Elektrochemie s. a. Kalomel-Elektrode. – *E* calomel – *F* calomel, chlorure mercureux – *I* calomelano – *S* calomelanos
Lit.: s. Quecksilberchloride. – *[HS 282739]*

Kalomel-Elektrode (*Kalomel-Halbzelle*). Eine *Halbzelle, die aus einer Quecksilber-Elektrode besteht, die mit einer Kaliumchlorid-Lsg. bestimmter Konz. in Kontakt steht, die ihrerseits mit Quecksilber(I)-chlorid (*Kalomel, Hg_2Cl_2) gesätt. ist: Hg/Hg_2Cl_2/gesätt. KCl; Potentialdifferenz zur Normalwasserstoff-Elektrode + 24 mV. Temp.-Abhängigkeit dieses Werts sowie Werte für andere KCl-Konz. s. *Lit.* [1].
– *E* calomel electrode – *F* électrode au calomel – *I* elettrodo a calomelano – *S* electrodo de calomelanos
Lit.: [1] Kohlrausch, Praktische Physik, Bd. 2, S. 853, Stuttgart: Teubner 1985.
allg.: s. Elektroden u. Bezugselektroden.

Kalorie (Calorie). Veraltete, von latein.: calor = Wärme abgeleitete Bez. für die Einheit der *Energie, insbes. der Wärmemenge; Kurzz.: cal bzw. kcal. Seit dem 1. 1. 1978 ist allein das *Joule als Einheit von Energie, Arbeit u. Wärmemenge zulässig: 1 J = 0,238 cal = 1 Ws bzw. 1 cal = 4,1860 J = 4,1868 Ws. Das Joule (bzw. das kJ) ist heute auch die verbindliche Einheit für den *Brennwert* (*Nährwert) von Nahrungsmitteln. Kannte man in der *Ernährung früher *kalorienarme* od. *-reduzierte* Lebensmittel, so nennt man diese heute *brennwertarm* od. *-vermindert*.
Die folgenden Erläuterungen verstehen sich histor.: Früher sprach man von der sog. *großen K.* (mit dem wegen seiner Verwechselbarkeit gänzlich abzulehnenden Einheitenzeichen Cal), wenn man das Tausendfache (1000 cal = 1 kcal) der sog. *kleinen K.* meinte. Auch bei dieser unterschied man drei Werte: Die sog. *Gramm-Kalorie* od. $cal_{15°C}$ als die Wärmemenge, die man bei 760 Torr (1013 mbar) braucht, um 1 g Wasser von 14,5 auf 15,5 °C zu erwärmen. Die Einschränkung „von 14,5 auf 15,5 °C" ist notwendig, da sich die zur Erwärmung von je 1 g Wasser nötigen Wärmemengen bei höheren od. niederen Temp. etwas ändern (1 $cal_{15°C}$ = 4,1855 J). Daneben sprach man von der sog. *internat. Tafelkalorie* od. cal_{IT} als dem 860000. Teil der Kilowattstunde (1 cal_{IT} = 4,1860 J) u. der sog. *mittleren Kalorie* od. cal als dem 100. Teil der zur Erwärmung von 1 g Wasser von 0 auf 100 °C (bei $1,013 \cdot 10^5$ Pa) erforderlichen Wärmemenge (1 cal = 4,1897 J). – *E* = *F* calorie – *I* caloria – *S* caloría

Kalorienarme Nahrungsmittel s. Nährwert.

Kalorimeter s. Kalorimetrie.

Kalorimetrie (von latein.: calor = Wärme). Bez. für eine – zu den Verf. der *Thermoanalyse zu rechnende – Meth. zur quant. Bestimmung von *Wärme. Mit der K. mißt man nicht nur die *spezifischen Wärmekapazitäten, sondern auch die bei nicht-*isothermen physikal. (z. B. *Umwandlungswärmen, Mischungswärmen) u. chem. Prozessen (z. B. *Verbrennungswärme) freiwerdenden bzw. verbrauchten Wärmemengen. Dabei wird in sog. *Kalorimetern* die Messung einer Wärmemenge auf die Messung einer Temp.- od. Zustandsänderung der Kalorimetersubstanz zurückgeführt. Die Genauigkeit einer Bestimmung ist von der Genauigkeit der Temp.-Messung abhängig; diese erfolgt mit Quecksilber-Thermometern (Verw. von Beckmann-Thermometern ermöglicht eine Ablesegenauigkeit von 10^{-3} bis 10^{-4} Grad), Widerstands-Thermometern u. Thermoelementen.

Es gibt verschiedene Arten von Kalorimetern, die sich im Meßprinzip, der Art der Arbeitsweise u. in der Konstruktion unterscheiden. Die Meßprinzipien beruhen auf der Kompensation des therm. Effektes bzw. auf der Messung einer Temp.-Differenz. Nach der Arbeitsweise kann man die stat. von den dynam. Kalorimetern trennen. Bezüglich der Konstruktion kann man zwischen einfachen u. differentiellen Kalorimetern unterscheiden. Die stat. Kalorimeter unterteilt man in isotherm, isoperibol u. adiabat. arbeitende Geräte.

Die *isotherme* Arbeitsweise erfordert die Kompensation des therm. Effektes. Dies kann elektr. geschehen (Joulesche Wärme od. *Peltier-Effekt) od. mit Hilfe von Phasenübergängen (Schmelzen, Verdampfen, Sublimieren od. Kondensieren) von geeigneten Substanzen. Aus der damit verbundenen Änderung von Vol. od. Gew. u. unter Berücksichtigung der jeweiligen Umwandlungswärme der Kalorimetersubstanz läßt sich die umgesetzte Wärmemenge bestimmen (Typen: Eiskalorimeter nach Bunsen, Verdampfungs- u. Kondensationskalorimeter.) Elektr. kompensierende Kalorimeter arbeiten nur quasi-isotherm. Die damit verbundenen Fehler werden durch moderne Bauelemente minimiert. Die elektr. Kompensation läßt endo- u. exotherme Prozesse verfolgen, wobei sich der Kompensations-Strom exakt messen, aufzeichnen u. mit Rechnern weiterverarbeiten läßt.

Isoperibole Kalorimeter sind dadurch gekennzeichnet, daß sie sich in einer thermostatisierten Umgebung befinden, deren Temp. konst. gehalten wird. Zwischen der Umgebung u. dem Kalorimetergefäß besteht ein genau definierter therm. Leitweg, so daß die Temp.-Differenz zwischen Kalorimetergefäß u. Umgebung proportional der Wärmeflußrate ist. Die Einstellung des Temp.-Gleichgewichts folgt einer exponentiellen Zeitfunktion. Das Integral über den gesamten Verlauf der Funktion ist proportional der Reaktionswärme.

Adiabatische Kalorimeter sind mit einem elektron. Kontrollsyst. ausgestattet, das die Temp. der Umgebung der Kalorimeterzelle exakt auf der Temp. der zu untersuchenden Substanz hält u. somit jeden Wärmeübergang vermeidet. Der Wärmeeffekt ist dann durch die Temp.-Differenz der Kalorimetersubstanz bestimmbar. Einfachere adiabat. Kalorimeter (vgl. die Abb.) sind in Form von Mischungs- u. Verbrennungskalorimetern kommerziell erhältlich. Die einfache Messung einer Temp.-Differenz erlaubt automat. Datenerfassung u. deren Interpretation. Zu den dynam. Meth. s. Dynamische Differenz-Kalorimetrie.

Anw.: Moderne Kalorimeter erlauben die schnelle u. genaue Messung des Wärmeaustausches einer großen Variationsbreite von Reaktionen. Da die Wärmeentwicklung proportional der Umwandlung in einer

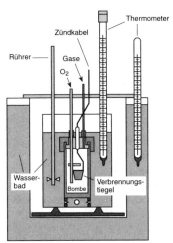

Abb.: Bombenkalorimeter (nach Jantsch, Kraftstoffhandbuch, Stuttgart: Franckh 1960).

chem., physikal. od. biolog. Reaktion ist, läßt sich die jeweilige Reaktion quant. auswerten. Neben dem Gesamtumsatz läßt sich der zeitliche Verlauf der Reaktion verfolgen, ebenso wie Stabilitäts- u. Sicherheitsprobleme. Typ. Beisp. sind die techn. Untersuchung von Brennstoffen, die Ermittlung thermodynam. Daten von Substanzen u. Reaktionen, die Bestimmung der Wärmetönung von Mischungs- u. Adsorptionsvorgängen od. Phasenumwandlungen. Da in letzter Zeit das Interesse an enzymat. u. bakteriellen Herstellungsprozessen gestiegen ist, zeigt auch die Biokalorimetrie ein steigendes Wachstum. – *E* calorimetry – *F* calorimétrie – *I* calorimetria – *S* calorimetría

Lit.: DIN 51 900, Tl. 1 (11/1989) ▪ Hemminger u. Cammenga, Methoden der Thermischen Analyse, Berlin: Springer 1989 ▪ Ullmann (5.) **B 6**, 10–22.

Kalorische Größen. Sammelbez. für die Energien (*Enthalpien), die bei Reaktionen, beim Schmelzen, Verdampfen, Mischen etc. auftreten.

Kalorische Lösungen. Kalorienhaltige Lsg. zur intravenösen *Infusion im Rahmen der parenteralen Ernährung von Schwerstkranken. Es stehen Lsg. von verschiedenen Kohlehydraten (Glucose, Fructose, Xylit, Sorbit) u. Aminosäuren sowie Fettemulsionen zur Verfügung. – *E* caloric solutions – *F* solutions caloriques – *I* soluzioni caloriche – *S* soluciones calóricas

Kalottenmodelle. Raumerfüllende *Atommodelle, in denen die einzelnen Atome durch Kugeln od. ellipsoidale Körper dargestellt sind, von denen Kugelkappen *(Kalotten)* abgeschnitten sind. Aus mehreren derartigen Atommodellen lassen sich *Molekülmodelle zusammenfügen, u. zwar unter Berücksichtigung der maßstabgerechten Kernabstände u. Wirkungsradien sowie der richtigen Valenzwinkel. Mit der Zunahme leistungsfähigerer Computer-Hardware u. -Software werden solche mechan. Modelle immer mehr durch computerunterstütztes Modellieren verdrängt (s. Molecular Modelling). – *E* space-filling models, scale models – *F* modèles spaciaux à calottes – *I* modelli della calotta – *S* modelos espaciales, modelos a escala

Lit.: s. Molekülmodelle u. Molecular Modelling.

Kaltasphalte. Veralteter Begriff für Emulsionen aus *Bitumen u. Wasser mit etwa 50% Bitumen-Gehalt u. einem Emulgator (z. B. Seifen, Naphthensäuren), der etwa 1% der Emulsion ausmacht. Man verwendet K. ähnlich wie *Kaltbitumen im Straßenbau, sofern Heißarbeit vermieden werden soll. Wenn die Emulsion auf den Schotter gebracht wird, tritt Entmischung ein, u. die Steine überziehen sich mit einer dünnen Asphalthaut. – *E* cold asphalts – *F* asphaltes à froid – *I* asfalti freddi – *S* asfaltos fríos
Lit.: DIN 55964 Tl. 1 (12/1983); DIN 1995 Tl. 3 (10/1989) ▪ Ullmann (4.) **8**, 539; (5.) **A 3**, 175 f. – *[HS 2715 00]*

Kaltband. Kaltgewalztes Flacherzeugnis aus *Stahl mit einer Breite <600 mm, das unmittelbar nach dem Durchlaufen der Fertigwalze bzw. nach dem Beizen od. dem kontinuierlichen Glühen zu einer Rolle aufgewickelt wird, s. Stahlerzeugnisse. Die Walztemp. liegt deutlich unter der *Rekristallisationstemperatur. Bei Bandbreiten ≥600 mm Bez. als *Kaltbreitband.* – *E* cold rolled narrow strip – *F* feuillard à froid – *I* acciaio a nastro laminato a freddo – *S* fleje laminado en frío
Lit.: EN 10079 (02/1993).

Kaltbitumen. Mit Lsm. gemischtes *Bitumen, Verw. vorwiegend im Straßenbau.
Lit.: DIN 1995 Tl. 4 (10/1989). – *[HS 2715 00]*

Kalte Kernfusion s. Kernfusion.

Kaltentkeimung. Verf. zur Konservierung von Soft-Drinks, Bier, Wein u. Alkohol-freiem Wein. Zur K. werden *Konservierungsmittel eingesetzt, die kurze Zeit nach der Anw. u. der Ausübung ihrer mikrobiziden Wirkung in physiolog. unbedenkliche, geschmacksneutrale Komponenten zerfallen. Bedeutung haben hier v. a. die Dicarbonate *Dimethyl- u. Diethyldicarbonat erlangt. Da Diethyldicarbonat jedoch in Ggw. von Ammonium-Salzen zu *carcinogenem Ethylurethan umgewandelt wird, ist sein Einsatz seit langem verboten; s. Dimethyldicarbonat. – *E* cold pasteurization – *F* dégermination à froid – *I* degerminazione a freddo – *S* pasteurización en frío

Kalter Fluß (Retardation). Bez. für das langsame „Kriechen" od. „Nachfließen" eines scheinbar festen Materials ohne Wärmeeinwirkung aber unter konstanter Belastung. Entfernt man die Belastung, so findet oft ein langsamer Rückgang der Deformation statt u. die Probe kann unter Umständen sogar wieder die ursprünglichen Dimensionen annehmen. Die Erscheinung des kalten Flusses läßt sich daher besser als verzögerte Elastizität denn als viskoses Fließen beschreiben. – *E* retardation – *F* extrusion – *I* ritardo, differenza di cammino ottico – *S* retardación
Lit.: Elias (5.) **1**, 943.

Kaltgetränke s. Limonaden.

Kalthärten. Bez. für das Härten von *Harzen (z. B. von *Formaldehyd-Harzen auf der Basis von Phenolen, Melamin od. Harnstoff, Polyurethan-, Epoxid-Harzen u. a.) bei Umgebungstemp.; K. erfordert meist den Zusatz von *Härtern. Es findet Anw. u. a. bei der Holzverleimung od. -lackierung (s. säurehärtende Lacke).
Unter K. versteht man auch die Kaltverfestigung metall. Werkstoffe (s. Kaltumformen). – *E* cold hardening

– *F* durcissage à froid – *I* indurimento a freddo – *S* endurecimiento en frío

Kalthärtende Lacke s. säurehärtende Lacke.

Kaltkautschuk. Bez. für *Styrol-Butadien-Copolymere (Styrol-Gehalt ca. 25 – 30 Gew.-%), die durch *Emulsionspolymerisation in Wasser bei niedrigen Temp. (z. B. 5 °C) unter Initiierung durch Redoxsyst. [z. B. Eisen(II)-Salze/Peroxide; s. Redoxinitiatoren] hergestellt werden. K. zeichnet sich gegenüber auf anderem Wege bei höheren Temp. gewonnenen Styrol-Butadien-Copolymeren (s. Warmkautschuk) durch verbesserte technolog. Eigenschaften aus. Der Anteil von K. am gesamten in Emulsion hergestelltem Styrol-Butadien-Kautschuk (SBR) beträgt ca. 97%. – *E* cold rubber – *F* caoutchouc froid – *I* caucciù freddo – *S* caucho frío
Lit.: Encycl. Polym. Sci. Eng. **2**, 553 ff. ▪ Encycl. Polym. Sci. Technol. **2**, 699 ff. ▪ Houben-Weyl **E 20**, 54 ▪ Ullmann (4.) **9**, 605 ff. – *[HS 4002 11, 4002 19]*

Kaltklebepasten s. Kaltlötmittel.

Kaltleime s. Leime.

Kaltlötmittel. Gelegentlich gebrauchte, unkorrekte, in Anlehnung an das Verbinden von Metallen durch *Löten gewählte Bez. für *Kaltklebepasten,* mit denen Metallverbunde durch Verkleben od. Verkitten bei 20 °C hergestellt werden. – *E* cold solder – *F* produit de soudure à froid – *I* saldatura a freddo – *S* agente de soldadura fría

Kaltmahlung. Unter K., Gefrier- od. Kryomahlung versteht man ein bes. Zerkleinerungs-Verf. zum *Mahlen solcher Produkte, die bei den üblichen Mahltemp. nicht vermahlen werden können. Hierbei handelt es sich v. a. um Materialien mit niederen Schmp., die eine Verschmierung der Mahl- u. Siebanlagen bewirken (Fette, Hartwachse), zähe u. elast. Materialien (z. B. Vinylkunststoffe, Polystyrol, Acrylharze, Altreifen u. a. Kautschuk-Abfälle), Oxid.-empfindliche Substanzen (Carotine, A-Vitamine), Stoffe, bei denen Aromaverluste zu befürchten sind (z. B. Kaffee, Gewürze), ferner Hormone, Penicillin u. dgl. Bei der K. wird das zu zerkleinernde Material in einigen Fällen mit Kohlensäure-Schnee, meist aber mit flüssigem Stickstoff gekühlt u. dadurch spröde gemacht u. vor Luftsauerstoff geschützt. Anlagen zur K. s. *Lit.*[1]. – *E* cold grinding, cryogenic crushing – *F* mouture à froid – *I* macinazione a freddo – *S* molienda en frío
Lit.: [1] ACHEMA-Jahrb. **1994**, 2141.08.02.
allg.: Proc. European Symposium Particle Technology 1980, S. 110 – 136, Frankfurt: DECHEMA 1980 ▪ Ullmann (5.) **A 17**, 467 ▪ s. a. Zerkleinern.

Kaltmetalle. Unzweckmäßige, weil mißverständliche Bez., unter der man verstehen kann: 1. Metall-Leg. geringer Wärmeleitfähigkeit, z. B. Mangan- u. Nickel-Stahl-Leg.; – 2. Feste Lsg. aus Cellulosenitrat u./od. thermoplast. Kunstharzen mit hohen Anteilen von Metall-Pulver (meist Al-Pulver) u. mineral. Pigmenten; – 3. Zweikomponenten-Produkte auf der Basis von Epoxidharz + Aminhärter od. Polyamidharz, die schon nach 30 – 60 min bei 20 °C durchhärten u. auf Metall gut haften. Die beiden letztgenannten K. sind Spachtelkitte, die rasch zu einer metall. aussehenden Masse erstarren, die man bohren, fräsen u. feilen kann.

Kaltpreßmassen. Bez. (nach DIN 7708, Tl. 4, 01/1983) für kalt formbare Massen (*Formmassen) aus *Kunstharzen, die verstärkend wirkende Füllstoffe u. weitere Zusatzstoffe (Pigmente, Gleitmittel u. a.) enthalten können. Für K. geeignet sind prinzipiell alle härtbaren Kunstharze, z. B. *Formaldehyd-Harze. Die zunächst aus K. durch Verpressen in der Kälte hergestellten *Formteile werden nach dem Trocknen durch Wärmebehandlung („Brennen“) gehärtet. – *E* cold compression mo(u)lding materials – *F* matière moulable par compression à froid – *I* materiali compressi a freddo – *S* materiales de moldeo para compresión en frío
Lit.: Ullmann (4.) **15**, 325.

Kaltpreßschweißung. Fügen gleichartiger od. verschiedener Metalle durch plast. Verformung ohne Zuführung von Wärme. Die zu verbindenden Oberflächen werden gereinigt (Entfetten, Entfernen von Oxidschichten) u. in einem geeigneten Werkzeug mit hohem Druck gegeneinander gepreßt. Hierbei kommt es zur plast. Verformung, zum Aufreißen störender Oxidschichten u. zur Verbindung der dadurch metall. rein vorliegenden Oberflächen. Da die K. bei Raumtemp. durchgeführt wird, können sich keine unerwünschten *intermetallischen Verbindungen wie beim Schmelzschweißen bilden, s. Schweißen. Daher ist die K. auch bei Metallkombinationen möglich, die sich durch Schmelzschweißen nicht verbinden lassen. Anw. bevorzugt im Bereich Elektrotechnik, z. B. für die Herst. von *Bimetallen u. *Supraleitern* sowie zur Verbindung von Cu- u. Al-Drähten von Fahrdrähten elektr. Bahnen bis hinunter zu 0,2 mm Durchmesser. Auch das Sprengplattieren kann der Fertigungsgruppe K. zugeordnet werden. – *E* cold pressure welding – *F* soudage à froid – *I* saldatura forzata a freddo – *S* soldadura por presión en frío
Lit.: Ruge, Handbuch der Schweißtechnik, 2. Aufl., Bd. II, S. 134 ff., Berlin: Springer 1980.

Kaltreiniger. Allg. Bez. für kalt zur Anw. kommende Reinigungsmittel, insbes. zur Entfernung öliger od. fettiger Verschmutzungen von metall. od. lackierten Flächen, Fahrzeugen, Motoren, Betonböden etc.; das Aufbringen kann durch Wischen, Aufsprühen, Tauchen od. Spritzen vorgenommen werden. K. bestehen meist aus organ. Lsm. od. Lsm.-Gemischen, ggf. unter Zusatz von Emulgatoren, Tensiden u. weiteren Zusatzstoffen. K. sind häufig nach dem Prinzip der *Mikroemulsion aufgebaut. In neueren Entwicklungen wird versucht, die früher viel verwendeten *Chlorkohlenwasserstoffe (CKW) durch umweltfreundlichere Stoffe zu ersetzen. Es gibt bereits völlig Lsm.-freie K. auf wäss. Basis, z. B. zur Motorwäsche. Emulgator-freie K. trocknen meist rückstandsfrei, während andere K. oft mit Wasser abgespritzt od. nachgewaschen werden müssen. – *E* cold cleanser, solvent cleanser – *F* nettoyant à froid – *I* pulitore al freddo – *S* agentes de limpieza en frío
Lit.: Kirk-Othmer (3.) **15**, 296–300.

Kaltschliff s. Holzschliff.

Kaltschrumpfen. Eine Möglichkeit zum kraftschlüssigen Verbinden von zumeist zylindr. Bauteilen, bei dem die Verbindungskraft aus der therm. Dehnung von Werkstoffen u. den unterschiedlichen Temperaturen der zu verbindenden Bauteile vor deren Zusammenbau resultiert, s. Schrumpfen. Beim K. wird das innenliegende Bauteil tiefgekühlt u. preßt sich bei Erwärmung (Angleichen der Temp.) an das außenliegende Teil an. – *E* cold shrinking – *F* matrice avec anneaux de serrage – *I* contrazione a freddo – *S* contracción en frío
Lit.: Gräfen (Hrsg.), Lexikon Werkstofftechnik, S. 894, Düsseldorf: VDI 1993.

Kaltumformen. *Fertigungsverfahren, bei dem *Halbzeuge aus metall. Werkstoffen durch Aufbringen einer äußeren Kraft ohne Erwärmung in einem Temp.-Bereich unterhalb der *Rekristallisationstemperatur so stark verformt werden, daß sich ihr Querschnitt signifikant ändert (ist letzteres nicht der Fall, spricht man von Kaltverformen). Beim K. kommt es in Abhängigkeit vom Umformgrad zu einer *Kaltverfestigung. Hierdurch steigt die für ein weiteres K. erforderliche Kraft an, so daß der erreichbare Umformgrad nicht nur durch Werkstoffschäden (Rißbildung infolge der Zähigkeitsverminderung), sondern auch durch die Werkzeugkapazität begrenzt ist. Für einen weiteren Schritt des K. muß das Werkstück zur Entfestigung erst oberhalb der Rekristallisationstemp. geglüht werden. Das K. wird gegenüber dem *Warmumformen bevorzugt, wenn erhöhte *Festigkeit, gute Maßhaltigkeit od. hohe Oberflächengüte verlangt wird. Werkstoffseitig beeinflussen folgende Parameter das K.: *Zugfestigkeit, *Streckgrenze, Bruchdehnung, Temp., Oberfläche, *Spannungszustand u. *Kaltverfestigung. Werkzeugseitig sind von Bedeutung: Eingriffsfläche, Umformgeschw., Werkzeugsteifigkeit u. die Reibbedingungen zwischen Werkstoff u. Werkzeug. – *E* cold forming – *F* faconnage à froid – *I* formatura a freddo – *S* conformación en frio
Lit.: Verein Dtsch. Eisenhüttenleute (Hrsg.), Werkstoffkunde Stahl, Bd. 1, S. 578 ff., 595 ff. u. Bd. 2, S. 699 ff., Berlin: Springer 1984 u. 1985.

Kaltverfestigung. Eigenschaft der Metalle, bei Temp. deutlich unterhalb der Rekristallisationstemp. mit zunehmender bleibender Verformung (Kaltverformung) die *Festigkeit zu steigern. D. h., wenn ein bereits kaltverformtes Metall um einen zusätzlichen Betrag in gleicher Richtung verformt wird, so steigt die Spannung, für die bei erneuter Beanspruchung bleibende Verformung eintritt, gegenüber dem alten Wert an. Metallphysikal. wird das Auftreten einer bleibenden Verformung erklärt durch das Wandern (Gleiten) vorhandener u. die Bildung neuer *Versetzungen (eindimensionale Gitterbaufehler) im Gitter, die Zunahme der Festigkeit dagegen durch das Aufstauen (u. die gegenseitige Behinderung) der Versetzungen an Korngrenzen (zweidimensionale Gitterbaufehler). Die K. wird in der Regel als qual. Phänomen zitiert, eine quant. Beschreibung beispielsweise der Form $d\sigma_s/de$ als Steigung der Spannungs-Verformungs-Kurve $\sigma_s(e)$ ist unüblich. Für die techn. Entwicklung kommt der K. erhebliche Bedeutung zu. Sie stellt ein Beisp. für ein „intelligentes“ Werkstoffverhalten[1] dar: Der mechan. überbeanspruchte Werkstoff gibt der Beanspruchung durch bleibende Verformung ohne Rißbildung nach u. nimmt dabei durch K. gleichzeitig eine höhere (Trag-) Festigkeit an. Da der reale örtliche Beanspruchungszustand in krit. Bereichen von Konstruktionen (z. B. in Bereichen von Schweißnähten) vielfach nur angenähert bekannt ist u. eine örtliche Überbeanspruchung nicht stets mit Sicherheit ausgeschlossen werden kann, leistet die K. einen entscheidenden Beitrag zur Betriebssicherheit. Voraussetzung ist allerdings, daß sich der Werkstoff unter den wirkenden Beanspruchungsbedingungen (*Spannungszustand, Temp., Beanspruchungsgeschw., chem. Umgebung) zäh verhält. Erst die Eigenschaft der K. ermöglicht den sicheren Betrieb hochbeanspruchter Konstruktionen in allen Bereichen der Technik. Die K. führt allerdings auch zu einer Verminderung der Zähigkeit des Werkstoffs. Daher wird in Regelwerken (Merkblätter der AG Druckbehälter) für zugelassene metall. Werkstoffe beim Bau von Druckbehältern die fertigungsbedingte Kaltverformung auf Höchstwerte von 15% begrenzt. Bei Verformungen oberhalb dieses Grenzwertes müssen die Auswirkungen der K. durch *Spannungsarmglühen teilw. wieder aufgehoben werden.

Techn. Nutzung: 1. Die bekannteste Anw. der K. ist das Kaltverformen (Kaltziehen) von *Draht. Durch diese einachsige bleibende Verformung wird bei Drähten die *Streckgrenze um Werte >100% gesteigert (z. B. Klaviersaiten). Die Zugfestigkeit wird dabei in geringerem Maße angehoben. – 2. Durch K. können Festigkeit u. *Härte oberflächennaher Bauteilzonen angehoben werden. Dies kann als Fertigungsmaßnahme od. betriebsverursacht erfolgen. Zu den Fertigungsmaßnahmen zählen die Verf. der Oberflächenverfestigung in der Gruppe Stoffeigenschaftsänderungen der *Fertigungsverfahren (Kugelstrahlen, Walzen, Hämmern). Diese führen zu einer Verbesserung der *Schwingfestigkeit wechselnd beanspruchter Bauteile. Eine Oberflächenhärtung (u. damit eine Verbesserung der Verschleißbeständigkeit) als Folge der betrieblichen Beanspruchung findet bei Metall-Metall-Kontakten z. B. in Gleit- od. Wälzpaarungen statt (Wälzlager). – 3. Bei hydrostat. Innendruckprüfungen (Abnahmeprüfungen) von drucktragenden Bauteilen wird ein Einebnen lokaler Spannungshöchstwerte beispielsweise in Schweißnahtzonen als Folge einer definierten stat.-mechan. Überbeanspruchung bewußt in Kauf genommen. – 4. Bei kub.-flächenzentrierten Gefügen (z. B. *austenitischen Stählen) ist der Effekt der K. aufgrund der höheren Anzahl wirksamer Versetzungsgleitsyst. größer als bei kub.-raumzentrierten (z. B. *ferritische Stähle). In Sonderfällen wird dieser Effekt durch Zulassen höherer Beanspruchungsspannungen bei Bauteilen aus austenit. Stählen genutzt. – *E* work hardening – *F* écrouissage – *I* incrudimento – *S* endurecimiento por deformación en frío

Lit.: [1] Metall **50**, Nr. 12, 809 ff. (1996).
allg.: Gräfen (Hrsg.), Lexikon Werkstofftechnik, S. 297 ff., Düsseldorf: VDI 1993 ▪ Schumann, Metallographie, 10. Aufl., S. 257 ff., Leipzig: VEB Dtsch. Verlag für Grundstoffind. 1980.

Kaltverzinkung. Verzinkung von Teilen aus Stahl od. Gußeisen bei niedrigen Bauteiltemperaturen. Im Gegensatz zur *Heißverzinkung wird das zu beschichtende Bauteil keinen hohen Temp. ausgesetzt. Daher entstehen keine spröden intermetall. Verbindungen. Anteil der K. am Zink-Bedarf für Korrosionsschutz ca.

10%. Beim *galvan. Verzinken* werden auf entfetteten u. gebeizten Bauteilen in Zink-haltigen Elektrolytlsg. durch eine angelegte Spannung reine, gleichmäßige Schichten (Schichtdicken zwischen 5 u. 25 µm) mit dekorativem Aussehen abgeschieden (Glanzzinkbäder). Nachteilig sind die Gefahr einer Wasserstoff-Versprödung u. die hohen Kosten. Die ursprünglich cyanid. Bäder werden aus Gründen des Umweltschutzes zunehmend durch alkal. Bäder ersetzt. Anw. findet die galvan. K. bevorzugt bei Massenkleinteilen. Eine Chromatisierungsnachbehandlung dient der Vermeidung von „Weißrost" u. zur Beständigkeitsverbesserung des Zink-Überzuges. Durch therm. Spritzen können festhaftende Zink-Überzüge mit Dicken zwischen 0,5 u. 1,5 mm auf metall. blanke Oberflächen aufgebracht werden. Hierbei wird Zink-Pulver mit einer Spritzpistole auf die gereinigte u. sandgestrahlte Bauteiloberfläche gespritzt. Energiequelle zur Aufschmelzung des Pulvers sind die Flamme eines Brenngas-Sauerstoff-Gemisches od. ein Lichtbogen. Diese zumeist von Oxiden u. Poren durchsetzten Schichten bieten einen guten Haftgrund für zusätzliche Schutzmaßnahmen (Anstrich). Der Aufwand zur Erzeugung porenarmer, oxidfreier Schichten (Vakuum- od. Schutzgasspritzen, Hochgeschwindigkeitsspritzen) ist unwirtschaftlich hoch. Durch *mechan. Plattieren* können Beschichtungen mit Dicken zwischen 2 u. 20 µm in Zink-Staub bei Umgebungstemp. erzeugt werden. Die zu beschichtenden Teile werden in einem Gemenge aus Zink-Staub u. Glaskugeln in einer rotierenden Trommel geschleudert. Eine weitere Möglichkeit der K. ist durch *Anstriche* mit einem hohen Anteil an Zink-Staub gegeben. – *E* cold galvanizing – *F* zingage à froid – *I* zincatura a freddo – *S* cincado en frío

Kaltvulkanisation s. Naturkautschuk, Vulkanisation u. Heißvulkanisation.

Kaltwellpräparate s. Haarbehandlung (4.).

Kaluza-Reaktion s. Isothiocyanate.

Kalzifug (calcifug, kalziphob, calciphob, kalkmeidend). Bez. für einen Organismus, der kalkreiche (od. bas.) Böden od. Gewässer meidet, z. B. wegen Calcium-Unverträglichkeit, des pH-Wertes od. kalkbeeinflußter Umwelteigenschaften, z. B. Eisen-Immobilisierung od. (bei Böden) Trockenheit. Gegensatz: kalzikol bzw. kalziphil. – *E* calcifugous, calciphobous – *F* calcifuge – *I* calcifugo – *S* calcífugo

Kalziphob s. Kalzifug.

Kamacit s. Meteoriten.

Kamala. Feines, rotbraunes Pulver, bestehend aus den äußeren Drüsenhaaren der Früchte von *Mallotus philippinensis* Muell. Arg. (baumförmige Euphorbiacee aus Indien, Australien u. den Philippinen). K. ist geruch- u. geschmackfrei, wasserunlösl.; bei Behandlung mit Alkohol, Ether, Chloroform, Kali- u. Natronlauge löst sich ein rotgelber Farbstoff (*Rottlerin) zusammen mit einigen anderen Phloroglucin-Farbstoffen heraus. K. wirkt leicht abführend; es wurde früher gegen Band-, Spul- u. Madenwürmer angewandt, dient heute jedoch nur noch veterinärmedizin. als Wurmmittel u. wird (in England u. Indien) zum Färben von Geweben

verwendet. Die Samen geben Kamalaöl. Name aus dem Sanskrit. – $E = F = S$ kamala – I camala
Lit.: DAB **6** u. Komm. ▪ Hager (4.) **5**, 669–672.

Kamasol®. Flüssigdünger für Gartenbau, Baumschulen, Sonderkulturen u. landwirtschaftliche Kulturen. K.-Typen enthalten 8% N, 8% P_2O_5 u. 6% K_2O (K. blau) bzw. 10% N, 4% P_2O_5 u. 7% K_2O (K. grün) sowie jeweils Spurennährstoffe wie Fe, Mn, Cu, B, Mo, Ni, Zn. *B.:* COMPO.

Kambrium s. Erdzeitalter.

Kamee s. Gemmen.

Kamelhaar(wolle) (Kurzz.: WK). Nach DIN 60001 Tl. 1 (10/1990) Bez. für die weichen, gekräuselten Flaumhaare des (zweihöckrigen) Kamels od. Trampeltiers, vereinzelt auch für die des (einhöckrigen) Dromedars; vgl. a. Wolle. – E camel hair (wool) – F (laine de) poil de chameau – I (lana del) pelo di cammello – S (lana de) pelo de camello – *[HS 5102 10]*

Kamerlingh Onnes, Heike (1853–1926), Prof. für Physik, Leiden. *Arbeitsgebiete:* Verhalten von Gasen, Gas-Gemischen, Leg. usw. bei sehr tiefen Temp., Begründung des weltberühmten Kältelabors (1894) in Leiden, erste Verflüssigung des Heliums, Entdeckung der Supraleitfähigkeit von Metallen in der Nähe des absoluten Nullpunkts. Er erhielt 1913 den Nobelpreis für Physik.
Lit.: Krafft, S. 193f. ▪ Lexikon der Naturwissenschaftler, S. 236 ▪ Neufeldt, S. 118, 124, 356 ▪ Pötsch, S. 228.

Kamille. Die ursprünglich in Süd- u. Osteuropa u. Vorderasien heim. Echte K. [*Chamomilla recutita* (L.) Rauschert (syn. *Matricaria recutita* L., *M. chamomilla* L. p.p.), Asteraceae] blüht auf Äckern von Mai bis September. Die getrockneten Blüten enthalten schweißtreibende Substanzen, 0,3–1% ether. Öl (s. Kamillenöl), einige (bes. von *Bohlmann untersuchte) Polyalkine, Flavonoide, Cholin (0,34–0,38%), Fructose, Salicylsäure, Apigenin, die Cumarine Umbelliferon u. dessen Methylether (Herniarin), Phytosterine, Bitterstoffe, Harze, Schleimstoffe usw.; zur Prüfung der K. s. *Lit.*[1]. Die pharmakolog. wichtigsten Inhaltsstoffe sind *Chamazulen u. *Bisabolol. Sie haben antiphlogist., antiallerg. u. reparative Eigenschaften. Nach *Lit.*[2] zeigen die genannten pharmakolog. aktiven Substanzen auch antimykot. Wirkung. K.-Extrakte haben einen günstigen Einfluß auf den Stoffwechsel der Haut, der sich in einem zeitabhängigen Anstieg von ATP u. Kreatinphosphat äußert. Zur Extraktion von K. mit überkrit. Gasen s. *Lit.*[3].
Verw.: Die K.-Blüten werden in Form von Tees, Extrakten u. dgl. innerlich bei Krämpfen, Verdauungsstörungen, Bleichsucht, Katarrhen, Fieber, Bronchitis, Gallenleiden, äußerlich bei Verbrennungen, Wunden, Geschwüren, Entzündungen sowie seit alters her in Haarbehandlungs-Mitteln zum *Blondieren* verwendet. An der aufhellenden Wirkung ist bes. das Apigenin beteiligt. Ähnliche Zusammensetzung u. Verw. hat auch die *Römische K.* (Blütenköpfe der in Mitteleuropa verschiedentlich angebauten u. zuweilen verwilderten *Anthemis nobilis* L.), die aus Südeuropa stammt. Der latein. Name Matricaria ist von latein.: matrix = Mutter, Erzeugerin, auch Stamm abgeleitet u. deutet auf die Verw. bei Frauenbeschwerden hin. Hauptproduzenten sind Argentinien, Spanien, Ägypten u. einige Ostblockstaaten. – E camomile – F camomille – I camomilla – S manzanilla
Lit.: [1]DAB **1996** u. Komm. [2]Parfümerie Kosmetik **58**, 121–127 (1977). [3]Arch. Pharm. **311**, 992–1001 (1978).
allg.: Bundesanzeiger 228/05.12.1984 u. 50/13.03.1990 ▪ Dtsch. Apoth. Ztg. **136**, 1821–1834 (1996) ▪ Hager (5.) **4**, 817–831 ▪ Schilcher, Die Kamille, Stuttgart: Wissenschaftliche Verlagsges. 1987 ▪ Ullmann (5.) **A 11**, 220f. ▪ Wichtl (3.), S. 144f. u. 375f. – *[HS 1211 90]*

Kamillenöl. Bei der Wasserdampfdest. blau werdendes (durch Bildung von Chamazulen aus Matricin in Ggw. von Wasser u. Wärme), charakterist. riechendes, dickflüssiges ether. Öl, das aus *Kamillen-Blüten in einer Ausbeute von 0,35–1,5% (in Abhängigkeit von der Zuchtrasse auch mehr) gewonnen wird; unter dem Einfluß von Licht u. Luft verfärbt sich das Öl braun, D. 0,922–0,956, SZ 9–50. K. enthält 0,5–15% *Chamazulen u. 25–45% *Bisabolol-Derivate, ferner Polyine, Fettsäuren, Furfural, Decan-, Nonansäure, Sesquiterpene (z.B. Farnesen, Cadinen), Myrcen usw.
Verw.: In der Medizin als *Carminativum, *Antiphlogistikum, *Spasmolytikum, außerdem in der Likör-Ind. u. Kosmetik.
Röm. K.: hellblaues, an Licht u. Luft grün bis braungelb werdendes Öl, D. 0,905–0,918, wird aus den Blüten der Röm. Kamille (*Anthemis nobilis*) in einer Ausbeute von 0,5–1% gewonnen. Seine Zusammensetzung weicht vom echten K. völlig ab; es enthält nur sehr wenig Azulen, Ester der Angelicasäure (s. Methyl-2-butensäuren) u. Isobuttersäure, Anthemol, Cuminaldehyd usw. – E camomile oil – F essence de petite camomille – I olio essenziale di camomilla – S esencia de camomila, esencia de manzanilla
Lit.: s. Kamille. – *[HS 3301 29]*

Kaminsky, Walter O. (geb. 1941), Prof. für Techn. u. Makromol. Chemie, Universität Hamburg. *Arbeitsgebiete:* Olefin-Polymerisation mit Metallocen/Methylaluminoxan-Katalysatoren. Durch Auffinden des hochaktiven, homogenen Katalysatorsystems konnten Polymere mit neuen Strukturen u. Eigenschaften synthetisiert werden (engverteiltes Polyethylen, Isoblock-Polypropylen, Cycloolefin-Copolymere, syndiotakt. Polystyrol); weitere Arbeitsgebiete: Pyrolyse von Kunststoffabfällen.
1988 erhielt er den Körberpreis für die Europäische Wissenschaft, 1991 den Karl-Heinz-Beckurts-Preis, 1995 die Alwin-Mittasch-Medaille, 1997 den Carothers Award.

Kamistad®. Gel mit *Benzalkoniumchlorid, *Lidocain-Hydrochlorid, *Thymol u. Kamillenblütenauszug (s.a. Kamille) gegen Entzündungen der Mundschleimhaut. *B.:* Stada.

Kammersäure. Etwa 60%ige Schwefelsäure aus dem Bleikammerverf. (s. Schwefelsäure).

Kammgarn. Bez. für gefertigte *Garne, vornehmlich aus *Wolle, bei deren Fertigung durch einen zusätzlichen Kämmprozeß die kurzen Fasern weitgehend ausgeschieden u. die längeren parallel gerichtet werden.
Verw.: Nach weiterer Verarbeitung vorwiegend zur Herst. von qual. hochwertigen Kleidungsstoffen. Die

Bez. „reines Kammgarn" od. ähnlich zur alleinigen Qualitätskennzeichnung eines Stoffes ist in der BRD unzulässig u. die zusätzliche Benennung der verwendeten Faser (Wolle, Perlon etc.) obligatorisch. – *E* worsted yarn – *F* peigné, fil peigné – *I* filato pettinato – *S* hilo de estambre, lana peinada
Lit.: Ullmann (4.) **24**, 491; (5.) **A 28**, 409. – *[HS 510710, 510720]*

Kammkies s. Markasit.

Kammpolymere. K. bilden eine Untergruppe der verzweigten *Polymere. Sie sind kammartig aufgebaut, d. h. sie enthalten an einer linearen Hauptkette in mehr od. weniger regelmäßigen Abständen längere, untereinander nahezu gleichlange u. meist aliphat. Seitenketten.

Beisp. für Monomereinheiten von Kammpolymeren :

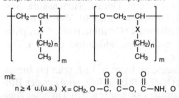

mit:

$n \geq 4$ u.(u.a.) X = CH₂, O—C, C—O, C—NH, O

Abb.: Kammpolymere.

Sie fallen z. B. an bei der *Homo- od. *Copolymerisation von langkettigen α-Olefinen, Alkyloxiranen, Vinylethern, Vinylestern, Alkyl(meth)acrylaten od. *N*-Alkyl(meth)acrylamiden. Alternativ können K. auch durch *Pfropf(co-)polymerisation erhalten werden. Ihre Eigenschaften werden insbes. durch die hohe Krist.-Tendenz ihrer Seitenketten geprägt. – *E* comblike polymers, comb polymers – *F* polymères en peigne – *I* polimeri a pettine – *S* polímeros en peine
Lit.: Houben-Weyl **E 20**, 1370 ∎ J. Polym. Sci., Macromol. Rev. **8**, 117–253 (1974).

Kampfstoffe. Bez. für *chemische Waffen im engeren Sinne, d. h. für gasf., flüssige od. feste giftige Stoffe, die in Granaten u. Bomben od. auch durch Abblasen, Abregnenlassen od. dgl. gegen menschliche Ziele eingesetzt werden u. je nach Zweck mehr od. weniger beständige giftige Gase, Nebel od. Rauch bilden. Im 1. Weltkrieg wurden K. in erheblichen Mengen eingesetzt. Der Beginn des modernen Gaskriegs wird auf den 22. April 1915 datiert (Ypern, deutscherseits Einsatz von Chlorgas, auf französ. Seite ca. 5000 Tote u. ca. 10 000 Versehrte). Insgesamt betrug die Anzahl der Opfer durch K. im 1. Weltkrieg auf beiden Seiten ca. 90 000 – 100 000 Tote u. ca. 1,2 Mio. Versehrte.
Die hierbei verwendeten K. wurden eingeteilt (nach der farblichen Kennzeichnung der K.-Munition) in *Blaukreuz-K.*, z. B.: *Diphenylarsinchlorid (Clark I, DA), *Diphenylarsincyanid (Clark II, DC), *Adamsit (DM), wirksam vornehmlich über die oberen Luftwege; *Grünkreuz-K.*, z. B.: *Phosgen (CG), *Diphosgen (*Surpalite, *Perstoff), *Palite, wirksam als Lungengifte; *Gelbkreuz-K.*, z. B.: *Bis(2-chlorethyl)sulfid (*Lost, Senfgas, Yperit, HD), *Lewisit, wirksam über Haut- od. Schleimhaut-Kontakt als Zellgifte. Unter

Weißkreuz-K. werden Augen- od. *Tränenreizstoffe *(Tränengase)* zusammengefaßt; wesentliche Vertreter sind ω-*Chloracetophenon (CN), *(2-Chlorbenzyliden)-malonsäuredinitril (CS), Dibenz[*b,f*][1,4]oxazepin (CR). Diese K. werden z. T. auch bei Polizeiaktionen eingesetzt [CN ist der wirksame Bestandteil der „chem. Keule" (*E* chemical mace)]. Da hierbei erhebliche gesundheitliche Schäden möglich sind, ist dieser Einsatz umstritten.
Als wesentliche neue Gruppe von K. wurden 1937 in Deutschland bestimmte Phosphor-organ. Verb. entdeckt, die als *Acetylcholin-Esterase-Hemmer u. damit als Nervengifte wirken. Wichtigste Vertreter der auf der Basis dieser Entdeckung entwickelten K. sind *Tabun (GA), *Sarin (GB) u. *Soman (GD) sowie die in den USA entwickelten K. der V-Reihe, wie z. B. *VX; sie wirken durch Aufnahme sowohl über die Luftwege (G-Reihe) als auch über Hautkontakt (V-Reihe). Eine Weiterentwicklung des klass. Lost stellen die *Stickstofflost-K. (HN) dar.
Neueste Entwicklung sind die *binären Kampfstoffe; sie stellen ein neues Waffensyst. dar, bei dem aus 2 für sich wenig tox. Komponenten erst nach dem Abschuß der K.-Granate od. dem Abwurf der K.-Bombe der tödlich wirkende K., z. B. Sarin od. VX, gebildet wird. Nach ca. 20-jährigen Entwicklungsarbeiten wurde nach einem Kongreßbeschluß Ende 1987 in den USA mit der Produktion binärer K. begonnen.
Zu den K. zählen auch die sog. Psycho-K. (*Wirrstoffe, s. a. Psychopharmaka), die den Gegner benommen u. orientierungsunfähig machen sollen, z. B. Benzilsäure-3-chinuclidinylester (BZ), der von den USA im Vietnam-Krieg eingesetzt worden sein soll. Auch die Verw. von *Lysergsäurediethylamid als Psycho-K. ist diskutiert worden.
Den K. zugeordnet werden auch die *biologischen Waffen, seltener die radiolog. K., die im Falle von *Kernwaffen-Explosionen Gelände, Luft u. Trinkwasser radioaktiv verseuchen u. damit Menschen u. Tiere bedrohen. *Herbizide u. *Entlaubungsmittel, wie z. B. (2,4-Dichlorphenoxy)-essigsäure u. (2,4,5-Trichlorphenoxy)-essigsäure (vgl. 2,4-D u. 2,4,5-T), zählen nicht zu den eigentlichen K., jedoch zu den Waffen; sie fanden ebenfalls Anw. im Vietnam-Krieg (z. B. als *„Agent Orange"*).
Unter dem Eindruck der verheerenden Folgen bei der Verw. von K. im 1. Weltkrieg wurde 1925 der Einsatz von K. in krieger. Auseinandersetzungen völkerrechtlich geächtet („Genfer Protokoll"), nicht jedoch ihre Herst. u. Bereitstellung. In lokalen Konflikten wurden K. auch in jüngerer Zeit verschiedentlich eingesetzt (s. chemische Waffen). Von kriminellen Fanatikern der Aum-Sekte wurden im März 1995 bei Giftgas-Attentaten mit in eigenen Labors hergestelltem Sarin in Tokio 6 Menschen getötet u. über 3900 verletzt.
Bereits vor Verabschiedung der Genfer UN-Chemiewaffen-Konvention (s. chemische Waffen) wurde die Vernichtung von K.-Beständen in Angriff genommen. In der BRD befindet sich schon seit 1980 in Munster (Oertze) eine Vernichtungsanlage für K.-Funde aus dem 1. u. 2. Weltkrieg in Betrieb. Der Prototyp einer amerikan. K.-Vernichtungsanlage wird in Tooele/Utah betrieben. Weitere Anlagen wurden von den USA u. a.

auf Pazifik-Inseln gebaut. Die in der BRD gelagerten US-Bestände von ca. 400 t VX u. Sarin in ca. 100 000 Artillerie-Granaten wurden im Herbst 1990 zur Vernichtung zum Johnston-Atoll im Pazifik abtransportiert. Nach einer im Rahmen der Genfer Konvention getroffenen Vereinbarung sollen die USA u. Rußland ihre gesamten K.-Bestände bis zum Jahre 2006 vernichten. Nach Presseberichten vom Januar 1996 wollen die USA ihre Bestände von >31 000 t K., davon knapp 700 t binäre K., mit einem Aufwand von ca. 12 Mrd. $ bis zum Jahre 2004 vernichtet haben. Die K.-Bestände der ehem. UdSSR werden auf >40 000 t geschätzt. – *E* toxic chemical agents, combat gases – *F* agents chimiques de combat, gaz de combat – *I* aggressivi chimici – *S* agresivos químicos, gases de guerra

Lit.: Kirk-Othmer (3.) **5**, 393–416; (4.) **5**, 795–816 ▪ Nachr. Chem. Tech. Lab. **36**, 915 ff. (1988); **37**, 254–263 (1989) ▪ Schrempf, Chemische Kampfstoffe – Chemischer Krieg, München: Inst. Internat. Friedensforschung 1981 ▪ *Dokumentation:* Stockholm International Peace Research Institute (sipri), Sveavägen 166, S-113 46 Stockholm.

Kanadabalsam. In frischem Zustand klebrige, farblose Flüssigkeit, die beim Stehen gelblich bis grüngelblich u. zäh wird. Schließlich tritt Erstarrung ein; das Festprodukt bleibt jedoch, wie bei *Balsamen üblich, durchsichtig. Geruch angenehm balsam., Geschmack etwas bitter, D. 0,985–0,995. SZ 84–87, VZ 89–96. Der zu 90–94% in 90%igem Alkohol u. zu 83–93% in Petrolether lösliche K. enthält *Diterpenoide (ca. 44% *Harzsäuren) u. Terpene. Er wird im nördlichen Nordamerika, bes. in Kanada aus den Rinden verschiedener Tannen (*Abies canadensis, A. balsamea*) gewonnen u. zur Verkittung von Linsen u., gelöst in Xylol, als *Einbettungsmittel für mikroskop. Präp. verwendet, da er annähernd den gleichen Brechungsindex wie normales Glas hat. – *E* Canada balsam, Canada turpentine – *F* baume du Canada, térébenthine du Canada – *I* balsamo del Canadà – *S* bálsamo del Canadá

Lit.: Hager (5.) **1**, 548; **4**, 17 f. ▪ Kirk-Othmer (3.) **20**, 203 ▪ Ullmann (4.) **12**, 527; (5.) **A 23**, 76. – *[HS 1301 90; CAS 8007-47-4]*

Kanaleinschluß-Verbindungen s. Einschlußverbindungen.

Kanalisation (Kanalnetz, Sammlersyst.). Bez. für die Gesamtheit der Abwasserkanäle, Abwasserdruckleitungen u. zugehörigen Bauwerke in einem Entwässerungsgebiet. Man unterscheidet zwischen Misch- u. Trennkanalisation. Bei der *Trennkanalisation* werden Schmutz- u. Regenwasser getrennt abgeleitet, das Regenwasser zum nächsten natürlichen Wasserlauf, das *Abwasser zur *Kläranlage. Bei der *Mischkanalisation* werden Schmutz- u. Niederschlagswasser gemeinsam abgeleitet. Der Bau u. Betrieb einer Mischkanalisation, die einen höheren Verbreitungsgrad hat, ist billiger, dafür sind die Kosten der Kläranlage entsprechend höher.

Die Abwasser-Ableitung erfolgt meist gemäß dem natürlichen Gefälle. Neben den *Sammelkanälen* u. *Hauptsammlern*, in alle Kanäle münden, unterscheidet man noch *Verbindungskanäle* (sie verbinden verschiedene Entwässerungsgebiete), *Ringkanalisa-*

tion (sie führen das Abwasser um Seen od. Talsperren herum, um sie vor *Eutrophierung zu schützen) u. *Fernleitungen* (mit ihrer Hilfe werden Abwässer weggeleitet, um den Nahbereich des Abwasseranfalls zu schützen). Zu den wesentlichen Bauteilen einer K. gehören auch *Kanalschächte, Kurven-* u. *Vereinigungsstücke, Abstürze, Düker, Regenbecken, Regenüberlaufbecken.* – *E* severage system – *F* réseau d'égouts – *I* canalizzazione, fognatura – *S* canalización

Lit.: Abwassertechnische Vereinigung (ATV, Hrsg.), ATV-Handbuch (4.), Planung der Kanalisation (1994), Bau u. Betrieb der Kanalisation (1995), Berlin: Ernst u. Sohn 1994–1995 ▪ ATV-Regelwerk Abwasser-Abfall A 140 (1990), A 142 (1992), A 147 a+b (1993), A 148 (1994), A 241 (1994) St. Augustin: ATV 1990–1994 ▪ Römpp Lexikon Umwelt, S. 375 (Kanalnetz) ▪ Stein u. Niederehe, Instandhaltung von Kanalisationen (2.), Berlin: Ernst u. Sohn 1992.

Kanalnetz s. Kanalisation.

Kanalruß. Bez. für einen *Ruß der Teilchengröße 15–200 nm, der durch unvollständige Verbrennung von Erdgas u. Abscheidung des Rußes an kalten Metallflächen erhalten wird. Letztere sind als eiserne U-Profile (*E* channels, daher die Bez. Channel-Ruß) ausgebildet; das Herst.-Verf. ähnelt dem von *Gasruß. Wegen der beim Channel-Verf. auftretenden hohen *Luftverunreinigung, den niedrigen Ausbeuten u. den hohen Erdgaspreisen ist die Herst. von K. zugunsten der von *Furnaceruß weitgehend – in den USA bereits 1976 – aufgegeben worden. – *E* channel black – *F* noir de cheminée – *I* nerofumo – *S* negro „channel“

Lit.: Kirk-Othmer (3.) **4**,. 652 f.; (4.) **4**, 1055 ▪ Ullmann (4.) **14**, 640 f., 646; (5.) **A 5**, 148 ff. ▪ Winnacker-Küchler (4.) **3**, 318 f.

Kanalstrahlen s. Kathodenstrahlen.

Kanamycine.

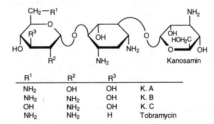

Tab.: Daten von Kanamycinen.

Verb.	Summenformel	M_R	Schmp. [°C]	$[\alpha]_D$ (H_2O)	CAS
K. A	$C_{18}H_{36}N_4O_{11}$	484,50	>250 (Sulfat)	+149°	59-01-8
K. B	$C_{18}H_{37}N_5O_{10}$	483,52	178–182	+130°	4696-76-8
K. C	$C_{18}H_{36}N_4O_{11}$	484,50	>270	+145°	2280-32-2
Tobramycin	$C_{18}H_{37}N_5O_9$	467,52	–	+131°	32986-56-4

Internat. Freiname für *Aminoglykosid-*Antibiotika aus Kulturen von *Streptomyces kanamyceticus*. K. werden in die Hauptkomponenten *K. A* (Hauptkomponente), *K. B* u. *K. C* eingeteilt. Der Hauptbestandteil, der auch als K. bezeichnet wird, setzt sich aus 2-Desoxystreptamin, 6-Amino-6-desoxy-D-glucose u.

3-Amino-3-desoxy-D-glucose (*Kanosamin*) zusammen. K., die die Protein-Synth. durch Interaktion mit der 30S-Untereinheit des *Ribosoms hemmen, sind breit wirksam gegen eine Vielzahl Gram-pos. u. -neg. Erreger u. finden in der Humantherapie Anw. gegen Staphylokokken u. Mycobakterien, sowie zur Behandlung von Salmonellen- u. Shigellen-Infektionen. K. sind auch antiviral, membranotrop, oto- u. nephrotox. wirksam, LD_{50} (Maus i.v.) 225 mg/kg (K.C). Die Inaktivierung der K. erfolgt bei resistenten Keimen durch Phosphorylierung, Adenylierung u. Acetylierung. – *E* kanamycins – *F* kanamycines – *I* canamicine – *S* kanamicinas

Lit.: Med. Clin. North Am. **72**, 581 (1988) ▪ Merck-Index (12.), Nr. 5288 ▪ Präve et al. (4.), S. 676f. ▪ s.a. Aminoglykoside. – *[HS 2941 90]*

Kanamytrex® (Rp). Augensalbe u. -tropfen mit *Kanamycin-Sulfat gegen bakterielle Infektionen. *B.:* Basotherm GmbH.

Kanangaöl (Canangaöl) s. Ylang-Ylang-Öl.

Kanaster. Leichter, wolliger Tabak; Krüll- u. Mittelschnitt; aus Puertorico- u. Varinas- (Stadt in Venezuela) Tabaken hergestellt.

Kandelit, Kandelkohle s. Kannelkohle.

Kandelnußöl s. Holzöl.

Kandieren. In der Süßwaren-Ind. versteht man darunter das Abscheiden von Zuckerkrist. (aus einer übersättigten Zuckerlsg.) an der Oberfläche von eingebrachten Süßwaren. Nach dem Ablassen der überschüssigen Lsg. schließen sich die Krist. zu einer festen Schicht zusammen u. umgeben mehr od. weniger luft- u. wasserdicht den eingeschlossenen Körper (eine traditionelle Art der Konservierung). Auf diese Weise werden z.B. kandierte Früchte u. kandierte Fruchtschalen (Citronat u. Orangeat) hergestellt. Kandierte Früchte werden aus Obst (z.B. Ananas, Aprikosen, Walnüsse), aus Blüten (Rosen, Veilchen), aus Gemüsen (Bohnen, Kürbis) u. aus sonstigen Pflanzenteilen (Angelikastengel, Ingwer) hergestellt. – *E* candying – *F* candir, confire – *I* candire – *S* confitado, acaramelado

Kandis(zucker) (von arab.: quand = Rohrzucker). Farblose od. durch Zuckercouleur (s. Karamel) gelb bis braun gefärbte, 10–30 mm große *Saccharose-Krist., die durch langsames Auskristallisieren reiner Zuckerlsg. in bes. Apparaturen hergestellt werden. Zur Herst. von Faden-K. werden in den Krist.-Wannen Fäden gespannt, an denen sich die Krist. im Lauf von etwa 10 d abscheiden. Er wird jedoch kaum noch hergestellt. Heute erfolgt die Krist. überwiegend mit Hilfe von Impfkristallen.

Verw.: Allg. als Süßungsmittel, z.B. in der Bäckerei, Konditorei u. Likör-Herst., auch als Hausmittel gegen Husten u. Heiserkeit u. in Lsg. als Bienenfutter. – *E* candy sugar – *F* sucre candi – *I* zucchero candito – *S* azúcar candi – *[HS 1701 99]*

KANEBO. Kurzbez. für das 1887 gegr. Unternehmen Kanebo Ltd., Osaka 534, Japan. *Daten* (1995, weltweit): 25640 Beschäftigte. *Produktion:* Kosmetika; biotechnolog. Verf., Pharmazeutika, medizin. Diagnostik; Lebensmittel; Polymerfasern u. Spezialfasern (Kompositfasern) für Textilien, Textilfarben; Polymer-Halbleiter; Polymere für industrielle Anw.; elektron. Informationssysteme.

Kaneel s. Zimt.

Kaneelstein s. Granate.

Kani (Kathodennickel) s. Nickel (Herst.).

Kaninhaar (Kurzz.: WN). Nach DIN 60001 Tl. 1 (10/1990) Bez. für tier. Fasern aus den Haaren des Haus- u. Wildkaninchens.

Kannelkohle (Kandelkohle, Blätterkohle, Gasschiefer, Bogheadkohle, Kandelit, Kerzenkohle). Bez. für eine früher in England gefundene, heute größtenteils abgebaute, sehr gasreiche Fettkohle von mattem Äußeren u. muscheligem Bruch, die wesentlich weniger C u. mehr H enthält als die stark glänzende, spröde u. leicht spaltbare Glanzkohle od. der *Anthrazit. K. brennt beim Entzünden infolge ihres Gasreichtums wie eine Kerze weiter; der Name ist eine Entstellung des engl. Begriffs candle = Kerze. Die K. sind wie auch andere *Sapropelite* wahrscheinlich aus *Faulschlamm hervorgegangen, bei dessen Abbau lediglich Sporen u. Pollen übrig blieben. *Torbanit* ist eine aschereiche K., u. die sog. *Boghead-Kohle* ist aus Algen statt Sporen entstanden. – *E* cannel coal – *F* cannel-coal – *I* carbone tipo cannel – *S* carbón cannel

Lit.: Kirk-Othmer (3.) **6**, 226; (4.) **6**, 425.

Kannenpflanze s. carnivore Pflanzen.

Kanosamin s. Kanamycine.

Kantan. Japan. *Agar-Sorte, die aus der Rotalge *Gelidium corneum* gewonnen wird.

Kantkolben s. Dekantieren.

Kanülen (französ.: canule = Röhrchen). Polierte Hohlnadeln aus Metall zur *Injektion mit abgeschrägter Spitze u. Spritzenansatz. K. gibt es in unterschiedlicher Stärke u. Länge, auch als Venenverweilkanüle mit Befestigungsmöglichkeit in Form von Kunststoffflügeln zur kurzzeitigen *Infusion. – *E* cannula – *F* seringues – *I* aghi delle siringhe – *S* jeringas

Kanülentechnik. Um eine luft- u. feuchtigkeitsempfindliche Flüssigkeit in ein Reaktionsgefäß umzufüllen ist die K. gut geeignet. Sowohl das Reaktionsgefäß als auch das Vorratsgefäß sind mit einem Septum verschlossen. Nun werden beide Gefäße mit Hilfe einer *Kanüle verbunden. In das Vorratsgefäß wird eine mit der Inertgasversorgung gekoppelte Nadel eingesteckt. Das Reaktionsgefäß wird durch eine weitere Injektionsnadel, die mit einem Blasenzähler verbunden ist, entlüftet. Erhöht man nun den Druck im Vorratsgefäß, fließt die Flüssigkeit in das Reaktionsgefäß. – *E* cannulation – *I* tecnica di cannelli – *S* técnica de la cánula

Lit.: Leonard et al., Praxis der Organischen Chemie, S. 78–83, Weinheim: VCH Verlagsges. 1996.

Kaoline. Von chines.: Kao ling = hoher Hügel (bei der Stadt Ching-te Chen in der Provinz Jiangxi) abgeleitete Sammelbez. für zu den Tonerderohstoffen im Sinne des Bergbaus gerechnete Tongesteine (*Tone) mit einem wechselnd hohen Anteil abschlämmbarer

Bestandteile (Korndurchmesser unter 2 μm). Sie bestehen überwiegend aus den Mineralen *Kaolinit, *Halloysit u. Dickit u. bilden feinschuppige Aggregate sowie dichte, bröckelige od. mehlige, mit Wasser plast. werdende Massen, die sich je nach Konsistenz mager od. fettig anfühlen; Farbe an sich weiß, aber auch braun, gelb od. grau.

Einteilung: Nach der Entstehung: *Residual-K.* sind durch intensive chem. *Verwitterung auf heutigen u. fossilen Landoberflächen der feuchtwarmen Tropen u. Subtropen als zusammenhängende, wannenartige Rohstoffkörper entstanden; sie zeigen deutlich das *Gefüge ihrer Ausgangsgesteine; Vork. in Mitteleuropa auf an Kali-*Feldspäten reichen Ausgangsgesteinen wie *Rhyolith [Kemmlitz/Sachsen, Halle, Seilitz bei Meißen (Meißener Porzellan-Manufaktur)], *Granit (Karlsbad/Böhmen) od. Feldspat-*Sandstein (Pilsen/Böhmen, Hirschau-Schnaittenbach/Bayern). *Hydrothermal-K.* entstanden durch hydrothermale Umwandlung der Muttergesteine (z. B. des St. Austell-Granits in Cornwall/England; hier aber als Kombination mit Residual-K.) als gang- od. schlauchförmige Körper. *Sedimentäre K.* umfassen Kaolinittone u. kaolinit. *Sande* (über kurze Strecken umgelagerte, relativ reine Residual-K.; Vork. bes. in Georgia u. South Carolina/USA, in Ost-Spanien u. Brasilien). *Kaolinittone* sind im kontinentalen Bereich in Seen, Brackwasser od. Flüssen abgelagerte Abtragungsprodukte kaolinit. Verwitterungskrusten. Die plast. Kaolinittone werden auch als *Fire clays* bezeichnet (auch für fehlgeordnete Kaolinite, z. B. in keram. Tonen, benutzte Bez.; in der englischsprachigen Lit. z. T. synonym mit „refractory clay" = feuerfester Ton); sie enthalten außer Kaolinit geringe Anteile *Glimmer, *Illit od. *Smektit sowie *Anatas, Eisenminerale u. *Quarz; Vork. weltweit, z. B. Aquitan. u. Pariser Becken/Frankreich, Westerwald, NW-Sachsen, Lausitz. Bes. Eisen- u. Titan-arme, u. a. für die Herst. von Sanitärkeramik u. Fliesen eingesetzte Abarten sind die *Ball clays* od. weißbrennenden Tone; Vork. z. B. in Cornwall/England, der Oberpfalz, dem Westerwald u. dem Egerbecken. Manche Vork. nutzbarer Ball bzw. Fire clays sind mit Kohleflözen u. Wurzelhorizonten vergesellschaftet, z. B. in Schottland, in der Oberpfalz, im Westerwald u. in Löthain bei Meißen. *Flintclays* sind sehr reine, unplast. K. mit muscheligem Bruch (daher flint...), die aus laterit. (*Laterit) Gesteinen entstanden sind u. oft noch *Aluminiumhydroxid-Minerale enthalten; Vork. z. B. in Missouri/USA u. der Umgebung von Prag; Verw. u. a. zur Herst. von Feuerfest-Produkten u. Fliesen. Weitere K.-Vork. gibt es in Japan u. China – wohin einer ihrer früheren Hauptverw. werden die K. auch als *Porzellanerden (E china clays)* bezeichnet. In der Technik unterscheidet man bei den K. zwischen den auf prim. Lagerstätte liegenden, techn. erst nach Aufbereitungs-Prozessen verwertbaren „*Kaolinen*" (auch: *Roh-K.*) u. den durch Wasser od. Wind umgelagerten u. dadurch schon aufbereiteten, auf sek. Lagerstätte liegenden, hohe Bildsamkeit u. Trockenbiegefestigkeit aufweisenden „*Tonen*".

Gewinnung u. Verw.: Da Roh-K. immer Quarz u. meist noch unzersetzte Feldspäte enthält, ist der Regelfall der Aufbereitung die Ausschlämmung des K.

in Rührwerken, Schwerterwäschen u. Hydrozyklonen. In der BRD entfällt über ein Viertel des Verbrauchs an K. (s. dazu *Lit.*[1]) auf die keram. Ind. (*keramische Werkstoffe) für die Produktion von Elektroporzellan, techn. u. Sanitärporzellan, Geschirr (*Porzellan), Wand- u. Bodenplatten sowie Steinzeug u. Steingut. Fast die Hälfte verbraucht die Papier-Ind. als Füllstoff u. zum Glätten der Papieroberfläche (*Streich-K.*). Etwa 20% des Verbrauchs entfallen auf die chem.-techn. Ind. für die Erzeugung von Fiberglas, Linoleum, Wachstuch, Gummi, Farben, Tinten, Schädlingsbekämpfungs-, Putz- u. Poliermitteln sowie von K.-Fasern (Kaowool); in der pharmazeut. Ind. wird K. (pharmazeut.: *bolus alba) v. a. als Füllstoff für kosmet. u. medikamentöse Puder eingesetzt. – *E* kaolin – *F* caolin – *I* caolini – *S* caolines

Lit.:[1] Wirtschaftsvereinigung Bergbau e. V. (Hrsg.), Das Bergbau-Handbuch, S. 271 ff., Essen: VGE Verl. Glückauf 1994. *allg.:* Bailey (Hrsg.) Hydrous Phyllosilicates (Reviews in Mineralogy, Vol. 19), S. 67–89, Washington (D. C.): Mineralogical Society of America 1988 ▪ Harben u. Bates, Industrial Minerals, Geology and World Occurrence, S. 64–76, London: Industrial Minerals Division of Metal Bulletin Plc 1990 ▪ Jasmund u. Lagaly (Hrsg.), Tonminerale und Tone, S. 193–200, 205 ff., 269 f., 275–280, 362, 388 ff., 397 f., Darmstadt: Steinkopff 1993 ▪ Ullmann (5.) **A** 7, 113–116, 126–131. – *[HS 2507 00]*

Kaolinisierung s. Kaolinit.

Kaolinit. $Al_2[(OH)_4/Si_2O_5]$ bzw. $Al_2O_3 \cdot 2\,SiO_2 \cdot 2\,H_2O$, triklines Zweischicht-*Tonmineral (*1:1-Phyllo-*Silicat*); krist. triklin, Kristallklasse $1^- - C_i$; H. 1, D. 2,1–2,6; in Form feinschuppiger Aggregate sowie dichter, bröckeliger od. mehliger Massen Hauptbestandteil der *Kaoline. Unter dem Elektronenmikroskop Krist. in Form dünner sechseckiger biegsamer Blättchen von 0,2–4 μm Durchmesser u. wenigen Hundertstel μm Dicke, die oft buch- od. geldrollenartig zusammengelagert sind. Bei der *Hydrothermalsynthese von K.[1] wurden nebeneinander Aggregate von kugelförmigen, stabförmigen u. tafeligen Krist. beobachtet[2]. Zur K.-Gruppe gehören noch *Halloysit u. die monoklinen (zwei 1:1-Schichtpakete pro Elementarzelle), unterschiedliche Ausrichtung ihrer Schichtpakete aufweisenden, in hydrothermalen Lagerstätten vorkommenden Tonminerale *Dickit* (farblos, weiß, gelblich, bräunlich) u. *Nakrit* (weiß, gelblich, auch grünlich bis lichtblau); K., Halloysit u. Dickit werden auch unter der Bez. *Kandite* zusammengefaßt.

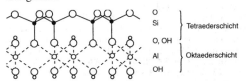

Abb.: Struktur einer einzelnen Kaolinit-Schicht.

In der *K.-Struktur* (s. Abb.) liegen die Silicium-Ionen in einer Schicht aus [SiO_4]-Tetraedern u. die Aluminium-Ionen in einer Schicht aus [$Al(O,OH)_6$]-Oktaedern. Der *Basisabstand* zweier aufeinander folgender, elektr. neutraler, ident. 1:1-Schichtpakete beträgt 7 Å; sie werden durch Wasserstoff-Brückenbindungen u. Dipol-Wechselwirkungen zusammengehalten. Der

Basisabstand kann – auch bei Dickit u. Nakrit – durch Einlagerung (*Intercalation*) neutraler organ. Mol. (z. B. Dimethylsulfoxid, Harnstoff, Hydrazin) aufgeweitet werden. Die eingelagerten Mol. können gegen andere neutrale Mol. ausgetauscht werden (Verdrängungsreaktionen). K. mit überwiegend fehlgeordneter Verteilung bzw. Stapelfolge der Schichten werden als „*Fireclay*" (besser: „Fireclay mineral", vgl. Kaoline) bezeichnet; sie sind typ. für feuerfeste K.-Tone. Zur Struktur von K. s. *Lit.*[3], zur Struktur der Kandite *Lit.*[4], zur Struktur von Nakrit *Lit.*[5], zu paramagnet. Al-O⁻-Al-Defekten *Lit.*[6]. Thermodynam. Daten von K. s. *Lit.*[7]; K. kann bis >1% Eisen als Fe^{3+}, aber auch als Fe^{2+} enthalten[8].

Die *Entwässerung* von K. führt – in Abhängigkeit von Teilchengröße, Ordnungsgrad, Erhitzungsdauer u. Wasserdampf-Partialdruck zwischen etwa 350 °C u. 550 °C zu schlecht geordnetem *Meta-K.*[9], $Al_2Si_2O_7$, bei weiterem Aufheizen – unter Abgabe noch verbliebener OH-Gruppen – zwischen 850 u. 950 °C zur Bildung einer röntgenamorphen *Gel-Phase*, z. T. auch einer *Al-Si-*Spinell-Phase* (bei ca. 980 °C) u. bei ca. 1200 °C zur Bildung von rhomb. *Mullit*[10,11] ($Al_6Si_2O_{13}$) u. *Cristobalit*.

Entstehung: Hydrothermal od. durch *Verwitterung aus *Feldspat-reichen Ausgangsgesteinen, bes. *Graniten, *Rhyolithen, Arkosen, usw., innerhalb humider (feucht gemäßigter u. auch regenreicher trop.) Klimazonen bei pH-Werten <6 v. a. aus Kali-Feldspäten z. B. nach der summar. Gleichung: (*Kaolinisierung*):

$$2\,K[AlSi_3O_8]+7\,H_2O \rightarrow Al_2O_3 \cdot 2\,SiO_2+4\,H_2SiO_3+2\,KOH$$

Während der Diagenese (*Sedimentgesteine) nimmt der K-Gehalt in Tongesteinen bei gleichzeitiger Zunahme von *Illit u. *Chlorit ab.

Vork.: Charakterist. Tonmineral saurer trop. Böden u. wesentlicher Bestandteil der Eisen-reichen Böden der humiden trop. Zonen, der *Laterite od. Ferricretes. In Sedimenten der Tiefseeböden im Bereich niedriger Breitengrade. Als Hauptbestandteil der Kaoline. – *E* = *F* kaolinite – *I* caolinite – *S* caolinita

Lit.: [1] Clays Clay Miner. **44**, 417–423 (1996); Appl. Clay Sci. **7**, 345–356 (1993). [2] Clays Clay Miner. **43**, 353–360 (1995). [3] Clays Clay Miner. **44**, 297–303 (1996). [4] Clays Clay Miner. **43**, 191–195 (1995). [5] Clays Clay Miner. **42**, 46–52 (1994). [6] Phys. Chem. Miner. **22**, 351–356 (1995). [7] Am. Mineral. **80**, 1048–1053 (1995). [8] Neues Jahrb. Mineral., Abh. **162**, 281–309 (1991). [9] Clays Clay Miner. **44**, 635–651 (1996); Phys. Chem. Miner. **22**, 207–214 (1995). [10] J. Am. Ceram. Soc. **73**, 964–969 (1990); **74**, 2382–2387 (1991). [11] Phys. Chem. Miner. **22**, 215–222 (1995). *allg.:* Bailey (Hrsg.), Hydrous Phyllosilicates (Reviews in Mineralogy, Vol. 18), S. 9–66, Washington (D. C.): Mineralogical Society of America 1988 ▪ Jasmund u. Lagaly (Hrsg.), Tonminerale u. Tone, S. 33–41, 130–135, 290–300, Darmstadt: Steinkopff 1993 ▪ Ullmann (5.) **A 6**, 10; **A 7**, 110; **A 14**, 465; **A 23**, 4, 662, 670 ▪ s.a. Tonminerale. – *[HS 250700; CAS 1318-74-7]*

Kaonen. Instabile Elementarteilchen aus der Familie der *Mesonen, auch K-Mesonen genannt. Einige Eigenschaften der K., die zuerst in der *kosmischen Strahlung entdeckt wurden, sind in Tab. 3 bei *Elementarteilchen aufgeführt. K. zählen zu den „seltsamen Teilchen" mit relativ langer Lebensdauer; sie zerfallen über die schwache Wechselwirkung. – *E* = *F* kaons – *I* kaoni – *S* kaones

Kaoprompt-H®. Suspension mit *Kaolin u. *Pektin gegen Durchfall. *B.:* Pharmacia & Upjohn.

Kapazität. Von latein.: capacitas = Raum abgeleitete Bez., die allg. in der Technologie soviel wie Fassungsvermögen, Aufnahmefähigkeit bedeutet, z. B. bei Filtern, Ionenaustauschern, Adsorbentien etc. In der Elektrochemie u. -technik ist die K. eine Größe zur Messung des Ladungsspeichervermögens (z. B. in *Akkumulatoren). Zur Bestimmung des Leistungsvermögens von Kondensatoren wurde die elektr. K. von Lord *Kelvin als Verhältnis der Ladung zu ihrer Spannung definiert: C = Q/U; sie wird in Farad gemessen (1 F = 1 C/1 V). In der Wärmelehre versteht man unter der *Wärme-K.* eines Stoffes im allg. seine *spezifische Wärme-(kapazität), aber auch seine *Atom- od. seine *Molwärme. – *E* capacity – *F* capacité – *I* capacità – *S* capacidad

Kapazitiver Widerstand s. Kondensator.

Kapelle s. Abzug.

Kapern (Kappern). Geschlossene, pfefferartig schmeckende Blütenknospen des im Mittelmeergebiet u. Vorderasien beheimateten Kapernstrauches (*Capparis spinosa*, Capparidaceae). Den scharfen Geschmack erhalten K. durch das Methylsenfölglucosid *Glucocapparin* ($C_8H_{15}NO_9S_2$, M_R 333,33).

K. kommen im allg. in Essig- od. Salzwasser eingelegt in den Handel u. werden zum Schmackhaftmachen von Saucen, Heringssalat, u. dgl. verwendet. Als K.-Ersatz können die Blütenknospen der Kapuziner-*Kresse dienen. – *E* capers – *F* câpres – *I* capperi – *S* alcaparras
Lit.: Franke, Nutzpflanzenkunde, 5. Aufl., Stuttgart: Thieme 1992. – *[HS 070990]*

Kapillärsirup. Handelsbez. für einen in der Süßwaren-Ind. häufig eingesetzten *Glucose-Sirup mit einem Wassergehalt von ca. 18%.

Kapillardruck. Die *Grenzflächenspannung bewirkt, daß Tropfen od. Blasen kugelförmige Gestalt annehmen (kleinste Oberfläche bei vorgegebenem Vol.). Es herrscht somit ein Druck, der ins Innere der Kugel gerichtet ist u. vom Krümmungsradius der Oberfläche abhängt. Diesen Druck nennt man Kapillardruck. Bei der Kapillar- od. Steighöhenmeth. nutzt man den K. zur Messung der Grenzflächenspannung aus. – *E* capillary pressure – *F* pression capillaire – *I* pressione capillare – *S* presión capilar

Kapillar-Elektrochromatographie s. Kapillarelektrophorese.

Kapillarelektrophorese (CZE = Capillary Zone Electrophoresis, CE = Capillary Electrophoresis, HPCE = High Performance Capillary Electrophoresis). Bez. für eine analyt. Meth. der *Elektrophorese in Kapillaren.

Der prinzipiell einfache Aufbau einer CE-Apparatur geht aus der Abb. hervor.

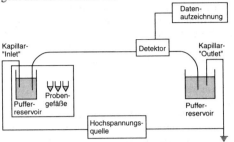

Abb.: Schematischer Aufbau eines CE-Systems.

Eine dünne Quarzkapillare (25–100 µm Durchmesser) mit Längen von 20–100 cm überbrückt zwei Puffergefäße, an die eine Spannung von bis zu etwa 30 kV angelegt wird. Ein kurzer Probenpropfen von einigen nL wird am anod. Ende der Kapillare aufgegeben, wozu das Puffergefäß kurzzeitig gegen ein Probengefäß ausgetauscht wird. Die elektrophoret. Bewegung der Ionen wird vom elektroosmot. Fluß (EOF) überlagert, der relativ stark in unbeschichteten Kapillaren ist. Der EOF bewirkt, daß Anionen u. Kationen im gleichen Experiment getrennt werden können. Durch Beschichten der Kapillaren u. durch Zugabe von organ. Additiven (z. B. Acetonitril) kann der EOF bis zum Stillstand verändert od. sogar umgekehrt werden, wodurch die Trennbedingungen variiert werden können. Neben der einfachen K. wird eine Vielzahl von Varianten eingesetzt: Die *Isoelektrische Fokussierung* sowie die *Isotachophorese* sind voll übertragbar, ebenso wie die K. mit gelgefüllten Kapillaren, wobei allerdings der EOF vollkommen ausgeschaltet werden muß. Die *Kapillargelelektrophorese* (CGE) wird hauptsächlich bei Proteinen in Gegenwart von SDS (*Natriumdodecylsulfat), Polynucleotiden u. Nucleinsäuren mit sehr ähnlichen spezif. Ladungen eingesetzt. Der Siebeffekt des Gels bewirkt, daß die Beweglichkeit der Probenkomponenten indirekt proportional zu ihrer Größe ist u. eine Trennung nach der Molmasse erfolgt. In der *Mizellaren Elektrokinetischen Chromatographie* (MEKC) gibt man dem Puffer entsprechend geladene *Tenside in der Menge zu, daß sich geladene *Micellen bilden, die sich entgegen der Richtung des EOF bewegen. Wegen des größeren Betrags der EOF-Geschw. werden sie verzögert vom EOF mitgerissen. Die Micellen bilden eine von der wäss. Phase unterschiedliche pseudostationäre Phase. Die Trennung von ungeladenen, mäßig polaren Analyten erfolgt durch die Verteilung zwischen der pseudostationären u. der wäss. Phase. In der *Kapillar-Elektrochromatographie* (CEC) werden Kapillaren, gefüllt mit *HPLC-Phasen, verwendet. Die Trennprinzipien sind die der HPLC, jedoch beruht der Transport der mobilen Phase auf dem EOF. Die Bandenverbreiterung in der HPLC wird im wesentlichen durch das parabol. Strömungsprofil u. die Diffusion der Probenmol. in u. aus den Poren der stationären Phase verursacht. Da der EOF in gepackten Kapillaren im Idealfall unabhängig vom Teilchendurchmesser ist, kann man sehr kleine unporöse Teilchen einsetzen. Zudem läßt das pfropfenförmige Strö-

mungsprofil des EOF hohe Trennleistungen erwarten. Die CEC kann daher als eine hocheffiziente flüssigchromatograph. Meth. betrachtet werden.

Anw.: Das Anwendungspotential der HPCE ist extrem groß. Im Prinzip kann die HPCE für die Analyse jeder Art lösl. ion. Verb. im niedrigen wie im hohen Massenbereich eingesetzt werden, z. B. für organ. u. anorgan. Säuren u. Basen, Metall-Ionen, Kohlenhydrate, Aminosäuren, Peptide, Proteine, Nucleoside, Nucleotide, Nucleinsäuren, synthet. Polymeren, Viren, Zellen etc. Zusätzlich können mit der CEC nichtion. Verb. wie aliphat. u. aromat. Kohlenwasserstoffe u. ihre Derivate getrennt werden. – *E* capillary electrophoresis – *F* électrophorèse capillaire – *I* elettroforesi a capillare – *S* electroforesis capilar

Lit.: Encyclopedia Analytical Science, Bd. 2, S. 1096–1106, New York: Academic Press 1995 ▪ Engelhardt et al., Electrophoresis, Braunschweig: Vieweg 1996 ▪ Vindevogel u. Sandra, Introduction to Micellar Electrokinetic Chromatography, Heidelberg: Hüthig 1992.

Kapillaren. Von latein.: capillus = Haar abgeleitete Bez. für sehr feine, meist langgestreckte Hohlräume, insbes. für Röhrchen mit kleinen Innendurchmessern. In der Laborsprache werden mit K. meist nicht die gleichmäßig ausgezogenen Glasrohre (mit Durchmessern um 1 mm u. darunter) gemeint, sondern die haarfeinen *Siedekapillaren, die man durch Ausziehen eines über der Gebläseflamme erweichten Glasrohres herstellen kann. Aus thermoplast. Polymerschläuchen u. Röhren lassen sich ebenfalls K. ziehen. In der Gaschromatographie arbeitet man – bei *Kapillarsäulen* – mit K. aus Edelstahl od. Glas, u. in der medizin. Technik auch mit solchen aus Kunststoffen. Auch in anderen Bereichen der Technik spricht man von K. u. – davon abgeleitet – von *Kapillarität. (Zu Kapillarrohren aus Edelmetallen s. *Lit.*[1]). – *E* capillaries – *F* capillaires – *I* tubi cupillari – *S* capilares

Lit.: [1] ACHEMA-Jahrb. **1991**, 1806.

allg.: Dietzel et al., Gaschromatographie mit Kapillarsäulen, Würzburg: Vogel 1986 ▪ Kirk-Othmer (3.) **20**, 283 f.

Kapillarität. Sammelbegriff für alle physikal. Erscheinungen, die infolge der *Grenzflächenspannung von Flüssigkeiten an engen Hohlräumen von Festkörpern, d. h. in *Kapillaren, Spalten u. bei *Porosität auftreten. Hierzu gehören u. a. *Kapillardepression* bzw. *-aszension* od. *-attraktion* (Absinken bzw. Aufsteigen einer Flüssigkeit in einer Kapillare) u. die *Kapillarkondensation. Durch Potentialdifferenz kann die Grenzflächenspannung geändert werden; Näheres s. Elektrokapillarität. – *E* capillarity – *F* capillarité – *I* capillarità – *S* capilaridad

Lit.: Encyclopedia of Physical Science and Technology, Bd. 1, S. 496; Bd. 2, S. 759, 766; Bd. 6, S. 212, San Diego: Academic Press 1992.

Kapillarkondensation. Bez. für die *Kondensation von *Dämpfen auf der Oberfläche von benetzbaren Körpern (Adsorbentien, Glas) u. in den kapillaren Hohlräumen poröser Körper. Hier kondensieren Flüssigkeitsdämpfe auch oberhalb des Sdp., weil sich infolge der *Adhäsionskräfte* der Kapillarwände die Oberfläche der adsorbierten Flüssigkeit verkleinert, was eine Erniedrigung der Oberflächenspannung (u. damit des Dampfdrucks) der umgebenden Flüssigkeit zur

Folge hat, vgl. a. Adsorption. – *E* capillary condensation – *F* condensation capillaire – *I* condensazione capillare – *S* condensación capilar
Lit.: Encyclopedia of Physical Science and Technology, Bd. 1, S. 496, San Diego: Academic Press 1992.

Kapillarsäulen s. Gaschromatographie.

Kapitza (Kapica, Kapiza), Peter Leonidovich (1894–1984), Prof. für Physik, Univ. Moskau. *Arbeitsgebiete:* Magnetismus, tiefe Temp., großtechn. Herst. von flüssigem H_2, O_2, He, Luft; Elektronenphysik, Satelliten, Entwicklung der Wasserstoff-Bombe, Geschichte der Physik, Wissenschaftsplanung. Für seine Arbeiten zur Tieftemp.-Physik u. über Supraflüssigkeiten erhielt K. 1978 den Nobelpreis für Physik (zusammen mit *Penzias u. R. *Wilson).
Lit.: Lexikon der Naturwissenschaftler, S. 236f. ▪ Poggendorff **7b/4**, 2374–2377 ▪ Umschau **78**, 766ff. (1978).

Kapok (Kurzz. KP). Nach DIN 66001 Tl. 4 (08/1991) Bez. für dünnwandige, luftgefüllte, schwach verholzte, sehr leichte, glatte, nicht gekräuselte Haare aus den etwa 15 cm langen Kapselfrüchten des in Ostindien heim. u. im ganzen Tropengürtel angebauten Kapokbaums (*Ceiba pentandra*, Bombaceae). Die Kapokhaare (*Bombaxwolle*) sind ca. 2 cm lang, gelb bis braun, seltener weiß. Sie können wegen ihrer geringen Festigkeit u. begrenzten Dauerhaftigkeit nicht allein versponnen werden. Man benutzt sie vielmehr als wichtigste Pflanzendaune zu Polster- u. Stopfmaterial u. zur Füllung von Rettungsgürteln, wozu sie sich wegen ihrer Leichtigkeit, Schwerbenetzbarkeit u. Seewasserbeständigkeit eignen. Das K.-Samenöl kann als Speiseöl u. in der Seifenfabrikation verwendet werden. – *E* = *F* = *S* kapok – *I* kapok, cotone di Giava
Lit.: Brücher, Tropische Nutzpflanzen, S. 221, Berlin: Springer 1977 ▪ Hager (5.) **5**, 340 ▪ Kirk-Othmer (3.) **10**, 193f.; (4.) **10**, 739ff. – *[HS 1402 10]*

Kappa s. κ (vor Buchstabe „k").

Kapselflaschenlacke s. Kapsellacke.

Kapsellacke (Kapselflaschenlacke). Zähflüssige, farblose od. gefärbte Lacke, in die man verkorkte Flaschenhälse kurze Zeit eintaucht (Tauchlacke); der anhaftende Lack trocknet nachher zu einem dünnen, glasartigen Häutchen, das die Flasche dicht verschließt. Früher verwendete man als K. Siegellack, heute bevorzugt man zähflüssige Lsg. von Celluloseestern u. -ethern in rasch verdunstenden Lösemitteln. – *E* capsule lacquers – *F* laques de capsules – *I* lacche a capsula – *S* lacas (de inmersión) para cápsulas

Kapseln. Bez. für eine häufig verwendete Verpackungsform, die in verschieden großen, ggf. gefärbten Hüllschichten aus *Gelatine, Wachs, od. Oblatenmaterial feste, halbfeste od. flüssige Substanzen enthält. Am häufigsten werden die Gelatine-K. (aus Hart- od. Weich-Gelatine) verwendet; s. a. Mikroverkapselung. Zur Technik der Zerfallsuntersuchung s. *Lit.*[1]. – *E* = *F* capsules – *I* capsule – *S* cápsulas
Lit.: [1] Pharm. Unserer Zeit **7**, 115–126 (1978).
allg.: DAB **10** u. Komm. ▪ Fahrig u. Hofer, Die Kapsel, Stuttgart: Wissenschaftliche Verlagsges. 1983 ▪ Hager (5.) **2**, 802–813 ▪ Thoma, Neuere Arzneiformen in der Apothekenrezeptur, Stuttgart: Dtsch. Apoth. Verl. 1986.

Kapsenberg-Kappen. Metallkappen (meist aus Aluminium) zum sterilen Verschluß mikrobiolog. Kulturen in Reagenzgläsern, Kolben, Flaschen u. dgl.; die K.-K. werden mittels ringförmig im Innern der Kappe angeordneter Federn am Kulturgefäß befestigt. – *E* Kapsenberg caps – *F* couvercles de Kapsenberg – *I* calotte Kapsenberg – *S* tapa Kapsenberg

Kapsenberg-Schmiere. Fettfreies, Ether-beständiges Schmiermittel für Schliffapparaturen, das aus Glycerin u. lösl. Stärke (Einrühren bei 160–180°C bis zur gewünschten Konsistenz) hergestellt werden kann. – *E* Kapsenberg lubricant – *F* lubrifiant de Kapsenberg – *I* lubrificante Kapsenberg – *S* lubricante de Kapsenberg

Kapstachelbeeren (Erdkirschen, Ananaskirschen, Erdbeertomaten). Kirschgroße, grüne bis gelbe Früchte von *Physalis peruviana* (Solanaceae), einem in Südamerika heim. Strauch, der verwandt ist mit der einheim. Judenkirsche od. Lampionblume (*Physalis alkekengi*). Bei beiden ist die Frucht von einem lampionartig aufgeblasenen, großen Fruchtkelch lose umgeben. K. wurden wegen ihres hohen *Vitamin-C-Gehalts von Seefahrern als Antiskorbut-Mittel mitgeführt, später auch in Südafrika, Indien u. Australien kultiviert. Die aufgrund ihres Gehalts an ca. 1,7% Fruchtsäuren säuerlich schmeckenden Früchte werden roh, gekocht od. in Essig eingelegt verspeist; das Aroma wird durch die Synonyma gut beschrieben. – *E* Cape gooseberries – *F* alkékenge jaune, groseille du Cap – *I* uva spina del Capo – *S* alquequenje, capuli
Lit.: Franke, Nutzpflanzenkunde, 5. Aufl., Stuttgart: Thieme 1992 ▪ Schönfelder u. Schönfelder, Der Kosmos-Heilpflanzenführer, Stuttgart: Franckh 1988.

Kapton®. Thermostabile *Polyimid-Folie. Ein Poly-(diphenyloxid-pyromellithimid), das über einen weiten Temp.-Bereich (von –269 bis +400°C) verwendet werden kann, sehr geringen Schmp. hat u. nicht entflammbar ist. K. besitzt große mechan. Festigkeit sowie Strahlungs- u. Chemikalien-, aber etwas verminderte Wasser-Resistenz. Es weist elektr. Eigenschaften auf, die es als Isolationsmaterial in der Elektro- u. Elektronik-Ind. bes. geeignet machen. *B.:* DuPont.
Lit.: s. Polyimide.

Kapuzinerkresse s. Kresse.

Karambole (Carambola, Baumstachelbeere). Bis zu 12 cm lange, hellgelbe Früchte mit 5 bis 6 scharfkantigen Längsrippen des in Indonesien heim. Strauchs *Averrhoa carambola* (Oxalidaceae), die trotz od. wegen ihres hohen *Oxalsäure- u. *Vitamin C-Gehalts in Fruchtsalaten, Marmeladen u. Säften verarbeitet, aber auch zum Metallputzen verwendet werden. Quergeschnittene Scheiben bilden einen Stern u. sind daher als sog. „Sternfrüchte" sehr beliebt zur Verzierung von Obstsalaten etc. – *E* = *I* = *S* carambola – *F* carambole
Lit.: Franke, Nutzpflanzenkunde (5.), Stuttgart: Thieme 1992. – *[HS 081290]*

Karamel (caramel, von latein.: canna mellis = Zuckerrohr). K. ist ein ausschließlich durch Erhitzen (Schmelzen) von *Saccharose u. a. Zuckerarten gewonnenes Bräunungsprodukt. Die Intensität der hell- bis dunkelbraunen Farbe hängt von der Behandlungsdauer u.

-temp. ab. K. enthält eine Reihe charakterist. Aroma-stoffe wie z. B. *Maltol, *2,3-Butandion, Pyruvaldehyd (*Methylglyoxal) u. verschiedene Furane. Je nach Herst. ist der Geschmack bittersüß (Süße durch unzersetzte Zucker) bis intensiv bitter.

Verw.: Zum Färben von Lebens- u. Genußmitteln (z. B. Bier, Rum, Essig, Liköre, Bonbons, Tabak, Bratsaucen), galen. Präp. usw. u. auch als geruchs- u. geschmacksverbessernder Aromaträger. Nach dem *LMBG ist K. ein Lebensmittel, bei dem die natürliche Herkunft während der Herst. erhalten bleibt.

Die Bildung von K. (Karamelisierung) findet in teilw. unerwünschter Form bei vielen Trocknungs-, Röst- u. Darr-Prozessen statt; *Beisp.:* Kaffee, Malz, Milch. Zur Unterscheidung von Zuckercouleur s. dort. – *E = F* caramel – *I* caramello – *S* caramelo

Lit.: Belitz-Grosch (4.), S. 319, 321, 358 ▪ Casier et al., in Flavour of Foods and Beverages, New York: Academic Press 1987 ▪ Dtsch. Lebensm. Rundsch. **76**, 274–280 (1980); **81**, 388 f. (1985) ▪ Stärke **41**, 275–279, 318–321 (1989). – *[HS 1702 90]*

Karamellen. Bez. für *Bonbons, die durch Einkochen einer Lsg. von Zucker-Arten u./od. Zucker-Alkoholen u. unter Verw. von Geruch- u. Geschmack-gebenden Stoffen, färbenden u. die Beschaffenheit beeinflussenden Stoffen, mit od. ohne Füllungen hergestellt werden. Je nach Beschaffenheit unterscheidet man zwischen *Hartkaramellen, z. B. Drops, u. *Weichkaramellen wie z. B. Kaubonbons, Toffees. Im Gegensatz zu Hart-K. enthalten Weich-K. Fett (2–15%) u. evtl. Emulgatoren. Wird in der Bez. der K. auf einzelne Bestandteile u. Zutaten hingewiesen, so sind bestimmte Anforderungen hinsichtlich der zugesetzten Mengen zu erfüllen. So muß z. B. ein Malzbonbon mind. 5% Malzextrakt enthalten. – *E* caramels, toffees – *F* caramels – *I* caramelle – *S* caramelos

Lit.: Belitz-Grosch (4.), S. 792 f. ▪ Hoffmann et al., Zucker u. Zuckerwaren, S. 132–171, Berlin: Parey 1985 ▪ Silesia Confiserie Manual No. 3 (3 Bd.), Norf: Silesia-Essenzenfabrik 1984 ▪ s. a. Zuckerwaren. – *[HS 1704 90]*

Karat (von griech.: kerátion = Hörnchen = Samen des Johannisbrotbaums). 1. Veraltetes Goldgew., s. Feingehalt. – 2. Im Edelsteinhandel versteht man unter dem K. (Kurzz.: ct od. Kt) 0,2 g. Dieses entspricht etwa dem Gew. eines *Johannisbrotbaum-Kerns; solche Kerne verwendete man früher zum Abwägen von Diamanten in Ostindien u. von Gold in Afrika. Ein Diamant von 15 ct wiegt also 3 g. – *E = F* carat, karat – *I* carato – *S* quilate

Karaya-Gummi (*Sterculia*-Gummi, Ind. Traganth). Bez. für das getrocknete Exsudat von Bäumen aus der Familie der Sterculiaceae, insbes. von *Sterculia urens*, die in Afrika u. Indien, dem Haupterzeugerland, heim. sind. K.-G. wird in Abhängigkeit vom Reinheitsgrad als grauweißes bis rotbraunes Pulver vermarktet. K.-G. ist ein acetyliertes (Acetyl-Gruppen-Gehalt ca. 13 Gew.-%) *Polysaccharid auf der Basis von Galactose, Rhamnose, Galacturonsäure u. Glucuronsäure, das in kaltem Wasser zwar sehr stark – bis zum 60–100fachen seines Vol. – quillt, darin aber dennoch unlösl. ist. Es bildet mit Wasser scheinbar homogene Dispersionen, die bei Konz. >3 Gew.-% nicht mehr fließen. In heißem Wasser ist K.-G. teilw. löslich. K.-

G. ist ein guter Filmbildner u. besitzt hohe Naßklebkraft.

Verw.: Als Gebißhaftmittel, Laxans u. Verdickungsmittel in der Pharma-, Kosmetik-, Nahrungsmittel-, Druck- u. Textil-Industrie. – *E* gum karaya – *F* gomme de caraya – *I* gomma karaya – *S* goma karaya

Lit.: Davidson, Handbook of Water-Soluble Gums and Resins, Kap. 10, New York: McGraw-Hill 1980. – *[HS 1301 90]*

Karbin (Carbin). Wegen der Verwechslungsgefahr (mit Carbin = *Methin, Radikal HC˙) mißverständliche Bez. für eine Modifikation des *Kohlenstoffs aus Ketten mit konjugierten Dreifachbindungen (*Polyine). Seit 1968 wurde gelegentlich von der Auffindung von K. berichtet, z. B. in Meteoritenkratern (als Mineral *Chaoit*), in Kometen [1], in Meteoriten u. in Gletschereis – dort soll es sich als interstellarer Staub (s. Kosmochemie) abgesetzt haben. Einen Überblick über das Auftreten von K. bietet *Lit.*[2]. Die selbständige Existenz des K. wird allerdings bezweifelt[3]. – *E = F* carbyne – *I = S* carbino

Lit.: [1]Chem. Unserer Zeit **16**, 94–100 (1982). [2]Top. Curr. Chem. **99**, 1–37 (1981). [3]Science **216**, 984 (1982).

Karbo. . . vgl. Carbo. . .

Karbol s. Phenol (Carbolsäure).

Karbol-Fuchsin-Lösung. Mit *Phenol (veralteter Name: Carbol) versetzte, alkohol. *Fuchsin-Lsg., die für mikroskop. Untersuchungen zur Bakterienfärbung (*Gram-Färbung u. Färbung säurefester Bakterien wie z. B. Tuberkelbakterien nach Ziehl-Neelsen) verwendet wird. Entsprechend setzt sich die Karbol-*Gentianaviolett-Lsg. zusammen, die ebenfalls bei der Gram-Färbung Verw. findet. – *E* carbol fuchsin – *F* carbolfuchsine – *I* soluzione fucsin-carbolica – *S* carbolfucsina

Karbon s. Erdzeitalter.

Karbonatit. Bez. für pluton. u. vulkan. *magmatische Gesteine, die zu mehr als 50 Vol.% aus Carbonat-Mineralien, v. a. *Calcit, bestehen; meist enthalten sie auch Silicat-Mineralien u. z. T. auch *Magnetit u. *Hämatit. Sie werden nach der Art der Carbonat-Minerale eingeteilt in: *Calcit-K.* (grob- bis mittelkörnig: *Sövit*, kleinkörnig: *Alvikit*), *Dolomit-K. (Betorsit)*, *Ferro-K.* (Ankerit od. Siderit als Hauptmineral) u. *Natro-K.* [mit Nyerereit $Na_2Ca(CO_3)_2$ u. Fairchieldit $K_2Ca(CO_3)_2$ u. Calcit; bisher nur aus vulkan. K. bekannt]. Der Calcit der K. ist meist reich an Strontium, oft auch an Barium u. Seltenen Erden. Minerale wie *Apatit, *Pyrochlor, *Bastnäsit, *Phlogopit, Niob-haltiger *Perowskit u. a. bedingen die oft hohen Gehalte der K. an F, P, Nb, Seltenen Erden u. auch an Sr, Y, Zr, Mo, Ba u. Ta.

Wechselnde *äußere Erscheinung*, von gleichmäßigfeinkörnig („Marzipanstruktur") bis zu riesenkörnig, von hell bis dunkler, z. B. durch Magnetit u. a. dunkle Minerale. Sehr oft sind K. durch beginnende Zers. Eisen-haltiger Carbonate beige od. rotbraun bis dunkelbraun gefärbt.

Vork.: V. a. in magmat. Alkalki-Gesteins-Komplexen, z. B. Insel Alnö/Schweden, Qaqarssuk/Grönland, u. bes. im Bereich von Rift-Zonen (Grabenzonen), z. B. Ostafrikan. Gräben, Kaiserstuhl/Oberrheintal-Graben,

Oslo-Graben/Norwegen (mit Fen-Gebiet). Häufige begleitende silicat. magmat. Gesteine sind u.a. *Ijolithe* (heller bis dunkler Plutonit ohne Feldspäte, mit *Nephelin vorherrschend vor Klino-*Pyroxenen), *Nephelinite* (*Nephelin; „*K.-Ijolith-Nephelinit-Assoziation"*), Pyroxenite, Melilithite (*Melilith) u. auch *Kimberlite. Vork. von *vulkan. K.* gibt es in Uganda, Kenia, Nord-Tansania [mit dem aktiven, Na-K.-Laven (z.B. 1993, *Lit.*[1]) fördernden Vulkan Oldoinyo Lengai] u. Afghanistan.

Entstehung: K.-Magmen entstehen im oberen Erdmantel (*Erde)[2-4]; dabei spielt die Bildung zweier unmischbarer Schmelzen (silicat. Magma u. K.-Magma) aus einer ursprünglich homogenen Carbonat-haltigen Silicat-Schmelze eine wesentliche Rolle, vgl. Hall (*Lit.*). Zur Zusammensetzung prim. K.-Magmen s. *Lit.*[5], zur Rolle von Fluor bei der Entwicklung von K.-Magmen s. *Lit.*[6].

Verw.: K. können abbauwürdige *Lagerstätten mit Al, P, Ti, F, Fe, Cu, Zr, Nb, Ba, Seltenen Erden, Th u. U bilden; *Beisp.* (in Klammern die abgebauten Mineralien): Phalaborwa/Transvaal/Republik Südafrika (Apatit, Magnetit, Kupfersulfide, *Vermiculit), Kola-Halbinsel/Rußland (Apatit, Magnetit), Kalifornien/USA (Bastnäsit), Oka/Kanada u. Araxa/Brasilien (*Pyrochlor); aus dem Pyrochlor-Gehalt der K. stammt der größte Teil der Weltproduktion an *Niob. – *E* = *F* = *I* carbonatite – *S* carbonatita

Lit.: [1] Geology **22**, 799 ff. (1994). [2] Nature (London) **338**, 415 ff. (1989). [3] J. Geol. Soc. London **150**, 637–651 (1993). [4] Earth Planet. Sci. Lett. **119**, 511–528 (1993). [5] Nature (London) **335**, 343 ff. (1988). [6] Nature (London) **349**, 56 ff. (1991). *allg.:* Bell (Hrsg.), Carbonatites, London: Unwin Hyman 1989 ▪ Fitton u. Upton (Hrsg.), Alkaline Igneous Rocks (Geological Society Special Publication 30), S. 53–83, Oxford: Blackwell 1987 ▪ Hall, Igneous Petrology (2.), S. 250 f., 407–420, London: Longman 1996 ▪ Wimmenauer, Petrographie der magmatischen u. metamorphen Gesteine, S. 160–168, Stuttgart: Enke 1985.

Karbutilat.

Common name für [3-(3,3-Dimethylureido)phenyl]-*N-tert*-butylcarbamat, $C_{14}H_{21}N_3O_3$, M_R 279,34, Schmp. 176 °C, LD_{50} (Ratte oral) 3000 mg/kg (WHO), von FMC 1967 eingeführtes Total-*Herbizid gegen Unkräuter, Ungräser u. Gehölze auf Nichtkulturland. – *E* = *F* = karbutilate – *I* = *S* carbutilato

Lit.: Farm ▪ Perkow. – *[HS 2924 21; CAS 4849-32-5]*

Kardamomen. Braune, sehr harte, würzig riechende u. schmeckende, zu 15–18 in dreifächerigen Kapseln enthaltene Samen der schilfartigen, bis 5 m hohen *Elettaria cardamomum* (L.) White et Maton u. anderer *Elettaria*-Arten (Ingwergewächs, Zingiberaceae), die in Südindien u. Sri Lanka heim. sind u. in Indonesien, Thailand u. Guatemala kultiviert werden. Gehandelt werden die ganzen Früchte, weil 1. die einzelnen *Elettaria*-Arten so besser zu unterscheiden sind u. 2. das ether. Öl der Samen besser vor Verdunstung geschützt ist. Kardamom ist ein Speisegewürz (Kuchen, Fleisch, Liköre usw.). Für therapeut. Zwecke werden, wegen des hauptsächlich in den Samenschalen enthal-

tenen ether. Öls, immer nur die Samen der Frucht verwendet. K. finden Verw. als Aromatikum, Tonikum u. *Carminativum. Durch Wasserdampfdest. gewinnt man aus den ganzen K.-Früchten in einer Ausbeute von 3,5–7% das *K.-Öl*, eine scharf schmeckende, aber angenehm riechende Flüssigkeit, D^{25} 0,917–0,947, lösl. in Ethanol. Das Öl enthält 1,8-*Cineol, α-*Terpineol-Acetat, *Limonen u. *Sabinen. Eigenschaften u. Inhaltsstoffe der K. variieren leicht[1].

Das namensähnliche *Cardamonin* [Alpinetinchalkon, (E)-2′,4′-Dihydroxy-6′-methoxychalkon, $C_{16}H_{14}O_4$, M_R 270,28, orange Nadeln, Schmp. 199–200 °C] stammt aus *Boesenbergia pandurata* (Zingiberaceae) u. anderen Pflanzenfamilien.

Verw.: Hauptsächlich zum Würzen von Speisen (ind. Küche) u. Backwerk, zur Parfümierung von Likören, Tinkturen u. in der Parfüm-Ind. als Duftstoff. – *E* cardamom – *F* cardamon – *I* cardamomo – *S* cardamomas

Lit.: [1] Perfum. Flavor **11** (1), 30 (1986); **14** (6), 87 (1989); **16** (1), 51 (1991); **17** (6), 51 (1992). *allg.:* Bundesanzeiger 223/30. 11. 1985, 50/13. 03. 1990 u. 164/01. 09. 1990 ▪ DAB **6** (Tinctura aromatica) ▪ Hager (5.) **5**, 37–45 ▪ Ullmann (5.) **A 11**, 219. – *[HS 0908 30; CAS 19309-14-9 (Cardamonin); 8000-66-6 (K.-Öl)]*

Kardamomenöl s. Kardamomen.

^{40}K/^{40}Ar-Datierung s. Kalium-Argon-Methode.

Karde (Krempel). Bez. für eine Maschine zum Aufrauhen textiler Gewebe (*Karden, Kardieren*). Der Name leitet sich von der geichnamigen Distel (von latein.: carduus = Distel) ab. – *E* card – *F* carde – *I* cardo – *S* carda

Karenzzeit (Wartezeit). Die von der Biologischen Bundesanstalt bei der Zulassung für die erlaubte Anw. vorgeschriebene Zeit zwischen letzter Applikation eines *Pflanzenschutzmittels u. der Ernte bzw. frühestmöglicher Nutzung der pflanzlichen Produkte. Zum Schutz vor Gesundheitsgefahren, unter Berücksichtigung von *biologischem u. *abiotischem Abbau (s. z. B. Photoabbau) festgelegt, erlaubt die Länge der K. jedoch keinen Schluß auf eine evtl. Bedenklichkeit des Pflanzenschutzmittels. – *E* waiting time – *F* période de carence, période d'attente – *I* tempo di attesa – *S* período de carencia, período de espera

Lit.: Biologische Bundesanstalt für Land- u. Forstwirtschaft (Hrsg.), Pflanzenschutzmittel-Verzeichnis, Teile 1–5, Braunschweig: Aco-Druck (jährlich neu).

Karfunkel. Alte Bez. für feurig-rote Schmucksteine (*Edelsteine u. Schmucksteine), wie z.B. *Rubin, *Granat usw.

Karies (latein.: caries = Morschsein, Fäulnis). Generell bedeutet K. die Zerstörung von Knochengewebe als Folge von Infektionen (z.B. bei Tuberkulose od. nach Verletzungen). Speziell versteht man unter K. jedoch die Zahnfäule (*Caries dentium*), bei der die Hartsubstanz der *Zähne (Zahnschmelz, Zahnzement, *Dentin) fortschreitend unter Bildung von Löchern zerstört wird. Diese allmähliche Zerstörung erfolgt hauptsächlich durch Mundbakterien wie bestimmte Streptokokken (v. a. *Streptococcus mutans*), Milchsäure-Bakterien u. Neisserien. Ein Anwachsen bakterieller Beläge auf den Zähnen (*Plaque*) über ein bestimmtes Maß hinaus führt zur Anhäufung von sauren Stoffwechselprodukten der Bakterien, die eine Entkalkung der Zahnsubstanz herbeiführen. Hoher Konsum von Zuckern, insbes. von *Saccharose, wirkt über die Bildung von Dextranen, durch die die Plaque am Zahn haftet, u. über deren Abbau zu Milchsäure, Brenztraubensäure u. a. kariogen.

Vorbeugende Maßnahmen gegen K.-Befall sind Substratentzug durch Einschränkung der Zucker-Aufnahme, Hemmung der Belagbildung durch Mundhygiene u. Mineralisation bzw. Remineralisation der Zähne durch Anreicherung mit Fluorid. Die *Fluoridierung von Trinkwasser od. Speisesalz (wie v. a. in den USA) hat sich als wirkungsvoll herausgestellt, wird aber in Europa nicht akzeptiert. So wird die Fluorid-Anw. als individuelle od. Gruppeninstruktion praktiziert. – $E = S$ caries – $F = I$ carie

Lit.: Bartsch, Zahn- Mund- u. Kiefererkrankungen, Stuttgart: Enke 1992 ▪ Riethe, Kariesprophylaxe u. konservierende Therapie, Stuttgart: Thieme 1994.

Karil® (Rp). Ampullen, Fertigspritzen u. Spray mit *Calcitonin-acetat gegen Hypercalcämie, Osteoporose. *B.:* Novartis.

Karinthin s. Hornblenden.

Karison® (Rp). Creme, Salbe, Fettsalbe u. Lsg. mit *Clobetasol-17-propionat gegen Dermatosen. *B.:* Dermapharm.

Karkasse s. Reifen.

Karle, Jerome (geb. 1918), Prof. für Kristallographie, Naval Research Laboratory, Washington, District of Columbia. Vorsitzender der Chemie Sektion der US National Academy of Sciences (bis 1991). *Arbeitsgebiete:* Mol.-Struktur u. Elektronenbeugung, Röntgenstrukturanalyse, Struktur u. Funktion von amorphem, fasrigem u. makromol. Material, Oberflächenstrukturen u. analyt. Methoden. 1985 erhielt er zusammen mit *Hauptman den Nobelpreis für Chemie für Entwicklungen direkter Meth. zur Bestimmung von Krist.-Strukturen.

Lit.: Lexikon der Naturwissenschaftler, S. 237 ▪ Who's Who in America (50.), S. 2221.

Karl-Fischer-Reagenz. Von Karl Fischer (1901–1958) 1935 entwickeltes Reagenz zur quant. Bestimmung von Wasser (*Aquametrie) mit Hilfe einer oxidimetr. Titration [Karl-Fischer (KF)-Titration]. Das KFR ist eine Maßlsg., die Iod (Oxid.-Mittel), SO_2 (Red.-Mittel), Pyridin u. wasserfreies Methanol enthält. Im Handel sind für verschiedene Anw.-Zwecke eine Reihe von KFR erhältlich, die nach zahlreichen ASTM-, ISO-u. DIN-Meth. verwendet werden. Die Wirkungsweise des Reagenzes beruht darauf, daß der Redoxvorgang durch die noch fehlende Komponente des Redox-Syst., das in der zu untersuchenden Probe vorhandene *Wasser,* ausgelöst wird, wobei wahrscheinlich folgende chem. Gleichung erfüllt wird:

$$I_2 + SO_2 + 3B + H_3C–OH + H_2O \rightarrow 2BH^+I^- + BH^+H_3CSO_4^-.$$

B steht für Pyridin u. a. geeignete Basen, die zur Neutralisation der entstehenden Säuren u. zur Einhaltung eines definierten pH-Werts dienen. Die Analyse kann volumetr. u., für kleinere Wassermengen, auch coulometr. erfolgen. Der Titrationsendpunkt gibt sich durch

einen Iod-Überschuß zu erkennen, der visuell, photometr. od. elektrometr. angezeigt werden kann, wobei die potentiometr. Endpunkterkennung od. *Dead-Stop-Titration zu wesentlich genaueren Ergebnissen führt.

Verw.: Mineralölprodukte, Lsm., Kunststoffe, Kosmetika, Pharmazeutika, Fette, Öle, allg. Lebensmittel usw. – *E* Karl Fischer reagent – *F* réactif de Karl Fischer – *I* reagente di Karl-Fischer – *S* reactivo de Karl Fischer

Lit.: Encyclopedia Analytical Science, Bd. 5, S. 5554 f., New York: Academic Press 1995 ▪ Hydranal Praktikum, Seelze: Riedel de Haen 1987 ▪ Scholz, K. F.-Titration, Berlin: Springer 1984 ▪ Wiland, Wasserbestimmung durch Karl-Fischer-Titration, Darmstadt: GIT 1985.

Karlsbader Salz. Salzgemisch aus eingedampftem Wasser der Karlsbader Quellen (Karlovy Vary, Böhmen, ČSFR). K. S. enthält Natrium- u. Kaliumsulfat, Natriumcarbonat u. -chlorid sowie Lithium-, Silicium-, Eisen-Verb. u. wird als *Abführmittel verwendet. Künstliches K. S. besteht aus 44% Natriumsulfat, 2% Kaliumsulfat, 18% Natriumchlorid u. 36% Natriumhydrogencarbonat. Die 0,5%ige wäss. Lsg. wird als galletreibendes Mittel bei Magenübersäuerung angewandt. – *E* Carlsbad salt – *F* sel de Carlsbad – *I* sale di Carlsbad – *S* sal de Carlsbad

Karlson, Peter (geb. 1918), Prof. (emeritiert) Dr. Dr. h. c. mult. für Biochemie u. Physiolog. Chemie, Univ. Marburg. *Arbeitsgebiete:* Insektenhormone, Biochemie der Insekten-Metamorphose, Wirkungsmechanismus der Steroidhormone. K. prägte den Begriff *Pheromone für Sexuallockstoffe.

Lit.: Kürschner (16.), S. 1706 ▪ Neufeldt, S. 242 ▪ Pötsch, S. 229 ▪ Wer ist wer (35.), S. 704.

Karmin (C.I. 75470). Farbstoff aus getrockneten weiblichen Nopal-Schildläusen (*Dactylopius coccus, Coccus cacti,* Homoptera). 1 kg dieser Läuse (*Cochenille) ergeben ca. 50 g K. in Form hellroter, leichter Bruchstücke, die sich gut pulverisieren lassen; unlösl. in kaltem Wasser u. verd. Säuren, teilw. lösl. in heißem Wasser, gut lösl. in wäss. alkal. Lösungen. Hauptbestandteile sind *Karminsäure u. deren leuchtend rote Farblacke mit Aluminium- u. Calcium-Salzen.

Verw.: K.-Präp. dienen vorwiegend als Farbstoffe in der Histologie u. Mikroskopie, wobei Kombinationen mit Borax (nach Grenacher), Essigsäure (für Chromosomen), Alaun (nach Mayer, *Karmalaun*) üblich sind; sog. Bestsches K. eignet sich zum Anfärben von Glykogen in der Mikroskopie. Anw. findet K. ferner als Farbstoff für Lebensmittel (E 120, in der BRD nur für alkohol. Getränke empfohlen) sowie für kosmet. u. galen. Präp., Tinten u. Künstlerfarben. Als Farbstoff für Textilien u. Teppiche wurde K. im 16. Jh. von Mittelamerika nach Europa eingeführt[1]. – *E = F* carmin – *I* carminio – *S* carmín

Lit.: [1] Chem. Unserer Zeit **15,** 179–189 (1981). *allg.:* Endeavour **2,** 85–92 (1978) ▪ Kirk-Othmer (3.) **8,** 354 f. ▪ Schweppe et al., in Feller (Hrsg.), Artists. Pigm. Bd. 1, S. 255–283, Cambridge: University Press 1986 ▪ Schweppe, S. 279 ▪ Ullmann (5.) **A 19,** 257. – *[HS 3203 00; CAS 1390-65-4]*

Karminsäure (7-*C*-Glucopyranosyl-3,5,6,8-tetrahydroxy-1-methylanthrachinon-2-carbonsäure).

R = β-D-Glucopyranosyl : Karminsäure
R = H : Kermessäure

$C_{22}H_{20}O_{13}$, M_R 492,39, rote Prismen, Schmp. 136 °C (Zers.), lösl. in Wasser u. Ethanol. Die Lsg. von K. sind bei einem pH-Wert von 4,8 gelb u. bei einem pH-Wert von 6,2 violett. Glykosid. Farbstoff der *Nopal-Schildlaus* (*Cochenille) u. Hauptbestandteil des *Karmins, das Aglykon heißt *Kermessäure*, s. Kermes. K. dient der Laus als Ameisen-Abwehrstoff. Auch Raupen, die von diesen Läusen leben, werden durch Aufnahme von K. gegen Ameisen geschützt[1].
Verw.: Zur Bakterien- u. Zellkernfärbung, als Farbstoff für Lebensmittel u. Kosmetika, in der Farbphotographie, als Reagenz auf Aluminium, Blei, Bor, Scandium, Zinn, Molybdän, Wolfram u. Zirconium, gelegentlich als Indikator in der Oxidimetrie u. Komplexometrie. – *E* carminic acid – *F* acide carminique – *I* acido carminico – *S* ácido carmínico
Lit.: [1] Science **208**, 1039 (1980).
allg.: Beilstein E III/IV **18**, 6697 ▪ Blaue Liste C 413 ▪ Hager (5.) **4**, 1136 ▪ J. Org. Chem. **46**, 1511 (1981) ▪ Merck-Index (12.), Nr. 1891 ▪ s. a. Karmin. – *[HS 3203 00; CAS 1260-17-9]*

Karneol s. Chalcedon.

Karotten s. Möhren.

Karpathit s. Pendletonit.

Karpholith. Gruppe von Mineralien der Zusammensetzung $(Mn^{2+},Fe^{2+},Mg)(Al,Fe^{3+},Ti)_2[(OH)_4/Si_2O_6]$, mit *Pyroxen-ähnlichen Strukturen, die eine nadelige bis faserige od. haarförmige Ausbildung der Krist. u. der meist büschelförmigen, z. T. verfilzten Aggregate bedingen; vollkommene Spaltbarkeit, H. 5,5, seidenartiger Glanz. Die strohgelben, Mangan-reichen K. („Strohstein", griech.: kárphos = Stroh; Struktur s. *Lit.*[1,2], D. 2,9) kommen z. B. in Horní Slavkov (Schlaggenwald)/Böhmen u. in *metamorphen Gesteinen (z. B. Unterharz, Ardennen) vor, die grünen, Eisen- u. Magnesium-reichen K. in Gesteinen der *Hochdruckmetamorphose, z. B. auf Kreta[3], Celebes/Indonesien u. Ruwi/Oman. Zur Struktur von Mg-reichen K. s. *Lit.*[4]; Untersuchung von Fe-haltigen Mg-K. mit *Mößbauer-Spektroskopie s. *Lit.*[5]. *Mischkristall-Bildung innerhalb der K. findet bevorzugt zwischen jeweils 2 der 3 Endglieder *Mangano-K.*, *Ferro-K.* u. *Magnesio-K.* statt (*Lit.*[3]). – *E* = *F* carpholite – *I* carfolite – *S* carfolita
Lit.: [1] Sov. Phys. Cristallogr. **19**, 718–721 (1975). [2] Neues Jahrb. Mineral. Monatsh. **1979**, 282–287. [3] Contrib. Mineral. Petrol. **70**, 41–47 (1979). [4] Am. Mineral. **66**, 1080–1085 (1981). [5] Phys. Chem. Miner. **23**, 237f. (1996).
allg.: Anthony et al., Handbook of Mineralogy, Vol. II, Tl. 1, S. 114 (Mangano-K.), S. 246 (Ferro-K.); Tl. 2, S. 496 (Magnesio-K.), Tucson (Arizona): Mineral Data Publishing 1995 ▪ Ramdohr-Strunz, S. 724. – *[CAS 12246-88-7]*

Karplus, Martin (geb. 1930), Prof. für Chemie, Harvard Univ., Boston, Massachusetts. *Arbeitsgebiete:* Theoret. Chemie, chem. Bindung, Zusammenhang zwischen Mol.-Spektren u. Mol.-Struktur, Reaktionsgeschw.-Konstanten, biolog. wichtige Moleküle.
Lit.: Chem. Eng. News **45**, Nr. 49, 78 (1967) ▪ The International Who's Who (16.), S. 799.

Karrer, Paul (1889–1971), Prof. für Organ. Chemie, Univ. Zürich. *Arbeitsgebiete:* Kohlenhydrate (z. B. Stärke u. Cellulose), Anthocyane u. Flavone, Carotinoide (Konstitution u. Synth. von Carotin u. Vitamin A), Vitamine, Synth. von Riboflavin u. Tocopherol, Isolierung des Vitamin K_1, Wasserstoff-übertragende Coenzyme, Alkaloide (u. a. Curare). K. erhielt 1937 zusammen mit *Haworth den Nobelpreis für Chemie.
Lit.: Angew. Chem. **71**, 253–259 (1959) ▪ Chem. Unserer Zeit **6**, 146–153 (1972) ▪ Lexikon der Naturwissenschaftler, S. 237 ▪ Nachmansohn, S. 164 ▪ Nachr. Chem. Tech. Lab. **12**, 174 (1964) ▪ Neufeldt, S. 132, 165, 173, 183, 366 ▪ Pötsch, S. 229.

Karst s. Kalke.

Kartell. Vereinbarungen od. aufeinander abgestimmte Verhaltensweisen von Unternehmen zu gemeinschaftlichem Zweck mit der Eignung zur Wettbewerbsbeschränkung. Man unterscheidet u. a. Preis- u. Rabatt-, Rationalisierungs-, Gebiets-, Konditionen-, Mengen-K., die zu einseitigem Nutzen der K.-Mitglieder u. zum Schaden der Mitbewerber u. der Verbraucher geschlossen werden. Im Gegensatz zum – ggf. durch Fusion von Firmen entstandenen Konzern (vgl. Körperschaften) – behalten die K.-Mitglieder ihre rechtliche u. wirtschaftliche Selbständigkeit. In der BRD überwachen das Bundeskartellamt, z. T. auch der Bundeswirtschaftsminister, die Errichtung von K. u. die Einhaltung der Bestimmung des *Gesetzes gegen Wettbewerbsbeschränkungen*. Verstöße gegen das *Kartellgesetz* können mit Geldbußen geahndet werden, doch gibt es auch erlaubte K., z. B. Rabatt-, Ein- u. Ausfuhr-K. etc.; die gemeinsame Vertretung der K.-Mitglieder wird oft *Syndikat* genannt. Im Rahmen der *EG obliegt die K.-Überwachung einer EG-Kommission. Manche mineral. *Rohstoffe sind in den Händen von K., z. B. Kupfer, Bauxit, Quecksilber, Erdöl (*OPEC). – *E* = *F* = *S* cartel – *I* cartello
Lit.: Bunte, Lexikon des Rechts. Wettbewerbsrecht. Gewerblicher Rechtsschutz, Neuwied: Luchterhand 1996 ▪ Gugerbauer, Kommentar zum Kartellgesetz, Berlin: Springer 1994. – *Organisation:* Bundeskartellamt, 10965 Berlin, Mehringdamm 129.

Karthäuserlikör s. Chartreuse.

Kartoffeln (Erdäpfel). Unter K. versteht man die unterird. Knollen der ursprünglich aus Südamerika stammenden Kartoffelpflanze *Solanum tuberosum* (Nachtschattengewächse). Die K. ist den Gemüsen zuzuordnen. Sie wurde bereits 1100 vor unserer Zeitrechnung von den Inkas angebaut. Nach Europa kam die K. im 16. Jh., wo sie anfangs nur als botan. Rarität in den Gärten von Fürsten u. Gelehrten angebaut wurde. Die Verbreitung der K. als Nahrungspflanze begann in Deutschland zu Beginn des 18. Jh., Mitte des 19. Jh. hatte sie sich bereits zu einem der wichtigsten Volksnahrungsmittel entwickelt.
K. zählen aus ernährungsphysiolog. Sicht zu den idealen Grundnahrungsmitteln einer vollwertigen Kost. Insgesamt wurden bisher etwa 200 verschiedene Inhaltsstoffe nachgewiesen, von denen jedoch nur wenige für die Ernährung von Bedeutung sind. Die Tab. 1 auf S. 2087 gibt einen Überblick über die Zusammensetzung frischer Kartoffeln. Der Hauptbestandteil der K.-Trockensubstanz ist Stärke. Da die rohe K.-Stärke

Tab. 1: Zusammensetzung frischer Kartoffeln.

Verb.	Durchschnittswerte [% bezogen auf Frischgew.]
Wasser	77
Stärke	15,0
Protein	2,0
organ. Säuren	1,5
Mineralstoffe	1,0
Aminosäuren	0,8
Polysaccharide außer Stärke	0,7
Zucker	0,5
Lipide	0,2
Polyphenole	0,2
Alkaloide	0,01

jedoch im Gegensatz zu Getreidestärke für den Menschen sehr schlecht verdaulich ist, muß die K. gekocht werden, um die Stärke zu verkleistern. K. zählen mit durchschnittlich 376,2 kJ/100 g zu den energiearmen Lebensmitteln. Daneben zeichnen sie sich durch einen hohen Gehalt an biolog. wertvollem Eiweiß aus. Das K.-Protein hat einen hohen Anteil an essentiellen Aminosäuren wie Isoleucin, Leucin, Threonin u. Valin.
Auch aufgrund ihres Vitamin-Gehalts ist die K. ein wichtiges Nahrungsmittel. Von bes. Bedeutung sind hierbei Vitamin C (15 mg/100 g), Thiamin (0,110 mg/ 100 g), Riboflavin (0,051 mg/100 g) u. Niacin (1,22 mg/ 100 g). Der Verzehr von täglich 150 g K. deckt den Bedarf an Vitamin C zu etwa 35%. Bei den Mineralstoffen ist v. a. der hohe Kalium-Gehalt (486 mg/100 g) von Bedeutung. Die K. enthält daneben wesentliche Mengen an Phosphor u. Magnesium. Zusätzlich enthält sie Eisen, Schwefel sowie eine Reihe von Spurenelementen, jedoch nur geringe Mengen Natrium.
Bei den Alkaloiden der Kartoffelpflanze handelt es sich um ein Gemisch verschiedener Steroidalkaloid-Glykoside, deren Hauptbestandteile α-Chaconin u. α-*Solanin sind. Sie kommen v. a. in der Schale u. in den Keimen vor, daneben in den grünen Stellen der Knolle. Die K.-Knollen der heutigen Kultursorten enthalten in allg. weniger als 10 mg dieser tox. Alkaloide pro 100 mg Frischsubstanz. Ein Gehalt von >20 mg Gesamt-Alkaloide wird am stark bitteren Geschmack erkannt u. als tox. für den Menschen angesehen[1]. Näheres s. Lit.[2,3].
Die Alkaloide stellen auch eine Komponente des K.-Geschmacks dar[4]. Zu den typ. Aromastoffen der K. zählen substituierte Pyrazine, wie z.B. 2-Isopropyl-3-methoxypyrazin u. 2,5-Dimethylpyrazin. Daneben wurden zahlreiche Carbonyl-Verb. u. Alkohole nachgewiesen.
In der K. kommen verschiedene Trypsin- u. Chymotrypsin-Inhibitoren vor, die jedoch beim Kochen u. a. Zubereitungsprozessen inaktiviert werden. Wie viele andere Nahrungsmittelpflanzen vermag auch die K. unter Stress eine ganze Reihe sesquiterpenoider *Phytoalexine, wie z.B. *Rishitin, zu bilden[5].
Für die enzymat. Verfärbung der K., die von Polyphenoloxidasen katalysiert wird, sind vorwiegend phenol. Verb. wie *Anthocyanidine, *Flavone u. Flavonole verantwortlich[6].
Die K.-Pflanze kann von einer Vielzahl von Krankheiten u. Schädlingen befallen werden. Hierzu gehören

u. a. eine Reihe von Viruserkrankungen, der durch Vertreter der Gattung *Actinomyces* verursachte K.-Schorf, die durch Nematoden verursachte „Bodenmüdigkeit" sowie der ursprünglich aus Amerika eingeschleppte K.-Käfer (*Leptinotarsa decemlineata*). Näheres s. Lit.[7]. Die K. ist jedoch nicht nur während des Wachstums, sondern auch während der Lagerung anfällig für Krankheiten, was zu erheblichen Verlusten führen kann.
Die Lagerung der trocken eingebrachten K. erfolgt bei 3–6°C unter Lichtausschluß, wobei die Lagerungsbedingungen dem Verw.-Zweck (Speise-K. bzw. Verarbeitungs-K.) angepaßt werden. Bei höheren Temp. beginnt die K. zu keimen, während bei tieferen Temp. die Gefahr des Süßwerdens durch Zuckeranhäufungen besteht[8]. Zur Verhinderung der Keimbildung werden die K. mit chem. Keimhemmungsmitteln behandelt. Die Bestrahlung als Alternative zur chem. Keimhemmung war in der Vergangenheit Gegenstand zahlreicher Untersuchungen, ein prakt. Einsatz erfolgt z.Z. jedoch nicht.
Speise-K. werden gemäß der VO über gesetzliche Handelsklassen für Speise-K. vom 6.3.1985 (BGBl. I, S. 542) den Kochtypen „festkochend", „vorwiegend festkochend" u. „mehligkochend" zugeordnet u. in die Handelsklassen „Extra" u. „I" eingeteilt. In den vergangenen Jahren wurden immer größere Mengen an K. zu K.-Produkten verarbeitet, die sich besser lagern u. häufig auch schneller zubereiten lassen als die nativen Kartoffeln. So lag 1988/89 der Pro-Kopf-Verbrauch an solchen Produkten bei 28,7 kg gegenüber 43,9 kg frisch verzehrten Kartoffeln. Insgesamt wurden 1992/93 in der BRD 1,46 Mio. t K. zu Lebensmitteln weiterverarbeitet. Die Tab. 2 gibt einen Überblick über den prozentualen Anteil der einzelnen Produktgruppen.

Tab. 2: Prozentualer Anteil der Produktgruppen bei Kartoffelerzeugnissen.

Trockenprodukte	35%
Kartoffelchips	17,3%
Tiefkühlprodukte	23,6%
vorgebratene Kartoffelerzeugnisse	10,9%
sonstige Kartoffelerzeugnisse	13,2%

Die K.-Erzeugnisse besitzen meist einen höheren Energiegehalt als die nativen Kartoffeln. Über die Veränderungen des Nährwerts von K. bei der Verarbeitung zu K.-Erzeugnissen liegen bis jetzt nur wenige Untersuchungen vor. Sie deuten jedoch darauf hin, daß die Verarbeitung keine wesentlichen Beeinträchtigung des Nährwerts mit sich bringt.
Neben der Verw. als Lebensmittel dient die K. auch als Futtermittel u. als Rohstoff zur Gewinnung von Alkohol u. Stärke[9]. Die Tab. 3 gibt einen Überblick über die industrielle Verarbeitung von K. im Zeitraum 1988/89.

Tab. 3: Industrielle Verarbeitung von Kartoffeln.

Ernährungs-Ind.	1 266 931 t
Stärke-Ind.	1 452 000 t
Trockenfuttermittel-Ind.	75 875 t
Brennerei	412 151 t

Weltweit wurden 1988 269,7 Mio. t K. geerntet; die wichtigsten Erzeugerländer waren (Angaben in Mio. t): ehem. UdSSR (62,7), Polen (34,7), China (29,6), USA (15,9), Indien (14,2), ehem. DDR (11,5), BRD (7,4). Dabei ist in der BRD sowohl die Anbaufläche als die Ertragsmenge seit langem rückläufig. Wurden 1975 auf 415 395 ha noch 10,85 Mio. t K. geerntet, so waren es 1988 auf 203 728 ha nur noch 7,4 Mio. t. – *E* potato – *F* pommes de terre – *I* patate – *S* patatas, papas

Lit.: [1] Am. Potato J. **61**, 123–139 (1984). [2] Acta Hortic. **207**, 41–47 (1987). [3] Chem. Mikrobiol. Technol. Lebensm. **12**, 69–74 (1989). [4] J. Food Sci. **41**, 520–523 (1976). [5] Kuc, in Bailey u. Mansfield (Hrsg.), Phytoalexins, S. 218–252, Glasgow: Blackie 1982; Mitt. Geb. Lebensmittelunters. Hyg. **78**, 200–207 (1987). [6] Chem. Mikrobiol. Technol. Lebensm. **11**, 5–12, 33–41 (1987); **12**, 86–95 (1989). [7] Kartoffelbau **35**, 42–45, 202 f., (1984); **36**, 4 ff. (1985). [8] Kartoffelbau **38**, 184–188 (1988). [9] Kartoffelbau **33**, 7–11, 326–330 (1982). *allg.:* Bundessortenamt (Hrsg.), Beschreibende Sortenliste Kartoffeln, Frankfurt: Dtsch. Fachverl. 1985 ▪ Gordian **81**, 196–201 (1981) ▪ Lebensmittelkontrolleur **4**, 9 ff. (1989) ▪ Putz, Kartoffeln, Züchtung-Anbau-Verwertung, Hamburg: Behrs 1989 ▪ Rastovski u. Es (Hrsg.), Storage of Potatoes. Postharvest Behaviour, Storage Design, Storage Practice, Handling, Wageningen (NL): Pudoc 1987 ▪ Wirths, Lebensmittel in ernährungsphysiologischer Bedeutung (3.), S. 42–67, Paderborn: Schöningh 1985 ▪ Woolfe, The Potato in the Human Diet, Cambridge: University Press 1987 ▪ Zirwes, Kartoffeln u. Pommes frites in der gewerblichen Speisezubereitung, Hildesheim: Olms 1987 ▪ ZMP-Bilanz Kartoffeln 88/89, Bonn: Zentrale Markt- u. Preisberichtsstelle für Erzeugnisse der Land-, Forst- u. Ernährungswirtschaft 1989 – *Zeitschriften:* Der Kartoffelbau, Hildesheim: Mann (seit 1950) ▪ Potato Abstracts, London: Commonwealth Agric. Bureaux (seit 1976) ▪ Potato Research, Wageningen: Eur. Assoc. Potato Res. (seit 1958). – *Inst. u. Organisationen:* Bundesforschungsanstalt für Getreide- u. Kartoffelverarbeitung, 32760 Detmold ▪ Bundesverband der Kartoffelverarbeitenden Industrie, Bonn ▪ Europäische Ges. für Kartoffelforschung, Postfach 20, 6700 AA Wageningen (Niederlande) ▪ Europäische Vereinigung der kartoffelverarbeitenden Industrie, 53639 Königswinter. – *[HS 0701 10, 0701 90]*

Karton. Ein aus Papierstoff bestehender flächiger Werkstoff, der in seinen Eigenschaften zwischen Papier u. Pappe liegt u. hinsichtlich des Flächengew. von 150–600 g/m² sowohl in das Gebiet der *Papiere als auch in das der *Pappen hineinreicht. Er ist steifer als Papier u. wird im allg. aus höherwertigen Stoffen hergestellt als Pappe. Die Bez. der verschiedenen K.-Sorten richtet sich nach Verw. u. Eigenschaften, vgl. Papier u. DIN 6730 (05/1996). – *E* cardboard – *F* carton – *I* cartone – *S* cartulina
Lit.: s. Papier.

Karzino-embryonales Antigen (CEA). *Glykoprotein (M_R 180 000, davon 60 % Kohlenhydrat, strukturell mit *Immunglobulinen verwandt), das im Serum sowie auf den Zelloberflächen des fötalen Darmepithels physiolog. vorkommt, wo es mit einem *Glykosylphosphatidylinosit-Anker in der Zellmembran befestigt ist. Patholog. tritt es u. a. bei Darmkrebs auf. Es wird daher zu den *onko-fötalen Antigenen* gezählt u. als *Tumormarker zur Verlaufskontrolle dieser Erkrankung verwendet. – *E* carcinoembryonic antigen – *F* antigène carcinoembryonnaire – *I* gene carcinoembrionale – *S* antígeno carcinoembrionario

Lit.: Biochim. Biophys. Acta **1032**, 177–189 (1990) ▪ Roitt et al., Kurzes Lehrbuch der Immunologie, 3. Aufl., S. 249, 253 f., Stuttgart: Thieme 1995.

KAS s. Kassinin.

Kaschieren. Von französ.: cacher = verbergen abgeleitete Bez. für das Verbinden von 2 od. mehreren Lagen gleicher od. verschiedener Materialien mit Hilfe geeigneter Kaschiermittel. K. ist z. B. möglich bei Papieren, Textilien, Kunststoffen, Metallen u. a. Materialien, die sich als entsprechende Lagen bzw. Folien (auch Heißprägefolien) verarbeiten lassen. Als *Kaschiermittel* kommen z. B. geeignete Klebstoffe (z. B. *Heißsiegel- u. *Schmelzklebstoffe), Wachse, Polyethylen-Verb., reaktive Kunststoffe u. bes. Natur- od. Synth.-Latexprodukte in Frage. Der eigentliche K.-Vorgang findet meist in *Kalandern als Walzprozeß unter Druck statt. Durch K. läßt sich eine schützende u./od. dekorative Schicht auf einem Material anbringen u./od. eine Addierung günstiger Materialeigenschaften erzielen; K.-Mittel s. *Lit.* [1]. – *E* lamination coating – *F* laminage – *I* rivestimento – *S* revestimiento, recubrimiento
Lit.: [1] ACHEMA-Jahrb. **1994**, 1814.
allg.: Kunststoffe **72**, 701–707 (1982) ▪ Winnacker-Küchler (4.) **6**, 471.

Kaschiermittel s. Kaschieren.

Kaschmir-Wolle (Kurzz.: WS). Die zu *Wolle verarbeiteten Haare der Kaschmir-Ziege (*Capra hircus laniger*) nach DIN 60 001 Tl. 1 (10/1991). – *E* cashmere wool – *F* laine de Cachemire – *I* cachemire – *S* lana de Cachemira

Kaschu-Nüsse s. Cashew-Nüsse.

Kaskaden. 1. Anordnung hintereinander geschalteter gleichartiger *Reaktoren. – 2. Mehrstufiger Abregungsprozeß, s. a. Isotopentrennung.

Kaskaden-Moleküle, -Polymere s. dendritische Polymere.

Kaskaden-Reaktion s. Tandem-Reaktionen.

Kaskararinde (Cascararinde). Graubraune, glatte, 1–3 cm breite u. bis 5 mm dicke Rinden der an der pazif. Küste Nordamerikas verbreiteten *Kreuzdorn- od. Faulbaumart *Rhamnus purshiana (Cascara sagrada*, Amerikan. Faulbaum od. Amerikan. Kreuzdorn). Die K. enthält *Frangulin u. a. *Anthraglykoside (z. B. von *Emodin, *Chrysophansäure) sowie Harze, Gerbstoffe, Bitterstoffe, Enzyme, Säuren; sie wird in Form von Extrakten, Tinkturen u. Weinauszügen als Abführmittel verwendet. Die Wirkung ist stärker aber ähnlich der von *Aloe. Heute nur noch selten im Gebrauch. – *E* cascara sagrada (bark) – *F* écorce de cascara – *I* cascara sagrada – *S* cáscara sagrada
Lit.: Braun-Frohne (6.), 480 ▪ Hager (5.) **6**, 405 ▪ Pharm. Biol. **2**, 201 f.; **4**, 101–107. – *[HS 1404 90]*

Kaskarillarinde. Aromat. riechende, bitter schmeckende, außen weiße, innen braune, meist 5 mm dicke Rindenstücke der strauchartigen Wolfsmilchgewächse *Croton eluteria* u. *Croton cascarilla* (Euphorbiaceae). Der Kaskarillabaum ist in der Karibik beheimatet. Die auf dem Weltmarkt angebotene Rinde kommt überwiegend von den Bahamas. Die Rinde enthält etwa 15% Harz, 6% Fett, 1,5–3% Kaskarilla-Öl, Gerbstoffe, einige di- bzw. sesquiterpenoide Bitterstoffe, z. B. *Cascarilladien* ($C_{15}H_{24}$, M_R 204,36), *Vanillin u. *Theobromin. Das duftende *Kaskarilla-Öl* wird durch Wasserdampfdest. der Rinde gewonnen. Es ist eine bräunlich-gelbe, stark haftende, würzig-holzig duftende Flüssigkeit, d_4^{20} 0,890–0,925, die in der Parfümerie genutzt wird. – *E* cascarilla bark – *F* écorce de cascarilla – *I* corteccia della cascarilla – *S* corteza de la cascarilla

Lit.: Hager (5.) **1**, 673 ■ Roth u. Kormann, Duftpflanzen, Pflanzendüfte, S. 113, 214, Landsberg: Ecomed 1996. – *[HS 140490; CAS 8007-06-5 (K.-Öl); 59742-39-1 (Cascarilladien)]*

Kasolit. $Pb_2[UO_2/SiO_4]_2 \cdot 2H_2O$, sek., orange, ockergelb od. braungelb gefärbtes, monoklines Uran-Mineral, Krist.-Klasse 2/m-C_{2h}; zur Krist.-Chemie s. *Lit.*[1]. Harzglänzende, langprismat. Krist., Krist.-Rosetten od. radialfaserige Aggregate sowie derbe od. erdige Massen, z. T. mit anderen Uran-Mineralien vermengt; durchscheinend bis undurchsichtig, H. 4, D. 5,8–6,5.
Vork.: In *Oxidationszonen von Uran-*Lagerstätten, bes. in Shinkolobwe-Kasolo (Name!), Provinz Shaba in Zaire[2]; ferner in Frankreich, in Alaska, Nevada u. Kanada. – *E* kasolite – *F* = *I* casolite – *S* casolita
Lit.: [1] Am. Mineral. **66**, 610–625 (1981). [2] Mineral. Rec. **20**, 265–298 (1989).
allg.: Anthony et al., Handbook of Mineralogy, Vol. II, Tl. 1, S. 403, Tucson (Arizona): Mineral Data Publishing 1995 ■ Ramdohr-Strunz, S. 687. – *[HS 261210; CAS 12137-46-1]*

Kasseler Braun (Kaßler Braun, Kesselbraun, Kölnische Erde). Amorphe, brennbare, erdige Braunkohle aus Humus u. *Huminsäure, die bes. am Meißner bei Kassel, in Sachsen, Thüringen u. bei Köln abgebaut u. als Anstrich- u. Malerfarbe mit Öl angerührt wendet wird. Der Ölverbrauch ist infolge hoher Adsorptionsfähigkeit ziemlich groß; der Anstrich trocknet langsam u. färbt sich im Licht allmählich grau. K.-B.-Anstriche sind durchscheinend; sie eignen sich daher für Lasuren u. Maserungen. *Van-Dyck-Braun* ist ein bes. fein geschlämmtes, zu Hütchen geformtes Kasseler Braun. In Säuren wird die Farbe unter Kohlenstoff-Abscheidung zersetzt. In Laugen erfolgt Auflsg. mit brauner Farbe infolge Bildung des sog. *Nerobrauns* (*Nußbraun, Nußbeize*); derart hergestellte Alkali-, insbes. Natriumhuminate fanden, nach Ausfällung u. Fixierung mit Aluminiumsulfat, Verw. in der Massefärbung von Papier. – *E* Cassel brown – *F* brun de Cassel – *I* marrone di Cassel – *S* pardo de Cassel, tierras de Cassel

Lit.: Schweppe, Handbuch der Naturfarbstoffe, S. 543 f., Landsberg: ecomed 1992.

Kasseler Gelb s. Veroneser Gelb.

Kasseler Grün s. Mangangrün.

Kassetten s. Magnetbänder.

Kassiakölbchen (Cassiakolben). Bez. für ein Standkölbchen von 100 mL Inhalt mit langem Hals von 0,8 cm innerer Weite u. etwa 16 cm Länge, der über eine Länge von 12 cm in 1/10 mL eingeteilt ist; der Übergang vom Kolben zum Hals muß kon. verlaufen. Das K. dient zur Prüfung einiger ether. Öle, z. B. *Kassiaöl (Name!). – *E* cassia flasks – *F* flacons de Cassia – *I* storta cassia – *S* matraces de casia

Kassiaöl (Kassiazimtöl, chines. Zimtöl). Aus Blättern, Stengeln u. Zweigen des chines. *Zimts (*Cinnamomum aromaticum* syn. *C. cassia*, Lauraceae) durch Wasserdampfdest. gewonnenes, ether. Öl, d_4^{20} 1,055–1,070, Schmp. 75–90 °C, lösl. in 2–3 Vol.-Tl. 70%igem Alkohol. K. enthält 75–90% Zimtaldehyd sowie Salicylaldehyd, 2-Methoxyzimtaldehyd, Benzaldehyd, Benzoesäure, Zimtsäure, Sesquiterpenoide u. Cumarin, vgl. a. Zimtöle.
Verw.: Als Gewürz, für Seifenparfüms (färbt), jedoch nicht für Hautcremes, da Hautreizung bei empfindlichen Personen möglich ist. – *E* cassia oil – *F* huile de cannelle – *I* essenza di canella cassia – *S* aceite de casiao

Lit.: Gildemeister **2**, 84 ff.; **5**, 18 ff. ■ Hager (5.) **4**, 888 ■ Helv. Chim. Acta **63**, 1615–1618 (1980) ■ Melchior u. Kastner, Gewürze, S. 179–182, 186–191, Berlin: Parey 1974 ■ Pharm. Biol. **4**, 242 ff. ■ Roth u. Kormann, Duftpflanzen, Pflanzendüfte, S. 230, Landsberg: Ecomed 1986 ■ Ullmann (5.) **A 11**, 188, 221. – *[HS 330129]*

Kassinin (KAS).

Asp-Val-Pro-Lys-Ser-Asp-Gln-Phe-Val-Gly-Leu-Met-NH$_2$

$C_{59}H_{95}N_{15}O_{18}S$, M_R 1334,56. Zu den *Tachykininen gehörendes Oligopeptid aus Amphibienhaut (*Kassina senegalensis*). Das den *Neuromedinen K u. L in Struktur u. Wirkung ähnliche K. vermindert Durst u. Salzhunger. – *E* kassinin – *F* kassinine – *I* cassinina – *S* casinina – *[CAS 63968-82-1]*

Kassiterit (Zinnstein). SnO_2, schwarzbraunes bis gelbbraunes, selten gelbes od. farbloses tetragonales, mit *Rutil isotypes (*Isotypie), wirtschaftlich wichtigstes Zinn-Mineral, Krist.-Klasse 4/mmm-D_{4h}. Theoret. 78,6% Sn; chem. Analysen[1,2] ergeben oft geringe Gehalte an Ta, Nb, Ti, W, Fe, Mn u. OH; auf *Zwischengitterplätzen kann Fe^{2+} eingebaut werden[3]; zu zonaren Element-Verteilungen u. *fluiden Einschlüssen in K. (in Marokko) s. *Lit.*[4]. Je nach Vork. u. Bildungstemp. lang- bis kurzprismat. od. bipyramidale Krist., langsäulig nadelig als sog. *Nadelzinn*, nieriglaskopfartig als sog. *Holzzinn*; vielfach auch grobu. kleinkörnig. Charakterist. knieförmig gewinkelte *Zwillinge („*Visiergraupen*" der sächs.-böhm. Bergleute). H. 6–7, D. 6,8–7,1, Strich ledergelb bis weiß, Bruch muschelig (spröde) mit Fettglanz; auf Krist.-Flächen blendeartiger Glanz. K. wird von Säuren nicht angegriffen, aber von schmelzenden Alkalien gelöst.
Vork.: Meist in Verbindung mit *Graniten od. in *Seifen in deren Umgebung, oft zusammen mit *Wolframit. In *Pegmatiten, z. B. Uis/Namibia. In pneumatolyt. (*Lagerstätten) *Gängen u. Imprägnationen, z. B. Erzgebirge (Ehrenfriedersdorf) u. Cornwall/England, z. T. einschließlich der sog. *Greisen (z. B. im Erzge-

birge Altenberg, Zinnwald/Cinovec u. Schlaggen-
wald/Horni Slavkov). In hydrothermalen Gängen u.
Imprägnationen, z.B. Panasqueira/Portugal u. Bolivien (hier z.T. als Porphyry tin-Lagerstätten). In
*Skarnen, z.B. Dachang/Guanxi/China. In *Zinngrani-
ten*, z.B. in Nigeria, Brasilien, Bushveld/Südafrika,
Südostasien, Australien u. unbedeutend im Fichtelgebirge. In K.-Seifen (etwa die Hälfte der Weltförderung
an K.), z.B. Südostasien, VR China, Nigeria. – $E = I$
cassiterite – F cassitérite – S casiterita
Lit.: [1] Mineral. Mag. **40**, 895 ff. (1976). [2] Geochim. Cosmochim. Acta **52**, 1497–1503 (1988). [3] Phys. Chem. Miner.
12, 363–369 (1987). [4] Miner. Deposita **22**, 253–261 (1987).
allg.: Evans, Erzlagerstättenkunde, S. 88 ff., 158 f., 218 ff.,
Stuttgart: Enke 1992 ▪ Matthes, Mineralogie (5.), S. 72 f.,
270 ff., Berlin: Springer 1996 ▪ Pohl, Lagerstättenlehre (4.),
S. 175–181, Stuttgart: Schweizerbart 1992 ▪ Ramdohr, Die
Erzmineralien u. ihre Verwachsungen, S. 1071–1079, Berlin:
Akademie-Verl. 1975 ▪ Sawkins, Metal Deposits in Relation to
Plate Tectonics (2.), S. 94–101, 240–245, Berlin: Springer
1990. – *[HS 260900; CAS 1317-45-9]*

Kastanien. Sammelbez. für die Bäume bzw. die Samen zweier verschiedener Spezies. 1. *Eß-K.* od. *Ma-
ronen:* Samen der Edel-K. (*Castanea sativa* Mill., Fagaceae), die im Mittelmeergebiet kultiviert wird; zur
Duftzusammensetzung der Blüten vgl. *Lit.*[1]. Die meh-
lig-süß schmeckenden Früchte enthalten in 100 g eß-
barem Anteil im Mittel 50,1 g Wasser, 2,92 g Eiweiß,
1,9 g Fett, 42,8 g Kohlenhydrate (hauptsächlich
Stärke), 1,42 g Rohfaser u. 1,18 g Mineralstoffe sowie
die Vitamine A, B_1, B_2, C u. Nicotinamid. Eß-K. werden geröstet, gekocht als Gemüse od. Süßspeise, gelegentlich auch mit Zucker überzogen (glaciert) genos-
sen u. sind in den südlichen Ländern ein Volksnahrungsmittel. Die Eß-K. wurden von den Römern auch
nördlich der Alpen kultiviert u. waren dort im Mittelalter ein wichtiges Futter- u. Nahrungsmittel für den
Winter, das erst im 18. Jh. durch die Kartoffel verdrängt
wurde. Die Blätter wurden früher wegen des Gerbstoffgehalts als Antidiarrhoikum verwendet.
2. *Roß-K.:* Nicht eßbare, rundliche od. abgeflachte,
glänzend braune Samen der Gemeinen Roß-K. (*Aes-
culus hippocastanum* L., Hippocastanaceae), einem
bis über 30 m hoch wachsenden weiß od. rot blühenden Baum, der in Mitteleuropa u. a. gemäßigten Zonen
häufig als Zierbaum angepflanzt wird. Die bitter
schmeckenden Samen sind offizinell (s. *Lit.*[2]); sie enthalten 50–60% Stärke, 8–10% Protein, 7–8% fettes
Öl u. ca. 3% *Aescin, ferner Glykoside des *Querce-
tins u. des *Kämpferols. Diese *Flavonoide u. die in
Rinde u. Blättern enthaltenen Cumarine (s. Aesculin)
wirken Ödem-ausschwemmend, antiphlogist., spasmolyt. u. Gefäß-abdichtend, weshalb sie in Venenmit-
teln gegen *Varizen, *Hämorrhoiden u. Magenge-
schwüre verwendet werden. Aus dem Holz der Roß-
K. lassen sich Gerbstoffe gewinnen. – E 1. (sweet)
chestnuts, 2. horse chestnuts – F 1. châtaignes, 2. mar-
rons – I 1. castagne, 2. castagne d' India – S 1. cas-
tañas, 2. castaña de Indias, regoldane
Lit.: [1] Angew. Chem. **93**, 164–183 (1981). [2] DAB **1996** u.
Komm.
allg.: Bundesanzeiger 76/23.04.1987 (1.); 128/14.07.1993,
221/25.11.1993; 71/15.04.1994 (2.) ▪ Hager (5.) **4**, 108–122
(2.); 725–729 (1.) ▪ Schormüller, S. 543 f. ▪ Wichtl (3.).
S. 299 ff., 302 ff. u. 305 ff. (2.)

Kastler, Alfred Henri Frédéric (1902–1984), Prof. für
Physik, Sorbonne, CNRS, Paris. *Arbeitsgebiete:* Atom-
bau, strahlungsanalyt. Untersuchungen an Atomker-
nen, gleichzeitige Verw. opt. u. magnet. Meth. zur Re-
sonanzuntersuchung an Atomkernen, Entdeckung des
für die Entwicklung von Lasern notwendigen sog. Opt.
Pumpens; 1966 Nobelpreis für Physik.
Lit.: Lexikon der Naturwissenschaftler, S. 238 ▪ Nobel Prize
Lectures Physics 1963–1970, Amsterdam: Elsevier 1972 ▪
Poggendorff **7b/4**, 2392–2396 ▪ Umschau **67**, 1 f. (1967).

Kastner, Karl Wilhelm Gottlob (1783–1857), Prof.
für Chemie, Heidelberg, Halle, Erlangen. *Arbeitsgebiete:* Alchemie, später Naturphilosophie, organ. Kon-
stitutionschemie, Isomerie, Agrikulturchemie, Kunst-
düngung.
Lit.: Chem. Unserer Zeit **13**, A 31 (1977) ▪ Krafft, S. 224 ▪ Löw,
Pflanzenchemie zwischen Lavoisier u. Liebig, Straubing: Donau 1977.

Kastoröl s. Ricinusöl.

Kastscher Stauchapparat s. Explosivstoffe.

Kasugamycin.

Kasugamycin

*Aminoglykosid-*Antibiotikum aus Kulturflüssigkeit
von *Streptomyces kasugaensis*, $C_{14}H_{25}N_3O_9$, M_R
379,37. K. wirkt als Inhibitor der Protein-Synth.[1] u.
hemmt ein breites Spektrum von Gram-pos. u. -neg.
Bakterien sowie Pilze. Techn. Anw. findet K. als Reis-
fungizid[2] gegen *Pyricularia oryzae.* – E kasugamycin
– F kasugamycine – I casugamicina – S kasugamicina
Lit.: [1] FEBS Lett. **177**, 119 (1984). [2] Agrochemicals Handbook
(3), A 501, London: R. Soc. Chem. 1992. – *[HS 294190;
CAS 6980-18-3]*

kat. Von der IUPAC u. der International Federation of
Clinical Chemistry vorgeschlagenes Kurzz. für *Katal*,
die Einheit der katalyt. Aktivität. Ein *Katalysator od.
*Enzym der Aktivität 1 kat bewirkt unter definierten
Bedingungen den Umsatz von 1 mol Substrat pro Se-
kunde. Die frühere „Enzym-Einheit" U = 1 μmol/min
entspricht 16,67 nkat ($1,667 \cdot 10^{-8}$ kat) u. 1 kat =
$6 \cdot 10^7$ U. – $E = F = I = S$ kat
Lit.: Naturwissenschaften **61**, 355–360 (1974) ▪ Pure Appl.
Chem. **51**, 2451–2479 (1979).

Kat (Khat, Kath, abessin. Tee). Unter K. versteht man
die zum Genuß bestimmten Zweigspitzen u. Blätter des
im Jemen, Äthiopien, Somalia, Kenia u. auf Madagaskar in Kulturen angebauten K.-Strauchs (*Catha
edulis*, Celastraceae). Im Erscheinungsbild ähnelt der
K.-Strauch dem Teestrauch. K. wird zu Genußzwecken
gekaut u. schmeckt aromat., bitter, leicht anästhesie-
rend. Die Pflanze enthält verschiedene als *Rauschgifte wirkende Stoffe. Hauptwirkstoff der Droge ist das
(–)-*Cathinon*, $C_9H_{11}NO$, M_R 149,19, $[\alpha]_D$ −26,5°
(CH_2Cl_2), eine Substanz mit struktureller Verwandtschaft zu *Amphetamin, mit Ähnlichkeit auch in der
pharmakolog. Wirkung. Beim Menschen werden die
Folgen des K.-Kauens wie folgt beschrieben: Müdigkeit verschwindet, eine leichte Exzitation führt zu ver-

(-)-Cathinon

mehrtem Rededrang, so daß man sich bes. in Ges. wohl fühlt. Überhöhte Dosen führen zu Blutdruckanstieg, Kopfschmerz, Hyperthermie, Herzklopfen u. Schlaflosigkeit. Beim Trocknen der Droge reduzieren pflanzeneigene Enzyme einen Großteil des Cathinons zu Norpseudoephedrin u. Norephedrin, wodurch die *Weckamin-Wirksamkeit auf ein Fünftel absinkt. – *E* kat – *F* khât – *I* tè abessino – *S* té de Arabia
Lit.: Dtsch. Lebensm. Rundsch. **85**, 290 f. (1989) ▪ Naturwiss. Rundsch. **34**, 19 ff. (1981) ▪ Pharm. Unserer Zeit **11**, 65–73 (1982) ▪ Steinegger u. Hänsel, Lehrbuch der Pharmakologie u. Phytopharmazie (4.), S. 453 f., Berlin: Springer 1988. – *[CAS 71031-15-7 ((−)-Cathinon)]*

Kata... Aus dem Griech. abgeleitetes Präfix, das „abwärts", „herab", „unter" od. „entgegengesetzt zu", oft auch „zer..." bedeutet, vgl. die folgenden Stichwörter. Bei *Naphthalin war kata- od. κ- Bez. für 1,7-Disubstitution. – *E* = *F* kata... – *I* = *S* cata...

Katabolische Gene aktivierendes Protein s. cAMP-Rezeptor-Protein.

Katabolismus s. Stoffwechsel.

Katabolitentest (Metabolitentest). Test zum Erkennen stabiler Zwischenprodukte beim biolog. Abbau wasserlösl. organ. Verbindungen. Hierzu wird der mit zwei parallel betriebenen Modellkläranlagen durchgeführte *Coupled Units-Test (OECD 303 A) dahingehend modifiziert, daß die Kläranlagenabläufe nach Zugabe von frischem Nährlösungskonzentrat u. – nur in die Testanlage – von Prüfsubstanz erneut als Zuläufe für die Versuchsanlage eingesetzt werden, so daß über den Versuchszeitraum rechner. hohe kumulative Konz. der Prüfsubstanz erreicht werden. Entstehen dabei stabile Zwischenprodukte, so reichern sich diese im Ablauf der Versuchsanlage an u. können über Summenparameter (*DOC) nachgewiesen werden, woran sich ggf. eine analyt. Identifizierung anschließt. – *E* test for detecting recalcitrant catabolites – *F* test pour la diagnose des catabolites durables
Lit.: Chemosphere **13**, 121 (1984) ▪ Tenside Surf. Det. **30**, 6 (1993).

Katabolit-Repression. In der *Mikrobiologie Bez. für die von Monod 1947 beim *lac-Operon von *Escherichia coli beschriebene pos. Regulation, wonach leicht metabolisierbare C-Quellen wie Glucose die Verwertung anderer C-Quellen reprimieren. Das in der Zelle mit Hilfe der Adenylatcyclase aus ATP gebildete cAMP (cycl. 3′,5′-Adenosinmonophosphat) aktiviert ein Regulator-Protein, das als CAP (catabolite activator protein) od. CRP (*cAMP-Rezeptor-Protein) bezeichnet wird. CAP besteht aus zwei ident. Untereinheiten mit jeweils M_R 22 500. Der gebildete cAMP-CAP-Komplex reagiert mit dem *Promotor – es besteht eine Promotor-Bindungsstelle von 22 Basenpaaren, wodurch der Start der RNA-Polymerase erleichtert wird. Bei *E. coli* wird die Transkription der lac-Gene um den Faktor 20 gesteigert. In Ggw. von Glucose ist der cAMP-Spiegel in der Zelle gesenkt, so daß sich der cAMP-CAP-Kom-

plex nicht ausreichend bilden kann, die Gene des cAMP-CAP regulierten Operons werden nicht abgelesen u. Glucose wird bevorzugt metabolisiert, d.h. es findet K.-R. statt. Bei *E. coli* stehen ca. 50 Promotoren unter dieser Kontrolle; K.-R. wurde bei einer Vielzahl weiterer Bakterien beschrieben. – *E* catabolite repression – *F* répression de catabolites – *I* repressione di catabolito – *S* represión de catabolitos
Lit.: Knippers (6.), S. 118 f. ▪ Mol. Microbiol. **15**, 395 (1995) ▪ Prog. Ind. Microbiol. **29**, 355 (1994) ▪ Stryer 1996, S. 999 f.

Katadolon® (Rp). Kapseln u. Suppositorien mit *Flupirtin-maleat gegen postoperative, Verbrennungs-, Verätzungs- u. a. Schmerzen. *B.:* Asta Medica.

Kataklase, Kataklasite s. kataklastische Gesteine.

Kataklastische Gesteine (Kataklasite; von griech.: kataklàn = zerbrechen). Sammelbez. für durch *Kataklase* [mechan. Zertrümmerung ihrer Minerale (Zerbrechen bis Zermahlung)] an Bruchzonen (*Tektonik) od. Auf- bzw. Überschiebungsbahnen entstandene *metamorphe Gesteine, mit typ. Neubildung von Sericit (*Muscovit) u. *Chlorit. Zu den k. G. gehören u. a. manche *Breccien, *Mikrobreccien*, *Mylonite* (unter höheren Drücken zerriebene, pulverisierte u. zerscherte, oft geflammte Streifung zeigende Gesteine; nach *Lit.*[1] wegen Rekristallisationserscheinungen u. gewissen Mineralneubildungen jedoch nicht mehr zu den k. G. gerechnet), *Ultramylonite* (>90% feinkörnige Matrix) u. *Pseudotachylite* [Hyalomylonite, mit Glassubstanz zwischen den Kornfragmenten, äußerlich einem schwarzen *Basalt-Glas (Tachylit) ähnlich].
Vork.: Weltweit, z. B. entlang der San Andreas-Störung in Kalifornien; Mylonite z. B. entlang des Pfahles im Bayer. Wald. Ein Sonderfall sind die durch *Impact (bis hin zum *Impactglas*) entstandenen Gesteine, z. B. im Nördlinger Ries/Bayern u. in der als *Regolith* (*Mondgestein) bezeichneten Schuttschicht auf der Mondoberfläche. – *E* cataclastic rocks – *F* roches cataclastiques – *I* rocce cataclastiche – *S* rocas cataclásticas
Lit.: [1] Geology **12**, 391 ff. (1984).
allg.: Bucher u. Frey, Petrogenesis of Metamorphic Rocks, S. 9 f., 20, 22, Berlin: Springer 1994 ▪ Matthes, Mineralogie (5.), S. 356 ff., 460, Berlin: Springer 1996 ▪ Wimmenauer, Petrographie der magmatischen u. metamorphen Gesteine, S. 311–318, Stuttgart, Enke 1985.

Katal s. kat.

Katalase (EC 1.11.1.6). Enzym, das in pflanzlichen u. tier. Geweben allg. verbreitet ist u. Wasserstoffperoxid in Wasser u. Sauerstoff zerlegt:

$$2 H_2O_2 \rightarrow 2 H_2O + O_2.$$

Bei aeroben (Sauerstoff-verbrauchenden) Stoffwechselprozessen entsteht unter der Einwirkung von *Oxidasen in bes. Zellorganellen (*Peroxisomen) Wasserstoffperoxid, das von der gleichzeitig anwesenden K. zersetzt wird (Schutzfunktion). Zu den *Peroxidasen gehörig, kann K. auch von anderen Donoren, z. B. Ethanol, Wasserstoff auf Wasserstoffperoxid übertragen. Chem. ist K. ein tetrameres *Eisen-Protein mit M_R 245 000 mit 4 *Häm-Mol. in Form von Ferriprotoporphyrin IX mit Eisen(III). K. ist eines der „schnellsten" Enzyme mit einer spezif. Aktivität von 0,08 kat ($5 \cdot 10^6$ U) pro µmol. Hemmstoffe sind z. B. Schwefelwasserstoff, Blausäure, Fluoride, Azide u. Hydroxylamin. K. kann Verw. finden zur Zers. von Wasserstoffperoxid, das Milch zur Sterilisierung zugesetzt wurde. Die Bestimmung erfolgt polarograph. od. durch Titration von Wasserstoffperoxid. – $E = F$ catalase – I catalasi – S catalasa – *[CAS 9001-05-2]*

Katalymetrie s. Katalyse.

Katalysatoren. Stoffe, die die Aktivierungsenergie zum Ablauf einer bestimmten Reaktion herabsetzen u. dadurch die Reaktionsgeschw. erhöhen, ohne bei der Reaktion verbraucht zu werden; er geht unverändert aus der Reaktion hervor. K. werden heute in den verschiedensten Bereichen der chem. Ind. eingesetzt (s. Katalyse); den höchsten Bekanntheitsgrad besitzt z. Z. der *Kraftfahrzeugabgas-K., der im folgenden etwas detaillierter dargestellt wird.

Als Trägermaterial kommen keram. Wabenkörper, sog. Monolithe, metall. Wabenkörper od. Schüttgut zum Einsatz. Bei den Monolithen hat sich wegen seiner geringen Wärmeausdehnung ($\alpha = 1,05-1,25 \cdot 10^{-6}$/grad) Cordierit (Magnesium-Alumosilicat) durchgesetzt. Es werden vorrangig 400 Zellen-K. eingesetzt, d. h. auf einer Querschnittsfläche von $2,5 \times 2,5$ cm^2 befinden sich 400 quadrat. Zellkanäle. Die Wandstärke beträgt ~0,2 mm. Die Oberfläche wird mit einer oxid. Zwischenschicht (Washcoat) aus γ-Al$_2$O$_3$ belegt, auf die dann der eigentliche K., das Edelmetall, aufgebracht wird. Neben der besseren Haftung erbringt die Oxid-Zwischenschicht eine Vergrößerung der katalyt. wirksamen Oberfläche auf 20 000 m^2 pro Liter K.-Volumen. Zur Verbesserung der Sinterbeständigkeit u. der katalyt. Aktivität werden zusätzlich Elemente aus der Reihe der Seltenerdenmetalle in die Oxid-Schicht eingebaut. Die Edelmetall-Schicht besteht aus Platin u. Rhodium. Pro Fahrzeug werden 1 – 2 g Edelmetall benötigt, die bei Verschrottung zurückgewonnen werden.

Bei der *Autoabgasreinigung* besteht das Problem, daß nicht ein Produkt, sondern mehrere, chem. sehr verschieden reagierende Produkte abgebaut werden müssen: Stickstoffoxide (Kurzz. NO$_x$), Kohlenwasserstoffe (Kurzz. HC) u. Kohlenmonoxid (CO). Der Wirkungsgrad (s. Abb. Dreiwege-Katalysator) für den Abbau dieser Stoffe hängt von dem sog. λ-Wert ab; hierunter versteht man das Verhältnis des Gesamt-Sauerstoffs zu der Sauerstoff-Menge, die zur vollständigen Verbrennung des Luft/Kraftstoffgemischs im Zylinder benötigt wird. Beim einfachsten, nicht geregelten Konzept (Abb. 1a) wird ein multifunktioneller K. eingesetzt, der HC u. CO einigermaßen, NO$_x$ aber weniger abbaut u. somit die max. möglichen Umsatzzahlen nicht erreicht. Dieses Syst. wird z. Z. in Altfahrzeugen nachgerüstet u. genügt für die bedingt schadstoffarme Klassifizierung in der BRD.

Beim *Doppelbett-K.* (Abb. 1b) sind ein Red.- u. ein Oxid-K. hintereinander geschaltet. Im ersten K. wird bei Luftunterschuß NO$_x$ reduziert u. im zweiten werden bei Zugabe von Sekundärluft HC u. CO entfernt. Beim reinen Oxid.-K. (Abb. 1c) wird von vornherein dem Abgas Luft beigemischt, wodurch CO u. CH weitgehend abgebaut, aber NO$_x$ nicht entfernt wird. Der Magermotor (Abb. 1d) arbeitet mit einem starken Luftüberschuß

von $\lambda = 1,6-1,8$, weshalb er geringere Mengen NO$_x$ erzeugt als herkömmliche Motoren. Mit einem Oxid.-K. werden die Schadstoffe HC u. CO aufoxidiert. Die beste Abgasreinigung wird mit dem geregelten Dreiwege-K. (Abb. 1e) erreicht, der alle drei Schadstoffkomponenten abbaut. Um den geforderten hohen Wirkungsgrad zu erreichen, muß dem Abgas eine entsprechende Luftmenge beigemischt werden. Durch eine sog. *Lambdasonde* wird direkt vor dem K. elektrochem. der Sauerstoff-Anteil im Abgas bestimmt u. dementsprechend die elektron. Einspritzanlage gesteuert.

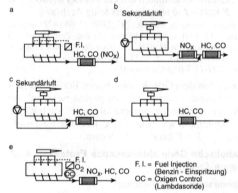

Abb. 1: Verschiedene Konzepte für die Autoabgasreinigung (nach *Lit.*[1]).

Die Wirkungsweise der Platin-Oberfläche zur Oxid. von CO wurde in den letzten Jahren unter Einsatz von Raster-Tunnel-Mikroskopen u. a. *Oberflächenanalyse-Methoden intensiv untersucht. CO wird an der Oberfläche nicht-dissoziativ adsorbiert (Abb. 2a). Der Haftkoeff. ist nahezu 1, nimmt aber mit wachsendem Bedeckungsgrad ab. Bei Raumtemp. ist die Verweilzeit an der Oberfläche prakt. unendlich, bei 150 °C ~1 s u. bei 400 °C ~10^{-4} s. O$_2$ wird zunächst mol. adsorbiert, wobei eine Peroxo-artige Verb. entsteht, bei der die Mol.-Achse parallel zur Oberfläche steht (Abb. 2b); anschließend erfolgt die Dissoziation des O$_2$-Moleküls. Die bei diesem Prozeß freiwerdende Adsorptionsenergie $E_{ad} = 2,6$ eV $\triangleq 250$ kJ/mol ergibt sich aus der aufzuwendenden Dissoziationsenergie der O–O-Bindung ($E_{Dis} = 5,2$ eV $\triangleq 502$ kJ/mol) u. der freiwerdenden Bindungsenergie pro O-Atom an der Katalysatoroberfläche ($E_{M-O} = 3,9$ eV $\triangleq 376$ kJ/mol).

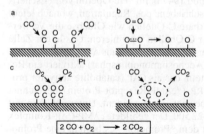

Abb. 2: Adsorption von CO u. O$_2$ an einer Platin-Oberfläche zur Bildung von CO$_2$ (*Lit.*[2]).

Die Sauerstoff-Atome benötigen für die Adsorption Platz für mehrere unbesetzte Oberflächen-Atome; deshalb ist die Sättigungsbelegung für Sauerstoff schnell erreicht. Die Belegung erlaubt zusätzliche Adsorption von CO zwischen den O-Atomen. Umgekehrt wirkt eine CO-Schicht abweisend auf eine O_2-Adsorption (Abb. 2 c).

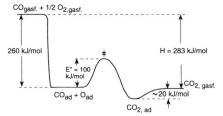

Abb. 3: Energiebilanz der Reaktion $CO_{ad} + O_{ad} \rightarrow CO_2$ (Lit.[2]).

Wie in Abb. 3 dargestellt, ist die Aktivierungsenergie für $CO_{ad} + O_{ad} \rightarrow CO_{2,ad}$ mit $E'' = 100$ kJ/mol wesentlich kleiner als die Rekombinationsenergie von zwei O_{ad}-Teilchen zu O_2 (250 kJ/mol). Das gebildete CO_2 hat nur eine sehr schwache Wechselwirkung mit der Oberfläche u. verläßt diese nach sehr kurzer Zeit (Abb. 2 d); s. a. Dreiweg-Katalysator. – *E* catalysts, converter – *F* catalyseurs – *I* catalizzatori – *S* catalizadores

Lit.: [1] Engler u. Brand, Katalysatoren für den Umweltschutz, Hanau: Firma Degussa 1986; Luftreinhaltung (Juni) **1988**, 22. [2] Wissenschaftsmagazin TU Berlin **12**, 28 (1989). *allg.:* Kirk-Othmer (4.) **5**, 383–460 ▪ Phys. Unserer Zeit **18**, 137 (1987) ▪ s. a. Katalyse.

Katalysatorgift. Stoffe, die die Oberfläche eines Katalysators belegen u. dadurch temporär od. permanent seine Wirkung mindern od. auch gänzlich ausschalten (*Kontaktgifte). Ein *Beisp.* für eine temporäre (reversible) Vergiftung des Auto-Abgaskatalysators (s. Katalysator) ist die geschlossene Belegung der Platin-Oberfläche mit CO-Mol., wodurch keine O_2-Mol. an der Oberfläche adsorbiert werden können. Durch Heizen auf 400 °C wird die Verweildauer von CO-Mol. auf 10^{-4} s verkürzt, so daß sich stets freie Stellen für O_2-Mol. bilden. Blei dagegen geht mit Platin eine chem. Verb., die durch zumutbare Temp. nicht aufgebrochen werden kann. Deshalb führt Blei zu einer bleibenden Vergiftung eines Platin-Katalysators, s. Katalyse. – *E* catalyst poison – *F* poison catalytique, inhibiteur – *I* veleno del catalizzatore – *S* veneno del catalizador

Katalyse. Von griech. katálysis = Auflösung, Umsturz hergeleitete Bez. für die Beeinflussung der Geschw. einer chem. Reaktion durch die Ggw. eines Stoffes (des *Katalysators), der die Reaktion scheinbar unverändert übersteht. Der Katalysator tritt in der Brutto-Reaktionsgleichung nicht auf. Die Wirkungsweise eines Katalysators läßt sich wie folgt zusammenfassen: Die Zusammensetzung des Katalysators bleibt während der Reaktion scheinbar unverändert. Oft genügt bereits eine kleine Menge, um die Umsetzung einer großen Menge der reagierenden Substanz zu beeinflussen. Eine Reaktion, welche thermodynam. nicht möglich ist, kann auch durch einen Katalysator nicht ausgelöst werden; er kann lediglich die *Reaktionsgeschwindigkeit od. besser die Geschw., mit der sich ein *chemisches Gleichgewicht einstellt, beeinflussen. Die Beeinflussung der chem. Reaktionsgeschw. erfolgt im allg. durch die Veränderung der Energie eines mol.

Syst. entlang der Reaktionskoordinate, s. Abb. 1. Bei der homogenen Reaktion verläuft die Umsetzung über einen aktivierten Zustand od. bei zusammengesetzten Reaktionen über mehrere Zwischenstufen. Bei der katalysierten Reaktion bilden sich durch die Einwirkung des Katalysators verschiedene Zwischenstufen mit verschiedenen Energieniveaus aus (bei einer heterogen katalysierten Reaktion adsorbierte Edukte, Kat.-A, adsorbierte Produkte Kat.-AB). Der Katalysator verändert den Mechanismus der Reaktion durch die Bildung energieärmerer aktivierter Zwischenstufen. Durch die Veränderung der Energie des Syst. entlang der Reaktionskoordinate resultiert eine niedrigere over-all Aktivierungsenergie als bei der nicht-katalysierten Reaktion u. die Reaktionsgeschw. der Reaktion wird erhöht.

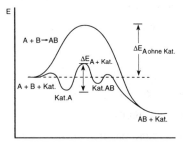

Abb. 1: Potentielle Energie (E) entlang der Reaktionskoordinate bei unkatalysierter bzw. katalysierter Reaktion der Teilchen A u. B zu AB. ΔE_A = Aktivierungsenergie; Kat. = Katalysator.

Als Beisp. sei der Zerfall von H_2O_2 angeführt: Für den Zerfall in wäss. Lsg. beträgt die scheinbare Aktivierungsenergie 75,4 kJ/mol, jedoch in Ggw. von Platin-Sol als Katalysator nur 49 kJ/mol u. in Ggw. von Katalase nur 23 kJ/mol.

Der gelegentlich gebrauchte Begriff *Antikatalyse* od. *neg. K.* bezeichnet entsprechend der obigen Definition von K. die Erniedrigung der Reaktionsgeschw. einer chem. Reaktion durch die Ggw. eines Stoffes, der durch die Reaktion nicht verändert wird.

Bei der *Autokatalyse wird der Katalysator durch die Reaktion gebildet, z. B. bei der Esterhydrolyse die entstehende Säure. Begriffe wie Pseudo-, Autokatalyse, intramol. K., K.-Gifte, Physi- u. Chemisorption, Aktivitätszentrum, Substrat u. dgl. wurden von der IUPAC verschiedentlich definiert (*Lit.*[1]; bezüglich aller Aspekte der Theorie u. Terminologie der K. s. *Lit.*[2]). Können Edukte auf unterschiedlichen Reaktionswegen zu unterschiedlichen Produkten reagieren, so besteht durch die Verw. eines geeigneten Katalysators die Möglichkeit, den Weg der Reaktion, d. h. deren Produktselektivität zu beeinflussen. *Beisp.:* Bei der Reaktion eines CO/H_2-Gemisches in Ggw. von Ni erhält man Methan, an Co- od. Fe-Katalysatoren bilden sich Kohlenwasserstoffe u. an Zn/Cr- od. Cu/Cr-Katalysatoren Methanol (s. *Lit.*[3]).

Im folgenden werden verschiedene Aspekte der K. diskutiert.

Man unterscheidet zwischen homogener u. heterogener Katalyse. Bei der *homogenen K.* gehört der Katalysator der gleichen Phase an wie das Reaktionssyst. (z. B. flüssiger Katalysator in flüssiger Reaktionsmischung gelöst); bei der *heterogenen K.* liegt der Katalysator im allg. als Feststoff vor, d. h. die Reaktanden (flüssig od. gasf.) u. der Katalysator sind einander berührende, jedoch verschiedene Phasen.

Anw.: In den Tab. 1 u. 2 sind einige Beisp. für homogen u. heterogen katalysierte Reaktionen, die von techn. Bedeutung sind, zusammengestellt; weitere Beisp. s. *Lit.*[4–8].

Katalysatoren aller Art spielen in biolog. Syst. (als sog. *Biokatalysatoren,* insbes. die *Enzyme) u. in der Technik eine außerordentlich wichtige Rolle. Viele Katalysatoren (bes. die Enzyme) wirken selektiv, d. h., auf bestimmte Stoffe od. Reaktionen. Diese Eigenschaft der Biokatalysatoren macht sich die *Biotechnologie zunutze, wobei die in den letzten Jahren ent-

wickelten Meth. der Immobilisierung (Näheres s. dort u. bei Enzymen) die Durchführung heterogener K. mit Biokatalysatoren selbst in großtechn. Umfang ermöglicht haben. Techn. Katalysatoren in der anorgan. u. organ. industriellen Chemie sind oft sehr vielseitig: So kann man z. B. mit fein verteiltem Platin (Platin-Asbest, Platin-Mohr) Wasserstoffperoxid zersetzen, Wasserstoff verbrennen, Ammoniak oxidieren, cycl. Kohlenwasserstoffe dehydrieren, Schwefeldioxid in Schwefeltrioxid überführen. Die Entwicklung neuer Katalysatoren ist u. U. sehr aufwendig. So wurden beispielsweise bei der Suche nach *Antiklopfmitteln rund 30000 u. bei der Entwicklung des Haber-Bosch-Verf. ~20000 verschiedene Katalysatoren erprobt (zur Entwicklung der Ammoniak-Synth. s. *Lit.*[9]).

Untersuchungsmeth.: Bei der heterogenen K. erfolgt die Reaktion an der (inneren) Oberfläche des Katalysators. Hierbei werden die Edukte durch *Adsorption* (Chemisorption od. Physisorption) an der Katalysatoroberfläche in einen aktiven Zustand versetzt. Einen tieferen Einblick in Struktur u. Wirkungsweise von Katalysatoren gewinnt man heute mit einer Vielzahl von physikal.-chem. Untersuchungsmeth. zur Adsorption/Desorption von Gasen, zur mikroskop., mol. od. elektron. Struktur der inneren Oberflächen, z. B. Quecksilber-Porosimetrie, Titrationsmeth. mit spezif. Indikatoren, Elektronenmikroskopie, Röntgenstrukturanalyse, ESR-, NMR-, IR-, Raman- u. Mößbauer-Spektroskopie sowie speziell für die *Oberflächenchemie entwickelte spektroskop. Techniken wie ESCA,

Tab. 1: Homogen katalysierte Verfahren.

Reaktion	Katalysator	Bedingungen	
		T [°C]	p [MPa]
Oxid. von *p*-Xylol zu Terephthalsäure	Co/Mn-Salze + Bromid	100–180	0,1–1
Oxid. von Ethylen zu Acetaldehyd	$PdCl_2/CuCl_2$	100	0,3
Oxo-Synth. (Aldehyde aus Olefinen	$[CoH(CO)_4]$	110–180	20–35
Polymerisation von Ethylen	$TiCl_4/Al(C_2H_5)_3$	70–160	0,2–2,5
Polymerisation von Olefinen	Metallocene	80–120	0,1–0,5

Tab. 2: Heterogen katalysierte Verfahren.

Reaktion	Katalysator	Bedingungen	
		T [°C]	p [MPa]
Oxid. von			
– SO_2 zu SO_3	V_2O_5/Träger	400–500	0,1
– NH_3 zu NO	Pt/Rh-Netze	ca. 900	0,1
– Ethylen zu Ethylenoxid	Ag/Träger+Promotoren	200–250	1–2,2
– Propen zu Aceton	SnO_2/MoO_3	100–300	0,1
– Buten zu Maleinsäureanhydrid	V_2O_5/Träger	400–450	0,1
– *o*-Xylol zu Phthalsäureanhydrid	V_2O_5/Träger	400–450	0,1
Dehydrierung von			
– Ethylbenzol zu Styrol	Fe_3O_4	500–600	0,1
– Isopropanol zu Aceton	ZnO	350–430	0,1
– Butan zu Butadien	Cr_2O_3/Al_2O_3	500–600	0,1
Hydrierung von			
– Estern zu Alkoholen	Cu/Cr	200–300	25–50
– Aldehyden zu Alkoholen	Cu, Pt	100–150	<30
Fetthärtung	Ni	150–200	0,5–2
Synth. von			
– Methanol	CuO/Cr_2O_3	230–280	6
– Ammoniak	Fe_2O_3/Al_2O_3	450–500	25–40
Ammon-Oxid. von			
– Methan zu Blausäure	Pt/Rh	800–1400	0,1
– Propen zu Acrylnitril	$Bi_2O_3/MoO_3/P_2O_5$	400–450	0,1–0,3
Raffinerieverf.			
Cracken von Dest.-Rückstand (Erdöldest.)	Zeolithe	500–550	5–75
Dehydrosulfurierung	Ni/W- od. Co/Mo-Sulfid/Al_2O_3	350–450	2–50
Isomerisierung von Paraffinen sowie von *m*-Xylol zu *o/p*-Xylol	Pt/Al_2O_3	400–500	2–4
Entalkylierung von Toluol zu Benzol	MoO_3/Al_2O_3	500–600	2–4
Disproportionierung von Toluol zu Benzol/Xylolen	Pt/Al_2O_3	420–550	0,5–3
Dampfspaltung von Erdgas od. Benzin	Ni/Al_2O_3	750–950	3–3,5
Abgasreinigung katalyt. Red. von Stickstoffoxid	V_2O_5/Al_2O_3	350–400	0,1

Elektronenbeugung (LEED), Elektronen- u. Ionen-strahl-Mikroanalyse, Ionen-Neutralisations-, Ionen-streu-, Auger- (AES) u. energiedispersive Röntgen-Spektroskopie (EDX) u. a., s. a. die entsprechenden Stichworte. Mit Hilfe dieser Meth. lassen sich u. a. Aussagen machen zu chem. Zusammensetzung, Oxidationsstufen, Säure/Base-Eigenschaften, Struktur adsorbierter Spezies, Oberfläche, Porenstruktur, Porenradien, Porenvol., Partikelgröße u. ggf. die Verteilung (Dispersion) einer katalyt. aktiven Komponente z. B. auf einem Träger.

Katalyt. Aktivierung: Der *Chemisorption der Reaktanden an der Katalysatoroberfläche wird eine bes. Bedeutung zugemessen. Die an der Oberfläche befindlichen aktiven Zentren sind vermutlich auf freie Valenzen od. Elektronendefekte im Festkörper zurückzuführen, durch welche die Bindung innerhalb adsorbierter Mol. so stark gelockert wird, daß leicht eine Folgereaktion ablaufen kann. In diesem Zusammenhang sei auf die katalyt. Aktivierung von CO, O_2 u. N_2 (Ammoniak-Synth. nach Haber-Bosch) hingewiesen[10,11].

Bei dem an Metallen adsorbierten Wasserstoff wurde gezeigt, daß er in Form von freien Protonen vorliegt; damit wäre die katalyt. Wirkung einiger Metalle bei Hydrierreaktionen zu erklären.

Da es sich bei heterogen katalysierten Reaktionen überwiegend um Redox-Reaktionen handelt, ist die katalyt. Aktivierung meist von einem Elektronenübergang vom Katalysator zum adsorbierten Mol. od. umgekehrt begleitet. Als ein nützliches mechanist. Konzept sei in diesem Zusammenhang die Elektronen-Transfer-K.[12] erwähnt. So erklärt sich die katalyt. Wirkung der Elemente der 8. Gruppe, durch unbesetzte Elektronenzustände in der zweitäußersten Elektronenschale, die von Elektronen aus solchen Mol. besetzt werden können, die leicht Elektronen abgeben (z. B. H_2). Ebenso erklären läßt sich die katalyt. Wirkung einiger Oxide der Übergangsmetalle; z. B. beruht die Wirkung des V_2O_5 in verschiedenen Oxid.-Prozessen (z. B. Oxid. von SO_2 zu SO_3) auf einem steten Valenzwechsel vom 5- zum 3-wertigen Vanadiumoxid, bewirkt durch einen dauernden Elektronenübergang zwischen Katalysator u. adsorbierten Molekülen. Zu Oxid.-Reaktionen in Ggw. von Vanadium-Katalysatoren sowie deren Charakterisierung mit Hilfe verschiedener spektroskop. Meth. s. Lit.[13].

Bei heterogen katalysierten Reaktionen ohne Redoxvorgänge, z. B. Isomerisierungsreaktionen, Veresterungen etc., ist für die Aktivierung die Brønsted- od. Lewis-Acidität des Katalysators maßgeblich.

Diffusion u. chem. Reaktion: Bei heterogen katalysierten Reaktionen liegt der Katalysator in der Regel als unterschiedlich geformter Festkörper mit großer innerer Oberfläche vor. *Beisp.:*

- Ammoniak-Synth.: Die aktive Phase, α-Eisen, ist auf einem Träger aus Al_2O_3 aufgebracht. Der Katalysator hat die Form von Kugeln, Körnern od. Zylindern (Pellets).
- Oxid. von SO_2: Die aktive Phase ist V_2O_5, Träger ist TiO_2. Der Katalysator liegt ebenfalls in Form von Kugeln, Körnern od. Pellets vor.
- Red. von Stickstoffoxid mit Ammoniak: Die aktive Phase ist V_2O_5, Träger ist meist ein Monolith aus Keramik.

Der Katalysator in der zur Anw. kommenden Form wird im Reaktor durch das zur Umsetzung kommende Stoffgemisch umströmt. Die katalysierte Reaktion läuft an der inneren Oberfläche des Katalysators ab. Die große innere Oberfläche des Katalysators wird durch ein Gefüge aus Makro- u. Mikroporen dargestellt (s. Abb. 2), das sich bei der Herst. der Verwendungsform (Kugeln, Körnern, Pellets) des Katalysators ergibt. Um an die innere Oberfläche zu gelangen, müssen die Edukte vom Gasraum an diese transportiert werden. Der Gesamtablauf der Reaktion setzt sich demnach aus mehreren Einzelschritten zusammen. Dies ist schemat. für eine heterogen katalysierte Reaktion $A \rightarrow P$ in der Abb. 2 angegeben.

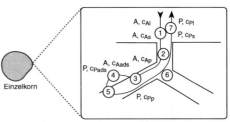

Abb. 2: Schemat. Darst. des Gesamtablaufs einer heterogen katalysierten chem. Reaktion an einem Katalysator in Kornform (Erklärung s. Text).

Die einzelnen Teilschritte lassen sich wie folgt einteilen:

1. Transport der Edukte aus der Strömung des Fluids zur äußeren Oberfläche des Katalysators.
2. Transport der Edukte durch Diffusion in das innere Porengefüge des Katalysators.
3. Adsorption od. Wechselwirkung der Edukte mit katalyt. aktiven Stellen auf der inneren Oberfläche.
4. Oberflächenreaktion zwischen adsorbierten od. wechselwirkenden Edukten zu adsorbierten Produkten.
5. Desorption der Produkte.
6. Transport der Produkte aus dem inneren Porengefüge an die äußere Oberfläche.
7. Transport der Produkte von der äußeren Oberfläche in die Strömung des Fluids.

Die Konz. der Reaktanden ändern sich in den Schritten 1. bis 7. von c_{Al} zu c_{Pl}.

Eine heterogen katalysierte Reaktion läßt sich also als eine Kombination von hintereinander u. simultan ablaufenden Einzelprozessen darstellen. Diese Einzelprozesse haben unterschiedlichen Charakter (Transportprozesse, Grenzflächenprozesse, chem. Reaktionen) u. können für den Gesamtablauf der heterogen katalysierten Reaktion jeweils geschwindigkeitsbestimmend sein. Durch die Diffusionsvorgänge bei heterogen katalysierten Reaktionen spielt die Porösität u. Porenstruktur (innere Oberfläche) der Katalysatoren eine entscheidende Rolle. Die Diffusionsgeschw. einzelner Edukte in das Katalysatorinnere können z. B. durch die Porengröße u. -form beeinflußt werden (Formselektivität von Zeolithen, wenn z. B. große Mol. nicht durch die Fenster der Mikrokäfige in diese diffundieren können, gezielte Veränderung der Mikroporen eines Katalysators durch CVD-Prozesse, pore-size engineering).

Aufgrund möglicher Diffusionsvorgänge sind gemessene Reaktionsgeschw. u. daraus berechnete Geschw.-Koeff. als effektive Größen zu bezeichnen, die auch mögliche Einflüsse von Diffusionsvorgängen beinhalten. Man unterscheidet in diesem Zusammenhang zwischen Mikro- u. Makrokinetik; der Begriff Mikrokinetik ist im Gegensatz zur Makrokinetik nur dann anwendbar, wenn oben geschilderte Stofftransportvorgänge vernachlässigt werden können. Zur Bestimmung kinet. Kenngrößen mit Hilfe von Mikroreaktoren s. Lit.[14]; zu allg. Gesichtspunkten der Kinetik techn. K.-Prozesse bzw. zu einem allg. Überblick über alle Aspekte der heterogenen K. s. Lit.[15,16].

Zusammensetzung von Katalysatoren: Die meisten techn. Katalysatoren sind Misch- od. Mehrstoffkatalysatoren, d. h., neben der katalyt. wirksamen Substanz enthalten sie noch weitere Zusätze. Bei solchen Zusätzen kann es sich beispielsweise um sog. Promotoren handeln, welche die Katalysatorwirkung verstärken (z. B. K_2O als Promotor eines Eisenoxid/Al_2O_3-Katalysators bei der Ammoniak-Synth.). Zusätze können auch als oberflächenreiche Trägersubstanz wirken, auf die eine katalyt. wirksame Schicht aufgebracht wird (Trägerkatalysatoren) od. sie verhindern eine Sinterung mit einer damit verbundenen Verkleinerung der Oberfläche (strukturelle Verstärker).

Im Falle der Trägerkatalysatoren sei angemerkt, daß man nicht generell zwischen der Funktion des Trägers u. der des katalyt. aktiven Materials unterscheiden kann. In bestimmten Fällen muß man Wechselwirkungen zwischen dem Träger u. der katalyt. wirksamen Komponente berücksichtigen; man spricht dann von metal-support interaction. Geeignete Katalysatorträger sind: Aktivkohle, Kieselgur, Bentonite, Kaolin, Kieselgel, Bimsstein, Alumosilicate od. Aluminiumoxid. Letzteres kann auch für sich allein katalyt. wirksam sein. Zur Herst. keram. Trägermassen sowie heterogener Katalysatoren s. Lit.[17,18]. Da die *Acidität von Katalysatoroberflächen eine Rolle spielen kann, z. B. bei Isomerisierungsreaktionen, eignen sich für manche K.-Prozesse Ionenaustauscher u. bes. Zeolithe.

Reaktoren: In der Technik werden heterogen katalysierte Reaktionen vornehmlich in den Syst. fest/flüssig u. fest/gasf. durchgeführt. Im ersten Fall benutzt man Rieselreaktoren, ggf. Rühr- od. Schüttelautoklaven od. Rührkessel, um einen innigen Kontakt von Katalysator u. den reagierenden Komponenten zu erreichen. Im Fall gasf. Reaktanden kann dieser in Röhrenöfen, Hordenöfen u. ä. Festbett-Vorrichtungen fest eingebaut sein, od. er befindet sich als Fließbett-Katalysator im Umlauf (*Wirbelschicht- od. Staubfließverf.). Zur Ermittlung kinet. Daten, aus denen sich im Hinblick auf reaktionstechn. Fragestellungen Informationen über den Reaktionsablauf ableiten lassen, werden Laborreaktoren unterschiedlicher Bauart u. Betriebsweise verwendet[19].

Desaktivierung/Regenerierung: Bestimmte Stoffe können die Wirkung eines Katalysators abschwächen, indem sie z. B. durch bevorzugte Adsorption die Oberfläche blockieren. Solche Stoffe können Edukte od. Produkte selbst sein, z. B. NH_3 od. SO_3 bei der katalysierten Ammoniak-Synth. od. Schwefelsäure-Synth., od. nicht an der Reaktion beteiligte Stoffe, die eine reversible od. irreversible Vergiftung des Katalysators bewirken. Solche Katalysatorgifte sind z. B. CO,

Schwefel- u. Arsen-Verb., teerartige Ablagerungen (sog. Fouling) bei Crackprozessen u. a. Verunreinigungen. Diese Substanzen müssen vor Einsatz eines Katalysators aus dem Reaktionsgemisch entfernt werden. Die Entfernung der Katalysatorgifte gelingt nicht immer vollständig; neben anderen Ursachen ist dies der Grund für die in vielen Prozessen zu beobachtende allmähliche *Desaktivierung des Katalysators. In manchen Fällen kann der Katalysator wieder regeneriert werden; hier kommen spezielle Verf. zur Anw., zur Desaktivierung u. Regenerierung von Katalysatoren s. Lit.[20–23]

Homogene K./Untersuchungsmeth.: Bei der homogenen K. befindet sich der Katalysator in derselben Phase wie das Substrat, z. B. mit dem Reaktionspartner gemeinsam in einer Flüssigkeit od. als Gas unter Gasen. Zur Untersuchung homogen katalysierter Reaktionen durch gaschromatograph. od. spektroskop. Meth. s. z. B. Lit.[24,25]

Bedeutung der homogenen K.: Obwohl die homogene K. viel jünger ist als die heterogene, hat sie sich in der industriellen Chemie dank hoher Selektivitäten einiger Reaktionen einen festen Platz erobert. Eine der ältesten u. in der Technik mit hohen Produktionskapazitäten angewandte homogen katalysierte Reaktion ist die Hydroformylierung od. Oxo-Synth., wobei Olefine u. CO zu Aldehyden umgesetzt werden[26]. Bes. Aufmerksamkeit haben für die homogene K. die Komplexe der *Übergangsmetalle – z. B. deren *Carbonyl...-, π-*Allyl...- u. *Aromaten-Komplexe – gefunden; in vielen Publikationen wird das Synth.-Potential der *Metall-organischen Verbindungen in der homogenen K. beleuchtet[27,28]. Einen Nachteil der homogenen K. – die Abtrennung des Katalysators aus dem Reaktionsgemisch ist oft mühsam – versucht man durch Bindung des Katalysators an Polymere (*Immobilisierung) zu überwinden; die Aktivität des Katalysators kann jedoch durch diese „Heterogenisierung" herabgesetzt werden; zur K. an Polymeren s. Lit.[29]. Weitere neuere Entwicklungen sind die *Phasentransfer-Katalyse – der Phasentransferkatalysator ermöglicht einem Reaktanden des wäss./organ. Syst., in die Phase des anderen Reaktanden zu wechseln – und deren Weiterentwicklung als Dreiphasen-K.[30] od. die K. in starken elektr. Feldern[31].

Verw.: Angesichts der Vielfalt der katalyt. Prozesse muß eine Aufstellung hier notwendigerweise lückenhaft bleiben. Bei einer Einteilung kann entweder die Natur des Katalysators od. die Art des katalysierten Prozesses zugrundegelegt werden. Nach dem ersten Gesichtspunkt wäre eine Einteilung gemäß Tab. 3 auf S. 2097 sinnvoll.

Metalle, bei denen leicht Wertigkeitsänderungen auftreten (Cr, W, V, Fe, Mo, Cu, Ag, Hg, Co, Ni, Pb, Mn usw.), eignen sich in Form von Komplexen bes. zur homogenen K., als Cluster-Verb. zur bes. selektiv verlaufenden „heterogenisierten K.", in Form ihrer Salze, Oxide bes. als Katalysatoren in der heterogenen K. zu einer Vielzahl techn. Prozesse (s. Tab. 2, S. 2094; zur selektiven Wirkung von Leg. vgl. Lit.[32]). Bes. Bedeutung sowohl für die homogene als auch die heterogene K. haben die Edel-, insbes. die Platin-Metalle, auch in Form von Komplexen od. Clustern[33].

Tab. 3: Eigenschaften u. Anw. von Katalysatoren.

Katalysatortyp	katalysierte Reaktion
Säuren (Protonen, Lewis-Säuren)	– Aufnahme u. Abspaltung von – Ester- u. Ether-Bildung – Isomerisierung – Polymerisation
Basen (Hydroxid-Ionen)	– Polymerisation – Kondensation
Kationentauscher	– Acetal-Bildung – Ester-Bildung u. -Spaltung – Kohlenhydrat-Spaltung
Anionentauscher	– Aldol-Addition – Knoevenagel-Kondensation
Radikale	– Halogenierung – Polymerisation

Geht man von der Art des katalysierten, großtechn. durchgeführten Prozesses aus, so kommt man zu folgender Übersicht (s. a. Tab. 2, S. 2094).

Tab. 4: Katalysierte Reaktionen; gegliedert nach dem Typ der Reaktion.

Reaktionstyp u. Beisp.

Oxid.
– Schwefeldioxid zu Schwefeltrioxid
– Schwefelwasserstoff zu Schwefel
– Ammoniak zu Stickoxiden
– Naphthalin zu Phthalsäureanhydrid
– Buten zu Maleinsäureanhydrid
– Ethylen zu Ethylenoxid
– CO zu CO_2

Oxygenierung
– Kohlenwasserstoffe zu Alkoholen, Carbonyl-Verb. u. Carbonsäuren

Red.
– Fischer-Tropsch-Synth.
– CO zu Methan od. Methanol
– SO_2-haltige Röstgase zu Schwefel

Hydrierung/Dehydrierung
– ungesätt. Verb. in gesätt. u. umgekehrt (wichtige Verfahrensschritte in der Petrochemie, wobei CrO_3/Al_2O_3- od. MoO_3/Al_2O_3 oder bifunktionelle Katalysatoren mit Co/Mo, Pt, Pd, Cu, W/Ni auf Al_2O_3/SiO_2 zur Verw. gelangen; s. a. Benzin, Kracken u. Petrochemie[6,34]
– Carbonyl-Verb. zu Alkoholen

Halogenierung
– durch PCl_3, $AlCl_3$, Phosphor- u. Schwefeloxidhalide od. Peroxide katalysierte Einführung von Halogenen in gesätt. u. ungesätt. Kohlenwasserstoffe

Kondensationen
– Phenoplaste aus Phenol und Formaldehyd (bas. Katalysatoren)
– Addition von Alkoholen an Acetylen (Ggw. von Alkalien)
– Harnstoff-Harze durch Kondensation von Harnstoff und Formaldehyd (Ggw. von Säuren)

Spaltung/Eliminierung
– Acrylsäure aus 3-Chlorpropionsäure unter Abspaltung von HCl (in Ggw. von Aktivkohle)
– katalyt. *Kracken[35]

andere Synth.
– *Metathese von Olefinen in Ggw. von WO_3/SiO_2- od. MoO_3/SiO_2-Katalysatoren
– Ammoniak-Synth. an $Fe_2O_3/Al_2O_3/K_2O/CaO$-Mischkatalysatoren (*Haber-Bosch-Verfahren)
– Oxo-Synth. mit homogenen Co-, Rh- od. Ru-Katalysatoren
– Ammonoxid. von Propen zu Acrylnitril mit Bi/Mo-Katalysatoren

Auch zahlreiche Polymerisationsreaktionen verlaufen in Ggw. von Katalysatoren. Die meisten Polymerisations-Katalysatoren zerfallen zunächst, nehmen an der Reaktion teil u. werden dabei verbraucht od. teilw. in veränderter Zusammensetzung zurückgelassen. Treffendere Bez. sind „Starter", „*Initiatoren", doch haben sich diese Termini nur vereinzelt od. im Zusammenhang mit *Vernetzungs-Reaktionen (s. a. Härter) durchgesetzt. In der Polymerisationstechnik versteht man unter Initiatoren solche Verb., die leicht Radikale bilden u. sich in dieser Form an Doppelbindungen der Monomeren unter Bildung neuer Radikale anlagern, die ihrerseits mit weiteren monomeren Mol. unter laufendem Aneinanderreihen schließlich ein Kettenmol. bilden, ferner solche, die das Monomer durch Anlagerung anion. od. kation. polarisieren u. anlagerungsfähig für andere Monomere machen. Auch Ziegler-Natta-Katalysatoren (Trialkylaluminium-$TiCl_4$; Herst. von Niederdruck-Polyethylen) sind Initiatoren; Näheres s. bei Polymerisationen.

Analyt. Anw.: Aus der *Aktivator- od. *Inhibitor-Rolle von Katalysatoren ergibt sich in Analogie zur *enzymatischen Analyse die Möglichkeit, sowohl Spuren derartiger Katalysatoren als auch Reaktanden speziell katalysierter Prozesse nachzuweisen; die Anw. der K. in der *Spurenanalyse u. *Maßanalyse wird gelegentlich Katalymetrie genannt.

Geschichte: Die erste K. wurde wohl von H. Davy 1816 beobachtet bei der Reaktion zwischen Luft u. H_2 od. Kohlenwasserstoffen, die durch einen Platin-Draht bewirkt wurde. 1823 brachte Döbereiner H_2-Gas durch Platin-Pulver zur Entzündung. Die Bez. K. wurde von *Berzelius geprägt (1835). Schon vorher (1833) hatte Eilhard *Mitscherlich die Bez. *Kontakte* vorgeschlagen, um damit anzudeuten, daß diese Stoffe lediglich durch ihre Anwesenheit, durch „Berührung" chem. Reaktionen beeinflussen. Wilhelm *Ostwald gab am Ende des vorigen Jh. die bei Katalysatoren angegebene, noch heute gültige Definition. Um 1900 wurde von der BASF (Knietsch) erstmals Schwefelsäure (*Kontaktverf.*) hergestellt. Weitere großtechn. durchgeführte katalyt. Prozesse sind z. B. die Fetthärtung (Normann, 1901), die NH_3-Oxid. (Ostwald, 1906), das Haber-Bosch-Verf. (1908), die Fischer-Tropsch-Synth. (1925), die Reppe-Synth. mit Acetylen u. CO, die Oxo-Synth. (Roelen, 1938), die Niederdruck-Polymerisation von Olefinen (Ziegler u. Natta, 1953) u. a. Aufschlußreich sind in diesem Zusammenhang auch einige Beiträge zur Entwicklung von Katalysatoren bzw. der industriellen Katalyse[36–38]. – *E* catalysis – *F* catalyse – *I* catalisi – *S* catálisis

Lit.: [1]Pure Appl. Chem. **46**, 71–90 (1976); **53**, 753–771 (1981). [2]Adv. Catal. **26**, 351–392 (1977). [3]Winnacker-Küchler (3.) **3**, 349 ff. [4]Spektrum Wiss. **1997**, Nr. 2, 82. [5]Elias, Polymere, Heidelberg: Hüthig u. Wepf 1996. [6]Weissermel-Arpe (4.). [7]Keim, Behr u. Schmitt, Grundlagen der Industriellen Chemie, Frankfurt: Otto Salle 1986. [8]Ertl, Knözinger u. Weitkamp (Hrsg.), Handbook of Heterogeneous Catalysis, Bd. 1–5, Weinheim: VCH Verlagsges. 1997. [9]Catal. Sci. Technol. **1**, 1–50 (1985). [10]Catal. Sci. Technol. **1**, 87–158 (1981); **3**, 39–138, 139–198 (1982). [11]Spektrum Wiss. **1997**, Nr. 2, 82–85. [12]Angew. Chem. **94**, 27–49 (1982). [13]Catalysis: A Specialist Periodical Report **7**, 105–124 (1985). [14]Chem.-Tech. (Heidelberg) **4**, 443–448 (1975). [15]Adv. Catal. **28**, 173–291 (1979). [16]Chem.-Ztg. **101**, 325–342 (1977). [17]He-

gedus, Catalyst Design, Progress and Perspectives, New York: Wiley 1987. [18] Trimm, Design of Industrial Catalysts, Amsterdam: Elsevier 1980. [19] Catal. Sci. Technol. **8**, 173–226 (1987). [20] Catal. Sci. Technol. **6**, 1–64 (1984). [21] Hegedus u. McCabe, Chemical Industries, Vol. 17, Catalyst Poisoning, New York: Dekker 1985. [22] Delmon u. Froment, Catalyst Deactivation, Amsterdam: Elsevier 1980. [23] Oudar u. Wise, Chemical Industries, Vol. 20, Deactivation and Poisoning of Catalysts, New York: Dekker 1985. [24] Z. Chem. **18**, 393–399 (1978). [25] Chem.-Ztg. **106**, 335 ff. (1982). [26] Falbe, New Synthesis with Carbon Monoxide, S. 1–225, Berlin: Springer 1980. [27] Chem. Unserer Zeit **14**, 177–183 (1980); **15**, 37–45 (1981). [28] Chem.-Tech. (Heidelberg) **4**, 433–437 (1975). [29] Angew. Chem. **90**, 691–704 (1978). [30] Angew. Chem. **91**, 464–472 (1979). [31] Nachr. Chem. Tech. Lab. **27**, 327 f. (1979). [32] Chem. Rev. **75**, 291–305 (1975). [33] Chem.-Tech. (Heidelberg) **10**, 1271–1280 (1981). [34] Kirk-Othmer (3.) **17**, 183–271. [35] Angew. Chem. **83**, 185–194 (1971). [36] Zur Entwicklung der Katalyse, Berlin: Akademie 1981. [37] Catal. Sci. Technol. **1**, 1–41 (1981). [38] Chem. Tech. (Leipzig) **32**, 169–173 (1980).
allg.: Bell u. Hegedus, Catalysis under Transient Conditions (ACS Symp. Series 178), Washington: ACS 1982 ▪ Bond, Heterogeneous Catalysis, Principles and Applications, Oxford: Univ. Press 1987 ▪ Bonnelle et al., Surface Properties and Catalysis by Non-Metals, Dordrecht: Reidel 1983 ▪ Campbell, Catalysis at Surfaces, London: Chapman & Hall 1988 ▪ Chaloner, Coordination Catalysis in Organic Chemistry, London: Butterworth 1983 ▪ Delmon et al., Preparation of Catalysts, (4 Bd.), Amsterdam: Elsevier 1976–1987 ▪ Ertl, Knözinger u. Weitkamp, Handbook of Heterogeneous Catalysis, Bd. 1–5, Weinheim: VCH Verlagsges. 1997 ▪ Hagen, Technische Katalyse, Weinheim: VCH Verlagsges. 1996 ▪ Imelik et al., Metal-Support and Metal-Additive Effects in Catalysis, Amsterdam: Elsevier 1982 ▪ King u. Woodruff, The Chemical Physics of Solid Surfaces and Heterogeneous Catalysis (5 Bd.), Amsterdam: Elsevier 1981–1985 ▪ Öhlmann, Katalyse – ein Hauptweg chemischer Stoffumwandlung, Berlin: Akademie 1981 ▪ Selectivity in Homogeneous Catalysis (Disc. Faraday Soc. 72), London: Royal Soc. Chem. 1982 ▪ Somorjai, Introduction to Surface Chemistry and Catalysis, New York: John Wiley u. Sons 1994 ▪ Storks, Liotta u. Halpern, Phase Transfer Catalysis, New York: Chapman & Hall 1994 ▪ Thomas u. Thomas, Principle and Practise of Heterogeneous Catalysis, Weinheim: VCH Verlagsges. 1997 ▪ Ugo, Asepects of Homogeneous Catalysis (4 Bd.), Dordrecht: Reidel 1971–1981 ▪ Ullmann (4.) **3**, 465–518; **13**, 517–570; **18**, 720 f. ▪ Winnacker-Küchler (3.) **1**, 28 f.; **3**, 243 f.; **6**, 542 f.; **7**, 261 ff. – *Zeitschriften u. Serien:* Advances in Catalysis and Related Subjects, New York: Academic Press (seit 1948) ▪ Applied Catalysis, Amsterdam: Elsevier (seit 1981) ▪ Catalysis, London: Royal Soc. Chem. (seit 1976) ▪ Catalysis Reviews, New York: Dekker (seit 1967) ▪ Catalysts in Chemistry, Braintree: Chandler Ltd. (seit 1977) ▪ Journal of Catalysis, New York: Academic Press (seit 1962) ▪ Journal of Molecular Catalysis, Lausanne: Elsevier Sequoia (seit 1975) ▪ Journal of the Research Institute for Catalysis, Sapporo: Res. Inst. for Catalysis Hokkaido Univ. (seit 1981) ▪ Reaction Kinetics and Catalysis Letters, Budapest: Akadémiai Kiadó ▪ Studies in Surface Science and Catalysis, Amsterdam: Elsevier (seit 1979). – *Institute:* s. ACHEMA Jahrb. **1994**.

Katalyse-Institut für angewandte Umweltforschung. Das 1978 gegründete Inst. mit Sitz in 50937 Köln, Marsiliusstraße 11, ist eines der ältesten Umweltinst. der BRD. Der Name Katalyse versinnbildlicht den Anspruch, Vorgänge zu beschleunigen od. in eine andere Richtung zu lenken. Die zunächst eng definierten Zielsetzungen des Inst. haben sich zunehmend in Richtung ganzheitlicher Betrachtungsweisen u. sozial-ökolog. Gesamtkonzepte verlagert. Die gegenwärtigen Arbeitsschwerpunkte sind: Bauökologie, Ressourcen, Umweltmanagement sowie Umwelt u. Verbraucherpolitik. Das Katalyse-Inst. unterstützt als

Beratungsinst. Privatpersonen, Unternehmen, Verbände u. Behörden. – INTERNET-Adresse: http://www. umwelt.de/katalyse

Katalytische Antikörper s. Abzyme.

Katalytische Hydrierung s. Hydrierung.

Katalytische RNA s. Ribozyme.

Katalytische Triade s. Serin-Proteasen.

Kataphorese. Selten verwendete Bez. für die Wanderung pos. geladener Teilchen zur *Kathode bei der *Elektrophorese; Gegenteil: *Anaphorese.*
In der Medizin versteht man unter K. das Einbringen von geladenen Partikeln in den Organismus unter dem Einfluß elektr. Felder; *Beisp.:* K. von Arzneimitteln durch die Haut. – *E* cataphoresis – *F* cataphorèse – *I* cataforesi – *S* cataforesis

Katapinate. Von Simmons[1] 1967 geprägte, von griech.: katapinein = verschlingen abgeleitete Bez. für *Molekülverbindungen von Katapinanden, als *Ionophore wirksamen Stickstoff-haltige bicycl. Verbindungen, die z.B. Chlorid-Anionen einschließen können; z.B.:

Von größerer Bedeutung als die K. sind die verwandten *Kryptate. – *E* = *F* catapinates – *I* catapinati – *S* catapinatos
Lit.: [1] J. Am. Chem. Soc. **90**, 2429–2432 (1968). *allg.:* Top. Curr. Chem. **98**, 107 (1981) ▪ s.a. Kronenverbindungen.

Kataplasma (griech. für Aufgestrichenes). Heiß angewandter Breiumschlag mit wärmespeichernden Stoffen (z.B. Kartoffelbrei, Leinsamen, Heublumen) gegen Magen- u. Darmkoliken, Rheumatismus usw. – *E* cataplasm – *F* cataplasme – *I* = *S* cataplasma

Katapleit. $Na_2Zr[Si_3O_9] \cdot 2H_2O$, zu den Cyclo-*Silicaten gehörendes Mineral, krist., bei 20 °C monoklin (pseudohexagonal), oberhalb von 139 °C hexagonal, Ersatz $2Na \leftrightarrow Ca$ bis hin zu $CaZr[Si_3O_9] \cdot 2H_2O$; chem. Analysen zeigen u.a. Gehalte an Al, Ti, Fe, Nb u. Seltenen Erden. Tafelige sechsseitige Krist., oft zu Rosetten gruppiert; farblos, z.T. wasserklar durchsichtig (z.B. von Mount Saint Hilaire/Kanada[1]), grau, Natrium-reiche Abarten blau, Calcium-reiche blaßgelb bis rotbraun; H. 5–6, D. 2,8.
Vork.: Bes. in *Nephelinsyeniten u. zugehörigen *Pegmatiten, oft als Umwandlungsprodukt von *Eudialyt. *Beisp.:* Norra Kärr/Schweden, Südgrönland, Arkansas/USA, Kola-Halbinsel/Rußland. – *E* = *I* catapleite – *F* catapléite – *S* catapleíta
Lit.: [1] Z. Dtsch. Gemmol. Ges. **40**, 197 ff. (1991). *allg.:* Anthony et al., Handbook of Mineralogy, Vol. II, Tl. 1, S. 117, Tucson (Arizona): Mineral Data Publishing 1995 ▪ Deer, Howie u. Zussman, Rock-Forming Minerals (2.), Bd. 1 B, Disilicates and Ring Silicates, S. 364–371, London: Longmans Scientific & Technical 1986 ▪ Ramdohr-Strunz, S. 704. – *[CAS 19511-19-4]*

Katarakt s. Auge u. Linsen.

Katarakton®. Augentropfen mit *Kaliumiodid gegen Linsen- u. Glaskörpertrübungen. *B.:* Ursapharm.

Kataster. Ursprünglich latein. capitastrum = Kopfsteuerverzeichnis, Liste der Steuerpflichtigen, heute Bez. im Vermessungswesen; ein K. ist das amtliche Verzeichnis aller zu einer bestimmten Verwaltungseinheit gehörenden Grundstücke; vgl. Immissionskataster u. Emissionskataster. – *E* land register – *F* cadastre – *I* catasto – *S* catastro
Lit.: Klöpfer, Umweltrecht, München: Beck 1989.

Katchalski-Katzir, Ephraim (geb. 1916), Prof. (emeritiert) für Biophysik, Tel-Aviv Univ. u. Weizmann Inst., Rehovoth, Israel, Staatspräsident 1973–1978. *Arbeitsgebiete:* Protein-Struktur u. -Funktion, Enzyme, Polypeptide, Poly-α-aminosäuren.
Lit.: Nachmansohn, S. 334 f., 354 ff.

Katchalsky-Katzir, Aharon (1913–1972), Prof. für Physik. Chemie, Weizmann Inst., Rehovoth, Israel. *Arbeitsgebiete:* Elektrochemie von Polyelektrolyten u. Biokolloiden, Umwandlung von chem. in mechan. Energie bei synthet. Polymeren (Modell für Muskelarbeit), Permeabilität von biolog. Membranen, Mechanochemie, Nichtgleichgew.-Thermodynamik.
Lit.: Annu. Rev. Biophys. Bioeng. 2, 1–6 (1973) ▪ Eisenberg et al., Aharon Katzir Memorial Volume (Biomembranes 7), New York: Plenum 1975 ▪ Nachmansohn, S. 233 f., 342 ▪ Nachr. Chem. Tech. Lab. 20, 247 f. (1972).

Katergole s. Raketentreibstoffe.

Katharobien (Katharobionten). Bewohner von Reinwasser bzw. von Gewässern, die arm an organ. Nährstoffen sind; Gegensatz: *Saprobien.

Kathepsine. Intrazelluläre Enzyme (Zusammenstellung s. Tab.) aus der Gruppe der *Proteasen (Peptidhydrolasen), die vorwiegend in *Lysosomen vorkommen, bes. reichlich in Milz, Leber u. Niere.

Tab.: Zusammenstellung der Kathepsine.

	EC-Nr.	Enzym	essentieller Amino-säure-Rest	pH-Optimum
Exopeptidasen	3.4.14.1	Dipeptidylpeptidase I, K. C, K. J	Cystein	sauer
	3.4.16.5	Carboxypeptidase C, K. A	Serin	sauer
	3.4.18.1	lysosomale Carboxypeptidase B, K. B$_2$, K. IV	Cystein	sauer
Endopeptidasen	3.4.21.20	K. G	Serin	neutral
	3.4.22.1	K. B., K. B$_1$	Cystein	4–6
	3.4.22.15	K. L	Cystein	neutral
	3.4.22.16	K. H, K. B$_3$ K. Ba	Cystein	neutral
	3.4.22.24	C. T	Cystein	sauer
	3.4.22.27	K. S	Cystein	sauer
	3.4.22.38	K. K, K. O, K. X	Cystein	sauer
	3.4.23.5.	K. D	Aspartat	sauer
	3.4.23.34	K. E	Aspartat	sauer

Die K. sollen sowohl bei intakten Zellen an der intrazellulären *Verdauung nicht mehr funktionsfähiger Zellorganellen (*Autophagie*), als auch – nach Austritt aus den Lysosomen – an der Selbstverdauung abgestorbener Zellen (*Autolyse) beteiligt u. auf diese

Weise für das Zartwerden von *Fleisch geschlachteter Tiere verantwortlich sein. Von Tumorzellen abgegebene od. an die Zellmembran gebundene K. werden für die Invasivität metastasierender Zellen verantwortlich gemacht. K. C wird bei der Sequenzanalyse von Oligopeptiden eingesetzt. – *E* cathepsins – *F* cathepsines – *I* catepsine – *S* catepsinas

Kathode. Von griech.: kathodos = abwärts führender Weg abgeleitete Bez. für die neg. geladene *Elektrode (*Minuspol*), durch die der neg. Strom in den Elektrolyten *aus*tritt (in die der pos. Strom aus dem Elektrolyten *ein*tritt). Beim Stromdurchgang wandern die *Kationen an die K. u. werden dort entladen, wobei ggf. *kathodische Reduktion u. a. Prozesse stattfinden. In der Technik für K. häufig verwendete Werkstoffe sind die Edelmetalle, Eisen, Kupfer, Zink, Aluminium, Blei, Cadmium, Titan u. Graphit. – *E* = *F* cathode – *I* catodo – *S* cátodo
Lit.: s. Elektrochemie u. Elektroden.

Kathodenstrahlen. In Gasentladungsröhren (s. Gasentladung u. Glimmentladung) auftretende Teilchenstrahlen, die zuerst 1859 von Plücker beschrieben wurden. Ihren Namen erhielten sie, weil man sie hinter der mit einem Loch versehenen *Anode beobachten kann u. sie von der *Kathode auszugehen scheinen (s. die Abb.); tatsächlich werden sie jedoch im Gasvol. erzeugt.

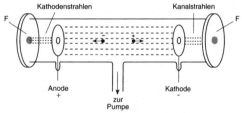

Abb.: Gasentladungsröhre, mit der Kathoden- u. Kanalstrahlen erzeugt werden. Der Nachw. erfolgt mit Hilfe von Fluoreszenzschirmen (F). Zwischen Anode u. Kathode liegt eine Spannung von mehreren tausend Volt.

1897 konnte Sir J. J. *Thomson (Lord Rayleigh) zeigen, daß die K. aus *Elektronen bestehen. Neben den K. treten in der Gasentladungsröhre auch sog. *Kanalstrahlen* auf, die 1886 von Goldstein entdeckt wurden u. 1900 von *Wien als pos. geladene *Ionen interpretiert wurden. – *E* cathode rays – *F* rayons cathodiques – *I* raggi catodici – *S* rayos catódicos
Lit.: Haken u. Wolf, Atom- u. Quantenphysik, 6. Aufl., Berlin: Springer 1996.

Kathodenzerstäubung. Bez. für die unerwünschte Zerstörung der *Kathode durch Aufprall pos. geladener Teilchen. Andererseits ist die K. als gelenkter Prozeß ein techn. Verf. zur Herst. von Metallüberzügen durch Zerstäubung des Überzugsmetalls im Vak. (*Aufdampfen), wobei Metall-Ionen von der Kathode austreten u. sich auf dem zu überziehenden Bauteil als Atome niederschlagen (s. Ionenpumpe u. Sputtering). Das Verf. der K. steht in Analogie zur *Ionenzerstäubung* od. *Ionenplattierung*, vgl. Ionenimplantation. Eine analyt. Anw. findet die K. in der *Atomabsorptionsspektroskopie. – *E* cathode sputtering – *F* pulvérisation cathodique – *I* polverizzazione catodica – *S* pulverización catódica

Lit.: Kirk-Othmer **13**, 279; (3.) **15**, 266 f. ▪ s. a. Ionenimplantation.

Kathodische Dimerisation s. kathodische Reduktion.

Kathodische Reduktion. Allg. der an der *Kathode eines Elektrolysekreises verlaufende Prozeß der Abgabe von Elektronen an Ionen od. Atome, die dadurch reduziert werden. Somit fallen hierunter alle elektrolyt. Abscheidungen von Metallen aus wäss. Lsg. od. Schmelzen ihrer Salze (*Beisp.:* Techn. Gewinnung von Aluminium). Bei der k. R. von ungeladenen Substanzen in wäss. Lsg. ist fast immer eine merkliche *Überspannung notwendig: Schwer reduzierbare Stoffe, wie z. B. die Ketone od. Oxime, können nur an Metallen reduziert werden, an denen der Wasserstoff eine erhebliche Überspannung zeigt (z. B. Blei, Cadmium, Quecksilber usw.), während z. B. die leichter reduzierbare Nitro-Gruppe bereits an Platin-, Kupfer- od. Nickel-Elektroden reduziert wird. Die Reaktion dürfte allg. nach dem folgenden Schema verlaufen (R = ungeladene Substanz):

$$R \xrightarrow{+\,e^-} R^- \xrightarrow{+\,H_3O^+} R-H + H_2O$$

wobei intermediär *Radikalionen u./od. *Radikale entstehen (*Lit.*[1]); das Gegenteil der k. R. ist die *anodische Oxidation. Bekanntestes Beisp. für die k. R. von organ. Substanzen ist die Red. des Nitrobenzols zu Anilin. Techn. Anw. finden auch kathod. *Dimerisation u. *Dihydrodimerisation („Hydrodimerisation") von der Art

$$\text{Acrylnitril} \xrightarrow{2\,H} \text{Adipinsäuredinitril,}$$

vgl. den Überblick in *Lit.*[1]. Mit Vorteil kann die k. R. zur Abspaltung von *Schutzgruppen eingesetzt werden (*Lit.*[2]). – *E* cathodic reduction – *F* réduction cathodique – *I* riduzione catodica – *S* reducción catódica
Lit.: [1] Angew. Chem. **84**, 798–819 (1972); **93**, 978–1000 (1981); **94**, 275–289 (1982). [2] Atkins, Physikalische Chemie, S. 970, Weinheim: VCH Verlagsges. 1996.
allg.: s. Elektrochemie, Reduktion.

Kathodischer Korrosionsschutz. Nach DIN 50900 Tl. 2 (01/1984) ein *Korrosionsschutz-Verf., „bei dem der zu schützende Werkstoff zur *Kathode gemacht wird, u. zwar durch galvan. *Anoden, Fremdstromanlagen, Streustromableitung od. -absaugung". Techn. geht man so vor, daß man im Erdreich befindliche od. von Wasser umgebene Bauteile aus Eisen u. Stahl (z. B. Rohre) mit auswechselbaren Anoden leitend verbindet. Von der sog. *Opfer-, Aktiv-* od. *Schutzanode* aus einer Zn- od. Mg-Leg. (z. B. 91 % Mg, 6 % Al, 3 % Zn), die den Pluspol einer natürlichen elektrolyt. Zelle bildet, fließt ein Strom zur Kathode (dem zu schützenden Eisen- od. Stahlgegenstand) u. verhindert dessen *Korrosion. Die Anode verzehrt sich unter Abgabe des Schutzstroms allmählich u. muß dann ersetzt werden. Der k. K. beruht darauf, daß durch einen Polarisationsstrom das Korrosionspotential des zu schützenden Bauteils in Richtung auf das Gleichgewichtspotential der Metallauflsg. verschoben wird. Beim Erreichen des Gleichgew.-Potentials kommt die Korrosionsreaktion zum Stillstand. Der nötige Strom kann aus der elektrolyt. Zelle (Werkstoff/Anode) direkt gebildet od. als Fremdstrom (Gleichstrom) zugeführt werden, wobei man an den Minuspol der Gleich-

stromquelle die Eisen- bzw. Stahlkonstruktion, an den Pluspol dagegen Anoden aus Eisen u. Graphit od. Gußeisen mit 15 % Si anschließt. Der k. K. mit Mg-Anoden hat sich z. B. bewährt beim Außenschutz von Schiffswänden, Bojen, Eisen-Konstruktionen unter Meer- u. Süßwassereinfluß, beim Schutz vor Erdbodenkorrosion bei Rohrleitungen, Lagertanks, Eisen-Fundamenten, Kabeln u. in den letzten Jahren zunehmend auch zum Innenschutz von Behältern u. Rohrleitungen in Chemieanlagen. – *E* cathodic protection – *F* protection cathodique – *I* protezione catodica contro la corrosione – *S* protección catódica
Lit.: von Baeckmann u. Schwenk, Handbuch des kathodischen Korrosionsschutzes, Weinheim: VCH Verlagsges. 1989 ▪ Experience of Cathodic Protection in Steam and Process Plant, Eastbourne: Holt-Saunders 1979 ▪ Miedtank, Kathodischer Korrosionsschutz, Stuttgart: IRB 1985 ▪ Ullmann (5.) **B 1**, 8–52 ▪ s. a. Korrosion.

Kathon®. Sortiment von *Fungiziden, *Bakteriziden u. *Algiziden auf der Basis von 5-Chlor-2-methyl-, 2-Methyl- od. 2-Octylisothiazol-3-on, die aufgrund ihrer bakteriziden Eigenschaften in der Kosmetik (K. CG) od. als Schleimbekämpfungsmittel für Kühlwasser u. die Papier-Ind., zur Konservierung von Schneidölen, wäss. Emulsionen u. dgl., im Holzschutz etc. Verw. finden können. *B.:* Rohm & Haas.

Kationaktive Pflegestoffe s. Haarbehandlung.

Kationaktive Textilhilfsmittel. *Kationtenside, z. B. *quartäre Ammonium-Verbindungen od. *Invertseifen sowie Acylalkylolamine (*N*-Acyl-substituierte Aminoalkohole). Verw. als Druckerei- u. Färbereihilfsmittel sowie als Avivagemittel. – *E* cationic textile auxiliaries – *F* auxiliaires textiles cationiques – *I* ausiliari tessili cationici – *S* auxiliares textiles catiónicos
Lit.: s. Tenside, Kationtenside.

Kationen. Sammelbez. für pos. geladene *Ionen, die z. B. in wäss. Lsg. unter dem Einfluß des elektr. Stroms in einer Elektrolysezelle zur *Kathode wandern. Zu den anorg. K. gehören v. a. die freien Metall- u. die Ammonium-Ionen, von denen viele von makrocycl. Antibiotika, *Kronenethern, *Kryptanden u. a. – deshalb als *Ionophore bezeichneten – Verb. komplex gebunden werden; auf dieser Eigenschaft basieren verschiedene Trenn- u. Analysemethoden. Bezüglich des *Ausflockungs-Vermögens von K. für lyophile Kolloide s. Hofmeistersche Reihen. In der organ. Chemie werden die K. mit einer pos. Ladung am Stickstoff-Atom Ammonium-, Iminium-, Pyridinium- etc. Ionen genannt, diejenigen mit pos. geladenem Kohlenstoff-Atom Carbenium- u. Carbonium-Ionen (als Sammelbez. hat sich *Carbokationen eingebürgert), diejenigen mit pos. Ladung am Sauerstoff-Atom Carboxonium-Ionen. Gemeinsam ist den nach IUPAC-Regeln C-82/83 gebildeten systemat. Namen der meisten organ. K. die Endung …*onium* (s. Onium-Verbindungen), zumindest aber …*ium*; *Beisp.:* Sulfonium, Oxonium, Iodonium, Diazonium, Methanium, Acetylium (vgl. …*ylium*). Ein „Paradebeisp." unter den Carbo-K. ist das – im allg. als nichtklassisches Ion formulierte – Norbornyl-K. (*Lit.*[1]). Formal entstehen K. aus elektr. neutralen Stoffen durch *elektrolytische Dissoziation

(Abspaltung von *Anionen, z. B. *Hydroxid-Ionen) od. durch Abgabe von Elektronen (*Oxidation); aus organ. Verb. entstehen hierbei oft *Radikal-Kationen*. Die Hauptmenge der in einer Gasentladung gebildeten sowie alle im Weltall entdeckten mol. Ionen sind pos. geladen u. somit Kationen. – *E* = *F* cations – *I* cationi – *S* cationes

Lit.: [1] Angew. Chem. **94**, 87–96 (1982).
allg.: Buncel u. Lee, Isotopes in Cationic Reactions, Amsterdam: Elsevier 1980 ▪ Kirk-Othmer (4.) **4**, 937; **7**, 358; **8**, 674, 755 ▪ s. a. Carbenium-Ionen, Carbokationen u. Ionen.

Kationenaustauscher s. Ionenaustauscher.

Kationische Farbstoffe. Bez. für *Farbstoffe, deren Amino-Gruppen (die auch substituiert sein können) nicht frei, sondern mit in die *Resonanz einbezogen sind (Ausbildung der Ammonium-Gruppe). Es handelt sich hauptsächlich um Xanthen-, Azin-, Oxazin-, Thiazin-, Methin- sowie Di- u. Triarylmethan-Farbstoffe, die in Form von Salzen (z. B. Chloriden) vorliegen; *Beisp.:* Chrysoidin, *Fuchsin, *Methylenblau, *Methylviolett, *Rhodamin, *Safranin, *Kristallviolett, *Viktoriablau, *Gentianaviolett u. der erste synthet. Teer-Farbstoff (das Mauvein von Perkin, 1856). Die k. F. werden gelegentlich auch als *bas. Farbstoffe* od. gar *Farbbasen* bezeichnet, obwohl diese Bez. besser auf die nicht wasserlösl. Farbstoffe mit freien, also nicht quaternisierten NH₂-Gruppen passen.
Verw.: Zum Färben von Polyacrylnitril-Fasern u. anion. modifizierten Polyester-Fasern, zur Herst. von Flexodruckfarben, Kugelschreiberpasten, Stempelfarben u. zum Färben von Leder u. Papier (insbes. in Form von Farblacken mit Molybdo- u. Wolframophosphorsäure); einige der oben erwähnten k. F. werden in der Medizin eingesetzt. – *E* cationic dyes – *F* colorants cationiques – *I* coloranti cationici – *S* colorantes catiónicos
Lit.: Ullmann (4.) **13**, 571–580; (5.) A **5**, 369 ▪ Winnacker-Küchler (3.) **4**, 396 ff. ▪ Z. Chem. **18**, 223 (1978). – [HS 3204 13]

Kationische Polymerisation. Die k. P. ist eine *ionische Polymerisation, die über sich vielfach wiederholende Anlagerungsschritte von *Monomer-Mol. hinreichend hoher Nucleophilie an ein pos. geladenes, elektrophiles Kettenende verläuft. Die wachsenden Makrokationen können Carbokationen od. Onium-Ionen sein. Die k. P. von Isobutylen verläuft z. B. nach folgendem Mechanismus:

Abb.: Kation. Polymerisation von Isobutylen.

Allg. lassen sich mittels k. P. drei Gruppen von Monomeren polymerisieren: 1. Elektronenreiche Olefin-Derivate mit elektronenreichen Substituenten R; – 2. heteronucleare Mehrfachbindungen mit Heteroatomen od. Heterogruppierungen Z u. – 3. Ringe mit Heteroatomen Z (z. B. O, S, N, P).
Beisp. für zur k. P. geeigneten Monomeren sind bestimmte Olefine, Vinylether, Vinylarene (Styrol) sowie spezielle heterocycl. Verb. wie Ether, Thioether, Ester u. Acetale. Geeignete Initiatoren sind u. a. Brönsted-Säuren (Perchlor-, Trifluormethansulfonsäure), Lewis-Säuren (Bortrifluorid, Aluminiumtrifluorid; ggf. zusammen

Abb.: Monomere für die kation. Polymerisation.

mit Wasser od. Chlorwasserstoff) bzw. Kombinationen von (Ar)alkylhalogeniden mit Lewis-Säuren. In Spezialfällen, z. B. bei der mit Iod/Iodwasserstoff initiierten *Polymerisation von Vinylethern, kann die k. P. auch als *lebende Polymerisation verlaufen. – *E* cationic polymerization – *F* polymérisation cationique – *I* polimerizzazione cationica – *S* polimerización catiónica
Lit.: Compr. Polym. Sci. **3**, 579–860 ▪ Elias (5.) **1**, 392 ▪ Odian (3.), S. 358.

Kationisches Eosinophilen-Protein (Abk. ECP von *E* eosinophil cationic protein). Bas. *Protein aus den Granula (innerzellulären Körnchen) der eosinophilen Granulocyten (s. Leukocyten), das an Kontaktstellen zu Zielzellen freigesetzt wird, bei diesen die Membran schädigt u. zur *Cytolyse führt. Konz.-Bestimmungen des ECP im *Serum geben Auskunft über die Aktivität der Eosinophilen u. über den Zustand von *Entzündungen wie z. B. *Asthma. – *E* eosinophil cationic protein – *F* protéine cationique des éosinophiles – *I* proteina cationica eosinofilica – *S* proteína catiónica de eosinofiles
Lit.: Ann. Allergy Asthma Immunol. **78**, 394–398 (1997).

Kationische Stärken. Als k. S. werden *Stärke-Derivate, vorwiegend *Stärkeether, bezeichnet, die aus der in Ggw. von Alkali durchgeführten Umsetzung von *Stärke mit Reagenzien resultieren, die tert. Amino- od. quartäre Ammonium-Gruppen enthalten. Gängige Veretherungsmittel sind (2-Chlorethyl)diethylamin (**1**), (2,3-Epoxypropyl)diethylamin (**2**), (3-Chlorpropyl)trimethylammoniumchlorid (**3a**), (3-Chlor-2-hydroxypropyl)trimethylammoniumchlorid (**3b**), (2,3-Epoxypropyl)trimethylammoniumchlorid (**3c**) u. (4-Chlor-2-butenyl)trimethylammoniumchlorid (**3d**):

K. S. werden im techn. Maßstab auch durch Einwirkung von Cyanamiden auf Stärke hergestellt:

(St = Stärke-Rest; R = H, CH₃, C₂H₅)
Abb.: Herst. von kation. Stärke.

Die kation. Gruppen beeinflussen das Verkleisterungsverhalten der Stärke sehr stark; schon bei Substitutionsgraden von ca. 0,1 – 0,2 sind k. S. kaltwasserlöslich. Aufgrund ihrer pos. Ladungen besitzen diese Stärke-Derivate hohe Affinität gegenüber anion. modifizierten Substraten. Sie werden in großen Mengen eingesetzt u. a. als Flockungsmittel für Pigmente, als Hilfsmittel bei der Papierherst., bei der Textilherst. u. beim Textildruck. – *E* cationic starches – *F* amidons cationiques – *I* amidi cationici – *S* almidones catiónicos
Lit.: Houben-Weyl **E 20**, 2138 – 2147 ▪ Tegge, Stärke u. Stärkederivate, S. 188 f., Hamburg: Behr's 1984.

Kationseifen s. Kationtenside, Invertseifen.

Kationtenside (kation. Tenside, Kationics). Grenzflächenaktive Verb. aus einem – ggf. substituierten – Kohlenwasserstoff-Gerüst mit einer od. mehreren kation. Kopfgruppen, die in wäss. Lsg. dissoziieren, an Grenzflächen adsorbieren u. oberhalb der kritischen Micellbildungskonzentration zu pos. geladenen *Micellen aggregieren. Beisp. für K. sind quartäre Ammoniumsalze mit einem od. zwei hydrophoben Alkyl-Resten (kation. Kopfgruppe: –N$^+$) u. quartäre Phosphonium- od. tertiäre Sulfonium-Salze. Die Onium-Struktur kann auch Bestandteil eines Rings sein, z. B. in Imidazolinium- od. *N*-Alkylpyridinium-Salzen. K. entstehen weiterhin durch Protonierung von prim. Fettaminen od. Fettamin-*N*-oxiden. Quartäre Ammoniumsalze mit einem hydrophoben Rest, z. B. Dodecylbenzylammoniumchlorid, sind Biozide, solche mit zwei hydrophoben Gruppen, die zusätzlich eine Esterbindung aufweisen (*Esterquats), *Weichspüler-Wirkstoffe. K. finden des weiteren Einsatz als *Antistatika, bei der Haarkonditionierung, als Korrosionsinhibitoren u. als Flotationshilfsmittel. Zur Anw. der K. vgl. *Lit.*[1], zum biolog. Abbau, zur Toxikologie u. Dermatologie *Lit.*[2], zur Analytik *Lit.*[2,3]. – *E* cationic surfactants – *F* tensides cationiques, cationics – *I* tensioattivi cationici – *S* tensioactivos catiónicos
Lit.: [1] Falbe, Surfactants in Consumer Products, Berlin: Springer 1987. [2] Cross u. Singer, Cationic Surfactants: Analytical and Biological Evaluation, New York: Dekker 1996. [3] Schmitt, Analysis of Surfactants, New York: Dekker 1992. *allg.:* Kosswig u. Stache, Die Tenside, München: Hanser 1993 ▪ Richmond, Cationic Surfactants: Organic Chemistry, New York: Dekker 1990 ▪ Rubingh u. Holland, Cationic Surfactants: Physical Chemistry, New York: Dekker 1991 ▪ Tenside Surf. Det. **34**, 178 – 182 (1997) ▪ Ullmann (5.) **A 25**, 793 ff.

Katkracken s. Kracken.

Katoit s. Granate.

Katox®. Von Krupp entwickeltes Verf. zur Reinigung von anorgan. u. organ. Abwässern durch Oxid. mit Luft-Sauerstoff in Ggw. von Katalysatoren (z. B. imprägnierte Aktivkohle). Die Anlage ist kombinierbar mit einer Fällungsstufe [z. B. Calciumsulfat, Eisen(II)-sulfat u. Flockungsmittel] u. einer biolog. Stufe; sie eignet sich zum *Klären von sog. schwierigen Abwässern der Textil-, Leder- u. Zellstoff-Industrie.
Lit.: Chem. Rundsch. **33**, Nr. 13, 13 (1980) ▪ Chem. Tech. **12**, 47 f. (1983).

Kattun s. Nessel.

Katz, Sir Bernard (geb. 1911), Prof. (emeritiert) für Biophysik, Univ. College, London. *Arbeitsgebiete:*

Neurobiologie, Rolle der Transmitter-Mol. u. deren Aktivierung bei der Erregungsübertragung im Nervensyst.; Nobelpreis für Physiologie od. Medizin 1970 (mit *Axelrod u. von *Euler).
Lit.: Lexikon der Naturwissenschaftler, S. 238 ▪ Nachr. Chem. Tech. Lab. **18**, 441 f. (1970) ▪ Naturwiss. Rundsch. **23**, 530 (1970) ▪ Neufeldt, S. 142, 376, 382 ▪ Pötsch, S. 230 ▪ The International Who's Who (16.), S. 803.

Katzenauge. 1. *Chrysoberyll-K.* (Echtes K., Edles K., Cymophan): Bez. für eine als Edelstein geschliffene, durch zahlreiche parallel angeordnete feinnadelige Einschlüsse undurchsichtige Abart von *Chrysoberyll; Vork. in Brasilien u. Sri Lanka/Ceylon.
2. *Quarz-K.* (Unechtes K.): Als Schmuckstein geschätzter grünlichgrauer, gelber od. brauner undurchsichtiger *Quarz von Hof in Bayern, Treseburg im Harz u. Indien. Quarz-K. enthält parallel angeordnete faserige Einschlüsse von Aktinolith, das dunkelblaue *Falkenauge* solche von *Krokydolith; dieser erscheint beim *Tigerauge* durch Oxid. des Eisens gelblich bis braun. Rund od. oval als Cabochons (*Edelsteine u. Schmucksteine) geschliffene K. zeigen die sog. *Chatoyance*, das ist das wogende Wandern eines an die Pupille einer Katze erinnernden Lichtbandes im Stein bei Bewegung des K. im Schein einer Punktlichtquelle (vgl. Asterismus).
3. *Techn. K.:* Bez. für geformte Kunststoffkörper, die derart – z. T. als Sammellinsen od. Tripelprisma – profiliert sind, daß auffallendes Licht parallel zur Einfallsrichtung reflektiert wird. – *E* cat's eye – *F* oeil-de-chat – *I* crisoberillo, occhio di gatto – *S* ojo de gato
Lit.: s. Edelsteine u. Schmucksteine.

Katzengold. Goldgelb glänzender *Glimmer als Verwitterungsprodukt von Biotit.

Katzenstreu s. Sepiolith.

Katzir s. Katchalski-Katzir u. Katchalsky-Katzir.

Katzschmann-Verfahren s. Dimethylterephthalat.

Kauffmann, Thomas (geb. 1924), Prof. (emeritiert) für Organ. Chemie, Univ. Münster. *Arbeitsgebiete:* Metallorgan. Reagenzien für die organ. Synth., Vielelektronenliganden, 1,3-anion. Cycloadditionen, Polyhetarene u. Protophane, Kupplungsreaktionen via Kupfer-Organyle, Hetarine, Natriumhydrazid als Hydrazinierungs-Reagenz.
Lit.: Kürschner (16.), S. 1718 ▪ Nachr. Chem. Tech. Lab. **42**, Nr. 10, 1052 (1994) ▪ Wer ist wer (35.), S. 709.

Kaufmann, Hans Paul (1889 – 1971), Prof. für Pharmazeut. Chemie, Univ. Münster. *Arbeitsgebiete:* Fette u. Öle, Arzneimittelsynth., Rhodan-Zahl u. a. Themen der Fettchemie u. -analytik.

Kaugummi. Nach den Begriffsbestimmungen für Zuckerwaren u. verwandte Erzeugnisse besteht K. zu mind. 18% aus einer wasserunlösl., unverdaulichen, beim Kauen plast. werdenden Kaumasse (K.-Base) sowie aus Zuckerarten, Zuckeralkoholen (ggf. *Süßstoffen), Aromen u. a. Geruch- u. Geschmack- od. Konsistenz-gebenden Lebensmitteln. Der erste K. wurde bereits 1860 hergestellt. Bei den für die Herst. der Kaubase verwendeten, natürlich vorkommenden Konsistenz-gebenden Stoffen handelt es sich um gereinigte Pflanzenexsudate wie z. B. Chicle Jelutong od. Leche di Caspi. Auch Kautschuk natürlicher Herkunft in Form von Latex, Crepe od. Sheets wird zur Herst. von K. verwendet. Da die natürlichen Erzeugnisse mengenmäßig nicht genügend zur Verfügung stehen, werden synthet. Thermoplaste eingesetzt. Es handelt sich dabei um künstliche Polymere wie z.B. *Polyvinylether [Poly(ethyl- od. Poly(isobutylvinylether)] od. *Polyisobutene. Um die Kaueigenschaften der K.-Base zu verbessern, werden natürliche u. synthet. Weichmacher zugesetzt. Daneben dürfen K. nach Maßgabe der Kaugummi-VO eine Reihe weiterer Zusatzstoffe, so z.B. Aluminiumoxid, Kieselsäure u. Cellulose als Füllmittel zugesetzt werden. Der Anteil solcher Füllstoffe darf 38% nicht übersteigen. Auch Feuchthaltemittel, Antioxidantien, Emulgatoren usw. sind zur Herst. einer guten Kaubase nötig. Saccharose ist Gew.-mäßig der Hauptrohstoff eines K., da ihr Anteil ungefähr bei 50–60% liegt. Der Pro-Kopf-Verbrauch an K. lag in den ersten 9 Monaten des Jahres 1995 bei 0,24 kg. Als *Tabakentwöhnungsmittel angebotenes K. enthält geringe Mengen an *Nicotin. – *E* chewing gum – *F* gomme à mâcher – *I* gomma da masticare – *S* goma de mascar, chicle

Lit.: Bund für Lebensmittelrecht u. Lebensmittelkunde (Hrsg.), Begriffsbestimmungen u. Verkehrsregeln für Zuckerwaren u. verwandte Erzeugnisse, Hamburg: Behrs 1982 ▪ Hoffmann et al., Zucker u. Zuckerwaren, S. 249–256, Hamburg: Parey 1985 ▪ Z. Zucker Süßwarenwirtsch. **39**, 82–87 (1986); **44**, 330–334 (1991). – *[HS 1704 10]*

Kauramin®. Sortiment von flüssigen od. festen Kondensationsprodukten aus *Melamin u. *Formaldehyd für die Holzverleimung bzw. von Tränkharzen zur Imprägnierung von Papieren u. Holz. *B.:* BASF.

Kaurane.

Tetracycl. *Diterpenoide, denen das Kauran-Grundgerüst (Formelbild) gemeinsam ist. Die Kohlenwasserstoffe Kauran ($C_{20}H_{34}$, M_R 274,49) u. Kauren ($C_{20}H_{32}$, M_R 272,47) kommen u.a. in dem Pilz *Gibberella fujikuroi* u. in der *Kaurifichte* vor. – *E* kauranes – *I* caurani – *S* cauranos

Lit.: Pharm. Unserer Zeit **19**, 34 f. (1990). – *[CAS 1573-40-6]*

Kauratec®. Sortiment von Melamin-Harnstoff- u. Melamin-Harnstoff-Phenol-Formaldehyd-Harzen zur Herst. von MDF (medium density fireboard) u. OSB (oriented structural board). *B.:* BASF.

Kaurene s. Gibberelline.

Kauresin®. Flüssige *Leime auf der Basis von Kondensationsprodukten des *Phenols od. *Resorcins u. *Formaldehyd zur Herst. von Sperrholz u. Spanplatten sowie wetterfester, fugenfüllender Verleimungen im Ingenieurholz-, Schiffs- u. Flugzeugbau. *B.:* BASF.

Kauretec®. Phenol-Formaldehyd-Harze zur Herst. von MDF (medium density fireboard) u. OSB (oriented structural board). *B.:* BASF.

Kauri-Butanol-Zahl (KBZ). Die KBZ als Kennziffer für das Lösungsvermögen von flüssigen Lsm. wird ermittelt, indem eine Lsg. von *Kaurikopal in 1-Butanol mit dem zu untersuchenden Lsm. bis zur deutlichen Trübung titriert wird. Die Zahl gibt die mL verbrauchten Lsm. an. *Beisp.:* Alkane 26–39, Essigester 88, Perchlorethylen 90, Benzol 100, Methanol 125, Aceton od. Trichlorethylen 130, Chloroform 200. – *E* kauri butanol value – *F* indice kauri-alcool butylique – *I* valore di cauri-butanolo – *S* índice de cauri-butanol
Lit.: Ullmann (5.) A 9, 97.

Kaurikopal (Agathokopal). Ein aus dem Exsudat der Kaurikiefer (*Agathis australis*, *A. ovata*; Familie Araucariaceae) auf Neuseeland u. Neukaledonien gewonnenes *natürliches Harz. Die Hauptgewinnung von K. erfolgte aus unterird. Ablagerungen, daneben aus Lebendharzung der Bäume. K. ist ein weißes bis gelbliches *Harz, das in Alkoholen, Aceton, Ether u. chlorierten Kohlenwasserstoffen gut, in Kohlenwasserstoffen wenig lösl. ist. Hauptbestandteile des K. sind *Harzsäuren (Agathensäure, Dammarsäure); Nebenbestandteile sind u.a. Kauroresen, Limonen, Pinen, Fenchylalkohol u. Bitterstoffe.
Verw.: Früher verbreitet zur Herst. von Lacken, heute hauptsächlich zur Bestimmung der *Kauri-Butanol-Zahl. – *E* kauri kopal – *F* = *S* copal de kauri, kauri – *I* copale kauri
Lit.: Ullmann (4.) **12**, 528. – *[HS 1301 90]*

Kaurit®. Sortiment von Harnstoff-Formaldehyd- u. modifizierten Harnstoff-Formaldehyd- od. Melamin-Formaldehyd-Verb. als Vernetzer für die Hochveredlung von Textilien aus Cellulose-Fasern u. deren Mischungen mit Synthesefasern; auf reinem Synthesefasermaterial elast. Versteifungseffekte. *B.:* BASF.

Kauritec®. Sortiment von Harnstoff-Formaldehyd-Harzen zur Herst. von MDF (medium density fireboard). *B.:* BASF.

Kaustifizieren. Von griech.: kaustikos = brennend u. latein.: facere = machen abgeleitete histor. Bez. für die Überführung von *milden *Alkalien (Pottasche, Soda) in *kaustische Alkalien mit Hilfe von gelöschtem Kalk. Dieses alte Verf. wird techn. nur noch in sehr geringem Umfange durchgeführt, s. Kalk-Soda-Verf. unter Natriumhydroxid. – *E* = *F* caustification – *I* caustifiare – *S* caustificación

Kaustische Alkalien. Alte, aus dem Griech. abgeleitete Bez. für die scharfen, ätzenden *Alkalien (Kalilauge, Ätzkali, Natronlauge, Ätznatron) im Gegensatz zu den *milden Alkalien (Pottasche u. Soda), s. Kaustifizieren. – *E* caustics – *F* alcalis caustiques – *I* alcali caustici – *S* álcalis cáusticos

Kaustobiolithe. Nach Potonié (1920) Bez. für Anreicherungen von organ. Kohlenstoff-Verb. od. von Kohlenstoff, also von nicht vollständig verwesten Überresten von Pflanzen u. Tieren, die brennbar sind. Sie können gesteinsartig fest, zäh-flüssig bis leicht-flüssig od. gasf. sein – die beiden letztgenannten (Erdöl u. Erdgas) benötigen ein Trägergestein. Man unterscheidet zwei Gruppen: 1. K., in denen der Kohlenstoff überwiegend in Form von Verb. wie Lignin, Huminsäuren

od. als reiner Kohlenstoff vorliegt; das sind Torf, Braun- u. Steinkohle sowie Anthrazit;
2. K., in denen der Kohlenstoff weit überwiegend in Form von Kohlenwasserstoffen enthalten ist; das sind bituminöse Gesteine, Asphalt, Erdöl u. Erdgas. Mit wenigen Ausnahmen haben die K. mehr od. weniger starke Veränderungen durch Diagenese erfahren. – $E = F$ caustobiolites – I caustobioliti – S caustobiolitos
Lit.: Dietrich u. Skinner, Die Gesteine u. ihre Mineralien, S. 258 f., Thun: Ott 1984 ▪ s. a. Sedimentgesteine.

Kautabak (Priem). K. ist laut Tabaksteuergesetz vom 13.12.1979 (BGBl. I, S. 2118) „Tabak in Rollen, Stangen, Streifen, Würfeln od. Platten, der so zubereitet ist, daß er sich nicht zum Rauchen, sondern zum Kauen eignet". Der Tabak wird dabei mit Tabakextrakten u. aromat. Zusätzen (z. B. Süßholz od. Honig) derart gesüßt, daß er sich zum Kauen eignet. Neben den erwähnten aromat. Zusätzen dürfen gemäß Tabak-VO eine ganze Reihe weiterer Zusatzstoffe verwendet werden, so z. B. Glycerin als Feuchthaltemittel, *Gummi arabicum als Verdickungsmittel u. Eisen(II)-sulfat als Farbstoff.
K. enthält beachtliche Mengen (bis 240 mg/kg) an tabakspezif. *Nitrosaminen, die teilw. potente *Carcinogene sind[1]. Es gibt Hinweise darauf, daß der bes. im Süden der USA weit verbreitete Genuß von K. mit der Entstehung von Mundhöhlenkrebs im Zusammenhang steht[2]. – *E* chewing tobacco – *F* tabac à chiquer – *I* tabacco da masticare – *S* tabaco de mascar
Lit.: [1] J. Agric. Food Chem. **33**, 1178–1181 (1985). [2] IARC Sci. Publ. **57**, 837–850 (1984). – *[HS 2403 99]*

Kautschuke (von indian.: caa = Tränen u. ochu = Baum bzw. cahuchu = weinender Baum). K. ist die Bez. (nach DIN 53 501, 11/1980) für unvernetzte, aber vernetzbare (*vulkanisierbare*) *Polymere mit kautschukelast. Eigenschaften bei 20 °C. Bei höheren Temp. u./od. unter Einfluß deformierender Kräfte zeigen K. viskoses Fließen. K. können daher formgebend verarbeitet werden u. dienen als Ausgangsstoffe für die Herst. von *Elastomeren u. *Gummi.
Die Vernetzbarkeit der K. setzt das Vorhandensein funktioneller Gruppen, z. B. ungesätt. Kohlenstoff/Kohlenstoff-Bindungen, Hydroxy- od. Isocyanat-Gruppen, voraus, über die in einem als *Vulkanisation bezeichneten Prozeß K.-Mol. intermol. miteinander verknüpft (vernetzt) werden.
K. werden systemat. in *Natur- u. *Synthesekautschuke unterteilt, die in entsprechenden Stichworten separat behandelt werden.
Die Eigenschaften von aus K. zugänglichen Produkten sind über Wahl der K.-Typen, Vernetzungsart u. -grad u. Zusatz von Additiven breit variierbar. Von der Vielzahl der Anw.-Möglichkeiten von K. können hier nur einige genannt werden: Es sind dies die Herst. von Laufflächen u. Karkassen von Autoreifen, von Gurten u. Riemen, Federelementen, Schläuchen (Kraftstoff-, Heiz- u. Kühlschläuche, öl-, fett- u. chemikalienbeständige Schläuche), von Dichtungen, Gebrauchsgegenständen für die Bereiche Nahrungsmittel, Kosmetik, Pharmazie u. Medizin, von sanitären Gummiartikeln, Handschuhen, Sohlen u. Schuhen, Kabeln,

Latexartikeln u. a. – *E* rubbers – *F* caoutchoucs – *I* caucciù – *S* cauchos
Lit.: Blow u. Hepburn, Rubber Technology and Manufacture, London: Butterworth 1982 ▪ Hofmann, Rubber Technology Handbook, München: Hanser Publishers 1989 ▪ s. a. Natur- u. Synthesekautschuk. – *[HS 4001.., 4002..]*

Kautschukhydrochlorid s. Isokautschuk.

Kautsky, Hans (1891–1966), Prof. für Anorgan. Chemie, Berlin, Leipzig, Marburg. *Arbeitsgebiete:* Silicide, Siloxen, Kieselsäuren, sog. isolierte Oberflächen, Singulett-Sauerstoff, Fluoreszenzerscheinungen, Chemilumineszenz, Assimilation, Chlorophyll.
Lit.: Chem. Unserer Zeit **15**, 190–200 (1981) ▪ Neufeldt, S. 175.

Kavain s. Kawain.

Kava-Kava s. Kawain.

Kaveri forte®. Filmtabl. u. Tropfen mit *Ginkgo-Extrakt gegen cerebrale Durchblutungsstörungen. *B.:* Lichtwer Pharma GmbH.

Kaviar. Durch Salzen angerichteter Rogen (Eier) verschiedener Stör-Arten (Stör, Beluga, Hausen, Sewruga). Der in Mengen von 15–20 kg je Stör gewonnene frische K. wird mild gesalzen (<6% NaCl) als „Malossol" gehandelt, wobei der Beluga-K. wegen seiner groben Körnung als bes. wertvoll gilt. Stör-K. ist meist grau bis schwarz gefärbt, der durch milde Salzung (<8,5% NaCl) aus Rogen von Lachs-Arten hergestellt Lachs-K. ist gelblich rot bis rot gefärbt. K. enthält 25–30% Eiweiß, 13–15% Fett, Phosphatide, Vitamine usw. u. hat mit 1,1 MJ/100 g einen hohen Nährwert. Er kommt v. a. aus der ehem. Sowjetunion u. dem Iran. K.-Ersatz wird aus den Eiern verschiedener See- u. Süßwasserfische gewonnen, so der dtsch. K. vom Seehasen. Die Körner werden gesalzen, gewürzt, gefärbt u. zuweilen mit Konservierungsstoffen (einziges noch erlaubtes Anw.-Gebiet für Borsäure) versetzt. – *E = F = S* caviar – *I* caviale – *[HS 1604 30]*

Kavitation. Von latein.: cavum = Höhle, Loch abgeleitete Bez. für die Hohlraumbildung durch Entgasung od. Dampfbildung in strömenden Flüssigkeiten infolge Absinken des Druckes (Zerreißbeanspruchung der Flüssigkeiten). Dementsprechend versteht man unter *K.-Erosion* od. *K.-Korrosion* die durch K. erzeugte *Erosion, d. h. die Zerstörung von Werkstoffoberflächen durch Hohlraumbildung (Bildung von an der Werkstoffoberfläche haftenden Blasen). Der in Flüssigkeit mit hohen Strömungsgeschw. u. Drücken beim Einstürzen dieser Hohlräume auftretende sog. Wasserschlag (Druckstöße bis 10^5 bar) wirkt sich in einer lokalen Aushöhlung der Oberfläche aus, wobei Kristallite aus dieser herausgebrochen werden. Eine Verringerung der K.-Effekte ist durch Auswahl des Werkstoffs u. Zusatz von *Inhibitoren zur Flüssigkeit möglich (*Lit.*[1]). Man beobachtet K.-Erosion z. B. als *Verschleiß* auf Turbinenschaufeln od. Schiffsschrauben, d. h. bei solchen Werkstoffen, die sich relativ schnell zur Flüssigkeit bewegen, v. a. dann, wenn der Sog (Unterdruck) die Hohlraumbildung in der Flüssigkeit begünstigt. Auch das in Wasserleitungen bei laufendem Wasser häufig auftretende ratternde Geräusch ist auf K. zurückzuführen. K.-Erscheinungen sind ferner zu

beobachten bei *Detonationen u. in der *Ultraschall-
chemie – hier kann die K. mit dem Auftreten von *Sonolumineszenz verbunden sein. K.-Effekte werden
techn. u. a. genutzt bei der Ultraschallreinigung u. bei
der *Homogenisation disperser Systeme. – **E = F** cavitation – **I** cavitation – **S** cavitación
Lit.: [1] Chem. Rundsch. **25**, 1663 ff. (1972).
allg.: Annu. Rev. Fluid Mech. **13**, 273–328 (1981) ▪ Fritsch,
Kavitation im Wasserbau – Entstehung, Vermeidung, Stuttgart:
IRB 1987 ▪ Hammitt, Cavitation and Multiphase Flow Phenomena, New York: McGraw-Hill 1980 ▪ Isay, Kavitation, Hamburg: Schiffahrts-Verl. Hansa 1984 ▪ Ullmann (5.) **B 1**, 9-6, 9-
12, 9-22 ▪ s. a. Korrosion.

Kavosporal®. Kapseln mit Kava-Kava-Wurzelstock-
Extrakt (s. Kawain), *K. comp.* Kapseln zusätzlich mit
Baldrianwurzel, gegen Angst- u. Unruhezustände. *B.:*
Müller Göppingen.

Kawain [Kavain, (*R*)-5,6-Dihydro-4-methoxy-6-sty-
ryl-2*H*-pyran-2-on].

$C_{14}H_{14}O_3$, M_R 230,26, Prismen, Schmp. 106 °C, Sdp.
195–197 °C (13 Pa), $[\alpha]_D^{20}$ +105° (C_2H_5OH). K. ist in
den Wurzeln des in Ozeanien heim. Rauschpfeffers
(*Piper methysticum*, Piperaceae) enthalten. Früher
wurde K. aus einem *Kava-Kava* genannten Extrakt dieser Pflanze isoliert. K. wirkt gefäßerweiternd u. span-
nungslösend; für diese zentralnervöse Wirkung sind
neben K. auch dessen 4'-Methoxy- u. Dihydro-Deri-
vate [(+)-(*S*)-5,6,7,8-Tetrahydroyangonin, Marindinin
u. Yangonin] verantwortlich. Zur Synth. von K. s. *Lit.*[1].
K. wird pharmakolog. als Anxiolytikum verwendet. –
E kawain, kavain – **F** cavaïne – **I = S** cavaina
Lit.: [1] J. Chem. Soc., Perkin Trans. 1 **1989**, 1793; **1992**, 1907
▪ Justus Liebigs Annu. Chem. **1992**, 809 ff. ▪ Tetrahedron
Asymmetry **3**, 853 (1992).
allg.: Arzneim.-Forsch. **41**, 673 (1991) ▪ Beilstein E V **18/2**,
23 ▪ Braun-Frohne (6.), S. 438 ff. ▪ Hager (5.) **6**, 201 ▪ Nat.
Prod. Rep. **12**, 101–133 (1995) ▪ Phytochemistry **36**, 23 (1994)
▪ Sax (8.), DLR 000 ▪ Zechmeister **54**, 1–35. – *[CAS 500-64-
1 (K.); 49776-58-1 (Tetrahydroyangonin); 500-62-9 (Yango-
nin); 587-63-3 (Marindinin)]*

Kaye-Effekt s. Nichtnewtonsche Flüssigkeiten.

Kayser. Nach Heinrich Kayser (1853–1940) benannte, nicht SI-konforme u. wenig benutzte Einheit
für die *Wellenzahl in Spektrendarst. der *IR- u. *UV-
Spektroskopie, 1 K = 1/cm u. 1 kK (Kilokayser) =
10^3 cm^{-1}. – **E = F = I = S** kayser

kb s. Kilobase.

KBS Coating®. Brandschutzbeschichtung für elektr.
Kabel, Asbest- u. Antimon-frei, auf der Basis wäss.
Kunstharzdispersionen mit Flammhemmsystemen.
B.: Grünau.

KBZ s. Kauri-Butanol-Zahl.

kcal. Abk. für Kilokalorie, s. Kalorie.

KDDP s. Kaliumphosphate.

KDO (Ketodesoxyoctonsäure, 3-Desoxy-D-*manno*-2-
octulosonsäure).

$C_8H_{14}O_8$, M_R 238,19, liegt in offenkettiger, α- u. β-py-
ranoider sowie furanoider Form vor. Schmp. des Am-
monium-Salzes ist 125–126 °C. KDO ist eine typ.
Zuckersäure aus Gram-neg. Bakterien u. bewirkt bei
der Biosynth. von Lipopolysacchariden die Verbindung von Kohlenhydrat- u. Lipid-Untereinheiten. KDO
wurde auch in der Zellwand der Grünalge *Tetraselmis
striata* (Prasinophyceae)[1] gefunden. Derivate der KDO
werden in der antibakteriellen Chemotherapie geprüft.
– **E = I** KDO – **S** ácido cetodesoxioctónico
Lit.: [1] Eur. J. Biochem. **182**, 153–160 (1989).
allg.: Adv. Carbohydr. Chem. Biochem. **50**, 211–276 (1994).
– *Analytik:* Methods Enzymol. Tl. B **41**, 32 ff. (1975). – *Biosynth.:* J. Biol. Chem. **263**, 5217–5223 (1988); **264**,
6956–6966 (1989). – *Pharmakologie:* Can. J. Microbiol. **35**,
646–650 (1989) ▪ J. Immunol. **142**, 185–194 (1989) ▪ Mol.
Immunol. **26**, 485–494 (1989). – *Synth.:* Helv. Chim. Acta **72**,
213–223 (1989) ▪ J. Am. Chem. Soc. **111**, 2311 f. (1989) ▪ Justus Liebigs Ann. Chem. **1989**, 69–74 ▪ Tetrahedron Lett. **30**,
2263 f., 2293–2296 (1989). – *[CAS 10149-14-1]*

Kdp s. Kristallstrukturen.

KDP s. Kaliumphosphate.

KE. Kurzz. für *Kenaf.

Kebuzon (Rp).

Internat. Freiname für das nichtsteroidale *Antiphlogistikum 4-(3-Oxobutyl)-1,2-diphenyl-3,5-pyrazoli-
dindion, $C_{19}H_{18}N_2O_3$, M_R 322,36, Schmp.
115,5–116,5 °C bzw. 127,5–128,5 °C (in Abhängig-
keit von der Krist.-Struktur); λ_{max} (CH$_3$OH): 244 nm
(A$_{1 \text{ cm}}^{1\%}$ 448). K. wurde 1959 von Geigy patentiert u. ist
von medphano (Ketazon®) im Handel. – **E = I** kebu-
zone – **F** kébuzone – **S** kebuzona
Lit.: Beilstein E V **24/9**, 131 f. ▪ Hager (5.) **8**, 663 ff. –
[HS 2933 19; CAS 853-34-9]

Kedde-Reaktion. Auf der Bildung von *Meisenhei-
mer-Komplexen beruhende Farbreaktion (Farbsalz-
Bildung, vgl. Janovsky-Reaktion) von *Cardenoliden
u. Steroid-Ketonen mit *3,5-Dinitrobenzoesäure u.
Natronlauge. – **E** Kedde reaction – **F** réaction de Kedde
– **I** reazione di Kedde – **S** reacción de Kedde

Keesom-Kräfte s. zwischenmolekulare Kräfte.

Kefir. Milchsaures, durch Kohlendioxid schäumendes
(moussierendes), leicht prickelndes, Alkohol-haltiges
Getränk aus Kuhmilch. K. enthält 88,8% Wasser, 3,1%
Eiweiß, 3% Fett, 2,5–3,8% Lactose, 0,7–1% Milchsäure u. – je nach Herst.-Art – 0,1–1,5% Ethanol. K.
stammt aus dem nördlichen Kaukasus u. wird heute
v. a. in osteurop. Staaten in nennenswertem Umfang
konsumiert. Traditioneller K. entsteht durch Impfen

der Milch mit K.-Körnern, die ein Gemisch aus homo- u. heterofermentativen *Lactobacillus*-Arten u. mesophilen Milchsäure-Streptokokken u. aus Kohlendioxid- u. Alkohol-produzierenden Hefen sowie aus Essigsäure-Bakterien darstellen. Industriell hergestellter K. wird heute als Sauermilchgetränk mit Milchsäure-Streptokokken u. *Lactobacillus*-Arten hergestellt, enthält jedoch nur selten Lactose-abbauende Hefen. Nach der VO über Milcherzeugnisse vom 15. 7. 1970 (BGBl. I, S. 1150) werden K.-Erzeugnisse in 4 Fettgehaltsstufen gehandelt: $\leq 0,3\%$, $1,5-1,8\%$, $\geq 3,5\%$, $\geq 10\%$. Der russ. Name K. ist entweder von türk. keyf = Wonne od. köpür = schäumen abgeleitet. – *E* kefir – *F* kephyr – *I* chefir – *S* kéfir

Lit.: Drathen, Untersuchungen zur mikrobiologischen, ernährungsphysiologischen u. sensorischen Qualitätsbeurteilung von Kefir, Gießen: Renner 1987 ▪ Dtsch. Molk. Ztg. **101**, 1690–1700 (1980); **106**, 68–76 (1985) ▪ Ernähr. Umsch. **28**, 156 ff. (1981) ▪ Lait **68**, 373–392 (1988) ▪ Milchwissenschaft **41**, 418–421 (1986); **43**, 343 ff. (1988) ▪ Rehm, Industrielle Mikrobiologie, S. 580 f., Berlin: Springer 1980. – *[HS 0403 90]*

Kegelhähne. Allg. Glashähne, die in einer Vielzahl von Laborgeräten verwendet werden (z. B. *Tropf-trichter, *Büretten). Sie sind aus einem Hahnküken, Hahnansatz u. einer Hahnhülse aufgebaut (s. Abb.). Man unterscheidet Einweg-, Dreiweg-K., K. für Büretten u. K. für Vakuumanlagen.

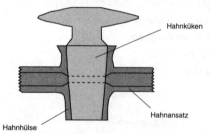

Hahnküken

Hahnansatz

Hahnhülse

– *E* stopcocks – *F* robinet – *I* rubinetti di arresto – *S* ventiles

Lit.: DIN 12 540 (Tl. 1, 05/1977), 12 541 (Tl. 1, 05/1977), 12 542 (04/1979), 12 543 (05/1979), 12 545 (05/1977), 12 554 (05/1977), 12 560 (05/1977), 12 563 (05/1977).

Keggin-Säuren s. Heteropolysäuren.

Kehrpulver (Kehrmehle, Kehrspäne). Um beim Kehren u. Fegen der Böden die lästige Staubbildung zu verhüten u. den *Staub gründlich zu entfernen, kann man den Boden vor der Reinigungsarbeit mit einem K. bestreuen. Dieses besteht zumeist aus feinem Sägemehl, dem zur Staubbindung z. B. ein billiges mineral. Öl als *Haftöl beigemischt wurde; meist wird das K. mit Brillantgrün od. a. Farbstoffen gefärbt. Zur Vermeidung der Selbstentzündung kann man dem K. noch 20–40% Steinsalz beimischen; auch die Tränkung mit Lsg. von hygroskop. Salzen ($MgCl_2$, $CaCl_2$) wird praktiziert. Weiterhin sind konservierende u. geruchsverbessernde sowie bodenpflegende Zusätze üblich. – *E* sweeping powder – *F* poudre de nettoyage – *I* polvere della spazzatura – *S* serrín para barrer

Lit.: Ellwanger, Fußboden-Reinigungs-Fibel, S. 105 f., Wiesbaden: Bauverl. 1985.

Keilin, David (1887–1963), Prof. für Biochemie, Univ. Cambridge, England. *Arbeitsgebiete:* Dipteren,

Cytochrom, Cytochrom-Oxidase, Mitochondrien, Glucose-Oxidase, Carboanhydrase usw.

Lit.: Neufeldt, S. 149 ▪ Pötsch, S. 231.

Keimax® (Rp). Kapseln, Trockensaft u. Pulver mit dem Cephalosporin-Antibiotikum *Ceftibuten. *B.:* Essex Pharma.

Keimbahn. Bez. für die Linie von Zellen eines Organismus, die als *Keimzellen an die jeweils nächste Generation weitergegeben werden. In der Genetik wird zwischen K. u. Soma unterschieden. Die Differenzierung ist wichtig, da nur die Chromosomen der K.-Zellen den Generationswechsel überstehen. Die DNA von K.-Zellen u. Soma-Zellen ist in vielen Organismen verschieden, es gibt in vielen Organismen sogar K.-spezif. Chromosomen. Beim Menschen sind bislang noch keine K.-spezif. DNA-Sequenzen gefunden worden. Wichtig ist die Unterscheidung zwischen K. u. Soma auch in der Gentherapie, denn in der BRD ist die genet. Veränderung von K.-Zellen nicht erlaubt. Für *Drosophila melanogaster* gibt es *Vektoren, die eine K.-spezif. *Transformation ermöglichen. So können künstlich implantierte Gene stabil an die Nachkommen vererbt werden. – *E* germline – *F* ligné germinale – *I* linea germinale – *S* línea germinal

Lit.: Hennig, Genetik, S. 69 f., 135–139, Berlin: Springer 1995 ▪ Strachan u. Read, Molekulare Humangenetik, S. 33–36, 285–324, 703 ff., Heidelberg: Spektrum Akadem. Verl. 1996.

Keimdrüsen (Geschlechtsdrüsen, Gonaden). Gemeinsame Bez. für die unter Steuerung durch die *gonadotropen Hormone sich entwickelnden Hoden bzw. Eierstöcke, in denen sowohl die Geschlechtszellen [Spermatozoen (vgl. Sperma) bzw. Eier] als auch die Keimdrüsen- od. *Sexualhormone (Androgene bzw. Estrogene u. Gestagene) entstehen. – *E* gonads – *F* gonades – *I* ghiandole germinali – *S* gónadas

Keime. 1. In der *Chemie* Bez. für Substanzpartikeln, die die Bildung neuer Phasen auszulösen vermögen, also z. B. Flüssigkeits-K., die die *Kondensation von *Dampf zu Flüssigkeits-*Tropfen einleiten (vgl. Abraham, *Lit.* u. *Lit.*[1]). Als K. in gleicher Weise wirken die ersten Mikrokristallite, die die *Kristallisation innerhalb einer Lsg. od. Schmelze in Gang zu setzen vermögen; die Auslösung dieses Vorgangs ist – bes. bei *Übersättigung der Lsg. – auch durch *Impfen mit *Kristallen derselben od. auch einer chem. verschiedenen Substanz möglich. Näheres zu Keimbildung u. -wachstum – wobei die sog. *Ostwald-Reifung eine wesentliche Rolle spielt – u. zur Reifung von *Niederschlägen s. *Lit.*[2,3] u. Smith (*Lit.*). Über die Bedeutung u. Steuerung der K.-Bildung bei Fällungs- u. Krist.-Prozessen s. *Lit.*[4].

2. In *Medizin, Hygiene, Mikrobiologie* usw. gebräuchliche Bez. für Mikroorganismen, insbes. für Krankheitserreger (z. B. *Bakterien). In diesem Zusammenhang spricht man von gutartigen u. pathogenen K., von K.-Freiheit, K.-Besiedlung, K.-Zahl, K.-*Kontamination usw. u. dementsprechend von *Entkeimung durch Keimfrei-Filtration (*Lit.*[5]) u. a. Verf.; zur Bestimmung der K.-Zahl in kosmet. Präp. s. *Lit.*[6]. Zur Keimzahlbestimmung bzw. zur Keimzahlverminderung in Drogen u. Hilfsstoffen der Pharmazie s. *Lit.*[7]. Die Gnotobiotik befaßt sich in der *Gewebezüchtung mit der Untersu-

chung von Organismen aus sog. keimbekannter Aufzucht.
3. In der Biologie allg. Bez. für embryonale Gewebsbildung bei Pflanzen u. Tieren, aus denen durch differentielles Wachstum der adulte Organismus entsteht; die ersten Phasen dieses Vorgangs werden bei pflanzlichen K. (z. B. Samen, Sporen, Brutknospen) als *Keimung, fachsprachlich dagegen als *Auflaufen bezeichnet. Im Zusammenhang mit Samen u. Saatgut spricht man auch von *Keimfähigkeit u. *Keimhemmungsmitteln. – *E* 1. nuclei, 2., 3. germs – *F* 1. – 3. germes – *I* 1. – 3. germi – *S* 1. núcleos, gérmenes, 2., 3. gérmenes

Lit.: [1] Adv. Chem. Phys. **40**, 137 – 156 (1979). [2] Angew. Chem. **81**, 206 – 221 (1969). [3] Pure Appl. Chem. **53**, 2041 – 2055 (1981). [4] DECHEMA-Monogr. **73**, 229 – 240 (1974); Chem. Tech. **29**, 666 – 670 (1977). [5] Adv. Pharm. Sci. **5**, 2 – 116 (1982); Pharm. Ind. **44**, 179 ff., 401 ff. (1982); **45**, 527 ff., 709 ff. (1983). [6] Parfüm. Kosmet. **59**, 1 – 7 (1978); **61**, 81 – 86 (1980). [7] Pharm. Ind. **42**, 732 – 744 (1980); **44**, 821 – 825 (1982). *allg.:* (*zu 1.*): Abraham, Homogeneous Nucleation Theory (Adv. Theor. Chem. Suppl. 1), New York: Academic Press 1974 ▪ Smith, Particle Growth in Suspensions (Soc. Chem. Ind. Monogr. 28), London: Academic Press 1973 ▪ Zettlemoyer u. Kiang, Second Special Issue on Nucleation Phenomena (Adv. Coll. Interface Sci. 10), Amsterdam: Elsevier 1979. – *(zu 2.):* s. Desinfektionsmittel, Mikrobiologie, Sterilisation.

Keimfähigkeit. 1. Prozentuale Angabe über den Anteil keimbereiter *Samen in einer Saatgutkollektion; üblich sind 80 – 95%. Sie wird im einfachsten Fall ermittelt, indem man eine genügend große Zahl von Samen unter Normalbedingungen zur *Keimung bringt u. den Anteil der gekeimten Samen nach einer bestimmten Zeit auszählt. Die K. wird heute in biochem. Keimungstests überprüft. – 2. Die Fähigkeit von Samen, Sporen, Zygoten u. vegetativen Zellkomplexen (z. B. Knollen, Zwiebeln u. Brutknospen), bei zusagenden Keimungsbedingungen (Nährstoff-, Temp.- u. Lichtverhältnisse) auszukeimen. Die K. bleibt unterschiedlich lange erhalten, z. B. bei Weiden- u. Pappelsamen nur kurze Zeit, bei Samen der Lotosblume od. vieler Hülsenfrüchtler dagegen über einige Jahrhunderte. – *E* viability – *F* pouvoir germinatif – *I* germinabilità – *S* capacidad germinativa

Keimhemmungsmittel. Präp. wie Isopropyl-*N*-phenylcarbamat, die v. a. bei Speise- u. Futterkartoffeln die unerwünschte vorzeitige *Keimung verhindern bzw. verzögern sollen; vgl. a. Keimungshemmstoffe.

Keimhilfen s. Keimung.

Keimöle s. Getreidekeimöle.

Keimung. Erste Phase der Wachstumsvorgänge bei pflanzlichen *Keimen, die im allg. nach einer Ruheperiode des Keims einsetzt u. zur Bildung von ausdifferenzierten Pflanzen od. Pflanzenteilen führt. Von K. spricht man z. B. bei Brutknospen, *Sporen, *Pollen u. v. a. bei *Samen. Sie beginnt mit Wasseraufnahme des Samens, Gewebequellung, Enzymaktivierung usw. u. führt über einen intensiven Atmungsstoffwechsel unter Abbau der Nährstoffe (*Reservestoffe, meist *Stärke) zum schnellen Keimwachstum. Die K. gilt als beendet, wenn der Keimling nach Bildung einer Wurzel u. eines beblätterten Sproßstücks

od. Keimblatts (*Kotyledo*; man unterscheidet Mono- u. Dikotyledonen) zu einer autonomen Ernährung fähig ist. Potentiell besitzt jeder gesunde Samen *Keimfähigkeit. Das tatsächliche Zustandekommen einer K. – in der Landwirtschaft spricht man vom *Auflaufen – hängt jedoch von verschiedenen Faktoren wie Wasser, Sauerstoff, Temp., Licht, Abwesenheit von *Hemmstoffen od. *Keimhemmungsmitteln usw. ab, deren Bedeutung für die unterschiedlichen Samenarten stark variiert; eine bes. Bedeutung wird dem reversiblen Hellrot-Dunkelrot-Syst. des *Phytochroms zugeschrieben. In manchen Fällen versucht man, keimunwilliges od. keimgehemmtes Saatgut mit Hilfe sog. *Keimhilfen* (bei Kartoffeln z. B. *Ethephon) zur K. zu bringen. – *E* germination, sprouting – *F* germination – *I* germinazione – *S* germinación

Keimungshemmstoffe. Pflanzenstoffe, die ein Auskeimen meist artfremder Diasporen verzögern od. verhindern (vgl. Allelopathie). Sie wirken somit als natürliche Herbizide. K. werden über das Regenwasser von Blättern u. Nadeln heruntergewaschen u. gelangen so in den Boden. Beisp. für diese Stoffe sind *Juglon, das durch Oxid. im Boden aus dem 4-β-D-Glucosid seiner Hydrochinon-Form freigesetzt wird [1], *Campher sowie 1,8-*Cineol, die von den in den trockenen Regionen Kaliforniens beheimateten *Salvia leucophylla* u. *Artemisia californica* (sog. Chaparral-Vegetation) abgegeben werden u. im Boden andere Pflanzen zum Absterben bringen. Durch starke Niederschläge ausgelöstes Pilzwachstum kann einen vorübergehenden Abbau dieser Terpene bewirken. Eine vielseitige Vegetation ist die Folge. Der austral. Eukalyptus hat sich auf diese Weise behauptet; seine Anpflanzung in anderen Regionen hat daher oft Verödung der einheim. Vegetation zur Folge. Als K. wirken z. B. auch Aminosäuren (*Tryptophan), Flavonoide u. flüchtige kurzkettige (C_6–C_9) Aliphaten, Alkohole, Aldehyde (z. B. (*E*)-2-Hexenal) u. Ketone [2]. Eine weitere wichtige Bedeutung der K. liegt in der Verzögerung des Pflanzenwachstums bis in günstige Vegetationszeiten; *Beisp.:* *Abscisinsäure, *Cumarin, *trans*-Ferulasäure (s. Kaffeesäure), *Salicylsäure u. Scopoletin. Die Verzögerung der Keimung erfolgt auf unterschiedliche Weise. Die K. können durch enzymat. Abbau, Zers. unter Einwirkung von Luft u. Licht sowie Auswaschung eliminiert werden. In den gemäßigten Breiten ist eine Kälteperiode zum Abbau der K. erforderlich. – *E* plant germination inhibitors – *F* inhibiteurs de germination – *I* sostanze inibitrici di germinazione – *S* inhibidores de la germinación

Lit.: [1] Turner, Naturally Occurring Quinones III, S. 154, London: Chapman & Hall 1987. [2] J. Chem. Ecol. **14**, 1633 (1988); **16**, 645 (1990); **17**, 2193 (1991); **20**, 309 (1994).

Keimzahl s. Keime.

Keimzellen. Bez. für Geschlechtszellen (Gameten, s. Gamone), ihre Vorläufer u. ungeschlechtliche Fortpflanzungs- od. Überdauerungsformen. – *E* germ-cells – *F* cellules germinales – *I* cellule germinali – *S* células germinales

Lit.: Nultsch, Allgemeine Botanik, 10. Aufl., Stuttgart: Thieme 1996 ▪ Wehner u. Gehring, Zoologie, 23. Aufl., Stuttgart: Thieme 1995.

K-Einfang s. Elektroneneinfang.

Kekulé (Kekulé von Stradonitz), August (1829–1896), Prof. für Chemie, Heidelberg, Gent, Bonn. *Arbeitsgebiete:* Knallquecksilber, einfache organ. Verb., Bindungstheorie, Vierwertigkeit des Kohlenstoffs, Kettenform der Kohlenstoff-Verb. u. deren Isomeriemöglichkeiten, Aufstellung der ringförmigen Benzol-Formel mit der Gleichwertigkeit der Wasserstoff-Atome. *Lit.:* Angew. Chem. **91**, 685–764 (1979) ▪ Chem. Labor Betr. **31**, 15 f. (1980) ▪ Chem. Unserer Zeit **8**, 129–134 (1974) ▪ Krafft, S. 197 ▪ Lexikon der Naturwissenschaftler, S. 239 ▪ Neufeldt, S. 46, 50, 57, 63, 84, 329, 380 ▪ Pötsch, S. 231 ▪ Strube et al., S. 48 ff.

Kekulé-Bibliothek, 51368 Leverkusen. Eine der größten Spezialbibliotheken in Westeuropa mit den Schwerpunkten Chemie, Biotechnologie, Medizin, Pharmazie, Pflanzenschutz, Technik, Umwelt. Bestand 1997: 650 000 Bd., über 7500 laufend gehaltene Periodika. Der Lesesaal kann für Spezialbestand von Außenstehenden nach Anmeldung benutzt werden. Der Bestand wird durch das Syst. ALEPH ausgewiesen. Online-Katalog u. CD-ROM-Station stehen zur Verfügung. Der Bibliothekskatalog wird im Bayer-Intranet angeboten. Über Netzwerkbetrieb kann auf 2500 CD-ROM's, überwiegend aus dem Patentbereich sowie auf ein umfangreiches Zeitschrifteninhaltsverzeichnis zugegriffen werden. Der Name K.-B. wurde angenommen, als Carl Duisberg 1897 die 7000bändige Privat-Bibliothek *Kekulés als Grundstock erwarb. – *E* Kekulé library – *I* biblioteca di Kekulé – *S* biblioteca de Kekulé. *Lit.:* Ministerialblatt NRW **39** (1), 51–62 (1989) ▪ Verg. Meilensteine, S. 124–129, Bayer AG 1988.

Kekulen.

$C_{48}H_{24}$, M_R 600,70. Das gelbe K. (Schmp. >620 °C) ist ein hochsymmetr. kondensiertes Ringsyst. in Form eines Rings aus 12 anellierten Benzol-Ringen; zur Synth. u. Mol.-Struktur s. *Lit.* [1], zur Diskussion über eine mögliche Superaromatizität s. *Lit.* [2]. – *E* = *I* kekulene – *F* kekulène – *S* kekuleno. *Lit.:* [1] Angew. Chem. **90**, 383 (1978); **91**, 733 ff. (1979); **98**, 757 (1986); Chem. Ber. **116**, 3487, 3504 (1983). [2] Angew. Chem. **108**, 2548 ff. (1996). – *[CAS 15123-47-4]*

Kelofibrase®. Creme mit *Harnstoff, *Heparin-Natrium u. *Campher zur Behandlung von Narben. *B.:* Azupharma.

Kelp. Schott. Bez. sowohl für den *Blasentang als auch (seltener) für dessen meist *Varec(h)* genannte Asche, aus der *Iod gewonnen wird u. die auch Kali, Phosphate u. Stickstoff-Verb. enthält. – *E* = *F* = *S* kelp – *I* kelp, fuco. *Lit.:* Hager (5.) **5**, 200–206.

Keltan®. Marke für einen EPDM (vgl. Ethylen-Propylen-Elastomere)-Kautschuk von DSM. *B.:* DSM.

Keltern s. Weintrauben.

Keltican®. Kapseln u. Ampullen mit Cytidin-5'-monophosphat u. Uridin-5'-triphosphat, -diphosphat u. -monophosphat (alle als Dinatrium-Salze, s. a. Cytidin- u. Uridinphosphate) gegen Neuritiden u. Myopathien. *B.:* Trommsdorff.

Kelvin. Nach Lord *Kelvin benannte *Grundeinheit der thermodynam. Temp. (Kurzz.: K, bis 2.7.1975 auch °K). 1 K. ist der 273,16te Teil der thermodynam. Temp. des Wasser-Tripelpunkts (s. a. Temperaturskalen u. absolute Temperatur).

Kelvin. Lord K. of Largs, William (1824–1907; bis zur Erhebung in den Adelsstand 1892 William Thomson), Prof. für Physik, Univ. Glasgow. Arbeitsgebiete: Mitbegründung des zweiten Hauptsatzes der Thermodynamik (mit Clausius), Entdeckung des Joule-Thomson-Effekts, Definition der thermodynam. Temp., Konzept der Chiralität, Entwicklung der Theorie u. Konstruktion des Quadrant-Elektrometers, der elektrostat. Waage, eines elektr. Schwingkreises, Definition der elektr. Kapazität, Entwicklung eines sog. Wirbelatommodells. *Lit.:* Lexikon der Naturwissenschaftler, S. 396 ▪ Pötsch, S. 423.

Kelvin-Effekt (auch Joule-Kelvin-Effekt), ident. mit *Joule-Thomson-Effekt sowie dem thermoelektr. Effekt, s. Thermoelektrizität.

Kelvin-Skala (Zeichen für die Einheit: K). Skala der *absoluten Temperatur. 0 K entspricht dem abs. Nullpunkt; 273,16 K entspricht dem Tripelpunkt von Wasser. Die Umrechnung von Temp.-Angaben T der K.-S. in Temp.-Angaben t der *Celsius-Temperatur-Skale erfolgt über die folgende Gleichung: t = T + 273,15. – *E* Kelvin temperature, Kelvin unit – *F* échelle Kelvin – *I* scala Kelvin – *S* escala de Kelvin. *Lit.:* IUPAC, Größen, Einheiten und Symbole in der Physikalischen Chemie, Weinheim: VCH Verlagsges. 1996.

Kemira. Kurzbez. für den finn. Konzern Kemira Konserni, 00101 Helsinki, an dem der finn. Staat mit 53,8% beteiligt ist. Der Konzern ist in 7 produzierende Unternehmen aufgegliedert: Kemira Chemicals Oy, Kemira Pigments Oy, Kemira Agro Oy, Tikkurila Oy, Vihtavuori, Kemira Fibres Oy, Kemira Metalkat. K. hat zahlreiche Tochter- u. Beteiligungsfirmen weltweit. *Daten* (1996, weltweit): 10 500 Beschäftigte, 13,5 Mio. FIM. *Produktion:* Papierchemikalien, Bleichmittel, Spezialchemikalien, Chemikalien für die Abwasserbehandlung (Fällungsmittel, Eisensalze, Polyaluminium-Salze u. die Trinkwasseraufbereitung, Titandioxid-Pigmente für die Farb-, Papier- u. Kunststoff-Ind. (Marke: Kemira®), Düngemittel, Ammoniumsalze, Nitrate, Phosphate, organ. Feinchemikalien, Industriechemikalien, anorgan. Säuren, Photochemikalien, Zwischenprodukte für Agrarchemikalien, Kohlenstoffdioxid, biolog. Pestizide, dekorative Lacke, Industrielacke u. -beschichtungen, Farbstoffverarbeitung u. Färbesyst., Druckfarben, Viskosefasern u. Spezialfasern für die Textil-Ind., Hygieneprodukte, Natriumsulfat, Soda, Kohlenstoffdisulfid, Sprengstoffe, Munition, Katalysatoren. *Vertretung* in der BRD: Kemira Deutschland GmbH, 30637 Hannover.

Kemler-Nummer. Obere Nummer auf Warntafeln von Tankfahrzeugen, aus der die von dem Gefahrgut ausgehende Gefahr ersichtlich ist (offizielle Bez.: Gefahrnummer), s. Gefahrenklassen.

Kenaf [Kurzz. KE nach DIN 60001 Tl. 4 (08/1991)]. Eine einjährige, 3–4 m hohe, zu den *Hibiscus-Arten gehörende *Faserpflanze (*Hibiscus cannabinus*), die in Ostindien, Afrika u. der UdSSR angebaut wird. Die K.-Faser (Gambo-, Cambofaser) ist eine *Bastfaser, die Jute zu ersetzen vermag. – *E* kenaf – *I* ibisco cannabino – *S* fibra de gambo
Lit.: Brücher, Tropische Nutzpflanzen, S. 237f., Berlin: Springer 1977 ▪ Kirk-Othmer (3.) **10**, 191 f.; (4.) **10**, 735 f. ▪ Stout, in Lewin u. Pearce, Fiber Chemistry, New York: Dekker 1985. – *[HS 5303 90]*

Kendall, Edward Calvin (1886–1972), Prof. für Biochemie, Mayo-Foundation der Univ. Minnesota, Univ. Princeton. *Arbeitsgebiete:* Glutathion, Entdeckung u. Reinherst. von Thyroxin, Cortison u. zahlreichen anderen Steroid-Inhaltsstoffen der Nebennierenrinde. K. benannte die physiolog. aktiven Steroid-Inhaltsstoffe in alphabet. Reihenfolge. Hormon E wurde später Cortison genannt u. 1945 erstmals von der Firma Merck synthetisiert. Für diese Arbeiten erhielt K. 1950 (zusammen mit *Hench u. *Reichstein) den Nobelpreis für Medizin od. Physiologie.
Lit.: Lexikon der Naturwissenschaftler, S. 239 ▪ Neufeldt, S. 134, 193, 374 ▪ Pötsch, S. 233 ▪ Poggendorff **7 b/4**, 2418–2421.

Kendrew, Sir John Cowdery (1917–1997), Prof. für Molekularbiologie, Inst. Molecular Biology, Cambridge, England. *Arbeitsgebiete:* Röntgenstrukturanalyse von Globulärproteinen (Myoglobin u.a.), Entwicklung von Mol.-Modellen. Nobelpreis für Chemie 1962 (zusammen mit *Perutz).
Lit.: Lexikon der Naturwissenschaftler, S. 239 ▪ Nachr. Chem. Tech. Lab. **10**, 367f. (1962) ▪ Neufeldt, S. 261, 368 ▪ Pötsch, S. 233 ▪ Science **138**, 668f. (1962) ▪ The International Who's Who (16.), S. 814.

Kendroskopie. Namensvorschlag (nach dem griech. Wort für Stachel) für ein Verf. der linsenlosen Elektronenmikroskopie, bei dem mit Hilfe von intensiven, kohärenten (s. Kohärenz) Elektronenstrahlen *Interferenzen der an einem Objekt gebeugten Elektronenstrahlen aufgezeichnet werden. Für dieses Verf., das ähnlich der *Holographie ist, werden extrem feine Metallspitzen verwendet, die in einem einzelnen Atom enden. Die Analyse der beobachteten Interferenzen ist sehr schwierig, verspricht aber, atomare Strukturen aufzulösen.
Lit.: Spektrum Wiss. **1994**, Nr. 9, 25.

Kendyr (Turkafaser). Osteurop. *Faserpflanze, ca. 1,5 m hoch, gibt weiße Fasern, die als Ersatz für Leinen- u. Hanferzeugnisse, zur Herst. von Fischernetzen u. dgl. verwendet werden.

Kennarten s. Charakterart.

Kennzahlen s. Umweltkennzahlen.

Kennzeichnung. In der Logik ist K. ein Ausdruck, der einen Gegenstand durch eine nur diesem zukommende

Eigenschaft ersetzt, z.B. statt Berlin: Hauptstadt der BRD. Allg. ist K. eine Markierung durch ein der Unterscheidung dienendes Merkmal, z.B. durch ein Piktogramm u. einen Text. Bes. im Arzneimittel-, Lebensmittel-, Transport-, Chemikalien- u. Umweltrecht bestehen vielfältige K.-Pflichten, die in vielen Gesetzen u. VO umfangreich u. detailliert geregelt sind. Die K. dient dem eindeutigen Erkennen eines Produktes, dem Schutz von Verwender bzw. Verbraucher, zur Information der Einsatzkräfte bei Unfällen, der Steuerung von Kaufverhalten u.a. Zwecken. Z.B. verpflichtet der 3. Abschnitt des *Chemikaliengesetzes zur Einstufung, Verpackung u. K. von gefährlichen Stoffen, Zubereitungen u. Erzeugnissen, detaillierte K.-Vorschriften finden sich in §§ 5–9, 11–15, 23 der *Gefahrstoffverordnung u. in ihren Anhängen 1–3. Dort sind für Gefahrstoffe u. deren Zubereitungen nach Einstufung Gefahrensymbole u. *R- u. *S-Sätze vorgeschrieben. Für Zubereitungen u. Erzeugnisse, die Asbest enthalten od. Formaldehyd freisetzen, für Aerosolpackungen, krebserzeugende Stoffe u. Zubereitungen, fruchtschädigende u. erbgutverändernde Stoffe u. Zubereitungen, Cadmium-haltige Zubereitungen u. Leg. sowie Zinn-organ. Verb. u. Zubereitungen gelten zusätzliche K.-Vorschriften, die auch in *TRGS festgelegt sind. Daneben regeln K.-Vorschriften z.B. die Etikettengestaltung. Beim Transport sind *gefährliche Güter in Abhängigkeit vom Verkehrsträger u.a. Kriterien zu kennzeichnen (s. Gefahrenklassen u. Transportbestimmungen), ebenso *Abfalltransporte. Für Dünge-, Pflanzenschutz- u. Waschmittel usw. sind die K. in den produktgruppenspezif. Gesetzen geregelt. – *E* labelling – *F* caractérisation – *I* caratterizzazione, descrizione – *S* caracterización
Lit.: Klöpfer, Umweltrecht, München: Beck 1989 ▪ Schauer u. Quellmalz, Die Kennzeichnung von gefährlichen Stoffen u. Zubereitungen (2.), Weinheim: VCH Verlagsges. 1992.

Kepec. Kurzbez. für die 1921 gegr. Kepec Chem. Fabrik GmbH, 53721 Siegburg, eine 100%ige Tochterges. der Henkel KGaA. *Produktion:* Lederzurichtmittel, Kunststoff- u. Lackadditive, Riechstoffe.

Kephaline (Cephaline). Von griech.: kephalé = Kopf abgeleitete, früher gebräuchlichere Gruppenbez. für solche *Glycero-*Phospholipide, die sich aus Fettsäuren, Glycerin, Phosphorsäure u. entweder Ethanolamin (2-Aminoethanol) od. L-Serin durch Veresterung bilden. Heute haben sich die Bez. *Phosphatidylethanolamine* (PE) bzw. *Phosphatidylserine* (PS) weitgehend durchgesetzt; allg. Struktur s. Abbildung.

Abb.: Allg. Struktur der Kephaline;
R^1, R^2: typischerweise unverzweigte aliphat. Reste mit 15 od. 17 Kohlenstoff-Atomen u. bis zu 4 *cis*-Doppelbindungen;
X:–CH_2–CH_2–NH_2 (Phosphatidylethanolamine, Colamin-Kephaline, Kephaline im engeren Sinn) od.
–CH_2–$CH(NH_2)$–COO^- (Phosphatidylserine, Serin-Kephaline).

Die in der Natur vorkommenden K. sind wie die eng verwandten *Lecithine Derivate der 1,2-Diacyl-*sn*-

glycerin-3-phosphorsäuren (Phosphatidsäuren; X=H, R^2–CO–O– in Fischer-Projektion nach links weisend), besitzen also α-Konfiguration, während die β-Isomeren, in denen der Phosphat-Rest mit der mittelständigen Hydroxy-Gruppe des Glycerin-Rests verestert ist, Artefakte darstellen. Die K. treten in der Natur v. a. als Membran-Lipide der *Hirnsubstanz u. in den Nervengeweben auf; zu Biosynth. u. Abbau sowie zum Verhalten von K.-Wasser-Phasen s. Phospholipide. Die K. sind gelbliche, amorphe Substanzen mit charakterist. Geruch u. Geschmack; in Wasser wenig, in Ether od. Chloroform gut löslich. Natürliche K. werden aus der *Sojabohne gewonnen, die synthet. Herst. gelingt durch eine modifizierte Lecithin-Synthese. Durch die *Phospholipasen A aus *Bienen- u. *Schlangengift werden K. in *Lyso-K.* (s. Lysolecithine) überführt, die *Hämolyse verursachen.

Verw.: Die K. fördern die Blutgerinnung, eignen sich als Leberfunktions-Testreagenz u. dienen zur Herst. markierter Lecithine sowie zur Untersuchung von natürlichen u. synthet. *Membranen u. *Liposomen. – *E* cephalins – *F* céphalines – *I* cefaline – *S* cefalinas – *[HS 2923 20]*

Kepinol® (Rp). Tabl. u. Suspension mit *Co-trimoxazol gegen bakterielle Infektionen. *B.:* Pfleger.

Keracyanin [3-*O*-(6-*O*-α-L-Rhamnopyranosyl-β-D-glucopyranosyl)-cyanidin, Sambucin, Antirrhinin].

$C_{27}H_{31}O_{15}^+$, M_R 595,46 (Ion), als Chlorid: $C_{27}H_{31}ClO_{15}$, M_R 630,99, rote Nadeln, Schmp. 175 °C (3,5 Mol. Kristallwasser). Pigment aus Süßkirschen, Holunder, Pflaumen, Tulpen u. a.; K. wird ein regenerierender Effekt auf den Sehpurpur nachgesagt. – *E* keracyanin – *F* kéracyanine – *I* cheracianina – *S* keracianina

Lit.: Beilstein E V **17**/8, 476 ▪ Karrer, Nr. 1717 ▪ Schweppe, S. 397 ▪ Z. Naturforsch. Teil C **33**, 475 (1978). – *[HS 2938 10; CAS 18719-76-1 (Chlorid)]*

Keralogie s. Haarbehandlung.

Keramchemie. Kurzbez. für die 1867 gegründete Keramchemie GmbH, 56425 Siershahn, eine Tochterges. (100%) der Th. Goldschmitt AG. *Daten* (1995): ca. 1600 Beschäftigte, ca. 309 Mio. DM Umsatz. *Produktion:* Tongruben, Tonaufbereitung, Säurefestkeramik, Gießkeramik, Kunstharz-Produktion u. Verarbeitung, Korrosionsschutz, Gummifolien, Anlagenbau.

Keramik (von griech.: keramos = Ton, Töpferware). Im allg. Sprachgebrauch versteht man unter K. sowohl die Herst. von Tonwaren in Töpferei u. K.-Ind. als auch die hierbei hergestellten Produkte. Durch Erweiterung der eingesetzten Rohstoffe über die *Tonminerale hinaus (z. B. Carbide, Nitride, Oxide, Silicide) sowie den Einsatz neuer Technologien (z. B. *Pulvermetallurgie)

hat sich die Vielfalt *keramischer Werkstoffe sowie ihre Anw. stark erweitert, u. die Entwicklungen sind noch keineswegs abgeschlossen. Hier soll im wesentlichen die klass. K. behandelt werden; zur umfangreichen Palette keram. Erzeugnisse s. keramische Werkstoffe sowie weitere Stichwörter wie Cermets, Glaskeramik, Oxidkeramik, Hochleistungskeramik. Die Verf.-Schritte in der K. können wie folgt gegliedert werden: 1. Rohstoffe, Vor- u. Aufbereitung; 2. Formgebung; 3. Trocknung; 4. keram. Brand; 5. Nachbehandlung u. Veredelung.

Zu 1.: *Hauptrohstoffe* sind Tonminerale (*Ton, *Kaolin); die größte Bedeutung für die K. haben der *Kaolinit $[Al_2(OH)_4(Si_2O_5)$ od. $Al_2O_3 \cdot 2\,SiO_2 \cdot 2\,H_2O]$ u. der *Illit $[K_{0,7}Al_2(OH)_2(Si_{3,3}Al_{0,7}O_{10})]$. Während die Kaoline, meist aus prim. Lagerstätten, vor der Verarbeitung durch Schlämmen von groben Anteilen befreit werden müssen, können die Tone, aus sek. Lagerstätten bereits von der Natur geschlämmt, oft so verarbeitet werden wie aus der Erde gewonnen. Als Zusätze dienen *Magerungsmittel zur Minderung der *Schwindung* bei Trocknung u. Brand (z. B. Quarz, Sand, gemahlener gebrannter Ton = *Schamotte), *Flußmittel zur Senkung der Sinter-Temp. (z. B. *Feldspat) u. ggf. Färbungsmittel (bestimmte Metalloxide, s. keramische Pigmente). Bei der *Trocken-* u. *Halbnaßaufbereitung* werden alle Mischungskomponenten getrocknet, ggf. zerkleinert, gemischt u. für die Formgebung nach Bedarf mit Wasser od. Naßdampf wieder angefeuchtet. Bei der *Naßaufbereitung* werden die Rohstoffe in Trommelmühlen naßvermahlen od. durch Verrühren mit Wasser in Mischquirlen in wäss. *Suspensionen überführt. Dieser fließfähige „*Schlicker*" kann durch Gießen weiterverarbeitet od. z. B. in Kammerfilterpressen bis zum plast. verformbaren Zustand entwässert werden.

Zu 2.: Älteste, seit Jahrtausenden ausgeübte Meth. der *Formgebung* ist das Modellieren der plast. Rohstoffmasse von Hand sowie das formende Drehen auf der *Töpferscheibe*. Sie wird noch heute angewendet in der bildenden Kunst, im Kunsthandwerk u. in der Hobby-Töpferei. Maschinelle Meth. der *plast. Formgebung* erfolgen z. B. mit Strangpressen. Bei den *Gießverf.* wird der fließfähige *Schlicker* in Gips-Formen gegossen, wobei das poröse Form-Material der Suspension das Wasser entzieht u. Formstabilität des Werkstücks bewirkt. Bei den *Pulververdichtungs-Verf.* werden die trockenen od. mäßig feuchten Rohstoff-Pulver od. -Granulate in Pressen ausgeformt. Wegen ihrer guten Automatisierbarkeit sind diese Verf. in vielen Varianten für die Massenerzeugung weiterentwickelt worden. In Tab. 1 wird eine Übersicht über die Formgebungs-Verf. mit den jeweils erforderlichen Feuchte-Gehalten der Rohstoffmassen sowie diversen Produktionsbeisp. gegeben.

Zu 3.: Die *Trocknung* der ausgeformten Werkstücke muß so gesteuert werden, daß die dabei erfolgende Vol.-Abnahme (*Schwindung*) rißfrei erfolgt. Die lineare Trockenschwindung beträgt bei plast. geformten Rohlingen 4–6%, bei gegossenen 3–4%, bei halbfeucht gepreßten 2–5% u. bei trocken gepreßten 0,2–2%. Neben der einfachen Freiluft-Trocknung auf Regalen („Darren") verwendet man Schaukel-, Kam-

Tab. 1: Formgebungsverf. mit Produktionsbeisp.; nach Ullmann (4.) **13**, 719.

Konsistenz	Feuchte-gehalt	Formgebungs-verf. (Varianten)	Vorrichtungen u. Maschinen	Produktionsmerkmale (Beisp./Werkstoff)
plast. Formgebung (direkt od. indirekt)				
plast. knetbar	20–30%	Modellieren Freidrehen	Freihandarbeit Töpferscheibe	künstler. Modellschöpfung, Einzelstücke (Kunstkeramik/Töpfermassen)
		Plätschen	Aufformen von Hand	für Großstücke (Graphittiegel/Graphitton-werkstoffe; Glashäfen, Schamotte)
		Eindrehen Überdrehen	Ein- u. Überformen in Gipsformen auf der Töpferscheibe	für Rotationsstücke, Geschirrfertigung (Tassen, Teller/Porzellan, Steingut)
	18–25%	Rollerformung	Überformen durch Überquetschen mit beheiztem Rotations-körper	Massenerzeugung, auch zu Taktstraßen zusammengefaßt, mit Trocknung (Porzellan, Steingut)
	15–30%	Strangpressen (Formgebung durch Strömung aus Mundstück)	Kolbenstrangpresse, Schneckenstrangpresse, Vakuumstrangpresse	zur Massenerzeugung einfacher Baustoffe (Mauerziegel, Drainrohre; Steinzeugroh-re/Steinzeug; Spaltplatten/Steinzeug)
	15–25%	Strangpressen als Vorformung (mit Zwischen-trocknung)	Abdrehen u. Bearbei-tung des teils od. voll getrockneten Masse-stranges	Großisolatorfertigung, Musterfertigung (Hochspannungsisolatoren, Versuchsferti-gungen)
		(ohne Zwischen-trocknung)	Nachpressen plast. Teile: Revolverpressen, Rammpressen	zur Verbesserung der Formgenauigkeit, Hohlgeschirrfertigung (Schamottesteine/Schamotte; Dachziegel/Ziegelwerkstoffe; Bratgeschirre/Tonzeug)
Gießverf.				
flüssig	30–40%	Gießen (Kernguß, Hohlguß, Druckguß)	saugende Gipsform od. poröse Formen-werkstoffe	Saugvermögen bestimmt Arbeitstakt, teils Anlernarbeit (Klosettbecken/Porzellan;
	10–20% thermoplast. Masse)	Spritzguß	Spritzgußmaschine mit gekühlten Stahl-formen	Masse muß aufgeheizt werden, daher nur für Kleinteile (Fadenführer/Oxidkeramik)
Pulververdichtung				
krümelig, rieselfähig	12–18%	Feuchtpressen (Preßdruck durch Masse-feuchte gegeben)	Feuchtpresse von Hand od. automat.	für Massenteile (Niederspannungsisolato-ren; Feuerfeststeine, Sonderformate)
		Einstampfen	Preßlufthammer in Holzformen	für grobkeram. Einzelstücke (Feuerfeststeine)
Agglomerat-pulver, rieselfähig	5–8%	Halbfeucht-pressen in Stahlformen	Hydraulikpressen, Kniehebelpressen, Friktionsspindel-pressen, Drehtisch-pressen	für Massenteile mit begrenzten Höhen- zu Tiefenabmessungen (Wandfliesen, Boden-fliesen, Feuerfeststeine)
Pulver	0–5%	Trockenpressen (in Starrmatrizen)	Hydraulikpressen, mechan. Kurven-pressen	für Massenteile (Sonderkeramik, Teile in E-Technik)
		Isostatikpressen (in Gummimatrizen)	a) im Autoklaven (Naßmatrizentechnik)	für Sonderteile (chem. Technik)
			b) in mechan. Pressen (Trocken-matrizentechnik)	für Massenteile (Zündkerzen/Oxidkeramik; Mahlkugeln/Oxidkeramik)

mer- od. Tunnel-Trockner, vielfach unter Benutzung der Abwärme kontinuierlich arbeitender Brennöfen. Durch geeignete Zeitprogramme für Luft-Temp. u. -Feuchtigkeit kann die Trocken-Geschw. ohne Riß-gefahr gesteigert werden.

Zu 4.: Beim *keram. Brand* laufen Zeit- u. Temp.-ab-hängig eine Reihe von fest-fest- u. fest-flüssig-Reak-tionen ab, die zu den endgültigen physikal. Eigen-schaften führen. Die Verfestigung beim Brennvorgang wird mit Sinterung (s. Sintern) bezeichnet, wobei teilw. nur an den Teilchen-Oberflächen Schmelzflüsse auf-treten. Auch Kristallwachstums- u. Kristallumwand-lungsvorgänge können beim Brand eine Rolle spielen. In der Regel entstehen komplizierte Mehrstoffsysteme. Die Abb. (S. 2112) zeigt die Zusammensetzung von Scherben aus Kaolin, Quarz u. Feldspat in Abhängig-keit von der Temperatur.

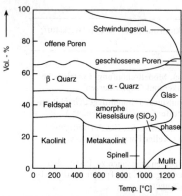

Abb.: Scherbenzusammensetzung von Massen aus Kaolin, Quarz u. Feldspat in Abhängigkeit von der Brenntemp.; nach Ullmann (4.) **13**, 720.

Auch beim Brennen tritt in der Regel ein Vol.-Schwund auf („Brennschwindung"), der bis zu 20% betragen kann. Diesem kann durch Einsatz vorgebrannter Rohstoffe entgegengewirkt werden, z.B. Ton zu Schamotte, Magnesit ($MgCO_3$) od. Dolomit [$(Mg,Ca)CO_3$] zu „Sinter" (MgO bzw. MgO+CaO) od. Tonerde [$Al(OH)_3$] zu „calcinierter Tonerde" (α-Al_2O_3). Massenartikel werden fast ausschließlich in kontinuierlich betriebenen Tunnelöfen mit Gas-, Öl- od. Elektrobeheizung gebrannt. Nur für kleinere Fertigungen, Sonderartikel u. im handwerklichen u. Hobby-Bereich werden Kammeröfen verwendet. Tab. 2 gibt eine Übersicht über die Brenn-Temp. einiger keram. Erzeugnisse.
Zu 5.: Verbreitetste Meth. der *Nachbehandlung u. Veredelung* ist das Aufbringen einer schützenden u./od.

dekorativen *Glasur, ggf. unter Verw. Keramischer Pigmente, Näheres s. dort. Häufig werden fertig gebrannte Erzeugnisse durch Schleifen u. z. T. auch durch Polieren auf Maßgenauigkeit gebracht. Auf gebrannte keram. Oberflächen od. Glasuren können elektr. leitende Metallschichten mittels verschiedener Verf. aufgebracht werden. Auch werden Verbindungen keram. Werkstücke mit Metallteilen mittels verschiedener Techniken, z. B. für elektr. Anlagen, hergestellt.
Geschichte: Die Töpferei gehört zu den ältesten menschlichen Techniken. Die ältesten Funde von Tongeschirr-Resten werden der Jungsteinzeit um 6000 v. Chr. zugeordnet. Babylonier kannten bereits 1600 v. Chr. das Glasieren von Ziegeln. Altgriech.-att. Vasen waren mit Eisen-haltigen *Illit-Überzügen schwarz glasiert. Die Römer erfanden die "terra sigillata", oxidierend gebranntes rotes Geschirr mit dicht gesintertem Illit-Überzug. Seit ca. 600 n. Chr. wurde von den Chinesen ein Weich-*Porzellan hergestellt, mit künstler. Höhepunkten in der Sung- (960–1127) u. Ming-Periode (1368–1644). Seit dem Hochmittelalter ist in Europa das Steinzeug bekannt, seit dem 15. Jh. *Fayence u. Majolika, etwas später das Delfter Steingut. 1709 gelang in Dresden die Herst. von Hart-*Porzellan, 1745 wurde in England das *Knochenporzellan erfunden. Seit der 2. Hälfte des 19. Jh. wurden zahlreiche weitere keram. Werkstoffe erfunden. –
E ceramics – *F* céramique – *I* ceramica – *S* cerámica
Lit.: Kirk-Othmer (3.) **5**, 234–314; (4.) **5**, 599–728 ▪ Ullmann (4.) **13**, 711–735; **14**, 1–22; **22**, 209–240; (5.) **A 6**, 1–92 ▪ Winnacker-Küchler (4.) **1**, 478 f.; **3**, 159–213 ▪ s. a. Cermets, Feuerfestmaterialien, Glas, Glaskeramik, Glasur, Oxidkeramik, Hochleistungskeramik. – *Zeitschriften:* Ceramic Bulletin, Westerville/Ohio: American Ceramic Society ▪ Interceram In-

Tab. 2: Brenntemp. einiger keram. Erzeugnisse; nach Ullmann (4.) **13**, 721.

Erzeugnis	max. Brenntemp [°C]	typ. Kennzeichen
Mauerziegel, Drainrohre	960–1180	keine bes. Versatztechnik
Klinkersteine	1040–1250	
Töpferware	950–1050	
Steingutwandfliesen	1) 1200	
	2) 1120 G*)	Endprodukte mit offenporigem Gefüge, saugend
Steingutgeschirr	1) 1250	
	2) 1180 G	
Spaltplatten, Bodenfliesen	1120–1280	dicht gesinterte Werkstoffe
Sanitärbecken	1250–1300	gebrannt bis zur Sinterung
Hochspannungsisolatoren	1380 ab 1200 reduzierende Ofenatmosphäre	dichte homogene Werkstoffe mit durchscheinendem Scherben
Laborporzellan	1) 900	in Zweibrandtechnik
	2) 1480 G	
Geschirrporzellan	1) 900	
	2) 1350 G	
Steatitisolatoren	1250–1380	Speckstein als Rohstoff
Knochenporzellan	1) 1280	calcinierte Knochenasche u. Feldspat
	2) 1080 G	als Sinterhilfsmittel
Al_2O_3-Oxidkeramik mit 99% Al_2O_3, dicht	1800	Einstoffsinterung von Korund-Krist.
Dauermagnetwerkstoff aus $BaO \cdot 6 Fe_2O_3$	1310	Einstoffsinterung in oxid. Atmosphäre
Schamottesteine	1200–1400	Versatz aus Ton u. vorgebranntem Ton
Graphittiegel	1280	Graphit in Tonbindung
Silicasteine	1450–1550	Neubildung von SiO_2-Phasen (Cristobalit)
Magnesiasteine	1550–1750	MgO vorgebrannt aus $MgCO_3$, wird gesintert

*) G = Glasurbrand

ternational Ceramic Review, Freiburg: Schmid ▪ Keramische Zeitschrift, Freiburg: Schmid. – *Organisationen:* The American Ceramic Society, P. O. Box 6136, Westerville, Ohio 43086-6136; http://www.acers.org ▪ Verband der Keramischen Industrie e. V. u. Arbeitsgemeinschaft keramische Industrie, Schillerstr. 17, 95100 Selb; http://www.keramverband.de ▪ *Deutsche Keramische Gesellschaft (die im Stichwort, Bd. 2, angegebene Adresse ist veraltet; Am Grott 7, 51147 Köln; http://www.dkg.de ▪ European Ceramic Society; http://www.chem.tue.nl/ecers.

Keramische Pigmente. Zur Farbgebung *keramischer Werkstoffe kommen nur feuerfeste *Pigmente in Frage, da Farbglasuren bei Temp. von 700–1100 °C, bei Sanitärkeramik sogar bei 1400 °C eingebrannt werden. Verb. des Al, Ni, Cr, Pr, Zn, Co, Cu, Mn, Fe vom Spinelltyp u. a. Verb. dieser Elemente sowie des U u. V eignen sich ebenso als k. P. wie Silicate u. Sulfide (z. B. von Cd); bes. farbkräftig sind die aus verschiedenen Pigmenten aufgebauten *Mischkristalle. Um die Temp.-Beständigkeit der Pigmente zu erhöhen, können sie in farblosen Wirtsgittern wie z. B. Zinnoxid, Titandioxid, Zirkoniumdioxid u. Zirkoniumorthosilicat fixiert werden. Als bes. kostbar gelten Auflagen auf der Basis von Edelmetall-Präp. (Gold, Platin). Die Dekorfarben (früher *keram. Farbkörper* genannt) werden zusammen mit glasigen Substanzen – der sog. *Fritte* – auf die Unterlage aufgetragen u. mit dieser verschmolzen od. versintert (vgl. Glasur u. Email). Die Pigmente werden je nach mechan. Beanspruchung auf die Glasur (sog. *Schmelz-* od. *Aufglasurpigmente*) od. auf den Scherben (*Unterglasurpigmente*) aufgetragen; letztere müssen mit Glasurbrandtemp. (bis 1400 °C) beständig sein. Bei Pigmenten mit einer Schichtdicke von <0,1 µm spricht man aufgrund des irisierenden Glanzes von *Lüster.

Geschichte: K. P. wurden schon vor Jahrtausenden hergestellt u. benutzt, z. B. in Anatolien, Mesopotamien u. Ägypten. – *E* ceramic pigments – *F* pigments céramiques – *I* pigmenti ceramici – *S* pigmentos cerámicos

Lit.: Kirk-Othmer (3.) **6**, 549–561; (4.) **6**, 877–892 ▪ Ullmann (4.) **14**, 1–12; (5.) **A 5**, 545–556 ▪ Winnacker-Küchler (4.) **3**, 184–187 ▪ s. a. Glasur, Keramik u. Pigmente.

Keramische Werkstoffe. Sammelbez. für aus anorgan. u. überwiegend nichtmetall. Verb. od. Elementen aufgebaute u. zu mehr als 30 Vol.-% krist. Materialien. Ihre Herst. erfolgt nach den klass. Meth. der *Keramik od. modernen Verf. zur Herst. von *Glaskeramik, *Oxidkeramik, *Hochleistungskeramik. Eine Einteilung der k. W. ist nach verschiedenen Gesichtspunkten möglich, z. B. nach Rohstoffgruppen, nach Erzeugnisgruppen, nach Werkstoffeigenschaften usw. Wegen der sich immer noch vergrößernden Anzahl neu entwickelter k. W. wurde ein Einteilungsprinzip vorgeschlagen (*Lit.*[1]), das eine Zuordnung durch Anw. einer Merkmal-Reihenfolge erlaubt, s. Abbildung unten.

Tonkeram. Werkstoffe: Rohstoff dieser klass. Keramik ist eine durch Wasser plastifizierbare tonige Substanz. Ihre Bestandteile sind die Tonminerale *Kaolinit, *Illit u. *Montmorillonit, die in der Formgebung Träger der Formbarkeit sind, vergesellschaftet mit Quarz, Feldspat, Glimmer u./od. Kalk.
Innerhalb dieser Gruppe wird in *grob-* u. *feinkeram. Erzeugnisse* unterteilt. Als Unterscheidungsmerkmal dient die Homogenität der *Scherben* (Bez. für die gebrannten Massen wie auch für ihre Bruchstücke), wobei als Abgrenzung etwa 0,2 mm für die Größe der Gefügebestandteile gilt (Krist., Poren, dichtere Zusätze u. dgl.). Bei vielen feinkeram. Erzeugnissen sind die Gefügebestandteile <0,2 µm.
Nächstes Unterscheidungsmerkmal ist die *Porosität, die für viele Eigenschaften der k. W. eine Rolle spielen kann. Offene Poren sind bestimmbar durch die Wasseraufnahmefähigkeit, geschlossene Poren berechenbar aus dem Unterschied der Rein- u. Roh-Dichte. Bei den tonkeram. Werkstoffen stellen die grobkeram. Erzeugnisse überwiegend *Baustoffe dar (vgl. Abb.). Bei den feinkeram. Erzeugnissen wird nach *Tongut* (*Irdenware*) u. *Tonzeug* (*Sinterware*) unterschieden. Beim Tongut wird unterteilt in *Irdengut* u. *Steingut*, beim Tonzeug in *Steinzeug* u. *Porzellan.
Neben der klass. Keramik kommt der Hochleistungskeramik eine immer größere Bedeutung bei den Werkstoffen zu[2]. Es handelt sich dabei um Werkstoffe, deren Verhalten speziell für bestimmte Anw. optimiert wurde. Sie werden heute vermehrt entsprechend ihren mechan., therm., chem., biolog., elektromagnet., opt. u. nuklearen Eigenschaften eingesetzt. Beisp. dafür sind ihre Verw. in Motorenteilen, Schneidwerkzeugen,

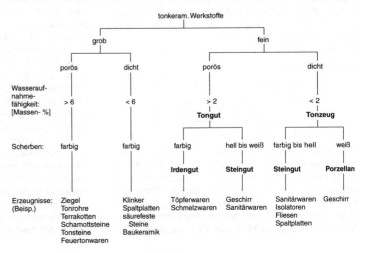

Abb.: Einteilung keramischer Werkstoffe.

Implantaten, für Gleitdichtungen, als Gasspürsonden u. in der Kerntechnik. Die Tab. gibt Aufschluß über die Temperaturbeständigkeit einiger dieser keram. Werkstoffe.

Tab.: Schmelztemp. (T) u. Dichten hochschmelzender keram. Phasen.

Phase	T [°C]	D.	Phase	T [°C]	D.
Al_2O_3	2050	3,97	Mo_2C	2380	8,9
BeO	2530	3,00	TaC	4000	14,5
ThO_2	3050	9,69	SiC	2700	3,2
MgO	2800	3,58	BN	2730	2,25
ZrO_2	2700	6,27	TaN	3360	14,4
SiC	2700	3,17	Si_3N_4	2170	3,44
B_4C	2350	2,51	AlN		3,26
WC	2800	15,7	TiB_2	2900	4,5
TiC	3200	4,25	ZrB_2	3060	6,08
VC	2830	5,4	TaB_2	3000	12,38

Während im dtsch. Sprachgebrauch die *Cermets als gesonderte Stoffklasse behandelt werden, zählen diese im anglo-amerikan. Schrifttum meist zu den keram. Werkstoffen. Eine ausführliche Übersicht über moderne k. W. wird in *Lit.*[3] gegeben. – *E* ceramics, ceramic materials – *F* matériaux céramiques – *I* materiali ceramici – *S* materiales cerámicos

Lit.: [1] Ber. Dtsch. Keram. Ges. **44**, 209 ff. (1967). [2] DFG, Senatskommission für geowissenschaftliche Gemeinschaftsforschung (Hrsg.), Anorganische nichtmetallische Minerale u. keramische Werkstoffe, Weinheim: VCH Verlagsges. 1995. [3] Ullmann (5.) **A 6**, 43 – 92.
allg.: s. Keramik.

Kerargyrit s. Chlorargyrit.

Kerasin { [(*E*)-D-*erythro*-3-Hydroxy-2-(tetracosanoyl-amino)-4-octadecenyl]-β-D-galactopyranosid }.

D-Galactose
Tetracosansäure (Lignocerinsäure)
Sphingosin

$C_{48}H_{93}NO_8$, M_R 812,27. Ein *Cerebrosid aus D-*Galactose, dem *Sphingosin-Rest u. *Tetracosansäure; Bestandteil von Nervengeweben. – *E* kerasin – *F* cérasine – *I* cerasina – *S* querasina
Lit.: Beilstein E V **17/7**, 471. – *[CAS 74645-26-4]*

Keratansulfate.

Bestimmte *Glykosaminoglykane, M_R 4000 – 19 000, die u. a. in *Knorpel, *Knochen (Typ II), bes. aber in der Hornhaut des Auges (Typ I) anzutreffen sind; sie bilden dort zusammen mit *Collagenen *Proteoglykane des *Bindegewebes. Der Gehalt an K. in den Geweben nimmt beim Menschen mit dem Lebensalter zu. K. bestehen hauptsächlich aus sich wiederholenden Disaccharid-Einheiten von D-Galactose, die an 6-O-sulfoniertes *N*-Acetyl-D-glucosamin (β1→4)-glykosid. gebunden ist. Die Disaccharide sind miteinander (β1→3)-glykosid. verknüpft. Daneben kommen noch D-Galactosamin, D-Mannose, L-Fucose sowie Sialinsäure als Bestandteile in K. vor. – *E* keratan sulfates (sulphates) – *F* kératane-sulfates – *I* solfati di ceratano – *S* queratano-sulfatos

Keratine. Von griech.: keras = Horn abgeleitete Bez. für Struktur-Proteine (M_R 40 000 – 70 000), die in Epithel(Oberflächen)- u. speziell Epidermis (Oberhaut)-Zellen (*Keratinocyten*) als Bestandteile des *Cytoskeletts (*Cytokeratine*) die *intermediären Filamente (IF) ausbilden u. die (daraus hervorgehenden) *Hornsubstanzen* der *Haut u. *Hautanhangsgebilde* (*Haare, Schuppen, Schildpatt, Wolle, Federn; Nägel, Klauen, Hufe, Krallen; Hörner, Gehörn, Geweih; Vogelschnäbel usw.) ausmachen. In anderen Geweben findet man verwandte IF-Proteine. Bei übermäßiger K.-Bildung, z. B. in Hühneraugen, Schwielen u. *Warzen spricht man von *Hyperkeratose*.
Biolog. Funktion: Die K. zählen wie die *Collagene zur großen Gruppe der *Skleroproteine, die neben den Mineralstoffen im Organismus eine wichtige Stützfunktion übernehmen. Als Bestandteile des Cytoskeletts verleihen sie der Zelle Formbeständigkeit. Da die K.-Fibrillen auch Zell-übergreifend durch *Desmosomen verbunden sind, sorgen sie mit für den Zusammenhalt der Zellen im Gewebeverband. Die K.-Schicht der Haut sowie ihre keratinösen Anhangsgebilde entstehen in einem *Keratinisierung* genannten, durch *Retinoide beeinflußten Differenzierungs-Prozeß der Oberhautzellen, deren unterschiedliche Schichten ein verschiedenes Repertoire an K. synthetisieren u. die schließlich – durch den von innen nach außen gerichteten Wachstums-Schub in der äußersten Schicht angelangt – unter Dehydratisierung u. Verlust der Zellorganellen absterben.
Eigenschaften: Den K. gemeinsam ist eine hohe mechan. u. chem. Beständigkeit. Sie sind in Wasser, konz. Salz- u. nichtion. Detergenzlsg. sowie verd. Säuren unlösl., widerstehen auch *Proteasen u. haben daher keinen Nährwert. Lediglich die Larve der Kleidermotte hat im Magen ein reduzierendes Enzym-Syst., das bei alkal. Reaktion die K. der Wolle verdaut, u. auch der Pilz *Tritirachium album* ist durch seine Endopeptidase (Proteinase K) befähigt, auf Wolle od. Hornspänen zu wachsen. In Alkalien sind die K. quellfähig; lösl. sind sie in Red.-Mitteln wie schwefeliger Säure, Sulfiten u. Hydrogensulfiten, in Schwefelwasserstoff bzw. Sulfiden (spielt beim Äschern in der *Gerberei eine Rolle), in *Thioglykolsäure usw. Diese Eigenschaft ermöglicht nicht nur die Erweichung der Hornhaut durch *Keratolytika, sondern auch deren Nutzung zur Verformung des menschlichen Haars zu Dauerwellen od. zum Entkräuseln (s. Haarbehandlung).
Zusammensetzung: Alle K. zeichnen sich durch einen hohen L-Cystin-Anteil u. einen dadurch bedingten Schwefel-Gehalt aus, der zwischen ca. 2 u. 6% (in Ausnahmefällen bei 16%) liegt. Die strukturelle Funktion des L-Cystins ist im K. wie auch bei anderen Proteinen in der Ausbildung von *Disulfid-Brücken u. der

damit verbundenen chem. u. mechan. Stabilisierung zu sehen. Andere Aminosäuren, die zum Aufbau der K. in größerem Umfang beitragen, sind z. B. L-Leucin, L-Serin, L-Arginin, L-Glutaminsäure, L-Asparaginsäure u. L-Prolin. Freie Thiol-Gruppen in K. lassen sich durch die *Iod-Azid-Reaktion nachweisen.

Raumstruktur: In der durch Röntgenstrukturanalyse u. elektronenmikroskop. Untersuchung aufgeklärten Feinstruktur der K. unterscheidet man zwischen α- u. β-K.:

α-*Keratine:* Die Grundeinheit der in den IF sowie in den Haaren, Nägeln usw. enthaltenen α-K. ist – neben je einer globulären Kopf- u. Schwanz-*Domäne – eine α-*Helix (vgl. a. Proteine), in der sich alle 7 Positionen (Heptaden) ähnliche Aminosäure-Sequenzen wiederholen. Jeweils 2 Helices bilden eine Doppelhelix aus, von denen sich wiederum je 2 aneinanderlagern. Diese tetrameren *Protofilamente* (48×3 nm) verbinden sich in gestaffelter Anordnung zum 8–10 nm starken IF, das wahrscheinlich 8 Protofilamente im Querschnitt aufweist. Man unterscheidet den sauren u. den neutral-bas. K.-Typ (Typ I bzw. II, M_R 40000–55000 bzw. 56000–70000), die sich zu gleichen Teilen wechselseitig aneinanderlagern. In den Epidermis-Derivaten (Haaren usw.) sind die auch *Mikrofibrillen* genannten Filamente eingebettet in amorphe Protein-Substanz (hoch-Schwefel- u. -Tyrosin-haltige K., M_R 6000–20000) u. bilden die *Makrofibrillen*. α-K. lassen sich in nassem Zustand recken, wobei die α-Struktur in die β-Struktur übergeht, die aus parallelen Ketten gebildet wird (vgl. dagegen unten).

β-*Keratine:* Zu diesen K. mit antiparalleler Faltblatt-Struktur gehört als bekanntester Vertreter das Seiden-*Fibroin[1]. Auch Federn u. Schuppen bestehen aus β-K. (M_R 20000–30000).

Kosmetik: Das K. des menschlichen Haars u. der Haut wird in verschiedener Weise durch die Meth. der *Haarbehandlung u. -kosmetik beeinflußt. So spielt bei der Haardauerverformung, der Entfernung von Warzen u. Hühneraugen mit Hilfe von Keratolytika u. der Anw. von *Depilatorien die *Keratolyse* eine Rolle, indem die dabei verwendeten Thioglykolsäure-Derivate Cystin-Brücken spalten (vgl. Haarbehandlung). Bei der künstlichen *Hautbräunung bilden sich durch *Maillard-Reaktion des Dihydroxyacetons mit den Aminosäuren des K. die braunen *Melanoide* in der Hornschicht der Haut. Die bevorzugte Ablagerung von Arsen in Haut u. Haaren ist auf dessen Reaktion mit den freien Thiol-Gruppen des K. zurückzuführen. In haarkosmet. u. pharmazeut. Produkten werden als kationaktive Filmbildner u. a. Polyvinylpyrrolidone eingesetzt, die eine bes. Affinität zu K. besitzen u. fest an die Haaroberfläche adsorbiert werden.

Verw.: Aus K. (Hornsubstanz) werden z. B. Knöpfe, Schnallen, Kämme usw. angefertigt; die größte, indirekte Nutzung ist in der Verarbeitung von *Wolle gegeben. – *E* keratins – *F* kératines – *I* cheratine – *S* queratinas

Lit.: [1] Spektrum Wiss. **1992**, Nr. 5, 82–89. *allg.:* Alberts et al., Molekularbiologie der Zelle, 3. Aufl., S. 941–944, 947f., 1129f., 1367–1369, 1552, Weinheim: VCH Verlagsges. 1995 ▪ Annu. Rev. Cell Develop. Biol. **11**, 123–153 (1995) ▪ Trends Biochem. Sci. **18**, 360ff. (1993).

Keratinisierung s. Keratine.

Keratinocyten s. Keratine.

Keratitis. Entzündung der Hornhaut des *Auges.

Keratolyse s. Keratine.

Keratolytika. Bez. für solche Inhaltsstoffe von *Dermatika u. *Hautpflegemitteln, die verhornte Haut (Warzen, Hühneraugen, Schwielen u. dgl.) erweichen, damit sich diese leichter entfernen läßt od. damit sie abfällt (Salicylsäure, Resorcin) bzw. damit sich diese auflöst (Thioglykolsäure, Sulfide, Harnstoff, 5-Fluorouracil). Sie sind in Form von Salben, Tinkturen u. Pflastern im Handel. – *E* kerat(in)olytics – *F* kératolytiques – *I* cheratolitici – *S* queratolíticos

Lit.: Pharm. Unserer Zeit **10**, 129–143, 168–181, bes. 172f. (1981).

Keratophyr. Bez. für meist helle, durch *Chlorit grünlichgraue od. durch *Hämatit rötlichgraue bis rötlichbraune vulkan. Gesteine (*Vulkanite) u. *Ganggesteine, die aus Alkali-*Feldspäten, Chlorit sowie geringen Anteilen von *Calcit, Erzmineralien, Leukoxen (s. Ilmenit), *Quarz (>5% bei *Quarzkeratophyr) u. akzessor. Bestandteilen (*Gesteine) bestehen.

Vork.: Meist zusammen mit *Spiliten, z. B. im Rhein. Schiefergebirge u. im Harz. – *E* keratophyre – *F* kératophyre – *I* keratofiro – *S* keratófiro

Lit.: Wimmenauer, Petrographie der magmatischen u. metamorphen Gesteine, S. 210f., Stuttgart: Enke 1985.

Kerbel. Zu den Doldengewächsen (Apiaceae) gehörende Pflanzen, von denen der Gartenkerbel [*Anthriscus cerefolium* (L.) Hoffm.] wegen des süßlich anisigen Geschmacks in Salaten, Suppen, Soßen, Fisch-, Fleisch- u. Eierspeisen häufig verwendet wird. Das K.-Kraut enthält u. a. ether. Öl u. das Glykosid *Apiin. K. hat harn- u. schweißtreibende Eigenschaften, er dient volkstümlich zu Frühjahrskuren. – *E* chervil – *F* cerfeuil – *I* cerfoglio – *S* perifolio

Lit.: Hager (4.) **3**, 114ff. ▪ Melchior u. Kastner, Gewürze, S. 230ff., Berlin: Parey 1974. – [HS 070990]

Kerbschlagarbeit s. Kerbschlagbiegeversuch.

Kerbschlagbiegeversuch. Eine (metall.) zweiseitig gelagerte (Ausnahme *Izod-Test) prismat. Probe mit quadrat. Querschnitt u. einem Kerb senkrecht zur Längsachse wird von der Finne eines sich um eine Achse drehenden Schlaghammers im gekerbten Querschnitt zertrennt. Die dabei verbrauchte Energie des Schlaghammers wird als Kerbschlagarbeit (Einheit: J) bezeichnet, die auf den Querschnitt im Kerbbereich bezogene Kerbschlagarbeit als *Kerbschlagzähigkeit

Tab.: Kerbschlagbiegeversuche für unterschiedliche Probenformen.

Bez.	Norm (s. *Lit.*)	Probenform [mm]				
		Länge	Breite	Höhe	Kerbtiefe	Kerbradius
DVM	1	55	10	10	3	1
DVMK	1	44	6	6	2	0,75
KLST	1	27	3	4	1	0,1
Charpy-U	2	55	10	10	5	1
Charpy-V	2	55	10	10	2	0,25

(Einheit: J/cm²). Üblicherweise wird der K. als Reihenversuch in Abhängigkeit von der Temp. zum Nachw. eines im Regelwerk vorgegebenen Mindestwerts der Kerbschlagzähigkeit durchgeführt. In vorstehender Tab. sind die für unterschiedliche Probenformen genormten K. aufgeführt.

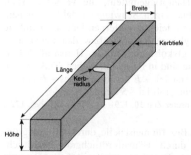

Abb.: Abmessungen der Kerbschlagbiegeprobe.

Der K. gehört zu den am häufigsten durchgeführten Zähigkeitsprüfungen der Metallurgie. – *E* impact test – *F* essai de choc – *I* prova di resistenza all'urto – *S* ensayo de resistencia al choque

Lit.: [1] DIN 50115 (04/1991). [2] DIN EN 10045 (04/1991).
allg.: Siebel (Hrsg.), Handbuch der Werkstoffprüfung, 2. Aufl., Bd. 2, Die Prüfung der metallischen Werkstoffe, S. 174 ff., Berlin: Springer 1955.

Kerbschlagzähigkeit (Einheit: J/cm²). Ein im *Kerbschlagbiegeversuch ermittelter Kennwert der Werkstoffzähigkeit bei schlagartiger Beanspruchung u. mehrachsigem *Spannungszustand; zu den unterschiedlich genormten Probenformen s. Kerbschlagbiegeversuch. Die Ermittlung der K. in Abhängigkeit von der Temp. ergibt die *K.-Temp.-Kurve.* Diese weist für kub.-raumzentriert kristallisierende Metalle (z.B. unlegierter Stahl) bei höheren Temp. eine hohe K. (Hochlage) u. bei tiefen Temp. eine niedrige K. (Tieflage) auf. Dazwischen befindet sich ein Übergangsbereich mit breiter Streuung u. Steilabfall der Kerbschlagzähigkeit (s. Abb.).

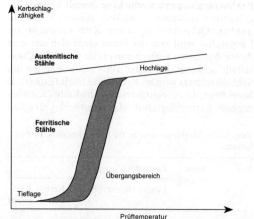

Abb.: Kerbschlagzähigkeit ferrit. u. austenit. Stähle in Abhängigkeit von der Prüftemperatur.

In der Regel wird ein mechan. beanspruchtes Bauteil nicht im Bereich der Tieflage der K. eingesetzt, da unter diesen Bedingungen im Falle einer mechan. Überbeanspruchung diese nicht durch eine bleibende Verformung aufgefangen wird, sondern die Gefahr eines spröden Versagens besteht [1]. Kub.-flächenzentriert kristallisierende Metalle (z.B. *austenitischer Stahl, *Aluminium, *Kupfer) weisen dagegen auch bei tiefen Temp. eine hohe K. auf u. sind daher für einen Einsatz unter derartigen Bedingungen geeignet. Durch den Kerb wird eine Mehrachsigkeit des Spannungszustandes im gekerbten Probenquerschnitt hervorgerufen u. die hohe Verformungsgeschw. hebt die *Streckgrenze als angenäherten Beginn der bleibenden Verformung an. Beide Bedingungen führen zu einer bes. krit. Beanspruchung der Probe. Insgesamt stellt die K. daher ein konservatives Maß für das Werkstoffverhalten bei mechan. Überbeanspruchung dar. Im Regelwerk [2] gibt es aus diesem Grunde bei Metallen, die für den Bau mechan. bes. beanspruchter Komponenten mit erhöhtem Gefährdungspotential (z.B. Druckbehälter) vorgesehen sind, Mindestanforderungen für die bei Anw.-Temp. zu gewährleistende Kerbschlagzähigkeit. Im Gegensatz zur *Bruchzähigkeit hat die K. jedoch einen ausschließlich empir. Hintergrund u. kann nicht im Rahmen der Zähigkeitsberechnung angewendet werden [3]. Aufgrund umfangreicher Erfahrungen gilt lediglich als gesichert, daß sich beim Einhalten der Vorgaben gemäß Regelwerk das plangemäß eingesetzte Bauteil auch bei einer mechan. Überbeanspruchung zäh verhält u. nicht zum Sprödbruch neigt. Eine derartige Auslegung hat sich in der Geschichte der techn. Entwicklung durchweg bewährt, ohne daß ein sinnvoller mathemat.-physikal. Hintergrund angeführt werden kann. – *E* impact toughness – *F* résilience – *I* resilienza su barrette con intaglio – *S* resiliencia

Lit.: [1] Wigley, Mechanical Properties of Materials at Low Temperatures, New York: Plenum Press 1971. [2] s. Technische Regeln Druckgase (TRG), Technische Regeln für Dampfkessel (TRD) u. AD-Merkblätter (Richtlinien der Arbeitsgemeinschaft Druckbehälter). [3] Radaj, Festigkeitsnachweise, Tl. 1, Grundverfahren, S. 99 ff., Düsseldorf: Dtsch. Verl. für Schweißtechnik 1974.
allg.: s. Kerbschlagbiegeversuch.

Kerbtiere, Kerfe s. Insekten.

Kerlone® (Rp). Tabl. mit *Betaxolol-Hydrochlorid gegen *Hypertonie. *B.:* Synthélabo.

Kerma (Kurzz.: K). Abk. für *E* „*K*inetic *e*nergy *r*eleased per unit *ma*ss" bzw. „*K*inetic *e*nergy *r*eleased in *m*aterial". Hiermit wird in der Dosimetrie die Summe der kinet. Energien dW_K aller geladenen Teilchen angegeben, die von indirekt *ionisierender Strahlung (Photonen, Neutronen) in dem Massenelement dm freigesetzt werden:

$$K = \frac{dW_k}{dm}.$$

Die SI-Einheit ist 1 Gy = 1 J/kg. Bei Zahlenangaben muß das Bezugsmaterial mit genannt werden, wie z.B. *Luftkerma* K_a (a für *E* air) od. *Wasserkerma* K_W. Bei der klin. Dosimetrie ist auch das Umgebungsmaterial zu berücksichtigen, so daß Sondenmaterial u. Umgebungsmaterial angegeben werden: Luftkerma gemessen in Luft $(K_a)_a$ od. Wasserkerma gemessen in Luft $(K_W)_a$. – *E* = *F* = *I* = *S* kerma

Lit.: Kohlrausch, Praktische Physik 2, S. 571, Stuttgart: Teubner 1996 ▪ Petzold u. Krieger, Strahlenphysik, Dosimetrie u. Strahlenschutz, Bd. 1, 2, Stuttgart: Teubner 1992, 1989 ▪ Reich (Hrsg.), Dosimetrie ionisierender Strahlung, Stuttgart: Teubner 1990.

Kermes (unechte Cochenille). Farbstoff aus getrockneten, weiblichen Kermes-Schildläusen (*Kermes vermilio*), die in Persien u. im Mittelmeerraum als Schmarotzer auf sog. Scharlacheichen (*Quercus coccifera*, Fagaceae) leben. Der rote Farbstoff ist eine Anthrachinoncarbonsäure (*Kermessäure*, Abb. bei *Karminsäure, $C_{16}H_{10}O_8$, M_R 330,25, dunkelrote Rosetten, Schmp. >320 °C).
Im Orient wurde K. schon vor etwa 3000 Jahren zu Scharlachfärbungen verwendet, da es Wolle aus saurer Lsg. orange, mit Alaun-Beize blaurot u. mit Zinn-Beize scharlachrot färbt. Mit dem Aufkommen der echten *Cochenille verlor die K.-Färbung an Bedeutung. – *E* kermes – *F* kermès – *I* chermes – *S* quermes
Lit.: Chem. Unserer Zeit **15**, 179–189 (1981) ▪ J. Org. Chem. **52**, 5469 (1987) ▪ Schweppe, S. 225 – *[HS 320300; CAS 18499-92-8 (Kermessäure)]*

Kermesit (Rotspießglanz, Antimonblende, veraltet: Pyrostibit). Sb_2S_2O, zu den in der Natur seltenen Oxidsulfiden gehörendes kirschrotes bis violettes, blendeartig glänzendes Mineral, Kristallklasse $\bar{1}$-C_i; *Struktur* s. *Lit.*[1]. Büschelige u. radialstrahlige, manchmal haarförmige Kristallgruppen u. kleine Körner auf od. in *Antimonit. Strichfarbe braunrot bis tiefrot; nach 2 Richtungen spaltbar, H. 1–1,5, D. um 4,7, schneidbar. Theoret. 75,24% Sb, 19,82% S u. 4,9% O.
Vork.: Bräunsdorf/Sachsen (histor.), Pezinok u. Přibram/Böhmen, Cetine Mine/Toskana, Oruro/Bolivien, QueQue/Simbabwe, Quebec/Kanada. – *E* kermesite – *F* kermésite – *I* chermesite, antimonio rosso – *S* quermesita
Lit.: [1] Neues Jahrb. Mineral. Monatsh. **1987**, 557–567.
allg.: Anthony et al., Handbook of Mineralogy, Vol. I, S. 260, Tucson (Arizona): Mineral Data Publishing 1990 ▪ Lapis **9**, Nr. 1, 7 ff. (1984) („Steckbrief") ▪ Ramdohr-Strunz, S. 451. – *[HS 261710; CAS 12196-78-0]*

Kermessäure s. Kermes u. Karminsäure.

Kermet s. Cermets.

Kermodur®. Filtermedium aus *Aluminiumoxid, das hohe mechan. Festigkeit sicherstellt. Es ist äußerst beständig gegen Temp.-Wechsel u. nicht nur in saurer Umgebung, sondern bis in den alkal. Bereich anwendbar. Bes. bei hohen Prozeßtemp. bis 1000 °C kann es eingesetzt werden, z. B. bei der Metallfiltration. K. wird in den Modif. EK u. KK sowohl in Zylinder- als auch in Plattenform hergestellt. *B.:* Schumacher.

Kern. Der Begriff „Kern" wird in Naturwissenschaft u. Technik in vielerlei Hinsicht gebraucht – man denke an Wortzusammensetzungen wie: Atomkern (*Atombau), Kernbinder (Gießereiwesen), Benzol-Kern (*Aromatizität), Zellkern (*Zellen), Kernspeicher (Datenverarbeitung), Erdkern (*Geochemie), Kernfrucht (*Obst), Kernholz (*Holz). Bei der Mehrzahl der folgenden Stichwörter wird der Begriff Kern in der Bedeutung Atomkern verwendet, weitere verwandte Stichwörter finden sich bei Nucl... u. Nukl... (von latein.: nucleus = Kern). – *E* kernel, nucleus, core – *F*

noyau, pépin, cœur – *I* nocciolo, nucleo, cuore – *S* núcleo, hueso, pepita, grano, corazón

Kern, Werner Josef (1906–1985), Prof. für Organ. Chemie, Mainz. *Arbeitsgebiete:* Makromol. Chemie, radikal. u. ion. Initiation der Polymerisation, Bestimmung von Endgruppen u. M_R, Polykondensation, Oligomere, Umsetzungen an u. Abbau von Makromol., Autoxidation.
Lit.: Chem. Ztg. **90**, 91 f. (1966); **105**, 11 f. (1981) ▪ Nachr. Chem. Tech. Lab. **14**, 72 (1966).

Kernabstand. Abstand zwischen 2 Atomkernen, insbes. in einem Mol. od. Atomverband; s. a. Gleichgewichtsgeometrie.

Kernbrennstoffe. In der *Kernenergie-Technik versteht man unter K. Spaltstoffe od. spaltstoffhaltiges Material, insbes. Uran u. Plutonium als Metalle, Leg. od. chem. Verb. einschließlich natürlichen Urans (vgl. DIN 25401, Begriffe der Kerntechnik: Tl. 1 – Physikal. u. chem. Grundlagen, 09/1986 mit Beiblatt 02/1987; Tl. 4 – Kernmaterialüberwachung, 09/1986; Tl. 5 – Brennstofftechnologie, 09/1986; Tl. 6 – Isotopentrennung, 09/1986; Tl. 9 – Entsorgung, Entwurf 11/1986). In den *Brennelementen von Kernkraftwerken (*Druck- od. *Siedewasser-Reaktoren*, s. Kernreaktoren) werden hauptsächlich natürliches Uran mit 0,71% des spaltbaren Isotops ^{235}U od. an diesem Isotop auf ca. 3% angereichertes Uran sowie ^{233}U, ^{239}Pu als K. benutzt. Bei natürlichem Uran ist das Ausgangsmaterial für die Herst. von K. ein auf chem. Wege gewonnenes Konzentrat v. a. in Form des reinen Hexafluorids (UF_6). In der gängigsten Form der K. wird Urandioxid zu Brennstofftabletten, sog. Pellets, gepreßt und bei hoher Temp. (~1700 °C) verfestigt. Die Pellets mit typ. Abmessung von 8–15 mm Durchmesser u. einer Länge von 10–15 mm, werden in Hüllrohre aus Zircaloy (einer speziellen Leg. mit den Hauptbestandteilen Zirconium u. Zinn) gefüllt u. gasdicht verschweißt. Jeweils 8×8 bzw. 17×17 Stäbe werden zu Brennelementen zusammengefaßt (s. Abb. bei Brennelemente, S. 513, u. *Lit.*[1]). Desweiteren werden K. in Kugel- od. Stabform eingesetzt.

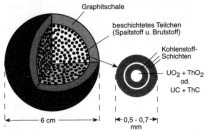

Abb.: Kugelförmiges Brennelement für Hochtemp.-Reaktoren.

Die Verweilzeit von Brennelementen im Reaktor, z. B. einem Druckwasserreaktor, beträgt etwa 3 a. Danach enthält 1 kg „abgebrannter" K. statt der ursprünglich vorhandenen 967 g ^{238}U u. 33 g ^{235}U nun 945,0 g ^{238}U, 4,2 g ^{236}U, 8,6 g ^{235}U, 5,3 g ^{239}Pu, 2,4 g ^{240}Pu, 1,2 g ^{241}Pu, 0,4 g ^{242}Pu, ca. 0,6 g andere Actinoide u. 32,5 g *Fissium od. Fizzium genannte Spaltprodukte, unter denen sich viele Seltenerd- u. Platin-Metalle befinden. Da die geschätzten natürlichen Uran-Vork. von ca. 10 Mio. t für 3000 Reaktoren mit je 1 GW Leistung nur etwa 30 a lang reichen würden, muß der unverbrauchte K. wiedergewonnen werden (*Wiederaufarbeitung*) od. es muß auf anderen Wegen (*Brüten) für eine Regenerierung von K. gesorgt werden. Bei der chem. Aufarbeitung bestrahlter K. will man den unverbrauchten K. möglichst quant. zurückgewinnen (*K.-Kreislauf*) u. ihn von den im Reaktor gebildeten Spaltprodukten u. U- u. Pu-Isotopen reinigen. Hierzu sind verschiedenartige Verf. möglich, die man in zwei große Gruppen unterteilen kann, in wäss. Verf. u. in nichtwäss. bzw. Hochtemp.-Verf., von denen derzeit die wäss. Verf. (*Purex, *Thorex-Verfahren) gegenüber den pyrometallurg. aus den geschmolzenen Salzen bevorzugt werden.

In K.-Kreisläufen von Brutreaktoren (*Schnelle Brüter*, s. Kernreaktoren) wird der Energieinhalt von K. wesentlich besser als in Leichtwasserreaktoren ausgenutzt, da aufgrund der *Konversion* (s. Kernreaktion) u. *Brutreaktion* ständig etwas mehr K. hergestellt als verbraucht wird; typ. K. sind hier ^{238}U (gibt ^{239}Pu) u. ^{232}Th (gibt ^{233}U). Voraussetzung ist auch hier die Nuklearreinheit der K.-Komponenten.

Ebenso wie bei *fossilen* *Brennstoffen fallen auch bei K. Abfallprodukte an – allerdings handelt es sich bei den sog. *radioaktiven Abfällen um z.T. wertvolle Stoffe, die wegen ihrer Radioaktivität leider oft nicht weiter zu nutzen sind u. deshalb beseitigt werden müssen (Entsorgung, *Endlagerung). Der weitaus größere Teil der radioaktiven Abfälle kann aber nach Wiederaufarbeitung u. *Isotopentrennung in den Brennstoffkreislauf zurückgeführt werden; zentrale Verb. im K.-*Recycling ist das Uranhexafluorid. Der Rest an hochradioaktivem Abfall (*E high activity waste*, HAW) wird z. B. in Glas eingegossen u. zur *Endlagerung* in unterird. Salzformationen des Zechsteins gebracht; problemat. ist die Beseitigung von ^{129}I, u. auch die Behandlung gasf. Spaltprodukte wie ^{85}Kr, ^{3}H$_2$, Rn erfordert großen Aufwand. Mit den Gefahren aufgrund des Schwarzhandels von radioaktivem Material aus ehemaligen sowjet. Arsenalen beschäftigt sich *Lit.*[2]. Bei dieser Problematik ist hilfreich, daß durch verschiedene Analyseverf. das spezielle radioaktive Elementegemisch identifiziert u. ähnlich einem Fingerabdruck, Herkunft, Verwendungszweck u. Vorgeschichte der Probe bestimmt werden können (*Lit.*[3]). Die Konstruktion u. Stabilität der für den Transport von K. eingesetzten Castor-Behälter wird in *Lit.*[4] beschrieben. – *E* nuclear fuels – *F* combustibles nucléaires – *I* combustibili nucleari – *S* combustibles nucleares

Lit.: [1] Kirk-Othmer (4.) **17**, 376–391, 409–428; Knief, Nuclear Reactor Materials and Fuels, in Encyclopedia of Physical Science and Technology, Vol. 11, S. 201–212, New York: Academic Press 1992. [2] Spektrum Wiss. **1995**, Nr. 3, 116. [3] Spektrum Wiss. **1995**, Nr. 3, 118. [4] Phys. Unserer Zeit **3**, 122–129 (1997).
allg.: Baumgärtner, Chemie der nuklearen Entsorgung (3 Bd.), München: Thiemig 1978, 1980 ▪ Baumgartner et al., Nukleare Entsorgung (2 Bd.), Weinheim: Verl. Chemie 1981, 1983 ▪ Brandl u. Blechschmidt, Bestimmungen über die Beförderung Radioaktiver Stoffe, Baden-Baden: Nomos Fortsetzungswerk, Loseblattform, Grundwerk auf dem neuesten Stand ▪ DIN 25 401 (09/1986) ▪ Dry Storage of Spent Fuel Elements, Paris: OECD 1982 ▪ Frost, Nuclear Fuel Elements, Oxford: Pergamon 1982 ▪ Herrmann, Radioaktive Abfälle – Probleme u. Verantwortung, Berlin: Springer 1983 ▪ Heuse u. Wienhold, Transport radioaktiver Stoffe im nuklearen Brennstoffkreislauf, Köln: Ges. Reaktorsicherheit 1981 ▪ International Nuclear Fuel Cycle Evaluation (9 Bd.), Vienna: IAEA 1980 ▪ Occupational Radiation Exposure in Nuclear Fuel Cycle Facilities, Vienna: IAEA 1980 ▪ Ronchi et al., Fission Gas Behaviour in Nuclear Fuels, London: Harwood 1979 ▪ Silvennainen, Nuclear Fuel Cycle Optimization, New York: Pergamon 1982 ▪ Winnacker-Küchler (3.) **2**, 569 ff. ▪ Wymer, Chemical Aspects of the Nuclear Fuel Cycle, Wiesbaden: Akad. Verlagsges. 1980 ▪ zahlreiche Titel erscheinen bei IAEA, Wien u. Dtsch. Atomforum, 53 113 Bonn. – *Organisation:* s. Kernenergie.

Kernchemie (Nuklearchemie). Nach DIN 25 401 Tl. 1 (09/1986) ist K. „der Teil der Chemie, der sich mit dem Studium von Atomkernen u. Kernreaktionen unter Verw. chem. Meth. befaßt. Von manchen wird dieser Begriff auch in erweitertem Sinn benutzt, um den Teil der Chemie zu kennzeichnen, der die chem. Aspekte der Kernforschung behandelt." *Zimen definiert die K. als Teilgebiet der *Chemie*, das sich mit denjenigen Stoffen u. ihren chem. Reaktionen befaßt, die sich durch ihre Kerneigenschaften (Masse, Radioaktivität) von den „normalen" chem. Stoffen unterscheiden. Die K. untersucht also das Vork., die Abtrennung u. Reinherst., die physikochem. Eigenschaften (Struktur, Löslichkeit usw.) u. das Reaktionsverhalten der Radioelemente (Elemente mit nur radioaktiven Isotopen) u. ihrer Verb. sowie der *Radionuklide, die als *Isotope stabiler Elemente entweder natürlich vorkommen od. mittels Bestrahlung u. *Kernreaktion künstlich hergestellt werden können. Dabei unterscheidet man herkömmlicherweise die Chemie von Radionukliden in Submikromengen (*Radiochemie) von der Chemie radioaktiver Stoffe in kerntechn. Mengen (techn. Kernchemie). Letztere befaßt sich vornehmlich mit dem Spaltstoffcyclus einschließlich der *Wiederaufarbeitung* bestrahlter *Kernbrennstoffe. Zur K. gehört weiterhin die Untersuchung der chem. Effekte, die von *Heißen Atomen ausgelöst werden. Als wichtigste Anw. der K. im Rahmen der Allg. Chemie u. ihrer Grenzgebiete sind zu nennen: Die *Aktivierungsanalyse (bes. die *Neutronenaktivierungsanalyse), die Markierung von Elementen od. Verb. mit einem radioaktiven (seltener mit einem stabilen) Nuklid zwecks Untersuchung von Transportprozessen od. Reaktionsmechanismen (Leitisotop-Meth., vgl. markierte Verbindungen) sowie die *Altersbestimmungen aufgrund des radioaktiven Zerfalls bestimmter Elemente. In der *Kernphysik kommen kernchem. Meth. ebenso zur Anw., z. B. zur Reinherst. von Targets od. bei der Bestimmung der Ausbeute von Kernreaktionen, wie in der *Nuklearmedizin bei Herst. u. Analyse von *Radiopharmaka.

Nach einer heute überholten, gleichwohl in chem. Zeitschriften oftmals beibehaltenen Definition, verstand man unter K. denjenigen Teil der Kern*physik*, der sich mit den *Kernreaktionen befaßt, weil deren Verlauf durch Gleichungen beschrieben werden kann, die formal chem. Reaktionsgleichungen ähneln. Mit der Geschichte der Kern- u. Radiochemie beschäftigt sich einer der Wegbereiter der K.: *Seaborg, s. a. *Lit.*[1]. – *E* nuclear chemistry – *F* chimie nucléaire – *I* chimica nucleare – *S* química nuclear

Lit.: [1] Lieser, Einführung in die Kernchemie, Weinheim: Verl. Chemie 1980.

allg.: Arnikar, Essentials of Nuclear Chemistry, New York: Wiley 1982 ▪ Bates, Nuclear Chemistry, in Encyclopedia of Physical Science and Technology, Vol. 11, S. 141–163, New York: Academic Press 1992 ▪ Choppin u. Rydberg, Nuclear Chemistry, Oxford: Pergamon 1980 ▪ Friedlander et al., Nuclear and Radiochemistry, New York: Wiley 1981 ▪ Lambrecht u. Morcos, Applications of Nuclear and Radiochemistry, Oxford: Pergamon 1982 ▪ Majer, Grundlagen der Kernchemie, Leipzig: Barth 1981 u. München: Hanser 1982 ▪ Schwankner, Radiochemie-Praktikum, Paderborn: Schöningh 1980.

Kerndeformation s. Kernreaktionen.

Kernenergie (Atomkernenergie). Bez. für die bei *Kernumwandlungen freisetzbare Energie (DIN 25 401 Tl. 1, 09/1986, Beiblatt 02/1987). Die häufig verwendete Bez. „Atomenergie" ist falsch, da es sich bei der K. nicht um die beim Zusammentreten von Kern u. Elektronen zu einem Atom freiwerdende Energie handelt, sondern um die innere Energie des Kerns (s. a. Atombau). Die Energien, die dort (z. B. 6–8 MeV bei Anlagerung von *Nukleonen) eine Rolle spielen, sind um viele Größenordnungen größer als die bei Änderungen in den äußersten Teilen der Elektronenhülle, z. B. bei chem. *Reaktionen, *Anregung od. *Ionisation, umgesetzten Energien (je Atom einige eV). Will man einen Atomkern vollständig in seine Nukleonen zerlegen, so muß man deren Bindungsenergie (*Kernkräfte*, s. a. Atombau u. Kraft) überwinden, d. h. man müßte zur Spaltung eines Deuterium-Kerns mind. 2,2 MeV, zur vollständigen Spaltung eines Uran-Kerns sogar etwa 1800 MeV aufwenden. Diese Energiebeträge werden andererseits frei, wenn Nukleonen zu dem betreffenden Atomkern verschmelzen, s. Kernfusion. Sein Energieinhalt läßt sich über den sog. *Massendefekt u. *Einsteins Masse-Energie-Gleichung errechnen. Während 1 kg Steinkohle 1 SKE (*Steinkohleneinheit = 29,3 MJ) Energie liefert, sind es bei 1 kg ^{235}U (einem Würfel von 3,74 cm Kantenlänge) 2,7 Mio. SKE – 1 Gramm eines solchen (hypothet.) *Kernbrennstoffs liefert also ebensoviel therm. Energie wie 2,7 t Kohle! Bei der Fusionsreaktion ^{2}D + ^{2}D → ^{3}He + n sollten je Gramm Deuterium Energiebeträge erhalten werden, die sogar 3000 t Kohle äquivalent sind.

K. wird frei beim *radioaktiven Zerfall* (s. Radioaktivität), bei der *Kernspaltung* (s. Kernreaktionen) u. bei der *Kernfusion*, u. zwar in Form von sich schnell bewegenden *Teilchen (α-Teilchen, β-Teilchen, *Neutronen, Spaltprodukte) u. Strahlung (*Gammastrahlen), die in Wärme umgewandelt wird. Diese wiederum dient beispielsweise zur Erzeugung von Wasserdampf, der dann als Arbeitsmittel in einem Dampfturbinenprozeß, z. B. zum Antrieb von Stromgeneratoren od. direkt für industrielle Zwecke ausgenutzt wird.

Wenn auch in den letzten Jahren beachtliche Fortschritte erreicht wurden, um die Kernverschmelzung kontrolliert in Reaktoren ablaufen zu lassen (s. Kernfusion), so bildet doch im Augenblick die Kernspaltung mit anschließender Kettenreaktion noch den einzigen Weg, um K. techn. nutzbar zu machen (*Kerntechnik). Die 1938 von O. *Hahn u. *Strassmann entdeckte Kernspaltung fand ihre erste „prakt." Anw. in der sog. Atombombe (s. Kernwaffen). Bei der friedlichen Ausnutzung der K. strebt man eine langfristige, steuerbare Energieerzeugung an. Diese erzielt man in *Kernkraftwerken* (KKW, s. Kernreaktoren), in denen heute meist mit dem Isotop ^{235}U angereichertes Uran (s. Kernbrennstoffe) in einer sich selbst unterhaltenden *Kettenreaktion gespalten wird, sofern die *kritische Masse (s. a. Kernreaktionen) erreicht ist. 1959 wurde in der BRD das *Atomgesetz* verkündet; es ist die Rechtsgrundlage für den Bau u. Betrieb von Kernkraftwerken. Neben Kernspaltungsreaktoren wie Leichtwasser-moderierte *Druck-* od. *Siedewasser-Reaktoren* wurden u. werden auch *Brutreaktoren entwickelt, die mit ^{238}U bzw. ^{232}Th als Brutstoffe arbeiten u. diese in die Spaltstoffe ^{239}Pu bzw. ^{233}U umwandeln. Man nennt diese Folge von *Kernreaktionen, in denen brütbare in therm. spaltbare Substanz umgewandelt wird, *Konversion*, u. das Verhältnis von neugewonnenem zu verbrauchtem Spaltstoff *Konversionsverhältnis* (bei Brutreaktoren ≥1). Die K. wird jedoch nicht nur zur Wärme- u. Stromgewinnung genutzt. Zu den bes. für *Hochtemperatur-Reaktoren* vorgesehenen Anw. gehören: Die Spaltung von Wasser zu H_2 u. O_2, von Erdgas u. Erdöl, die *Kohleverflüssigung u. -vergasung, d. h. Methanisierung; eine bedeutende Rolle als *Sekundärenergieträger* schreibt man dabei dem Wasserstoff zu.

Der z. Z. existierende weltweite Energiebedarf von ~10 TW im kommerziellen u. ~1 TW im privaten Bereich wird zu rund 86% aus fossilen Energieträgern gedeckt. Bei einer jährlichen Steigerung des Bedarfs um ~2% beträgt die Reichweite der bekannten Vork. von Stein- u. Braunkohle ~250 a, die von Erdöl ~40 a u. von Erdgas ~50 a. Diese Angaben sind stark von dem techn. Aufwand abhängig, den man zum Abbau der fossilen Energieträger in Kauf nimmt (wird z. B. der Abbau von Ölsand u. Ölschiefer mit einbezogen, so wird die Reichweite von Erdöl auf 70 a geschätzt). Prinzipiell sollte der Verbrauch von fossilen Energieträgern gesenkt werden, denn bei ihrer Verbrennung entsteht CO_2, das zur Aufheizung der Erdatmosphäre beiträgt (*Treibhauseffekt, bei der Erzeugung von 1 KWh wird ~1 kg CO_2 ≙ 0,5 m^3 erzeugt); außerdem werden diese Stoffe als Rohstoffe in der chem. Ind. benötigt. Die wichtigste Alternative zu fossilen Energieträgern ist z. Z. die Kernenergie. Weltweit sind ~430 Kraftwerke mit einer Leistung von 360 GW installiert, davon in der BRD 20 Kraftwerke; Details s. Kernreaktoren. – *E* nuclear energy – *F* énergie nucléaire – *I* energia nucleare – *S* energía nuclear

Lit.: Angesichts des überaus reichhaltigen Angebots an Fachlit., auch zu Detailfragen, sollen hier nur einige allg. Titel genannt werden. Eine Vielzahl von Sachtiteln werden herausgegeben von: *Deutsches Atomforum e. V. (53 113 Bonn), *IAEA (Vienna), Informationskreis Kernenergie (53 113 Bonn), Ges. für Reaktorsicherheit (GRS, 50 667 Köln), *TÜV (Köln), Vulkan-Verl. (HdT, Essen), Bundesministerium für Umwelt, Naturschutz u. Reaktorsicherheit, 53 048 Bonn, KFA (52 425 Jülich), FIZ Physik (*ZAED, Eggenstein-Leopoldshafen), *Euratom (Luxembourg), American Nuclear Society (La Grange, USA) u. a. Organisationen (vgl. unten) sowie vom Verl. Thiemig (München). Weitere Titel findet man bei den benachbarten u. den Radio…-Stichwörtern, bei *Kernreaktoren sowie im Führer durch die techn. Lit., Hannover: Weidemanns Buchhandlung (jährlich) u. in Scientific and Technical Books and Serials in Print, London: Bowker (jährlich). ▪ ASTM Book of Standards, Part 45 (seit 1983: Bd. 12.01/02): Nuclear

Energy, Philadelphia: ASTM (jährlich) ▪ Bennet, Elements of Nuclear Power, Harlow: Longman 1981 ▪ Bünemann u. Kliefoth, Vom Atomkern zum Kernkraftwerk, München: Thiemig 1980 ▪ Czakainski Energie für die Zukunft, Frankfurt: Ullstein 1989 ▪ Flanagan, Nuclear Energy, Risk Analysis, in Encyclopedia of Physical Science and Technology, Vol. 11, S. 163–186, New York: Academic Press 1992 ▪ Marshall, Nuclear Power Technology (3 Bd.), Oxford: Univ. Press 1983 ▪ Michaelis, in Salander (Hrsg.), Handbuch der Kernenergie, Kompendium der Energiewirtschaft und Energiepolitik, Frankfurt: VWEW-Verl. 1995 ▪ Müller, Geschichte der Kernenergie in der Bundesrepublik Deutschland, Stuttgart: Schäffer 1990 ▪ Rassow, Risiken der Kernenergie, Weinheim: VCH Verlagsges. 1988 ▪ Spektrum Wiss. **1996**, Nr. 7, 44 ▪ Volkmer, Kernenergie – Basiswissen, Frankfurt: VWEW-Verl. 1990. – *Referateorgane* (weitere s. in Scientific and Technical Books, *oben*): Euro Abstracts, Luxembourg: EG (seit 1963) ▪ Informationen zur Kernforschung u. Kerntechnik, Eggenstein-Leopoldshafen: *ZAED (seit 1971) ▪ Informationskreis Kernenergie, 53113 Bonn ▪ INIS Atomindex, Vienna: INIS *IAEA (seit 1970) ▪ Nuclear Science Abstracts (1948–1976) ▪ Nuclear Science Information of Japan, Nakagun, Ibaraki; (seit 1970). – *Dokumentation:* *INIS ▪ *ZAED, vgl. Kernforschungszentrum Karlsruhe GmbH. – *Inst. u. Organisationen:* American Nuclear Society, 555 North Kensington Avenue, La Grange, Ill. 60525 ▪ *CERN ▪ *Deutsches Atomforum e. V. ▪ ERDA ▪ *Euratom ▪ European Nuclear Society (ENS) F-75 Paris ▪ *Foratom ▪ *Hahn-Meitner-Institut ▪ *IAEA ▪ Informationskreis Kernenergie ▪ *INIS ▪ *Forschungszentrum Jülich GmbH ▪ *Kernforschungszentrum Karlsruhe GmbH ▪ *NEA ▪ UKAEA ▪ Wirtschaftsverband Kernbrennstoff-Kreislauf, 53113 Bonn.

Kernexplosion s. Kernwaffen.

Kernfaserschicht s. Lamine.

Kernfilme s. Kunstharzfilme.

Kernforschungszentrum Karlsruhe GmbH (KfK). Das 1956 gegründete KfK wurde am 1.1.1995 in Forschungszentrum Karlsruhe GmbH (FZK) umbenannt. Das FKZ mit Sitz in 76344 Eggenstein-Leopoldshafen, Leopoldshafener Allee ist Mitglied der *HGF (s. a. AGF). Der Namenswechsel symbolisiert die Umstrukturierung des Forschungsprogramms, das sich nun auf die Schwerpunkte: Umwelt, Energie, Mikrosystemtechnik u. Grundlagenforschung konzentriert. Die Gründungsaufgabe Kerntechnik wurde auf unter 20% Anteil am Gesamtprogramm verringert. – INTERNET-Adresse: http://www.fzk.de

Kernfusion (auch thermonukleare Reaktion). Verschmelzung zweier Atomkerne zur Bildung eines neuen Kerns. Zur Berechnung der Energiebilanz muß die Bindungsenergie E_B aller Nukleonen im Endkern mit der Summe der Bindungsenergien in den Ausgangskernen verglichen werden. Bis zur Massenzahl $A = 40$ nimmt E_B mit steigendem A zu, wobei bes. hohe Bindungsenergien für gerade-gerade Kerne (sog. gg-Kerne) mit $A = 4, 8, 12, 16$ usw. auftreten. Durch die Fusion leichtester Kerne wird Kernenergie freigesetzt, deren Größe durch den *Massendefekt bestimmt wird (s. a. Kernreaktionen).
K. mit Energiegewinn findet im Inneren von Sternen statt. Die Vereinigung von 4 Protonen zu einem Helium-Kern wird auch als *Proton-Proton-Kette* bzw. *Wasserstoff-Brennen* bezeichnet. Hierbei sind mehrere Reaktionen (PP1, PP2 u. PP3) möglich (zur Symbolik s. Kernreaktionen):

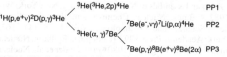

Abb. 1: Mögliche Reaktionen bei der Vereinigung von 4 Protonen.

Der Energiegewinn der einzelnen Reaktionen beträgt: PP1: 26,23 MeV, PP2: 25,67 MeV u. PP3: 19,28 MeV.
Die zweite Möglichkeit, Wasserstoff-Kerne in Helium-Kerne umzuwandeln, stellt der von Bethe u. Weizsäcker untersuchte Reaktionscyclus dar, an dem die Elemente Kohlenstoff, Stickstoff u. Sauerstoff beteiligt sind (s. Abb. 2).

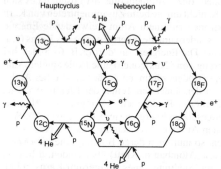

Abb. 2: Der Bethe-Weizsäcker-Cyclus.

Er wird deshalb auch *CNO-Cyclus* od. *Kohlenstoff-Cyclus* genannt. Der Energiegewinn entsteht vorrangig in dem Hauptcyclus (CN-Cyclus) mit 24,97 MeV. Mittels weiterer K.-Cyclen werden in Sternen Elemente bis Eisen gebildet (*Lit.[1]*). Elemente mit größerer Ladungszahl als Eisen entstehen bei Supernova-Explosionen, die stattfinden können, wenn die Sterne nach Verbrennen ihres Kernbrennstoffes kollabieren.
Damit eine K. stattfinden kann, müssen sich die Ausgangskerne so weit nähern, daß die anziehenden Kernkräfte größer als die abstoßenden Coulomb-Kräfte werden (d. h. $r \leq \sqrt[3]{A} \cdot 10^{-15}$ m, A = Massenzahl des Kerns). Die Energie, die bei der Annäherung zum Überwinden der Coulomb-Abstoßung notwendig ist, liegt in der Größenordnung einiger MeV. Verglichen damit ist die kinet. Energie auch bei einer Temp. von 10^8 K mit 0,01 MeV sehr gering; folglich muß die Coulomb-Schwelle quantenmechan. „durchtunnelt" werden (s. Tunneleffekt). Da die Wahrscheinlichkeit dazu stark temperaturabhängig ist, bezeichnet man die K. auch als *thermonukleare Reaktion*. Bes. bei Kernen mit größerer Kernladungszahl tritt K. erst oberhalb einer bestimmten Temp., *Zündtemp.* genannt, ein.
Aus der Vielzahl der exothermen Fusionsreaktionen kleiner Kerne (s. *Lit.[2]*, S. 714) ist die *DT-Reaktion* am besten geeignet, um sie auf der Erde in Form kontrollierter K. zur Energiegewinnung einzusetzen:

$$^2D + ^3T \rightarrow {}^4He + n + 17,6 \text{ MeV}.$$

Die freiwerdende Energie verteilt sich nach dem Impulssatz: Auf He entfallen 3,5 MeV, auf n 14,1 MeV. Gleichzeitig finden in einem DT-Gemisch auch die folgenden Reaktionen statt, die aber einen kleineren Wirkungsquerschnitt haben:

$$^2D + ^2D \rightarrow \,^3T + \,^1p + 4{,}03 \text{ MeV}$$
$$^2D + ^2D \rightarrow \,^3He + n + 3{,}27 \text{ MeV}$$
$$^2D + ^3He \rightarrow \,^4He + p + 18{,}1 \text{ MeV}$$
$$^3T + ^3T \rightarrow \,^4He + 2 \cdot n + 11{,}3 \text{ MeV}.$$

Während Deuterium mit 0,015% im natürlichen Wasserstoff vorhanden ist u. somit einen prakt. unerschöpflich verfügbaren Brennstoff darstellt, kommt Tritium in der Natur in verwertbaren Mengen nicht vor. Da es radioaktiv (β-Zerfall) mit einer HWZ von 12,3 a ist, muß es für die Reaktortechnik künstlich erzeugt werden. Die Reaktionen

$$^6Li + n \rightarrow \,^4He + \,^3T + 4{,}80 \text{ MeV u.}$$
$$^7Li + n \rightarrow \,^4He + \,^3T + n' - 2{,}47 \text{ MeV}$$

sollen in den Brutzonen (E blanket), die das Fusionsplasma umgeben, stattfinden (s. Abb. Fusionsreaktor bei *Kernreaktoren). In den letzten Jahren sind große Anstrengungen unternommen worden, um der kontrollierten Kernfusion zur Energiegewinnung näher zu kommen. Der amerikan. Kernphysiker J. D. Lawson (geb. 1923) bestimmte 1957 die Bedingungen, unter denen im Fusionsplasma mehr Energie erzeugt wird, als zu seiner Aufrechterhaltung benötigt wird (*Lit.*[2]); dabei berechnete er das Zündkriterium für $6 \cdot 10^{16}$ Teilchen $\cdot$ cm$^{-3} \cdot$ s $\cdot 10^6$ K als Fusionsprodukt aus Einschlußzeit τ, Teilchendichte n u. Temp. T. Die Abb. 3 zeigt dieses sog. *Lawson-Kriterium* für die DT-Reaktion.

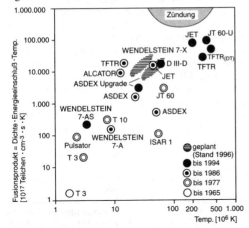

Abb. 3: Experimentelle Werte zum Erreichen des Zündkriteriums[5]. Die Abk. bedeuten:

ALCATOR: Boston, USA;
ASDEX, ASDEX Upgrade: Garching, D;
D III-D: San Diego, USA;
ISAR 1: Garching, D;
JET: Culham, GB;
JT 60, JT 60-U: Naka, Japan;
TFTR: Princeton, USA;
T 3, T 10: Moskau, Rußland;
WENDELSTEIN: Garching, D.

Mit eingezeichnet sind die Plasma-Werte, die in den letzten Jahren experimentell erreicht wurden. Neuere Werte liegen weniger als eine Zehnerpotenz unterhalb des Lawson-Kriteriums, während 1970 noch der Faktor 25 000 fehlte (*Lit.*[3]). Es ist geplant, mit der Anlage *ITER das Zündkriterium zu überschreiten. Bei einer Plasmatemp. von 100–200 Mio. K muß die typ. Ener-

gieeinschlußzeit 2 s betragen. Die Dichte des Plasmas mit $2 \cdot 10^{14}$ Teilchen/cm^3 ist rund 250 000-fach dünner als die Lufthülle der Erde. Somit besitzt ein brennendes Fusionsplasma eine kaum größere Leistungsdichte als eine normale Glühbirne. Plasmen mit Temp. von 100 Mio. K können mit keinem Wandmaterial in Berührung kommen. Für ihre Erzeugung u. Speicherung wurden verschiedene Syst. mit magnet. Einschluß entwickelt:

a) *Tokamak-Reaktoren* (russ. Akronym für torusförmige magnet. Kammer): Bei diesen in der ehem. UdSSR entwickelten Reaktoren wird das Plasma durch ein ringförmiges (torodiales) Führungsmagnetfeld erzeugt u. durch ein zeitlich veränderliches poloides Magnetfeld erhitzt. *Beisp.:* JET in Culham (England) u. Tokamak Fusion Test Reactor (TFTR) in Princeton USA (*Lit.*[4]).

b) *Stellarator:* Dieser in den USA entwickelte Reaktor besitzt neben den Hauptmagnetspulen (ident. zum Tokamak) noch wendelförmige Wicklungen. In den letzten Jahren wurden mit dem Experiment Wendelstein (s. Abb. 3) am MPI für Plasmaphysik in Garching ebenfalls große Fortschritte gemacht (*Lit.*[5]).

Bei den bisherigen Experimenten zeigte sich, daß bereits geringste Verunreinigungen des Plasmas durch schwere Atome, die z.B. aus dem Wandmaterial herausgeschlagen werden, seine Temp. um Größenordnungen verringern. Eine Lösung dieses Problems wird durch gezieltes Einblasen von Neon-Atomen erreicht, so daß Teilchen, die in die Nähe der Kammerwand geraten, ihre Energie vor dem Wandaufprall abgeben[6]. Nach neueren Erkenntnissen hat ein sphär. Plasma gegenüber einem Torus einige Vorteile; um dieses zu testen, ist das Projekt MAST (Mega Amp Spherical Tokamak) geplant[7].

c) *Magnet. Flaschen:* Die Speicherung des Plasmas wird durch Einschnürung der Magnetfeldlinien erreicht. Die hierbei erhaltenen Werte liegen deutlich unter den Tokamak- u. Wendelstein-Resultaten (*Lit.*[2]). Neben den magnet. Einschlußverf. wird auch durch andere Techniken versucht, kontrollierte K. zu realisieren.

Neben der Plasmatechnik existieren noch andere Verf., um kontrollierte K. zu erreichen. Diese sind:

a) *Laserfusion:* Hierbei wird ein kleines Kügelchen (Pellet) aus gefrorenem DT-Gemisch von allen Raumrichtungen her mit intensiven Laserstrahlen aufgeheizt. Die notwendige Druckerhöhung muß etwa 10^7 bar betragen; die K. muß innerhalb von 10^{-10} s ablaufen, bevor das Pellet auseinanderfällt (*Lit.*[8]). Für diese Experimente wurden *Iod-Laser mit Leistungen von einigen MW entwickelt.

b) *Myon. katalysierte Kernfusion:* Da Myonen (s. Elementarteilchen) die gleiche Ladung wie Elektronen haben, aber eine rund 207 mal größere Masse besitzen, ist die erste Bohrsche Bahn von myon. Wasserstoff (bestehend aus einem Proton u. einem Myon) rund 207 mal kleiner als bei normalem Wasserstoff. Der Abstand eines myon. Deuteronen-Paars ist um den gleichen Faktor reduziert. Bei gegebener Temp. ist somit die Tunnelwahrscheinlichkeit durch die Coulomb-Schwelle um 80 Größenordnungen erhöht. Die Tunnelrate liegt mit 10^{12} s^{-1} pro Deuterium-Paar schon bei üblichen Temp. (daher der Name) im nachweisbaren Bereich (*Lit.*[9]). Experimentell fehlen zum Erreichen des Energiegleichstandes z.Z. noch mehrere Größenordnungen.

c) *Kalte Kernfusion:* Unter diesem Begriff wurde früher die myon. katalysierte K. verstanden. Im März 1989 verwendeten ihn drei amerikan. Wissenschaftler, Pons, Fleischmann u. Jones, ebenfalls für ihre Experimente, bei denen sie Wasserstoff elektrolyt. in Palladium (s. Metallhydride) absorbierten. Durch die hohe Dichte von Wasserstoff sollte die Wahrscheinlichkeit für den Tunnelprozeß u. somit für K. erhöht werden. Die Energiebilanz veranlaßte die Autoren zur Aussage, K. beobachtet zu haben, was anfangs sogar von einigen Labors bestätigt wurde. Durch sorgfältige Messungen ist heute abgeklärt, daß bei diesem Aufbau keine signifikante Erhöhung der K.-Rate auftritt (*Lit.*[10]).

d) *Molekülstrahlen:* In neuen Experimenten wird versucht, die Reaktion $^2D + {}^2D \rightarrow {}^1H + {}^3T + 4{,}03$ MeV in Gang zu setzen, indem ein schneller (E_{kin} bis 300 keV) Mol.-Ionenstrahl pos. geladener Deuterium-Cluster auf TiD geschossen wird. Durch die auftretende Druckwelle sollen sich Deuterium-Kerne so nahe kommen, daß die K.-Rate ansteigt. Es wurden bisher Raten von einigen Fusionsreaktionen pro s beobachtet; für den Energieausgleich sind Raten von 10^9/s notwendig (*Lit.*[11]). – *E* thermonuclear reactions, nuclear fusion reactions – *F* réactions thermonucléaires, réactions de fusion nucléaire – *I* fusione nucleare – *S* (reacciones de) fusión nuclear, reacciones termonucleares

Lit.: [1] Unsöld u. Baschek, Der neue Kosmos, Berlin: Springer 1988; Hermann, Die Kosmos-Himmelskunde, Stuttgart: Franckh 1986. [2] Musiol et al., Kern- u. Elementarteilchenphysik, Weinheim: VCH Verlagsges. 1988. [3] Phys. Bl. **43**, 457 (1987); Phys. Unserer Zeit **21**, 7 (1990). [4] Wesson, Tokamaks, Oxford: Clarendon 1987. [5] Phys. Unserer Zeit **26**, 69 (1995). [6] Spektrum Wiss. **1995**, Nr. 8, 22. [7] Phys. Bl. **52**, 536 (1996). [8] Motz, The Physics of Laser Function, New York: Academic Press 1979. [9] Comments At. Mol. Phys. **22**, 281 (1989); Sci. Am. **257**, 66 (Juli 1987); Europhys. News **20**, 61 (1989). [10] Phys. Bl. **45**, 408 (1989); Phys. Unserer Zeit **20**, 93 (1989); Science **246**, 206 (1989); Phys. Unserer Zeit **21**, 6 (1990). [11] Science **245**, 1448 (1989); Phys. Bl. **46**, 176 (1990); Phys. Unserer Zeit **21**, 61 (1990). *allg.:* Gordinier, Davis u. Scott, Nuclear Fusion Power, in Encyclopedia of Physical Science and Technology, Bd. 11, S. 213–248, New York: Academic Press 1992 ■ Keller (Hrsg.), Fusion, New York: Academic Press 1981. – *Zeitschriften:* Journal of Nuclear Fusion, Wien: Int. Atomic Energy Agency (seit 1960). – *Organisationen u. Inst. in der BRD:* *Hahn-Meitner-Institut ■ MPI für Plasmaphysik, 85748 Garching.

Kernholz s. Holz.

Kernisomerie. Begriff aus der *Kernphysik u. *Kernchemie. K. liegt zwischen Atomkernen gleicher Ordnungs- u. Massenzahl (u. damit gleicher Protonen- u. Neutronenzahl) vor; der Unterschied besteht im Anregungszustand. *Kernisomere* sind also verschiedene Energiezustände desselben *Nuklids; sie unterscheiden sich z.B. in *Spin od. *Parität u. haben verschiedene *Halbwertszeiten (HWZ, $t_{1/2}$) u. Energie der Strahlung. Damit von K. gesprochen werden kann, muß der angeregte Zustand eine verhältnismäßig lange HWZ besitzen, die merklich länger ist als die mittlere HWZ normaler angeregter Zustände. Die HWZ eines

solchen *metastabilen* angeregten Kernzustands kann mehrere Jahre betragen u. damit sogar länger als die des Grundzustandes sein. Die Übergangswahrscheinlichkeit zum Grundzustand ist gering; meist handelt es sich um einen spinverbotenen Prozeß. K. tritt bevorzugt bei Kernen mit knapp unter den mag. Zahlen (s. Kernmodelle) liegenden Nukleonenzahlen auf. Ein Kernisomer geht im allg. durch Emission von γ-Strahlung in einen energet. tieferen Zustand des Nuklids über; oft kann es sich aber auch durch Teilchenemission in ein anderes Nuklid umwandeln (*Kernumwandlung). Mehrere hundert Fälle von K. sind bekannt, der erste Fall wurde 1921 von O. *Hahn beim ^{234}Pa gefunden. Der metastabile angeregte Zustand ^{234m}Pa wandelt sich mit $t_{1/2} = 1{,}17$ min in ^{234}U um. Der Grundzustand hat eine HWZ von 6,70 h. Bei *Transuranen sind sog. spontanspaltende Isomere bekannt, die man als *Formisomere* bezeichnet. – *E* nuclear isomerism – *F* isomérie nucléaire – *I* isomeria nucleare – *S* isomería nuclear

Lit.: Lieser, Einführung in die Kernchemie, Weinheim: Verl. Chemie 1980 ■ Musiol et al., Kern- u. Elementarteilchenphysik, Weinheim: VCH Verlagsges. 1988.

Kernit (Rasorit). $Na_2[B_4O_6(OH)_2] \cdot 3H_2O$, wirtschaftlich wichtiges, monoklines Bor-Mineral mit 51% B_2O_3, Krist.-Klasse 2/m-C_{2h}; enthält in der Struktur [1] Ketten von $[B_4O_6(OH)_2]_n^{2-}$-Polyanionen. Große bis riesige, glasglänzende Krist. u. grobspätige Massen, nach 2 Richtungen spaltbar, Bruch mitunter faserig; H. 2,5, D. 1,91. Frisch farblos durchsichtig, gewöhnlich aber infolge von oberflächlicher *Verwitterung undurchsichtig weiß u. dann matt; auch gelblich; bei Wasseraufnahme Umwandlung in *Borax. K. verliert beim Erhitzen auf 180°C 3 Mole Wasser, das vierte erst bei weiterem Erhitzen bis auf 400°C. Zur Bor-Isotopen-Zusammensetzung von K. s. *Lit.*[2].

Vork.: In festländ. *Evaporiten, bes. in Salzseen, z.B. in Boron/Kern County/California (Name!), Tincalayu/Argentinien u. Anatolien/Türkei.

Verw.: Zur Herst. von *Borsäure u. Borax. – *E = F = I* kernite – *S* kernita

Lit.: [1] Am. Mineral. **58**, 21–31 (1973). [2] Geochim. Cosmochim. Acta **53**, 3189–3195 (1989). *allg.:* Harben u. Bates, Industrial Minerals, Geology and World Occurrence, S. 31–37, London: Industrial Minerals Division of Metal Bulletin Plc 1990 ■ Ramdohr-Strunz, S. 590 ■ Ullmann (5.) A 4, 263 ff., 274. – [HS 2528 10; CAS 12045-87-3]

Kernkettenreaktion s. Kernreaktionen.

Kernkräfte. Kurzreichweitige Kräfte zwischen den Bausteinen von Atomkernen, die im Bereich des Kerns (Durchmesser: wenige fm; 1 fm = 10^{-15} m) wirksam sind. Die Eigenschaften des *Grundzustands u. energet. niedrigliegender angeregter Zustände von Kernen lassen sich in guter Näherung mit der Vorstellung beschreiben, daß Kerne aus *Nukleonen (geladenen *Protonen u. elektr. neutralen *Neutronen) aufgebaut sind. Bei höheren Energien od. Verw. spezif. Sonden zeigen sich subnukleare Strukturen: Die Nukleonen erweisen sich als komplexe, aus *Quarks* (s. Elementarteilchen) zusammengesetzte Objekte, die innere *Freiheitsgrade u. ein zugehöriges Anregungsspektrum besitzen. Jeweils 3 Quarks binden sich zu einem Nukleon; die zwischen ihnen wirksame starke Wechselwirkung wird durch den Austausch masseloser Austauschteilchen, den sog. *Gluonen*, vermittelt. Hierbei werden die starken Kräfte zwischen den Quarks weitgehend abgesättigt. Für die Bindung der Nukleonen untereinander bleibt eine Restwechselwirkung übrig, die nahezu ladungsunabhängig ist, d. h. die Proton-Proton-, Neutron-Neutron- od. Proton-Neutron-Wechselwirkung sind ungefähr gleich stark.

Einige weitere Eigenschaften der K. sollen an dem einfachsten zusammengesetzten stabilen Atomkern, dem *Deuteron, besprochen werden. Die Kraft zwischen Proton u. Neutron im Deuteron hat überwiegend den Charakter einer *Zentralkraft*, d. h. sie hängt fast ausschließlich vom Abstand der beiden Teilchen ab. Da das Deuteron ein kleines *Quadrupolmoment von $2,86 \cdot 10^{-31}$ m^2 besitzt, wirkt zwischen Proton u. Neutron auch eine nichtzentrale Kraft, die als *Tensorkraft* bezeichnet wird. Sie bewirkt, daß dem Grundzustand des Deuterons ($^3S_1$) ein kleiner Anteil an höherem Drehimpuls, v. a. $^3D_1$, beigemischt wird (zur Erklärung der Termsymbole s. Atombau u. Kernmodelle).

Wie aus Streuexperimenten von unpolarisierten Neutronen an Wasserstoff hervorgeht, zeigt die Kraft zwischen Protonen u. Neutronen (beides Teilchen mit *Spin ½) auch eine Abhängigkeit von der Spinorientierung. Hiernach besitzt das Deuteron keinen gebundenen Singulett-Zustand, d. h. die Energie seines energet. tiefsten Singulett-Zustands ist größer als die Energie eines Protons u. eines Neutrons in unendlich großer Entfernung. – *E* nuclear forces – *F* forces nucléaires – *I* forze nucleari – *S* fuerzas nucleares
Lit.: s. Kernmodelle.

Kernkraftwerke s. Kernenergie u. Kernreaktoren.

Kernkühlung s. Kältetechnik.

Kernladung(szahl) s. Atombau u. Ordnungszahl.

Kernlamina s. Lamine.

Kernlamine s. Lamine.

Kernmagnetische Resonanz-Spektroskopie s. NMR-Spektroskopie.

Kernmehl s. Johannisbrotbaum.

Kernmodelle. Modellvorstellungen über die Struktur von Atomkernen u. ihr Verhalten bei *Kernreaktionen. Die gängigen K. gehen davon aus, daß Atomkerne aus *Nukleonen (*Protonen u. *Neutronen) aufgebaut sind; die Substruktur der Nukleonen (s. Elementarteilchen) spielt bei nicht allzu großen Energien keine wesentliche Rolle. Ein Kern ist aus Z Protonen u. N Neutronen zusammengesetzt; die Summe A = Z + N nennt man Massenzahl od. Nukleonenzahl. Die zwischen den Nukleonen wirkenden Kräfte nennt man *Kernkräfte. Von gegensätzlichen Grundvorstellungen ausgehende K. sind das *Tröpfchenmodell* u. das *Schalenmodell*. Bei ersterem wird angenommen, daß sich die Nukleonen in ständiger intensiver Wechselwirkung miteinander befinden; letzteres behandelt hingegen das Viel-Nukleonenproblem als ein effektives Einteilchenproblem.

Das Tröpfchenmodell wurde 1935 von C.-F. von *Weizsäcker entwickelt u. später von *Bethe u. *Fermi verfeinert. Es basiert auf den experimentellen Befunden, daß ab einer bestimmten Massenzahl A (A≈20) die

Dichte der Kernmaterie u. die Bindungsenergie pro Nukleon näherungsweise unabhängig von A sind. Derartige Verhältnisse ähneln denjenigen in einem Flüssigkeitstropfen. Die gesamte Bindungsenergie eines Kerns, d. h. die Energie, die zur Trennung der Nukleonen aufzubringen ist, ergibt sich als Summe aus 5 Einzelbeiträgen: $B = \sum_{i=1}^{5} B_i$. Den Hauptbeitrag B_1 liefert die sog. *Kondensationsenergie*, die proportional zu A ist: $B_1 = a_1 \cdot A$ (a_1: Proportionalitätskonstante). Da A bei konstanter Dichte proportional zum Kernvol. ist, wird B_1 auch als Vol.-Energie bezeichnet. Eine Verringerung der Bindungsenergie erfolgt durch den *Oberflächenterm* B_2; die Nukleonen an der Oberfläche des Tropfens haben weniger Bindungspartner als diejenigen im Inneren des Tropfens u. sind damit weniger stark gebunden. Da die Kernoberfläche proportional zu $A^{2/3}$ ist, gilt für die Oberflächenenergie der Ansatz: $B_2 = -a_2 \cdot A^{2/3}$ (a_2: pos. Konstante). Ebenfalls verringert wird die Bindungsenergie durch die *Coulomb-Abstoßung* zwischen den pos. geladenen Protonen. Wenn man die Protonen als gleichmäßig geladene Kugeln betrachtet, liefert die Elektrostatik hierfür den Ausdruck $B_3 = a_3 Z(Z-1) A^{-1/3}$. Bei größeren Massenzahlen liegt ein Neutronenüberschuß vor, der eine zusätzliche Verringerung der Bindungsenergie bewirkt. Diesen Beitrag nennt man *Symmetrie-Energie*:

$$B_4 = -a_4 \frac{(N-Z)^2}{A}.$$

Den 5. Term bezeichnet man als *Paarungsenergieterm*; er ist mit Hilfe des Tröpfchenmodells nicht erklärbar u. somit als empir. Korrektur zu betrachten. Hierfür gilt: $B_5 = a_5 \cdot \lambda \cdot A^{-3/4}$. Der Parameter λ erhält den Wert +1 für die bes. stabilen „doppelt-geraden" u. gg-Kerne (Z u. N sind gerade Zahlen), den Wert Null für ug- od. gu-Kerne (u: Abk. für ungerade) u. den Wert −1 für uu-Kerne. Anpassung der Proportionalitätskonstanten $a_1 - a_5$ an eine große Anzahl experimenteller Bindungsenergien liefert die folgenden Werte (in MeV): $a_1 \approx 15,75$; $a_2 \approx 17,8$; $a_3 \approx 0,71$; $a_4 \approx 23,7$ u. $a_5 \approx 34$. Die einzelnen Beiträge u. die Bindungsenergie pro Nukleon in Abhängigkeit von A sind in Abb. 1 a auf S. 2124 dargestellt. Die Funktion B/A ist nach dem Tröpfchenmodell eine glatte Kurve mit einem Maximum bei A≈60. Demgegenüber zeigt die experimentelle Kurve (Abb. 1 b) oszillator. Verhalten, d. h. einige Kerne sind deutlich stabiler als ihre Nachbarkerne. So sind gg-Kerne stabiler als gu- od. ug-Kerne, letztere wiederum stabiler als uu-Kerne. Innerhalb der Klasse der gg-Kerne liegen Stabilitätsmaxima bei den sog. „doppelt-mag." Kernen vor. Mag. Zahlen sind hierbei Z = N = 2, 8, 20, 28, 50, 82 u. 126; mit hoher Wahrscheinlichkeit ist auch Z = 114 eine mag. Zahl. Der schwerste bisher beobachtete Kern hat Z = 112.

Das Auftreten mag. Zahlen konnte erstmals durch das 1949 von *Goeppert-Mayer, *Jensen, Haxel u. Suess entwickelte *Schalenmodell* (*Lit.*[1]) erklärt werden. Hiernach bewegt sich ein willkürlich herausgegriffenes Nukleon in dem mittleren Feld aller übrigen Nukleonen u. man hat es mit einem effektiven Einteilchenproblem zu tun, das Analogien zu den Schalenmodellen der Atomhülle aufweist (s. a. Atombau u. Hartree-Fock-Verf.). Im Gegensatz zu der Atomhülle,

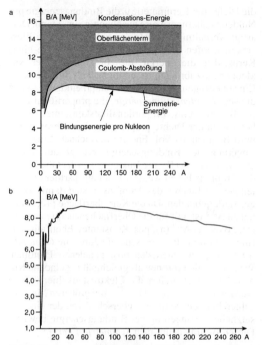

Abb. 1: Bindungsenergie pro Nukleon für Atomkerne im Grundzustand in Abhängigkeit von der Massenzahl A: a) nach dem Tröpfchenmodell, b) experimentelle Werte.

wo die elektromagnet. Wechselwirkung zwischen Elektronen u. Kern u. den Elektronen untereinander genau bekannt ist, ist aber die Nukleon-Nukleon-Wechselwirkung weniger gut verstanden. Obwohl Einteilchenschalenmodelle bereits in den 30er Jahren getestet (v. a. durch *Wigner) u. bei leichten Kernen auch erfolgreich eingesetzt wurden, gelang der entscheidende Durchbruch erst den oben genannten Autoren u. zwar dadurch, daß sie eine starke *Spin-Bahn-Kopplung* forderten. Nur mit Hilfe dieser damals mutigen Hypothese, die später durch Messung der Polarisation von bei *Kernreaktionen gebildeten Teilchen bestätigt wurde, konnten die mag. Zahlen schwerer Kerne erklärt werden. Ein realist. Ansatz für das mittlere Potential V (r), in dem sich ein willkürlich herausgegriffenes Nukleon bewegt, ist das *Woods-Saxon-Potential*

$$V(r) = -\frac{V_0}{1 + \exp[(r - r_0)/a]},$$

wobei V_0, r_0 u. a Parameter sind. Analog zu einem Elektron (s. Atombau) kann ein Nukleon einen endlichen Bahndrehimpuls besitzen, dessen Größe durch die Bahndrehimpulsquantenzahl l beschrieben wird. Wie jedes nur von einer Radialkoordinate abhängige Potential liefert auch das Woods-Saxon-Potential zu jedem l-Wert (2l + 1) energiegleiche Lösungen. In Analogie zur Atomhülle werden an Stelle von l = 0, 1, 2, 3, 4, ... meistens die Buchstaben s, p, d, f, g, ... verwendet. Bei gegebenem l werden die Eigenwerte zum Woods-Saxon-Potential nach zunehmender Energie geordnet, den zugehörigen Index nennt man wie bei der Atomhülle *Hauptquantenzahl*; sie wird mit dem Symbol n abgekürzt. Im Gegensatz zur Atomhülle gibt es beim Atomkern keine einschränkende Bedingung

zwischen n u. l, so daß zu einem vorgegebenen Wert von n ein beliebiger Wert von l (l = 0, 1, 2, ...) auftreten kann. Ein Termschema für das Woods-Saxon-Potential ist auf der linken Seite von Abb. 2 angegeben. Berücksichtigung der (starken!) Spin-Bahn-Kopplung führt zu einer teilw. Aufspaltung der entarteten Niveaus (s. Abb. 2, Mitte). Da die Nukleonen wie die Elektronen die Spinquantenzahl s = 1/2 haben, hat die *Gesamtdrehimpulsquantenzahl* j eines jeden Nukleons die Werte l + 1/2 od. l − 1/2. Damit wird z. B. das 1p-Niveau (l = 1) aufgespalten in 1p 3/2 (tieferliegend) u. 1p 1/2 (höherliegend); s. Abb. 2. Mit zunehmendem l-Wert wird die Spin-Bahn-Kopplung stärker, so daß z. B. das 1d 3/2-Niveau über dem 1s 1/2-Niveau liegt. Im Einteilchen-Schalenmodell werden Protonen u. Neutronen getrennt behandelt; Berücksichtigung der bei ersteren vorliegenden abstoßenden Coulomb-Wechselwirkung führt zu merklichen Unterschieden zwischen Protonen- als auch Neutronenniveaus oberhalb der mag. Zahl 50 (s. Abb. 2):

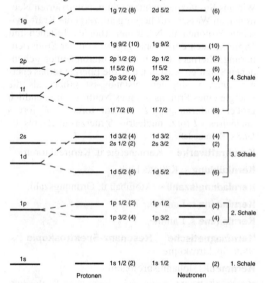

Abb. 2.: Zustandsschema im Einteilchen-Schalenmodell (Woods-Saxon-Potential). Links: Ohne Spin-Bahn-Wechselwirkung. Mitte u. rechts: Mit Spin-Bahn-Wechselwirkung u. Coulomb-Korrektur für Protonen. Die max. Besetzungszahlen der Unterniveaus sind in Klammern angegeben.

Zu der ersten Schale (Protonen- od. Neutronenschale) zählt das Einteilchen-Niveau 1s 1/2, welches mit max. 2 gleichartigen Nukleonen besetzt werden kann, die dann ihre Spins antiparallel einstellen müssen. Z = 2 u. N = 2 sind die kleinsten mag. Zahlen. Diese Situation, bei der also die energet. tiefstliegende Protonen- u. Neutronenschale max. besetzt sind, liegt beim $_2^4$He-Kern (s. a. Alpha-Teilchen) vor u. erklärt dessen bes. Stabilität. $_2^4$He ist der einfachste „doppelt-mag." Kern. Zur zweiten Schale gehören die Niveaus 1p 3/2 u. 1p 1/2; ersteres kann mit max. 4, letzteres mit höchstens 2 Nukleonen besetzt werden; allg. kann ein Niveau mit der Quantenzahl j mit bis zu (2j + 1) gleichartigen Nukleonen besetzt werden. Die zweite Schale ist also mit 6 Teilchen max. besetzt. In der ersten u. zweiten Schale können zusammen max. 8 Teilchen untergebracht werden; 8 ist die zweitkleinste mag. Zahl. Bes. Stabilität liegt wiederum vor, wenn sowohl die ersten beiden Protonen- als auch Neutronenschalen vollständig besetzt sind; dies ist beim $^{16}_{8}$O-Kern der Fall, der auch „doppelt-mag." ist.

Die dritte Schale wird von den Einteilchen-Niveaus 1d 5/2 (6), 2s 1/2 (2) u. 1d 3/2 (4) gebildet; die max. Besetzungszahlen sind hierbei in Klammern angegeben. Diese Schale vermag 12 Teilchen aufzunehmen. Die Gesamtzahl der Teilchen bei vollständiger Besetzung der 3 energet. tiefsten Schalen ist somit 20, wiederum eine mag. Zahl. Bes. stabil ist der „doppelt-mag." Kern $^{40}_{20}$Ca.

Infolge starker Spin-Bahn-Aufspaltung des 1f-Niveaus nach 1f 7/2 u. 1f 5/2 erhält ersteres eine energet. isolierte Lage u. bildet damit eine eigene Schale. Sie kann mit bis zu 8 Teilchen besetzt werden. Damit hat die vierte mag. Zahl den Wert $20+8=28$. Der Aufbau einiger weiterer energet. höherliegender Schalen ist in Abb. 2 dargestellt. Die Coulomb-Wechselwirkung zwischen den Protonen führt zu einem Schalenabschluß bei $Z=114$ (mag. Zahl für Protonen, die es bei Neutronen nicht gibt); die experimentelle Bestätigung hierfür steht allerdings noch aus.

Daß das geschilderte einfache Einteilchen-Schalenmodell den Grundzustand u. niedrige Anregungszustände von Atomkernen trotz der Kurzreichweitigkeit der Kräfte zwischen den Nukleonen befriedigend beschreiben kann, liegt im *Pauli-Prinzip begründet. Da die energet. tiefliegenden Niveaus vollständig besetzt sind, können keine Nukleonen mehr auf sie gelangen. Sie können nur in höhere, vormals unbesetzte Niveaus gestreut werden, was relativ selten vorkommt. Bei Kernen mit vielen Nukleonen außerhab einer geschlossenen Schale versagt das Schalenmodell zur Beschreibung der Anregungszustände. In den Anregungsspektren treten neue Gesetzmäßigkeiten auf, die auf eine korrelierte *kollektive* Bewegung aller Nukleonen zurückgehen. K., die derartige Bewegungen zu beschreiben gestatten, bezeichnet man als *kollektive K.*; um ihre Entwicklung haben sich v. a. A. *Bohr u. B. R. *Mottelson (Nobelpreis für Physik 1975) verdient gemacht. Die einzige kollektive Bewegung von Nukleonen eines kugelsymmetr. Kerns, wie er im Falle abgeschlossener Schalen vorliegt, besteht im Auftreten von Oberflächenschwingungen, d. h. kleinen elast. Schwingungen um die kugelförmige Gleichgewichtslage. Die zugehörigen Schwingungsenergien sind quantisiert; man erhält ein diskretes *Schwingungsspektrum*. Mit zunehmender Anzahl von „Valenznukleonen" außerhalb einer geschlossenen Schale, die häufig als Rumpf bezeichnet wird, wird der Kern leichter deformierbar u. verliert allmählich seine Kugelgestalt. Ein ellipt. deformierter Kern kann als Ganzes rotieren. Auch die Rotationsenergie ist gequantelt; es treten somit im Anregungsspektrum diskrete *Rotationszustände* auf.

Ein K. mit unabhängigen Teilchen ist das *Fermi-Gas-Modell*, auch *Thomas-Fermi-Modell* od. *statist. Modell* genannt; ein analoges Modell wird auch für die Atomhülle verwendet (s. Atommodelle). Es läßt sich auf schwerere Kerne anwenden, bei denen Schaleneffekte keine größere Rolle spielen, u. wird z. B. zur Ab-

schätzung der Zustandsdichte in hochangeregten Kernen herangezogen. Zur Beschreibung von *Kernreaktionen wurde von N. H. D. *Bohr das *Compound-K.* entwickelt, welches von den Grundvorstellungen des Tröpfchenmodells ausgeht. Ein „Compoundkern" bildet sich hiernach als – häufig relativ langlebiger – Zwischenzustand einer Kernreaktion; für den Zerfall stehen meistens mehrere Reaktionskanäle zur Verfügung. Die Anw. des Schalenmodells auf Kernreaktionen erfolgt im Rahmen des *opt. Modells*, das 1954 von Feshbach, Porter u. Weißkopf vorgeschlagen wurde. Eine Erweiterung des Kollektivmodells in der Art, daß auch mit der Kernspaltung (s. Kernreaktionen) u. *Kernfusion einhergehende Prozesse erklärt werden können, wurde 1969 von Greiner vorgenommen. Sein sog. *Zweizentren-Schalenmodell* (s. *Lit.*[2]) vermag die zahlreichen Wege zu beschreiben, über die sich ein Kern spontan in 2 Protokerne – die Vorläufer der bei der Kernspaltung gebildeten Fragmente – umwandeln kann. Auch für die Fusion leichterer Kerne zu überschweren Kernen konnten wichtige Vorhersagen gemacht werden, die später durch das Experiment eindrucksvoll bestätigt wurden. – *E* nuclear models – *F* modèles nucléaires – *I* modelli nucleari – *S* modelos nucleares

Lit.: [1] Angew. Chem. **76**, 69 – 75, 729 – 737 (1964). [2] Spektrum Wiss. **1990**, Nr. 5, 62 – 71. *allg.:* Mayer-Kuckuk, Kernphysik, 6. Aufl., Stuttgart: Teubner 1994 ▪ Musiol et al., Kern- u. Elementarteilchenphysik, Weinheim: VCH Verlagsges. 1988.

Kern-Oligosaccharid s. Lipopolysaccharide.

Kern-Overhauser-Effekt s. NMR-Spektroskopie.

Kernphotoeffekt s. Kernreaktionen.

Kernphysik. Teilgebiet der Physik, das sich mit der Untersuchung der Eigenschaften u. der Beschreibung der Atom*kerne* (s. Atombau) befaßt. Demgegenüber ist die *Atomphysik auf die Atome als Ganzes u. die Vorgänge in ihren *Hüllen* beschränkt. In den Bereich der K. fallen die sog. *Kernreaktionen u. *Kernumwandlungen, die man – weil ihre Reaktionsgleichungen formal chem. Reaktionen gleichen – früher auch als „Kernchemie" zusammenfaßte. Zu den Forschungsthemen der K. gehören ferner die Suche nach der Natur der sog. Kernkräfte, nach neuen *Elementarteilchen, überschweren Kernen u. *Quasiatomen, nach *Quarks, *Antimaterie u. *exotischen Atomen. Wichtige Arbeitsmittel der K. sind *Teilchenbeschleuniger, insbes. für *Schwerionen, *Blasenkammern, *Zählrohre u.ä. *Detektoren. – *E* nuclear physics – *F* physique nucléaire – *I* fisica nucleare – *S* física nuclear

Lit.: Bethge, Kernphysik, Berlin: Springer 1996 ▪ Frauenfelder u. Henley, Teilchen und Kerne, München: Oldenbourg 1994 ▪ Mayer-Kuckuk, Kernphysik, Stuttgart: Teubner 1994 ▪ Musiol et al., Kern- und Elementarteilchenphysik, Weinheim: VCH Verlagsges. 1988 ▪ Wilets u. Siemens, Nuclear Physics, in Encyclopedia of Physical Science and Technology, Bd. 11, S. 269 – 290, New York: Academic Press 1992. – *Zeitschriften. u. Serien:* Advances in Nuclear Physics, New York: Plenum (seit 1968) ▪ Annual Review of Nuclear and Particle Science, Palo Alto: Annual Reviews Inc. (seit 1952) ▪ Nuclear Science Research Conference Series, London: Harwood (seit 1980) ▪ Progress in Particle and Nuclear Physics, Oxford: Pergamon (seit 1978) – *Inst.:* Gesellschaft für Schwerionenforschung,

Postfach 110552, 64220 Darmstadt ▪ *Hahn-Meitner-Institut ▪ Inst. für Strahlen- u. Kernphysik der Universität Bonn, 53115 Bonn ▪ Max-Planck-Inst. für Kernphysik, Postfach 103980, 69029 Heidelberg.

Kernporen-Komplex. *Protein-Komplex, der in den Poren der aus einer doppelten *Membran gebildeten Hülle des Zellkerns (s. Zellen) lokalisiert u. dem selektiven Transport bestimmter Proteine u. *Nucleinsäuren durch die Hülle (nucleo-cytoplasmat. Transport) gewidmet ist. Der K.-K. ist achtstrahlig-symmetr. u. besteht aus ca. 50–100 verschiedenen Proteinen (*Nucleoporinen*), von denen bis jetzt über 30 charakterisiert worden sind. Einem Teil dieser Proteine sind charakterist. sich wiederholende Aminosäure-Sequenzen gemeinsam; auch Strukturmotive wie *Leucin-Reißverschluß u. *Zink-Finger kommen vor. Wechselwirkungen einzelner Proteine miteinander konnten aufgeklärt u. Teilkomplexe isoliert werden. – *E* nuclear pore complex – *F* complexe des pores nucléaires – *I* complesso dei pori nucleari – *S* complejo de los poros nucleares

Lit.: Biospektrum **2**, Nr. 6, 42–45 (1996) ▪ Crit. Rev. Biochem. Mol. Biol. **31**, 153–199 (1996) ▪ Nature (London) **386**, 779–786 (1997).

Kernprozesse s. Kernumwandlung, Kernreaktionen u. Kernfusion.

Kernquadrupolresonanz s. NQR-Spektroskopie.

Kernreaktionen. Nach DIN 25401 Tl. 1 (09/1986) Bez. für *Kernumwandlungen, die, im Gegensatz zur natürlichen *Radioaktivität, durch äußere Einwirkungen, z.B. durch das Auftreffen von Photonen, Elektronen, Protonen, Neutronen u.a. *Elementarteilchen od. von Alpha-Teilchen od. anderen Teilchen ausgelöst werden. Die Stabilität eines Atomkernes ist durch das Gleichgew. zwischen der anziehenden, kurzreichweitigen Kernkraft, die zwischen allen Nukleonen wirkt, u. der abstoßenden Coulomb-Kraft, die zwischen den Protonen wirkt, gegeben. Die leichten Kerne mit niederen Protonenzahlen sind im allg. am stabilsten (u. häufigsten), bes. wenn die Zahl der Neutronen gleich der Protonenzahl od. um eins höher od. gar gleich einer der *magischen Zahlen (2, 8, 20, 28, 50, 82, 126) ist; *Beisp.:* O, Si, Ne, Al, Mg, Na, Ca, C, N, S usw.; bes. stabil ist z.B. das doppeltmag. Blei $^{208}_{82}$Pb (82 + 126 = 208). Bei den Elementen mit höheren Atom-Gew. steigt die Zahl der Neutronen stärker als die der Protonen; *Beisp.:* Gold mit 79 Protonen u. 118 Neutronen. Die schwersten Atomkerne ab Polonium mit der Ordnungszahl 84 sind instabil u. zerfallen von selbst (*Spontanspaltung*, s. Zerfall u. Radioaktivität). Beschießt man einen (pos. geladenen) Atomkern mit ebenfalls pos. geladenen Partikeln (z.B. α-Teilchen), so wirkt zunächst nur die abstoßende Coulomb-Kraft. Man sagt, das α-Teilchen wird an dem repulsiven Coulomb-Wall gestreut. Erst ab kinet. Energien zwischen 10^4 u. 10^8 MeV kann sich das α-Teilchen dem Kern so weit nähern, daß die Kernkräfte wirksam werden u. K. auslösen. Der Wirkungsquerschnitt dieser Reaktionen ist in der Größenordnung von 10^{-24} cm² (1 *Barn). Neben den schon von Sir E. *Rutherford (1919) benutzten Helium-Kernen (α-Teilchen) radioaktiver Präp. hat man als Streupartikel folgende Teilchen ein-

gesetzt: Neutronen, Protonen, Deuteronen, Tritium, das Helium-Isotop ³He, schnelle Elektronen, Positronen, Mesonen, Schwerionen usw. Zum Erzeugen der notwendigen Energien bedient man sich der *Cyclotrone, *Synchrotrone, *Van-de-Graaff-Generatoren, Linearbeschleuniger u.a. *Teilchenbeschleuniger. Unter den schnellen Teilchen nehmen die Neutronen eine Sonderstellung ein, da sie keine elektr. Ladung aufweisen u. bei allen beliebigen, auch bei den schwersten, stärkstgeladenen Atomen K. erzielen. Sie durchdringen dadurch die Elektronenhülle der Atome ungehindert. Eine Bremsung bzw. K. erfolgt nur, wenn sie auf den Atomkern selbst stoßen. Hier erleiden sie die stärksten Geschw.-Verluste (nach den Gesetzen des elast. Stoßes), wenn sie auf Kerne von ähnlicher Masse stoßen; daher werden sie durch Wasserstoff-reiche organ. Verb. (z.B. Paraffin) auffällig gebremst. Auch Wasser ist als *Moderator für Reaktoren bes. geeignet. Nur wenige Kerne haben eine Kugelgestalt, die meisten sind abgeplattet (*oblat*), zigarrenförmig (*prolat*) od. zeigen andere *Formisomerien*.

Bei sämtlichen K. wird die Gesamtenergie (d.h. einschließlich der kinet. Energie von Geschoß u. emittierten Teilchen) des Syst. durch *Einsteins Masse-Energie-Gleichung $E = mc^2$ (E = die der Masse m äquivalente Energie, c = Lichtgeschw.) beschrieben, wobei die hier freiwerdenden Energien, d.h. die ihnen entsprechenden Massenbeträge, als *Massendefekt gemessen werden. *Beisp.:* Beschießt man Atome des Lithium-Isotops 7 (genaues Atomgew. 7,01600) mit Wasserstoff-Kernen (genaues Atomgew. 1,007825), so entstehen 2 Atome Helium 4 vom Gesamtgew. 8,00520. Die Summe von ⁷Li u. ¹H beträgt aber genau 8,023825; also gehen bei dieser Kernreaktion 0,018625 atomare Masseneinheiten (u) in Energie über, was rund 17 MeV entspricht. Die freiwerdende Energie ist als Rückstoßenergie die Triebkraft der sog. *heißen Atome. Der umgekehrte Vorgang (Umwandlung von Energie in Materie) wurde 1932 von C. D. *Anderson erstmals beobachtet. Läßt man nämlich Lichtquanten von mehreren MeV (z.B. γ-Strahlen) auf einen Stoff aufprallen, so beobachtet man (in *Blasen- od. *Wilson-Kammern) unter dem Einfluß eines magnet. Feldes gelegentlich Elektron-Positron-Paare. Diese sog. *Paarbildung (*Paarerzeugung*) ist in der Abb. grobschemat. dargestellt: Von einer gemeinsamen Ausgangsstelle fliegen ein *Elektron u. ein *Positron nach verschiedenen Richtungen auseinander, wobei die Summe der kinet. Energie dieser beiden Teilchen um 1,022 MeV kleiner ist als die Energie der einwirkenden γ-Strahlung.

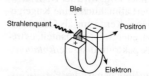

Abb.: Paarbildung im magnet. Feld.

Eine Umkehrung der Paarbildung, die *Paarvernichtung* (*E* annihilation), ist eine ebenfalls beobachtbare K. (*Zerstrahlung).

Symbolik (vgl. *Lit.*[1]): Bei der Formulierung von K. werden die folgenden Symbole verwendet: n (Neutron), p (Proton), d (Deuteron, $^2H^+$, D^+), t (Triton, $^3H^+$), α (α-Teilchen, $^4He^{2+}$), ν (Neutrino), e^- (Elektron, β^-), e^+ (Postitron, β^+), γ (Photon, γ-Quant); zur Zugehörigkeit der einzelnen *Teilchen zu den Gruppen der Leptonen od. Baryonen u. Bosonen od. Fermionen s. Elementarteilchen. Chem. Elemente werden wie in der Chemie symbolisiert, doch schreibt man (vgl. chemische Zeichensprache) vor das Elementzeichen oben links die Massenzahl (um damit das in Frage stehende Isotop anzugeben) u. darunter die Ordnungszahl. Künstlich radioaktive Kerne kennzeichnete man früher nicht selten durch einen nachgesetzten Stern (*). Die ausführliche Gleichung

$$^{27}_{13}Al + ^4_2He \rightarrow ^{30}_{15}P* + ^1_0n$$

würde also bedeuten: Bei der Beschießung des Aluminium-Isotops 27 mit einem α-Teilchen entstehen ein künstlich radioaktives Phosphor-Isotop der Massenzahl 30 u. 1 Neutron. Allg. gilt: Bei jeder K. ist die Summe der Massenzahlen u. die Summe der Kernladungszahlen (Ordnungszahlen) links vom Richtungspfeil gleich; oft läßt man die Ordnungszahl weg, da diese bereits aus dem Elementsymbol hervorgeht. Heute schreibt man nach *Bothes Vorschlag anstatt der obigen Gleichung einfach $^{27}_{13}Al(\alpha,n)^{30}_{15}P$: Dem Ausgangsnuklid an der ersten Stelle folgen in der Klammer zuerst das eintretende, darauf nach dem Komma das (od. die) aus dem getroffenen Kern austretende(n) Teilchen od. Quant(en); rechts der Klammer kommt als letztes das neuentstandene Nuklid. Der Ausdruck $^{238}U(^{12}C,4n)^{246}Cf$ bedeutet z. B., daß Uran-Kerne der Massenzahl 238 mit Kohlenstoff-Kernen der Massenzahl 12 beschossen werden u. daß hierbei unter Abspaltung von 4 Neutronen das Californium-Isotop 246 entsteht. Diese Abk. eignen sich auch zur Kennzeichnung ganzer Klassen von K.; so versteht man z. B. unter (d,p)-Prozessen Vorgänge, bei denen mit Hilfe von Deuteronen aus Atomkernen Protonen herausgeschossen werden.

Reaktionstypen: Ganz allg. tritt bei einer K. ein Teilchen a (einfallendes Teilchen) mit einem Atomkern A (*Targetkern*) in Wechselwirkung, wodurch ein Teilchen b emittiert wird u. der Endkern B zurückbleibt, was man als (a,b)-Prozeß bezeichnet: A(a,b)B. *Einteilung nach der Art der Geschoßteilchen; Umwandlung erfolgt durch:*

    α-Teilchen: (α,p), (α,n)
    Deuteronen: (d,α), (d,p), (d,n)
    Tritonen: (t,p)
    Protonen: (p,α), (p,n), (p,γ)
    Neutronen: (n,α), (n,p), (n,γ)
    Photonen: (γ,p), (γ,n)
    Schwerionen:

Einteilung nach der Art der Wechselwirkung:
Elast. *Streuung* A(a,a)A: Hier wird ein Teilchen vom Kern aufgenommen u. dafür ein gleichartiges mit der gleichen Energie abgegeben.
Unelast. Streuung A(a,a')A*: Das emittierte (gestreute) Teilchen ist von gleicher Art wie das einfallende Teilchen, hat aber geringere Energie. Der Endkern befindet sich in einem *Anregungs-Zustand, od. ein Teil der kinet. Energie des Geschosses wird als γ-

Strahlung abgegeben. Hier u. in den folgenden Beisp. können sich kernchem. Prozesse (s. heiße Atome) an die K. anschließen.

Austauschreaktionen A(a,b)B: Ein Teilchen (p,n,d) tritt in den Kern ein, dafür wird ein anderes aus dem Kern ausgestoßen; *Beisp.* aus dem Energiegewinnungsprozeß der *Sonne: $^{15}_7N + ^1_1H \rightarrow ^{12}_6C + ^4_2He$ [in verkürzter Schreibweise: $^{15}N(p,\alpha)^{12}C$].

Kernphotoeffekt A(γ,b)B: Der Targetkern A absorbiert ein Photon u. geht unter Aussendung des Teilchens b in den (meist radioaktiven) Endkern über; die Umkehrung des Effekts ist die im folgenden beschriebene Einfangreaktion. Für den Kernphotoeffekt benutzt man als Strahlung sehr harte, also energiereiche, äußerst kurzwellige *Gammastrahlen, oft die *Bremsstrahlung.

Einfangreaktion A(a,γ)B: Beim *Einfang handelt es sich um die Umkehrung des Kernphotoeffektes: Das einfallende Teilchen verschmilzt mit dem Targetkern, u. die Energie wird in Form von Photonen (γ-Strahlung) od. als Neutrino frei; *Beisp.* aus dem Energiegewinnungsprozeß der *Sonne: $^{12}_6C + ^1_1H \rightarrow ^{13}_7N + \gamma$ [in verkürzter Schreibweise: $^{12}C(p,\gamma)^{13}N$]. Mit einem *Neutroneneinfang* beginnen nicht nur zahlreiche K.-Sequenzen zum Aufbau von neuen *Isotopen u. von „künstlichen Elementen", d. h. von *Transuranen u. *Transactinoiden, sondern auch die Kernumwandlungen brütbarer in therm. spaltbare Substanz (sog. *Konversion*, vgl. Brüten). Zu den Einfangreaktionen kann man, wenn auch mit Einschränkungen (s. unten), den *Elektroneneinfang (*E electron capture*, EC) rechnen. Häufigster Typ ist der sog. K-Einfang, der bei Atomen mit instabilen Kernen beobachtet wird, die einen relativen Mangel an Neutronen aufweisen. Nach außen macht sich der K-Einfang durch Elementumwandlung u. durch die Aussendung der K-Röntgenstrahlung bemerkbar; *Beisp.:* *Kalium-Argon-Methode.

Zerfallsreaktionen: Strenggenommen gehören die – definitionsgemäß *spontan* erfolgenden – *Zerfälle ebenso wie der K-Einfang nicht hierher, sondern in das Gebiet der *Radioaktivität (vgl. dort die sog. Zerfallsreihen von U/Ac u. Th). Zerfallsreaktionen treten jedoch häufig in der Folge von echten K. auf; *Beisp.:* Bethe-Weizsäcker-Cyclus in der *Sonne, bei dem zwei β^+-Zerfälle auftreten, vgl. Kernfusion. Beim analogen *Alpha-Zerfall wird spontan ein Helium-Kern emittiert. Die aus diesen Zerfällen resultierenden Änderungen der Ordnungszahlen sind gesetzmäßig erfaßt im sog. *radioaktiven Verschiebungssatz*, s. Radioaktivität.

Mehrfachprozesse A(a,b_1,b_2...)B: Die Absorption des einfallenden Teilchens führt zur Aussendung mehrerer Teilchen. Dieser Typ wurde erstmals bei Einwirkung *kosmischer Strahlung beobachtet u. ist erst bei Energien von >100 MeV von Bedeutung. Man spricht von *binären Kernspaltungen* (Kernzweierspaltung, s. folgenden Abschnitt) u. von *ternären Kernspaltungen* (Kerndreierspaltungen) in drei etwa gleich große Bruchstücke. Treten noch mehr Bruchstücke auf, so spricht man bevorzugt von *Spallation (Vielfachzerlegung, Kernzersplitterung, Kernzertrümmerung); *Beisp.:* $^{238}_{92}U(\alpha,20p35n)^{187}_{74}W$.

Kernspaltung: Bei diesem Sonderfall der Mehrfachprozesse handelt es sich nach DIN 25401 Tl. 1 (09/1986) um das „Zerlegen eines schweren Kernes in zwei od. mehrere mittelschwere Kerne. Der Vorgang ist gewöhnlich mit der Emission von Neutronen, γ-Strahlen, α-Teilchen, β-Teilchen u. Antineutrinos verbunden." Das einfallende Teilchen (meist ein Neutron) spaltet den Targetkern in zwei etwa gleich große Bruchstücke. Da diese gewöhnlich zusammen genommen weniger Neutronen benötigen, als der Targetkern besaß, bleiben (meist 2–3) Neutronen hoher kinet. Energie „übrig", die wieder andere Kerne treffen u. spalten können, so daß ein lawinenartiger Zerfallsprozeß, eine sog. *Kettenreaktion, entsteht. Die für die Energiegewinnung in *Kernreaktoren (vgl. Kernenergie) wichtigste K. ist die Kernspaltung des Urans-235, die sich mit Barium u. Krypton als Spaltprodukte unterschiedlich formulieren läßt, z. B. nach

$$^{235}_{92}U + n \rightarrow [^{236}_{92}U] \begin{cases} ^{138}_{56}Ba + ^{95}_{36}Kr + 3n + \gamma \\ ^{140}_{56}Ba + ^{94}_{36}Kr + 2n + \gamma \\ ^{144}_{56}Ba + ^{89}_{36}Kr + 3n + \gamma. \end{cases}$$

Die bei der Kernspaltung zunächst gebildeten mittelschweren Kerne sind ihrerseits instabil u. zerfallen über sog. *Beta-Zerfälle, bis eine stabile Endstufe erreicht ist. Die bekanntesten Spaltprodukte, die bei der Kernspaltung von U-235, Plutonium u. dgl. in Kernkraftwerken u. *Kernwaffen entstehen, sind Sr, Ce, Te, Y, Zr, Nb, Mo, I, La, Pr, Nd, Ba, Kr, Tc, Pm, Cs, Ru, Rh, Pd, Xe u. a. (*Fissium). Die meisten Spaltprodukte haben Ordnungszahlen zwischen 36 u. 62; ihre Beseitigung bzw. Aufarbeitung ist eine Aufgabe der *Kernchemie. Bei den Kernkettenreaktionen unterscheidet man zwischen *konvergenten* (unterkritisch, subkrit.), *selbstunterhaltenden* (*kritischen) u. *divergenten* (überkritisch, superkrit.), je nachdem, ob die Anzahl der durch eine K. direkt verursachten weiteren K. kleiner, gleich od. größer als 1 ist.
Eine bes. Form von K. ist die sog. *Kernfusion, bei der eine Verschmelzung von leichten (z. B. Protonen u. Neutronen) zu schwereren Kernen (z. B. α-Teilchen) unter Freiwerden großer Energiebeträge erfolgt. Bei der Entstehung (Bildung) der *chemischen Elemente hat eine Vielzahl verschiedenartiger K. stattgefunden.
Geschichte: Die erste dem Menschen hervorgerufene Kernumwandlung gelang 1919 Sir E. *Rutherford durch Beschießen von Stickstoff mit α-Teilchen von Polonium (Ra-C'), also durch den Prozeß $^{14}_{7}N(\alpha,p)^{17}_{8}O$; die dabei entstehenden Kerne des Sauerstoffs u. Wasserstoffs können in der Wilson-Kammer direkt sichtbar gemacht werden. Mit künstlich hergestellten atomaren Geschossen (Protonen) arbeiteten erstmals *Cockroft u. *Walton 1932, im gleichen Jahr, in dem *Chadwick das Neutron entdeckte. Im Jahre 1934 fanden I. *Joliot-Curie u. *Joliot bei der Beschießung von Aluminium mit der α-Strahlung eines Polonium-Präp., daß die vom beschossenen Aluminium ausgehende Positronenstrahlung nach Beseitigung des Poloniums nicht sofort aufhörte, sondern noch einige Minuten andauerte u. hierbei in gleicher Weise abnahm wie die Strahlung natürlicher radioaktiver Stoffe. Curie u. Joliot vermuteten hier einen Fall von *künstlicher*, mit Hilfe der α-Strahlung willkürlich hervorgerufener

*Radioaktivität. 1938 beobachteten O. *Hahn u. *Strassmann, daß Uran 235 in radioaktives Ba u. Kr zerfiel, wenn man es mit langsamen Neutronen beschoß; *Meitner u. Frisch interpretierten als erste diesen Prozeß als Kernspaltung. Bereits 1942 arbeitete der erste Reaktor (*Fermi, Chicago). Der ersten militär. Anw. der Kernenergie (1945) folgte erst 1956 die zivile im Kernkraftwerk Calder Hall (England). Durch die Entwicklung großer Beschleunigungsanlagen für Elementarteilchen u. mit Hilfe von energiereichen γ-Strahlen gelangen schließlich K. an allen bekannten Atomarten. Viele bemerkenswerte Entdeckungen u. Untersuchungen sind mit den Namen *Ghiorso, *Segrè, *Seaborg, *McMillan u. *Flerov verbunden. – *E* nuclear reactions – *F* réactions nucléaires – *I* reazioni nucleari – *S* reacciones nucleares
Lit.: ^{1}Pure Appl. Chem. **51**, 25 (1979).
allg.: s. Kernenergie, Kernphysik.

Kernreaktoren (auch Kernkraftwerk, KKW). Einrichtungen, in denen eine sich von selbst erhaltende *Kettenreaktion von Kernspaltungen (s. Kernreaktionen, *Kernspaltung*) aufrechterhalten u. gesteuert werden kann (*Spaltreaktor*) bzw. eine gesteuerte Kernfusion stattfinden soll (*Fusionsreaktor*). Zu den Spaltreaktoren zählen: LWR (Leichtwasser-Reaktoren), DWR (Druckwasser-Reaktoren), SWR (Siedewasser-Reaktoren), HTR (Hochtemp.-Reaktoren), SBR (Schneller Brut-Reaktor).
Die *Hauptkomponenten* eines K. sind:
1. Der *Kernbrennstoff* enthält den eigentlichen Energielieferanten (*Spaltstoff*) wie ^{235}U (zu 0,71 % in natürlichem Uran enthalten od. auf 2,5–4,8% angereichert, gelegentlich auch auf 20% od. mehr angereichert), ^{239}Pu, ^{241}Pu, ^{233}U mit Thorium. Die früher in metall., heute meist in oxid. Form vorliegenden Spaltstoffe werden zu *Pellets für Brennstäbe (s. Brennelemente) od. zu sog. „coated particles" für kugelförmige Graphit-Brennelemente verarbeitet. In Forschungsreaktoren setzt man auch plattenförmige Brennelemente aus *Cermets ein, versuchsweise sogar Kernbrennstoffe in Form von Lsg., Schmelzen od. Suspensionen, u. selbst gasf. Kernbrennstoffe (UF_6) wurden in Betracht gezogen; zur Herst.-Technik der Brennelemente s. dort u. bes. bei Kernbrennstoffe. Die im internat. Verbund betriebenen Herst.- u. Reinigungsprozesse der Kerntechnik gehören zu den aufwendigsten Verf. der Chemie, denn die Reinheitsanforderungen an die in techn. Mengen verlangten Stoffe sind sehr hoch (*Nuklearreinheit*). So müssen z. B. aus den Moderatoren, Reflektoren u. Uran-Umhüllungssubstanzen Neutronen-absorbierende Stoffe wie z. B. Bor, Cadmium, Europium, Samarium, Gadolinium u. a. *Seltenerdmetalle, Indium, Rhenium, Hafnium u. dgl. weitgehend (bis auf 1 ppm u. darunter) entfernt werden, da sonst die parasitäre Neutronenabsorption zu hoch wird.
2. Als *Moderator* (Bremsmaterial, Neutronenbremse), der die Abbremsung (Moderierung, *Thermalisierung) der Neutronen bewirkt, dienen leichtes (H_2O) u. schweres (D_2O, *Deuteriumoxid) Wasser, bei manchen K.-Typen Graphit (s. jedoch Wigner-Effekt), in Versuchs-K. auch Beryllium, Zirconiumhydrid, in organ. moderierten Oligophenylen.

3. Mit *Regelstäben* (Steuerstäbe, Neutronenabsorber) aus Cadmium, Bor, Borcarbid, Europium u. a. Elementen mit großem Einfangquerschnitt für *Neutronen wird der K. getrimmt, d. h. der Neutronenfluß begrenzt.

4. Der *Reflektor* soll durch Streuung das Entweichen von Neutronen aus der Spaltzone des K. vermeiden; üblicherweise kommen Stoffe mit Moderator-Eigenschaften zur Anwendung.

5. Das *Kühlmittel* (Wärmeüberträger) hat die Aufgabe, die durch die Kernspaltung erzeugte Wärme kontinuierlich ab- u. der wirtschaftlichen Nutzung im KKW zuzuführen. Die zur Kühlung von Heterogen-Reaktoren. (s. unten) geeigneten Flüssigkeiten u. Gase müssen geringe Absorptionsquerschnitte für Neutronen, gute Wärmeübertragungseigenschaften u. niedere Pumpenleistung aufweisen u. sich außerdem mit den üblichen Werkstoffen vertragen. Das Primär-Kühlmittel dient zum Abführen der Wärme von einer Primärquelle, wie z. B. Spaltzone od. Brutzone, ein Sekundär-Kühlmittel zum Abführen der Wärme vom Primärkühlkreis. Als Kühlmittel findet v. a. Wasser Verw. (Leichtwasserbaulinie). Die Hochtemp.-Reaktoren benutzen Gase wie He, CO_2, Brüter flüssige Metalle wie geschmolzenes Natrium od. *Kalium-Natrium-Legierungen (Leg. aus 78 Gew.-% K u. 22 Gew.-% Na). Bei Siedewasser-Reaktoren stehen die Turbinen im Primärkreislauf. Die großen Wärmemengen, die hinter den Turbinen abzuführen sind, stellen wie auch bei anderen therm. Kraftwerken mit 50–60% Abwärme ein wirtschaftliches u. ökolog. Problem dar; der Einsatz von Kühltürmen ist üblich.

6. Die *Schutzmaßnahmen* dienen zum einen dem *Strahlenschutz des Bedienungspersonals, zum anderen sollen sie den Austritt *radioaktiver Stoffe verhindern. Zunächst ist der Reaktor-Kern (*E* core) in einer *druckfesten Umschließung* eingekapselt. Weiter nach außen folgen Betonwände zur *Abschirmung gegen Strahlung u. als weitere stählerne Umschließung ein ggf. kugelförmiger Sicherheitsbehälter, der K. oft ihre charakterist. kuppelförmige Silhouette gibt. Schließlich ist auch dieser kugelförmige Sicherheitsbehälter noch einmal von einer Betonabschirmung umgeben, die zudem Schutz vor mechan. Einwirkung von außen (z. B. Flugzeugabsturz) bietet; über K.-Sicherheitsfragen u. über allg. techn. Risiken s. *Lit.*[1], vgl. a. die Dtsch. Risikostudie (*Lit.*[2]), zur Ursachenanalyse des Reaktorunfalls von Harrisburg (Three-Mile-Island, 28. 3. 1979) s. *Lit.*[3]. Verständlicherweise werden die mit dem KKW-Betrieb verbundenen Restrisiken kontrovers diskutiert (Rassow, *Lit.*[1]). Nahrung erhielt die Skepsis gegenüber der K.-Technik durch K.-Störfälle wie denjenigen von *Tschernobyl/Ukraine (26. 4. 1986), bei dem ein K. des (nur in der UdSSR betriebenen) Typs RBMK (Graphit-moderierter Druckröhren-SWR) außer Kontrolle geriet u. erhebliche Mengen an Radionukliden (*Beisp.:* ^{103}Ru, ^{131}I, ^{134}Cs, ^{137}Cs u. a.) emittierte; Näheres zum Ablauf des Unfalls sowie Fallout u. ionisierende Strahlung s. *Lit.*[4].

Man kann die K. nach verschiedenen Gesichtspunkten *klassifizieren* (vgl. DIN 2540):

1. Nach Art u. Aggregatzustand des *Kernbrennstoffs:* Uran-Reaktoren (mit angereichertem od. natürlichem

Uran beschickt), Uran-Thorium-Reaktoren u. Plutonium-Reaktoren; u. als Reaktoren mit festem, Reaktoren mit flüssigem, d. h. gelöstem od. geschmolzenem u. Reaktoren mit gasf. Brennstoff.

2. Nach dem verwendeten *Moderator:* Graphit-Reaktoren (z. B. RBMK, s. oben), Schwerwasser-Reaktoren (*E* Heavy Water Reactor, HWR), Leichtwasser-Reaktoren (*E* Light Water Reactor, LWR).

3. Nach Art der *Kühlung* od. der Wärmeübertragung: Gasgekühlte Reaktoren (*E* Graphite Gas-cooled Reactor, GGR), Hochtemp.-Reaktoren (HTR), Druckwasser-Reaktoren (DWR; *E* Pressurized Water Reactor, PWR), Schwimmbad-(Wasserbecken-)Reaktoren, Siedewasser-Reaktoren (SWR; *E* Boiling Water Reactor, BWR).

4. Nach der *Struktur:* In Heterogen-Reaktoren sind die Materialien der Spaltzone nicht innig miteinander vermischt, so daß das Verhalten der Neutronen von der Struktur beeinflußt wird; bei den – heute nicht mehr eingesetzten – Homogen-Reaktoren war es umgekehrt.

5. Nach dem zur Spaltung ausgenutzten *Energiebereich:* In therm. Reaktoren werden die Spaltungen durch therm., in Schnellen Reaktoren durch schnelle *Neutronen ausgelöst.

6. Nach Art der Gewinnung *neuen Spaltstoffs:* Brutreaktoren (Brüter, insbes. die Schnellen Brut-Reaktoren, SBR; *E* Fast Breeder Reactor, FBR) erzeugen durch Konversion vergleichbar viel od. mehr spaltbare Substanz als sie verbrauchen; im zweiten Falle ist es gleichgültig, ob die erzeugte Substanz die gleiche ist wie die der prim. Auslegung od. eine andere. *Konversion* ist der Vorgang, aus einer brütbaren eine therm. spaltbare Substanz zu erzeugen, z. B. aus ^{238}U durch Neutroneneinfang über ^{239}U u. ^{239}Np das spaltbare ^{239}Pu od. aus ^{232}Th über ^{233}Th u. ^{233}Pa das spaltbare ^{233}U. Von *Brüten* spricht man erst, wenn das Konversions-Verhältnis (Anzahl der neu erzeugten spaltbaren Kerne zur Anzahl der verbrauchten Kerne des anfangs vorhandenen Spaltstoffes) >1 ist.

7. Nach den *Einsatzgebieten:* Forschungs-Reaktoren dienen als Strahlenquellen für Neutronen, Neutrinos u. a. Teilchen sowie γ-Strahlen, Unterrichts-Reaktoren sind hauptsächlich für Ausbildungszwecke bestimmte, einfach zu handhabende, kleine Reaktoren, Energie-Reaktoren od. Leistungs-Reaktoren dienen der Erzeugung von wirtschaftlich verwendbarer Wärmeenergie, vorwiegend zur Elektrizitätserzeugung, Prüf-Reaktoren sind zur Prüfung der Materialbeständigkeit gegen die im Reaktor auftretende Strahlung vorgesehener Reaktoren mit bes. hohem Neutronenfluß, Mehrzweck-Reaktoren dienten der Energiegewinnung u. der Bildung von Plutonium.

Wegen ihrer einfacheren Bauweise haben sich für Leistungs-K. heute die Leichtwasser-Reaktoren (LWR), in denen H_2O gleichzeitig Kühlmittel u. Moderator ist (*Einmedien-Reaktoren*), durchgesetzt.

Am Beisp. eines DWR (Abb. 1; Typ Biblis, S. 2130) sei die Funktionsweise eines K. hier stark vereinfacht dargestellt. Die Elementarzelle der Kernspaltungszone ist der *Brennstab* (UO$_2$ mit 3–4% U-235) mit der ihn umgebenden Kühlwasserschicht (H_2O, Volumenverhältnis H_2O/UO_2 = ca. 2). Der Brennstab enthält Pellets in Zircaloy-Hülle (∅ ca. 10 mm) u. ist 4,4 m lang; mehrere davon (z. B. 16×16) werden zu einem quadrat.

Brennelement zusammengefaßt. Mehrere Brennelemente bilden den *Reaktorkern* (193 bei DWR der 1300 MW-Klasse mit ca. 100 t Uran). Auf Brennstab-freien Positionen (z. B. 20 pro Brennelement) sitzen die Neutronenabsorberstäbe (AgInCd) der axial beweglichen Steuerelemente (61 pro Reaktorkern). Das unter 156 bar Druck stehende Primär*kühlmittel* (ca. 360 m^3 vollentsalztes Wasser) durchströmt den Reaktorkern u. wird dabei z. B. von 291 °C auf 326 °C aufgewärmt. Im U-Rohrdampferzeuger wird Sattdampf erzeugt (ca. 2000 kg/s, 65 bar, 280 °C), der die Turbine treibt. Ein großer DWR (1300 MW) hat 4 ident. Kühlschleifen mit je einem Sattdampferzeuger u. einer Umwälzpumpe. Das nukleare Dampferzeugungssyst. ist im Sicherheitsbehälter eingeschlossen. Das Sekundär-Kühlmittel (Wasser) wird mit Hilfe von Naßkühltürmen gekühlt. Von prinzipiell ähnlichem Aufbau ist der SWR (Abb. 2), bei dem der Turbinensatz im Primärkühlkreis (286 °C, 72 bar) steht u. deshalb im K.-Sicherheitsbehälter eingeschlossen ist. Die Zahl der Brennstäbe ist bei beiden LWR-Typen vergleichbar groß, aber die Anordnung unterschiedlich (DWR: 193 Brennelemente à 236 Brennstäbe, SWR: 840 à 49), u. außerdem benötigt letzterer 160 t Kernbrennstoff.

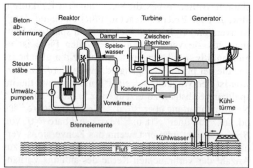

Abb. 1: Druckwasserreaktor (DWR); nach Koelzer, s. *Lit.*

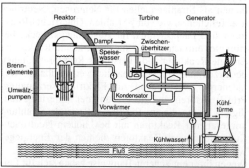

Abb. 2: Siedewasserreaktor (SWR); nach Koelzer, s. *Lit.*

Beide LWR arbeiten folgendermaßen: Trifft in den vom Wasser umgebenen Uran-Stäben ein Neutron geeigneter Geschw. (s. unten; der Start des K. wird durch Neutronenquellen wie Sb/Be erleichtert) auf den Kern eines ^{235}U-Atoms, so wird dieser Kern in 2 etwa gleiche Teile (z. B. 1 Krypton- u. 1 Barium-Atomkern) gespalten; beide Kernbruchstücke fliegen mit einer kinet. Energie von ca. 175 MeV auseinander. Durch Stöße mit Atomen u. Mol. der Umgebung (z. B. dem ^{238}U u.

Wasser, auch dem Moderator usw.) wird die kinet. Energie schrittweise in Wärme umgewandelt. Die Wärmeabführung übernimmt das *Kühlmittel*, das über *Wärmeaustauscher u. Turbinen die *Kernenergie direkt als elektr. Energie nutzbar macht. Die Bruchstückspaare können z. B. aus Ba-Kr od. Cs-Rb od. La-Br, Xe-Sr (Summe der *Ordnungszahlen = 92) bestehen; im allg. verhalten sich die Massen der Bruchstücke wie 2:3, wohingegen symmetr. Spaltungen selten sind. Die Spaltprodukte bilden einen Teil der *radioaktiven Abfälle des K., deren Beseitigung insbes. bei gasf. *Radionukliden (^{85}Kr, ^{135}Xe) bes. Aufwand erfordert (Entsorgung). Außer diesen u. v. a. Spaltprodukten (*Fissium) werden bei der ^{235}U-Spaltung 2–3 Neutronen hoher kinet. Energie (>1 MeV) frei. Diese Teilchen sind „zu schnell", um eine *Kernkettenreaktion* zu unterhalten; sie müssen daher so lange durch elast. Stöße abgebremst werden, bis sie nur noch Energien von ca. 10^{-2} eV besitzen (*therm. *Neutronen*). Als Bremsen wirken die *Moderatoren niedriger Atommasse, d. h. geringer Gewichtsdifferenz zum Neutron, am besten: H, D, C, Be, also auch H_2O, D_2O, Graphit od. manche Kohlenwasserstoffe. Die leichten Elemente Li u. B sind als Moderatoren allerdings nicht verwendbar, da sie aufgrund ihres großen *Wirkungs- od. Einfangquerschnitts als Neutronenabsorber u. damit als *Reaktorgifte* wirken. Man spricht in diesem Zusammenhang auch von *Bor-Äquivalent* als einer für die Beurteilung von Reaktorwerkstoffen wichtigen Maßzahl zur Kennzeichnung der Neutronenabsorption eines beliebigen Stoffs. Das Bor-Äquivalent gibt den Gehalt an Bor in Prozenten an, der dieselbe Neutronenabsorption wie sämtliche in dem betreffenden Stoff enthaltenen Verunreinigungen bewirken würde. Nuklearreines Uran-Metall hat z. B. das Bor-Äquivalent $1,4 \cdot 10^{-4}$%. Reaktorgifte sind auch ^{113}Cd, ^{135}Xe, ^{149}Sm, Gd u. Hf, die deshalb aus den K.-Werkstoffen ferngehalten werden müssen. Maßgebend für das ordnungsgemäße Arbeiten eines K. ist die Größe des sog. *Multiplikationsfaktors* (Vermehrungsfaktor), unter dem man den Quotienten aus der Anzahl neu entstandener zu verbrauchten Neutronen versteht. Ist der Quotient <1, so bricht die Kette ab (konvergente Kettenreaktion) u. der K. kommt zum Stillstand (unter-, subkrit. K.). Ist der Quotient >1 (divergente Kettenreaktion), so wächst die Neutronenzahl lawinenartig, u. der K. wird über- od. superkritisch. Es könnte dann zu einem Schmelzprozeß kommen, nicht aber zu einer der *Kernwaffen-Explosion ähnlichen Katastrophe, da die Spaltstoffkonz. nur 3–4% beträgt, das restliche ^{238}U u. die K.-Werkstoffe zu viele Neutronen absorbieren u. außerdem nirgendwo im K. die benötigten *kritischen Massen zusammenkommen können. Durch automat. bewegte, mittels einer Ionisationskammer entsprechend der Neutronendichte regulierte, als Neutronenabsorber fungierende *Kontrollstäbe* (Regel-, Trimmstäbe, z. B. aus Cadmium) muß der Multiplikationsfaktor dauernd auf dem Wert 1 (selbstunterhaltende Kettenreaktion, krit. K.) gehalten werden. Diese Steuerelemente sind also bewegliche Teile des K., die das Erreichen eines gewünschten Betriebszustandes ermöglichen. Eine Beeinflussung ist auch durch Borsäure-Zusatz zum wäss. Kühlmittel möglich (B als Neutronenabsorber).

Einige der bei der Spaltung von Uran-235 freiwerdenden Neutronen lagern sich an das Isotop U-238 an u.
bewirken so die Bildung von Plutonium, gehen dadurch jedoch für die Wärmeenergie-Gewinnung verloren. Gleichartig wirken auch ^{232}U u. ^{236}U (s. unten).
Die Energieausbeute des K. wird zusätzlich (um ca.
5%) verringert, weil ein Teil der Neutronen durch
*Beta-Zerfälle verlorengeht.
Die Betriebsdauer eines K. ist nicht unbegrenzt; die
spaltbaren Kerne werden verbraucht u. haben Neutro-
nen-abfangende Spaltprodukte gebildet. Leistungs-K.
werden in der Regel so ausgelegt, daß die Brennelemente nach 3 Jahren auszuwechseln sind. Wenn man
in LWR auf 3,3% angereichertes Uran verwendet, ergibt sich, daß von ursprünglich je t Uran vorhandenen
967 kg ^{238}U u. 33 kg ^{235}U nach 3 Jahren nur noch 945 kg
^{238}U u. 8,6 kg ^{235}U vorhanden sind. Dafür sind neben
anderen Spaltprodukten ca. 9,3 kg verschiedene Pu-
Isotope entstanden; eine ausführlichere Bilanz s. bei
Kernbrennstoffe. In aufwendigen Verf. lassen sich die
Nuklide trennen u. z. T. den radioaktiven Abfällen
(*Entsorgung*), z. T. einer erneuten Nutzung in K. zuführen; *Beisp.:* *Purex-Verfahren der *Wiederaufarbeitung*. Das Plutonium kann in K. verwendet werden;
eine Verw. in *Kernwaffen ist nicht möglich, denn in
diesen kann man nur reines ^{239}Pu od. ^{241}Pu einsetzen,
während beim Abbrand ein Plutonium-Gemisch entsteht. Gegen die Wiederaufarbeitung läßt sich ein-
wenden, daß dabei Isotope wie ^{234}U u. ^{236}U angereichert werden, die (als geradzahlige Isotope) Neutronen „ohne Gegenleistung" wegfangen; wiederaufge-
arbeitetes Uran hat also einen geringfügig schlechte-
ren Wirkungsgrad.
Die heutigen Leistungsreaktoren sind meist Leichtwasser-moderierte Druck- u. Siedewasser-Reaktoren
(s. Tab. S. 2133), wobei eine Tendenz heute zu kleineren K. („Heizreaktoren") mit 10–50 MW Leistung
gehen soll[5]. Daneben gibt es zahlreiche, meist als Forschungsreaktoren konzipierte Typen, die der Erzeugung von *Radionukliden u./od. von Teilchen- u. elektromagnet. Strahlung – z. B. von Neutronen im dtsch.-
franz. *Neutronen-Höchstfluß-Reaktor* in Grenoble[6,7]
od. von Neutrinos – od. der Fortentwicklung der K.-
Technologie dienen. Einige bes. K.-Typen sollen im
folgenden erwähnt werden. Ein in der BRD entwickelter u. in Uentrop-Schmehausen (bei Hamm) betriebe-
ner *Hochtemperatur-Reaktor* (Thorium-HTR, THTR)
ist der sog. *Kugelhaufen-Reaktor* (Abb. 3), in dem der
Kernbrennstoff in Form von bis zu 600 000 Kugeln
vorlag. Jede Kugel von 6 cm Durchmesser enthielt 1 g
Uran u. 5–10 g Thorium als oxid., ca. 0,75 mm große
sog. „coated particles" in einer Einbettung von Graphit. Als Kühlmittel benutzte man Helium, das den K.
von oben nach unten durchströmte u. dabei Temp. von
790 °C bei 40 bar Druck erreichte. Über Wärmeaustauscher (Dampferzeuger, Dampftemp. 530 °C bei
177 bar) u. Turbinen wurde die therm. in elektr. Energie umgewandelt. Die Restwärme wurde über einen
Trockenkühlturm an die Außenluft abgegeben; Näheres auch zur potentiellen Nutzung der Gas- bzw.
Dampfwärme (bis 1000 °C) für die *Hochtemperaturchemie (*Beisp.:* *Kohlevergasung u. Kopplung der
*Methanisierung mit dem Energietransport durch das

EVA/ADAM-Konzept) s. *Lit.*[7]. In England u. Frankreich
wurden längere Zeit hindurch *Graphit-Gas-Reaktoren*
(GGR) bevorzugt, die mit Natur- bzw. schwach ^{235}U-
angereichertem Uran als Brennstoff, Graphit als Moderator u. CO_2 als Kühlmittel arbeiteten. Ebenfalls mit
Graphit moderiert, aber siedewassergekühlt werden
die z. Z. etwa 25 ehem. sowjet. Reaktoren des RBMK-
Typs betrieben (u. a. in *Tschernobyl/Ukraine). Mit
natürlichem Uran arbeiten auch die *Schwerwasser-Reaktoren* (HWR), in denen D_2O sowohl Moderator- als
auch Kühlmittel-Funktion übernimmt; derartige K.
sind außer als Forschungs-Reaktoren (hier läßt sich
z. B. *Čerenkov-Strahlung studieren) bes. in Kanada,
Argentinien u. Indien verbreitet. Da auch Uran für K.
nicht in beliebigen Mengen zur Verfügung steht, andererseits aber bei den *Kernreaktionen im K. neue,
therm. spaltbare Kerne entstehen, hat man sich schon
früh der sog. *Brütertechnologie* zugewandt. Im Fall der
hauptsächlich auf Energiegewinnung ausgelegten, mit
therm. Neutronen arbeitenden Uran-Reaktoren dauert
es allerdings 15–20 Jahre, bis ein Brut-Reaktor aus
^{238}U (nicht spaltbar) genug spaltbares Material (^{239}Pu)
geliefert hat, um einen anderen von gleicher Lei-
stungskraft versorgen zu können. Wenn ein Brutreaktor (*Brüter*) jedoch für den „Eigenbedarf" genügend
Kernbrennstoff herstellen (u. außerdem noch Leistung
abgeben) soll, dann muß er die höheren Brutraten mit
schnellen Neutronen (daher: *Schneller Brüter*, SBR) erzielen, die jedoch einen höheren Kühlaufwand im K.
verlangen. Als Kühlmittel bei U/Pu-K. sind wie anderswo auch in der BRD prakt. nur Natrium, theoret.
auch Helium in Betracht gezogen worden. Die Abb. 4
zeigt den prinzipiellen Aufbau des *Schnellen Natrium-
gekühlten Reaktors* (SNR), wie er für Kalkar/Nieder-
rhein mit ca. 300 MW Leistung aus 19 t (U, Pu)O_2 als
Kernbrenn- u. als Brutstoff konzipiert war. Der SNR
sollte von flüssigem Natrium sowohl im Primärkühlkreis (615 °C, 10 bar) als auch im Sekundärkühlkreis
gekühlt werden.

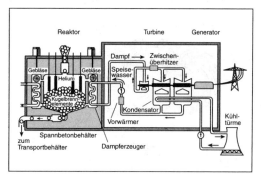

Abb. 3: Hochtemperaturreaktor (HTR); nach Koelzer, s. *Lit.*

Nach den jetzigen Plänen wird das Kernstück eines *Fusionsreaktors* aus einer ringförmigen Brennkammer bestehen, in der das heiße Deuterium-Tritium-Plasma
(D-T-Plasma) durch Magnetfelder von der innersten,
der sog. ersten Wand abgehalten wird (s. Abb. 5). Das
D-T-Plasma muß bes. rein sein, denn bei Experimenten stellte sich heraus, daß bereits geringste Verunreinigungen durch Metallatome oder -ionen aus dem
Wandmaterial ein Aufheizen des Plasmas auf die not-

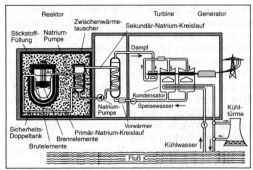

Abb. 4: Brutreaktor (Schneller Brüter, SNR); nach Koelzer, s. *Lit.*

wendige Zündtemp. verhindert. Die bei der Fusion in dem Plasma entstehenden Neutronen können den Magnetfeldkäfig ungehindert verlassen u. erzeugen in der sog. Brutzone (*E* blanket), die sich der ersten Wand anschließt, aus *Lithium den Kernbrennstoff *Tritium. Dieses Tritium wird aufgesammelt u. zusammen mit Deuterium dem brennenden Plasma wieder zugeführt. In der Brutzone wird durch Abbremsung die kinet. Energie der schnellen Teilchen in Wärme umgewandelt. Die sie umgebende Wasser-gekühlte Abschirmung führt diese Wärme ab; über Wärmetauscher u. einen Generator wird sie in elektr. Energie umgewandelt. Die Abschirmung hält außerdem die Strahlung u. Neutronen von den äußeren Magnetfeldspulen, den Heizapparaturen u. der übrigen Umgebung fern.
Ein „Durchgehen" ist nicht möglich, da sich stets nur eine kleine Tritium-Deuterium-Menge in der Reaktionszone befindet. Um die Kettenreaktion der *Kernfusion aufrecht zu erhalten, ist das sog. Lawson-Kriterium zu erfüllen, d. h. das Produkt aus Teilchenzahldichte, Einschlußzeit u. Temp. muß größer als 10^{21} keV · s · m^{-3} sein. Wie weit dieser Wert heute erreicht ist u. welche Pläne bezüglich neuer Anlagen wie z. B. *ITER existieren, s. bei Kernfusion.

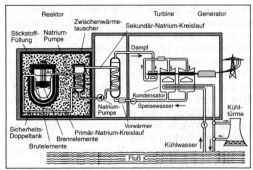

Abb. 5: Schemat. Darst. eines Fusionsreaktors: a) Räumliche Anordnung (sog. Tokamak-Typ); b) Querschnitt mit Versorgungsreinrichtungen.

Geschichte (vgl. a. Kernreaktionen): Der erste funktionierende, von Menschen gebaute K. wurde am 2.12.1942 durch *Fermi im *Argonne National Laboratory der Univ. Chicago in Betrieb genommen; Gesamtgew. ca. 1400 t, davon 46,5 t Uran bzw. Uranoxid, die in Form von Stäben in Höhlungen eines Graphit-Moderators gesteckt wurden. Ab Herbst 1943 erstellten die Amerikaner in Hanford u. am Savannah River mehrere K. (Graphit-Würfel, von Al-Rohren durchzogen, in denen Al-umkleidete Uran-Stäbe steckten), die das Plutonium für Atombomben lieferten. Der erste Energie-liefernde K. nahm 1951 in den USA (Idaho, als Brutreaktor) den Betrieb auf. Es folgten die UdSSR (1954) u. Großbritannien (1956, Calder Hall, GGR). Der im 2. Weltkrieg in Deutschland begonnene Schwerwasser/Graphit-K. in Haigerloch unweit Tübingen konnte nicht krit. werden [10]. Das erste KKW der BRD (SWR Kahl, 16 MW) arbeitete von 1961 bis 1985. Seit 1955 (Nautilus) dienen K. zum U-Boot-Antrieb; bei (zivilen) Überwasserschiffen hat sich der K.-Antrieb jedoch nicht durchgesetzt. Ende 1988 waren weltweit 414 K. mit einer Bruttoleistung von 331 GW in Betrieb, 137 K. mit 127 GW im Bau u. 25 K. mit einer Leistung von 24 GW bestellt; Aufschlüsselung nach einzelnen Ländern s. *Lit.*[11]. In der EG werden in sieben von zwölf Mitgliedsstaaten K. betrieben. Der Anteil der Kernenergie an der gesamten Stromversorgung ist in den einzelnen Ländern sehr unterschiedlich (Werte für 1996): Frankreich 76%, Belgien 55,5%, Spanien 34,1%, BRD 29,6%, Großbritannien 24,9%, Niederlande 3,8%; Länder außerhalb der EG: Schweden 46,5% (hat 1997 seinen Ausstieg aus der Kernenergie beschlossen), Finnland 29,9% sowie Schweiz 38,9%. Im Jahre 1973 wurden weltweit nur 1% des Primärenergieverbrauchs durch Kernenergie gedeckt; 1985 waren es bereits ca. 11%. Im gleichen Zeitraum verringerte sich der Anteil des Mineralöls von 55,2% auf 41,5%, der der Kohle von 31% auf ca. 30%, u. der des Erdgases stieg von 10,2% auf 15,5%; der Anteil sonstiger Energieträger (Wasser, Wind, Sonne) blieb mit knapp 3% etwa gleich. Für 1991 galten folgende Werte: Wasser 6%, Kohle 29%, Erdöl 35%, Erdgas 22%, Kernenergie 6% u. regenerative Energiequellen 2%. In der BRD sind z. Z. (August 1996) 23 Kernkraftwerke in Betrieb. Die ersten 6 Versuchsanlagen haben ihre Aufgaben erfüllt u. wurden stillgelegt. Die Tab. führt die einzelnen K. auf mit ihrer elektr. Bruttoleistung in MW, Typ u. Betriebsbeginn u. Betriebsergebnisse für 1988 (*Lit.*[11]).
Dabei erweisen sich die KKW der BRD weltweit als bes. leistungsfähig u. zuverlässig: Seit 1981 nahmen jeweils zwei KKW der BRD die Spitzenpositionen in der jährlichen Stromlieferung ein, u. 1984 bzw. 1985 waren im Weltvergleich nur 2 DWR u. 1 SWR bzw. 3 DWR der BRD in der Lage, mehr als 10 TWh/a elektr. Strom zu liefern. Über Betriebszustand, aufgetretene Störungen, an die Umwelt abgegebene Radioaktivitäten etc. der in der BRD betriebenen K. informieren die Zeitschrift Atomwirtschaft u. das Jahrbuch der Atomwirtschaft. Unmittelbare Zusammenhänge zwischen Chemie u. K.-Technik ergeben sich nicht nur bei Herst. u. Analytik der K.-Werkstoffe, Kernbrennstoffe, Moderatoren u. a. Komponenten, bei der Wiederaufbereitung (Recycling) bestrahlter Brennelemente u. bei der Über-

Tab.: Betriebsergebnisse der Kernkraftwerke in der BRD 1996.

Anlage	MW	Typ	Netzsynchroni-sation im Jahr	Zeit-verfügbarkeit [%]	Arbeits-verfügbarkeit [%]
Obrigheim	357	DWR	1968	93,4	93,1
Stade	672	DWR	1972	91,6	91,4
Biblis A	1225	DWR	1974	39,9	39,7
Neckar I	840	DWR	1976	94,5	92,0
Biblis B	1300	DWR	1976	80,7	80,1
Brunsbüttel	806	SWR	1977	87,7	82,2
Ohu I (Isar I)	907	SWR	1977	87,4	86,2
Unterweser	1350	DWR	1978	91,7	91,3
Philippsburg I	926	SWR	1979	92,3	91,4
Grafenrheinfeld	1345	DWR	1981	89,8	89,1
Krümmel	1316	SWR	1983	85,8	83,9
Grundremmingen B	1344	SWR	1984	90,0	88,6
Grundremmingen C	1344	SWR	1984	92,7	91,7
Grohnde	1430	DWR	1984	89,5	89,2
Philippsburg 2	424	DWR	1984	93,3	93,1
Mülheim-Kärlich*	1302	DWR	1986	–	–
Brokdorf	1395	DWR	1986	93,9	93,2
Emsland	1363	DWR	1988	93,3	93,2
Ohu 2 (Isar 2)	1430	DWR	1988	90,9	90,7
Neckar 2	1365	DWR	1989	95,8	95,1

* außer Betrieb aufgrund nicht erteilter Genehmigung

führung radioaktiver Abfälle in eine zur Endlagerung geeignete Form, sondern auch bei der Herst. von *Radionukliden, *Radioindikatoren u. *Radiopharmaka, aber auch bei der Verw. bestimmter physikal. Analysentechniken – Berührungspunkte sind also in Stichwörtern wie *Kernchemie, *Heiße Atome u. *Radiochemie ebenso gegeben wie bei *Heiße Zellen od. *Neutronenaktivierungsanalyse od. -beugung. In der chem. Großind. lassen sich K. zur Energie- u. Prozeßdampferzeugung, Hochtemp.-K. auch zur *Kohlehydrierung, Wasserstoff-Gewinnung u. Stahl-Herst. einplanen. – *E* nuclear reactors, piles – *F* réacteurs nucléaires, piles atomiques – *I* reattori nucleari – *S* reactores nucleares

Lit.: [1] Rassow, Risiken der Kernenergie: Fakten u. Zusammenhänge im Lichte des Tschernobyl-Unfalls, Weinheim: VCH Verlagsges. 1988; Flanagan, Nuclear Energy, Risk Analysis, in Encyclopedia of Physical Science and Technology, Vol. 11, S. 163 – 186, New York: Academic Press 1992. [2] Deutsche Risikostudie Kernkraftwerke (9 Bd.), Köln: TÜV Rheinland 1979 – 1981; Deutsche Risikostudie Kernkraftwerke, Karlsruhe: KFK 1983. [3] Ann. Rev. Energy **6**, 43 – 88 (1981); Umweltbrief **18**, Harrisburg-Bericht, Bonn: BMI 1979. [4] Rassow, Risiken d. Kernenergie: Fakten u. Zusammenhänge im Lichte des Tschernobyl-Unfalls, Weinheim: VCH Verlagsges. 1988; Gumprecht u. Kindt, Medizinische Maßnahmen bei Kernkraftwerksunfällen. Auswirkungen des Reaktorunfalls in Tschernobyl in der Bundesrepublik Deutschland (Veröff. Strahlenschutzkomm. 45), Stuttgart: Fischer 1986; Der Unfall im Kernkraftwerk Tschernobyl, Köln: Ges. für Reaktorsicherheit 1986. [5] Spektrum Wiss. **1986**, Nr. 5, 53; Fusion **3**, 23 (1982). [6] Naturwissenschaften **64**, 59 (1977). [7] Spektrum Wiss. **1981**, Nr. 8, 18; Umschau **82**, 296 (1982); Chem.-Tech. **7**, 379 (1978). [8] Science **346**, 207 (1989); Phys. Unserer Zeit **21**, 7 (1989). [9] AGF Forschungsthemen Heft 1, Fusion, Bonn 2: Arbeitsgemeinschaft der Großforschungseinrichtungen 1988; Langfristiges Konzept zur kontrollierten Kernfusion, Nr. 48/89, Bonn: Bundesministerium für Forschung und Technologie 1989. [10] Naturwissenschaften **67**, 573 (1980). [11] atw **41**, 560–580 (1996).

allg.: Blanc, Les réacteurs atomiques, Paris: Presses Univ. France 1986 ■ Bonka, Strahlenexposition durch radioaktive Emissionen aus kerntechnischen Anlagen im Normalbetrieb, Köln: TÜV Rheinland 1982 ■ Cameron, Nuclear Fission Reactors, New York: Plenum 1982 ■ Energiedaten '96, Bundesministerium für Wirtschaft, 53107 Bonn ■ Genthon u. Röttger, Reactor Dosimetry (2 Bd.), Dordrecht: Reidel 1985 ■ Geological Disposal of Radioactive Waste (2 Tl.), Paris: OECD 1983, 1984 ■ Kalkoffen, Reaktoren für Kernkraftwerke, Bonn: Dtsch. Atomforum 1984 ■ Kernkraftwerke (VBG 30), Köln: Heymann 1987 ■ Kernenergie-Bilanz, Bonn: Dtsch. Atomforum e. V. 1996 ■ Kirk-Othmer (4.) **17**, 369 – 507 ■ Knief, Nuclear Fusion Power, in Encyclopedia of Physical Science and Technology, Bd. 11, S. 291 – 314, New York: Academic Press 1992 ■ Knief, Nuclear Power Reactors, in Encyclopedia of Physical Science and Technology, Bd. 11, S. 291, New York: Academic Press 1992 ■ Knief, Nuclear Reactor Theory, in Encyclopedia of Physical Science and Technology, Bd. 11, S. 373, New York: Academic Press 1992 ■ Koelzer, Lexikon zur Kernenergie, Karlsruhe: Kernforschungszentrum 1988 ■ Michaelis, Handbuch der Kernenergie (2 Bd.), Düsseldorf: Econ 1995 ■ Winnacker-Küchler (3.) **2**, 558–651; (4.) **3**, 464–528 ■ Ziegler, Lehrbuch der Reaktortechnik (3 Bd.), Berlin: Springer 1983–1985. – Eine Vielzahl von Sachtiteln werden herausgegeben von: *Deutsches Atomforum e. V. (Bonn), *IAEA (Vienna), Ges. für Reaktorsicherheit (GRS, Köln), *TÜV (Köln), Vulkan-Verl. (HdT, Essen), KFA (Jülich), *KFK (Karlsruhe), *Euratom (Luxembourg), American Nuclear Society (La Grange, USA) u. den bei *Kernenergie aufgezählten Organisationen. – *Zeitschriften, Referateorgane, Dokumentation:* s. unter Kernenergie. – *Organisationen:* Gesellschaft für Reaktorsicherheit (GRS) mbH, 50667 Köln ■ Informationskreis Kernenergie, 53113 Bonn ■ Kerntechnische Gesellschaft, 53113 Bonn.

Kernresonanzspektroskopie s. NMR-Spektroskopie.

Kernrezeptoren. *Protein-Superfamilie mit 2 *Zink-Fingern/Mol., die die *Rezeptoren für *Retinoide, Secosteroide (s. Calciferole), *Steroid-Hormone, *Thyroid-Hormone u. weitere, noch unidentifizierte *Liganden (verwaiste Rezeptoren) umfaßt. Die K. werden durch Bindung dieser *Hormone angeregt, sich im Zellkern an spezielle Abschnitte (*Responsivelemente*, RE) der *Desoxyribonucleinsäuren (DNA) anzulagern u. dort als *Transkriptionsfaktoren die *Transkription bestimmter, für das jeweilige Hormon charakterist.

Gene zu regulieren. Die RE sind so beschaffen, daß die Sequenz des einen Stranges der DNA-Doppelhelix der des gegenläufigen Stranges gleicht (*palindrome Sequenz*) u. ein zweizählig symmetr. Bereich zustande kommt, an den der K. als Dimer (auch Heterodimer[1]) bindet. Die K. wirken oft synergist. mit anderen Transkriptionsfaktoren (*Coaktivatoren* od. *Corepressoren*)[2], als Beisp. s. den Glucocorticosteroid-Rezeptor in *Lit.*[3]. – *E* nuclear receptors – *F* récepteurs nucléaires – *I* recettori nucleari – *S* receptores nucleares

Lit.: [1] Mol. Cell Biol. **17**, 1923–1937 (1997). [2] Mol. Endocrinol. **10**, 1167–1177 (1996). [3] Bioessays **19**, 153–160 (1997). *allg.:* Acc. Chem. Res. **26**, 644–650 (1993) ▪ Chem. Biol. **3**, 529–536 (1996) ▪ Curr. Biol. **6**, 372 ff. (1996).

Kernseifen (Natronseifen). Alte Bez. für harte Seifen, die beim Kochen aus Talg, Schweine- u. Knochenfetten sowie Pflanzenölen mit Natronlauge erhalten werden; Näheres s. bei Seifen. – *[HS 3401 19, 3401 20]*

Kernspaltspuren (Kernspuren). Bez. für die durch nachträgliches Anätzen sichtbar zu machenden Spuren, die energiereiche Ionen (*Schwerionen), *kosmische Strahlung od. aus der Kernspaltung (s. Kernreaktionen) stammende Fragmente hinterlassen, wenn sie Festkörper – z. B. Kunststoff-Folien, Gesteine od. Minerale – passieren. Homogene Stoffe weisen dann K. mit einem definierten Querschnitt auf, was sie nach Ätzung mit geeigneten Chemikalien (Polycarbonat-Folien z. B. mit Natronlauge u. Glimmer mit Flußsäure) als Filtermaterial für bes. Anw. prädestiniert (z. B. *Nuclepore®). Die *Kernspaltspuren-Meth.* ist eine Meth. der *Altersbestimmung in Mineralien u. dgl., die den spontanen Zerfall des ^{238}U (HWZ 10^{16} a) unter Bildung schwerer geladener Teilchen hoher kinet. Energie als Elementarereignis ausnutzt: Die durch die Fragmente im Mineral hervorgerufenen Strukturschäden lassen sich sichtbar machen; anschließend läßt sich das Alter durch Auszählen der angeätzten Spaltspuren u. Vgl. mit dem anderweitig ermittelten ^{238}U-Gehalt der Probe bestimmen. Als Meth. zum Nachw. von Kernspaltungsprozessen nennt man die K.-Meth. manchmal *Ionographie.* – *E* nuclear tracks, fission tracks – *F* traces nucléaires – *I* tracce nucleari – *S* trazas nucleares

Lit.: Avan et al., Ionographie, Paris: Doin 1972 ▪ Durrani u. Bull, Fission Track Analysis, Oxford: Pergamon 1980 ▪ Endeavour **35**, 3–8 (1976) ▪ Fleischer et al., Nuclear Tracks in Solids, Berkeley: Univ. California Press 1975. – *Zeitschrift:* Nuclear Tracks and Radiation Measurements, Oxford: Pergamon (seit 1977, mit Suppl. 1978, 1980, 1982).

Kernspaltung s. Kernreaktionen u. Kernreaktoren.

Kernspin. Nicht ganz glückliche Bez. für den Gesamtdrehimpuls eines Atomkerns, da sich dieser sowohl aus den Eigendrehimpulsen od. *Spins als auch aus den *Bahndrehimpulsen der *Nukleonen zusammensetzt. Der K. wird meistens mit dem Vektorsymbol Ī bezeichnet. Er gehorcht den Gesetzen der *Quantentheorie u. ist sowohl nach Betrag als auch Richtung gequantelt. Deshalb wird dem K. eine *Kernspinquantenzahl* I zugeschrieben, die häufig selbst vereinfachend als K. bezeichnet wird u. ganzzahlige od. halbzahlige Werte annehmen kann. Atomkerne mit einer geraden Massenzahl haben eine ganzzahlige Kernspinquantenzahl, solche mit einer ungeraden eine halb-

zahlige (s. a. Kernmodelle). Atomkerne mit endlichem K. sind in der Chemie, Biologie u. Medizin sowie in der *NMR-Spektroskopie u. *EPR-Spektroskopie von Bedeutung. Kernspinquantenzahlen einiger wichtiger Kern-*Isotope sind in der Tab. aufgeführt.

Tab.: Kernspinquantenzahlen I einiger wichtiger Kern-Isotope.

Kern-Isotop	I	Kern-Isotop	I
^{1}H	1/2	^{29}Si	1/2
^{2}H	1	^{31}P	1/2
^{3}H	1/2	^{35}Cl	3/2
^{10}B	3	^{37}Cl	3/2
^{11}B	3/2	^{51}V	7/2
^{13}C	1/2	^{59}Co	7/2
^{14}N	1	^{69}Ga	3/2
^{15}N	1/2	^{71}Ga	3/2
^{17}O	5/2	^{75}As	3/2
^{19}F	1/2	^{77}Se	1/2

– *E* nuclear spin – *F* spin nucleaire – *I* spin nucleare – *S* espín nuclear, spin nuclear

Lit.: s. Kernmodelle u. NMR-Spektroskopie.

Kernspinquantenzahl s. Kernspin.

Kernspuren s. Kernspaltspuren.

Kernstrahlenchemie s. Strahlenchemie.

Kerntechnik. Unter K. od. Kernenergietechnik kann man die Gesamtheit aller Maßnahmen verstehen, die die Durchführung von *Kernreaktionen im techn. Maßstab gestatten. Im allg. Sprachgebrauch wird K. begrifflich mit *Reaktortechnik* gleichgesetzt, u. umfaßt auch der Herst. von *Brennelementen, die Wiederaufarbeitung verbrauchter *Kernbrennstoffe u. die Beseitigung *radioaktiver Abfälle. – *E* nuclear engineering, nuclear technology – *F* génie atomique, technique nucléaire – *I* tecnica nucleare, ingegneria nucleare – *S* ingeniería nuclear, técnica nuclear

Kerntechnische Gesellschaft e. V. (KTG). Die KTG ist eine 1969 gegr. wissenschaftlich-techn. Vereinigung mit etwa 2500 Mitgliedern (1996) u. Sitz in 53113 Bonn, Heussallee 10. Sie hat zum Ziel, den Fortschritt von Wissenschaft u. Technik auf dem Gebiet der friedlichen Nutzung der Atomenergie (s. Kernenergie) u. verwandter Disziplinen zu fördern. Die KTG hat sich mit 18 weiteren europ. Ges. zur Europ. Nuklear-Ges. (ENS) zusammengeschlossen. In der BRD gehört die KTG dem Deutschen Verband Technisch-Wissenschaftlicher Vereine an. Die KTG veranstaltet gemeinsam mit dem *Deutschen Atomforum e. V. die Jahrestagung Kerntechnik. *Publikationsorgan:* atomwirtschaft – atomtechnik.

Kerntechnischer Ausschuß (KTA). Der 1972 gegr. Ausschuß mit Sitz der Geschäftsstelle in 38239 Salzgitter-Immendorf, Seesener Straße 9, ist organisator. angegliedert an den Fachbereich „Kerntechn. Sicherheit" des Bundesamtes für Strahlenschutz (BfS). Aufgaben des KTA sind: Bestandsaufnahme u. Sammlung einschlägiger Gesetze, Regeln, Richtlinien u. Normen des In- u. Auslandes sowie der Genehmigungspraxis. – INTERNET-Adresse: http://www.bfs.de

Kernumwandlungen. Nach DIN 25401 Tl. 1 (09/1986) Bez. für durch äußere Einwirkungen ausgelöste od. spontan erfolgende Umwandlungen von Atomkernen in Kerne anderer *Nuklide. Dieser Begriff umfaßt also sowohl die durch Auftreffen von Teilchen bewirkten *Kernreaktionen als auch die Umwandlungen der *Radioaktivität. *Kernprozesse* definiert man dagegen als Sammelbez. für K. u. *innere* od. *isomere Übergänge* von Atomkernen, d. h. Übergänge aus einem isomeren (*metastabilen Zustand) in einen energet. tieferen Zustand unter Emission von γ-Strahlung od. *Konversionselektronen. – *E* nuclear transformations – *F* transformations nucléaires – *I* trasformazioni nucleari – *S* transformaciones nucleares

Kernverschmelzung s. Kernfusion.

Kernwaffen (Atomsprengkörper, Atomwaffen, Nuklearwaffen). Bez. für militär. Kampfmittel, deren Wirkung auf explosionsartig ablaufenden *Kettenreaktionen von Atomkernen beruhen (s. Kernreaktionen), wobei gewaltige Energiemengen freigesetzt werden. In den sog. *Atombomben* (A-Bomben) erfolgt eine *Kernspaltung* schwerer Atomkerne wie ^{235}U od. ^{239}Pu. Die Zündung der Kettenreaktion geschieht durch Zusammenschießen von Teilmassen der Kernsprengstoffe zur krit. Masse od. durch Explosions-Kompression (durch herkömmlichen Sprengstoff) des locker od. porös angeordneten Kernsprengstoffs vom unterkrit. in den krit. Zustand („*Implosionszündung*"). Die krit. Masse von ^{235}U beträgt ca. 15 kg, die von ^{239}Pu ca. 5 kg (abhängig von der Reinheit des eingesetzten Kernsprengstoffs). Die Zerstörungswirkung von K. wird ausgedrückt in Äquivalenten zur Sprengkraft des herkömmlichen Sprengstoffs *TNT.
Die theoret. max. erreichbare Energieausbeute bei Kernspaltungs-Explosionen liegt bei ca. 17 kt TNT pro kg Kernsprengstoff. Prakt. liegt die Sprengwirkung weit darunter, da bei Einsetzen der Kettenreaktion das K.-Material in Sekundenbruchteilen auseinanderfliegt u. die Reaktion abgebrochen wird. Die ersten kriegsmäßig eingesetzten K. hatten Sprengwirkungen von 12,5 kt TNT (Hiroshima-Bombe) bzw. 22 kt TNT (Nagasaki-Bombe).
Erheblich höher ist die Sprengkraft bei den K. der „zweiten Generation", den sog. *Wasserstoffbomben* (H-Bomben). Sie beruhen auf einer *Kernfusion leichter Atomkerne (*Deuterium, *Tritium bzw. Lithiumdeuterid). Die hierbei theoret. max. erreichbare Energieausbeute liegt bei ca. 50 kt TNT pro kg Kernsprengstoff; bei H-Bomben-Versuchsexplosionen wurden Praxiswerte bis zu 50 Mt TNT erreicht. Für die Zündung einer Fusions-Kettenreaktion sind Temp. von einigen hundert Mio. K erforderlich. Als Zünder dienen Sprengsätze vom A-Bomben-Typ.
Bei einer K.-Explosion wird prim. durch die freigesetzte Energie das Waffenmaterial verdampft u. in extrem heißes *Plasma umgewandelt. Dieses sendet elektromagnet. Strahlung aus, hauptsächlich energiereiche Röntgenstrahlung. Diese wiederum wird sofort von den Atomen u. Mol. der umgebenden Materie (Luft, Erdoberfläche) absorbiert u. heizt diese augenblicklich stark auf: Es wird ein sich radial um das Detonationszentrum ausbreitender Feuerball gebildet mit einer gewaltigen Druckwelle. Bei erdnah explodierenden K. besteht deren Vernichtungswirkung aus ca.

50% Druck-, ca. 35% Hitze- u. ca. 15% Strahlungs-Wirkung. Durch die erste kriegsmäßig eingesetzte, über Hiroshima abgeworfene u. in ca. 600 m Höhe gezündete A-Bombe wurden von ca. 76 000 Gebäuden der Stadt ca. 48 000 total zerstört u. weitere ca. 22 000 schwer beschädigt. Von der Einwohnerschaft (ca. 280 000 Zivilbevölkerung u. ca. 43 000 Militärpersonen) starben bis Ende 1945 ca. 140 000, bis Ende 1950 weitere ca. 60 000, zusätzlich weiterer späterer Sterbefälle aufgrund erlittener Strahlenschäden (z. B. an „Strahlenkrebs", v. a. *Leukämie). Außer in der ungeheuren Sprengkraft sowie der intensiven *ionisierenden Strahlung liegt eine weitere Gefährlichkeit der K. in der Bildung z. T. längerlebiger *Radionuklide, die als *radioaktiver* *Fallout Luft, Gewässer u. Boden verseuchen können.
Die Weiterentwicklung der K. zielte nicht nur auf die Vergrößerung der Sprengkraft u. Optimierung der Energieausbeute ab. Die sog. *Neutronenbombe*, eine mit ^{239}Pu zu zündende H-Bombe, erzeugt bei verhältnismäßig geringer Sprengkraft (ca. 1 kt TNT) durch Kernreaktionen mit ihrem Beryllium-Mantel intensive Strahlung schneller *Neutronen, welche tote Materie ungehindert durchdringen u. damit Gebäude u. Anlagen weitgehend unbeschädigt läßt, jedoch alles Leben vernichtet. Die sog. *Cobaltbombe* wird als „schmutzigste" aller K. bezeichnet. Bei ihr soll aus ^{59}Co bestehende Mantel-Material einer H-Bombe in ^{60}Co überführt werden, das mit einer *Halbwertszeit von 5,26 a als Fallout weite Landstriche auf Jahre hinaus tödlich verseuchen könnte. Bei einer Zündung von K. im materiefreien Weltraum, jedoch noch innerhalb des Erdmagnetfeldes, kann ein (nuklearer) *elektromagnetischer Puls (NEMP, EMP) erzeugt werden, der gezielt auf der Erdoberfläche elektr. u. elektron. Syst. nachhaltig stören kann. Weitere Möglichkeiten der „K. der dritten Generation" beschreibt Taylor in *Lit.*[1].
Parallel zu den K. wurden auch neue Trägersyst. für K. entwickelt: Neben den ursprünglichen, von Flugzeugen abzuwerfenden Bomben gibt es K-Sprengköpfe für Artillerie-Granaten („Atom-Artillerie", Reichweite ca. 40 km), für Raketen verschiedenster Reichweiten von einigen 100 km (Kurzstrecken-) über einige 1000 km (Mittelstrecken-) bis zu weitreichenden Interkontinental-Raketen sowie für niedrig fliegende u. daher schwer zu ortende sog. *Marschflugkörper (Cruise Missiles)*. Die Abschußbasen für die Raketen u. Marschflugkörper können „landgestützt" (in stationären Silos od. auf beweglichen Lafetten) od. „seegestützt" (auf Schiffen od. U-Booten) sein od. sich „luftgestützt" in Flugzeugen befinden.
Geschichte: Ausgangspunkt der Entwicklung der K. war die 1938 von Otto *Hahn u. Fritz *Straßmann entdeckte u. Anfang 1939 publizierte Kernspaltung (s. Kernreaktionen) des Urans bei Bestrahlung mit langsamen Neutronen. Die Kernkettenreaktion krit. Massen spaltbarer Atomkerne eröffnete eine neue Energiequelle bisher unvorstellbarer Größe, deren militär. Bedeutung u. Einsatzmöglichkeit schnell erkannt u. wissenschaftlich bearbeitet wurde (in Deutschland, USA, Großbritannien, Frankreich, Japan, ehem. UdSSR). Nach dem Eintritt der USA in den 2. Weltkrieg wurden dort ab 1942 – hauptsächlich in der Befürchtung, im

Mutterland der Entdeckung der Kernspaltung könnte eine Atombombe gebaut werden („Hitler's Wunderwaffe") – mit einem beispiellosen wissenschaftlichen, industriellen u. finanziellen Aufwand (Manhattan Project) unter der wissenschaftlichen Leitung von Robert *Oppenheimer die ersten K. bis zur Einsatzreife Mitte 1945 entwickelt. Die erste von Menschen gezündete *Kernexplosion* erfolgte am 16. Juli 1945 in der Wüste von New Mexiko (Trinity-Versuch); es war die experimentelle Erprobung einer *Atombombe* mit ca. 5 kg ^{239}Pu als Kernbrennstoff, in zwei Kugelhälften locker angeordnet um eine Neutronenquelle aus ^{210}Po/Be als Initiator, mit „*Implosionszündung*", wobei durch die Detonation von sphär. u. linsenförmig um den Pu-Kern angeordneten Prismen konventioneller Sprengstoffe (*Composition B u. a.) das ^{239}Pu zur krit. Masse komprimiert wurde (Konstruktionsprinzip s. Abb. 1).

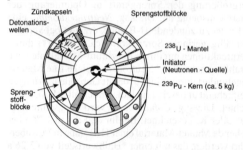

Abb. 1: Konstruktionsprinzip einer Atombombe mit Implosionszündung, Typ Fat Man (Trinity-Versuch, Nagasaki-Bombe); nach *Lit.*[2], S. 575.

Die erzielte Sprengwirkung betrug 18,6 kt TNT. Die nach diesem Prinzip gebaute, am 9. August 1945 über Nagasaki abgeworfene u. in ca. 500 m Höhe gezündete Bombe (Fat Man) erzielte eine Sprengwirkung von 22 kt TNT mit der Folge von ca. 70 000 Toten bis Ende 1945, 140 000 Toten bis Ende 1950. Bereits drei Tage früher, am 6. August 1945, wurde die erste kriegsmäßig eingesetzte *Atombombe* (Little Boy) über Hiroshima gezündet (s. oben). Hier handelte es sich um eine parallel entwickelte Bombe mit ca. 15 kg ^{235}U als Kernsprengstoff, deren Funktionsfähigkeit nur auf der Basis wissenschaftlicher Berechnungen u. Simulationsversuche geprüft worden war. Die Zündung erfolgte durch Ineinanderschießen unkrit. Massen von ^{235}U zur kritischen Masse mittels *Cordit (Konstruktionsprinzip s. Abb. 2).

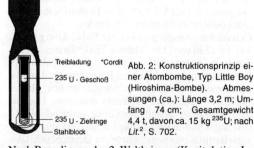

Abb. 2: Konstruktionsprinzip einer Atombombe, Typ Little Boy (Hiroshima-Bombe). Abmessungen (ca.): Länge 3,2 m; Umfang 74 cm; Gesamtgewicht 4,4 t, davon ca. 15 kg ^{235}U; nach *Lit.*[2], S. 702.

Nach Beendigung des 2. Weltkrieges (Kapitulation Japans am 15. August 1945) wurden in den USA die Weiterentwicklung der K. zunächst nur zögernd weiterge-

führt: Bestand an A-Bomben Mitte 1946 9 Stück, vom ^{239}Pu-Typ, Fat Man, Mitte 1947 13 Stück. Die Verschlechterung der Beziehungen zwischen den Großmächten („Kalter Krieg") führte zum atomaren Wettrüsten: Erster A-Bomben-Versuch der ehem. UdSSR (Joe I) am 23. Sept. 1949; Bestand an A-Bomben in den USA Ende 1949 ca. 200 Stück. In den USA wurde unter der Leitung von Edward *Teller die Entwicklung der *Wasserstoffbombe* forciert: Am 1. Nov. 1952 wurde auf dem Eniwetok-Atoll im Pazifik der erste thermonukleare Sprengsatz (s. thermonukleare Reaktionen) gezündet (Mike I) mit einer Sprengwirkung von ca. 10,4 Mt TNT; die Versuchsanordnung war mit einem Gesamtgew. von ca. 65 t ungeeignet für einen militär. Einsatz u. diente der prinzipiellen experimentellen Erprobung einer Fusions-Explosion. Auf der Basis der gewonnenen Erkenntnisse wurde die erste einsatzfähige H-Bombe von den USA im Frühjahr 1954 über dem Eniwetok-Atoll abgeworfen u. gezündet (Bravo) mit einer Sprengwirkung von ca. 15 Mt TNT. Das Konstruktionsprinzip dieser H-Bombe zeigt Abb. 3.

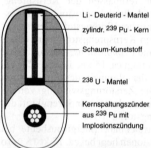

Abb. 3: Konstruktionsprinzip einer Wasserstoff-Bombe, Typ Bravo (Versuch Frühjahr 1954); nach *Lit.*[2], S. 775.

Die ehem. UdSSR zündete ihre erste H-Bombe im November 1955. Weitere Staaten entwickelten ihre eigenen K. unter Durchführung zahlreicher Versuchsexplosionen: Großbritannien, Frankreich, VR China sowie Indien mit einem A-Bomben-Versuch 1974. Die zunächst überwiegend oberird. durchgeführten Versuche führten zu einer erheblichen weltweiten *Kontamination mit radioaktivem Fallout (*Lit.*[3]). Dies führte zu einer internat. Vereinbarung, ab 1963 K.-Versuche nur noch unterird. durchzuführen. Nach den letzten französ. K.-Versuchen wird nunmehr global (außer in China) auch auf unterird. K.-Versuche verzichtet. Weiterentwicklungen erfolgen mit Computer-Simulationsprogrammen.

Das atomare Patt mit den auf beiden Seiten aufgebauten Vernichtungspotentialen mag in den krit. Phasen der Konfrontation der beiden großen Militärblöcke den Ausbruch eines erneuten Weltkriegs verhindert haben. Mit der inzwischen erfolgenden Annäherung der polit. Syst. sind auch die seit Jahren laufenden Abrüstungsverhandlungen pos. in Bewegung geraten. Ein Abbau der gewaltigen K.-Arsenale v. a. in den USA u. Rußland erfolgt auf Basis bilateraler Vereinbarungen. Allerdings wird befürchtet, daß außer den genannten „Atommächten" inzwischen weitere Staaten trotz der internat. Vereinbarungen über die Nichtweitergabe von

K.-Material u. -know-how (Atomwaffensperrvertrag vom 5. 3. 1970, bis 1995 von ca. 170 Staaten anerkannt) im Besitz von K. sind od. sich zumindest die Möglichkeiten zum Bau von K. geschaffen haben (Argentinien, Brasilien, Irak, Iran, Israel, Libyen, Pakistan, Südafrika, Syrien). – E nuclear weapons – F armes nucléaires – I arme nucleari – S armas nucleares
Lit.: [1] Spektrum Wiss. **1987**, Nr. 6, 38–47. [2] Rhodes, The Making of Atomic Bomb, New York: Simon & Schuster 1988. [3] Römpp Lexikon Umwelt, S. 385 f.
allg.: Prentice, Atomic Bomb Survivor Data Utilization and Analysis, Philadelphia: SIAM 1984 ▪ Winterberg, The Physical Principles of Thermonuclear Explosive Devices, New York: Fusion Energy Foundation 1981. – Dokumentation: Stockholm International Peace Research Institute (SIPRI), Sveavägen 166, S-11346 Stockholm.

Kernzertrümmerung s. Kernreaktionen.

Kerogen. Von griech.: keros = Wachs u. …*gen abgeleitete Bez. für die unlösl., polymere, organ. Substanz fossiler Sedimente, die aus zersetzten pflanzlichen u. tier. Organismen zu stammen scheint; es wurden mol. *Fossilien gefunden, die aus *Archaea entstanden sein könnten [1], sowie – in der Grube Messel bei Darmstadt – solche aus Algen [2]. Zur Untersuchung der K. ist die Pyrolyse-Gaschromatographie bes. gut geeignet [3]. Aufgrund seiner unterschiedlichen Herkunft enthält K. (besser: die Kerogene) n-Alkane, Olefine, Isoprenoide, Terpenoide, Dimethylfuran, Vanadium- od. Nickel-Porphyrine u. a. Chemofossilien. Man nimmt an, daß die K. an der Entstehung des *Erdöls beteiligt waren. Mit K. ist das größte Vork. organ.-terrestr. Substanz gegeben; über seine Struktur, Zusammensetzung u. Entstehung ist jedoch wenig bekannt, über *Huminsäuren als Vorstufen zu K. s. Lit.[4]. – E kerogen – F kérogène – I kerogene – S kerógeno
Lit.: [1] Naturwissenschaften **66**, 420 ff. (1979); **69**, 522 f. (1982). [2] Nature (London) **336**, 759 ff. (1988). [3] Larter, in Vorrhees, Analytical Pyrolysis: Techniques and Applications, S. 212–275, London: Butterworth 1984. [4] Adv. Org. Geochem. **1973**, S. 52–72.
allg.: Durand et al., Kerogen. Insoluble Organic Matter from Sedimentary Rocks, Paris: Technip 1980 ▪ Kirk-Othmer (3.) **17**, 114 f.; (4.) **18**, 347 f. ▪ Ullmann (4.) **17**, 439 f.; (5.) **A 18**, 101–104. – [CAS 8032-30-2]

Kerosen s. Leuchtpetroleum.

Kerosin. Von griech.: keros = Wachs abgeleitete Sammelbez. für die bei der Dest. von *Erdöl zwischen *Benzinen u. *Dieselkraftstoffen anfallenden Fraktionen. Dabei handelt es sich im wesentlichen um Kohlenwasserstoffe zwischen C_{10} u. C_{16}, die durch Siedegrenzen zwischen 175–325 °C u. D. um 0,8 charakterisiert sind.
Verw.: Je nach den physikal. Eigenschaften z. B. als Heiz-, Entfettungs- u. Reinigungsmittel, als Träger für Insektizide, als *Leuchtpetroleum, Traktorkraftstoff u. seit ca. 1950 als *Düsenkraftstoff, wobei bes. die für militär. Zwecke gebrauchten K.-Qualitäten (von E jet propellant als JP 1–8 bezeichnet) spezif. Anforderungen erfüllen müssen. – E kerosene – F kérosène, kérosine – I cherosene – S keroseno, queroseno
Lit.: Hommel, Nr. 119 ▪ Kirk-Othmer (3.) **3**, 329–335; (4.) **3**, 789–794 ▪ Ullmann (5.) **A 18**, 57 ▪ Winnacker-Küchler (4.) **5**, 70 f. – [HS 2710 00; CAS 8008-20-6; G 3]

Kerr-Effekt. Von John Kerr (1824–1907) 1875 erstmals beobachtete opt. *Anisotropie durchsichtiger Körper (Festkörper, Flüssigkeiten, Gase), die den sonst isotropen Substanzen unter dem Einfluß eines elektr. Felds aufgezwungen wird, od. die Änderung einer bereits vorhandenen Doppelbrechung. Voraussetzung für das Auftreten des K.-E. ist das Vorliegen eines (natürlichen od. induzierten) *Dipolmoments in den Mol., das im elektr. Feld eine Ausrichtung erfährt, die sich nach außen als Doppelbrechung zu erkennen gibt. Der einfallende Lichtstrahl wird in einen parallel zum elektr. Feld schwingenden „außerordentlichen" u. einen senkrecht zum Feld schwingenden „ordentlichen" Strahl zerlegt, die im gleichen Medium verschiedene Brechungsindizes (n_p bzw. n_s) besitzen; bei linear polarisiertem einfallendem Strahl ist der austretende Lichtstrahl dann im allg. ellipt. polarisiert. Für eine Meßstrecke der Länge l ergibt sich nach dem Kerrschen Gesetz mit λ = Wellenlänge u. E = elektr. Feldstärke:

$$\frac{(n_p - n_s) \cdot l}{\lambda} = K \cdot l \cdot E^2.$$

Dabei ist K (häufig auch: B) die Kerr-Konstante, durch die ein Medium (bei gegebener Temp. u. Wellenlänge) charakterisiert wird. Eine bes. hohe Kerr-Konstante weist Nitrobenzol auf, was man in sog. Kerr-Zellen zur Lichtsteuerung u. für opt. Schalter ausnutzt. Bei diesen befindet sich das Gefäß, das die K.-E. zeigende Flüssigkeit (od. den elektroopt. Krist.) zwischen Kondensatorplatten eingeschlossen enthält, im Strahlengang zwischen einem auf der einfallenden Seite befindlichen Polarisator (s. optische Aktivität) u. einem Analysator (Nicolsche Prismen). Beim Anlegen einer Wechsel- od. Gleichspannung wird das aus der wechselseitigen Einstellung der Nicolschen Prismen resultierende helle bzw. dunkle Bildfeld verdunkelt bzw. aufgehellt. In dieser Weise kann der auch quadrat. *elektrooptischer Effekt genannte K.-E. in der *Optoelektronik, zur Erfassung sehr schnell ablaufender Vorgänge u. für Steuerzwecke herangezogen werden, zur Bestimmung von Abklingzeiten, der Lichtgeschw., in der Hochgeschw.-Photographie (vgl. Lit.[1]), in Lichtmodulatoren etc. Für die Erzeugung ultrakurzer Lichtpulse verwendet man als elektr. Feld das eines ps-Laserpulses, der auf die Kerr-Zelle fällt u. unter 45° zu dem gekreuzten Analysator u. Polarisator polarisiert ist. Diese Kombination ist dann nur für die Dauer des ps-Pulses durchlässig, da der Kerr-Effekt eine im allg. sehr kurze Abkling-Zeitkonstante hat ($\leq 10^{-12}$ s); Näheres s. Lit.[2]. In der Chemie kann die Ermittlung der elektroopt. Kerr-Konstante Aufschluß über die Größe von Dipolmomenten, das Auftreten von Wasserstoff-Brücken, elektron. Anregungszuständen (Lit.[3]) sowie über Konformationen geben (Lit.[4]). Den analogen magnetoopt. Effekt, also die Induzierung der Doppelbrechung unter dem Einfluß eines Magnetfeldes, nennt man auch den Cotton-Mouton-Effekt (s. Cotton-Effekt u. Lit.[5]). – E Kerr effect – F effet de Kerr – I effetto elettroottico di Kerr – S efecto Kerr
Lit.: [1] Umschau **73**, 65 (1973). [2] Franke, Lexikon der Physik, 3. Aufl., S. 805–808, Stuttgart: Franckh 1969. [3] Discuss. Faraday Soc. **35**, 48–57 (1963). [4] Angew. Chem. **89**, 725–736 (1977). [5] J. Chem. Soc., Faraday Trans. 2 **68**, 1679 ff. (1972).

allg.: Adv. Phys. Org. Chem. **3**, 1 ff. (1965) ▪ Boettcher et al., Dielectrics in Time-Dependent Fields (Theory Electric Polariz. 2), Amsterdam: Elsevier 1978 ▪ Kirk-Othmer (3.) **14**, 704 f. ▪ Néel, Nonlinear Behaviour of Molecules, Atoms and Ions in Electric, Magnetic or Electromagnetic Fields, Amsterdam: Elsevier 1979 ▪ Weissberger u. Rossiter, Polarimetry (Techn. Chem. 1/3 C), S. 399–452, New York: Wiley 1972 ▪ s. a. elektrooptische Effekte.

Kerr-Konstante s. Kerr-Effekt.

Kerr-McGee. Kurzbez. für das 1912 gegr. amerikan. Unternehmen Kerr-McGee Corporation, Oklahoma City, Oklahoma 73125. *Daten* (1995): 5812 Beschäftigte, 3,3 Mrd. $ Umsatz. *Produktion:* Agrarchemikalien, anorgan. Grundchemikalien, Erdöl- u. Gas-Exploration, Erdölraffination.

Kerrsches Gesetz s. Kerr-Effekt.

Kerr-Zelle s. Kerr-Effekt.

Kersantit s. Lamprophyre.

Kerze (Kurzz.: K). Heute zugunsten von *Candela aufgegebene, früher in Zusammenhängen wie Internat. K., Neue K. od. *Hefnerkerze gebräuchliche photometr. Einheit der Lichtstärke. – *E* candle – *F* bougie – *I* candela – *S* bujía

Kerzen. Bez. für Beleuchtungsmittel aus fester Brennmasse, die einen Docht umgibt. Als Rohstoffe dienen *Paraffin, *Stearin, *Bienenwachs, od. auch Mischungen dieser Wachse, für Stundenbrenner u. Öllichte auch feste bzw. gehärtete Pflanzenfette od. Fette tier. Ursprungs. Zur Verbesserung der Verarbeitbarkeit, für Glanzeffekte u. dgl. können *Mikrowachse od. pflanzliche Hartwachse wie *Candelilla-, *Carnauba- od. *Japanwachs beigemischt werden.

Der *Docht (als Flach- od. Runddocht) besteht meist aus geflochtenem Baumwollgarn, gegen Nachglühen in einem Beizbad präpariert. Die Abstimmung von Dochtart u. -stärke mit der Dimension, der Wachsart, Farb-/Lackeinsatz u. Herstellverf. der K. ist von größter Bedeutung für die Brennqualität: Bei zu schwachem Docht wird das geschmolzene Wachs nicht genügend aus der Brennschüssel angesaugt, die Flamme kann verlöschen od. die Schüssel läuft über; bei zu starkem Docht wird die Flamme zu groß, die Brennschüssel leert sich, die Verbrennung wird unvollkommen u. die Flamme rußt.

Zum Färben der K. werden *Anilin-Farben od. *Pigment-Farbstoffe verwendet, meist als farbiger Tauchüberzug; seltener wird die gesamte Wachsmasse durchgefärbt. Mod. K. erhalten vielfach einen Lacküberzug. Untersuchungen zur Emission gesundheitsgefährdender Stoffe beim Abbrand von K. ergaben 1988 für den *PAK-Indikator *Benzo[*a*]pyren völlig ungefährliche Werte um ng/m³. Ausgedehnt auf polychlorierte Dibenzo-*p*-dioxine (*PCDD) u. Dibenzofurane (*PCDF) sowie kurzkettige Aldehyde ergaben neuere umfangreiche Untersuchungen bei den Rohstoffen Paraffin, Bienenwachs, Stearin sowie diversen Docht-Typen u. daraus hergestellten K. (*Lit.*[1]), bei K.-Farben, K.-Tauchlacken sowie gefärbten u. lackierten K. (*Lit.*[2]) selbst unter ungünstigsten Bedingungen („worst-case") Schadstoffkonz. weit unterhalb gesundheitlich bedenklicher Werte.

Herst.: Die weitaus größte Menge an K. wird heute mit *Kerzenzugmaschinen* od. im *Pulverpreßverf.* hergestellt. Bei einer *Kerzenzugmaschine* laufen mehrere 100 m Dochtstrang über 2 Zugtrommeln von ca. 1,5 m Durchmesser im Abstand von 4 bis >10 m, wobei die untere Dochtstrecke durch ein Wachsbad geführt wird, im oberen Rücklauf abkühlt, im nächsten Durchlauf wiederum Wachs aufnimmt, bis die gewünschte Strangdicke erreicht ist. Der fertige Kerzenstrang wird über eine Abzugsvorrichtung einer Schneidvorrichtung zur Stückelung in die gewünschte Kerzenlänge zugeführt. Bei kontinuierlicher Fahrweise werden Leistungen von >10000 K./h erreicht.

Beim *Pulverpreßverf.* wird die Wachsmischung in Pulver-, Span- od. Granulat-Form in einer Strangpresse mit dem Docht zu einem endlosen Strang gepreßt u. dann auf Länge geschnitten, od. das Granulat wird in Mehrfachform-Stempelpressen um den mit Rohrnadeln eingeführten Docht preßgeformt. Die gepreßten Rohlinge können ohne Abkühlung sofort weiterverarbeitet werden. Auch mit diesen Verf. lassen sich sehr hohe Stückzahlen/h erreichen. Für das Gießen von geschmolzenem Wachs in Formen mit mittig eingespanntem Docht stehen heute ebenfalls leistungsfähige Maschinen zur Verfügung. Das wiederholende Eintauchen des Dochtes in die flüssige Wachsmasse als Herstellverf. von K. hat an Bedeutung verloren.

K. sind in den verschiedensten Formen u. Farben in unterschiedlichster Oberflächengestaltung im Handel. In der BRD gibt es folgende zu beachtende Normen u. Standards: DIN 7408 Dorne für Kerzenleuchter (08/1974); DIN 7409 Tüllen für Kerzenleuchter (03/1974); RAL 040 A2 Kerzen, Güte- u. Bez.-Vorschriften (1993).

Wirtschaft: 1995 wurden in der BRD ca. 110000 t K. im Wert von ca. 447 Mio. DM hergestellt, wovon ca. 27700 t exportiert wurden. Der Import betrug ca. 34300 t (Statist. Bundesamt).

Geschichte: Lange vor den K. waren die ölgespeisten Lampen u. Ampeln bekannt. Die Entstehung der K. ist nicht eindeutig datierbar. Etwa Ende des 3. Jh. v. Chr. wurden Wachsfackeln benutzt. Die Beherrschung der Dochtbrennbarkeit von Wachs entwickelte sich deutlich später. Bei den Römern gab es Mitte des 2. Jh. n. Chr. niedrige Wachskerzen. Länglich-runde K. mit Wergdocht sowie K. für liturg. Zwecke sind seit etwa 350 n. Chr. bekannt. Die Ausbreitung des Christentums war ein wesentlicher Impuls für die weitere Verbreitung des K.-Gebrauchs. Als Rohstoffe dienten neben festen tier. Fetten wie *Talg u. Unschlitt v. a. Bienenwachs. Erst im 19. Jh. kamen *Walrat, Stearin u. Paraffin hinzu. – *E* candles – *F* bougies – *I* candele – *S* velas

Lit.: [1] UWSF-Z. Umweltchem. Ökotox. **6** (5), 243–246 (1994). [2] Untersuchungsbericht Biochem. Inst. für Umweltcarcinogene, Großhansdorf (1992); Untersuchungsbericht Ökometric GmbH, Bayreuth (1995); erhältlich beim Verband Deutscher Kerzenhersteller.

allg.: Büll u. Moser, Wachs u. Kerze, München: Alfred Druckenmüller 1974 ▪ Ullmann (4.) **24**, 35; (5.) **A 5**, 29 f. ▪ s. a. Wachse – *Organisationen:* Verband Deutscher Kerzenhersteller e. V., Karlstr. 21, 60329 Frankfurt. – *[HS 3406 00]*

Kerzenkohle s. Kannelkohle.

Kessel s. Behälter.

Kesselbraun s. Kasseler Braun.

Kesseldruckverfahren s. Holzschutzmittel.

Kesselstein. Bez. für die Ausscheidung von Carbonaten u. Sulfaten bei der Erhitzung natürlichen Mineral-haltigen Wassers. Bei der industriellen Nutzung von Wasser als Dampf (z. B. in Kraftwerken) spielt die Sulfat-Härte eine bes. Rolle; das im Wasser gelöste bzw. absorbierte CO_2 kann im Verlauf des Kochvorgangs u./od. durch Verschiebung des chem. Gleichgew. ausgetrieben werden. Die Gips-Löslichkeit beträgt in kaltem Wasser 1:400, in heißem Wasser ist sie geringer. Der Kesselstein ist um so härter, je höher sein Anteil an Gips ist. Er kann die Härte von Porzellan erreichen, wenn noch zusätzlich Silicate ausgeschieden werden. Dagegen wird er weicher, wenn Eisenoxidhydrat ($Fe_2O_3 \cdot nH_2O$) mit abgeschieden worden ist. Die Calciumsulfat-Anreicherung im *Grundwasser infolge von deponiertem Gips aus der *Entschwefelung von Kraftwerks-*Rauchgasen wird noch zu entsprechenden Problemen führen. Der K. ist in Dampfkesseln aus folgenden Gründen unerwünscht od. sogar gefährlich:
1. Er hemmt die Wärmeübertragung von der Heizquelle auf das zu heizende Wasser u. verursacht dadurch erhöhten Brennstoffverbrauch. Bei größerer K.-Dicke kann dieser Brennstoffmehrverbrauch bis zu 30% od. sogar noch höher gehen.
2. Wenn der K. einen Riß bekommt, kann das Wasser an dieser Stelle infolge Berührung mit der sehr heißen Metallwand plötzlich überhitzt werden u. zu Kesselexplosionen od. Ausbeulungen Anlaß geben.
3. Röhren, in denen hartes Wasser erhitzt wird, können infolge K.-Bildung allmählich völlig zuwachsen.
4. Die Entfernung des K. kann sehr problemat. sein. Meistens wird er mittels Säuren gelöst. Diese Säuren enthalten ggf. Inhibitoren (*Sparbeizen), die einen Angriff auf das Metall verhüten sollen. Da das Behältermaterial jedoch nicht immer aus einer einzigen Metall-od. Leg.-Sorte besteht, ist eine Vermeidung des Metall-Angriffs sehr schwierig, da jeder Säure-Inhibitor nur ein bestimmtes Metall schützt. Bes. schwierig wird die Entfernung, wenn gleichzeitig silicat. Ablagerungen vorliegen. In diesem Fall ist es häufig notwendig, der Beize Flußsäure zuzusetzen. Um solche unerwünschten K.-Bildung zu vermeiden, sind eine Reihe von Verf. zur *Wasserenthärtung* (s. dort) entwickelt worden. In Kühlwasserkreisläufen werden zumeist organ. *Komplexbildner eingesetzt, um die Ablagerung von K. zu vermeiden. – *E* boiler scale – *F* tartre – *I* incrostazione della caldaia, incrostazione nel generatore di vapore – *S* incrustación de calderas

Kesselwasser. Wasser bzw. Wasserdampf, der innerhalb eines Kessels prim. erhitzt wird u. als Hochdruckdampf im wesentlichen zur Wärmeübertragung dient. – *E* boiler water – *F* eau de chaudière – *I* acqua della caldaia – *S* agua de calderas

Kessler, Horst (geb. 1940), Prof. für Organ. Chemie, Univ. Frankfurt, TU München. *Arbeitsgebiete:* NMR-Spektroskopie, Peptidchemie, Design bioaktiver Verb. unter Berücksichtigung der Konformation.
Lit.: Kürschner (16.), S. 1753 ▪ Wer ist wer (35.), S. 723.

Kesternich-Test. Bestimmung der Beanspruchung von Werkstoffen, Bauelementen u. Geräten im Schwitzwasser-Wechselklima mit SO_2-haltiger Atmosphäre im Kesternich-Gerät (vgl. DIN 50018, 05/1978). Der K.-T. wird zur Korrosionsprüfung u. zum schnellen Erkennen von Fehlern an Oberflächenschutzüberzügen herangezogen, z.B. an Autolackierungen. – *E* Kesternich test – *F* test de Kesternich – *I* test Kesternich – *S* ensayo de Kesternich

Kestosen.

$C_{18}H_{32}O_{16}$, M_R 504,44. Trisaccharide aus zwei Mol. Fructose u. einem Mol. Glucose. Isomere Fructofuranosylsaccharosen: *1-Kestose* (Glc$p\alpha$1 ↔ 2βFruf1 ← 2βFruf), Schmp. 88°C, $[\alpha]_D^{20}$ +29,2° (H_2O) findet sich in Artischocken. *6-Kestose* (Glc$p\alpha$1 ↔ 2βFruf6 ← 2βFruf), Schmp. 145°C, $[\alpha]_D^{20}$ +27,3° (H_2O). *Neo-Kestose* (Frufβ2 → 6Glc$p\alpha$1 ↔ 2βFruf), amorph, $[\alpha]_D^{20}$ +22,2° (H_2O). – *E* kestoses – *I* chestosi – *S* kestoseno
Lit.: Beilstein EV **17/8**, 416 ▪ Karrer, Nr. 3357, 3358. – [CAS 470-69-9 (1-K.); 562-68-5 (6-K.); 3688-75-3 (Neo-K.)]

Ketale s. Acetale.

Ketamin (Rp).

Internat. Freiname für das *Injektionsnarkotikum (±)-2-(2-Chlorphenyl)-2-(methylamino)cyclohexanon, $C_{13}H_{16}ClNO$, M_R 237,73, Schmp. 92–93°C; λ_{max} (0,01 N NaOH in 95% CH_3OH): 301, 276, 268, 261 nm ($A_{cm}^{1\%}$ 5,0, 7,0, 9,8, 10,5); pK_a 7,5. Verwendet wird das racem. Hydrochlorid, Schmp. 262–263°C, LD_{50} (Maus i.p.) 224±4 mg/kg. Zur Zeit befindet sich das (+)-(S)-Enantiomer in der klin. Prüfung. Es ist in seiner pharmakolog. Potenz u. Nebenwirkungen dem Racemat überlegen. K. wurde 1966 von Parke-Davis (Ketanest®) patentiert u. ist generikafähig. – *E* ketamine – *F* kétamine – *I = S* ketamina
Lit.: ASP ▪ DAB **1996** u. Komm. ▪ Florey **6**, 297–322 ▪ Pharm. Ztg. **142**, 338–345 (1997). – [HS 2922 30; CAS 6740-88-1]

Ketanest® (Rp). Injektionslsg. mit *Ketamin für Narkosen. **B.:** Parke-Davis.

Ketanserin (Rp).

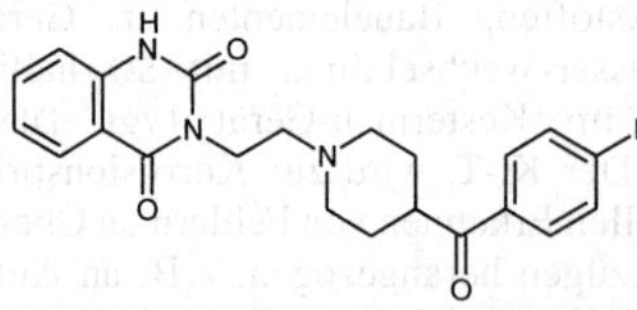

Internat. Freiname für das Antihypertonikum 3-{2-[4-(4-Fluorbenzoyl)piperidino]ethyl}-2,4($1H,3H$)-chinazolindion, $C_{22}H_{22}FN_3O_3$, M_R 395,43, Schmp. 227–235 °C, pK_a 7,5. Verwendet wird das Tartrat $C_{26}H_{28}FN_3O_9$, M_R 545,52. K. ist ein *Serotonin-Antagonist u. wurde 1980 u. 1982 von Janssen patentiert. – *E* ketanserin – *I* = *S* ketanserina
Lit.: [1] Merck-Index (12.), Nr. 5307. – [HS 2933 59; CAS 74050-98-9 (K.); 83846-83-7 (Tartrat)]

Ketazine s. Azine.

Ketazolam (BtMVV, Anlage IIIC).

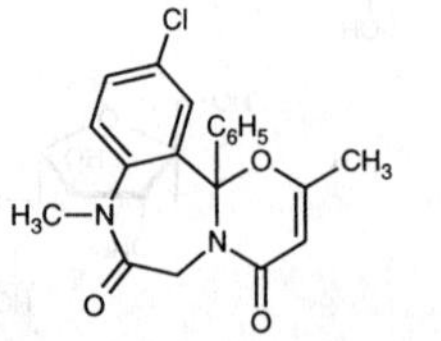

Internat. Freiname für das als *Tranquilizer wirksame tricycl. Benzodiazepin-Derivat (±)-11-Chlor-8,12b-dihydro-2,8-dimethyl-12b-phenyl-4H-[1,3] oxazino [3,2-*d*][1,4]benzodiazepin-4,7(6H)-dion, $C_{20}H_{17}ClN_2O_3$, M_R 368,82, Schmp. 182–183,5 °C; λ_{max} (C_2H_5OH): 202, 241 nm (ε 40600, 18400). K. wurde 1971 von Upjohn patentiert. – *E* = *I* = *S* ketazolam – *F* kétazolam – [HS 2934 90; CAS 27223-35-4]

Ketchup. Im allg. aus Tomatenmark, Zucker, Zwiebeln, Essig u. Gewürzen hergestellte Würzsoße in verschiedenen Geschmacksrichtungen, z. B. Curry-K., Tomaten-Ketchup. – [HS 2103 20]

Keten. $H_2C=C=O$, C_2H_2O, M_R 42,04. Durchdringend riechendes Gas, Schmp. −150 °C, Sdp. −56 °C, das nur bei tiefen Temp. (−80 °C) einigermaßen beständig ist. Es muß daher stets frisch hergestellt u. gleich weiterverarbeitet werden, da sonst Dimerisierung zu *Diketen erfolgt. K. kann durch Pyrolyse aus dem Dimeren zurückgewonnen werden, weshalb man Diketen als eine Speicherform betrachten kann; allerdings ist die Pyrolyse nicht ungefährlich u. wird auch nur selten durchgeführt. Weitere Oligomere sind 3-Acetoxycyclobutenon [1] u. *Dehydracetsäure. K. ist äußerst giftig, die Toxizität ist etwa achtmal größer als die von Phosgen, MAK 0,5 ppm (MAK-Werte-Liste 1996).
Herst.: Techn. wird K. durch Wasser-Abspaltung aus Essigsäure gewonnen:

$$H_3C–COOH \rightleftharpoons H_2C=C=O + H_2O$$

Man leitet Essigsäure-Dämpfe unter Zusatz geringer Mengen flüchtiger Phosphorsäureester über CrNiSi-Stahl (ca. 700 °C, 130 hPa, Wacker-Verf.). Um die Rückreaktion zu verhindern, werden den Pyrolysegasen bas. Stoffe (z. B. Ammoniak, Pyridin) zugesetzt; ferner wird das Reaktionsgas rasch abgekühlt. Auch Aceton ist Ausgangsmaterial zur Herst. von K.:

$$H_3C–CO–CH_3 \rightarrow H_2C=C=O + CH_4$$

Aceton-Dampf wird unter dem katalyt. Einfluß von CS_2 bei ca. 650 °C an Chrom-Nickel-Stahl therm. zersetzt. Im Laboratorium erfolgt die Erzeugung von K. mit Hilfe der sog. *K.-Lampe*, bei der die Aceton-Pyrolyse an elektr. geheizten Wolfram-Drähten erfolgt.
Verw.: K. ist sehr reaktionsfähig, da es zwei kumulierte Doppelbindungen aufweist. Es wird eingesetzt zur Synth. von Sorbinsäure, Cyclobutanon-Derivaten, zur Acetylierung u. zur Herst. von Acetanhydrid (Hauptverw.), gemischten Anhydriden, Isopropenylacetat u. Celluloseacetat. Die photochem. Decarbonylierung liefert Carben. – *E* ketene – *F* cétène – *I* chetene – *S* ceteno
Lit.: [1] Helv. Chim. Acta **60**, 975 ff. (1977).
allg.: Beilstein E IV **1**, 3418 ff. ▪ Hager (5.) **3**, 708 ▪ Moeschlin, Klinik u. Therapie der Vergiftungen, S. 336, Stuttgart: Thieme 1986 ▪ Paquette **4**, 2929 ▪ Ullmann (4.) **14**, 181 ff.; (5.) **A 1**, 69 f.; **A 15**, 63 f. ▪ Weissermel-Arpe (4.), S. 198 f. ▪ s. a. Diketen u. Ketene. – [CAS 463-51-4; G 3]

Ketene. Gruppe von äußerst reaktionsfähigen, unbeständigen, zur Polymerisation neigenden organ. Verb. der allg. Formel $R^1R^2C=C=O$. Die K. lassen sich als innere Anhydride der aliphat. Carbonsäuren auffassen.

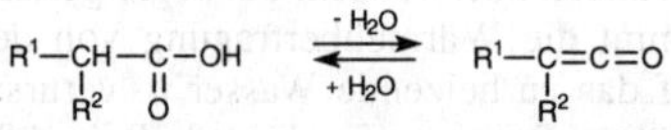

Abb. 1: Ketene als innere Anhydride von Alkancarbonsäuren.

Einfache Herst.-Meth. existieren nur für den unsubstituierten Grundkörper (s. Keten), während die höheren Vertreter meist nur als Zwischenstufen bei Umlagerungsreaktionen von *Carbenen abzufangen sind, s. dazu Wolff-Umlagerung, Süs-Reaktion u. Arndt-Eistert-Reaktion.
Verw.: Mit Wasser reagieren die K. zu Carbonsäuren (s. Abb. 1), mit Alkoholen zu Estern, mit Ammoniak od. prim. Aminen zu Amiden usw. (s. Abb. 2).

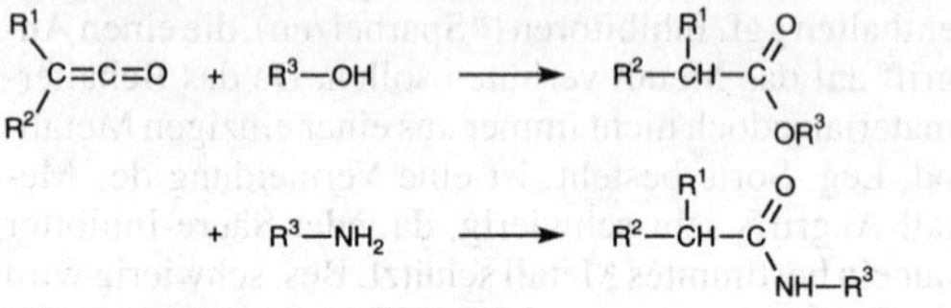

Abb. 2: Reaktionen von Ketenen.

Auch sind aus K. Cyclobutanon- u. Oxetanon-Derivate (β-*Lactone, vgl. Diketen) dank ihrer großen Neigung zur [2+2]-Cycloaddition an der C,C- u./od. C,O-Doppelbindung zugänglich [1,2].

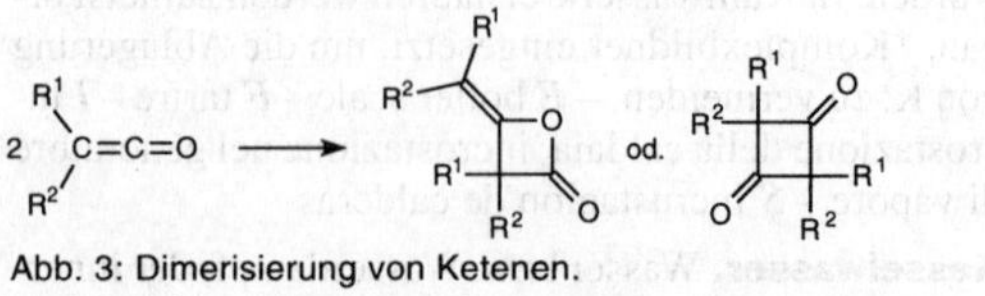

Abb. 3: Dimerisierung von Ketenen.

– *E* ketenes – *F* cétènes – *I* cheteni – *S* cetenas
Lit.: [1] Org. React. **45** (1995). [2] Carey-Sundberg, S. 614 ff.
allg.: Encycl. Polym. Sci. Technol. **8**, 45−57 ▪ Houben-Weyl **7/4**, 53 ff. ▪ Katritzky et al. **3**, 525 ff. ▪ Kirk-Othmer (3.) **13**, 874−893; (4.) **14**, 954 ff. ▪ Patai, The Chemistry of Ketenes, Allenes and Related Compounds (2. Tl.), Chichester: Wiley 1980 ▪ Tidwell, Ketenes, Chichester: Wiley 1995 ▪ s. a. Carbene, Keten u. Wolff-Umlagerung.

Ketenimine. Gruppenbez. für Verb. der allg. Formel $R^1R^2C=C=N–R^3$ (nicht zu verwechseln mit *Ketiminen!), die sich von *Ketenen ableiten, wobei der Keten-Sauerstoff durch einen Imin-Rest ersetzt ist. K. besitzen ähnliche Eigenschaften wie Ketene u. können ähnlich wie *Carbodiimide als wasserbindendes Mittel in der Peptid-Synth. eingesetzt werden. – *E* ketenimines – *F* céténimines – *I* chetenimmine – *S* ceteniminas

Lit.: Adv. Org. Chem. **9**, 421–532 (1976) ▪ Angew. Chem. **83**, 455–470 (1971) ▪ Katritzky et al. **3**, 555 ff. ▪ s. a. Carbodiimide u. Ketene.

Ketide s. Polyketide.

Ketimine. Verb. der allg. Formel $R^1R^2C=NH$, die sich von entsprechenden *Ketonen durch Ersatz des Carbonyl-Sauerstoffs durch die NH-Gruppe ableiten, s. Imine, vgl. dagegen Ketenimine. – *E* ketimines – *F* cétimines – *I* chetimmine – *S* cetiminas

Ket(o)... Präfix in Gruppenbez. von organ. Verb., die eine *Keton-Gruppierung enthalten od. Keton-Derivate sind; *Beisp.:* Ketohexosen, Ketoxime, Ketimine, Ketazine. In systemat. Namen muß *Oxo... als Präfix benutzt werden; *Beisp.:* Ketocarbonsäuren s. Oxocarbonsäuren. Kursives Präfix *keto-* bezeichnet bei *Ketosen die offenkettige Oxo-Form im Gegensatz zur cycl. Halbketal-Form; *Beisp.: keto-*D-Fructose/D-Fructofuranose. – *E* ket(o)... – *F* cét(o)... – *I* chet(o)... – *S* cet(o)...

β-Ketoadipinsäure-Weg s. 3-Oxoadipinsäure-Weg.

Ketoaldonsäure s. Zuckersäuren.

Ketoaldosen s. Aldoketosen.

Ketoalkohole s. Hydroxyketone.

Ketoazidose s. Ketonkörper.

Ketobemidon s. Cetobemidon.

Ketocarbonsäuren s. Oxocarbonsäuren.

Ketoconazol (Rp, top. Anw. ausgenommen).

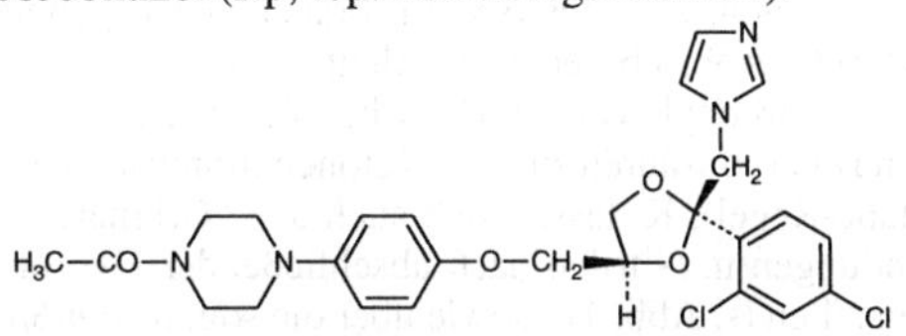

Internat. Freiname für das als *Antimykotikum verwendete Imidazol-Derivat (±)-1-Acetyl-4-{4-[2α-(2,4-dichlorphenyl)-2β-(1-imidazolylmethyl)-1,3-dioxolan-4β-ylmethoxy]phenyl}piperazin, $C_{26}H_{28}Cl_2N_4O_4$, M_R 531,44, Schmp. 146 °C, LD_{50} (Maus i.v.) 44 mg/kg, (Maus oral) 702 mg/kg. K. wurde 1978, 1979 u. 1980 von Janssen (Nizoral®, Terzolin®) patentiert. – *E* ketoconazole – *F* kétoconazole – *I* ketoconazolo – *S* ketoconazol

Lit.: ASP ▪ Beilstein E V **23/4**, 431 f. ▪ DAB **1996** u. Komm. ▪ Hager (5.) **8**, 668–671. – *[HS 2934 90; CAS 65277-42-1]*

Ketodesoxyoctonsäure s. KDO.

Keto-Enol-Tautomerie. Eine in der organ. Chemie nicht seltene Form der *Tautomerie, bei der *Ketone mit den isomeren *Enolen im *tautomeren Gleichgew.* stehen. Da gesätt. Ketone im allg. energet. gegenüber ihren Enolen begünstigt sind – ca. 63 kJ/mol (15 kcal/mol) –, kann man die spontane K.-E.-T. nur

bei solchen Ketonen beobachten, bei denen die durch *Enolisierung* entstehende Doppelbindung resonanzstabilisiert ist (vgl. Abb. 1 a); eine weitere Stabilisierung der Enol-Form kann durch intramol. Wasserstoff-Brückenbindungen erfolgen (s. Abb. 1 b).

R^1	R^2	Enol-Form [%]
H	H	10^{-3}
H	CH_3	$6 \cdot 10^{-7}$
H	OC_2H_5	0
H_3C-C- (=O)	OC_2H_5	8
H_3C-C- (=O)	CH_3	76

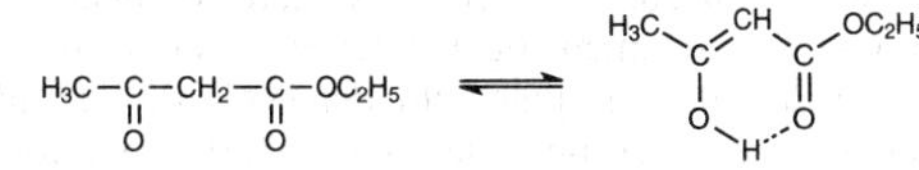

Abb. 1: Enolisierung durch Stabilisierung.

Das Ausmaß der Enolisierung ist zudem Lsm.-, Konz.- u. Temp.-abhängig. So vermindern prot., nucleophile Lsm. den Enol-Gehalt, da sie die intramol. Wasserstoff-Brückenbindung schwächen. *Acetessigester z. B. liegt als reine Flüssigkeit zu 7,7% in der Enol-Form vor, in Benzol zu 16,2%, in CS_2 zu 32% u. in Hexan zu 46%, in Wasser dagegen nur zu 0,7% [1]. Durch Ausfrieren bzw. vorsichtige Dest. (im Dampfzustand 50% Enol-Form) lassen sich die Tautomeren trennen; die reine Keto-Form schmilzt bei –39 °C, während das Enol bis –78 °C flüssig ist. Säure- od. Basenspuren bewirken jedoch momentan die Rückbildung des Gleichgewichtsgemisches. Mit starken Basen werden sowohl die Keto- als auch die Enol-Form deprotoniert. Das resultierende *Enolat-Anion* liegt *nicht* in zwei tautomeren Formen, sondern als *Resonanzhybrid* zweier *mesomerer* Grenzstrukturen vor (s. Abb. 2).

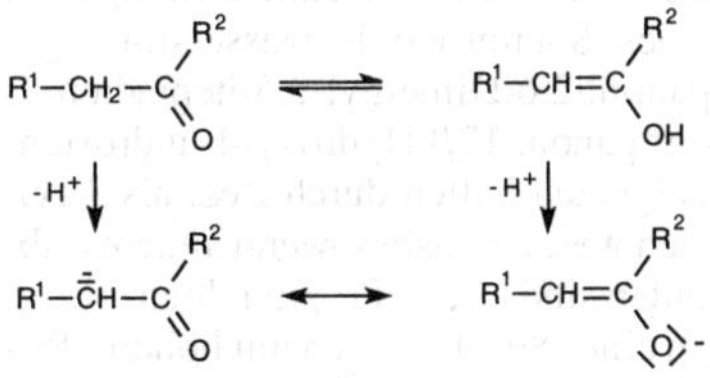

Abb. 2: Bildung u. mesomere Grenzstrukturen des Enolat-Anions.

Dank der Mobilität (*Acidität) der an der K.-E.-T. beteiligten Wasserstoff-Atome sind die entsprechenden Carbonyl-Verb. (z. B. 1,3-*Diketone, β-*Oxocarbonsäuren) synthet. wichtige Ausgangsverb. in der organ. Synth. (s. Acetessigester). – *E* keto-enol tautomerism – *F* tautomérie céto-énolique – *I* tautomeria cheto-enolica – *S* tautomería ceto-enólica

Lit.: [1] Chem. Unserer Zeit **3**, 25 f. (1969).
allg.: March (4.), S. 70 ff., 585 ff. ▪ s. a. Acetessigester, Enole, Ketone u. Tautomerie.

Ketoester s. Oxoester.

Ketoglutarsäuren s. Oxoglutarsäuren.

Keto-Gruppe s. Carbonyl-Gruppe u. Ketone.

Ketohexokinase s. Fructokinase.

Ketohexosen. Sammelbez. für *Monosaccharide mit 6 C-Atomen (*Hexosen) u. einer frei od. als cycl. Halbacetal (Halbketal) vorliegenden Keto-Gruppe, die sich meistens in 2-Stellung befindet.

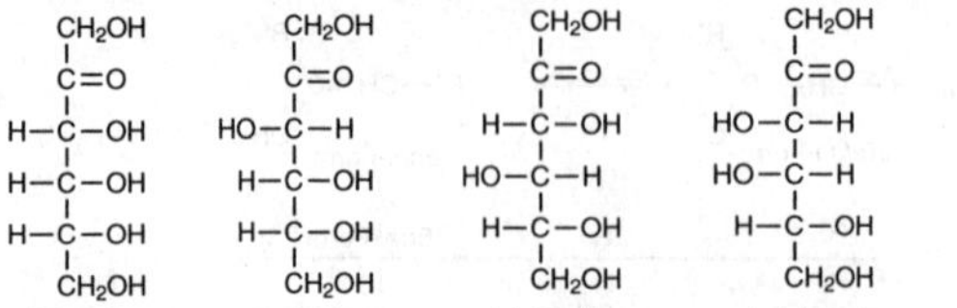

D (+)-Psicose   D(−)-*Fructose   D (+)-*Sorbose   D (−)-Tagatose

Abb.: Vier Isomere der D-Reihe der 2-Ketohexosen (2-Hexulosen).

Als *Ketosen werden die K. systemat. *Hexulosen* genannt u. je nach Konfiguration der drei *asymmetrischen C-Atome, die 2^3=8 Stereoisomere bedingen, mit den von Trivialnamen abgeleiteten Präfixen *arabino-, ribo-, xylo-* od. *lyxo-* unterschieden (vgl. die Bez. bei Aldopentosen); für die in der Natur häufiger vorkommenden 2-Hexulosen sind die in der Abb. genannten Trivialnamen üblicher; *Beisp.:* D-Fructose = D-*arabino*-2-Hexulose. Die K., gezeigt sind vier Isomeren der D-Reihe, sind isomer zu den *Aldohexosen. Zur Zuordnung zur D-Reihe s. Aldohexosen. − *E = F* ketohexoses − *I* chetoesosi − *S* cetohexosas

Ketole. Veraltetes Synonym für *Hydroxyketone.

Ketone. Von *Aceton abgeleiteter Gruppenname für Verb. mit mind. einer *Carbonyl-Gruppe der allg. Formel $R^1R^2C=O$, wobei die organ. Reste R^1 u. R^2 Alkyl- u./od. Aryl-Gruppen darstellen bzw. zum Ring geschlossen sein können. Die Benennung (bei 1.−4. mit den gleichen vier *Beisp.*) der K. kann 1. von Trivialnamen Gebrauch machen (Aceton, Phoron, Propiophenon, Testosteron), − 2. die beiden Reste R^1 u. R^2 als Präfixe vor die Gruppenbez. setzen [Dimethylketon, Bis(2-methyl-1-propyl)keton, Ethylphenylketon], − 3. durch Anhängen des Suffixes *...on mit Stellungsbez. an den Namen des Stamm-Kohlenwasserstoffs geschehen (2-Propanon, 2,6-Dimethyl-2,5-heptadien-4-on, 1-Phenyl-1-propanon, 17β-Hydroxy-4-androsten-3-on), − 4. in geeigneten Fällen durch Bez. als Acyl-Rest vorgenommen werden, insbes. wenn andere Substituenten vorhanden sind (−, −, Propionylbenzol, −). − 5. Bei Vorliegen eines Substituenten mit höherer Priorität muß die Benennung durch Voransetzen des Präfixes *Oxo... (früher *Keto...) vor den Namen der bereits anderweitig substituierten Verb. erfolgen, *Beisp.:* 4-Oxocyclohexancarbonsäure, 3-Oxoglutarsäure, Näheres s. IUPAC-Regeln C-311 bis C-318 u. Regeln R-5.6.2 ff. in *Lit.*[1].

Einfache niedermol. K. sind stabile, farblose Flüssigkeiten von angenehmem, leicht aromat. Geruch (Gefahr des Mißbrauchs als *Schnüffelstoffe)[2]. Sie sind relativ flüchtig mit Sdp., die nur wenig über denen der entsprechenden Alkane liegen. Bis C_5 sind aliphat. K. in Wasser lösl. u. finden als excellente Lsm. vielfache Verw. in der chem. Industrie. Die aliphat.-aromat. bzw. aromat. Ketone sind dagegen hochsiedende Flüssigkeiten bzw. Feststoffe. Ihre Hauptverw. liegt in der organ. Synthese. *Beisp.* für K. sind *Aceton, *Acetophenon, *Benzophenon u. *Cyclohexanon. Zusätzlich

substituierte K. sind im allg. als Einzelstichwörter abgehandelt, wie z. B. *Diketone, *Hydroxyketone, *Halogenketone, α,β-*ungesättigte Ketone, *Oxocarbonsäuren, *Oxokohlenstoffe, *Polyketone, *Chinone.

Vork.: In der Natur sind K. sehr verbreitet, z. B. in Form von Sexualhormonen u. a. Steroidketonen, als Terpenketone in ether. Ölen u. Duftstoffen, als Stoffwechselzwischenprodukt im Organismus, als Substrate in biolog. Redoxreaktionen, als Biogenese-Zwischenstufen (z. B. *Polyketide). Sog. *Ketonkörper sammeln sich bei bestimmten Stoffwechselstörungen u. auch bei Hunger im Organismus an; z. B. Aceton bei der Zuckerkrankheit (*Diabetis mellitus*), wo es sich im Urin ansammelt (*Aceton-* od. *Ketonurie*).

Nachw.: Im allg. durch *Kondensations-Reaktionen mit Stickstoff-Verb., die zu schwerlösl., leicht zu charakterisierenden u. oft farbigen *Derivaten führen; z. B. zu *Hydrazonen od. *Oximen. Mit Hilfe der *IR-Spektroskopie können K. anhand der charakterist. CO-Valenzschwingung (Bereich: $1600−1800$ cm^{-1}) erkannt werden. Aus Gemischen lassen sich K. evtl. mit *Girard-Reagenzien abtrennen. Zur kolorimetr. u. fluorimetr. Bestimmung s. *Lit.*[3].

Herst.: Aliphat. K. erhält man leicht durch Oxid. od. Dehydrierung von sek. Alkoholen (s. Abb. 1 a). Als Oxid.-Mittel stehen Chromsäure (*Jones-Oxidation), aktiviertes *Dimethylsulfoxid (über ein *Alkoxy-sulfonium-Salz*; *Moffat-Pfitzner-Oxidation*; *Svern-Oxidation) u. bes. schonend die heterogene Oxid. mit z. B. Kupfer(II)nitrat auf Montmorillonit K10 (*Claycop*) zur Verfügung; s.a. Sarett-Oxidation. Weitere schonende Verf. sind die *Oppenauer-Oxidation u. die *Dess-Martin-Oxid.* (s. 1,1,1-Triacetoxy-1,1-dihydro-1,2-benziodoxol-3(1H)-on u. Iod-organische Verbindungen), die bes. in der Naturstoff-Synth. (für *Steroide* u. *Alkaloide*) angewendet werden. Ein histor. Verf. ist die Pyrolyse der Calcium-Salze von Carbonsäuren, die nur in Ausnahmefällen, z. B. für Aceton, brauchbare Ergebnisse liefert (s. Abb. 1 b); ebenso verhält es sich mit der katalyt. Decarboxylierung u. Dehydratisierung, die im Fall von Dicarbonsäuren zu cycl. Ketonen führen kann (vgl. Blanc-Regel). K. lassen sich auch aus *Grignard-Verbindungen u. Nitrilen nach abschließender Hydrolyse herstellen (s. Abb. 1 c) sowie über die sog. *Keton-Spaltung* von substituierten Acetessigestern (s. dort).

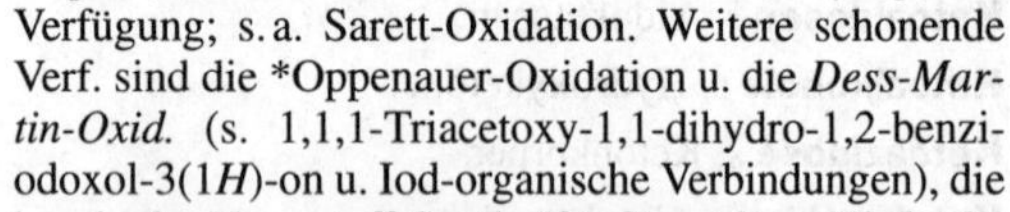

Abb. 1: Meth. zur Herst. von aliphat. Ketonen.

Mit Hilfe der *Umpolung ist es auch möglich, einen Aldehyd in ein Keton umzuwandeln (s. Dithiane). In der industriellen Synth. werden K. meistens durch eine Direktoxid. von Alkanen mit Sauerstoff an spezif. Katalysatoren, durch Gasphasen-Dehydrierung von sek. Alkoholen od. nach dem *Wacker-Verfahren aus Alkenen hergestellt. *Aromat. K.* erhält man am einfachsten über die *Friedel-Crafts-Reaktion *(Friedel-Crafts-Acylierung)*, über die *Houben-Hoesch-Synthese od. durch Oxid. von Alkylaromaten mit Sauerstoff in Anwesenheit von Cobalt-Salzen. *Cycl. K.* lassen sich auch über die *Thorpe- od. Thorpe-Ziegler-Reaktion herstellen; daneben gibt es eine Reihe spezieller K.-Synth., auf die hier nicht näher eingegangen werden kann (s. dazu bei einzelnen K.).

Umwandlungen: Die Fähigkeit der K. zur *Enolisierung* (s. Keto-Enol-Tautomerie u. Enole) ist die Grundlage für die Bildung von Salzen (s. Enolate). K. reagieren in Additions- u. Kondensations-Reaktionen wie Aldehyde, da das Reaktionsverhalten nur von der Carbonyl-Gruppe bestimmt wird. Im allg. sind die Ketone jedoch reaktionsträger.

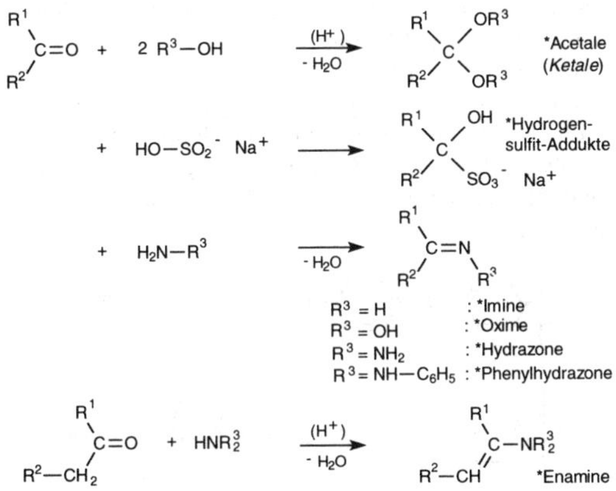

Abb. 2: Additionsreaktionen der Ketone.

Für die Red. von K. zu Alkoholen, Diolen u. Kohlenwasserstoffen gibt es viele Meth. (s. Abb. 3 a). Von z. T. techn. Bedeutung sind die katalyt. *Hydrierung, die Red. mit Zn/Hg u. Salzsäure (*Clemmensen-Reduktion), mit komplexen Hydriden (z. B. *Lithiumaluminiumhydrid*), die *Wolff-Kishner-Reduktion mit der Variante der Huang-Minlon-Reduktion, die *Meerwein-Ponndorf-Verley-Reduktion. Die enantioselektive Red. von K. zu sek. Alkoholen mit chiralen, komplexen Hydriden (BINAL-H, s. Binaphthyl) ist ebenso möglich, wie die enantioselektive Alkylierung in α-Stellung mit SAMP od. RAMP (s. enantioselektive Synthese). In Ggw. von Nickel als Katalysator lassen sich K. mit NH_3 u. H_2 zu Aminen reduzieren *(reduktive Aminierung)*. *Grignard-Verbindungen setzen sich mit K. zu tert. Alkoholen um (s. Grignard-Reaktion). Red. mit Natrium- od. Magnesiumamalgam führen oft zur Bildung der Dihydrodimeren (1,2-*Diole, *Pinakole, s. Abb. 3 b). Diese *reduktive Kupplung* gelingt auch mit Titan, das *in situ* aus Titan(III)-chlorid u. Kalium erzeugt wird, ohne daß die Diole zu isolieren sind, da sie direkt zu Alkenen weiterreagieren (*McMurry-Reaktion, s. Abb. 3 c).

Die *reduktiven Kupplungen* verlaufen über Elektronentransfer vom Metall zum K. unter Bildung eines *Radikal-Anions*, das dann dimerisiert. Mit den üblichen Oxid.-Mitteln reagieren K. erst unter drast. Bedingungen über *Peroxide u. C,C-Spaltung zu Carbonsäuren. Aus cycl. Ketonen lassen sich so gezielt

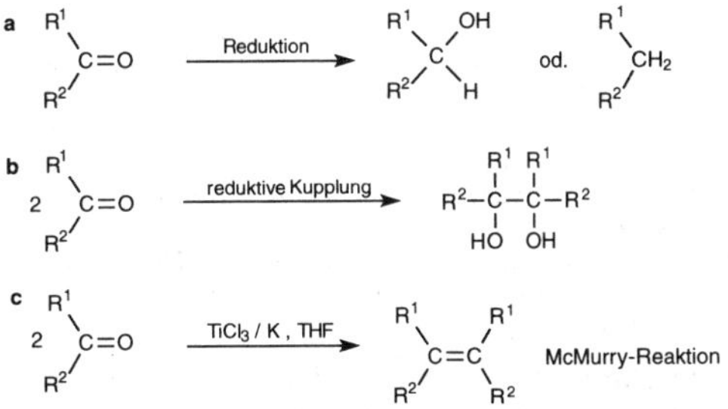

Abb. 3: Reduktionsmethoden für Ketone.

Dicarbonsäuren herstellen; z. B. *Adipinsäure aus Cyclohexanon. Mit H_2O_2 u. Alkylhydroperoxiden erhält man Keton-*Peroxide (s. a. Baeyer-Villiger- u. Dakin-Oxidation). K. fungieren bevorzugt als *Methylen-Komponenten* in den von Basen od. Säuren katalysierten *Aldol-artigen* Reaktionen, wie *Aldol-Addition, Claisen-Schmidt-Kondensation (s. Claisen-Kondensation), *Michael-Addition. So kondensiert Aceton mit sich selber je nach den Reaktionsbedingungen zu *Diacetonalkohol, *Mesityloxid, *Phoron od. *Mesitylen.

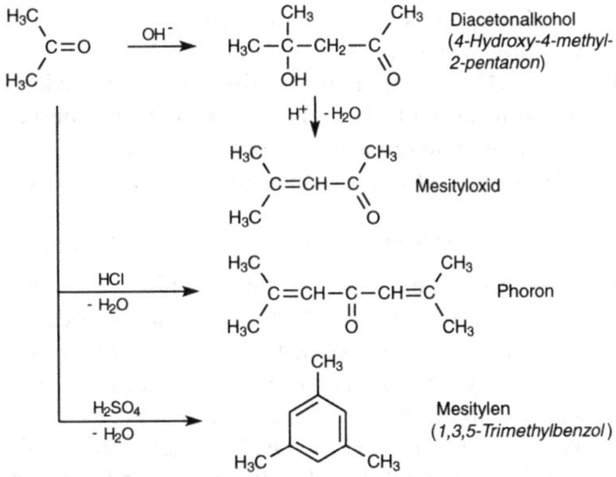

Abb. 4: Aldol-artige Reaktionen von Ketonen.

Die Photochemie der K. ist von der Reaktivität der Carbonyl-Gruppe geprägt. Dabei treten C,C-Spaltungen bevorzugt an der α-Position zu der CO-Gruppe *(Norrish-Typ-I-Spaltung)* od. unter Umlagerung aus der γ-Position mit nachfolgender Spaltung *(Norrish-Typ-II-Spaltung)* auf; Näheres s. bei Photochemie u. Norrish-Reaktion. K. können auch unter Photolysebedingungen eine [2+2]-*Cycloaddition mit Alkenen eingehen (*Paterno-Büchi-Reaktion).

Verw.: Aceton, Cyclohexanon, 2-Butanon (*Methylethylketon*) u. 4-Methyl-2-pentanon (*Methylisobutylketon*) gehören zu den meist produzierten industriellen Chemikalien. Während die drei acycl. K. als Lsm. Verw. finden (z. B. für Anstrichstoffe nach DIN 53 247, 10/1977), wird Cyclohexanon vorwiegend für die Herst. von ε-*Caprolactam (*Polyamid-Herst.) gebraucht. Weitere wichtige K. sind Diacetonalkohol, Mesityloxid u. Diisobutylketon. K. finden auch Verw. als Ausgangsstoffe für synthet. Produkte in der pharmazeut.-, Farbstoff-, Riechstoff-, Schädlingsbekämpfungs- u. Kunststoff-Ind. (s. Keton-Harze). – *E* ketones – *F* cétones – *I* chetoni – *S* cetonas

Lit.: [1]IUPAC, Nomenklatur der Organischen Chemie, S. 120f., Weinheim: VCH Verlagsges. 1997. [2]Dtsch. Ärztebl. **78**, 2025–2030 (1981). [3]Pure Appl. Chem. **51**, 1803–1814 (1979).
allg.: Chem. Rev. **38**, 227 (1946) ▪ Encycl. Polym. Sci. Technol. **8**, 58–61 ▪ Houben-Weyl **7/2 a–c** ▪ Katritzky et al. **3**, 111–380 ▪ Kirk-Othmer (3.) **13**, 894–941; (4.) **1**, 176–193; **14**, 978ff. ▪ Synthesis **1979**, 633 ▪ Quart. Rev. **20**, 169 (1966) ▪ Ullmann (5.) **A 15**, 77ff. ▪ Winnacker-Küchler (4.) **6**, 72–77 ▪ s. a. Carbonyl-Gruppe.

Keton-Harze. K.-H. sind aus der alkal. katalysierten Selbstkondensation von *Ketonen (Cyclohexanon, Methylcyclohexanon) od. Mischkondensation von Ketonen (Aceton, Butanon, Acetophenon, Cyclohexanon, Methylcyclohexanon) mit Formaldehyd resultierende, unverseifbare u. neutral reagierende *Harze (*Kunstharze) von heller Farbe u. Erweichungsbereichen von ca. 80–130°C. Mischkondensate von Ketonen (z. B. Cyclohexanon) mit längerkettigen Aldehyden haben keine techn. Bedeutung. In Abhängigkeit vom Ausgangsketon unterteilt man die K.-H. in Aceton-, Acetonphenon-Harze usw. Auch K.-H. aus Mischungen unterschiedlicher Ketone sind bekannt.
Eigenschaften: K.-H. sind lösl. in vielen organ. Lsm. u. verträglich mit unterschiedlichen anderen Harzen, Polymeren, Weichmachern u. Ölen.
Verw.: Als Harzkomponente für die Herst. von Lacken, Farblacken, Druckfarben, Tinten, Kugelschreiberpasten, Schmelzmassen usw. – *E* ketonic resins – *F* résines cétoniques – *I* resine chetoniche – *S* resinas cetónicas
Lit.: Houben-Weyl **E 20**, 1794ff. ▪ Ullmann (4.) **12**, 547–552.

Ketonkörper. Bez. für die hauptsächlich aus dem *Fettsäure-Abbau in der *Leber stammende Acetessigsäure u. deren Red.- bzw. Decarboxylierungs-Produkte D-3-Hydroxybuttersäure bzw. Aceton. Im normalen Stoffwechsel werden die beiden ersteren in den Geweben u. bes. im Gehirn rasch energieliefernd abgebaut. Bei übermäßiger Mobilisierung der Fettreserven (bei Hunger, bei Rindern durch hohe Milchleistung) od. mangelhafter Kohlenhydrat-Verwertung (*Diabetes) kommt es jedoch zu u. U. stark gesteigerter Bildung von K., die sowohl im Harn ausgeschieden werden (*Ketonurie*) als auch durch Ansammlung im Gewebe eine hier *Ketose* od. *Ketoazidose* genannte *Azidose hervorrufen können. Der Nachw. von K. im Harn, der bes. zur Kontrolle bei Diabetes wichtig ist, kann nach dem *Legal-Test erfolgen. Eine andere Genese als die Ketonurie hat die *Phenylketonurie. – *E* ketone bodies – *F* corps cétoniques – *I* corpi chetonici – *S* cuerpos cetónicos
Lit.: Clin. Invest. Med. **18**, 193–216 (1995).

Ketonmoschus s. Moschus.

Ketonperoxide s. Peroxide.

Keton-Polymere. Unter K.-P. werden einerseits *Polymere verstanden, die durch *Polymerisation von Ketonen über deren C=O-Doppelbindung entstehen. Man erhält sog. *Polyketale der allg. Struktur I:

Andererseits werden auch solche Polymere als K.-P. bezeichnet, die intakte Keton-Gruppierungen des Typs II od. III in den *repetierenden Grundeinheiten der Polymer-Kette enthalten. Die zuletzt genannten K.-P. fallen z. B. an bei der Polymerisation von *Vinylketonen

od. von *Ketenen.

K.-P. mit Einheiten der Struktur II werden auch bei der Copolymerisation von Vinylketonen mit anderen *Monomeren, z. B. Vinylacetat, Vinylchlorid, Acrylsäure-Derivaten, Maleinsäureanhydrid od. Isopren, als *statistische Copolymere erhalten. K. des Typs III sind auch aus *Halatopolymeren zugänglich. Kommerzielle Bedeutung haben von den K. lediglich die durch *Polykondensations-Reaktionen zugänglichen, aromat. *Polyetherketone wie das PEK IV od. das PEEK V erlangt.

– *E* ketone polymers – *F* polymères cétoniques – *I* polimeri chetonici – *S* polímeros de cetonas
Lit.: Encycl. Polym. Sci. Eng. **8**, 600f. ▪ Houben-Weyl **E 20**, 1138–1141, 2196ff. ▪ s. a. Polyetherketone u. Polyketale.

Keton-Spaltung s. Ketone u. Acetessigester.

Ketonurie s. Ketonkörper.

Ketoprofen (Rp).

Internat. Freiname für das nichtstereoidale *Antirheumatikum (±)-2-(3-Benzoylphenyl)propionsäure, $C_{16}H_{14}O_3$, M_R 254,29, Schmp. 94°C; λ_{max} (CH₃OH): 255 nm (log ε 4,33), in Wasser schwer löslich. K. wurde 1968 u. 1972 von Rhône Poulenc (Orudis®) patentiert u. ist generikafähig. – *E* ketoprofen – *F* kétoprofène – *I* ketoprofene – *S* ketoprofeno
Lit.: ASP ▪ DAB **1996** u. Komm. ▪ Florey **10**, 443–471 ▪ Hager (5.) **8**, 671–674. – [HS 2918 30; CAS 22071-15-4]

Ketorolac (Rp).

Internat. Freiname für (±)-5-Benzoyl-2,3-dihydro-1*H*-pyrrolizin-1-carbonsäure, $C_{15}H_{13}NO_3$, M_R 255,27, Schmp. 160–161°C; λ_{max} (CH₃OH): 245, 312 nm; pK_a 3,49; LD_{50} (Maus oral) 200 mg/kg. K. zählt zu den starken, nichtsteroiden Analgetika, das als therapeut. Alternative der Opiate angesehen wurde. Aber aufgrund starker Nebenwirkungen (Blutungen, renale Komplikationen) wurde 1993 das Ruhen der Zulassung vom BGA veranlaßt. Heute wird das Trometamol-Salz noch in der Augenheilkunde eingesetzt. K. wurde 1978 von Syntex (Toratex®, außer Handel) patentiert u. ist von Pharm-Allergan (Acular®) im Handel. – *E* = *I* = *S* ketorolac – *F* kétorolac

Lit.: ASP ▪ Merck-Index (12.), Nr. 5318 ▪ Pharm. Ztg. **138**, 1902 f. (1993). – *[HS 2933 90; CAS 74103-06-3 (K.); 74103-07-4 (Trometamol-Salz)]*

Ketosäuren s. Oxocarbonsäuren.

Ketose s. Ketonkörper.

Ketosen (Ketozucker). Gruppenbez. für *Monosaccharide, die meist in 2-Stellung eine Keto-Gruppe od. cycl. Halbketal-Funktion besitzen u. systemat. durch die Nachsilbe …*ulose* von den isomeren *Aldosen unterschieden werden; ihre allg. Formel ist $HOCH_2-(CHOH)_n-CO-CH_2OH$ mit n = 0 – 4. Man unterscheidet nach der Zahl der C-Atome in der Kette Ketotriosen (*Dihydroxyaceton), Ketotetrosen, Ketopentosen, *Ketohexosen (*Fructose, *Sorbose), Ketoheptosen (Mannoheptulose in Avocados).

$$CH_2OH$$
$$|$$
$$C=O \qquad \text{Ketotriose}$$
$$|$$
$$CH_2OH$$

Dihydroxyaceton (Triulose)

↓

$$CH_2OH$$
$$|$$
$$C=O \qquad \text{Ketotetrose}$$
$$|$$
$$H-C-OH$$
$$|$$
$$CH_2OH$$

D-Erythrulose (D-2-Tetrulose)

↓

$$CH_2OH \qquad CH_2OH$$
$$| \qquad\qquad |$$
$$C=O \qquad\quad C=O$$
$$| \qquad\qquad |$$
$$H-C-OH \quad HO-C-H \qquad \text{Ketopentosen}$$
$$| \qquad\qquad |$$
$$H-C-OH \quad H-C-OH$$
$$| \qquad\qquad |$$
$$CH_2OH \qquad CH_2OH$$

D-Ribulose   D-Xylulose
(D-*erythro*-2-Pentulose) (D-*threo*-2-Pentulose)

↓

* Ketohexosen der D-Reihe

Abb.: Ketosen der D-Reihe (zur Definition s. bei Aldosen).

K. zeigen *Mutarotation infolge Bildung von *Anomeren (Näheres s. Aldosen). Im Organismus u. biotechnolog. wird die Umwandlung Aldose → Ketose durch Isomerasen katalysiert; *in vitro* läßt sich die Isomerisierung über eine *Amadori-Umlagerung herbeiführen. – *E* ketoses – *F* cétoses – *I* chetosi – *S* cetosas

Lit.: s. Kohlenhydrate, Monosaccharide u. Zucker.

Ketoside. Bez. für *Glykoside, die bei der Hydrolyse eine Ketose ergeben (*Beisp.:* Methylfructosid).

Ketotifen (Rp). Internat. Freiname für das *Antihistaminikum 4,9-Dihydro-4-(1-methyl-4-piperidyliden)-10*H*-benzo[4,5]cyclohepta[1,2-*b*]thiophen-10-on, $C_{19}H_{19}NOS$, M_R 309,43, Schmp. 152–153 °C. Verwendet wird das Fumarat, Schmp. 192 °C (Zers.). K.

wurde 1971 u. 1972 von Sandoz (Zaditen®, Wander Pharma) patentiert u. ist generikafähig. – *E* ketotifen – *F* kétotifène – *I* ketotifene – *S* ketotifeno

Lit.: ASP ▪ Beilstein E V **27/2**, 203 ▪ Florey **13**, 239–264 ▪ Hager (5.) **8**, 674 ff. – *[HS 2934 90; CAS 34580-13-7]*

Ketoxime s. Oxime.

Ketozucker s. Ketosen.

Kette s. Gewebe u. Weben.

Ketten. Bez. für Kombinationen von durch kovalente Bindungen aneinandergereihten Atomen (*Kettenatome* od. *Kettenglieder*), die die Grundgerüste für eine Reihe von Mol. (vgl. Makromoleküle) bilden können. Solche K. bestehen meist aus gleichen od. ähnlichen Bausteinen; sie können „offen" od. „geschlossen" sein, im letzten Fall spricht man besser von Ringen. *K.-*Verzweigung* liegt dann vor, wenn ein Gliedatom der K. gleichzeitig Ausgangspunkt für eine bzw. für zwei weitere K. (*K.-Gabelung*) aufzufassen ist. Die wichtigsten K. sind die ausschließlich aus Kohlenstoff-Atomen bestehenden K.; *Beisp.:* offene (lineare) K. der Form –C–C–C–C–C– liegen u. a. in den *n*-Alkanen, Alkenen etc. vor. Verzweigte K. haben die Form:

$$\begin{array}{c} \qquad\qquad C-C \\ ^8C-^7C-^6C-^5C-^4C \\ \qquad\qquad\quad ^3C-^2C-^1C \end{array}$$

In diesem Fall bezeichnet man die am C-Atom 4 gebundene Ethyl-Gruppe (als kürzere K.) auch als *Seitenkette* des Octans; die Numerierung erfolgt nach IUPAC-Regel C-13.11. Die *K.-Verlängerung* durch Hinzufügung weiterer K.-Glieder nennt man *Homologisierung* (*Homologe). Geschlossene K. liegen in *cyclischen Verb. (z. B. den *Cycloalkanen, *Catenanen u. *Knoten) vor; auch diese können Verzweigungen tragen, die man Substituenten am Ring nennt. Von vielen Verb. gibt es aufgrund von *Ring-Ketten-*Tautomerie* od. -*Isomerie* offenkettige u. cycl. Formen; *Beisp.:* Monosaccharide, Polyamide, -phosphate etc.[1]. In diesen u. verwandten Fällen ist die *catena-/*cyclo*…-Nomenklatur nützlich[2]; bei *Silicaten benutzt man *ino*- als Präfix für K.-Strukturen. Solche K., die wie die oben abgebildete nur Atome einer Sorte als K.-Glieder enthalten, nennt man *homogene* od. *Isoketten* im Gegensatz zu *Heteroketten*, die auch *Heteroatome in den K. enthalten. Übrigens schränkt man im allg. den Begriff „K." auf Mol. mit offener K. ein; dies gilt insbes. für Makromoleküle. Charakterist. Größen sind hier die *K.-Gliederzahl*, wobei neben C- auch N-, O- u. a. Atome zählen, u. die *K.-Länge*, worunter diejenige größte Mol.-Länge verstanden wird, die sich unter Wahrung der Valenzwinkel u. der Atomabstände bei größtmöglicher Ausdehnung der Kette (Zickzack-K.) ergibt. Die K.-Länge ist z. B. für die Wirkung von *Tensiden von Bedeutung, ebenso aber auch für die

Kristallinität von Polymeren. Ein weiteres, allerdings ebenfalls durch Bildung von *Kinken u. *Jogs beeinflußbares Kriterium[3] ist der *mittlere Abstand der K.-Enden* im Makromol.-Knäuel[4]. Über weitere spezif. Eigenschaften derartiger K. s. Makromoleküle u. Polymere. – *E* chains – *F* chaînes – *I* catene – *S* cadena

Lit.: [1] Adv. Polym. Sci. **21**, 41–75 (1976). [2] IUPAC, Compendium of Macromolecular Nomenclature, S. 110 ff., Oxford: Blackwell 1991. [3] Angew. Chem. **83**, 580 (1971). [4] Adv. Polym. Sci. **16**, 1–179 (1974).

Kettenabbruch s. Polymerisation.

Kettenexplosion s. Kettenreaktion.

Kettenglied s. Ketten u. Kettenreaktion.

Kettenmoleküle s. Makromoleküle, Polymere u. Polymerisation.

Kettenpolymerisation s. Polymerisation.

Kettenreaktion. Im allg. Sinne Bez. für einen Vorgang, bei dem die zu seiner Auslösung erforderlichen Faktoren immer wieder neu erzeugt werden u. so gleichartige Vorgänge auslösen können. In der Chemie nennt man solche Reaktionen „K.", bei denen sich die Reaktionspartner stets neu bilden, so daß die einmal in Gang gebrachte Reaktion von selbst weiterläuft, bis das Ausgangsprodukt vollständig od. bis zur Erreichung des *chemischen Gleichgewichts verbraucht ist. Bei der *Kettenstartreaktion* entsteht ein sog. *Kettenträger*, der für den Fortgang der K. verantwortlich ist u. häufig ein *Radikal (radikal. K.) od. *Ion (ion. K.) ist. Die Kettenträger nehmen an den *Kettenfortpflanzungsreaktionen* teil, in deren Verlauf das Reaktionsprodukt u. neue Kettenträger gebildet werden. Bei den *Kettenabbruchreaktionen* werden Kettenträger weggefangen, ohne daß andere neu entstehen. Wird der Kettenstart durch Substanzen, die leicht in *freie Radikale zerfallen, ausgelöst, wie z. B. bei der *Radikal-Kettenpolymerisation (s. Initiatoren), so spricht man von *Ketteninitiierung* (Ketteninduzierung). Als *Kettenglied* od. *Fortpflanzungscyclus* bezeichnet man die Reaktionsfolge vom prim. entstandenen Kettenträger bis zu seiner Neubildung im Verlaufe der Fortpflanzungsreaktionen. Addiert sich der Initiator vorübergehend an ein Substratmol. u. klinkt er sich nach Ablauf der K. wieder „unverändert" aus, so nennt man diesen Prozeß wegen seiner formalen Analogie zur *Katalyse eine *Zwischenreaktionskatalyse*; *Beisp.:* *Autoxidation.

Das klass. Beisp. einer K. ist die ab 1913 von *Bodenstein u. *Nernst (1918) untersuchte photochem. induzierte Vereinigung von Wasserstoff u. Chlor zu Chlorwasserstoff (*Chlorknallgas-Reaktion). Dabei wird zunächst in der „ruhenden" Gasmischung ein Chlor-Mol. durch Energiezufuhr (Lichteinstrahlung, *Photolyse) in 2 *freie Radikale gespalten: *Startreaktion* (Kettenstart, *Initiation = I im Schema).

$$Cl_2 + h\nu \rightarrow Cl^\cdot + Cl^\cdot \qquad\qquad I$$
$$Cl^\cdot + H_2 \rightarrow HCl + H^\cdot \qquad\qquad P1$$
$$H^\cdot + Cl_2 \rightarrow HCl + Cl^\cdot \qquad\qquad P2$$
$$Cl^\cdot + Cl^\cdot + M \rightarrow Cl_2 + M \qquad\qquad T$$

Beide Chlor-Atome können nun in der *Kettenfortpflanzungsreaktion* (*Propagation = P im Schema) je

ein H_2-Mol. spalten u. sich mit je einem Wasserstoff-Atom zu HCl vereinigen (P 1). Übrig bleibt je ein H-Atom (Radikal), das mit neuem Cl_2 zu HCl unter erneuter Zurücklassung eines Chlor-Atoms reagieren kann (P 2). Die Reaktion P 2 ist deutlich *exotherm, d. h. es wird Wärme freigesetzt; Reaktion P 1 ist hingegen nahezu thermoneutral. Die Propagationsreaktionen P 1 u. P 2 wechseln in einem sehr kurzen Zeitraum sehr oft miteinander ab, bis schließlich ein *Kettenabbruch* (*Abbruchreaktion, Termination) erfolgt (T).

Die *Kettenlänge,* d. h. die Zahl der Reaktionscyclen, die im Anschluß an die Startreaktion bis zum Abbruch durchlaufen werden, beträgt bis zu $4 \cdot 10^6$; entsprechend groß ist die *Quantenausbeute der photochem. induzierten Chlorknallgas-Reaktion. Der Abbruch der K. kann durch Rekombination zweier Chlor-Atome zu einem Chlor-Mol. erfolgen; der Großteil der hierbei freigesetzten Energie wird von einem dritten Stoßpartner M (kann auch die Wand des Reaktionsgefäßes sein) übernommen. In Ggw. geringer Verunreinigungen, insbes. von Sauerstoff, sind andere Abbruchreaktionen meist wichtiger, v. a. Reaktionen

$$H^\cdot + O_2 + M \rightarrow HOO^\cdot + M$$
$$od. \; Cl^\cdot + O_2 + M \rightarrow {}^\cdot ClO_2 + M,$$

die zur Bildung der relativ stabilen *Radikale $HOO^\cdot$ u. $^\cdot ClO_2$ führen.

Die Chlorknallgas-Reaktion ist das Beisp. einer *unverzweigten* Kettenreaktion. Es kann aber auch vorkommen, daß bei einer Fortpflanzungsreaktion zwei od. mehrere Kettenträger entstehen. Solche Reaktionen heißen *Verzweigungsreaktionen.* Ein Beisp. für einen verzweigten Kettenmechanismus stellt die Knallgas-Reaktion dar (s. Knallgas), bei der die Verzweigungsreaktionen

$$H^\cdot + O_2 \rightarrow HO^\cdot + O^\cdot$$
$$u. \; O^\cdot + H_2 \rightarrow HO^\cdot + H^\cdot$$

die reaktiven Spezies $H^\cdot$, $O^\cdot$ u. $OH^\cdot$ bilden. Sind die Abbruchreaktionen nicht in der Lage, die zusätzliche Erzeugung von Kettenträgern zu kompensieren, so wächst die Konz. der Kettenträger lawinenartig an u. es kommt zur *Explosion. Die Grenze zwischen normaler Reaktion u. Explosion wird also durch die Konkurrenz zwischen Kettenverzweigung u. Kettenabbruch bestimmt. Die Grenze zwischen normalem u. explosionsartigem Reaktionsverlauf zeigt häufig das in der Abb. dargestellte Verhalten.

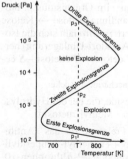

Abb.: Variation der Explosionsgrenzen mit der Temp. für ein äquimolares H_2/O_2-Gemisch.

Bei einer gegebenen, hinreichend großen Temp. (T' in der Abb.) können drei Explosionsgrenzen existieren. Bei sehr niedrigen Drücken zeigt die Reaktion einen normalen Verlauf: Die Vernichtung der Kettenträger erfolgt überwiegend durch Rekombination an den Wänden des Reaktionsgefäßes, die leicht erreicht werden können, da die Kettenträger im Gasraum verhältnismäßig wenigen Mol. begegnen. Die Lage der unteren (ersten) Explosionsgrenze hängt daher empfindlich von der Wandbeschaffenheit ab. Bei Druckerhöhung nimmt die Geschw. ab, mit der die Kettenträger die Wände erreichen u. verschwinden können, u. es kommt zur Explosion (beim Druck p_1).

Bei noch höheren Drücken nimmt die Rekombination im Gasraum an Bedeutung zu (Dreierstöße); diese Art von Kettenabbruch drängt die Neigung zur Explosion zurück. Die zweite Explosionsgrenze (bei Druck p_2) ist daher gegenüber Form u. Größe des Reaktionsgefäßes unempfindlich. Fremdgase tragen zur Erhöhung der Rekombinationswahrscheinlichkeit im Gasraum bei u. hemmen die Explosion; sie senken also die zweite Explosionsgrenze. Im Bereich zwischen p_1 u. p_2 ist das Gemisch nicht mehr explosionsfähig. Schließlich wird bei sehr hohen Drücken die dritte Explosionsgrenze überschritten; in vielen Fällen handelt es sich hierbei um den Übergang zur *therm. Explosion*, die nicht an einen Kettenmechanismus geknüpft ist.

Die Theorie der K. u. der Explosionen wurde v. a. von *Semenov ausgearbeitet; auch *Hinshelwood leistete entscheidende Beiträge.

Bes. wichtige K. sind *Polymerisationen ungesätt. Verb.; Näheres s. Polymerisation. Eine bei *Polymerisationen häufiger zu beobachtende u. für *Telomerisationen typ. Reaktion ist die *Kettenübertragung*. Hierbei endet eine radikal. K. durch Abspaltung eines Radikals aus dem Telogen, dessen radikal. Rest eine neue K. startet, z. B. $R^{\cdot} + CCl_4 \rightarrow RCl + {}^{\cdot}CCl_3$ ($\rightarrow Cl_3CR$ usw.). Polymerisate, in denen die Termination noch aussteht, nennt man *Lebende Polymere.

Will man eine radikal. K. abbrechen, so genügt es oft, kleine Mengen von sog. *Radikalfängern zuzusetzen, z. B. $NO^{\cdot}$, Diphenylpikrylhydrazyl etc., die – je nach Einsatzzweck – mehr od. weniger systemat. als *Antioxidantien, *Inhibitoren, Antikatalysatoren, *Alterungsschutzmittel, *Reglersubstanzen, *Stabilisatoren u. dgl. bezeichnet werden. Bei vielen techn. Prozessen sorgt Staub für Kettenabbrüche: Bei verbleitem Benzin (s. Antiklopfmittel) entsteht im Zylinder der Motoren ein feiner Staub aus Bleioxid, an dem die Reaktionsketten (ähnlich wie beim Stoß auf die Wand) abbrechen, so daß die explosionsartige *Selbstentzündung außerhalb der Flammenfront (*Klopfen*) vermieden wird. Durch Aufwirbeln von Gesteinsstaub in Stollen können *Schlagwetter-Explosionen gehemmt werden, weil der Staub Kettenabbrüche verursacht; nach demselben Prinzip wirken auch die Pulver-*Feuerlöschmittel. Das Mündungsfeuer von Geschützen läßt sich durch einen Kaliumchlorid-Zusatz zum Treibsatz vermindern: Das KCl wird während der Explosion zu feinem Staub verteilt, der kettenabbrechend wirkt. K. bzw. Kettenexplosionen treten bei vielen exothermen Gas- u. Lösungsreaktionen häufig auf, beim therm. Kracken, bei der *Pyrolyse* (*Rice-Herzfeld-Me-

chanismus), bei allen Verbrennungen, Explosionen u. Detonationen sowie in Flammen, aber auch unter milden Bedingungen, z. B. bei Halogenierungen, Sulfochlorierung, Oxid. mit gasf. O_2, Autoxid. usw.; Näheres s. bei den Einzelstichwörtern. Eine wichtige K. in der Biochemie ist z. B. die *Polymerase chain reaction. Auch bei *Kernreaktionen spricht man von K. (genauer von *Kernkettenreaktionen*); solche treten bei der Kernspaltung auf u. bilden die Basis für die techn. Durchführung von Kernprozessen (s. Kernenergie). Man spricht dabei von sich selbst unterhaltenden, konvergenten u. divergenten K., je nachdem, wie viele Neutronen absorbiert u. wie viele dafür freigesetzt werden. – *E* chain reaction – *F* réaction en chaîne – *I* reazione a catena – *S* reacción en cadena

Lit.: Ebisch et al., Chemische Kinetik, Weinheim: Verl. Chemie 1980 ▪ Laidler, Reaktionskinetik I, Mannheim: Bibliograph. Inst. 1970 ▪ Quack u. Jans-Bürli, Molekulare Thermodynamik u. Kinetik, Bd. 1: Chemische Reaktionskinetik, Zürich: Verl. der Fachvereine an den Schweizer Hochschulen u. Techniken 1986 ▪ s. a. Kinetik, Polymerisation, Reaktionsmechanismen u. a. Textstichwörter.

Kettensilicate (Inosilicate) s. Silicate.

Kettenspaltung. Bei der K. werden *Polymer-Mol. nicht wie bei der *Depolymerisation von den Enden her sukzessive abgebaut, sondern an beliebigen Stellen statist. unter Bildung größerer u. kleinerer Bruchstücke gespalten. K. sind im allg. entweder die Umkehrung von *Polyadditionen (*Retropolyadditionen*), falls die Spaltung ohne Beteiligung kleiner Mol. erfolgt, od. von *Polykondensationen (*Retropolykondensationen*). Bei letzteren tragen kleine Mol. zur K. bei wie z. B. Wasser bei der hydrolyt. K. von Polyestern. K. von Makromol., die durch *Polymerisationen erhalten wurden (z. B. *Polyethylen, *Polystyrol) können z. B. durch starke Scherkräfte od. energiereiche Strahlung (UV, γ) verursacht werden. – *E* chain cleavage, chain scission – *I* scissione di catena – *S* desdoblamiento de cadenas

Lit.: Elias (5.) **1**, 576; **2**, 357 ff. ▪ s. a. Depolymerisation.

Kettensteife Polymere. Bez. für *Polymere, deren Hauptketten aus starren Segmenten in einer Weise aufgebaut sind, daß die Gesamt-Mol. Stäbchengestalt erhalten. Wichtige Beisp. für k. P. sind das *Poly-*p*-phenylen (**1**), weiterhin aromat. *Polyester (z. B. **2**), *Polyamide (z. B. **3**), *Polyimide (z. B. **4**), *Polybenzoxazole (**5**), Polybenzthiazole (**6**) sowie einige *Leiterpolymere.

Abb.: Beisp. für kettensteife Polymere.

Die meisten k. P. zeigen aufgrund der durch die Molekülform bedingten starken Kristallisationstendenz u. dem nur geringen Entropie-Gewinn beim Übergang in die Lsg. od. Schmelze sehr hohe Schmelztemp. (vielfach oberhalb der Zersetzungstemp.) u. fast völlige Unlöslichkeit. Um die Löslichkeit der k. P. zu erhöhen u. deren Schmelztemp. zu senken, wurden verschiedene Verf. entwickelt. Von diesen sind der Einbau geknickter od. flexibler Segmente in die Hauptketten der k. P. sowie das Anheften flexibler Seitenketten die bekanntesten u. führen zu einer Vielzahl thermotroper u./od. lyotroper *flüssigkristalliner Polymerer. Eine Übersicht über Struktur, Phasenverhalten u. Eigenschaften der k. P. gibt Lit.[1]. – *E* stiff chain polymers, rigid-rod polymers – *F* polyméres en chaine rigide – *I* polimeri a catena rigida – *S* polímeros de cadena rígida

Lit.: [1] Angew. Chem. **101**, 261–276 (1989).
allg.: s. flüssigkristalline Polymere.

Kettenübertragung s. Polymerisation.

Kettenverlängerung s. Homologe.

Kettenverzweigung s. Polymerisation.

Kettfäden s. Gewebe u. Weben.

Kettlitz. Kurzbez. für die Firma Kettlitz-Chemie GmbH u. Co. KG, 86 643 Rennertshofen. *Daten* (1994): 60 Beschäftigte, 30 Mio. DM Umsatz. *Produktion:* Synthet. Weichmacher, Verarbeitungshilfsmittel, Aktivatoren, Dispergatoren, Feuchtigkeitsabsorber, Trennmittel, Klebrigmacher, synthet. Wärmeübertragungsmedien, Additive u. Spezialleg. für die Öl-Ind., Motorsägenhaftöle.

Ketyle (Metallketyle). Sammelbez. für – meist kurzlebige u. stark gefärbte – organ. Verb., die als *Radikal-Anionen* entstehen, wenn *Ketone kathod. od. mit Alkali- od. Erdalkalimetallen in flüssigem NH_3 od. ether. Lsm. reduziert werden.

$$R^1\!\!-\!\!C=O + Na \xrightarrow{\ Ether\ } R^1\!\!-\!\!\overset{\cdot}{C}-\bar{\underset{\cdot\cdot}{O}}\!\!:^-\ Na^+$$

Benzophenon-Ketyl ($R^1=R^2=C_6H_5$) wird häufig als Indikator für die Herst. von wasserfreien Lsm. (Ether, Aromaten) verwendet, da nur in wasserfreien Lsm. die Ketyl-Farbe erhalten bleibt. Die K. als labile Zwischenstufen der Red. von Ketonen sind Analoga der *Semichinone als Red.-Produkte der Chinone; beide lassen sich aufgrund ihrer *Radikal-Ionen-Eigenschaften durch EPR-Spektroskopie u. a. Meth. der *Magnetochemie untersuchen. – *E* ketyls – *F* cétyls – *I* chetili – *S* cetilos

Lit.: Carey-Sundberg, S. 646, 998 ▪ March (4.), S. 1225 ▪ s. a. Ketone u. Radikal-Ionen.

Keuchhusten (Pertussis). Infektionserkrankung, hervorgerufen durch das Gram-neg. Stäbchenbakterium *Bordetella pertussis*. Die durch Tröpfcheninfektion übertragenen Erreger vermehren sich im Atemtrakt des Menschen, sie wandern nicht in Blut u. Gewebe ein. Die Krankheitserscheinungen werden im wesentlichen durch das von den Bakterien produzierte *Exotoxin, das *Pertussis-Toxin*, hervorgerufen. Dieses Toxin besteht aus zwei Anteilen, A u. B, von denen das B-Oligomer an Zellmembranen bindet u. das A-Oligomer

der tox. aktive Teil ist. Der K. verläuft nach der 1–2wöchigen Inkubationszeit zunächst relativ symptomarm u. führt dann zu 4–8 Wochen dauernder Krankheit mit charakterist. Hustenanfällen, die zu Atemnot u. schwerer Beeinträchtigung, insbes. bei kleinen Kindern, führen. Komplizierend können selten Zweitinfektionen (Lungenentzündung) od. eine Hirnerkrankung (Encephalopathie) auftreten. Die Diagnose wird durch Nachw. der Erreger od. humoraler *Antikörper gestellt, die Behandlung erfolgt mit Antibiotika. Das Überstehen eines K. führt zu einer langdauernden Immunität, eine Schutzimpfung mit abgetöteten K.-Erregern ist möglich. – *E* pertussis – *F* coqueluche – *I* pertosse – *S* coqueluche, tos ferina

Lit.: Brandis et al., Lehrbuch der Medizinischen Mikrobiologie, S. 480–485, Stuttgart: Fischer 1994.

Keuper s. Erdzeitalter.

Kevlar®. *Aramid-Fasern [Poly(*p*-phenylen-terephthalamid)] mit hohem Dehnungswiderstand, großer Festigkeit u. Biegsamkeit als Verstärkungsmaterial in der Reifen-Ind., techn. Gummiartikeln, Verbundwerkstoffen, Personenschutz, Asbest-freien Reibeelementen u. Dichtungen sowie für elektromechan. Kabel als Zugentlastung. *B.:* DuPont.

Kevloc®. Syst. zum Aufbau einer Metall-Artglass®-Verbundschicht nach dem direkten Acylierungsverf. für festsitzenden u. herausnehmbaren Zahnersatz. *B.:* Heraeus Kulzer GmbH.

KF. Abk. für *Karl-Fischer-Reagenz (-Titration).

KFA Jülich. Abk. für die frühere Kernforschungsanlage Jülich GmbH, heute *Forschungszentrum Jülich GmbH.

KfK. Abk. für *Kernforschungszentrum Karlsruhe GmbH.

Kfz. Abk. für *k*ub. *f*lächen*z*entriert, s. Kristallstrukturen.

kg. Kurzz. für die *Grundeinheit *Kilogramm.

KH. Abk. für Karbonat-Härte s. Härte des Wassers.

Kharasch, Morris Selig (1895–1957), Prof. für Organ. Chemie, Univ. Chicago. *Arbeitsgebiete:* Giftgase, Mutterkorn-Alkaloide, Peroxide in organ. Reaktionen, Katalyse der Chlorierung von Aralkyl-Verb., Pilzkrankheiten der Pflanzensamen, Grignard-Reaktion. Zur Unterscheidung zwischen Markownikoff-Addition u. dem Peroxid-Effekt nach K. bei der Addition von Bromwasserstoff an 1-Brompropan s. Markownikoffsche Regel.

Lit.: Neufeldt, S. 182 ▪ Pötsch, S. 234.

Kharasch-Sosnovsky-Reaktion. *tert*-Butylester von Persäuren oxidieren allyl. od. propargyl. C/H-Bindungen zu Acyloxyalkenen bzw. -alkinen (s. Abb. a). Mit Hilfe von Kupfer(I)-iodid u. chiralen Liganden läßt sich die K.-S.-R. auch enantioselektiv durchführen[1] (s. Abb. b, vgl. enantioselektive Synthese). – *E* Kharasch-Sosnovsky reaction – *F* réaction de Kharash-Sosnovsky – *I* reazione di Kharasch-Sosnovsky – *S* reacción de Kharasch-Sosnovsky

Lit.: [1] Tetrahedron Asymmetry **6**, 147, 661 (1995). *allg.:* Hassner-Stumer, S. 202 ■ Nachr. Chem. Techn. Lab. **44**, 155 (1996) ■ Trost-Fleming **7**, 84, 95 ■ s. a. Oxidation.

Khat(h) s. Kat.

Khellin (4,9-Dimethoxy-7-methyl-5H-furo[3,2-g][1]-benzopyran-5-on).

$C_{14}H_{12}O_5$, M_R 260,25, bittere Nadeln, Schmp. 154–155 °C, lösl. in heißem Wasser u. Alkohol, LD_{50} (Ratte p.o.) 80 mg/kg. K. ist ein *Chromon aus den Früchten von *Ammi visnaga* (Ammeifrüchte, arab.: Khella), einem Doldenblütler aus dem Mittelmeerraum. Die Früchte enthalten auch *Khellinin* {Khellolglucosid, Khellosid, $C_{19}H_{20}O_{10}$, M_R 408,36, Krist., Schmp. 179 °C) (wasserfrei), 142 °C (Dihydrat), $[\alpha]_D^{17}$ −1,69°}. Das Aglykon von Khellinin heißt *Khellol* ($C_{13}H_{10}O_5$, M_R 246,22, Schmp. 179 °C). *Visnagin* ($C_{13}H_{10}O_4$, M_R 230,22, Schmp. 144 °C) kommt in Samen von *Ammi visnaga* vor. K. u. Khellinin wirken gefäßerweiternd u. werden zur Therapie von Angina pectoris sowie Bronchialasthma u. Hautkrankheiten wie z.B. Vitiligo (vgl. Psoralen) verwendet [1]. K. hat Cholesterin-senkende [2] u. phototox. Eigenschaften. – *E* khellin – *F* kelline, khelline – *I* kellina – *S* kelina
Lit.: [1] Farmaco (Ed. Sci.) **43**, 333–346 (1988); J. Invest. Dermatol. **90**, 720–724 (1988). [2] Arzneim. Forsch. **35**, 1257–1260 (1985); Int. J. Clin. Pharmacol. Res. **3**, 363–366 (1983). *allg.:* Arch. Pharm. (Weinheim Ger.) **320**, 823–829 (1987) ■ Beilstein E V **19/6**, 320 f. (K.), 324 (Khellol), 30 (Visnagin) ■ Florey **9**, 371–396 ■ Hager (5.) **8**, 677 ff. ■ Karrer, Nr. 1413–1419 ■ Kirk-Othmer (3.) **18**, 670–704 ■ R. D. K. (3.), S. 899. – *Pharmakologie:* Planta Med. **54**, 131–135 (1988); **60**, 101 (1994). – *Struktur:* Cryst. Res. Technol. **23**, 1471–1476 (1988). – *Synth.:* Heterocycles **27**, 1159 ff. (1988) ■ J. Am. Chem. Soc. **107**, 5823 f. (1985) ■ J. Org. Chem. **54**, 3625–3634 (1989) ■ Tetrahedron Lett. **26**, 1385–1388 (1985). – [*HS 2932 90; CAS 82-02-0 (K.); 17226-75-4 (Khellinin); 478-79-5 (Khellol); 82-57-5 (Visnagin)]*

Khellinin, Khellol s. Khellin.

Khorana, Har Gobind (geb. 1922), Prof. für Organ. Chemie, Massachusetts Inst. of Technology, Cambridge, Massachusetts. *Arbeitsgebiete:* Peptide u. Proteine, biolog. wichtige Phosphatester, Synth. von Coenzym A, Enzyme des Nucleinsäure-Stoffwechsels, Viren, Synth. auf dem Gebiet des genet. Codes, Darst. aller Codons. Nobelpreis für Physiologie od. Medizin 1968 (zusammen mit *Holley u. *Nirenberg).

Lit.: Lexikon der Naturwissenschaftler, S. 241 ■ Nachmansohn, S. 289 ■ Nachr. Chem. Tech. Lab. **16**, 367 f. (1968) ■ Neufeldt, S. 292, 353, 376 ■ Pötsch, S. 234 ■ Science **162**, 433–436 (1968) ■ Who's Who in America (50.), S. 2291.

Khusimol, Khusimon, Khusinol s. Vetiveröl.

KI. Abk. für *Künstliche Intelligenz.

Kicker. Bei der *Schaumstoff-Erzeugung entstehen durch chem. Reaktion Gase, die die *Polymeren aufblähen. Diese Gase können einerseits während der Polyreaktion selbst entstehen (z.B. bei der Herst. von *Polyurethan-Schäumen). Vielseitiger anwendbar ist aber die Verschäumung fertiger Polymerer mit Treibmitteln wie 1,1-Azobisformamid (ABFA), das hauptsächlich in N_2, CO u. Harnstoff zerfällt. Da dieser Zerfall jedoch oft hohe Temp. erfordert, setzt man sog. „K." zu. Dabei handelt es sich um katalyt. aktive Substanzen (z.B. alkal. Metall-Verb., meist Zink-Derivate), die bewirken, daß der Treibmittel-Zerfall bereits bei tiefen Temp. einsetzt. – *E = I = S* kicker
Lit.: Elias (5.) **2**, 660.

Kidnap s. CIDNP.

Kiefernöle s. Fichten- u. Kiefernnadelöle.

Kienöle. Althergebrachte Bez. für aus Wurzeln geeigneter Kiefern gewonnenes *Terpentinöl sowie aus Kienteer durch Dest. erhaltene Öle, vgl. Holzterpentinöl.
Lit.: DIN 53 248 (01/1995) ■ Ullmann (3.) **16**, 297; **22**, 555.

Kienruß (Rußschwarz). Grauschwarzer Ruß, der bei der Verbrennung von harzreichem Kiefernholz entsteht.

Kienteer. Der bei der Nadelholzverkokung anfallende Teer.

Kieralon®. Netz-Waschmittel-Kombinationen mit breitem Anw.-Spektrum für die Textil.-Ind. auf der Basis von Aniontensiden u. nichtion. Ethoxylierungsprodukten. *B.:* BASF.

Kiermeier, Friedrich (1908–1995), Prof. für Lebensmittelchemie, Weihenstephan. *Arbeitsgebiete:* Einfluß äußerer Einwirkungen auf Lebensmittel, insbes. auf ihre Enzyme, Vorratshaltung, Milch u. ihre Produkte, sensor. Prüfung von Lebensmitteln, Aflatoxine; langjähriger Hrsg. der Zeitschrift für Lebensmittel-Untersuchung u. -Forschung.
Lit.: Kürschner (16.), S. 1763 ■ Nachr. Chem. Tech. Lab. **44**, Nr. 2, 233 (1996).

Kies (Schotter). Bez. für ein unverfestigtes, *klastisches Gestein, das zu über 50% aus *Geröllen*, d.h. rundlichen Mineral- u. Gesteinsbruchstücken von über 2 mm Durchmesser besteht; verfestigter K. wird als *Konglomerat bezeichnet. Gröberen K. bis hin zu *Quarz-Geröllen (*Kiesel*) findet man v. a. am Oberlauf von Flüssen.
Verw.: Als natürliche *Baustoffe, z.B. zur Herst. von *Beton, im Straßen- u. Wegebau usw. Hier unterscheidet man je nach Körnung Fein-K. (2–20 mm) u. Grob-K. (20–200 mm) od. nach DIN 4022 (05/1982) *Fein-K.* (2–6,3 mm), *Mittel-K.* (6,3–20 mm) u. *Grob-K.* (20–63 mm).
Lagerstätten von K. – meist zusammen mit *Sand – finden sich in der BRD z.B. zwischen Donau u. Alpen,

in der Niederrhein. Bucht, im Oberrheintal u. zahlreichen anderen Flußtälern sowie in den Gletscherablagerungen der pleistozänen Vereisungen. – *E* gravel – *F* gravier – *I* ghiaia – *S* grava

Lit.: Harben u. Bates, Industrial Minerals, Geology and World Occurrence, S. 235 ff., London: Industrial Minerals Division of Metal Bulletin Plc 1990 ▪ Koensler, Sand u. Kies, Stuttgart: Enke 1989 ▪ s. a. klastische Gesteine, Sedimente. – *[HS 2517 10]*

Kiesabbrände. Bei der Gewinnung von SO_2 für die Herst. von Schwefelsäure werden häufig *Kiese, insbes. *Pyrit (s. a. Eisensulfide) verwendet, die durchschnittlich 40–48% Schwefel gebunden enthalten. Diese Erze werden in Drehöfen, Wirbelschichtöfen u. dgl. durch *Rösten vom SO_2 befreit, wobei 1 t Pyrit 0,7 t K. liefert. Die verbleibenden oxid. Produkte nennt man K. od. auch einfach *Abbrand. Sie werden vornehmlich auf Eisen (Fe-Gehalt bis zu 63% als Fe_2O_3), Au, Ag, Co, Cd, In, Tl, Cu, Zn, Pb etc. aufgearbeitet (vgl. Eisensulfide), wozu bei der Duisburger Kupferhütte das Verf. der *chlorierenden Röstung entwickelt wurde, die die verwertbaren Bestandteile der K. in wasserlösl. Chloride überführt. – *E* pyrite cinders – *F* cendre de pyrite – *I* calcinazioni dalla pirite – *S* cenizas de pirita

Lit.: Winnacker-Küchler (4.) **2**, 19 ff.; **4**, 387 f.

Kiese. Bergmänn. Bez. für die „bunten Blenden", d. h. sulfid. Erze des *Pyrit-, *Markasit- u. *Pyrrhotin-Typs, in denen Fe auch durch andere Metalle der 8. Gruppe vertreten sein kann. Die K. sind z. T. wichtige Erze für Cu, Ni, Co, As u. a.; *Beisp.:* *Kupferkies (Chalkopyrit), Nickelmagnetkies (*Pentlandit), Arsenkies (*Arsenopyrit), Rotnickelkies (*Nickelin). – *E* = *F* pyrites – *I* piriti – *S* piritas

Kiesel. Veraltete Bez. für elementares *Silicium, die erstmals von Berzelius (1823) verwendet wurde u. in Namen wie Kieselsäure, Kieselfluornatrium, Kieselgel u. *Kieselgur erhalten blieb. K. ist auch Bez. für Quarzgerölle, vgl. Kies.

Kieselalgen s. Algen u. Kieselgur.

Kieselerde. Alte Bez. für Mineralien, die sich (infolge ihres *Quarz-Gehalts) zur Glasbereitung eignen; K. ist im wesentlichen SiO_2. Heute bezeichnet man als K. oft unterschiedslos Quarz-haltige *Kaoline, *Kieselgur u. verwandte *Sedimente, die aus in Schichten abgelagerten Panzern von Radiolarien u. Diatomeen (vgl. Kieselgur) bestehen. Die seit 1978 im Tagebau abgebaute *Neuburger Kieselerde* (Neuburg/Donau) ist ein feinmehliges, weißes Mineralgemenge aus 85–90% Quarz u. *Kaolinit; Verw. als Füllstoff in der Kautschuk-, Kunststoff-, Farben- u. Lack-Ind., als Putz-, Schleif- u. Poliermittel u. in Schweißelektroden, Kosmetik u. Pharmazie. – *E* siliceous earth – *F* silice, dioxyde de silicium, terre siliceuse – *I* terra silicea – *S* sílice, tierra silícea

Lit.: Wirtschaftsvereinigung Bergbau e. V. (Hrsg.), Das Bergbau-Handbuch, S. 276 f., Essen: VGE Verl. Glückauf 1994.

Kieselester s. Kieselsäureester.

Kieselfluor... s. Fluorokieselsäure, einzelne Fluorosilicate u. Fluate.

Kieselgalmei s. Hemimorphit.

Kieselgele (Silicagele, Kieselsäuregele). Kolloidale geformte od. ungeformte *Kieselsäure von elast. bis fester Konsistenz mit lockerer bis dichter Porenstruktur u. hohem Adsorptionsvermögen für Gase, Dämpfe u. Flüssigkeiten. In den K. liegt die Kieselsäure in Form hochkondensierter Polykieselsäuren mit oberflächenreicher Blattstruktur vor (*Kiesel-Xerogele*); auf der Oberfläche der K.-Teilchen finden sich Siloxan u./od. Silanol-Gruppen. Die Herst. der K. erfolgt aus *Wasserglas durch Umsetzung mit Mineralsäuren. Bei den so gebildeten u. ggf. als *Kieselsole techn. eingesetzten *Kieselsäure-Hydrosolen* kann bei entsprechendem Temp.- u. pH-Wert die Umhüllung der kolloiddispersen Kieselsäure-Teilchen mit Wasser so weit gehen, daß das inkohärente Syst. zu einem Gel erstarrt, bei dem die dispersen Kieselsäuren netz- od. wabenartig (oberflächenreiche Blattstruktur) im Wasser angeordnet sind. Die bei der Umsetzung gleichfalls entstandenen Salze (z. B. Na_2SO_4) müssen ausgewaschen werden. Je nach pH-Wert, bei dem das Waschen erfolgt, erhält man bei saurer (neutraler, basischer) Reaktion engporige (mittel-, weitporige) Kieselgele. Danach wird bis zu einem Feststoffgehalt von 95% zum *Xerogel* getrocknet. Bes. reine K. können aus *Kieselsäureestern hergestellt werden [1]. Die K. sind, wie auch andere Formen des *Siliciumdioxids, gegen die meisten aggressiven Medien – außer gegen Flußsäure – beständig. Mittlere K.-Qualitäten haben ca. 800 m^2/g innere Oberfäche.

Verw.: Da man durch entsprechende Wahl der Herst.-Bedingungen ihre Struktur der jeweiligen Verw. anpassen kann, haben K. als Reinigungs-, Entfärbungs-, Filter-, Klär-, Träger- u. Speicherstoffe auf zahlreichen techn. Gebieten erhebliche Bedeutung [2]. Engporige K. mit Schüttdichten von 0,7–0,8 g/mL können bis zur vollständigen Sättigung ca. 35–50%, weitporige mit 0,4–0,5 g/mL Schüttdichte 90–100% ihres Gew. an Wasser aufnehmen. K. der verschiedenen *Poren-Vol. werden daher oft zur Trocknung von Flüssigkeiten (Benzin, Benzol, Transformatorenöl usw.), zur Trocknung u. Reinigung von Ind.-Gasen (wie Luft, O_2, N_2, H_2, CO, CO_2, Ar od. Wasser-, Generator-, Misch-, Synthese-, Stadt-, Kokerei-, Hydrier-Gas), Gebläsewind für Hochöfen, komprimierten u. zu verflüssigenden Gasen usw. verwendet. Ferner dient K. zur Raumtrocknung in Klimaanlagen, Isolierglaselementen u. in Verpackungen feuchtigkeitsempfindlicher Güter sowie zur Einstellung eines bestimmten Feuchtigkeitsgehalts der Luft in Versammlungs-, Lager- u. Fabrikräumen. Mit Cobalt-Verb. als Feuchteindikator imprägnierte K. werden unter der Bez. *Blaugel gehandelt. Weitporige K. werden als Katalysatorträger u. zur *Immobilisierung in der Biotechnologie [3], feinteilige zur Bierstabilisierung, als Lackmattierungs- u. Thixotropierungsmittel eingesetzt. In der organ. Synth. kann K. u. a. die schonende Oxid. von Alkenen mit Ozon bzw. die Spaltung von Acetalen vermitteln [4]. Im Laboratorium finden K. ihr Haupteinsatzgebiet als *Adsorbentien in der *Adsorptions-, insbes. der *Dünnschicht- u. *Säulenchromatographie, wo sie teilw. mit *Aluminiumoxiden konkurrieren. K. für chromatograph. Zwecke kommen als Pulver in verschiedenen Korngrößen od. auf Trägermaterialien

(z. B. Glasplatten, Kunststoff-, Aluminiumfolien usw.) aufgebracht in den Handel. Häufig werden ihnen Fluoreszenzindikatoren für die Betrachtung im lang- (K. F_{366}) bzw. kurzwelligen (K. F_{254}) UV-Licht u. Zusatzstoffe wie z. B. Gips, Stärke, Silicone usw. zugesetzt; Bedeutung der Zusatzbuchstaben: G = mit Gips, F = mit Fluoreszenzzusatz, H = ohne Zusätze, P = für präparative Schichtchromatographie, R = hochgereinigt. Durch geeignete Vorbehandlung (Trocknung, ggf. auch Aufbewahrung unter definierter Luftfeuchtigkeit) erhält man K. verschiedener Aktivitätsstufen, mit denen sich ggf. auch die Verw. in der *HPLC, *Gelchromatographie u. *Verteilungschromatographie u. der *Elektrophorese erreichen läßt. Die durch Flammenhydrolyse von $SiCl_4$ hergestellten hochdispersen „pyrogenen" SiO_2-Qualitäten (z. B. *Aerosil®) werden *nicht* zu den K. gerechnet, sondern zu den *Kieselsäuren. – *E* silica gel – *F* gel de silice – *I* gel di silica – *S* geles de sílice

Lit.: [1] Brauer (3.) **2**, 695 f. [2] Winnacker-Küchler (3.) **2**, 540 f. [3] Chem. Ztg. **97**, 611–619 (1973). [4] Synthesis **1976**, 523 f.; **1978**, 63–65.
allg.: Adv. Chromatogr. **20**, 167–195 (1982) ▪ Chem. Labor Betr. **33**, 362–364 (1982) ▪ Gmelin, Syst.-Nr. 15, Si, 1959, S. 457–539 ▪ Hager **6 b**, 394 f.; **7 b**, 236–249 ▪ Iler, The Chemistry of Silica, New York: Wiley 1979 ▪ Kirk-Othmer (3.) **20**, 766–781 ▪ Winnacker-Küchler (3.) **2**, 525–545 ▪ s. a. Kieselsäuren. – *[HS 2811.19]*

Kieselgesteine. Zusammenfassende Bez. für *Sedimente u. *Sedimentgesteine, die zu über 50% aus den Kieselmineralien *Opal-A (biogen entstanden), Opal-CT (krist. Opal, als Wechsellagerung von *Cristobalit u. *Tridymit) sowie Abarten von *Quarz [*Chalcedon, Quarzin, Kryptoquarz (Krist. <10 µm), Mikroquarz (körniger mikrokrist. Quarz) od. Faserquarz] bestehen. Unverfestigte K. bestehen im allg. aus den Hartteilen von Kieselorganismen (mit >50% biogenem Opal), sie werden nach diesen als *Diatomeenschlamm* (z. B. auf Ozeanböden in höheren Breiten), *Radiolarienschlamm* (z. B. auf Ozeanböden in Äquatornähe) od. *Schwammnadeln-Schlamm* bezeichnet. Schwach verfestigte K. werden als *Diatomeenerde* (*Kieselgur) bzw. *Radiolarienerde* bezeichnet. Stärker umkrist., im allg. aus Opal-CT bestehende K. nennt man *Porzellanit*. An heißen Quellen nach porös bis dichter, loser od. verfestigter *Kieselsinter* (Geyserit) bilden, ein erstarrtes, aus Opal bestehendes weißes, auch graues, gelbes od. rötliches *Kieselgel mit bis zu 20% Wasser (Vork. z. B. an den Geysiren von Island, im Yellowstone Park/USA u. in Neuseeland). *Tripel* (terra tripolitana) sind leichte, nicht aus Organismen aufgebaute K. mit hoher Porosität; die Bez. Tripel od. Polierschiefer werden aber auch auf Kieselgur angewandt. Stark verfestigte K. die im allg. aus Mikroquarz (durchschnittliche Korngröße ca. 8–10 µm) u. Faserquarz einschließlich Chalcedon bestehen, werden als *Hornstein* od. *Chert* bezeichnet; die Umwandlung kieseliger biogener Schlämme in Chert umfaßt die Stadien Opal-A → Opal-CT → Mikroquarz. Läßt sich der Ursprung noch erkennen, kann man die Namen *Diatomit*, *Spiculit* (Spongiolith, Kieselmergel, mit >50% Schwammnadeln, z. B. im alpinen Jura) od. *Radiolarit* [Vork. in den Nord- u. Südalpen; in *Ophiolithen (z. B. Korsika, Ligurien); im Paläozoikum (s. Erdzeit-

alter) unter der Bez. *Kieselschiefer bzw. *Lydit* z. B. im Rhein. Schiefergebirge u. im Frankenwald] verwenden. *Hornsteinknollen* sich durch Diagenese (Sedimentgesteine) entstanden; sie werden v. a. in der Oberkreide (s. Erdzeitalter) auch als *Feuerstein (enthält auch Moganit) od. Flint bezeichnet (Vork. z. B. in der Schreibkreide auf Rügen u. in Dänemark). Chert-Gesteine in der geolog. Vergangenheit werden gewöhnlich in gebankte u. knollig ausgebildete Vork. [z. B. in der alpinen Trias (s. Erdzeitalter) u. im alpinen wie außeralpinen Jura] unterteilt. K. aller Art sind meist weiß, grau od. gelblichbraun. Es treten aber auch rote (z. B. viele Radiolarite), gelbe, rosa, grünliche, bläuliche, braune od. schwarze Farbschattierungen auf. Der Glanz reicht von beinahe glasig bis porzellanartig stumpf. Hornsteine sind gewöhnlich dichte, sehr harte, mit einem muscheligen Bruch zersplitternde Gesteine. (Roter) *Jaspis* ist wesentlicher Bestandteil der *gebänderten Eisensteine, v. a. der Jaspilite. Auf dem Festland spielen SiO_2-Ausscheidungen im warmfeuchten bis ariden Klima u. in abgeschlossenen Becken (sog. *Silcretes*) eine große Rolle. Im warmtrockenen Klima findet man in Seen gebildete (limn.) Kieselsedimente mit Na-Silicat-Vorstufen, u. a. *Magadiit* $NaSi_7O_{13}(OH)_3 \cdot 3 H_2O$, die zu Chert altern. Das hinsichtlich seiner Verw. wichtigste K. ist Kieselgur; Feuerstein war der wichtigste Werkstoff der Steinzeit. – *E* siliceous rocks, cherts – *F* roches de silices – *I* rocce silicee – *S* rocas silíceas, sílex
Lit.: Dietrich u. Skinner, Die Gesteine u. ihre Mineralien, S. 250–254, Thun: Ott 1984 ▪ Füchtbauer (Hrsg.), Sedimente u. Sedimentgesteine (4.) (Sediment-Petrologie Tl. II), S. 501–542, Stuttgart: Schweizerbart 1988 ▪ Heaney, Prewitt u. Gibbs (Hrsg.), Silica (Reviews in Mineralogy, Vol. 29), S. 233–258, Washington (D. C.): Mineralogical Society of America 1994 ▪ Ijima, Hein u. Siever (Hrsg.), Siliceous Deposits in the Pacific Region (Developments in Sedimentology 36), Amsterdam: Elsevier 1983 ▪ Tucker, Einführung in die Sedimentpetrologie, S. 221–230, Stuttgart: Enke 1985 ▪ s. a. Sedimentgesteine u. Quarz.

Kieselglas s. Quarzglas, Glas.

Kieselgur (Diatomeenerde; die K., selten: Kieselguhr; von gären abgeleitet; latein. Bez.: terra silicea). Sehr feinkörniges, lockeres, leichtes, Kreide-ähnliches, meist weißes bis hellgraues, beim Brennen rötlich, gelblichbraun od. weiß werdendes, zu den *Kieselgesteinen gehörendes *Sediment, das aus 70–90% amorphem *Opal-A, 3–12% Wasser u. etwas organ. Beimengungen (z. B. Bitumen) besteht; chem. Analysen ergeben z. T. nur geringe Gehalte an Fe, Al, Ca, Mg, Mn, Ti, Na, K, P u. S; K. besteht aus den formenreichen Kieselsäure-Gerüsten mikroskop. kleiner, seit der Trias (*Erdzeitalter) in Süß-, Brack- u. Salzwasser lebender *Algen (*Diatomeen*, *Kieselalgen*). Die Gerüste haben viele feinste Rillen, Vertiefungen, Kanäle usw.; daraus erklärt sich die geringe Dichte (K. schwimmt auf Wasser), das hohe Aufsaugevermögen, die gute Filterleistung u. die geringe Wärme- u. Schall-Leitfähigkeit. K. ist feuerbeständig, widerstandsfähig gegen Säuren u. Chemikalien u. elektr. Nichtleiter.
Vork.: Weltweit, z. B. Lompoc/Kalifornien sowie Nevada, Oregon u. Washington/USA, Rumänien, GUS-Staaten, Auvergne/Frankreich, Spanien, Südkorea u.

Mexiko; in Dänemark wird *Moler(erde) abgebaut. In der BRD in der Lüneburger Heide u. in Sachsen-Anhalt. Diatomeenschlämme (verfestigt: *Diatomite*) sind verbreitet auf den Ozeanböden höherer Breiten, z. B. im nördlichen Pazifik (u. a. Golf von Kalifornien) u. in der Umgebung der Antarktis.

Gewinnung, Aufbereitung: Die auch als *Infusorienerde* od. *Bergmehl* bezeichnete K. wird im allg. im Tagebau gefördert; die Aufbereitung umfaßt Schlämmen (Entfernen von Sand), Trocknen, Brennen, Mahlen u. Sieben. Handelsformen s. Ullmann (*Lit.*).

Verw.: Als Filterstoff, u. a. in der Getränke-Ind., Füllmasse in der Papier-, Gummi- u. Kunststoff-Ind., Schall- u. Wärmedämmstoff; als feuerbeständiger, leichter Bestandteil von Baustoffen, z. B. Leichtbausteinen; als Absorptionsmittel (z. B. bei der Gasreinigung, in Katzenstreu), Verpackungsmaterial für den Transport von Gefahrstoffen u. Stabilisierungsmittel in Acetylen-Gasflaschen u. früher für *Dynamit; als Scheuermittel in Metallputzmitteln u. Zahnpasten. Zu K. bzw. den Kieselgesteinen werden auch *Polierschiefer* u. der K., Eisenoxide, Ton u. Sand enthaltende, gelbliche bis aschgraue *Tripel* gerechnet, die zum Polieren von Metallen, Steinen usw., als Metallputzmittel u. zur Herst. von Leichtbausteinen (Tripel) verwendet werden.

Arbeitsschutz: Beim Brennen von K. wandelt sich ein mehr od. weniger großer Teil der amorphen Kieselsäure in *Cristobalit um; dieser kann in Staubform *Silicose u. auch Krebs erzeugen. *MAK-Werte:* Cristobalit-haltiger Feinstaub: 0,15 g/m³, gebrannte K.: 0,3 mg/m³, ungebrannte K.: 4 mg/m³. Ferner sind Vorschriften der VBG 119 (Quarz: Schutz vor gesundheitsgefärdendem Staub), der VBG 100 (arbeitsmedizin. Vorsorge) u. der *Gefahrstoffverordnung (10/1993; 3. Abschnitt: Kennzeichnung u. Verpackung beim Inverkehrbringen) zu beachten. – *E = F* kieselguhr, diatomite – *I* farina fossile, tripoli, terra diatomacea – *S* kieselguhr, tierra de infusorios

Lit.: Füchtbauer (Hrsg.), Sedimente u. Sedimentgesteine (4.) (Sediment-Petrologie Tl. II), S. 505–514, Stuttgart: Schweizerbart 1988 ■ Harben u. Bates, Industrial Minerals, Geology and World Occurrence, S. 102–105, London: Industrial Minerals Division of Metal Bulletin Plc 1990 ■ Simpson u. Vulcani, Silicon and Siliceous Structures in Biological Systems, Berlin: Springer 1981 ■ Ullmann (5.) **A 23**, 607–614 ■ Wirtschaftsvereinigung Bergbau e. V. (Hrsg.), Das Bergbau-Handbuch, S. 277, Essen: VGE Verl. Glückauf 1994. – *[HS 2512 00; CAS 61790-53-2 (getrocknete K.); 91053-39-3 (gebrannte K.)]*

Kieselkupfer, Kieselmalachit s. Chrysokoll.

Kieselpflanzen s. Kalkpflanzen.

Kieselsäureester. Sammelbez. für die Ester der *Kieselsäuren, insbes. der *Orthokieselsäure* mit der allg. Formel Si(OR)₄ mit R = organ. Rest; zur Nomenklatur nach IUPAC-Regel D-6.9 u. I-9.5 s. Silicium-organische Verbindungen. Die aliphat. K. (*Tetraalkoxysilane, Tetraalkylsilicate*) sind mehr od. weniger hydrolyseempfindliche Flüssigkeiten.

Herst. u. Verw.: Durch Umsetzen von Siliciumhalogeniden mit Alkoholen. Einige K. werden als synthet. Schmiermittel, Hydrauliköle od. Wärmeübertragungsmittel verwendet. Die leichter hydrolysierbaren K. (z. B. *Ethylsilicate) dienen als Bindemittel im Bau-

tenschutz, als Vernetzer in Siliconkautschuken (s. Silicone) od. als Zwischenprodukte für Silicon-modifizierte Lacke. Mit Ausnahme des giftigen Tetramethoxysilans (*Tetramethylsilicat*) weisen die K. eine geringe Toxizität auf, die mit den alkohol. Spaltprodukten bei der Hydrolyse in Zusammenhang steht. – *E* esters of silicic acids – *F* esters des acides siliciques – *I* estere dell'acido silicico – *S* ésteres de los ácidos silícicos

Lit.: Kirk-Othmer (3.) **20**, 912–921 ■ s. a. Silicium-organische Verbindungen. – *[HS 2920 90]*

Kieselsäuregele s. Kieselgele.

Kieselsäuren. Sammelbez. für Verb. der allg. Formel $(SiO_2)_m \cdot n\,H_2O$. Setzt man ein Siliciumhalogenid (z. B. $SiCl_4$) mit Wasser um, so bildet sich prim. die *Orthokieselsäure* (Monokieselsäure):

$$SiCl_4 + 4\,H_2O \rightarrow Si(OH)_4 + 4\,HCl.$$

Die Orthokieselsäure, H_4SiO_4, M_R 96,11, ist eine sehr schwache Säure, die nur in großer Verdünnung (Konz. $<2 \cdot 10^3$ mol/L) u. bei pH-Werten zwischen 2 u. 3 für einige Tage beständig ist; bei größeren u. kleineren pH-Werten spaltet sie intermol. Wasser ab. Als erstes Kondensationsprodukt tritt so die *Dikieselsäure* (Pyrokieselsäure, $H_6Si_2O_7$, M_R 174,21) auf:

$$(HO)_3Si-OH + HO-Si(OH)_3 \xrightarrow{-H_2O} (HO)_3Si-O-Si(OH)_3.$$

Weitere Kondensation führt auf dem Weg über cycl. K. (insbes. $[Si(OH)_2-O-]_4$) u. käfigartige K. zu annähernd kugelförmigen *Polykieselsäuren*. Formales Endprodukt der Kondensation ist polymeres *Siliciumdioxid, $(SiO_2)_x$, das Anhydrid der Kieselsäure. Bei der Kondensation laufen kettenverlängernde, ringbildende u. verzweigende Prozesse nebeneinander ab, so daß die Polykieselsäuren ungeordnet aufgebaut (amorph) sind. Die Si-Atome befinden sich bei allen K. im Mittelpunkt von unregelmäßig miteinander verknüpften Tetraedern, an deren 4 Eckpunkten O-Atome liegen, die gleichzeitig den Nachbartetraedern angehören. Näheres s. *Lit.*[1] u. vgl. die Abb. bei Silicate. Die K. besitzen in bes. Maße die Fähigkeit, kolloidale Lsg. von Poly-K. zu bilden, in denen die K.-Partikel Teilchengrößen zwischen 5 u. 150 nm besitzen. Diese werden als *Kieselsole bezeichnet. Sie sind gegen weitere Kondensation instabil u. können durch *Aggregation in *Kieselgele umgewandelt werden.

Der menschliche Körper enthält ca. 2 g Kieselsäure. Die wachstumsfördernde Wirkung von K. läßt auf eine biolog. Funktion schließen[2], vgl. a. *Lit.*[3]. K. spielen auch eine Rolle bei der Bildung von versteinertem Holz u. *Fossilien (*Verkieselungen*). Der Nachw. von K. kann mit Hilfe von Ammoniummolybdat-Lsg. erfolgen, wobei sich das Heteropolysäure-Anion $SiMo_{12}O_{40}^{4-}$ bildet. Die quant. Bestimmung ausgefällter Molybdatosilicate kann durch Gravimetrie, Komplexometrie oder Säure-Base-Titration nach Zers. mit einem abgemessenen NaOH-Überschuß erfolgen[4]. Alle synthet. K. sind amorph u. gelten als ungiftig, da tox. Wirkung erst bei Gewebekonz. >100 mg/kg beobachtet wird[2]. Für sie gilt der MAK-Wert 4 mg/m³, der seit 1984 als allg. Staubgrenzwert gilt. K. rufen im Gegensatz zu den natürlich vorkommenden krist. Modif. des Siliciumdioxids wie *Quarz, *Cristobalit od. *Tridymit keine *Silicose hervor.

***Vork.*:** K. finden sich prakt. in allen natürlichen Gewässern sowie in den Körperflüssigkeiten von Mensch, Tier u. Pflanze. Das durch biolog. Prozesse dem Wasser entzogene SiO_2 wird durch Auflösen einer entsprechenden SiO_2-Gesteinsmenge laufend ersetzt. ***Herst.*:** Alle synthet. K. werden aus dem Rohstoff *Sand* gewonnen (s. Abb.).

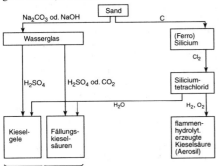

Abb.: Übersicht über die Herst. von Kieselsäure-Produkten.

Hinsichtlich des Produktionsumfanges haben die *Fällungs-K.* die bei weitem größte Bedeutung. Sie werden aus einer wäss. Alkalisilicat-Lsg. durch Fällung mit Mineralsäuren hergestellt. Dabei bilden sich kolloidale Primärteilchen, die mit fortschreitender Reaktion agglomerieren u. schließlich zu Aggregaten verwachsen. Die pulverförmigen, voluminösen Formen besitzen Porenvolumina von $2,5 – 15$ mL/g u. spezif. Oberflächen von $30 – 800$ m^2/g.

Unter der Bez. *pyrogene K.* werden hochdisperse K. zusammengefaßt, die durch Flammenhydrolyse hergestellt werden. Dabei wird Siliciumtetrachlorid in einer Knallgas-Flamme zersetzt:

$$H_2 + O_2 + SiCl_4 \xrightarrow{1000\,°C} SiO_2 + 4\,HCl.$$

Pyrogene K. besitzen an ihrer nahezu porenfreien Oberfläche deutlich weniger OH-Gruppen als Fällungs-K. (vgl. Aerosil®, Cab-O-Sil® u. HDK sowie *Lit.*[5]). Wegen ihrer durch die Silanol-Gruppen bedingten Hydrophilie werden die synthet. K. häufig chem. Nachbehandlungsverf. unterzogen, bei denen die OH-Gruppen z.B. mit organ. Chlorsilanen reagieren. Dadurch entstehen modifizierte, z.B. hydrophobe Oberflächen, welche die Anw.-techn. Eigenschaften der K. wesentlich erweitern.

***Verw.*:** Synthet. K. finden Verw. als Verstärkerfüllstoffe in Kautschuken, als Träger für Pflanzenschutzmittel, in Siliconöl- u. Mineralöl-Entschäumern, in Fugendichtungsmassen, als Rieselhilfen, zur Mattierung von Lacken, als Antiblockingmittel in Kunststoffen, als Zusätze zu Zahnpasta. – *E* silicic acids – *F* acides siliciques – *I* acidi silicici – *S* ácidos silícicos

***Lit.*:** [1] Hollemann-Wiberg (101.), S. 922–950. [2] Belitz-Grosch (4.), S. 383. [3] Hager **7 b**, 223–289. [4] Townshend, Encyclopedia of Analytical Science, S. 4664–4670, London: Academic Press 1995. [5] Seifen, Öle, Fette, Wachse **108**, 487 ff. (1982). *allg.*: Brauer (3.) **2**, 695 f. ▪ Gmelin, Syst.-Nr. 15, Si, Tl. B, 1959, S. 408–457 ▪ Kirk-Othmer (3.) **20**, 766–781 ▪ Pharm. Ind. **32**, 478–491 (1970) ▪ Ullmann (5.) **A 23**, 614–629 ▪ s. a. Siliciumdioxid u. Kieselgel. – [HS 2811 29]

Kieselsäure-Sol s. Kieselsol.

Kieselschiefer. Bez. für paläozoische (*Erdzeitalter) *Radiolarite* (*Kieselgesteine). Dichte, dunkle, meist schwärzliche (auch grünliche od. rötliche) Gesteine mit mikroskop. feinkrist. Struktur. Sie bestehen hauptsächlich aus *Chalcedon; im *Dünnschliff sieht man unter dem Mikroskop nicht selten Gerüste von Kleinlebewesen (Radiolarien u. Diatomeen). Als *Lydit* od. *Probierstein hatte ein durch kohlige Organismenreste tiefschwarz gefärbter K. früher in der Goldschmiedekunst eine diagnost. Funktion. – *E* siliceous schist (slate) – *F* schiste siliceux – *I* schisto siliceo – *S* esquisto silíceo, pizarra silícea

***Lit.*:** Füchtbauer (Hrsg.), Sedimente u. Sedimentgesteine (4.) (Sediment-Petrologie Tl. II), S. 529, Stuttgart: Schweizerbart 1988.

Kieselsinter s. Kieselgesteine.

Kieselsol (Kieselsäure-Sol, Silica-Sol). Wäss. Lsg. von annähernd kugelförmigen, kolloidal gelösten Polykieselsäure-Mol. mit 30% bis max. 60% SiO_2-Gehalt, die sich jahrelang unverändert lagern lassen. Je nach Teilchengröße der Partikel ist K. milchig-trüb bis farblos-klar. Der durchschnittliche Partikeldurchmesser beträgt $5 – 150$ nm. Zusatz von Salzen od. Säuren führt zur Ausscheidung von *Kieselgel. Die Herst. erfolgt durch Behandeln wäss. Alkalisilicat-Lsg. (*Wasserglas) mit Ionenaustauschern u. Stabilisierung durch wenig Alkali (Molverhältnis SiO_2 : NaOH ca. 100 : 2). Verw. als Textilhilfsmittel, Bindemittel für Keramik u. Katalysatoren, zur Verhinderung des Klebens von Zellglasfolien u. zum Schönen (Klären) von Wein u. Obstsäften (zusammen mit Gelatine). – *E* silica sol – *F* sol de silice – *I* sol di silice – *S* sol de sílice

***Lit.*:** Ullmann (5.) **A 23**, 614–629 ▪ Winnacker-Küchler (4.) **3**, 80 f. ▪ s. a. Kieselsäuren u. Kieselgele.

Kieseltuff s. Traß.

Kieselwismut s. Eulytin.

Kieselwolframsäure s. 12-Wolframatokieselsäure.

Kieselzinkerz s. Hemimorphit.

Kieserit. $MgSO_4 \cdot H_2O$, farbloses, meist weißes od. graues monoklines Mineral, Krist.-Klasse $2/m\text{-}C_{2h}$; Struktur wie *Titanit, s. *Lit.*[1]. Meist eingesprengt, körnig, derb; H. 3,5, D. 2,57; mehrere Spaltbarkeiten, Glasglanz. Weitgehend rein, nach der Formel 29,13% MgO, 57,85% SO_3, 13,02% H_2O. K. kann sich in *Epsomit, *Leonit od. *Polyhalit umwandeln. Der eigene Wassergehalt wird erst bei 350 °C abgegeben. In Wasser sehr langsam löslich.

***Vork.*:** In *Evaporiten. Meist feinkörnig verwachsen mit *Sylvin, *Steinsalz (im sog. *Hartsalz), *Polyhalit u. *Anhydrit, z.B. in den sog. *Kieserit-Region* des Steinsalzes in Norddeutschland u. in den Staßfurter *Abraumsalzen; Bestandteil der Kaliflöze im Werra-Fulda-Revier in Hessen u. Thüringen. Als Nebengemengteil im „Haselgebirge" alpiner Salz-Lagerstätten (z.B. Hallstatt/Salzburg); in Galizien/Polen; New Mexico/USA u. in der Punjab Salt Range/Indien.

***Verw.*:** Zur Gewinnung von *Magnesiumsulfat u. *Kalimagnesia sowie zur Herst. von Natriumsulfat, Magnesiumoxid u. Schwefelsäure. K. wird aus den Rohsalzen durch selektive Auflsg. der Rückstände der Kalisalz-Produktion, durch *Flotation od. durch elek-

trostat. Abtrennung gewonnen, s. Ullmann (*Lit.*). –
$E = I$ kieserite – F kiésérite – S kieserita
Lit.: [1] Neues Jahrb. Mineral., Abh. **157**, 121–132 (1987).
allg.: Ramdohr-Strunz, S. 605 ▪ Roberts, Campbell u. Rapp,
Encyclopedia of Minerals (2.), S. 440, New York: Van
Nostrand Reinhold 1990 ▪ Schröcke-Weiner, S. 587 ▪ Ullmann
(5.) **A15**, 620 f. ▪ s. a. Evaporite, Magnesiumsulfat. –
[HS 253020; CAS 14567-64-7]

Kieslager s. Lagerstätten.

Kif, Kiffen s. Haschisch u. Marihuana.

Kiliani'sche Mischung. Chromsäure-Gemisch zur
Oxid. von organ. Verb. (60 g $Na_2Cr_2O_7$, 80 g konz.
H_2SO_4, 270 g Wasser od. 266 g CrO_3, 230 mL konz.
H_2SO_4, Wasser ad 1000 mL). – E Kiliani reagent – F
mélange de Kiliani – I miscela di Kiliani – S mezcla
de Kiliani
Lit.: Mijs u. Jonge (Hrsg.), Organic Syntheses by Oxidation
with Metal Compounds, S. 42, New York: Plenum 1986.

Kiliani-Synthese. Von Kiliani u. Emil *Fischer ausgearbeitete Homologisierungsreaktionen von Zuckern
(Aldosen) über die *Cyanohydrine. Man läßt die Aldose mit HCN reagieren (Cyanohydrin-Bildung), ver-
seift dieses u. reduziert die Carboxy- zur Aldehyd-
Gruppe; s. a. Ruff-Abbau u. Wohl-Abbau.

– E Kiliani synthesis – F synthèse de Kiliani – I sin-
tesi di Kiliani – S síntesis de Kiliani
Lit.: Chem. Rev. **42**, 239 (1948) ▪ Hassner-Stumer, S. 203 ▪
Trost-Fleming **1**, 460 ▪ s. a. Cyanohydrine.

Killer-Hefe. Stämme der *Hefe *Saccharomyces cerevisiae*, die während der exponentiellen Wachstumsphase (*log-Phase) ein für andere Hefe-Stämme tox.
Protein in das Medium ausscheiden. Verantwortlich für
diesen „Killer"-Phänotyp sind 3 verschiedene lineare,
doppelsträngige RNA-Mol., die umhüllt von *Virus-
ähnlichen *Capsiden (Durchmesser 38–40 nm) im
Cytoplasma vorliegen. Die beiden größeren RNA-Mol.
werden bezeichnet mit L-A u. L-BC, das kleinere mit
M, wobei zu unterscheiden ist zwischen M_1 u. M_2. Die
L-Mol. liegen in den meisten *S. cerevisiae*-Stämmen
in vielfachen Kopien vor. Sie haben eine Länge von
4,5 *Kilobasen, die für das Hauptcapsid-Protein (M_R
81000) codieren, u. fungieren als Helfer-Viren. Liegen in einer Zelle nur L-Mol. vor, so zeigt die Zelle
keinen „Killer"-Phänotyp, ist aber für das Toxin empfindlich. Das M_1-Mol. (Länge 1,5 Kilobasen) bzw. das
M_2-Mol. (Länge 1,8 Kilobasen) kommt stets zusammen mit L-Mol. vor. Alle M-Mol. enthaltenden
Stämme zeigen Killer-Funktion, denn das M-Mol. co-

diert für das Toxin u. ist auch verantwortlich für die
Immunität gegen homologe Toxine. Die Virus-ähnli-
chen Partikel mit den L- bzw. M-Mol. sind nicht in-
fektiös u. nicht lytisch. Ihre Vermehrung u. Verbreitung ist gebunden an Zellwachstum u. Konjugation
bzw. *Protoplastenfusion.
Bei dem von K.-H. gebildeten, sehr schnell wirkenden
Toxin handelt es sich um ein kleines hydrophobes Protein (M_R ca. 11500) aus einer linearen Polypeptid-
Kette mit 109 Aminosäuren. Bereits Konz. von
2,3 ng/mL reichen aus, um eine sensitive Kultur mit
einer Zelldichte von 10^7 Zellen pro mL abzutöten.
Durch Verw. von K.-H. bei techn. Gärungen versucht
man, unerwünschte Fremdhefen zu unterdrücken. Kil-
ler-Phänomene wurden auch bei anderen Hefen beobachtet, wie *Candida, Kluyveromyces* od. *Hansenula*. –
E killer yeast – F levure assassine – I lievieti killer – S
levadura asesina
Lit.: Annu. Rev. Biochem. **55**, 373–395 (1986) ▪ Forum Mikrobiol. **4**, 198 (1986) ▪ Microbiol. Rev. **48**, 125 (1984).

Killerzellen s. Immunsystem, Lymphocyten, Lymphokin-aktivierte u. natürliche Killerzellen.

Kilo... (Kurzz.: k). Von griech.: chílioi = tausend abgeleiteter Vorsatz vor physikal. Einheiten, der das Tausendfache der Einheit kennzeichnet; *Beisp.:* *Kilogramm, 1 keV = 1000 Elektronenvolt. – $E = F = S$
kilo... – I chilo...

Kilobase (Abk. kb). In der Genetik häufig verwendete
Längeneinheit für Nucleinsäure-Moleküle. 1 kb entspricht 1000 Basenpaaren eines doppelsträngigen od.
1000 Basen eines einzelsträngigen Nucleinsäure-Mo-
leküls. Bei doppelsträngiger DNA entspricht 1 kb einer
Länge von 0,34 µm u. M_R ca. 660000. – $E = F = S$ kilobase – I chilobase
Lit.: Stryer 1996, S. 125.

Kilogramm (Kurzz.: kg). Bez. für die *Grundeinheit
der Masse, die durch die Masse eines internat. K.-Pro-
totyps (Platin-Iridium-Zylinder) definiert ist, der beim
Bureau International des Poids et Mesures im Pavillon
de Breteuil in Sèvres bei Paris aufbewahrt wird. – E
kilogram (US), kilogramme (GB) – F kilogramme – I
chilogrammo – S kilogramo

Kilopond (Kurzz.: kp). Seit 1.10.1978 veraltete u.
durch *Newton ersetzte techn. Einheit der Kraft; im
CGS-Syst. war 1 kp = 9,80665 m · kg · s^{-2}, im SI ist
1 kp = 9,80665 N u. 1 N = 0,1019716 kp. – $E = F = S$
kilopond – I chilogrammo-peso

Kimberlit. Bez. für eine Gruppe von meist stumpf
grünlichgrauen bis bläulichen, an flüchtigen Bestandteilen (H_2O, CO_2) reichen, Kali-betonten ultrabas.
*magmatischen Gesteinen (Neu-Definition s. *Lit.*[1]),
die als *Gänge, flachliegende Lagergänge (sog. Sills)
u. als Füllungen von tiefreichenden Schloten (*Diatre-
men*), den sog. *Pipes*, auftreten. Nach der Gesteins-
ausbildung können *massive K., K.-*Breccien* u. K.-
Tuffe unterschieden werden. Bes. für die K.-Breccien
der Diatreme charakterist. sind hohe Gehalte an aus
dem oberen Erdmantel (*Erde) stammenden Fremd-
gesteinsbruchstücken [sog. *Xenolithe*, darunter *Peridotite (u. a. *Granat-Lherzolithe) u. *Eklogite] u.
Großkrist. von Fe-Mg-Mineralen wie *Olivin, *Phlo-

gopit, Mg-reichem *Ilmenit, Mg-reichem Granat, Chrom-*Spinell u. *Pyroxenen, die in der feinerkörnigen, großenteils dieselben Minerale + *Calcit, *Apatit u. *Perowskit enthaltenden Matrix der K. eingebettet sind u. deren ungleichkörniges *Gefüge verursachen. Ein Großteil der Großkrist. u. der früh gebildeten Matrix-Minerale sind im allg. in *Serpentin u. Carbonate umgewandelt. K. können – oft nicht zeitgleich mit ihnen krist. – *Diamanten enthalten (u. a. in Eklogit-Xenolithen), z. B. in Südafrika, West-Australien[2], Brasilien, Sibirien, Kanada; für diese sind sie das Transportmittel zur Erdoberfläche. Nach *Lit.*[3] werden die K. in eine *Gruppe I* (*Glimmer-arme bis Glimmerfreie K., *basalt. K.*; mit Verwandtschaft zu ozean. Inselbogen-*Basalten) u. eine *Gruppe II* (*Glimmer-reiche K.*) eingeteilt; Diamant-führende K. der Gruppe II werden von Mitchell (*Lit.*) als *Orangeite* bezeichnet. Beide Gruppen unterscheiden sich u. a. in ihren Gehalten an U, Pb, Sm, Nd u. Sr sowie deren Isotopen-Verhältnissen. K. sind ausgezeichnet durch sehr niedrige SiO_2-Gehalte (20–50%) u. hohe Gehalte an MgO (14–40%), CaO (2–14%), K_2O (bis 5%), Cr, Ni u. CO_2; Gehalte an Seltenen Erden s. *Lit.*[3]. K. entstehen überwiegend im oberen Erdmantel in Tiefen von ca. 150–300 km durch geringe Teilaufschmelzung von wasserhaltigem, carbonatisiertem Peridotit (Granat-Lherzolith), s. z. B. *Lit.*[4]. Funde von Diamanten mit Einschlüssen des Hochdruck-Granats Majorit in K.[5] erweitern die möglichen Bildungstiefen von K. bzw. deren Diamanten bis in Tiefen von 650 km, d. h. bis in die Übergangszone (400 bis ca. 650 km Tiefe) im Erdmantel; zum Transport dieser Diamanten an die Erdoberfläche s. *Lit.*[6,7]; s. a. Diamanten. – *E = F = I* kimberlite – *S* kimberlita

Lit.: [1] J. Geol. **92**, 223–228 (1984). [2] Naturwissenschaften **70**, 586–593 (1983). [3] Nature (London) **304**, 51 ff. (1983). [4] Boyd u. Meyer (Hrsg.), Kimberlites, Diatremes and Diamonds: Their Geology, Petrology and Geochemistry, S. 319–334, Washington (D. C.): American Geophysical Union 1979. [5] Earth Planet. Sci. Lett. **113**, 521–538 (1992). [6] Science **248**, 993 ff. (1990). [7] Eur. J. Mineral. **3**, 213–230 (1991).
allg.: Fitton u. Upton (Hrsg.), Alkaline Igneous Rocks (Geol. Soc. Spec. Publ. 30), S. 95–101, Oxford: Blackwell 1987 ▪ Hall, Igneous Petrology (2.), S. 437–452, London: Longman 1996 ▪ Kornprobst (Hrsg.), Kimberlites and Related Rocks, Amsterdam: Elsevier 1984 ▪ Mitchell, Kimberlites, Orangeites and Related Rocks, New York: Plenum Press 1995 ▪ Ross et al. (Hrsg.), Kimberlites and Related Rocks, Melbourne: Blackwell 1989.

Kimzeyit s. Granate.

Kinasen (von griech.: kinein = bewegen u. …*ase). Zu den *Transferasen gehörende Gruppe von Enzymen (EC 2.7), die Phosphat-Reste von ATP (*Adenosin-5′-triphosphat) auf andere Substrate übertragen (*Phosphorylierung). Auf diese Weise phosphoryliert z. B. *Hexokinase zahlreiche D-Hexosen an Position 6, *Glucokinase D-Glucose, 6-Phosphofructo-1-kinase als Schlüsselenzym der *Glykolyse D-Fructose-6-phosphat zu D-*Fructose-1,6-bisphosphat, u. *Kreatin-Kinase synthetisiert Kreatinphosphat aus Kreatin. Enzyme u. a. Proteine werden durch sog. *Protein-Kinasen meist an Serin-, Threonin- od. Tyrosin-Seitenketten phosphoryliert u. in ihren Aktivitäten modifiziert, was als verbreitetes *Regulations-Prinzip im

*Stoffwechsel u. der *Signaltransduktion erkannt worden ist. – *E = F* kinases – *I* chinasi – *S* quinasas, cinasas – *[HS 3507 90]*

Kinderlähmung s. Poliomyelitis.

Kindler-Reaktion s. Willgerodt-Reaktion.

Kinesin. Mechano-chem. Enzym (*molekularer Motor), das die Hydrolyse von *Adenosin-5′-triphosphat (ATP) katalysiert u. die dabei freiwerdende Energie benutzt, um Partikeln – im Experiment z. B. mikroskop. kleine Kunststoff-Perlen, im lebenden Organismus Zellorganellen – entlang *Mikrotubuli zu deren Plus-Ende zu transportieren.

Struktur: Das dimere K., das aus zwei leichten u. zwei schweren Polypeptid-Ketten besteht (M_R 62 000 bzw. 120 000), besitzt am Amino-Ende zwei 340 Aminosäure-Reste umfassende globuläre Motor-*Domänen, im Mittelteil zwei umeinander spiralisierte α-helikale (s. Helix) Bereiche u. zwei kleinere Carboxy-terminale Domänen. Aufgrund der Aminosäure-Sequenz der Motor-Domäne gehört K. zur Familie der *K.-ähnlichen Proteine*[1], die in mehrere Unterfamilien zerfällt, die sich in Geschw. u. Richtung (zum Plus- od. Minus-Ende) des Mikrotubulus-gestützten Transports unterscheiden.

Funktion: In den globulären Motor-Domänen ist eine ATP-abhängige Wechselwirkung mit Mikrotubuli festzustellen. In den Axonen (langen Fortsätzen) der Nervenzellen besitzt K. zusammen mit den Mikrotubuli die Aufgabe, Zellorganellen in Auswärts-Richtung zu transportieren – in entgegengesetzter Richtung zum entsprechenden Transport durch *Dynein. K. ist funktionell dem *Myosin der Muskeln u. dem Dynein der eukaryont. Geißeln u. des axonalen Einwärts-Transports analog. In *Drosophila melanogaster* wurde ein K. mit globulären Domänen an beiden Enden gefunden, das wahrscheinlich Mikrotubuli gegeneinander bewegt[2]. – *E* kinesin – *F* kinésine – *I* chinesina – *S* quinesina

Lit.: [1] Cell **85**, 943–946 (1996). [2] Nature (London) **379**, 270 ff. (1996).
allg.: Alberts et al., Molekularbiologie der Zelle, 3. Aufl., S. 961 f., Weinheim: VCH Verlagsges. 1995 ▪ Annu. Rev. Physiol. **58**, 703–750 (1996) ▪ Bioessays **18**, 207–219 (1996) ▪ Nature (London) **380**, 451 ff. (1996) ▪ J. Cell Biol. **133**, 1–4 (1996) ▪ World Wide Web: http://www.blocks.fhcrc.org/~kinesin/.

Kine-Substitution s. Substitution.

Kinetik. Von griech.: kinesis = Bewegung abgeleitete Bez., unter der man in der Mechanik die Lehre von den durch innere od. äußere Kräfte ausgelösten Bewegungen versteht (*Gegensatz:* Statik). Dagegen versteht man in der Chemie unter K. die Lehre von den Geschw. chem. *Reaktionen; zur Symbolik u. Terminologie der K. s. IUPAC (*Lit.*), DIN 13 345 (08/1978). Die K. steht damit als Arbeitsgebiet gleichberechtigt neben der chem. *Thermodynamik, die sich mit der Beschreibung chem. *Zustände beschäftigt. Während sich die *kinet. Gastheorie* mit der Erklärung des in den *Gasgesetzen zum Ausdruck gebrachten Verhaltens der Gase befaßt, umfaßt die sog. *chem. K.* (Reaktions-K.) die Untersuchung der Einflüsse von äußeren Faktoren (Druck, Temp., Strahlung, Katalysatoren) auf den zeitlichen Ablauf der chem. Reaktionen. Sie trägt einerseits zur Klärung der Reaktionsmechanismen u. zur Vertiefung der Kenntnisse über mol. Wechselwirkungen bei, andererseits ermöglicht sie die Bestimmung der Bedingungen für die techn. Anw. einer Reaktion. Die chem. *Affinität ist zwar Voraussetzung für den Eintritt einer chem. Reaktion, doch ist sie nicht maßgebend für die Geschw. der Umsetzung. Die folgenden, notwendigerweise unvollständigen Ausführungen beschäftigen sich im wesentlichen mit der Reaktions-K. in *homogenen Systemen*. In heterogenen (mehrphasigen) Syst. müssen außerdem die Einflüsse der *Diffusion, *Kondensation, *Adsorption etc. berücksichtigt werden. Eine gute Übersicht geben *Lit.*[1] u. *Lit.*[2]. Während die *Stöchiometrie einer Reaktion eine Aussage über die Mengenverhältnisse der an ihr beteiligten Stoffe u. die Ableitung der sog. *Bruttoreaktion* erlaubt u. das *Massenwirkungsgesetz die Lage der *chemischen Gleichgewichte mit Hilfe der *Gleichgewichtskonstanten* (K) zu berechnen gestattet, soll der *Reaktionsmechanismus beschreiben, wie es im einzelnen zur Bildung bzw. Nicht-Bildung des od. der Produkte kommt. Dabei muß man zunächst festzustellen versuchen, ob die betrachtete Reaktion eine *einfache* od. *zusammengesetzte Reaktion* (*Stufenreaktion) ist u., falls letzteres zutrifft, ob die betrachteten *Elementarreaktionen als Simultan- od. Sukzessivreaktionen ablaufen, vgl. das simulierte *Beisp.* bei Reaktionsmechanismen. Nach der Anzahl der an der Elementarreaktion beteiligten Teilchen (Ionen, Radikale, Atome od. Mol.) unterscheidet man *mono-* od. *unimol.* (*Beisp.*: Zerfallsreaktionen wie $N_2O_5 \rightarrow N_2O_3 + O_2$), *bimol.* (häufigster Fall), *ter-* od. *trimol.* (selten) u. höhermol. (prakt. unwahrscheinlich) Reaktionen. Man nennt die Anzahl der Mol. (1, 2, 3...), die an der Elementarreaktion beteiligt sind, die *Molekularität* der Reaktion, s. *Lit.*[1]. Von der so definierten *Reaktionsmolekularität* ist die kinet. *Reaktionsordnung* zu unterscheiden, die sich aus dem *Zeitgesetz* der Reaktion (Geschw.-Gleichung) ergibt. Die Reaktionsordnung ist die Summe der Potenzen, mit der die Konz. der Ausgangsstoffe in die Differentialgleichung eingehen, die den Verlauf des Umsatzes in Abhängigkeit von der Zeit beschreibt u. in der die sog. *Reaktionsgeschw.-Konstante* (k) als Proportionalitätsfaktor auftritt; *Beisp.*: In der Gleichung („Zeitgesetz") $v = k [A]^{\alpha}[B]^{\beta}$ mit $v = $ *Reaktionsgeschwindigkeit u. [A], [B]=Konz. von A bzw. B stellt α die Reaktionsordnung in bezug auf Stoff A u. β diejenige auf Stoff B dar; die Gesamtreaktionsordnung ist dann $\alpha + \beta$. Eine Reaktion ist 1., 2., ... n. Ordnung in bezug auf einen Ausgangsstoff (kinet. Einzelordnung des betreffenden Ausgangsstoffes), wenn ihre Geschw. (d. h. die Abnahme der Konz. dieses Ausgangsstoffes in der Zeiteinheit) proportional der 1., 2., ... n. Potenz seiner Konz. ist. Reaktionen, die von jeglicher Konz. unabhängig ablaufen, gehören der „nullten" Ordnung an; *Beisp.*: Reaktionen an Phasengrenzen, z. B. festen Katalysatoren. Ob eine bestimmte chem. Reaktion eintritt u. sich bestimmte Produkte bilden, ist im allg. nicht von der Qualität (z. B. *Stabilität) der Produkte her determiniert (*thermodynam. Kontrolle*), sondern von der Höhe der zu überwindenden Energiebarriere u. davon,

wie rasch sich die einzelnen Produkte bilden (*kinet. Kontrolle*). Nur diejenigen Atome u. Mol., die einen bestimmten Mehrbetrag über dem Durchschnittswert an Energie besitzen, können mit anderen Atomen od. Mol. reagieren; dieser Energiemehrbetrag ist die sog. *Aktivierungsenergie. Beim Zustandekommen des – auch *Begegnungskomplex* od. *aktivierter Komplex* genannten – Übergangszustandes spielt der *Wirkungsquerschnitt der beteiligten Partikel eine ebenso große Rolle wie deren *kinet. Energie*. Die *Reaktionsgeschw.* läßt sich allg. durch die folgenden Maßnahmen erhöhen: 1. Durch Temp.-Erhöhung (als „Faustregel" gilt hier, daß eine Erhöhung der Reaktionstemp. um 10 °C eine Verdopplung der Reaktionsgeschw. bewirkt) s. Arrheniussche Gleichung. – 2. Durch Erhöhung der Konz. der Ausgangsprodukte. – 3. Durch Erniedrigung der Aktivierungsenergie mittels Katalysatoren (s. Katalyse). Bes. interessante Formen von Reaktionen mit teils sehr einfacher, teils sehr komplexer K. sind intramol. verlaufende Reaktionen (Umlagerungen, Isomerisierungen, Topomerisierungen), enzymat. (zur Michaelis-Menten-Gleichung s. Enzyme) u. katalyt. ausgelöste Reaktionen od. solche mit Inhibitions-Effekten, ferner sog. Zeit-Reaktionen, Kettenreaktionen, Reaktionen unter Bedingungen des stationären Zustands etc. Um einen Reaktionsmechanismus vollständig beschreiben zu können, müssen die kinet. Konstanten der einzelnen Reaktionsstufen u. Elementarreaktionen experimentell ermittelt werden, zuweilen auch von kurzlebigen Zwischenprodukten. Dabei kann man sich spektroskop. Mittel (*Beisp.*: NMR-Spektroskopie) bedienen od. Rückschlüsse aus den Daten konkurrierend ablaufender Reaktionen ziehen. Jedoch verlaufen die meisten dieser Prozesse so schnell, daß sie sich nur durch Meßverf. erfassen lassen, die zur Untersuchung *Schneller Reaktionen geeignet sind, insbes. also *Relaxations-Methoden. Aufschlußreich sind oft kinet. Messungen bei bes. hohen bzw. bes. tiefen Drücken. Für eine Vielzahl, meist einfacher Reaktionen sind heute aufgrund von Modell- od. *ab initio-Rechnungen die Energiepotentialflächen bekannt; durch klass. Trajektorien-Rechnungen wird dann die Dynamik der Reaktion beschrieben. Die Abb. 1 u. 2 zeigen schemat. solche Energiepotentialflächen für die Reaktion $A + BC \rightarrow AB + C$.

In Abhängigkeit von den Abständen zwischen den Atomen A u. B u. den Atomen B u. C geben die durchgezogenen Linien die Bereiche konstanter potentieller Energie an (ähnlich den Höhenlinien auf eine Landkarte). Mit gestrichelten Kurven sind mögliche Trajektorien eingezeichnet, z. B. in Abb. 1 beginnend mit A + BC (d. h. Abstand AB ist groß u. Abstand BC ist klein) u. endend mit AB + C (Abstand AB ist klein u. Abstand BC ist groß). Oszillation der Trajektorie um den Weg geringster Reaktionsenergie (punktierte Kurve) bedeutet, daß die Mol. BC bzw. AB schwingen. Das Verhältnis der Talsohlen zwischen dem Ausgangstal u. dem Eingangstal gibt an, ob die Reaktion exotherm od. endotherm ist. Die Höhe der Barriere relativ zum Eingangstal ist die Aktivierungsenergie. Diese Barriere muß aufgrund von kinet. Energie überwunden werden (*Tunneleffekt spielt nur beim Austausch von H-Atomen eine Rolle). Beim Überwinden bildet

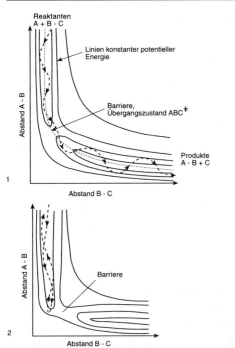

Abb. 1 u. 2: Energiepotentialfläche (schemat.) für die Reaktion A + BC → AB + C.

das Syst. kurzzeitig den Übergangszustand (ABC≠). Die Reaktionswahrscheinlichkeit ist nicht nur durch die Höhe der Barriere sondern auch durch ihre Lage bestimmt. Liegt sie, wie in Abb. 1 im Eingangstal, so kann sie im allg. durch ausreichend hohe kinet. Energie überwunden werden, wobei die Form des Ausgangstales bestimmt wie stark der Abstand AB ozilliert, d. h. mit wieviel Schwingungsenergie das Mol. AB gebildet wird. Liegt die Barriere dagegen im Ausgangstal (s. Abb. 2), so ist neben der Translationsenergie auch eine Schwingungsanregung des Mol. BC u. die richtige Phase zwischen Schwingung u. Stoß notwendig, um die Barriere zu überwinden. In diesem Fall werden die Reaktionsprodukte mit geringer Schwingungsenergie aber hoher Translationsenergie gebildet. Mit der Sammlung u. Dokumentation der kinet. Daten befaßt sich (seit 1940) das Chemical Kinetics Information Center (s. *Lit.*), ein Mitglied des *NSRDS. – E* kinetics *– F* cinétique *– I* cinetica *– S* cinética

Lit.: [1] Laidler, Kinetics (Chemistry), Encyclopedia of Physical Science and Technology, Bd. 8, S. 379–402, New York: Academic Press 1992. [2] Kemp, Chemical Kinetics, Experimentation, Encyclopedia of Physical Science and Technology, Bd. 3, S. 171–188, New York: Academic Press 1992. *allg.:* Boudart u. Djéga-Mariadassou, La cinétique des réactions en catalyse hétérogène, Paris: Masson 1982 ▪ Butt, Reaction Kinetics and Reactor Design, London: Prentice-Hall 1980 ▪ Chemical Kinetics (CODATA Bull. 43), Oxford: Pergamon 1981 ▪ Collie, Kinetic Theory and Entropy, Harlow: Longman 1983 ▪ DIN 13 345 (08/1978) ▪ Endrenyi, Kinetic Data Analysis, New York: Plenum 1981 ▪ Espenson, Chemical Kinetics and Reaction Mechanisms, New York: McGraw-Hill 1981 ▪ Eyring et al., Basic Chemical Kinetics, New York: Wiley 1980 ▪ IUPAC, Größen, Einheiten und Symbole in der Physikalischen Chemie, Weinheim: VCH Verlagsges. 1996 ▪ Levine u. Bernstein, Molekulare Reaktionsdynamik, Stuttgart: Teubner 1991 ▪ Lifshitz u. Ptaevskii, Physical Kinetics, Ox-

ford: Pergamon 1981 ▪ Liu u. Wagner (Hrsg.), The Chemical Dynamics and Kinetics of Small Radicals, Bd. 1 u. 2, London: World Scientific 1996 ▪ Maccoll, Current Topics in Mass Spectrometry and Chemical Kinetics London: Heyden 1981 ▪ Purich, Contemporary Enzyme Kinetics and Mechanisms, New York: Academic Press 1983 ▪ Quack u. Jans-Bürer, Molekulare Thermodynamik u. Kinetik, Bd. 1: Chem. Reaktionskinetik, Zürich: Verl. der Fachvereine an den Schweizer Hochschulen u. Techniken 1986 ▪ Schmid u. Sapunov, Non-Formal Kinetics Weinheim: Verl. Chemie 1982 ▪ Schwetlick et al., Chemische Kinetik, Leipzig: Grundstoffind. 1983 ▪ Smith, Chemical Engineering Kinetics, New York: McGraw-Hill 1981 ▪ Ullmann (4.) **1**, 162–196. – *Zeitschriften u. Serien:* Comprehensive Chemical Kinetics (Hrsg. Bamford u. Tipper, ca. 25 Bd.), Amsterdam: Elsevier (seit 1969) ▪ Kinetics and Catalysis, New York: Plenum (seit 1960) ▪ Progress in Reaction Kinetics (Hrsg.: Porter), Oxford: Pergamon (seit 1961) ▪ Reaction Kinetics and Catalysis Letters, Amsterdam: Elsevier (seit 1977). – *Dokumentation:* Chemical Kinetics Information Center c/o Institute for Basic Standards of the National Bureau of Standards (NBS), Washington, D. C., 20234 (USA). Über die *Datensammlungen* informiert CODATA, vgl. CODATA Bull. **43** (1981).

Kinetin [*N*-(2-Furanylmethyl)-7 *H*-purin-6-amin; N^6-Furfuryladenin].

$C_{10}H_9N_5O$, M_R 215,21. Farblose Plättchen, Schmp. 267 °C, subl. bei 220 °C. Wenig lösl. in kaltem Wasser, Ethanol u. Methanol, lösl. in verd. wäss. Salzsäure od. Natronlauge. Das früher – zur Abgrenzung von den tier. *Kininen* – als *Phytokinin*, heute als *Cytokinin* bezeichnete K. ist ein *Adenin-Derivat, das in verschiedenen höheren Pflanzen sowie in Hefe gefunden wurde u. bei höheren Pflanzen zellteilungsanregend u. zusammen mit *Pflanzenwuchsstoffen regulierend auf verschiedene pflanzliche Wachstumsvorgänge wirkt. K. ist ebenso wie das eng verwandte *Zeatin noch in millionenfacher Verdünnung wirksam u. wird daher in weitestem Sinne zu den *Pflanzen- od. *Phytohormonen* gezählt. Isoliert wurde K. aus autoklavierten wäss. Aufschlämmungen von *Desoxyribonucleinsäure u. wurde daher gelegentlich als Artefakt angesehen[1]. – *E* kinetin – *F* kinétine – *I* cinetina – *S* quinetina

Lit.: [1] Plant Cell. Tissue Organ Cult. **36**, 73–79 (1994). *allg.:* Heß, Pflanzenphysiologie, Stuttgart: UTB 1988 ▪ Ullmann (5.) A **20**, 421 ▪ s. a. Pflanzenwuchsstoffe. – *[HS 2934 90; CAS 525-79-1]*

Kinetische Gastheorie s. Gasgesetze.

Kinetische Kontrolle s. Kinetik u. Reaktionen.

Kinetische Spektroskopie s. UV-Spektroskopie u. Laserspektroskopie.

Kinetochore. Protein-Komplexe, die sich an speziellen Sequenzen der *eukaryontischen *Desoxyribonucleinsäuren, den *Centromeren, ausbilden, wo sich die mitot. Spindel (s. Mitose), d. h. die aus *Mikrotubuli bestehenden Zugfasern, am replizierten *Chromosom anheften. Die K. wandern an den Spindelfasern entlang, um die Geschwister-Chromatiden auseinanderzubewegen, wobei sie als *molekulare Moto-

ren wirken. Das eigentliche Motor-Protein des Komplexes ist wahrscheinlich das *Kinesin-ähnliche *Centromeren-bindende Protein E* (CENP-E)[1]. – *E* kinetochores – *F* cinétochores – *I* chinetocori – *S* cinetocoros
Lit.: [1] EMBO J. **14**, 918–926 (1995).
allg.: Alberts et al., Molekularbiologie der Zelle, 3. Aufl., S. 1086–1104, Weinheim: VCH Verlagsges. 1995 ■ Curr. Biol. **4**, 38–41 (1994); **5**, 483 f. (1995).

Kinetose s. Reisekrankheiten.

King-Kong-Peptid. Zu den *Conotoxinen zählendes Peptid aus der Kegelschnecke *Conus textile*, das aus 27 Aminosäuren besteht. Es löst bei Schnecken Muskelkrämpfe aus. Bemerkenswert ist seine Wirkung auf Krebse: Kleine Krebse nehmen gegenüber stärkeren Artgenossen u. größeren Krebsarten nicht die normale unterwürfige Haltung ein, sondern richten in Imponierpose die Kopfpartie auf u. krümmen den Schwanz wie Skorpione nach oben. Wegen dieser, ein so merkwürdiges Verhalten auslösenden Wirkung, wurde das Gift K.-K.-P. genannt. Trotz der großen strukturellen Ähnlichkeit mit anderen Conus-Toxinen (etwa gleiche Anordnung der Cystein-Bausteine) hat es eine vollkommen andere Wirkung, wofür die Ursache noch nicht geklärt ist. – *E* King Kong peptide – *F* = *I* peptide King-Kong – *S* péptido King-Kong
Lit.: Biochemistry **28**, 358 (1989) ■ Chem. Rev. **93**, 1923 (1993) ■ Naturwiss. Rundsch. **43**, 29 (1989). – *[CAS 128194-63-8]*

Kininasen s. Kinine.

Kinine. Gruppe von Oligopeptiden, die als Gewebshormone in tier. Organismen vorkommen u. auch *Plasma-Kinine* genannt werden – im Unterschied zu den in Pflanzen wirkenden *Cytokininen (pflanzliche K., früher auch: Phytokinine) wie z.B. *Kinetin.
Biosynth. u. Abbau: Bei Säugern werden die K. aus α_2-Globulinen des Blutplasmas (*Kininogenen*[1]) enzymat. durch *Kininogenasen* freigelegt (z.B. durch *Kallikreine, *Trypsin, *Schlangengift). Beim Mensch entstehen durch alternatives *Spleißen der Prämessenger-*Ribonucleinsäure je ein nieder- u. hochmol. Kininogen: *Kallidinogen* (M_R 68000) ist der Vorläufer von Kallidin, *Bradykinonogen* (M_R 120000) dagegen der von Bradykinin. Die Kininogene sind Glykoproteine u. wirken neben ihrer Vorläufer-Funktion wie die verwandten Cystatine u. Stefine als Inhibitoren von *Cystein-Proteasen, inhibieren die *Thrombocyten-Aggregation, u. Bradykininogen ist am intrins. Weg der *Blutgerinnung beteiligt. Die Kinin-Freisetzung kann, was auch therapeut. genutzt wird, durch *Aprotinin unterbunden werden. Da ihrerseits die verschiedenen K. im biolog. Gleichgew. durch *Kininasen* (zu den *Carboxypeptidasen zählende Enzyme, z.B. das Angiotensin-Konversions-Enzym, s. Angiotensine) zu inaktiven Peptiden abgebaut werden, wird zuweilen von einem Kallikrein-Kinin-Kininogen-Kininase- od. *KKKK*-Syst. gesprochen. Die K. sind Oligopeptide mit 9 (Bradykinin), 10 (Kallidin od. Lysylbradykinin) od. 11 (Methionylkallidin, Isoleucylserylbradykinin) Aminosäure-Resten; von den in Wespen- u. Hornissengift vorkommenden K. wurde das *Wespenkinin* als Homologes des Bradykinins identifiziert (vgl. Insektengifte).

Funktion: Die K. sind physiolog. hochaktive Stoffe, gekennzeichnet durch die Fähigkeit, gewisse Organe mit glatter Muskulatur (Uterus, Darm u. Bronchien) zur Kontraktion anzuregen (griech.: kinein = bewegen, daher Name), Blutgefäße zu erweitern, die Kapillarpermeabilität zu erhöhen, Schwellungen u. Schmerzen hervorzurufen usw. Bei *Entzündungen wirken sie eng zusammen mit den *Prostaglandinen, die die Empfindlichkeit der Schmerzrezeptoren in der Peripherie erhöhen. Außerdem hängt das Kallikrein-K.-Syst. mit anderen proteolyt. Syst. wie denen der *Blutgerinnung, der Fibrinolyse (s. Fibrin) u. der *Angiotensine zusammen. Eine weitere Wirkung der K. ist die Stimulation des Glucose-Übertritts aus dem umgebenden Milieu in die Zelle (insbes. die Muskelzelle). Weitere Peptide mit K.-ähnlicher Wirkung: *Caerulein u. die *Tachykinine. – *E* kinins – *F* kinines – *I* chinine – *S* quininas
Lit.: [1] Trends Pharmacol. Sci. **12**, 272–275 (1991).
allg.: Gen. Pharmacol. **27**, 55–63 (1996) ■ Mutschler (7.) ■ Pharmacol. Rev. **44**, 1–80 (1992).

Kininogenasen s. Kallikreine u. Kinine.

Kininogene s. Kinine.

Kininogenine s. Kallikreine.

Kinke (von engl.: kink = Knick). Von Pechhold[1] geprägte Bez. für einen durch *Rotations-Isomerie* (s. Rotation) entstehenden „Knick" in Polymethylen-*Ketten. Durch Einbau von sog. *Gauche*-Bindungen (s. Konformation) verkürzt sich die ideale Kettenlänge, u. zwar je nach Knicktyp um 127 pm bzw. Vielfache hiervon je Kinke bzw. *Jogs (K. höherer Ordnung). Zum experimentellen Nachw. der K. bei Alkyl-Verb. s. *Lit.*[2]. Solche Fehlordnungen sind bedeutsam für die Kristallinität u. die Konformationstheorie der *Makromoleküle[3] einschließlich der *Biopolymeren, z.B. für die Struktur von Lipid-Schichten in Membranen od. für die Struktur von Faser-Proteinen wie *Collagen[4]. – *E* kink – *I* nodo, grumolo – *S* enroscadura
Lit.: [1] Kolloid Z. Z. Polym. **216/217**, 235 (1967); **228**, 1 (1968). [2] Angew. Chem. **83**, 580 (1971); **85**, 915 (1973); **86**, 455 (1974); **88**, 628–639 (1976); Naturwissenschaften **68**, 82–88 (1981). [3] Angew. Chem. **87**, 787–797 (1975). [4] Endeavour **32**, 99–105 (1973).

Kino. Eingetrockneter, gerbstoffreicher Saft, der beim Anschneiden der Rinden verschiedener trop., in Westafrika, Australien, Sri Lanka u. Vorderindien (Malabarküste) angebauter Bäume (bes. *Pterocarpus marsupium*, Fabaceae) ausfließt. *Malabarkino* bildet glänzende, spröde, scharfkantige, wasserlösl. braunschwarze Stückchen, die 70–80% Pyrocatechin-*Gerbstoffe (Kinotannin) enthalten, daneben finden sich noch Kinorot, Brenzcatechin, Wasser, Mineralbestandteile u. Extraktstoffe. K. wird in trop. Gebieten ähnlich wie *Catechu u. Gambi(e)r zum Färben u. Gerben verwendet. Die adstringierend, herb schmeckende, den Speichel rot färbende Droge wird heute nur noch selten als Adstringens bei Durchfall od. in Mundwässern verwendet; sie diente früher auch zum Färben von Port- u. Burgunderwein. – *E* = *F* = *I* kino – *S* kino, quino
Lit.: Hager (5.) **5**, 888 ■ s.a. Gerbstoffe, Gerberei u. Harze. – *[HS 1302 19]*

Kipp, Petrus Jacobus (1808–1864), Apotheker in Delft. Er entwickelte 1862 den nach ihm benannten Kippschen Apparat zum Erzeugen von Gasen durch Reaktion zwischen Feststoff u. Flüssigkeit im Labormaßstab.
Lit.: Pötsch, S. 235.

Kippscher Apparat. Von Petrus Jacobus Kipp (1808–1864, Apotheker in Delft) um 1860 erfundener gläserner Laboratoriumsapparat, der die Herst. u. Entnahme von Gasen aus Feststoffen u. Säuren ermöglicht.

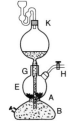 

bei Gasentwicklung   in Ruhe
Abb.: Kippscher Apparat.

Zur Gewinnung von Wasserstoff wird der Raum A des Gas-Entwicklung-Gerätes E mit granuliertem Zink od. Zink-Stangen beschickt; durch den Kugeltrichter K dringt bei geöffnetem Hahn H verd. Salzsäure (od. verd. Schwefelsäure mit einigen Tropfen Kupfersulfat-Lsg.) in den Raum B u. schließlich nach dessen Auffüllung in A ein, wo sie mit dem Zink unter Wasserstoff-Entwicklung ($Zn + 2\,HCl \rightarrow H_2 + ZnCl_2$) reagiert (s. Abb. links). Beim Schließen des Hahns H drückt das sich in A entwickelnde Gas die Flüssigkeit nach B (u. K) zurück, so daß die Einwirkung der Säure u. damit die Gasentwicklung aufhört (s. Abb. rechts); sie setzt beim Öffnen des Hahns H sofort wieder ein. Man kann mit Hilfe des K. A. rasch u. bequem eine Reihe von Gasen entwickeln; z. B. Schwefelwasserstoff aus Eisensulfid u. Salzsäure, Kohlendioxid aus Marmorbrocken u. Salzsäure, Chlor aus Salzsäure u. Chlorkalk-Würfeln, Chlorwasserstoff aus Salmiak-Stücken u. Schwefelsäure. – *E* Kipp generator – *F* appareil de Kipp – *I* apparecchiatura di Kipp – *S* aparato de Kipp
Lit.: DIN 12485 (03/1970) ▪ Jander u. Blasius, Lehrbuch der analytischen u. präparativen anorganischen Chemie, S. 181, Stuttgart: Hirzel 1995 ▪ Kirk-Othmer (3.) **22**, 118.

Kirchhoff, Gustav Robert (1824–1887), Prof. für Physik, Heidelberg u. Berlin. *Arbeitsgebiete:* Elektrizitätslehre, Strommenge, Gesetze des elektr. Stroms, Begründung der Spektralanalyse, Entdeckung von Rubidium u. Caesium (gemeinsam mit Bunsen), Deutung der Fraunhoferschen Linien als Absorptionsspektren, Theorie der Strahlung. K. stellte im Alter von 21 Jahren die Gesetze der elektr. Stromverzweigung (*Kirchhoffsche Gesetze*) auf, s. a. folgende Stichworte.
Lit.: Krafft, S. 202 f. ▪ Lexikon der Naturwissenschaftler, S. 242 ▪ Neufeldt, S. 50, 327, 380 ▪ Pötsch, S. 236 ▪ Strube et al., S. 104 f.

Kirchhoffsche Gesetze. Summar. Bez. für verschiedene, von *Kirchhoff z. T. mit anderen Forschern gemeinsam erarbeitete Gesetzmäßigkeiten.

1. Die K.G. der *Elektrizitätslehre* gestatten die Errechnung von Strömen, Spannungen bzw. Widerständen in verzweigten Stromleitern. a) *Knotenregel:* In jedem von elektr. Leitern gebildeten Knoten ist die Summe der zufließenden (pos. gerechnet) u. abfließenden (neg. gerechnet) Ströme gleich Null. – b) *Maschenregel:* Wird in einem elektr. Netzwerk eine Masche umlaufen (Umlaufsinn willkürlich), so ist die Summe der Spannungsabfälle gleich der Summe der Urspannungen (*elektromotorische Kraft) der Stromquellen in dieser Masche.
2. Das K.G. der *Thermodynamik* verbindet die im Verlauf chem. Reaktionen auftretende Reaktionswärme (*Enthalpie) pro Grad

$$(\partial(\Delta H)/\partial T)_p = C_{p2} - C_{p1} = \Delta C_p$$

mit der Änderung der Molwärmen C_{p2} (Endprodukt) u. C_{p1} (Ausgangsprodukt) bei konstantem Druck.
3. Das K. *Strahlungs*-G. besagt (in vereinfachter Form), daß ein Körper diejenige Strahlungsart absorbiert, die er bei Anregung emittiert. Auf diesem K.G. beruhen sowohl die Absorptions-*Spektroskopie als auch die Fraunhoferschen Linien des Sonnenspektrums u. die Strahlung des sog. Schwarzen Körpers. – *E* Kirchhoff laws – *F* lois de Kirchhoff – *I* leggi di Kirchhoff – *S* leyes de Kirchhoff
Lit.: Demtröder, Experimentalphysik 2, Berlin: Springer 1995.

Kirchhoffsche Strahlungsformel. Sie besagt, daß die spektrale Strahlungsdichte E (λ, T) eines Körpers mit beliebiger Oberfläche, bei der Wellenlänge λ u. der Temp. T, dividiert durch das Absorptionsvermögen A (λ, T) dieses Körpers, gleich der Strahlungsdichte E_S (λ, T) eines schwarzen Strahlers ist:

$$\frac{E(\lambda, T)}{A(\lambda, T)} = E_S(\lambda, T)$$

Tab. mit dem Gesamtemissionsgrad verschiedener Oberflächen s. *Literatur.* Die spektrale Verteilung der emittierten Strahlung wird durch die *Plancksche Strahlungsformel beschrieben. – *E* Kirchhoff's radiation law – *F* loi de radiation de Kirchhoff – *I* equazione di radiazione di Kirchhoff – *S* ley de radiación de Kirchhoff
Lit.: Kohlrausch, Praktische Physik 3, S. 420 ff., Stuttgart: Teubner 1996.

Kirim® (Rp). Tabl. mit *Bromocriptin-Mesilat zum Abstillen. *B.:* Hormosan.

Kirkendall-Effekt. Auswirkung unterschiedlicher partieller Diffusionskoeff. auf die Lage der Grenzfläche zwischen zwei sich berührenden, verschiedenen Metallen bei höheren Temp., von Kirkendall u. Smigelska an α-*Messing u. *Kupfer entdeckt. Bei höheren Temp. kommt es zur Metall-Metall-Diffusion, wobei die Zink-Atome aus dem Messing schneller ins Kupfer wandern als die Kupfer-Atome in das Messing, s. Ficksche Gesetze. In der Folge kommt es durch die unterschiedlichen Transportströme in bezug auf die Grenzfläche zu deren Verschiebung zum Kupfer hin. Gleichzeitig bildet sich auf der Messing-Seite eine Porosität (Gefügeschädigung, Kirkendall-Porosität) aus. Zu deuten ist der K.-E. dadurch, daß die Diffusion nicht über Platzwechseltausch der Zink- u. Kupfer-Atome erfolgt, sondern über die Diffusion von Leer-

stellen im Gitter beider Metalle, s. Zwischengitter-
plätze u. Punktdefekte. Von techn. Bedeutung ist der
K.-E. bei allen Kontakten unterschiedlicher Metalle im
Falle einer Hochtemp.-Anw., beispielsweise an
Schweißverbindungen. – *E* Kirkendall effect – *F* effet
Kirkendall – *I* effetto Kirkendall – *S* efecto Kirkendall
Lit.: Franke (Hrsg.), Lexikon der Physik, 2. Aufl., Bd. 1,
S. 687, Stuttgart: Franckh'sche Verlagshandlung 1959 ▪ Grä-
fen (Hrsg.), Lexikon Werkstofftechnik, S. 514, Düsseldorf:
VDI 1993.

Kirk-Othmer. Abk. für das bedeutendste *Handbuch
der chem. Technik in engl. Sprache, nämlich die von
Raymond E. Kirk u. Donald F. Othmer begründete Encyclopedia of Chemical Technology (1. Aufl.: 15 Bd.
+ 2 Erg.-Bd. 1947/1960, 2. Aufl.: 22 Bd. + Erg.-Bd. u.
Index 1963/1972, 3. Aufl.: 24 Bd. + Erg.-Bd. u. Index
1978/1984, 4. Aufl.: 21 Bd. seit 1991). In diesem
Handbuch sind in alphabet. Anordnung monograph.
Abhandlungen über wesentliche Begriffe (auch solche
der allg. u. der physikal. Chemie) enthalten, mit denen
der in der industriellen Praxis stehende Chemiker u.
bes. der Technologe konfrontiert werden kann. Der
K.-O. (zur Zitierweise in diesem Werk s. Vorwort,
S. IX) erscheint im Verl. Interscience bzw. Wiley,
New York. Die 3. u. 4. Aufl. ist als CD-ROM erhältlich.

Kirlian-Photographie. Nach dem sowjet. Entdecker S.
D. Kirlian benannte Hochspannungsphotographie
(20–32 kV, 100 kHz). Hierzu befindet sich lichtemp-
findliches Photomaterial (Schwarzweiß- od. Farbne-
gativ) zwischen einer flachen Elektrode u. dem geerdeten Objekt. Aufgrund der Form u. der elektr. Leitfähigkeit des Objekts erhält man ein charakterist., oft
strahlenförmiges Belichtungsmuster. Der Einsatz der
K.-P. für medizin. Diagnose ist umstritten. – *E* Kirlian
photography – *F* électrographie, photographie Kirlian
– *I* fotografia di Kirlian – *S* electrografía, fotografía
Kirlian
Lit.: Brockhaus, Naturwissenschaft u. Technik, Wiesbaden:
Brockhaus 1983 ▪ Taylor, Physics of the Paranormal,
New York: Gordon & Breach 1981.

Kirmse, Wolfgang (geb. 1930), Prof. für Organ. Chemie, Marburg u. Bochum. *Arbeitsgebiete:* Reaktive
Zwischenprodukte, bes. Carbene, Carbokationen, Umlagerungsreaktionen, Reaktionsmechanismen, Verb.
mit kleinen Ringen u. Brücken.
Lit.: Kürschner (16.), S. 1777 ▪ Wer ist wer (35.), S. 733.

Kirsanov-Reaktion s. Phosphazene.

Kirschen. Die Steinfrüchte der Süßkirsche (*Prunus
avium*, Rosaceae) enthalten in 100 g genießbaren Anteilen durchschnittlich 83,6 g Wasser, 0,8 g Eiweiß,
0,5 g Fett, 14 g Kohlenhydrate, 0,5 g Rohfaser, 0,6 g
Mineralstoffe, 2 mg Na, 227 mg K, 16 mg Ca, 25 mg P,
0,3 mg Carotin, 10 mg Vitamin C; die Steine (Samen)
enthalten *Amygdalin. Die rote Farbe geht auf den Gehalt an *Keracyanin zurück. Die Blätter enthalten
Saccharose, Dextrose u. Cumarin, aber kein Amygdalin.
Sauerkirschen (*P. cerasus*) enthalten in den Blättern
zusätzlich noch *Quercetin. Während *Süßkirschen*
meist direkt als Tafelobst zum Verzehr kommen, werden *Sauerkirschen* (Weichselkirschen, Schattenmorel-
len) überwiegend gekocht als Kompott verzehrt bzw.

zu Marmeladen u. Fruchtsaft verarbeitet; deren Gerbstoff enthaltende Stiele dienen volkstümlich als Adstringens u. Diuretikum. *Kirschwasser* ist ein Obst-
branntwein mit ≥40% Ethanol aus Süßkirschen.
Kirschsaft gilt in der Lebensmittelgesetzgebung als
nichtfremder Stoff, wenn er zum Färben von Him-
beersaft verwendet wird. – *E* cherries – *F* cérises – *I*
cigliegie – *S* cerezas
Lit.: Franke, Nutzpflanzenkunde, 5. Aufl., Stuttgart: Thieme
1992. – *[HS 081190]*

Kishner-Wolff-Reduktion s. Wolff-Kishner-Reduktion.

Kissinger Salz. Salzgemisch aus eingedampftem
Wasser der Kohlensäure-reichen, Schwefel- u. Eisen-
haltigen Kochsalzquellen von Bad Kissingen. Künstliches K. S. nach Rakoszi ist eine Mischung von 31 Tl.
Kaliumchlorid, 641 Tl. Natriumchlorid, 214 Tl. Magnesiumsulfat u. 192 Tl. Kaliumhydrogencarbonat.
Eine Lsg. von 7,5 g dieser Mischung in 1 L Wasser entspricht in ihrer Zusammensetzung annähernd dem gleichen Vol. Kissinger Quellwassers. K. S. wird bei Ma-
gen-, Darm- u. Stoffwechselstörungen als Therapeuti-
kum verwendet. – *E* Kissingen salt – *F* sel de Kissingen – *I* sale di Kissingen – *S* sal de Kissingen

Kistiakowsky, George Bogdan (1900–1982), Prof.
für Physikal. Chemie, Harvard Univ. Cambridge, Massachusetts. *Arbeitsgebiete:* Chem. Kinetik, Thermodynamik, Mol.-Spektroskopie, Mitentwickler der ersten Atombomben, Explosionen u. Explosivstoffe,
Stoßwellen, photochem. Prozesse, Massenspektrometrie.
Lit.: Poggendorff **7 b/4**, 2482–2485.

Kitol s. Retinol.

Kitte. Bez. für knetbare bis zähflüssige Massen, die
man – je nach Anforderung an die Haftfestigkeit – in
Kleb-K. u. Füll-K. unterteilt. *Kleb-K.* sind bei gewöhnlicher Temp. plast. verformbare *Klebstoffe, die
keine od. nur flüchtige Lsm. enthalten. Sie enthalten
in der Regel *Füllstoffe u. dienen gleichzeitig zum Füllen breiterer Klebfugen. Flüssiger Kleb-K. kann durch
Anrühren von K.-Pulver u. K.-Flüssigkeit hergestellt
werden. *Füll-K.* (Füllmassen, *Dichtungsmassen) sind
für das Ausfüllen od. Abdichten von Hohlräumen,
breiteren Fugen usw. geeignete Massen, an die keine
bes. Anforderungen hinsichtlich der Haftfestigkeit zu
stellen sind.
Man kann die K. (insbes. der ersten Gruppe) nach ihren
allg. Bindungsmechanismen in folgende drei Hauptgruppen einteilen:
1. *Schmelz-K.:* Diese sind gewöhnlich fest, schmelzen
beim Erwärmen ohne Substanzverlust u. erstarren
beim Erkalten ohne wesentlichen Schwund. Sie werden erst durch Schmelzen plast. u. damit verarbeitbar.
Beisp.: Harz- u. Wachs-, Asphalt-, Pech- od. Siegel-
lackschmelzen mit Zusatz von reinem Schwefel,
Quarzmehl, Glasmehl, Eisen-Staub u. dgl., ferner
*Guttapercha-Folien.
2. *Abdunst-K.:* Hier sind die festen K.-Substanzen in
einem flüchtigen Lsm. gelöst, das beim Lagern des
Kittlings verdunstet, wobei leichter Schwund eintreten kann. *Beisp.:* Alkohol. Schellacklsg., Lsg. von

*Kautschuk, Guttapercha od. Schwefel in Schwefelkohlenstoff, Leim, Lsg. von Celluloid in Amylacetat u. dgl.

3. *Reaktions-K.:* Teigige Stoffgemische, die aufgrund chem. Reaktionen zu harten Körpern erstarren. *Beisp.:* Gips, Sorelzement, Bleioxid-Glycerin-, Wasserglas-, Epoxidharz-, Silicon-, Polyurethan-, Polysulfid-Kitte. Die Eigenschaften dieser K. (z. B. Festigkeit, UV-Stabilität usw.) werden durch die Basispolymeren u. – innerhalb gewisser Grenzen – durch Hilfsstoffe (Füllstoffe, Weichmacher, Thixotropiermittel, Stabilisatoren) bestimmt.

Nach den Hauptbestandteilen kann man u. a. folgende K.-Sorten unterscheiden: Leim-, Eiweiß-, Stärke-, *Gummi arabicum-K., Harz- u. Kunstharz-K., Leinöl-, Wachs-, Guttapercha- u. Kautschuk-K., Teer-, Kalk-, Gips-, Magnesia-, Wasserglas-, Metalloxid-K. usw. Nach dem vorwiegenden Verw.-Zweck teilt man die K. u. a. ein in Glaswaren-, Porzellan-, Marmor-, Metall-, Gravier-, Ofen-, Spachtel-, Holz-, Stein-, Dach-, Linoleum-, Aquarium-, Leder-, Treibriemen-, Bernstein-K. usw. *Säurekitte sind säurebeständig. Die Ind. kann heute eine Vielzahl von K. anbieten, die für die jeweilige Aufgabe optimal geeignet sind. – Universal-K. gibt es allerdings nicht.

Beim *Kitten* muß man den K. der Eigenart des *Kittlings* (Gegenstand, der verkittet werden soll) anpassen. Günstig ist eine gewisse chem. Verwandtschaft zwischen beiden: Z. B. haftet Wasserglas an dem chem. verwandten Glas od. an Silicaten bes. gut.

Verw.: K. dienen zur Verbindung von Werkstoffen, zur Einbettung von elektrotechn. Artikeln, mikroskop. Präp., zum Abdichten explosionsgesicherter Vorrichtungen, Ummantelung von Öfen zur besserern Hitzeabsorption, zum Ausfüllen von Löchern, Fugen u. Unebenheiten, zum Gießen von Formen usw. – *E* lutes, putties – *F* mastics – *I* mastici – *S* masillas, mástics

Lit.: Plath, Taschenbuch der Kitte u. Klebstoffe, Stuttgart: Wissenschaftliche Verlagsges. 1963 ▪ Römpp u. Raaf, Chemie des Alltags, S. 146 f., Stuttgart: Franckh 1975 ▪ Ullmann (4.) **14**, 264 f. – [HS 3214 10]

Kiwi. Etwa hühnereigroße Beerenfrucht der aus China stammenden, heute bes. in Neuseeland, Südafrika u. Südeuropa kultivierten zweihäusigen Schlingpflanze *Actinidia chinensis* (Actinidiaceae). Das von einer braunen, behaarten Schale umgebene hellgrüne, säuerlich-aromat. schmeckende Fruchtfleisch, das eine Vielzahl winziger Samen enthält, ist sehr Vitamin-C-haltig u. erinnert im Geschmack an Erdbeeren u. Stachelbeeren (die K. wird mitunter auch *chines. Stachelbeere* genannt). K. enthalten Actinidin, ein Eiweiß-spaltendes Enzym. Dies macht sie einerseits bekömmlich u. Fleisch zarter, wenn man es vor dem Braten mit K.-Scheiben belegt, andererseits läßt es Milchprodukte nach einiger Zeit bitter werden. Geleespeisen werden nur nach Inaktivierung des Enzyms, z. B. durch Überbrühen mit kochendem Wasser, fest. Weitere Inhaltsstoffe (in g/100 g Fruchtfleisch): 83,9 Wasser, 9,1 Zucker, 1,38 Fruchtsäuren (Citronen-, Äpfel-, Weinsäure), 1,02 Eiweiß u. 1,10 Rohfaser; die Angaben über den Vitamin-C-Gehalt variieren zwischen ca. 60 u. 300 mg. Der Name K. ist von dem braungefiederten, nichtfliegenden, neuseeländ. Kiwi-Vogel abgeleitet. – *E = F = S* kiwi – *I* kivi

Lit.: Franke, Nutzpflanzenkunde, 5. Aufl., Stuttgart: Thieme 1992. – [HS 0810 50]

Kjeldahl, Johan (1849 – 1900), Prof. für Chemie, Univ. Kopenhagen, Forscher im Brauereilaboratorium des von ihm gegründeten Carlsberg-Fonds in Kopenhagen. *Arbeitsgebiete:* Enzyme, Bestimmung des Stickstoffs in tier. u. pflanzlichen Stoffen (s. folgende Stichwörter), Kohlendydrate in Gerste u. Malz.

Lit.: Ber. Dtsch. Chem. Ges. **33**, 3881 (1900) ▪ Lexikon der Naturwissenschaftler, S. 242 f. ▪ Neufeldt, S. 75 ▪ Pötsch, S. 238 ▪ Strube et al., S. 116.

Kjeldahl-Kolben. Birnenförmiger Kolben aus schwer schmelzbarem Glas mit langem Hals, der auch mit einem Normschliff ausgestattet sein kann. Der Kolben wurde von *Kjeldahl bes. für nasse Aufschlüsse, z. B. zur Stickstoff-Bestimmung, entwickelt. – *E* Kjeldahl flask – *F* ballon de Kjeldahl – *I* alambicco Kjeldahl – *S* matraz de Kjeldahl

Lit.: DIN 12360 (03/1978).

Kjeldahl-Methode. Von *Kjeldahl[1] entwickelte Meth. zur Stickstoff-Bestimmung bes. in organ. tier. u. pflanzlichen Proben (z. B. Eiweißstoffen). Der Stickstoff der Proben wird durch Aufschluß mit siedender konz. Schwefelsäure unter Zugabe geeigneter Katalysatoren in Ammoniumsulfat umgewandelt. Durch konz. Natronlauge wird der Stickstoff anschließend als NH_3 freigesetzt u. durch Wasserdampfdest. in eine mit Schwefelsäure beschickte Vorlage abdestilliert. Die nicht verbrauchte Säure wird zurücktitriert. In einer modernen Variante verwendet man eine Borsäure-Vorlage u. titriert das Destillat mit Salz- od. Schwefelsäure. Der ursprüngliche *Kjeldahl-Kolben, dessen langer Hals der Kondensation der Schwefelsäure diente, taucht in abgewandelter Form in käuflichen Aufschluß- u. Destillationsapparaturen wieder auf. Die Meth. erfuhr im Laufe der Jahre verschiedene Variationen v. a. durch die Wahl der Katalysatoren. Metallkatalysatoren u. deren Salze (Hg, Cu, Fe, Mg, Bi, Pb) wurden schon früh verwendet[2]. Selen brachte eine weitere Verbesserung[3]. Quecksilberoxid mit Kaliumsulfat, das die Siedetemp. der Schwefelsäure u. damit den Umsatz beim Aufschluß erhöht, wurden später eingesetzt[4]. Für Schnellaufschlüsse wurde ein Gemisch aus Quecksilberoxid, Titanoxid u. Kaliumsulfat eingesetzt[5]. Aus Umweltschutzgründen vermeidet man bei den heutigen Katalysatoren Quecksilber u. Selen. *Verw.:* Stickstoff-Bestimmung in Lebens- u. Futtermitteln zur Berechnung des Protein-Gehaltes u. in der Wasser- u. Umwelt-Analytik. – *E* Kjeldahl method – *F* méthode de Kjeldahl – *I* metodo di Kjeldahl – *S* método de Kjeldahl

Lit.: [1]Z. Anal. Chem. **22**, 366 – 382 (1883). [2]Chem. Zentralbl. **16**, 17, 113 (1885). [3]Ind. Eng. Chem. Analyt. Ed. **3**, 401 (1931). [4]J. Assoc. Off. Agric. Chem. **32**, 118 (1949). [5]Dtsch. Lebensm. Rundsch. **69**, 109 – 115 (1973). *allg.:* Amtliche Sammlung von Untersuchungsverf. nach § 35 LMBG: Gesamteiweißgehalt in Fleisch- u. Fleischerzeugnissen L 06.007, Nov. 1981 ▪ GIT Fachz. Lab. **34** (5), 618 – 622 (1990).

Kjelland-Verfahren. Von J. Kjelland entwickeltes, z. Z. jedoch nicht praktiziertes Verf. zur Gewinnung von Kalisalzen aus *Meerwasser durch Fällung mit *Dipikrylamin.

Lit.: McIlhenny, in Riley u. Skirrow, Chemical Oceanography, Bd. 4, London: Academic Press 1975.

KKKK-System s. Kinine.

KKK-Regel. Im Laborjargon Abk. für „Kälte, Katalysator, Kern" als Ausdruck für die Erfahrung, daß die Reaktion von Halogenen mit Alkylaromaten unter Kühlung u. Einfluß katalyt. wirkender Metallsalze *regioselektiv zur *Substitution am aromat. Kern führt; vgl. SSS-Regel.

KKW. Abk. für Kernkraftwerk, s. Kernenergie u. Kernreaktoren.

Klacid® (Rp). Filmtabl. u. Trockensaft mit dem Makrolid-Antibiotikum *Clarithromycin. *B.:* Abbott.

Kläranlage (KA). Bez. für eine Anlage, in der Abwasser gereinigt wird. Das *Abwasser kann kommunalen, gewerblichen od. industriellen Ursprungs sein u. wird mit mechan., biolog., chem. u./od. physikal.-chem. Verf. behandelt. Bei größeren Anschlußwerten verwendet man auch die Bez. *Klärwerk* (KW).

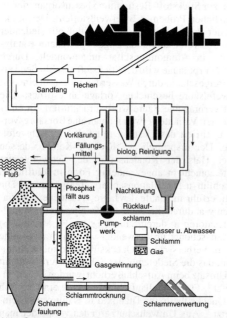

Abb.: Schema einer mechan.-biolog.-chem. Kläranlage.

Das Funktionsprinzip einer dreistufigen kommunalen K. ist in der Abb. schemat. dargestellt. Das rohe Abwasser fließt über das Kanalnetz dem Zulauf der K. zu. Hier beginnt die *mechanische Abwasserreinigung (1. Reinigungsstufe), gefolgt von der *biologischen Abwasserbehandlung (2. Reinigungsstufe), die in einem *Belebungsbecken od. einem *Tropfkörper durchgeführt wird (s. a. biologische Abwasserbehandlung). Als 3. Behandlungsstufe kann sich eine Filtration od. eine *chemische Abwasserbehandlung anschließen od. das Wasser von dort teilw. in vorhergehende Behandlungsstufen zurückgeführt werden, um eine *Denitrifikation zu erreichen. Das gereinigte Abwasser fließt über den *Kläranlagenablauf* in das auf-

nehmende Gewässer (*Vorfluter*, meist Bach od. Fluß). An dieser Stelle wird die Schadstoff-*Fracht eines Einleiters berechnet, welche die Grundlage zur Bemessung der Abwasserabgabe (bei *Direkteinleitern) od. eines vergleichbaren Betrages (bei *Indirekteinleitern) ist. Die während des Reinigungsprozesses anfallenden *Klärschlämme werden gesondert z.B. im Faulturm stabilisiert u. nach Entwässerung (*Klärschlamm-Aufbereitung) therm. od. in der Landwirtschaft genutzt (s. Klärschlamm-Entsorgung). Das bei der Faulung entstehende Faulgas (s. Biogas) wird zur Energiegewinnung od. für Heizzwecke verwendet od. abgefackelt. Neben den kommunalen K. gibt es zahlreiche Varianten zur Behandlung von Abwässern der chem. Ind. od. des Gewerbes. Auch sie bestehen oft aus Reaktions- u. Abscheidebecken ggf. mit Dosiereinrichtungen für Chemikalien (zur Neutralisation, Fällung/Flockung, Nährstoffergänzung u.a.) sowie Meßsonden, Aufzeichnungs- u. Steuerungseinheiten. – *E* sewage treatment work (sewage treatment plant) – *F* station d'épuration – *I* impianto di depurazione – *S* estación depuradora

Lit.: Abwassertechnische Vereinigung (Hrsg.), Lehr- u. Handbuch der Abwassertechnik (3.), Bd. 1–7, Berlin: Ernst u. Sohn 1982–1986 ▪ Chem. Unserer Zeit **25**, 87–95 (1991) ▪ Ullmann (5.) **B 8**, 1–152.

Klären. Im allg. techn. Sinne bedeutet K., aus einer trüben eine klare Flüssigkeit zu machen, indem man suspendierte od. kolloidal gelöste Teilchen (*Schwebstoffe) durch Filtration, Sedimentation, Zentrifugieren, Ausflockung u. dgl. beseitigt. Geklärt werden müssen neben Abwasser (s. unten) bes. häufig Fruchtsäfte, alkohol. Getränke wie Wein u. Bier, Zuckerlsg. bei der Saccharose-Gewinnung od. im Haushalt bei der Geleeherst., Fleischbrühe, im medizin. Bereich Körperflüssigkeit (Harn) usw. Zur Beschleunigung des K. (der *Ausflockung) dienen sog. *Klärmittel*, die die suspendierten Teilchen entweder einhüllen u. niederschlagen, mit ihnen unlösl., leicht absetzbare Verb. bilden (vgl. Flockungsmittel) od. sie adsorbieren (z.B. Aktivkohle, Talk, Bolus alba). Das Absetzen wird meist durch Erwärmen od. Aufkochen der Flüssigkeit erleichtert, ggf. auch durch Zusatz von *Flockungshilfsmitteln*, insbes. synthet. *Polyelektrolyten, aber auch Naturprodukten wie Stärke, Leim u. Gelatine (bes. bei Fruchtsäften) od. Tannin u. Hausenblase (bei Wein).

Von bes. Bedeutung sind die Klärverf. bei der Wasseraufbereitung u. Beseitigung gewerblichen, industriellen u. häuslichen *Abwassers. Dies erfolgt in *Kläranlagen bzw. -werken, die in ihrer techn. Einrichtung auf die Zusammensetzung des aufzubereitenden Abwassers eingestellt sein müssen u. die bei modernen Anlagen mechan., biolog. u. chem. Stufen aufweisen. Die Automatisierung der Prozeßabläufe spielt in Kläranlagen eine wichtige Rolle (s. *Lit.*[1]). Verständlicherweise hat jeder Ind.-Zweig seine eigenen Probleme mit dem K. der spezif. Abwässer; *Beisp.:* Galvanotechnik, Metall-, Textil-, Papier-, Photo-, Lebensmittel-Ind. etc., vgl. die Beiträge in *Lit.*[2]. Als bes. geeignet für schwierige industrielle Abwässer hat sich z.B. das *Katox®-Verf. erwiesen, das mit gutem Wirkungsgrad die organ. Inhaltsstoffe durch katalyt.

Luftoxid. abbaut. Der beim *biologischen Abbau kommunaler Abwässer in Kläranlagen reichlich anfallende sog. *Belebtschlamm wird zusammen mit dem übrigen *Klärschlamm weiteren Behandlungen u. evtl. Verw. zugeführt. Der bes. von den Belebungsstufen ausgehenden Geruchsbelästigung sucht man durch bes. Maßnahmen, z. B. gasdichte Abdeckung der Emissionsquellen, Sammlung u. Verbrennung der Abgase usw. entgegenzuwirken, s. *Lit.*[3] (für Kläranlagenbau u. für Klärmittel s. *Lit.*[4]). – *E* = *F* clarification – *I* purificazione – *S* clarificación

Lit.: [1] Sicherh. Chem. Umwelt **1**, 117 – 122 (1981). [2] Pure Appl. Chem. **57**, 1973 – 2033, 2233 – 2251 (1980); Nachr. Chem. Tech. Lab. **29**, 789 – 792 (1981). [3] Chem. Ztg. **110**, 63 – 68, 281 – 288 (1986). [4] ACHEMA-Jahrb. **1994**, 1850.
allg.: Barnes et al., Water and Wastewater Engineering Systems, London: Pitman 1981 ▪ Bischofsberger u. Hegemann, Lexikon der Abwassertechnik, 4. Aufl., Essen: Vulkan 1988 ▪ Bradke, Abwasserreinigung, Berlin: Schmidt 1981 ▪ Hahn, Wassertechnologie. Fällung, Flockung, Separation, Berlin: Springer 1987 ▪ Hartmann, Biologische Abwasserreinigung, Berlin: Springer 1983 ▪ Ullmann (5.) **B 2**, 9-4; **A 11**, 576 ▪ Vernick u. Walker, Wastewater Treatment Processes, New York: Dekker 1982 ▪ Walter u. Winkler, Wasserbehandlung durch Flockungsprozesse, Berlin: Akademie 1981 ▪ Wasser, Frankfurt: VCI 1982 ▪ Winnacker-Küchler (4.) **1**, 53 – 75.

Klärfiltration s. Filtration.

Klärpunkt s. flüssige Kristalle.

Klärschlamm. Der bei der physikal., chem. u. biolog. *Abwasserbehandlung anfallende Schlamm, nicht jedoch das Rechen-, Sieb- u. Sandfanggut.
Die K.-Zusammensetzung hängt von der Abwasserbeschaffenheit u. dem Abwasserbehandlungsverf. ab; bei den in biolog. *Kläranlagen anfallenden unbehandelten Rohschlämmen[1] unterscheidet man
– *Primärschlamm* (Vorklärschlamm) aus der ersten Behandlungsstufe, der nach Rechen u. Sandfang aus dem *Abwasser – z.B. durch Sedimentation – abgetrennt wird.
– *Sekundärschlamm* aus der biolog. Behandlungsstufe (= Belebtschlamm), z.B. *Überschußschlamm aus dem Belebungsverf. od. Tropfkörperschlamm (Fladen des biolog. Rasens).
– *Tertiärschlamm* aus der dritten Behandlungsstufe, z.B. Flotate od. Flockungsprodukte.
Rohschlämme bestehen zu 90 – 99% aus Wasser; der organ. Anteil an der Trockensubstanzmasse liegt bei Primär- u. Sekundärschlamm bei 45 – 75%, bei Tertiärschlämmen bei 20 – 60%. Der Belebtschlamm enthält sog. *Biomasse, eine Mischpopulation von Mikroorganismen[2] [Bakterien, Protozoen (Ciliaten u. a.), Pilzen u. Metazoen (mehrzellige Tiere)]. Erwartungsgemäß stammt die organ. Substanz im K. überwiegend aus Organismen bzw. ihren Resten sowie aus biogenen Ausscheidungs- u. Abbauprodukten (*Aminosäuren, *Proteine, *Kohlenhydrate etc.), insbes. aus den biolog. nur langsam abbaubaren Humin-Stoffen (s. a. abbauresistente Substanzen). In Spuren finden sich *Benzol, *Toluol, *Phenol, *Dioxine, *PCB u. a. halogenierte organ. Substanzen sowie Detergenzien u. polycycl. Kohlenwasserstoffe, die als typ. *Umweltchemikalien z.T. aus der Luft z. B. über die Entwässerung von Verkehrsflächen, z.T. nach ihrer Anw. in Wasser (Detergenzien) in den K. gelangen. In Abhängigkeit vom Gehalt an Schwermetallen, organ. Kohlenstoff-Verb. u. bestimmten Schadstoffen (s. Tab.) regelt die *Klärschlamm-Verordnung die weitere *Klärschlamm-Entsorgung.

Tab.: Stoffgehalte in Klärschlämmen[a] [g/kg Trockensubstanz].

	Primär- schlamm	Sekundär- schlamm	Faul- schlamm
Stickstoff	57	131	69
Phosphor	8,3	17,7	22,3
Kalium	1,6	2,8	3,9
Calcium	29,5	37,6	60,1
Magnesium	4,3	5,9	9,1
Blei			0,223
Cadmium			0,00496
Chrom			0,0944
Kupfer			0,421
Nickel			0,0410
Quecksilber			0,0078
Zink			1,960
Benzo(a)pyren	0,00057	0,00070	0,00092
Lindan	0,000114	0,000176	0,000080
HCB	0,000021	0,000030	0,000044
PCB	0,0033	0,0030	0,0027
nichtion. Tenside	1,9	2,5	2,0

[a] Stickstoff, Phosphor u. Metalle als Verb. bzw. Ionen; als Beisp. Mittelwerte von 12 Kläranlagen (s. *Lit.*[3], weitere Werte s. *Lit.*[4]).

Wegen der hohen Gehalte an Wasser (Transport), organ. Substanz u. pathogenen Keimen (Viren, Bakterien, Pilze, Wurmeier, Nematoden u.a.; s. Lymabios) wird K. einer *Klärschlamm-Aufbereitung unterworfen, die eine *Schlammstabilisierung, Hygienisierung, Nutzung u. Volumenverminderung bezweckt, womit sich auch die anderen Eigenschaften beträchtlich ändern. So wird bei der anaeroben *Faulung aus dem Faulschlamm *Biogas freigesetzt u. dieser z. T. denitrifiziert; damit sinken der Kohlenstoff- u. Stickstoff-Anteil im Faulschlamm; Phosphor, Metalle u. anaerob nicht abbaubare od. nicht flüchtige organ. Verb. werden im Faulschlamm im Vgl. zum Sekundär-(Belebt-)Schlamm angereichert (s.a. biologischer Abbau).
Bei der biolog. Abwasserbehandlung in Kläranlagen fallen pro Einwohner täglich ca. 3 L K. an; in der BRD sind es jährlich ca. 50 Mio. t. – *E* sludge – *F* boues d'épuration – *I* residuato dalla chiarificazione – *S* lodos de clarificación
Lit.: [1] Schriftenreihe des Lehrstuhls für Wassergütewirtschaft u. Gesundheitsingenieurwesen der TU München (Hrsg.), 12. Abwassertechn. Seminar: Schlammbehandlung unter besonderer Berücksichtigung von Schadstoffen im Klärschlamm, München: Selbstverl. 1982. [2] Acta Hydrochim. Hydrobiol. **17**, 375 – 386 (1989). [3] Korrespondenz Abwasser **36**, 706 – 713 (1989). [4] Gas- u. Wasserfach-Wasser-Abwasser **130**, 613 – 620 (1989).
allg.: Abwassertechnische Vereinigung (Hrsg.), ATV-Handbuch (4.), Klärschlamm, Berlin: Ernst u. Sohn 1996.

Klärschlammaufbereitung. Sammelbez. für Behandlungsverf., die dazu dienen, die bei der Abwasserbehandlung anfallenden *Klärschlämme beseitigungsfähig zu machen, d. h. im wesentlichen zu entwässern, z.B. durch kontrollierte anaerobe Schlammfaulung (wobei auch *Methan-haltiges *Biogas anfällt). Der

gebildete Faulschlamm kann aufgrund seines Phosphat- u. Ammonium-Gehalts in der Landwirtschaft eingesetzt werden (s. Klärschlammverordnung).
Bei der sog. Klärschlamm-Konditionierung als Verf. zur K. werden die Zellmembranen der Mikroorganismen durch Einwirkung von Hitze (Geruchsentwicklung!) od. Chemikalien wie Kalk-Milch, Eisen- od. Aluminium-Salzen zerstört. Dadurch kann die Zellflüssigkeit besser austreten; zudem werden die Oberflächenladungen der Zellen beseitigt bzw. neutralisiert. Der Schlamm ist dadurch leichter entwässerbar u. kann leichter eingedickt u. mittels Zentrifugen od. Bandpressen stichfest gemacht werden.
Die K. schließt im Regelfall eine Hygienisierung, d. h. Abtötung auch gesundheitsgefährdender Mikroorganismen, mit ein; s. a. die folgenden Stichwörter. – *E* sewage sludge treatment – *F* traitement des boues activées – *I* preparazione del residuato della chiarificazione – *S* tratamiento de lodos activados
Lit.: Ullmann (5.) **B 8**, 674–682.

Klärschlammbehandlung. *Klärschlamm kann aufgrund seiner krit. Eigenschaften (hoher Wassergehalt, hohes Wasserbindevermögen der im Klärschlamm enthaltenen Feststoffe, Vorhandensein fäulnisfähiger organ. Substanz, ggf. pathogener Mikroorganismen sowie Schadstoffen) nicht unmittelbar als Rohschlamm, wie er bei der Abwasserreinigung anfällt, einer *Abfallentsorgung zugeführt werden. Zuvor ist eine Behandlung erforderlich, die sich nach Art u. Umfang an den Erfordernissen des jeweiligen Entsorgungsweges orientiert u. die aus folgenden Grundoperationen bestehen kann:
Entseuchung (Hygienisierung, Desinfektion): Zerstörung pathogener Mikroorganismen u. Parasiten durch Hitzeentwicklung (z. B. Schlammpasteurisierung, aerob-thermophile Stabilisierung, *Kompostierung), pH-Wert-Verschiebung (Zugabe von Kalkhydrat od. Branntkalk) sowie durch ionisierende Strahlung.
Stabilisierung: Herabsetzung des Gehalts an mikrobiell abbaubaren Substanzen durch biolog. Prozesse (z. B. *Faulung, Kompostierung) od. durch therm. Verf. (z. B. *Klärschlammverbrennung).
Konditionierung: Verf. zur Verbesserung der Schlammeigenschaften, z. B. des Entwässerungsverhaltens, durch chem. (Zugabe anorgan. Salze, Kalk od. organ. Polyelektrolyte) od. physikal. Behandlung (Zugabe von Asche, Kohle od. mineral. Stoffe).
Mechan. Entwässerung: Entwässerung von Klärschlamm durch Kammerfilter- od. Siebbandpressen od. Zentrifugen.
Trocknung (therm. Entwässerung): Teilw. od. vollständige Verdampfung des an die Schlammteilchen gebundenen Wassers, in der Regel durch Konvektionstrockner (Wärmezufuhr durch strömende heiße Gase) od. Kontakttrockner (Wärmezufuhr über beheizte Wände). Hierdurch kann ein Trockensubstanzgehalt von bis zu 95% erreicht werden (s. Klärschlammentsorgung). – *E* sewage sludge treatment – *F* traitement des boues d'épuration – *I* trattamento del deparito di chiarificazione – *S* tratamiento de lodos de clarificación

Klärschlammentsorgung. In der BRD fielen Anfang der 90er Jahre ca. 55 Mio. t *Klärschlamm mit knapp 3 Mio. t Trockensubstanz (TS) an, von denen ca. 55–60% deponiert, ca. 30% landwirtschaftlich verwertet u. ca. 10–15% verbrannt wurden. Künftig rechnet man mit einem Anfall von jährlich etwa 70–85 Mio. t Klärschlamm (ca. 4 Mio. t TS). Als Möglichkeiten der K. kommen grundsätzlich entweder eine stoffliche Verwertung, vorwiegend durch Integration in den natürlichen Stoffkreislauf (Verwertung in Landbau, Landschaftsbau od. Landwirtschaft) in Frage od. die Ausschleusung des Klärschlamms durch Deponierung, ggf. nach therm. Behandlung unter Nutzung der in Klärschlämmen enthaltenen Energie (s. Klärschlammverbrennung). Der K. vorgeschaltet sind in der Regel Verf. der *Klärschlammbehandlung, um die Schlämme in eine handhabbare u. für den jeweils angestrebten Entsorgungsweg geeignete Form zu bringen.
Verwertung in Landwirtschaft, Land- u. Landschaftsbau: Bei der landwirtschaftlichen Nutzung von Klärschlämmen (Düngung) werden deren humose Substanz u. Pflanzennährstoffe, z. B. Phosphor, Stickstoff sowie Spurenelemente, verwertet. Die Schlämme können in flüssiger, entwässerter od. getrockneter Form ausgebracht, kompostiert od. zu Düngemittelgemischen verarbeitet werden; hierbei sind insbes. die Vorgaben der *Klärschlammverordnung zu beachten. Obgleich diese Verwertung das kostengünstigste K.-Verf. darstellt, treten aufgrund der in Klärschlämmen enthaltenen Schadstoffe, insbes. Schwermetalle, zunehmende Akzeptanzprobleme seitens der Abnehmer auf. Eine weitere stoffliche Verwertungsmöglichkeit ist die Verw. von Klärschlämmen als Bodenverbesserungsmittel im Landbau sowie im Landschaftsbau (Rekultivierungsmaßnahmen); im Unterschied zur Düngung, wo Klärschlämme regelmäßig ausgebracht werden, ist hier nur die einmalige Ausbringung größerer Klärschlamm-Mengen erforderlich.
Verwertung in der Asphaltherst.: Beim Einsatz von getrockneten Klärschlämmen zur Asphaltherst. kann der mineral. Anteil der Schlämme als Zuschlagstoff für die Mischung des Asphalts, der organ. Anteil zur Energieerzeugung genutzt werden.
Verbrennung, Veraschung, Mineralisierung von Klärschlamm sowie *Verw. von getrocknetem Klärschlamm als Ersatzbrennstoff*: s. Klärschlammverbrennung.
Deponierung: Die Deponierung von Klärschlämmen erfolgt in Mono-, Misch- od. Hausmülldeponien. Zum überwiegenden Teil werden die Schlämme lediglich mechan. entwässert u. mit Zuschlagstoffen, z. B. Kalk od. Zement stabilisiert u. konditioniert, um die erforderliche Festigkeit zu erzielen (s. a. Klärschlammbehandlung). Die Deponierung von Klärschlämmen wird langfristig vermutlich die Ausnahme darstellen, da nach den Vorgaben der *TA Siedlungsabfall ab dem Jahre 2005 nur noch Stoffe mit höchstens 5% organ. Masse (bezogen auf TS) deponiert werden dürfen, d. h. der organ. Anteil der Klärschlämme muß vor einer Deponierung durch geeignete Maßnahmen, z. B. Verbrennung, entsprechend reduziert werden.
Noch in der Erprobung befinden sich folgende K.-Verf.: *Pyrolyse (Verschwelung, Entgasung)* sowie *Ver-*

gasung von getrocknetem Klärschlamm: s. Abfallbehandlung.

Naßoxid.: Bei diesem Verf. wird wäss. Klärschlamm bei Temp. von 170–340 °C u. Drücken zwischen 40 u. 250 bar mit Sauerstoff flammenlos oxidiert. Die organ. Substanz wird dabei in Kohlendioxid, Wasser u. einfache organ. Verb., z. B. Essigsäure, umgewandelt. Das hierbei anfallende Abwasser-Feststoffgemisch wird entwässert, wobei das Filtratwasser einer Abwasserbehandlung zugeführt u. der Feststoff (organ. Anteil <5%) deponiert werden kann. Als Verfahrensvarianten sind das VerTech-, *LOPROX- u. das Modoc-Verf. bekannt.

Hydrolyse: Die Umsetzung des Klärschlamms erfolgt in flüssiger Phase bei Temp. bis zu 300 °C u. unter Druck, wobei die im Klärschlamm enthaltenen Makromol. unter Wasseranlagerung in kleinere wasserlösl. Mol. gespalten werden. Es entstehen ein Hydrolysegas mit hohen Kohlendioxid- u. Ammoniak-Anteilen sowie ein Hydrolysat mit hohen Anteilen gelöster Organika u. Ammonium-Verb., das einer separaten aeroben od. anaeroben Behandlung unterzogen werden muß. – *E* sewage sludge disposal – *F* elimination des boues d'épuration – *I* smaltimento del deposito di chiarificazione – *S* evacuaciòn de lodos de clarificaciòn

Lit.: Abfallwirtschaftsjournal **6**, Nr. 11, 765–771 (1994); **7**, Nr. 3, 137–150 (1995) ▪ Birn, Abfallbeseitigungsrecht für die betriebliche Praxis, Loseblatt-Ausgabe, Tl. 12/14, Augsburg: WEKA.

Klärschlammverbrennung (Klärschlammveraschung).

Die K. ist ein Verf. der *Klärschlammentsorgung. Ziel der K. ist die Zerstörung organ. Schadstoffe u. damit Hygienisierung des Materials, die Einbindung anorgan. Schadstoffe in eine nicht eluierbare Matrix, die Reduzierung von Masse u. Vol. der *Klärschlämme sowie die Nutzung der in ihnen enthaltenen Energie. Von den derzeit in der BRD anfallenden Klärschlämmen werden ca. 10–15% verbrannt. Aufgrund der Anforderungen der *TA Siedlungsabfall, die vor der Ablagerung von *Abfällen eine weitestgehende Mineralisierung fordert, sowie aufgrund der Schwermetall- u. organ. Schadstoffproblematik bei der landwirtschaftlichen Klärschlammverwertung (s. Klärschlammentsorgung) wird künftig die therm. *Klärschlammbehandlung u. damit die K. an Bedeutung gewinnen. Für die K. kommen grundsätzlich folgende Möglichkeiten in Betracht:

Monoverbrennung: Neben der Verbrennung von entwässerten Klärschlämmen in Etagenöfen u. Etagenwirblern (Kombination von Etagen- u. Wirbelschichtofen) erfolgt die Monoverbrennung von entwässerten od. vorgetrockneten Klärschlämmen vornehmlich in Wirbelschichtöfen. Das Merkmal dieser Ofenart ist die schwebende Verbrennungszone, die Wirbelschicht. Das Prinzip der Wirbelschicht beruht darauf, eine etwa 0,5 m hohe Sandschicht durch einen aufwärts gerichteten Luftstrom in einen flüssigkeitsähnlichen Zustand zu versetzen. Der Klärschlamm wird entwässert od. vorgetrocknet in das ca. 800 °C heiße Sandbett eingebracht. Infolge der intensiven Durchmischung mit der inerten Wirbelmasse u. der heißen Wirbelluft wird der Schlamm getrocknet, auf Staubfeinheit zerkleinert,

mit Luft vermischt u. schließlich verbrannt. Die mineral. Bestandteile des Klärschlamms werden als Flugasche mit dem Rauchgas ausgetragen u. im Verlauf der Rauchgasreinigung aus diesem abgeschieden (s. a. Abfallverbrennung); die Aschemenge entspricht ca. 20–30% der ursprünglichen Klärschlammtrockensubstanz. Die Flugasche kann ggf. nach einer zusätzlichen Behandlung (Wäsche, Verfestigung, Sinterung) verwertet od. deponiert werden. Die Reaktionsprodukte aus der Rauchgasreinigung sind als *Sonderabfall zu deponieren.

Verbrennung mit Hausmüll: Klärschlämme können gemeinsam mit *Siedlungsabfällen in einer *Hausmüllverbrennung verbrannt werden. Der Schlammanteil am Restmüll/Klärschlamm-Gemisch liegt in der Regel unter 10 Gew.-%, um die mit dem entwässerten Schlamm eingetragenen Wassermengen gering zu halten u. keine anlagen- u. feuerungstechn. Probleme zu bekommen. Aufgrund der anorgan. Bestandteile des Klärschlamms (ca. 50% der Trockensubstanz) ergibt sich bei der Klärschlamm-Mitverbrennung ein erhöhter Asche- u. Staubanfall.

Einsatz als Ersatzbrennstoff: Getrockneter Klärschlamm weist einen der Braunkohle vergleichbaren Heizwert von ca. 12 MJ/kg auf u. kann als Ersatz für fossile Brennstoffe in Kohlekraftwerken (vorwiegend Schmelzkammerfeuerung) sowie in der Zement- u. Asphalt-Ind. eingesetzt werden. Aufgrund der in Klärschlämmen enthaltenen Schwermetalle sowie den bei der K. anfallenden höheren Aschemenge im Vgl. zur Kohleverbrennung, muß in Kohlekraftwerken der Klärschlammanteil am Brenngut begrenzt werden. Die organ. Klärschlammbestandteile werden bei Temp. von ca. 1500–1600 °C zerstört, während die Schwermetalle vorwiegend in der Schlacke verbleiben. Da die Schlacke nach deren schmelzflüssigem Abzug u. Abschreckung im Wasserbad als verglastes Granulat anfällt, sind die Schwermetalle in die Glasmatrix eingebunden u. somit immobilisiert. – *E* sewage sludge incineration – *F* incinération des boues d'épuration – *I* incenerimento del deposito di chiarificazione – *S* incineraciòn de lodos de clarificaciòn

Lit.: Entsorgungspraxis **14**, Nr. 5, 25–28 (1996) ▪ Korrespondenz Abwasser **41**, Nr. 8, 1360–1372 (1994) ▪ Müll-Handbuch, Loseblatt-Sammlung, Kz. 3420, Berlin: E. Schmidt.

Klärschlammverordnung (AbfKlärV).

Die am 1.7.1992 in Kraft getretene K.[1] basiert auf § 15 des *Abfallgesetzes von 1986. Sie legt bundesweit die Rahmenbedingungen für die landwirtschaftliche od. gärtner. Klärschlammverwertung fest (s. a. Klärschlammentsorgung) u. dient gleichzeitig der Umsetzung der EG-Klärschlammrichtlinie[2]. Wesentliche Ziele der K. sind zum einen die Vermeidung von Schadstoffanreicherungen im Boden sowie in den darauf erzeugten Nahrungs- u. Futtermitteln durch Festlegung von Vorsorgewerten für bestimmte Boden- u. Klärschlammparameter (z. B. Schwermetalle, organ. Schadstoffe), zum anderen die Unterbindung von Überdüngungen u. Nährstoffauswaschungen durch Anw. von Bestimmungen des Düngemittelrechts. Die VO hat zu beachten, wer Abwasserbehandlungsanlagen betreibt u. *Klärschlamm zum Aufbringen auf landwirtschaftlich od. gärtner. genutzte Böden abgibt, bzw. wer Klärschlämme auf solche Böden aufbringt. – *E* regulation on sewage sludge – *F* décret sur les boues d'épuration – *I* decreto sul deposito di chiarificazione – *S* reglamento para los lodos de clarificación

Lit.: [1] Klärschlammverordnung (AbfKlärV) vom 15.4.1992 (BGBl. I, S. 912). [2] Richtlinie 86/278/EWG des Rates vom 12.6.1986 über den Schutz der Umwelt u. insbes. der Böden bei der Verw. von Klärschlamm in der Landwirtschaft (Abl. EG Nr. L 181, S. 6).

allg.: Informationsschrift Umweltschonende Entsorgung 10 „Landwirtschaftliche Klärschlammverwertung", Köln: Entsorga gGmbH 1994.

Klärschlammverwertung s. Klärschlammentsorgung.

Klärwerk s. Kläranlage.

Klaproth, Martin Heinrich (1743–1817), Apotheker u. Prof. für Chemie, Univ. Berlin. *Arbeitsgebiete:* Mineralanalysen, Entdeckung von Kali (im Leucit), Zirkon, Uran, Cer (zusammen mit Berzelius), Charakterisierung u. Benennung von Strontium, Titan u. Tellur, Polymorphismus von Kalkspat u. Aragonit. K. gilt als Wegbereiter der analyt. Chemie u. nahm als einer der ersten dtsch. Chemiker das antiphlogist. Syst. von *Lavoisier an.

Lit.: Lexikon der Naturwissenschaftler, S. 243 ▪ Neufeldt, S. 4 ▪ Pötsch, S. 238 ▪ Strube et al., S. 101 f.

Klarlack s. Lacke.

Klarpunkt s. nichtionische Tenside.

Klarsichtmittel s. Beschlagverhinderungsmittel.

Klarspülmittel s. Geschirrspülmittel.

Klassieren. Bez. für die Trennung eines Feststoffgemenges (Korngemischs) nach *Korngröße (*Körnungsstufen*) od. Masse. Die wichtigsten, im allg. in Einzelstichwörtern behandelten *Trennverfahren durch K. sind: Sieben (K. mittels Siebvorrichtung), Windsichten (K. im Luftstrom), Strom-K. (K. im Wasser- od. Luftstrom, z.B. Elutriation), Hydro-K. (K. im Wasserstrom) u. Sedimentation. – *E* classifying – *F* classer – *I* classificare – *S* clasificación

Lit.: ACHEMA-Jahrb. **1994**, 1851 ▪ Höffl, Zerkleinerungs- u. Klassiermaschinen, Leipzig: VEB Grundstoff-Ind. 1986 ▪ Particle Technology 1980, S. 703–914, Frankfurt: DECHEMA 1980 ▪ Ullmann (5.) **B 2**, 2-7, 17-5 ▪ Winnacker-Küchler (4.) **1**, 76 ff.; **2**, 492; **3**, 171 f., 286 f.

Klassifikation. Bez. für ein(e) Ordnungssystem(atik) für Begriffe, Gegenstände etc.; K. sind meist *hierarch.* (streng gegliedert, von griech.: hieros = heilig u. archein = herrschen) aufgebaut; *Beisp.:* *Dezimalklassifikation, *Enzym-K., K. für chem. *Reaktionen, für Mineralien, für Lebewesen. Auf die unterschiedlichen Verwandtschaftsbeziehungen zu *Thesaurus einerseits u. *Nomenklatur u. *Terminologie andererseits sei hingewiesen. – *E = F* classification – *I* classificación – *S* clasificación

Lit.: Nachr. Dok. **25**, 2–14 (1974) ▪ zahlreiche einschlägige Titel erscheinen bei Saur (München) ▪ s.a. Dokumentation. – *Organisation:* Ges. für Klassifikation, 76128 Karlsruhe, Postfach 6980.

Klastische Gesteine (Trümmergesteine). Bez. für eine vielseitige Gruppe von *Sedimenten u. *Sedimentgesteinen, deren Material aus der mechan. Zerstörung anderer Gesteine stammt. Sie bestehen weitgehend aus Bruchstücken (*Klasten*, z.B. *Quarz, *Feldspäte, *Glimmer, auch Gesteinsfragmente), die durch *Verwitterung vom Kornverband ihres Ausgangsgesteins losgelöst u. durch Wind, Gletscher, Flüsse, Wellen, Gezeitenströme u. Trübeströme zum Ablagerungsplatz transportiert worden sind; feinkörnige Verwitterungsprodukte bestehen weitgehend aus *Tonmineralen. Ein grundlegendes Merkmal der k.G. u. allg. der Sedimente u. Sedimentgesteine ist die *Korngröße. Sie ist Grundlage der in Tab. 1 enthaltenen *Udden-Wentworth-Korngrößenskala* (Einteilung in 7 Kornklassen, beruhend auf einem konstanten Verhältnis von 2 zwischen aufeinanderfolgenden Klassengrenzen); Tab. 2 enthält die in der BRD gebräuchlichen Einteilungen u. Bez., u.a. nach DIN 4022 (05/1982).

Tab. 1: Korngrößen-Einteilung der Sedimente u. Sedimentgesteine nach Udden u. Wentworth; nach Tucker, *Lit.*, S. 11.

mm	Φ-Werte	Bez. der Kornklassen	Bez. für Lockersedimente u. Sedimentgesteine entsprechend der Korngröße
		Blockwerk	
256	– 8		
128	– 7		
		Grobkies	Kies
64	– 6		Rudit
32	– 5		Konglomerate
16	– 4	Mittelkies	Breccien
8	– 3		
4	– 2		
		Feinkies	
2	– 1		
		sehr grob	
1	0		
		grob	Sand
0,5	1		
		Sand — mittel	Sandsteine
0,25	2		
		fein	Arenite
0,125	3		
		sehr fein	
0,0625	4		
		grob	
0,0312	5		
		mittel	Silt
0,0156	6	Silt	
		fein	Siltstein
0,0078	7		
		sehr fein	
0,0039	8		
		Ton	Ton / Tonstein

Krumbein (*Lit.* [1]) führte eine arithmet. Skala (d.h. 1, 2, 3, 4 usw.) von phi-Einheiten (Φ) ein, wobei Φ den neg. logarithm. Wert der Udden-Wentworth-Skala darstellt: $\Phi = -\log_2 S$ (S = Korngröße in mm), s. Tab. 1. *Kies u. Rundschotter werden zu *Konglomeraten, Schutt zu *Breccien, *Sand zu *Sandsteinen, Arkosen u. *Grauwacken, u. *Tone u. *Mergel zu schiefrigen u. mergeligen *Tonsteinen verfestigt. – *E* clastic rocks – *F* roches clastiques – *I* rocce clastiche – *S* rocas clásticas

Tab. 2: In der BRD gebräuchliche Korngrößeneinteilungen u. Benennung von klast. Sedimenten; nach Matthes, *Lit.*, S. 313.

Korn-∅	Einteilung		Bez.	Einteilung nach DIN 4022	Korn- ∅ [mm]
0,2 µm — 2 µm —	pelit.	Kolloid-Ton	Pelite (griech.: pelos = Schlamm)	Ton	
		Fein-Ton			0,002
		Grob-Ton		Fein-Schluff (Silt)	0,0063
0,02 mm —				Mittel-Schluff (Silt)	0,02
	psammit.		Psammite (griech.: psammos = Sand)	Grob-Schluff (Silt)	0,063
0,2 mm —		Fein-Sand		Fein-Sand	0,2
		Grob-Sand		Mittel-Sand	0,063
2 mm —				Grob-Sand	2
	psephit.		Psephite (griech.: psephos = Kiesel)	Fein-Kies	6,3
2 cm —		Fein-Kies		Mittel-Kies	20
		Grob-Kies		Grob-Kies	63
20 cm —		Blöcke		Steine	

Lit.: [1] J. Sed. Petrol. **6**, 35–47 (1936).
allg.: Füchtbauer (Hrsg.), Sedimente u. Sedimentgesteine (4.) (Sediment-Petrologie Tl. II), S. 69–231, Stuttgart: Schweizerbart 1988 ▪ Matthes, Mineralogie (5.), S. 312 ff., Berlin: Springer 1996 ▪ Tucker, Einführung in die Sedimentpetrologie, S. 10–100, Stuttgart: Enke 1985 ▪ s. a. Sedimente u. Sedimentgesteine.

Klatschmohn s. Mohn.

Klatte, Fritz (1880–1934), Ind.-Chemiker, Chem. Fabrik Griesheim-Elektron. *Arbeitsgebiete:* Polymerisation von Vinylchlorid, -acetat, -chloracetat (Igelit®), Anw.-Technik der Polymerisate, Kunstharze; zahlreiche Patente, u. a. das Patent zur Herst. von PVC-Fasern (1913).
Lit.: Neufeldt, S. 127, 129, 131 ▪ Pötsch, S. 239.

Klauenöle (Klauenfett). Ein durch Wasserdampf-Extraktion von Rinder- u. Hammelklauen od. von Hufen befreiten Füßen von Pferden gewonnenes hellgelbes, nur wenig riechendes Öl, D. 0,92, Schmp. ca. 0 °C, VZ 189–197, IZ 65–85, das ein Gemisch von Estern gesätt. u. ungesätt. Fettsäuren mit Glycerin darstellt.

Tab.: Typ. Fettsäure-Zusammensetzung von Klauenölen.

Fettsäure	Anteil Gew.-%
Palmitinsäure	17
Palmitoleinsäure	9
Stearinsäure	3
Ölsäure	64
Linolsäure	2

Echtes Rinder-K. stammt aus den Rinderklauendrüsen.
Verw.: Ähnlich wie die verwandten *Knochenfette als Hilfsmittel in der Leder- u. Textil-Ind., als Schmierstoff u. auch für pharmazeut. u. kosmet. Zwecke. Infolge des relativ hohen Gehalts an ungesätt. Fettsäuren werden dem K. zuweilen Vitamin-F-Eigenschaften zugeschrieben. – *E* neatsfoot oil – *F* huiles de pied de bœf – *I* oli di piede di bue, grassi di zampa – *S* aceites de pata de buey
Lit.: Hager **7 b**, 203 f. ▪ Janistyn **1**, 509 ▪ s. a. Fette u. Öle. – [*HS 1506 00*]

Klaus, Karl s. Claus.

K$_L$a-Wert. Volumenbezogene Stoffübergangszahl für Sauerstoff. Der K$_L$a-W. setzt sich zusammen aus dem flüssigkeitsseitigen Stoffübergangskoeff. K$_L$ multipliziert mit der spezif. Phasengrenzfläche a. Er ist ein Maß für die Sauerstoff-Versorgung u. abhängig von der Apparate-Charakteristik (Durchmesser, Füllhöhe, Rührleistung, Belüftungssyst., Belüftungsrate) sowie vom biolog. Syst. (Nährlösungszusammensetzung, Dichte, Viskosität, Struktur der Mikroorganismen, Antischaummittel, Temp.). Der K$_L$a-W. kann bestimmt werden durch eine Sauerstoff-Bilanzierung während des Wachstums im *Bioreaktor (*Lit.*[1]). – *E* K$_L$a value – *F* valeur K$_L$a – *I* valore K$_L$a – *S* valor K$_L$a
Lit.: [1] Römpp Lexikon Biotechnologie S. 727 (Steady-State-Methode für K$_L$a-Wert-Bestimmung).
allg.: Präve et al. (4.), S. 261–304.

Klebdispersionen s. Dispersionsklebstoffe.

Klebebänder (Klebestreifen). Bez. für mit *Klebstoffen beschichtete u. meist als Rolle aufgewickelte Bänder aus Papier, Gewebe od. Kunststoffolien. Vom Klebstoff her werden mit Wasser aktivierbare K. (mit Dextrin- od. Glutin-*Leimen) u. *Selbstklebebänder* (mit *Haftklebstoffen) unterschieden.
Verw.: Als Verschluß bei Verpackungen, zum Maskieren in der Lackiererei, zum Markieren mit Signal- od. Kennfarben, zum elektr. Isolieren u. als medizin. Verbandsmaterial (vgl. Pflaster). – *E* adhesive tapes – *F* rubans adhésifs – *I* nastri adesivi – *S* cintas adhesivas
Lit.: Encycl. Polym. Sci. Eng. **13**, 345–368 ▪ Hinterwaldner, Adhesive Tapes, München: Hinterwaldner 1976 ▪ Ullmann (4.) **14**, 258 ff. – [*HS 3919 10, 3919 90, 4823 1, 5906 10*]

Klebelack s. Kleblack.

Kleben. Unter K. versteht man (vgl. DIN 16920, 06/1981) das Fügen unter Verw. eines *Klebstoffs. Je nachdem, ob das Auftragen des Klebstoffs auf die zu verbindenden Körper u./od. die Vereinigung ihrer zu verklebenden Flächen (Klebflächen) bei gewöhnlicher od. bei erhöhter Temp. erfolgt, spricht man vom *Kalt-* od. *Warmkleben.* Der Abbindevorgang kann danach im Verdampfen eines Lsm., in Vernetzung durch chem. Reaktionen od. auch in dem Erstarren einer Schmelze bestehen. „K." als Oberbegriff schließt andere gebräuchliche Begriffe, wie z. B. Leimen u. Kitten ein, nicht allerdings das ebenfalls Kitten genannte dichte Ausfüllen von Hohlräumen usw. mit *Kitten (Füllmassen).

Der Klebevorgang selbst ist sehr komplex; es tragen die Oberflächenenergie der Substrate u. die Oberflächenspannung des Klebstoffes ebenso bei wie die Grenzflächenspannung zwischen Klebstoff u. Substrat, die Polarität u. Struktur der zu verklebenden Oberflächen u. physikal. Eigenschaften des Klebefilms wie Reißfestigkeit u. Dehnungsverhalten. Bis heute ist die umfassende physikal.-chem. Deutung des Klebeffektes noch nicht befriedigend gelungen. Unbestritten ist aber, daß zum einen die mechan. Verankerung des Klebstoffes eine Rolle spielt, der in die Poren des Substrates eindringt u. dort erhärtet. Weiterhin sind Diffusionsvorgänge u. elektrostat. Anziehung auf mol. Ebene zwischen Klebstoff u. Substrat bedeutend. – *E* bonding, pasting, gluing, sticking – *F* coller – *I* incollare, attaccare, appiccicare – *S* pegado, engomado, encolado

Lit.: Int. J. Adhesion Adhesives **7**, 81 – 91 (1987) ▪ s. a. Klebstoffe, Kunststoffkleben.

Kleber. 1. Veraltete umgangssprachliche Bez. für *Klebstoffe, die insbes. in Wortzusammensetzungen wie Alleskleber, Gummikleber, Metallkleber etc. häufig (noch) verwendet wird, grundsätzlich aber vermieden werden sollte.
2. Bez. für *Gluten, den Protein-Anteil des Endosperms bestimmter Getreidearten, z.B. Mais od. Weizen. K. fällt bei der Isolierung von *Stärke aus wäss. Suspensionen der gemahlenen Getreidekörner als gummiartige Masse (Naßkleber) an, die getrocknet vermarktet wird. Der K.-Gehalt des Getreides variiert zwischen ca. 8 Gew.-% (Gelbmais) u. 9 – 16 Gew.-% (Weizen). In der handelsüblichen Form ist Weizen-K. ein Gemisch aus ca. 72% *Protein, 13% *Kohlenhydraten, 7% *Lipiden u. 7% Wasser. Weizenprotein besteht hauptsächlich aus einem Gemisch von *Gliadin u. *Glutelin. Haupt-Protein der Mais-K. ist das *Zein. K. beeinflußt in hohem Maße die Backfähigkeit des Mehls. Er wird beim Anteigen des Mehls hydratisiert u. trägt wesentlich zur schaumartigen Konsistenz des Teiges bei, die beim Backen durch Denaturierung des Proteins konserviert wird.

Verw.: Als pflanzliches Eiweiß zur Gewinnung von Glutamat, Zein (aus Mais-K.), Suppengewürzen, für Diabetikergebäck u. als Eiweiß-reiches Nahrungs- u. Futtermittel. – *E* 1. adhesives, 2. gluten – *F* 1. colles, 2. gluten – *I* 1. adesivo, 2. glutine – *S* 1. adhesivos, 2. gluten

Lit. (zu 2.): Ullmann (4.) **22**, 181 ff.

Klebestreifen s. Klebebänder.

Klebfilme s. Klebfolien.

Klebfolien. Bez. für *Klebstoff in Folienform, z. B. als mit Kunstharzen imprägnierte Glas- u. Kunstfaservliese zur Verklebung von Metallen untereinander od. mit anderen Werkstoffen unter Preßdruck u. Wärme. Solche K. finden z. B. bei Ski-, Reibbelags-, Wabenverklebungen usw. Verwendung. In der Handelssprache werden K. oft auch als *Klebfilme* od. *Leimfilme* bezeichnet. – *E* adhesive films – *F* feuille de collage – *I* foglie adesive – *S* lámina adhesiva

Klebkitte s. Kitte.

Kleblack (Klebelack). Bez. für eine zum *Kleben von Körpern u. zu Isolationszwecken (*Isolierlacke) bestimmte niedrig- od. mittelviskose Lsg. von organ. Grundstoffen in flüchtigen organ. Lösemitteln. – *E* solution adhesive – *F* vernis collant, vernis adhésif – *I* soluzione adesiva, adesivo – *S* solución adhesiva, laca adhesiva

Klebrige Enden s. kohäsive Enden.

Klebsiella. Nach dem Schweizer Bakteriologen E. Klebs (1834 – 1913) benannte Gattung der Familie der Enterobakterien (s. Enterobacteriaceae). Die unbeweglichen, Gram-neg. Bakterien (*Gram-Färbung) bilden Polysaccharid-Kapseln, die den Kolonien eine schleimige Beschaffenheit u. je nach Stamm u. Polysaccharid-Zusammensetzung unterschiedliche Viskosität verleihen. K.-Arten sind fakultativ anaerob u. wachsen chemoorganotroph (s. Chemotrophie) ohne spezielle Wachstumsfaktoren auf allen Arten von Medien. Ausgehend von Glucose entsteht bei der Gärung als Hauptendprodukt meist 2,3-*Butandiol. Unter anaeroben Bedingungen können einige K.-Stämme mol. Stickstoff fixieren. Die an der *Stickstoff-Fixierung beteiligten *nif-Gene* lassen sich erfolgreich mit gentechn. Meth. auf andere Bakterien, insbes. *Escherichia coli*, übertragen u. dienen der molekulargenet. Forschung zur Untersuchung der Stickstoff-Fixierung. Viele K.-Stämme bilden Klebecin, ein *Bacteriocin.

Vork.: K. gehört zur normalen Darmflora u. kommt z. B. auch in Tieren, im Boden, im Wasser u. auf Getreide vor. Viele K.-Stämme sind opportunist. *pathogen u. können Infektionen (z. B. Lungenentzündungen durch *K. pneumoniae*) u. Entzündungen hervorrufen. Viele aus klin. Proben isolierten K.-Stämme enthalten R-Faktoren, die für *Resistenzen gegen eine Reihe von *Antibiotika verantwortlich sind. Die meisten K.-Arten sind in die Risikogruppe 2 eingestuft (s. biologische Sicherheitsmaßnamen u. Containment).

Biotechnolog. Anw.: K.-Arten werden zur Produktion des Enzyms Pullulanase (s. Pullulan) eingesetzt, das in der Lebensmitteltechnologie zum Aufschluß von *Stärke von Bedeutung ist. – *E* = *F* = *I* = *S* Klebsiella

Lit.: Brock u. Madigan, Biology of Microorganisms, S. 257, 471 f., 476, 605, 764 f., Englewood Cliffs, USA: Prentice-Hall Inc. 1991.

Klebstoffe. K. sind (nach DIN 16920, 06/1981) nichtmetall. Stoffe, die Fügeteile durch Flächenhaftung (*Adhäsion) u. innere Festigkeit (*Kohäsion) verbinden.

K. ist ein Oberbegriff u. schließt andere gebräuchliche Begriffe für K.-Arten ein, die nach physikal., chem. od. verarbeitungstechn. Gesichtspunkten gewählt werden, wie z. B. *Leim, *Kleister, *Dispersions-, Lsm.-, *Reaktions-, *Kontakt-Klebstoffe. Die Benennungen der K. erhalten oft Zusätze zur Kennzeichnung von Grundstoffen (z. B. Stärkekleister, Kunstharzleim, Hautleim), Verarbeitungsbedingungen (z. B. Kaltleime, *Heißsiegel- od. *Schmelzklebstoffe, Montageleim), Verw.-Zweck (z. B. Papier-K., *Holzleime, Metall-K., Tapetenkleister, Gummi-K.) u. Lieferform (z. B. flüssiger K., Leimlsg., Leimpulver, Tafelleim, Leimgallerte, *Kitt, *Klebeband, *Klebfolie).

K. basieren überwiegend auf organ. Verb., aber auch anorgan. K. werden eingesetzt. Eine Übersicht über die Einteilung der K. nach unterschiedlichen Aspekten, wie chem. Basis u. Herkunft, Abbindeart, Reaktionsmechanismen, Härtungstemp., Eigenschaften im Endzustand u. Lieferformen vermittelt *Lit.*[1].

DIN 16920 unterteilt die K.-Typen in physikal. abbindende (Leime, Kleister, Lsm.-, Dispersions-, Plastisol- u. Schmelz-K.) u. chem. abbindende (z.B. *Cyanacrylat-Klebstoffe). Die physikal. abbindenden K. können Lsm.-frei (Schmelz-K.) od. Lsm.-haltig sein. Sie binden durch Änderung des Aggregatzustands (flüssig → fest) od. durch Verdunsten der Lsm. vor od. während des Verklebungsprozesses ab u. sind im allg. einkomponentig.

Die chem. abbindenden, ein- od. mehrkomponentigen Reaktions-K. können auf allen *Polyreaktionen basieren: Zweikomponenten-Syst. aus Epoxidharzen u. Säureanhydriden bzw. Polyaminen reagieren nach Polyadditions-, Cyanacrylate od. Methacrylate nach *Polymerisations- u. Syst. auf *Aminoplast- od. Phenoplast-Basis nach *Polykondensations-Mechanismen.

Die Palette der als K.-Rohstoffe einsetzbaren Monomeren od. Polymeren ist breit variabel u. macht Verklebungen fast aller Materialien möglich. Problemat. ist vielfach das Verkleben von *Kunststoffen (s. Kunststoffkleben).

Eine Übersicht über Art u. Anw.-Gebiete wichtiger K.-Typen vermittelt die Tab., die sich an einer Systematik der DIN 16920 orientiert.

Zu den physikal. abbindenden, Lsm.-haltigen (Wasser) K. gehören auch spezielle Entwicklungen, wie z.B. der Klebestift, der sich durch bes. einfache Handhabbarkeit auszeichnet.

Dominierendes Ziel laufender K.-Entwicklungen ist die (aus ökolog. u. ökonom. Sicht zwingende) Umstellung von organ. Lsm. enthaltenden auf Lsm.-freie od. Wasser als Lsm. enthaltende Systeme.

Spezielle K. sind die sog. *Leit-K.* aus Kunstharzen mit elektr. leitenden Metall-Pulver od. Pigmenten als Zusatzstoffe (*Lit.*[2]). Als Nebenprodukt der K.-Forschung kann die Entwicklung von sog. Anti-*Haftmitteln angesehen werden, die das Haften von Substraten (Papier) an entsprechend imprägnierten Flächen verhindern sollen. K. werden auch von lebenden Organismen produziert. Eine Vielzahl von Mikroorganismen generiert K., um sich an den unterschiedlichsten Substraten (auch an feuchte, z.B. an Zähnen) festzusetzen (*Lit.*[3]). Ein bes. interessantes Beisp. für K. erzeugende Organismen sind Vertreter der Balaniden (Unterordnung Cirrepedia), die in der Lage sind, sehr dauerhafte u. feste Verklebungen unter Wasser durchzuführen u. sich damit an Schiffsrümpfen zu befestigen (*Lit.*[4]). In der Zahnmedizin versucht man, Balaniden-K., die aus mit Chinonen vernetzten Proteinen bestehen, für Zahnreparaturen zu nutzen. Verkleben feuchter Substrate u. Kleben unter Wasser sind heute vielfach noch unbefriedigend gelöste Probleme der K.-Forschung.

Geschichte: Klebeverbindungen sind schon seit ca. 6000 Jahren bekannt – damals wurden Erdpech u. Baumharz verwendet. Um 3500 v. Chr. gewannen die Sumerer einen Tierleim (sog. Se Gin) durch Auskochen von Tierhäuten; in vorröm. Zeit verwendete man u. a. K. auf der Basis von Albumin u. Hämoglobin; Näheres s. *Lit.*[5]. In der Folge wurden als Rohmaterialien für die Herst. von K. hauptsächlich die folgenden, teilw. auch heute noch eingesetzten Stoffe benutzt: Gelatine, Blut, Alginate, Schellack, Traganth, Gummi arabicum, Agar-Agar, Harze, Balsam, Guttapercha,

Tab.: Art u. Anwendungsgebiete wichtiger Klebstoff-Typen.

K.-Typ mit Beisp. u. Reaktionsbedingungen		*	Lsg.-/Dispersionsmittel	Anw. für
physikal. abbindende K.	*Schmelz-K.*: SB, PA, EVA, Polyester	1 w	ohne	Papier, Textilien, Leder, Kunststoffe
	Plastisol-K.: PVC + Weichmacher + Haftvermittler	1 w	ohne	Metalle, Keramik
	Haft-K.: Kautschuke, Polyacrylate	1 k	verdunsten vor dem Kleben	Bänder, Folien, Etiketten
	Kontakt-K.: PUR, SB, Polychloropren	1 k	verdunsten vor dem Kleben	Holz, Gummi, Kunststoffe, Metalle
	Lsm.-/Dispersions-K.: PUR, VA-,VC-, VDC-Copolymere	1 w	verdunsten vor dem Kleben	Papier, Kunststoffe, Metalle
	Lsm.-/Dispersions-K.: NR, PVAC, EVA, Polyacrylate	1 k	verdunsten beim Kleben	Papier, Holz, Kunststoffe, Keramik
	Leime: Glutin	1 w	verdunsten beim Kleben	Holz, Papier, Pappe
	Leime: Stärke, Dextrin, Casein, PVAL, PVP, Celluloseether	1 k	verdunsten beim Kleben	Papier, Pappe
chem. abbindende K.	*Reaktions-K.*:		Reaktionsprodukte	
	EP + Säureanhydride	2 w		Metalle, Keramik, Kunststoffe
	EP + Polyamine	2 k		Metalle, Keramik, Kunststoffe
	Polyisocyanate + Polyole	2 k		Metalle, Keramik, Kunststoffe
	Cyanacrylate	1 k		Metalle, Keramik, Kunststoffe, Gummi
	Methacrylate	1 k		Metalle
	UP + Styrol od. Methacrylate	2 k	bleiben in der Klebschicht	Metalle, Keramik, Kunststoffe
	SI-Harze + Feuchtigkeit	1 k	verdunsten beim Kleben	Keramik
	PF + PVFM od. NBR	1 w	verdunsten beim Kleben	Metalle
	PI, Polybenzimidazole	2 w	verdunsten beim Kleben	Metalle
	UF-, MF-, PF-, RF-Harze	2 wk	verdunsten beim Kleben	Holz

Systematik der Klebstoffe in Anlehnung an DIN 16920 (06/1981).
Legende: * = Zahl der Kompenten u. Abbindetemp. (w = warm, k = kalt); Kurzz. nach DIN 7728 Tl. 1, 01/1988 (vgl. Kunststoffe).

Bitumen u. Wachse. – *E* adhesives, glues – *F* adhésifs, colles – *I* adesivi, colle – *S* adhesivos, colas
Lit.: [1] Batzer **3**, 262. [2] Plaste Kautsch. **26**, 128 ff. (1979). [3] J. Adhesion **20**, 187 – 210 (1986/87). [4] Skeist, S. 830 ff. [5] Kosmos **78**, Nr. 3, 36 – 47 (1982).
allg.: Habenicht, Kleben, Berlin: Springer 1986 ▪ Hartshore, Structural Adhesives, New York: Plenum Press 1986 ▪ Kinloch, Adhesion and Adhesives, London: Chapman and Hall 1987. – *[HS 3506 10, 3506 91, 3506 99]*

Klee. Sammelbez. für z. T. einjährige, weiß, rot od. gelb blühende Pflanzen, die hauptsächlich in gemäßigten u. subtrop. Zonen vorkommen. Zu den – mit Hilfe ihrer in den Wurzeln lokalisierten *Knöllchenbakterien zur *Stickstoff-Fixierung befähigten – *Trifolium*-Arten aus der Familie der Schmetterlingsblütler (Fabaceae) gehören u. a. der Acker-, Rot- od. Wiesen-K. (*T. pratense* L.), der als Futterpflanze u. Bienenhonig-Lieferant bekannt ist; der Weiß- od. Schafs-K., der Hasen- od. Katzen-K., der Blut- od. Inkarnat-K. u. der aufgrund seines hohen Gehalts an *Isoflavonen interessante Subterraneum-K., ferner Stein-K., *Bockshornklee u. Sichel- od. Schnecken-K. (s. Luzerne), während Wund- u. Horn-K. zwar auch Schmetterlingsblütler sind, aber zu den Loteae rechnen. Auf die unterschiedlichen Inhaltsstoffe dieser K.-Arten kann hier aufgrund ihrer Vielfalt nicht näher eingegangen werden; lediglich auf den Gehalt an *Estrogenen in einigen K.-Sorten (*Lit.* [1]) sei hingewiesen. Arzneilich haben die K.-Arten keine Bedeutung. *Nicht* zu den Fabaceae gehören der Sauer-K. (Familie Oxalidaceae) u. der *Bitterklee (Familie Gentianaceae); ersterer liefert das sog. Kleesalz (*Kaliumoxalat). – *E* clover – *F* trèfle – *I* trifoglio – *S* trébol
Lit.: [1] Endeavour **35**, 110 – 113 (1976).
allg.: Adv. Agronomy **31**, 125 – 154 (1980) ▪ Hager (5.) **6**, 990 – 993. – *[HS 1214 90]*

Kleeblatt-Proteine (Kleeblatt-Peptide). Familie von *Proteinen bzw. Peptiden mit dem Strukturmotiv des Kleeblatts: 6 Cystein-Reste bilden 3 *Disulfid-Brücken aus, u. zwar der erste mit dem fünften, der zweite mit dem vierten u. der dritte mit dem sechsten Cystein-Rest. Dadurch entsteht eine charakterist. dreischleifige Anordnung der Polypeptid-Kette. Vertreter der K.-P. sind z. B. *pS2*, der *intestinale Kleeblatt-Faktor* u. das *spasmolyt. Polypeptid.* Diese werden mit dem Magen/Darm-Schleim sezerniert u. verdanken dem Kleeblatt-Motiv wahrscheinlich ihre Widerstandsfähigkeit gegen Verdauung. Möglicherweise üben sie eine Schutzfunktion für die Magen/Darm-Wand aus. – *E* trefoil proteins – *F* protéines à trèfle – *I* proteine al trifoglio – *S* proteínas a trébol ▪
Lit.: Annu. Rev. Physiol. **58**, 253 – 273 (1996) ▪ Curr. Biol. **4**, 835 – 838 (1994) ▪ Science **274**, 204, 259 – 265 (1996).

Kleesäure s. Oxalsäure.

Kleiderbad. Vereinfachtes Reinigungsverf. für Textilien in organ. Lsm., das nur 3 Arbeitsgänge umfaßt gegenüber 4 beim *Chemisch-Reinigen (Vollreinigung).
Lit.: s. Chemisch-Reinigen.

Kleie. Bez. für die beim Mahlprozeß anfallenden, zerkleinerten Bestandteile der äußeren Kornschichten des Getreides (s. Abb. dort), nämlich die vorwiegend Cel-

lulose-haltige Samenschale, die Eiweiß-reiche u. fetthaltige Aleuronschicht u. den Keimling (enthält Fette, Proteine, Vitamin A, B, E usw.). Bes. aufgrund ihres Rohfasergehalts erfüllt K. eine wichtige ernährungsphysiolog. Funktion [1]. Im einzelnen enthält K. je nach Mahlverf. z. B. 21% Cellulose, 20 – 26% Polyosen, 7,5 – 9% Stärke, 5% Zucker, 11 – 15% Protein, 5 – 10% Fett u. 14% Wasser; Weizen-K. enthält z. B. das 5fache an Salzen u. das 3fache an Fett gegenüber Weizenmehl, auch der Protein-Gehalt ist höher. K. wird in Graham-Brot verbacken, zu diätet. Lebensmitteln verwendet (*Vollwertkost*), dient als Eiweiß-reiche Kraftfutterbasis u. findet in Hautpräp. u. Badezusätzen Verwendung. – *E* bran – *F* son, bran – *I* crusca – *S* salvado, afrecho
Lit.: [1] Dtsch. Ärztebl. **75**, 2735 – 2741 (1978) ▪ s. a. Getreide, Weizen. – *[HS 2302]*

Klein, Jan (geb. 1936), Prof. für Immungenetik, Direktor am Max-Planck-Inst. für Biologie, Abt. Immungenetik, Tübingen. *Arbeitsgebiete:* Immungenetik, Evolutionsbiologie, Evolution des Mhc (Haupthistokompatibilitäts-Komplex), Kartierung von Genen des Menschen u. der Maus.
Lit.: Kürschner (16.), S. 1797 ▪ Wer ist wer (35.), S. 741.

Klein, Joachim (geb. 1935), Prof. für Makromol. Chemie, TU Braunschweig, wissenschaftlicher Geschäftsführer der Ges. für Biotechnolog. Forschung mbH (GBF), Braunschweig bis 1995 u. der GSF-Forschungszentrale für Umwelt u. Gesundheit mbH, Oberschleißheim, München. Mitglied der Enquête-Kommission „Schutz des Menschen u. der Umwelt" des 12. u. 13. Bundestages. *Arbeitsgebiete:* Synth. u. Charakterisierung von Polymeren, polymere Katalysatoren, Polymermaterialien in der Biotechnologie.
Lit.: Kürschner (16.), S. 1797 ▪ Nachr. Chem. Tech. Lab. **39**, Nr. 6, 716 (1991).

Kleine GTP-bindende Proteine (kleine GTPasen, monomere G-Proteine, p21-GTPasen, Ras-artige Proteine, Ras-Superfamilie). Umfangreiche Superfamilie regulator. *Proteine, die GTP u. GDP (s. Guanosinphosphate) binden u. bei intrazellulären Signalübertragungen beteiligt sind.
Struktur: Die k. GTP-b. P. sind monomere globuläre Proteine (M_R 20 000 – 25 000), von denen einige in der Nähe des Carboxy-Endes einen lipophilen Fettsäure-Rest tragen, der dazu dient, sie an Membranen zu verankern.
Funktionsweise: Funktionell entsprechen die k. GTP-b. P. bis zu einem gewissen Grad den α-Untereinheiten der heterotrimeren *G-Proteine (G_α). Sie sind als Signalmol. aktiv u. kommunizieren mit im Signalstrom abwärts gelegenen Effektormol. (*downstream effectors*), wenn sie GTP gebunden haben. Anders als die G_α besitzen sie aber keine od. nur schwache eigenständige Aktivität als Guanosintriphosphatasen (GTPasen, s. Guanosinphosphate). Erst bei Bindung an spezielle *GTPase-aktivierende Proteine katalysieren sie die Hydrolyse des gebundenen GTP zu GDP u. werden dann als Signalmol. inaktiv. Ihre Reaktivierung kann nur stattfinden, wenn das gebundene GDP gegen GTP ausgetauscht wird, wozu weitere Proteine, die *Guaninnucleotid-Austauschfaktoren* (GEF, *Guanin-*

nucleotid-freisetzende Proteine, GNRP), benötigt werden[1]. Andererseits kann dieser Austausch durch *Guaninnucleotid-Dissoziations-Inhibitoren* gehemmt werden. Da die k. GTP-b. P. durch Beladung mit GTP bzw. GDP ein- bzw. ausgeschaltet werden können, wobei sich eine bestimmte α-Helix, die *Schalthelix*, bewegt, werden sie oft als *mol. Schalter* bezeichnet.

Tab.: Funktionen kleiner GTP-bindender Proteine.

Familie	Funktion
Arf (*ARF)	Regulation des Einhüllens von Vesikeln bei Endocytose u. Exocytose
Rab	Regulation des Vesikel-Transports
Rad	unbekannt (gefunden im Zusammenhang mit *Insulin-Resistenz)
Rac/Rho (CDC42, Rac, *Rho-Proteine)	Regulation des *Cytoskeletts, der Zell-Adhäsion u. -Beweglichkeit, Weiterleitung von Signalen von *Wachstumsfaktoren, Regulation des Vesikel-Transports
Ran	Regulation des Kernporen-Transports
Ras (*Ras-Proteine, Rap)	Weiterleitung von Signalen von Wachstumsfaktoren
Sar1	Regulation des Vesikel-Transports vom *endoplasmatischen Retikulum zum *Golgi-Apparat

Nach ähnlichen Mechanismen wirken die Elongationsfaktoren EF-1 u. EF-Tu, die bei *Eukaryonten bzw. *Prokaryonten als Zeitgeber für die Protein-Biosynth. (*Translation) fungieren, der eukaront. *Initiationsfaktor der Translation eIF-2, u. *Tubulin, bei dem durch GTP/GDP die dynam. Stabilität der *Mikrotubuli reguliert wird. – **E** small GTP-binding proteins – **F** petites protéines de liaison de GTP – **I** proteine GTP-leganti piccole – **S** proteínas de enlace de GTP pequeñas
Lit.: [1] Bioessays **17**, 395–404 (1995).
allg.: Biochem. J. **318**, 729–747 (1996) ▪ Bioessays **18**, 103–112 (1996) ▪ Biol. Unserer Zeit **25**, 44–50 (1995) ▪ FASEB J. **10**, 625–630 (1996) ▪ Zerial u. Huber, Guidebook to the Small GTPases, 2. Aufl., Oxford: Oxford University Press 1996.

Kleine Ringe. Im Chemikerjargon Sammelbez. für *Cyclopropan- u./od. *Cyclobutan-Ringe enthaltende organ. Verb., nicht selten auch in *Käfigverbindungen („exot." Mol.), s. z.B. Cuban. Sie sind häufig durch photochem. *Cycloaddition od. durch *Valenzisomerisierung zugänglich u. zeigen – oft aufgrund der sog. *Baeyer-Spannung[1] – im Vgl. mit anderen *cyclischen Verbindungen meist abweichendes Verhalten. Vgl. a. mittlere u. große Ringe, Cycloalkane, Cycloalkene sowie cyclische Verbindungen. – **E** small rings – **F** petits cycles – **I** anelli piccoli – **S** ciclos pequeños, anillos pequeños
Lit.: [1] Chem. Unserer Zeit **16**, 13–22 (1982).
allg.: Liebman u. Greenberg, Strained Organic Molecules, New York: Academic Press 1978 ▪ s.a. alicyclische u. cyclische Verbindungen.

Kleine u. mittlere Unternehmen s. KMU.

Kleinfeuerungsanlagen-Verordnung (1. BImSchV). Die erste VO zum *Bundes-Immissionsschutzgesetz regelt die Anforderungen für die Errichtung, die Beschaffenheit u. den Betrieb von Feuerungsanlagen, die nicht entsprechenden Genehmigungspflichten (s. genehmigungsbedürftige Anlagen) unterliegen. Dazu zählen insbes. die in privaten Haushalten, Handwerks- u. Gewerbebetrieben, der Landwirtschaft u. in öffentlichen Einrichtungen (z.B. Schulen, Krankenhäusern) eingesetzten Feuerungsanlagen. Die K.-V. bestimmt die zulässigen Brennstoffe u. ihre Beschaffenheit, begrenzt die Emissionen an Ruß u. Kohlenmonoxid, limitiert die Abgasverluste[1] u. regelt die Überwachung. Die nicht genehmigungsbedürftigen Feuerungsanlagen bestimmen aufgrund ihrer großen Anzahl u. ihrer niedrigen Schornsteinhöhe in erheblichem Umfang die *Immissionen u. *Luftverunreinigungen in den Ballungsgebieten u. setzen z.B. rund 20% des anthropogenen Kohlendioxids in der BRD frei. Zu den *Dioxin-*Emissionen s. *Lit.*[2]. – **E** regulation on smal furnaces – **F** décret sur les chaudières domestiques – **I** decreto sugli impianti piccoli di combustione – **S** decreto sobre pequeños hogares
Lit.: [1] Umweltpolitik aktuell (BMU) **1996**, 3/4. [2] Chemosphere **34**, 1091–1103 (1997).
allg.: Gefahrstoffe – Reinhaltung der Luft **56**, 415–418 (1996) ▪ VO über Kleinfeuerungsanlagen vom 15.07.1988 (BGBl. I, S. 1059), geändert BGBl. I, S. 2378 (1993), BGBl. I, S. 1680 (1994), BGBl. I, S. 491 (1997).

Kleinwinkelkorngrenze s. Korngrenze.

Kleister. Bez. (nach DIN 16920, 06/1981) für *Klebstoffe in Form eines wäss. Quellungsproduktes, das im Gegensatz zu *Leimen schon bei niedriger Feststoffkonz. eine hochviskose, nicht fadenziehende Masse bildet.
Basis-Rohstoffe für K. sind vorwiegend Produkte natürlichen Ursprungs wie Mehl, Stärke sowie wasserlösl. Derivate (Ether) von *Cellulose u. *Stärke. Diese werden in der ca. 4–7fachen (Mehl, Stärke) bzw. 20–50fachen (Cellulose-, Stärke-Derivate) Menge Wasser suspendiert. Während die „Verkleisterung" der *Celluloseether (*Carboxymethyl-, *Methylcellulosen) u. *Stärkeether (z.B. Carboxymethylstärke) in kaltem Wasser erfolgt, muß die des Mehls u. die der nativen Stärke bei höheren Temp. (ca. 80–100°C) durchgeführt werden. K. auf Basis natürlicher Produkte sind anfällig gegen mikrobielle Zers., die durch Zusatz von *Konservierungsmitteln inhibiert werden kann.
Verw.: Für Verklebungen, an die keine hohen Ansprüche hinsichtlich Festigkeiten u. Wasserbeständigkeit gestellt werden; z.B. für die von Papier u. papierähnlichen Materialien (Tapeten-K., Buchbinder-K.). – **E** paste – **F** colle d'amidon, colle de pâte – **I** colla (d'amido) – **S** cola vegetal, engrudo
Lit.: s. Klebstoffe.

Klemm, Wilhelm Karl (1896–1985), Prof. für Anorgan. Chemie, Univ. Düsseldorf, Göttingen, Danzig, Kiel, Münster. *Arbeitsgebiete:* Salzschmelzen, Magnetochemie, Fluor-Chemie, Seltene Erden, Übergangselemente, Halbmetalle, Verb. u. Leg. der Alkalimetalle. Zusammen mit *Biltz, dessen Schüler er war, untersuchte K. die Raumchemie fester Stoffe.
Lit.: Chem. Ztg. **105**, 12 (1981) ▪ Lexikon der Naturwissenschaftler, S. 244 ▪ Pötsch, S. 240.

Klemmenspannung s. elektromotorische Kraft.

Klenow-Fragment. Nach H. Klenow benanntes Carboxy-terminales Fragment (M_R 76000) der *DNA-Polymerase I aus *Escherichia coli*. Es hat die Polymerase-Aktivität u. die $3' \rightarrow 5'$-Exonuclease-Aktivität („proofreading-Aktivität") der DNA-Polymerase I, ihm fehlt jedoch die $5' \rightarrow 3'$-Exonuclease-Aktivität, die zur *Nick-Translation erforderlich ist. Das K.-F. kann gewonnen werden durch proteolyt. Spaltung der DNA-Polymerase I mit Subtilisin od. über das klonierte Gen-Fragment. Das K.-F. wird häufig in der Gentechnik eingesetzt zur Synth. komplementärer Kopien einzelsträngiger Matrizenstränge bei der Herst. von *cDNA od. bei der DNA-Sequenzierung nach Sanger, wobei durch das Fehlen der $5' \rightarrow 3'$-Exonuclease-Aktivität der Abbau der neugebildeten Doppelstrang-DNA verhindert wird. – *E* Klenow fragment – *F* fragment de Klenow – *I* frammento di Klenow – *S* fragmento de Klenow
Lit.: Lehninger et al., Prinzipien der Biochemie (2.), S. 937 f., Heidelberg: Spektrum Akadem. Verlag 1994 ▪ Stryer 1996, S. 840–843.

Klettenwurzel (Radix Bardanae). Spindelförmige, 20–30 cm lange, 1–2 cm dicke Pfahlwurzel der an Wegrändern, Rainen, Schutthalden verbreiteten Großen Klette (*Arctium lappa* L., Asteraceae), bzw. der Kleinen (*A. minus* Bernh.) od. der Filzigen Klette (*A. tomentosum* Mill.). Die im Herbst u. Frühjahr gesammelte frische Wurzel enthält ca. 74% Wasser, in der Trockensubstanz findet man ca. 69% Kohlenhydrate (bis zu 45% *Inulin), 12,3% Rohprotein, 0,8% Fette, 0,01–0,18% ether. Öl, ferner Gerbstoffe, Zucker, Schleimstoffe, Polyacetylene, ca. 5% Aschenbestandteile usw.
Verw.: Innerlich als Zusatz zu schweißtreibendem bzw. blutreinigendem Tee; äußerlich als Haarwuchsmittel von umstrittener Wirkung u. zur Behandlung schuppiger Kopfhaut; dazu wird die Wurzel mit Sesam- od. Sojaöl ausgezogen. – *E* burdock root – *F* racine de bardane – *I* radice della lappa – *S* raíz de bardana
Lit.: Bundesanzeiger 22 a/01.02.1990 ▪ Hager (4.) **3**, 173 ff. ▪ Wichtl (3.), S. 98 f. – *[HS 121190]*

Klima (Plural: Klimate). Von griech.: klima = Himmelsgegend abgeleitete Bez. für das Produkt aller meteorolog. Erscheinungen, die den Zustand der *Atmosphäre an der Erdoberfläche charakterisieren u. eine Gliederung in verschiedene *K.-Zonen* nahelegen. Von den *K.-Faktoren*, die die *Witterung* bzw. das *Wetter* beeinflussen, sind die Wärme- u. UV-Strahlung, das Verhältnis Wasser : Land, die Vegetation, Staubimmissionen durch Stürme u. elektr. Aufladung von bes. Interesse. Diesen naturgegebenen stehen die sog. *anthropogenen* Einflüsse gegenüber, wie z. B. die Bebauung od. Entwässerung von Landstrichen, die Rodung von Wäldern u. a. Maßnahmen, die in die natürlichen Gleichgew. u. *Kreisläufe der Natur eingreifen. Einwirkungen auf das K. sind auch von der Verbrennung fossiler Brennstoffe in Ind., im Bereich menschlichen Wohnens u. im Verkehr als gesichert belegt. V. a. die CO_2-Belastung der Umwelt u. der dadurch ausgelöste *Treibhauseffekt sind Bestandteile einer, trotz mancher aktueller Vorsorgemaßnahmen, nicht

unwahrscheinlichen K.-Katastrophe. Hierzu gehören auch die Probleme der *FCKW (s. a. antarktisches Ozonloch) u. die Emission der anthropogenen *Luftverunreinigungen, die mit ihren Schwefel- u. Stickoxiden wesentlich zum *Waldsterben beigetragen haben.
Die Meth. der *Altersbestimmung (Geochronologie, *Dendrochronologie) gestatten einen Einblick in die K.-Geschichte der Erde. – *E* climate – *F* climat – *I* = *S* clima

Klimadynon®. Filmtabl. u. Lsg. mit Cimicifuga-Extrakt gegen klimakter. Beschwerden. *B.:* Bionorica.

Klimafaktoren. Die K. Lufttemp., *Luftfeuchtigkeit, Luftgeschw. u. Wärmestrahlung bestimmen den Wärmeaustausch des Menschen mit seiner Umgebung u. sind damit wichtige Einflußgrößen auf das Wohlbefinden des Menschen am Arbeitsplatz. Ungünstige klimat. Bedingungen am Arbeitsplatz führen zu Minderung der Arbeitsfreude, der Aufmerksamkeit u. des Reaktionsvermögens sowie zu Unfällen u. Erkrankungen. In Arbeitsräumen sind in Abhängigkeit von der ausgeübten Tätigkeit bestimmte Mindesttemp. einzuhalten, z. B. bei überwiegend sitzender Tätigkeit +19°C, bei schwerer körperlicher Arbeit +12° (*Lit.*[1]).
Unter dem K. *Luftgeschw.* versteht man die Geschw. der am Körper bzw. der Kleidung vorbeiströmenden Luft in m/s. Lüftungstechn. Anlagen sind so auszulegen, daß an den Arbeitsplätzen keine unzumutbare Zugluft auftritt. Die *Zugempfindung* des Menschen ist abhängig von der Luftgeschw. u. der Lufttemp., s. a. Lüftung. – *E* climatic factors – *F* facteurs climatiques – *I* fattori climatici – *S* factores climáticos
Lit.: [1]VO über Arbeitsstätten (ArbStättV) vom 20.3.1975 (BGBl. I, S. 729) zuletzt geändert am 04.12.1996 (BGBl. I, S. 1841), auch ZH 1/525 (Ausgabe 1997).
allg.: Arbeitsstättenrichtlinie (ASR) 5 Lüftung (BArbBl. Nr. 10/1979, S. 103 geändert durch Nr. 12/1984, S. 85) ▪ Arbeitsstättenrichtlinie (ASR) 6/1,3 Raumtemperaturen (ArbSch. Nr. 4/1976, S. 130, ber. durch Nr. 5/1977, S. 98; geändert durch Nr. 12/1984, S. 85).

Klimakterium (Wechseljahre). Zeitraum im Leben der Frau, der durch das Nachlassen der Funktion der Eierstöcke gekennzeichnet ist. Dadurch hören die regelmäßigen Monatsblutungen (*Menstruation) auf (Menopause) u. es können als Folge der körperlichen u. seel. Umstellung verschiedene Störungen (z. B. Hitzewallungen, Depressionen) auftreten. – *E* climacteric period – *F* climatère – *I* = *S* climaterio

Klimaregeln (ökogeograph. Regeln). Regeln, in denen morpholog. u. physiolog. Unterschiede zwischen verwandten Warmblütern durch standortabhängige Klimaunterschiede erklärt werden. – *E* ecogeographic rules – *F* règles écogéographiques – *I* ecogeografiche, regole climatiche – *S* reglas ecogeográficas
Lit.: Römpp Lexikon Umwelt, S. 397.

Klimatechnik. Sammelbez. für Maßnahmen zur Aufrechterhaltung eines bestimmten *Klimas der umgebenden Luft, sei es am Arbeitsplatz (*Klimaanlagen* mit Temp.- u. *Feuchtigkeits-Regelung), in der Medizin u. Pharmatechnik (zusätzlich mit *Entstaubung u. *Entkeimung; *Reinraumtechnik*), in der *Balneologie (*Klimakammern* mit Reiz- od. Schonklima) od. bei der

*Werkstoffprüfung (*Klimaprüfschränke* od. Freilandversuche zur *Bewitterung* unter standardisierten Klimabedingungen). Die K. stellt erhebliche Ansprüche an das *Messen u. die *Regelung von Zu- u. Abluft, Luftfeuchtigkeit u. -staubgehalt, Lichtverhältnisse u. dgl. – *E* air conditioning – *F* technique de climatisation – *I* condizionamento d'aria – *S* técnica del aire acondicionado, técnica de climatización
Lit.: Kirk-Othmer (3.) **1**, 598–624; (4.) **1**, 686–711 ▪ Ullmann (4.) **3**, 211; (5.) **B 3**, 19–30 f.

Klimax (Klimaxvegetation, Klimaxges., Schlußges.). Von griech.: klimax = Treppe abgeleitete, umstrittene Bez. für das bei einem Großklima mögliche (hypothet.) Endstadium der ungestörten Vegetationsentwicklung (s. Sukzession), die sog. potentiell natürliche Vegetation. Traditionell wird K. als eine (Mono-K.) od. mehrere stabile Ges. (Poly-K.) aufgefaßt. Die gürtelförmig die Erde umfassenden, mit dieser Vegetation bedeckten Regionen entsprechen *Klimazonen u. werden als *Biome bezeichnet. Trop. u. subtrop. Urwälder, natürliche Steppen, Tundra u. Taiga sind typ. K-Vegetationen. Häufig wird jedes länger andauernde Stadium einer Vegetationsentwicklung als K. od. Sub-K. bezeichnet, z. B. auf Sonderstandorten (Salzwiesen u. a.). – *E* climax, climax community – *F* climax, communauté climacique – *I* climax – *S* clímax, comunidad en fase de clímax
Lit.: Römpp Lexikon Umwelt, S. 397 ▪ Schlee (2.), S. 248 f.

Klimazonen. Vom Klima, insbes. von der Kombination aus Temp. u. Niederschlag geprägte Großräume der Erdoberfläche, in denen jeweils typ. Vegetation dominiert; demnach entsprechen sich K. u. Vegetationszonen (s. a. Biom u. Klimax). Der Begriff K. ist auch weitgehend deckungsgleich mit Begriffen wie *Ökozone, Landschaftsgürtel, Geozone* od. *Zonobiom*. K. werden z. B. nach Temp.-Bereich (heiß, warm, gemäßigt, kalt), Wasserversorgung (trocken, feucht) u. Klimaperiodizität (beständig, period. u. a.) charakterisiert. – *E* climatic zones – *F* zones climatiques – *I* zone climatiche – *S* zonas climáticas
Lit.: Walter, Vegetation u. Klimazonen (5.), Stuttgart: Ulmer 1984 ▪ Walter u. Breckle, Ökologie d. Erde (2.), 4 Bd., Stuttgart: Ulmer seit 1991. – *Serien:* Ecological Studies, Berlin: Springer (ab 1970) ▪ Ecosystems of the World, Amsterdam: Elsevier (ab 1977).

Klimmer, Otto Rudolf (geb. 1911), Prof. für Pharmakologie, Univ. Bonn. *Arbeitsgebiete:* Toxikologie der Schädlingsbekämpfungsmittel, organ. Phosphorsäureester, Organozinn-Verb., Gewerbetoxikologie.
Lit.: Kürschner (16.), S. 1812.

Klimonorm® (Rp). Zwei-Phasen-Präp.: Tabl. mit *Estradiol-valerat u. Kombination mit *Levonorgestrel gegen klimakter. Beschwerden. *B.:* Jenapharm.

Klingeln s. Benzin.

Klingenberg, Ernst Martin (geb. 1928), Prof. für Physikal. Biochemie, Univ. München. *Arbeitsgebiete:* Enzymregulation, biolog. Oxid., Bioenergetik, biolog. Membranen, Transport.
Lit.: Kürschner (16.), S. 1813.

Klinische Chemie. Bez. für ein zwischen Medizin u. Chemie angesiedeltes Wissensgebiet, das sehr häufig

mit *Medizin. Chemie* gleichgesetzt u. oft nur unscharf gegen *Physiologische Chemie abgesetzt wird. Die K. C. befaßt sich mit der Anw. chem. Meth. u. Erkenntnisse auf analyt. Probleme in der Klin. Medizin sowie mit der Erforschung der biochem. Grundlagen von Ausbruch u. Ablauf der Krankheiten sowie ihren Folgen für den Stoffwechsel.
Untersuchungsmaterial sind dabei u. a. Blut u. Harn, Untersuchungsobjekte Enzyme, Hormone, Proteine, Zucker etc. Mit der Erweiterung der chem. analyt. Meth. auf biolog. Gewebe (*biochemische Analyse) u. ihre Modifizierung für die Anw. auf kleinste biolog. Proben (Ultramikroanalyse) macht es die K. C. unter Hinzuziehung von Automation u. Datenverarbeitung möglich, dem Arzt objektive Daten als exakte Unterlagen für Diagnose u. Prognose zur Verfügung zu stellen. Häufige, oft genormte (DIN-Sachgruppe 0760) Arbeitstechniken der K. C. sind: Enzymat. Analyse, Radioimmunoassay (RIA), Enzymimmunoassay (EMIT, ELISA), Serodiagnostik, Einsatz von Enzymelektroden, Ultrazentrifugen, verschiedene Varianten der Chromatographie u. Elektrophorese etc. Wichtige Gesichtspunkte bei der Entwicklung u. Bewertung klin.-chem. Verf. sind Schnelligkeit, Genauigkeit u. Einfachheit in der Ausführung – man denke an Untersuchung von Vergiftungen od. in der forens. Chemie od. an allg. Vorsorgeuntersuchungen mit Harnteststreifen u. a. Schnell-*Diagnostika. Das Instrumentarium der K. C. wird regelmäßig auf Ausstellungen wie der ILMAC u. der Analytica vorgestellt. – *E* clinical chemistry – *F* chimie clinique – *I* chimica clinica – *S* química clínica
Lit.: Greiling u. Gressner, Lehrbuch der klinischen Chemie u. Pathobiochemie, Stuttgart: Schattauer 1995.

Klinker. 1. In der *Zement-Ind.* bezeichnet der Begriff K. etwa nußgroße, graugrüne, steinharte Körper, die beim Erhitzen der Kalk-Ton-Gemische auf 1250–1500°C entstehen u. beim Zermahlen *Zement ergeben, z. B. Portlandzement u. Eisenportlandzement. Die K. bilden definierte Phasen aus den Grundkomponenten CaO, SiO_2, Al_2O_3, Fe_2O_3 u. a., z. B. „Alit" mit der Kurzbez. $C_3S = 3 CaO \cdot SiO_2$.
2. Im *Baugewerbe* versteht man unter K. einen keram. *Baustoff aus bei 1100–1200°C gebrannten u. oberflächlich od. durch-gesinterten Vollziegeln, die aus einem Gemisch von feuerfesten u. von leichtschmelzenden Bestandteilen gewonnen wurden; sie sind durch hohe Druckfestigkeit, Zähigkeit, Kantenschärfe u. chem. Widerstandskraft ausgezeichnet. Nach der Verw. unterscheidet man z. B. zwischen Wasserbauklinkern, Kanalklinkern, Mauerklinkern, Pflasterklinkern, säurefesten Klinkern. – *E* 1. clinkers, 2. clinker bricks – *F* 1. clinker, 2. brique recuite, brique réfractaire – *I* clinker, mattone ferriolo – *S* 1. clínker, clinca, 2. clínker, clinca, ladrillo recocido
Lit. (zu 1.): Kirk-Othmer (3.) **5**, 164–169; (4.) **5**, 564–568 ▪ Winnacker-Küchler (4.) **3**, 216, 237 f., 240 f. ▪ s. a. Zement. – *(zu 2.):* DIN 105 Tl. 1 (08/1989), Tl. 3 u. Tl. 4 (05/1984) ▪ Ullmann (4.) **24**, 579–589; (5.) **A 7**, 425–460 ▪ Winnacker-Küchler (4.) **3**, 181, 201.

Klinkerbruch. Aus *Klinker-Abfall durch Brechen bzw. Mahlen hergestelltes Material, verwendbar z. B. als *Betonzuschlag.

Klino-Amphibole s. Amphibole.

Klinochlor s. Chlorite.

Klinohumit s. Humit.

Klinoptilolith (Clinoptilolith). $(Na,K,Ca)_6[Al_6Si_{30}O_{72}]$ · $20 H_2O$, zu den *Zeolithen der *Heulandit-Gruppe gehörendes monoklines Mineral, Kristallklasse $2/m-C_{2h}$; Struktur s. Gottardi-Galli (*Lit.*), *Lit.*[1], *Lit.*[2] (inklusive Cs-ausgetauschtem K.) u. *Lit.*[3] (Na- u. Pb-ausgetauschter K.). Tafelige Krist. (z.B. von Oregon/ USA); weitaus überwiegend als mikrokrist. sedimentäre Massen. Farblos bis weiß, H. 3,5–4, D. 2,1–2,2. Chem. Analysen s. *Lit.*[4–6]; zum Einfluß der chem. Zusammensetzung auf die Entwässerungsverhalten von K. s. *Lit.*[5]. Nach *Lit.*[7] hat K. gegenüber Heulandit (Na+K)>Ca, nach *Lit.*[8] Si/Al>4; nach *Lit.*[9] ist jeder Zeolith der Heulandit-Gruppe als K. zu bezeichnen, dessen Struktur sich während eines eine Nacht lang dauernden Erhitzens auf 450 °C nicht ändert; Tschernich (*Lit.*) benennt K. als „High silica"-Heulandit.

Vork.: V. a. als Umwandlungsprodukt SiO_2-reicher *Tuffe, z.B. in der Great Basin- (Oregon, Nevada) u. der Basin and Range-Provinz in den westlichen USA u. vielerorts in Japan; in Tiefsee-*Sedimenten; seltener in Blasenräumen vulkan. Gesteine, z.B. Seiser Alm/Südtirol, Vogelsberg/Hessen.

Verw.: Als Molekularsieb u. Ionenaustauscher, z.B. in Waschmitteln, zur Reinigung von Abwässern (bes. zur Entfernung von Phosphat, Ammonium u. giftigen organ. Chlor-Verb.); zur Entfernung von radioaktivem Cs u. Sr aus Abwässern nuklearer Anlagen; im Atombomben-Testgebiet in Nevada als potentielles Abdichtungsmittel in Deponien für hochgradig radioaktive Abfälle[10]; als Adsorptionsmittel, als Katalysator; in der Landwirtschaft zur Boden-Verbesserung (v. a. in Japan zur Kontrolle von pH-Wert, Feuchtigkeit u. Geruchsneutralität im *Boden), als Zusatz zum Viehfutter; zur Geruchsbindung in tier. Exkrementen (s. a. Kallo u. Sherry, *Lit.*). – $E = F = I$ clinoptilolite – S clinoptilolita

Lit.: [1] Tschermaks Mineral. Petrogr. Mitt. **22**, 25–37 (1975); Z. Kristallogr. **145**, 216–239 (1977). [2] Am. Mineral. **75**, 522–528 (1990). [3] Am. Mineral. **79**, 675–682 (1994). [4] Am. Mineral. **57**, 1448–1462 (1972). [5] Neues Jahrb. Mineral., Monatsh. **1977**, 493–501. [6] Sand u. Mumpton (Hrsg.), Natural Zeolites, S. 221–234, Oxford: Pergamon 1978. [7] Am. Mineral. **45**, 341–350 (1960). [8] Am. Mineral. **57**, 1452–1493 (1960). [9] Am. Mineral. **45**, 351–369 (1960). [10] Clays Clay Miner. **35**, 89–110 (1987).
allg.: Anthony et al., Handbook of Mineralogy, Vol. II, Tl. 1, S. 152, Tucson (Arizona): Mineral Data Publishing 1990 ▪ Dyer, An Introduction to Zeolite Molecular Sieves, S. 79–86, Chichester: Wiley 1988 ▪ Gottardi-Galli, Natural Zeolites, S. 256–284, Berlin: Springer 1985 (mit Heulandit) ▪ Kallo u. Sherry (Hrsg.), Occurence, Properties and Utilization of Natural Zeolites, Budapest: Akadémiai Kladó 1988 ▪ Tschernich, Zeolites of the World, Phoenix (Arizona): Geoscience 1992 ▪ s. a. Zeolithe. – *[CAS 12173-10-3]*

Klinopyroxene s. Pyroxene.

Klinozoisit s. Epidot.

Kliogest® (Rp). Tabl. mit *Estradiol u. *Norethisteron-acetat gegen klimakter. Beschwerden u. Osteoporose. **B.:** Novo Nordisk.

Klischees s. Chemigraphie.

Klistier (Klysma, Einlauf, Darmspülung). Lsg., die in den Darm eingebracht wird. Die Zusammensetzung richtet sich nach dem Therapieziel, d. h. z. B. salin. Substanzen, Öle etc. zum Abführen, Antibiotika zur Behandlung von Infektionen usw. – $E = I = S$ enema – F énéma
Lit.: Hager (4.) **7 a**, 502.

von **Klitzing**, Klaus (geb. 1943), Prof. für Experimentalphysik, TU München (1980–1985), seit 1985 Direktor am Max-Planck-Inst. für Festkörperforschung, Stuttgart. *Arbeitsgebiete:* Halbleiterphysik, insbes. Quantenphänomene in Halbleiter-Mikrostrukturen. 1985 erhielt er den Nobelpreis für Physik für die Entdeckung des Quanten-Hall-Effekts.
Lit.: Kürschner (16.), S. 1817 ▪ Lexikon der Naturwissenschaftler, S. 244 ▪ Wer ist wer (35.), S. 750.

von **Klitzing-Effekt** s. Quanten-Hall-Effekt.

Klöckner Chemie. Kurzbez. für den 1920 gegr. Geschäftsbereich Chemie der Firma *Klöckner & Co. Aktienges., 47057 Duisburg (ein Unternehmen der VIAG Aktienges., München), 1995 umgewandelt in Klöckner Chemiehandel GmbH. *Tochterges.:* Chemie-Mineralien AG & Co. KG, Bremen, Carl Dicke + Wachs GmbH & Co. KG, Wuppertal, Klöckner Tanklager AG & Co. KG, Duisburg, Klöckner Wasserchemie GmbH, Wuppertal, Vossmerbäumer Chemie GmbH, Bottrop, Regeno-Plast Kunststoffverarbeitung GmbH, Solingen, Klöckner Austria Ges.mbH, Langlois S. A., Clément-RPC S. A., Molen Chemie B. V. *Export* (weltweites Lieferprogramm): Petrochem. Rohstoffe, organ. Chemikalien u. Zwischenprodukte, anorgan. Chemikalien, Kunststoff-Rohstoffe, Futtermittelzusatzstoffe, Bleich- u. Adsorptionserden, Füll- u. Trägerstoffe, Additive für Treib- u. Schmierstoffe, synthet. Schmiermittel, Vergaserkraftstoff-Komponenten.

Klöckner & Co. Kurzbez. für die 1906 gegr. Firma Klöckner & Co., 47057 Duisburg. Das Unternehmen betreibt Handel in den Bereichen Stahl, PC-Produkte, Chemie, Energie, Textilien, mobile Bauten u. Ind.-Anlagen.

Klöckner-Humboldt-Deutz AG (KHD). Sitz 51057 Köln; das 1864 gegr. Unternehmen liefert für die chem. Ind. u. a. Maschinen, Anlagen u. Apparate zu Trennung, Zerkleinerung, Transport von gasf., flüssigen u. festen Stoffen sowie vollständige Werke für die chem., petrochem., Hütten- u. Zement-Industrie.

Klöckner-Werke AG. 47057 Duisburg, gegr. 1897 als reines Montan-Unternehmen, an dem ggw. die *Klöckner & Co., Duisburg, mit weniger als 20% beteiligt ist.

Klon (von griech.: klōn = Zweig). Eine Gruppe genet. ident. Lebewesen, Zellen od. Nucleinsäure-Mol., die alle aus einem Vorläufer hervorgegangen sind. In der Natur entstehen K. durch ungeschlechtliche Fortpflanzung. Beisp. sind die Zweiteilung von Einzellern (z. B. *Bakterien, *Hefen, Blaualgen, *Amöben), die Knospung (Abschnürung von Teilen eines Organismus, z. B. bei einigen Würmern, Schwämmen), mechan. Abtrennung von Teilen eines Organismus, die sich vollständig regenerieren können (z. B. beim Re-

genwurm, vielen Pflanzen; genutzt wird dies zur Vermehrung durch Ableger od. Stecklinge), Vermehrung über vegetative *Sporen (z. B. bei vielen Pilzen, einigen Bakterien u. Pflanzen), Vermehrung über bes. ungeschlechtliche Fortpflanzungsorgane (z. B. Küchenzwiebel, Kartoffel) u. eineiige Mehrlingsbildung (durch Teilung im frühen Embryo-Stadium). In der *Immunologie werden aus Populationen ident. Hybridzellen (s. Hybridome) in Zellkultur, also aus Klonen, *monoklonale Antikörper gewonnen. In der Gentechnik bezeichnet K. im allg. ein DNA-Fragment, das in einen *Vektor eingebracht („kloniert") wurde u. in einem Wirtsorganismus vermehrt werden kann. – $E = F = I$ clone – S clon
Lit.: Lehninger et al., Prinzipien der Biochemie (2.), S. 159, Heidelberg: Spektrum Akadem. Verl. 1994 ▪ Winnacker, Gene u. Klone, S. 391–394, Weinheim: VCH Verlagsges. 1990.

Klonieren. 1. In der klass. Genetik: Die Herst. genet. ident. Lebewesen durch ungeschlechtliche Vermehrung (s. Klon).
2. In der Molekularbiologie bzw. Gentechnik: Das Isolieren u. anschließende Vermehren spezif. DNA-Fragmente (häufig *Gene). Dies kann unter Anw. verschiedener Meth. durchgeführt werden: a) Mittels der *polymerase chain reaction („zellfreies Klonieren"). – b) Mit Hilfe eines *Klonierungssyst.,* d. h. über die vielfältigen Meth., die ausgehen von dem Einschleusen der Fremd-DNA in *Vektoren (sog. *Klonierungsvektoren;* meist Plasmid od. Phage), Einbringen in eine Wirtszelle u. anschließende Vermehrung der Wirtszellen (s. Abb.). Die Klonierung ermöglicht es, die DNA-Sequenz u. in der Regel auch das durch die DNA-Sequenz codierte Protein beliebig zu vermehren u. auch zu verändern.
Der schwierigste Teil des K. ist die Isolierung des gewünschten Gens. Dazu wird oft eine genom. od. eine *cDNA- *Genbank in *Escherichia coli* angelegt.

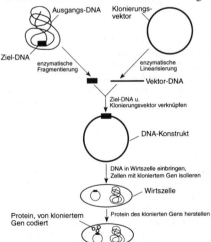

Abb.: Klonierungsverf. für rekombinierte DNA. Die DNA eines Organismus wird mit einer Restriktionsendonuclease geschnitten u. in Klonierungsvektoren eingebaut. Danach schleust man die Konstrukte aus Klonierungsvektor u. eingefügter DNA in eine Wirtszelle ein u. identifiziert u. vermehrt die Zellen, die das Konstrukt tragen. Wenn nötig kann man das klonierte Gen in der Wirtszelle exprimieren u. das gewünschte Protein isolieren, nach Glick u. Pasternak (*Lit.*).

– E cloning – F clonage – I clonare – S clonación
Lit.: Glick u. Pasternak, Molekulare Biotechnologie, S. 19–59, Heidelberg: Spektrum Akadem. Verl. 1995 ▪ Knippers (6.), S. 262–282 ▪ Lehninger et al., Prinzipien der Biochemie (2.), S. 1120–1129, Heidelberg: Spektrum Akadem. Verl. 1994 ▪ Römpp Lexikon Biotechnologie, S. 431 f. ▪ Strachan u. Read, Molekulare Humangenetik, S. 99–127, Heidelberg: Spektrum Akadem. Verl. 1996.

Kloniertes Gen. Bez. für eine isolierte genom. od. *cDNA-Sequenz eines *Gens, die in einen *Vektor eingebaut ist u. in einem Wirtsorganismus beliebig vermehrt werden kann; s. a. Klonieren. – E cloned gene – F gène cloné – I gene clonato – S gen clonado
Lit.: Lehninger et al., Prinzipien der Biochemie (2.), S. 1135 f., Heidelberg: Spektrum Akadem. Verl. 1994.

Klonselektionstheorie s. Immunsystem.

Klopfbremsen s. Antiklopfmittel.

Klopfen s. Antiklopfmittel, Benzin u. Kettenreaktionen.

Klotzen. Kurzzeitiges Tränken (Imprägnieren) von Textilstoffen (vorwiegend Baumwolle) in konz. Farbbädern mit sehr kurzem *Flotten-Verhältnis. Das Verf. wird in verschiedenen Varianten (K.-Dämpf-Verf., K.-Roll-Verf. etc.) unter meist einmaliger Warenpassage auf dem *Foulard* (K.-Maschine, Breitefärbemaschine) durchgeführt. Als Färbemittel kommen sowohl Direktfarbstoffe (überwiegend Bis- u. Polyazo-Farbstoffe) als auch Reaktivfarbstoffe zur Verwendung. Die Naßechtheit läßt sich ggf. durch geeignete Nachbehandlung erhöhen. Als *Klotzhilfsmittel* werden eine Reihe chem. verschiedenartiger Substanzen (Naturstoffpolymere, wasserlösl. Kunststoffe, Schutzkolloide, Schaumdämpfer etc.) der K.-Flotte beigefügt, um Egalisierung, Stabilisierung, Färbungsverbesserung, Fixierbeschleunigung usw. zu erreichen. – E padding – F foulardage – I impregnazione di tessuti – S fulardado, impregnación en fular
Lit.: Ullmann (4.) **22**, 640 f.; (5.) **A 26**, 378 f.

Klug, Aaron (geb. 1926), Prof. für Molekularbiologie, Cambridge, England. *Arbeitsgebiete:* Kristallograph. Untersuchungen von der mol. Strukturen von Proteinen, Nucleinsäuren u. deren Komplexen; hierfür Nobelpreis für Chemie 1982.
Lit.: Lexikon der Naturwissenschaftler, S. 244 ▪ Nachr. Chem. Tech. Lab. **30**, 1007–1009 (1982) ▪ Neufeldt, S. 213, 370 ▪ Pötsch, S. 240 ▪ The International Who's Who (16.), S. 843 ▪ Umschau **82**, 740 (1982).

Klysma s. Klistier.

Klystron. Laufzeitröhre zur Erzeugung u. Verstärkung von elektromagnet. Schwingungen mit Frequenzen ≥300 MHz. Beim Durchlaufen eines Elektronenstrahls durch einen Hohlraumresonator werden durch Ankoppeln eines längsgerichteten Wechselfelds die Elektronen so abgebremst u./od. beschleunigt, daß sie danach in Pulks in nachgeschaltete Hohlraumresonatoren weiterfliegen. Durch Rückkopplung der Hohlraumresonatoren entsteht eine hochfrequente Schwingung, wobei Abstrahlleistungen bis ~1 MW erreicht werden. Für kleinere Leistungen werden Reflex-K.[1] od., in jüngerer Zeit, Halbleiterbauelemente eingesetzt. – E clystron – F klystron, clystron – I clistron, klystron – S clistrón

Lit.: [1] Kohlrausch, Praktische Physik, Bd. 1, S. 681 f., Stuttgart: Teubner 1996.
allg.: Lerner u. Trigg, Encyclopedia of Physics, Weinheim: VCH Verlagsges. 1991.

KMK. Abk. für *krit. M*icell-Bildungs-*K*onz., s. Micellen u. Kolloidchemie.

KMR-Spektroskopie s. NMR-Spektroskopie.

KMU. Abk. für kleine u. mittlere Unternehmen (*E:* SME, small and medium enterprises). Die Innovationskraft des Mittelstands erweist sich zunehmend als wichtiger Faktor für die Leistungs- u. Wettbewerbsfähigkeit einer Volkswirtschaft, da sie strukturelle Vorteile wie kurze Entscheidungswege, Flexibilität u. große Kundennähe besitzt. Im Innovationsprozeß leiden die KMU aber unter größenspezif. Nachteilen. Die Förderung der KMU ist mit 1,2 Mrd. DM (1995) deshalb ein Schwerpunkt der FuE-Förderung der Bundesregierung. Ebenso ist die industrielle Gemeinschaftsforschung für die KMU von essentieller Bedeutung u. trägt zur Erhöhung der Wettbewerbsfähigkeit der mittelständ. Ind. bei. – *E* small and medium enterprises – *F* PME – *I* imprese piccole e medie – *S* empresas pequeñas y medias
Lit.: Bundesbericht Forschung, Bonn: BMBF 1996 ▪ Lagemann, Der volkswirtschaftliche Nutzen der industriellen Gemeinschaftsforschung für die mittelständische Ind., Essen: Rhein. Westfäl. Inst. für Wirtschaftsforschung 1995.

Knaffl-Lenz-Test s. Herzglykoside.

Knallerbsen s. Knallkörper.

Knallgas. Gemisch aus Wasserstoff-Gas u. Sauerstoff-Gas im Vol.-Verhältnis 2:1, das infolge der hohen Dissoziationsenergie des mol. Wasserstoffs recht reaktionsträge ist, aber beim Erhitzen auf ca. 600 °C mit lautem Knall explodiert, wobei Wasserdampf entsteht:

$$2 H_2 + O_2 \rightarrow 2 H_2O + 485 kJ.$$

In Ggw. von Katalysatoren (z. B. fein verteiltes Palladium- od. Platin-Metall) kann die Reaktion bereits bei Raumtemp. erfolgen; *Beisp.:* *Döbereiners Feuerzeug. Im weiteren Sinne versteht man unter K. auch alle explosionsfähigen Wasserstoff-Luft-Gemische, die mehr als 4 u. weniger als 75,6 Vol.-% Wasserstoff enthalten (*Explosionsgrenzen). Die K.-*Explosion ist eine typ. *Kettenreaktion. Nach der Startreaktion (H₂ → 2 H˙) dienen Wasserstoff-, Sauerstoff- u. Hydroxyl-Radikale als Kettenträger. Die Temp. in der K.-Flamme beträgt ca. 3000 °C. Beim **Knallgas-Gebläse* wird der Sauerstoff erst im Moment des Entzündens dem Wasserstoff-Strom zugemischt u. so eine Explosion vermieden. Mit ihm lassen sich Temp. bis ca. 3300 °C erzeugen. Im Reagenzglasmaßstab prüft man aufgefangene Gase auf die Ggw. von Wasserstoff bzw. aufgefangenen Wasserstoff (bei Hydrierungen) auf die Ggw. von Luft, indem man ein gasgefülltes Reagenzglas der offenen Flamme nähert (*Knallgas-Test*). Ein K.-Gemisch verursacht beim Verbrennen ein peitschendes Geräusch, während Wasserstoff frei von Luft od. Sauerstoff ruhig od. mit nur schwachem Verpuffen abbrennt. Zur Bildung u. techn. Anw. von K. s. die folgenden Stichwörter. – *E* detonating gas, oxyhydrogen gas – *F* gaz explosif, gaz fulminant, gaz oxhydrique – *I* gas tonante – *S* gas detonante, gas fulminante, gas oxhídrico

Lit.: Gmelin, Syst.-Nr. 3, O, 1958, S. 623–818 ▪ s. a. Wasserstoff.

Knallgasbakterien (auch Wasserstoffbakterien). Sammelbegriff für *Bakterien, die gasf. Wasserstoff als Elektronen-Donator mit Sauerstoff als terminalem Elektronen-Akzeptor unter aeroben Bedingungen zu oxidieren u. autotroph Kohlendioxid zu fixieren vermögen. K. sind außerdem in der Lage, organ. Substrate zu verwerten; sie sind demnach fakultativ chemolithoautotroph. Einige K. vermögen auch Kohlenmonoxid zu oxidieren u. mit diesem als einzigem Elektronen-Donator u. einziger Kohlenstoff-Quelle zu wachsen. K. lassen sich auf einfachen Nährmedien mit anorgan. Salzen unter einem Gasgemisch von 70% Wasserstoff, 20% Sauerstoff u. 10% Kohlendioxid (Volumengehalte) kultivieren. Den Gasumsatz gibt die Summenformel

$$6 H_2 + 2 O_2 + CO_2 \rightarrow \langle CH_2O \rangle + 5 H_2O$$

wieder, wobei $\langle CH_2O \rangle$ etwa der mittleren elementaren Zusammensetzung der Zellen entspricht. Unter den genannten Bedingungen lassen sich die K. aus Boden- u. Wasserproben leicht anreichern u. isolieren. Zu den K. gehören die am schnellsten wachsenden autotrophen Organismen mit Verdoppelungszeiten von weniger als einer bis drei h. Es können unter optimalen Wachstumsbedingungen Zell-Konz. von bis zu 20 g Trockenmasse/L Nährlsg. erzielt werden.
Zu den K. gehören Organismen verschiedener taxonom. Gruppen: Die meisten Arten sind den Gram-neg. Gattungen *Pseudomonas, Alcaligenes, Aquaspirillum, Paracoccus* u. *Xanthobacter* zuzuordnen. Einige Arten gehören den Gram-pos. Gattungen *Nocardia, Mycobacterium* u. *Bacillus* an. Auch von Vertretern der Gattungen *Rhizobium* u. *Derxia* wurden die für die Zuordnung zu den K. erforderlichen Enzyme inzwischen beschrieben. Allen K. gemeinsam sind Enzyme zur Wasserstoff-Aktivierung u. zur Kohlendioxid-Fixierung, wobei es von den für die Oxid. des Wasserstoffs verantwortlichen Hydrogenasen zwei Typen gibt: Ein lösl. NAD-reduzierendes Enzym im Cytoplasma u. ein membrangebundenes. Beide Enzyme schleusen Wasserstoff in die Atmungskette ein. Die Atmungskette der K. *Alcaligenes eutrophus* u. *Paracoccus denitrificans* stimmt bemerkenswerterweise fast völlig mit der der *Mitochondrien von *Eukaryonten überein. – *E* Knallgas (oxyhydrogen) bacteria – *F* bactéries de gaz détonant – *I* batteria a gas tonante – *S* bacterias de gas detonante
Lit.: Schlegel (7.), S. 388 ff.

Knallgascoulombmeter. Gerät zur kontinuierlichen Messung der Ladungsmenge bei höheren Stromstärken; Grundlage bildet das *Faradaysche Gesetz. Der fließende Strom elektrolysiert eine 10–20%ige Schwefelsäure-Lösung. Aus dem gemessenen Vol. des entstehenden *Knallgases wird die Ladungsmenge berechnet (Genauigkeit: bestenfalls einige ‰). – *E* oxyhydrogen coulombmeter – *F* coulombmètre à gaz fulminant – *I* coulombometro di gas tonante – *S* culombímetro de gas fulminante

Knallgaselement. Eine unter formaler Umkehrung der *Elektrolyse des Wassers (vgl. Hofmannscher Zersetzungsapparat) arbeitende *Brennstoffzelle. Als

*Elektrolyten kommen sowohl Laugen als auch Säuren in Betracht, als poröses Elektrodenmaterial Platin, Nickel, Graphit (auch in Kombination), für Kathoden zusätzlich Silber. Die Leistungen derartiger K., deren Details einer Tab. in *Lit.*[1] zu entnehmen sind, liegen bei ca. 0,8 V u. 100 mA/cm^2 im Temp.-Bereich 50–100 °C bei einem Leistungsgew. zwischen 10 u. 20 kg/kW. Ihre Leistungsfähigkeit haben K. bei Raumfahrtunternehmungen (Gemini, *Apollo-Programm) unter Beweis gestellt; der für den Betrieb notwendige Brennstoff wurde dabei in flüssiger Form mitgeführt. Daneben existieren auch K. mit Vorrichtungen zur fortlaufenden Entwicklung von H_2 aus Wasserstoff-reichen Verb. (NH_3, N_2H_4, Kohlenwasserstoffe). – *E* oxyhydrogen fuel cell – *F* élément de gaz fulminant, élément de gaz oxhydrique – *I* elemento a gas tonante – *S* pila de gas fulminante, pila de gas oxhídrico
Lit.: [1] Ullmann E, 710 f.
allg.: s. Brennstoffzellen.

Knallgasgebläse.

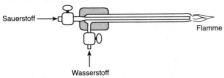

Abb.: Knallgasbrenner.

*Gebläsebrenner, bei dem Sauerstoff- u. Wasserstoff-Gas über einen *Daniellschen Hahn zusammengeführt u. gefahrlos entzündet werden können; Näheres zur Chemie s. bei Knallgas. Die Flamme (3100–3300 °C) eignet sich zum *autogenen Schweißen. – *E* oxyhydrogen blowpipe – *F* chalumeau oxhydrique – *I* fiamma ossidrica – *S* soplete oxhídrico
Lit.: s. autogenes Schneiden u. Schweißen.

Knallgold s. Gold.

Knallkörper.
Sammelbez. für solche *explosionsfähigen Stoffe, die als Scherzartikel beim Draufschlagen od. Drauftreten mit heftigem Knall explodieren, auch in Form von *Zündblättchen. Die K. enthielten früher Roten Phosphor (vor dem 1. Weltkrieg sogar oft Gelben Phosphor) u. Kaliumchlorat; als Nebenbestandteile verwendete man z.B. Schwefel, Schwefelantimon, Kohle u. dgl., die durch Klebstoffe zusammengehalten wurden. Heutige *Knallsätze* bestehen aus $KClO_4$ u. Al, ggf. zusammen mit $Ba(NO_3)_2$ od. aus Al, S u. $Ba(NO_3)_2$, *Knallerbsen* enthalten Silberfulminat in Friktionsmittel (Reibmittel). – *E* crackers – *F* pétards – *I* petardo – *S* petardos
Lit.: Ullmann (4.) **19**, 634; (5.) **A 22**, 441 f. ▪ s. a. Pyrotechnik. – *[HS 3604 10, 3604 90]*

Knallquecksilber s. Quecksilber(II)-fulminat.

Knallsätze s. Knallkörper.

Knallsäure.
HCNO, M_R 43,02. Die freie K. ist ein giftiges u. zersetzliches Gas; sie kann aus wäss. Fulminat-Lsg. mit Schwefelsäure in Freiheit gesetzt od. durch sog. Blitzpyrolyse aus Isoxazolonen[1] hergestellt werden. Lange Zeit hielt man die K. für das Oxim des Kohlenmonoxids, jedoch wurde aufgrund des IR- u. des Mikrowellen-Spektrums bewiesen, daß sie zumindest im Gaszustand als Blausäure-*N*-oxid vorliegt;

diese Nomenklatur beruht auf IUPAC, CAS u. Beilstein, andere Lit. verwendet die umgekehrte Benennung für diese Strukturformeln[2]:

Tautomere Formen der Knallsäure:

$H-C\overset{+}{\equiv}N-O^{-}$ ⟷ $H-\overset{-}{C}=\overset{+}{N}=O$	Blausäure-*N*-oxid „Isoknallsäure" (stabiler)
$HO-\overset{+}{N}\equiv C^{-}$ ⟷ $H-O-N=C$	Kohlenmonoxid-oxim

K. ist isomer mit Cyansäure, HO–CN, die ähnlich bevorzugt als Isocyansäure, H–N=C=O, vorliegt; an diesem Beisp. wurde die Erscheinung der Isomerie entdeckt (Liebig u. Wöhler, 1824). Die Salze der K. unterscheiden sich von den entsprechenden Cyanaten dadurch, daß sie beim Entzünden oberhalb von 190 °C explosionsartig unter Aufblitzen zerfallen. Sie werden daher als Fulminate (latein.: fulmen = Blitz) bezeichnet; die organ. Derivate R–CNO heißen Nitriloxide. Die Form HONC der K. wurde nach Belichtung von Dibromformoxim (Br_2C=N–OH) in einer Argonmatrix bei 12 K nachgewiesen (G. Maier 1988). Sie ist das Oxim des Kohlenmonoxids (Carboxim), das früher für die stabilere Form der K. gehalten wurde. Die Ester u. Salze der K. (R–O–NC, M$^+$ONC$^-$) heißen nach den IUPAC-Regeln Fulminate; für den C-koordinierten „Isofulminato"-Liganden ist die Bez. (Fulminato-*C*) vorzuziehen. – *E* fulminic acid – *F* acide fulminique – *I* acido fulminico – *S* ácido fulmínico
Lit.: [1] Angew. Chem. **91**, 503 (1979). [2] Beyer-Walter, Lehrbuch der organischen Chemie, S. 267, Stuttgart: Hirzel 1991; Chem. Ber. **104**, 533 ff. (1971); Z. Naturforsch., Teil A **22**, 1724 (1967).
allg.: Beilstein E IV **1**, 3416 ▪ Gmelin, Syst.-Nr. 14, C. Tl. D 1, 1971 ▪ Houben-Weyl **8**, 247–359. – *[CAS 75-13-8]*

Knallsilber s. Silberfulminat.

Knapsack.
1907 gegr. Werk Knapsack der Hoechst AG, 50351 Hürth. *Produktion:* Essigsäure, Phosphor-Spezialitäten, Azo-Pigmente, Kunststoffe (PVC) (Vinnolit GmbH); Pflanzenschutzmittel (AgrEvo GmbH).

Knapsack® Phosphorsäureester.
Saure Monoester u. Mono/Diester-Gemische unterschiedlicher Ketten u. Kettenlängen. Härter u. Beschleuniger in *Harnstoff-, *Formaldehyd- u. *Alkyd-Harzen; Antistatika für Kunststoff-Folien; Texthilfsmittel-Rohstoff; Netz- u. Dispergiermittel; Entschäumer; Emulgatoren; Beiz- u. Haftmittel; Reinigungsverstärker; Extraktionsmittel für die Naßmetallurgie; Bestandteile von Bohr-, Schneid- u. Zieh-Ölen. *B.:* Hoechst.

Knapsack® Reinigerkomponenten.
Aktivsubstanzen zur Herst. flüssiger, saurer Reinigungsmittel für harte Oberflächen u. zur Hochdruckreinigung. *B.:* Hoechst.

Knebelit s. Tephroit.

Kneten.
Verf. zum *Mischen u. zur *Homogenisation halbfester, plast. Gemenge, wie sie z.B. bei der Herst. von Kunststoffen, Kautschuk, Brot, Schokolade usw. anfallen. Das K. wird techn. mit Knetmaschinen (*Knetern*) verschiedener Bauweise durchgeführt, z.B. mit den chargenweise arbeitenden, oben offenen *Trogknetern* od. den mit ihnen baulich verwandten *Innenmischern*, die in Abhängigkeit von den Eigenschaften des Mischgutes mit einer od. zwei (gleich- od. gegenläufigen) Knetwellen bestückt sein können. In *kontinuierlichen Knetern* (z.B. Ein-, Zwei- od. Mehrwellen-

mischer) bewirken die Knetorgane zugleich den Gut-transport. Das Knetgut wird innerhalb der Förder-strecke komprimiert, entgast, plastifiziert u. homogenisiert. Ein Formgebungsprozeß kann sich anschließen, z. B. eine Extrusion durch geeignete Loch-platten (s. Extrudieren). – *E* kneading – *F* malaxage – *I* impastare, masticare – *S* amasado
Lit.: ACHEMA-Jahrb. **1994**, 1858 ▪ Ullmann (5.) **B 2**, 5-38, 26-5 ▪ s. a. Mischen.

Knetgummi s. Knetmassen.

Knetlegierungen. Für das *Kaltumformen (z. B. durch Walzen, Schmieden, Pressen, Ziehen) bestimmte Al-, Mg- od. Cu-Legierungen. Für Stähle ist diese Bez. unüblich. Im Schrifttum[1] findet sich der Hinweis, daß die Bez. auf die leichtere Kaltverform-barkeit der entsprechenden Syst. zurückzuführen ist. Bei diesen Leg.-Syst. unterscheiden sich die K. von den Leg. für *Sandguß* od. *Druckguß lediglich durch geringe Varianten der Zusammensetzung, mit deren Hilfe das erwünschte Ergebnis des jeweiligen Ferti-gungsverf. optimiert wird[2]. – *E* wrought alloy – *F* al-liage à tréfiler – *I* lega lavorata plasticamente, lega per lavorazione plastica – *S* aleación forjable o de forja
Lit.: [1] Lueger, Lexikon Werkstoffe u. Werkstoffprüfung, Bd. 3, S. 355, Stuttgart: DVA 1961. [2] Gräfen (Hrsg.), Lexikon Werk-stofftechnik, S. 520, Düsseldorf: VDI 1993.

Knetmassen. Bez. für durch leichten Druck (z. B. ma-nuell) formbare, farblose od. gefärbte, dauerplast. od. erhärtende Massen. Die meist als *Knetgummi* od. *Mo-delliermassen* bezeichneten dauerplast. K. finden Verw. als Kinderspielzeug, als Steckmaterial in der Blumenpflege, als Reinigungsmittel für Schreibma-schinentypen u. dgl. Erhärtende K. werden zu Model-lierzwecken u. als *Abgußmassen verwendet. Nach DIN/EN 71-3 (03/1995) ist die Migration gesundheits-gefährdender Schwermetalle aus K. auf die folgenden Höchstwerte begrenzt (in mg/kg):

Sb	As	Ba	Cd	Cr	Pb	Hg	Se
60	25	250	50	25	90	25	500

– *E* mo(u)lding masses – *F* masses à pétrir, masses à modeler – *I* plastiline – *S* masas de moldeo, masas plásticas
Lit.: Friege et al., Chemie im Kinderzimmer, S. 36–39, Ham-burg: Rowohlt 1986.

Knietsch, Rudolf (1854–1906), Chemiker bei BASF. *Arbeitsgebiete:* Entwicklung des Kontakt-Schwefel-säure-Verf., Konti-Verf. zur Indigo-Produktion, Reini-gungsverf. für Kontaktgifte wie Arsen.
Lit.: Lexikon der Naturwissenschaftler, S. 245 ▪ Neufeldt, S. 66 ▪ Pötsch, S. 241 ▪ Strube et al., S. 139 ff.

Knistersalz. *Steinsalz von Wieliczka bei Krakau/Po-len, das beim Auflösen in Wasser leicht knistert: kleine Mengen eingeschlossener Kohlenwasserstoffe spren-gen die Wände der Einschlußräume, sobald diese durch Auflsg. dünn geworden sind. – *E* cracking salt – *F* sel crépitant – *I* sale crepitante – *S* sal crujiente, sal cre-pitante – *[HS 2501 00]*

Knitterfest-Ausrüstung. Textile Flächengebilde aus Reyon, Zellwolle, Baumwolle u. deren Mischungen mit Synthesefasern können zum Knittern neigen, weil die Einzelfasern gegen dauerndes Durchbiegen,

Knicken, Pressen, Quetschen quer zur Faserrichtung (bei Geweben quer zu Kett- u. Schußfäden) empfind-lich sind. Heute benutzt man K.-Mittel (*Hochvered-lungsmittel) auf synthet. Basis, um die Knitterneigung zu reduzieren, s. Pflegeleicht-Ausrüstung. – *E* crease proofing – *I* finissaggio ingualcibile – *S* acabado inar-rugable, apresto inarrugable
Lit.: s. Pflegeleicht-Ausrüstung u. Textilveredlung.

Knittex®. Sortiment von Krumpffrei- (s. a. Krumpf-frei-Ausrüstung), Krumpf- u. Knitterarm-Ausrüstun-gen von *Cellulose-Fasern. Basis hierfür sind Form-aldehyd-freie (DMeDHEU-Basis) od. Formaldehyd-arme (DMDHEU-Basis) Reaktantvernetzer sowie Se-mireaktantvernetzer u. Carbamid-Vorkondensate. **B.:** Pfersee.

Knoblauch-Inhaltsstoffe. Im Jahre 1844 beschrieb Wertheim die Herst. u. Zusammensetzung von Knob-lauchöl. Der Knoblauch (*Allium sativum*) wurde schon bei Ägyptern u. Römern als Arzneipflanze geschätzt. Heute stellen Knoblauchpräp. wirtschaftlich bedeut-same Produkte in der *Phytotherapie dar. In der Zwie-bel ist das geruchlose, unwirksame *Alliin enthalten, das durch das Enzym Alliinase bei Verletzung des Fruchtfleischs hauptsächlich in *Allicin übergeht. Bei Extraktion des Knoblauchs mit Ethanol u. Wasser bei Raumtemp. erhält man nur noch Allicin. Weiterhin sind im frischen Knoblauch *Vinyldithiine* ($C_6H_8S_2$, M_R 144,25) u. *(E)-* u. *(Z)-Ajoen*[1] ($C_9H_{14}OS_3$, M_R 234,39) enthalten. Letzteres entsteht durch Selbstkondensation von Allicin. Durch Wasserdampfdest. von Knoblauch erhält man *Diallyldisulfid* ($C_6H_{10}S_2$, M_R 146,27), das beim Erhitzen in Öl in Vinyldithiine u. diverse Sulfide übergeht, die den unangenehmen Knoblauchgeruch verursachen. Diese zahlreichen Produkte sind im Kno-blauch nicht enthalten, doch werden sie fälschlich als K.-I. bezeichnet. Der Gehalt an flüchtigen Aromastof-fen ist auch von der Herkunft des Knoblauchs abhän-gig, jedoch lassen sie sich im wesentlichen in drei Gruppen einteilen: Aliphat. Mono-, Di-, Tri-, Tetra- u. Pentasulfide, Schwefel-haltige Heterocyclen sowie aliphat. Bestandteile wie z. B. Alkohole, Carbonyl-Verb., Terpene. Diese Stoffe entstehen unter Einwir-kung von Alliinase auf Alliin u. reagieren bei Erwär-mung weiter. Unter Streß bilden Knoblauch-Pflanzen das γ-Pyron-Derivat *Allixin*[2].

Vinyldithiine

(Z)-Ajoen

Diallyldisulfid

Allixin

Herst.: Aufgrund der Empfindlichkeit der K.-I. ist die Art der Zubereitung von Knoblauchpräp. von großer Bedeutung. Im wesentlichen werden Trockenextrakte u. Knoblauchölpräp. angeboten. Eine Standardisierung der Knoblauchpräp. ist noch nicht erfolgt. Dies liegt auch an Meinungsverschiedenheiten über die Wirksamkeit der prim. u. sek. K.-I.[3].

Pharmakologie: Knoblauch u. – in höherer Dosierung – Bärlauch wurden früher zur Bekämpfung von Epidemien eingesetzt. Allicin wirkt noch bei $1:10^5$-Verdünnung wachstumshemmend auf Gram-pos. wie Gram-neg. Bakterien. Zwiebelextrakte wirken schwächer als Knoblauch. Allicin ist auch aktiv gegen Hefen u. Pilze, Knoblauchöl wird neuerdings im Pflanzenschutz eingesetzt. Die erwiesene krebshemmende Wirkung von K.-I. wird u. a. mit der „Neutralisation" von Nitrosaminen in Verbindung gebracht. Der inhibierende Effekt von Knoblauch u. Zwiebel auf die Aggregation menschlicher Blutplättchen wurde verschiedenen Inhaltsstoffen zugeschrieben. Die γ-Glutamyl-S-alkylcysteine greifen in die Blutdruckregulation ein, Ajoene u. Dithiine senken den Serumlipid-Gehalt. Zwiebelextrakte wirken antiasthmatisch. Ajoene werden mit vielen physiolog. Effekten in Verbindung gebracht. Ein großer Teil der den K.-I. zugeschriebenen Wirkungen läßt sich spontanen Reaktionen mit SH-Gruppen von Enzymen zuordnen. Phänomene wie der nach dem Verzehr von Knoblauch auftretende Mundgeruch belegen den Fortgang der Abbaukette von Cystein-S-oxiden wie auch der analogen Selen-Verb. im menschlichen Körper. Niedrig dosierte Knoblauch-Präparate gelten als ungefährlich, Konzentrate können in den Atemwegen, auf der Haut u. im Verdauungstrakt tox. wirken (Dosierungen <4 g/d scheinen unbedenklich zu sein). Bei der Anw. von Knoblauch als Gewürz sind keine Nebenwirkungen zu erwarten. – *E* garlic constituents – *F* constituants de l'ail – *I* costituenti d' aglio – *S* componentes del ajo

Lit.: [1] Chem. Unserer Zeit **22**, 193–200 (1988); Dtsch. Apoth. Ztg. **130**, 1809 (1990). [2] Chem. Pharm. Bull. **37**, 1656ff. (1989). [3] Dtsch. Apoth. Ztg. **129**, 318–322 (1989); **130**, 1743 ff. (1990).
allg.: Angew. Chem. **104**, 1158 (1992) ▪ Med. Res. Rev. **16**, 111–124 (1996) ▪ Pharm. Unserer Zeit **25**, 185–191 (1996).

Knochen. Hoch differenziertes Stützgewebe (s. a. Bindegewebe) der Wirbeltiere u. des Menschen, das als Skelett den Körper trägt u. die inneren Organe schützt. K. bestehen aus Zellen, der organ. Knochenmatrix (*Osteoid*) u. dem anorgan. K.-Mineral. Im Laufe der Embryonalentwicklung entsteht der größte Teil des Skeletts aus knorpelig vorgebildeten Elementen durch Verknöcherung (*Ossifikation*). Auch nach der Ausdifferenzierung sind die K. permanentem Auf- u. Abbau unterworfen, so daß sie sich stat. Veränderungen durch Umbau anpassen. Einzelne K. sind außen von einer Bindegewebsschicht, der K.-Haut (*Periost*), umgeben. Die darunterliegende K.-Substanz besteht aus einer äußeren stabilen u. kompakten Schicht (*Substantia compacta*) u. einem inneren schwammartigen Geflecht (*Substantia spongiosa*), in die das K.-Mark, das Organ der Blutbildung eingelagert ist. Die K.-Bälkchen der Spongiosa sind entlang der belastungsbedingten Hautspannungslinien ausgerichtet.

Histolog. besteht das K.-Gewebe aus 5–10 μm dicken Lamellen der Knochensubstanz u. darin eingelagerten Zellen (*Osteocyten*), die um die entlang der Längsachse laufenden kleinen Gefäße des K. angeordnet sind. An der Oberfläche des K. gelegene Zellen sind als *Osteoblasten* am Aufbau der K.-Substanz beteiligt, ihre Tätigkeit steht in einem hormonell gesteuerten Gleichgew. mit dem K.-Abbau durch die sog. *Osteoklasten*. Der organ. Anteil (30%) der K.-Substanz setzt sich überwiegend aus einer Proteoglykan-Matrix u. einem Fasernetz aus Collagen Typ I zusammen. Das für die Festigkeit des K. notwendige K.-Mineral (70% der K.-Substanz) besteht aus Calcium u. Phosphat, vorwiegend in Form von Hydroxylapatit. Das K.-Gewebe ist das Speicherorgan für Calcium-Ionen, aus dem sie bei Mangelzuständen mobilisiert werden können. 99% des Körper-Calciums (insgesamt 1 kg) befinden sich in den K., zudem sind Natrium, Magnesium, Kalium, Carbonat, Citrat u. Lactat eingelagert. Der K.-Stoffwechsel wird v. a. durch die den Calcium-Haushalt regelnden Hormone Parathormon, Calcitonin u. 1,25-Dihydroxycholecalciferol gesteuert, aber auch Insulin, Corticosteroide, Wachstums-, Schilddrüsen- u. Sexualhormone haben Einfluß auf Stoffwechsel u. Entwicklung der Knochen.

Erkrankungen der K. sind häufig Prozesse, die überwiegend im Rahmen von Krankheiten anderer Organe od. des gesamten Stoffwechsels auftreten. Sie führen durch Störung der hormonellen Regulation von Mineralisation, Auf- u. Abbau der K. z. B. zu Demineralisation (*Osteomalazie*), Knochenabbau (*Osteoporose*) od. Deformation. Auch Entzündungen durch Bakterien (z. B. Tuberkulose) sowie Tumoren des K.-Gewebes kommen vor.

Frische K. enthalten 50–60% Mineralsubstanz, etwa 25% K.-Knorpel (*Ossein*, Gerüsteiweiß, leimgebende Substanz mit etwa 4% Stickstoff), 13–16% Fett u. 10% Wasser. Die Mineralsubstanz bleibt beim Verbrennen u. Ausglühen der K. als grauweiße, porige Masse (*K.-Asche*) zurück; sie besteht zu rund 80% aus Calciumphosphat $[Ca_3(PO_4)_2]$ bzw. Hydroxylapatit $[3\,Ca_3(PO_4)_2 \cdot (Ca(OH)_2]$, 6,6% Calciumcarbonat u. etwa 1,4% Magnesiumphosphat $[Mg_3(PO_4)_2]$; dazu kommen noch etwa 0,5% Calciumfluorid (CaF_2). Im nativen K. besteht die mineral. Substanz aus einer amorphen Calciumphosphat-Phase u. krist. – z. T. Carbonat-haltigem u. durch Fehlordnungen gekennzeichnetem – Hydroxylapatit. Die Zusammensetzung entspricht in etwa der Formel

$$Ca_4(PO_4)_2(HPO_4)_{0,4}(CO_3)_{0,6},$$

wobei wegen der Ionenaustauscher-Natur der *Apatite die Anionen OH^-, CO_3^{2-} u. HPO_4^{2-} leicht ausgetauscht werden können. Mit zunehmendem Alter steigt der Anteil der krist. Phase bis auf 90%; erstaunlich ist die außerordentlich große innere Oberfläche der winzigen Krist. von 60–100 m^2/g. Das Calcium der K. steht – ebenso wie das Phosphat – in einem Gleichgew. mit den im Plasma zirkulierenden Ionen; dadurch ist z. B. ein Einbau Calcium-ähnlicher Metalle wie Blei od. Strontium (auch radioaktives ^{90}Sr) in den K. möglich. Für *Implantationen u. die Knochenchirurgie wurden in den vergangenen Jahren eine Reihe *keramischer Werkstoffe entwickelt, die z. B. als verschleißbestän-

dige Kohlenstoffwerkstoffe od. als *Oxidkeramiken für hochbelastbaren K.-Ersatz geeignet sind od. aufgrund ihrer K.-ähnlichen Zusammensetzung vom K. resorbiert u. durch neues K.-Gewebe ersetzt werden können. Implantate lassen sich mit *Knochenklebstoff (Knochenzement) im K. befestigen. Zum Stillen von Blutungen an frischen K.-Verletzungen dienen *Knochenwachse.
Die aufgrund ihrer anorgan. Zusammensetzung nahezu unzerstörbaren K. spielen natürlich in der Archäologie eine wichtige Rolle; allerdings ist die *Konservierung schon am Fundort notwendig. K.-Verletzungen lassen z. B. Rückschlüsse zu auf die Umwelt- u. Kulturbedingungen früherer Zeiten. Zur *Altersbestimmung fossiler K. ist auch die *EPR-Spektroskopie geeignet.
Tierknochen als Schlachtabfälle werden als Rohstoffe nach verschiedenen Verf. verarbeitet. Man entfernt zunächst das *Knochenfett durch Extraktion mit Tri- bzw. Tetrachlorethen (bevorzugtes Verf.) od. durch Kochen im Autoklaven, früher auch durch den sog. Chayen-Kaltschmelzprozeß, bei dem Suspensionen von gemahlenen K. in kaltem Wasser mit Hochfrequenzimpulsen behandelt wurden, worauf sich K. u. Fett trennten. Dann zerschrotet man die entfetteten K.; der hierbei entstehende, abgesiebte, feine Grus wird als „Nicht entleimtes Knochenmehl" zum Düngen verwendet, denn er enthält 4–5% Stickstoff (vom *Ossein) u. viel Phosphat in einer für die Pflanze aufnehmbaren Form. Der unentleimte Knochenschrot wird als *Futtermittelzusatzstoff verwendet, gröberer Schrot durch Dämpfen entleimt. Der nach Eindampfen erstarrende *Knochenleim* wird in Tafeln geschnitten (*Tafelleim*, vgl. Leim) od. durch weitere Extraktion mit siedendem Wasser auf *Gelatine verarbeitet. Das zurückbleibende, entfettete u. entleimte *Knochenmehl* enthält noch etwa 0,5–1% Rest-Stickstoff, 30–35% Phosphorsäure in „Citrat-lösl." Form, 6–7% Calciumcarbonat, 6–7% Mg-, K- u. Na-Salze, 10–11% organ. Substanz, 8–14% Wasser u. ist als Phosphat-Dünger für Sandböden bes. geeignet. Durch Behandeln mit Schwefelsäure läßt es sich in Knochenmehl-Superphosphat-Düngemittel überführen. Ein anderes, auch i Laboratorium leicht durchführbares K.-Verwertungsverf. benutzt verd., kalte, etwa 8%ige Salzsäure, wobei die Mineralsalze in Lsg. gehen u. das Fett aufschwimmt, so daß nur noch eine biegsame, elast. Ossein-Masse von der Form des K. zurückbleibt, die sich in kochendem Wasser leicht zu Leim auflöst. Zu der Salzsäure-haltigen Mineralsalz-Lsg. gibt man soviel Kalk-Milch, daß das Phosphat als sek. Calciumphosphat, $CaHPO_4$, ausfällt. K. werden – selbst heute noch – in Drechslereien, Schnitzereien u. Knopffabriken zur Herst. von Messerschalen, Stock- u. Schirmgriffen, Klaviaturen, Schachfiguren, Ringen, Nadeln, Knöpfen, als Elfenbeinersatz usw. verwendet. Für derartige „Beinarbeiten" u. für zoolog. Präp. müssen die entfetteten u. entleimten K. gebleicht werden, z. B. mit 3%iger, NH_3-haltiger Wasserstoffperoxid-Lösung. – *E* bone – *F* os – *I* ossa – *S* hueso
Lit.: Junqueira et al., Histologie (4.), Heidelberg: Springer 1996.

Knochenasche s. Knochen.

Knochenfette (Knochenöle). Frische Knochen enthalten 5–24% (meist 13–15%) Fett, das in techn. Maßstab herausgelöst u. verwertet wird (s. Knochen). Je nach Herkunft, Alter u. Gewinnungsart ergeben sich sehr unterschiedliche, bei Raumtemp. meist flüssige od. schmalzartige, schwach gelb gefärbte bis dunkelbraune Fette, deren Geruchsskala von neutral bis äußerst widerwärtig reicht. K. werden in der Regel mit Oxid.-Mitteln (Salpetersäure, Kaliumdichromat, Bariumperoxid) gereinigt u. gebleicht.

Tab.: Typische Fettsäure-Zusammensetzung von Knochenfetten.

Komponente	Rinder-K. Gew.-%	Schweine-K. Gew.-%
Laurinsäure	–	0–1
Myristinsäure	–	0–2
Palmitinsäure	20–21	19–20
Stearinsäure	19–21	6–8
Ölsäure	53–59	50–56
Linolsäure	–	10–14
Linolensäure	–	0–2

Anw.: Als Schmiermittel, z. B. für Uhren u. Nähmaschinen, für feine Schuhpflegemittel sowie als Rohmaterial für die Fabrikation von Kernseifen u. Kerzen. Die VZ liegt zwischen 190 u. 200, die IZ zwischen 48 u. 55. Bei Nahrungsmangel kann der Fettgehalt der Knochen von 13% auf 1% fallen. – *E* bone fats – *F* huiles d'os, huiles animales – *I* grassi d' ossa – *S* aceites de pata, aceites de hueso
Lit.: Schormüller, S. 323 ■ Ullmann (4.) **11**, 516. – [HS 1506 00]

Knochenklebstoff (Knochenzement). Nicht mit Knochenleim (s. Knochen) zu verwechselnde Bez. für chirurg. Hilfsmittel zur Befestigung von Implantaten in *Knochen od. zur Fixierung getrennter Knochenteile bei komplizierten Brüchen. Seit den 30er Jahren dieses Jh. wurden verschiedene Syst. auf Eignung als K. untersucht. In der Praxis durchgesetzt haben sich K. auf der Basis von *Polymethacrylaten. – *E* bone adhesive, bone cement – *F* ciment à os – *I* adesivo osseo – *S* cemento óseo
Lit.: Biomed. Tech. **26**, 170–174 (1981) ■ Encycl. Polym. Sci. Eng. **2**, 268; **9**, 490 ■ Kirk-Othmer (3.) **18**, 220; **19**, 289; **20**, 552; (4.) **20**, 379.

Knochenkohle (Spodium). Erhitzt man entfetteten *Knochenschrot* (s. Knochen) unter Luftabschluß auf etwa 700 °C, so wird die organ. Substanz (hauptsächlich *Ossein, vgl. Collagene) zerstört u. man erhält (aus je 100 kg Knochen) ca. 8 kg Ammoniakwasser, 2 kg *Knochenteer (wird zur Gewinnung von *Tieröl mehrmals umdestilliert), 9 m³ Gas u. etwa 60 kg K., die rund 54 kg Mineralsubstanzen (70–80% Calciumphosphat, 6–10% $CaCO_3$, 1% Magnesiumphosphate usw.) u. 6 kg Kohlenstoff enthält. K. wird ebenso wie *Aktivkohle infolge ihres starken Adsorptionsvermögens zum Entfärben u. Geruchfreimachen verwendet. Vermischt man K. u. Zucker od. Sirup u. verkohlt das Ganze mit konz. Schwefelsäure, so entsteht das zur Herst. von schwarzen Schuhschmieren verwendete *Knochenschwarz* od. *Kölner Schwarz*. Fein gemahlene K. wird auch als Malerfarbe verwendet (*Beinschwarz*). Löst man die Mineralbestandteile mit Hilfe von Salzsäure

größtenteils heraus, so erhält man eine schwärzere, „konzentriertere" K., die mit etwas Berliner Blau gemischt als *Lackschwarz* od. *Pariser Schwarz* in den Handel kommt u. auch als *medizinische Kohle Gebrauch findet. – *E* bone charcoal – *F* charbon d'os – *I* carbone di ossa – *S* carbón de huesos, carbón animal, negro animal
Lit.: Hager (5.) **7**, 689 f. ▪ Kirk-Othmer (3.) **21**, 897 f. ▪ s. a. Aktivkohle, Knochen u. Pigmente. – *[HS 3802 90]*

Knochenleim s. Knochen.

Knochenmark. In den Knocheninnenräumen lokalisiertes Gewebe aus retikulärem *Bindegewebe u. darin eingelagerten blutbildenden Zellen. Das K. ist die Bildungsstätte der Zellen des Blutes, die dort aus ihren Vorstufen, den Stammzellen, hervorgehen. Blutbildendes K. ist durch seinen hohen Gehalt an *Erythrocyten u. ihrer Vorstufen sowie durch seine starke Versorgung mit kleinen Gefäßen rot. Bei der Geburt ist nur rotes, blutbildendes K. in den Knochen vorhanden, das im Laufe des Lebens allmählich zu gelbem Fettmark umgewandelt wird. Nur in bestimmten Knochen (z. B. Rippen, Brustbein, Wirbelknochen, Beckenkamm) bleibt rotes Mark erhalten. – *E* bone marrow – *F* moelle des os – *I* midollo – *S* médula ósea

Knochenmehl. Bez. für die mehl- u. schrotartigen Produkte, die aus entfetteten u. zerkleinerten *Knochen gewonnen u. als Düngemittel u. Tierfutterzusatz verwertet werden; Näheres s. Knochen. – *E* bone meal – *F* engrais d'os, poussière d'os – *I* farina d'ossa – *S* harina de huesos
Lit.: Ullmann (4.) **10**, 227; **12**, 57; (5.) **A 10**, 371. – *[HS 0506 90]*

Knochenmorphogenese-Proteine (engl. Abk.: BMP von *bone morphogenetic proteins*). *Proteine der *extrazellulären Matrix, die die Gestaltung (*Morphogenese*) von Knochengewebe induzieren u. fast alle dem *transformierenden Wachstumsfaktor β strukturverwandt sind. Die Ausnahme hierin bildet BMP-1, das die Aktivität einer *Protease besitzt (Procollagen-*C*-Endopeptidase, EC 3.4.24.19) u. die Procollagene I, II u. III (s. Collagene) in der Nähe des Carboxy-Terminus spaltet[1]. Im Lauf der Zeit zeigte sich jedoch, daß die BMP außer bei der Morphogenese weitere Funktionen erfüllen bei der Regulation von Zellvermehrung, *Apoptose[2] u. *Differenzierung sowie bei der Bestimmung von Zellschicksalen. Dabei wirken sie nicht nur auf Knochengewebe, sondern werden auch beim embryonalen Grund-Körperbau, bei Ursegmenten, Nervensyst., Lunge, Niere, Haut, Gonaden usw. tätig. Fälschliche Produktion von BMP-4 nach Abschluß der embryonalen Skelettbildung führt zu progressiver Überverknöcherung[3]. – *E* bone morphogenetic proteins – *F* protéines morphogénétiques d'os – *I* proteine morfogenetiche del osso – *S* proteínas morfogenéticas de hueso
Lit.: [1] Science **271**, 360 ff., 463 (1996). [2] Science **272**, 738–741 (1996). [3] Science **273**, 1170 (1996).
allg.: Curr. Biol. **6**, 645 ff.; **7**, R104–R107 (1997) ▪ Genes Develop. **10**, 1580–1594 (1996) ▪ Spektrum Wiss. **1996**, Nr. 10, 20 ff.

Knochenöle s. Knochenfette.

Knochenporzellan. Bez. für ein Weich-*Porzellan, das neben den üblichen Bestandteilen (Kaolin od. Ton, Feldspat, Quarz) 20–60% Knochenasche (s. Knochen) enthält. – *E* bone china – *F* porcelaine d'os – *I* porcellana d'ossa – *S* porcelana de huesos, porcelana natural
Lit.: Ullmann (4.) **19**, 399; (5.) **A 28**, 243, 253 f. ▪ Winnacker-Küchler (4.) **3**, 194.

Knochenschwarz s. Knochenkohle.

Knochenteer. Bei der Herst. von *Knochenkohle gewonnener *Teer.

Knochenwachs. Bez. für chirurg. Hilfsmittel zur Blutstillung an Knochen-Verletzungen od. bei Resektionen. Seit fast 100 a bekannte Mischungen von Bienenwachs mit Mandelöl u. Salicylsäure[1] wurden mit gewissen Abwandlungen (z. B. Isopalmitat als Zusatz) vor kurzer Zeit noch als K. verwendet[2]. Seit Jahrzehnten laufende Versuche zum Ersatz des Bienenwachses durch besser resorbierbare synthet. Polymere, z. B. Polyethylenglykole[3] od. Polydioxanone[4] befinden sich noch im Experimentierstadium. – *E* bone wax – *F* cire à os – *I* cera ossea – *S* cera ósea
Lit.: [1] Br. Med. J. **1**, 1076, 1165 (1892). [2] J. Endodentics **12**, 289–292 (1986). [3] Ann. Surg. **132**, 1128–1137 (1950). [4] US. P. 4440789 (1984), Ethicon Inc., Erf.: Mattei u. Doddi.

Knochenzement s. Knochenklebstoff.

Knöllchenbakterien. Bez. für die zur Stickstoff-Fixierung befähigten Bakterien der Gattung *Rhizobium*, die in Symbiose mit Leguminosen (Hülsenfrüchten) leben u. für die Knöllchenbildung an deren Wurzeln verantwortlich sind. K. sind in der Lage, 100 bis 500 kg Stickstoff pro Hektar u. Jahr zu fixieren. Als sog. Gründüngung zur Bodenverbesserung wird diese Fähigkeit der K. traditionell bei der Dreifelderwirtschaft in der Landwirtschaft nutzbar gemacht.
Physiologie: Die im Boden als schleimige Fäden lebenden aeroben Rhizobien dringen an den Spitzen der jungen Wurzelhaare in die Pflanze ein u. wachsen durch den sog. Infektionsschlauch in das Rindengewebe der Wurzel. Unter Vermittlung von Wuchsstoffen, die von der Pflanze gebildet werden, formen sich als Ergebnis von Gewebewucherungen die Knöllchen. Die sich rasch vermehrenden Bakterien entarten zu sog. *Bacteroiden*, die im Cytoplasma der Pflanzenzellen liegen. Das mit Bacteroiden gefüllte Gewebe ist rotgefärbt durch *Leghämoglobin, das als Symbioseleistung der Pflanze die Bacteroiden mit Sauerstoff zur Energiegewinnung versorgt u. die Nitrogenase der Bacteroide vor Zerstörung durch zu hohen Sauerstoff-Partialdruck schützt. Die Bacteroide fixieren elementaren Stickstoff, indem sie ihn zu Ammonium-Ionen umsetzen, die wiederum von den umliegenden Pflanzenzellen durch Glutamin-Synthetase für den Aminosäure-Stoffwechsel genutzt werden.
Die K. leben jeweils nur mit einer Leguminosen-Art in Symbiose, so daß mehrere Rhizobien-Spezies zu unterscheiden sind, z. B. *Rhizobium lupini* (Symbiose mit Lupinen), *R. trifolii* (Symbiose mit Klee), *R. japonicum* (Symbiose mit Sojabohne), *R. phaseoli* (Symbiose mit Bohnen) u. *R. meliloti* (Symbiose mit Luzerne). Die Wirtsspezifität der K. beruht auf Wechsel-

wirkungen der artspezif. *Lektine (Kohlenhydrat-bindende Proteine) der Pflanzen mit den artspezif. Kohlenhydraten der Rhizobien. Eine Reihe höherer Pflanzen, die nicht zu den Leguminosen gehören, besitzen ebenfalls Wurzelknöllchen, die Stickstoff fixieren können. Bei diesen Endosymbionten handelt es sich meist um *Actinomyceten. – *E* nodule bacteria – *F* bactéries des nodosités – *I* batteri dei tubercoli – *S* bacterias nodulares
Lit.: Schlegel (7.), S. 428–437.

Knoevenagel-Kondensation. Von Emil Knoevenagel (1865–1921, vgl. *Lit.*[1]) aufgefundene, mit der *Aldol-Addition, *Claisen-Kondensation u. *Malonester-Synthese verwandte *Kondensations-Reaktion zwischen Aldehyden u. Ketonen einerseits u. einer großen Vielfalt an aktivierten *Methylen-Verbindungen andererseits, die unter dem Einfluß von schwachen Basen wie tert. Aminen, Pyridin od. β-Alanin α-funktionalisierte Alkohole bzw. durch anschließende Dehydratisierung Alkene entstehen läßt. Die K.-K. besitzt weite Anwendungsbreite in der organ. Synth., da prakt. alle Verb. mit einem aciden Wasserstoff in Ggw. einer geeigneten Base eingesetzt werden können. Im Falle von COOH-Resten an der Methylen-Komponente schließt sich der K.-K. meist eine *Decarboxylierung an. Eine Erweiterung der K.-K. in der organ. Synth. stellt ihr Einsatz in *Tandem-Reaktionen dar, z. B. Tandem-Knoevenagel-Hetero-Diels-Alder-Reaktion, die *kondensierte Ringsysteme zugänglich macht.

Die Kondensation mit *Nitroalkanen wird oft als *Henry-Reaktion*, die mit Natriumacetyliden als *Nef-Reaktion, die mit Phosphonsäuredialkylester als *Horner-Emmons-Reaktion u. die mit 1-(Trimethylsilyl)alkyllithium-Verb. als *Peterson-Olefinierung bezeichnet. – *E* Knoevenagel condensation – *F* condensation de Knoevenagel – *I* condensazione di Knoevenagel – *S* condensación de Knoevenagel
Lit.: [1] Ber. Dtsch. Chem. Ges. **54**, A 269 (1921).
allg.: Hassner-Stumer, S. 205 ▪ Laue-Plagens, S. 192 ▪ March (4.), S. 945–951 ▪ Org. React. **15**, 204–599 (1967) ▪ Trost-Fleming 2, 341 ff.

Knoll. Kurzbez. für die 1886 gegr. Firma Knoll AG, 67008 Ludwigshafen, eine 100%ige Tochterges. der *BASF mit den Tochterges. (Inland) Nordmark Arzneimittel GmbH, Minden Arzneimittel sowie weiteren im Ausland. *Daten* (1994): 3580 Beschäftigte, 1,0 Mrd. DM Weltumsatz. *Produktion:* Arzneimittel, Pharmachemikalien, Zwischenprodukte.

Knollenblätterpilze. Die K. gehören bei den Höheren Pilzen (Basidiomyceten) zur Ordnung Agaricales u. zur Familie der Wulstlinge (Amanitaceae), Gattung *Amanita*. Zu dieser Gattung gehören stark giftige, giftige u. ungiftige Arten. K. besitzen fleischige, in Hut u. Stiel gegliederte Fruchtkörper mit lamelligem Hy-

menophor, Stiel oft mit hängendem Ring (Manschette). Das Sporenpulver ist weiß od. grünlich. Die Gattung gliedert sich in die Untergattungen Scheidenstreiflinge, Caesareae – hierzu gehören z. B. der Kaiserling, der Fliegenpilz u. der Pantherpilz, sowie Lepidella mit den Sektionen Amidella, Phalloideae u. Validae. Zu den K. gehören der im nördlichen Mittelmeerraum beheimatete *Amanita lepiotoides*, der in unseren Laub- (seltener Nadel-)wäldern heim. *A. phalloides* (Grüner K., Grüner Mörder, *E* Death Cap), weiterhin der bes. in Südeuropa unter Kastanien od. Eichen wachsende *A. verna* (Frühlings-K.), der ungiftige Gelbe K. (*A. citrina*) u. der bes. in Nadelwäldern beheimatete *A. virosa* (Spitzhütiger od. Weißer K., *E* Destroying Angel)[1]. Im Oberrheingebiet, Bayern, Böhmen u. Mähren findet sich der Eierwulstling (*A. ovoidea*), der in seiner Heimat durchaus gern gegessen wird.
Pilzgifte: Tödlich giftig sind nur die Arten *A. phalloides*, *A. verna* u. *A. virosa* (vgl. Amanitine, Phallotoxine u. Virotoxine[2]). – *E* death cup, death angel – *F = I* amanite – *S* hongos de las hojas de tubérculos
Lit.: [1] Moser, Kleine Kryptogamenflora, Tl. II b/2, Die Röhrlinge u. Blätterpilze, 5. Aufl., S. 220–225, Stuttgart: Fischer 1983. [2] Z. Naturforsch., Teil C **29**, 86 ff. (1974).
allg.: Bresinsky u. Besl, Giftpilze, S. 25–34, Stuttgart: Wissenschaftliche Verlagsges. 1985 ▪ Chem. Unserer Zeit **13**, 56–63 (1979).

Knoop, Franz (1875–1946), Prof. für Physiolog. Chemie, Univ. Tübingen. *Arbeitsgebiete:* Stoffwechselchem. Untersuchungen, insbes. zum Citronensäure-Cyclus, Nachw. u. Aufklärung der sog. β-Oxid. der Fettsäuren, Strukturaufklärung von Histidin.
Lit.: Angew. Chem. **60**, 29 (1948) ▪ Lexikon der Naturwissenschaftler, S. 245 ▪ Nachmansohn, S. 314, 320, 328 ▪ Pötsch, S. 242.

Knoop-Härte (Abk. HK). Maßzahl für die Härte von Glas, Email u. ä. Stoffen, gemessen in N/mm^2. Die *Härteprüfung wird mit der verlängerten Diamantpyramide nach Knoop ausgeführt, die bei rhomb. Grundfläche ein Längs- zu Querdiagonalverhältnis von 7:1 aufweist u. einen Eindruck im Prüfmaterial erzeugt. Für diesen gilt 1 HK = $P/9{,}807 \, d^2 \cdot C \sim 1{,}451 \, P/d^2$, wobei P die Eindruckskraft in Newton, d die größere Diagonallänge der Vertiefung u. C eine Geräte-Konstante ist, die vom Hersteller angegeben wird (hier C = 0,07028). Die Skala der K.-H. reicht von 0 (Talk) bis 8000 (Diamant). – *E* Knoop hardness – *F* dureté Knoop – *I* durezza Knoop – *S* dureza de Knoop
Lit.: Kirk-Othmer (3.) **1**, 28 f.; **12**, 118–128; (4.) **1**, 18 f.; **12**, 919–930 ▪ Ullmann (4.) **3**, 67; (5.) B **1**, 10–11 ff. ▪ s. a. Härteprüfung.

Knoop-Synthese.

Mit der von *Knoop u. Oesterlin 1925 aufgefundenen Synth. lassen sich α-*Aminosäuren aus α-*Oxocarbonsäuren herstellen, indem man letztere mit Pt, Pd od. Raney-Ni in wäss. ammoniakal. Lsg. hydriert. – *E* Knoop synthesis – *F* synthèse de Knoop – *I* sintesi di Knoop – *S* síntesis de Knoop
Lit.: Houben-Weyl **11/2**, 311, 482.

Knopsche Nährlösung s. Hydrokultur.

Knorpel. Druckfestes u. dabei elast. Stützgewebe (s. a. Bindegewebe), das zusammen mit dem *Knochen die Skelettsubstanz der Wirbeltiere u. des Menschen bildet. Während der embryonalen Entwicklung des K.-Gewebes errichten spezielle Zellen, die *Chondroblasten*, durch Abscheidung ein Gerüst aus K.-Grundsubstanz. K. bildet den größten Teil des embryonalen Skeletts, das während der weiteren Entwicklung zu Knochen umgeformt wird (*Ossifikation*). Beim Erwachsenen besteht der Überzug der Gelenkflächen, Teile der Rippen, Zwischenwirbelscheiben u. Menisci der Kniegelenke sowie Teile der Luftwege aus Knorpel. Ausdifferenzierter K. besteht aus einer Grundsubstanz, in die einzeln od. in Gruppen K.-Zellen (*Chondrocyten*) eingelagert sind. Eine Versorgung mit Blutgefäßen fehlt, die Ernährung geschieht durch Diffusion. Die K.-Grundsubstanz besteht zu 60–85% aus Wasser, 15–40% aus *Glykosaminoglykone u. eingelagerten *Collagen-Fibrillen. Nach der Struktur u. Zusammensetzung der Grundsubstanz unterscheidet man hyalinen K., Faser-K. u. elast. K. Der *hyaline K.* (griech.: hyalos = Glas) hat eine durchscheinende Grundsubstanz aus Collagen u. Chondroitinsulfat u. bildet die embryonale Knochengrundlage, Nasen-, Kehlkopf- u. Bronchialskelett, Rippen u. Gelenkteile. *Faser-K.* enthält einen bes. großen Anteil an Collagen-Faserbündeln u. findet sich in Zwischenwirbelscheiben u. Menisci. *Elastischer K.* enthält elast. Fasernetze u. kommt u. a. in Ohrmuschel u. äußerem Gehörgang vor. – *E* = *F* cartilage – *I* cartilagine – *S* cartílago

Lit.: Junqueira et al., Histologie (4.), Heidelberg: Springer 1996.

Knorpeltang s. Carrageen.

Knorringit s. Granate.

Knorr-Synthesen. Mit dem Namen Knorr sind verschiedene zu Stickstoff-Heterocyclen führende Synth. verbunden.

1. *Pyrazol-Synth.:* 1,3-Dicarbonyl-Verb. werden mit substituierten Hydrazinen kondensiert, wobei unter Austritt von 2 Mol. H_2O je umgesetztem Mol. Dicarbonyl-Verb. in 1,3,4,5-Stellung ggf. tetrasubstituierte *Pyrazole gebildet werden (vgl. heterocyclische Verbindungen).

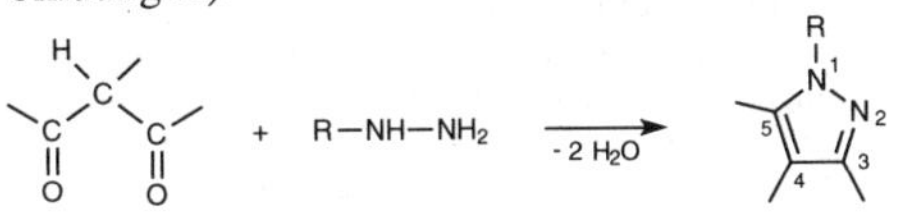

Abb. 1: Pyrazol-Synth. nach Knorr.

2. *Pyrrol-Synth.:* Doppelte Kondensation von α-Aminoketonen, die in der Regel über die *Neber-Umlagerung od. *in situ* durch Oximierung (s. Oxime) u. anschließende Red. aus 3-Oxocarbonsäureestern erzeugt werden, mit Carbonyl-Verb., die aktivierte Methylen-Gruppen enthalten (z. B. 3-Oxocarbonsäureester), liefert z. B. 3,4,5-trisubstituierte 2-Pyrrolcarbonsäure-Derivate. 3,5-disubstituierte 2,4-Pyrroldicarbonsäure-Derivate, die sich durch *Decarboxylierung in die Pyrrole überführen lassen.

3. *Chinolin-Synth.:* 3-Oxocarbonsäureester reagieren bei Temp. über 100 °C mit Anilin unter Abspaltung der Alkohol-Komponente zu Aniliden, die mit H_2SO_4 zu

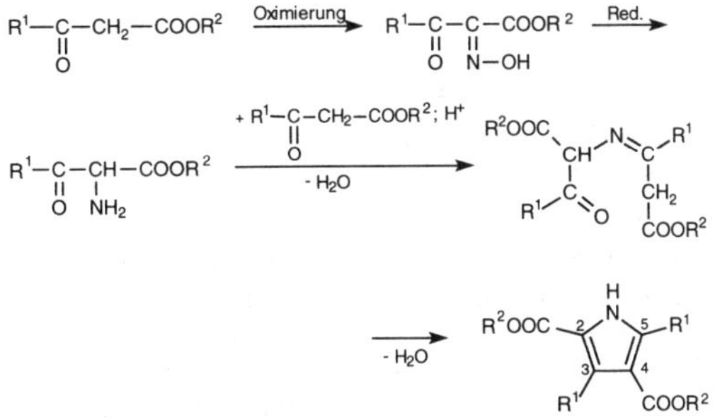

Abb. 2: Pyrrol-Synth. nach Knorr.

ggf. 3,4-disubstituierten 2-(1*H*)-Chinolinonen cyclisiert werden können.

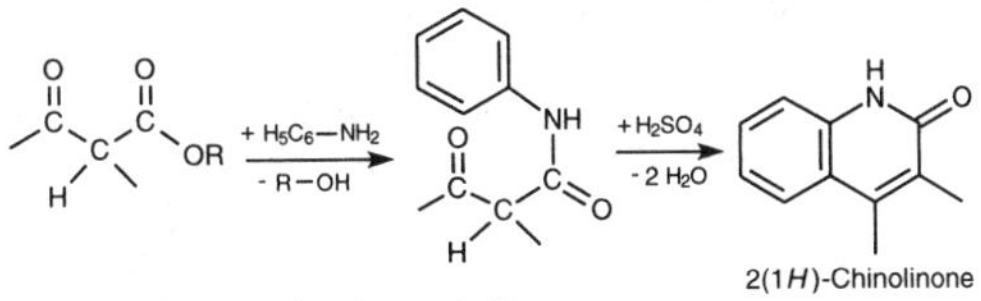

Abb. 3: Chinolin-Synth. nach Knorr.

– *E* Knorr syntheses – *F* synthèses de Knorr – *I* sintesi di Knorr – *S* síntesis de Knorr

Lit. (*zu 1.*): Hassner-Stumer, S. 206 ▪ s. a. Pyrazol u. Pyrazole. – (*zu 2.*): Laue-Plagens, S. 197 ▪ s. a. Pyrrol. – (*zu 3.*): Hassner-Stumer, S. 206.

Knospung. Bez. für die bei *Hefen häufig vorkommende Form der asexuellen Vermehrung, bei der von der Mutterzelle Teile des Zellinhalts (Kern- u. cytoplasmat. Material) in eine Ausstülpung einwandern, die sich dann zur Tochterzelle ausbildet. – *E* budding – *F* bourgeonnement – *I* gemmazione – *S* gemación, brotación

Lit.: Schlegel (7.), S. 170.

Knoten.

In der organ. (*supramolekularen Chemie) Chemie Bez. für schwierig herzustellende exot. Mol. aus ineinander verschlungenen *Ketten (vgl. Catenane u. Rotaxane). Man spricht bei K. von einer möglichen *topolog. *Isomerie (vgl. Topologie), denn aufgrund der Raumstruktur derartiger *Ringsysteme sind *Enantiomerie u. damit *optische Aktivität denkbar. – *E* knots – *F* nœuds – *I* nodi – *S* nudos

Lit.: Angew. Chem. **102**, 1202 (1990); **109**, 967 (1997) ▪ March (4.), S. 106 ▪ Vögtle, Supramolekulare Chemie, S. 141–155, Stuttgart: Teubner 1989.

Knotentang s. Iod.

Koagulation. Im engeren Sinn von latein.: coagulatio = Gerinnung abgeleitete Bez. für die Umwandlung eines *Sols in ein *Gel unter *Ausflockung. K. tritt z. B. ein beim Klären von Wasser mittels *Flockungsmitteln, bei der *Sedimentation der in Aerosolen verteilten festen od. flüssigen Teilchen, beim Gerinnen von Milch für die *Käse-Produktion, beim *Denaturieren von Eiweiß durch Erhitzen, bei der *Blutgerinnung mittels Gerinnungsfaktoren. Im weiteren Sinn wird K. für die Zusammenlagerung von Teilchen der dis-

pergierten Phase in Dispersionen verwendet. – $E = F$ coagulation – I coagulazione – S coagulación
Lit.: Kirk-Othmer (3.) **4**, 1; **10**, 490; **S**, 253.

Koaleszenz (von latein.: coalescere = verschmelzen). Bez. für das Zusammenfließen der Tröpfchen einer *Emulsion zu einer kompakten Flüssigkeitsphase.

Koazervation. Von latein. coacervatio = Anhäufung abgeleitete Bez. für ein Phänomen, das beim Übergang eines makromol. *lyophilen Kolloids aus dem *Sol-Zustand in den eines festen Präzipitats auftritt. Hierbei kann ein Zwischenzustand eintreten, bei dem sich das vorher gleichmäßig verteilte Kolloid od. Polymer in einer zweiten, noch flüssigen, Lsm.-haltigen Phase ausscheidet. Nach H. G. Bungenberg de Jong beruht die K. darauf, daß z.B. bei Zusatz einer niedrigmol. Substanz das Vol. eines Teils der dispergierten Partikeln durch intramol. Assoziation unter Austritt von Dispersionsmittel abnimmt. Dadurch wächst die Tendenz der Partikeln zur Ausbildung dynam. Haftstellen. Dies geht so weit, daß sich eine getrennte kolloidreiche Phase (*Koazervat*) bildet. Näheres zur K. s. bei Kolloidchemie. – $E = F$ coacervation – I coacervazione – S coacervación
Lit.: s. Kolloidchemie.

Kobalt. Die autorisierte deutsche Fassung der IUPAC-Regeln u. der Duden empfehlen für die chem. Fachsprache die Schreibung *Cobalt, wenn auch Ausnahmen möglich sind, s. die folgenden Stichwörter.

Kobaltblüte s. Erythrin.

Kobaltglanz s. Cobaltin.

Kobaltkies s. Kobaltnickelkiese.

Kobaltnickelkiese. Sulfid. Erzminerale mit *Spinell-Struktur (*Thiospinelle*) u. kub.-hexakisoktaedr. Symmetrie, Krist.-Klasse m3m-O_h; zur Elektronenstruktur der Thiospinelle s. *Lit.*[1]. Häufigste Krist.-Form ist das Oktaeder. Allg. Formel der K.: $A^{2+}B_2^{3+}X_4^{2-}$, mit A = Fe, Co, Ni, Cu; B = Fe, Co, Ni, Cr u. X = S, Se, (Te). Zwischen den einzelnen Gliedern der Gruppe bestehen weitgehende Mischbarkeiten. *Linneit* (*Kobaltkies*) $Co^{2+}Co_2^{3+}S_4$ (theoret. 57,96% Co, meist aber mit Cu-, Fe- u. Ni-Gehalten), *Siegenit* $(Ni,Co)_3S_4$ u. *Polydymit* $Ni^{2+}Ni_2^{3+}S_4$ sind frisch rötlich silberweiß bis stahlgrau od. violettgrau, mit grauschwarzer Strichfarbe u. metall. Glanz, H. 4,5–5,5, D. 4,5–4,8; gut ausgebildete Einzelkrist., auch eingewachsen, seltener derb körnig. *Carrollit* $Cu(Co,Ni)_2S_4$ ist eine Abart von Linneit mit 10–19% Cu anstelle von Co. Die K. sind in Salpetersäure unter Abscheidung von S löslich.
Vork.: Vorwiegend in hydrothermalen Bildungen (*Lagerstätten), bes. schön auf einigen heute nicht mehr abgebauten *Siderit-*Gängen des Siegerlands. Linneit u. der grauviolette *Violarit* $Fe^{2+}Ni_2^{3+}S_4$, seltener auch Polydymit, entstehen häufig sek. in Nickel-Magnetkies-Lagerstätten aus *Pentlandit (z.B. Sudbury/Ontario/Kanada, Norilsk/Sibirien, Kambalda/Australien). Linneit u. Carrollit, manchmal auch Siegenit, sind in den sedimentären Cu-Co-Lagerstätten von Sambia u. Zaire verbreitet. Carrollit auch in Carroll County/Maryland/USA (Name!), Japan u. Atacama/Chile. Der ebenfalls zu den Thiospinellen gehörende,

rosafarbige bis metall. blau anlaufende, bei niedrigen Temp. unter 80 °C stabile *Greigit* $Fe^{2+}Fe_2^{3+}S_4$ findet sich oft mikrokrist. in Sümpfen u. im Wattengebiet sowie als färbender Bestandteil in dunklen *Tonen. Der schwarze, metall. glänzende Thiospinell *Daubréelith* $Fe^{2+}Cr_2S_4$ (D. 3,8, Strichfarbe schwarz, Fe teilw. durch Ni ersetzt) bildet keine Krist.; er ist das einzige bisher bekannte Chromsulfid u. wurde bislang nur in *Meteoriten beobachtet. – E cobalt pyrites – F pyrite de nickel-cobalt – I piriti di nichel-cobalto, linneite – S piritas de cobalto
Lit.: [1] Am. Mineral. **66**, 1250–1253 (1981).
allg.: Anthony et al., Handbook of Mineralogy, Bd. I, S. 82 (Carollit), 129 (Daubréelith), 195 (Greigit), 297 (Linneit), 418 (Polydymit), 474 (Siegenit), 560 (Violarit), Tucson (Arizona): Mineral Data Publishing 1990 ▪ Ramdohr, Die Erzmineralien u. ihre Verwachsungen, S. 748–754, 755 f., Berlin: Akademie 1975 ▪ Schröcke-Weiner, S. 227–231.

Kober-Test s. Estrogene.

Kobratoxine (Cobratoxine). Die Kobras od. Giftnattern (Elapidae) sind die am weitesten verbreitete Familie von Giftschlangen. Die Elapidae sind auf allen Kontinenten außer Europa beheimatet. Bes. gefährliche Arten sind die afrikan. Speikobra (*Naja nigricollis*), Ringhalskobra (*Haemachatus haemachatus*), Schwarze Mamba (*Dendroaspis polylepis*), asiat. Kobra (*N. naja*), Königskobra (*N. bungarus = Ophiophagus hannah*) sowie diverse Kraits, bes. *Bungarus fasciatus* u. *B. caeruleus*. Die K. bestehen aus 60–74 Aminosäuren u. 4–5 Disulfid-Brücken, das Giftsekret der Schlangen bis zu 70% aus Kobratoxinen. In den Rohgiften sind in reichem Maß Enzyme enthalten, z.B. Phospholipasen, Endopeptidasen, Exopeptidasen, Proteinasen. Auch diese wirken stark giftig, sie senken den Blutdruck drast., stören die Blutgerinnung u. schädigen Gewebe u. Gefäße. Typ. Symptome für den Biß einer asiat. Kobra sind zunächst sehr starke Schmerzen, gefolgt von Schwellungen, Blutblasen u. Nekrosen. Die Wunden benötigen mehrere Monate zur Heilung u. müssen operativ behandelt werden. Allg. Symptome sind Erbrechen, Bewußtlosigkeit, Seh- u. Sprachstörungen, gelegentlich Krämpfe u. weitreichende Lähmungen. – E cobra toxins, cobrotoxins – F venins de cobra, cobratoxines – I cobratossine – S venenos de cobra, cobratoxinas
Lit.: Habermehl, Gifttiere u. ihre Waffen (5.), S. 145–167, Berlin: Springer 1994 ▪ Mebs, Gifttiere, S. 210–225, Stuttgart: Wissenschaftl. Verlagsges. 1992 ▪ Tu, Handbook of Natural Toxins, Vol. 5, S. 3–470, New York: Dekker 1991 ▪ s.a. Schlangengifte. – *[HS 051000]*

Koch. Kurzbez. für die 1928 gegr. Koch Industries Inc., North Wichita, KS 677220-3203, USA, mit weltweit zahlreichen Tochter- u. Beteiligungsfirmen. *Produktion:* Agrarchemikalien, Düngemittel, Schwefel- u. Stickstoff-Verb., Kohlenstoffdioxid, Ammoniak, Ind.-u. Spezialchemikalien, Erdöl- u. Gasproduktion, Erdölraffination, techn. Anlagen für die chem. Industrie. *Daten* (1995): 13000 Beschäftigte, 25 Mrd. US $.

Koch, Robert (1843–1910), Arzt u. Mikrobiologe in Berlin. *Arbeitsgebiete:* Bakteriologie, Einführung fester, künstlicher Nährböden, Züchtung von Reinkulturen, Nachw. von Bakterien durch mikroskop. Färbung, Entdeckung der Milzbrand-, Tuberkulose- u.

Cholera-Erreger, Herst. von Alt-Tuberkulin, Entwicklung von Desinfektionsmethoden. Für seine Tuberkulose-Forschungen erhielt K. 1905 den Nobelpreis für Medizin.

Lit.: Bochalli, Robert Koch, Stuttgart: Wiss. Verlagsges. 1982 ▪ Genschorek, Robert Koch, Leipzig: Teubner 1982 ▪ Krafft, S. 203 f. ▪ Lexikon der Naturwissenschaftler, S. 246 ▪ Neufeldt, S. 73, 371, 380 ▪ Steinbrück, Robert Koch, Leipzig: Barth 1982.

Kocher, Emil Theodor (1841–1917), Prof. für Chirurgie, Univ. Bern. *Arbeitsgebiete:* Schilddrüsenerkrankungen, Bedeutung des Iod-Mangels für die Entstehung des Kropfes. Begründer der modernen Kropfchirurgie. 1909 erhielt er für seine Arbeiten über die Physiologie, Pathologie u. Chirurgie von Schilddrüsenerkrankungen den Nobelpreis für Medizin od. Physiologie.

Lit.: Lexikon der Naturwissenschaftler, S. 246.

Koch-Haaf-Carboxylierung s. Kochsche Carbonsäure-Synthese.

Kochkäse. Entsteht durch Erhitzen von Sauermilchod. Labquark mit Schmelzsalzen unter Zusatz von Sahne, Butter od. Butterschmalz. K. wird heute zu den *Schmelzkäsen gezählt. – [HS 0406 30]

Koch-Säure s. Naphthylaminsulfonsäuren u. Naphtholsulfonsäuren (Tab.).

Kochsalz. Histor. Bez. für durch Einkochen von Salzlsg. (Solen) gewonnenes *Speisesalz; die Solen stammen entweder aus natürlichen Salzquellen od. werden künstlich erzeugt, indem man unterird. Steinsalzlager unter Wasser setzt. Die K.-Gewinnung erfolgt heute in Vak.-Verdampferanlagen mit geschlossenen Siedegefäßen. Näheres s. bei Natriumchlorid, zum Thema *K.-arme Diät* s. Kochsalz-Ersatzmittel. *Isotonische Lösungen finden als infundierbare physiolog., d.h. 0,9%ige wäss. Kochsalz-Lsg. in der Medizin Verwendung. – *E* salt, common salt – *F* sel de cuisine – *I* sale da cucina, sale comune – *S* sal de cocina

Lit.: Mineralbrunnen **37**, 90–100 (1987) ▪ Schleiden, Das Salz. Seine Geschichte, seine Symbolik u. seine Bedeutung im Menschenleben, Weinheim: Verl. Chemie 1983. – [HS 2501 00]

Kochsalz-Ersatzmittel. Die Auffassung, daß Salz die Entwicklung von Bluthochdruck fördert, ist heute weit verbreitet. Entgegen früheren Annahmen geht man jedoch heute davon aus, daß Natrium vorwiegend in Verb. mit Chlorid blutdrucksteigernd wirkt, nicht aber in Verb. mit anderen Anionen wie z.B. Hydrogencarbonat od. Citrat[1]. Kochsalz kann auch zu Wasseransammlungen in den Geweben (*Ödeme) führen. Mit ca. 15 g/d liegt der derzeitige Salz-Konsum in der BRD deutlich über dem von der Dtsch. Ges. für Ernährung empfohlenen Wert von 5–7,5 g/d. Personen, die bereits an einer der erwähnten Krankheiten leiden, müssen daher die Kochsalz- bzw. Natrium-Aufnahme reduzieren. Dies ist zum einen durch die Verw. bestimmter *diätetischer Lebensmittel für Natrium-empfindliche Personen möglich. Laut Diät-VO vom 25.8.1988 (BGBl. I, S. 1713) darf der Natrium-Gehalt solcher Lebensmittel 120 mg/100 g verzehrfertiges Lebensmittel nicht überschreiten. Übersteigt er 40 mg/100 g nicht, so darf das Lebensmittel als „streng Natrium-arm" bezeichnet werden. Eine Red. der

ernährungsbedingten Kochsalz-Zufuhr ist auch durch die Verw. von K.-E. möglich. Gemäß Anlage 3 der Diät-VO sind als K.-E. für diätet. Lebensmittel die in der folgenden Liste aufgeführten Zusatzstoffe zugelassen:
1. Die Verb. des Kaliums, Calciums u. Magnesiums mit Adipin-, Bernstein-, Glutamin-, Kohlen-, Milch-, Salz-, Wein-, u. Citronensäure; Monokaliumdiphosphat; Adipinsäure; Glutaminsäure.
2. Kaliumsulfat;
3. die Cholin-Salze der Essig-, Kohlen-, Milch-, Salz-, Weinu. Citronensäure;
4. Kaliumguanylat u. Kaliuminosinat.
Aber auch andere Verb., wie z.B. Histidinhydrochlorid, werden als K. vorgeschlagen[2]. – *E* dietary salt, low-sodium salt – *F* succédané de sel de cuisine – *I* surrogato di sale comune – *S* sal de dieta, sal pobre en sodio, sucedáneo de la sal

Lit.: [1] Science **222**, 1139 ff. (1983). [2] Gordian **85**, 147 ff. (1985). *allg.*: Akt. Ernähr. **10**, 1 ff. (1985); **11**, 178 ff. (1986) ▪ Bock u. Schrey (Hrsg.), Natrium u. Hypertonie, München: Wolf 1981 ▪ Dtsch. Med. Wochenschr. **112**, 1391–1394 (1987) ▪ Nutr. Rev. **43**, 337 f. (1985) ▪ Prepared Foods **158**, 97 f. (1989).

Kochsche Carbonsäure-Synthese (Koch-Haaf-Carboxylierung). Von H. Koch (1904–1967) u. Mitarbeitern entwickelte Meth. zur Herst. von verzweigten, meist tert. Carbonsäuren durch *Hydrocarboxylierung (Carbonylierung u. Hydratisierung) von Alkenen od. Cycloalkenen unter Beteiligung von Carbenium-Ionen, die auch aus Alkoholen in starken Säuren entstehen:

Als Katalysatoren kommen konz. Mineralsäuren in Frage. Da die Addition insgesamt der *Markownikoff-Regel gehorcht, sind Umlagerung u. Isomerisierungen zum stabileren *Carbenium-Ion häufig; so läßt sich z.B. durch Variation von Temp. u. CO-Druck das Verhältnis von sek. zu tert. Carbonsäuren beeinflussen. In der bei Normaldruck ablaufenden Variante des Verf. (*Koch-Haaf-Synth.*) dient Ameisensäure (mit konz. Schwefelsäure) als CO-Quelle. Mit Hilfe von Nickelcarbonylen kann die Hydrocarboxylierung unter milden Bedingungen durchgeführt werden. In dieser Variante, die oft bei der Herst. α,β-ungesätt. Säuren (z.B. *Acrylsäure) aus Alkinen angewendet wird, können auch andere Metall-Katalysatoren, wie z.B. Palladium-Komplexe, eingesetzt werden. – *E* Koch carboxylation – *F* synthèse de Koch – *I* sintesi degli acidi carbossilici di Koch – *S* síntesis de Koch (de ácidos carboxílicos)

Lit.: Adv. Phys. Org. Chem. **10**, 29–52 (1973) ▪ Falbe, New Syntheses with Carbon Monoxide, Berlin: Springer 1980 ▪ March (4.), S. 808 ff. ▪ Trost-Fleming **3**, 1017 ▪ Weissermel-Arpe (4.), S. 154 ff. ▪ s. a. Carbonylierung.

Kochsches Plattengußverfahren. Meth. zur Gewinnung von Reinkulturen aus einer Mikroorganismen-Mischung, die auch zur Bestimmung der Lebendkeimzahl (s. Keime) herangezogen werden kann. Ausgehend von einem abgemessenen Vol. an Mikroorganismen-haltiger Lsg. werden durch schrittweise Verdünnung weitere Proben hergestellt, die jeweils komplett auf eine Agar-Platte gegeben werden. Nach Inkubation bei einer für das Wachstum geeigneten Temp. werden bei den entsprechenden Verdünnungsstufen Einzelkolonien erhalten, die aus einer einzigen Zelle hervorgegangen sind (s. Klone) u. Reinkulturen darstellen. Um mit dieser Vorgehensweise die Lebendkeimzahl bestimmen zu können, muß jeweils mit genau abgemessenen Vol. bei jedem Verdünnungsschritt gearbeitet werden.

Koch-Synthese s. Kochsche Carbonsäure-Synthese.

KOD s. Kolloidosmotischer Druck.

KODAK. Kurzbez. für die 1884 von G. Eastman als Kodak Company gegr. heutige EASTMAN KODAK COMPANY, Rochester, New York, 14650, USA. 1993 wurde die Eastman Chemical Company vom Unternehmen abgespalten. Seitdem liegen die Aktivitäten im Bereich der Photographie u. der Bildverarbeitung mit Computern. *Daten* (1994, weltweit): 96 300 Beschäftigte, 13,7 Mrd. $ Umsatz. *Produktion:* Kameras, Kopiergeräte, photograph. Materialien (Filme, photograph. Papier u. Platten, Photo-Chemikalien); Audiovision, Photo-CD u. Zubehör, Applikations-Software, Bilddatenbanken. *Vertretung* in der BRD: Kodak AG, 70323 Stuttgart.

Kodan®. Tinktur bzw. Spray mit 2-*Biphenylol, 1- u. 2-*Propanol zur Hautdesinfektion. *B.:* Schülke u. Mayr.

Ködergifte. Bez. für zur Bekämpfung von Schädlingen mit *Rodentiziden, *Molluskiziden, *Insektiziden u. *Aviziden angereicherte Köder, die an entsprechenden Stellen offen ausgelegt werden.

Koeffizienten. Nach DIN 5485 (08/1986) Bez. für Größen, die den Einfluß einer Stoffeigenschaft, eines physikal. Syst. od. einer Struktur auf einen physikal. Zusammenhang kennzeichnen; *Beisp.:* Ausdehnungs-, Diffusions-, Geschw.-Koeffizienten; s. a. Ausdehnen u. Diffusion. – *E = F* coefficients – *I* coefficienti – *S* coeficientes

Kögl, Fritz (1897–1959), Prof. für Chemie, Univ. Utrecht, Holland. *Arbeitsgebiete:* Naturstoffchemie, Pilz- u. Bakterienfarbstoffe, Strukturaufklärung von Muscarin (Fliegenpilzgift), Isolierung der pflanzlichen Wuchsstoffe Heteroauxin u. Biotin (Vitamin H).
Lit.: Neufeldt, S. 195 ▪ Pötsch, S. 243.

Köhler, Georges (1946–1995), Prof. für Immunbiologie, Max-Planck-Inst. für Immunbiologie, Freiburg. *Arbeitsgebiete:* Mol. Immunologie, B-Zell-Entwicklung, monoklonale Antikörper. Für die Entdeckung des Prinzips der Produktion monoklonaler Antikörper erhielt er 1984 zusammen mit *Milstein den Nobelpreis für Medizin.
Lit.: Kürschner (16.), S. 1868 ▪ Lexikon der Naturwissenschaftler, S. 247 ▪ Martin, Verzeichnis der Nobelpreisträger 1901–1987, S. 162, München: Saur 1988.

Kölbel, Herbert (1908–1995), Prof. Dr. phil. Dr. rer. nat. h. c. für Techn. Chemie, Univ. Berlin. *Arbeitsge-*

biete: Petrochemie, Kohlenwasserstoff-Synth., Verf.-Technik, synth. Schmieröle, waschaktive Stoffe.
Lit.: Kürschner (15.), S. 2364 ▪ Nachr. Chem. Tech. Lab. **41**, Nr. 7/8, 898 (1993) ▪ Wer ist wer (35.), S. 771.

Kölbel-Engelhardt-Verfahren s. Fischer-Tropsch-Synthese.

Kölner Gelb s. Bleichromat.

Kölner Leim. (Histor.) Bez. für einen Hautleim hoher Qualität, der in Form hellgelber Tafeln vermarktet wird.

Kölner Schwarz s. Knochenkohle.

Kölnische Erde s. Kasseler Braun.

Kölnisch Wasser (Eau de Cologne, EdC). Lsg. verschiedener wohlriechender ether. Öle in mehr od. weniger verd. Ethanol (80–90%), die beim sog. Echten K. W. 4711 2–5%, bei den sog. parfümierten Eaux de Cologne 2–4% Parfümöl enthält. Dieses stellt eine Mischung aus Citrus- od. Agrumenölen, z. B. Citrone, Orange, Bergamotte, Limette usw., außerdem Neroli-, Lavendel-, Rosmarin-, Petitgrain-, Rosen- u. Jasminöl etc. dar. Von den EdC unterscheiden sich die *Eaux de Toilette* (EdT) bzw. *Eaux de Parfum* (EdP) durch einen höheren Anteil an Parfümöl (4–7 bzw. 7–10%).

Geschichte: Das erste K. W. wurde wahrscheinlich von dem Italiener Paolo Feminis im Jahre 1695 durch Extraktion wohlriechender Pflanzen mit Alkohol u. anschließender Dest. dargestellt. Johann Maria Farina bringt seit 1709 K. W. in den Handel; es hieß ursprünglich Eau admirable. Die Werbebez. K. W. läßt sich bis 1742 zurückverfolgen. Im Jahre 1792 gründete Ferdinand *Mülhens das Haus 4711 in Köln. – *E* cologne (water) – *F* eau de Cologne – *I* acqua di Colonia – *S* agua de Colonia
Lit.: Janistyn **2**, 423–432 ▪ Umbach (Hrsg.), Kosmetik, 2. Aufl., S. 354 f., Stuttgart: Thieme 1995 ▪ s. a. Parfümerie. – *[HS 3303 00]*

Königinnensubstanz. Sekret aus den Mandibular-Drüsen von *Bienenköniginnen* mit verschiedenen Funktionen: K. verhindert die Entwicklung der Ovarien von Arbeitsbienen, die Entstehung von Königinnenzellen u. lockt männliche Bienen zur Befruchtung junger Königinnen an. K. besteht aus fünf verschiedenen Verb.[1]:

Tab.: Daten der Verbindungen der Königinnensubstanz.

Verb.	Summen-formel	M_R	CAS
A	$C_9H_{12}O_3$	168,19	2380-78-1
B	$C_8H_8O_3$	152,15	99-76-3
C	$C_{10}H_{16}O_3$	184,24	334-20-3
D	$C_{10}H_{18}O_3$	186,25	1422-28-2

2-(4-Hydroxy-3-methoxyphenyl)ethanol (A), *4-Hydroxybenzoesäuremethylester* (B), *(E)-9-Oxo-2-decensäure* (C), sowie beiden Enantiomeren der *(E)-9-Hydroxy-2-decensäure* (D), im Verhältnis 1 : 10 : 100 : 25 : 10. In *Lit.*[2] wird nur Verb. C als K. bezeichnet. – *E* queen substance – *F* substance des abeilles mères – *I* sostanza regina – *S* sustancia de las abejas reinas
Lit.: [1] Nature (London) **332**, 354 (1989). [2] Merck-Index (12.), Nr. 8214.
allg.: Chem. Unserer Zeit **23**, 34f. (1989) ▪ Nuhn, Naturstoffchemie S. 438, Stuttgart: Wissenschaftliche Verlgasges. 1990. – *Synth.:* Synth. Commun. **19**, 857–864 (1989); **21**, 1527ff. (1991) ▪ Tetrahedron Lett. **32**, 7253 (1991).

Königsches Salz s. Zincke-Aldehyd.

Königsgelb s. Bleichromat u. As_2S_3 unter Arsensulfide.

Königskerzen. In Europa u. Asien weit verbreitete, an Wegrändern u. auf Schotterfluren wachsende, filzig behaarte, zu den Rachenblütlern zählende, gelb blühende Pflanzen der Gattung *Verbascum* (Scrophulariaceae). K. enthalten Schleimstoffe, Saponine, Zucker, Flavonoide u. Iridoide u. werden wegen ihrer reizmildernden u. auswurffördernden Wirkung in Hustenmitteln, volkstümlich auch zu Gurgelmitteln u. Umschlägen bei schlecht heilenden Wunden verwendet. – *E* mullen, mullein – *F* molène – *I* verbaschi – *S* candelaria, gordolobo, verbasco
Lit.: Bundesanzeiger 22a/01.02.1990 ▪ Hager (4.) **6c**, 417–422.

Königsrot. Roter CuO-Überzug, entsteht beim Eintauchen von Cu in geschmolzenes $NaNO_2$.

Königswasser (aqua regia). Gelbe, rauchende, erstickend riechende Flüssigkeit, Gemisch aus 1 Tl. konz. Salpetersäure u. 3 Tl. konz. Salzsäure. K. wirkt sehr stark oxidierend, da es u. a. aktives Chlor u. Nitrosylchlorid enthält:

$$HNO_3 + 3\,HCl \rightarrow NOCl + Cl_2 + 2\,H_2O.$$

Es löst fast alle Metalle, auch das *Gold, den „König der Metalle" (Name!); dabei bildet sich Tetrachlorogold(III)-säure (s. Gold-Verbindungen). Die Platin-Metalle Ruthenium, Rhodium u. Iridium sind dagegen in K. beständig. – *E* aqua regia, nitrohydrochloric acid – *F* eau régale – *I* acqua regia – *S* agua regia – *[CAS 8007-56-5]*

Körner s. Granulate u. Korn.

Körnerlack s. Schellack.

Körnigkeit, Körnungsstufen s. Korngröße.

Körperfarben. Veraltete Bez. für *Pigmente. Zu einer anderen Bedeutung des Begriffs s. Farbe.

Körperflüssigkeiten. Sammelbez. für die Flüssigkeiten im menschlichen u. tier. Organismus wie *Blut, *Lymphe, *Liquor, *Harn, *Speichel, *Schweiß usw., die u. a. dem Transport von Nahrungs-, Arznei- u. Giftstoffen, Hormonen od. von Stoffwechselprodukten dienen. – *E* body fluids – *F* liquides corporels, liquides organiques – *I* fluidi corporei – *S* líquidos corporales, líquidos orgánicos

Körpergeruch. Der individuelle K. des Menschen setzt sich aus vielen Komponenten zusammen, deren Hauptquellen Haare, Kleidung, Hautoberfläche u. die Körperöffnungen sind. Der K. kann beeinflußt werden durch berufstyp. Gerüche (Chemiker, Ärzte, Kosmetiker etc.), Ernährungsgewohnheiten (z. B. Knoblauch), Krankheiten u. Medikamente (z. B. DMSO, Vitamin B_1) sowie klimat. Faktoren. Trotz des relativ schlecht entwickelten menschlichen Geruchssinns (s. Geruch) hat der K. eine psychosoziale u. psychosexuelle Bedeutung. V. a. gilt dies für die Komponente *Hautgeruch*, was auch durch die in allen antiken u. modernen Kulturkreisen praktizierten Meth. zur Haut- u. Körpergeruchs-Veränderung (Verminderung mit Hilfe von *Desodorantien, Umfärbung mit *Parfüms u. einfachen Duftstoffen) deutlich wird. – *E* body odor – *F* odeur du corps – *I* odore del corpo – *S* olor corporal

Körperpflegemittel s. Kosmetika.

Körperschaften. Sammelbez. für zweckgerichtete u. mit bes. Rechten u. Pflichten ausgestattete Vereinigung von mehreren Personen; K. werden als jurist. Personen betrachtet. Im folgenden sollen die Abk. erklärt werden, die in den Firmenkurzporträts auftauchen: AB (schwed.: Aktiebolaget = AG), AG (Aktienges.), AS, A/S (norweg.: Aktieselskabet = AG), B. V. (niederländ.: Besloten Vennootschap = GmbH), Cie. (Compagnie), Co. (Compagnie), eGmbH (eingetragene Genossenschaft mit beschränkter Haftpflicht), e. V. (eingetragener Verein), GmbH (Ges. mit beschränkter Haftung), Inc. (*E:* Incorporated = als Ges. eingetragen), KG (Kommanditges.), KGaA (KG auf Aktien), Ltd. (*E:* Limited = GmbH), N. V. (niederländ.: Naamlooze Vennootschap = AG), OHG (Offene Handelsges.), PLC (*E:* Public Limited Company = AG), Pty. (*E:* Proprietary), S. A. (französ.: Société Anonyme/span.: Sociedad Anónima = AG), S.a.r.l. (*F:* Société à responsabilité limitée = GmbH), S.p. A. (*I:* Società per azioni = AG), S. R. L./S.r.l. (*S:* Sociedad de Responsabilidad Limitada/I: Società a responsabilità limitata = GmbH).
Mehrere K. können gemeinsam – bei wirtschaftlicher u. rechtlicher Selbständigkeit – zu einem *Kartell zusammentreten od. zu einer (lockeren) Interessengemeinschaft (*Beisp.:* I. G. Farben). Durch Übernahme od. durch Fusion können Firmen (K.) ganz od. teilw. miteinander verschmelzen u. bei Vorliegen eines Beherrschungsvertrags ggf. einen Konzern bilden. Ein Konzern aus rechtlich selbständigen Unternehmen kann unter Leitung einer Holdingges. stehen. Diese verwaltet die Anteile aller von ihr beherrschten Unternehmen u. stimmt deren Produktionsprogramme miteinander ab, produziert aber nicht selbst. – *E* corporations – *F* collectivités – *I* corporazioni – *S* corporaciones

Körperschutz. Zu den *persönlichen Schutzausrüstungen gehört der Körperschutz. Der Unternehmer hat K. zur Verfügung zu stellen, wenn mit od. in der Nähe von Stoffen gearbeitet wird, die zu Hautverletzungen führen od. durch die Haut in den menschlichen Körper eindringen können, sowie bei Gefahr von Verbrennungen, Verbrühungen, Unterkühlungen, elektr. Durchströmungen, Stich- u. Schnittverletzungen u. ä. – *E* personal protective equipment – *F* équipement personnel de protection – *I* protezione del corpo – *S* equipo para la protección corporal

Lit.: UVV „Allg. Vorschriften" (VBG 1) in der Fassung vom 1.4.1992 (Bezugsquelle Carl Heymanns Verl. KG, Luxemburger Straße 449, 50939 Köln od. Jedermann-Verl., Postfach 10 31 40, 69021 Heidelberg).

Körpertemperatur. Bei vielen Tieren ist die K. von der Umgebung abhängig (Wechselblüter), wobei *Fische der Polarzonen u. a. manche Insekten *Gefrierschutzmittel für ihre Körperflüssigkeit (z. B. Glycerin u./od. Peptide) entwickelt haben. Säugetiere u. Vögel können dagegen durch Thermo-*Regulation eine konstante K. im Inneren aufrecht erhalten, die beim Menschen im Tagesmittel 36,7 °C (Mann), 37,0 °C (Frau) bzw. 37,5 °C (Säugling) beträgt. Über Temp.-Rezeptoren, die sowohl in der *Haut als auch in den Organen u. Muskeln sitzen, baut sich ein Regelkreis aus Nervenfasern auf, dessen Schaltzentrale der *Hypothalamus ist. Durch Stoffwechsel-Erhöhung od. Zittern der Muskeln bei *Kälte bzw. durch *Schweiß-Absonderung u. verstärktes Atmen bei *Wärme wird ein Gleichgew. *(Homöostase)* erreicht. *Pyrogene (*Fieber-erzeugende Substanzen) u. ihre Gegenspieler, die *Antipyretika, greifen direkt die neuronalen Zentren an. Bei Ausfall der Regelung entstehen entweder *Hyper- od. *Hypothermie. Psychrophile u. thermophile Bakterien können die extremen Temp. ihrer Umwelt durch Adaptation ihrer Enzyme ertragen. – *E* body temperature – *F* température du corps – *I* temperatura corporea – *S* temperatura del cuerpo

Koerzitivkraft s. magnetische Werkstoffe.

Köster, Roland (geb. 1924), Prof. für Organ. Chemie, Wien, Max-Planck-Inst. für Kohlenforschung Mülheim/Ruhr. *Arbeitsgebiete:* Organobor-Verb. in Synth. (*Köster-Verf.) u. Analytik (Reagentien), Heterocyclen, Saccharid-Chemie.
Lit.: Kürschner (16.), S. 1889.

Köster-Verfahren. Von R. *Köster ausgearbeitetes Verf. zur Herst. von *Bor-organischen Verbindungen, insbes. von Boralkylen:

$$6\,R{-}CH{=}CH_2 + 2\,Al + 3\,H_2 + B_2O_3 \xrightarrow{-Al_2O_3} 2\,(R{-}CH_2{-}CH_2)_3B$$

Die über Trialkylboroxine verlaufende Reaktion macht Gebrauch von einer *Transmetallierung des intermediären Aluminiumalkyls. – *E* Köster process – *F* procédé Köster – *I* processo Köster – *S* método de Köster
Lit.: Justus Liebigs Ann. Chem. **629**, 89 (1960) ▪ s. a. Bororganische Verbindungen.

Kofler, Ludwig (1891–1951), Prof. für Pharmakognosie, Univ. Innsbruck. *Arbeitsgebiete:* Saponine, ether. Öle in Drogen, Mikrochemie, Konstruktion eines Mikro-Schmp.-Apparatus, vgl. folgendes Stichwort.
Lit.: Lexikon der Naturwissenschaftler, S. 247

Koflersche Heizbank. Gerät zur Bestimmung des *Schmelzpunktes einer Substanz. Man bringt die Substanz auf ein verchromtes, einseitig elektr. beheiztes Metallband (z. B. 369×40 mm), auf dem ein annähernd lineares Temp.-Gefälle (270–50 °C) besteht, u. liest die Grenze flüssig – fest ab. – *E* Kofler's hot stage – *F* calorifère de Kofler – *I* calorifero di Kofler – *S* platina calefactora de Kofler

Kogasin (Abk. aus *Ko*ks, *Gas*, Benz*in*). Bez. für die beim Fischer-Tropsch-Verf. anfallenden Kohlenwasserstoffe mit C_{10}–C_{14} (Kogasin I) u. C_{14}–C_{18} (Kogasin II), s. Benzin u. Fischer-Tropsch-Synthese. – $E = F = I = S$ kogasin – *[HS 271000]*

Kohärente Strahlung. Elektromagnet. Strahlung mit zeitlich u. räumlich konstanter Phasenbeziehung (*Kohärenz), die bei Überlagerung mittels pos. u. neg. *Interferenz Intensitätsmaxima u. -minima ergibt. Unter der Bedingung für *räumliche Kohärenz* versteht man, daß die Wellenfronten einheitlich geformt sind. Wird Licht einer ausgedehnten Lichtquelle benutzt, so ist dieses nur interferenzfähig, wenn es in einen eng-begrenzten Raumwinkel φ emittiert wird. Es gilt $n \cdot \sin\varphi \ll \lambda/4b$ mit n = Brechungsindex des durchstrahlten Mediums, λ = Wellenlänge u. b = max. Ausdehnung der Lichtquelle. Indem man die Interferenzfähigkeit des Lichts eines Sterns untersucht, wird über diese Beziehung die Größe des Sterns bestimmt.

Mit der Angabe der *zeitlichen Kohärenz* berücksichtigt man, daß jede Welle eine bestimmte Breite der Wellenlängenverteilung $\Delta\lambda$ bzw. Frequenzbreite $\Delta\nu$ besitzt. Ist diese Breite sehr groß, so wandelt sich nach der Zeit $\Delta t = 1/\Delta\nu$, genannt *Kohärenzzeit*, eine pos. Interferenz in eine neg. Interferenz um; d. h. über eine Zeit t ≫ Δt gemittelt verwischt sich die Interferenzstruktur. Die Wegstrecke L = c · Δt (c = Lichtgeschw.) wird *Kohärenzlänge* genannt. Sie ist die Strecke, die dem einen Teilstrahl als opt. Umweg zugemutet werden kann, so daß beide Strahlen noch interferenzfähig sind. Die Kohärenzlänge ist um so größer, je kleiner $\Delta\nu$ bzw. $\Delta\lambda$ ist, d. h. je monochromat. eine Welle ist. Bei üblichen Spektrallampen ist sie nur wenige mm lang. Durch Kühlung mit flüssigem Stickstoff wird die *Dopplerbreite verringert u. L ≈ 0,5 m erreicht. Kommerzielle Laser sind heute auf $\Delta\nu < 1$ MHz stabilisiert u. besitzen somit eine Kohärenzlänge L > 300 m, während Laser in Labors auf wenige Hz stabilisiert werden können, was einer Kohärenzlänge von mehreren 1000 km entspricht. Bei der Aufnahme eines Hologramms (s. Holographie) muß die Kohärenzlänge größer als die Dimension des aufzunehmenden Objekts sein. – *E* coherent radiation – *F* rayonnement cohérent – *I* radiazione coerente – *S* radiación coherente
Lit.: Demtröder, Laser Spectroscopy, Berlin: Springer 1981 ▪ Klein u. Furtak, Optik, Berlin: Springer 1988.

Kohärenz (von latein.: cohaerentia = Zusammenhang; vgl. Kohäsion). Fähigkeit eines Syst., bei Überlagerung seiner Wellen Interferenzstrukturen (s. Interferenz) zu ergeben. Damit sich diese Strukturen nicht (wie in den meisten Fällen) verwischen, ist es notwendig, daß eine zeitlich konstante Phasenbeziehung in den Wellen existiert. K. tritt sowohl bei elektromagnet. Wellen (s. kohärente Strahlung), als auch bei Energiezuständen z. B. von Atomen u. Mol. auf. Durch phasengekoppelte, d. h. kohärente Anregung können Phänomene wie CARS (s. Raman-Spektroskopie), *Photonen-Echos u. *Quanten-Beats beobachtet werden. Ende 1996 gelang es der Gruppe um W. Ketterle am MIT, zwei unabhängige Alkali-Atomstrahlen zur Interferenz zu bringen. Quelle der Strahlen war eine Alkali-Wolke, die in einer magnet. Falle mittels La-

serkühlung unter die krit. Temp. abgekühlt wurde u. somit ein *Bose-Einstein-Kondensat* ergab (*Lit.*[1]). – *E* coherence – *F* cohérence – *I* coerenza – *S* coherencia
Lit.: [1] Science **275**, 637 (1997); Phys. Bl. **53**, 192 (1997).

Kohärenzlänge s. kohärente Strahlung.

Kohäsion (von latein.: cohaerere = zusammenhängen; vgl. Kohärenz). Bez. für den durch echte *chemische Bindung od. *zwischenmolekulare Kräfte verursachten Zusammenhalt der Stoffe. Die K. läßt sich als ein Sonderfall der *Adhäsion auffassen, bei dem gleichartige Teilchen aneinanderhaften. Sind die Adhäsionskräfte hauptsächlich in den *Grenzflächen wirksam u. vorwiegend nach außen gerichtet, so sind K.-Kräfte im Innern der Stoffe wirksam. Die K. ist in Festkörpern größer als in Flüssigkeiten u. viel größer als zwischen den Atomen bzw. Mol. in Gasen; sie bewirkt die *Festigkeit der Festkörper, die innere Festigkeit der *Klebstoffe u. die *Spaltbarkeit der Krist. sowie die Vol.-Beständigkeit u. den Zusammenhang der Flüssigkeiten u. *Gele, s. a. Aggregation. Auch die *Grenzflächenspannung beruht auf der Kohäsion. – *E* cohesion – *F* cohésion – *I* coesione – *S* cohesión
Lit.: Barton, Cohesion Parameters, in Encyclopedia of Physical Science and Technology, Bd. 3, S. 555–572, New York: Academic Press 1992 ▪ Metzger et al., Crystal Cohesion and Conformational Energies, Berlin: Springer 1981.

Kohäsive Enden (klebrige Enden, auch *E* sticky ends). Zueinander komplementäre, überstehende Einzelstränge an den Enden von DNA-Doppelsträngen. Bei der Spaltung von DNA-Doppelsträngen mit *Restriktionsendonucleasen entstehen oft k. E., weil die Schnittstellen in den beiden komplementären Strängen um einige Basenpaare gegeneinander versetzt sind. Je nach Restriktionsendonuclease entstehen überhängende Enden am 5′- od. am 3′-Ende. K. E. mit komplementären Basen lagern sich über Basen-Paarung (s. a. Annealing) aneinander u. können mit Hilfe von *Ligasen leicht kovalent miteinander verknüpft werden. Dieser Vorgang spielt beim *Klonieren eine wichtige Rolle.
Fehlen k. E. od. sind die verfügbaren k. E. zwischen den zu ligierenden DNA-Fragmenten nicht komplementär, können sie über Linker od. Polylinker eingeführt werden. Dies sind künstlich hergestellte kurze DNA-Doppelstränge mit Erkennungssequenzen für Restriktionsendonucleasen. – *E* cohesive ends – *F* extrémités cohésives – *I* fini coesive – *S* extremos cohesivos
Lit.: Lehninger et al., Prinzipien der Biochemie (2.), S. 1123–1126, Heidelberg: Akadem. Verl. 1994.

Kohl. Sammelbez. für Gemüse-Pflanzen, die von *Brassica oleracea* (Brassicaceae) abstammen. Die wichtigsten K.-Arten sind: *Weiß-K.* (Weißkraut, Kopf-K., Kappes) mit einem Zuckergehalt von 3,1–4,4%, was ihn zur Milchsäure-Gärung (Herst. von *Sauerkraut) befähigt. *Rot-K.* (Rotkraut, Blaukraut) enthält *Anthocyane (sog. Rubrobrassicine) u. ähnelt im übrigen dem Weiß-K.. *Wirsing-K.* (Welsch-K., Savoyer K.) hat krause Blätter u. entwickelt beim Kochen sehr charakterist. K.-Geruch. *Rosen-K.* (Sprossen-K., Brüsseler K., Spargel-K.) besitzt gegenüber anderen K.-Arten einen geringeren Wasser-, höheren Zucker- (20%

der Trockenmasse), Protein- (3–5mal soviel wie Weiß-K.) u. Fettgehalt. *Grün-K.* (Braun-K., Winter-K.) bildet keinen Kopf, ist erst nach dem ersten Frost genießbar u. schmeckt kräftig K.-artig.
Charakterist. Inhaltsstoffe der K.-Arten sind *Glucosinolate wie Glucobrassicin u. *Goitrin bzw. dessen Vorstufe Progoitrin, aus denen enzymat. strumigene (*Kropf-bildende) *Thiocyanate entstehen können. Die ebenfalls durch enzymat. Spaltung entstehenden Isothiocyanate sind nicht nur zusammen mit verschiedenen Sulfiden u. Polysulfiden für das typ. Aroma von gekochtem K. verantwortlich, sondern zeigen auch antibiot. Wirkung, was die Lagerfähigkeit von K. bedingt. Daneben enthalten die verschiedenen K.-Arten Indol-Derivate mit Wuchsstoff-Charakter sowie erhebliche Mengen an Vitamin C in Form von Ascorbigen (s. Ascorbinsäure), aus dem dieses erst beim Kochen u. in Ggw. verd. Säuren freigesetzt wird. – *E* cabbage – *F* chou – *I* cavolo – *S* col, berza
Lit.: Franke, Nutzpflanzenkunde, 5. Aufl., Stuttgart: Thieme 1992. – [HS 0704 10, 0704 20, 0704 90]

Kohle (aus mittelhochdtsch.: kol = Holzkohle). Durch *Inkohlung entstandenes, zu den *Kaustobiolithen zählendes *Sedimentgestein, das seit Jahrtausenden als fester fossiler Brennstoff u. chem. Rohstoff dient. Mit dem Aufkommen des Heizöls u. der Petrochemie verlor die K. erheblich an Bedeutung, doch ist infolge der Ölkrisen seit 1973 in zunehmendem Maße eine Renaissance der K.-Technologie – insbes. der *Kohlechemie* – zu verzeichnen. Die *Steinkohle unterscheidet sich von der *Braunkohle durch ihren höheren Inkohlungsgrad [d. h. einen geringeren Anteil an flüchtigen Bestandteilen u. Wasser, vgl. die Tab. auf S. 2190; die dort angegebenen Heizwerte (H_u) stellen jeweils Obergrenzen dar], der jedoch nicht unbedingt auch einem höheren geolog. Alter entspricht.
Man unterscheidet nach Beschaffenheit, Zusammensetzung, Verhalten beim Erhitzen usw. eine Reihe von verschiedenen K.-Arten, die in der Tab. zusammengefaßt u. teilw. in Einzelstichwörtern beschrieben sind. Diese Einteilung wird in erster Linie nach dem Gehalt an flüchtigen Bestandteilen vorgenommen. In chem. Hinsicht sind die K. komplizierte, schwer zu analysierende Gemische aus organ. Verb., die C, H, O, N, S enthalten, u. Mineralbestandteilen, in denen Si, Al, Fe, Mg, Ca, K, Na, Ti, P, Cl sowie weitere Elemente, die bei der K.-Verbrennung freigesetzt werden, in Spuren vorhanden sind.
Die in ihrer Konstitution bisher nur in Umrissen (vgl. die Abb. bei Steinkohle) bekannten Mol.-Bausteine der K. sind wahrscheinlich aus der *Cellulose, den *Polyosen u. dem *Lignin von *Pflanzen (Siegelbäumen, Schuppenbäumen, Schachtelhalmen, Farnen u. dgl. – keine Laubhölzer) der etwa 280–320 Mio. Jahre zurückliegenden Steinkohlenzeit (Karbon, s. Erdzeitalter) durch *Inkohlung entstanden. Braunkohlen sind im allg. jünger; sie stammen von Bäumen der Kreidezeit ab, d. h. sie sind ca. 135 Mio. Jahre alt. Die Bestimmung des *Inkohlungsgrades* einer K. durch Reflexionsmessungen dient in Verbindung mit der *Maceral-Gruppenanalyse zur Kennzeichnung der technolog. K.-Eigenschaften, u. a. des Kokungsvermögens.

Tab.: Zusammensetzung von Kohlearten.

	Wasser [%]	Zusammensetzung [%] (waf)*						Heizwert H_u (waf)*	
		flüchtige Bestand- teile	C	H	O	N	S	[Mcal/kg]	[MJ/kg]
Weichbraunkohle	50–60	50–60	65–70	5–8	20–30	~1	0,5–3	6,40	26,8
Hartbraunkohle	10–40	45–50	70–75	5–6	12–18	~1	0,5–3	6,80	28,5
Flammkohle	4–8	40–45	75–81	6	10	~1,5	~1	7,85	32,9
Gasflammkohle	3–4	35–40	81–85	~5,7	7–10	~1,5	~1	8,10	33,9
Gaskohle	1–3	28–35	85–88	~5,3	~6	~1,4	~1	8,35	35,0
Fettkohle	~1	19–28	~88,5	~4,8	~3,8	~1,4	~1	8,45	35,4
Eßkohle	<1	14–19	~90	~4,3	~2,9	~1,3	~1	8,45	35,4
Magerkohle	<1	12–14	~91	~3,9	~2,9	~1,3	~1	8,45	35,4
Anthrazit	<1	7–12	>91,5	~3,8	~2,5	~1,3	~1	8,43	35,3

*waf = wasser- u. aschefrei

*Macerale sind mikroskop. erkennbare Grundbestandteile der K.; man unterscheidet *Vitrinite*, *Liptinite* od. *Exinite* u. *Inertinite*, jeweils mit ihren Untergruppen. Die Macerale sind aus verschiedenen Organen u. Geweben der abgestorbenen Pflanzen im Verlauf der Inkohlung entstanden. Während der organ. gebundene Stickstoff von den Eiweißstoffen der obengenannten Pflanzen stammt, leiten sich die meisten organ. Schwefel-Verb., sowie Eisensulfid u. Eisendisulfid (Pyrit u. Markasit) von H_2S ab. Für die pflanzliche Herkunft der K. sprechen neben der chem. Zusammensetzung auch viele Funde von verkohlten Pflanzenteilen (*Fossilien, z. B. Blätter, Stengel, ganze Baumstümpfe, Sporen usw.), deren mikroskop. Aufbau heute in allen Einzelheiten studiert werden kann.

Mit Hilfe von Lsm. hat man aus der K. viele gesätt. u. ungesätt. Kohlenwasserstoffe herauslösen können; als Lsm. eignen sich Aceton, Pyridin-Basen, Amine, Phenole, Tetralin, Benzol-Alkohol-Gemische usw., wobei polare Aromaten wie Phenole, Pyridin-Basen u. Anilin bei höheren Temp. v. a. aromat. Kohlenwasserstoffe aus der K. aufnehmen. Bei der Analyse eines Extrakts einer Gasflammkohle in Chloroform (entspricht 3,8% der K.) konnten folgende maßgebliche Bestandteile identifiziert werden: 1. *n*-Paraffine C_{13}–C_{33}, 2. verzweigte Paraffine C_{16}–C_{20} u. 3. Aromaten u. Hydroaromaten wie Anthracen, Chrysen, Fluoren, Phenanthren, Tetralin, Alkylbenzole, Indan usw. Weitere Hinweise auf den chem. Aufbau liefert die quant. Elementaranalyse. Man fand, daß das mit zunehmender Inkohlung steigende C:H-Verhältnis auf den größer werdenden Gehalt an höher kondensierten Aromaten zurückzuführen ist. Dichtemessungen u. spektroskop. Untersuchungen geben Aufschluß über die „Aromatizität" der verschiedenen K.-Arten, d. h. über den relativen Gehalt an *aromatischen Verbindungen. Dabei ist ein Ansteigen des Aromaten-Gehalts von der Flammkohle (83%) über Gaskohle (85%) u. Fettkohle (88%) zum Anthrazit (96–100%) hin zu beobachten, wobei die angegebenen Werte für die Vitrinite gelten, während Werte für die Exinite darunter, solche für Inertinite darüber liegen. Die Steinkohlen-Mol. bauen sich demnach aus teilw. alkylierten anellierten Aromaten auf (*polycyclische aromatische Kohlenwasserstoffe), wobei die relative Zahl der aromat. Ringe die „Aromatizität" bestimmt. O, N, S kommen in heterocycl.

Ringen gebunden vor, O darüber hinaus auch in Phenol- u. Ether-artiger od. in chinoider Bindung. Die aliphat. Seitenketten bestehen zum überwiegenden Teil aus Methyl-Gruppen, während Ethyl-, Propyl- od. gar Butyl-Seitenketten wesentlich weniger häufig vorkommen. Zwischen aromat. Gliedern bestehen gewöhnlich Ether- od. Methylen-Brücken. Langkettige Paraffine finden sich bes. häufig in Exiniten, u. zwar bis zu 15%. Bei den verzweigtkettigen aliphat. Kohlenwasserstoffen handelt es sich um isoprenoide Verb., die der Phytol-Seitenkette des Chlorophylls entstammen dürften. Insgesamt kann man sagen, daß ein typ. Fettkohlen-Mol. brückenartig verknüpfte polycycl. Aromaten-Kerne mit 2–6 Ringen, aliphat. Seitenketten u. phenol. OH-Gruppen enthält. Gering inkohlte K. haben kleinere Kerne u. längere Seitenketten; bei höher inkohlten K. ist es umgekehrt. Bei Anthrazit werden flache Großmol. aus ewa 30 Benzol-Ringen angenommen; bei den jüngeren K. liegen 3–4 verschmolzene Ringe vor. Etwa 75% des C der Steinkohle dürfte in solchen *kondensierten Ringsystemen gebunden sein. Aus der Entstehungsgeschichte verbleiben in der K. oft noch sog. *Chemofossilien* wie isoprenoide Paraffine, steroide, di- u. triterpenoide Ringsyst. (z. B. sog. *Hopanoide) sowie Pyrrol- u. Pyridin-Ringsyst., die von *Huminsäuren, dem Chlorophyll von Pflanzen u. Zellwandbestandteilen von Mikroorganismen abstammen können. Die Untersuchung dieser Zusammenhänge ist ein Arbeitsgebiet der *Paläobiochemie.

Für die Strukturaufklärung der K. werden chem. Abbau-Reaktionen (Pyrolyse, Kracken, Oxid. mit Permanganat od. Dichromat, Friedel-Crafts-Reaktionen, Red. mit Kalium u. a.) sowie physikal. u. spektroskop. Meth. eingesetzt; bes. geeignet erwiesen sich FT-IR-Spektroskopie, Reflexionsmessungen, ^{13}C-MAS-NMR-Spektroskopie, Pyrolyse-(Curie-Punkt)-Massenspektroskopie, ESR-Spektroskopie u. Relaxationszeit-Bestimmung. Über neuere Untersuchungsergebnisse u. Fortschritte im Verständnis der K.-Struktur wird in *Lit.*[1] berichtet.

Zu Vork., Abbau-Reserven, Verw. u. wirtschaftlichen Daten s. Braunkohle u. Steinkohle. Im allg. Sprachgebrauch fallen unter den Begriff „K." auch die nicht nativen, hier im allg. in Einzelstichwörtern behandelten K. wie *Kaffeekohle, *Knochenkohle, Blutkohle,

*Holzkohle, *Koks, Kohlenstaub, *Ruß u. a. mehr od. weniger aus reinem *Kohlenstoff bestehende Stoffe wie *Graphit u. verwandte „Kunstkohlen", die als Elektroden, *Aktivkohle od. *medizinische Kohle Verw. finden. – *E* coal – *F* charbon – *I* carbone – *S* carbón

Lit.: [1] Erdöl Erdgas Kohle **112**, 266 f. (1996). *allg.:* Cooper u. Ellingson (Hrsg.), The Science and Technology of Coal and Coal Utilization, New York: Plenum Press 1984 ▪ Das Bergbau-Handbuch, Essen: Glückauf-Verlag 1983 ▪ Falbe, Chemierohstoffe aus Kohle, Stuttgart: Thieme 1977 ▪ Kirk-Othmer (3.) **6**, 224–283; (4.) **6**, 423–489 ▪ Schobert, Coal the Energy Source, Washington: ACS 1987 ▪ Snell-Ettre **10**, 209–262 ▪ Ullmann (4.) **14**, 287–568; (5.) **A 7**, 153--280 ▪ Winnacker-Küchler (4.) **5**, 273–419. – *Inst. u. Organisationen:* ▪ *Engler-Bunte-Institut ▪ Max-Planck-Institut für Kohlenforschung, 45470 Mülheim a. d. Ruhr ▪ Studienausschuß des Westeuropäischen Kohlenbergbaus (CEPCEO), Av. de Tervueren, 168, Boîte 11, B-1150 Bruxelles.

Kohleextraktion s. Benzin (Herst.: 7., S. 393).

Kohlehydrierung. Sammelbez. für Verf. zur sog. *Kohleverflüssigung, d. h. zur Überführung von Kohlenstoff (Kohle) in flüssige u./od. gasf. *Kohlenwasserstoffe mit Hilfe von Wasserstoff. *Kohlevergasung u. -verflüssigung sind die bekanntesten Meth. der Kohleveredlung; Näheres s. dort. – *E* coal hydrogenation – *F* hydrogénation du charbon – *I* idrogenazione del carbone, liquefazione del carbone – *S* hidrogenación del carbón

Lit.: s. Kohleveredlung.

Kohlendioxid (Kohlenstoffdioxid). CO_2, M_R 44,01. Farbloses, unbrennbares, geruchloses Gas, MAK 9000 mg/m^3, D. 1,977 (0°C), Schmp. –57°C (518,5 kPa), Subl. bei –78,5°C. Bei 20°C kann man K. schon durch einen Druck von 5,54 MPa zu einer farblosen, leicht beweglichen Flüssigkeit der D. 0,766 verflüssigen. Es hat die krit. Temp. 31,06°C, den krit. Druck 7,383 MPa u. die krit. D. 0,464; die Inversionstemp. beträgt ca. 1700°C. Bei der Druckminderung vergast ein Teil des verflüssigten K. rasch u. entzieht so der Flüssigkeit Verdampfungswärme. Der Rest kühlt sich dabei auf etwa –80°C ab, so daß fester *Kohlensäureschnee* entsteht (*Carba-Verf.*); das feste K. ist als *Trockeneis im Handel bzw. bildet sich bei der Benutzung von K.-*Feuerlöschmitteln [*Kohlensäure-(schnee)löscher*]. Verflüssigtes K. löst nur wenige Stoffe auf; es ist auch ein schlechter Elektrizitätsleiter. Dagegen verbessert sich sein Lsg.-Vermögen im *überkrit. Zustand* erheblich u. macht es für *Destraktion od. *Hochdruckextraktion* (HDE) von Naturstoffen wie *Coffein aus *Kaffee u. a. geeignet; Näheres s. bei Destraktion, kritische Größen u. *Lit.*[1].
Es muß darauf hingewiesen werden, daß Unfälle durch elektrostat. Aufladung von K. z. B. bei der Brandbekämpfung gar nicht selten sind (*Lit.*[2]).

Reaktionen: Hohen Temp. widersteht K. gut; erst oberhalb 2000°C spaltet es sich allmählich in Kohlenoxid u. Sauerstoff:

$$2 CO_2 \rightleftharpoons 2 CO + O_2,$$

u. zwar sind bei 2000°C etwa 6,8, bei 2200°C 14,8% der anwesenden K.-Mol. gespalten. Je 100 Tl. Wasser lösen bei 0°C 171, bei 10°C 119, bei 20°C 88, bei 25°C 75,7 u. bei 60°C 27 Raum-Tl. K.-Gas. Bei Druckerhöhung steigt die Löslichkeit: So lösen sich z. B. im Liter Wasser bei Raumtemp. unter 1 bar etwa 1 L, unter 2 bar 2 L, unter 3 bar 3 L, unter 4 bar 4 L K.-Gas. Die wäss. Lsg. schmeckt säuerlich u. rötet auch blauen Lackmus ganz schwach, da etwa 0,1% der gelösten K.-Mol. mit Wasser zu *Kohlensäure reagieren; K. ist daher das Anhydrid der Kohlensäure. Es ist ein ziemlich beständiges, reaktionsträges Gas; das Mol. ist linear (O=C=O). Durch glühende Kohle wird K. z. T. zu Kohlenoxid reduziert; dabei stellt sich das *Boudouard-Gleichgewicht ein:

$$CO_2 + C \rightleftharpoons 2 CO.$$

Dieser Vorgang spielt beim Hochofenprozeß eine wichtige Rolle. Mit starken Basen verbindet es sich energ. unter Bildung von *Carbonaten (z. B. $CaO + CO_2 \rightarrow CaCO_3$). Bei hoher Temp. wird K. durch stark elektropos. Metalle (Magnesium, Zink, Kalium) zu Kohlenstoff reduziert:

$$CO_2 + 2 Mg \rightarrow 2 MgO + C,$$

weshalb Magnesium in einer K.-Atmosphäre weiterbrennt. Mit Wasserstoff kann K. bei höherer Temp. u. Anwesenheit von Katalysatoren bis zum Methan reduziert werden.
K. geht nur wenige Additions- u. Einschiebungsreaktionen ein, z. B. bei der *Carboxylierung. Eine Aktivierung kann durch Koordination an Übergangsmetall-Komplexe erreicht werden u. damit z. B. die reagenkatalyt. C,C-Verknüpfung von K. mit ungesätt. Kohlenwasserstoffen, s. *Lit.*[3]. Mit einfachen *Oxiranen können cycl. Carbonate vom Typ des *1,3-Dioxolan-2-ons erhalten werden (*Lit.*[4]); zu weiteren chem. Reaktionen des K. s. *Lit.*[5].

Physiologie: Als energet. stabilste C-Verb. ist das K. die Schlüsselverb. im Kohlenstoff-Kreislauf der Natur. Durch *Assimilation wird es zusammen mit Wasser von Pflanzen mit Hilfe der Sonnenenergie bei der *Photosynthese in energiereichere Kohlenhydrate überführt, wobei Sauerstoff frei wird. Die Kohlenhydrate ihrerseits werden von tier. Organismen als energieliefernde Substrate für deren Stoffwechsel aufgenommen, zu K. u. Wasser abgebaut u. durch *Atmung an die Außenluft abgegeben bzw. in Biomasse umgewandelt. Aus dem Verhältnis von aufgenommenem O_2 zu abgegebenem CO_2 läßt sich der *Grundumsatz berechnen. Absterbende tier. u. pflanzliche Organismen liefern beim aeroben *Abbau ebenfalls K., das entweder in die Atmosphäre abgegeben od. in Wasser gelöst wird, aus dem es als Carbonat-Gestein sedimentieren od. mit dem der Atmosphäre ausgetauscht werden kann.
Im Organismus wird K. für Carboxylierungen benötigt, wobei *Carboxylase als Überträger fungiert. Gasf. K. ist nicht eigentlich giftig – im Körper kreisen stets verhältnismäßig große Mengen K. (im venösen Blut 50–60 Vol.-%), von dem täglich über 700 g (mehr als 350 L) ausgeatmet werden – doch kann es in größeren Mengen durch Verdrängung des Sauerstoffs erstickend wirken. Der Mensch erträgt bis zu 2,5% K. auch bei stundenlanger Einatmung ohne große Schädigung. Anteile von 8–10% K. rufen Kopfschmerzen, Schwindel, Blutdruckanstieg u. Erregungszustände, solche über 10% Bewußtlosigkeit, Krämpfe u. Kreis-

laufschwäche u. die über 15% apoplexieähnliche Lähmungen hervor. Sehr hohe Konz. – z. B. bei Ansammlung in Gärkellern od. Höhlen (K. ist schwerer als Luft!) – führen rasch zum Tode, wenn nicht genügend Sauerstoff zugeführt werden kann; vgl. hierzu *Lit.*[6]. Zur Warnung vor gefährlichen K.-Konz. benutzte man eine brennende Kerze, deren Erlöschen Gefahr anzeigte. Geringere K.-Mengen üben einen starken Reiz auf das Atemzentrum aus, so daß die Atmung beschleunigt u. vertieft wird. So atmet der Mensch bei einem K.-Gehalt von 3% je min 6,5 L, bei 5% 11,7 L u. bei 7% sogar nahezu 22 L Luft ein (*Hyperventilation*). Deshalb mischt man dem Sauerstoff in Beatmungsgeräten in der Regel absichtlich einige Prozent K. zu (*Carbogen* = 95% O_2 u. 5% CO_2). Das bei *Kohlensäure-Bädern* (wasserlösl. Gemische aus Hydrogencarbonaten u. organ. Säuren, z. B. Fruchtsäuren) durch die Haut eindringende K. regt den Kreislauf ebenfalls an u. bewirkt eine starke Durchblutung u. Rötung der Haut. Percutane Einwirkung von K.-Konz. im Bereich zwischen 45–90% führen zu Pulsverlangsamung u. Vergrößerung des Blutdrucks, beeinflussen also das Herz-Kreislauf-Syst. im Sinne einer Vagotonie. Bei K.-haltigen alkohol. Getränken tritt der Alkohol rascher ins Blut über: Sekt wirkt schneller berauschend als ein K.-freies Getränk von gleichem Alkohol-Gehalt.

Nachw.: Durch Einleiten des zu untersuchenden Gases in Baryt- od. Kalkwasser (Trübung durch Bildung von schwerlösl. Barium- od. Calciumcarbonat), quant. durch Absorption in Kalilauge od. dgl. in *Gasanalyse-Apparaturen*, z. B. Hempel-Pipetten, sowie durch Gaschromatographie. Es gibt auch Geräte, welche die durch K.-Einwirkung veränderte Leitfähigkeit einer Bariumhydroxid-Lsg. (Bildung von unlösl., nicht leitendem Bariumcarbonat) u. damit den K.-Gehalt der Luft u. a. Gasgemische automat. anzeigen. Mit Hilfe von *Prüfröhrchen* können K.-Mengen im Bereich von 0,01–60 Vol.-% bestimmt werden:

$$CO_2 + H_2N–NH_2 \rightarrow H_2N–NH–COOH.$$

Außer für die Kohlenstoff-Bestimmung in der *Elementaranalyse* ist die K.-Analyse z. B. wichtig für die Ermittlung von Feuerungswirkungsgraden usw.

Vork.: Die ird. Lufthülle enthält ca. $2,3 \cdot 10^{12}$ t K., in den Ozeanen findet sich etwa 50mal so viel ($1,3 \cdot 10^{14}$ t) K., teils gelöst, teils in Carbonat- bzw. Hydrogencarbonat-Form. In der Luft über Humusböden kann der K.-Gehalt durch die Tätigkeit Cellulosevergärender Bakterien bis auf 7% ansteigen (gewöhnliche Bodenluft enthält 0,4–1,4% K.). Die vom Menschen ausgeatmete Luft enthält etwa 4% Kohlendioxid. An verschiedenen Stellen strömt K. als Gas aus dem Boden; so enthält z. B. die Luft in der Hundsgrotte von Neapel etwa 70% K., 24% Stickstoff u. 6% Sauerstoff. In Mexiko wurde 1947 eine K.-Quelle erbohrt, die zeitweise täglich 247000 m^3 K. lieferte. Auch in den Vulkangasen findet sich viel K., sowie in verschiedenen Mineralquellen (*Säuerlinge, Sauerbrunnen*). In chem. gebundener Form kommt K. in riesigen Mengen in den Carbonaten ($CaCO_3$, $MgCO_3$) vor. Aus den Ozeanen gehen jährlich ca. 10^{11} t K. in die Luft u. ebensoviel aus der Luft ins Wasser zurück (Gleich-

gew.). Durch die *Assimilation der grünen Pflanzen werden jährlich der Luft ca. $6 \cdot 10^{10}$ t K. entzogen, doch wird nahezu die gleiche Menge durch Atmung von Menschen, Tieren u. Mikroorganismen (*Dissimilation*) u. Verwesung wieder frei. Nur ca. 10^8 t K. gehen jährlich in rezente Brennstoffe (*Faulschlamm u. dgl.*) über, u. etwa die gleiche Menge entweicht aus Vulkanen, Kohlensäure-Quellen u. dgl. Bei der Verwitterung der Urgesteine (Carbonat-Bildung) werden ca. 10^8 t K. der Luft entzogen. Schemat. ist der Kohlenstoff-Kreislauf in der Abb. 1 (aus *Lit.*[7]) dargestellt.

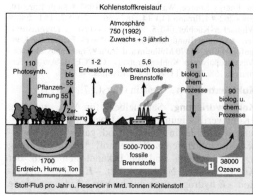

Kohlenstoffkreislauf

Atmosphäre
750 (1992)
Zuwachs + 3 jährlich

110 Photosynth. | 54 bis 55 Pflanzenatmung 55 Zersetzung | 1-2 Entwaldung | 5,6 Verbrauch fossiler Brennstoffe | 91 biolog. u. chem. Prozesse | 90 biolog. u. chem. Prozesse

1700 Erdreich, Humus, Ton | 5000-7000 fossile Brennstoffe | 38000 Ozeane

Stoff-Fluß pro Jahr u. Reservoir in Mrd. Tonnen Kohlenstoff

Abb. 1: Schemat. Darst. des Kohlenstoff-Kreislaufes.

Im natürlichen Gleichgew. zwischen K. in der Biosphäre u. den Ozeanen u. dem atmosphär. K. hat sich infolge astronom. Einflüsse, z. B. Schwankungen von Erdbahnelementen, während der letzten Eiszeit der K.-Gehalt der Atmosphäre im Bereich von 200 ppm während glacialer u. 270 ppm während interglacialer Perioden bewegt, wie Messungen aus Eiskernbohrungen in der Antarktis für die bis 160000 Jahre zurückliegende Zeit belegen (*Lit.*[8]). Die wichtige Bedeutung des K. u. a. atmosphär. Spurengase (CH_4, N_2O, O_3) liegt darin, daß sie die durch das Sonnenlicht an der Erdoberfläche entstehende Wärmestrahlung absorbieren u. damit die als *Treibhauseffekt* bezeichnete Erwärmung der Erdoberfläche bewirken. Ohne den Treibhauseffekt wäre die Erde unwirtlich kalt u. unbewohnbar. Seit Anfang des 19. Jh. erhöhte sich der K.-Gehalt von 280 ppm auf 317 ppm 1960 (37 ppm Zunahme in ca. 160 Jahren) u. auf 354 ppm 1990 (37 ppm Anstieg in 30 Jahren), im wesentlichen verursacht durch den mit der Industrialisierung u. der Zunahme der Weltbevölkerung steigenden Verbrauch fossiler Brennstoffe (Kohle, Öl, Erdgas) u. in jüngerer Zeit beschleunigt durch die Rodung trop. Regenwälder, die einen großen Teil des K. binden (s. Abb. 2).

Bei einer weltweiten Wachstumsrate von derzeit 2–2,5% pro Jahr betrug 1987 der kommerziell erfaßte Primärenergieverbrauch der Welt $3,27 \cdot 10^{20}$ Joule = $8,1 \cdot 10^{13}$ KWh; davon wurden 88% aus fossilen Energieträgern bestritten. Etwa die Hälfte von derzeit 25 Mrd. t jährlich freigesetztem K. trägt zum Anstieg des K.-Gehalts in der Atmosphäre bei. Unter Annahme eines anhaltenden Bevölkerungswachstums von derzeit 2% jährlich u. Berücksichtigung eines durchschnittlichen Konsumzuwachses von 1% pro Jahr errechnet sich eine Verdoppelung des

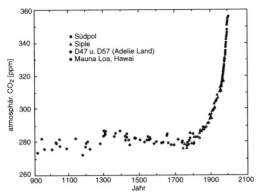

Abb. 2: Aus Eisbohrkernen rekonstruierte u. durch emissionsferne Dauer-Messungen auf dem Mauna Loa/Hawai seit 1958 direkt ermittelte Entwicklung der atmosphär. CO_2-Konz. (nach *Lit.*[9]).

K.-Gehalts in der Atmosphäre in den kommenden 50 Jahren.

Der K.-Anstieg verstärkt den Treibhauseffekt, an dessen Zunahme außer K. (50%) auch Methan (19%), die FCKW (17%) sowie Ozon, Stickoxide u. stratosphär. Wasserdampf beteiligt sind. Als Folge wird eine Erwärmung der Erdoberfläche (laut Modellrechnungen um 3–5 °C) u. in deren Folge eine schwerwiegende Veränderung unseres Lebensraums befürchtet. So beobachtet man derzeit einen jährlichen Anstieg des Meeresspiegels von 2,5 bis 3,0 mm an den US-amerikan. Küsten, was auf Abschmelzvorgänge an den Polkappen u. a. Klimaveränderungen zurückgeführt wird (s. Treibhauseffekt u. *Lit.*[10]).

Neben einer weiteren Verbrauchszunahme fossiler Brennstoffe können zusätzliche Effekte im Sinne pos. Rückkopplungen zu erhöhter Freisetzung von K. einerseits u. einer verminderten K.-Einbindung andererseits, infolge beeinträchtigter Photosynth.-Leistung, führen. *Beisp.:* Brandrodung u. Ackerbau verringern die K.-Einbindung, Humusverrottung setzt zusätzliches K. frei; zusätzlich wird K. auch bei globaler Erwärmung infolge verminderter Löslichkeit aus den Weltmeeren freigesetzt; die beim Auftauen von Permafrostböden gebildeten Sumpfgebiete emittieren Methan, das als Treibhausgas 32mal wirksamer ist als K. u. im Zusammenspiel mit Stickoxiden aus Automobil- u. Kraftwerksabgasen eine wesentliche Rolle bei der bodennahen Bildung von Ozon spielt, das seinerseits die Photosynth.-Leistung schädigt.

In jüngerer Zeit werden auch *evolutionsbiolog. Aspekte* der im erdgeschichtlichen Zeitmaß abrupt veränderten Atmosphären-Zusammensetzung diskutiert. Demnach kann die direkte Wirkung des K.-Anstiegs auf die Biosphäre unkalkulierbare Folgen haben, s. *Lit.*[11]. K. greift in die energet. u. Stoffwechsel-Prozesse aller Lebewesen ein, z.B. über eine physiolog. relevante pH-Wert-Verschiebung u. Beeinflussung von Enzymfunktionen. Mikrobewesen u. Viren haben wegen ihres raschen Generationswechsels (Größenordnung von Stunden) keine Schwierigkeiten, sich selektiv an eine neue Umgebung (= Atmosphäre) anzupassen, u. es könnte ein Evolutions-Schub mit Bildung neuer Arten eintreten mit evtl. erhöhten Krank-

heitsrisiken für den Menschen. Als K.-Verbrauchern fehlt Pflanzen wegen ihres längeren Generationswechsels zur Anpassung an eine veränderte Umgebung die Zeit. So wurde bereits beobachtet, daß die vielfach als Selbstheilungseffekt in die K.-Diskussion gebrachte Düngewirkung des K. im Laufe mehrerer Vegetationsperioden nachläßt; sie kann sogar überkompensiert werden, u. es können Veränderungen bei der Streßtoleranz (etwa gegen UV-Strahlung) u. bei der Resistenz gegen Schädlingsfraß eintreten. Hypothet. ist vorstellbar, daß bei weiterem Anstieg der K.-Konz. die Existenz heutiger Arten bedroht wird (*Lit.*[12]).

Von einer durch K. u. die anderen anthropogenen Spurengase drohenden weltweiten Klimaveränderung warnten bereits 1987 die Dtsch. Physikal. Ges. u. die Dtsch. Meteorolog. Ges. die Öffentlichkeit u. forderten u. a., den Verbrauch fossiler Brennstoffe als Hauptquelle der K.-Emissionen um jährlich 2%, d. h. auf ein Drittel in 50 Jahren, durch rationellere Energienutzung u. stärkere Verw. nichtfossiler Energien zu verringern (*Lit.*[13]). In den USA riefen führende Wissenschaftler u. die „Union of Concerned Scientists" am 01.02.1990 in einem offenen Brief an Präsident Bush zu Maßnahmen gegen den Treibhauseffekt auf. Anläßlich der Konferenz der Vereinten Nationen für Umwelt u. Entwicklung im Juni 1992 in Rio de Janeiro wurden die Walderklärung, die Rio-Deklaration, das Aktionsprogramm „Agenda 21" u. der Beschluß zur Einrichtung der UN-Kommission für nachhaltige Entwicklung durch Vertreter von mehr als 150 Staaten unterzeichnet. Zum Schutz der Erdatmosphäre wurden die Regierungen aufgefordert, durch den Aufbau wissenschaftlicher Kapazitäten Beobachtung u. Forschung in diesem Bereich zu intensivieren u. Frühwarnsyst. im Hinblick auf Veränderungen der Erdatmosphäre zu entwickeln. Vorgesehen sind Entwicklung umweltverträglicher Energiequellen, Umweltverträglichkeitsprüfungen, Überprüfung von Energieangebotsstrukturen, Verbesserung der Energieeffizienz (insbes. auch für Transportsyst.), Steigerung des öffentlichen Bewußtseins, flankiert von administrativen Maßnahmen. Die Bundesregierung strebt an, die CO_2-Emissionen bis zum Jahr 2005 auf 70–75% des Emissionswertes von 1987 zu verringern. Ob diese Absichtserklärungen die notwendige Wirkung entfalten werden, ist ungewiß. Während die Emission 1987 bei 1060 Mio. t lag, war sie 1994 bei 893 Mio. t (Reduktion 15,8%), hierbei waren die Abschaltung alter Anlagen in den neuen Bundesländern sowie der Einsatz von *Kernenergie wichtige Faktoren. Eine weitere UN-Umweltkonferenz soll im November 1997 in Kyoto stattfinden.

Eine Verminderung der K.-Emissionen ließe sich techn. durch folgende Maßnahmen erreichen:

– *Wahl des fossilen Energieträgers.* Von ihr hängt die Menge des bei der Verbrennung gebildeten K. ab. Bei der Erzeugung von 1 KWh (therm. Energie) entstehen jeweils aus Braunkohle 0,376, Steinkohle 0,310, Erdöl 0,273 u. Erdgas 0,180 kg Kohlendioxid.

– *Optimierung des Wirkungsgrads* bei der Umsetzung von therm. Energie in elektr. Energie. Berücksichtigt man Transportverluste u. techn. übliche Wirkungsgrade, so ergeben sich die folgenden Energie-Einsparpotentiale: BRD 25%, USA 30%, Niederlande, Japan: 45% (*Lit.*[14]).

– *Die Rückhaltung von K.* in Verbrennungskraftwerken, z. B. durch chem. Abtrennung aus dem Rauchgas, Ausfrieren u. Endlagerung in der Tiefsee; dies müßte allerdings mit Preisverdopplung des „Kohlestroms" bezahlt werden (*Lit.*[15]).

– *Verstärkter Einsatz nicht-fossiler Energien* wie Kernenergie (*Kernreaktoren), Fusionsenergie (noch Forschungsobjekt, *Fusionsreaktor), Sonnenenergie (Photovoltaik), Wasserenergie (Staudämme, Gezeitenkraftwerke), Windenergie od. Erdwärme.

Auf natürlichem Weg ist eine Verminderung des atmosphär. K. durch die Bindung von Kohlenstoff (Assimilation) in mehrjährigen Holzgewächsen (Wiederaufforstung als Ausgleich des Verbrauchs fossiler Brennstoffe) sowie in großem Maß in den Weltmeeren durch Algenwachstum u. Planktonproduktion vorstellbar (*Lit.*[16]), sofern das so eingebundene K. durch Bildung von Sedimenten u. Kohlenstoff-haltigen Lagerstätten auf Dauer der Biosphäre entzogen wird.

Die Mars-Atmosphäre enthält 95,3% K. bei ca. 6,3 hPa Gasdruck, diejenige der Venus besteht gar zu 96,4% aus K. unter einem Druck von 9 MPa an der Oberfläche des Planeten. Aufgrund des Treibhauseffektes herrscht dort eine Temp. von ca. 460 °C (*Lit.*[17]).

Herst.: Im Laboratorium stellt man K. im *Kippschen Apparat aus Marmorbrocken u. Salzsäure her:

$$CaCO_3 + 2\,HCl \rightarrow CaCl_2 + H_2O + CO_2.$$

Bei vielen industriellen Prozessen bilden sich große Mengen von K.: In den Abgasen der Brennstoffe, beim Kalk-Brennen (so arbeiten z. B. die Soda-Fabriken mit Kalk-Ofengasen von 40–42% K.), in Gärkellern (in Brauereien entstehen auf jeden hL Bier 1,3, auf jedes kg Alkohol 0,7 kg K.), in Großbäckereien usw. Vielfach wird K. aus natürlichen Gasquellen in Stahlflaschen gesammelt. Am häufigsten gewinnt man K. in der Ind. aus den Verbrennungsgasen von *Generatorgas, die 16–18% K. enthalten. Man befreit diese Abgase in Wasser-berieselten Waschtürmen von Staub u. Schwefeldioxid u. preßt sie dann in Absorptions-Lsg. (z. B. Alkalicarbonate, Alkanolamine in wäss. Lsg.), mit denen K. eine chem. Verb. bildet, die leicht wieder gespalten werden kann, od. man löst K. physikal. in Lsm. wie Methanol, *N*-Methylpyrrolidon, Propylencarbonat u. a., aus denen es durch Erwärmen freigesetzt werden kann. Näheres zu den ggf. in Einzelstichwörtern beschriebenen Girbotol-, Fluor-, Purisol-, Rectisol-, Catacarb-, Selexol-, Sulfinol-Prozessen s. bei Winnacker-Küchler, Ullmann u. Kirk-Othmer (*Lit.*). Das freigemachte K. wird in Kompressoren verflüssigt, wobei es bereits einen hohen Reinheitsgrad erreicht; Feinreinigung (mit Kaliumpermanganat, -dichromat, Aktivkohle) ist bei K. für die Getränke-Ind. nötig. Zum Versand kommt K. in flüssiger Form in Bahnkessel- u. Straßentankwagen sowie in grau lackierten Stahlflaschen mit Rechtsgewinde.

Verw.: In großtechn. Prozessen zur Harnstoff- u. Methanol-Synth., zur Synth. cycl. Carbonate (für Lsm. u. Hydroxy-Verb.), im Kolbe-Schmitt-Verf. zur Herst. von Salicylsäure, sowie zur Soda-Produktion, für die Herst. von Bleiweiß, Bariumcarbonat usw., gelöst in Limonaden, Mineralwässern, Sekt, Schaumwein usw., verflüssigt zum Transport von Kohle in Pipelines, in Stahlbomben für Bierdruckapparate, Kältemaschinen (*Kältetechnik), ferner in Feuerlöschgeräten (zu Sicherheitsbedenken s. vorne), zur Zuckersaft-Reini-

gung, zur Neutralisierung alkal. Abwässer, zum Lsm.-Fluten bei der Tertiärförderung von Erdöl (*enhanced oil recovery*, *Lit.*[18]), als Kühlmittel für Reaktoren u. in der Kunststoff-Ind., als Inertgas bei chem. Prozessen, zur Herst. von Düngemitteln, Trockeneis, in *CO_2-Lasern u. in der Gaschromatographie, in Gewächshäusern (*Kohlensäure-Düngung*) sowie Lagerräumen für Obst, als Treibgas in Sprays, wo es als Ersatz für die FCKW dient (*Lit.*[19]), als Lsm. für Destraktionen (s. oben) usw. Über die Verw. von K. zur Konservierung von Lebensmitteln u. Getränken s. *Lit.*[20]. In der Medizin dient K. in Form natürlicher u. künstlicher Bäder gegen Herz- u. Kreislaufstörungen; zur weiteren medizin. Verw. s. *Lit.*[21]. – *E* carbon dioxide – *F* dioxyde de carbone – *I* biossido di carbonio – *S* dióxido de carbono

Lit.: [1]Chem. Ing. Tech. **53**, 529 ff. (1981); Gas Aktuell **24**, 2–9 (1982). [2]Chem. Tech. (Leipzig) **34**, 392 f. (1982). [3]Behr, Carbon Dioxide Activation by Metal Complexes, Weinheim: VCH Verlagsges. 1988; Angew. Chem. **100**, 681–689 (1988); **106**, 183 f. (1994). [4]Angew. Chem. **92**, 303 (1980). [5]Nachr. Chem. Tech. Lab. **40**, 1214 ff. (1992). [6]Braun-Dönhardt, S. 221; Ludewig-Lohs (6.), S. 260–263. [7]Umweltbereich Luft, S. 14 f., Frankfurt: Fonds der Chem. Industrie 1995; Hutzinger **1 C**, 127–215; **1 D**, 29–81. [8]Nature (London) **329**, 408–414 (1987). [9]Phys. Bl. **51**, 405 (1995); Hofmann (Hrsg.), Climate Monitoring and Diagnostics Laboratory, Nr. 23, Summary Report 1994–1995, Washington: U. S. Department of Commerce 1996. [10]Spektrum Wiss. **1996**, Nr. 6, 30–47; Phys. Bl. **51**, 487 (1995); Titus u. Narayanan, The Probability of Sea Level Rise, Washington: U. S. Environmental Protection Agency 1995. [11]Energiewirtschaftl. Tagesfragen **40**, 640–644 (1990). [12]Der Lichtbogen, Nr. 208, S. 4–13, Marl: Chemische Werke Hüls 1989. [13]Phys. Bl. **43**, 437–349 (1987). [14]Phys. Unserer Zeit **21**, 109 (1990). [15]Phys. Unserer Zeit **20**, 56–61 (1989); Energy Technologies for Reducing Emissions of Greenhouse Gases, Bd. 2, S. 135–155, Paris: OECD 1989. [16]Spektrum Wiss. **1990**, Nr. 2, 21–24. [17]Lang u. Whitney, Planeten-Wanderer im All, S. 97, Heidelberg: Springer 1993. [18]Erdöl Erdgas Kohle, Petrochem. **34**, 437 (1981). [19]Tauscher, Das CO_2-Aerosol, Augsburg: Verl. für chem. Ind. Ziolkowsky 1985. [20]Lück, Chemische Lebensmittelkonservierung, S. 68–74, Berlin: Springer 1977. [21]Martindale (29.), S. 1068.

allg.: Andersen u. Malohoff, The Fate of Fossil CO_2 in the Ocean, New York: Plenum 1977 ▪ Brauer (3.) **2**, 622 f. ▪ Clark, Carbon Dioxide Review (4. Bd.), Oxford: Univ. Press 1982–1985 ▪ DAB **10**, Kommentar K 26 ▪ Encycl. Gaz, S. 333–368 ▪ Entwicklungspolitik, Materialien Nr. 84, Bundesministerium für wirtschaftliche Zusammenarbeit und Entwicklung, erhältlich vom Referat Presse u. Öffentlichkeitsarbeit, 53113 Bonn ▪ Gmelin, Syst.-Nr. 14, C, Tl. C, 1970–1973 ▪ Hommel, Nr. 115 ▪ Kirk-Othmer (4.) **5**, 35–53 ▪ Ullmann (5.) **A 5**, 165–183 ▪ Winnacker-Küchler (4.) **2**, 125–140, 498–511. – *Zeitschrift:* C_1-Molecules Chemistry, New York: Harwood (seit 1982). – *Dokumentation:* Carbon Dioxide Information Analysis Center, P. O. Box 2008 MS 6335, Oak Ridge, TN 37831. – *Organisation:* Fachverband Kohlensäure-Industrie, Koblenz. – *[HS 281121; CAS 124-38-9; G 2]*

Kohlendioxid-Laser s. CO_2-Laser.

Kohlenhydrate (Kohlehydrate). Sammelbez. für die als Naturstoffe sehr verbreiteten Polyhydroxyaldehyde (*Aldosen) u. Polyhydroxyketone (*Ketosen) sowie höhermol. Verb., die sich durch Hydrolyse in solche Verb. überführen lassen. Die – in diesem Werk in Einzelstichwörtern ausführlicher behandelten – K. haben meist die Bruttoformel $C_n H_{2n} O_n$ od. $C_n(H_2O)_n$ u. lassen sich somit formal als „Hydrate des Kohlenstoffs"

(Name von K. Schmidt, 1844) auffassen. Diese Bez. wurde beibehalten, obwohl sie bereits für die Rhamnose $C_6H_{12}O_5$ nicht mehr exakt zutrifft u. man K. kennt, die außer Kohlenstoff, Wasserstoff u. Sauerstoff noch Stickstoff (z. B. *Aminozucker) od. Schwefel enthalten. Andererseits existieren zahlreiche Verb., wie Essigsäure ($C_2H_4O_2$) u. Milchsäure ($C_3H_6O_3$), die wesentlich andere Eigenschaften als die zu den K. gerechneten Verb. besitzen. Die monomeren Polyhydroxyaldehyde od. Polyhydroxyketone nennt man *Monosaccharide, ihre Dimeren bis Decameren *Oligosaccharide (Disaccharide, Trisaccharide usw.) u. die makromol. K. *Polysaccharide. Häufig werden die Mono- u. Oligosaccharide als „Zucker" zusammengefaßt u. den Polysacchariden gegenübergestellt. Dies hat eine gewisse Berechtigung, denn die niedermol. K. sind süßschmeckende, wasserlösl., meist krist. Verb. von definierter Molmasse, während die Polysaccharide wie die meisten Polymeren keine einheitliche Molmasse haben, sich außerdem in Wasser nur schlecht od. gar nicht lösen u. prakt. geschmacksfrei sind.

Unter Monosacchariden (auch „einfache Zucker" genannt) versteht man solche Verb., die 2, 3, 4 etc. *Sauerstoff-Funktionen* enthalten. Details zur systemat. Benennung der *Aldosen bzw. *Ketosen s. in den unten folgenden Beispielen. In Natur u. Technik spielen die *Triosen, *Tetrosen u. *Heptosen (außer als Intermediärprodukte in manchen Stoffwechselreaktionen) keine Rolle, wohl aber die *Pentosen ($C_5H_{10}O_5$) u. *Hexosen ($C_6H_{12}O_6$). Wichtige Aldopentosen sind z. B. D-Ribose, D-Xylose u. L-Arabinose. Zu den wichtigsten Aldohexosen gehören D-Glucose, D-Mannose u. D-Galactose; bei den Ketohexosen sind v. a. D-Fructose u. L-Sorbose zu nennen. Die 6-*Desoxyzucker L-Fucose u. L-Rhamnose sind ebenfalls weit verbreitete Hexosen. Die Kohlenstoff-Kette der meisten bekannten Monosaccharide ist unverzweigt, doch besitzen manche pharmakolog. bedeutsame Naturstoffe, insbes. Antibiotika, nicht nur Anteile von verzweigten Zuckern (*Beisp.*: *Apiose, Hamamelose, Streptose), sondern auch von 6-Desoxy-, Amino- sowie Hydroxyaminozuckern, vgl. Calicheamicine, Esperamycine; Übersichtsartikel über seltene Zucker s. *Lit.*[1]. Für die systemat. Benennung aller Arten von K. haben IUPAC/IUB Vorschläge gemacht[2].

Die Monosaccharide zeigen folgende gemeinsamen Reaktionen: 1. Kupfer-, Silber- u. Wismut-Salze werden in Lsg. reduziert. – 2. Mit Basen reagieren die Monosaccharide unter Bildung von Saccharaten (Alkoholaten), mit konz. Laugen unter Verharzung; hierbei entstehen gelbe u. dunkle Produkte. – 3. Keine Reaktion mit Hydrogensulfiten od. Fuchsin/Schwefliger Säure, da bei den Aldosen die Aldehyd-Gruppe maskiert ist. – 4. Bei der Red. erhält man mehrwertige Alkohole. – 5. Bei der Oxid. entstehen Mono- u. Dicarbonsäuren (*Zuckersäuren). – 6. Die Alkohol-Gruppen können mit Säuren verestert werden. – 7. Blausäure wird addiert. – 8. Mit Phenylhydrazin entstehen *Osazone. Zur Formeldarst. der K. dient die Fischer-Projektion, s. Konfiguration.

Da in den Mol. eine Reihe von *asymmetrischen C-Atomen auftritt, ist auch eine Reihe von unterschiedlichen Stereoisomeren (*Stereoisomerie) möglich,

z. B. 4 (2^2) bei den Aldotetrosen, 8 (2^3) bei den Aldopentosen u. 16 (2^4) bei den Aldohexosen, wenn man die Form mit offener Kette zugrunde legt u. jeweils beide *Antipoden berücksichtigt (vgl. Abb. 1, mit A = CHO u. B = CH_2OH). Die abs. *Konfiguration der K. wird durch die vorangestellten Buchstaben D- bzw. L- ausgedrückt; diese beziehen sich auf die Reihe, der der betreffende Zucker angehört, u. *nicht* auf seinen Drehsinn; die Buchstaben wurden früher willkürlich dem einfachsten K. (d. h. seinen Enantiomeren) zuerteilt: Als Bezugssubstanzen dienten dabei der rechts- u. der linksdrehende Glycerinaldehyd, von denen sich alle Zucker ableiten lassen; Näheres s. dort u. Abb. bei Konfiguration u. Enantiomerie. So werden z. B. Fructose u. Mannose als Glieder der D-Reihe als D-Fructose u. D-Mannose bezeichnet.

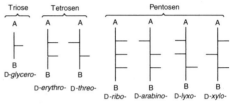

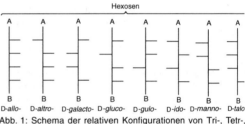

Abb. 1: Schema der relativen Konfigurationen von Tri-, Tetr-, Pent- u. Hexosen; horizontale Striche symbolisieren die OH-Gruppen.

Der Drehsinn wird – falls erforderlich – durch Plus- (für rechtsdrehend) bzw. Minuszeichen (für linksdrehend) ausgedrückt [*Beisp.*: D-(–)-Fructose]. Man ordnet eine Aldose der D-Reihe zu, wenn bei dem am weitesten von der Aldehyd-Gruppe entfernten asymmetr. C-Atom in der Projektionsformel die Hydroxy-Gruppe rechts, das H-Atom links steht (wie beim D-Glycerinaldehyd). Das wiedergegebene abstrakte Schema der relativen Konfigurationen von Tri-, Tetr-, Pent- u. Hexosen (s. Abb. 1) gibt ausschließlich Vertreter der D-Reihe wieder; *Beisp.*: D-*galacto*-Hexose = D-*Galactose. Obwohl sich die meisten Reaktionen der Monosaccharide an Hand der offenkettigen Struktur erklären lassen, setzen doch einige Reaktionen (wie das Ausbleiben der Farbreaktion mit Fuchsin/Schwefliger Säure u. die Bildung der *Glykoside) die Existenz einer *Halbacetal-Form* voraus, die durch die Reaktion der Carbonyl-Gruppe mit einer Hydroxy-Gruppe des eigenen Mol. entsteht. u. zur Bildung eines Rings führt (Ring-Ketten-Gleichgew., s. Abb. 2, S. 2196). Bei den Aldohexosen kann der Ringschluß mit den Hydroxy-Gruppen an den C-Atomen 4, 5 od. 6 erfolgen. Im ersten Fall entsteht eine Furanose, im 2. Fall eine Pyranose u. im 3. Fall eine Septanose. Wenn erforderlich, sollen in Abk. nach den Richtlinien der IUPAC die *furanosiden* u. *pyranosiden* Formen (vgl. die Abb. bei

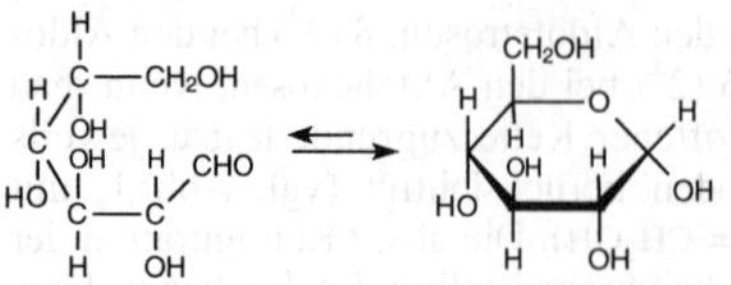

Abb. 2: Gleichgewichtsreaktionen zwischen offenkettiger u. Halbacetal-Form bei Glucose.

Fructose) durch die Suffixe f bzw. p gekennzeichnet werden. Bei der Ringbildung wird auch das C-Atom der Position 1 asymmetr., wodurch die mögliche Anzahl der Stereoisomeren nochmals verdoppelt wird (bei Hexosen: $2^5 = 32$). Dieses neue asymmetr. C-Atom nennt man *anomeres C-Atom* (s. Anomere), u. das Monosaccharid wird jeweils als α- od. β-Form – je nach der Konfiguration des anomeren C-Atoms – bezeichnet (vgl. die Abb. bei Glucose sowie Haworth-Projektion u. Glykoside). Die oben abgebildete cycl. Form wäre demnach als α-D-Glucopyranose u. unter Verw. der in der K.-Chemie üblichen Dreibuchstaben-Kurzbez. als α-D-Glc$p$ zu bezeichnen [2,3]. Die über eine Ringöffnung verlaufende *Epimerisierung ($\alpha \rightleftharpoons \beta$) ist auch der Grund für das Auftreten von *Mutarotation; zur Bestimmung des Carbonyl-Anteils in wäss. Zuckerlsg. läßt sich die ^{13}C-NMR-Spektroskopie heranziehen [4]. Die Ringstrukturen der K. haben Sessel- od. Wannenform, wobei die Sessel-Form bevorzugt ist. Zur Untersuchung von *Konformationen u. Konfigurationen der K. u. zur Nomenklatur der K.-Konformationen s. *Lit.* [5].

In den *Oligosacchariden* sind 2–10 Monosaccharid-Mol. unter Wasseraustritt zu größeren Mol. vereinigt, die sich als *Glykoside od. *Ether auffassen lassen [6]. Die einfachsten Oligosaccharide sind die *Disaccharide*, von denen drei frei vorkommen, die von großer Bedeutung sind, nämlich *Saccharose (Rohrzucker, Rübenzucker), *Lactose (Milchzucker) u. *Maltose (Malzzucker). Die Disaccharide sind häufig Bestandteile von Glykosiden (*Beisp.:* *Gentiobiose des *Amygdalins); von bes. Bedeutung sind *Maltose u. *Cellobiose, die bei der Hydrolyse von Stärke bzw. Cellulose entstehen. Die Bindung zwischen den Monosacchariden ist *O*-glykosid. (Ether). Wenn daran nur eine der beiden Halbacetal-Hydroxy-Gruppen beteiligt ist, besitzen die Disaccharide wie die Monosaccharide reduzierende Eigenschaften. Sind die beiden Monosaccharide jedoch über ihre anomeren C-Atome, d. h. die glykosid. Hydroxy-Gruppen, gekoppelt (z. B. im Rohrzucker), so ähnelt das Disaccharid einem Acetal, wirkt deshalb nicht reduzierend u. bildet auch kein Phenylosazon od. ein anderes Carbonyl-Derivat. Analog den Disacchariden sind auch die übrigen Oligosaccharide aufgebaut. Die Untersuchung von K. wird durch die Vielzahl etwa gleich reaktiver Hydroxy-Gruppen u. durch die große Zahl möglicher Strukturen erschwert. Daher müssen bei Synth. die Hydroxy-Gruppen durch *Schutzgruppen möglichst selektiv blockierbar sein. Zur Synth. von Oligosacchariden bzw. *O*-Glykosiden s. *Lit.* [7], Synth.-*Lit.* u. allg. *Lit.*

Die *Polysaccharide* lassen sich in zwei Gruppen gliedern, nämlich in die als *Gerüststoffe* für Pflanzen u. einige Tiere dienenden Polysaccharide u. in die *Reservestoffe für einfachere K., die bei Bedarf im Organis-

mus durch bestimmte Enzyme in Freiheit gesetzt werden. Beide Gruppen sind hochmol. Polymere, die oft nur aus einer einzigen Pentose od. Hexose aufgebaut sind. Im Gegensatz zu solchen *Homoglykanen (Beisp.:* *Cellulose, *Stärke, *Glykogen) sind die *Heteroglykane* aus verschiedenartigen Monosacchariden aufgebaut (*Beisp.:* Holz-*Polyosen, Mucopolysaccharide wie *Hyaluronsäure). Einige Grundzüge der Polysaccharid-Nomenklatur sind in *Lit.* [2,8] niedergelegt. In Polysacchariden, die bevorzugt als *Verdickungsmittel in der Lebensmittel-Technologie dienen, finden sich außer Pentosen u. Hexosen auch Methylpentosen, Uronsäuren u. Zuckersulfate (*Alginsäuren, *Carrageen); zur Struktur solcher Gelbildner u. ihren Wechselwirkungen in wäss. Lsg. s. *Lit.* [9].

Die K. spielen in der Natur eine vielfältige Rolle. Sie werden von den Pflanzen in ungeheueren Mengen durch Photosynth. produziert (*Biomasse* – Cellulose ist die mengenmäßig bedeutendste organ. Verb.), u. zwar als Gerüstsubstanzen (Cellulose im Holz) od. als Speicherstoffe (Stärke, Saccharose u. a. Zucker). Daneben werden sie auch im tier. Organismus nicht nur als Reservestoff (Glykogen) benötigt, sondern sind unentbehrlich als Bestandteile der Nucleinsäuren, der Glykolipide, Glykoproteine, Glykosphingoside u. dgl. – in der Immunologie schreibt man den K.-Anteilen wichtige Erkennungs-Funktionen bei Antigen-Antikörper-Reaktionen zu [10]. Manche Erbkrankheiten sind mit – durch *enzymatische Analyse aufspürbaren – K.-Stoffwechseldefekten verbunden. Ausführlicher sind diese Zusammenhänge in *Lit.* [11] dargestellt.

Die *Entstehungsweise* der Oligo- u. Polysaccharide ist insbes. von *Leloir untersucht u. aufgeklärt worden. Schlüsselsubstanzen der K.-*Biosynth.* sind die *Zuckernucleotide*, d. h. aus Pyrimidin- bzw. Purin-Base, Ribose, Phosphorsäure u. einem Saccharid bestehende Überträger-Moleküle. Der erste, 1948 von Leloir entdeckte „aktivierte Zucker" dieses Typs war die Uridindiphosphat-Glucose (UDPG). Der Aufbau höherer Zucker (z. B. Saccharose) geht prinzipiell nach: UDPG + Fructose $\rightleftharpoons$ Saccharose + UDP vor sich. Schon viel länger sind die *Abbauwege* der K. bekannt, insbes. die der Monosaccharide (s. Glykolyse) u. der Speicherstoffe wie Glykogen. Die im K.-Stoffwechsel gebildeten Brenztraubensäure-Fragmente werden im Organismus teilw. zur Synth. der Fette ausgenutzt, was bei Fehlernährung einerseits zu *Fettsucht, andererseits zur Überhöhung der *Blutfett-Werte u. damit zur *Arteriosklerose-Disposition führen kann. Gesichert ist die Relation zwischen dem Auftreten von *Karies u. unphysiolog. hohem Verbrauch an Zucker.

Bei ausgewogener *Ernährung sollte der gesunde Mensch täglich 300–350 g K., 85–105 g Eiweiß u. 50–80 g Fett zu sich nehmen; der *Nährwert von K. u. Eiweiß beträgt jeweils 17 kJ (4,1 kcal) pro g, der von Fett 39 kJ (9,3 kcal) je Gramm. Für den Menschen ist oft ein erheblicher Teil der erfaßten K. unverdaulich (Cellulose, Dextran, Lichenin), während Pflanzenfresser u. bes. Wiederkäuer auch Cellulose verdauen u. bakteriell zu Essig-, Propion- u. Buttersäure abbauen können. Wegen ihrer Unverwertbarkeit od. Unverdaulichkeit gelten *Alginate, Carrageen, *Pektinsäure, *Tragant, *Agar-Agar, Johannisbrotkernmehl u. a. in Lebensmitteln als *Zusatzstoffe – sie werden oft nicht nur als *Verdickungsmittel, sondern auch als nährwertarme Füllstoffe gebraucht. Daneben sind viele K. wichtige Rohstoffe für industrielle Produkte wie Verdickungs- u. Emulgiermittel, Papier- u. Textilhilfsstoffe usw. Bes. Bedeutung besitzen K. für *Fermentations-Prozesse; *Beisp.:* Alkohol. *Gärung, enzymat. Bildung von Milch-, Propion-, Butter-, Citronensäure od. Glycerin, mikrobielle Synth. von Antibiotika mit K. als C-Quelle. Weitere Verwertungs-Beisp. für natürliche K. findet man z. B. bei Fischer[12]. K. sind auch Bestandteile industrieller Klebstoffe[13]. – *E* carbohydrates – *F* carbohydrates, hydrates de carbone – *I* carboidrati – *S* carbohidratos, hidratos de carbono

Lit.: [1] Angew. Chem. **81**, 415–423 (1969); **83**, 261–274 (1971); **84**, 192–206 (1972). [2] Pure Appl. Chem. **68**, 1919–2008 (1996). [3] Pure Appl. Chem. **54**, 1517–1526 (1982). [4] Chem. Ztg. **103**, 232 f. (1979). [5] Annu. Rev. Biochem. **41**, 953–996 (1972); Pure Appl. Chem. **53**, 1901–1905 (1981); **55**, 1269–1272 (1983). [6] Pure Appl. Chem. **54**, 1517–1522 (1982); Williams (Hrsg.), Carbohydrate Chemistry 16 u. 17, London: Royal Society of Chemistry 1984, 1985; Carbohydr. Res. **187**, 165–171 (1989). [7] Adv. Carbohydr. Chem. Biochem. **39**, 13–70 (1981); Angew. Chem. **86**, 173–187 (1974); **93**, 688 ff.; **94**, 184–201 (1982). [8] Pure Appl. Chem. **54**, 1523–1526 (1982). [9] Angew. Chem. **89**, 228–239 (1977); Rees et al., Polysaccharide Shapes, London: Chapman & Hall 1977; Pure Appl. Chem. **53**, 1–14 (1981). [10] Adv. Exp. Med. Biol., **228** (1988); Ciba Foundation Symposium, Bd. 145, New York: Wiley 1989. [11] Leegwater et al. (Hrsg.), Low Digestibility Carbohydrates, Wageningen (Niederlande): Cent. Agric. Publ. Doc. 1987; Spektrum Wiss. **1981**, Nr. 1, 70–85. [12] Z. Chem. **19**, 332–343 (1979). [13] ACS Symp. Ser. **385**, 271–288 (1989); Carbohydr. Res. **189**, 103–112 (1989).
allg.: Aspinal, The Polysaccharides (3 Bd.), New York: Academic Press 1982, 1983 ▪ Berkley et al., Microbial Polysaccharides and Polysaccharases, New York: Academic Press 1979 ▪ Candy, Biological Functions of Carbohydrates, Glasgow: Blackie 1980 ▪ Churms, Handbook of Chromatography: Carbohydrates, Boca Raton: CRC Press 1982 ▪ Collins, Carbohydrates, London: Chapman & Hall 1986, 1987 ▪ Collins u. Ferrier (Hrsg.), Monosaccharides, New York: Wiley 1995 ▪ David, Chimie moléculaire et supramoléculaire des sucres, Paris: Inter Editions/CNRS Editions 1995 ▪ Kennedy et al., Bioactive Carbohydrates, New York: Wiley 1983 ▪ Schweiger, Carbohydrate Sulphates (ACS Symp. Ser. 77), Washington: ACS 1978 ▪ Tanner u. Loewus, Plant Carbohydrates (Encycl. Plant Physiol. 13 A, 13 B), Berlin: Springer 1981, 1982. – *Biochemie:* Berdanier, Carbohydrate Metabolism, New York: Wiley 1976 ▪ Bergmeyer (Hrsg.), Methods of Enzymatic Analysis, Bd. 6, Metabolites 1: Carbohydrates, Weinheim: Verl. Chemie 1984 ▪ Breitner (Hrsg.), Regulation of Carbohydrate Metabolism, Bd. 1 u. 2, Boca Raton: CRC Press 1985 ▪ Cobelli u. Bergman, Carbohydrate Metabolism, New York: Wiley 1981 ▪ Dey et al. (Hrsg.), Biochemistry of Storage Carbohydrates in Green Plants, London: Academic Press 1985 ▪ Ginsburg, Biology of Carbohydrates, New York: Wiley 1981 ▪ Ginsburg (Hrsg.), Methods in Enzymology, Bd. 138: Complex Carbohydrates, Tl. E, Orlando: Academic Press 1987 ▪ Morgan (Hrsg.), Carbohydrate Metabolism in Cultured Cells, New York: Plenum Press 1986 ▪ Preiss, The Biochemistry of Plants, A Comprehensive Treatise, Bd. 14, Carbohydrates, San Diego: Academic Press 1988 ▪ Saier Jr., Mechanisms and Regulation of Carbohydrate Transport in Bacteria, Orlando: Academic Press 1985. – *Synth.:* Houben-Weyl E 21 ▪ El Khadem, Carbohydrate Chemistry, Monosaccharides and their Oligomers, San Diego: Academic Press 1988 ▪ Kennedy, Carbohydrate Chemistry, Oxford: Clarendon Press 1988 ▪ New Meth. Drug Res. **2**, 1–15 (1988) ▪ Trends in Synth. Carbohydr. Chem. (ACS Symp. Ser. 386),

Washington: ACS 1989. – *Zeitschriften u. Serien:* Advances in Carbohydrate Chemistry, New York: Academic Press (1945–1968) ▪ Advances in Carbohydrate Chemistry and Biochemistry, San Diego: Academic Press (seit 1969) ▪ Biology of Carbohydrates, New York: Wiley (seit 1981) ▪ Carbohydrate Chemistry, London: Academic Press (seit 1968) ▪ Carbohydrate Research, Amsterdam: Elsevier (seit 1965) ▪ Developments in Food Carbohydrates, London: Appl. Sci. Publ. (seit 1977) ▪ Journal of Carbohydrate Chemistry, New York: Dekker (seit 1982) ▪ Journal of Carbohydrate, Nucleosides, Nucleotides, New York: Dekker (seit 1974) ▪ Methods of Carbohydrate Chemistry, New York (seit 1962) ▪ Methods Enzymology, New York: Academic Press (seit 1955).

Kohlenmonoxid s. Kohlenoxid.

Kohlenmonoxid-Bakterien s. Carboxidobakterien.

Kohlenmonoxid-Laser s. CO-Laser.

Kohlenoxid (Kohlenmonoxid, Kohlenstoffmonoxid). CO, M_R 28,01. Farbloses, geruchloses, giftiges Gas, D. 1,250 g/L (0 °C), Schmp. −205,1 °C, Sdp. −191,5 °C, krit. Druck 3,5 MPa, krit. D. 0,311 kg/L, krit. Temp. −140,2 °C. K. ist etwas leichter als Luft (relative D. zu dieser 0,97) u. in einigen organ. Lsm. wie z. B. Ethylacetat, Chloroform, Eisessig gut löslich. In 100 mL Wasser lösen sich bei 0 °C 3,3 mL, bei 20 °C 2,3 mL Kohlenoxid. Ab etwa 700 °C verbrennt K. mit bläulicher Flamme zu Kohlendioxid; Heizwert 12,7 MJ/m^3. Mit Luft bildet K. in den Grenzen 12,5–74% explosible Gemische. Im Vgl. zu *Kohlendioxid ist K. viel reaktionsfähiger (formal 2-wertiger Kohlenstoff!), weshalb es in der anorgan. Technologie u. der organ. Synth. von großer Bedeutung ist. Es reagiert bes. in der Hitze mit vielen Nichtmetallen (z. B. Wasserstoff, Schwefel, Chlor) u. Metallen, wobei im letzten Fall *Metallcarbonyle mit koordinativ gebundenen K.-Mol. entstehen; Verdrängung der CO- durch andere, organ. Liganden macht die synthet. bes. nützlichen *Carbonylkomplexe zugänglich. Die präparativ wichtigsten Reaktionen des K. sind *Einschiebungsreaktionen, von denen einige bei *Carbonylierung erwähnt sind, u. heterogen-katalyt. ablaufende Reaktionen vom Typ der *Fischer-Tropsch-Synthese (*Lit.*[1]); über die Oberflächen-Reaktionen des K. an Metallen s. *Lit.*[2]. Über die bei Reaktionen mit Alkalimetallen entstehenden Verb. s. Kohlenoxidkalium.
Physiologie: Auf der Ausbildung einer Koordinationsverb. des K. mit *Hämoglobin (*K.-Hämoglobin*, HbCO, s. Hämoglobin) beruht die Toxizität des K., MAK-Wert 33 mg/m^3. Der 1982 festgesetzte *BAT-Wert liegt bei 5% HbCO im Blut; eine spektrophotometr. Schnellbestimmungs-Meth. von K. im Blut beschreibt *Lit.*[3]. Zigarettenraucher haben im Durchschnitt 5–8, selten über 10% HbCO im Blut, u. auch Verkehrspolizisten in Ballungsräumen können bis zu 10% HbCO aufweisen. Die ersten Vergiftungssymptome (leichte Kopfschmerzen u. Kurzatmigkeit) treten gewöhnlich ab ca. 20% HbCO auf. Eine chron. Vergiftung durch K. erscheint fraglich, denn möglicherweise läßt bei K.-gefährdeten Personen ein gewisser Anpassungsmechanismus zusätzlich Hämoglobin entstehen (*Lit.*[4]). Auch Myoglobin, ein Hämoprotein in den Muskeln, reagiert mit K., ebenso Cytochrom P450, welches als Monooxygenase eine wichtige

Rolle im Metabolismus spielt. Näheres zu Toxikologie, Diagnostik u. Therapie von K.-Vergiftungen s. *Lit.*[5].

Schutz gegen K. bieten *Atemschutzgeräte mit Spezial-K.-Gasfiltern, Filterselbstretter u. Isoliergeräte; zur Warnung vor dem geruchlosen u. daher tück. K. sind Warngeräte, *Prüfröhrchen u. dgl. im Handel.

Nachw.: Die Bestimmung des K. kann zwar prinzipiell durch Absorption in ammoniakal. Silbernitrat-Lsg. (Berthelot-Thiele), Kupfer(I)-chlorid-Lsg. od. Palladium(II)-chlorid-Lsg. erfolgen, wird jedoch praktischerweise durch Gaschromatographie od. IR-Spektroskopie, oft mit tragbaren Geräten vorgenommen; zur elektrochem. Analyse s. *Lit.*[6], zur Bestimmung durch Gasphasenchemilumineszenz *Lit.*[7]. Halbquant. Bestimmung der K.-Konz. in der Luft können mit Prüfröhrchen durchgeführt werden; die Farbreaktion erfolgt nach

$$5\,CO + I_2O_5 \xrightarrow{SeO_2,\ H_2S_2O_7} I_2 + 5\,CO_2$$

Geräte zur Bestimmung des K.-Gehalts in der ausgeatmeten Luft befinden sich ebenfalls im Handel.

Vork.: Beachtliche Mengen K. gelangen durch bakterielle Vorgänge im Erdboden u. im Meer in die Atmosphäre. Industrielle K.-Emissionen stammen aus der unvollständigen Verbrennung fossiler Brennstoffe, u. im Straßenverkehr tritt mit den Autoabgasen K. zeitweise in Spitzenkonz. bis zu 500 ppm auf. Obwohl Mikroorganismen des Bodens in der Lage sind, ein Mehrfaches des vom Menschen produzierten K. zu metabolisieren, schlagen in der K.-Bilanz andererseits auch mikrobielle Prozesse zu Buche, bei denen Methan zu K. oxidiert wird. Nach einer Untersuchung Anfang der 70er Jahre (*Lit.*[8]) stammten von 3,77 Mrd. t K. in der Atmosphäre rund 3,0 Mrd. t aus *biologischem Abbau. Von den übrigen 770 Mio t kamen 400 Mio t K. aus Ozeanen, Vulkangasen etc., 100 Mio t aus Auf- u. Abbauprozessen des Chlorophylls u. 270 Mio t aus künstlichen Quellen. Diese anthropogene K.-Emission dürfte sich seither etwa verdoppelt haben; über mögliche Maßnahmen zur Reduktion der K.-Mengen in Kraftfahrzeugabgasen s. dort. Die Lebensdauer von K.-Mol. in der Atmosphäre wird auf 0,1–0,2 Jahre geschätzt; als Abbaureaktion wird $CO + \cdot OH \rightarrow CO_2 + \cdot H$ angesehen (*Lit.*[9]). Im intergalakt. Raum tritt K. in unterschiedlichen Konz. in Erscheinung, s. *Lit.*[10].

Herst.: Im Laboratorium aus Ameisensäure u. etwa 100 °C heißer konz. Schwefelsäure od. mit Phosphorsäure (*Lit.*[11]):

$$HCOOH \rightarrow CO + H_2O.$$

In der Technik wird K. in großem Umfang aus Erdgas, Naphtha, Heizöl u. Koks erhalten, z. B. als *Generatorgas nach:

$$C + O_2 \rightarrow CO_2;\ C + CO_2 \rightleftharpoons 2\,CO$$

u. als *Synthese- od. *Wassergas nach:

$$C + H_2O \rightleftharpoons CO + H_2;$$

im allg. strebt man kontinuierlichen Betrieb an. Beträchtliche K.-Mengen entstammen auch dem Gichtgas der *Hochöfen, den Abgasen der Carbid-Herst. od. den Verbrennungsprodukten der Grubengase. Man verarbeitet entweder die K.-haltigen Gase direkt od. reinigt sie durch Gaswäsche, wobei das K. z. B. unter Druck in einer ammoniakal. Kupfer(I)-chlorid-Lsg.

{enthält $[Cu(NH_3)_2]Cl$ u. $[Cu(NH_3)_4]Cl$} unter Bildung von Cu(CO)Cl absorbiert wird. Unter vermindertem Druck gibt die Lsg. K. wieder frei. Eine Weiterentwicklung ist das *Cosorb-Verf.*, das mit $CuAlCl_4$ in Toluol bei niedrigem Druck u. Normaltemp. arbeitet. Im Handel befindet sich K. als Druckgas (kein Flüssiggas) in roten Stahlflaschen mit Linksgewinde.

Verw.: Zur Herst. von Methanol, von synthet. Erdgas (SNG durch sog. *Methanisierung), von Benzin (durch Fischer-Tropsch-Synth.), zur Synth. von Carbonsäuren u. Estern durch Carbonylierung (*Oxo-Synthese, *Kochsche Carbonsäure-Synthese, *Hydroformylierung), z. B. von Ameisen- od. Essigsäure, Phosgen, Formiaten, Formamiden, Acrylaten, Isocyanaten, zur Synth. von aromat. Aldehyden, zur Herst. von reinsten Metallen (über die Metallcarbonyle), von Katalysatoren (Carbonyl-Komplexe), ferner als *Brenngas, zur Red. von Erzen, zur Gewinnung von Wasserstoff durch *Konvertierung, in alkal. Brennstoffzellen usw.; zum ganzen Spektrum der Anw.-Möglichkeiten s. *Lit.*[12]. –
E carbon oxide, carbon monoxide – *F* monoxyde de carbone, oxyde de carbone – *I* ossido di carbonio – *S* monóxido de carbono

Lit.: [1] Angew. Chem. **94**, 118–131 (1982); **103**, 1139 f. (1991). [2] Catal. Sci. Technol. **3**, 139–198 (1982). [3] Int. J. Environ. Anal. Chem. **6**, 229–244 (1979). [4] Umschau **79**, 11–18 (1979). [5] Forth et al. (7.); Braun-Dönhardt, S. 221 f. [6] Int. Lab. **1972**, Nr. 5, 37–41. [7] Townshend, Encyclopedia of Analytical Science, London: Academic Press 1995. [8] Chem. Eng. News **50**, Nr. 27, 2 (1972). [9] Angew. Chem. **108**, 1879–1898 (1996). [10] Spektrum Wiss. **1979**, Nr. 7, 8–20; **1982**, Nr. 9, 88–99. [11] Brauer (3.) **2**, 621 f. [12] Weissermel-Arpe (4.), S. 26; Falbe, New Syntheses with Carbon Monoxide, Berlin: Springer 1980. *allg.*: Brauer (3.) **2**, 621 f. ▪ Encycl. Gaz, S. 317–325 ▪ Gmelin, Syst.-Nr. 14, C, Tl. C 1–3, 1968, 1971, 1972 ▪ Hommel, Nr. 116 ▪ Int. Rev. Cytol. **81**, 1–32 (1983) ▪ Kirk-Othmer (4.) **5**, 97–119 ▪ Kohlenmonoxid (Grundsätze, Vorsorgeuntersuchungen G 7), Stuttgart: Gentner 5/1988 ▪ Pankow, Toxikologie des Kohlenmonoxids, Berlin: Volk u. Gesundheit 1981 ▪ Ullmann (5.) **A5**, 203–216 ▪ Winnacker-Küchler (4.) **5**, 208, 559–588. – *Zeitschrift*: C_1-Molecule Chemistry, London: Harwood (seit 1984). – *[HS 281129; CAS 630-08-0; G 2]*

Kohlenoxidchlorid s. Phosgen.

Kohlenoxidhämoglobin s. Hämoglobin.

Kohlenoxidkalium. Bez. für die unerwünschten Nebenprodukte der Reaktion von Kaliumcarbonat u. *Kohle, die von Gmelin 1825 bei dem Versuch der Kalium-Herst. erhalten wurden. Die Verb. $C_6K_6O_6$, M_R 402,65, wurde 1834 von Liebig als grauer Feststoff erhalten, als er *Kohlenoxid bei 150 °C über Kalium leitete. Sie wurde später als das Kalium-Salz des Hexahydroxybenzols erkannt.

Setzt man dagegen Kalium in flüssigem Ammoniak mit Kohlenoxid um, so entsteht das Dikaliumacetylendiolat, $KO-C\equiv C-OK$, $C_2K_2O_2$ als gelber Feststoff, M_R 134,22. Frühere Bez.: Kaliumcarbonyle. – *E* carbon oxide potassium – *I* ossido di carbonio e potassio – *S* carbonilo de potasio

Lit.: Beilstein **6**, 1199 ▪ Chem. Unserer Zeit **16**, 57–67 (1982) ▪ Gmelin, Syst.-Nr. 22, K, 1936–1938, S. 821 f.

Kohlenoxidsulfid (Carbonylsulfid). COS, M_R 60,07. Farbloses, übelriechendes Gas (soll in völlig reinem Zustand geruchfrei sein), sehr leicht entzündlich (ähnlich *Schwefelkohlenstoff), D. 1,073 g/L (0 °C), Schmp. –138 °C, Sdp. –50 °C, lösl. in etwa der doppelten Menge Wasser. K. entsteht beim Erhitzen von *Kohlenoxid u. Schwefel-Dampf in glühenden Röhren, aus Schwefeltrioxid u. Schwefelkohlenstoff u. aus Thiocyanat-Lsg. mit Schwefelsäure (*Lit.*[1]). Es findet sich in sog. sauren *Erdgasen, aus denen es in den Propan-Anteil der *Flüssiggase (zur Bestimmung hierin s. *Lit.*[2]) übergeht. Da K. mit Spuren von Wasser zu stark giftigem u. korrosivem H_2S u. CO_2 hydrolysieren kann, muß es durch Waschen mit Aminen od. mittels Molekularsieben entfernt werden (*Lit.*[3]). K. wurde auch in der Venus-Atmosphäre gefunden (*Lit.*[4]). *Verw.:* Zur Synth. von Thiosäuren, substituierten Thiazolen u. Thiocarbamaten, ggf. auch zur Bekämpfung von Ratten u. Mäusen. – *E* carbon oxide sulfide, carbonyl sulfide – *F* oxysulfure de carbone, sulfure de carbonyle – *I* ossisolfuro di carbonio – *S* oxisulfuro de carbono, sulfuro de carbonilo
Lit.: [1] Brauer (3.) **2**, 625 f. [2] DIN 51855 Tl. 6 (01/1977). [3] Kirk-Othmer (4.) **1**, 551. [4] Chem. Internat. **1980**, Nr. 1, 20–25. *allg.:* Beilstein E IV **3**, 271 f. ▪ Encycl. Gaz, S. 327–332 ▪ Reid, Organic Chemistry of Bivalent Sulfur, Bd. 4, S. 388–414, New York: Chem. Publ. 1962 ▪ Science **212**, 663 (1981). – *[HS 285100; CAS 463-58-1]*

Kohlensäure. $(HO)_2C=O$, M_R 62,03. Nur in wäss. Lsg. existierende Säure, die durch Lösen von *Kohlendioxid (dem Anhydrid der K.) in Wasser entsteht:

$$CO_2 + H_2O \rightleftharpoons H_2CO_3.$$

K. ist eine mittelstarke Säure ($pK_{a1} = 3,88$); da jedoch nur ca. 0,1% des gelösten CO_2 in Form von H_2CO_3 vorliegt u. in die Dissoziationskonstante der K. die Gesamtmenge an gelöstem CO_2 eingesetzt wird (scheinbare Dissoziationskonstante; $pK_{a1} = 6,35$), gilt die K. als schwache Säure. Sie dissoziiert nach dem Schema:

$$H_2CO_3 \rightleftharpoons H^+ + HCO_3^- \rightleftharpoons 2H^+ + CO_3^{2-}.$$

K. ist also eine zweiwertige Säure, deren Salze man als *Hydrogencarbonate u. *Carbonate bezeichnet; als Ligand erhält das Dianion CO_3^{2-} die Benennung *Carbonato. Die Ester u. Halbester der K. werden hier als *Kohlensäureester behandelt. Die *Ortho-K.* (H_4CO_4) ist in freiem Zustand nicht bekannt, sondern nur in Form ihrer Ester (*Orthocarbonate). Ähnliches gilt für die *Di-K.* ($H_2C_2O_5$) Derivate der K. sind Phosgen, Chlorameisensäureester, Carbamidsäure, Urethane, Harnstoff, Cyan- u. Isocyansäure, Thiokohlensäuren u. viele andere reaktive C_1-Synth.-Bausteine. Im *Blut ist die K. Träger des *Säure-Basen-Gleichgewichts. Hier wie anderswo wird unter „K." oftmals *Kohlendioxid verstanden, weshalb Begriffe wie *K.-Bäder, -Düngung, -Schnee* dort erläutert sind. *K.-Löscher* werden als *Feuerlöschmittel eingesetzt. – *E* carbonic acid – *F* acide carbonique – *I* acido carbonico – *S* ácido carbónico
Lit.: Hollemann-Wiberg (101.), S. 862 f. ▪ s. a. Kohlendioxid. – *[CAS 463-79-6]*

Kohlensäurediamid s. Harnstoff.

Kohlensäurediethylester s. Diethylcarbonat.

Kohlensäuredimethylester s. Dimethylcarbonat.

Kohlensäurediphenylester s. Diphenylcarbonat.

Kohlensäureester. Sammelbez. für die Ester $O=C(OR)_2$ der *Kohlensäure. Die Vertreter mit R = Methyl u. Ethyl sind als leicht flüchtige u. brennbare, ggf. gesundheitsschädliche Lsm. in Gebrauch, vgl. Diethylcarbonat. Höhere u. aromat. K. sind Synthesezwischenprodukte. Zur Herst. der K. geht man von Phosgen u. Alkoholen aus, doch läßt sich ersteres oft durch Harnstoff ersetzen.

$$2\ R-OH\ +\ \overset{Cl}{\underset{Cl}{\diagup\!\!\!\diagdown}}C=O\ \xrightarrow[-\ 2\ HCl]{50\,°C}\ \overset{RO}{\underset{RO}{\diagup\!\!\!\diagdown}}C=O$$

Als organ. Lsm. fungieren die cycl. K. vom Typ des Ethylencarbonats (*1,3-Dioxolan-2-on). Als höhere K. lassen sich die *Orthocarbonate u. die *Polycarbonate auffassen. – *E* carbonate esters, carbonic esters – *F* carbonates, esters de l'acide carbonique – *I* estere di carbonio anidro – *S* carbonatos, ésteres del ácido carbónico
Lit.: Houben-Weyl E **4**, 64–101 ▪ Kirk-Othmer (3.) **4**, 766–771; (4.) **5**, 77 ff. ▪ Ullmann (5.) A **5**, 197 ff. ▪ s. a. Carbonate.

Kohlensaures... s. Carbonate u. die einzelnen Metallcarbonat-Stichwörter.

Kohlenstaub s. Kohle, Ruß u. Staubexplosionen.

Kohlensteine s. Kohlenstoffsteine.

Kohlenstoff (von latein.: carbo = Kohle). Chem. Symbol C, nichtmetall. Element, Ordnungszahl 6, Atomgew. 12,01115, natürliche Isotope: 12 (98,90%) u. 13 (1,10%). Das Nuklid ^{12}C mit der Masse 12,00000 wurde 1962 zum Standard für die Festlegung der *Atomgewichte gemacht. Neben diesen beiden Isotopen, von denen ^{13}C wegen seines Spins ½ die Grundlage der ^{13}C-*NMR-Spektroskopie darstellt, gibt es noch 4 künstliche Isotope mit HWZ zwischen 0,74 s u. 5736 a; so ist z. B. ^{14}C als *Radioindikator od. *Tracer* (s. markierte Verbindungen) u. in der sog. *Radiokohlenstoff-Datierung von Bedeutung. Die stabilen Isotope ^{12}C u. ^{13}C sind in ird. Material etwas unterschiedlich angereichert: ^{12}C mehr in biolog., ^{13}C mehr in anorgan. Material (Carbonate) u. in der Atmosphäre. Aus dem $^{13}C/^{12}C$-Verhältnis lassen sich deshalb Schlüsse auf das Alter u./od. die Herkunft von Stoffen ziehen (*Lit.*[1]).
In Übereinstimmung mit der Stellung in der 14. Gruppe des Periodensyst. ist K. fast regelmäßig 4-wertig, selten formal 2-wertig (z. B. im *Kohlenoxid, in *Isocyaniden, in *Carbenen). Bei gewöhnlicher Temp. ist K. reaktionsträge; dagegen verbrennt er bei höherer Temp. vollständig zu Kohlendioxid, bildet mit Schwefel Schwefelkohlenstoff, mit Wasserstoff Kohlenwasserstoffe, mit Silicium, Bor u. vielen Metallen *Carbide. 1 g K. liefert bei vollständiger Verbrennung eine Energie von etwa 33 kJ (8 kcal). Auf die quant. Bestimmung von K. wird bei *Elementaranalyse eingegangen.
Natürlich haben sich für die K.-Verb. zahllose spezif. Analysenverf. eingebürgert, z. B. die *TOC-Bestimmung im *Abwasser. In chem. Hinsicht zeigt K. einige Verwandtschaft mit Silicium, das im Periodensyst. unter ihm steht. Die C-Atome haben die Fähigkeit, sich

miteinander zu Ringen (*cyclische Verbindungen, *Benzol-Ring) od. langen geraden od. verzweigten *Ketten (*Paraffine, *Polyethylen) zu vereinigen, ferner Mehrfachbindungen u. Bindungen zu anderen Atomen zu knüpfen, wodurch die ungeheure Vielfalt von mehr als 10 Mio. (1997) Verb. entsteht, die man in der *Organischen Chemie zusammenfaßt.

K. bildet in gesätt. Verb. nur Atombindungen aus (s. chemische Bindung); die C-Atome stehen hierbei meist im Zentrum von regelmäßigen *Tetraedern, während die 4 Valenzen (*Orbitale) gegen die Tetraederecken gerichtet sind. Eine Begründung für dieses Verhalten wird bei *Hybridisierung, eine bildliche Darstellung bei *Molekülorbitale geliefert. Auch Verb. mit fünfbindigem (Carbonium-Ionen)[2] u. mit sechsbindigem K. sind bekannt $\{[C(AuL)_6]^{2+}, L = P(C_6H_5)_2 \, (p\text{-}C_6H_4NMe_2)^3\}$.

K. kommt in Modif. mit den D. 3,51 (*Diamant) bzw. 2,1–2,3 (*Graphit) u. den H. 10 (Diamant) bzw. 1 (Graphit) vor, Schmp. >3550 °C, Sdp. ca. 4830 °C. K. ist geruchlos, geschmackfrei, in allen gewöhnlichen Lsm. (Wasser, Benzin, Alkohol usw.) völlig unlösl., dagegen lösl. in geschmolzenem Eisen (bei der *Aufkohlung z. B. als Zementit), Cobalt, Nickel u. in den Platin-Metallen, aus denen er sich beim Erkalten als Graphit abscheidet. K. tritt in verschiedenen Zustandsformen auf, nämlich als Diamant u. Lonsdaleit, Graphit u. (Graphit-ähnlicher) schwarzer K. aus der Zers. von K.-Verb. unter Luftabschluß bei hoher Temp.: Aktivkohle, Koks, Holzkohle, Kohlenstaub, Tierkohle, Ruß, Glanz-Kohlenstoff. Daneben gibt es noch andere – oft nur ungenügend charakterisierte – Übergangsformen wie *Kohlenstoff-Fasern u. a., ggf. bei Graphit erwähnte od. aus der Pyrolyse von Polymeren stammende Formen (Polymer-K.), s. *Lit.[4]. Von einigen Autoren wird ein bes. atomarer K. als Modif. postuliert, den man in Mineralen wie Olivin, Forsterit auftreten soll (Lit.[5]). Außer diesem K. kennt man – hauptsächlich aufgrund der Arbeiten von Skell – eine Reihe von Meth., um *atomaren K.* zu erzeugen. Diese sehr reaktive Spezies reagiert mit vielen Verb. in oft sehr überraschender Weise, s. Lit.[6]. Durch Graphit-Verdampfung sind K.-Cluster erhältlich; der aus abwechselnd fünf- u. sechseckigen Flächen bestehende C_{60}-Cluster erinnert an einen Fußball, s. Fullerene.

Vork.: Etwa 0,087% der obersten 16 km der Erdkruste besteht aus K.; er steht damit in der Häufigkeitsreihe der Elemente an 13. Stelle. Auch auf der Sonne (s. dort zum CN- od. Bethe-Weizsäcker-Cyclus) u. in *Meteoriten (Stein-Meteoriten 0,039% K., Eisen-Meteoriten 0,034% K.) wurde K. nachgewiesen. Das Erdinnere dürfte nach Befunden an Meteoren etwa 0,5% enthalten. Der Gehalt der Atmosphäre wird auf $7,5 \cdot 10^{11}$ t K. geschätzt, derjenige der Ozeane auf $380 \cdot 10^{11}$ t. Für die lebende pflanzliche Biomasse (die tier. ist demgegenüber vernachlässigbar klein, obwohl z. B. 18% des menschlichen Körpergew. aus K. besteht) werden $8,3 \cdot 10^{11}$ t K. angenommen u. für die tote (aber nicht fossile) $17 \cdot 10^{11}$ t. Die durch Inkohlung aus dem K.-Kreislauf (vgl. a. Kohlendioxid) ausgeschleuste fossile Biomasse – Erdöl, Erdgas, Stein- u. Braunkohle – bildet in sehr unterschiedlicher Verteilung große *Lagerstätten mit $50–70 \cdot 10^{11}$ t K. In

geringem Maß – wenn man von der CO_2- u. CO-Belastung der Atmosphäre absieht – tritt K. als umweltbelastender Stoff in Form von Ruß, Kohlenstaub u. dgl. in Erscheinung. Andererseits sind K. u. seine Verb. die wichtigsten Träger aller Lebenserscheinungen, ohne die ein Leben auf der Erde völlig undenkbar wäre – man kann *Kohlendioxid als Schlüsselsubstanz auffassen (*Assimilation u. *Photosynthese). In ungebundenem Zustand kommt K. als Diamant, Graphit sowie in *Kohle vor, sonst nur gebunden in Carbonaten, Kohlen(di)oxid, Erdöl u. den organ. Verb., die den ganzen Reichtum der organ. Chemie ausmachen. Zu Herst. u. Verw. s. Diamanten, Graphit, Aktivkohle, Ruß sowie die übrigen Textstichwörter.

Geschichte: In seiner elementaren Form, als Holz-, Knochen- od. Blutkohle u. als Ruß ist K. schon dem Menschen der Vorzeit bekannt u. als Brennstoff u. Pigment nützlich gewesen. Den Elementcharakter soll zuerst *Lavoisier, der auch Diamanten zu CO_2 verbrannte, um 1780 festgestellt haben. Anfang des 19. Jh. wurde auch der Modif.-Charakter von Graphit u. Diamant erkannt. Trennant stellte erstmals K. synthet. her, indem er Phosphor-Dämpfe über glühenden Kalk leitete, wobei Calciumphosphat u. K. entstanden. Der Name „Carbon" – der auch im Dtsch. für systemat. Benennungen empfohlen wird (Carbondioxid statt Kohlendioxid) – für das Element C wurde 1787 von *Guyton de Morveau, Lavoisier, *Berthollet u. Fourcroy vorgeschlagen (Lit.[7]). – **E** carbon – **F** carbone – **I** carbonio – **S** carbono

Lit.: [1] Nachr. Chem. Tech. Lab. **27**, 176f. (1979). [2] Nachr. Chem. Tech. Lab. **28**, 654–664 (1980); **30**, 771 ff. (1982). [3] Angew. Chem. **103**, 1552 f. (1991). [4] Angew. Chem. **92**, 375–386 (1980); Pure Appl. Chem. **52**, 1865–1882 (1980). [5] Nachr. Chem. Tech. Lab. **29**, 301–304 (1981); Geochem. Cosmochim. Acta **44**, 1319 (1980). [6] Reactive Intermediates **1**, 1–36 (1980). [7] J. Chem. Educ. **1968**, 68–89.
allg.: Blaue Liste, S. 81 ▪ Brauer (3.) **2**, 609–653 ▪ Büchner et al., Industrial Inorganic Chemistry, S. 468–505, Weinheim: VCH Verlagsges. 1989 ▪ Encycl. Polym. Sci. Technol. **2**, 820–836 ▪ Gmelin, Syst.-Nr. 14, C, 1967 ff. ▪ Kirk-Othmer (4.) **4**, 949–1117 ▪ Ullmann (5.) **A 5**, 96–163. – Inst. u. Organisationen: Gesamtverband Steinkohle, 45128 Essen ▪ Dtsch. wissenschaftliche Ges. Erdöl, Erdgas u. Kohle e. V., 22297 Hamburg ▪ Kohlenstoffbiologische Forschungsstation, Dortmund ▪ Max-Planck-Institut für Kohlenforschung, 45470 Mülheim ▪ s. a. bei den einzelnen Kohlenstoff-Arten u. -Formen sowie den verschiedenen Textstichwörtern. – [HS 280300; CAS 7440-44-0]

Kohlenstoff-Cyclus (auch Bethe-Weizsäcker-Cyclus). Cyclus der *Kernfusion, der in der *Sonne stattfindet.

Kohlenstoffdioxid s. Kohlendioxid.

Kohlenstoffdisulfid s. Schwefelkohlenstoff.

Kohlenstoff-Fasern (Graphit-Fasern). *Kohlenstoff ist auch in Form flexibler Fasermaterialien herstellbar. Als Ausgangsmaterialien für diese anorgan. *Fasern dienten anfangs nur Faserstoffe auf der Basis von *Cellulose, später auch synthet. u. tier. Fasern, die pyrolyt. od. durch drast. Dehydratisierung zu K.-F. zersetzt wurden. Bes. Anw. fand hierbei Polyacrylnitril, das zu C- u. N-haltigen *Leiterpolymeren (vgl. Black Orlon) u. schließlich zu K.-F. pyrolysiert wurde. Heute werden K.-F. aus Polyacrylnitril, Celluloseacetat od. aus

dem teerartigen Rückstand der Erdölraffination produziert. Der Faserherst. folgen 3 Verf.-Schritte: *Stabilisierung* (Überführen in eine unschmelzbare Form), unter Streckung, durch Luftoxid. bei $200-300\,°C$ ($2-4\,h$).
Carbonisation unter Abspaltung flüchtiger Produkte bei $1200-1500\,°C$ unter N_2 ($45-60\,s$).
Graphitisierung bei $2000-3000°$ unter N_2 od. Argon ($15-20\,s$).
In der 2. Stufe erhält man hochfeste (HF-) K.-F. u. in der 3. Stufe sog. Hochmodul- (HM-) K.-F., die gelegentlich auch als *Graphitfasern* bezeichnet werden. K.-F. zur Herst. von *K.-F.-verstärkten Kunststoffen* (CFK) werden im allg. noch einer (oxidativen) Oberflächenbehandlung unterzogen, um eine bessere Adhäsion zwischen Faser u. Polymer-Matrix zu erhalten. *Verw.:* Da K.-F. bis zu Temp. von $2500\,°C$ hochfest, ca. viermal leichter als Stahl, korrosionsbeständig, gute elektr. u. Wärmeleiter, bes. zugfest (HF-) od. bes. elast. sind (HM-Fasern), finden sie in Form von Garnen, Bändern, Geweben usw. Verw. zur *Faserverstärkung* von Kunststoffen, die in Fahrzeugbauteilen, Hitzeschilden zur *Ablationskühlung, Sportgeräten, medizin. Implantatwerkstoffen, in der Elektronik-Ind. u. als Metallmatrix-Verbundstoffe für Hochtemp.-Werkstoffe eingesetzt werden. Für die Verw. in Materialien für die Luft- u. Raumfahrt sind K.-F. in DIN 65 184 (12/1993) spezifiziert. Weitere Anw. ergeben sich als Filtermaterial für Aerosole u. Stäube, als Glühlampenfäden in einem Chlorfluorkohlenstoff-Kreisprozeß[1], in Leitungen von Herzschrittmachern usw. Zur Geschichte s. *Lit.*[2]. – *E* carbon fibers – *F* fibres de carbone – *I* fibre di carbonio – *S* fibras de carbono
Lit.: [1] Z. Chem. **21**, 373 f. (1981). [2] Bacon u. Moses, in Seymour u. Kirshenbaum, High Performance Polymers, New York: Elsevier 1986.
allg.: Donnet, Carbon Fibers, New York: Dekker 1989 ▪ Kirk-Othmer (3.) **4**, 622–628; **6**, 694 f.; **12**, 469 ff.; (4.) **5**, 1–19; **7**, 8 f. ▪ Rogowin, Chemiefasern: Chemie-Technologie, S. 366–373, Stuttgart: Thieme 1982 ▪ Ullmann (5.) **A 7**, 377 ff. ▪ Winnacker-Küchler (4.) **3**, 306 ff.

Kohlenstoff-Gruppe. Bez. für die 14. Gruppe des *Periodensystems, zu der die Elemente *Kohlenstoff, *Silicium, *Germanium, *Zinn u. *Blei gehören. Nach Vorschlag der IUPAC können die Elemente auch als *Tetrele* zusammengefaßt werden. – *E* carbon group – *F* groupe du carbone – *I* gruppo di carbonio – *S* grupo del carbono

Kohlenstoff-Mobilisierung. Umwandlung organ. Stoffe in mobile (gasf., flüssige od. lösl.) *Kohlenstoff-Verbindungen. Die K.-M. führt bei der Umsetzung von *Abfall natürlicher (Bestandsabfall, s. Bestand) od. techn. Syst. zu Kohlendioxid, Methan, Kohlenmonoxid u.a. Stoffen. Der Rückstand (*Faulschlamm, *Kompost, *Humus, *Lymabios, Gyttia u.a.; bei der *Verbrennung die Asche) ist Kohlenstoffärmer als das Ausgangsmaterial. Er enthält aber oft *abbauresistente Substanzen, so bei der *Inkohlung (Diagenese von *Kohle), wo nach der Mobilisierung von Kohlenstoff-, Stickstoff-, Sauerstoff- u. Wasserstoff-Verb. letztlich fast reiner Kohlenstoff zurückbleibt. – *E* carbon mobilization – *F* mobilisation du carbone – *I* mobilizzazione del carbonio – *S* movilización del carbono
Lit.: Schaefer u. Tischler, Ökologie (2.), S. 137, Stuttgart: Fischer 1983.

Kohlenstoffmonofluorid s. Graphit-Verbindungen.

Kohlenstoffmonoxid s. Kohlenoxid.

Kohlenstoffoxide. Neben Kohlen(stoff)monoxid, CO (*Kohlenoxid), u. *Kohlen(stoff)dioxid, CO_2, sind noch *Kohlensuboxid, C_3O_2, das Anhydrid der Malonsäure, u. $C_{12}O_9$, das Trianhydrid der *Mellit(h)-säure, bekannt. Instabile Formen sind C_2O, C_2O_3 u. CO_3. Trikohlenstoffmonoxid C_3O, ein *Kumulen, ist durch Pyrolyse von Fumaroyldichlorid erhältlich (*Lit.*[1]). Als weitere K. werden C_6O_6 (s. *Lit.*[2]) u. Epoxide der *Fullerene, z. B. $C_{60}O_n$, beschrieben. – *E* carbon oxides – *F* oxydes de carbone – *I* ossidi di carbonio – *S* óxidos de carbono
Lit.: [1] J. Am. Chem. Soc. **107**, 4112–4115 (1985). [2] Chem. Ber. **100**, 315–322 (1967); Inorg. Chem. **36**, 1520 f. (1997).

Kohlenstoff-Stähle. Alle unlegierten Stähle mit ca. 0,1 bis 0,8% Kohlenstoff. Obwohl nicht zu den eigentlichen Leg.-Elementen des *Stahls gerechnet, ist C eines der wichtigsten Elemente im Stahl (*Eisen-Kohlenstoff-System), da er die *Festigkeit des Eisens durch Ausscheidungs- u. Mischkristallbildung sowie Feinkorn (*Perlit) u. *Umwandlungshärtung (*Martensit) steigert, die Zähigkeit parallel dazu allerdings vermindert. So wird bis ca. 0,8% C die Zugfestigkeit um 90 N/mm^2 je 0,1% C erhöht, die *Streckgrenze entsprechend um 40 N/mm^2. Die Bruchdehnung sinkt dabei um ca. 5% je 100 N/mm^2 Zugfestigkeitsanstieg. K.-S. mit >0,25% C sind härtbar (vergütbar) u. damit nur noch begrenzt schweißbar. Sie werden aufgrund der vom C-Gehalt beeinflußten Breite ihres Eigenschaftsspektrums Festigkeit/Zähigkeit in verschiedenen techn. Bereichen eingesetzt, beispielsweise als unlegierte Baustähle wie auch als Einsatz- u. Vergütungsstähle. Da C-Atome im Mischkristall mit Fe auf *Zwischengitterplätzen eingelagert werden, zählen sie zu *Punktdefekten im Eisen-Gitter u. stehen daher mit diesem in einem von der Temp. abhängigen Gleichgewicht. Dies bedeutet, daß die Herst. extrem C-armer Stähle sehr aufwendig ist. – *E* carbon steel, mild steel – *F* acier au carbone, acier non allié – *I* acciai carbonici – *S* aceros al carbono
Lit.: s. Stahl.

Kohlenstoffsteine (Kohlensteine). Formkörper aus Hartbrandkohle u. Elektrographit (s. Graphit), die z. B. in Salzsäure-Kühlern, Zellstoff-Kochern, Hochöfen, Holzverzuckerungsapparaturen, elektochem. u. elektrometallurg. Anlagen verwendet werden. Die K. sind in neutraler u. reduzierender Atmosphäre bis zu den höchsten Temp. druckfest u. temperaturwechselbeständig, widerstehen Flußsäure, alkal. u. nichtoxidierenden Stoffen u. leiten Wärme u. elektr. Strom gut. – *E* carbon bricks – *F* briques de carbone – *I* pietre di carbonio – *S* ladrillos de carbono
Lit.: Ullmann (4.) **10**, 328; **11**, 563; **14**, 608; (5.) **A 13**, 72 f.; **A 14**, 481 ▪ Winnacker-Küchler (4.) **3**, 281, 303.

Kohlenstoff/Stickstoff-Quotient, -Verhältnis s. C/N-Verhältnis.

Kohlenstoffsuboxid s. Kohlensuboxid.

Kohlenstoff-Verbindungen s. Kohlenstoff..., Organische Chemie u. Graphit-Verbindungen.

Kohlensuboxid (Propadiendion). O=C=C=C=O, M_R 68,03. Farbloses, giftiges, erstickend nach Acrolein u. Senföl riechendes Gas, D. 1,11 g/L, Schmp. −107 °C, Sdp. 7 °C, lösl. in CS_2 u. Xylol, gibt mit Wasser Malonsäure. K. ist in reinem Zustand beständig, in unreinem Zustand tritt leicht Polymerisation zu einer roten, amorphen Substanz ein („Rote Kohle").
Herst.: Man entzieht der Malonsäure mit Phosphorpentoxid 2 Mol. Wasser (K. ist formal ein Bisketen), od. man pyrolysiert *O,O′*-Diacetylweinsäureanhydrid. K. wird in der organ. Chemie, insbes. zur Herst. von Heterocyclen verwendet, s. *Lit.*[1]. – *E* carbon suboxide – *F* suboxyde de carbone – *I* sottossido di carbonio – *S* subóxido de carbono
Lit.: [1] Angew. Chem. **86**, 529–542 (1974).
allg.: Beilstein E IV **1**, 3764 ▪ Brauer (3.) **2**, 623 f. ▪ Gmelin, Syst.-Nr. 14, Cl, 1970, S. 75–99. – *[CAS 504-64-3]*

Kohlenwasserstoffe. Bez. für organ. Verb., die nur aus *Kohlenstoff u. *Wasserstoff bestehen. Sie bilden das Rückgrat der organ. Chemie, da die Substitution der H-Atome durch *funktionelle Gruppen bzw. der Austausch der Kohlenstoff-Atome durch Heteroatome die unübersehbare Vielfalt der organ. Verb. ermöglicht. Die Einteilung der K. in verschiedene Stoffklassen erleichtert die Systematisierung in der organ. Chemie. Nach Art des Kohlenstoff-Gerüstes unterscheidet man zwischen *acycl.* u. *cycl. Kohlenwasserstoffen.* Die *acycl. K.* werden auch *aliphat. K.* (s. aliphatische Verbindungen) od. Aliphaten genannt; sie beinhalten die wichtigen Klassen der *Alkane (*Paraffine), *Alkene (*Olefine) u. *Alkine (*Acetylene*), die jeweils *homologe Reihen bilden mit *Methan, Ethen (*Ethylen) u. Ethin (*Acetylen) als erstem Glied der Reihe. Bei den *cycl. K.* unterscheidet man zwischen den *alicycl. K.* (auch Alicyclen, Cycloaliphaten od. cycloaliphat. K. genannt), die durch die homologen Reihen der *Cycloalkane, *Cycloalkene u. *Cycloalkine repräsentiert werden, u. den *aromat. K.* (*Aromaten) mit *Benzol als typ. Vertreter (s. a. Aromatizität u. Benzol-Ring). Alicycl. K. mit sechsgliedrigen Ringen nennt man auch *hydroaromat. K.* od. *Hydroaromaten.* Acycl. u. alicycl. K., in deren Mol. nur C,C-Einfachbindungen auftreten, werden als *gesätt.* K. bezeichnet, solche mit C,C-Doppel- u./od. -Dreifachbindungen im Mol. als *ungesätt.* Kohlenwasserstoffe. Als Gruppenbez. für gesätt. K. sind auch noch Namen wie *Grenzkohlenwasserstoffe* (weil sie bis zur Grenze ihrer Aufnahmefähigkeit mit H abgesätt. sind), *Paraffinkohlenwasserstoffe* (weil sie chem. sehr beständig u. reaktionsträg sind), *Methankohlenwasserstoffe* (weil sie sich vom Methan als erstem Glied dieser Reihe herleiten) im Gebrauch. In der Abb. sind die homologen Reihen der *aliphat. K.* in ihren Anfangsgliedern angeführt. Die Zahl der möglichen K. wird durch die *Konstitutionsisomerie, die ab den eingekreisten Gliedern ins Spiel kommt, wesentlich erhöht; so existieren von C_8H_{18} neben Octan bereits 17 verzweigte Konstitutionsisomere. Die *Nomenklatur der K. richtet sich nach den IUPAC-Regeln Sektion A (Kohlenwasserstoffe).

Abb.: Homologe Reihen der aliphat. Kohlenwasserstoffe.

Vork.: K. kommen im Erdöl, in den Trockendestillaten fossiler Brennstoffe, in bituminösen Schiefern etc. vor, aromat. K. wegen ihrer höheren Sdp. meist in Dest.-Rückständen (Teer). Für die Paläobiochemie ist das Auftreten bestimmter K. als sog. Chemofossilien (vgl. Fossilien) von bes. Interesse. K. sind ferner weit verbreitet als Pflanzeninhaltsstoffe; *Beisp.:* Terpene, Carotinoide, Kautschuk u. a. *Isoprenoide, Cycloalkene als Algen-Sexuallockstoffe, als Erdöl-Ersatz nutzbar zu machende K.-Öle (als nachwachsende Rohstoffe, z. B. *Biodiesel*). Einfache K., bes. Methan, stellen auch die Stoffwechselprodukte mancher Mikroorganismen dar, was heute vielfach zur Erzeugung von *Biogas genutzt wird.
Verw.: Die aus Erdgas od. aus Erdöl gewonnenen u. ggf. durch die verschiedenen Verf. der Petrochemie (Dest., Kracken, Reformieren etc.) veredelten od. die auf dem Wege der *Kohleverflüssigung bzw. -vergasung (*Kohleveredlung) hergestellten K. dienen als Brennstoffe, Motorkraftstoffe (Benzin, Diesel- u. Kraftstoffe), als Lsm. u. Schmierstoffe u. als Ausgangsverb. in der organ. Synthese.
Toxikologie: Aliphat. K. sind in der Regel nicht bzw. gering toxisch. Anders verhält es sich dagegen mit den *aromat. K.*, beispielsweise mit *Benzol, das als *Carcinogen eingestuft wird. Ein großes Gefährdungspotential geht auch von den, v. a. durch Kraftstoffe, in die Umwelt gebrachten, *polycyclischen aromatischen Kohlenwasserstoffen (PAK bzw. PAH) aus, von denen einige ebenfalls carcinogene u. auch mutagene Eigenschaften besitzen; s. z. B. Benzo[*a*]pyren. Unverbrannte K. in den *Kraftfahrzeugabgasen sind auch für den Photosmog (s. Smog) in Großstädten bei *Inversions-Wetterlagen mitverantwortlich. – *E* hydrocarbons – *F* hydrocarbures – *I* idrocarburi – *S* hidrocarburos
Lit.: Kirk-Othmer (3.) **12**, 826–937; (4.) **13**, 682 ff. ▪ Olah u. Molnár, Hydrocarbon Chemistry, New York: Wiley 1995 ▪ Ullmann (5.) **A 13**, 227 ff. ▪ Weissermel-Arpe (4.), S. 1 ff. ▪ Winnacker-Küchler (4.) **5**, 225–259 ▪ s. a. die Textstichwörter u. Petrochemie.

Kohlenwasserstoff-Harze. Eine Sammelbez. für thermoplast., farblose bis intensiv braun gefärbte

*Polymere mit einer Molmasse von im allg. <2000. Sie lassen sich nach ihrer Provenienz in drei große Gruppen einteilen: In Petroleum-, Kohlenteer- u. Terpenharze. Die wichtigsten Kohlenteerharze sind die *Cumaron-Inden-Harze. Die K.-H. werden durch *Polymerisation der aus den Rohstoffen isolierbaren ungesätt. Verb. gewonnen. Zu den K.-H. werden auch durch Polymerisation von *Monomeren wie Styrol bzw. durch *Polykondensationen (bestimmte Formaldehyd-Harze) zugängliche Polymere mit entsprechend niedriger Molmasse gerechnet. K.-H. sind Produkte mit in weiten Grenzen von <0 °C (bei 20 °C flüssige K.-H.) bis >200 °C variierendem Erweichungsbereich u. einer Dichte von ca. $0,9-1,2$ g/cm³. Sie sind lösl. in organ. Lsm. wie Ethern, Estern, Ketonen u. chlorierten Kohlenwasserstoffen, unlösl. in Alkoholen u. Wasser. Sie besitzen eine gute Verträglichkeit mit u.a. trocknenden Ölen, Weichmachern u. Polymeren wie *Kautschuk od. *Polyethylen.
Verw.: Als Klebrigmacher (Tackifier), Bindemittel, Filmbildner od. Extender für sehr unterschiedliche Einsatzgebiete, z.B. zum Modifizieren von Kautschuk, Klebstoffen, Druckfarben, Anstrich- od. Beschichtungsmitteln; u.a. auch zur Herst. von *Kaugummi. – *E* hydrocarbon resins – *F* résines d'hydrocarbures – *I* resine idrocarburiche – *S* resinas de hidrocarburos
Lit.: Ullmann (4.) **12**, 539–545. – *[HS 3911 10]*

Kohlenwertstoffe. Sammelbez. für die Nebenprodukte der sog. *Kohleveredlung, also die bei der Entgasung, Vergasung u. Verölung der *Kohle u. die bei der Aufarbeitung des *Steinkohlenteers anfallenden Produkte, z.B. Benzol, Naphthalin, Phenol, Anthracen. – *E* coke oven by-products – *F* sous-produits de la carbonisation – *I* sottoprodotti nell' affinazione (raffinamento) di carbone – *S* subproductos de la carbonización

Kohlepapier. Bez. aus der Bürochemie für ein dünnes Hadern-/Zellstoff-Papier, einseitig mit einer 10–13 g/m² schweren, je nach gewünschtem Farbton Ruß u./od. Farbstoffe enthaltenden Wachsschicht versehen. Unter dem Schreibdruck von Hand- od. Maschinenschrift wird etwas von dieser gefärbten Wachsschicht auf die Unterlage übertragen u. damit die Durchschrift(en) erstellt. Von K. unterschieden wird das (kohlefreie) *Durchschreibepapier. – *E* carbon (copy) paper – *F* papier de carbone – *I* carta carbone – *S* papel carbón
Lit.: Ullmann (4.) **17**, 620; (5.) **A 18**, 660.

Kohlepyrit s. Markasit.

Kohleschönung s. Wein.

Kohleveredlung. Sammelbez. für alle techn. Maßnahmen, durch die der Wert der *Kohle nach ihrer bergmänn. Förderung gesteigert wird; *Beisp.*: Aufbereitung, Brikettierung, Schwelung, Verkokung, Hydrierung, Extraktion, Stadtgaserzeugung, Gewinnung von *Kohlenwertstoffen aus Teer. Mit der Renaissance der Kohlechemie – als Folge der Ölkrisen – gewannen v.a. die im folgenden näher behandelten Verf. der *Kohleverflüssigung u. *Kohlevergasung zunehmend an Bedeutung. Der Preisverfall des Erdöls zu Beginn der 80er Jahre führte jedoch zum Abbruch zahlreicher Pilotplants, bes. in den USA. Es sei erwähnt, daß viele wichtige Verf. der Kohleverflüssigung u. -vergasung in Deutschland entwickelt worden sind. – *E* coal refining – *F* raffinage du charbon, valorisation du charbon – *I* affinazione (raffinamento) di carbone – *S* refinación del carbón
Lit.: Falbe, Chemierohstoffe aus Kohle, Stuttgart: Thieme 1977 ▪ Falbe, Chemical Feedstocks from Coal, New York: Wiley 1982 ▪ Kirk-Othmer (3.) **6**, 276–281; **S**, 191–228; (4.) **6**, 476–485 ▪ Winnacker-Küchler (4.) **5**, 420–501.

Kohleverflüssigung. Sammelbez. für Verf. zur Überführung von *Kohle in flüssige *Kohlenwasserstoffe, wobei v.a. an die Gewinnung von Treibstoffen u.a. *Kohlenwertstoffen zu denken ist. Man unterscheidet: indirekte Verf., denen eine *Kohlevergasung vorausgeht (*Beisp.*: *Fischer-Tropsch-Synthese), *Hydrierung mit Wasserstoff-übertragenden Medien (*Beisp.*: die von *Pott u. *Broche entwickelte Kohleextraktion mit H-abgebenden Lsm.) u. die direkte K. durch therm. Abbau der Kohle, wobei größere Anteile an Aromaten anfallen. Zwar zählt hierzu auch die *Schwelung insbes. von *Braunkohle, doch sind die Ausbeuten an flüssigen Produkten dabei nur gering. Soweit sie der Herst. von *Benzin dienten, sind die Verf. dort bereits näher charakterisiert. Im allg. wird unter der direkten K. die *Kohlehydrierung verstanden, bei der die aus den makromol. Kohle-Strukturen therm. u. katalyt. abgespaltenen niedermol. Bruchstücke durch Absättigung mit Wasserstoff stabilisiert werden. Dieses in Deutschland in den 20er Jahren durch *Bergius u. *Pier entwickelte Verf. wurde bes. in den 40er Jahren in größerem Umfang praktiziert, verlor aber – wie auch andere *Kohleveredlungs-Verf. – mit der raschen Entwicklung der *Petrochemie seine Bedeutung. In den USA, der BRD, in England u. Japan wurden nach den Ölkrisen wieder Versuche zur Fortentwicklung der K. unternommen, die auf besseren Katalysatorsyst. u. auf der Beherrschung höherer Drücke u. Temp. aufbauen. Näheres zu den verschiedenen Techniken der K. s. *Lit.*, insbes. bei Kirk-Othmer, Winnacker-Küchler u. Ullmann. Zu den neueren dtsch. Entwicklungen – IGOR-Verf. u. Coprocessing von Braunkohle mit Rückständen aus der Petrochemie – s. *Lit.*[1]. Die Konkurrenzfähigkeit der K. gegenüber petrochem. Verf. ist gegenwärtig (1997) nicht gegeben. Freilich können neben wirtschaftlichen auch polit. Gründe für die techn. Durchführung der K. maßgeblich sein; *Beisp.*: die Sasol-Anlagen in Südafrika. Auf die Geschichte der K. geht *Lit.*[2] näher ein. – *E* coal liquefaction – *F* liquéfaction du charbon – *I* liquefazione del carbone – *S* licuefacción del carbón
Lit.: [1] Erdöl Erdgas Kohle **105**, 75–78, 79–82 (1989). [2] Catalysis **3**, 1 ff. (1982).
allg.: Kirk-Othmer (3.) **11**, 447–478; (4.) **6**, 568–594 ▪ Stenberg, Direct Liquefaction of Low Rank Coals, New York: Wiley 1988 ▪ Ullmann (4.) **14**, 329–355, 475–495; (5.) **A 7**, 197–243 ▪ Winnacker-Küchler (4.) **5**, 449–471 ▪ s.a. Kohleveredlung, Kohle, Benzin.

Kohlevergasung. Sammelbez. für alle Verf. zur – möglichst vollständigen – Umwandlung von *Stein- od. *Braunkohle in brennbare Gasgemische durch Umsetzung mit Luft, Sauerstoff, Wasserdampf, Kohlendioxid od. Wasserstoff od. Gemischen dieser *Vergasungsmittel* bei höheren Temp. (800–1500 °C) u. ggf. unter Druck. Die entstehenden Rohgase enthalten im wesentlichen H_2, CO, CH_4, CO_2, N_2 sowie je nach Kohleart geringe Mengen an H_2S, COS, NH_3, höheren Kohlenwasserstoffen u. Spuren sonstiger Verb. (HCN, Thiolen etc.). Da die *chemischen Gleichgewichte der K. (*Boudouard-Gleichgewicht, *Wassergas-, *Generatorgas-, *Synthesegas-Gleichgew., Methan-Bildung) stark temp.- u. druckabhängig sind, hängt die Rohgas-Zusammensetzung von den Prozeß-, insbes. von Stoff- u. Wärmeübergangsbedingungen ab. Da die K. ein endothermer Prozeß ist, muß die benötigte Energie entweder von außen zugeführt (*allotherme* Verf.) od. durch teilw. Verbrennung im Generator selbst erzeugt werden (*autotherme* Verf., die ca. 25–30% der eingesetzten Kohle verbrauchen). Nach diesem Prinzip arbeiten (noch) alle techn. K.-Anlagen. Neben der *Kohleverflüssigung ist die K. dasjenige Verf. der *Kohleveredlung, das in Zukunft größte Bedeutung für die Bereitstellung der organ. Basischemikalien haben wird.

Im folgenden sollen die wichtigsten K.-Verf. kurz charakterisiert werden, wobei die einzelnen Verf.-Schritte u. Apparate ggf. als Einzelstichwörter ausführlicher abgehandelt sind: Das *Lurgi-Druckvergasungs-Verf.* arbeitet mit Festbett-Reaktoren, in denen Briketts od. Kohleschüttgut (10–30 mm Korngröße) im Gegenstrom eingesetzt werden. Im *Wirbelschichtverf.* werden Anlagen vom Typ der *Winkler-Generatoren mit feinkörniger Kohle (1–10 mm Korngröße) im Gleichstrom betrieben. Intensiv untersucht wird das *Koppers-Totzek-Verf.*, bei dem Kohlenstaub (<0,1 mm Korngröße) im Gleichstrom zusammen mit den Vergasungsmitteln horizontal in die Reaktormitte eingeblasen wird (Flugstrom-Vergaser); für dieses Verf. sind prakt. alle, auch minderwertige Kohlearten geeignet. Noch im Versuchsstadium befindet sich die *hydrierende K.* (HKV), bei der Kohle mit H_2 zu synthet. Erdgas (*E synthetic natural gas* = SNG) umgesetzt wird (*Methanisierung*). Bei der *Untertagevergasung*, die v. a. für Lagerstätten in großen Tiefen in Frage kommt, wo ein bergmänn. Abbau nicht mehr wirtschaftlich ist, werden die Vergasungsmittel über Bohrlöcher in den brennenden od. schwelenden Flöz eingepreßt u. setzen sich dort mit der Kohle um zu einem Produktgas, das über andere Bohrlöcher abgezogen wird. Ein Problem ist dabei die Verunreinigung von Grundwasser durch Nebenprodukte wie Phenole, Kohlenwasserstoffe u. S- u. N-Heterocyclen. Bisher wird dieses Verf. in techn. Umfang nur in der ehem. UdSSR, als Pilotprojekt auch in den USA u. in Westeuropa betrieben. Zu Forschungsaktivitäten auf diesem Gebiet s. *Lit.*[1]. Die bei der K. u. der oft nachgeschalteten Konvertierung erhaltenen CO/H_2-Gemische lassen sich – je nach dem Verhältnis CO : H_2 u. je nach Katalysator – einsetzen für: Die Methanisierung zu SNG, zur Fischer-Tropsch-Synth., zum Haber-Bosch-Verf., zur Synth. von Methanol, für die Oxo-Synth. od. Hydroformylierung od. als Brenngase zu Heizzwecken od. zur Direktred. von Eisenerzen zu Eisen-Schwamm. Neuerdings wird in einer Großversuchsanlage in Holland mittels SCGP (Shell Coal Gasification Process) erzeugtes Synthese-

gas in nachgeschaltetem Gas-/Dampfturbinenkraftwerk zur Stromerzeugung genutzt. Aus täglich 2000 t Kohle werden nach Abzug des Eigenverbrauchs ca. 250 MW Strom erzeugt, der wegen hohen Wirkungsgrades u. schadstoffarmer Reaktionsführung gegenüber herkömmlichen Kohlekraftwerken wettbewerbsfähig sein soll (*Lit.*[2]). – *E* coal gasification – *F* gazéification du charbon – *I* gassificazione del carbone – *S* gasificación del carbón

Lit.: [1] Naturwissenschaften **76**, 237–242 (1989). [2] Erdöl Erdgas Kohle **110**, 207 f. (1994).
allg.: Kirk-Othmer (3.) **11**, 410–425; (4.) **6**, 541–568 ▪ Penner, Coal Gasification, Oxford: Pergamon 1987 ▪ Ullmann (4.) **14**, 372–393; (5.) A **7**, 184 ff.; A **12**, 214–237 ▪ Winnacker-Küchler (4.) **5**, 422–449 ▪ s. a. Kohleveredlung.

Kohlige Chondrite s. Meteoriten.

Kohlrausch, Friedrich Wilhelm Georg (1840–1910), Prof. für Physik, Darmstadt, Würzburg, Straßburg u. Berlin. *Arbeitsgebiete:* Elektrolyt. Dissoziation, Wanderungsgeschw. von Ionen, elektrochem. Äquivalent von Silber, Konstruktion des Silber-Voltameters. K. prägte den Begriff der molaren Leitfähigkeit.

Lit.: Krafft, S. 204 f. ▪ Lexikon der Naturwissenschaftler, S. 247 ▪ Neufeldt, S. 66, 92, 380 ▪ Pötsch, S. 243 ▪ Strube et al., S. 66 ff., 130.

Kohlrauschsches Gesetz s. Isotachophorese.

Kohlrauschsches Quadratwurzelgesetz. Das im 19. Jh. von Friedrich *Kohlrausch empir. gefundene Gesetz beschreibt die Konz.-Abhängigkeit der *Leitfähigkeit von verd. wäss. Lsg. starker Elektrolyte (s. elektrolytische Dissoziation). Die *molare Leitfähigkeit* Λ der Elektrolytlsg. hängt dabei von der Wurzel der Konz. des Elektrolyten ab gemäß:

$$\Lambda = \Lambda_0 - \kappa \sqrt{c}$$

mit Λ_0, der molaren Grenzleitfähigkeit bei unendlicher Verdünnung, c, der molaren Konz. u. κ, einem Koeff., der von der Stöchiometrie des Elektrolyten u. von der Art u. Ladung der Kationen u. Anionen abhängt, in die der Elektrolyt dissoziiert. Je höher die Wertigkeit der Ionen, desto größer ist der Koeff. κ. Das K. Q. gilt für viele verd. Elektrolytlsg. bis zu einer Konz. von ca. 0,01–0,02 mol/L recht gut.

Kohlrausch konnte auch zeigen, daß die *molare Grenzleitfähigkeit* Λ_0 als Summe von Beiträgen der einzelnen Ionen geschrieben werden kann:

$$\Lambda_0 = v_+ \lambda_+ + v_- \lambda_-$$

wobei λ_+ u. λ_- die molaren Grenzleitfähigkeiten des Kations bzw. des Anions u. v_+ u. v_- die jeweiligen stöchiometr. Koeff. sind. In verd. Lsg. bewegen sich also die Kationen u. Anionen unabhängig voneinander (*Gesetz von der unabhängigen Ionenwanderung*). Die Werte für die molaren Ionengrenzleitfähigkeiten hängen von der Ladungszahl, der Größe u. der Hydratation der Ionen ab (Werte s. Ionen).

Lit.: Atkins, Physikalische Chemie, 2. Aufl., Weinheim: VCH Verlagsges. 1996 ▪ Wedler, Lehrbuch der Physikalischen Chemie, 3. Aufl., Weinheim: VCH Verlagsges. 1987.

Kohlung s. Aufkohlung u. Inkohlung.

Koinzidenz. Zeitliches Zusammentreffen zweier Ereignisse, z. B. in der Kernphysik durch gleichzeitiges Auftreten zweier Teilchen, die bei einer *Kernreaktion entstanden sind. Durch das Ausmessen von K. können Art u. Gesetzmäßigkeit einer Reaktion sehr detailliert untersucht werden. – *E* coincidence – *F* coïncidence – *I* coincidenza – *S* coincidencia

Koji. Produkt, das aus von Schimmelpilzen (*Aspergillus oryzae, A. sojae*) durchwachsenem Getreide (v. a. Reis) od. Hülsenfrüchten (z. B. Sojabohnen) besteht u. v. a. in Japan als Enzym-haltige Startermischung zur Herst. verschiedener fermentierter Lebensmittel verwendet wird.

Kojisäure [5-Hydroxy-2-(hydroxymethyl)-4-pyron].

$C_6H_6O_4$, M_R 142,11, Nadeln, Schmp. 153–154 °C, lösl. in Wasser u. Alkohol. K. wird von Bakterien u. *Aspergillus*-Arten in Kohlenhydrat-Nährböden gebildet u. ist aus Glucose u. a. Hexosen synthetisierbar. K. wirkt antibiot. u. bildet Chelate; Name von japan.: koji = Kulturen von *Aspergillus oryzae* auf Reis. – *E* kojic acid – *F* acide kojique – *I* acido kojico – *S* ácido kójico, ácido cójico
Lit.: Agric. Biol. Chem. **43**, 1337 (1979) ▪ Appl. Environm. Microbiol. **32**, 298 f. (1976) ▪ Beilstein E V **18/2**, 516 ▪ J. Sci. Ind. Res. **41**, 185–194 (1982) ▪ Rehm, Industrielle Mikrobiologie, S. 271 f., Berlin: Springer 1980 ▪ Turner **1**, 28; **2**, 3, 4. – *[HS 2941 90; CAS 501-30-4]*

Kokain s. Cocain.

Kokerei(gas) s. Koks u. Stadtgas.

Kokereiteer s. Steinkohlenteer.

Kokille. Allg. eine mehrfach einsetzbare *Gießform zur Herst. von Bauteilen aus metall. Werkstoffen für nur geringe Nachbearbeitung der gegossenen Form. In der Eisenmetallurgie auch eine Form zur Aufnahme des flüssigen Stahls zum Erzeugen von *Halbzeug für Walzwerke u. Schmieden. Der Abguß in der K. wird als Block bezeichnet. Die K. hat zumeist einen quadrat. Querschnitt, der sich kon. von oben nach unten erweitert, damit sie nach erfolgtem Erstarren mittels Blockabstreifkränen nach oben abgezogen werden kann. Die K. wird für ca. 100–200 Abgüsse verwendet. Bei Blöcken für das Walzwerk sind Gew. bis 5 t möglich, bei Blöcken für Schmiedeteile bis 100 t (in Grenzfällen sogar noch darüber). Werkstoffe für die K. sind *Stahlguß* od. *Gußeisen. Die diskontinuierliche Erzeugung von Halbzeug in der K. wird in gewissen Bereichen zunehmend durch den kontinuierlichen *Stranggieß verdrängt. – *E* chill mould – *F* coquille – *I* conchiglia – *S* coquilla
Lit.: Schimpke u. Schropp, Technologie der Maschinenbaustoffe, 18. Aufl., S. 89 ff., Stuttgart: Hirzel 1977 ▪ s. Gießerei.

Kokkelskörner (Fischkörner). Giftige Samen der ind. Scheinmyrte *Anamirta cocculus* (Menispermaceae), enthalten *Picrotoxin, Alkaloide, Bitterstoffe, Fette usw.; K. wird gegen Haut- u. Nervenleiden, Augenzittern u. Schwindel, früher bei Barbitursäure-Vergiftung, zur Gewinnung von Picrotoxin, zur Ungezieferbekämpfung, in Indien als Fischgift zum Fischfang verwendet. – *E = S* cocculus – *I* coccole

Lit.: Braun-Frohne (6.), S. 52 ▪ Dtsch. Apoth. Ztg. **129**, 82 f. (1989) ▪ Hager (5.) **9**, 201 ▪ Zechmeister **17**, 155 f.

Kokken (von griech.: kókkos = Kern, Beere). Sammelbegriff für kugelförmige, meist unbewegliche *Bakterien, die Gram-pos. od. Gram-neg. (*Gram-Färbung), aerob, anaerob od. fakultativ anaerob sein können. Sie können einzeln vorliegen (Monokokken) od. sie bleiben nach der Zellteilung in Wachstumsverbänden zusammen, deren Form u. Gestalt sich aus dem unterschiedlichen Teilungsverhalten der K. ergibt. Sie können z. B. Paare (Diplokokken), Perlenketten (Streptokokken), regelmäßige Pakete (Sarcinen) od. traubenförmige Haufen (Staphylokokken) bilden. Eine Reihe von K. sind Krankheitserreger (Streptokokken, Meningokokken, Gonokokken, Staphylokokken). – *E* cocci – *F* coques, coccus – *I* cocchi – *S* cocos
Lit.: Schlegel (7.), S. 96, 98 f.

Kokosfaser [nach DIN 60001 Tl. 4 (08/1991), Kurzz. CC]. Braune, sehr leichte u. widerstandsfähige *Hartfasern, die die Früchte der *Kokospalme außen umgeben. K. werden (evtl. nach vorheriger Bleichung od. Färbung) zu Stricken, Matten, Gummihaar, Bürsten, Besen u. auch zu Kokosfaserdielen (Gipsdielen mit Kokosfaser-Einlagen) verarbeitet, die für Zwischenwände, Verschalungen u. Isolierungen Verw. finden. – *E* coconut fibre, coir – *F* fibre de coco, coir – *I* fibra di cocco – *S* fibra de coco
Lit.: Kirk-Othmer (3.) **10**, 192; (4.) **10**, 739 ▪ Ullmann (4.) **11**, 198; (5.) A **5**, 400. – *[HS 5305 11, 5305 19]*

Kokosfett s. Kokosöl.

Kokosfettsäuren. Bez. für Gemische, die im wesentlichen *Laurin- u. *Myristinsäure enthalten.

Kokosmilch, -nüsse s. Kokospalme.

Kokosöl. Schmalzweiches, weißes bis schwach gelbliches, frisch u. angenehm bis ranzig riechendes Öl; Schmp. 20–23 °C, D. 0,88–0,90, VZ 255–260, IZ 7,5–9,5, *Hehnerzahl 82–90; bei 60 °C lösl. in der doppelten Menge 90%igem Alkohol.

Tab.: Fettsäure-Zusammensetzung des Kokosöls (*Lit.*[1]).

Fettsäure	Anteil [Gew.-%]
Hexansäure	0,2– 1,0
Octansäure	5,4– 8,0
Decansäure	6,5– 8,5
Laurinsäure	45,0–51,0
Myristinsäure	16,5–18,5
Palmitinsäure	9,0–10,5
Stearinsäure	2,0– 2,3
Behensäure	0,2– 0,4
Ölsäure	8,0–10,0
Linolsäure	0,7– 1,0

Das auch als Kokos(nuß)butter od. -fett bezeichnete K. macht etwa 35% des Gew. der Samen der *Kokospalme aus. Das aus dem Endosperm (*Kopra*) durch Pressen u. aus dem Preßkuchen durch Benzin-Extraktion gewonnene Rohöl kann erst nach Raffinierung u. Desodorierung als Speiseöl verwendet werden. Das gereinigte Fett ist reich an Glyceriden der Laurin- u. Myristinsäure.

Rohes wasserhaltiges K. wird durch höhere Schimmelpilze rasch in Glycerin u. ein übelriechendes Fettsäure-Gemisch gespalten, während das gereinigte, feste K. besser haltbar ist.
Verw.: Zur Herst. von Margarine u. Speisefetten, wichtiger industrieller Rohstoff für die Herst. von *Fettalkoholen* u. *Tensiden* im C-Zahlbereich 12/14. – *E* coconut oil – *F* huile de coco, huile de copra – *I* grasso di cocco – *S* aceite de coco, aceite de copra
Lit.: Belitz-Grosch (4.), S. 586f. ▪ Food Technol. **43**, 90f. (1987) ▪ Franke, Nutzpflanzenkunde (5.), S. 176f., Stuttgart: Thieme 1992 ▪ J. Am. Oil. Chem. Soc. **64**, 539–541 (1987) ▪ Ullmann (5.) **A 10**, 220. – *[HS 151311, 151319]*

Kokospalme. Eine etwa 30 m hohe, in fast allen Tropenländern (bes. Ostindien, Sri Lanka, Sundainseln, Philippinen) angebaute Palme (*Cocos nucifera*, Arecaceae), Heimat vermutlich die Südseeinseln. Sie blüht vom 8. bis zum 100. Jahr u. bringt jährlich etwa 50–400 von einer braunen Faserschicht umgebene Früchte (*Kokosnüsse*) hervor. Diese sind schwimmfähig u. lange keimfähig. Die unreifen Früchte enthalten die flüssige, wasserhelle, süße *Kokosmilch* (umgangsprachlich; korrekter *Kokoswasser*), die später in den anfangs weichen, zuletzt sehr harten, fettreichen Kern übergeht. Bei der Ernte befreit man die steinharten Schalen von der braunen Kokosfaser, dann werden die Kokosnüsse einige Zeit gekocht u. aufgeklopft. Die herausgenommenen großen Kerne (Fettgehalt 60–70%) läßt man in der Sonne auf Darren trocknen. Diese werden unter dem Namen *Kopra* nach Europa ausgeführt u. zur Gewinnung von Kokosfett (s. Kokosöl) verwendet. Die K. ist möglicherweise die einzige Nutzpflanze, die vom Menschen *restlos* genutzt wird – bis zum Arrak (s. Spirituosen) aus *Palmwein* u. *Palmzucker*. – *E* coconut palm – *F* cocotier – *I* palma di cocco – *S* cocotero
Lit.: Franke, Nutzpflanzenkunde, 5. Aufl., Stuttgart: Thieme 1992.

Koks. Meist schwarzer od. grauschwarzer, kohliger, fester, brennbarer Rückstand bei der *Entgasung* od. *Verkokung* (etwa 15–20 h Erhitzung unter Luftabschluß) von Steinkohle, Braunkohle, Torf, Holz od. Pech. Bei der Tieftemp.-Verkokung od. *Schwelung* werden Braunkohlen bis 600°C, bei der Mitteltemp.-Verkokung werden die Kohlen auf 700–800°C u. bei der Hochtemp.-Verkokung über 900°C bis ca. 1400°C (unter Luftabschluß) erhitzt. K. wird in *Kokereien* hergestellt; der Kokerei-K. soll möglichst grobstückig u. wenig zerreiblich sein; er heißt auch *metallurg. K., Gießerei-K.* od. *Hütten-K.* (s. Hochofenkoks), weil er vorwiegend in Hochöfen u. Gießereien Verw. findet. Für die Verkokung eignen sich neben *Braunkohle* (Grude-K.) bes. die „backende Fettkohle" des Ruhrgebiets, die den hochwertigen, festen, grobstückigen westfäl. Hütten-K. liefert, u. die *Gaskohle* mit jeweils 19–28 bzw. 22–35% flüchtigen Anteilen, vgl. a. Kohle. Rhein. Braunkohlen-K. enthält typischerweise etwa 7% Asche u. 2,5% Wasser; auf den wasser- u. aschefreien (waf) Rückstand entfallen etwa 97% C, 0,6% H_2, 0,4% S u. 2% Sauerstoff u. O- u. N-Verbindungen. Die Dichte beträgt 1,85 g/cm³, die Schüttdichte nur 0,5 g/cm³; 40–60% seines Gesamtvol. besteht aus Hohlräumen, wie man durch

Eintauchen in gemessene Wassermengen feststellen kann.
Die Verkokung, die histor. gesehen ihren Ausgang im Schwelprozeß des Meilerofens nahm, findet heute nach einer Reihe verschiedener großtechn. Verf. u. mit verschiedenen Ofentypen statt. Ein *Lurgi-Spülgasofen*, wie er z. B. für die Verschwelung von Braunkohle eingesetzt wird, hat einen Tagesdurchsatz von 500 t Briketts. Ein typ. Kokereiofen (*Horizontalkammerofen*) besteht aus 8 m hohen, 12–17 m langen u. 0,4–0,5 m breiten, aus feuerfesten Silika-Steinen gemauerten, luftdicht verschließbaren Ofenkammern, in denen jeweils ca. 20 t (in Großraumöfen bis 70 t) Kohle bis zu 20 h lang von außen durch Gasbeheizung (Gas aus dem eigenen Betrieb od. Generatorgas bzw. Gichtgas von benachbarten Hochöfen) auf 950–1300°C erhitzt werden (Verkokung der Kohle). Es sind jeweils 15 bis etwa 80 solche Ofenkammern zu einer K.-Ofenbatterie zusammengefaßt. Im Anschluß an die Verkokung wird die glühende Kohle mit Wasser gelöscht. Neue Anlagen arbeiten mit Inertgas (K.-Trockenkühlung), das im Kreislauf geführt zur Dampferzeugung genutzt wird. Bei der Erhitzung der Kohle unter Luftabschluß erhält man aus 1 t Trockenkohle 750–780 kg K. (Heizwert ca. 29 MJ/kg = 7000 kcal/kg, Aschengehalt ca. 10%) u. etwa 350–400 m³ Gas. Aus diesem werden Teer, NH_3, Schwefelwasserstoff, Phenole, Naphthalin, Benzol, Leichtöl (Rohbenzin) usw. abgeschieden. Die Anteile schwanken je nach Ausgangsmaterial u. Verf.; mit diesen Faktoren wechselt auch die Zusammensetzung des K.-Gases, die im Durchschnitt bei ca. 61% H_2, 26% Methan, 5% CO, 1,6% CO_2, 2,2% N_2 u. 3% höherer Kohlenwasserstoffe liegt; der Brennwert beträgt ca. 23000 kJ/m³ (*Starkgas*). Details zur Technologie u. zu den Massen- u. Energiebilanzen der K.-Herst. aus Braun- od. *Steinkohle* entnehme man *Lit.*, z. B. Winnacker-Küchler.
Ohne K. hätte die Eisen-Gewinnung niemals die notwendigen Ausmaße erreichen können, denn die Vorräte an Holz, aus dem die früher einmal verwandte Holzkohle gewonnen wird, reichen bei weitem nicht aus, u. die rohe Steinkohle würde den Hochofen verstopfen. Alle bisher gebräuchlichen Kokereiverf. arbeiten diskontinuierlich u. damit unter Zeit- u. Energieverlust. Bes. Aufwand erfordert die Reinigung der Kokereiabwässer.
Verw.: Früher lieferten die Gasfabriken als Nebenprodukte der Leuchtgasfabrikation sog. *Gas-K.*, der in erster Linie in Zentralheizungen, Kesselanlagen usw. verbrannt wurde. Heute dient der K. aus den Kokereien in *Hochöfen* als Red.-Mittel u. Brennstoff, bei der *Kohlevergasung* zur Herst. von *Generatorgas*, zur Herst. von Calciumcarbid u. in der Abwassertechnologie gelegentlich als Ersatz für Aktivkohle [1] sowie als Adsorbentien in der Rauchgas-Reinigung [2]. Die K.-Produktion (Angaben in Mio. t/a) ist in der BRD seit 1960 (50,6) rückläufig: 47,4 (1965), 42,5 (1970), 36,1 (1975), 29,3 (1980), 22,7 (1986), 15,8 (1991), 11,0 (1994) (*Lit.[3]*). – *E = F = I* coke – *S* coque
Lit.: [1] Korrespondenz Abwasser **36**, 282–288 (1989). [2] Chem. Tech. (Heidelberg) **19**, Nr. 4, 122–125 (1990). [3] Statist. Jahrbuch 1996 für die BRD, S. 214, Stuttgart: Metzler-Poeschel 1995.

allg.: Kirk-Othmer (3.) **6**, 249, 284–306; **S**, 228–234; (4.) **6**, 489–511 ▪ Loison, Coke: Analysis and Production, London: Butterworth 1989 ▪ Ullmann (4.) **14**, 491–505; (5.) **A 7**, 245–280 ▪ Winnacker-Küchler (4.) **5**, 309–330, 391–412. – *[HS 2704 00]*

„Koks" s. Cocain.

Kok-Saghys (latein.: *Taraxacum bicorne* od. *T. koksaghyz*). Eine zu den Korbblütlern gehörende, in Zentralasien heim. Löwenzahnart, die in ihren Wurzeln *Kautschuk-Latex enthält. Sie gilt nach den *Hevea*-Arten u. dem Guayle-Strauch (*Parthenium argentatum*, Mexiko) als für die Gewinnung von *Naturkautschuk bes. geeignete Pflanzenart. K.-S. wurde daher vorübergehend in Rußland zur Gewinnung von Kok-Saghyz-Kautschuk kultiviert. Eine Kautschuk-Gewinnung aus K.-S. kommt aus ökonom. Gründen allerdings nur als Notmaßnahme in Frage. – *E* kok-saghyz – *I* tarassaco bicorne – *S* cliente de león bicorne
Lit.: Barlow, The Natural Rubber Industry, S. 18, Oxford: Oxford University Press 1978.

Koksschwarz. Früher als Schwarz-Pigment verwendeter gemahlener *Grudekoks.
Lit.: Ullmann (3.) **13**, 773.

Kokzidiostatika. Von griech.: kokkos = Kern u. …*statikum abgeleitete Bez. für Verb. zur Bekämpfung der *Kokzidiose. Diese ist eine durch *Protozoen (*Kokzidien*) hervorgerufene Darm- u. Leberinfektion, die vornehmlich Kaninchen, Hühner, Katzen u. Rinder befällt. Der Mensch kann Infektionen durch leichtes Anbraten od. Lagerung des Fleischs bei –20 °C vermeiden. Als K. wirken Dinitolmid, *Lasalocide, *Monensin u. *Sulfonamide, z. B. *Sulfadimidin. – *E* anticoccidials – *F* anticoccidieux – *I* coccidiostatici – *S* anticoccidiales
Lit.: Adv. Pharmacol. Chemother. **17**, 1–24 (1980) ▪ Hager (5.) **1**, 752–764 ▪ Long (Hrsg.), Coccidiosis of Man and Domestic Animals, Boca Raton: CRC Press 1990.

Kola(nuß) s. Cola.

Kolat s. Kolieren.

Kolbe, Hermann (1818–1884), Prof. für Chemie, Univ. Marburg u. Leipzig. *Arbeitsgebiete:* Sulfonsäuren, Säurenitrile, Aldehyde, Ketone, Verf. zur industriellen Herst. der Salicylsäure (*Kolbe-Synthese), Taurin- u. Nitroethan-Synthese.
Lit.: Lexikon der Naturwissenschaftler, S. 248 ▪ Neufeldt, S. 36, 39, 50 ▪ Pötsch, S. 244 ▪ Strube et al., S. 47 ff., 116 ff.

Kolbeckit (Eggonit, Sterrettit). $ScPO_4 \cdot 2 H_2O$, monoklines Scandium-Mineral, Krist.-Klasse $2/m$-C_{2h}; überwiegend bläuliche, auch farblose od. gelbliche, kurzsäulige kleine Krist. mit starkem *Pleochroismus, D. 2,39–2,44; ein K. aus Utah/USA enthielt 41,3% Sc_2O_3 (s. *Lit.*[1], auch zu Vorrang des Namens „Eggonit" u. Geschichte des Minerals). Vork. im Erzgebirge, Siebenbürgen/Rumänien, Arkansas u. Utah/USA, Guajarat/Indien. – *E = F = I* kolbeckite – *S* kolbeckina
Lit.: [1] Mineral. Mag. **46**, 493–497 (1982).
allg.: Nriagu u. Moore, Phosphate Minerals, S. 59 f., Berlin: Springer 1984 ▪ Ramdohr-Strunz, S. 641. – *[HS 2617 90]*

Kolben. 1. Sammelbez. für Laborgefäße aus Glas unterschiedlicher Form, die in der Regel therm. stabil sind. Man unterscheidet die einzelnen K. meist durch den Namen des Erfinders (z. B. *Erlenmeyer-Kolben,

---

*Kjeldahl-Kolben, *Claisen-Kolben) od. den Verw.-Zweck (z. B. Destillier-K., Acetylierungs-K., Koch-K., Fraktionier-K., *Meß-Kolben) od. die Form (z. B. Langhalsstand-K., *Rund-, *Säbel-, *Stehkolben); auch kombinierte Bez. sind möglich (z. B. Vierhalssulfier-K., Kropfhalsmeß-K.). *Kochkolben* mit ebenem Boden, in denen größere Flüssigkeitsmengen zum Sieden erhitzt werden können, heißen Stehkolben (s. Abb. Tl. 2), solche mit abgerundetem Boden Rundkolben (s. Abb. Tl. 1, 3–6). Letztere werden v. a. dann benötigt, wenn die Flüssigkeit im K. bis auf einen kleinen Rest eindampfen soll; beim Arbeiten im Vak. bevorzugt man sie wegen ihrer größeren Stabilität. Für Dest. kleiner Produktmengen (z. B. Vakuumdest. unter Verw. von Siedekapillaren) werden *Spitzkolben* (Abb. Tl. 7) unterschiedlicher Ausführung eingesetzt.

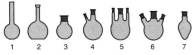

2. Sammelbez. für meist gläserne od. metall. Konstruktionsteile von K.-Pipetten u. -Büretten, Pumpen, etc., die im Innern von Zylindern engschlüssig angebracht sind u. durch Bewegung ein flüssiges od. gasf. Medium fördern. – *E* 1. bulbs, flasks, 2. pistons – *F* 1. ballons, flacons, 2. pistons – *I* 1. alambicco, matraccio, storta, 2. stantuffo – *S* 1. matraces, 2. émbolos
Lit. (für 1.:): ACHEMA-Jahrb. **1991**, 1966.

Kolbenhubpipette. Auch als Mikropipette zu bezeichnende Ein- od. Mehrkanal-Meßpipette mit einem Festvol. od. variabel einstellbaren Vol. (normaler Volumenbereich 0,5 bis 5000 µL). Man unterscheidet K. mit u. ohne Luftpolster. Bei den zuletzt genannten besteht ein direkter Kontakt zwischen der aufzunehmenden Lsg. u. dem *Kolben. Bei den zuerst genannten trennt ein kleines Luftvol. den Kolben vor der Lösung. Die Kolben der K. sind aus Edelstahl od. *PTFE gefertigt, desweiteren sind K. mit einem Spitzenabwurf versehen, der einen einfachen Austausch der Einweg-Pipettenspitze erlaubt. Sie gestatten einhändiges Arbeiten u. sind bes. für das reproduzierbare Dosieren kleiner Flüssigkeitsmengen geeignet. – *E* plunger-operated pipetter – *F* pipette à piston – *I* pipetta a stantuffo – *S* pipeta de pistón (aspirante)
Lit.: DIN 12560 (Tl. 2, 10/1981) ▪ Nachr. Chem. Tech. Lab. **43**, Suppl., S67–S80 (1995).

Kolbe-Schmitt-Reaktion s. Kolbe-Synthesen.

Kolbe-Synthesen (nach H. *Kolbe). 1. *Nitril-Synth.:* Man erwärmt die wäss. alkohol. Lsg. eines Alkalicyanids (z. B. NaCN) mit einem Alkylhalogenid, wobei nucleophile Substitution des Halogenid-Ions gegen das Cyanid-Ion erfolgt. Da das Cyanid-Ion ein *ambidentes* *Nucleophil ist, können unter S_N1-Bedingungen, z. B. mit *tert*-Alkylhalogeniden auch *Isocyanide entstehen (*Kornblum-Regel u. *HSAB-Prinzip).

$$R-X \ + \ Na^+ \ ^-IC\equiv N \quad \xrightarrow{-NaX} \quad R-C\equiv N$$

Abb. 1: Kolbe-Nitrilsynthese.

2. *Fettsäure-Elektrolyse:* Zum Aufbau höherer gesätt. Kohlenwasserstoffe werden konz. wäss. Lsg. der Salze von Fettsäuren elektrolysiert. Die Metall-Kationen wan-

dern dann unter dem Einfluß des Gleichstroms zur Kathode, die neg. geladenen Säurerest-Ionen zur Anode, wo sie eine sog. anod. (oxidative) *Decarboxylierung erleiden, worauf die freien Alkyl-Radikale dimerisieren.

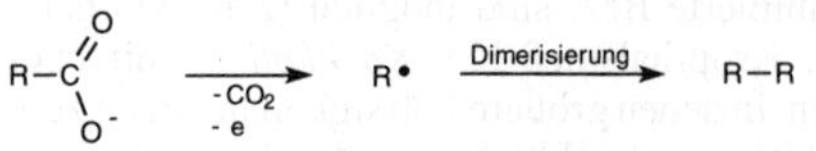

R−C $\stackrel{O}{\underset{O^-}{\overset{\|}{}}}$ $\xrightarrow[{-e}]{-CO_2}$ R• $\xrightarrow{Dimerisierung}$ R−R

Abb. 2: Prinzip der Fettsäure-Elektrolyse.

Bei der Elektrolyse von Carbonsäure-Gemischen erhält man die entsprechenden symmetr. u. unsymmetr. Kohlenwasserstoff-Gemische. Nach dem Prinzip der K.-S. lassen sich auch langkettige Dicarbonsäureester herstellen.
3. *Kolbe-Schmitt-Reaktion:* Bildung von aromat. Hydroxysäuren durch Einwirkung von CO_2 auf Metallphenolate bei höherer Temp. (*elektrophile* Aromaten-Substitution mit CO_2); diese Phenolat-*Carboxylierung wird bes. bei der Synth. von Salicylsäure angewandt.

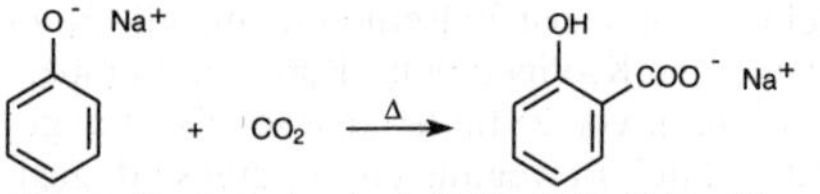

Abb. 3: Na-Salicylat durch Kolbe-Schmitt-Reaktion.

– *E* Kolbe syntheses – *F* synthèses de Kolbe – *I* sintesi di Kolbe – *S* síntesis de Kolbe
Lit. *(zu 1.):* Angew. Chem. **79**, 966 ff. (1967) ▪ Laue-Plagens, S. 203 ▪ s. a. Cyanide u. Nitrile. – *(zu 2.):* Acc. Chem. Res. **16**, 27 (1983) ▪ Angew. Chem. **93**, 978 (1981) ▪ Houben-Weyl **5/1 a**, 395 f., 607; **5/1 b**, 352 f.; **8**, 599; **E 5**, 467 f.; **E 19 a/2**, 1246–1252 ▪ Hassner-Stumer, S. 211 ▪ Laue-Plagens, S. 201 ▪ March (4.), S. 729 ▪ Trost-Fleming **3**, 633 ff. – *(zu 3.):* Chem. Rev. **57**, 583–620 (1957) ▪ Houben-Weyl **8**, 372 ff. ▪ Laue-Plagens, S. 205 ▪ March (4.), S. 546.

Kolieren. Von latein.: colare = seihen abgeleitete Bez. für das Filtrieren durch Tücher aus Leinen, Wollstoff u. dgl., die in einen Rahmen (Kolierrahmen) gespannt sind. Beim K. wird eine nur unvollkommene Trennung von festen u. flüssigen Bestandteilen erzielt; die abfließende, meist trübe Flüssigkeit heißt *Kolatur* od. *Kolat.* Vgl. a. Perkolation. – *E* colating – *F* filtrage – *I* filtrare – *S* colado, coladura

Kollagenasen s. Collagenasen.

Kollagene s. Collagene.

Kollateral. Dragées u. Infusionslsg. mit *Moxaverin-Hydrochlorid gegen Durchblutungsstörungen, K. A + E Dragées auch mit zusätzlichen *Vitaminen A u. E, diese jedoch Rp. *B.:* Ursapharm.

Kollektivdosis (Kurzz. H_{coll}). Produkt aus dem Mittelwert $\bar{H}_E$ der effektiven Äquivalent-Dosen in einer Bevölkerungsgruppe u. der Zahl n der Personen dieser Gruppe: $H_{coll} = n \cdot \bar{H}_E$. Die K. hat nur eine Bedeutung, wenn man einen linearen Zusammenhang zwischen Dosis u. Wirkung annimmt; neuere Arbeiten sprechen zunehmend von einem linear quadrat. Zusammenhang (Details s. ionisierende Strahlung). Die *effektive Äquivalent-Dosis* H_E ist die Summe der mittleren Äquivalent-Dosen H_T relevanter Organe u. Gewebe T multipliziert mit einem Wichtungsfaktor w_T:

$$H_E = \sum_T w_T \cdot H_T.$$

Zu den Werten für w_T s. Äquivalent-Dosis. – *E* collective dose – *F* dose collective – *I* dose collettiva – *S* dosis colectiva

Kollektive Anregung s. elementare Anregung.

Kollektives Kernmodell s. Kernmodelle.

Kollektoren s. Flotation u. Transistoren.

Kollicoat Marken®. Copolymere, die zur verzögerten Freisetzung fester Arzneimittelformen dienen: VA-Crotonsäure-Copolymer (9 + 1) in Pulverform u. Methacrylsäure-Ethylacrylat-Copolymer (1 + 1) in Form einer 30 %igen wäss. Dispersion. *B.:* BASF.

Kollidin (Collidin, 2,4,6-Trimethylpyridin).

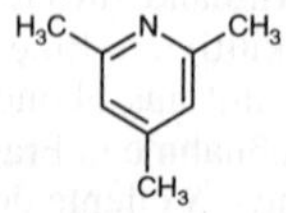

$C_8H_{11}N$, M_R 121,18. Farblose Flüssigkeit, Schmp. –46 °C, Sdp. 172 °C, lösl. in Wasser u. Alkohol; LD_{50} (Ratte oral) 400 mg/kg; wassergefährdender Stoff, WGK 2 (Selbsteinst.). K. ist im Steinkohlenteer in kleinen Mengen enthalten, es findet in organ. Synth., z. B. in Dehydrohalogenierungsreaktionen, Verw., außerdem zur Herst. von Arzneimitteln. Name von griech.: kolla = Leim. Gelegentlich bezeichnet man auch andere teilw. bei der Dest. von Leim isolierbare Trimethyl- u. Ethylmethylpyridine als Kollidine. – *E* = *F* collidine – *I* collidina – *S* colidina
Lit.: Beilstein E V **20/6**, 93 ▪ Paquette **2**, 1298 ▪ Synthetica **1**, 128. – *[HS 2933 39; CAS 108-75-8]*

Kollidon®. Marke der BASF für ein Sortiment von *Polyvinylpyrrolidon-Präp., die bei der Herst. von pharmazeut. Präp. als Suspensionsstabilisatoren, Verdickungsmittel, Dragierhilfsmittel, Tablettenbinde- u. -sprengmittel eingesetzt werden; die niedermol. Typen bes. zur Herst. von Injektionspräparaten. Ein Copolymerisat aus Vinylacetat u. Vinylpyrrolidon (40 : 60) wird v. a. als Tablettenbindemittel, Granulationsmittel, Retardmittel u. Filmbildner eingesetzt. *B.:* BASF; Riedel.

Kolligative Eigenschaften (von latein.: colligare = zusammenstellen, -sammeln). Bez. für solche Stoffeigenschaften, die nur von der Zahl (Konz.), nicht aber von der chem. Natur von Teilchen abhängen (*additive Eigenschaften*); *Beisp.:* Gasvol., Dampfdruck-, Gefrierpunktserniedrigung u. a. *extensive Größen. Gegensatz:* *konstitutive Eigenschaften mit intensiven Größen. – *E* colligative properties – *F* propriétés colligatives – *I* proprietà colligative – *S* propiedades coligativas

Kolligatoren s. Farbstoffe.

Kolliquation. Von latein.: colliquescere = flüssig werden abgeleitete Bez. für die Verflüssigung fester organ. Substanzen, z. B. durch Einwirken von Bakterien, Enzymen od. konz. Laugen auf die Haut (Kolliquationsnekrose). – *E* = *F* colliquation – *I* colliquazione – *S* colicuación

Kollisionseffekt (Masseneffekt, Gedrängefaktor). Von latein.: collisio = Zusammenstoß hergeleitete Bez. für einen aufgrund hoher *Individuendichte bzw.

Überbevölkerung auftretenden Stresszustand u. den dadurch verursachten bzw. beschleunigten Populationsrückgang (s. Population, Massenwechsel). Bekannt ist ein K. z. B. von Nagetieren, Vögeln u. Insekten. – *E* crowding effect – *F* effet de masse, effet de surpopulation – *I* effetto collisivo – *S* efecto de masa, efecto de superpoblación
Lit.: Tischler, Einführung in die Ökologie (3.), S. 117 f., Stuttgart: Fischer 1984.

Kollodium s. Collodium u. Cellulosenitrat.

Kolloidale Kristalle. Unter bestimmten Bedingungen können sich kolloidale Teilchen (s. Kolloidchemie) in einer Flüssigkeit dreidimensional ordnen, ähnlich wie die Bausteine (Atome, Ionen od. Mol.) in *Kristallen. Solche k. K. können z. B. auch „schmelzen", wenn das Gefäß geschüttelt wird, wobei eine ungeordnete kolloidale Flüssigkeit entsteht. Aufgrund ihrer Größe sind die Partikel in Kolloiden (Durchmesser $0,1 - 1$ µm) u. damit auch Vorgänge wie Kristallisation u. Auflösung von k. K. einer direkten Beobachtung im Mikroskop zugänglich. Die Erkenntnisse lassen sich auch auf Phasenübergänge bei anderen Syst. übertragen. Einige k. K. weisen ganz bes. Phasencharakteristika auf, die möglicherweise bei der Entwicklung neuer Materialien genutzt werden können. – *E* colloidal crystals – *F* cristaux colloidaux – *I* cristalli colloidali – *S* cristales coloidales
Lit.: American Scientist **83**, 238 – 245 (1995).

Kolloidchemie (od. Kolloidwissenschaft, von griech.: kolla = Leim u. eidos = Form, Aussehen). Bez. für das Teilgebiet der physikal. Chemie, das den *kolloiden Zustand* der Materie erfaßt.
Kolloide sind Stoffe, die in der Größe zwischen den Atomen bzw. Mol. (Ausnahme Makromol.) u. makroskop. Teilchen liegen. Genauer kann man Kolloide definieren als Teilchen, deren freie Enthalpie wesentlich vom Zustand u. von der Größe der Grenzfläche bestimmt wird. Die Zahl der energiereicheren Oberflächenatome (-mol.) ist nicht mehr gegen die Zahl der Atome (Mol.) im Phaseninneren zu vernachlässigen. Ebenfalls üblich ist noch die Unterscheidung nach der Größe: Kolloide sind Teilchen, deren Größe zwischen ≥ 1 nm u. 200 bis 1000 nm liegt, was $10^3 - 10^9 \ldots 10^{12}$ Atomen entsprechen kann. Die untere Teilchengröße ist dadurch begrenzt, daß eine Grenzfläche vorhanden sein muß u. es möglich ist, zwischen inneren Atomen u. Grenzflächenatomen zu unterscheiden. Bei Makromol. kann durchaus eine komplizierte Grenzflächenstruktur vorhanden sein. Den Übergang zu einzelnen Atomen od. Molekülen bilden die *Cluster. Die obere Grenze ist fließend. Partikel, die in den angrenzenden Größenbereich fallen, werden als *grobdispers* bezeichnet, die „Lösung" als *Suspension. Eine scharfe physikal.-chem. definierte Abgrenzung zwischen kolliden u. „echten" Lsg. existiert ebensowenig wie zwischen kolloiden Lsg. u. sich absetzenden Suspensionen. Die Grenze 200 nm wird manchmal gewählt, weil hier die Grenze der lichtmikroskop. Erkennbarkeit von Teilchen liegt (s. aber Ultramikroskop). Da die Charakterisierung u. Modifizierung von Fasern, Grenzflächen u. Filmen ebenfalls Gegenstand der K. ist (das Gebiet der physikal. Chemie, das sich mit Grenz-

flächen u. Filmen beschäftigt, wird auch als Grenzflächenchemie bezeichnet), kann obige Definition dahingehend erweitert werden, daß die K. auch ausgedehnte Grenzflächen u. Fasern untersucht, sofern nur eine Dimension in den obigen Größenbereich fällt.
Das Wort „kolloid" (od. „kolloidal") bezeichnet also keine Stoffeigenschaft, sondern einen Zustand. Die K. beschäftigt sich bevorzugt mit der Aufklärung der Wechselwirkungen von Teilchen u. ausgedehnten Grenzflächen, ihrer gezielten Beeinflussung u. ihrer prakt. Anwendung. Die Lehre von den *kolloiden Zuständen* ist heute ein selbständiger Zweig der physikal. Chemie. Ein wesentlicher Grund für diese Sonderstellung ist die außerordentlich große Bedeutung der Kolloide für die moderne Ind., Biologie, Landwirtschaft u. Medizin. Kolloide Syst. bzw. kolloide Prozesse finden sich in allen lebenden u. toten Organismen, bei Eiweiß, Kunstfasern, Kunststoffen, Seifen, Leimen u. Klebstoffen, Nahrungsmitteln, vielen Arzneimitteln, Lacken, Farbbindemitteln, Latex, Reinigungsmitteln, Flotationsmitteln, Schmiermitteln, in Staub, Rauch usw. Ungefähr ein Zehntel aller Mineralien dürfte kolloiden Ursprungs sein. In den Böden spielen kolloide Tonteilchen für das Pflanzenwachstum, im Blut die kolloiden Plasma-Proteine für die Aufrechterhaltung des kolloidosmot. Drucks eine wichtige Rolle. Ind.-Zweige wie die Gummi-, Textil-, Kunststoff-, Leder-, Leim-, Nahrungsmittel-, Sprengstoff- u. Seifen-Ind. haben im wesentlichen mit Kolloiden zu tun.
Kolloide besitzen wesentlich kleinere Diffusionsgeschw. als etwa anorgan. Salze. Normale Filter werden von Kolloidteilchen ungehindert passiert, doch werden sie von *Membranfiltern zurückgehalten. Mit Dialyseexperimenten lassen sich Flüssigkeiten u. Kolloide trennen. Die Teilchengew. kann man nach den Meth., die zur Molmassenbestimmung kleiner Mol. dienen, nicht od. nur schwer feststellen, da die kolloiden Lsg. unmeßbar kleine Gefrierpunktserniedrigungen od. Sdp.-Erhöhungen zeigen. Ihre Größe kann man aber nach bes. Verf. ermitteln, z. B. mit Hilfe der barometr. Höhenformel (s. Sedimentation, Ultrazentrifugen); häufig ist auch die Bestimmung der Teilchengestalt u. ihrer Struktur möglich. Kolloide Syst. sind weder als *homogen noch als *heterogen im Sinne der physikal.-chem. Phasenlehre anzusehen. Sie stellen einen Zwischenzustand der beiden Grenzfälle einer homogenen (einphasigen) Mischung u. einer heterogenen (mehrphasigen) Mischung dar u. werden zweckmäßig als *disperse Syst.* bezeichnet. Diese *Dispersionen enthalten die *dispergierte Substanz* in einem *Dispersionsmittel, wobei dispergierte Substanz u. Dispersionsmittel aus zwei verschiedenen Stoffen in beliebigen Aggregatzuständen od. aus einem Stoff in verschiedenen Aggregatzuständen bestehen können. Sind die Kolloidteilchen von einheitlicher Größe, so bezeichnet man sie als *mono-* od. *isodispers*, anderenfalls als *poly-* od. *heterodispers*.
Die Einteilung der Kolloide kann man nach verschiedenen Prinzipien vornehmen, z. B. nach der von Wolfgang *Ostwald vorgeschlagenen Systematik, die nach *Morphologie* (je nachdem, ob 1, 2 od. 3 geometr. Abmessungen der dispergierten Substanz kolloide Di-

mensionen besitzen, erhält man *Filme, Fäden* bzw. *Korpuskeln*) od. nach *Aggregatzustand* (von dispergierter Substanz im Dispersionsmittel) unterscheidet. In der folgenden Zusammenstellung bedeutet F den festen, Fl den flüssigen u. G. den gasf. Aggregatzustand; der kolloide Anteil ist stets an 1. Stelle genannt.

F + F *feste *Sole, Vitreosole* (Blaues Steinsalz, Goldrubinglas, Schwarzer Diamant)

Fl + F *feste Emulsionen* (Mineralien mit flüssigen Einschlüssen, Milchquarz, Opal, Perlen)

G + F *feste Schäume* (*Schaum; Mineralien mit gasf. Einschlüssen, Bimsstein)

F + Fl *Sole* (Kolloide Schwefel-, Silber- od. Gold-Lsg.), oft auch als *Dispersionen* bezeichnet

Fl + Fl *Emulsionen* (Milch, Mayonnaise, Butter, Bohröle)

G + Fl *flüssige Schäume* (Seifenschaum)

F + G *feste *Aerosole, *Staub, Rauch* (Tabakrauch, Salmiak-Nebel, Blaukreuzkampfstoffe)

Fl + G *flüssige Aerosole, *Nebel* (Säure-Nebel, Sprays)

G + G *keine Beisp.* (da sich Gase sofort zu homogenen Syst. mischen).

Weitere Einteilungsmöglichkeiten:
1. Nach der Teilchenform: *Globuläre Kolloide* od. *Sphärokolloide* (mit annähernd kugelförmiger Teilchengestalt, z. B. Glykogen, Ovalbumin, Hämoglobin; nahezu ideal sphär. können techn. hergestellte Kolloide von Polymer- u. einigen Oxid-Partikeln sein) – *fibrilläre Kolloide* od. *Linearkolloide* (mit langgestreckter Teilchengestalt, z. B. Kautschuk, Cellulose, Polystyrol, Tabakmosaikvirus).
2. Nach der chem. Zusammensetzung: *Anorgan. Kolloide* (kolloide Metalle, Sulfide, Oxide) – *organ. Kolloide* (Proteine, Nucleinsäuren, Kautschuk, Polymere).
3. Nach dem Verhalten gegenüber dem Dispersionsmittel: *Lyophile Kolloide* als Kolloide, die sich durch direktes Lösen fester od. flüssiger Stoffe bilden bzw. die durch das Lsm. solvatisiert werden (z. B. Gelatine, Stärke, Seife) – *lyophobe Kolloide*, die nur in solchen flüssigen Medien herstellbar sind, in denen der betreffende Stoff unlösl. ist, wobei bes. Kunstgriffe angewendet werden müssen (*Beisp.:* kolloide Metalle). Bei Wasser als Dispersionsmedium spricht man von *hydrophilen* (unzweckmäßigerweise auch von *Hydrokolloiden*) bzw. von *hydrophoben Kolloiden*, bei Ölen von *oleophilen* bzw. *oleophoben Kolloiden*.
4. Nach der beliebig wiederholbaren Redispergierbarkeit in den kolloiden Zustand z. B. nach Entfernen des Dispersionsmittels: *Reversible Kolloide* (Zerteilung stets wieder möglich, z. B. Seife, Polyacrylester) – *irreversible Kolloide* (lassen sich nach Fällen od. Eintrocknen nicht mehr in den kolloiden Zustand zurückbringen; *Beisp.:* Kautschuklatex).
5. Nach der Beweglichkeit u. dem Zusammenhalt der dispergierten Substanz: *Inkohärente Syst.* (jedes Teilchen ist als „kinet. Einheit" frei beweglich u. hängt mit keinem anderen Teilchen zusammen) – *kohärente Syst.* (die dispergierte Substanz hängt hier infolge der *Kohäsion irgendwie, z. B. netzartig, zusammen u. ist nicht mehr frei beweglich). Diese Definitionen sind ident. mit der Einteilung in *Sole* (inkohärent) u. **Gele* (kohärent). Bei Solen pflegt man die Art der Disper-

sionsmittel zur Kennzeichnung zuzufügen, z. B. Hydrosole u. Organosole als *Lyosole*, Aerosole. Sole haben Flüssigkeits-(bzw. Gas-) Eigenschaften. Bei Gelen unterscheidet man flüssigkeitshaltige *Lyogele*, wobei es wieder Hydrogele, Sulfogele usw. gibt, u. *Xerogele*, die (wie z. B. Kieselsäure-Gel od. Gelatine-Blättchen) keine Flüssigkeit enthalten. Mit Gasen als Dispersionsmitteln erhält man *Aerogele*.

Heute teilt man die Kolloide meist – nach einem Vorschlag von Staudinger – unter Berücksichtigung der Bindungsart zwischen den Atomen der Kolloidteilchen ein in: 1. Dispersionskolloide, 2. Mol.-Kolloide u. 3. Assoziations- od. Micellkolloide; gelegentlich definiert man auch noch 4. Makromol. Assoziate. Die Kolloide der ersten Gruppe gehören lyophoben, die der anderen Gruppen lyophilen Syst. an.

Dispersionskolloide: Der kolloide Zustand stellt hier lediglich eine bestimmte Form der Materie dar. Durch geeignete Meth. lassen sich aus jedem festen, flüssigen od. gasf. Stoff (z. B. durch Zerteilen) Teilchen kolloider Größe herstellen, vorausgesetzt, daß sie im Dispersionsmedium unlösl. bzw. nahezu unlösl. sind. Dispersionskolloide sind oft polydispers (*Beisp.:* Kolloides Gold im Cassiusschen Goldpurpur u. Rubinglas, Latex, Schwefelsäure-Nebel). Sie befinden sich jedoch thermodynam. gesehen nicht im Gleichgew.-Zustand, sind deshalb instabil u. neigen dazu, sich entweder aufzulösen od. so lange zu vergrößern, bis eine reine makroskop. Phase entsteht. Damit sie dennoch im dispergierten Zustand verbleiben, muß man die Rückverwandlung in die Ausgangszustände verhindern, indem man, falls nicht schon vorhanden, elektr. Ladungen auf die Teilchenoberflächen bringt od. durch Makromol. eine ster. Stabilisierung erreicht. Auch Solvatationsschichten können einen Einfluß haben.

Bei ihrer Herst. unterscheidet man je nach der Ausgangsform (vgl. Abb. 1): a) *Dispersionsmeth.*, falls die kolloide Zerteilung durch *Zerkleinern eines grobdispersen Stoffs erzwungen wird. Als Verf. kommen *Mahlen od. *Homogenisation (z. B. in sog. Kolloidmühlen, es werden aber keine monodispersen u. auch mit Mahlhilfsmitteln nur größere Kolloide erhalten) u. Einwirkung von *Ultraschall (Herst. der Emulsionen von Ölen, Wachsen, Kunststoffen u. Quecksilber in Wasser) in Frage.

b) *Kondensationsmeth.*, falls als Ausgangsmaterial eine mol.- bzw. ionendisperse Lsg. od. ein Atom- bzw. Molekularstrahl dient u. die kolloiden Partikeln durch Keimbildung u. -wachstum od. *Aggregation auf chem. Wege (stabilisiert durch einen Stabilisator) od. durch Kondensation beim Auftreffen an einer Oberfläche entstehen. Ziemlich beständige Emulsionen u. Suspensionen kann man auch mit Hilfe der sog. Kondensation durch Löslichkeitserniedrigung herstellen; *Beisp.:* Man löst Harze, ether. Öle u. dgl. in Alkohol u. gießt die Lsg. tropfenweise in viel Wasser, wobei milchig-weiße od. bläuliche Trübungen entstehen.

c) *Peptisation.* In diesem Fall ist die Substanz bereits in kolloider Zerteilung vorgebildet, liegt aber als Sekundäraggregat der Primärteilchen vor, z. B. als Niederschlag. Durch Zusatz dritter Substanzen (*Peptisatoren*, besorgen eine erneute Aufladung durch Elektrolytadsorption) läßt sich oft das Syst. wieder in den kolloiden Zustand zurückversetzen. Vielfach gelingt auch eine Peptisation durch Auswaschen von Niederschlägen, wobei ein Überschuß von Elektrolyten, die ja ausfällend wirken, beseitigt wird.

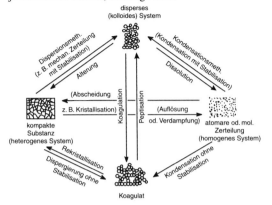

Abb. 1: Möglichkeiten der Bildung u. Zerstörung von kolloiden Systemen; nach *Lit.*[1].

Die Abb. 1 gibt eine Übersicht über die Bildung u. den Zerfall von Kolloiden. Die Sole von lyophoben Kolloiden wären nicht existenzfähig, wenn nicht zwischen ihren Partikeln abstoßende Kräfte aufträten. Diese Kräfte sind oft elektr. Natur, meist eine direkte Coulombsche Abstoßung, die durch eine Oberflächenladung hervorgerufen wird. Sie entsteht durch Differenzen in der Affinität zweier Phasen zu Ionen (z. B. Adsorption von Ionen *in das* Kristallgitter beim AgJ-Sol), Differenzen in der Affinität zweier Phasen zu Elektronen (in der K. weniger von Bedeutung: Sonderfall für reine Metalloberflächen, Kontaktpotentiale zwischen Metall – Halbleiter), Ionisierung von Oberflächengruppen od. Anlagerung von Ionen an diese Gruppen (üblich bei oxid. Materialien, pH-Wert-abhängig) od. durch isomorphe Substitution (bei Tonmaterialien zu beobachten: Kationen werden durch Kationen geringerer Valenz ersetzt). Mitunter unterstützen polare Dispersionsmittel-Mol. die Stabilität. Die Stabilität lyophober Kolloide läßt sich ebenfalls durch Zusatz bestimmter kleinerer geladener od. ungeladener Kolloide, Makromol. od. Tenside erreichen. Sofern sie ungeladen sind, spielt die ster. Stabilisierung die entscheidende Rolle. Eine solche *Flockungsschutzmittel-* od. *Schutzkolloid*-Wirkung geht z. B. aus von wäss. Lsg. von Gelatine, Casein, Gummi arabicum, Lysalbinsäure, Stärke, PVAL, PVP u. Polyacrylaten. Von techn. Bedeutung ist die gezielte Störung des kolloidchem. Gleichgewichts. Das kann durch Entladen der Teilchen (z. B. durch Änderung des pH-Wertes), durch Zugabe von Elektrolyten od., wie bei der Stabilisierung durch Zugabe von Makromol., aber mit geringerer Konz. (Brückenflockung), erfolgen. Die im Dispersionsmedium zunächst frei beweglichen Kolloide vereinigen sich zu größeren Teilchenaggregaten makroskop. Dimension (*Flockung, *Ausflockung, *Koagulation). Die Koagulationswirkung eines Elektrolyten hängt von denjenigen seiner – in den sog. *Hofmeisterschen Reihen nach Wirksamkeit gruppierbaren – Ionen ab, deren Ladung der des Kolloids entgegengesetzt ist. Dabei zeigt sich, daß für jede Elek-

trolytart u. ein bestimmtes Sol eine ziemlich scharfe Grenzkonz. existiert, bei der das Sol koaguliert (*Flockungsschwellenwert*). Der Einfluß der Wertigkeit des koagulierenden Ions wird annähernd von der empir. Regel von *Schulze-Hardy* erfaßt, nach der die Flockungsfähigkeit (*Flockungskraft* = reziproker Wert des Flockungsschwellenwerts) zweiwertiger Ionen 20- bis 80mal u. die der dreiwertigen Ionen 600- bis 10000mal größer ist als die der einwertigen Ionen, s. *Lit.*[2]. In bestimmten Syst. kann sich die Stabilität nach einer gewissen Zeit auch spontan, d. h. ohne Zusatz fremder Elektrolyte ändern; man nennt diesen Vorgang *Alterung. Diese wird mit der Zeit einfach dadurch eintreten, daß in den polydispersen Syst. die größeren Partikeln auf Kosten der kleineren über den mol. gelösten Zustand wachsen – allmählich wird daher jedes Syst. aus Dispersionskolloiden zerstört. Ist die Konz. eines Schutzkolloids in einem lyophoben Sol merklich kleiner als die Schutzzahl, so sind diese Sole gegen Elektrolyte empfindlich, d. h. *sensibilisiert*. Auf allgemeinste Art lassen sich die Sensibilisierungserscheinungen durch Erhöhung der Anzahl der *Gegenionen in der *elektrochemischen Doppelschicht deuten.

Unter den Dispersionskolloiden findet man in der Hauptsache die anorgan. Kolloide (*Hydrosole*) u. die Emulsionen. Von techn. Bedeutung sind u. a. folgende Dispersionskolloide: Halogensilber in der Photographie, Eisenoxidhydrat-Sol als injizierbares Eisen-Präp., kolloides Palladium als Katalysator, Ruß, Zinkoxid u. Kieselsäure als Füllstoffe für vulkanisierten Kautschuk, Bentonit, Kaolin, Rutil, Schwerspat usw. als Füllstoffe für Papier, Graphit-Schmiermittel, Salben u. a. pharmazeut. Präparate.

Mol.-Kolloide: Hier sind die Atome, die ein Kolloidteilchen aufbauen, durch Hauptvalenzen gebunden; das Kolloid ist ein Mol., das prinzipiell den gleichen Aufbau wie ein Mol. niedermol. Stoffe besitzt. Stoffe mit solchen Mol. können sich gar nicht anders als kolloid lösen; es sei denn, daß die Makromol. unter Sprengung von Hauptvalenzbindungen zerstört werden. Zu den makromol. Stoffen gehören die Proteine, Polysaccharide, der Kautschuk, die synthet. Hochpolymeren usw., aber z. B. auch die Polyphosphate u. Heteropolysäuren. Die Lsg. der Makromol. sind in der Regel polydispers (Teilchen verschiedener Größe), doch bilden verschiedene Naturstoffe auch iso- od. monodisperse Syst. (Teilchen gleicher Größe).

Assoziations- od. *Micellkolloide:* Diese werden von amphiphilen Substanzen, die aus einer od. mehreren hydrophoben Alkyl-Ketten u. einer polaren Kopfgruppe bestehen, gebildet (Tenside, z. B. Textilhilfsmittel u. Seifen, gewisse Farb- u. Gerbstoffe). Solche Assoziate kolloider Dimensionen (sog. *Micellen) entstehen spontan, wenn auch erst oberhalb einer bestimmten Stoffkonz. (*krit. Micell-Bildungskonz., KMK*) unter dem Einfluß *zwischenmolekularer Kräfte sowohl der gelösten Substanz wie auch des Lösemittels. Sie formen sich beim Auflösen der reinen Substanzen, ohne Schutzkolloide od. Peptisatoren zu benötigen. Die Micellen stehen mit den monomol. gelösten Einzelmol. in einem dynam. Gleichgewicht. Der Tendenz des hydrophoben Tensidteils folgend, weisen in wäss. Lsg. die hydrophoben Gruppen in das Innere der Micelle u. werden durch *van-der-Waals-Kräfte stabilisiert. Die hyrophilen Gruppen sind somit den Wassermol. der Lsg. zugekehrt. Der Kern der Micelle besitzt einen quasi-flüssigen Charakter. Bei ion. Tensiden lagern sich die Gegenionen jeweils in hydratisierter Form in einer ständig wechselnden lockeren Schicht um die Micellen. Oberhalb der KMK weisen die meisten Micellen aufgrund der Größenverhältnisse des hydrophilen u. hydrophoben Molekülteils Kugelgestalt auf: Aggregationszahlen ion. Micellen ≈ 50 (z. B. Seifen, Alkylsulfate, Alkylsulfonate), nichtion. Micellen $\approx 50 - 1000$ (z. B. Alkylpolyglycolether). Bei Erhöhung der Tensid-Konz. weit über die KMK bilden sich aus den Kugelmicellen zunächst Stabmicellen, die sich bei noch höheren Konz. zu hexagonalen u. später lamellaren flüssig-krist. Phasen zusammenlagern.

Makromol. Assoziate: Diese entstehen, wenn – ähnlich wie niedermol. Stoffe zu Micellen – Makromol. durch Betätigung von Nebenvalenzen zu größeren Aggregaten zusammentreten, die elektr. geladen od. ungeladen sein können. In diesen Kolloidsyst. kann es zu interessanten Entmischungserscheinungen kommen: Unter bestimmten Bedingungen lassen sich kolloide Syst. in zwei Schichten trennen, von denen sich die eine an der kolloiden Substanz anreichert (*Koazervat*), während die andere verdünnter wird. Solche Erscheinungen beobachtet man z. B., wenn einer Gelatine-Lsg. bei bestimmtem pH-Wert ein Elektrolyt zugesetzt wird. Koazervate bilden sich meist, wenn zwei entgegengesetzt geladene hydrophile Sole gemischt werden. Die Erscheinung der *Koazervation* ist von Bedeutung für die Biologie, da dort eine Reihe von – auch evolutionstheoret. bedeutsamen – Phänomenen durch Koazervatmodellsyst. gedeutet werden können, u. techn. spielt sie eine Rolle bei der *Mikroverkapselung (Lit.[3]).

In ihren physikal.-chem. Eigenschaften unterscheiden sich die Teilchen inkohärenter kolloider Syst. z. T. beträchtlich von anderen Teilchen. Die im folgenden beispielhaft erwähnten Eigenschaften sind in der Regel von Größe, Gestalt u. Struktur der Partikeln abhängig; vielfach spielt es auch eine Rolle, ob ein monodisperses od. ein polydisperses Syst. vorliegt. Die Ggw. kolloider Teilchen in einem transparenten Medium läßt sich aber bei seitlichem Einfall eines starken Lichtbündels nachweisen, wenn nur der Brechungsindex der Teilchen sich von dem des Dispersionsmittels unterscheidet. Bei Betrachtung des Mediums senkrecht zur Durchstrahlung wird die Bahn des Lichtbündels als leuchtender „Kegel" sichtbar (*Faraday-Tyndall-Effekt*, vgl. die Abb. bei Nephelometrie u. Lichtstreuung). Das gestreute Licht hat die gleiche Wellenlänge wie das einfallende Licht u. ist im üblichen Fall, wenn die Polarisierbarkeit des Partikels homogen ist, linear polarisiert. Die Intensität des Tyndall-Lichts ist allg. um so größer, je höher die Konz. u. je größer die Differenz der Brechungsindices (s. Refraktion) zwischen Lsg. u. Lsm. ist. Aus diesem Grund ist das *Streulicht* anorgan. Sole viel stärker als das lyophiler Syst., wo wegen der Solvatation der Teilchen die Unterschiede der Brechungsindices ziemlich gering sind (z. B. in Protein-Lsg.). Die *Lichtstreuung eines kolloiden Syst. erlaubt häufig Rückschlüsse auf die Zusammensetzung des Syst.; aus der Abhängigkeit der Intensität u. des Polarisationszustands des beobachteten Streulichts von der Beobachtungsrichtung u. der Frequenz des verwendeten Lichts lassen sich Schlüsse auf die Natur der dispergierten Teilchen u. ihre Größe u. Form ziehen. Ist der Durchmesser der Teilchen (v = Vol.) klein gegenüber der Wellenlänge (λ) des gestreuten Lichts, so ergibt sich für die Intensität (J) des Lichts $J = k \ (n \cdot v^2/\lambda^4)$, wobei k = Proportionalitätskonstante u. n = Teilchenzahl ist (*Rayleighsches Gesetz*). In vielen Kolloidlsg. lassen sich die Partikeln mit Hilfe des *Spalt-Ultramikroskops* (H. Siedentopf u. R. Zsigmondy, 1903) sichtbar machen, vgl. Nephelometrie. Zur spektroskop. Untersuchung von Kolloidpartikeln ist seit 1977 die SERS- (Surface Enhanced Raman Scattering) Meth. entwickelt worden, die – über die Ramanstreuung an den auf Kolloidteilchen adsorbierten Mol. – Rückschlüsse auf Größe, Gestalt u. a. Daten der Kolloide zuläßt (*Lit.[4]).

Kolloide Partikeln aus anisotropem Material (vgl. Anisotropie) lassen sich durch äußere Einwirkung derart orientieren, daß ihre opt. Achsen in dieselbe Richtung zeigen; das ganze Syst. wird dadurch opt. anisotrop u. damit doppelbrechend (s. optische Aktivität). Eine Orientierung wird nur erreicht, wenn die Partikeln nicht kugelförmig (anisodimensional) sind, doch genügt dann ein Strömungsgefälle zur Ausrichtung. *Doppelbrechung des ganzen Syst. kann aber sogar auftreten, wenn die Einzelpartikeln selbst nicht anisotrop, sondern nur anisodimensional sind: Ein Syst. von isotropen Stäbchen od. Scheibchen wird anisotrop, wenn die einzelnen Partikeln von einem Medium mit verschiedenem Brechungsindex umhüllt werden u. sich ausrichten (z. B. in einem Strömungsfeld). Diese Form der Doppelbrechung (*Strömungsdoppelbrechung) tritt in fast allen kolloiden Syst. mit anisodimensionalen Partikeln auf. Besitzen die Teilchen auch noch Eigendoppelbrechung, so überlagern sich beide Effekte. In seltenen Fällen kann in konz. Solen spontan eine Parallelordnung der Partikeln eintreten (sog. *Taktosole*). Solche Syst. lassen im Polarisationsmikroskop große Bereiche (Domänen) einheitlicher Doppelbrechung erkennen.

Außerordentlich stark werden das Verhalten u. die Beständigkeit kolloider Zerteilungen, v. a. im Wasser, durch die elektr. Ladung der Teilchen bestimmt (s. oben). An der Teilchenoberfläche befindet sich eine diffuse *elektrochemische Doppelschicht, deren eine Belegung die Oberflächenladungen des Teilchens sind. Angrenzend bewegt sich ein diffuser Schwarm von Überschußladungsträgern entgegengesetzten Vorzeichens, die als *Gegenionen bezeichnet werden. Es gibt verschiedene Doppelschichtmodelle: Die Oberflächenladungen können als „verschmiert" od. als diskret angenommen werden. An der Oberfläche können spezif. adsorbierte Ionen mit unterschiedlichen Ladungsvorzeichen in Betracht gezogen werden, wobei diese Ionen noch hydratisiert sein können. Entsprechend ändert sich der vorhergesagte Potentialverlauf von der Teilchenoberfläche in die Flüssigkeit, der für theoret. Betrachtungen, z. B. zur Stabilität, wichtig ist. Asymptot. erreicht das Potential in der Flüssigkeit den Wert 0.

In der Grenzfläche existiert immer eine dünne Schicht, die bei einer Fortbewegung im Dispersionsmittel fest haften bleibt. Den Potentialabfall außerhalb der adsorbierten Schicht – genauer: die *Galvanispannung der Doppelschicht (s. die Abb. bei Zeta-Potential) – bezeichnet man als *elektrokinet. od. ζ-Potential*. Bei Kolloiden sind hier bis zu 100 mV meßbar. Das *Zeta-Potential spielt eine große Rolle bei der Stabilisierung von Solen u. *Emulsionen. Zu den sog. *elektrokinetischen Erscheinungen gehört die Wanderung kolloider Teilchen unter dem Einfluß eines äußeren elektr. Felds, je nach ihrem Ladungssinn zur Anode od. Kathode (*Elektrophorese). Die Wanderungsgeschw. der Kolloide ist hierbei von gleicher Größenordnung wie die der sehr viel kleineren Ionen, d. h. prakt. unabhängig von der Teilchengröße: Das Kolloid verhält sich wie ein Elektrolyt von großem Ionenvol. u. hoher Ladung. Im Gegensatz zu den Ionen hat nämlich ein Kolloidteilchen nicht nur (rund) 1–7, sondern erheblich mehr (z. B. 30–40) elektr. Ladungen. Neg. Ladungen besitzen in der Regel die kolloiden Metalle, Silberiodid, Kieselsäure, Zinnsäure, Antimon- u. Arsensulfide; diese Kolloide gehen daher zum Pluspol; zum Minuspol wandern die meist pos. geladenen kolloiden Eisen(III)- u. a. Metall-Hydroxide. Da die Teilchengröße bei Kolloiden in gegebenem Dispersionsmittel (konstanter pH-Wert u. Ionenstärke) eine Stoffkonstante ist, lassen sich die Kolloide durch ihre elektrophoret. Wanderungsgeschw. charakterisieren. Werden im gleichen Dispersionsmedium vorliegende kolloide Ionen u. echt gelöste niedermol. Ionen durch eine semipermeable Membran getrennt, so kann durch Ladungstrennung ein sog. *Donnan-Potential* entstehen, vgl. Donnan-Gleichgewicht. Bereits *Schönbein u. Runge hatten aufgrund unterschiedlicher Wanderungsneigung von Kolloiden auf Filtrierpapier zwischen pos. u. neg. geladenen Teilchen differenzieren können (Kapillaranalyse).
Die elektr. Leitfähigkeit des kolloiden Syst. setzt sich zusammen sowohl aus der Leitfähigkeit der Teilchen selbst als auch aus der von Ionen dritter Komponenten, die sich im Dispersionsmedium im Gleichgew. mit ihnen befinden. Da alle Kolloidteilchen einer einheitlich kolloiden Lsg. gleichsinnige elektr. Ladungen haben, stoßen sie sich gegenseitig ab. Gibt man zu kolloiden Eisen(III)-hydroxid-Lsg. eine stark verd. Kalilauge, so werden die adsorbierten H-Ionen mehr u. mehr durch die OH-Ionen der Lauge neutralisiert; daher sinkt die Wanderungsgeschw. der Kolloidteilchen bei angelegter elektr. Spannung. Wenn diese den Wert Null erreicht, flockt das Kolloid aus (*Koagulation), weil die Kolloidteilchen sich nicht mehr abstoßen, sondern infolge anziehender „Restvalenzen" (*van-der-Waals-Kräfte) rasch zu größeren Klumpen zusammentreten. Der elektr. neutrale Punkt, an dem die *Ausflockung der Kolloide erfolgt, wird als *isoelektrischer Punkt bezeichnet (vgl. Abb. 2). Eine Besonderheit der kolloidalen Oxide ist die Abhängigkeit des ζ-Potentials vom pH-Wert. Jedes neg. elektr. geladene Kolloid kann durch Säure-Zugabe, jedes pos. geladene Kolloid durch Laugen-Zugabe in den isoelektr. Zustand versetzt werden; dieser hängt also vom pH-Wert ab.

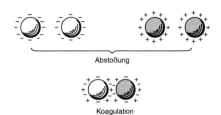

Abb. 2: Koagulation von Kolloiden im isoelektrischen Punkt.

Im Gegensatz zu den einfachen Ionen können die Kolloide sowohl pos. als auch neg. Ladung annehmen. Bes. Leitfähigkeitsanomalien treten an Micellkolloiden bei Bildung der Assoziate auf.
Die *kohärenten kolloiden Syst.* werden durch die *Gele repräsentiert (s. a. Dilatanz, Strukturviskosität, Rheopexie u. Thixotropie u. vgl. Nichtnewtonsche Flüssigkeiten u. Binghamsche Medien). In Gelen ist im Gegensatz zu den Solen die dispergierte Substanz nicht mehr frei im Dispersionsmittel beweglich; sie bildet in diesem Zustand keine Partikeln im Sinne selbständiger kinet. Einheiten, sondern ist infolge bes. struktureller Anordnungen räumlich fixiert (z. B. durch Ausbildung eines räumlichen Netzes). Da durch derartige Strukturen auch das Dispersionsmittel immobilisiert wird, entsteht ein Objekt, das formbeständig ist, obwohl es zum weitaus überwiegenden Teil aus Flüssigkeit besteht. Solche *Lyogele* sind sehr elast., d. h. sie lassen sich zwar verformen, kehren aber nach Aufhebung äußerer Beanspruchung in ihren Ausgangszustand zurück. *Xerogele*, die keine Flüssigkeit enthalten, können auch formbeständig sein.
Geschichte: Der Terminus „Kolloide" geht auf T. *Graham (1861) zurück; dieser nannte so jene Stoffe, die in wäss. Lsg. nicht od. nur sehr langsam durch dichte Membranen diffundieren können u. sich dadurch scharf von den sog. „Kristalloiden" unterscheiden. Graham sprach auch als erster von „einer bes. Art der Aggregation als kolloider Bedingung der Materie", womit er die Eigentümlichkeit der Kolloidlsg. auf die relative Größe ihrer gelösten Teilchen zurückführte. Vor Graham hatten bereits M. *Faraday, *Selmi, *Berzelius u. K. W. von Nägeli eine Anzahl kolloider Syst. beschrieben. Die modernen Definitionen des Kolloidbegriffs gehen auf Wolfgang Ostwald, von *Weimarn, Staudinger, *Stauff, *Landau, *Derjaguin u. a. zurück. – *E* colloid chemistry – *F* chimie des colloïdes, chimie colloïdale – *I* chimica colloidale – *S* química coloidal

Lit.: [1] Stauff, Kolloidchemie, S. 444, Berlin: Springer 1960. [2] Pure Appl. Chem. **52**, 1151–1161 (1980). [3] Angew. Chemie **87**, 556–567 (1975). [4] Pure Appl. Chem. **53**, 2083–2094 (1981). *allg.:* Dhont, An Introduction to Dynamics of Colloids, Amsterdam: Elsevier 1996 ∎ Encycl. Polym. Sci. Eng. **3**, 727–746 ∎ Gelbert et al. (Hrsg.), Micelles, Microemulsions and Monolayers, Berlin: Springer 1994 ∎ Hunter, Introduction to Modern Colloid Science, Oxford: Univ. Press 1993 ∎ Phys. Bl. **51**, 165–168 (1995) ∎ Ullmann (5.) **A 7**, 341–367. – *Zeitschriften:* Advances in Colloid and Interface Science, Amsterdam: Elsevier (seit 1975) ∎ Colloid and Polymer Science (früher Kolloid-Zeitschrift), Darmstadt: Steinkopff (seit 1907) ∎ Colloids and Surfaces, Amsterdam: Elsevier (seit 1980) ∎ Journal of Colloid and Interface Science, New York: Academic Press (seit 1946) ∎ Tenside, Surfactants, Detergents, München: Hanser (seit 1964). – *Organisationen:* Kolloidgesellschaft e. V. ∎ MPI für Kolloid- u. Grenzflächenforschung, 12489 Berlin.

Kolloide s. Kolloidchemie.

Kolloidmühlen s. Mühlen.

Kolloidosmotischer Druck (KOD, onkot. Druck, onkodynam. Druck). Bez. für den osmot. Druck (s. Osmose), den die kolloiden Plasma-Proteine (z. B. *Serumalbumin) im Blutplasma ausüben (33–40 mbar). Daß der KOD höher ist, als dem aus der Teilchenzahl errechneten osmot. Druck entspräche, erklärt sich aus der Wasserbindungsfähigkeit der Makromoleküle. – *E* osmotic pressure of colloids – *F* pression colloïdosmotique – *I* pressione colloidosmotica – *S* presión coloidosmótica

Kolloidschwefel. Bez. für in Kolloidmühlen gemahlenen Schwefel mit einer Korngröße von 0,5–2 μm, der bes. reaktionsfähig ist. K. wird zur Kautschuk-Vulkanisation, als Fungizid im Obst- u. Weinbau, zur Schädlingsbekämpfung u. zu pharmazeut. bzw. kosmet. Zwecken verwendet. Schutzkolloid-Zusatz erhöht die Beständigkeit u. Haftfestigkeit, z. B. bei der Mehltau-Bekämpfung im Weinberg. Flüssiger K. hat jedoch zugunsten des sog. *Netzschwefels an Bedeutung verloren. – *E* colloidal sulfur – *F* soufre colloïdal – *I* zolfo colloidale – *S* azufre coloidal

Lit.: Perkow ▪ Winnacker-Küchler (3.) **4**, 731 ▪ s. a. Schwefel. – [HS 2802 00]

Kolonie-Hybridisierung (auch Grunstein-Hogness-Meth.). Meth. zur Identifizierung spezif. rekombinanter Bakterien-*Klone durch *in situ*-*Hybridisierung mit homologen DNA-Sequenzen.

Ausgangsmaterial ist eine Agar-Platte mit verschiedenen rekombinanten Bakterien-Klonen. Nach Auflegen einer Filtermembran, Überstempeln auf eine zweite Agar-Platte u. Inkubation unter Wachstumsbedingungen bis zum Sichtbarwerden von Kolonien auf der Filtermembran werden die Bakterien *in situ* aufgeschlossen, ihre DNA denaturiert (z. B. mit NaOH) u. auf dem Filter fixiert. Nach Hybridisierung des Filters mit einer spezif., radioaktiv markierten DNA- od. RNA-Sonde können Bakterien-Klone, die hybridisierende Sequenzen in ihren Klonierungsvektoren tragen, erkannt u. den Klonen auf der Ausgangsplatte zugeordnet werden (Abb.).

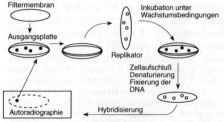

Abb.: Prinzip der Kolonie-Hybridisierung zur Identifizierung spezif. rekombinanter Bakterien-Klone.

Durch Abimpfen der so identifizierten Bakterien-Klone können Reinkulturen angelegt werden, die z. B. als Ausgangsmaterial zur Herst. größerer Mengen der im Klonierungsvektor codierten Proteine genutzt werden können. – *E* colony hybridisation – *F* hybridation sur colonie – *I* ibridazione a colonia – *S* hibridación en colonia

Lit.: Brown, Gentechnologie für Einsteiger (2.), S. 192 ff., Heidelberg: Spektrum Akadem. Verl. 1996 ▪ Brown, Moderne Genetik, S. 424–426, Heidelberg: Spektrum Akadem. Verlag 1993 ▪ Ibelgaufts, Gentechnologie von A bis Z, S. 293 ff., Weinheim: VCH Verlagsges. 1993 ▪ Strachan u. Read, Molekulare Humangenetik, S. 129–152, Heidelberg: Spektrum Akadem. Verl. 1996.

Kolonie-stimulierende Faktoren (Abk.: CSF, von *E* colony *s*timulating *f*actor). Bez. für eine Gruppe von Glykoproteinen, die die Eigenschaft besitzen, die *Proliferation verschiedener hämatopoet. (blutbildender) Zellen zu induzieren. Die Bez. CSF wurde geprägt durch die Fähigkeit der Faktoren, hämatopoet. Stammzellen auf Weichagar zum Auswachsen zu sichtbaren Einzelkolonien anzuregen. CSF können mit Hilfe von gentechn. Verf. hergestellt werden.

CSF spielen unter natürlichen Bedingungen eine wichtige Rolle bei der Regulation u. Reifung von Blutzellen. Durch CSF kann auch der Wachstumscyclus von Krebszellen moduliert werden; von dem Einsatz gentechn. hergestellter CSF verspricht man sich daher neue Behandlungsmöglichkeiten in der Tumortherapie. Der bedeutendste CSF ist das *Erythropoietin. Zu den CSF, die die Bildung von Blutzellen beeinflussen, gehören außerdem z. B. *Interleukin 3 (IL-3), Granulocyten/Makrophagen-CSF (GM-CSF), *Makrophagen-CSF (M-CSF) u. der Steel-Faktor (Stammzellen-Faktor). – *E* colony stimulating factors – *F* facteurs de croissance cellulaire – *I* fattori stimulando la colonia – *S* factores de crecimiento de colonias

Lit.: Alberts et al., Molekularbiologie der Zelle (3.), S. 1381–1388, Weinheim: VCH Verlagsges. 1995.

Kolonnen. Im Laboratorium u. in der Technik verwendete, zur *Destillation, *Absorption, *Adsorption, *Extraktion, *Rektifikation usw. dienende säulen- od. turmartige Geräte od. Apparate aus Glas, metall. Werkstoffen, Elektrographit, Kunstkohle, Quarz, Keramik usw., von denen hier nur die für die Dest. u. Rektifikation geeigneten behandelt werden sollen. Die techn. Ausführung (Größe, theoret. Bodenzahl) dieser K., die häufig aus mehreren Einzelteilen (sog. Schüssen) aufgebaut werden, ist sehr verschieden (s. a. Kolonnen-Einbauten) u. richtet sich u. a. nach der relativen Flüchtigkeit der zu trennenden Komponenten, ihrer Konz. im Gemisch u. der gewünschten Reinheit der einzelnen Produkt-Fraktionen. Auch der Betriebsdruck u. die Betriebstemp. spielen für die Auslegung techn. Kolonnen eine wichtige Rolle. Näheres s. unter Destillation sowie in *Lit.*[1] u. zum Prinzip der Auslegung von Rektifizierkolonnen s. *Lit.*[2].

Die Abb. 1 a–d geben einige in der Laboratoriumspraxis gebräuchliche K.-Typen wieder; die Mehrzahl von diesen wird bei der Dest. u. Fraktionierung zusammen mit sog. *K.-Köpfen* (Flüssigkeitsteilern) betrieben. Am gebräuchlichsten sind Köpfe mit totaler Kondensation des Dampfes, die ggf. auch die Abtrennung einer Phase bei Dest. von *Azeotropen erlauben. Sie teilen das Kondensat in *Rückfluß u. Destillat im gewünschten Verhältnis, führen den Rücklauf auf die K. zurück u. ermöglichen die Sammlung des Destillats, seine Einteilung in Fraktionen u. deren beliebige Entnahme ohne Unterbrechung der Destillation. Sie müssen ein geringes Totvol. haben, die genaue Messung der Dampftemp. ermöglichen u. eine exakte, reproduzierbare Teilung des Destillats ermöglichen. Im Handel befinden sich Modelle, die über Zeitgeber od. Tropfenzähler elektromagnet. od. von Hand geregelt werden. Die IUPAC empfiehlt bes. Flüssigkeitsgemische, um die Wirksamkeit von K. zu testen, s. *Lit.*[3]. Die Abb. 2 a–c geben den Aufbau techn. Rektifikations- u. Absorptionskolonnen wieder.

Die Bez. „K." gebraucht man auch als Synonym für die Adsorptionsmittel enthaltenden Säulen in den verschiedenen Arten der Chromatographie. – *E* columns – *F* colonnes – *I* colonne – *S* columnas

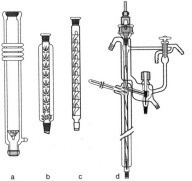

Abb. 1: Kolonnentypen; a: Füllkörper-Kolonne mit Vakuummantel (Abb. von Füllkörpern s. dort), b: Vigreux-Kolonne mit Vakuummantel, c: Siebboden-Kolonne, d: Drehband-Kolonne; weitere Abb. s. bei Destillation.

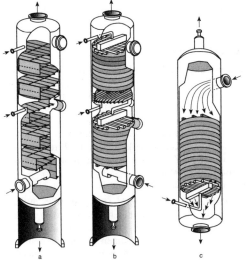

Abb. 2: Techn. Kolonnentypen; a: Bodenkolonne zur Rektifikation; b: Füllkörperkolonne zur Rektifikation; c: Füllkörperkolonne zur Absorption.

Lit.: [1]Chem. Anlagen Verfahren **1980**, Nr. 10, 47–69, 118; **1981**, Nr. 6, 22–46; Chem. Tech. (Leipzig) **35**, 181–185 (1983). [2]Ullmann (5.) **B 3**, 4-1–4-94. [3]Pure Appl. Chem. **51**, 2421–2449 (1979).
allg.: ACHEMA-Jahrb. **1994**, 1024, 1285, 1286, 1287,1482, 1483, 2361, 2362 ▪ Karpacheva u. Zakharov, Foundations of the Theory and Design of Pulsed-Column Reactors (russ.), Moskva: Atomizdat 1980 ▪ Niesenfeld u. Seeman, Distillation Columns, New York: Wiley 1981 ▪ Ullmann (5.) **B 3**, 4-70, 8-20, 6-14 ▪ Vauck u. Müller, Grundoperationen chemischer

Verfahrenstechnik, S. 657–708, Weinheim: VCH Verlagsges. 1988 ▪ Winnacker-Küchler (4.) **1**, 194–199 ▪ s. a. Destillation u. Rektifikation.

Kolonnen-Einbauten. Bes. in Dest.-Kolonnen u. -Türmen für großtechn. Zwecke verwendete feste, verstellbare od. bewegliche Kolonnen-Böden (s. Destillation), *Füllkörper, *Flüssigkeitsverteiler, geordnete Packungen aus geriffelten Drahtgewebebändern (z.B. von Sulzer), Rückflußverteiler u. Tragroste mit wabenförmigem, gitterförmigem u. ä. Aufbau. Die K.-E. müssen z.B. ein Maximum an Durchlässigkeit für Dämpfe u. Flüssigkeiten haben u. dürfen die Flüssigkeitsverteilung in den Kolonnen nicht beeinträchtigen. – *E* column internals – *F* appareils à colonnes – *I* installazioni in colonne – *S* columnas internas

Lit.: ACHEMA-Jahrb. **1994**, 1884, 1884.08 ▪ Ullmann (5.) **B 3**, 4-70, 6-17, 6-23; **B 5**, 263 ▪ s. a. Destillation u. Rektifikation.

Kolonnen-Kristallisation s. Zonenschmelzen.

Kolophonium. Die Bez. ist abgeleitet von dem Namen der lyd. Stadt Kolophon, einem antiken Handelszentrum für Kolophonium. Es ist ein *natürliches Harz, das aus dem Rohharz von Koniferen gewonnen wird. Man unterscheidet drei K.-Typen: *Balsamharz* als Dest.-Rückstand von *Terpentinöl, *Wurzelharz* als Extrakt von Koniferen-Wurzelstöcken u. *Tallharz,* der Dest.-Rückstand von *Tallöl. Die mengenmäßig größte Bedeutung, hat Balsamharz.

K. ist ein sprödes, transparentes Produkt von roter bis brauner Farbe. Es ist wasserunlösl., lösl. dagegen in vielen organ. Lsm. wie (chlorierten) aliphat. u. aromat. Kohlenwasserstoffen, Estern, Ethern u. Ketonen, sowie in pflanzlichen u. mineral. Ölen. Der Erweichungspunkt von K. liegt im Bereich von ca. 70–80 °C.

K. ist ein Gemisch aus ca. 90% *Harzsäuren u. 10% Neutral-Stoffen (Fettsäureester, Terpenalkohole u. Kohlenwasserstoffe). Die wichtigsten K.-Harzsäuren sind ungesätt. Carbonsäuren der Bruttoformel $C_{20}H_{30}O_2$, *Abietin-, *Neoabietin-, *Lävopimar-, Pimar-, *Isopimar-, u. *Palustrinsäure, neben hydrierter u. dehydrierter Abietinsäure. Die Mengenverhältnisse dieser Säuren variieren in Abhängigkeit von der Provenienz des Kolophoniums. Natives K. hat aus anwendungstechn. Sicht gravierende Nachteile: Niedriger Erweichungsbereich, geringe Beständigkeit gegen Alkali u. Oxid.-Mittel. Diese Nachteile können durch Derivatisierung – Disproportionierung, Dimerisierung, Hydrierung, Polymerisation, Addition ungesätt. Verb. (Maleinsäure, Maleatharze), Veresterung, Salz-Bildung – des K. minimiert werden.

Verw.: Natives K. wird nur noch in geringen Mengen eingesetzt, u. a. in Zeitungsdruckfarben, Klebstofflsg. u. Kernbindemitteln. Modifiziertes K. wird als Emulgator bei der Herst. von Kautschuken im Emulsionsverf., als Esterharz für den Einsatz in Klebstoffen, Lacken u. Kaugummi, als Basisrohstoff für *Alkydharze, als Bindemittel für Druckfarben u.a. verwendet. – *E* colophony, rosin – *F* colophane – *I = S* colofonia

Lit.: Hager **6 a**, 679–689 ▪ Ullmann (3.) **8**, 400–417; (4.) **12**, 529–536. – *[HS 3806 10]*

Koloquinthen. Geschälte, kugelige, etwa apfelgroße, weiße, sehr leichte Früchte von *Citrullus colocynthis* (L.) Schrad. (Cucurbitaceae), einem rankenden Kürbisgewächs, das in Syrien, Zypern u. Nordafrika vorkommt. Die Früchte enthalten *Cucurbitacin-Glykoside, die sehr bitter schmecken u. stark abführend wirken. Die geschälten, entkernten K. wurden in Form von Pulver, Tinktur od. Extrakt als Abführmittel u. zur Wanzenbekämpfung verwendet. Die K. gehören zu den Giftdrogen; sie waren schon im Altertum als sog. Wildgurken bekannt u. gefürchtet (s. z. B. 2. Buch der Könige, Kap. 4, 38–41). Wegen der Gefahr tox. Überdosierungen werden K. nicht mehr verwendet[1]. – *E* colocynths – *F* coloquintes – *I* coloquintidi – *S* coloquíntidas

Lit.: [1]Bundesanzeiger 164/01.09.1990.
allg.: Brücher, Tropische Nutzpflanzen, S. 281, Berlin: Springer 1977 ▪ Hager (4.) **4**, 79–83 ▪ Pharm. Biol. **2**, 196.

Kolorimetrie. Verf. der *Absorptiometrie, bei dem die Bestimmung der Konz. durch Farbvgl. mit einer Standard-Lsg. derselben Substanz erfolgt. Als *Photometrie wird die Konz.-Bestimmung durch Messen der Extinktion (od. Absorption od. Durchlässigkeit) bezeichnet. Zwischen beiden Meth. wird nicht immer streng unterschieden. Im einfachsten Fall ordnet man bei der K. die zu untersuchende Lsg. in eine Reihe von Standard-Lsg. steigender Konz. durch visuellen Vgl. ein; alle Proben befinden sich dazu in gleichen Gefäßen, z. B. Reagenzgläsern. Für Serienanalysen vergleicht man dagegen mit Sätzen von farbigen Gläsern mit unterschiedlichen Farbtiefen, die haltbarer sind u. das Ansetzen der Standard-Lsg. ersparen. Genauere Ergebnisse (±0,5%) können u. a. mit dem sog. Eintauch-Kolorimeter nach Dubosq (s. Abb.) erzielt werden.

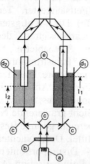

Abb.: Eintauchkolorimeter nach Dubosq (Prinzip).
a) Lichtquelle; b) Filter; c) Spiegel; d$_1$) Küvette mit Standard-Lsg.; d$_2$) Küvette mit Analysen-Lsg.; e) Glasstäbe.

Das Licht strahlt von unten durch zwei Küvetten mit der Analysen- u. der Standard-Lsg. Nach dem Zusammenführen der beiden Lichtstrahlen leuchten sie je zur Hälfte das Gesichtsfeld eines Okulars aus. Mit Hilfe eines durch Mikrometerschraube verstellbaren Glasstabs wird die Meß-Lsg. so eingestellt, daß die beiden Gesichtsfelder gleich hell sind. Aus dem Verhältnis der Schichtdicken der Meß- u. Standard-Lsg. u. der Konz. des Standards läßt sich die Konz. der Analysen-Lsg. errechnen. Das Kolorimeter nach Wolff funktioniert ähnlich; nur werden hier die zu beobachteten Schicht-

dicken durch Verringern der Menge der Lsg. reguliert. Alle derartigen Messungen beruhen auf dem *Lambert-Beerschen Gesetz.*
Verw.: V. a. – wegen des geringen Aufwands – für schnelle Übersichtsanalysen (Umwelt- u. klin. Chemie) unter Verw. von sog. Test-Kits. – *E* colorimetry – *F* colorimétrie – *I* colorimetria – *S* colorimetría
Lit.: Boltz u. Howell, Colorimetric Determination of Nonmetals, New York: Wiley 1979 ▪ MacAdam, Colormeasurement: Theme and Variations, 2. Aufl., Berlin: Springer 1985 ▪ Schwedt, Analytische Chemie, S. 223 ff., Stuttgart: Thieme 1995.

Kolostrum s. Humanmilch.

Kolthoff, Izaak Maurits (geb. 1894, verstorben), Prof. für Analyt. Chemie, Univ. Minnesota. *Arbeitsgebiete:* Konduktometr. Titration, Polarographie, Indikatoren, pH-Messungen usw., Mithrsg. des *Kolthoff-Elving.
Lit.: Pötsch, S. 245 ▪ Poggendorff **7 b/4**, 2529–2540.

Kolthoff-Elving. Kurzbez. für das seit 1959 von *Kolthoff u. Elving bei Wiley, New York, herausgegebene *Handbuch „Treatise on Analytical Chemistry". Das Werk erscheint in 3 Tl., von denen sich der erste (1959/75: Tl. 1–11) mit der Theorie u. Praxis der Analyt. Chemie befaßt, der zweite (1961/80: Tl. 1–16 + Index) mit der Analyse der Verb. u. Elemente, der dritte (1967/77: Tl. 1–4) mit der Analyse industrieller Produkte. Seit 1978 erscheint die 2. u. erweiterte Auflage. Gelegentlich wird „K.-E." auch als Serientitel der Monographienreihe „Chemical Analysis" (Hrsg.: Elving u. Kolthoff, gleicher Verl., 1997, 142 Bd.) verstanden.

Kolton® grippale N. Dragées mit *Piprinhydrinat sowie *Paracetamol u. *Ethenzamid gegen grippale Infekte. *B.:* Promonta.

Kolumnare Phasen s. flüssige Kristalle.

Komarowsky-Reaktion. Farbreaktion zwischen bestimmten Alkoholen (Glykole, Cyclohexanol) u. 4-Hydroxybenzaldehyd unter Zugabe von Schwefelsäure. Eine Variante der *K.* ist die *von Fellenberg-Reaktion.* Diese wird unter Verw. von alkohol. Salicylaldehyd-Lsg. (Rotfärbung), zum Nachw. von Fuselölen eingesetzt. – *E* Komarowsky reaction – *F* réaction de Komarowsky – *I* reazione di Komarowsky – *S* reacción de Komarowsky
Lit.: Anal. Chem. **25**, 1376 (1953).

Komatiite. Bez. für *ultramaf.* (mehr als 90% dunkle Mineralien) *Vulkanite* mit mehr als 18% MgO, hohen CaO : Al$_2$O$_3$-Verhältnissen u. niedrigen K$_2$O- u. TiO$_2$-Gehalten. Die Zusammensetzungen der K. reichen von denen an dunklen Mineralien reicher Tholeiit-*Basalte (*basalt. K.*) bis zu solchen mit Pyroxeniten (*pyroxenit. K.*) u. *Peridotiten (*peridotit. K.*). Die Hauptminerale sind Mg-reicher *Olivin (mit 0,1–0,4% Cr$_2$O$_3$) u. Klino-*Pyroxene (mit 5–9% Al$_2$O$_3$); sie bilden bis über cm-große Platten, Leisten, Nadeln od. skelettartige Krist. in einer glasigen od. entglasten Grundmasse („*Spinifex-Struktur*"). Die K. sind häufig durch niedriggradige *Metamorphose überprägt; die verbreitetsten Umwandlungsminerale sind *Serpentin, *Tremolit, *Talk u. *Chlorit.
Vork., Entstehung: K. kommen ganz überwiegend im Präkambrium (*Erdzeitalter) vor, v. a. als Glieder von

*Grünstein-Gürteln des Archaikums, vor, z. B. im Tal des Komati-Flusses (Name!) im Barberton-Bergland in Südafrika (Alter 3,5 Mrd. a), in Ontario/Kanada, Belingwe/Simbabwe u. Westaustralien. Nickelsulfid-Erzlagerstätten wurden im Verband mit K. im Kambalda-Gebiet von Westaustralien[1], mehrorts in Simbabwe u. im Abitibi-Grünsteingürtel in Kanada gefunden; dadurch erhalten die K. auch wirtschaftliche Bedeutung. Chem. Analysen von Glas-Einschlüssen in Olivinen aus einem 2,7 Mrd. a alten K. in Simbabwe ergaben Ähnlichkeiten mit modernen Intraplatten-Basalten[2].
Die *Ausflußtemp.* der ultramaf. K.-Schmelzen werden aufgrund des hohen Mg-Gehalts auf über 1500 °C, nach *Lit.*[3] bis max. 1580 °C, geschätzt. Man nimmt an, daß prim. komatiit. Magmen (*Magma) durch einen ungewöhnlich hohen Anteil (ca. 60%) von teilw. Aufschmelzung im oberen Erdmantel (*Erde) entstanden sind. – *E* komatiites – *F* comatiite – *I* comatiiti – *S* comatiítas

Lit.: [1] Econ. Geol. **88**, 804–816 (1993). [2] Nature (London) **365**, 432 ff. (1993). [3] Lithos **30**, 291–307 (1993).
allg.: Arndt u. Nisbeth (Hrsg.), Komatiites, London: Allen & Unwin 1982 ▪ MacKenzie, Donaldsson u. Guilford, Atlas der magmatischen Gesteine in Dünnschliffen, S. 84, Stuttgart: Enke 1989 ▪ Hall, Igneous Petrology (2.), S. 328 ff., London: Longman 1996 ▪ Wimmenauer, Petrographie der magmatischen u. metamorphen Gesteine, S. 207 ff., Stuttgart: Enke 1985.

Kombé-Strophantin s. Strophanthin.

Kombinationswirkung. Bez. für das Zusammenwirken mehrerer Umweltfaktoren auf einen Organismus od. eine Organismengemeinschaft. Es lassen sich vier Kategorien von K. klassifizieren: 1. *Synergismus*: Die Wirkung einer Faktorenkombination ist größer als jede Einzelwirkung (*additive Wirkung, multiplizierende Wirkung, Potenzierung). – 2. *Antagonismus* (s. Antagonisten): Die Wirkung einer Faktorenkombination ist geringer als die größte Einzelwirkung (Kompensation). – 3. *Überdeckung:* In Kombination ist die Wirkung eines od. mehrerer Faktoren nicht erkennbar. – 4. *Wirkungsumkehr:* Durch Kombination gleichsinnig wirkender Faktoren tritt eine Wirkung in Gegenrichtung auf. – *E* combinatory effect – *F* effet de combination – *I* effetto combinatorio – *S* efecto combinatorio
Lit.: Schlee (2.), S. 18, 54–58.

Kombinatorische Synthese. Während in der Vergangenheit die organ. Synth. innerhalb der medizin. Chemie bestrebt war, *einzelne* Zielverb. definierter Struktur möglichst selektiv u. in hohen Ausbeuten herzustellen u. einem Screening zu unterwerfen, stellt die k. S. dieses Prinzip auf den Kopf. Nun wird die Synth. von vielen Verb. definierter Struktur aus einer Anzahl strukturell ähnlicher Ausgangsverb. *gleichzeitig* angestrebt. Grundgedanke ist dabei, daß die konventionelle, rationale Synth. im Hinblick auf die Herst. von Leitsubstanzen für die Pharmaforschung mit der Leistungsfähigkeit der zur Verfügung stehenden Testsyst., die Tausende von neuen Verb. pro Tag auf biolog. Wirksamkeit überprüfen können, nicht mehr Schritt halten kann. Eine durch k. S. erzeugte Mischung von vielen Verb. kann dagegen mit Hilfe dieser modernen

Testmeth. schnell überprüft werden, wodurch die wirksamen Verb. leicht herauszufiltern sind. Nachteilig kann allerdings sein, daß nur sehr aktive Substanzen erkannt werden können.
Das Prinzip der k. S. ist denkbar einfach: Statt Verbindung A mit B zu AB umzusetzen, werden die Verb. A_{1-m} mit B_{1-n} unter Bildung von $A_{1-m}B_{1-m}$ (m u. n: ganze Zahlen) zur Reaktion gebracht, wobei alle Kombinationen hergestellt werden sollen. Z. B. können 100 verschiedene Dipeptide durch Reaktion von jeweils 10 verschiedenen Edukten erzeugt werden (s. Abb.).

Abb.: Konventionelle (a) u. kombinatorische (b) Di-*Peptid-Synthese (X = aktivierende Gruppe; Y, Z = übliche *Schutzgruppen).

Setzt man das Dipeptid-Gemisch sukzessive mit weiteren Aminosäuren um, so erhält man bereits 1000 Tripeptide, 10 000 Tetrapeptide, 100 000 Pentapeptide usw. Die Gesamtzahl der in einer k. S. hergestellten Verb. bezeichnet man als „Bibliothek", die aus Einzelsubstanzen od. definierten Mischungen bestehen kann. Die kombinator. *Peptid-Synthese war der Initiator für die k. S. insbes. als die sog. *Split-Synthese entwickelt wurde, die es ermöglicht, eine nahezu beliebig große Peptid-Bibliothek zu erzeugen. Neuere Trends gehen dazu, Verb.-Bibliotheken niedermol., kleiner organ. Mol. zu erstellen, wobei dieses Gebiet nahezu exponentiell anwächst. Da es an dieser Stelle unmöglich ist, auf alle Trends einzugehen, sei auf die zitierte Lit. verwiesen. – *E* combinatorial chemistry – *F* synthèse (chimie) combinatorique – *S* química combinatoria
Lit.: Angew. Chem. **108**, 1236 (1996); **109**, 857 (1997) ▪ Chem. Rev. **97**, 347 (1997) ▪ Cortese, Combinatorial Libraries – Synthesis, Screening and Application Potential, Berlin: de Gruyter 1996 ▪ Jung, Combinatorial Peptide and Nonpeptide Libraries, Weinheim: VCH Verlagsges. 1996 ▪ Liebigs Ann./Recueil **1997**, 637–647 ▪ Nachr. Chem. Tech. Lab. **44**, 1182 (1996); **45**, 157 (1997) ▪ s. a. Peptid-Synthese.

Kombucha. In China schon vor unserer Zeitrechnung als „Mittel zur Erlangung der Unsterblichkeit" benutzt. Über Japan u. Rußland kam K. nach Europa. Von seiner Verw. bzw. Herkunft u. seinem Aussehen leiten sich auch die gebräuchlichen Bez. *Teepilz, Fungus japonicus* u. *Wolgaqualle* her. K. ist eine Symbiose verschiedener Bakterien mit Hefen in einer gallertigen Grundmasse u. wird Tees, die mit ca. 10% Zucker gesüßt sind, zugesetzt. Die Bakterien produzieren Essigsäure, Milchsäure, Ascorbinsäure u. a. organ. Säuren, die Hefen vergären den Zucker zu Ethanol u. Kohlensäure. Es entsteht so ein prickelndes Getränk, das ca. 0,5% Alkohol enthält u. mit zunehmender Standzeit immer saurer wird. Nach etwa 14 d ist es auch als Speiseessig zu verwenden. In der Volksheilkunde wird es gegen fast alle Unpäßlichkeiten u. Erkrankungen eingesetzt, ohne daß eine Wirkung belegt ist. – $E = S$ kombucha – I fungo cinese

Lit.: Dtsch. Apoth. Ztg. **129**, 326 (1989); **130**, 2266–2270 (1990).

Komendonen s. Akne.

Kometen. Von griech.: kometes = Haarstern abgeleitete Bez. für Himmelskörper, die beim Durchfliegen unseres *Sonnensystems einen meist leuchtenden Schweif, der wie ein Haar erscheint, aufweisen. Man unterscheidet langperiod. K. mit Umlaufzeiten von 10^2 bis 10^6 a, deren Bahnen langgestreckte Ellipsen od. im Grenzfall Parabeln sind u. kurzperiod. K. mit Umlaufzeiten <200 a, die sich auf ellipt. Bahnen, meist mit kleiner Neigung gegenüber den Planetenbahnen, bewegen. Die letzteren sind offenbar aus langperiod. durch Einfang durch den Planeten Jupiter entstanden. Bei Annäherung an die Sonne erwärmen sich die K. u. dampfen Material ab, das durch die Sonnenstrahlung u. durch Sonnenpartikel angeregt u. ionisiert wird. Hierbei entstehen die charakterist., stets von der Sonne abgewendeten Schweife: Der gerade *Ionenschweif* u. der leicht gebogene *Staubschweif.* Der Kern eines K. ist als „schmutziger Schneeball" anzusehen, aufgebaut aus Wassereis u. einfachen C-, H-, N- u. O-Verbindungen. Dieses Modell wurde zunächst aufgrund der Spektroskopie der leuchtenden Gase aufgestellt. Die ersten Aufnahmen eines K.-Kerns gelangen mit den Kameras der Giotto-Mission der Europäischen Weltraumorganisation (ESA).

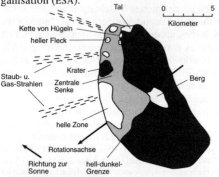

Abb.: Aufbau des Kometen Halley.

Sie zeigen den Kern des K. Halley als einen 8×16 km^2 großen, extrem schwarzen Körper mit einer von Kratern bedeckten Oberfläche, aus deren sonnenzugewandter Seite strahlförmig Material herausschießt (*Lit.*[1]). In Sonnennähe ist der Kern von einem $10^5 - 10^7$ km großen, hell leuchtendem Koma (Kopf) umgeben, das aus abgedampften Gas- u. Staubteilchen besteht. Beim Halleyschen K. wurde das Koma von mehreren Satelliten durchflogen, die die Ionen, Gas- u. Staubteilchen analysierten (*Lit.*[1,2]). Die chem. Zusammensetzung dieser Materie zu untersuchen, ist interessant, da man annimmt, daß alle K. aus der sog. Oortschen Wolke stammen, einer Massenansammlung in rund $7 \cdot 10^{10}$ km Entfernung, u. somit Urmaterie darstellen, aus der unser Sonnensyst. entstanden ist.

Bes. Ereignisse der jüngsten Zeit sind: Absturz des Kometen Shoemaker-Levy 9 auf den Planeten Jupiter am 19. Juli 1994 (*Lit.*[3]) u. Beobachtung des K. Hale-Bopp im März/April 1997. – *E* comets – *F* comètes – *I* comete – *S* cometas

Lit.: [1] Sci. Am. **259**, Nr. 9, 62 (1988); Phys. Bl. **46**, 98, 220 (1990). [2] Phys. Bl. **42**, 298 (1986); **43**, 131 (1987). [3] Spektr. Wiss. **1994**, Nr. 9, 18.

allg.: Kammerer u. Kretlow, Taschenbuch für Kometenbeobachter, Heidelberg: Hüthig 1997 ▪ Phys. Unserer Zeit **17**, 33 (1986); **28**, 58–66 (1997) ▪ Unsöld u. Baschek, Der neue Kosmos, Berlin: Springer 1988.

Kommensalismus (Mitessertum, veraltet: Karpose). Zusammenleben (Parabiose) von Tieren verschiedener *Arten, bei der ein Partner (Kommensale) Nahrung der anderen Tierart (Wirt) verzehrt (Tischgemeinschaft), ohne den anderen (weiter) zu schädigen (Gegensatz: Parasitismus) od. ihm zu nützen (Gegensatz: *Symbiose). Im übertragenen Sinn Bez. für das Zusammenleben mehrerer Tierarten, wobei nur einer der Partner aus dem Zusammenleben einen Vorteil zieht, der andere aber keinen (wesentlichen) Nachteil erleidet; s. a. Amensalismus. – *E* commensalism – *F* commensalisme – *I* commensalismo – *S* comensalismo

Lit.: Schlee (2.), S. 21, 435.

Kompaktate s. Kompaktwaschmittel.

Kompaktieren. Von latein.: compactus = zusammengefügt abgeleitete Bez. für die *Kornvergrößerung* od. das *Verdichten* körniger od. pulverförmiger Materialien unter mechan. Druck, um diese in leichter zu handhabende, staubfreie Formen zu überführen. Man verwendet K. – das man als Oberbegriff zu Verf. wie *Brikettierung, *Pellet- u. *Tabletten-Herst. ansehen kann – bei Erzen, Metallpulvern (*Beisp.:* *Pulvermetallurgie), keram. Werkstoffen, Düngemitteln, Waschmitteln, Kohle, Pharmaka, Futtermittel u. dgl. Die Kompaktierung kann bindemittelfrei od. unter Zusatz von Bindemitteln erfolgen. Vom gleichen Wortstamm abgeleitet, versteht man unter *Kompaktion* das Zusammenpressen von Sedimenten, z. B. bei der *Inkohlung; zu K.-Pressen s. *Lit.*[1]. – $E = F$ compaction – I compattazione, costipamento – S compactación

Lit.: [1] ACHEMA-Jahrb. **1994**, 1893.

allg.: Geguzin, Wie werden aus Pulvern kompakte Werkstoffe, Leipzig: Grundstoff-Ind. 1981 ▪ Stanley-Wood, Compaction of Particulate Solids, London: Butterworth 1983 ▪ Ullmann (5.) **B 2**, 7-1 ▪ Winnacker-Küchler (4.) **5**, 305–308, 377–386.

Kompaktion s. Kompaktieren.

Kompaktwaschmittel. Bez. für neue Generationen von granulierten od. extrudierten *Waschmitteln, deren Formulierung durch einen höheren Tensidanteil, teilw. neuartige Inhaltsstoffe mit höherer spezif. Leistung (z. B. Einsatz von sog. trockenen *Aniontensiden od. Natriumperborat-monohydrat anstelle von -tetrahydrat), Verzicht auf Füllstoffe wie Natriumsulfat u. – technologiebedingt – eine gegenüber konventionellen Produkten höhere Schüttdichte zwischen 700 u. 900 g · L^{-1} charakterisiert ist. Damit ist eine deutlich geringere Dosierung von <100 g pro Waschgang (1994) möglich geworden. Die erfolgreiche Vermarktung von K. hat zu einer erheblichen Einsparung von Packmitteln u. damit von Transportaufwand u. Lagerflächen im Handel geführt. Zur Herst. von K. werden innovative Technologien, wie spezielle Trocken-mischverf. (Produktbez. mit dem Zusatz *futur* od. *micro activ*) od. auch Extrusion (Megaperls), einge-setzt. – *E* compact detergents, high-density detergents – *F* produit lessiviel compact, produit lessiviel à haute densité

Kompartiment(ierung). Von franzöz.: compartiment = Abteilung. 1. In der Cytologie versteht man unter K. die interne Gliederung der *Eukaryonten-Zelle in Membran-umschlossene Reaktionsräume *(Komparti-mente)*. Das Prinzip der K. erlaubt es, daß in derselben Zelle zur gleichen Zeit gegenläufige Stoffwechsel-wege ablaufen können (z. B. Fettsäure-Synth. im *Cytoplasma u. Fettsäure-Abbau in den *Mitochon-drien).
2. In der Pharmakokinetik beziehen sich diese Begriffe auf die modellhafte Aufteilung des Körpers in ver-schiedene als voneinander abgegrenzt gedachte Räume (z. B. Blutplasma u. peripheres Gewebe), in de-nen verabreichte Stoffe als jeweils homogen verteilt betrachtet werden. – *E* compartment(ation) – *F* com-partiment(ation) – *I* compartimento (comparimenta-zione) – *S* 1. compartimento, 2. compartimentación

Kompatibilität s. Inkompatibilität.

Kompensan®. Tabl. od. Suspension mit Aluminium-Natrium-carbonat-dihydroxid, auch mit Dimeticon (*K. S.*), bei Gastritis, Sodbrennen u. Magen- u. Dünn-darmgeschwüren. *B.*: Pfizer.

Kompensatoren (Dehnungsausgleicher). In Rohrlei-tungen eingebaute Rohrstücke verschiedener Form (oft Lyra- od. U-förmig) zur Aufnahme u./od. Abglei-chung von Schwingungen, Dehnungen u. Verschie-bungen unter Erhaltung der Dichtigkeit der Rohrlei-tung. K. bestehen je nach Anw. u. Beanspruchung hauptsächlich aus Stahl, Kautschuk u. Kunststoffen u. beschichteten techn. Geweben. – *E* expansion com-pensators – *F* compensateurs de dilatation – *I* com-pensatori di dilatazione – *S* compensadores de dilata-ción
Lit.: ACHEMA-Jahrb. **1994**, 2386.01.

Kompetitive Hemmung. Von latein.: competitor = Mitbewerber abgeleitete Bez. für eine (chem.) Hemm-wirkung, die dann eintreten kann, wenn zwei Agen-zien gleichzeitig das gleiche dritte beanspruchen. Die bes. in der Enzymologie gebräuchliche Bez. kenn-zeichnet die Situation, daß ein Enzym dadurch ge-hemmt wird, daß sich eine dem normalen Substrat ähn-liche Substanz an sein aktives Zentrum bindet u. – bei genügend hoher Konz. – das Substrat verdrängt. In prinzipiell gleicher Weise wirken *Antimetabolite stellvertretend für Metabolite. Derartige k. H. sind re-versibel, denn durch Erhöhung der Substratkonz. kann der *Inhibitor wieder verdrängt werden; die Reaktion gehorcht dem *Massenwirkungsgesetz. Sie spielt ebenso wie die *Endprodukthemmung eine wichtige Rolle bei der *Regulation des Stoffwechsels (s. a. Ef-fektoren). Als *nichtkompetitive Hemmung* bezeichnet man solche Fälle, bei denen der Hemmstoff das aktive Zentrum in der Weise beeinflußt, daß das Substrat zwar gebunden, der Reaktionsablauf aber verzögert wird. –

E competitive inhibition – *F* inhibition compétitive – *I* inibizione competitiva – *S* inhibición competitiva

Kompetitivreaktionen s. Simultanreaktionen.

Komplement. Von latein.: complementum = Ergän-zungsmittel abgeleitete Bez. für einen von P. *Ehrlich um 1900 erstmals untersuchten Serumfaktor. Die An-wesenheit von K. ist nicht nur bei der durch *Anti-körper eingeleiteten *Cytolyse (wird beim hämolyt. *Plaque-Test ausgenützt) erforderlich, sondern auch bei Phagocytose durch *Leukocyten u. bei deren Ak-tivierung u. *Chemotaxis. Daher ist das K.-Syst. v. a. bei der Abwehr von bakteriellen Infektionen durch An-tikörper von Bedeutung. Der Nachw. kann serolog. durch die – sich an eine *Antigen-Antikörper-Reak-tion anschließende – K.-Bindungsreaktion geführt werden, die bei anderer Reihenfolge als Antikörper-Nachw. dienen kann; *Beisp.*: Wassermann-Reaktion auf Lues.
Bei K. handelt es sich um ein komplex zusammenwir-kendes Syst. von ca. 20 Proteinen (Enzymen u. Regu-latoren). Die Aktivierung des K.-Syst. erfolgt durch *Immunkomplexe (klass. Weg) od. mikrobielle Poly-saccharide (alternativer Weg) u. nachfolgende Kaska-den von proteolyt. Reaktionen (Aktivierung von *Zy-mogenen; vgl. a. Blutgerinnung, wo die Aktivierung ähnlich erfolgt); ein dritter Weg beginnt mit der Bin-dung von *Collectinen wie dem *Mannose-bindenden Protein an mikrobielle Oberflächen-Polysaccharide[1]; alle drei Wege münden in der partiellen Spaltung von C3 u. darauf folgend von C5. Die späten K.-Kompo-nenten, C6, C7, C8 u. mehrere Mol. von C9, versam-meln sich zusammen mit dem Spaltprodukt C5b auf der Membran der Zielzelle u. bilden den *Membran-An-griffs-Komplex*[2], der eine Pore in der Zellmembran bil-det u. so die Cytolyse bewirkt. Die funktionelle Ähn-lichkeit mit dem *Perforin der cytotox. T-Lym-phocyten drückt sich auch in einer Sequenz-Homolo-gie desselben mit C9 aus. Die Bindung von C3b an die Zielzelle wird als *Opsonisierung* bezeichnet u. er-möglicht die Phagocytose durch *Makrophagen, die C3b-Rezeptoren besitzen. Manche der im Laufe der K.-Aktivierung entstehenden Spaltprodukte (z. B. C3a u. C5a, das *Anaphylatoxin*[3]) sind bei *Entzündungs-Prozessen u. bei *Allergien beteiligt u. bewirken Frei-setzung von *Histamin u. *Serotonin. Zur Wirkung von C3d als *Adjuvans der Antikörper-abhängigen Immunantwort s. *Lit.*[4]. – *E* complement – *F* complé-ment – *I* = *S* complemento
Lit.: [1] Nature (London) **386**, 506–510 (1997). [2] Eur. J. Immu-nogenet. **23**, 181–197 (1996). [3] Annu. Rev. Immunol. **12**, 775–808 (1994); Curr. Opin. Immunol. **7**, 48–53 (1995). [4] Curr. Opin. Immunol. **9**, 64–69 (1997); Science **271**, 348 ff. (1996).
allg.: Adv. Immunol. **61**, 201–283 (1996) ▪ Roitt et al., Kur-zes Lehrbuch der Immunologie, 3. Aufl., S. 158–173, Stutt-gart: Thieme 1995.

Komplementärfarben s. Farbe.

Komplementation. Begriff aus der Genetik, der den Vorgang kennzeichnet, bei dem sich zwei Eltern-Ge-nome einer diploiden Zelle in Funktionen ergänzen, die einem der beiden Eltern-Genome fehlen. Durch K. können sich auch die Genprodukte unterschiedlicher

Mutanten des gleichen Gens funktionell ergänzen u. so Defekte kompensieren. In der Gentechnik kann K. des genet. Defekts eines Wirtsorganismus durch Aufnahme rekombinanter DNA erreicht werden. – *E* complementation – *F* complémentation – *I* complementazione – *S* complementación
Lit.: Ibelgaufts, Gentechnologie von A bis Z, S. 293 ff., Weinheim: VCH Verlagsges. 1993.

Komplexbildende Polymere. K. P. sind *Polymere, die entweder in der Hauptkette selbst od. seitenständig zu dieser funktionelle Gruppen tragen, die als *Liganden wirken können u. mit geeigneten Metall-Atomen (M) in der Regel unter Bildung von *Chelat-Komplexen reagieren. Die Polymer-gebundenen Liganden der entstehenden Metall-Komplexe können dabei aus nur einem Makromol. stammen (*intra*mol. Komplexierung, z. B. **1** od. **2**, Abb. 1) od. aber zu verschiedenen Polymerketten gehören (*inter*mol. Komplexbildung, z. B. **3**, Abb. 1). Letzteres führt zur Vernetzung des Materials, sofern die k. P. nicht bereits zuvor über kovalente Bindungen vernetzt waren.

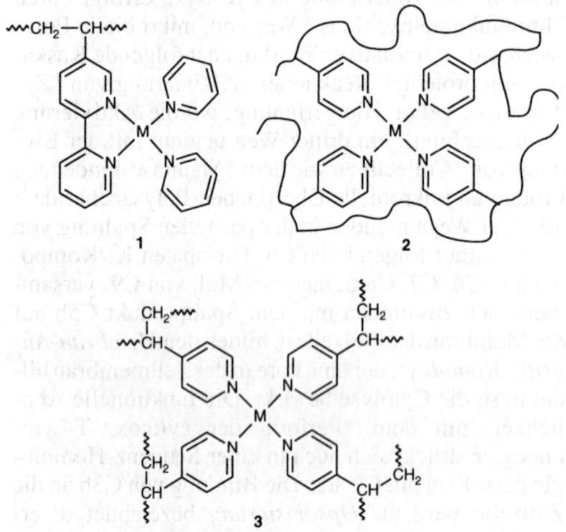

Abb. 1: Komplexbildende Polymere.

Komplexierende Gruppen (Liganden) üblicher k. P. sind Iminodiessigsäure-, Hydroxychinolin-, Thioharnstoff-, Guanidin-, Dithiocarbamat-, Hydroxamsäure-, Amidoxim-, Aminophosphorsäure-, (cycl.) Polyamino-, Mercapto-, 1,3-Dicarbonyl- u. Kronenether-Reste mit z. T. sehr spezif. Aktivitäten gegenüber Ionen unterschiedlicher Metalle.
Basispolymere vieler auch kommerziell bedeutender k. P. sind *Polystyrol, *Polyacrylate, *Polyacrylnitrile, *Polyvinylalkohole, Polyvinylpyridine u. *Polyethylenimine. Diese können z. T. direkt als k. P. eingesetzt werden; andere werden erst durch *polymeranaloge Reaktionen mit den gewünschten Ligand-Funktionalitäten versehen. Ein hierfür typ. Beisp. ist die Umsetzung von über Divinylbenzol vernetztem Poly[4-(chlormethyl)styrol] zunächst mit Ammoniak, dann mit Chloressigsäure (Abb. 2).
Auch natürliche Polymere wie *Cellulose, *Stärke od. *Chitin sind komplexbildende Polymere. Darüber hinaus können diese durch polymeranaloge Umwandlungen mit weiteren Ligand-Funktionalitäten versehen werden (*Lit.*[1,2,3]). In Böden u. Gewässern wirken zahl-

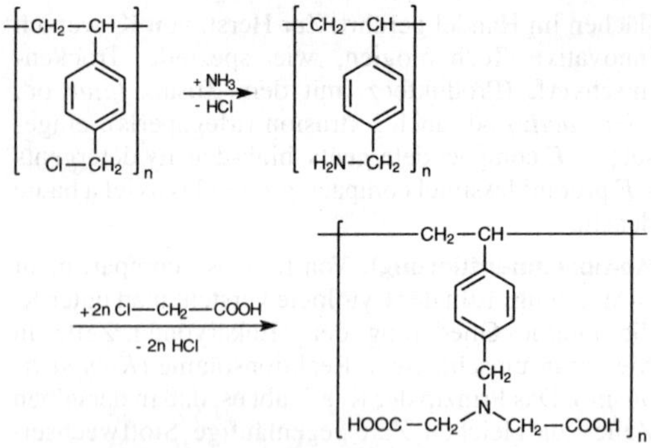

Abb. 2: Umsetzung von Poly[4-(chlormethyl)styrol] mit Ammoniak u. Chloressigsäure.

reiche weitere natürliche Polymere als k. P. u. *Ionenaustauscher, z. B. die *Huminsäuren.
Wichtige Kenndaten für k. P. sind ihre Kapazität u. Selektivität für die Metall-Ionen-Komplexierung, bei unlösl. Produkten zusätzlich Dichte u. Porosität.
Verw.: Haupteinsatzgebiete für k. P. sind die selektive Extraktion von wertvollen Metallen (z. B. Gold, Kupfer, Uran) aus u. a. Meerwasser, industriellen Abwässern od. bei der Erz-Gewinnung, die Aufkonzentrierung von Spurenelementen bei speziellen Analysen-Verf., ihr Einsatz zur Wasserenthärtung od. als polymere Katalysatoren, z. B. als Phasentransferkatalysatoren (s. Phasen-Transfer-Katalyse). – *E* chelateforming polymers, chelating polymers – *F* polymères complexants – *I* polimeri di complessazione – *S* polímeros complejantes
Lit.: [1]Rogowin u. Galbraich, Die chemische Behandlung u. Modifizieung von Cellulose, S. 97–108, Stuttgart: Thieme 1983. [2]Encycl. Polym. Sci. Eng. **3**, 371. [3]Muzzarelli, Natural Chelating Polymers, Oxford: Pergamon Press 1973.
allg.: Compr. Polym. Sci. **6**, 9 ff. ▪ Encycl. Polym. Sci. Eng. **3**, 363–381 ▪ Ciardelli, Tsuchida u. Wöhrle, Macromolecule-Metal Complexes, Berlin: Springer 1996.

Komplexbildner. Bez. für Verb., die als *Liganden zur Bildung von *Komplexen befähigt sind, d. h. bes. zur *Komplexierung* u. *Maskierung* von Metallen. Die Bez. wird häufig synonym für *Chelatbildner gebraucht. – *E* complexing agents – *F* agents séquestrants – *I* agente complessante – *S* (agentes) complejantes
Lit.: s. Koordinationslehre.

Komplex-Bildungskonstante. Gleichgewichtskonstante für die Bildung einer Koordinations- od. Komplexverb. (s. Koordinationslehre) aus Zentralatom (od. -ion) M u. den Liganden L. Mit der Komplex-Bildungsreaktion $M + n \cdot L \rightleftharpoons ML_n$ ergibt sich für die K.-B.: $K = c_{ML_n}/(c_M \cdot c_L^n)$ – *E* complex formation constant – *I* costante di formazione complessa – *S* constante de formación de complejos

Komplexe. Im Unterschied zur Molekülchemie, die sich mit Mol.-Verb. der Nichtmetalle u. Halbmetalle befaßt, sind mol. Verb. der Metalle Gegenstand der K.-Chemie (Koordinationsverbindungen, *Koordinationslehre). Dieses Gebiet der Chemie wurde eröffnet durch die systemat. Untersuchung von Alfred *Werner, der bereits 1893 den Koordinationscharakter der Bindungen in K. erkannte (*Lit.*[1]). Der Begriff K. leitet sich von latein. complexus = umschlungen, zusam-

mengefaßt ab u. bezeichnet. Verb. höherer Ordnung. Verb. erster Ordnung entstehen aus Atomen im Bestreben, eine Edelgas-Elektronenkonfiguration zu erlangen. Verb. erster Ordnung können mit anderen Mol., Atomen od. Ionen K. bilden, wenn sie freie (nichtbindende) Elektronenpaare od. leere Orbitale niedriger Energie aufweisen. Außer den Metall-K. werden auch die isolierbaren ion. Zwischenstufen der nucleophilen Aromatensubstitution (*Meisenheimer-Komplex, Verb. aus Aromat und Nucleophil), Verb. von Elektronen-Donor und Elektronen-Akzeptor (*Elektronen-Don(at)or-Akzeptor-Komplex) u. die locker gebundenen Addukte elektronenarmer mit elektronenreichen Molekülen (*Charge-transfer-Komplex) als K. bezeichnet. Da die K. nicht nur von beträchtlichem theoret., sondern viele von ihnen auch von wirtschaftlichem Interesse sind, ist das Gebiet der K.-Chemie bereits nahezu unüberschaubar geworden.
Verw.: Man verwendet K. od. *Komplexbildner (*Komplexierungsmittel*) in der Wasch- u. Reinigungsmittel-, Lebensmittel- u. Arzneimittel-Ind., im Korrosionsschutz, in der chem. Analyse (vgl. Komplexometrie), im Arbeits- u. Umweltschutz, in der Polymerisationstechnik, Farbstoff- u. Textil-Ind. usw., um Metalle zu binden u. zu entfernen (*Maskierung, Sequestrierung) od. in Lsg. zu bringen, Wasser zu enthärten, Polymerisationen auszulösen, Racemate zu trennen, Gase zu binden, wie z.B. den N_2 der Luft bei der Stickstoff-Fixierung, Oxid. u./od. Red. zu katalysieren, Wasser photolyt. zu zerlegen, Arzneimittel u. Ionen in Körperflüssigkeiten zu transportieren sowie als Katalysatoren für die *Hydroformylierung usw. Im übertragenen Sinne spricht man auch in der *Immunchemie von K., z.B. bei der Komplementbindungsreaktion od. der *Antigen-Antikörper-Reaktion (*Immunkomplexe). Adjektiv. verwendet man „komplex" in Wortprägungen wie komplexe *Phosphate, komplexe *Hydride, komplexe *Halogenide, komplexe *Reaktionen (*Stufenreaktionen). – *E = F* complexes – *I* complessi – *S* complejos
Lit.: [1] Helv. Chim. Acta **50**, 1–92 (1967), Sonderheft Alfred Werner (1866–1919).
allg.: s. Koordinationslehre.

Komplexierung s. Komplexbildner, Koordinationslehre, Chelate, Maskierung.

Komplexometrie (Kompleximetrie). Bez. für ein maßanalyt. Bestimmungsverf., bei dem die zu bestimmenden Ionen-Arten mit Hilfe von *Komplexbildnern* in stabile *Chelate übergeführt werden (*Chelatometrie*), im weiteren Sinne Bez. für Titrationen, bei denen ein schwach dissoziierter lösl. Komplex gebildet od. zerstört wird. Diese Definition schließt z.B. auch die sog. *Cyanometrie* (z.B. Titrationen von Quecksilber, Silber u. Nickel mit Cyanid) ein (*Liebig 1851). Die als direkte Titration, Rücktitration, Substitutionstitration u. Simultantitration sowie als alkalimetr. Titration durchführbare Meth. beruht auf der Eigenschaft von Chelatbildnern wie Ethylendiamintetraessigsäure (*EDTA), *Nitrilotriessigsäure (NTA), *Diethylentriaminpentaessigsäure u. a. *Aminopolycarbonsäuren*, mit einer Vielzahl von Metallen wasserlösl. *Komplexe (s. a. Koordinationslehre) zu bilden.

Als *Indikatoren (*Metallochrom-Indikatoren*), deren Anw. an eine Reihe von theoret. Voraussetzungen gebunden ist [1], verwendet man z.B. *Eriochrom…-Farbstoffe, *Calcein, Aurintricarbonsäure, *Calmagit, *Calcon(carbonsäure), *Zincon, *Thorin, *Murexid u.a. Mit Hilfe der K. kann man sowohl die *Härte des Wassers als auch spezif. die Metall-Ionen von z.B. Ca, Mg, Cd, Co, Cu, Fe, Mn, Ni, Pb, Zn, Ce, La, Mo, U, Bi u. dgl. bestimmen. Die K. als analyt. Meth. geht auf Arbeiten von *Kühl, *Přibil, bes. aber *Schwarzenbach zurück. – *E* complexometry, compleximetry – *F* complexométrie – *I* complessometria – *S* complexometría
Lit.: [1] Pure Appl. Chem. **51**, 1357–1365 (1979); **55**, 1137–1230 (1983).
allg.: Přibil, Applied Complexometry, Oxford: Pergamon 1982.

Komplexon®. Chelatbildner, die bei der *Komplexometrie u. der Bestimmung der *Härte des Wassers, ggf. auch gegen Schwermetall-Vergiftungen Verw. finden. Einzelne Typen sind: K. I (Nitrilotriessigsäure), K. II (Ethylendiamintetraessigsäure) u. K. III (Dinatrium-Salz von K. II). *B.:* Vetikon.
Lit.: s. Komplexometrie.

Komplexpolymere. Bez. für *Polymere, die Metallkomplexe als seitenständige Substituenten od. *Chelat-artig eingebunden in einer durchgehend von kovalenten Bindungen zusammengehaltenen Polymerhauptkette enthalten (vgl. im Gegensatz dazu Koordinationspolymere). Sie können entweder direkt durch *Polymerisation, *Polykondensation od. *Polyaddition Metallkomplex-haltiger Monomerer hergestellt werden (z.B. *Polyvinylferrocen durch Polymerisation von Vinylferrocen) od. durch die Umsetzung *komplexbildender Polymerer mit Metall-Ionen. – *E* complex polymers – *F* polymères complexes – *I* polimeri di complesso – *S* polímeros complejos
Lit.: Ciardelli, Tsuchida u. Wöhrle, Macromolecule-Metal Complexes, Berlin: Springer 1996.

Komplexsalze s. Koordinationslehre.

Komponentenfasern. Bez. für *Chemiefasern aus zwei od. mehr verschiedenen Polymeren, die aus 1 Düse versponnen werden; *Beisp.:* *Bikomponentenfasern. – *E* component fibers – *I* fibre a componenti – *S* fibras de componentes

Kompost. Material, das aus vorwiegend organ. *Abfällen unterschiedlicher Herkunft durch *Kompostierung hergestellt wird u. humusbildende organ. Substanz sowie Pflanzennährstoffe enthält. Je nach Ausgangsmaterial unterscheidet man z.B. Bio-, Grün-, Klärschlamm-, Rinden- u. Müllkompost, wobei v.a. Grünkompost (Grünabfall-, Pflanzenkompost) aus Baum-, Strauch- u. Rasenschnitt sowie Biokompost aus separat gesammeltem *Bioabfall aus Haushalten mengenmäßig von Bedeutung sind. Müllkompost aus der Kompostierung von *Hausmüll weist in der Regel einen deutlich höheren Gehalt an Schwermetallen, Salzen u. Fremdstoffen auf u. ist heute nur noch von untergeordneter Bedeutung. In Abhängigkeit vom Rottegrad läßt sich zwischen Frisch- u. Fertigkompost differenzieren. Als Frischkompost wird ein hygienisiertes, in intensiver Rotte befindliches od. zur intensiven

Rotte geeignetes Rottegut mit hohem Gehalt an leicht abbaubarer organ. Substanz bezeichnet (Rottegrad I–III). Fertigkompost ist das Endprodukt der Kompostierung, bei dem insbes. die leichtabbaubare organ. Substanz weitgehend biolog. umgesetzt ist (Rottegrad IV–V).

K. kann in der Landwirtschaft, im Wein-, Obst-, Garten- u. Landschaftsbau sowie in der Forstwirtschaft eingesetzt werden. Je nach K-Qualität ist die Verw. als Bodenverbesserungsmittel, Düngemittel (Sekundärrohstoffdünger) od. als Mischkomponente für die Substrat-Herst. od. für Abdeckerden möglich. Ziel des K.-Einsatzes ist die Verbesserung der chem. u. physikal. Bodeneigenschaften, die Zufuhr von organ. Substanz, Nährstoffen u. Spurenelementen, Erosionsschutz sowie die Förderung des Bodenlebens u. der mikrobiellen Aktivität; darüber hinaus werden K. phytosanitäre Eigenschaften gegenüber bodenbürtigen pilzlichen Erregern zugesprochen. Im techn. Bereich läßt sich K. zur Abluftfilterung, zur Reinigung schwermetallbelasteter Wässer u. zur Sanierung schwermetallhaltiger Böden (Schwermetall-Immobilisierung) verwenden, wobei man die Sorptionseigenschaften der organ. Substanz des K. ausnutzt.

K. enthalten größenordnungsmäßig ca. 30% organ. Substanz (*Humus), ca. 40% Wasser u. alle Pflanzennährstoffe je nach Ausgangsmaterial in unterschiedlichen Mengen. Wegen des ubiquitären Vorkommens von Schwermetallen (geogen u. anthropogen) u. organ. Schadstoffen wie *polychlorierten Biphenylen u. *Dioxinen/Furanen sind diese Stoffe auch in K. nachweisbar, allerdings überwiegend in sehr geringen Konzentrationsbereichen. Für K. existieren diesbezüglich keine verbindlich festgelegten Grenzwerte. Die Bundesgütegemeinschaft Kompost e. V. hat jedoch Güterichtlinien zur Qualitätsüberwachung von K. festgelegt[1], in denen u. a. Anforderungen hinsichtlich seuchenhygien. Unbedenklichkeit, der Pflanzenverträglichkeit u. des Rottegrades gestellt werden. Darüber hinaus werden Richtwerte für Wasser-, Humus-, Fremdstoff-, Stein- u. Schwermetallgehalte vorgegeben u. bestimmte Parameter, z. B. die Gesamtgehalte der Pflanzennährstoffe, deklarationspflichtig gemacht. Zusätzlich hat die Länderarbeitsgemeinschaft Abfall (LAGA) Qualitätskriterien sowie Anwendungsempfehlungen für K. festgelegt[2]. – *E = F = S* compost – *I* composta

Lit.: [1] Müll-Handbuch, Loseblatt-Sammlung, Kz. 6515, Berlin: E. Schmidt. [2] Müll-Handbuch, Loseblatt-Sammlung, Kz. 6856, Berlin: E. Schmidt.

allg.: Entsorgungspraxis **11**, Sonder-Nr. Biolog. Abfallbehandlung, Nr. 9, 6–13 (1993) ▪ Müll u. Abfall **24**, Nr. 8, 533–541; Nr. 9, 649–660; Nr. 10, 726–737 (1992).

Kompostierung (Rotte). Bez. für den aeroben mikrobiellen Ab- u. Umbau nativ-organ. Abfälle zu *Kompost unter gleichzeitiger Bildung von Kohlendioxid, Wasser u. Wärme. Die K. ist ebenso wie die *Vergärung ein Verf. der biolog. *Abfallbehandlung. Für die K. geeignet sind v. a. strukturreiche u. damit gut durchlüftbare trockene Bio- u. Grünabfälle (s. a. Kompost), während stark wasserhaltige u. pastös-breiige Materialien vorwiegend der Vergärung zugänglich sind. Der K.-Prozeß wird u. a. durch die Faktoren

Sauerstoffverfügbarkeit, Feuchtigkeit u. Temp. gesteuert. Hierbei werden aus den Komprohstoffen (*Lignin, *Cellulose, *Hemicellulose, Fette, Wachse, Proteine, Stärke) durch die Enzymaktivität von Bakterien, Pilzen u. höheren Organismen unter Vermehrung der abbauenden Mikroorganismen Biomasse u. Huminstoffe gebildet. Der durchschnittliche Abbaugrad der Komprohstoffe liegt bei etwa 50%, d. h. die organ. Substanz wird, z. B. im Unterschied zur *Abfallverbrennung, nicht vollständig oxidiert. Durch Teilabbau des organ. Materials u. Wasserverlust verringern sich Gewicht u. Vol. des Rottegutes auf ungefähr die Hälfte (Rotteverlust). Das im Ausgangsmaterial vorhandene sowie das bei der K. entstehende Wasser wird z. T. als *Sickerwasser, bedingt durch die vorherrschenden Rottetemp. jedoch vorwiegend als Wasserdampf freigesetzt. Die als Wärme abgegebene Energie ist wegen des niedrigen Temperaturniveaus allerdings kaum nutzbar.

K.-Verfahren: Bei den verschiedenen Verfahrenstechniken ist insbes. auf ausreichende Sauerstoffversorgung, Feuchtegehalt u. Temp. zu achten; bei unzureichendem Sauerstoffgehalt führen anaerobe Faulungsprozesse zur Bildung flüchtiger übelriechender Metaboliten (s. a. Vergärung). Der übliche Verfahrensablauf der K. in Großanlagen läßt sich in die Teilbereiche Aufarbeitung, Intensivrotte, Nachrotte u. Konfektionierung untergliedern. Kernstück u. Unterscheidungsmerkmal eines jeden K.-Verf. ist die Steuerung u. Dauer der 1. Rottephase, der sog. Intensivrotte (Vorrotte, Heißrotte). Hier erfolgt der Abbau biolog. leicht erschließbarer Bestandteile, was mit einer starken Vermehrung von Biomasse u. durch deren Abwärme bedingte hohe Rottetemp. von 50 bis >70 °C einhergeht; bei diesen Temp. findet eine Hygienisierung des Komprotes statt. Die Intensivrotte-Verf. lassen sich in stat., teilstat. (semidynam.) u. dynam. Verf. einteilen. Die häufigsten in der Praxis eingesetzten Verf. sind statisch. Hierzu zählen die Mieten-K. ohne Umsetzen, Boxen-/Container-K. u. die Brikollare-Kompostierung.

Die *Mieten-K.* ist das am längsten betriebene Verfahren. Das Rottegut wird zu einem Haufwerk (Miete) aufgeschichtet, dessen Sauerstoffzufuhr entweder durch Diffusion ins Mieteninnere od. durch Zwangsbelüftung erfolgt. Beim *Boxen- u. Containerverf.* findet die K. in abgeschlossenen zwangsbelüfteten stationären (Box) od. mobilen (Container) Räumen mit vollständiger Ablufterfassung statt.

Beim *Brikollare-Verf.* werden die Komprohstoffe zu Formlingen mit Lüftungsbohrungen verpreßt u. auf Paletten gestapelt der Rotte unterzogen. Zu den teilstat. Verf. gehören die Mieten-K. mit Umsetzen sowie die *Zeilen-* u. *Tunnel-Kompostierung*. In allen Fällen wird das Rottegut zur besseren Durchlüftung u. Homogenisierung period. umgeschichtet, wobei sich das Material im Falle der Zeilen- u. Tunnel-K. in durch Zwischenwände voneinander getrennten, nach offenen (Zeilen) od. überdachten (Tunnel) Rottezeilen befindet. Bei den dynam. Verf. werden die Komprohstoffe entweder durch Zwangsaustrag über einzelne Etagen (Rotteturm) od. durch Verdrängung (Rottetrommel) kontinuierlich bewegt u. dabei gleichzeitig belüftet, durchmischt u. zerkleinert.

Allen Intensivrotteverf. gemeinsam ist das Erfordernis einer meist mehrmonatigen Nachrotte, wenn ein stabiler, pflanzenverträglicher Fertigkompost hergestellt werden soll. Die Nachrotte findet prakt. ausschließlich als Mieten-K. statt, während der ein Abbau der schwerer zersetzbaren Substanzen erfolgt. Im Anschluß daran wird meist noch eine Konfektionierung (z. B. Absiebung, Windsichtung) durchgeführt, bevor der Kompost vermarktet wird. – *E* composting – *F* compostage – *I* compostaggio – *S* compostaje
Lit.: Abfallwirtschaftsjournal **5**, Nr. 12, 909–916 (1993) ▪ Entsorgungspraxis **12**, Nr. 4, 13–21 (1994); **13**, Nr. 7 f., 24–32 (1995) ▪ Müll-Handbuch, Loseblatt-Sammlung, Kz. 5410, Berlin: E. Schmidt.

Komppa, Gustav (1867–1949), Prof. für Organ. Chemie, Polytechn. Institut, Helsinki, Univ. Turku. *Arbeitsgebiete:* Campher u. Campher-Derivate, Totalsynth. von Campher.
Lit.: Pötsch, S. 245.

Kompressibilität (von latein.: compressio = Zusammendrückung). Unter der K. versteht man die allg. Eigenschaft aller Festkörper, Flüssigkeiten u. Gase, ihr Vol. unter dem Einfluß eines allseitig wirkenden Drucks zu verkleinern. Symbol $\kappa = -V^{-1} (\partial V/\partial p)$; die Beziehung $1/\kappa = K$ heißt *Kompressionsmodul*. Die räumliche K. eines krist. Festkörpers ist näherungsweise gleich der Summe der linearen K. in drei zueinander senkrechten Richtungen. Bei Festkörpern mit Ausnahme der Alkalimetalle – diese besitzen aufgrund ihres locker gebundenen Valenzelektrons eine größere K. – beträgt die auf das Anfangsvol. bezogene Vol.-Änderung bei isothermer Druckänderung (K.) etwa 10^{-6}, bei Flüssigkeiten etwa 10^{-4} je bar. Bei *Hydraulikflüssigkeiten ist die K. unerwünscht. Gase lassen sich (z. B. mittels *Kompressoren*) am leichtesten komprimieren; bei idealen Gasen ist das Vol. bei konstanter Temp. dem Druck umgekehrt proportional (s. Gasgesetze). Genaue Meßverf. s. *Lit.*[1]; K.-Daten findet man in *Lit.*[2]. – *E* compressibility – *F* compressibilité – *I* compressibilità – *S* compresibilidad
Lit.: [1] Kohlrausch, Praktische Physik 1, S. 362 ff., Stuttgart: Teubner 1996. [2] *Landolt-Börnstein 2/1; Kohlrausch, Praktische Physik 3, S. 348, Stuttgart: Teubner 1996.

Kompressionskältemaschine s. Kältetechnik.

Kompressionsmodul s. Kompressibilität u. Elastizität.

Kompressoren. Sammelbez. für Apparate, mit denen Gase od. Flüssigkeiten auf höheren Druck gebracht werden; *Beisp.:* K. für die Herst. von *Druckluft, Kompressoren für die Kompression des Synthesegasgemisches bei der Ammoniaksynthese. – *E* compressors – *F* compresseurs – *I* compressori – *S* compresores

Komprimate. Erzeugnisse in Tabl.-Form. Zur Herst. von K. werden die Substanzen, oft unter Zusatz geringer Mengen von Bindemitteln (z. B. Fett, Gelatine, Traganth, Stärke) u. Gleitmitteln (z. B. Magnesiumstearat), granuliert u. unter Druck ausgeformt.

Komproportionierung. Ebenso wie *Symproportionierung* selten gebrauchte Bez. für den der *Disproportionierung entgegengesetzten Vorgang, bei dem also Verb. höherer u. niedriger Oxid.-Stufe desselben Elements miteinander unter Bildung einer Verb. mittlerer Oxid.-Stufe reagieren; *Beisp.:* $H^- + H^+ \rightarrow H_2$. – *E* = *F* comproportionation – *I* comproporzionamento – *S* comproporcionación

Konakion®. Ampullen, Tropfen u. Kaudragées mit *Vitamin K_1 gegen Blutungen u. Blutungsgefahren. *B.:* Roche.

Kondakov-Reaktion s. Darzens-Reaktion.

Kondensat. Bez. für das Ergebnis einer *Kondensation, sowohl im physikal.-chem. Sinne für das Produkt einer *Destillation – das K. von *Tabakrauch wird umgangssprachlich oft als *Teer bezeichnet – als auch im chem. Sinne für das Produkt einer Kondensationsreaktion od. einer *Polykondensation; *Beisp.:* Kondensationsharze (s. Kunstharze). – *E* condensate – *F* condensat – *I* condensato – *S* condensado

Kondensation (von latein.: condensare = verdichten). 1. In der *Physikal. Chemie* bedeutet K. die Umwandlung von Dämpfen od. Gasen in Flüssigkeiten od. feste Stoffe durch Abkühlung, evtl. mit gleichzeitiger Kompression. Bei Einstoffsyst. tritt die K. am sog. *K.-Punkt* ein, der mit dem *Siedepunkt bzw. dem Subl.-Punkt der betreffenden Substanz ident. ist. Dem K.-Punkt entspricht in Mehrstoffsyst. der sog. *Taupunkt. Die K. ist ein der *Verdampfung (*Destillation) bzw. der *Sublimation entgegengesetzter Vorgang. Die K. wird erleichtert durch die Anwesenheit von Staubteilchen u. Ionen, die als *K.-Kerne* (*K.-Keime*, wenn diese aus der kondensierten Substanz bestehen) wirken u. evtl. *K.-Verzug* verhindern. Um diese *Keime verdichten sich die Dämpfe bei genügender Konz. od. Abkühlung in Form kleiner Tropfen (*Kondensat). Die K.-Vorgänge, bei denen sog. *Mikrocluster* involviert sind, lassen sich im Computer simulieren. Die bei der K. freiwerdende Wärme (*K.-Wärme* od. *Erstarrungswärme* = *Umwandlungswärmen) entspricht ihrem Betrage nach der Verdampfungs- od. Subl.-Wärme.
2. In der *Chemie* versteht man unter K. eine häufig unter katalyt. Einfluß verlaufende chem. Reaktion, bei der sich mind. 2 Mol. unter Austritt eines einfachen Mol. (z. B. Wasser, Chlorwasserstoff, Ammoniak) zu einem größeren Mol. vereinigen. Oft finden spezielle Kondensationsmittel, wie *Alkoholate, *Dicyclohexylcarbodiimid u. a. Verw. (s. a. Mitsunobu-Reaktion u. Peptid-Synthese). Bei der *intramolekularen K.* findet die K. innerhalb desselben Mol. statt, bei der *intermolekularen K.* dagegen entweder zwischen verschiedenen Mol. des gleichen Stoffes (Selbstkondensation; z. B. sind Mesityloxid u. Phoron Produkte der Selbst.-K. von Aceton od. bei der *Heterokondensation* zwischen Mol. verschiedener Stoffe; *Beisp.* sind: Bildung von *Estern, *Acyloin-, *Benzoin-, *Claisen-, *Stobbe-Kondensation u. *Ugi-Vierkomponenten-Reaktion. K.-Vorgänge (*Polykondensation) spielen v. a. bei der Herst. von *Kunststoffen u. *Kunstharzen (Polyamide, Polyester, Thiokol, *K.-Harze* wie Phenoplaste, Aminoplaste, Alkyd-, Harnstoff-, Keton-, Aldehydharze) eine Rolle. Von K. spricht man in der anorgan. Chemie bei der Bildung höherer *Kieselsäuren u. *kondensierter Phosphate, in der organ. Chemie häufig auch von der „Ankondensierung" od. *Anel-

lierung von Ringen, s. kondensierte Ringsysteme. –
$E = F$ condensation – I condensazione – S condensación

Lit.: Collier, Convective Boiling and Condensation, New York: McGraw-Hill 1981 ▪ Katritzky et al. **1**, 673 ff. ▪ *Landolt-Börnstein 2/2 a, NS 4/3 ▪ Stephan, Wärmeübertragung beim Kondensieren u. beim Sieden, Berlin: Springer 1987 ▪ Vauck u. Müller, Grundoperationen chemischer Verfahrenstechnik, S. 403 ff., Weinheim: VCH Verlagsges. 1988.

Kondensationsharze. Bez. für durch (Poly)kondensations-Reaktionen zugängliche *synthetische Harze (*Formaldehyd-Harze, *Kunstharze).

Kondensationspolymerisation s. Polykondensation.

Kondensationspunkt s. Kondensation.

Kondensationswärme s. Umwandlungswärme.

Kondensator. Elektron. Bauelement, dessen *Kapazität C (C = Q/U, Q = Ladung, U = elektr. Spannung) vom geometr. Aufbau u. dem verwendeten Dielektrikum abhängt. Die Kapazität eines Plattenkondensators mit Fläche A u. Abstand d ergibt sich (bei Vernachlässigung des Randfelds) aus

$$C = \varepsilon \cdot \varepsilon_0 \cdot \frac{A}{d}$$

(ε_0 = allg. Dielektrizitätskonstante, ε = relative Dielektrizitätskonstante des Dielektrikums). Detaillierte Formel auch bezüglich anderer Geometrie s. *Lit.*[1]. Bei Wechselspannung mit der Kreisfrequenz ω besitzt ein

K. den *kapazitiven Widerstand* $R_c = \dfrac{1}{i\omega C}$. Hierbei

handelt es sich, ähnlich wie beim induktiven Widerstand, um einen Blindwiderstand, da Strom u. Spannung um eine Phase $\pi/2$ gegeneinander verschoben sind (dargestellt durch den Faktor i = $\sqrt{-1}$) u. somit keine elektr. Energie umgewandelt wird. Techn. werden viele Bauformen eingesetzt, wie Papier-K., Metall-Papier-K., Kunststoff-K., Metall-Kunststoff-K., Keramik- u. Elektrolyt-K.; Kapazitätsnormale s. *Lit.*[1]. – *E* capacitor – *F* capaciteur – *I* condensatore – *S* condensador

Lit.: [1] Kohlrausch, Praktische Physik 2, S. 745, Stuttgart: Teubner 1996.
allg.: Hecker et al., Folienkondensatoren, in Schaumburg (Hrsg.), Polymere, Stuttgart: Teubner 1996 ▪ Sci. Am. **259**, Nr. 7, 58 (1988).

Kondensatorpapier s. Papier (*Papiersorten*).

Kondensierte Aromaten. Jargonbez. für solche *aromatischen Verbindungen, die zu größeren Aggregaten kondensiert sind, u. die hier als *kondensierte Ringsysteme u. *polycyclische Verbindungen behandelt sind.

Kondensierte Phosphate. Bez. für eine Gruppe von – aufgrund ihrer Herst. auch *Schmelz-* od. *Glühphosphate* genannten – *Phosphaten, die sich von sauren Salzen der Orthophosphorsäure (*Phosphorsäuren) durch *Kondensation ableiten lassen u. deren Bildung in Analogie zu der der *Kieselsäuren verläuft. Die k. P., die sich in die *Metaphosphate [$M^I_n(PO_3)_n$] u. *Polyphosphate ($M^I_{n+2}P_nO_{3n+1}$ bzw. $M^I_nH_2P_nO_{3n+1}$) einteilen lassen, zeigen eine interessante Strukturchemie s. *Lit.*[1]. Die k. P. sind als Derivate von *Isopolysäuren aufzufassen; systemat. sind die Metaphosphate als *cyclo-*

Polyphosphate, die linearen k. P. als *catena*-Polyphosphate zu benennen. Einige, insbes. als *Kationenaustauscher in der Wasseraufbereitung* (vgl. Wasserenthärtung), als Dispergier-Mittel u. in der Lebensmittel-Ind. (Käse- u. Wursttherst.) wichtige polymere Natriumphosphate sind:
Das krist., wasserunlösl. *Maddrellsche Salz*, ($NaPO_3)_x$ mit x >1000, das bei 200–300 °C aus NaH_2PO_4 erhalten werden kann. Dieses geht bei ca. 600 °C in das cycl. Metaphosphat [$Na_3(PO_3)_3$] über, das bei 620 °C schmilzt. Die abgeschreckte, glasige Schmelze ist je nach Reaktionsbedingungen das wasserlösl. *Grahamsche Salz*, ($NaPO_3)_{40–50}$, od. ein glasiges k. P. der Zusammensetzung ($NaPO_3)_{15–20}$, das als *Calgon bekannt ist. Für beide Produkte ist noch immer die irreführende Bez. *Hexametaphosphate* in Gebrauch. Das sog. *Kurrolsche Salz*, ($NaPO_3)_n$ mit n ≈ 5000, entsteht ebenfalls aus der 600 °C heißen Schmelze des Maddrellschen Salzes, wenn diese für kurze Zeit bei ca. 500 °C belassen wird. Es bildet hochpolymere wasserlösl. Fasern, von denen eine 0,01 n Lsg. die Konsistenz von Glycerin hat. Es sei darauf hingewiesen, daß in der *Lit.* z. T. voneinander abweichende Konstitutionen für die einzelnen Salze (auch des Kaliums) angegeben werden. Zu den biolog. wichtigen k. P. gehören die Nucleotide wie *Adenosin-5′-triphosphat. – *E* condensed phosphates – *F* phosphates condensés – *I* fosfati condensati – *S* fosfatos condensados

Lit.: [1] Corbridge, Phosphorus (10.), S. 210–249, Amsterdam: Elsevier 1990.
allg.: Brauer (3.) **1**, 534 ff. ▪ Kirk-Othmer (4.) **18**, 696–707 ▪ Winnacker-Küchler (4.) **2**, 238 f., 243–247.

Kondensierte Ringsysteme. Von A. v. *Baeyer (1865) geprägte Bez. für solche Ringsyst., in denen Benzol-Ringe miteinander „verschmolzen", d. h. durch *Anellierung einander ankondensiert sind. Dachte man zunächst nur an *kondensierte aromat. Syst.* wie Naphthalin, Anthracen, Phenanthren usw., so dehnte man später den Begriff auch auf die abgeleiteten hydroaromat. Verb. (z. B. Inden) u. a. cycl. Verb. wie Steroide etc. u. auf heterocycl. Verb. aus, nicht aber auf *Spiro-Verbindungen u. *mehrkernige Verbindungen wie Biphenyl u. Binaphthyl. Dagegen muß man auch nichtaromat. planare Verb. wie die sog. Fenestrane (*Lit.*[1]) zu den k. R. rechnen. Die Anellierung (*Kondensation*) von fünf- od. mehrgliedrigen Ringen an schon vorliegende Syst. kann *linear* od. *angular* erfolgen, also zu Verb. vom Anthracen- od. Phenanthren-Typ führen. Beide Verb. sind *ortho-kondensiert*, d. h. jeder Ring hat mit jedem Nachbarring jeweils 2 Atome bzw. 1 „Kante" gemeinsam. Demgegenüber sind *perikondensiert* (strenggenommen peri- *u.* ortho-kondensiert) alle Ringsyst., die solche C-Atome enthalten, die mehr als 2 Ringen gemeinsam angehören mit dem Kriterium: n gemeinsame Kanten, aber weniger als 2 n gemeinsame Atome.
Die systemat. Benennung der k. R. kann aufgrund der IUPAC-Regeln A-21, A-22 u. B-2 bis B-4 eindeutig vorgenommen werden. Für viele aromat. u. heterocycl. k. R. existieren Trivialnamen (deren Numerierung auch nach IUPAC-Regeln wegen Berücksichtigung gewisser Traditionen uneinheitlich ist). Aus Benzol-Ringen linear k. R. erhalten die Endung... *acen* (s. Acene),

einfach angular (gewinkelt) k. R. die Endung
...*aphen; Beisp.*: Pentacen u. Pentaphen. Zu diesem
Prinzip u. zu weiteren Einzelheiten zur Nomenklatur
s. *Lit.*[2] u. Nomenklatur.

[4.4.4.4]Fenestran

3 gemeinsame Seiten, 6 gemeinsame
Atome : *ortho-kondensiert*

Inden

5 gemeinsame Seiten, 6 gemeinsame
Atome : *ortho-* u. *perikondensiert*

Abb.: Beisp. für kondensierte Ringsysteme.

Tausende von k. R. – es gibt schon 683 101 Möglichkeiten, um nur 12 Benzol-Ringe miteinander zu kondensieren! – sind mit ihren systemat. u. Trivialnamen
sowie in Abb. im Ring Systems Handbook (s. Ring Index) aufgeführt sowie im jeweiligen Index Guide von
*Chemical Abstracts.
Unter den hochk. R. sind viele aromat., alternierende,
nichtalternierende u. sog. nichtbenzoide Kohlenwasserstoffe, z. T. tief gefärbte, hochschmelzende, unlösl.
Stoffe, die kaum prakt. Bedeutung, wohl aber theoret.
Interesse für das Studium der *Aromatizität besitzen.
Heute weiß man, daß Kohle viele k. R. enthält – *Graphit u. *Fullerene als Extremfälle. Außerdem entstehen k. R. – heute meist als *Polycyclische aromatische
Kohlenwasserstoffe (PAK, *E* PAH) apostrophiert – bei
unvollständigen Verbrennungen in Automotoren u.
Feuerungen. Sie entstehen auch bei unvollständiger
Verbrennung von anorgan. Material, das Kohlenstoff
u. Wasserstoff enthält. Dabei entstehen komplexe Gemische zahlreicher Verb., deren Zahl z. B. im Stein-
kohleteer auf 106 geschätzt wird. Viele derartige PAK
sind als krebserregend bekannt, wobei sich bestimmte
elektron. Konstellationen als bes. cancerogen erwiesen haben. – *E* fused ring systems – *F* systèmes cycli-
ques condenśes – *I* sistemi ciclici condensati – *S*
sistemas cíclicos condensados
Lit.: [1] Nachr. Chem. Tech. Lab. **30**, 844–849 (1982). [2] IUPAC,
Nomenklatur der Organischen Chemie, S. 52ff., Weinheim:
VCH Verlagsges. 1997.
allg.: Bjørseth, Handbook of Polynuclear Aromatic Hydrocarbons, New York: Dekker 1983 ▪ Chem. Rev. **81**, 267–290
(1981) ▪ Cooke et al. Polynuclear Aromatic Hydrocarbons,
Berlin: Springer 1983 ▪ s. a. polycyclische aromatische Kohlenwasserstoffe.

Kondensmilch. K. wird aus *Milch durch Eindampfen, ggf. unter Zusatz von Saccharose (gezuckerte K.)
erhalten u. unverd. od. verd. wie Milch verwendet. Bei
der Herst. wird die auf einen bestimmten Fettgehalt
eingestellte Milch zur Abscheidung des *Albumins u.
zur Keimtötung auf 85–100 °C erhitzt u. dann bei
40–80 °C im Vak. im Verhältnis 2,5 bis 2,7 : 1 einge-
engt. Die so erhaltene K. (Trockenmasse 25–33%)
wird homogenisiert, in Dosen abgefüllt u. bei
115–120 °C sterilisiert. Durch das Eindampfen weist
K. einen höheren Calcium-Gehalt auf als Milch, was

letztlich zu einer stärkeren Vernetzung von *Casein u.
damit zu Ausflockungen führt. Durch Zusatz von 0,2
bis 0,5% eines Gemischs aus Mono- u. Polyphosphat
wird das Calcium gebunden u. somit einer Hitzege-
rinnung bzw. Nachdickung vorgebeugt. Auch
Natriumhydrogencarbonat u. Trinatriumcitrat (0,2–
0,8 g/L Milch) werden als Stabilisatoren eingesetzt.
Die VO über Milcherzeugnisse vom 15. 7. 1970 (BGBl.
I, S. 1150) teilt K.-Erzeugnisse entsprechend der Tab.
ein.

Tab.: Einteilung der Kondensmilch-Erzeugnisse.

	Fettgehalt [%]	Milch-trocken-masse [mind. %]
a) ungezuckert		
Kondensmagermilch	höchstens 1,0	20,0
teilentrahmte Milch	>1 bis <7,5	20,0
K.	mind. 7,5	25,0
kondensierte Kaffeesahne	mind. 15,0	26,5
b) gezuckert		
gezuckerte Kondensmagermilch	höchstens 1,0	24,0
gezuckerte, teilw. entrahmte K.	>1 bis <8,0	24,0
gezuckerte K.	mind. 8,0	28,0

– *E* evaporated milk – *F* lait concentré – *I* latte condensato – *S* leche condensada
Lit.: Belitz-Grosch (4.), S. 476f. ▪ Kirk-Othmer **13**, 551–556;
(3.) **15**, 553–556 ▪ Ullmann (4.) **16**, 710ff. ▪ Winnacker-Küchler (3.) **3**, 519. – [HS 0402 29, 0402 91, 0402 99]

Kondo-Effekt. Bez. für die bei bestimmten glasartigen *magnetischen Werkstoffen auftretende Streuung
von Leitfähigkeitselektronen, die aus magnet. Verunreinigungen in einer ansonsten nicht magnet. Matrix
hervorgeht. Hierbei beobachtet man bei Temp. im Bereich des flüssigen Heliums ein Minimum des spezif.
Widerstands in Abhängigkeit von der Temperatur. – *E*
Kondo effect – *F* effet Kondo – *I* effetto di Kondo – *S*
efecto Kondo
Lit.: Haskell et al., Electrostatic Capacitive Energy Storage,
Encyclopedia of Applied Physics, Bd. 6, S. 155–176, Weinheim: VCH Verlagsges. 1993 ▪ Hoffmann, Circuit Elements,
Encyclopedia of Applied Physics, Bd. 3, S. 459ff., Weinheim:
VCH Verlagsges. 1992 ▪ Kittel, Einführung in die Festkörper-
physik, S. 675ff., München: Oldenbourg 1988 ▪ Kohlrausch,
Praktische Physik 2, S. 842, Stuttgart: Teubner 1996 ▪ *Lan-
dolt-Börnstein NS 3/15a ▪ Lerner u. Trigg, Encyclopedia of
Physics, S. 608, Weinheim: VCH Verlagsges. 1991.

Konduktometrie. Sammelbez. für analyt. Meth. zur
Verfolgung von Reaktionsabläufen in Lsg. durch Messung der *elektrischen Leitfähigkeit*, die von der Konz.
freier Ionen abhängig ist. Bei diesen Meth. tauchen
stets zwei gleiche inerte Elektroden, an denen eine
Wechselspannung angelegt werden muß, in die Lsg.,
deren elektr. Leitfähigkeit gemessen werden soll; spezif. Elektrodeneffekte sind dabei soweit wie möglich
auszuschalten. Von bes. Bedeutung ist die *konduktometr. *Titration*, die man durch Messung des *Leitwerts*
(reziproker Wert des Ohmschen Widerstands) zwischen zwei in das Reaktionsmedium eingetauchten
Elektroden verfolgt. Der Leitwert wird gegen die
Menge an zugesetzter Titrierflüssigkeit aufgetragen, u.
die Endpunkte ergeben sich durch Extrapolation der
Titrationskurve. Die Leitfähigkeit einer Elektrolytlsg.

hängt bei sonst gleichbleibenden Bedingungen (gleiche Temp., gleiche Konz.) von der Beweglichkeit der Ionen ab (bei 18 °C für H^+-Ionen 316, bei Na^+-Ionen z. B. nur 43,5). Eine starke (schwache) Säure ist mit einer starken (schwachen) Base dann neutralisiert, wenn die elektr. Leitfähigkeit der Flüssigkeit am geringsten bzw. der Widerstand (mit Wheatstonescher Brückenschaltung bestimmbar) am höchsten ist. Man kann also hier den *Endpunkt ermitteln, ohne einen farbigen *Indikator zu benutzen. Man wendet dieses Verf. daher v. a. bei stark verd. od. bei dunklen u. farbigen Lsg. an (Bodenflüssigkeiten, Körperflüssigkeiten, Lsg. von techn. gefärbten Stoffen), die die Anw. färbender Indikatoren erschweren od. unmöglich machen. Zur Ausführung von konduktometr. Analysen befinden sich hauptsächlich auf dem Prinzip der Wheatstoneschen Brückenschaltung aufgebaute Konduktometer im Handel od. Geräte mit direkter Wertanzeige, die auf Spannungsteilung beruhen. – *E* conductometry, conductimetry – *F* conductométrie, conductimétrie – *I* conduttometria – *S* conductometría

Lit.: Otto, Analytische Chemie, S. 358 ff., Weinheim: VCH Verlagsges. 1995 ▪ Schwedt, Analytische Chemie, S. 118–122, Stuttgart: Thieme 1995 ▪ Townshend (Hrsg.), Encyclopedia of Analytical Science, S. 834–842, New York: Academic Press 1995.

Kondurango-Rinde. Graue bis braune, 5–10 cm lange, 2–5 mm dicke röhren- od. rinnenförmige Rindenstücke von *Marsdenia condurango* Rehb. f., einer in Ecuador u. Peru verbreiteten Asclepiadacee. Die Rinde enthält neben *Flavonoiden u. *Cumarin-Derivaten *Condurangin*, ein Gemisch von C-21-Bitterstoff-Steroiden mit mehreren glykosidierten u. veresterten Hydroxy-Gruppen. Alkohol. Extrakte der K. -R. wurden als Stomachika empfohlen. – *E* condurango bark – *F* écorce du condurango – *I* condurango – *S* corteza de condurango

Lit.: Bundesanzeiger 193 a/15. 10. 1987 u. 50/13. 03. 1990 ▪ Hager (5.) **5**, 782–791 ▪ Wichtl (3.), S. 160 f. ▪ s. a. Bitterstoffe. – *[HS 121190]*

Konfekt. Seit alters her gebräuchlicher Oberbegriff für verschiedene *Süßwaren in Bissengröße.

Konfektionierung. Von latein.: confectio = Anfertigung, Vollendung abgeleitete Bez. für die Endbehandlung von Produkten, um diese zu optimaler Verw. durch den Endverbraucher zu präparieren. – *E* formulation, confection – *I* confezionamento – *S* confección

Konfektionsklebrigkeit s. Autohäsion.

Konferenzen. Über geplante, stattfindende u. beendete K., Symposien, Tagungen, auch Einzelvorträge informieren Fachzeitschriften wie Chem. Ztg., Nachr. Chem. Tech. Lab., Chem. Eng. News, Naturwiss. Rundsch. etc., häufig in einer Gesamtjahresübersicht am Jahresanfang. Zu den „Produkten" von K. gehören die *Preprints, (Full) Papers* u. die *Proceedings*, vgl. chemische Literatur. – *E* conferences – *F* conférences – *I* conferenze – *S* conferencias

Lit. (einschließlich Referateorgane): Biological Abstracts/ RRM, Philadelphia: BIOSIS ▪ Conference Reports, Barking: Appl. Sci. Publ. ▪ Current Index to Conference Papers in Chemistry, New York: CCM Inform. Corp. (seit 1969) ▪ Directory of Published Proceedings, White Plains: InterDOK (seit 1965) ▪ Index of Conference Proceedings Received, Boston-Spa: Brit.

Library Lend. Div. ▪ Index to Scientific and Technical Proceedings, Philadelphia: ISI (seit 1978) ▪ World Meetings, New York: CCM Inform. Corp. ▪ Yearbook of International Congress Proceedings, Brussels: Union Int. Assoc. (seit 1960/67).

Konfiguration. Begriff aus der *Stereochemie. Unter K. versteht man die räumliche Anordnung eines Mol. ohne Berücksichtigung der verschiedenen Atomanordnungen, die sich voneinander nur durch Rotationen um Einfachbindungen unterscheiden. Mol. mit gleicher *Konstitution aber unterschiedlicher K. nennt man *Konfigurationsisomere* (s. a. Isomerie). Zur gegenseitigen Umwandlung von Konfigurationsisomeren müssen Atombindungen getrennt u. neu gebildet od. wenigstens stark geschwächt werden, weswegen die zwischen ihnen existierende Energiebarriere ziemlich groß ist. Konfigurationsisomere sind daher als stoffliche Individuen isolierbar u. charakterisierbar; die Reaktionsgeschw. für ihre Umwandlung ineinander ist bei Raumtemp. äußerst klein. Dies steht im Gegensatz zu den Konformationsisomeren (s. Konformation), deren gegenseitige Umwandlung nur wenig Energie erfordert u. entsprechend rasch abläuft. Der Unterschied zwischen den Begriffen Konstitution, Konfiguration u. Konformation ist in Abb. 1 am Beisp. des (–)-Menthols dargestellt.

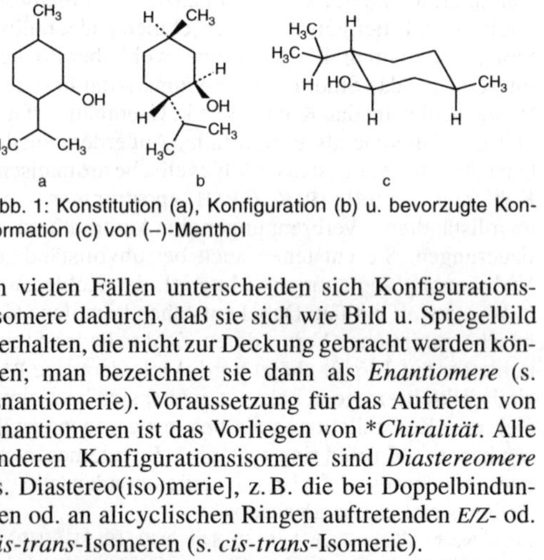

Abb. 1: Konstitution (a), Konfiguration (b) u. bevorzugte Konformation (c) von (–)-Menthol

In vielen Fällen unterscheiden sich Konfigurationsisomere dadurch, daß sie sich wie Bild u. Spiegelbild verhalten, die nicht zur Deckung gebracht werden können; man bezeichnet sie dann als *Enantiomere* (s. Enantiomerie). Voraussetzung für das Auftreten von Enantiomeren ist das Vorliegen von *Chiralität. Alle anderen Konfigurationsisomere sind *Diastereomere* [s. Diastereo(iso)merie], z. B. die bei Doppelbindungen od. an alicyclischen Ringen auftretenden *E/Z*- od. *cis-trans*-Isomeren (s. *cis-trans*-Isomerie).

Zur Beschreibung der K. von Spiegelbild-Isomeren verwendete man früher dreidimensionale Darst. wie die der Abb. 2 a (D-Glycerinaldehyd), heute jedoch bevorzugt man die Projektionsformeln nach Emil *Fischer od. Darst. wie die bei *Enantiomerie od. *Diastereo(iso)merie gewählten, bei Kohlenhydraten die sog. *Haworth-Projektionen (Abb. s. dort).

Fischer (1891), M. A. Rosanoff (1906), Hudson (1949) u. a. wählten als Vergleichssubstanz für alle Zuordnungen sog. *relativer Konfiguration* den rechtsdrehenden *Glycerinaldehyd, weil dieser der einfachste Vertreter der (optisch aktiven) Zuckerfamilie ist. Das Mol. $HO–CH_2–*CH(OH)–CHO$ (*C = asymmetr. C-Atom) hat nach Modellvorstellungen von van't *Hoff (1874) u. *Le Bel (1874) folgenden Aufbau:

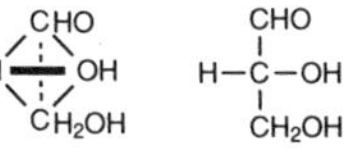

$$
\begin{array}{cc}
\text{CHO} & \text{CHO} \\
\text{H---OH} & \text{H---C---OH} \\
\text{CH}_2\text{OH} & \text{CH}_2\text{OH} \\
a & b
\end{array}
$$

Abb. 2: Konfiguration des D-(+)-Glycerinaldehyds (a) im Tetraedermodell u. (b) in Fischer-Projektion

Im Mittelpunkt eines *Tetraeders liegt das *asymmetr.* C-Atom, u. an den 4 Tetraederecken befinden sich die einwertigen Gruppen CH_2OH, CHO, OH u. H (s. Abb. 2 a). Die dicke Linie ist die vordere Kante des Tetraeders, die punktierte Linie die hintere. Zur bequemeren Schreib- u. Druckweise wird das dreidimensionale Modell nach E. Fischer wie in Abb. 2 b in die Ebene projiziert (*Fischer-Projektion*).
Das Mol. wird nicht nur hier, sondern z.B. auch bei *Kohlenhydraten so orientiert, daß das C-Atom Nr. 1 der Hauptkette Kopf der Fischer-Projektion ist. Liegt dann der Substituent X (d. h. das Heteroatom) auf der rechten Seite, so wird die Verb. als D-Form bezeichnet; liegt X auf der linken Seite, so handelt es sich um die L-Form. *Beisp.:*

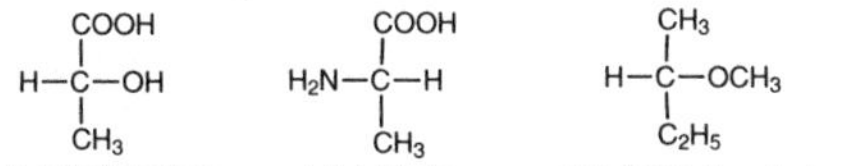

$$
\begin{array}{ccc}
\text{COOH} & \text{COOH} & \text{CH}_3 \\
\text{H---C---OH} & \text{H}_2\text{N---C---H} & \text{H---C---OCH}_3 \\
\text{CH}_3 & \text{CH}_3 & \text{C}_2\text{H}_5 \\
\text{D-(-)-Milchsäure} & \text{L-(+)-Alanin} & \text{D-(+)-2-Methoxybutan} \\
(\text{X = OH}) & (\text{X = NH}_2) & (\text{X = OCH}_3)
\end{array}
$$

Die Konfigurationsbez. „D" u. „L" dürfen nicht mit der opt. Drehungsrichtung verwechselt werden. Die Rechtsdrehung wird bekanntlich mit einem (+), die Linksdrehung mit einem (−) bezeichnet; Näheres auch zu dem früheren, heute gänzlich abgelehnten Gebrauch von „*d*" u. „*l*", s. bei optische Aktivität. Die IUPAC-Regeln der Sektion E (*Lit.*[1]) empfehlen die Benutzung des von Cahn, Sir C. *Ingold u. *Prelog entwickelten Systems (CIP-System; *Lit.*[2]) mit den Symbolen „*R*" u. „*S*", das bei allen Arten von chiralen Mol. (z. B. auch bei Kumulenen u. Spiranen) verwendbar ist; zur Anw. unter Heranziehung der sog. *Sequenzregel s. a. unter Chiralität. K. *Freudenberg (*Lit.*[3]) beschreibt ein vereinfachtes Verf., um von der Fischer-Projektion zum (*R/S*)-Syst. zu gelangen. Eine Erweiterung der inzwischen allg. akzeptierten (*R/S*)-Nomenklatur um Bez. wie p u. n (für positiv u. negativ) bzw. *Re, Si, l* u. *lk* (für „like") sowie *u* u. *ul* (für „unlike") schlagen *Ugi (*Lit.*[4]) bzw. *Seebach u. Prelog vor (*Lit.*[5]). K.-Betrachtungen lassen sich bequem an *Atommodellen anstellen, insbes. an *Dreiding-Stereomodellen, die die Chiralität von Molekülen sehr gut erkennen lassen. Die *absolute Konfiguration* einer Verb., d. h. die tatsächliche Anordnung der an asymmetr. Atome gebundenen Gruppen, wurde erstmals von J. M. Bijvoet et al. (*Lit.*[6]; s. a. Bijvoet-Methode) durch röntgenograph. Untersuchung des Natriumrubidiumtartrats u. des Isoleucinhydrobromids ermittelt. Dabei ergab sich, daß die von E. Fischer vermutete Anordnung der ans asymmetr. C-Atom (von Glycerinaldehyd, Alanin usw.) gebundenen Gruppen (OH, NH_2 u. dgl.) den tatsächlichen Verhältnissen entspricht. Nachdem nun durch physikal. Messungen (*NMR-Spektroskopie, insbes. aber durch *chiroptische Methoden* wie *Circulardichroismus, *Rotationsdispersion, *MCD u. *MORD, vgl. Snatzke u. Ripperger, *Lit.*[7,8]) die abs. K.

der Bezugssubstanzen etabliert waren, konnten durch chem. Auf- u. Abbaumethoden auch die K. anderer Verb.-Gruppen abgeleitet werden. Voraussetzung bei der Verknüpfung von K. neuer Verb. mit den abs. K. bekannter Verb. ist, daß bei den notwendigen chem. Umwandlungen keine bzw. nur eindeutig verlaufende *Inversionen u. keine *Racemisierungen stattfinden, daß also die Synth. od. Abbaumeth. als *stereoselektive od. gar *stereospezifische Reaktionen ablaufen. Zur Herst. von opt. aktiven Verb. erwünschter K. bedient man sich der bei *asymmetrische Synthese, *Chiralität u. *Racemattrennung erwähnten Methoden, u. die *Enantioselektivität* der Reaktion kennzeichnet man als *optische Ausbeuten, vgl. Enantiomerie. Für die physikal. Eigenschaften von Kunststoffen ist die K. der Monomeren u. die daraus resultierende *Taktizität wesentlich (zur stereochem. Definition u. Notation von Polymeren s. *Lit.*[9]).
In anderem Zusammenhang benutzt die Theoretische Chemie den Begriff K., nämlich zur Beschreibung des Besetzungszustands von Elektronenniveaus bei Mol. u. Atomen (*Elektronenkonfiguration*). Häufig wird auch – etwas salopp – von einer *Konfigurations-Zustandsfunktion als einer K. geredet (s. a. Configuration Interaction). – *E* = *F* configuration – *I* configurazione – *S* configuración

Lit.: [1] Pure Appl. Chem. **45**, 11−30 (1976). [2] Angew. Chem. **78**, 413−447 (1966). [3] Naturwissenschaften **64**, 338 (1977). [4] Z. Naturforsch. Teil B, **20**, 405 (1965). [5] Angew. Chem. **94**, 696−702 (1982). [6] Nature (London) **168**, 271−272 (1951). [7] Chem. Unserer Zeit **15**, 78−87 (1981); **16**, 160−168 (1982). [8] Z. Chem. **17**, 250−258 (1977). [9] Pure Appl. Chem. **53**, 733−752 (1981).
allg.: s. Chiralität, Enantiomerie, optische Aktivität, Stereochemie.

Konfigurationsbaustein s. konfigurative Einheit.

Konfigurationsisomerie s. Isomerie u. Konfiguration.

Konfigurationsumkehrung s. Inversion u. Waldensche Umkehrung.

Konfigurationszustandsfunktion. Begriff aus der *Quantenchemie. Unter einer K. versteht man eine Linearkombination von *Slater-Determinanten, die einen reinen Spinzustand beschreibt, also Eigenfunktion zu den Operatoren $\hat{S}^2$ u. $\hat{S}_z$ ist. – *E* configuration state function – *F* fonction d'état de configuration – *I* funzione di stato della configurazione – *S* función del estado de configuración

Konfigurative Einheit (Konfigurationsbaustein). Eine k. E. einer *Polymer-Kette ist definiert als konstitutionelle Einheit mit definierter *Stereoisomerie an einer od. mehreren Stellen. So stellen z. B. im Falle des *Polypropylens, dessen *konstitutionelle Repetiereinheit ein pseudoasymmetr. C-Atom (*) enthält, **A** u. **B** zwei verschiedene k. E. dar. Die verschiedenen k. E. der gleichen konstitutionellen Einheit können zu immer größeren Einheiten zusammengefügt werden. Dies führt über *isotaktische, syndiotakt., heterotakt.* Fragmente schließlich zu iso-, syndio- od. atakt. Polymeren (s. S. 2228); Näheres s. bei Makromoleküle, isotaktische Polymere, Taktizität. – *E* configurational unit – *F* unité de configuration – *I* unità configurazionale – *S* unidad configuracional

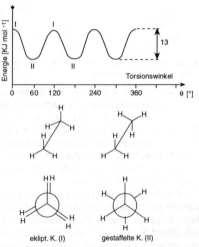

Abb.: Konfigurative Einheiten von Polymeren.

Konfitüren. Streichfähige Zubereitungen, die aus Zucker-Arten u. *Pülpe einer od. mehrerer Frucht-Arten hergestellt werden. Die Konfitüren-VO in der Form vom 9.12.1983 (BGBl. I, S. 1421) unterscheidet zwischen K. extra, die einen hohen, u. K. einfach, die einen niedrigen Fruchtgehalt aufweisen. Äpfel, Birnen, nicht steinlösende Pflaumen, Melonen, Wassermelonen, Weintrauben, Kürbisse, Gurken u. Tomaten dürfen zur Herst. von Konfitüre nicht verwendet werden. Die Bez. *Marmelade ist für Erzeugnisse aus *Citrusfrüchten reserviert. Als Brotaufstrich haben K. 80% Marktanteil gegenüber je 10% für Marmelade u. *Gelees. – *E = F* confitures – *I* confetture – *S* confituras – [HS 2007 10, 2007 91, 2007 99]

Konformation (Konstellation). Ein von *Haworth 1929 erstmals benutzter Begriff aus der *Stereochemie. Hierunter versteht man die genaue räumliche Anordnung von Atomen od. Atomgruppen eines Mol. definierter *Konstitution u. *Konfiguration. Verschiedene K. werden durch *Rotation um Einfachbindungen erzeugt u. lassen sich nicht zur Deckung bringen; theoretisch existieren bei einem Mol. gegebener Konfiguration unendlich viele K. Entsprechen diese einem Energieminimum, so redet man von *Konformationsisomeren* od. *Konformeren*, insbes. bei offenkettigen Verb. auch von *Rotationsisomeren* od. *Rotameren*. Die Energiebarrieren zwischen Konformeren sind meistens so klein, daß eine Isolierung verschiedener Konformere nicht möglich ist. Isolierbar werden Konformere, wenn die Energiebarriere bei Raumtemp. bei etwa 70 kJ mol⁻¹ liegt; z.B. bei Biphenyl-Derivaten mit großen Substituenten in *ortho*-Stellung. Ein solcher Fall wird nach R. *Kuhn als *Atropisomerie* bezeichnet.
Bei einfachen Kohlenwasserstoffen wie dem Ethan ist die Rotation um die C,C-Bindung weit weniger stark gehindert; die Rotationsbarriere beträgt hier 13 kJ mol⁻¹. Abb. 1 zeigt die Abhängigkeit der potentiellen Energie des Ethans vom *Torsionswinkel* Θ (auch *Dieder*- od. *Interplanarwinkel* genannt). Bei $\Theta = 0°$ liegt die *ekliptische (verdeckte)* K. (*E* eclipsed) vor, die nach Klyne u. *Prelog auch als *synperiplanare* K. (*Lit.*[1]) bezeichnet wird (s. Abb. 1). In dieser K. ist die Energie am größten; wir haben es also nicht mit einem Konformeren zu tun. Bei $\Theta = 60°$ existiert ein Energieminimum, das sich alle 120° wiederholt. Diese K. werden als *gestaffelte* K. (*E* staggered) bezeichnet; hier handelt es sich um Konformere. Die gehinderte Rota-

Abb. 1: Potentielle Energie des Ethans in Abhängigkeit vom Torsionswinkel u. Konformationen I u. II in „Sägebock-Formeln" u. Newman-Projektion (unten).

tion im Ethan wurde zuerst von Pitzer (1936) über thermodynam. Untersuchung nachgewiesen; ihm zu Ehren heißt die Torsionsbarriere auch *Pitzer-Spannung. Im Fall von 2 Substituenten (z.B. 2 Cl-Atomen wie in 1,2-Dichlorethan) wird bei den gestaffelten K. zwischen der *antiperiplanaren Form (trans-Form)* u. zwei *synclinalen (synschiefen, windschiefen; E* skew od. *gauche)* Formen unterschieden, wovon letztere im gegenseitigen Verhältnis von Bild u. Spiegelbild stehen. Desgleichen gibt es 3 eklipt. Formen (*anticlinal* u. *synperiplanar*), die energiereicher u. daher unwahrscheinlicher sind. Die K.-Verhältnisse sind in Abb. 2 schemat. wiedergegeben.

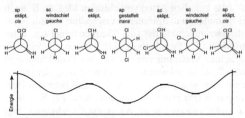

Abb. 2: Newman-Projektionen u. Energieinhalte der K. des 1,2-Dichlorethans. Die Abk. bedeuten: *sp* = synperiplanar, *sc* = synclinal, *ac* = anticlinal, *ap* = antiperiplanar.

In bestimmten Fällen können syn- bzw. antiperiplanare K. auch *cisoid (s. dort) bzw. *transoid* genannt werden. Bezüglich der detaillierten Nomenklatur von K. s. IUPAC-Regeln Sektion E (*Lit.*[2]).
K.-Betrachtungen werden bes. bei *Ketten – auch mit *Jogs u. *Kinken – angestellt, d.h. bei linearen *Makromolekülen; bes. Verdienste hat sich hierbei *Flory erworben (*Lit.*[3]). Die IUPAC-Regeln zur Stereochemie von Polymeren (*Lit.*[4]) legen nicht nur die Benennungen von *Konfigurationen fest, sondern auch die von K. u. der *Taktizität von Makromolekülen. Noch früher als bei acycl. Verb. sind K.-Überlegungen bei gesätt. *cyclischen Verbindungen zur Deutung zahlreicher Phänomene herangezogen worden, insbes. solcher, die die *Baeyer-Spannungs-Theorie vom ebenen

Bau der Ringe unerklärt ließ. Dagegen forderte schon die *Sachse-Mohr-Theorie* den *nichtebenen* Bau des Cyclohexans u. a. Ringe. Die Vorstellungen Sachses (1890) konkretisierten sich im *Sessel-Wanne-Modell* des Cyclohexans (s. Abb. 3).

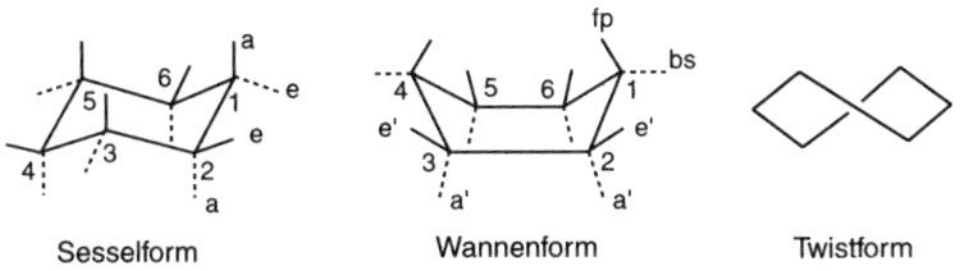

Abb. 3: Sessel-, Wannen- od. Bootsform u. Twistform als K. des Cyclohexans.

Die für die Sesselform möglichen Anordnungen (*axial* = a u. *äquatorial* = e) der beiden Sätze von je 6 H-Atomen u. die in der Wannenform vorliegenden je 4 *quasiäquatorialen* (e') u. *quasiaxialen* (a') sowie die je 2 *Bugspriet*- u. *Flaggenstange-H* (bs bzw. fp) zeigt auch die Abb. 3. Die stabilste K. ist die Sesselform, die um 29 kJ mol^{-1} energieärmer als die Wannenform ist; letztere stellt übrigens kein Energieminimum dar. Lokale Energieminima sind vielmehr die um 6 kJ mol^{-1} energieärmeren *Twistformen* (s. Abb. 3). Der Übergang von der Sesselform zur Twistform erfolgt über die energiereiche *Halbsesselform*, 46 kJ mol^{-1} über der Sesselform gelegen. Die Simulierung der verschiedenen Umwandlungen u. ihrer Energiebedürfnisse sowie der sterischen Verhältnisse läßt sich sehr anschaulich mit *Dreiding-Stereomodellen vornehmen (Näheres hierzu u. Abb. s. dort). Für cycl. Zucker gelten prinzipiell die gleichen Überlegungen (*Lit.*[5]).

Die *Konformationsanalyse* untersucht die bevorzugten K. eines Mol. Sie wurde von Sachse (*Lit.*[6]) u. Mohr (*Lit.*[7]) begründet u. vor allem von *Barton u. *Hassel (*Lit.*[8,9]) ausgebaut. Zur Konformationsanalyse werden physikal. u. theoret. Meth. herangezogen. Sie ist z. B. ein wichtiges Anwendungsgebiet der NMR-Spektroskopie, die auch die Messung der Umwandlungsgeschwindigkeit u. Energieinhalte verschiedener Konformere gestattet. Weitere wichtige Meth. sind Photoelektronenspektroskopie, Elektronenbeugung, Röntgenstrukturanalyse, Hochdruckschwingungsspektroskopie sowie der elektroopt. *Kerr-Effekt, Rotationsdispersion, Circulardichroismus u. a. sog. *chiroptische Methoden*. Theoretische Untersuchungen bedienen sich *ab initio- u. semiempir. Rechnungen od. machen von *Kraftfeld- od. *Molekül-Mechanik-Rechnungen* Gebrauch. Von bes. Bedeutung ist die K.-Analyse bei den *Biopolymeren, da sich daraus Eigenschaften wie die Sekundär-, Tertiär- u. Quartärstruktur von Proteinen, Helix-Coil-Umwandlungen, die Rechtshändigkeit der DNA-Helix u. a. ableiten. Die K.-Untersuchung biolog. wichtiger kleiner Mol. haben zu Erklärungen für die erstaunliche Spezifität vieler enzymat. Reaktionen, pharmakol. od. olfaktor. (geruchlicher) Eigenschaften geführt u. Theorien für die Wirkungsweise von Zellmembranen gestützt. – *E* = *F* conformation – *I* conformazione – *S* conformación

Lit.: [1] Experientia **16**, 521 (1960). [2] Pure Appl. Chem. **45**, 11–30 (1976). [3] Angew. Chem. **87**, 787–797 (1975). [4] Pure Appl. Chem. **53**, 733–752 (1981). [5] Pure Appl. Chem. **53**,

1901–1905 (1981). [6] Ber. dtsch. chem. Ges. **23**, 1363 (1890). [7] J. Prakt. Chem. **98**, 315 (1918). [8] Topics Stereochem. **6**, 1–18 (1971). [9] Angew. Chem. **82**, 821–834 (1970). *allg.:* s. Stereochemie.

Konformationsisomere s. Isomerie u. Konformation.

Konformere s. Konformation.

Konglomerate (von latein.: conglomeratum = Zusammengerolltes). 1. Seltene Bez. für racem. Gemische (*Racemate). – 2. Allg. Bez. für Gemenge aus verschiedenen krist. Substanzen. – 3. Bez. für *klastische Gesteine, die zu mehr als 50% aus *Geröllen*, d. h. abgerundeten Mineral- u. Gesteinsbruchstücken (Klasten) von mehr als 2 mm Durchmesser bestehen, die durch ein feineres, als *Matrix* bezeichnetes Material (*Ton, Kieselsäure, *Kalke, Eisenoxid) zusammengekittet werden. Zu Arten u. Einteilungskriterien der K. s. Füchtbauer (*Lit.*) u. Tucker (*Lit.*); *Beisp.* sind *Korngestützte K.* (Komponenten stützen sich gegenseitig ab) u. *Matrix-gestützte K.* (Diamiktite, Para-K.; Komponenten „schwimmen" in der Matrix); zu letzteren gehören die aus verfestigtem, schlecht sortiertem Schutt von Gletschermoränen bestehenden *Tillite*. Stärker mit *Sandsteinen wechsellagernde K. bauen z. B. die mächtigen, als „*Nagelfluh*" bezeichneten *Molasse*-Ablagerungen im Alpenvorland auf. Am Fuß großer Gebirge können sich v. a. in ariden u. semiariden Gebieten als Folge von katastrophalen Regengüssen als *Fanglomerate* bezeichnete große fächerförmige Geröll-Anreicherungen bilden.

Verw.: Als Bausteine, u. a. als Fassadenverkleidung, v. a. die Brannenburger Nagelfluh aus dem Inntal. – *E* conglomerates – *F* conglomérats – *I* conglomerati – *S* conglomerados

Lit.: Füchtbauer (Hrsg.), Sedimente u. Sedimentgesteine (4.) (Sediment-Petrologie Tl. II), S. 69–84, Stuttgart: Schweizerbart 1988 ▪ Tucker, Einführung in die Sedimentpetrologie, S. 52, Stuttgart: Enke 1985 ▪ s. a. Sedimentgesteine.

Kongopapier s. Kongorot.

Kongorot [3,3′-(Biphenyl-4,4′-diylbisazo)bis(4-amino-1-naphthalinsulfonsäure)-Dinatriumsalz].

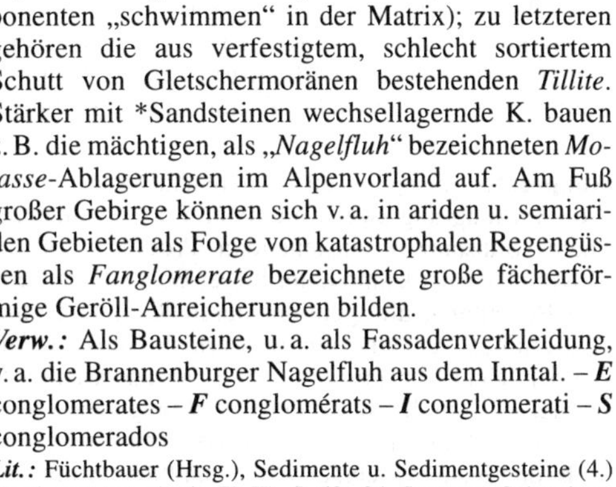

$C_{32}H_{22}N_6Na_2O_6S_2$, M_R 696,66. Mit der Entdeckung des K. (Böttiger, 1884) wurde eine neue Gruppe von *Azofarbstoffen erschlossen, die Cellulose (Baumwolle, Ramie u. a.) sowie regenerierte Cellulose (z. B. Viscose- od. Kupfer-Reyon) ohne Hilfe von Beizen färbt (substantiver Farbstoff). Azofarbstoffe des bisdiazotierten Benzidins waren lange Zeit die wichtigsten substantiven Farbstoffe, jedoch darf wegen der humancancerogenen Eigenschaften unsubstituiertes Benzidin nicht mehr zur Herst. von Farbstoffen verwendet werden [1]. K. entsteht durch Kuppeln von bisdiazotiertem Benzidin mit 2 Mol Naphthionsäure. Die zunächst gebildete blaue Farbsäure geht beim Aussalzen mit Natriumchlorid in das rote Dinatriumsalz (K.) über. K. ist ein rotbraunes Pulver, lösl. in Wasser u. Alkohol, mit blauer Farbe in konz. Schwefelsäure, unlösl. in Ether,

mit Salzsäure entsteht ein blauer, mit Natronlauge ein braunroter Niederschlag.
Verw.: Als Indikator bei pH-Werten von 3,0 bis 5,2 (blauviolett-rot-orange), auch in Bakterien-Nährböden; heute in der Färberei als Textilfarbstoff verboten; medizin. zur Untersuchung des Magensafts auf freie Säure. *Kongopapier* ist ein mit 0,1%iger K.-Lsg. getränktes Filterpapier zum Säure-Nachweis. – *E* congo red – *F* rouge Congo – *I* rosso Congo – *S* rojo Congo
Lit.: [1] Ullmann (4.) **8**, 276; (5.) **A 3**, 281.
allg.: Beilstein E IV **16**, 600 f. ▪ Beyer-Walter, Lehrbuch der organischen Chemie, S. 597 f., Stuttgart: Hirzel 1988 ▪ Elsevier **12 B**, 5201–5209. – *[CAS 573-58-0]*

Koniferenöle s. Fichten- u. Kiefernnadelöle, Thujaöl u. Zedernöle.

Konjuene. Jargonbez. für mehrfach *ungesättigte organ. Verb., deren Doppelbindungen in *Konjugation stehen; *Beisp.:* Diene, Triene, Polyene. Dementsprechend faßt man als *Konjuenfettsäuren* diejenigen *Fettsäuren zusammen, deren vordem isolierte Doppelbindungen (*Beisp.:* Linol-, Linolen-, Arachidon-, Clupanodonsäure) unter Alkali-Einwirkung in konjugierte übergegangen sind. – *E* conjuenes – *F* conjuènes – *I* coniueni – *S* conjuenos

Konjugate. Im allg. die durch nicht näher spezifizierte mol. Verknüpfung zweier od. mehrerer verschiedener chem. Substanzen entstehenden Produkte. In der *Pharmakokinetik sind unter dieser Bez. solche Verb. von Bedeutung, die, gebildet durch Kopplung einer wasserunlösl. an eine gut wasserlösl. Substanz, im Körper leicht transportiert u. z. B. so ausgeschieden werden können. Diese Art der K.-Bildung gehört auch zu den wichtigsten *Entgiftungs-Mechanismen, obwohl durch sie manchmal auch schädliche Stoffe gebildet werden (*Giftung*). Während die meisten Fremdstoffe (*Xenobiotika) od. ihre *Metabolite mit D-*Glucuronsäure od. Schwefelsäure verestert (*konjugiert*) werden, kennt man auch K. mit *Glutathion u. Aminosäuren (z. B. *Glykocholsäure, *Taurocholsäure). Desoxycholsäure bildet *Einschlußverbindungen mit Fettsäuren, nämlich die ebenfalls als K. angesprochenen *Choleinsäuren. Von K. spricht man auch bei *Depsid-artigen Verb. aus dem Pflanzenreich, z. B. *Chlorogensäure. Enzymat. Konjugation von Proteinen mit *Ubiquitin bereitet sie zum Abbau durch das Proteasom (s. Proteasen) vor. Die biolog. Funktion der K.-Bildung verschiedener biochem. Substanzklassen (Proteine, Lipide, Kohlenhydrate, Nucleinsäuren) miteinander ist die Vermittlung der Wasserlöslichkeit (z. B. *Lipoproteine); diese K. besitzen aber auch den Charakter von *Antigenen, Erkennungs- od. Adhäsions-Mol. (z. B. die als *Glykokonjugate zusammengefaßten *Glykolipide, *Glykoproteine u. *Lipopoly- u. *Lipooligosaccharide), od. haben verschiedene andere Funktionen, so z. B. *Nucleoproteine. Konjugierte Proteine wurden früher als Proteide bezeichnet. *Künstlich hergestellte K.,* z. B. zwischen *Antikörpern u. *Toxinen (*Immuntoxine, vgl. a. Immunkonjugate), sollen einen zielgerichteten Transport im Organismus bewirken (*drug targeting*), während wieder andere K. zu analyt. (z. B. *Enzymimmunoassay) Zwecken dienen. – *E* conjugates – *F* conjugués – *I* coniugati – *S* conjugados

Lit.: Hermanson, Bioconjugate Techniques, San Diego: Academic Press 1996 ▪ Kauffman, Conjugation-Deconjugation Reactions in Drug Metabolism and Toxicity, Berlin: Springer 1994.

Konjugation (von latein.: coniugatio = Vereinigung, Verknüpfung). Bei einfach *ungesättigten Verb., z. B. Alkenen, sind die π-Elektronen der *Doppelbindung lokalisiert. Dieselben Überlegungen treffen auf Verb. mit *isolierten Doppelbindungen* zu, in denen letztere also zu weit voneinander entfernt sind, um in Wechselwirkung treten zu können. Anders jedoch, wenn eine alternierende Sequenz von Einfachbindungen u. (mind. zwei) Mehrfachbindungen (C=C, C≡C, C=N, C=O) vorhanden ist. Einfachster Vertreter eines solchen *konjugierten Syst.* ist das Butadien: $H_2C=CH–CH=CH_2$. Hier bilden alle π-Elektronen der nun *konjugierten Doppelbindungen* ein integriertes Syst., in dem die Elektronen über die an der K. beteiligten Atome „verschmiert", d. h. delokalisiert sind (s. Delokalisierung, Resonanz u. Diene). K. wird auch beobachtet, wenn ein p-Atomorbital einer Doppelbindung direkt benachbart ist, so daß drei parallele p-Orbitale miteinander überlappen können. Nach den Regeln für die Konstruktion von *Molekülorbitalen folgt dann, daß drei neue Orbitale resultieren: Ein bindendes, ein nichtbindendes u. ein antibindendes. Man kann nun drei Fälle unterscheiden, je nachdem ob das ursprüngliche p-Orbital mit (a) zwei, (b) einem od. (c) keinem Elektron besetzt ist. Alle Verb., die ein Atom mit einem freien Elektronenpaar in Nachbarschaft zu einer Doppelbindung besitzen (*Allyl-Anion*), gehören zu Typ (a), während ein *Allyl-Radikal* u. ein *Allylcarbenium-Ion* Typ (b) bzw. (c) repräsentieren (s. Abb. 1).

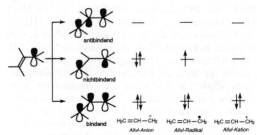

Abb. 1: Molekülorbitale bei der Konjugation eines p-Atomorbitals mit einer Doppelbindung.

Die K. von Doppelbindungssyst. äußert sich u. a. physikal. in der Verkürzung der Atomabstände, im Spektrum u. chem. in Reaktionsweisen, die häufig von denen der isolierten Doppelbindungen abweichen: *Additions-Reaktionen finden in 1,4- u./od. 1,2-Stellung statt, mit isolierten Doppelbindungen tritt ggf. *Diels-Alder-Reaktion ein, therm. u./od. photochem. ausgelöst kann es zu *Valenzisomerisierungen kommen. Eine strukturelle Voraussetzung für die K. ist im Wesentlichen, daß die beteiligten Atome in einer Ebene liegen, wobei noch zwischen *cisoiden u. transoiden *Konfigurationen unterschieden werden kann (s. Abb. 2).
Linear konjugierte Syst. sind viel häufiger als solche mit *Kreuzkonjugation* (s. gekreuzt-konjugiert u. Dienone). Bekannte *Beisp.* für die K. sind: *Diene, *a,β*-ungesätt. Carbonyl-Verb., *Chinone, *Triene u. *Polyene.

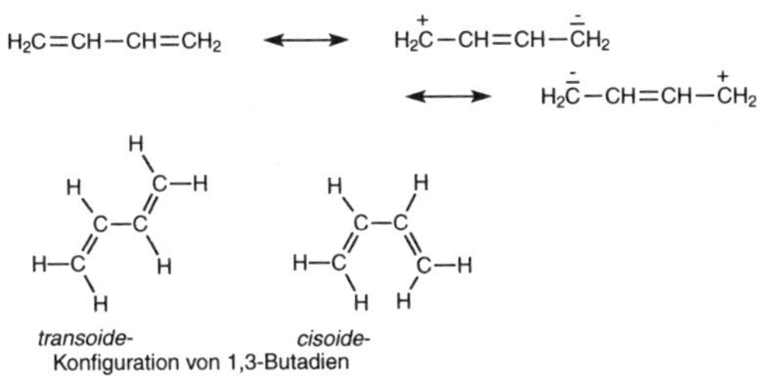

transoide-   cisoide-
Konfiguration von 1,3-Butadien

Abb. 2: Die cisoide u. transoide Konfiguration von 1,3-Butadien.

1,3-Diene:

Isopren
(2-Methyl-1,3-butadien)

Cyclopentadien

Ergosterin (Ergosterol)

α,β-ungesätt. Carbonyl-Verb.:

Acrolein

β-Jonon

Mesityloxid

Phoron

Cortison

Indigo

Chinone:

1,4-Benzochinon

Triene, Polyene:

Cycloheptatrien

11-cis-Retinal

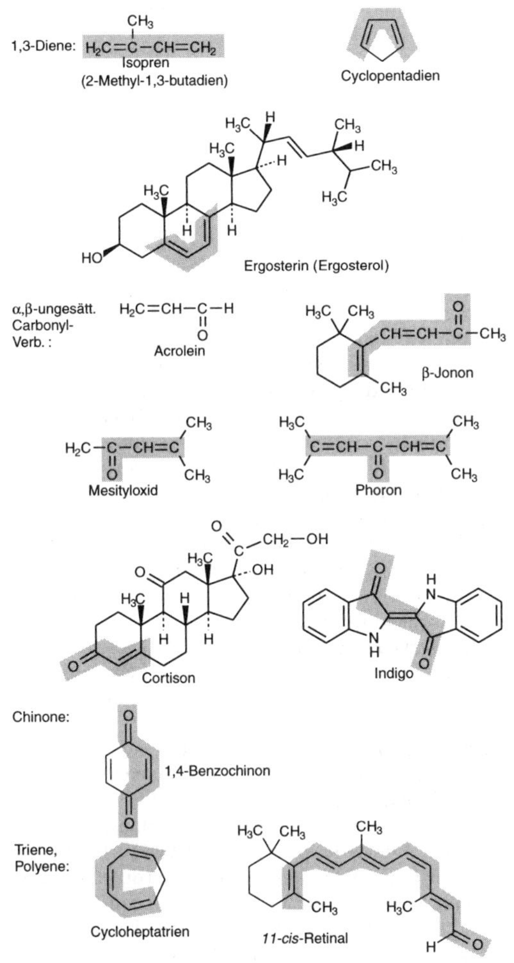

Abb. 3: Beisp. für konjugierte Systeme.

Stoffe mit mehreren konjugierten Doppelbindungen (*Konjuene) sind farbig, u. zwar ist der Farbton um so tiefer, je mehr Doppelbindungen miteinander konjugiert sind, *Beisp.:* Carotin (s. a. Chromophore)[1]. Ein Spezialfall der K. in cycl. Verb. ist der der *Aromatizität. Ein weiterer Sonderfall der K. ist der der *Homokonjugation*[2], worunter man die *Through-space-Orbitalüberlappung von zwei π-Elektronen-Syst. versteht, die durch eine nichtkonjugierte Gruppe wie CH_2 getrennt sind, *Beisp.:* *2,5-Norbornadien, vgl. a. Homoaromatische Verbindungen. Nicht zur K. befähigt sind jedoch die Doppelbindungs-Syst. der *Kumulene,

u. auch die *Hyperkonjugation läßt nur wenige Kriterien der K. erkennen. – Dem Begriff „konjugiert" begegnet man nicht nur in Verb. mit Doppelbindungen od. Elektronensyst., sondern auch im Zusammenhang mit Additionsreaktionen, mit dem *Säure-Base-Begriff, mit *Bikomponenten- u. ä. *Chemiefasern, beim Stoffwechsel (s. Konjugate) od. in der Molekularbiologie bei der Übertragung von DNA zwischen Bakterien infolge Zellkontakten. – *E* conjugation – *F* conjugaison – *I* coniugazione – *S* conjugación

Lit.: [1] Chem. Unserer Zeit **12**, 1 – 11 (1978). [2] Helv. Chim. Acta **59**, 2635 – 2652 (1976).
allg.: March (4.), S. 30 f. ▪ Quinkert, Egert u. Griesinger, Aspekte der Organischen Chemie: Struktur, S. 270 f., Basel: Verl. Helvetica Chimica Acta 1995.

Konjugierte... s. Konjugation.

Konjunktionsname (zusammengesetzter Name). In der organ.-chem. *Nomenklatur Name einer Verb., der durch Zusammensetzen der Namen eines Ringsyst. u. einer offenkettigen Verb. mit endständiger Hauptfunktion entsteht, die durch Verlust je eines H-Atoms verknüpft wurden; *Beisp.:* Naphthalinessigsäure. – *E* conjunctive name – *F* nom conjonctif – *I* nome congiuntivo – *S* nombre conjuntivo

Konjunktival Thilo®. Augentropfen mit *Naphazolin-Hydrochlorid u. *Pheniramin-maleat gegen Augenallergien u. Bindehautreizungen. *B.:* Alcon-Thilo.

Konjunktivitis. Entzündung der Bindehaut des *Auges.

Konkrement s. Konkretionen.

Konkretionen (von latein.: concretio = Verdichtung). Knollige bis abgeplattet-linsenförmige, brotlaibartige od. unregelmäßig geformte Anreicherungen von Mineralien in *Gesteinen, meist *Sedimenten, z.B. in *Sand, *Ton, *Mergel u. *Löß, entstanden durch Ausscheidung aus wäss. Lsg. um kleine Kerne herum, die nicht selten Reste von *Fossilien sind. Hohle K. bezeichnet man als *Geoden;* wenn in diese von den Wänden her Krist. hineinwachsen, spricht man von *Drusen. *Beisp.:* Lößkindl od. Lößpuppen (Kalkknollen im Löß), *Feuerstein-Knollen, Toneisenstein-K. (mit *Siderit), Bohnerze (*Brauneisenerz) im Kalk, Phosphorit-K. (mit *Apatit), *Manganknollen u. (z. T. als rosettenförmige Aggregate ausgebildete) K. von *Pyrit, *Markasit u. *Gips in Tonen, Schlämmen u. Sanden. Die in Körperhöhlen u. -gefäßen gebildeten Ablagerungen (*Beisp.:* Gallen-, Nieren-, Blasen- u. a. Harnsteine, Speichelsteine) werden meist als *Konkremente* (von latein.: concrementum = Anhäufung) statt als K. bezeichnet. – *E* concretions – *F* concrétions – *I* concrezioni – *S* concreciones
Lit.: Matthes, Mineralogie (5.), S. 304, 314, 319, Berlin: Springer 1996 ▪ s. a. Sedimentgesteine.

Konkurrenzreaktionen s. Reaktionen u. Simultanreaktionen.

Kon(n)ode. Als K. bezeichnet man im thermodynam. *Zustandsdiagramm eine Parallele zur Abszisse, die zwei koexistierende *Phasen miteinander verbindet. – *E = F = I* conode – *S* conoda

Konrad-Zuse-Zentrum für Informationstechnik Berlin (ZIB). 1984 gegr. Anstalt des öffentlichen Rechts mit Sitz in der Heilbronner Str. 10, D-10711 Berlin. Aufgabe des ZIB ist die Forschung u. Entwicklung auf dem Gebiet der Informationstechnik, insbes. die Bearbeitung hochkomplexer Rechenprobleme u. Entwicklung innovativer Rechenmeth. aus den Natur- u. Ingenieurwissenschaften. Zugleich bietet es Höchstleistungsrechnerkapazität als zugehörige Dienstleistung an. *Publikationen:* ZIB-Reprints; ZIB-Technical Reports; internat. Zeitschriften: IMPACT of Computing in Science and Engineering, Academic Press. – INTERNET-Adresse: http://icm.zib-berlin.de

Konrotatorisch. Die Ringöffnung von Cyclobuten zu 1,3-Butadien gehört zu den *elektrocyclischen Reaktionen. Diese Untergruppe der *pericyclischen Reaktionen beschäftigt sich mit Reaktionen, bei denen Ringe gebildet od. geöffnet werden. Nach den *Woodward-Hoffmann-Regeln ist die Cyclobuten-Ringöffnung therm. *Symmetrie-erlaubt, wenn sich die Substituenten A bei der Ringöffnung in die gleiche Richtung bewegen, wodurch dem gebildeten 1,3-Dien die gezeigte Konfiguration zukommen muß (s. Abb.).

HOMO

Eine derartige Bewegung wird k. genannt u. wird, wie an substituierten Cyclobutenen experimentell gezeigt werden konnte, strikt eingehalten. In der hier gewählten Betrachtungsweise wird das Grenzorbitalmodell (*HOMO-LUMO-Modell) zur Erläuterung der k. Bewegung herangezogen. Weitere Betrachtungsweisen, die zu dem stereochem. gleichen Ergebnis führen, sind in den markierten Textstichwörtern zu finden. – *E* conrotatory – *F* conrotatoire – *I* = *S* conrotatorio
Lit.: Angew. Chem. **81**, 797 (1969); Int. Ed. Engl. **8**, 781 ▪ Carey-Sundberg, S. 576 f. ▪ Fleming, Grenzorbitale u. Reaktionen organischer Verbindungen, 1. korr. Nachdruck der 1. Aufl. 1979, S. 120, Weinheim: VCH Verlagsges. 1988 ▪ March (4.), S. 1111–1120.

Konsensus-Sequenz s. Consensus-Sequenz.

Konservierung. Von latein.: conservare = erhalten, bewahren abgeleitete Bez. für Maßnahmen, welche verderbliche Materialien in ihrem gegenwärtigen Zustand erhalten u. vor *Zersetzung durch chem., physikal. u. biolog. Einflüsse bewahren sollen. Verständlicherweise tangiert „K." begrifflich auch *Entkeimung, *Desinfektion, *Sterilisation, *Korrosionsschutz u. a. verwandte Begriffe. Verderbliche Güter sind z. B. Nahrungs-, Genuß- u. Futtermittel, Fasern u. Textilien, Häute, Felle, Hölzer, biolog. u. medizin. Präp., pharmazeut. u. kosmet. Produkte, Papier, Anstrichstoffe, Kitte, Leime u. Klebstoffe, Schmierstoffe, Brenn- u. Treibstoffe, Kunststoffe, Kautschuk u. a. organ. Stoffe, aber auch anorgan. Materialien wie z. B. Stein, Keramik, Glas u. Metall. Letztere werden auch durch physikal. Faktoren wie Hitze, Kälte, Wasser (Luftfeuchtigkeit), Trockenheit usw. angegriffen; über konservierende, heute bevorzugt als *Materialschutz* (*Lit.*[1])

angesprochene Maßnahmen s. den Abschnitt über die K. von Museumsgegenständen (IV.) u. Korrosion.
Für die Mehrzahl der verderblichen organ. Stoffe kommen vornehmlich vier verschiedene Verderbnismöglichkeiten in Betracht: 1. Die mikrobielle Zers., die durch die universelle Anwesenheit von Mikroorganismen wie *Bakterien, *Schimmelpilze, *Hefen u. a. *Pilzen zustande kommt, die in diesen Stoffen oft einen ausgezeichneten Nährboden finden (vgl. biologischer Abbau, Fäulnis); – 2. die enzymat. *Autolyse, die zur Selbstzers. der Organismen u. Gewebe nach dem Tode führt; – 3. die *Kontamination mit pathogenen *Keimen od. *Mykotoxinen als Folge der Einwirkung der unter 1. erwähnten Faktoren; – 4. die abiot. Zers., die durch allmähliches Reagieren verschiedener Stoffkomponenten untereinander zustande kommt.
Als schädliche Einwirkungen kommen neben den oben erwähnten physikal. Faktoren noch Fraßschäden durch *Insekten u. Nagetiere hinzu – die entsprechenden Gegenmaßnahmen rechnet man im allg. jedoch nicht zur K., vgl. Insektizide sowie Vorratsschutz. Die Vielzahl der zu schützenden Stoffe erfordert verschiedene K.-Maßnahmen, die sich im einzelnen v. a. nach Eigenschaften u. Verw. der betreffenden Substanzen richten. So kann man bei Stoffen, die nicht der *Ernährung, der *Kosmetik od. der Gesundheit dienen, auch stärkere Gifte als K.-Mittel anwenden, z. B. Arsen-Präp. bei ausgestopften Tieren, Teer-Verb. bei Holz, Formaldehyd bei zoolog. Präparaten. Auf die Details der einzelnen K.-Meth. u. -Substanzen soll hier nur für die Teilgebiete der K. von Lebensmitteln, von anatom.-zoolog. Objekten, von Pflanzen sowie von Baudenkmälern, Kunstwerken u. Museumsgegenständen eingegangen werden. Im übrigen wird auf die genannten Einzelstichwörter hingewiesen.
I. Konservierung von Lebensmitteln: Bes. Aufmerksamkeit beansprucht seit jeher der Schutz der zur menschlichen u. tier. Ernährung bestimmten *Lebensmittel.
Verf.: 1. K. durch Kälte: Kaltlagerung u. Gefrierenlassen mit der in modernen Kältemaschinen (*Kältetechnik) erzeugten Kälte sind die zur K. von Fleisch, Obst, Milch, Gemüse, Eiern, Fischen in Haushalt u. Lebensmittelgewerbe meistverwendeten Verf.; Bakterienwachstum u. Enzymaktivität werden durch Kälte gehemmt u. der Vitamin-Gehalt nimmt kaum ab. Eßfertige gekochte bzw. gebratene Speisen kann man einfrieren u. bei −18 °C bis −21 °C bis zum Verzehr lagern. Bei rascher Abkühlung auf −20 bis −40 °C bleiben Nährwert u. Genußwert fast unverändert erhalten, da die hohe Gefriergeschw. nur zur Bildung winziger Eiskriställchen führt, welche lediglich geringfügige Gewebszerstörungen verursachen. Bei der Tiefkühlverarbeitung auf modernen Fischdampfern wird das schnelle Einfrieren meist durch Berieseln od. Besprühen des durch Überzüge geschützten Fisches mit einer Kältesole von −20 bis −22 °C vorgenommen. Reife Äpfel u. Birnen halten sich bei Gas-Kaltlagerung länger; am günstigsten wirkt eine Atmosphäre mit 79% Stickstoff, 13% Sauerstoff u. 8% Kohlendioxid. Die Haltbarkeit von Bananen soll sich bei Minderung des Luftdrucks von 100 auf 50 kPa verdoppeln, bei 30 kPa

vervierfachen, wobei die Entfernung des Ethylens eine Rolle spielen dürfte.

2. K. durch trockene od. feuchte Hitze: Erhitzen auf Temp. unter 100 °C bezeichnet man auch allg. als *Pasteurisierung. Es wird bes. beim Haltbarmachen von *Milch u. Fruchtsaftgetränken angewendet u. führt zur Inaktivierung autolyt. Enzyme; Mikroorganismen u. deren Sporen werden jedoch nicht immer abgetötet. Auch fällt der Erfolg einer Pasteurisierung in Abhängigkeit von der chem. Zusammensetzung u. dem pH-Wert des Lebensmittels unterschiedlich nachhaltig aus; z. B. hält sich bei 75 °C pasteurisierte Milch nur wenige d, während unter gleichen Bedingungen konservierte Fruchtsäfte jahrelang haltbar sind. K.-Verf. mit Erhitzungstemp. über 100 °C werden als Sterilisation bezeichnet, da sie zu Keimfreiheit führen; sie werden in großem Umfang bei der Herst. von *Dosenkonserven* (Gemüse, Fleisch) verwendet. Die Sterilisierung erfolgt im allg. bei Temp. zwischen 115–122 °C in entsprechenden *Autoklaven mit einer Verweilzeit zwischen 15 min (Gemüse) u. 2 h (Fleisch). Bei der Hoch-Kurz-Sterilisation (z. B. von Gemüsesäften) erhitzt man 0,7 min auf 138 °C u. kühlt dann schnell auf 88 °C ab. Nach dem gleichen Prinzip arbeitet das UHT-(Ultra-High-Temperature-)Verf. od. *Uperisations-Verf. zur Milchsterilisation (*H-Milch). Der Nährwert der Nahrungsmittel wird durch solche K.-Verf. nicht beeinträchtigt; bei Konservenfrüchten ist er wegen des Zuckerzusatzes sogar stark erhöht. Der Gehalt an Spurenelementen u. den meisten Vitaminen bleibt prakt. unverändert; daher enthalten gut hergestellte Obst- u. Gemüse-Konserven oft mehr Vitamine als die gleichen Produkte, die im Haushalt gekocht wurden. Die garantierte Haltbarkeit einer *Vollkonserve* wird meist nur mit einigen Jahren angegeben, denn die eingangs erwähnten abiot. Prozesse führen sicherlich zu einer fortschreitenden Minderung der Geschmacksqualität. Hält man sich jedoch an den Begriff Genießbarkeit, so bleibt eine Konserve ggf. auch jahrzehntelang genießbar.

3. K. durch Trocknung u. Eindicken: Einfaches *Trocknen der Nahrungsmittel wirkt konservierend. Da Bakterien zu nahezu 85% aus Wasser bestehen, können sie im allg. nur in feuchter Umgebung leben. Die an der Sonne getrockneten Stockfische, das Heu, Dörrgemüse u. Dörrobst enthalten weniger als 40% Wasser, u. bei dieser Grenze hört das Bakterienwachstum im allg. auf. Hierher gehört auch die weitgehende *Entwässerung* (Dehydratisierung) von Lebensmitteln, z. B. durch *Gefriertrocknung od. azeotrope Dest. mit Ethylacetat. So ist die Herst. von *Instant-Produkten teilw. als K. anzusehen. Auch das Eindicken von Frucht- u. Gemüsesäften sowie das Einkochen von Obst bringen durch den Wasserentzug u. durch die Anreicherung der Inhaltsstoffe ggf. konservierende Wirkung mit sich, die aber durch geeignete Maßnahmen (Sterilisation, Zuckern, Konservierungsmittel) unterstützt werden müssen, vgl. a. Gelees u. Marmeladen.

4. K. durch chem. Verf.: Hier ist in der Anw. zu unterscheiden zwischen Hilfsmittel-Meth. wie Einzuckern, Einsalzen, *Pökeln u. *Räuchern, d. h. Meth., wie sie von alters her in der konservierenden Lebensmittelbevorratung gebräuchlich sind, u. Anw. der eigentlichen

*Konservierungsmittel, bei denen es sich um antimikrobiell wirksame Verb. handelt, deren Einsatz wegen möglicher Nebenwirkungen durch die *Zusatzstoff-VO geregelt ist. Für Obst benötigt man ggf. fungizide K.-Mittel, die vor Schimmelpilzen schützen; deren Anw. wurde früher durch die Fruchtbehandlungs-VO geregelt. Salzen, Pökeln u. Räuchern werden v. a. bei Fleisch u. Fischen angewendet. Das Salz wirkt auf osmot. Wege auf Fleisch u. Bakterien austrocknend (*Osmose); wird zu wenig Salz verwendet, kann es in seltenen Fällen zu *Botulismus – einer *Lebensmittelvergiftung durch Bakterien – kommen. Beim Räuchern addiert sich zu dem Effekt der osmot. Trocknung noch die Entstehung bakterizid wirkender Verb. (Phenole, Kreosot, Formaldehyd usw.). Starkes Zuckern wirkt im Prinzip wie Einsalzen, denn die Bakterien werden durch die osmot. Wirkung hoher Zuckerkonz. „ausgetrocknet"; deshalb halten sich z. B. Marmeladen, Gelees u. Kondensmilch mit über 50% Zucker lange Zeit unverändert. Nach dem gleichen Prinzip war im alten Babylon eine Leichenkonservierung in *Honig, in dem außerdem noch antibakterielle Wirkstoffe vorkommen, möglich.

5. K. durch mikrobiolog. u. enzymat. Verf.: Als biolog. K. kann die natürliche Säuerung von Gemüsen durch *Milchsäure-*Gärung bezeichnet werden (Weißkohl, Bohnen, Gurken, vgl. Sauerkraut). Dabei halten die Anwesenheit der zahlreichen Milchsäurebakterien u. die von ihnen produzierten Säuren Lebensbedingungen aufrecht, unter denen Schadorganismen nicht gedeihen können. Dieses Gleichgew. ist labil u. kann z. B. durch pektolyt. Bakterien (Weichwerden des K.-Guts) od. Schimmelpilze gestört werden; letztere bauen die Milchsäure ab. Die Milchsäure-*Fermentation spielt auch bei der *Silage eine Rolle, bei der man die erwünschte Entwicklung von Milchsäurebakterien durch künstliche Ansäuerung, z. B. mit Ameisensäure begünstigt. Zu einer mehr od. weniger beständigen K. kann man Gemüse auch künstlich mit einer schwachen Essigsäure-Lsg. ansäuern (Essiggemüse); meist wird zusätzlich pasteurisiert.

*6. K. durch *Bestrahlung* s. Lebensmittelbestrahlung.

Geschichte: Die erste „Dosenkonservierung" von Fleisch erfolgte durch den franzö́s. Physiker Denis Papin (1647–1714), der in seinem luftdicht verschlossenen „Papinschen Topf" Fleisch erhitzte u. konservierte. Als Begründer der K.-Technik gilt der franzö́s. Koch F. Appert (1750–1840), der bereits 1804–1807 Fleisch u. Gemüse in verschlossenen Gläsern haltbar machte u. dafür 1809 von Napoleon einen Preis von 12 000 frs. erhielt. Apperts Verf., Lebensmittel in luftdichten Behältern aufzubewahren, wurde 1810 veröffentlicht, u. bereits 1811 entstand die erste Konservenfabrik (Zinn-Behälter) in Bermondsey, London.

II. Konservierung von anatom.-zoolog. Objekten: Diese K. dient der Erhaltung toter Organismen od. Organismenteile in möglichst lebensgetreuem Zustand (*Präparation*). Die Art der Präparationsmeth. richtet sich nach Art u. Verw. des Objekts. So werden Insekten (bes. Schmetterlinge) nach Abtöten mit Ether, Essigester, Aceton u. dgl. in Schaukästen mit Nadeln aufgespannt, u. das größte Problem ergibt sich erst in der Verhinderung nachträglicher Zerstörung (Feuchtigkeit, Schimmel, Öligwerden, Insektenfraß etc.). Die K. von Leichen zum Schutz gegen Verwesung ist seit dem 3. Jahrtausend v. Chr. bekannt. Früher wurden zur *Einbalsamierung* u./od. *Mumifizierung* (von pers.: mum = Wachs) Natron, Asphalt u. Balsame (Harze) verwendet, nachdem Gehirn u. Eingeweide vorher entfernt worden waren. Heutzutage werden Öle u. Chemikalien wie Formaldehyd, Glyoxal, Glutaraldehyd, 4-Chlor-3-methylphenol, Kaliumnitrat, Kochsalz, Zinksulfat u. a. verwendet. Gefäßreiche Organe (Herz, Lunge, Niere etc.) lassen sich auch durch Einspritzen gefärbter u. später aushärtender Injektionsmassen präparieren. Fleischige anatom. od. zoolog. Objekte muß man zunächst in einer geeigneten Flüssigkeit fixieren; *Beisp.:* Alkohol, Aceton, Chromsäure u. Chromsalze, Sublimat, verd. Formaldehyd-Lsg., Trichloressigsäure u. a. *Fixiermittel wie z. B. die *Kaiserling-Flüssigkeit* (1 L Wasser, 200 g 40%iger Formaldehyd, 15 g Kaliumnitrat u. 30 g Kaliumacetat). Bei der nur vorübergehenden Aufbewahrung von Organen (z. B. für Trans- od. *Implantationen) müssen andere, hier nicht zu behandelnde Maßnahmen ergriffen werden.

III. Konservierung von Pflanzen: Manche *Pflanzen od. Pflanzenteile können bereits nach Lufttrocknung ausreichend konserviert sein (z. B. *Flechten). Auch die Anlage eines Herbariums (Sammlung flachgepreßter, getrockneter u. auf Papierbögen geklebter Pflanzen) läßt sich als Pflanzen-K. im weiteren Sinne auffassen. Im allg. wird eine mehr od. weniger wasserreiche, grüne Pflanze bei einer Lufttrocknung jedoch Welke- u. Schrumpfungserscheinungen zeigen, so daß eine Naß-K. od. ggf. auch das Anbringen eines luftdichten Überzugs erforderlich ist. Für die Naß-K. werden die Pflanzen in entsprechende große Standgläser gebracht u. evtl. noch bes. montiert. Als K.-Flüssigkeiten eignen sich 70%iges Ethanol u. Formaldehyd-Lsg., Wasserglas od. Chinolinsulfat-Lösung. Die eintretenden Farbveränderungen lassen sich durch eine Kupfersulfat-Behandlung z. T. vermeiden. Zum Anbringen der erwähnten Überzüge stellt man z. B. Zweige mit buntem Herbstlaub einige h unter eine Glasglocke, in der ein flaches Gefäß mit Formaldehyd-Lsg. steht. Nachher besprüht man die Blätter mit einem stark verd., farblosen Lack von Cellulosenitrat. Herbstlaub u. Früchte kann man auch in eine 10–20%ige wäss. Gelatine-Lsg. tauchen u. nach dem Trocknen in einer 10%igen Formaldehyd-Lsg. schwenken, wobei eine Härtung des Gelatine-Überzugs stattfindet. Frische Schnittblumen (z. B. Rosen, Orchideen) kann man folgendermaßen konservieren: Man löst etwa 1,5 Tl. Methylcellulose in 100 Tl. Wasser, taucht die Schnittblumen vollständig in die Lsg. u. stellt sie nach dem Abtropfen in eine Vase mit Wasser. Beim Eintrocknen der Lsg. bildet sich ein dünnes Häutchen von Methylcellulose über den Blumen; dieses setzt die Wasserverdunstung herab, erhöht den Turgor u. verleiht den zarten Blütenblättern eine höhere mechan. Festigkeit.

IV. Konservierung von Baudenkmälern, Kunstwerken u. Museumsgegenständen: Hier sind je nach Eigenschaften des zu schützenden Materials sehr unterschiedliche Mechanismen anzuwenden. Nicht erst seit

dem Aufkommen von *Umweltschutz-Bemühungen, sondern bereits vor mehr als 100 Jahren hatte die Anfälligkeit von *Steinbauwerken* gegenber aggressiven Atmosphären Aufmerksamkeit erregt. Aber erst jetzt ist man mit Hilfe von *Bautenschutzmitteln in der Lage, gegen die Einwirkung des Hauptschadstoffs der *Luftverunreinigung, die Schwefelsäure, einen Schutz im Stein aufzubauen, u. zwar durch Hydrophobierung mit Siliconen u./od. Festigung durch Kieselsäureester. Museumsobjekte aus organ. Stoffen (Holz, Knochen, Textilien, Leder, Papyrus, Papier u. dgl.) schützt man gegen Schimmel u. Vermoderung durch Senkung der relativen Luftfeuchtigkeit unter 65% (Kieselgel als Trockenmittel), gegen Insekten allg. durch chlorierte Naphthaline u. a. Insektizide od. durch Behandlung mit *Fumigantien, wie sie auch im *Vorratsschutz üblich sind, gegen Holzschädlinge durch Imprägnierung mit *Holzschutzmitteln.

*Leder-Gegenstände (z. B. alte Bucheinbände) schützt man durch Auftragen einer Paste aus Lanolin, Zedernholzöl u. Bienenwachs in Hexan, durch Inaktivierung von Eisen-Verb. im Leder (diese katalysieren die Bildung von Schwefeltrioxid aus SO_2) u. durch Abwaschen des relativ neuen Leders mit einer 10%igen wäss. Kaliumlactat-Lösung. Alte, nach dem Ausgraben spröde u. zerbrechlich gewordene Leder werden durch Behandlung mit hydrophilen Wachsen vom Polyethylenglykol-Typ wieder geschmeidig.

*Pergament ist bei Aufbewahrung >65% Luftfeuchte sehr anfällig gegen die Einwirkung von Enzymen, die das *Collagen in Gelatine abbauen.

Alte *Papiere sind bes. säureempfindlich. Sie werden deshalb nach dem Barrow-Verf. durch Baden in 0,05%igem Kalkwasser entsäuert u. anschließend mit einer 0,05%igen Calciumhydrogencarbonat-Lsg. durchtränkt (das auf der Faser abgeschiedene Ca-Carbonat wirkt als Säurepuffer), getrocknet u. in einer Spezialpresse bei ca. 120 °C zwischen Filmen aus Celluloseacetat eingebettet. Heute bevorzugt man die Behandlung des Papiers mit Natronlauge, wobei allerdings eine Schrumpfung um 10–30% hingenommen werden muß, od. mit flüssigem Ammoniak. Schimmel- u. Stockflecken können durch eintägiges Lagern in 2%iger Chloramin-Lsg. beseitigt werden; auch die Behandlung mit 1%igem H_2O_2/NH_3 od. ClO_2-Gas kann zum Ziel führen. Die Reparatur teilw. zerstörter Papiere mit Papierfaserbrei ist eine viel praktizierte Methode.

Bei alten *Gläsern kann hohe relative Luftfeuchtigkeit allmählich zu einer Auslaugung der alkal. Glasbestandteile führen; die Glasoberfläche bedeckt sich dann mit kleinen Wassertröpfchen. Dieses „schwitzende" Glas wird nacheinander mit dest. Wasser u. Alkohol gewaschen u. in Spezialschauschränken aufbewahrt, deren relative Luftfeuchtigkeit man mit Kieselgel möglichst niedrig hält.

Feuchte Luft führt bei *Bronzegegenständen* zu Korrosionserscheinungen („Bronzekrankheit"), die man durch kathod. Red. od. Anw. von Ammoniak, *Rochelle-Salz, *Calgon®, verd. Schwefel- od. Citronensäure u. dgl. verhindert od. rückgängig macht; hier ist v. a. die restlose Entfernung von Chloriden wichtig. *Eisen- u. Stahlgegenstände* werden mit Salzen von

Ethylendiamintetraessigsäure entrostet u. dann mit schützenden Wachsüberzügen versehen od. mit *Rostumwandlern behandelt. Korrosionsschichten auf empfindlichen *Blei-Gegenständen* entferne man durch Bedecken mit einem Ionenaustauscher u. Zugabe von dest., heißem Wasser. Bei größeren *Zinn-Gegenständen* hilft offenbar nur der Austausch der durch *Zinnpest* betroffenen Partien; zur K. von Metallgegenständen s. a. Korrosionsschutz. Der Begriff der K. von Kunstgegenständen u. Altertümern überlappt sich mit dem Restaurieren, s. a. dort. Selbstverständlich muß der K. eine eingehende, möglichst zerstörungsfreie *Werkstoffprüfung vorausgehen; eine Reihe von Gesichtspunkten sind bei Archäologie u. *Kunstwerkprüfung aufgezeigt[1]. – *E* preservation, conservation – *F* conservation – *I* conservazione – *S* conservación

Lit.: [1] Ullmann (4.) **16**, 499 ff.
allg.: Kirk-Othmer (3.) **7**, 169 f.; **11**, 158 ff.; (4.) **7**, 582–585; **11**, 809 f., 824 ff. ▪ Ullmann (4.) **16**, 47–72, 76 ff.; (5.) **A 11**, 491 ff. ▪ Wallhäußer, Sterilisation, Desinfektion, Konservierung (4. Aufl.), Stuttgart: Thieme 1988 ▪ Winnacker-Küchler (3.) **3**, 524–529, 573–585.

Konservierungsmittel (Konservierungsstoffe).

Sammelbegriff für solche Stoffe, die natürlichen od. synthet. Produkten zugesetzt werden, um deren Haltbarkeit u. Gebrauchsfähigkeit zu verlängern. Die Mehrzahl der Natur- u. Ind.-Produkte, die nicht für den sofortigen Verbrauch bestimmt sind, kommen ohne K. nicht aus. Die der *Konservierung dienenden Stoffe haben sehr vielfältige Aufgaben u. – von Warengruppe zu Warengruppe bei oft gleichartiger Zusammensetzung – häufig unterschiedliche Namen: Textilien sollen vor Befall u. Zerstörung durch Mikroorganismen u./od. Insekten geschützt werden (*Verrottungs-, Fäulnis-, Fraß-, Motten-Schutzmittel*), Häute, Felle u. Leder sind vor Schimmel u. a. mikrobiot. sowie tier. Schädlingen zu schützen (*Schimmelverhütungsmittel* etc.), ebenso Papier (*Schleimbekämpfungsmittel*), Anstrichmittel, Lacke, Holzgrundierungen können fungizide Wirkstoffe enthalten (vgl. z. B. Antifoulingfarben, Holzschutzmittel). *Kosmetika u. *Reinigungsmittel

enthalten K., die z. T. ident. mit *Desinfektionsmitteln sind, z. T. diese ergänzen. Mit Ausnahme der in Kosmetik, Pharmazie u. Ernährung verwendeten Präp. enthalten K. für techn. Zwecke häufig Schwermetall-Salze (Zinn-, Quecksilber-Verb.), Halogen-, Schwefel-, Ammonium-Derivate u. dgl.
Von bes. ernährungswirtschaftlicher Bedeutung sind die K. für *Lebensmittel. In den *Zusatzstoff-Zulassungs- bzw. Verkehrs-VO vom 22. 12. 1981 (in der Fassung vom 31. 08. 1990, BGBl. I, S. 1989) bzw. vom 10. 7. 1984 (in der Fassung vom 21. 11. 1991, BGBl. I, S. 2129), die die früheren Konservierungsstoff-VO bzw. Fremdstoff-VO abgelöst haben, versteht man unter K. solche Stoffe, die dazu bestimmt sind od. dazu dienen, nachteilige Veränderungen an Lebensmitteln zu verzögern od. zu verhindern. Dabei darf der Käufer durch die K. nicht über den wirklichen Zustand der Lebensmittel getäuscht werden. Die Anw. der gebräuchlichen „natürlichen" K. wie z. B. Kochsalz, Zucker, Essig u. dgl. wird vom Gesetz nicht beanstandet; dagegen muß vor der Zulassung chem. K. deren gesundheitliche Unbedenklichkeit nachgewiesen werden.
Es können unterschieden werden: 1. Stoffe gegen mikrobiell bedingte Veränderungen; diese wirken bakterio- bzw. fungistat. od. bakterizid bzw. fungizid. Die einzelnen K. sind nur für bestimmte Lebensmittel in bestimmten Konz. zugelassen u. unterliegen meist den Höchstmengen-VO u. einem Deklarationszwang; Beisp. s. die Tabelle unten.
2. Stoffe gegen chem. Veränderungen wie z. B. Oxid., Hydrolyse, Veresterungen, Polymerisation u. *Ranzigkeit von *Fetten u. Ölen (s. a. Antioxidantien).
3. Stoffe gegen physikal. Veränderungen wie z. B. Emulgatoren od. Emulsionsstabilisatoren, Präp. gegen das Altbackenwerden von Brot u. Gebäck (*Methylmaleinsäure, Sorbitmonostearat, Polyoxyethylenstearat), Feuchthaltemittel (Glycerin, Propylenglykol, Calciumchlorid), Tauch- u. Sprühmittel (Ölsäure, Glycerylmonostearat, Pektine, Wachse, Harze, Paraffin, Ca-Propionat).

Tab.: Zur Haltbarmachung von Lebensmitteln eingesetzte antimikrobielle Konservierungstoffe; nach *Lit.*[1], S. 396.

Konservierungsstoff	E-Nummer	ADI-Wert [mg/kg/d]	Einsatzkonz. [%]	Einsatzbereich									
				1	2	3	4	5	6	7	8	9	10
Ameisensäure	E 236	0–3	0,03–0,4	–	–	–	+	+	+	–	–	–	–
Essigsäure	E 260	kein Limit	0,3 –3,0	–	–	+	+	–	–	–	–	–	–
Propionsäure	E 280	kein Limit	0,06–0,3	–	+	–	–	–	–	–	–	+	–
Milchsäure	E 270	kein Limit	0,5 –0,8	–	+	–	+	–	–	–	–	–	–
Sorbinsäure	E 200	0–25	0,05–0,1	+	+	+	+	+	+	+	+	+	+
Benzoesäure	E 210	0–5	0,15–0,25	+	(+)	(+)	+	+	+	+	–	–	(+)
SO_2 u. Sulfite	E 226	0–0,7	0,02	–	–	(+)	–	+	+	+	–	–	–
PHB-Ester	E 214	0–10	0,05–0,1	(+)	–	(+)	+	(+)	(+)	(+)	–	–	+
Hexamethylentetramin	E 239	0–0,15	0,02–0,1	–	(+)	–	+	–	–	–	–	–	–
Nitrite	E 250	0–0,2 t[a]	0,01	–	(+)	+	+	–	–	–	–	–	–
Nitrate	E 251	0–5	0,01–0,06	–	(+)	+	+	–	–	–	–	–	–

1 = Fettemulsionen; 2 = Käse; 3 = Fleischwaren; 4 = Fischerzeugnisse; 5 = Gemüseprodukte; 6 = Obsterzeugnisse; 7 = alkoholfreie Getränke; 8 = Wein; 9 = Backwaren; 10 = Süßwaren
+ = einsetzbar; (+) = bedingt einsetzbar; – = nicht einsetzbar; t[a] = temporär einsetzbar
Neben den freien Säuren nennt man das EG-Verzeichnis stets noch eine Reihe von Salzen, so z.B. die Natrium-, Kalium- u. Calcium-Salze, die ebenfalls mit einer E-Nummer belegt sind.

4. Präp. gegen Schädlingsbefall, Pflanzenschutzmittel, Vorratsschutzmittel, Keimhemmungsmittel etc.

Unter K. im engeren Sinne versteht der Gesetzgeber die unter 1. abgehandelten Stoffe, von denen die gebräuchlichsten in der Tab. aufgelistet sind unter Angabe der *E-Nummer, wie sie z. B. auf Speisekarten, Lebensmittel-Etiketten u. dgl. deklariert werden müssen. Zur Konservierung von *Kosmetika s. *Lit.*[2]; die zum Einsatz in Kosmetika zugelassenen K. findet man in *Lit.*[3]. – *E* preservatives – *F* agents de conservation, produits conservateurs – *I* mezzo di conservazione – *S* agentes conservadores, conservantes

Lit.: [1] Wallhäußer, Sterilisation, Desinfektion, Konservierung (4. Aufl.), Stuttgart: Thieme 1988. [2] Umbach (Hrsg.), Kosmetik, 2. Aufl., S. 111 f., 428–432 Stuttgart: Thieme 1995. [3] Blaue Liste, S. 13–60 (Code P).
allg.: Römpp Lexikon Lebensmittelchemie, S. 466 ff. ▪ s. a. Konservierung, Zusatzstoffe.

Konsistenz. Sammelbez. für das im wesentlichen rheolog. Eigenschafts-Bild einer Substanz (Schmierfett, Druckfarbe u. dgl.). K. beinhaltet u. a. Aspekte wie Viskosität, Thixotropie, Fließgrenze, Viskoelastizität, Oberflächenspannung, Hafteigenschaften usw. Die Bez. wird auch verwendet zur Charakterisierung der durchgängigen Beschaffenheit eines Stoffes (*breiige K., spröde K.*). Bei Schmierfetten versteht man unter der K. die Verformbarkeit (DIN 51 818, 12/1981). Die *Viskosimetrie bildet die Grundlage zur Messung der Konsistenz. Ein spezielles Meßgerät zur Charakterisierung der K. ist das *Konsistometer,* das auch *Penetrometer* (vgl. Penetration) genannt wird (für Penetrometer s. *Lit.*[1]). – *E* consistency – *F* consistance – *I* consistenza – *S* consistencia

Lit.: [1] ACHEMA-Jahrb. **1994**, 2224.
allg.: DIN 51 825 (08/1988) ▪ DIN 51 816 (11/1989).

Konstanten (von latein.: constans = gleichbleibend, unwandelbar). Bez. für unveränderliche Größen od. feste Zahlenwerte. Sind K. ihrem Betrag nach unter allen Bedingungen unveränderlich, so handelt es sich um *universelle* od. *Fundamentalkonstanten; *Beisp.:* *Avogadro-Konstante, *Gaskonstante. Hiervon zu unterscheiden sind die von thermodynam. Zustandsgrößen wie Druck u. Temp. abhängigen *Stoff-K.; Beisp.:* *Elastizitäts-Modul, *Gitterkonstanten od. die sich aus Inkrementen additiv zusammensetzenden Stoff-K. wie die *Molrefraktion.* Zahlenwerte von Stoff-K. findet man in den *Nachschlagewerken u. *Tabellenwerken, solche von Grund-K. auch in Publikationen der IUPAC [1] od. des CODATA [2]. Daneben kennt man noch *Instrumenten-* od. *Geräte-K.,* die im allg. an den Meßanordnungen ermittelt od. bei manchen Geräten auch vom Hersteller angegeben werden. – *E* constants – *F*=*S* constantes – *I* costanti

Lit.: [1] IUPAC, Größen, Einheiten u. Symbole in der Physikalischen Chemie, Weinheim: VCH Verlagsges. 1996. [2] Chem. Ref. Data **17**, 1795 (1988); CODATA Bull. u. CODATA Newsletter.

Konstante Proportionen s. Proustsches Gesetz.

Konstellation s. Konformation.

Konstitution. Bez. für die unverwechselbare u. für jede chem. Verb. charakterist. Anordnung der Atome,

Atomgruppen u. Valenzelektronen (Bindungen) im Mol. ohne Berücksichtigung von räumlichen Richtungen (*K.-Formel*). In der Praxis werden die Begriffe *Struktur u. K. meist unterschiedslos nebeneinander gebraucht, obwohl ersterer auch räumliche Vorstellungen einschließen kann. Entsprechend wird nur selten zwischen Struktur- u. K.-Formel unterschieden, obwohl strenggenommen *Strukturformeln den räumlichen Aufbau von Mol., also auch *Konfiguration u. *Konformation erkennen lassen sollten, während K.-Formeln nur das Atom-Gerüst kennzeichnen; sie sind aber informativer als *Bruttoformeln. Verb. mit der gleichen Bruttoformel, aber unterschiedlicher K. bezeichnet man als *Konstitutionsisomere* (od. *Stellungsisomere*). Die Ableitung der K. eines Stoffs aus seinen Analysen- u. spektroskop. Daten nennt man *Konstitutionsermittlung (s. a. konstitutive Eigenschaften). – *E*=*F* constitution – *I* costituzione – *S* constitución

Konstitutionelle Repetiereinheit. Die k. R. ist definiert als *die kleinste* konstitutionelle Einheit einer *Polymer-Kette, deren vielfache Wiederholung ein regelmäßiges Polymer ergibt. Für z. B. *Polyethylen, *Polypropylen bzw. Polypropylenoxid sind damit (1)–(3) konstitutionelle Repetiereinheiten. Dagegen sind die Polyethylen-Fragmente (4) od. (5) lediglich weitere konstitutionelle Einheiten, da sie mehr Kettenatome enthalten als zur Beschreibung der Kettenkonstitution unbedingt notwendig sind.

Abb.: Konstitutionelle Repetiereinheiten (1–3) bzw. konstitutionelle Einheiten (4–5).

Die k. R. läßt somit die Herkunft eines Polymeren (z. B. von Polyethylen aus Ethylen) unberücksichtigt; ebenso spielt bei der Festlegung der k. R. die Konfiguration eventuell vorhandener (pseudo)asymmetr. Kettenatome keine Rolle (s. konfigurative Einheit). – *E* constitutional repeat(ing) unit – *F* unité de répétition constitutionnelle – *I* unità costituzionale ripetitiva – *S* unidad de repetición constitucional

Konstitutionsermittlung. Zur Aufklärung der *Konstitution einer neuen, bislang unbekannten Verb. liefern *Elementaranalyse u. *Molmassenbestimmung erste Daten zur Aufstellung der *Bruttoformel. Chem. Abbau- u. Substitutionsreaktionen u. Herst. von Derivaten zur Ermittlung von Art u. Zahl der funktionellen Gruppen werden in der Routine nur noch selten angewandt. Diese Verf. zur Erlangung der *Konstitutionsformel* sind durch moderne physikal. Analysenverf. wie *IR-, *NMR-Spektroskopie u. *Massenspektrometrie ersetzt worden. Mit der Kenntnis der *Bruttoformel u. mit Hilfe dieser Meth. gelangt man für die meisten neu synthetisierten Verb. zum Ziel. Zur weiteren Charakterisierung können zusätzliche Verf. wie *UV- u. *Raman-Spektroskopie, *Circulardichroismus, Dipolmoment-Bestimmung usw. herangezogen werden. Verf. wie *Elektronenbeugung u. *Röntgenstrukturanalyse gestatten auch die Ermittlung der *Konfiguration u. damit der *Strukturformel. Bei Zweifeln an der gefundenen Konstitution hilft eine *Totalsynthese der entsprechenden Verb. (eigentlicher *Konstitutionsbeweis* durch *Identifizierung). Die K. für manche Naturstoffe, die oft nur in μg-Mengen verfügbar sind, ist auch mit den heutigen modernen Verf. ein schwieriges Unterfangen. So hat man für manche komplizierte Verb. trotz einer nahezu hundertjährigen Forschungsarbeit noch keine allg. anerkannte Konstitutionsformel aufstellen können. Andererseits kommt es immer wieder vor, daß aufgrund verfeinerter analyt. Meth. die jahrzehntealten Konstitutionsformeln geläufiger Verb. revidiert werden müssen, so z. B. beim *Hexaphenylethan. – *E* structure elucidation – *F* détermination de la constitution – *I* determinazione della costituzione – *S* determinación de la estructura

Konstitutionsformel s. Konstitution.

Konstitutionsisomerie. Die K. basiert auf der Erkenntnis der organ. Strukturtheorie, daß die Atome einer organ. Verb. unterschiedlich miteinander verknüpft sein können. So beschreiben die *Konstitutionsformeln* (s. Konstitution) der Verb. mit der *Summenformel C_2H_6O einmal Dimethylether u. zum anderen Ethanol (vgl. Abb. a). Auch am aromat. Ring ist K. häufig, wie z. B. unterschiedliche Nitrophenole zeigen (vgl. Abb. b, s. a. Stellungsisomerie). Die relative Lage mehrerer *Doppelbindungen in einem Mol. zueinander wird ebenfalls durch die K. beschrieben.

Abb.: Unterschiedliche Konstitutionsformeln bei gleicher Summenformel.

Die K. ist eine Form der *Isomerie bei organ. Verb.; die K. u. auch die *Konfigurations-* u. *Konformations-Isomerie* (vgl. Konformation u. Stereoisomerie) werden unter dem Oberbegriff *Strukturisomerie* organ. Verb. zusammengefaßt. Bei *Komplexen kennt man mehrere Arten von K., vgl. Koordinationslehre. – *E* constitutional isomerism – *F* isomérie constitutionelle – *I* isomeria di costituzione – *S* isomería constitucional *Lit.:* s. Isomerie.

Konstitutionswasser. Selten benutzte Bez. für Wasser, das in einer *chem. Reaktion* aus einem *Hydroxid abgespalten wurde; *Beisp.:* $Ca(OH)_2 \rightarrow CaO + H_2O$ (K.). Demgegenüber ist das *Kristallwasser von *Hydraten kein K., weil es *nicht* Bestandteil der Mol. od. Ionen ist. – *E* water of constitution – *F*

eau de constitution – *I* acqua di costituzione – *S* agua de constitución

Konstitutive Eigenschaften. Chem. u. physikal. Eigenschaften von Verb., die durch deren *Konstitution u. mol. Struktur (einschließlich *Konfiguration u. *Konformation) bedingt sind. Hierher gehören die chem. *Reaktionen, aber auch physikal. Eigenschaften wie Refraktion, Spektrum, Dipolmoment u. a. intensive Größen. *Gegensatz:* *kolligative Eigenschaften mit *extensiven Größen. – *E* constitutive properties – *F* propriétés constitutives – *I* proprietà constitutive – *S* propiedades constitutivas

Konstitutive Enzyme. *Enzyme, die unabhängig vom Stoffwechselzustand u. Milieu eines Organismus mit gleichbleibender Rate synthetisiert werden (konstitutive Synth.). K. E. benötigen keinen Induktor, die zugrunde liegenden *Gene werden permanent exprimiert (*housekeeping genes*). Man findet k. E. u. a. in zellulären Hauptabbauwegen (z. B. *Glykolyse). Eine *konstitutive Mutation (erstmals 1956 von *Monod beschrieben), durch die die Induzierbarkeit bestimmter Enzyme verlorengeht, führt ebenfalls zu konstitutiven Enzymen. – *E* constitutive enzymes – *F* enzymes constitutives – *I* enzimi costitutivi – *S* enzimas constitutivas
Lit.: Glick u. Pasternak, Molekulare Biotechnologie, S. 92 ff., Heidelberg: Spektrum Akadem. Verl. 1995 ■ Watson et al., Rekombinierte DNA (2.), S. 47, Heidelberg: Spektrum Akadem. Verl. 1993.

Konstitutive Mutation. Bei einer k. M. auf Genebene geht die Induzierbarkeit bestimmter *Enzyme verloren u. führt so zu einer gleichbleibenden Syntheserate (s. a. konstitutive Enzyme u. Mutation). – *E* constitutive mutation

Konstruktionskunststoffe s. technische Kunststoffe.

Konsum, Konsum(a)tion, Konsumption s. Ingestion.

Kontagripp®. Schmerztabl. mit *Ibuprofen. *B.:* Azupharma.

Kontakte s. Katalyse (*Geschichte*) u. die hier folgenden Stichwörter.

Kontaktelemente s. Korrosion u. Kontaktkorrosion.

Kontaktgifte. Bez. für – 1. *Katalysatorgifte. – 2. *Insektizide, die die Schädlinge bei Berührung abtöten.

Kontaktklarheit. Techn. unterscheidet man zwischen transparenten u. transluzenten *Kunststoffen, transparente lassen das Licht zu über 90% durch u. sind auch bei größeren Schichtdicken noch weitgehend klar. Transluzente Körper weisen dagegen Lichtdurchlässigkeiten von unter 90% auf u. werden als kontaktklar bezeichnet, wenn das Material alleine zwar trüb erscheint, nicht jedoch dann, wenn es z. B. als Verpackungsmaterial in direktem Kontakt mit dem Füllgut ist. – *E* contact clearness – *I* chiarezza di contatto – *S* claridad de contacto
Lit.: Elias (5.) **1**, 1002.

Kontaktklebstoffe. *Klebstoffe, die zunächst als Lsg. od. Dispersion auf die zu verklebenden Substrate aufgebracht werden. Erst nach weitgehendem Verdunsten der Lsm., d. h. wenn die Klebstoff-Filme scheinbar trocken sind, werden die zu verklebenden Teile unter Druck zusammengefügt. Die Klebstoff-Filme bilden

dann in relativ kurzer Zeit eine Klebstoffschicht hoher Festigkeit aus. Basispolymere der K. sind überwiegend Polyacrylate, Polychloroprene, Nitril- od. Styrol/Butadien-Kautschuk u. Polyurethane. K. enthalten vielfach zusätzlich sog. *Tackifier, d. h. klebrigmachende *Harze wie *Kolophonium-, *Kohlenwasserstoff- od. *Phenol-Harze. Wegen der Problematik organ. Lsm. erfolgt z. Z. verstärkt eine Umstellung hin zu K. auf wäss. Basis.
Verw.: Für (groß)flächige Verklebungen von Substraten aus Holz, Metall, Leder, Gummi od. Kunststoffen mit- u. untereinander. – *E* contact adhesives – *F* colles de contact – *I* adesivi di contatto – *S* adhesivos de contacto
Lit.: Habenicht, Kleben, S. 93, Berlin: Springer 1986 ▪ Ullmann (4.) **14**, 238; (5.) **A 1**, 235 ▪ s. a. Klebstoffe.

Kontaktkorrosion. Unter K. od. *galvan. Korrosion* versteht man nach DIN 50 900 Tl. 1 (04/1982) u. Tl. 2 (01/1984) die *Korrosion eines metall. Bereichs, die auf ein *Kontaktelement* aus einer Paarung 1. Metall/2. Metall od. elektronenleitender Festkörper zurückzuführen ist. Hierbei ist der Korrosion erleidende Bereich die Anode des *Korrosionselements*. Zur Abgrenzung s. Berührungskorrosion. – *E* galvanic corrosion, contact corrosion – *F* corrosion galvanique, corrosion par contact – *I* corrosione in zona morta (interstiziale), corrosione galvanica (elettrolitica) – *S* corrosión galvánica, corrosión por contacto

Kontaktlinsen (Haftschalen). Bez. für *Linsen-Syst., die als opt. Sehhilfen auf einem Film von *Tränenflüssigkeit über der Cornea des *Auges schwimmen. Die ersten K. waren aus hartem Poly(methylmethacrylat). Weniger augenreizend sind die weichen K. aus verschiedenen anderen Kunststoffen, wie z. B. Poly(2-hydroxyethylmethacrylat) (PolyHEMA) sowie Copolymeren auf der Basis von HEMA. Maßgebend für die Verträglichkeit ist die Sauerstoff-Versorgung des Auges, die entweder durch Diffusion durch die K. od. über den Tränenfilm erfolgen muß. – *E* contact lenses – *F* verres de contact, lentilles de contact – *I* lenti a contatto – *S* lentillas de contacto
Lit.: Encycl. Polym. Sci. Eng. **4**, 164–173 ▪ Herbst, Kontaktlinsen-Fibel, Stuttgart: Wissenschaftliche Verlagsges. 1988 ▪ Kirk-Othmer (3.) **6**, 720–742; (4.) **7**, 192–218. – *[HS 9001 30]*

Kontaktmetamorphose. K. tritt auf, wenn eine heiße magmat. Schmelze in höhere Teile der Erdkruste (*Erde) aufsteigt. Auswirkungen der Veränderungen im Bereich der Berührungsfläche (Kontakt) des Magmenkörpers mit seinem Nebengestein u. an in die Schmelze geratenen Nebengesteins-Schollen sind: Farbwechsel; Frittung (Zusammenbacken) von *Tonen u. *Sandsteinen; Austreibung fluider Phasen (Wasser, CO_2; aus Kohle kann Naturkoks entstehen) aus den Nebengesteinen, Kornvergröberung, Bildung neuer Minerale (z. B. *Cordierit, *Andalusit, *Granat, *Spinelle); Einwirkung *fluider Phasen* aus der Schmelze auf das Nebengestein mit Zu- od. Wegfuhr von Stoffen (*Kontakt-*Metasomatose*), z. T. mit Bildung von *Skarnen. Bei Hochtemp.-K. (*Pyrometamorphose*) entlang von *Basalt-Gängen entstehen bei Temp. von z. T. >1000 °C Hochtemp.-Minerale wie *Mullit u. *Calciumsilicate. z. B. Larnit. Typ. Gesteine

der K. sind Hornfelse (*Felse), Kalksilicat-Felse, Kontakt-*Marmore u. Knoten-, Garben- u. Fruchtschiefer. Um den Magmenkörper (z. B. einen Granit-Pluton) bilden sich konzentr. Kontakthöfe, die sog. *Kontaktaureolen* (z. B. im Harz, im Fichtelgebirge, in Schottland u. England); ihre Bildungsmechanismen u. *Tektonik sowie die Wechselwirkungen zwischen fluiden Phasen u. den umgebenden Gesteinen sind in den letzten 20 Jahren bes. intensiv untersucht worden; sie finden sich bevorzugt in magmat. Bögen im Bereich kontinentaler Kollisionen (*Plattentektonik). Die K. wird heute nicht mehr als stat. angesehen, sondern es laufen infolge einer „*Ballon-artigen*" Ausdehnung der Intrusivkörper als Folge des Magmen-Nachschubs Deformationsvorgänge z. B. in Hornfelsen ab. Zu aktuellen Forschungsthemen auf dem Gebiet der K. s. Kerrick (*Lit.*). – *E* contact metamorphism – *F* métamorphisme du contact – *I* metamorfosi di contatto – *S* metamorfismo de contacto
Lit.: Kerrick (Hrsg.), Contact Metamorphism (Reviews in Mineralogy, Vol. 26), Washington (D.C): Mineralogical Society of America 1991 ▪ Matthes, Mineralogie (5.), S. 350–356, Berlin: Springer 1996 ▪ s. a. Metamorphose u. metamorphe Gesteine.

Kontaktmetasomatose s. Kontaktmetamorphose u. Metasomatose.

Kontaktpotential. Potentialdifferenz, die auftritt, wenn sich zwei verschiedene Metalle berühren, s. Kontaktspannung.

Kontaktspannung (Berührungsspannung, Volta-Spannung). Bez. für Potentialdifferenzen, die zwischen zwei verschiedenen Metallen auftreten können, wenn diese in innigem Kontakt miteinander stehen u. aufgrund der unterschiedlichen *Austrittsarbeit Elektronen von einem Metall zum anderen wandern (*Kontaktpotential*). Die Austrittsarbeit der Elektronen ist auch verantwortlich für das Entstehen der *Reibungselektrizität* (*Triboelektrizität). Berühren sich Metalle an zwei verschiedenen Stellen u. befinden sich die Kontakte auf verschiedenen Temp.-Niveaus, so tritt zwischen ihnen eine sog. *Thermospannung* auf, s. Seebeck-Effekt u. Thermoelektrizität. Man kann die Metalle nach der Größe ihrer K. gegenüber einem Referenzmetall in eine *elektr.* od. *Voltasche Spannungsreihe* bringen, die nur teilw. Parallelen zur elektrochem. *Spannungsreihe zeigt (Angaben in eV): Rb (2,26), K (2,30), Na (2,75) Al (4,28), Zn (4,33), Pb (4,25), Sn (4,42), Sb (4,55), Bi (4,34), Fe (4,5), Cu (4,65), Ag (4,26), Au (5,1), Pt (5,65). Näheres s. *Lit.*[1]. Tab. mit Elektronenaustrittsarbeit der verschiedenen Elemente s. *Lit.*[2]. – *E* contact e.m.f – *F* tension de contact – *I* tensione di contatto – *S* diferencia de potencial por contacto
Lit.: [1] Kohlrausch, Praktische Physik, Bd. 3, S. 556, Stuttgart: Teubner 1996. [2] Franke, Lexikon der Physik, 3. Aufl., S. 849, Stuttgart: Franckh 1969.

Kontaktthermometer s. Thermometer.

Kontaktverfahren s. Schwefelsäure.

Kontaktwerkstoffe. Gruppe metall. Werkstoffe zur Herst. von Kontakten in elektr. Stromkreisen für teilw. erhebliche Anforderungen. So muß ein einwandfreier Schaltvorgang auch nach längeren Pausen gewährlei-

stet sein, u. zwar sowohl bei Kontakten in der Nachrichtentechnik (kleine Ströme u. Spannungen, bes. Problem Einschaltvorgang) als auch in der Energietechnik (sehr große Ströme u. hohe Spannungen, bes. Problem Ausschaltvorgang). Neben einer guten elektr. u. Wärme-Leitfähigkeit sowie mechan. Festigkeit u. Verschleißbeständigkeit werden folgende Anforderungen an K. in Abhängigkeit vom Einsatz gestellt: Korrosionsbeständigkeit zur Gewährleistung eines geringen Durchgangswiderstandes beim Schalten niedriger Leistungen; Abbrandfestigkeit u. geringe Schweißneigung beim Schalten großer Leistungen; geringe Neigung zur Brückenwanderung (Entstehung kleiner Schmelzbereiche beim Ausschalten von Gleichstromkreisen). Verw. finden reine Metalle (ggf. in Verbundform) wie Kupfer, Silber, Gold, Platin, daneben auch Palladium, Iridium u. Rhenium, u. ihre Leg. u. in jüngerer Zeit gesinterte K. aus hochleitfähigen Metallen (Ag, Cu) u. den hochschmelzenden Metallen W u. Mo od. ihren Carbiden bzw. Cd- od. Sn-Oxid. Von nichtmetall. Werkstoffen sind Elektrographit sowie das Sinterprodukt Ag-*Graphit vertreten. – *E* electrical contact materials – *F* matériaux pour contact – *I* materiali a contatto – *S* materiales de contacto
Lit.: Fachkunde Elektrotechnik, 12. Aufl., S. 408 ff., Wuppertal: Verl. Europa-Lehrmittel 1978 ▪ Gräfen (Hrsg.), Lexikon Werkstofftechnik, S. 529 ff., Düsseldorf: VDI 1993 ▪ Guillery et al., Werkstoffkunde für Elektroingenieure, 4. Aufl., S. 134 ff., Braunschweig: Vieweg & Sohn 1978.

Kontaktwinkel s. Benetzung.

Kontamination. Von latein.: contaminare = verunreinigen abgeleitete Bez. für die oberflächliche *Verunreinigung *(Verseuchung)* von Personen, Tieren, Geräten, Luft, Gewässern, Böden[1], Nahrungsmitteln[2] usw. mit unerwünschten Mikroorganismen, Viren, Schadstoffen u./od. strahlenden Stoffen[3]. In manchen Fällen kann die K. von einer *Inkorporierung der *Noxen gefolgt sein. Die Gegenmaßnahmen werden – je nach Bereich – *Dekontamination, *Desinfektion, *Entgiftung, *Entkeimung, Entsorgung, *Sterilisation, *Konservierung etc. genannt. In der Medizin spricht man von *Rekontamination*, wenn sterilisierte Gräte aus Unachtsamkeit erneut kontaminiert werden. Der Chemiker versteht unter K. die *Mitfällung eines Fremdstoffs mit dem gewünschten Produkt, während der Physiker die Vergiftung von *Kernbrennstoffen durch Spaltprodukte mit großem Absorptionsquerschnitt für Neutronen als K. bezeichnet. – *E* = *F* contamination – *I* contaminazione – *S* contaminación
Lit.: [1] Römpp Lexikon Umwelt, S. 130 f. (Bodenkontamination). [2] Römpp Lexikon Umwelt, S. 435–438 (Lebensmittelkontamination). [3] Römpp Lexikon Umwelt, S. 410.

Kontinuierliche Fermentation (kontinuierliche Kultur). Verf. zur kontinuierlichen Kultivierung von *Zellen (*Mikroorganismen, tier. od. pflanzliche Zellen) im Fermenter (*Bioreaktor). Alternativen sind *Batch-Fermentation u. *Fed-Batch-Fermentation. Bei einer k. F. wird als offenes Syst. sterile *Nährlösung dem Bioreaktor kontinuierlich zugegeben u. gleichzeitig eine analoge Menge umgesetzter Nährlsg. mit Zellen dem Syst. entnommen. In der Suspension stellt sich ein Fließgleichgewicht mit konstantem Zellwachstum ein. Man unterscheidet prinzipiell zwei Typen der k. F. (s. a. Abb.).

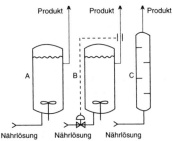

Abb.: Kontinuierliche Fermentation im Chemostat (A), Turbidostat (B) u. Plug-flow-Reaktor (C).

1. Homogen gemischter Bioreaktor, als *Chemostat od. *Turbidostat betrieben. Im Chemostat wird im Fließgleichgew. (steady state) das Zellwachstum durch die Konz. eines Substrats gesteuert. Im Turbidostat wird das Zellwachstum durch Messung der *Biomassen-Konz. (z. B. Trübungsmessung) u. Steuerung des Nährlsg.-Zu- u. -Abflusses konstant gehalten.
2. *Plug-flow-Reaktor (Propfströmungssyst.). Bei diesem Typ fließt die Kulturlsg. durch einen Röhrenreaktor ohne Rückmischung.
Die k. F. bietet die Möglichkeit hoher Raum/Zeitausbeute bei kostengünstigen Prozeßabläufen. Nur wenige Fermentationsprozesse können großtechn. kontinuierlich betrieben werden. Hauptproblem sind *Kontaminationen mit Fremdorganismen. Verf. zur k. F. wurden zur Herst. von *Single-Cell-Protein (SCP), *Antibiotika, organ. Lsm., Starter-Kulturen u. zum Cellulose-Abbau im Labormaßstab erarbeitet.
Verw.: Kontinuierlich arbeitende Pilot-Anlagen od. Produktionsbetriebe gibt es außer in der Abwasserbiologie z. B. für die Herst. von SCP, *Bier, *Glucose-Isomerase, Backhefe, *Essigsäure u. *Ethanol. – *E* continuous culture – *F* fermentation en continu – *I* fermentazione continua – *S* fermentación continua
Lit.: Isaac u. Jennings, Kultur von Mikroorganismen, S. 109–120, Heidelberg: Spektrum Akadem. Verl. 1996 ▪ Präve et al. (4.), S. 264–271 ▪ Schlegel (7.), S. 216–219.

Kontinuierliche Kultur s. kontinuierliche Fermentation.

Kontinuierliche Laser s. Farbstoff-Laser.

Kontinuierliche Spektren s. Spektroskopie.

Kontinuierliche Sterilisation. Bez. in der *Biotechnologie für ein Verf. zur Herst. von sterilen Nährlsg. für *Fermentationen. Die Zeit, die für eine sichere Abtötung von *Mikroorganismen benötigt wird, verkürzt sich mit steigender Temperatur. Während *Sterilisationen im Kessel (Batch-Ansatz) bei 121 °C über 30 min durchgeführt werden, sterilisiert man kontinuierlich im Durchfluß über *Wärmetauscher od. mittels Dampfinjektion z. B. bei 140–150 °C über 4–120 s. Vorteil der k. S. sind die schonenden Bedingungen u. die Möglichkeit zur Wärmerückgewinnung. In der Milch-Ind. wird mit Hilfe der k. S. *H-Milch produziert. – *E* continuous sterilization – *F* stérilisation en continu – *I* sterilizzazione continua – *S* esterilización continua
Lit.: Rehm-Reed (2.) **3,** 157–184 ▪ Schlegel (7.) S. 223–230.

Kontourlänge. Eine *Polymer-Kette besteht aus N Kettenatomen, die durch N − 1 Bindungen der

Länge b miteinander verbunden sind. Die „echte" K. der Kette ergibt sich damit gemäß

$$L_{cont} = (N-1) \cdot b \approx N \cdot b$$

In der neureren theoret. Lit. wird dagegen oft die Länge einer in all-*trans*-Konformation max. gestreckten Kette als K. bezeichnet. Diese „effektive" K. r_{cont} entspricht der Projektion der Bindungen auf eine Gerade. Sie läßt sich mit dem Bindungswinkel τ berechnen zu

$$r_{cont} = N \cdot b \sin(\tau/2) = N_e \cdot b_e,$$

wobei N_e die Zahl der „effektiven" Bindungen mit der „effektiven" Bindungslänge b_e ist.

Bei Vinylpolymeren ($\sim CH_2\text{–}CHR\sim$) ergibt sich z. B. aus der wahren Bindungslänge $b = 0,154$ nm u. dem Bindungswinkel $\tau = 112°$ eine effektive Bindungslänge von $b_e = 0,2553$ nm. – *E* contour length – *F* longueur du pourtour – *I* lunghezza di livello – *S* longitud de contorno
Lit.: Elias (5.) **1**, 51.

Kontraktile Proteine. Bez. für die Bestandteile faseriger *Protein-Komplexe, die sich bei Zufuhr von chem. Energie (*Adenosin-5′-triphosphat) unter Kraftaufwand verkürzen können, z. B. Actomyosin (Komplex aus *Actin u. *Myosin) im *Muskel. – *E* contractile proteins – *F* protéines contractiles – *I* proteine contrattili – *S* proteínas contractiles

Kontraktion. Allg. Bez. für die Verkleinerung von Längen, Flächen od. Vol. durch Schrumpfung; *Gegensatz:* *Dilatation. In der Chemie sind die *Volumen-Kontraktion u. die *Lanthanoiden-Kontraktion von bes. Bedeutung. – *E* = *F* contraction – *I* contrazione – *S* contracción

Kontrastmittel s. Röntgenkontrastmittel.

Kontrazeptiva s. Antikonzeptionsmittel, Konzeption u. Ovulationshemmer.

Kontrollierte Freisetzung. Bez. für das Ausbringen von gentechn. veränderten Organismen zu Prüfzwecken in die Umwelt. Die k. F. ist vom Inverkehrbringen gentechn. veränderter Organismen od. von Produkten, die solche enthalten, zu unterscheiden. Die k. F. ist durch das *Gentechnik-Gesetz geregelt u. bedarf einer Genehmigung durch das *Bundesgesundheitsamt. Diese Genehmigung erfordert eine *Risikoanalyse der gentechn. veränderten Organismen, die u. a. das Überleben, die Fortpflanzung u. die Verbreitung beinhaltet. – *E* controlled release – *F* libération contrôlée – *I* liberamento controllato – *S* liberación controlada
Lit.: Glick u. Pasternak, Molekulare Biotechnologie, S. 466–469, Heidelberg: Spektrum Akadem. Verl. 1995 ▪ Hasskarl, Genetikrecht, Aulendorf: Editio Cantor 1990 ▪ Präve et al. (4.), S. 98 f.

Konvektion (von latein.: convectio = Zusammenbringung). Strömung kleinster Flüssigkeits- od. Gasteilchen, meist unter Mitführung von Wärme (Wärme-K.). Je nachdem, ob die Bewegung der Teilchen durch äußeren Antrieb (z. B. Pumpe od. Ventilator) stattfin-

det od. aufgrund eines Dichteunterschieds, der auf einer Temp.-Differenz beruht, spricht man von *erzwungener* od. *natürlicher* Konvektion. Im letzten Fall dehnt sich das Gas- od. Flüssigkeitsgebiet, das wärmer als die Umgebung ist, aus, erhält dadurch eine geringere Dichte u. erfährt einen Auftrieb. *Beisp.:* Sieden einer Flüssigkeit od. Aufstieg erwärmter, bodennaher Luftschichten. Wärmetransport findet hierbei statt, indem die Teilchen ihren Wärmeinhalt mitführen. Dieser Wärmetransport kann größer sein als Wärmeleitung in Festkörpern, was bei der *Heat Pipe ausgenutzt wird. Die Einbeziehung von K. bei der numer. Simulation des gekoppelten Temp.-Strömungsproblems wird in *Lit.*[1] beschrieben. – *E* = *F* convection – *I* convezione – *S* convección
Lit.: [1] Phys. Unserer Zeit **25**, 121 (1994).
allg.: Beukema, Heat and Mass Transfer During Cooling and Storage of Agricultural Products as Influenced by Natural Convection, Wageningen: Pudoc 1980 ▪ Burmeister, Convective Heat Transfer, New York: Wiley 1983 ▪ Jischa et al., Konvektiver Impuls-, Wärme- u. Stoffaustausch, Wiesbaden: Vieweg 1981 ▪ Physik abc, Thun: Harri Deutsch 1982 ▪ Platten u. Legros, Convection in Liquids, Berlin: Springer 1983 ▪ Spektrum Wiss. **1983**, Nr. 2, 128–133.

Konversion s. Kernenergie, Kernreaktoren, Reformieren, Photochemie, Kaliumnitrat u. die hier folgenden Stichwörter.

Konversionselektronen. Bez. für *Elektronen aus einer der inneren Schalen der Atomhülle. Beim Übergang eines angeregten Atomkerns in seinen Grundzustand kann das emittierte Gammaquant u. U. seine Energie E_γ auf ein Hüllenelektron übertragen, das dann das Atom mit einer diskreten kinet. Energie $E_{kin} = E_\gamma - E_e$ verläßt, wobei E_e die Bindungsenergie des Elektrons auf der Schale, z. B. K, L, M usw., bezeichnet. Dieser Prozess wird als innere Umwandlung od. *innere Konversion* (*E* internal conversion, IC) bezeichnet. Die Bindungsenergie wird beim Wiederauffüllen der inneren Schale als *charakterist. Röntgenstrahlung* (die im Fall der K-Schale auch als *K-Strahlung* bezeichnet wird) emittiert od. auf sog. *Auger-Elektronen* (die die Atomhülle verlassen) strahlungslos übertragen; dieser Effekt ermöglicht die *Auger-Spektroskopie. Beide Arten der Energieabgabe (durch Gammastrahlung u. durch K.) können bei ein u. derselben *Kernumwandlung konkurrierend nebeneinander auftreten. Bezüglich der Bedeutung der K.-Spektroskopie für die Festkörperphysik s. *Lit.*[1]. – *E* conversion electrons – *F* électrons de conversion – *I* elettroni di conversione interna – *S* electrones de conversión
Lit.: [1] Phys. Unserer Zeit **25**, 71 (1994).
allg.: Petzold u. Krieger, Strahlenphysik, Dosimetrie u. Strahlenschutz (3.) Bd. 1, Stuttgart: Teubner 1992.

Konversions-Salpeter s. Kaliumnitrat.

Konversionsverhältnis s. Kernenergie u. Radionuklide.

Konverter. Kippbarer u. um seine Längsachse drehbarer metallurg. Ofen mit feuerfester Auskleidung in Zylinder-, Tulpen- od. Birnenform für einen Einsatz in der Eisen-, Kupfer-, Aluminium-, Nickel- u. Blei-Verhüttung. Im K. werden die Anteile an unerwünschten Begleitelementen so weit wie techn.-wirtschaftlich möglich reduziert. Bei den Stahl-K. werden zwei Bautypen unterschieden. Bei bodenblasenden K. (alt: *Thomas- u. *Bessemer-Verfahren, neu: AOD- u. *OBM-Verfahren) wird Luft od. Sauerstoff – bzw. im Falle des *Argon-Oxygen-Decarburization* Sauerstoff u. Argon – durch den Düsenboden od. die seitliche Wand in die darüber liegende Schmelze geblasen, bei den Blasstahl-K. (alt: *Kaldo-Verfahren, neu: *LD- u. *LDAC-Verfahren) wird Sauerstoff über gekühlte Blaslanzen durch den K.-Mund auf die Schmelze aufgeblasen. Blasstahl-K. haben ein Fassungsvermögen bis 300 t. – *E* converter – *F* convertisseur – *I* convertitore – *S* convertidor

Lit.: Lueger, Lexikon der Hüttentechnik, Bd. 5, S. 327 ff., Stuttgart: DVA 1963 ▪ Ullmann (5.) **B 4**, 350 ff.

Konvertierung. Im allg. Bez. für die Gleichgew.-Reaktion

$$CO + H_2O \rightleftharpoons CO_2 + H_2,$$

die zur Gewinnung von *Synthesegas für die NH_3-Herst. (*Lit.*[1]) u. zur Entgiftung von Stadtgas ausgenutzt wird. – *E* = *F* conversion – *I* conversione – *S* conversión

Lit.: [1] Winnacker-Küchler (4.) **2**, 131–134.

Konvulsiva (von latein.: convellere = herumreißen). Bez. für Stoffe, die Krämpfe verursachen; *Beisp.:* *Cicutoxin, *Picrotoxin, Samandarin, *Strychnin. – *E* convulsants – *F* (agents) convulsifs – *I* convulsivanti – *S* convulsivantes

Lit.: Ann. Rev. Pharmacol. Toxicol. **14**, 9–22 (1974) ▪ Prog. Drug Res. **24**, 57–81 (1980).

Konzentration. 1. Von französ.: concentration = in einem Mittelpunkt vereinigen abgeleitetes Synonym für den Mengenanteil, mit dem ein Stoff in einem anderen gelöst ist; dies kann in einem Festkörper sein (z.B. Dotierung eines *Halbleiters), in einer Flüssigkeit od. einem Gasgemisch. Nach DIN 1310 (02/1984) versteht man unter K. jeden Quotienten, der das *Volumen V der Mischphase im Nenner hat. Man unterscheidet – je nach Art der *Größe des Stoffs i im Zähler – *Massen-K.* od. *Partialdichte* ($\rho_i = m_i/V$), *Vol.-K.* ($\sigma_i = V_i/V$) u. *Stoffmengen-K.* (früher auch *Molarität: $c_i = n_i/V$). Die *Normalität (in val/l od. N od. n, vgl. Äquivalent) ist eine – nicht genormte – K.-Angabe. Demgegenüber handelt es sich bei den folgenden, früher u. aus histor. Gründen auch heute (selbst im Chemie Lexikon gelegentlich) noch benutzten „K."-Maßen um *Gehalts*-Angaben: *Gew.-%* = 100 × (Masse des Gelösten/Masse der Lsg.), *Vol.-%* = 100 × (Vol. des Gelösten/Vol. der Lsg.), *Molenbruch* = Molzahl des Gelösten/Gesamt-Molzahl der Lsg., *Mol.-%* = 100 × Molenbruch. Korrekt muß es in der gegebenen Reihenfolge nun heißen: *Massengehalt* od. *Massenbruch* ($w_i = m_i/\Sigma m_i$), *Vol.-Gehalt* od. *Vol.-Bruch* ($\kappa_i = V_i/\Sigma V_i$) u. *Stoffmengengehalt* od. *Molenbruch* ($x_i = n_i/\Sigma n_i$). Jeder Gehalt kann als Bruch, in %, ‰ od. *ppm angegeben werden. Die erwähnte DIN-Norm definiert darüber hinaus noch die *Molalität b des Stoffs i im Lsm. k als $b_i = n_i/m_k$ (Einheit mol/kg) u. die *Massen-, Vol.- u. Stoffmengenverhältnisse* als $\xi_{ik} = m_i/m_k$, $\Psi_{ik} = V_i/V_k$ u. $r_{ik} = n_i/n_k$. Ein typ. Massenverhältnis wäre eine Angabe wie: Die Löslichkeit von $BaSO_4$ in Wasser ist 1:400 000 ($\xi = 2,5 \cdot 10^{-6}$). Bei der Bestimmung der K. muß

berücksichtigt werden, daß statt der K. im allg. *Aktivitäten erfaßt werden.

In Labor u. Betrieb sind neben den oben erwähnten (z. T. veralteten) K.- u. Gehaltsangaben noch weitere in Gebrauch, z.B. *Tropfen in 100 ml, *ppb, *ppt (*Lit.*[1]). In der analyt. Chemie hat sich für die Angabe des *Gehalts* einer Substanz in einer anderen die Benutzung der Begriffe *Hauptbestandteil* (100–1%), *Nebenbestandteil* (1–0,01%) u. *Spur* (<0,01%) als sehr zweckmäßig erwiesen, wobei man im letzten Fall, erst recht in der *Spurenanalyse zur Beschreibung der *Nachweisgrenzen, noch eine Einteilung in Mikrospur, Nanospur u. Picospur vornehmen kann.

2. In der Ökologie bezeichnet K. sowohl *Biokonzentration als auch synonym zu *Aggregation od. Konglobation eine Ansammlung von Organismen in Teilen des Biotops.

3. In der Phylogenetik (Abstammungslehre) ist mit K. (= Zentralisation) die Zusammenlegung von ursprünglich mehrfach angelegten Organen gemeint, wie sie in Entwicklungsreihen mit segmentierten Ausgangsformen, z.B. bei Anthropoden, *Mollusken u. *Vertebraten, vorkommt. – *E* = *F* concentration – *I* concentrazione – *S* concentración

Lit.: [1] Naturwiss. Rundsch. **34**, 480 (1981).
allg.: Atkins, Physikalische Chemie, Weinheim: VCH Verlagsges. 1996 ▪ s. a. Nomenklatur.

Konzentrationselemente s. galvanische Elemente u. Korrosion.

Konzentrationslöschung s. Fluoreszenz.

Konzentrationszelle. Bez. für eine elektrochem. Zelle, die aus zwei *Halbzellen aufgebaut ist, die sich nur in der *Aktivität der potentialbestimmenden Spezies unterscheiden. Können zwischen den beiden Halbzellen durch die Aktivitätsunterschiede hervorgerufene Diffusionsprozesse ablaufen, so spricht man von einer K. mit Überführung (*Hendersonsche Gleichung). Schließt man Diffusionsprozesse experimentell aus (z.B. durch sog. *Salzbrücken), erhält man eine *Helmholtzsche Doppelzelle. – *E* concentration cell – *F* pile de concentration – *I* cella concentratore (di concentrazione) – *S* pila de concentración

Konzentrieren s. Einengen.

Konzeption (latein.: conceptio = aufnehmen). Wissenschaftliche Bez. für *Empfängnis* od. *Befruchtung*, d. h. für die Vereinigung von weiblicher Ei- u. männlicher Samenzelle. Die folgenden Ausführungen zur Fruchtbarkeit (*Fertilität*) beziehen sich im wesentlichen auf die Verhältnisse beim Menschen. Beim Mann entstehen die Samenzellen (*Spermien*) in den Hodenkanälchen unter *Meiose*, d. h. Halbierung des *Chromosomen-Satzes. Sie reifen während einer Differenzierungsperiode von 74 d u. werden in den Nebenhoden gespeichert. Die Samenflüssigkeit (*Sperma) aus gelatinösem, Fructose-reichem Sekret der Samenblase u. dünnflüssigem, trübem Seminalplasmin u. saure *Phosphatasen enthaltendem Sekret der Prostata enthält in 1 mL 60–120 Mio. Spermien. Das ca. 60 μm lange Spermium (Spermatozoon) besteht aus Kopf, Hals, Mittelstück u. Schwanz. Der Kopf ist von einer Kappe (Akrosom) bedeckt, die die *Penetrationsen-

zyme Acrosin, „corona penetrating" Enzym, *Hyaluronidase u. *Neuraminidase enthält, die die Durchdringung der die Eizelle umgebenden Schichten ermöglichen.

Bei der Frau sind bereits bei der Geburt in jedem der beiden Eierstöcke (*Ovarien*) ca. 400 000 haploide Eizellen vorgebildet. Von diesen reifen nach der Pubertät nur ca. 400, u. zwar 1/Monat, im sog. *Graafschen Follikel* heran. Beim *Follikelsprung* (*Ovulation*) reißt dessen Oberfläche ein, u. das Ei wandert in den Eileiter. Aus der zurückbleibenden Höhle bildet sich der *Gelbkörper* (corpus luteum), die Produktionsstätte der *Gestagene.

In Abhängigkeit von der Länge des Menstruations-Cyclus der Frau ergibt sich eine optimale Zeitspanne für die K. (K.-*Optimum*) etwa zwischen dem 12. u. 14. Tag nach der Menstruation. Die durch die Ejakulation während des Geschlechtsverkehrs in die Vagina der Frau ausgestoßenen Spermatozoen bewegen sich mit einer Geschw. von 50 μm pro s, durch *Chemotaxis gesteuert, in den Gebärmutterkörper u. von dort in die Eileiter (Tuben). Während dieser Wanderung erhalten die Spermatozoen ihre Befruchtungsfähigkeit (*Kapazitation*). Die Fähigkeit zur Befruchtung dauert bei der Samenzelle 2–3 d an, bei der Eizelle 6–12 h. Beim Kontakt der Spermatozoen mit dem Ei in der Tube werden durch die Auflösung der *Akrosomen (*akromosomale Reaktion*) Enzyme freigesetzt, mit deren Hilfe das Spermatozoon die umgebenden Zellschichten u. Membran des Oocyten durchwandern u. in das Cytoplasma eindringen kann (*Imprägnation*). Danach verschmelzen die Kerne der beiden Zellen (*Konjugation*) u. bilden einen Kern mit vollständigem (diploiden) Chromosomensatz.

Nach der K. teilt sich das befruchtete Ei bereits mehrmals auf dem Weg zur Gebärmutter (*Uterus*). Diese ist in jedem Monat für wenige Tage auf die Einnistung (*Nidation*, seltener: *Implantation*) eines befruchteten Eies vorbereitet; bleibt diese aus, so resultiert die *Menstruation. Außerdem ist sie am Aufbau der *Placenta beteiligt. Im Gebärmutterhals (*Cervix*) u. der Vagina, deren pH4 das Eindringen von Krankheitserregern verhütet, wird cycl. die Viskosität des Schleimes verändert. Die *Regulation der geschilderten Vorgänge, wie Menstruation u. Schwangerschaft (*Gravidität*) geschieht durch *Hormone unter Steuerung durch *Hypothalamus u. *Hypophyse. Die *gonadotropen Hormone regen die Produktion der *Sexualhormone Testosteron, Progesteron (Gestagen) u. der in den Eierstöcken gebildeten *Estrogene an. Kommt es zur K., so ändern sich die Hormonspiegel in charakterist. Weise: Choriogonadotropin tritt auf, u. die Gestagen-Konz. bleibt hoch. Auf dem Nachw. von *Choriogonadotropin beruhen auch Schwangerschaftstests. – *E* = *F* conception – *I* concempimento – *S* concepción

Lit.: Martins, Lehrbuch der Geburtshilfe, Stuttgart: Thieme 1988 ▪ Moore, Embryologie, Stuttgart: Schattauer 1990.

Konzertierte Reaktionen (Synchronreaktionen). Bei einer k. R. ist der Bindungsbruch einer Bindung a–b eng mit dem der Bindung c–d verknüpft, d. h. beide Prozesse laufen prakt. gleichzeitig ab. Die Gesamtreaktion besitzt keine Zwischenstufe.

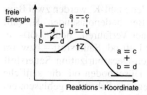

Abb.: Energet. Verlauf einer konzertierten Reaktion (ÜZ = Übergangszustand).

Wie aus der Abb. ersichtlich, existiert nur eine Energiebarriere mit dem *Übergangszustand, bei dem die σ-a–b/c–d-Bindungen teilw. gebrochen u. die π-a=c/b=d-Bindungen teilw. gebildet sind. Dies kann auch unsymmetr. erfolgen; wichtig für die k. R. ist nur, daß beide Bindungsbrüche bzw. -bildungen miteinander gekoppelt sind, d. h. daß ein cycl. Übergangszustand durchlaufen wird (s. Abb.). Woodward u. Hoffmann[1] haben solche Reaktionen unter dem Oberbegriff *pericyclische Reaktionen zusammengefaßt, wobei die hier in Einzelstichwörtern abgehandelten Cycloadditionen, elektrocycl., sigma- u. cheletrope Reaktionen u. Valenzisomerisierungen charakterist. Beisp. darstellen. – *E* concerted reactions – *F* réactions concertées – *I* reazioni concertati – *S* reacciones concertadas

Lit.: [1] Angew. Chem. **81**, 797 f. (1969).
allg.: Angew. Chem. **86**, 825–855 (1974); **106**, 261 (1994) ▪ Acc. Chem. Res. **9**, 19–25 (1976).

Kooperativität. Obwohl viele meist oligomere Makromol. (z. B. *Proteine) für spezif. Liganden mehrere a priori gleichartige u. räumlich getrennte Bindungsstellen besitzen, ist in manchen Fällen festzustellen, daß die Bindung eines Liganden die der weiteren beeinflußt (*Beisp.:* *Hämoglobin in bezug auf Sauerstoff[1]). Die K., die durch alloster. Effekte (*Allosterie) bewirkt wird, kann pos. od. neg. (Antikooperativität) sein (Erleichterung bzw. Erschwerung der Bindung der folgenden Liganden durch den vorhergehenden). Unkooperativität ist das Fehlen von Kooperativität. – *E* cooperativity – *F* coopérativité – *I* cooperatività – *S* cooperatividad

Lit.: [1] Trends Biochem. Sci. **18**, 385–390 (1993).
allg.: Trends Biochem. Sci. **20**, 495–499 (1995).

Koopmans-Theorem. Von T. A. Koopmans 1933 aufgestelltes Theorem (*Lit.*[1]), wonach die für die Entfernung eines Elektrons aus dem i-ten *Molekülorbital (bzw. dem i-ten Atomorbital bei Atomen) aufzubringende Energie I_i (*Ionisierungsenergie) näherungsweise gleich dem Negativen der zugehörigen, mit dem *Hartree-Fock-Verfahren berechneten Orbitalenergie E_i ist: $I_i \approx -\varepsilon_i$. Bei der Herleitung des K.-T. wird vorausgesetzt, daß sich die Orbitale bei der Ionisation nicht verändern, d. h. sog. Reorganisationseffekte bleiben unberücksichtigt. Auch durch *Elektronenkorrelation verursachte Effekte u. *relativistische Effekte werden vernachlässigt. Das K.-T. spielt eine wichtige Rolle bei der Interpretation von Photoelektronenspektren (*Photoelektronen-Spektroskopie). – *E* Koopmans theorem – *F* théorème de Koopmans – *I* teorema di Koopmans – *S* teorema de Koopmans

Lit.: [1] Physica **1**, 104 (1934).

Koordinationsisomerie s. Koordinationslehre.

Koordinations-Katalysatoren s. Koordinationspolymerisation.

Koordinationslehre (von latein.: coordinare = zuordnen). Die 1893 von Alfred *Werner begründete u. von *Pfeiffer, *Weinland, Bailar, Hein, *Pauling, E. O. *Fischer u. a. weiterentwickelte K. beschäftigt sich mit solchen *chemischen Verbindungen höherer Ordnung, die man bisher zweckmäßigerweise als *Koordinationsverb.* bezeichnete. Häufiger wird inzwischen die Bez. *Komplex(verb.)* verwendet, obwohl unter dem Begriff *Komplex auch andere Verb. höherer Ordnung verstanden werden können. Dennoch sollen im folgenden die Bez. Komplex u. Koordinationsverb. (Abk.: KV) als Synonyma verstanden werden. Charakterist. für die KV ist, daß um ein od. mehrere *Zentralatome* (hier ist sinngemäß stets zu ergänzen: *Zentral-Ionen*) ein od. mehrere neutrale Mol. u./od. Ionen (sog. *Liganden) gruppiert sind, u. zwar in der sog. *ersten* (inneren) *Koordinationssphäre.* Das Zentralatom ist dann *koordinativ gesätt.*, wenn die tatsächliche Koordinationszahl gleich der max. ist. Unter *Koordinationszahl (KZ) versteht man die Anzahl der Liganden, die sich in räumlich regelmäßiger Anordnung um das Zentralatom gruppieren, im allg. eine ganze Zahl zwischen 1 u. 12; am häufigsten tritt die KZ 6 mit (annähernd) oktaedr. Anordnung der Liganden auf. Zwischen KZ u. Wertigkeit des Zentralatoms besteht kein Zusammenhang; Eisen hat z. B. sowohl im gelben [Fe(II)] als auch im roten *Blutlaugensalz [Fe(III)] die KZ 6.

Zentralatome: Als solche fungieren meist *Übergangsmetall-Kationen von hoher Ladung u. kleinen *Ionenradien, doch können auch Nichtmetalle als solche auftreten (*Beisp.*: [BF$_4$]$^-$). Als Liganden treten Anionen, wie z. B. F$^-$, Cl$^-$, Br$^-$, I$^-$, OH$^-$, CN$^-$ (*Acido-* od. besser *Anionoliganden*) od. ungeladene Mol. wie H$_2$O, CO, N$_2$, NH$_3$, Pyridin (*neutrale Liganden*), seltener auch Kationen (z. B. NO$^+$) auf. Kann ein Ligand nur eine Koordinationsstelle des Zentralatoms besetzen, wie z. B. die vorstehend genannten Liganden, so ist er *einzähnig* od. *unidental* (früher sagte man auch: *einzählig*). Liganden, die 2 od. mehr Koordinationsstellen besetzen können, sind *zwei-* od. *mehrzähnig* (*bi-* od. *multidental; E* uni-, bi-, multidentate). *Beisp.* für zweizähnige Liganden sind das Acetylacetonat-Anion {[H$_3$C–C(O)–CH–C(O)–CH$_3$]$^-$, übliches Kurzz.: acac} u. Ethylendiamin (H$_2$N–CH$_2$–CH$_2$–NH$_2$, Kurzz.: en), *Beisp.* für mehrzähnige Liganden sind Ethylendiamintetraessigsäure (Kurzz.: EDTA), *Kronenether u. *Kryptanden. Enthält ein Komplex zwei od. mehr Zentralatome, so ist er *zwei-* od. *mehrkernig* (*di-* od. *polynuclear*). Die Zentralatome sind in diesem Fall über sog. *Brückenliganden* verbunden; *Beisp.*: [(NH$_3$)$_5$Cr–OH–Cr(NH$_3$)$_5$]$^{5+}$ {μ-Hydroxo-bis-[pentaamminchrom(III)]}, ein zweikerniger Komplex mit zwei Cr-Zentral-Ionen u. dem Hydroxid-Ion als Brückenligand. Die Ladung eines Komplexes entspricht der Summe der Ladungen der ihn bildenden Einzel-Ionen {*Beisp.*: [Fe^{II}(CN)$_6$]$^{4-}$, [Co^{III}(NO$_2$)$_4$(NH$_3$)$_2$]$^-$}. Solche geladenen Koordinationseinheiten (*Komplex-Ionen*) benötigen zum Ladungsausgleich Gegenionen, die in sog. *zweiter Koordinationssphäre* gebunden sind.

Bindungsverhältnisse: Man unterscheidet nach *Biltz u. *Klemm bei den Komplexen mit metall. Zentralatom zwischen a) *Anlagerungskomplexen* (Normalkomplexe) u. b) *Durchdringungskomplexen.* Diese Einteilung ist allerdings sehr formal u. charakterisiert nur Grenzfälle. Die *Anlagerungskomplexe* (nicht ident. mit den ursprünglichen Anlagerungsverb. Werners) sind Verb. mit starker Ion-Dipolbindung (z. B. viele Hydrate, Alkoholate, Ammin-Salze, allg. *Solvate*) od. Ionen-Ionen-Komplexe (z. B. [FeF$_6$]$^{3-}$-Komplex). Bei den sehr häufigen Ion-Dipol-Komplexen werden die neg. geladenen „Enden" der starken *Dipole Wasser od. Ammoniak von kleinen, hochgeladenen Metall-Ionen (z. B. Ionen von Fe, Co, Ni, Cr, Mn, Ru, Pt, Os, Ir) elektrostat. angezogen. Bei diesen Normalkomplexen sind meist alle Liganden gleichartig (z. B. H$_2$O); sie sind untereinander leicht austauschbar, wie z. B. für K[PbI$_3$], K[BiI$_4$] u. K$_2$[HgI$_4$] durch radioaktive Markierung nachgewiesen wurde. Bei Aquakomplexen in Lsm. Wasser wurden ein Austausch mit dem Lsm. u. auch Hydratisomerie (s. unten) nachgewiesen. Daher sind die Anlagerungskomplexe oft so unbeständig, daß sie bei der Auflösung in Wasser zerfallen u. die Zentral-Ionen mit einfachen Reagenzien nachgewiesen werden können; viele *Doppelsalze (z. B. Alaune) zählen zu dieser Gruppe. Die Dipole (Wasser-Mol., Ammoniak-Mol.) od. Ionen, die sich gegenseitig abstoßen, ordnen sich möglichst symmetr. (Tetraeder, Oktaeder, Würfel) um das Zentral-Ion; *Beisp.*: [Zn(H$_2$O)$_4$]$^{2+}$, [Fe(NH$_3$)$_6$]$^{2+}$, [Ba(H$_2$O)$_8$]$^{2+}$. Die Zahl der in erster Koordinationssphäre gebundenen H$_2$O-Mol. nennt man Hydratations-Zahl (*Hydratation).

Wesentlich beständiger als die Anlagerungskomplexe sind die *Durchdringungskomplexe.* Eine Dissoziation in ihre Einzelbestandteile findet bei der Auflösung in Wasser kaum mehr statt u. man weist sie daher in der analyt. Chemie als Ganzes nach. So gibt weder der beständige Durchdringungskomplex [Fe(CN)$_6$]$^{4-}$ des gelben *Blutlaugensalzes noch sein Reaktionsprodukt *Berliner Blau gewöhnliche Eisen- od. Cyanid-Reaktionen. Weitere Durchdringungskomplexe sind u. a. in den folgenden Verb. enthalten: K$_3$[Fe(CN)$_5$(CO)], Na$_3$[Fe(CN)$_5$(NH$_3$)], Na$_2$[Fe(CN)$_5$(NO)], K$_4$[Mo(CN)$_8$], K$_2$[PtCl$_6$], [Fe(Bipyridin)$_3$]Cl$_2$, [Cr(CO)$_6$], [Fe(CO)$_5$], [Ni(CO)$_4$] usw. Da nach Molvol.-Messungen von W. Biltz die Ammoniak-Mol. in den Durchdringungskomplexen etwa 15% weniger Raum beanspruchen als in den Anlagerungskomplexen, hat man geschlossen, daß bei den Komplexen dieser Art die Liganden bis zu einem gewissen Grad in die Elektronensphäre des Zentralatoms eindringen (daher „Durchdringungskomplexe") u. dem Zentralatom mit seinen *Elektronenlücken* in der Regel so viele ihrer eigenen Außenelektronen „leihen", daß die gemeinsame äußere Elektronenhülle eine stabile *Edelgaskonfiguration* erhält. In diesem Fall stammen also die Bindungselektronen nicht von zwei Atomen wie bei der Atombindung, sondern nur von einem Partner. Das Elektronen-liefernde Atom wirkt als Elektronen*donator* (nucleophil), das Elektronen-aufnehmende als Elektronen*akzeptor* (elektrophil), s. a. at-Komplexe. Solche – auch als *dativ* bezeichneten – *koordinativen Bindungen* können diejenigen Liganden eingehen, die ein od. mehrere freie, sog. *einsame Elektronenpaare besitzen. *Beisp.:* Eisen mit seinen 8 Außenelektronen müßte 10 Elektronen aufnehmen, um die stabile Elektronenkonfiguration (18) des nächsten Edelgases (Krypton) zu erreichen. CO-Mol. verfügen über je 1 freies Elektronenpaar: 5 CO-Mol. kompensieren den Elektronenbedarf des Eisens; daher bilden sich die stabilen Durchdringungskomplexe $[Fe(CO)_5]$ u. $[Fe_2(CO)_9]$; letzterer enthält eine Fe-Fe-Bindung. Analog erklärt man die Bildung der Komplex-Ionen $[Fe^{II}(CN)_6]^{4-}$ bzw. $[W(CN)_8]^{4-}$: Dem Fe^{2+}-Ion mit 6 Außenelektronen fehlen 12, dem W^{4+} mit 2 Außenelektronen fehlen 16 Elektronen zur Komplettierung der Edelgasschalen des Kryptons bzw. Radons. Zur Zweckmäßigkeit der 18-Elektronen-Regel s. *Lit.*[1]. Die Einlagerung der 6 bzw. 8 CN⁻-Anionen bewirkt, daß die Komplex-Ionen jeweils neg. vierwertig sind, obwohl die Zentralatome pos. zwei- bzw. vierwertig waren. Durch Elektronendonor-Akzeptor-Bindung gibt der CN⁻-Ligand formal seine neg. Ladung an das Metall-Atom ab:

$$M + {}^-C{\equiv}N \rightarrow {}^-M{-}C{\equiv}N$$

Dies gilt auch für neutrale Donorliganden, wie die Grenzformel $^-M{-}C{\equiv}O^+$ für Carbonyl als Donorligand zeigt. Als Folge der Koordination mehrerer Liganden ergibt sich formal eine Anhäufung von neg. Ladung am Metall-Zentralatom. Diese Formalladung des Zentralatoms beträgt z.B. 2– für $[PtCl_4]^{2-}$, 4– für $[W(CN)_8]^{4-}$ od. 6– im $[Cr(CO)_6]$. Im Gegensatz zu dieser formalen Ladungsverteilung findet in Wahrheit ein Ausgleich der Ionenladung des Zentralatoms statt. Nach Pauling sind Komplexe dann bes. stabil, wenn die Ionenladung des Zentralatoms durch das Elektronendonorvermögen der Liganden gerade ausgeglichen wird, das Metall-Atom also annähernd ungeladen vorliegt. Die ungünstige Anhäufung neg. Ladung am Zentralatom wird dadurch verhindert, daß die Donoratome der Liganden stark elektroneg. sind (z.B. im $[PtCl_4]^{2-}$). Dadurch wird überschüssige Elektronendichte vom Metall abgezogen. Im Fall der Cyano-, Carbonyl- u.a. Liganden am leeren, antibindenden π-Orbitalen (*chemische Bindung) existiert eine mesomere Grenzformel mit M–C-Doppelbindung: $^-M{-}C{\equiv}O^+ \leftrightarrow M{=}C{=}O$. Diese beschreibt die Delokalisation eines nicht-bindenden Metall-Elektronenpaares auf den Liganden u. erklärt, wie die aufgrund formaler Betrachtungsweise zu erwartende neg. Ladungsdichte am Metall reduziert wird. Bei weitem nicht alle Komplexe erreichen die Edelgasschale; z.B. besitzt $[Fe(CN)_6]^{3-}$ mit 23 + 6 · 2 = 35 Elektronen nicht ganz die Konfiguration des Kryptons, wodurch sich auch die geringere Stabilität dieses Ions gegenüber $[Fe(CN)_6]^{4-}$ erklärt. In den sog. *inneren Komplexsalzen* (s. Chelate) liegt kovalente neben koordinativer Bindung vor.
Eine andere u. modernere Klassifizierung von KV erfolgt über die magnet. Eigenschaften (s. Magnetochemie u. Ligandenfeldtheorie). Hiernach unterscheidet man zwischen *Outer Orbital-* od. *High-Spin-Komplexen* u. *Inner Orbital-* od. *Low-Spin-Komplexen*.
Räumlicher Aufbau: Die KZ des Zentralatoms einerseits u. die Nucleophilie u. der Raumbedarf der Liganden andererseits bestimmen die Struktur der Komplexe. Im häufigsten Fall der KZ 6 befindet sich das

Zentralatom (z.B. Eisen, Platin) in der Mitte eines mehr od. weniger regelmäßigen Oktaeders, an dessen 6 Eckpunkten je ein Ligand sitzt. Da die Liganden meist größer sind als das Zentralatom, wird dieses prakt. völlig abgeschirmt. Neben der KZ 6 ist auch die KZ 4 häufig anzutreffen; in diesem Fall befindet sich das Zentralatom entweder im Zentrum eines Tetraeders, u. die Liganden sitzen an dessen 4 Eckpunkten – *Beisp.:* $[Cu(CN)_4]^{3-}$, $Ni(CO)_4$, $\{NiX_2[P(C_6H_5)_3]_2\}$, mit $X = Cl$, Br, I – od. das Zentralatom steht in der Mitte eines von den Liganden gebildeten Quadrats – *Beisp.:* $[Ni(CN)_4]^{2-}$, $[Pt(NH_3)_4]^{2+}$). KV wie $\{NiX_2[P(C_6H_5)_3]_2\}$ zeigen die Möglichkeit der *cis-trans-Isomerie u. des *trans*-Effekts (s. Substitution). Die räumliche Anordnung der Liganden in Form eines hochsymmetr. Körpers gestattet die beste Raumausfüllung u. ist mit geringster gegenseitiger Abstoßung verbunden. Verhältnismäßig selten kommen die KZ 3 u. 8, noch seltener 2,5,7,9–12 vor. *Beisp.* für die KZ = 2 sind v.a. Komplexe mit Ag(I) u. Au(I) als Zentralion (z.B. $[Ag(CN)_2]^-$); diese zeigen eine lineare Koordinationsgeometrie. Bei Komplexen mit der KZ 3 sitzt das Zentralatom in der Mitte eines gleichseitigen Dreiecks u. die Liganden an den 3 Eckpunkten der Dreiecksfläche – *Beisp.:* $\{Ti[CH(SiMe_3)_2]_3\}$ –; Verzerrungen infolge unsymmetr. Koordinationsumgebung treten unabhängig von der KZ auf. Atome mit der KZ 8 liegen im Mittelpunkt eines Dreiecksdodekaeders, eines Würfels od. eines tetragonalen Antiprismas, wobei die Eckpunkte durch die Liganden gebildet werden. Die Verb. mit KZ 5 können trigonale Bipyramiden od. quadrat.-pyramidal sein. Die KZ 7 bedingt entweder eine pentagonal-bipyramidale, einspitzig trigonal-prismat. od. eine einspitzig oktaedr. Geometrie. Aspekte der 9-, 10- u. 12-Koordination finden sich in *Lit.*[2]. Günstige ster. Voraussetzungen für Verb. mit KZ 10–12 bieten die großen Lanthanoid-Ionen (*Lit.*[3]).
Aufgrund ihrer bes. Bindungsverhältnisse verfügen die KV über mehr *Isomerie-Möglichkeiten als andere Verb.-Klassen. Die *Koordinationsisomerie* als eine bes. Form der *Konstitutionsisomerie *(Strukturisomerie)* ist dadurch gekennzeichnet, daß in Salzen, die aus zwei od. mehr Komplex-Ionen bestehen, die Zentralatome od. einzelne Liganden gegeneinander vertauscht sind (*Austauschreaktion). Zur Beschreibung der *Stereoisomerie von oktaedr. KV stehen die Vorsilben **cis-*, *trans-*, **fac-* u. **mer-* zur Verfügung. Ebenfalls in KV treten die Hydrat-, Ionisations- u. Salzisomerie auf: Bei der sog. *Hydratisomerie* (s. Hydrate) fungieren Wasser-Mol. in einem Fall als Liganden am Zentralatom, im anderen als außerhalb des Komplex-Ions eingelagertes Solvat- od. Krist.-Wasser. Bei der *Ionisationsisomerie* treten Anionen einmal als Ligand an einem Zentralatom, im anderen Fall als Gegen-Ionen zum komplexen Kation in Erscheinung. Bei der sog. *Salzisomerie* kann ein anion. Ligand in zwei verschiedenen Arten an ein gleichartiges Zentralatom gebunden sein, wie in den Fällen der Isomerenpaare thiocyanato/isothiocyanato u. nitro/nitrito(⁻NO₂/⁻ONO). Aus dem räumlichen Aufbau mit seinen Isomeriemöglichkeiten ist ersichtlich, daß es opt. aktive KV – die z.T. den sog. *Pfeiffer-Effekt* zeigen – gibt. Opt. aktive KV sind als Katalysatoren bei der *asymmetrischen Synthese nützlich[4].

Zur Untersuchung von KV kommen verschiedene Meth. der *physikalischen Analyse in Frage. Magnet. Messungen (*Magnetochemie) zeigen, daß die Durchdringungskomplexe meist diamagnet. sind, Anlagerungskomplexe zeigen hingegen meist Paramagnetismus, der im allg. von ungepaarten d-Elektronen verursacht wird. Zum Zusammenhang zwischen Magnetismus, Bindungsweise u. Struktur s. *Lit.*[5]. Weitere nützliche Strukturuntersuchungs-Meth. sind die Bestimmung von dielektr. Eigenschaften, Photoelektronenspektroskopie, ^{13}C- u. ^{31}P-NMR-Spektroskopie bei organ. Komplexen, IR- u. Raman-Spektroskopie. V. a. aber durch die UV/VIS- u. die EPR-Spektroskopie wurden neuere Erkenntnisse über den Charakter der *semipolaren Bindung in KV gewonnen. Zur theoret. Beschreibung von KV werden v. a. die *Ligandenfeldtheorie u. die *MO-Theorie herangezogen.

Nomenklatur: Die Benennung der KV erfolgt nach IUPAC-Regeln I-10.1–10 der anorgan. Chemie u. Regeln D-2.0–8 der organ. Chemie. Im folgenden können nur einige wenige Hinweise zur Bildung systemat. Namen von KV gegeben werden. Für eine ausführliche Darst. s. *Lit.*[6]. Einige *Beisp.:*

(a) $Na_3[Ag(S_2O_3)_2]$
   Natrium-bis(thiosulfato)argentat(I)
(b) $[Ru(HSO_3)_2(NH_3)_4]$
   Tetraamminbis(hydrogensulfito)ruthenium(II)
(c) $K_2[Cr(CN)_2O_2(O_2)(NH_3)]$
   Kalium-ammindicyanodioxoperoxochromat(VI)
(d) $[CuCl_2(CH_3NH_2)_2]$
   Dichlorobis(methylamin)kupfer(II)
(e) $\{CoCl_3(NH_3)_2[(CH_3)_2NH]\}$
   Diammintrichloro(dimethylamin)cobalt(III)
(f) $[Cr(H_2O)_6]Cl_3$
   Hexaaquachrom(III)-chlorid
(g) $[Fe(CO)_3(C_4H_6)]$
   [η^4-(1,3-Butadien)tricarbonyl]eisen
(h) $\{[PtI(CH_3)_3]_4\}$
   Tetra-μ_3-iodo-tetrakis[trimethylplatin(IV)]

In den *Formeln* von Komplexen soll das Symbol des Zentralatoms zuerst geschrieben werden, anschließend werden aus der ersten Koordinationssphäre zuerst die anion., dann die neutralen u. kation. Liganden aufgeführt. Die Formel des gesamten Komplexes wird in eckige Klammern gesetzt u. alphabet. nach Elementsymbolen sortiert. Bei Komplexsalzen gehen die Symbole der in der zweiten Koordinationssphäre gebundenen Kationen dem Klammerausdruck voraus u. die der Anionen folgen ihm (*Beisp.:* a, c u. f). In den *Namen* von KV wird das Zentralatom am Schluß genannt hinter den – ohne Berücksichtigung ihrer Anzahl – in alphabet. Reihenfolge aufgeführten Liganden. Die Oxid.-Stufen der Zentralatome werden nach dem *Stock- od. dem *Ewens-Bassett-System angegeben; statt dessen kann auch das Mengenverhältnis der Bestandteile durch Zahlwörter ausgedrückt werden; *Beisp.:* Kalium-hexacyanoferrat(III) od. Kalium-hexacyanoferrat(3-) od. Trikalium-hexacyanoferrat für Rotes *Blutlaugensalz. Komplexe Anionen sollen die Endungen -id, -it u. -at erhalten; komplexe Kationen u. Neutralteile erhalten keine sie unterscheidenden Endungen. Die Namen für anion. Liganden, gleichgültig, ob es sich um anorgan. od. organ. handelt, enden auf -o (*Beisp.:* -ido, -ito, -ato). *Beisp.:* H⁻ (hydrido, bei Bor-

Verb. auch hydro), Cl⁻ (chloro), O^{2-} (oxo), ⁻OH (hydroxo), $SO_4{}^{2-}$ (sulfato), S^{2-} (sulfido), $N_3{}^-$ (azido), CH_3O^- (methoxo od. methanolato), CH_3COO^- (acetato), CH_3CONH^- (acetamidato). Der Name eines koordinativ gebundenen neutralen Mol. od. eines entsprechend gebundenen Kations wird im allg. unverändert gelassen; Wasser u. Ammoniak werden in Komplexen „aqua" u. „ammin" genannt. Für organ. Liganden sind einige Abk. zur Verw. in Formeln empfohlen; *Beisp.:* Hacac (Acetylaceton), en (Ethylendiamin), py (Pyridin) usw. Bindung an ein ungesätt. Syst. (*Pi-Komplexe z. B. mit Ethylen od. Propen) wird durch Voransetzen von η (eta od. hapto, *Beisp.:* g) gekennzeichnet. Eine brückenbildende Gruppe wird durch den ihr unmittelbar vorangestellten, durch Bindestrich mit ihr verbundenen griech. Buchstaben μ gekennzeichnet; zwei od. mehr gleichartige Brücken kennzeichnet man mit di-μ, tri-μ usw. Bindet ein Brückenatom mehr als zwei Zentralatome, so wird deren Anzahl durch einen an das μ rechts unten angehängten Zahlenindex angegeben (*Beisp.:* h). Die oben erwähnten IUPAC-Regeln geben auch Hinweise zur Beschreibung der Isomeriemöglichkeiten (vgl. a. fac), des räumlichen Aufbaus der KV u. der (abs.) *Konfiguration sowie die Benennung von *Cluster-Verbindungen mit Metall-Metall-Bindung, solchen mit Bänderstrukturen u. von *Sandwich-Verbindungen (s. a. Ferrocen u. Cyclopentadienyl).

Verw. von Koordinationsverb.: In neuerer Zeit sind v. a. Komplexe mit organ. Liganden auf großes Interesse gestoßen; diese finden in Stichwörtern wie *π-Allyl-Übergangsmetallverbindungen, *Aromaten-Übergangsmetallkomplexe, *Carbonylkomplexe, *Metallocene, *Sandwich-Verbindungen, *Cluster u. als individuelle *metallorganische Verbindungen eine detaillierte Behandlung. Viele Spurenelemente sind im Körper als KV an Proteine, andere an einfachere Ringsyst. gebunden. Der Blutfarbstoff *Hämoglobin ist der bekannteste Komplex, doch ist hier auch an Chlorophyll, Cobalamine, Cytochrome, Nitrogenase u. viele spezif. wirkende Enzyme mit Metall-haltigen prosthet. Gruppen zu denken. Die starke Bindung von Komplexen an Schwermetalle wird nicht nur zur Komplexometrie, sondern auch bei Vergiftungen zur Dekorporierung ausgenutzt, u. in der Krebstherapie sind erste Erfolge mit Metallkomplexen (z. B. *Cisplatin) errungen worden. Antibiotika wie Valinomycin bilden stabile Komplexe mit Kalium-Ionen, die sie durch Zellmembranen schleusen. Daraus entwickelte sich die Erforschung der *Ionophore, *Kronenverbindungen, *Kryptate u. mancher *Einschlußverbindungen. KV werden v. a. auch industriell eingesetzt (*Lit.*[7]), z. B. zur Bildung stark gefärbter Komplexe für die Kolorimetrie u. die Textilfärbung, für Extraktionsverf., zur Maskierung durch Chelatisierung (Sequestrierung) von Schwermetallen in Gewässern, für die homogene Katalyse u. die asymmetr. Synth., als Antiklopfmittel. Spezielle Anw. finden Komplexe in Lasern u. als Verschiebungsreagentien in der NMR-Spektroskopie, in der sog. Komplexierungs-(Gas-)Chromatographie u. allg. in der analyt. Chemie. – *E* coordination theory – *F* théorie de la coordination – *I* teoria della coordinazione – *S* teoría de la coordinación

Lit.: [1] Chem. Unserer Zeit **11**, 176–180 (1977). [2] Progr. Inorg. Chem. **28**, 309–368 (1981). [3] Helv. Chim. Acta **64**, 582–598 (1981). [4] Angew. Chem. **108**, 1767ff. (1996). [5] Gerloch u. Constable, Transition Metal Chemistry, S. 77ff., Weinheim: VCH Verlagsges. 1994. [6] Chem. Labor Betr. **32**, 206–210 (1981). [7] Kirk-Othmer (4.) **7**, 323–348.
allg.: Bochmann, Metallorganische Chemie der Übergangsmetalle, Weinheim: VCH Verlagsges. 1997 ▪ Brauer (3.) **3**, 1752–2033 ▪ Coordination Chemistry Reviews, Amsterdam: Elsevier (seit 1966) ▪ Huheey, Keiter u. Keiter, Anorganische Chemie (2.) Berlin: de Gruyter 1995 ▪ Liebscher, Nomenklatur der Anorganischen Chemie, Weinheim: VCH Verlagsges. 1994 ▪ Ullmann (5.) **A 16**, 299–333 (Metal Complex Dyes); **A 18**, 215–246 (Organometallic Complexes and Homogeneous Catalysts).

Koordinationspolymere. Bez. für *Polymere der allg. Struktur (I), deren aus vielen niedermol. Liganden aufgebaute Hauptketten durch Metallkomplexe u. damit durch koordinative Bindungen zusammengehalten werden. Im Gegensatz zu den *Komplexpolymeren (II), bei denen auch nach vollständiger Entfernung aller Metallzentren makromol. Stoffe erhalten bleiben, geht die Entfernung der Metallzentren bei den K. zwangsläufig einher mit dem *Abbau der Polymerketten zu niedermol. Produkten.

: Chelat-Ligand, ⬤ : Übergangsmetall, L : einzähniger Ligand
R : kovalente Substruktur, —— : kovalente Bindung, ⋯⋯ : koordinative Bindung

Abb.: Schema zur Unterscheidung von Koordinations- (I) bzw. Komplexpolymer (II).

Die in der Regel geringe Beständigkeit koordinativer Bindungen bedingt, daß die meisten heute bekannten K. nur im festen Zustand beständig sind, in Lsg. aber zerfallen. Mit Hilfe neuer Synthesekonzepte ist es in den letzten Jahren jedoch gelungen, immer mehr auch in Lsg. beständige K. zu erhalten. – *E* coordination polymers – *F* polyméres de coordination – *I* polimeri di coordinazione – *S* polímeros de coordinación
Lit.: Angew. Chem. **108**, 1713 (1996) ▪ Ciardelli, Tsuchida u. Wöhrle, Macromolecule-Metal Complexes, Berlin: Springer 1996.

Koordinationspolymerisation (Insertionspolymerisation). Bez. für durch z. B. *Ziegler-Natta-Katalysatoren, in jüngerer Zeit verstärkt auch durch *Metallocene initiierte *Polymerisationen, bei denen die neu eintretenden *Monomeren zwischen wachsender Polymerkette u. Übergangsmetall des Katalysatorkomplexes eingelagert (insertiert) werden. Summar. verläuft die K. von z. B. Ethylen nach der Gleichung:

$$M\text{—}CH_2\text{—}CH_2\text{—}P \ + \ n\,H_2C{=}CH_2$$

$$\longrightarrow \ M\text{\Large[}CH_2\text{—}CH_2\text{\Large]}_n\,CH_2\text{—}CH_2\text{—}P$$

In dieser steht M für den Metallkomplex des Katalysators (*Koordinationskatalysator*) u. P für die wachsende Polymerkette. Meist verlaufen diese Polymerisationen stereospezif. u. führen zu taktischen Polyme-

ren. Auch können mit Hilfe der K. Monomere polymerisiert werden, die mit ion. od. radikal. *Initiatoren nicht polymerisierbar sind (z. B. *Propylen). Viele dieser Katalysatoren sind so aktiv, daß sie in geringsten Mengen eingesetzt werden u. daher im Produkt verbleiben können. Eine aufwendige Reinigung entfällt damit.
Die klass. Ziegler-Natta-Katalysatoren sind Kombinationen aus einer Übergangsmetall-Verb., z. B. $TiCl_4$, $TiCl_3$, VCl_3, $MoCl_3$ od. $ZrCl_4$ u. einer Metall-organ. Verb. der Gruppen I – III des Periodensyst., z. B. $AlEt_3$, $AlClEt_2$ od. $AlCl_2Et$. Im Polymerisationsmedium ergeben sich daraus meist unlösl. Katalysatoren, über deren Wirkungsweise es mehrere Hypothesen gibt. Neuerdings wird ein „monometall. Mechanismus" diskutiert, bei dem das Kettenwachstum über eine Titan-Alkyl-Bindung stattfindet. Dabei koordiniert das neu eintretende Monomer (z. B. Propylen) zunächst an einer koordinativen Leerstelle (◯) des Titan-Komplexes (I). Aus dem 4-Zentren-Übergangszustand (III) heraus kann – je nachdem, welche Bindungen sich öffnen – isotaktisches (IV) od. syndiotaktisches Wachstum erfolgen (Abb. 1).

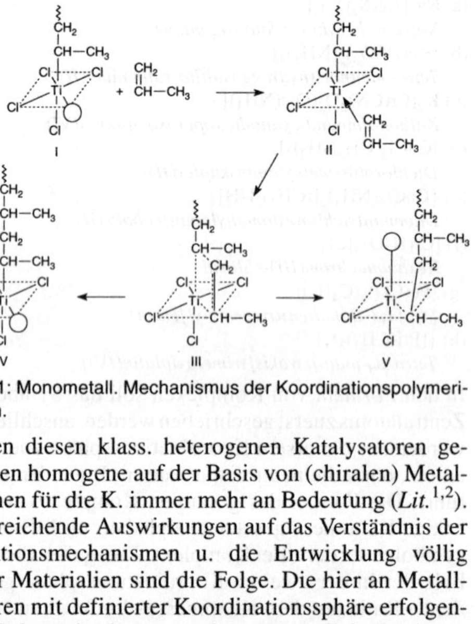

Abb. 1: Monometall. Mechanismus der Koordinationspolymerisation.

Neben diesen klass. heterogenen Katalysatoren gewinnen homogene auf der Basis von (chiralen) Metallocenen für die K. immer mehr an Bedeutung (*Lit.* [1,2]). Weitreichende Auswirkungen auf das Verständnis der Reaktionsmechanismen u. die Entwicklung völlig neuer Materialien sind die Folge. Die hier an Metall-Zentren mit definierter Koordinationssphäre erfolgenden Polymerisationen machen es möglich, Regio- u. Stereoregularitäten, Molmassen u. ihre Verteilung sowie die Einbauverhältnisse von Comonomeren zu kontrollieren und so den Zugang zu z. B. Stereoblock-Copolymeren, Homo- u. Copolymeren cycl. Olefine (*Cycloolefin-Copolymere), zur *Cyclopolymerisation von Dienen u. sogar zu funktionalisierten Polyolefinen zu öffnen. Metallocene wie VI – VIII sind typ. Beisp. für diese neue Katalysator-Generation, deren Entwicklung noch lange nicht abgeschlossen scheint. Ferner rechnet man auch die *Metathese-Polymerisation zu den Koordinationspolymerisationen. Der K. zugänglich sind allg. Monomere mit olefin. Doppelbindungen u. Dreifachbindungen sowie, mit Einschränkungen, Carbene u. Verb. mit Carben-ähnlichen Strukturen (Diazo-Verb., Isonitrile, Kohlenmonoxid).

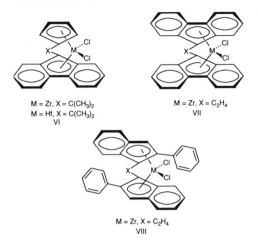

M = Zr, X = C(CH₃)₂
M = Hf, X = C(CH₃)₂
VI

M = Zr, X = C₂H₄
VII

M = Zr, X = C₂H₄
VIII

Abb. 2: Metallocene als Katalysatoren für die Koordinationspolymerisation.

Die größte Bedeutung hat die K. für die *Homo- u. *Copolymerisation von Mono- u. Diolefinen, z. B. für die Herst. von *Polyethylen, *Polypropylen od. *Polybutadien. – *E* coordination polymerization, insertion polymerization – *F* polymérisation de coordination, polymérisation d'insertion – *I* polimerizzazione di coordinazione – *S* polimerización de coordinación, polimerización de inserción

Lit.: [1] Angew. Chem. **107**, 1255 (1995). [2] Adv. Polym. Sci. **127**, 143 (1997).
allg.: Compr. Polym. Sci. **4**, 1 – 108 ■ Elias (5.) **1**, 409 ff. ■ Odian (3.), S. 630 ff.

Koordinationsverbindung s. Koordinationslehre.

Koordinationszahl. Die K. des Zentralatoms od. Zentralions in einer Verb. ist gleich der Zahl der Mol., Atome od. Ionen, die direkt mit dem Zentralatom bzw. Zentralion verbunden sind. In der Kristallographie versteht man unter der K. eines Atoms od. Ions im Kristallgitter die Zahl seiner nächsten Nachbarn; s. a. Koordinationslehre. – *E* coordination number – *F* nombre de coordination – *I* numero di coordinazione – *S* número de coordinación

Koordinative Bindung s. Koordinationslehre.

Koordinierungsstelle EG der Wissenschaftsorganisationen (KoWi). KoWi mit ihren Büros in B-1050 Brüssel, Rue du Trone, u. D-53175 Bonn, Godesberger Allee 127, ist eine Serviceeinrichtung für die dtsch. Wissenschaft. Das KoWi-Team berät Angehörige öffentlicher Forschungseinrichtungen zur Forschungsförderung der EU. KoWi wird vom Verein zur Förderung europ. u. internat. wissenschaftlicher Zusammenarbeit getragen, den die *DFG finanziert. Für die schnelle u. spezif. Vermittlung von Informationen hat KoWi das elektron. Informationssyst. MERKoWi aufgebaut, aus dem ein europ. Zusammenschluß mit Informationsbüros anderer Länder in Brüssel unter dem Namen „European Research and Technology Information Network" (EuRaTIN) entsteht. *Publikationen*: kowi-aktuell, KoWi-Thema. – INTERNET-Adresse: http://www.kowi.de

Kopaivabalsam. Ein aus *Copaifera*-Varietäten (Fabaceae) gewonnener *Balsam aus Brasilien [a] Typ Pará (60% lösl., 40% unlösl.), b) Typ Amazonas (1% lösl., 99% unlösl.)], Venezuela (Maracaibo), Surinam, Kolumbien (alles fast nur techn. Qualitäten) sowie Afrika u. Indien. D. 0,91 – 0,996; der Geschmack ist bitter, der Geruch ist charakterist. pfeffrig. K. besteht zu 20 – 60% aus Harzsäuren u. zu 40 – 80% aus vorwiegend *Caryophyllen enthaltendem ether. Öl (K.-Öl, D. 0,885 – 0,910). Die wertvolle helle Ware verliert an der Luft ether. Öl u. wird dabei, sowie durch Autoxid. u. Polymerisation dicker. In dünnen Schichten ist K. trocken, spröde, bröckelig, sonst dickflüssig bis dünnflüssig, Farbe rotbraun bis braun, grünlich fluoreszierend. Dickflüssige Balsame werden häufig mit dem ähnlichen *Gurjunbalsam verfälscht. K. wirkt in den Harnwegen bakterizid. K. wird zur Gewinnung von Caryophyllen u. *Cadinen, für Seifen, techn. Produkte (Lacke, Firnisse, Pauspapier u. dgl.) verwendet. – *E* copaiba balsam – *F* baume de copaiva – *I* balsamo di copaive – *S* bálsamo de copaiba

Lit.: Hager (5.) **6**, 601 ■ Kirk-Othmer (3.) **20**, 206; (4.) **21**, 298 ■ Ullmann (4.) **20**, 269; (5.) **A 11**, 224. – [HS 130190; CAS 8001-61-4]

Kopale (von mexikan.: copalli = Weihrauch, der vom mexikan. Baum copalquahuitl gewonnen wurde). Halbfossile Baumharze, die meist in den Küstenstreifen der Tropengebiete aus bis zu 1 m tiefen Sanden in Form von harten, mehrere Jh. od. Jahrtausende alten Brocken gesammelt werden. Daneben werden verschiedene weichere u. billigere K.-Sorten aber auch von heute noch lebenden Bäumen gesammelt. Fast alle K. stammen von baumförmigen Caesalpiniaceen, einer Pflanzengruppe, die mit den Schmetterlingsblütlern verwandt ist. Die wertvollste K.-Sorte ist der im südostafrikan. Küstengebiet gesammelte *Sansibarkopal* (blaßrote bis gelbrote, bernsteinharte, geruchfreie Stücke von bis zu 20 cm Länge u. glasartigem Bruch; D. 1,035 – 1,140, vollständig lösl. in Alkohol, z. T. lösl. in Benzol, Chloroform u. Eisessig). Für Handel u. Ind. sind heute *Kongo-, Mozambique-, Madagaskar-, *Kauri-* u. *Manilakopal* von Bedeutung. Bei der Herst. von Öl-(Harz-)Lacken (K.-Lacken) sind sie heute jedoch z. T. von synthet. Produkten verdrängt. Verschiedentlich werden die K. auch *Hartes* bzw. *Weißes* *Dammarharz* genannt. – *E* = *F* copals – *I* coppali – *S* copales

Lit.: Hager **4**, 287 – 293 ■ Ullmann **8**, 396 ff.; (4.) **12**, 525. – [HS 130190]

Kopfdüngung s. Düngemittel.

Kopf/Kopf-Polymerisation s. Kopf-Schwanz-Polymerisation.

Kopfschutz. Zum K. gehören Arbeitsschutzhelme, Kraftfahrer-Schutzhelme, Anstoßkappen, Kopfschutzhauben, Haarnetze u. -hauben. K. soll bei Arbeiten u. Tätigkeiten getragen werden, bei denen durch herabfallende, umfallende, wegfliegende od. fortgeschleuderte Gegenstände, durch pendelnde Lasten u. durch Anstoßen an Hindernisse od. durch lose hängende Haare Kopfverletzungen vorkommen können. In den meisten Betrieben der chem. Ind. ist das Tragen von Schutzhelmen vorgeschrieben.

Arbeitsschutzhelme müssen entsprechend ihrem Einsatzbereich bestimmten sicherheitstechn. Anforderungen genügen (DIN 4840; Kennzeichnung sowohl auf der Helmschale als auch der Innenausstattung). *Atemschutzhelme* bieten neben dem Kopfschutz durch ihre Atemschutzausrüstungen zusätzlichen Schutz gegen gesundheitsschädliche Atmosphäre am Arbeitsplatz. – *E* head protection – *F* protection de la tête – *I* copricapo di protezione – *S* protección de la cabeza
Lit.: DIN EN 340 (09/1993) ▪ DIN EN 397 (05/1994) ▪ Regeln für den Einsatz von Industrieschutzhelmen (ZH 1/704) Ausgabe 4/1994; Fassung 1996 ▪ UVV Allg. Vorschriften (VBG 1) in der Fassung vom 1. 4. 1992.

Kopf/Schwanz-Polymerisation. *Radikalische, *ionische od. *Koordinations-Polymerisationen unsymmetr. substituierter *Monomerer, z. B. Vinylmonomerer, verlaufen in der Regel gemäß Gleichung A als 1,2-Additionen. In diesem Fall spricht man von K./S.-P., da sich im Wachstumsschritt der „Kopf" eines Monomeren (d. h. das C-Atom mit den größeren Substituenten) mit dem „Schwanz" des nächsten verbindet. Daneben beobachtet man aber auch in einem vom Monomer u. den Polymerisationsbedingungen abhängigen Umfang 1,1-Addition (Kopf/Kopf-Polymerisation) (Gleichung B).

Abb.: Kopf/Schwanz- (A) u. Kopf/Kopf-Polymerisation (B).

1,1-Additionen spielen insbes. bei schwach ausgeprägten ster. Effekten – z. B. bei kleinen Substituenten R – eine Rolle. So enthält *Polyvinylidenfluorid 4–6%, *Polyvinylfluorid bis zu 30% an Kopf/Kopf-Verknüpfungen. *Polyvinylacetat enthält ca. 1–2% solcher Einheiten. Diese sind verantwortlich für die Kettenspaltung, die bei der Einwirkung von Periodsäure auf *Polyvinylalkohol, dem Verseifungsprodukt des Polyvinylacetats, auftritt (1,2-Diol-Spaltung). – *E* head-to-tail-polymerization – *F* polymérisation „tête-à-queue" – *I* polimerizzazione di testa e coda – *S* polimerización cabeza-cola
Lit.: Elias (5.) **1**, 28 f ▪ Odian (3.), S. 203.

Kopie(ren) s. Photokopie u. Reprographie.

Kopierstifte s. Tintenstifte.

Kopiertinten s. Umdruckverfahren.

Koplanar s. Konformation.

Koppers-Totzek-Verfahren s. Kohlevergasung.

Kopplung s. NMR-Spektroskopie.

Kopplungsgrad. Der K. gibt an, aus wievielen während einer *Polymerisation unabhängig voneinander wachsenden Ketten *eine* fertige *Polymer-Kette entsteht. Bei z. B. *radikalischen Polymerisationen können zwei wachsende Ketten auf zweierlei Art ihren Radikalcharakter verlieren, durch Kombination (A) u. Disproportionierung (B).

Abb.: Kopplungsgrad von Polymer-Ketten (I-Initiatorfragment).

Bei einem Kombinationsabbruch entsteht aus den zwei wachsenden Ketten *ein* fertiges Polymer-Molekül. Dieses hat daher im Mittel den doppelten Polymerisationsgrad der Ausgangsketten. Im Falle des Disproportionierungsabbruchs bleibt der Polymerisationsgrad hingegen unverändert. Der K. ist hiermit gleich 2 für reinen Kombinationsabbruch, 1 für reinen Disproportionierungsabbruch u. bewegt sich zwischen 1 u. 2, wenn beide Mechanismen parallel erfolgen. – *E* extent of coupling – *F* taux de couplage – *I* grado di accoppiamento, grado di estensione – *S* grado de acoplamiento
Lit.: Elias (5.) **1**, 65.

Kopplungstechniken. Unter Kopplungstechniken versteht man On-line-Kopplungen meist zwischen Trennmeth. u. Identifizierungsmeth., die jeweils eigenständig verwendet werden können. Am häufigsten findet man Kopplungen zwischen Chromatographie-Geräten u. Spektrometern, die die schnelle Identifizierung komplexer Gemische ermöglichen. Beisp. von häufig vorkommenden Kopplungen sind: Massenspektrometer (MS) od. FT-IR-Spektrometer (FT-IR) mit Gaschromatographen (GC), High Performance Liquid Chromatographen (HPLC), Kapillarchromatographen (CE) u. Thermogravimetrie (TGA). Die Aufzählung muß schon deshalb unvollständig bleiben, weil der Unterschied zwischen einer Kopplung u. einer Chromatographie mit vielleicht aufwendigem Detektor, wie z. B. Diodenarray-Detektor, nicht eindeutig beschrieben ist. – *E* hyphenated techniques – *F* techniques de couplage – *I* tecniche d'accoppiamento – *S* técnicas de acoplamiento
Lit.: Nachr. Chem. Tech. Lab. **43**, Suppl., 91–105 (1995) ▪ Townshend (Hrsg.), Encyclopedia of Analytical Science, Bd. 4, S. 2211–2219, New York: Academic Press 1995.

Kopp-Neumannsche Regel s. Molwärme.

Koppsche Siedepunktregel s. Siedepunkt.

Kopra s. Kokospalme.

Kopräzipitation s. Mitfällung.

Kopro... Von griech.: kopros = Mist, Dünger abge-leitete Vorsilbe, die auf eine Beziehung zu *Kot hin-weist; *Beisp.*: Koprogen (s. Sideramine), Ko-prostan(ol) [veralteter Name für 5β-Cholestan(-3β-ol)], *Koproporphyrine. – $E = F = I = S$ copro...

Koprolithe (von *Kopro...). Versteinerte Phosphat-reiche Kotballen von ausgestorbenen Fischen u. Sau-riern; als Düngemittel verwendbar.

Koprophagen (Skatophagen, Kotfresser). Von griech.: kopros = Mist u. phagos = Fresser abgeleitete Bez. für Tiere, Pilze u. Bakterien, die sich von *Kot ernähren, z.B. Mistkäfer u. Dungwurm. Autokopro-phage fressen den eigenen Kot, z.B. manche Asseln. Hasenartige u. viele Nagetiere fressen im eigenen Blinddarm aufgearbeitete Nahrungsreste (Coecotro-phie), die ein vom übrigen Kot unterscheidbares Aus-sehen haben u.v.a. den Vitamin- u. Stickstoff-Bedarf decken. – *E* coprophagous organisms, coprophagic or-ganisms – *F* (organismes) coprophages – *I* coprofaghi – *S* (organismos) coprófagos

Lit.: Odum, Grundlagen der Ökologie, 2 Bd. (2.), S. 44, Stutt-gart: Thieme 1983 ▪ Sci. Am. **230**, 100–109 (1974).

Koproporphyrie s. Koproporphyrine.

Koproporphyrine.

$C_{36}H_{38}N_4O_8$, M_R 654,72. Bez. für isomere *Porphyrin-Derivate, die z.T. beim Auf- u. Abbau von *Häm ent-stehen (K. I u. III; letzteres entsteht formal aus erste-rem durch Vertauschen der Substituenten in Position 17 u. 18) u. in geringeren Mengen mit Kot (bis 400 µg/d; daher Name von griech.: kopros = Kot) u. Harn (bis 100 µg/d) ausgeschieden werden; Auftreten größerer Mengen (*Koproporphyrie*) weist jedoch auf Stoffwechseldefekte hin. – *E* coproporphyrins – *F* co-proporphyrines – *I* coproporfirine – *S* coproporfirinas

Lit.: Beilstein E V **26/15**, 322–325.

Kopsin.

$C_{22}H_{24}N_2O_4$, M_R 380,44, Krist., Schmp. 217–218 °C, $[\alpha]_D^{27}$ –14,3° (CHCl$_3$), lösl. in Chloroform. K. ist ein mo-noterpenoides *Indol-Alkaloid aus den Blättern von *Kopsia fruticosa* (Apocynaceae). Neben K. liegen noch zahlreiche strukturverwandte Alkaloide in der Pflanze vor, die als *Kopsan-Alkaloide*, bisher sind etwa

50 Verb. bekannt, bezeichnet werden. Zur Biosynth. s. *Lit.*[1]. – $E = F$ kopsine – $I = S$ copsina

Lit.: [1] J. Am. Chem. Soc. **105**, 2086 (1983); **106**, 2105 (1984); **111**, 6707 (1989). – *allg.:* Beilstein E V **25/2**, 292 f. ▪ Helv. Chim. Acta **65**, 2548 (1982) ▪ Manske **11**, 244–259 ▪ Ullmann (5.) **A 1**, 392 f. – *Synth.:* J. Am. Chem. Soc. **111**, 6707–6711 (1989). – *[HS 2939 90; CAS 559-48-8]*

Korallen (Anthozoen). Von griech.: koura halos = Puppe der Salzflut abgeleitete Bez. für seit mehr als 400 Mio. Jahren existierende *Hohltiere, die in trop. Meeren bei Temp. >20 °C verbreitet sind. Dabei han-delt es sich um warmstenotherme Tiere, die häufig in Symbiose mit photosynthet. aktiven Algen leben (Flachmeerzone). Mit ihren Kalk-Skeletten bilden sie mächtige u. oftmals ringförmige Korallenriffe (Atolle); das Barrier Reef Australiens umfaßt mit mehr als 200 000 km^2 etwa die Größe der BRD. Neben ca. 80% *Calciumcarbonat (z.T. als *Aragonit) u. ca. 3% Magnesiumcarbonat enthalten K. Phosphor u. erheb-liche Mengen an Iod, das z.B. in Form von *Gorgonin*, einem Tyrosin enthaltenden Eiweißstoff, gebunden ist. Von bes. Interesse sind einige hochkomplizierte Na-turstoffe wie *Prostaglandine, die von der K. *Plexaura homomalla* in bis zu 3% des Gesamtgew. produziert werden, u. *Sesqui- u. *Diterpene. Für Schmuck-zwecke werden weiße u. bes. rote K. (*Blut-K.*) seit al-ters her geschätzt. Die Färbung beruht auf dem Gehalt von Eisenoxiden (bis zu 4,5%). – *E* corals – *F* coraux – *I* coralli – *S* corales

Lit.: Tardent, Meeresbiologie, 2. Aufl., Stuttgart: Thieme 1993.

Korallenbäumchen. Zierpflanzen aus der Familie der Solanaceen (*Solanum pseudocapsicum* u. *S. capsi-castrum*) mit giftigen, im reifen Zustand roten Beeren, die auf Kinder attraktiv wirken. Hauptwirkstoff ist das Alkaloid *Solanocapsin* (s. Solanum-Alkaloide); gesi-cherte Angaben zu dessen Gehalt in Pflanzenteilen ver-schiedenen Reifegrades fehlen; es sind in letzter Zeit allerdings ernsthaften Intoxikationen vorge-kommen. – *E* Jerusalem cherry – *I* albero corallo – *S* palo mimosáceo, condorí

Lit.: Frohne u. Pfänder, Giftpflanzen, S. 378 f., Stuttgart: Wiss. Verlagsges. 1997.

Korallenerz s. Zinnober.

Korantin®. *Korrosionsschutzmittel u. -inhibitoren für Metalle gegen den Angriff von wäss. Lsg., u. zwar sowohl für den sauren Bereich (Beizlsg. zur Entfer-nung von Metalloxid-Schichten) als auch für den neu-tralen u. alkal. Bereich. *B.:* BASF.

Korbblütler s. Asteraceen.

Koriander (Wanzendill). Kugelige, 2–5 mm große Früchte des im Mittelmeergebiet heim., seit dem Al-tertum auch in Mitteleuropa u. auf dem Balkan kulti-vierten ca. 50 cm hohen Doldenblütlers *Coriandrum sativum* L. (Apiaceae); die Handelsware stammt vor-wiegend aus Marokko u. Rußland. K. enthält 0,5 bis 1% ether. Öl (*Korianderöl) mit den Hauptkompo-nenten (+)-*Linalool, Äpfelsäure, Tannin, Flavonoide sowie *trans*-2-Tridecenal, das dem frischen K. seinen charakterist. wanzenartigen Geruch verleiht (griech.: koris = Bettwanze). Beim Trocknen verliert sich dieser Geruch u. weicht einem angenehm würzigen Aroma.

Verw.: Als Gewürz für Back- u. Wurstwaren, im *Curry, zum Aromatisieren von Likören (z. B. Danziger Goldwasser, Karthäuser) u. Pflaumenmus, äußerlich gegen Rheuma u. Gelenkleiden, innerlich als *Carminativum u. *Stomachikum. – *E* coriander – *F* coriandre – *I* coriandro – *S* cilantro
Lit.: Bundesanzeiger 173/18.09.1986 ▪ Hager (5.) **4**, 996–1001 ▪ Nachr. Chem. Tech. Lab. **26**, 206–209 (1978) ▪ Melchior u. Kastner, Gewürze, S. 91–95, Berlin: Parey 1974 ▪ Ullmann (5.) **A 11**, 255 ▪ Wichtl (3.), S. 165 f. – *[HS 0909 20]*

Korianderöl. Farbloses bis gelbliches, blumig, würzig riechendes Öl aus den Früchten des *Korianders. K. (D. 0,862–0,878) enthält 60–80% *Linalool, je ca. 5% α-*Pinen, γ-*Terpinen u. *Campher neben Geraniol, Borneol, Decanal u. a. gesätt. u. ungesätt. Aldehyden; das Krautöl enthält 70–90% Aldehyde. Verw. wie Koriander sowie bei der Parfümherst. (Herrennoten). – *E* coriander oil – *F* essence de coriandre – *I* essenca di coriandolo – *S* esencia de cilantro
Lit.: Perfum. Flavor. **16** (1), 49, (6), 52 (1991); **19** (1), 42 (1994) ▪ Roth u. Kormann, Duftpflanzen-Pflanzendüfte, S. 231 f., Landsberg: ecomed 1997. – *[HS 3301 29; CAS 8008-52-4]*

Korinthen s. Rosinen.

Kork. Von latein.: cortex = Baumrinde abgeleiteter Name für das mehrschichtige Abschlußgewebe der älteren Stengel, Äste, Stämme u. Wurzeln – ggf. auch Speicherknollen (Kartoffel), Früchte u. Knospenschuppen – fast aller grünen Pflanzen. Es liegt unter der Epidermis u. übernimmt die Funktion eines Verdunstungsschutzes. Der allbekannte K. (Flaschen-K.) ist ausschließlich das Produkte der K.-Eiche (*Quercus suber*), die eine K.-Schicht von ungewöhnlicher Mächtigkeit ausbildet. Bei etwa 25jährigen K.-Eichen wird erstmals die zwischen 2,5 u. 20 cm dicke K.-Kruste mitsamt dem K.-Kambium entfernt. Ein neu gebildetes, aktiveres K.-Kambium erlaubt es, nun alle 8–10 Jahre K.-Krusten zu ernten (bis zu einem Baumalter von etwa 140 Jahren) u. kommerziell zu verwenden. Die Korkeiche wächst v. a. in Portugal, das den größten Teil der Weltproduktion liefert, ferner in Spanien, Frankreich, Italien, Algerien, Marokko u. Tunesien. Mikroskop. besteht K. ausschließlich aus abgestorbenen, von Gerbstoff-Derivaten bräunlich gefärbten *Zellen, die hohl, d. h. luftgefüllt sind; dadurch erklärt sich die gute Eignung zur Temp.- u. Schallisolierung sowie die geringe Dichte (D. 0,12–0,25). K. besteht zu 30–56% aus Säuren (insbes. Hydroxyfettsäuren u. -benzoesäuren), zu 5–15% aus Wachsen, zu 2–5% aus *Cellulose u. zu 13–18% aus *Lignin; ferner finden sich geringe Mengen *Gerbstoffe, Fette, Mineralölsubstanzen etc. Die Polyhydroxycarbon- u. -dicarbonsäuren – typ. Vertreter sind *Phloion(ol)säuren* (C_{18}) u. *Phello(ge)nsäuren* (C_{22}) – sind im K. Ester- u. Lacton-artig miteinander verbunden: Man nennt den so entstandenen hochmol. Stoff *Suberin*. Für Gase u. Flüssigkeiten sind die K.-Zellwände infolge des eingelagerten Suberins nur wenig durchlässig. K. ist etwa bis 100 °C beständig, nicht hygroskop., undurchlässig für Meer- u. Süßwasser, Salzlsg., Öle, verd. Säuren; er wird angegriffen von konz. Mineralsäuren, Cl_2, Br_2, I_2,

H_2O_2. Bei der trockenen Dest. des K. entsteht ein neutral reagierender Teer, aus dem man Benzol, Toluol, Phenol, Naphthalin, Anthracen u. dgl. isolieren kann. Guter K. ist hellbraun, dicht u. elast.; die billigeren Sorten sind löcherig, mehlig u. härter. Zur Aufbereitung werden die geernteten K.-Partien lediglich ca. 30 min mit kochendem Wasser ausgelaugt, von der härteren Außenschicht befreit u. wieder getrocknet. Ähnlich kann man auch nach längerem Gebrauch hart gewordenen K. wieder geschmeidig machen, indem man ihn mit Wasser feucht hält u./od. eine zeitlang walkt, z. B. mit einer (früher in Laboratorien gebräuchlichen) K.-Zangenpresse.

Verw.: Als bereits den Römern u. Griechen wohlbekannter, universeller Verschluß für Flaschen, Rohre usw. weicht K. aus prakt. Gründen immer mehr dem Gummi, Glas u. Kunststoff. Die Hauptverw. von Natur-K. liegt in der Herst. von Flaschenkorken (bes. für Weinflaschen), K.-Platten, Schwimmgürteln, Schuhsohlen, K.-Schrot od. K.-Mehl für Schüttungen, Wärmeisolierungen od. zusammen mit Bindemitteln für Linoleum, Badefußmatten, Sohlen, K.-Steinplatten, Teppiche usw. Der *K.-Geschmack* von Wein ist eine Folge der Chlor-Bleichung von K.: Hierbei entsteht das muffig riechende, äußerst geruchsintensive 2,4,6-Trichloranisol. – *E* cork – *F* liège – *I* sughero – *S* corcho
Lit.: Franke, Nutzpflanzenkunde, 5. Aufl., Stuttgart: Thieme 1992 ▪ Nultsch, Allgemeine Botanik, Stuttgart: Thieme 1996. – *[HS 4501 10, 4502 00]*

Korkbohrer. Messingrohr mit scharfem, schneidendem Rand am unteren u. einem Griff am oberen Ende; nach Befeuchten des unteren Endes mit Wasser od. Glycerin kann man unter drehenden Bewegungen einen Bohrkern aus einem Korken od. Gummistopfen herausschneiden. – *E* cork borer – *F* perce-bouchons – *I* trapano di sughero – *S* taladracorchos
Lit.: ACHEMA-Jahrb. **1991**, 1908.

Korksäure (Octandisäure, Suberinsäure). HOOC–$(CH_2)_6$–COOH, $C_8H_{14}O_4$, M_R 174,20, farblose Krist., Schmp. 144 °C, Sdp. 230 °C (2 kPa), wenig lösl. in Wasser, Alkohol u. Ether. K. wird durch Einwirkung von Salpetersäure auf Kork od. Ricinusöl sowie synthet. gewonnen[1]. K. ist auch im *Krötengift enthalten. K. u. ihre Derivate, bes. Ester, Amide, Anilide, Anhydrid u. a. werden in der Kunststoff-Ind. als Weichmacher u. Schmiermittel sowie für organ. Synth. verwendet. – *E* suberic acid – *F* acide suberique – *I* acido suberico – *S* ácido subérico
Lit.: [1] Beilstein E IV **2**, 2028 f.; J. Chem. Soc., Perkin Trans. 1 **1984**, 1061; Ullmann (5.) **A 8**, 531. – *[HS 2917 19; CAS 505-48-6]*

Korn. Begriff mit mehreren Bedeutungen. 1. Allg. Bez. für *Getreide. – 2. Von 1. abgeleitete, volkstümliche Bez. für *Kornbranntwein*, s. Spirituosen – 3. Bez. für die durch Größe u. Verteilung der lichtempfindlichen Silber-Salze bedingte *Körnigkeit* photograph. Schichten, s. Photographie. – 4. Bez. für die partikulären Bestandteile von *Pulvern, *Stäuben, *Granulaten u. a. – oft pauschal *Körnungen* genannten – körnigen Gemengen u. *Schüttgütern, s. a. Korngröße. – 5. Physikal. versteht man unter K. einen durch sog. *Korngrenzen* abgesteckten Substanzbereich im *Gefüge der sog. polykrist. Stoffe, z. B. der metall. Werkstoffe, mit den geometr. u. physikal. Eigenschaften von *Einkristallen, vgl. Kristallisation. Der sog. *Kornzerfall* stellt eine bes. Form metall. (*interkrist.*) *Korrosion* dar. – 6. s. Feingehalt. – *E* 1. corn, 2. corn-brandy, 3. – 5. grain – *F* 1. grains, 2. eau-de-vie de grain, 3. – 5. grain, granulation – *I* 1. grano, cereali, 2. acquavite di grano, 3. – 5. grano – *S* 1. grano, cereales, 2. aguardiente de grano, 3. – 5. grano

Kornberg, Arthur (geb. 1918), Prof. für Biochemie, Stanford Univ., California. *Arbeitsgebiete:* Molekularbiologie, Phagen-DNA, Biosynth. von Desoxyribonucleinsäure, Enzyme, Polymerase etc. K. erhielt zusammen mit *Ochoa 1959 den Nobelpreis für Physiologie od. Medizin.
Lit.: Lexikon der Naturwissenschaftler, S. 250 ▪ Who's Who in America (16.), S. 2373.

Kornblum-Regel. Mit der K.-R. können Vorhersagen gemacht werden, wie ein ambidentes Nucleophil unter den Bedingungen der nucleophilen Substitution nach S_N1 od. S_N2 reagiert. Die aus dem *HSAB-Prinzip abgeleitete Regel besagt, daß, wenn sich der Charakter einer Reaktion von S_N1 nach S_N2 ändert, das weniger *elektronegative* Element in einem ambidenten Nucleophil reaktionsbestimmend wird (s. Abb.).

Abb.: Unterschiedliche Produkte bei S_N1- u. S_N2-Reaktionen.

– *E* Kornblum's rule – *F* règle de Kornblum – *I* regola di Kornblum – *S* regla de Kornblum
Lit.: J. Am. Chem. Soc. **77**, 6269 (1955) ▪ March (4.), S. 367 ▪ s. a. HSAB-Prinzip.

Kornbranntwein s. Spirituosen.

Kornerupin. Komplexes Silicat-Mineral, (□,Fe,Mg)(Mg,Al,Fe)$_9$(B,Si,Al)(O,OH,F)$_{22}$ (□ = teilw. unbesetzter Gitterplatz). Komplizierte Struktur[1-4]; für Minerale mit B<0,5 pro Formeleinheit von 22 (O,OH,F) soll nach *Lit.*[1] u. Grew u. Anowitz (*Lit.*; dort auch obige Formel) der Name *Kornerupin* u. für B>0,5 pro Formeleinheit der früher für K. von Waldheim/Sachsen benutzte Name *Prismatin* verwendet werden. Chem. Analysen, auch auf Li, Be, B u. F, s. *Lit.*[5]; es wurden auch Bor-freie K. gefunden[4], (□,Fe,Mg) ist im allg. nur z.T. besetzt. K. u. Prismatin bilden dünnstengelige u. strahlige Einzelkrist. od. Aggregate. Farbe weiß, gelb, in verschiedenen Tönungen grün, braun, schwarz; glasartig glänzend; H. 6 – 7, D. 3,29 – 3,35.
Vork.: Meist in *Gneisen u. *Granuliten, z.B. Fiskenaesset/Grönland, Bjordammen/Norwegen, Waldheim/Sachsen, Mautia Hill/Tansania. Grüne K. von Edelsteinqualität in Kenia u. Madagaskar; in Edelstein-Seifen in Sri Lanka. – *E = F* kornerupine – *I* cornerupina – *S* kornerupina
Lit.: [1] Mineral. Mag. **60**, 483 – 491 (1996). [2] Neues Jahrb. Mineral. Abhandl. **134**, 317 – 336 (1979). [3] Am. Mineral. **74**,

642 – 655 (1989). [4] Am. Mineral. **76**, 1824 – 1835 (1991). [5] J. Petrol. **31**, 1025 – 1070 (1990).
allg.: Anthony et al., Handbook of Mineralogy, Vol. II, Tl. 1, S. 428, Tucson (Arizona): Mineral Data Publishing 1995 ▪ Grew u. Anovitz (Hrsg.), Boron (Reviews in Mineralogy, Vol. 33), S. 143 – 147, 184, 436 – 448, Washington (D. C.): Mineralogical Society of America 1996 ▪ Lapis **20**, Nr. 9, 8 – 11 (1995) („Steckbrief"). – *[CAS 12417-33-3]*

Korngrenze. Grenzbereich zwischen verschieden orientierten *Kristalliten* in einem polykrist. Festkörper. Sind zwei benachbarte Kristallindividuen nur um einen geringen Winkelbereich gegeneinander verdreht (bis max. ca. 4°), spricht man von einer *Kleinwinkel-K.* (Subkorngrenze). – *E* grain boundary – *F* limite de grain – *I* bordo del grano – *S* límite intergranular
Lit.: Kleber, Einführung in die Kristallographie, S. 194, Berlin: Verl. Technik.

Korngröße. Bez. für die *Teilchengröße* in partikulären Substanzen wie Pulvern, Stäuben, Granulaten, körnigen Gemengen u. Schüttgütern (Mineralien, Baustoffe), Dispersionen (Pigmente, Blut, Milch), Aerosolen (Abgase, Tabakrauch) usw., deren Eigenschaften oft in erheblichem Ausmaß mit Kornmenge, -form, -größe u. -größenverteilung zusammenhängen. Außerdem benötigt man Angaben über die K. zur Berechnung des Schüttgew. (s. Schüttdichte) körniger Güter u. zur Feststellung des Wirkungsgrades von Geräten zum *Zerkleinern od. zum *Kompaktieren u. Agglomerieren od. zur *Filtration u. bei der *Chromatographie, insbes. der *Gelchromatographie. Zur Ermittlung der K. u. K.-Verteilung existieren eine Reihe von Meßmeth., s. die Einzelstichwörter. Bei regelmäßigen Kornformen bereitet die Definition der K. keine Schwierigkeit; bei annähernd kugelförmigen *Teilchen kann man deren Durchmesser (evtl. auch den Radius) als charakterist. Größe verwenden. Bei unregelmäßig geformten Körpern geht man von deren Vol. aus u. gibt den Durchmesser (od. Radius) der Vol.-gleichen Kugel an.
In vielen Fällen genügt zur K.-Bestimmung die *Siebanalyse.* In einer Siebmaschine ist ein Satz von *Sieben verschiedener Maschenweiten übereinander angeordnet. Bei der Siebanalyse wird die K. durch die Maschenweite desjenigen Siebes bestimmt, welches das Korn (Siebdurchlauf, *Unterkorn*) gerade noch passieren läßt. Daraus ergibt sich eine Einteilung in bestimmte *Kornklassen* od. *Körnungsstufen* (*Klassieren), während die in den einzelnen Kornklassen anfallenden Siebrückstände (*Oberkorn*) u. der Bodentellerinhalt die *K.-Verteilung* bezeichnen (zahlenmäßige Angabe des Anteils der verschiedenen im Untersuchungsgut vorhandenen K. in %). Die Siebe tragen Nummern (nach EuAB z. B. 8000 – 125) u./od. werden nach lichter *Maschenweite* in mm od. nach Anzahl der Öffnungen in der Flächeneinheit (*Mesh*) charakterisiert; eine Gegenüberstellung beider Meth. findet man bei Mesh.
Daneben gibt es fachspezif. Bez. (z. B. Grus, Feinkies, Sand, Schluff etc.).
Weitere, von Fall zu Fall bevorzugte Meth. der K.-Bestimmung (*Granulometrie*) basieren auf der Messung der *Sedimentations-Geschw. von Teilchen in Luft (*Windsichten), Wasser, viskosen Flüssigkeiten od.

der Untersuchung mit Zentrifugen u. Ultrazentrifugen, auf der Bestimmung der spezif. Oberflächen, z. B. nach der *BET-Methode, u./od. der *Teilchenzahl*, z. B. nach dem *Coulter-Verfahren. Daneben gibt es Bestimmungsmeth., die auf der Kombination der erwähnten Prinzipien beruhen bzw. die Rasterelektronenmikroskopie od. Lichtstreuung benutzen.
Es sei darauf hingewiesen, daß bei polykrist. Stoffen, z. B. *Metallen, der Begriff „K." eine andere Bedeutung hat. – *E* granular size, grain size, particle size – *F* grosseur de grain, granulométrie – *I* grandezza dei granelli – *S* tamaño de granulación, tamaño del grano, tamaño de partícula
Lit.: Kirk-Othmer (3.) **21**, 106 – 131 ▪ Ullmann (4.) **2**, 24 – 34; (5.) **B 2**, 2 – 1 bis 2 – 33 ▪ Winnacker-Küchler (4.) **1**, 46 – 53.

Kornlutter s. Lutter.

Kornzerfall s. Korrosion.

Korodin®. Tropfen mit Campher u. Weißdorn-Extrakt gegen Herz- u. Kreislaufstörungen. *B.:* Robugen.

Koronanden, Koronate s. Kronenether.

Koronartherapeutika. Arzneimittel zur Prophylaxe u. Behandlung der koronaren Herzkrankheit (Angina pectoris bis Herzinfarkt). Eine medikamentöse Dilatation der Herzarteriolen hat sich als therapeut. nicht wirksam erwiesen. Ziele der Therapie sind: eine Senkung des myokardialen Sauerstoff-Verbrauchs u./od. eine Erhöhung des Sauerstoff-Angebots u./od. die Beseitigung von Koronarspasmen. Diese Ziele werden teilw. mit den folgenden Wirkstoffgruppen erreicht: *Nitraten wie *Isosorbid-dinitrat (erweitern Venen u. Arterien), Beta-Rezeptoren-Blocker (s. Adrenozeptoren), *Calcium-Antagonisten, Carbochromen (umstritten) u. *Dipyridamol (hemmt den *Adenosin-Transport). – *E* coronary therapeutics – *F* médicaments coronariens – *I* farmaci terapeutici coronari – *S* terapéuticos coronarios
Lit.: Mutschler (7.), S. 466 – 477.

Korpuskularstrahlung s. Strahlung u. kosmische Strahlung.

Korrekturlacke. Um Tipp-, Schreib- od. Zeichenfehler zu überdecken, benutzt man oft weiße K., die aus Aufschlämmungen von Weißpigmenten (Kreide, Titanweiß) u. Bindemitteln in 1,1,1-Trichlorethan od. wäss.-alkohol. Dispergiermitteln bestehen. Nach dem Auftrocknen können die K. überschrieben werden. – *E* corrective fluids – *F* correcteur liquide – *I* correttori liquidi – *S* líquidos correctores

Korrelationsenergie. Begriff aus der *Quantenchemie. Hierunter versteht man die Differenz zwischen der Energie, die durch exakte Lösung der (nichtrelativist.) *Schrödingergleichung erhalten wird, u. der Hartree-Fock-Energie (s. Hartree-Fock-Verfahren) für dasselbe Syst., d. h. ein Atom od. Mol. mit 2 od. mehr *Elektronen. Die K. läßt sich im allg. nur abschätzen, da die Schrödingergleichung für Mehrelektronensyst. nicht exakt lösbar ist. – *E* correlation energy – *F* énergie de corrélation – *I* energia di correlazione – *S* energía de correlación

Korrespondenzprinzip. In der Physik von N. Bohr eingeführtes Prinzip, wonach für den Grenzfall h → 0

(h = Plancksches Wirkungsquantum) die quantenmechan. Beschreibung eines Syst. in die klass. Beschreibung übergeht; s. a. kritische Größen. – *E* correspondence principle – *F* principe de correspondance – *I* principio di corrispondenza – *S* principio de correspondencia

Korrosion. Von latein.: corrodere = zernagen abgeleitete Bez. „für die Reaktion eines metall. Werkstoffs mit seiner Umgebung, die eine meßbare Veränderung des Werkstoffs bewirkt u. zu einer Beeinträchtigung der Funktion eines metall. Bauteils od. eines ganzen Syst. führen kann" (s. DIN 50900 Tl. 1, 04/1982, Tl. 2, 01/1984 u. Tl. 3, 09/1985). Man kann K. auch definieren als die von der Oberfläche ausgehende, durch unbeabsichtigten chem. od. elektrochem. Angriff hervorgerufene, nachteilige u. qualitätsmindernde Veränderung eines Werkstoffs. Synonyma bzw. verwandte Begriffe sind: *Abbau (nur von organ. Werkstoffen), Abtragung (nur in Verbindung mit einer Maßangabe, z. B. g/m² · d od. mm/a) u. Angriff (meist im Sinne: Angriff durch ein Medium, im Gegensatz zu K. eines Werkstoffs). Die K. ist demnach zu unterscheiden von rein mechan. Zerstörung durch *Erosion, *Kavitation u. Verschleiß, obwohl Übergänge (s. unten) od. (fremdsprachlich) Gleichsetzungen möglich sind. *Korrodieren* bedeutet „K. verursachen", *korrodiert werden* bedeutet „K. erleiden" u. *korrosiv* nennt man die Eigenschaft von festen, flüssigen od. gasf. Stoffen, in ihrer Umgebung K. zu verursachen – im Engl. benutzt man den Begriff sogar für die hautätzende Wirkung. Im allg. wurde der Begriff „K." ursprünglich nur auf Metalle angewendet. Heute umfaßt er grundsätzlich alle Werkstoffe, Baustoffe u. Kunststoffe. Man spricht also auch von einer K. des Betons, des Holzes usw.; dabei meint man häufig nicht nur Angriffe chem. od. elektrochem. Natur, sondern auch solche physikal. od. biolog. Faktoren. Die Schäden an Bauwerken können z. B. sowohl durch physikal. (Wärme, Temp.-Wechsel, Frost, Regen, Erdstaub, Wind usw.) od. chem. (Elektrolyt-Lsg., organ. Stoffe, Rauchgase usw.) als auch durch biolog. Einfluß (Mikroorganismen, Pilze, Algen, Flechten u. Moose, Insekten, höhere Pflanzen usw.) hervorgerufen werden. Die chem. K. wirkt sich dabei in Form von Auslaugen, Auskrist. u. Basenaustausch aus. Bei Kunststoffen bewirkt K. Schädigungen in Form von Quellung, Erweichung, Versprödung, Verfärbung, Spannungsrißbildung usw. Sie sind häufig von einer Gew.-Zunahme begleitet. Erstaunlich sind die „K."- od. Abbauleistungen – meist spricht man von *Zersetzung – biolog. Agenzien: Flechten u. Moose zerstören steinerne Bauwerke, Schimmelpilze greifen Anstrichstoffe an etc. Mit der biolog. K. beschäftigen sich z. B. Chantereau, Gilbert, Rose u. Williams, s. a. Organismen (*Lit.*).
Die folgenden Ausführungen beschränken sich auf die K. der metall. Werkstoffe. Deren K. hat ihre Ursache in der Neigung, bei Berührung mit Elektrolyten in den thermodynam. begünstigten Ionenzustand u. bei Berührung mit Nichtelektrolyten unter Bildung von Verb. in thermodynam. stabilere, energieärmere Zustände überzugehen. Trotz thermodynam. Instabilität sind viele Metalle u. Leg. unter Gebrauchsbedingun-

gen relativ beständig, da die K.-Reaktion kinet. gehemmt ist. Unter bestimmten Voraussetzungen hat der K.-Prozeß erhebliche Geschw. u. macht einen K.-Schutz erforderlich. Das angreifende Mittel, das chem. od. elektrochem. wirkt, wird als *korrosives Mittel* od. *Angriffsmittel* bezeichnet; als solche wirken Elektrolyt-Lsg., Schmelzen od. Gase (z. B. aggressive Dämpfe usw.). Nach dem Angriffsmedium könnte man unterscheiden: *Gas-K.*, d. h. K. in Gasen, insbes. atmosphär. K. (Landluft, Stadtluft, Seeluft, Ind.-Luft); *Erdboden-K.*, d. h. die K. von Rohrleitungen, Behältern u. dgl. im Erdboden (Underground Corrosion, *Lit.*) u. die K. *in wäss. Elektrolyten* (Säure-, Laugen-, Salz-, Seewasser-, Flußwasser-K.). Nach der Art des Kontakts zwischen K.-gefährdetem Teil u. K.-Medium sind begrifflich ggf. auseinanderzuhalten: K. durch (vollständiges, teilw., intermittierendes) Eintauchen, Schwitzwasser-K., Tropf-K. in strömenden Flüssigkeiten. Eine vielgestaltige Rolle bei der K. der Metalle spielt deren *Gefüge*, insbes. die bei der *Kristallisation entstehenden, „Korn" genannten Bezirke.

Die Auswirkungen der K. sind sehr mannigfaltig, zumal die Werkstoffe, Angriffsmittel u. Reaktionsbedingungen sehr unterschiedlich sein können. DIN 50900 Tl. 1 führt die folgenden Korrosionsarten u. -formen auf: *Gleichmäßige Flächen-K.* mit nahezu gleichförmigem Abtrag auf der gesamten Oberfläche; *Mulden-K.* mit örtlich ungleichmäßigem Abtrag; *Loch-K.*, die nur an kleinen Oberflächenbereichen abläuft u. *Lochfraß* erzeugt, d. h. kraterförmige, die Oberfläche unterhöhlende od. nadelstichartige Vertiefungen; *Spalt-K.* als örtlich verstärkte K. in Spalten; *Kontakt-; *Berührungs-Korrosion; *K. durch unterschiedliche Belüftung* als örtliche K., bei der die weniger belüfteten Bereiche mit erhöhter Geschw. abgetragen werden. Unter *selektiver K.* faßt man K.-Arten zusammen, bei denen „bestimmte Gefügebestandteile, korngrenzennahe Bereiche od. Leg.-Bestandteile bevorzugt gelöst werden". Hier unterscheidet man *interkrist. K.*, bei der korngrenzennahe Bereiche angegriffen werden (ältere, irreführende Bez.: „Kornzerfall"), *transkrist. K.* die annähernd parallel zur Verformungsrichtung durch das Innere der Körner verläuft u. *Spongiose*, die bei mangelhafter Schutzschichtbildung des Gußeisens unter Auflsg. des Ferrits u. Perlits auftreten kann, sowie *Entzinkung* (bei Messing), *Entnickelung* u. *Entaluminierung*. Daneben definiert die Norm noch die sog. *Hochtemp.-K.* in Gasen od. *Verzunderung* (s. Zunder), die *Kondens-* od. *Schwitzwasser-K.* bzw. die *Taupunkt-K.* durch Wasser bzw. durch Säuren, die sich infolge Taupunktsunterschreitungen auf Metalloberflächen niederschlagen, die *Stillstand-K.* während des betrieblichen Stillstands von Anlagen u. die *mikrobiolog. K.*, die unter Einwirkung von Mikroorganismen abläuft. Auch das *Anlaufen* wird hier als K.-Art aufgefaßt. Eine Verstärkung, d. h. Beschleunigung der K. tritt in der Regel immer dann ein, wenn zusammen mit dem Angriff des korrosiven Mittels noch mechan. Beanspruchungen auf den Werkstoff einwirken. Zusätzliche Zugspannungen führen dann zur *Spannungsriß-K.*, mechan. Wechselbeanspruchungen zur *Schwingungsriß-K.* od. *Korrosionermüdung*, u. analog formuliert man *Erosions-, Kavitations- u. Reib-Korrosion*. Bes.

hohe Anfälligkeit für Spannungsriß-K. u. interkrist. K. zeigen gealterte Stähle (s. Alterung).

Die K. verläuft in der Regel als ortsgebundener, topochem. Vorgang (*Topochemie) in Form einer heterogenen Reaktion an der Phasengrenze zwischen dem festen Werkstoff u. dem flüssigen od. gasf. aggressiven Mittel. Bei der K. der Metalle spielt zwar auch die rein chem. K. durch die Einwirkung von Gasen, organ. Stoffen usw. eine große Rolle, doch ist hier die K. meist elektrochem. verursacht, prim. bedingt durch die Stellung des betreffenden Metalls in der *Spannungsreihe. Diese elektrochem. K. ist gekennzeichnet durch die Abhängigkeit der K.-Vorgänge vom Elektrodenpotential. Dabei finden zwei örtlich getrennte Reaktionen statt, nämlich anod. Auflsg. des unedleren Metalls u. kathod. Elektronenaufnahme durch das korrosive Mittel, wobei ggf. H_2 frei wird bzw. Oxid.-Mittel verbraucht werden. Zwischen den Stellen des Ladungsaustauschs von Metall u. korrosivem Mittel fließen dann Ströme, deren Transport im Metall Elektronen, im angreifenden Mittel Ionen besorgen. Kombinationen aus kathod. u. anod. Reaktionen im gleichen Elektrolyten werden als *K.-Elemente* bezeichnet. Letztere sind nach DIN 50900 Tl. 2 (01/1982) „*galvanische Elemente mit örtlich verschiedenen Teilstromdichten für den Metallabtrag". Anode u. Kathode eines K.-Elements können gebildet werden (a) werkstoffseitig aus unterschiedlichen Metallen od. durch Werkstoffinhomogenitäten (*Kontaktelemente*, insbes. das Lokalelement, vgl. die Abb. dort), (b) elektrolytseitig durch örtliche Unterschiede in der Konz. der angreifenden Lsg. (*Konzentrationselement*), insbes. des gelösten Sauerstoffs (in dem sog. Belüftungs- od. *Evanselement* werden die stärker belüfteten Stellen kathod.), (c) durch unterschiedliche Bedingungen, die sowohl werkstoff- als auch elektrolytseitig wirksam sind (z. B. Temp., Strahlung). Zu weiteren Gesichtspunkten s. Kontaktkorrosion u. Berührungskorrosion.

Ein wesentliches Aufgabengebiet innerhalb der K.-Forschung ist die *K.-Prüfung*, die sich mit der Untersuchung des Verhaltens normaler u. K.-geschützter Werkstoffe gegen aggressive Medien beschäftigt. Dabei müssen häufig die tatsächlichen Verhältnisse aus prakt. Gründen im Laboratorium simuliert werden, wozu spezielle Klimakammern, Bewitterungs- u. Sprühräume etc. entwickelt worden sind. Derartige Vorrichtungen dienen auch der Prüfung neuer K.-*Inhibitoren u. *Korrosionsschutzmittel. Die Analytik bedient sich vorwiegend der *physikalischen Analyse zur *Werkstoffprüfung, z. B. mit Ultraschall, durch Radiographie, durch Messung des elektr. Widerstands[1], mit Elektronenmikroskopie u. den spektroskop. Verf. der *Oberflächenchemie wie AES, ESCA, ESMA, ISMA, ISS, LEED u. a. Meth. der *Elektronenspektroskopie (*Lit.[2]) u. selbst der Raman-Spektroskopie[3].

Die Notwendigkeit zur K.-Forschung u. erst recht die des *Korrosionsschutzes wird deutlich, wenn man sich die Höhe der jährlich durch K. verursachten Sachschäden vergegenwärtigt. Bei Berücksichtigung auch der Folgeschäden etwa durch Betriebsunterbrechungen zeigt sich, daß die K.-Kosten jährlich mehrere Prozent des Bruttosozialprodukts ausmachen: In Österreich u. der BRD 2,5%, in Großbritannien 3,5% u. in

den USA 4%. Die in der Bearbeitung von K.-Problemen tätigen Vereinigungen u. Ges. haben sich in der BRD zur „Arbeitsgemeinschaft Korrosion" u. internat. in der Europäischen Föderation Korrosion zusammengeschlossen, s. *Lit.*[4]. Für K.-Prüfgeräte u. K.-Schutz s. *Lit.*[5] u. für K.-Inhibitoren u. K.-Schutzmittel s. *Lit.*[6]. – *E = F* corrosion – *I* corrosione – *S* corrosión
Lit.: [1] Chem. Anlagen Verfahren **1981**, Nr. 1, 84–88. [2] Analyt.-Taschenb. **1**, 269–313. [3] Int. Lab. **12**, Nr. 6, 12–23 (1982). [4] ACHEMA-Jahrb. **1994**, Bd. 1, A 29. [5] ACHEMA-Jahrb. **1994**, 1911. [6] ACHEMA-Jahrb. **1994**, 1912.
allg.: Behrens (Hrsg.), Corrosion Handbook, Bd. 1–3, Weinheim: VCH Verlagsges. 1987–1989 ■ Evans, An Introduction to Metallic Corrosion, London: Arnold 1981 ■ Gellings, Korrosion u. Korrosionsschutz von Metallen, München: Hanser 1981 ■ Gross, Korrosion u. Korrosionsschutz, Berlin: Technik 1982 ■ Metallic Corrosion (3 Bd.), Frankfurt: DECHEMA 1981 ■ Müller, Lehrbuch der Metallkorrosion (4. Aufl.), Saulgau: Leuze 1987 ■ Schumacher, Corrosion and Corrosion Protection Handbook, New York: Dekker 1983 ■ Wranglen, Korrosion u. Korrosionsschutz, Berlin: Springer 1985. – weitere *Lit.* s. in Führer durch die technische Literatur, Hannover: Weidemann (jährlich) u. Scientific and Technical Books and Serials in Print, New York: Bowker (jährlich). – *Organisationen, Inst.* u. *Dokumentation:* Arbeitsgemeinschaft Korrosion, Geschäftsstelle bei der DECHEMA, 60061 Frankfurt ■ Europäische Föderation Korrosion, 60061 Frankfurt ■ Inst. für Korrosionsschutz, 01217 Dresden.

Korrosionselemente s. Lokalelemente.

Korrosionsinhibitoren s. Inhibitoren u. Korrosionsschutzmittel.

Korrosionsschutz. Nach DIN 50 900 Tl. 1 (04/1982) Bez. für alle Maßnahmen mit dem Ziel, *Korrosions*-Schäden zu vermeiden. Dies wird beim sog. *passiven K.* dadurch erreicht, daß *Werkstoff u. korrosives (angreifendes) Mittel durch Überzüge, Schutzschichten, Folien u. dgl. mechan. voneinander getrennt werden – was natürlich prinzipiell weder an der Aggressivität des korrodierenden Mediums noch an der Korrodierbarkeit des Werkstoffs etwas ändert. *Korrosionsschutzmittel finden sich in vielfältiger u. dem zu schützenden Gegenstand angepaßter Ausführung im Handel. Beim sog. *aktiven K.* versucht man, in die chem. bzw. elektrochem. Reaktion selbst einzugreifen. Diese Maßnahmen können sich auf den Werkstoff (Entwicklung korrosionsbeständigerer Leg., zwecksprechende Wärmebehandlung usw.), auf das korrosive Mittel (Entfernung von bes. aggressiven Bestandteilen, Zusatz von *Inhibitoren usw.) u. auf die Korrosionsreaktion (Temp.-Erniedrigung, anod. bzw. kathod. Polarisation, Konstruktion usw.) erstrecken. Nicht selten überschneidet sich K. begrifflich mit *Konservierung.
Im passiven K. von Metallen – oft spricht man kurz von *Metallschutz* – zieht man eine Vielzahl von z.T. metallspezif. Verf. heran, um die Oberflächenschutzschichten aufzubringen. Hier ist zu denken an die Verf. wie *Alitieren, Eloxieren (s. Eloxal-Verfahren), *Sherardisieren, Inchromieren (*Inchrom-Verfahren), *MBV-Verfahren, *Phosphatieren, Emaillieren (s. Email), *Verbleien, *Verzinnen, *Verkupfern u. ä. Überzugsverfahren. Das Aufbringen der metall. K.-Schichten, dem Metallentfettung u. -reinigung vorausgehen müssen, bewerkstelligt man z. B. durch Plattieren, Metallspritzverf., Schmelztauchen, Galvano-

technik u. dgl.; zur Beschichtung insbes. mit K.-Pigmenten u. mit organ. K.-Mitteln s. das folgende Stichwort. Dem K. kann man auch das Einölen, Einfetten, Einwachsen sowie das Anlassen zurechnen. Insbes. für unterird. verlegte Rohrleitungen, Behälter u. dgl. empfiehlt sich der *kathodische Korrosionsschutz. Nicht selten begegnet man den Begriffen „K.-*Verf.*" für den passiven K. u. „K.-*Maßnahmen*" für den aktiven Korrosionsschutz. Auch auf dem Gebiet der K.-Terminologie ist die *DECHEMA koordinierend tätig, s. *Lit.* – *E* corrosion protection – *F* protection contre la corrosion – *I* protezione contro la corrosione – *S* protección contra la corrosión
Lit.: ACHEMA-Jahrb. **1994**, 1912 ■ s. a. Korrosion.

Korrosionsschutzmittel. Unter K. versteht man alle zum *passiven *Korrosionsschutz geeigneten Materialien, mit denen Gegenstände, Apparate, Anlagen, Bauteile etc. bedeckt werden können, um sie gegen den Angriff *korrodierender Medien* (s. Korrosion) zu schützen. Im folgenden sei weniger an die metall. Schutzschichten (s. vorstehendes Stichwort) als an nichtmetall. gedacht. Derartige feste K. lassen sich durch Kleben u. Wickeln (Bänder, Folien), Aufwalzen, Pressen u. dgl. od. durch Aufschmelzen (z. B. Schmelzmassen für Schutzhäute) u. Wirbelsintern aufbringen; pastöse K. durch Aufstreichen, flüssige bzw. gelöste K. durch Tauchen, Streichen, Spritzen, Sprühen, elektrophoret. u. a. elektrochem. Verfahren. Auf diese Weise bringt man auf die zu schützenden Oberflächen alle Arten von *Beschichtungen auf, u. zwar sowohl die *Grundanstriche* auf Bleimennige-, Zinkstaub-, Zinkchromat-, Eisenoxid-, Phosphat-, Molybdat-, Borat-Basis[1] als auch die *Deckanstriche* auf Öl-, Alkydharz-, Cumaronharz-, Chlorkautschuk-, Phenolformaldehyd-Harz, Vinylpolymerisat-, Nitrocellulose-, Bitumen- u. Pech-Basis, weiterhin *Reaktionsprimer* od. *Haftgrundmittel* auf Epoxidharz-, Polyurethan-, Polyester- u. Acrylharz-Basis sowie *Schutzhäute* (Folienlacke). Bei vielen Metallen werden oxid. Schutzschichten durch anod. Oxid. hervorgebracht bzw. verstärkt, Chromat- od. Phosphat-Schichten (z. B. auf Eisen) durch Fällung erzeugt u. Schutzüberzüge aus Fremdmetallen durch elektrolyt. Abscheidung od. stromlose Verf. aufgebracht. Viele Metallbehandlungsmittel werden zweckmäßigerweise mit K. kombiniert, z. B. Schleifmittel, Entfettungs-, Entrostungs-, Entlackungs-, Passivierungsmittel. *Sparbeizen enthalten keine K. im engeren Sinne, sondern *Korrosionsinhibitoren* (Destimulatoren, s. Inhibitoren), die die Aggressivität des Beiz-Mediums vermindern sollen. – *E* corrosion protection agents, anticorrosives – *F* produit anticorrosif – *I* anticorrosivi – *S* anticorrosivos
Lit.: [1] farbe + lack **88**, 183–188 (1982).
allg.: ACHEMA-Jahrb. **1994**, 1912 ■ s. a. Korrosion.

Korte, Friedhelm (geb. 1923), Prof. (emeritiert) für Techn. u. Ökolog. Chemie, Univ. München. Leiter des Inst. für Ökolog. Chemie der Ges. für Strahlen- u. Umweltforschung mbH München. Gastprofessor der Univ. Ljubljana, Jugoslawien u. des Albany Medical College, USA. Ehrenprof. des Inst. für Hydrobiologie der Akademie der Wissenschaften in Wuhan, V. R.

China. *Arbeitsgebiete:* Begründer der Ökolog. Chemie, Abfallbehandlungstechnologie, Umweltprobenbank, Chemikalienbeurteilung, Mechanismen des Photoabbaus.

Lit.: Kürschner (16.), S. 1917 ▪ Nachr. Chem. Tech. Lab. **39**, Nr. 4, 458 (1991); **43**, Nr. 7/8, 883 (1995) ▪ Wer ist wer (35.), S. 789.

Kortikoid-ratiopharm® (Rp). Salbe mit *Triamcinolon-16α,17α-acetonid zur lokalen Corticosteroid-Therapie; K. c. Neomycin mit zusätzlichem *Neomycinsulfat auch bei infektiösen Hauterkrankungen. *B.:* ratiopharm.

Kortüm, Gustav (1904–1990), Prof. für Physikal. Chemie, Univ. Tübingen. *Arbeitsgebiete:* Theorie der Elektrolyte, Gas- u. Lsg.-Spektren, Kolorimetrie, Reflexions- u. Spektralphotometrie, Thermodynamik von Mehrstoffsystemen.

Lit.: Chem. Ztg. **93**, 435 f. (1969) ▪ Kürschner (16.), S. 1918 ▪ Lexikon der Naturwissenschaftler, S. 250 ▪ Nachr. Chem. Tech. Lab. **12**, 246 (1964) ▪ Pötsch, S. 248.

Korund. α-Al_2O_3, Mineral, dessen gefärbte Abarten *Rubin u. *Saphir seit dem Altertum bekannt sind. K. krist. ditrigonal-skalenoëdr., Krist.-Klasse $\bar{3}m$-D_{3d}.

O = O
● = Al

a·√3

Abb.: Krist.-Struktur von Korund; nach Newnham u. de Haan (*Lit.*[1]) aus Schröcke u. Weiner (*Lit.*), S. 391.

Die Sauerstoff-Ionen bilden eine hexagonal dichteste Kugelpackung, in deren oktaedr. Lücken sich die Al^{3+}-Ionen befinden, s. die Abb.; zur Elektronendichte-Verteilung in K. s. *Lit.*[2]. Isotyp (*Isotypie) mit K. sind u. a. *Hämatit, *Ilmenit u. viele Verb. vom Typ ABO_3. Z. T. große prismat., spitz pyramidale, flach tafelige od. rhomboedr., oft tonnenförmig gewölbte u. horizontal stark geriefte Krist., eingewachsene u. lose Körner u. derbe, körnige Aggregate. Keine deutliche Spaltbarkeit, Bruch muschelig bis uneben, H. 9, D. 3,9–4,1, Glanz meist matt, bei Edelstein-Abarten Glasglanz. *Gemeiner K.* ist meist trüb farblos bis grau u. undurchsichtig, auch bläulich, bräunlich od. violett.

Die *Farbe* natürlicher K. wird sowohl durch Spuren von Fe, Ti, Cr u. V wie auch durch *Kristallbaufehler verursacht, s. *Lit.*[3]; zur Farbveränderung von K. durch Hitzebehandlung („Brennen") s. *Lit.*[4]. Der orangefarbene *Padparadscha verdankt seine Farbe Gehalten an Cr^{3+} u. Gitterbaufehlern. Manche K. zeigen *Asterismus (z. B. Sternrubin); bes. manche Rubine zeigen im ultravioletten Licht orange- bis tiefrote *Fluoreszenz. Rubin u. Saphir werden in großem Umfang nach dem *Verneuil-Verfahren synthet. hergestellt, desgleichen K. selbst in Form von *Elektro-* od. *Sinter-Korund.* Näheres zur Verw. von K. s. Aluminiumoxide.

Vork.: In Aluminium-reichen *magmatischen Gesteinen, z. B. *Syeniten u. deren *Pegmatiten (z. B. Ontario/Kanada), selten in Anorthositen (*Gabbros; z. B. im Ural/Rußland); in *metamorphen Gesteinen, z. B. in *Gneisen, *Marmoren u. *Dolomit-Marmoren. *Smirgel* sind metamorphe ehem. *Bauxite u. *Laterite; sie sind kleinkörnige Gemenge von K. mit *Magnetit, Hämatit, *Quarz u. *Margarit. Als sek. Mineral finden sich K., Rubin u. Saphir in *Seifen. Hauptförderländer für K. sind Simbabwe, Südafrika, Indien u. Rußland, für Smirgel die Türkei u. Griechenland (Insel Naxos). – *E* corundum – *F* corindon – *I* corindone – *S* corindón

Lit.: [1]Z. Kristallogr. **117**, 235 ff. (1962). [2]Acta Crystallogr., Sect. A **38**, 733–739 (1982); Sect. A **46**, 271–284 (1990). [3]Neues Jahrb. Mineral., Monatsh. **1981**, 59–68. [4]Aufschluß **33**, 213–226 (1982); Z. Dtsch. Gemmol. Ges. **37**, Nr. 1/2, 57–68 (1988).

allg.: Deer et al., S. 536 ff. ▪ Eppler, Praktische Gemmologie (5.), S. 72–123, Stuttgart: Rühle-Diebener 1994 ▪ Harben u. Bates, Industrial Minerals, Geology and World Occurence, S. 90 f., London: Industrial Minerals Division of Metal Bulletin Plc 1990 ▪ Matthes, Mineralogie (5.), S. 56 f., Berlin: Springer 1996 ▪ Schröcke-Weiner S. 390–393 ▪ s. a. Aluminiumoxide, Rubin u. Saphir. – *[HS 251320, 710310, 710391; CAS 1302-73-5]*

Kosine.

R[1] = CH_3, R[2] = H : α-Kosin
R[1] = H, R[2] = CH_3 : β-Kosin

Blütenfarbstoffe des als Koso bezeichneten afrikan. Baums *Hagenia abyssinica,* Rosaceae, die als Gemisch von α-K. ($C_{25}H_{32}O_8$, M_R 460,52, gelbe Nadeln, Schmp. 160 °C) u. β-K. (Schmp. 120 °C), lösl. in organ. Lsm., in der Pflanze vorkommen. K. sind die Zers.-Produkte des sog. Kosotoxins u. Protokosins. Die Toxine sind Muskelgifte für Niedere Tiere. Kosotoxin wirkt auch bei Warmblütern muskellähmend, der Tod tritt durch Atemlähmung ein. Beim Menschen sind lokale Reizungen des Magen-Darm-Trakts, Sehstörungen u. schwere Kollapszustände beobachtet worden. K. verlangsamen die Herztätigkeit. K. wurden als Anthelmintika verwendet. – *E* kosins – *F* cosines – *I* cosine – *S* cosinas

Lit.: Beilstein E IV **8**, 3747 f. ▪ Merck-Index (12.), Nr. 5333 ▪ R. D. K. (4.), S. 388 ▪ Z. Naturforsch. Teil B **40**, 669 (1985). – *[CAS 568-50-3 (α-K.); 1400-15-3 (β-K.)]*

Kosmetik (von griech.: kosmein = ordnen, putzen, schmücken). In der Alltagssprache übersetzt man K. gemeinhin mit *Körper-* u. *Schönheitspflege,* als Kunst der Erhaltung, Verbesserung od. Wiederherst. der Schönheit des menschlichen Körpers. Nach einer Definition des CIDESCO (s. *Lit.*, Organisationen) umfaßt K. jede Tätigkeit, die die Verschönerung der Haut, des Gesichts u. des Körpers zum Gegenstand hat. Hierzu gehören gemäß dieser Auffassung z. B. auch Gesichtsmassage-Verf. u. a. physikal. Maßnahmen, ferner die Linderung ästhet. unerwünschter Folgen, die nach ärztlicher Behandlung patholog. Fälle bleiben. Demnach versteht man unter K. alle Maßnahmen an der

*Haut, ihren Anhangsorganen u. den wahrnehmbaren Schleimhäuten zur Reinigung (einschließlich der Desodorierung u. Antitranspiration), zur erhaltenden, vorbeugenden u. verbessernden Pflege (einschließlich der Zahn- u. Mundpflege), zur Verschönerung, Dekorierung od. Färbung (einschließlich der Verw. von *Parfüms) sowie die plast. Chirurgie. Freytag hat ein sog. Adaptationsmodell entwickelt, das die K. als Anw. chem. Mittel (der *Kosmetika od. Körperpflegemittel) betrachtet, die die Prophylaxe bzw. Beseitigung derjenigen „Entstellungen" des menschlichen Exterieurs bezwecken, die einen sozial bedingten psych. Leidenszustand (Abbau von Selbstwertgefühl etc.) infolge Auslösung von Aggressionen seitens der sozialen Umwelten verursachen. Durch die Anw. von Kosmetika „adaptiert" sich das betroffene Individuum an seine soziale Umwelt. Unter Einbeziehung auch medizin. Gesichtspunkte gelangte Freytag daher zum Begriff der *Phäniatrie (s. *Lit.*[1]). Zur Begriffsabgrenzung von „K." gegenüber *Kosmetologie, Kosmetikologie, Kosmiatrie, kosmet. Chemie* u. zu der sich daraus ableitenden Problematik der Ausbildung aller mit der K. Beschäftigten s. *Lit.*[2]. Das Berufsbild des Kosmetik-Chemikers ist dort näher erläutert. Zur Definition der Begriffe *Körperpflegemittel, kosmet. Mittel* u. Kosmetika vgl. das folgende Stichwort.

Geschichte: Aus prähistor. Funden in Alicante u. Lescaux ist bekannt, daß schon damals Frauen ihre Gesichter mit roter Farbe bemalten. Die ältesten Überlieferungen über das Färben von Haaren u. Augenpartien datieren etwa auf 3500 v. Chr. Als eigentliche Wiege der K. gilt das alte Ägypten. Beide Geschlechter schminkten Lippen u. Wangen in verschiedenen Rottönen, zogen Augenbrauen nach u. färbten die unteren Augenlider. Zum Färben der Haare waren *Henna u. *Indigo verbreitet. Auch das jüd. Nachbarvolk muß hohes kosmet. Wissen besessen haben: Im Buch Esther des Alten Testaments wird beschrieben, wie eine junge Jüdin 12 Monate lang für die Brautschau am pers. Hof in Susa vorbereitet wird: „6 Monate wurde sie jeden Tag mit Myrrhenöl eingerieben, 6 Monate mit Spezereien u. anderen Schönheitsmitteln".

In der Antike gab es keine Trennung zwischen Medizin u. K., zwischen Ästhet. u. Körperlich-Funktionellem wurde nicht unterschieden. Von Hippokrates (4. Jh. v. Chr.) sind in seinen Abhandlungen über Frauenkrankheiten umfangreiche Sammlungen kosmet. Rezepturen überliefert. Athen wurde zur Hochburg der griech. Kosmetik. Bei den Römern entwickelte sich eine raffinierte Badekultur. K. blieb fester Bestandteil der Medizin: Plinius d. Ä. ging in seiner Enzyklopädie über das naturwissenschaftliche Wissen seiner Zeit ausführlich auf kosmet. Formulierungen u. Parfümkompositionen ein; Galenus von Pergamon (129–199 n. Chr.), als Begründer der *Galenik bekannt, hat neben pharmazeut. auch kosmet. Zubereitungen entwickelt, z. B. eine „Kaltcreme" (Unguentum refrigerans) aus 12,5% Bienenwachs, 50% Olivenöl u. 35% Rosenwasser, die als Vorläufer der Cold Cream (s. Hautpflegemittel) gelten kann.

Mit der Ausbreitung des Christentums u. insbes. der Körperfeindlichkeit der Kirchenväter, als die Anw. von K. als heidn. verdammt wurde, verlagerten sich die Aktivitäten K.-bezogener Naturwissenschaften in den islam. Raum. aus dem sie mit dem Zerfall des islam. Großreiches im 11. Jh. n. Chr. mit der Übersetzung vieler Schriften ins Latein. zurückfanden in die kulturellen Zentren Mitteleuropas. Im späten Mittelalter erfolgte dann die Trennung der K. von der Medizin: In einem Lehrbuch der Chirurgie wird zu Beginn des 14. Jh. deutlich unterschieden zwischen patholog. Veränderungen der Haut u. ihrer medizin. Therapie u. der verschönernden Hautbehandlung. Die K. geriet dann zunächst in die Hände der Alchemie u. damit auch von Scharlatanen (Elixiere zur Erlangung der ewigen Jugend u. ä.). Im Frankreich des 17. Jh. mit seinen Zielen eleganter Lebensführung hatten v. a. stark parfümierte Puder große Bedeutung.

Mit Beginn der Neuzeit machten die rasante Entwicklung der Chemie sowie die Einführung industrieller Herst.-Meth. die kosmet. Mittel mehr u. mehr erschwinglich für breitere Bevölkerungskreise. – *E* cosmetics – *F* cosmétique – *I* cosmetica – *S* cosmética

Lit.: [1] Der inform. Arzt **7**, Nr. 5, 101–111; Nr. 6, 96–106 (1979). [2] Parfüm. Kosmet. **57**, 156–161 (1976). *allg.:* Flick, Cosmetic and Toiletry Formulations (2. Aufl.), Park Ridge: Noyes Data 1989 ▪ Janistyn (3.) (3 Bd.) ▪ Kirk-Othmer (3.) **6**, 561–596; **7**, 143–176; **12**, 80–117 (4.) **7**, 572–619; **12**, 881–918 ▪ Ullmann (4.) **10**, 29 f.; **12**, 429–457, 557–567; **17**, 645–649; (5.) **A 12**, 571–601 ▪ Umbach (Hrsg.), Kosmetik, 2. Aufl., Stuttgart: Thieme 1995. – *Zeitschriften:* Cosmetics and Toiletries, Wheaton (Ill.): Allured Publishing Corp. (seit 1886) ▪ Kosmetik-Journal, Konstanz: Terra (seit 1956) ▪ Parfümerie u. Kosmetik, Heidelberg: Hüthig (seit 1920) ▪ Seifen Öle Fette Wachse (SÖFW), Augsburg: Ziolkowsky (seit 1875) ▪ Soap, Cosmetics, Chemical Specialties, New York: MacNair Publ. (seit 1925). – *Organisationen:* Bundesverband Deutscher Kosmetikerinnen, Liesegangstr. 10, 40211 Düsseldorf ▪ Comité International de l'Esthétique et de Cosmétologie (CIDESCO), via Luciano 1, I-20100 Milano ▪ COLIPA (Dachverband der europ. Verbände der Parfümerie- u. Kosmetik-Ind., B-1040 Bruxelles, 223 Rue de la Loi) ▪ CTFA (The Cosmetic, Toiletry and Fragance Association) ▪ *Deutsche Gesellschaft für wissenschaftliche u. angewandte Kosmetik e. V. (DGK) ▪ IFSCC (International Federation of Cosmetic Chemists) ▪ IKW (Industrieverband Körperpflege- u. Waschmittel) ▪ Internationale Föderation der Kosmetikerinnen (INFA), 101 rue Antoine Danseart, Bte 9, B-1000 Bruxelles ▪ Vereinigung der Seifen-Parfüm- u. Waschmittelfachleute e. V. (SEPAWA), Rathausstr. 73, 53859 Niederkassel.

Kosmetika (kosmet. Mittel, Körperpflegemittel). Während man füher zwischen Mitteln zur Pflege des menschlichen Körpers u. solchen zur Verschönerung seines Aussehens unterschied nach „Körperpflegemitteln" u. „dekorativen Kosmetika", werden heute vom Gesetzgeber die Produkte zusammengefaßt definiert als *„kosmet. Mittel"*; in der Wirtschaftsstatistik dagegen heißen sie einschließlich der dekorativen K. zusammengefaßt *„Körperpflegemittel"*. Angesichts der Allgemeinzugänglichkeit der K. u. ihrer Anw. am menschlichen Körper besteht zum Schutz des Verbrauchers ein umfangreiches Regelwerk. Gesetzliche Grundlage ist das Lebensmittel- u. Bedarfsgegenstände-Gesetz (*LMBG) vom 15. 08. 1974 in der Fassung vom 25. 11. 1994, ergänzt durch die Kosmetik-VO (KM-VO) vom 16. 02. 1977 einschließlich aller Änderungs-VO, zuletzt 24. Änderungs-VO vom Dez. 1995.

Da der Gesetzgeber davon ausgeht, daß kosmet. Mittel über Jahre hinweg ohne fachmänn. od. ärztliche Kontrolle angewendet werden können, hat er in Abgrenzung zu *Arzneimitteln den Einsatz verschreibungspflichtiger Stoffe in K. grundsätzlich verboten. Darüber hinaus enthält die KM-VO als Anlagen Negativ- u. Positiv-Listen mit Stoffen, deren Einsatz in K. nicht bzw. mit Einschränkungen zugelassen ist. Die Positiv-Listen sind gegliedert in *kosmet. Färbemittel*, *Konservierungsmittel u. *UV-Absorber (z. B. für *Sonnenschutzmittel). Es bestehen Einschränkungen zum Einsatz für bestimmte Anw.-Gebiete sowie nach Höchstmengen.

Die im Juni 1993 veröffentlichte 6. Änderungsrichtlinie zur EU-Kosmetik-Richtlinie wird z. Zt. (1996) zur Umsetzung in nat. Recht vorbereitet. Künftig müssen z. B. alle Inhaltsstoffe kosmet. Präp. mit ihrem INCI-Namen (*International Nomenclature of Cosmetic Ingredients*) auf der Verpackung angegeben werden. Der INCI-Name entspricht der Bez. nach dem CTFA-Syst. (*Lit.*[1]), das von einigen Herstellern bereits seit einigen Jahren für Inhaltsstoff-Angaben angewendet wird. Der Hersteller von K. muß darüberhinaus weitere gesetzliche Regeln beachten, z. B. müssen waschaktive Substanzen in *Shampoos* u. dgl. den Vorschriften über biolog. Abbaubarkeit gemäß Waschmittelgesetz entsprechen.

Wirtschaft: Die Kosmetik-Ind. stellt in der BRD einen erheblichen Wirtschaftsfaktor dar. 1995 betrug der Gesamtmarkt in der BRD ca. 15,5 Mrd. DM (zu Endverbraucherpreisen). Die Abb. zeigt die Aufteilung auf die einzelnen Teilmärkte (*Lit.*[2]).

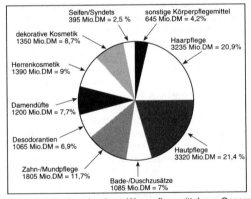

Abb.: Anteile der einzelnen Körperpflegemittel am Gesamtmarkt; nach *Lit.*[2].

Die wichtigsten Produktgruppen der K. werden in diesem Werk in Einzelstichwörtern behandelt von *Antihidrotika bis *Zahnpflegemittel. – *E* cosmetics – *F* cosmétiques – *I* cosmetici – *S* cosméticos

Lit.: [1]CTFA Dictionary of Cosmetic Ingredients, Washington DC: The Cosmetic, Toiletry and Fragance Association 1982. [2]IKW (Hrsg.), Tätigkeitsbericht 1995/96, Frankfurt: Industrieverband Körperpflege u. Waschmittel 1996. *allg.:* s. Kosmetik.

Kosmetische Chemie s. Kosmetik.

Kosmetische Färbemittel s. Kosmetika, Farbstoffe (*Verw.*).

Kosmetische Mittel s. Kosmetika.

Kosmische Hintergrundstrahlung. Von A. A. Penzias u. R. W. Wilson 1965 (1978 Physik-Nobelpreis) entdeckte elektromagnet. Strahlung, die aus dem Weltall aus allen Richtungen mit gleicher Stärke einfällt. Sie wird als Wärmestrahlung der ursprünglichen kosm. Plasmas u. somit als Relikt des Urknalls gedeutet. Das Maximum der Strahlungsverteilung liegt bei einer Wellenlänge von 1,6 mm u. entspricht der Wärmestrahlung eines schwarzen Körpers von ~3 K. Neuere Messungen mit dem NASA-Satelliten COBE ergaben eine Temp. von 2,726±0,005 K, wobei die hohe räumliche Isotropie bemerkenswert ist. Es gibt eine Dipolasymmetrie von $\Delta T/T = 10^{-3}$, die durch den *Doppler-Effekt aufgrund der Bewegung des Milchstraßensyst. gegenüber dem Hintergrund hervorgerufen wird. Subtrahiert man diesen Anteil, so liegen die Schwankungen bei $\Delta T/T = 10^{-5}$ (s. *Lit.*[1]). Abweichungen, die in einem sehr kleinen Raumwinkel beobachtet werden, sind als Keime neuer Galaxien anzusehen[2]. Mit Hilfe der Absorptionslinien in den Spektren weit entfernter Quasare läßt sich zeigen, daß die Temp. des Weltalls früher höher war, wodurch die Theorie des *Urknalls bestätigt wird[3]. – *E* cosmic background radiation – *F* rayonnement cosmique de fonds – *I* radiazione cosmica di fondo – *S* radiación cósmica de fondo

Lit.: [1]Phys. Unserer Zeit **28**, 6 (1997). [2]Phys. Unserer Zeit **27**, 136 (1996). [3]Spektr. Wiss. **1995**, Nr. 2, 14.

Kosmische Strahlung (Höhenstrahlung, Ultrastrahlung, Heßsche Höhenstrahlung). Bez. für die von dem österreich. Wissenschaftler V. F. *Heß 1912 entdeckte *Korpuskularstrahlung* aus dem Weltraum (Nobelpreis 1936), die – bevor sie in die Erdatmosphäre eintritt – v. a. aus schnellen (energiereichen) Nukleonen (Protonen u. Neutronen), Neutrinos, Photonen, Röntgen- u. Gammastrahlen sowie α-Teilchen u. kleineren Anteilen schwererer Atomkerne (B, C, N, O, Ne, Na, Ca, Si, P, V, Fe) besteht u. die eine Energie zwischen 10^8 u. mehr als 10^{20} eV aufweist[1,2]. Bezüglich des Ursprungs von Teilchen ultrahoher Energie s. *Lit.*[3]. Der Anteil an *Schwerionen ist v. a. aus *Kernspaltspuren-Experimenten seit Anfang der 70er Jahre, der von Kernen wie Zink u. Blei erst seit den Experimenten mit Skylab genauer bekannt. Das Bombardement mit schnellen Teilchen kann in der Ionosphäre der Erde zur Entstehung von *Polarlichtern* (Nordlichtern, *Lit.*[4]) führen. Noch in etwa 30–40 km Höhe ist die *Primärstrahlung* unverändert zu registrieren, was mit spezif. konstruierten, von Freiballons od. Satelliten getragenen Instrumenten vorgenommen wird, s. *Lit.*[2]. Ihre Spuren hinterläßt die k. S. in den Helmen der Apollo-Astronauten ebenso wie in den Kameralinsen der Surveyor-Sonden. Die unmittelbar aus dem Weltraum kommenden *Primärteilchen* wechselwirken mit den Atomkernen in der obersten Schicht der Erdatmosphäre. Ein Schwarm sek. Teilchen wird bei diesen hochenerget. Stößen gebildet, z. B. nukleare Fragmente u. kurzlebige *Elementarteilchen (π^+, π^-, π^0 Mesonen, K-Mesonen u. a.). Vor der Entwicklung von Hochenergie-Teilchenbeschleunigern war k. S. die einzige Möglichkeit, Phänomene der Hochenergiephysik zu beobachten; so wurden viele Elementarteilchen wie *Positronen, π-Mesonen, μ-Mesonen u. K-Mesonen durch Experimente mit k. S. entdeckt.

Diese *Elementarteilchen stoßen als *Sekundärstrahlung* innerhalb unserer Lufthülle auf weitere Kerne u. lösen ebenfalls *Ionisationen bzw. *Kernreaktionen aus, bei denen infolge von Mehrfachprozessen mit Einfang- u. Zerstrahlungsreaktionen Röntgen- u. Gammastrahlung – auch als *Bremsstrahlung – frei wird. Die Auswirkung der Sekundär- u. Tertiärstrahlung kann man sogar in Bergwerken od. noch in etwa 1300 m Tiefe des Ozeans mit Hilfe von Wilson-Kammern, Spezialphotoplatten, Zählrohren etc. nachweisen; lediglich bei Neutrinos sind die experimentellen Nachw. (s. Gallium) schwierig zu erbringen. Die (unvermeidliche) Strahlenbelastung des Menschen durch k. S. (s. Abb.) beträgt in Meereshöhe jährlich etwa 30 mrem (0,3 mSv), in 1000 m Höhe etwa 50 mrem (0,5 mSv) (s. a. ionisierende Strahlung).

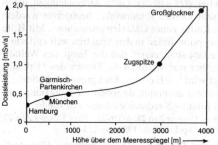

Abb.: Strahlenbelastung des Menschen durch kosmische Strahlung; nach Volmer (s. *Lit*).

Der Ursprung der Höhenstrahlung ist noch immer nicht ganz geklärt. Es gibt gute Gründe anzunehmen, daß die Hauptmenge der k. S. innerhalb unserer Galaxie erzeugt wird. Als Energiequellen, die die Teilchen mit so hohen Energien ausstatten, wurden lange Zeit Explosionen von Supernovae angesehen. Nachdem man in den letzten Jahren viel über diese Explosionen u. über Beschleunigung von Teilchen in Schockwellen gelernt hat, existieren nun zwei einfache, aber extreme Ansichten über den Ursprung k. S.: 1. K. S. sind Ejektionen von Supernova-Material u. 2. k. S. ist *interstellare Materie, die durch Schockwellen, ihrerseits hervorgerufen durch Supernovae, beschleunigt wurden. Interessant ist, daß die auf der Erde registrierte k. S. invers mit der Aktivität der Sonnenflecken korreliert ist. Eine im Weltall überall nachweisbare elektromagnet. Strahlung ($\lambda \approx 1,6$ mm) bezeichnet man als *kosm. Ur-* od. *Hintergrundstrahlung*. – *E* cosmic rays – *F* rayons cosmiques – *I* radiazione cosmica – *S* rayos cósmicos

Lit.: [1]Phys. Bl. **51**, 421 (1995). [2]Spektr. Wiss. **1997**, Nr. 3, 44. [3]Phys. Rev. Lett. **75**, 3056 (1995). [4]Sci. Am. **260**, Nr. 5, 54 (1989). *allg*.: Brekke u. Egeland, The Northern Light, Berlin: Springer 1983 ■ Meyer, Cosmic Radiation, Encyclopedia of Physical Science and Technology, Bd. 4, S. 573–582, New York: Academic Press 1992 ■ Seventeenth International Cosmic Ray Conference Papers (14 Bd.), Dordrecht: Reidel 1982 ■ Volmer, Kernenergie Basiswissen, Bonn: Informationskreis Kernenergie 1984.

Kosmochemie (Astrochemie). 1. Bez. für dasjenige Teilgebiet der Chemie, das sich mit der Erforschung von Zusammensetzung, Verbreitung, Entstehung u. Austausch der in Himmelskörpern, kosm. Staub, *Meteoriten, *Kometen, *interstellarer Materie usw. vorliegenden Stoffe befaßt. Die K. der *Planeten hat durch die Raumfahrt einen enormen Aufschwung erlebt. Dabei denke man z. B. an die Proben von *Mondgestein, die im Rahmen des *Apollo-Programms zur Untersuchung auf die Erde gebracht wurden, an die Bilder u. Daten aus automat. arbeitenden Laboratorien in Landefahrzeugen u. sog. Orbitern vom Mars, aus denen man z. B. Aufschluß über Klima, Oberfläche u. Entwicklung des Planeten erhält (*Lit*.[1,2]). Bes. ergiebige Information über die äußeren Planeten des Sonnensyst. (Jupiter, Saturn, Uranus u. Neptun) lieferten die beiden *Voyager*-Raumsonden. Während seiner letzten Aufgabe passierte Voyager 2 am 24.8.1989 nach zwölfjähriger Flugzeit den Nordpol des Neptun in weniger als 5000 km Entfernung, flog in einem Abstand von 38000 km an dem großen Neptun-Mond Triton vorbei u. übermittelte Tausende äußerst präziser Bilder zur Erde (*Lit*.[3]). Damit ist Pluto der einzige Planet, der noch nicht von einer Raumsonde besucht wurde. Über die Entstehung des *Sonnensystems, einem wichtigen Gebiet der K., existiert z. Z. noch keine allg. anerkannte Theorie, die allen Detailproblemen gerecht wird. Neben den „extraterrestr." Untersuchungsmeth., mit denen auch weiter entfernte Objekte ohne Störungen durch die Erdatmosphäre untersucht werden können, sind für die K. (ebenso wie für die Messung der *kosmischen Strahlung) noch immer Beobachtungen von der Erde aus mittels Teleskopen, die im sichtbaren, UV-, Infrarot- u. Radiowellenbereich arbeiten, von größter Bedeutung. Ein aktuelles Gebiet der K. ist die Untersuchung der Materie zwischen den Sternen unserer Galaxis u. fremder Galaxien; hierbei stehen Studien von Sternentstehungsgebieten im Brennpunkt der Forschung; Näheres s. interstellare Materie u. interstellare Moleküle.

2. Verstand man früher den Begriff K. nur als Chemie *des* Kosmos, so benutzt man ihn seit der Entwicklung der Raumfahrt auch zur Bez. der Chemie *im* Kosmos (*E* space chemistry). Heute ist es in bemannten u. unbemannten Raumstationen (*Beisp.*: Spacelab, Space shuttle, Skylab, Sojus, Saljut) möglich, in Abwesenheit von od. unter reduzierter Schwerkraft, im Hochvakuum u. in Ggw. von harter UV-, Röntgen- u. Gammastrahlung auf den Gebieten der Kristallzüchtung, der Metallurgie, der Plasmachemie, der Biologie u. Biochemie zu arbeiten. – *E* 1. cosmochemistry, 2. space chemistry – *F* 1. cosmochimie, 2. chimie dans l'espace – *I* 1. cosmochimica, 2. chimica spaziale – *S* 1. cosmoquímica, 2. química en el espacio

Lit.: [1]Spektrum Wiss. **1978**, 34–46. [2]Umschau **77**, 67–73 (1977). [3]Spektrum Wiss. **1990**, 52–61. *allg*.: Kiesl, Kosmochemie, Berlin: Springer 1979 ■ Klare, Reviews in Modern Astronomy / Cosmic Chemistry, Springer: Berlin 1988 ■ Organic Geochemistry & Cosmochemistry (Top. Curr. Chem. **139**), Berlin: Springer 1987 ■ Ponnamperuma, Cosmochemistry and the Origin of Life, Dordrecht: Reidel 1983.

Kosmochlor (Ureyit). $NaCr^{3+}[Si_2O_6]$, zu den Klino-*Pyroxenen gehörendes dunkel smaragdgrünes, im *Dünnschliff grünes bis gelbes, starken *Pleochroismus zeigendes, monoklines Mineral. Kurzprismat. Krist. u. feinkörnige bis faserige Aggregate, H. 6, D. 3,6.

Vork.: In Eisen-*Meteoriten[1]. 1984 in *Jade von Myanmar (Burma) gefunden[2,3]; ferner in Piemont/Italien u. Williams Creek/Californien. – *E* kosmochlore (ureyite) – *I = S* cosmocloro

Lit.: [1]Science **149**, 742 ff. (1969). [2]Am. Mineral. **69**, 1180–1183 (1984). [3]J. Gemmol. **24**, 269–276 (1994); **24**, 315–320 (1995).

allg.: Anthony et al., Handbook of Mineralogy, Vol. II, Tl. 1, S. 430, Tucson (Arizona): Mineral Data Publishing 1995 ▪ Deer et al., S. 192–195 ▪ s. a. Pyroxene. – *[CAS 15521-72-9]*

Kosmologie. Lehre von der Struktur u. Entwicklung des Kosmos. Das gängige Modell von der Entstehung des Weltalls nimmt an, daß vor ca. 15 Mrd. Jahren ein *heißer Urknall* stattgefunden hat. Aus enorm heißer, verdichteter Materie u. Strahlung bildete sich durch explosionsartige Expansion das Universum. Die wichtigsten Stützen der Urknall-Vorstellung sind die 1929 von E. Hubble anhand der beobachteten *Rotverschiebung des Lichts* nachgewiesene Fluchtbewegung der fernen Galaxien, die 1965 von A. A. *Penzias u. R. *Wilson endeckte *kosm. Mikrowellenstrahlung* von 2,7 Kelvin, die Aufschluß über den Zustand des ca. 300 000 Jahre alten Weltalls gibt, u. die relative Häufigkeit der leichten Elemente ($_1^1H$, $_1^2D$ u. $_2^4He$). Die Verschmelzung von Protonen u. Neutronen zu Deuteronen u. die Weiterreaktion bis zu den stabilen Helium-Kernen (*Alpha-Teilchen) vollzog sich wenige Minuten nach dem Urknall bei einer Temp. von ca. 10^9 K. Vorstellungen über die Situation kurz nach dem Urknall resultieren aus einer fruchtbaren Zusammenarbeit zwischen Astronomen u. Elementarteilchenphysikern. Ca. 10^{-2} s nach dem Urknall lösten sich die *Neutrinos von der Materie, bei $t \approx 10^{-6}$ s vereinigten sich die *Quarks zu *Nukleonen, bei $t \approx 10^{-10}$ s erfolgte die Vereinigung von elektromagnet. Kraft u. schwacher Kraft, bei $t \approx 10^{-35}$ s zusätzlich die Vereinigung mit der starken Kraft. Eine weitere Extrapolation zu noch kürzeren Zeiten erfordert die Entwicklung von Theorien, die die Gravitation mit der quantenmechan. Theorie der Elementarteilchen verknüpfen; hierzu gibt es erste Ansätze. – *E* cosmology – *F* cosmologie – *I* cosmologia – *S* cosmología
Lit.: Kosmologie u. Teilchenphysik, Heidelberg: Spektrum der Wissenschaft Verlagsges. 1990 ▪ Lederman u. Schramm, Vom Quark zum Kosmos, Heidelberg: Spektrum der Wissenschaft Verlagsges. 1990 ▪ Silk, Die Geschichte des Kosmos. Vom Urknall bis zum Universum der Zukunft, Heidelberg: Spektrum Akadem. Verl. 1996 ▪ Weinberg, Die ersten drei Minuten. Der Ursprung des Universums, 7. Aufl., München: Piper 1992.

Kosmos®-Produkte. Zinn-Katalysatoren für die Herst. von *Polyurethan-Schäumen. *B.:* Th. Goldschmidt AG.

Kosotoxin s. Kosine.

Kossel, Albrecht (1853–1927), Vater von W. Kossel, Prof. für Physiolog. Chemie, Univ. Berlin, Marburg u. Heidelberg. *Arbeitsgebiete:* Chemie des Zellkerns, Purine, Protamine u. Eiweißkörper, Entdeckung von Adenin, Thymin, Cytosin, Uracil u. Nucleinsäuren, Nobelpreis für Medizin od. Physiologie 1910.
Lit.: Lexikon der Naturwissenschaftler, S. 250 ▪ Nachmansohn, S. 320, 338 ▪ Naturwissenschaften **42**, 473–478 (1955) ▪ Pötsch, S. 248.

Kossel, Walther (1888–1956), Sohn von A. Kossel, Prof. für Physik, Kiel, Danzig, Tübingen. *Arbeitsgebiete:* Chem. Bindung, Theorie über die Entstehung polarer Verb. durch Aufnahme bzw. Abgabe von Elektronen bis zur stabilen Edelgas-Anordnung (zusammen mit *G. N. Lewis, 1916), sek. Kathodenstrahlen, Röntgenspektren, Mol.-Bildung, Komplexverb., isoelektron. Mol., Krist.-Wachstum.

Lit.: Krafft, S. 219, 318, 348 ▪ Lexikon der Naturwissenschaftler, S. 251 ▪ Neufeldt, S. 135, 140 ▪ Pötsch, S. 249 ▪ Strube et al., S. 84.

Kosten-Nutzen-Analyse. Polit. Entscheidungsverf., mit dessen Hilfe die Vor- u. Nachteile von Techniken, Anlagen, Vorgehensweisen, Verf., Produkten od. Entscheidungen u. ihren Alternativen ermittelt u. bewertet werden, so daß eine für die Ges. günstigste Lösung erkennbar wird. Das Haushaltsgrundsätzegesetz u. die Bundeshaushaltsordnung schreiben bei polit. Entscheidungen Kosten-Nutzen-Untersuchungen vor. Bei der K.-N.-A. werden folgende Schritte unterschieden: 1. Beschreibung von Projekt (Maßnahme) u. Alternativen. – 2. Feststellung aller gegenwärtigen wie zukünftigen, pos. wie neg. Konsequenzen. – 3. Monetäre Bewertung der Konsequenzen als Nutzen u. Kosten. – 4. Umrechnung (Diskontierung) zukünftiger Nutzen u. Kosten auf den gegenwärtigen (Bar-)Wert. – 5. Ermittlung von Netto-Nutzen bzw. Kosten-Nutzen-Verhältnis. – 6. Auswahl der günstigsten Alternative. Probleme der K.-N.-A. sind insbes. die Auswahl der zu bewertenden Parameter (Bewertungsdimensionen), ihre Quantifizierung u. die ungleiche Verteilung von Kosten u. Nutzen über den Zeitraum. So ist bei der Technikfolgenabschätzung oft zwischen Experten u. Bürgern kontrovers, welche möglichen Folgen überhaupt betrachtet u. wie sie gewichtet werden sollen. Für manche sind z. B. Gesundheit od. Umweltgüter grundsätzlich nicht monetär bewertbar. – *E* cost-benefit analysis – *F* analyse de coûts/bénéfices – *I* analisi costi-benefici – *S* análisis de los costos y beneficios
Lit.: Schütz u. Wiedemann (Hrsg.), Technik kontrovers, S. 108–114, Frankfurt: IMK 1993 ▪ Z. Umweltpolitik Umweltrecht **16**, 477–493 (1993).

Kot. Im ursprünglichen Sinne Bez. für die von Mensch u. Tier bei der *Defäkation* aus dem *Darm durch den After ausgeschiedenen *Exkremente (Fäzes, Fäkalien).* K. ist ein recht komplexes Gemisch aus Nahrungsüberresten, abgestoßenen *Zellen des Verdauungstrakts, Bestandteilen der Darmflora u. *Verdauungs-Sekreten. Die Zusammensetzung kann im einzelnen je nach Ernährungsweise, Alter, Krankheit usw. wechseln; das sog. Mekonium (der K. der Neugeborenen) ist z. B. noch frei von Darmbakterien. Menschlicher K. besteht beim Erwachsenen durchschnittlich zu etwa 75% aus Wasser. Organ. Bestandteile sind Cholesterin, Purinbasen, Aminosäuren, Fette, Produkte der Darmfäulnis usw. An anorgan. Bestandteilen finden sich regelmäßig Kalium, Calcium, Magnesium, Phosphorsäure u. Eisen, während der Natrium- u. Chlor-Gehalt nur gering ist. Die Farbe des K. hängt ggf. von Farbstoffanteilen der Nahrung (z. B. Blut, Heidelbeeren) ab, geht aber im wesentlichen auf die sog. *Fäkalpigmente zurück, die ihrerseits durch bakteriell-enzymat. Abbau der *Gallenfarbstoffe entstehen. Der unangenehme Geruch des K. geht v. a. auf den Gehalt an *Indol u. *Skatol zurück. Der in der Landwirtschaft aus der Tierhaltung anfallende K. wird als Stallmist zusammen mit *Harn in Form von *Jauche als Düngemittel ausgebracht u. im Boden zu Verb. abgebaut, die für Pflanzen verwertbar sind – im gleichen Sinne verwendet man den *Guano von Vögeln u. Fledermäusen. In letzter Zeit verwendet man K. auch zur Herst. von

*Biogas. Der menschliche K. (*Stuhl*) wird gewöhnlich über ein Leitungssyst. den *Kläranlagen zum *Klären zugeleitet. – *E* excrements, faeces, dung – *F* excréments, fèces, fiente – *I* escrementi, feci – *S* excrementos, heces, estiércol

Kotfresser s. Koprophagen.

Kothe, Gerd (geb. 1941), Prof. für Physikal. Chemie, Univ. Stuttgart. *Arbeitsgebiete:* Magnet. Resonanz dynam. Syst., Ordnungszustände von flüssigkrist. Syst. u. ihre Anw. (opt. Speicher, Hochmodulfasern), Kernresonanz-Untersuchung zur mol. Dynamik von synthet. u. Biopolymeren, Untersuchung von Elementarprozessen mit Hilfe zeitaufgelöster Elektronenspinresonanz.
Lit.: Kürschner (15.), S. 2430.

Koto. Auch *Efok* od. *Pohouro* genanntes Holz des in Westafrika heim. Baums *Pterygora macrocarpa*, das zu gelblichweißen bis braunen, matt glänzenden Furnieren, Stab- u. Stäbchenplatten verarbeitet wird. – *E* koto

Kovalente Bindung s. chemische Bindung.

Kováts-Indices s. Gaschromatographie.

Kovolumen (Eigenvol.) s. Gasgesetze.

KoWi s. Koordinierungsstelle der EG der Wissenschaftsorganisationen.

kp. Kurzz. für *Kilopond.

Kp. Abk. von Kochpunkt, s. Siedepunkt.

KP. Nach DIN 66 001 Tl. 4 (08/1991) Kurzz. für *Kapok.

KPG-Rührer. Es handelt sich um einen allg. üblichen Rührer, wobei KPG für Kerngezogene Präzisionsgeräte steht. Er besteht aus einer Rührwelle, die in eine Hülse mit einem Zylinderschliff (s. Schliffe) eingepaßt ist u. deren Schmierung mittels Paraffinöl erfolgt. Er eignet sich bes. für größere Reaktionsansätze mit viskosen Reaktionsgemischen.
Lit.: Organikum, S. 9, Heidelberg: Barth 1996.

KPVK. Abk. für *K*rit. *P*igment-*V*ol.-*K*onz., s. Pigmente.

Kr. Chem. Symbol für das Element *Krypton.

K2r®. Marke der K2r Produkte AG, St. Gallen für Fleckenentfernungsmittel (Fleckenwasser u. Fleckenspray) mit Isopropanol, Pentan u. Heptan als Lösemittel. *B.:* Omegin.

Krabbelmax s. Lecksuche.

Krabben s. Krebse.

Krackbenzin s. Benzin (Herst.: 2, S. 392).

Kracken (Cracken, von engl.: crack = spalten, zerplatzen, aufbrechen). In der *Petrochemie übliche Bez. für die im allg. unter Anw. von Hitze, Druck u. Katalysatoren vorgenommene *Spaltung größerer in kleinere Mol., wie sie vornehmlich bei der Aufarbeitung des *Erdöls u. seiner höhersiedenden Fraktionen zu *Motorkraftstoffen, insbes. zu dem sog. Krack-*Benzin (Näheres s. dort) angewendet wird. Bei genügend hoher Temp. (ca. 800 °C) läuft die *Pyrolyse als *therm. K.* zwar spontan ab, doch läßt sich eine bessere Reaktionsführung bei niedrigerer Temp. (400–500 °C) erreichen, wenn mit Katalysatoren gearbeitet wird (*katalyt. Kracken, Katkracken*). Die *Kettenreaktionen,

als welche Krackprozesse anzusehen sind, laufen im wesentlichen radikal. nach dem *Rice-Herzfeld-Mechanismus ab. Ein techn. Problem beim K. ist das sog. *Fouling*, d. h. die Ablagerung teerartiger Rückstände auf den Katalysatoroberflächen, wodurch deren Wirksamkeit beeinträchtigt wird. Die Ablagerungen lassen sich durch Verbrennen od. Red. beseitigen. Wenn *ionisierende Strahlung zur Initiation benutzt wird, spricht man von *strahlenchem.-therm. Kracken* (RTC). Benzine werden fast ausschließlich durch katalyt. K. im *Fließbett (*Wirbelschicht-Verfahren, *Fluid Catalytic Cracking*, FCC) od. in Reaktoren mit aufsteigendem Katalysator (*riser cracking*) hergestellt, da hierbei nicht nur größere Ausbeuten, sondern auch höhere Anteile an verzweigten Kohlenwasserstoffen (erhöhen die *Octan-Zahl) erhalten werden. Neben Benzinen fallen bei der Pyrolyse der Erdöl-Kohlenwasserstoffe noch sog. *Spaltgase* an (Methan, Ethan, Ethylen, Propen, Butene usw.). Als Katalysatoren beim K. sind u. a. Aluminium-, Molybdän- u. Magnesiumsilicate sowie Zeolithe geeignet; bes. bewährt haben sich Zeolithe mit Seltenerdmetall-Ionen als Stabilisatoren. Durch das sog. *Hydrokracken*, bei dem hohe Drücke, spezif. Katalysatoren u. Wasserstoff angewendet werden, lassen sich auch höhere Erdöldestillate in Benzin, Flüssiggase od. Heizöl überführen. Abhängig vom gewünschten Produkt werden 270–450 °C u. 80–200 bar als Verf.-Bedingungen gewählt. Die bifunktionellen Katalysatoren enthalten eine Hydrier-Dehydrier-Komponente auf Co-Mo- od. Pd-Pt-Basis u. Zeolithe als Krackkomponente. Die Octan-Zahl der Krackprodukte läßt sich durch *Reformieren weiter erhöhen; bei Raffinationsprozessen wie dem Isomax-Verf. werden verschiedene Vorgänge gekoppelt.
Krackverf. spielen auch in anderen Bereichen der Petrochemie eine große Rolle. Ein unter schonenden Bedingungen (460–500 °C, 1–5 s) arbeitendes therm. Verf. für Erdöldest.-Rückstände ist das *Visbreaking*, das hauptsächlich niedrigviskose Produkte zum Zumischen für schweres Heizöl liefert. Die ebenfalls therm. *Coking*-Verf., bei denen an Stelle eines Katalysators feinstverteilter Koks bei 510–570 °C verwendet wird, machen neben Benzin noch wertvollen *Petrolkoks zugänglich (*Beisp.:* Fluid Coking- od. Fließkoks-Verf., *Flexicoking*). Im übrigen werden die nichtkatalyt. therm. Krackverf. heute hauptsächlich zur Gewinnung von *Ethylen u. a. *Olefinen benutzt. Wichtigster Prozeß ist hier das *Steamcracking* (Dampf-K.), das bei <800 °C/1 s od. <900 °C/0,5 s arbeitet. Den Kohlenwasserstoff-Dämpfen als Fremdgas beigemischter *Wasserdampf erniedrigt den Partialdruck der Kohlenwasserstoffe so weit, daß deren Polymerisations- u. Kondensationsreaktionen unterdrückt u. statt dessen die Ausbeute an Olefinen erhöht wird. – *E* cracking – *F* craquage – *I* cracking, piroscissione – *S* cracking, craqueo
Lit.: Kirk-Othmer (3.) **11**, 428–434; **17**, 183–256; (4.) **18**, 433–469 ■ Ullmann (4.) **10**, 664–681; (5.) **A 18**, 61–64, 71 f. ■ Weissermel-Arpe (4.), S. 65–69, 87 ■ Winnacker-Küchler (4.) **5**, 75–94, 127–133, 170–202.

Krätz, Otto Paul (geb. 1937), Dr. rer. nat., Diplomchemiker, Leiter der Abt. Bildung u. des Kerschensteiner Kollegs am Deutschen Museum München, Honorarprof. an der Univ. Stuttgart. *Arbeitsgebiete:* Geschichte

der Chemie, insbes. 18. bis frühes 20. Jh., Preis für Journalisten u. Schriftsteller der GDCh 1986.
Lit.: Kürschner (16.), S. 1934 ▪ Nachr. Chem. Tech. Lab. **41**, Nr. 6, 754 (1993).

Krätze s. Milben.

Kräuseln. 1. In der Anstrichtechnik auch als *Runzeln* bezeichnete Faltenbildung in einem Anstrichfilm. – 2. Textiltechn. Bez. für die Erzeugung einer *Textur*, z. B. einer gewissen Bauschigkeit; zu den verschiedenen Möglichkeiten des K. von *Textilfasern s. Texturierung. – E* crimping *– F* froncer *– I* increspatura *– S* crespado, rizado

Krafft, Friedrich (1852 – 1923), Prof. für Organ. Chemie, Univ. Bonn u. Heidelberg. *Arbeitsgebiete:* aliphat. Säuren u. deren Salze, aromat. Sulfonsäuren, deren Ester u. Seifen, aromat. Selen- u. Tellur-Verbindungen. *Lit.:* Pötsch, S. 250.

Krafft-Metall. Niedrigschmelzende Leg. aus 66% Bi, 26% Pb u. 8% Sn mit einem Schmp. von 100°C.
Lit.: s. Schmelzlegierungen.

Krafft-Punkt. Bez. für diejenige Temp., bei der die Löslichkeit von ion. *Tensiden infolge der Bildung von *Micellen stark zunimmt. Der K.-P. ist ein Tripelpunkt, an dem sich der Festkörper od. hydratisierte Krist. des Tensids mit dessen gelösten (hydratisierten) Monomeren u. Micellen im Gleichgew. befinden. Bestimmt wird der K.-P. über eine Trübungsmessung gemäß DIN 53918. Bei *Seifen versteht man unter dem K.-P. die Temp., bei der sich eine heiße, transparente Seifenlsg. beim Abkühlen trübt. Zu Löslichkeitsgrenzen nach Krafft u. Eutektika im Phasendiagramm s. *Lit.*[1]. *– E* Krafft point *– F* point de Krafft *– I* punto Krafft *– S* punto de Krafft
Lit.: [1] Laughlin, The Aqueous Behavior of Surfactants, London: Academic Press 1996.
allg.: Falbe (Hrsg.), Surfactants in Consumer Products, S. 134, Berlin: Springer 1986 ▪ Tenside Det. **24**, 143 (1987) ▪ Proc. 4th World Surf. Congress, Bd. 2, S. 475 – 487, Barcelona 1996.

Krafftscher Abbau. Von F. Krafft 1879 entwickeltes Verf. zur Umwandlung von höhermol. *Fettsäuren in Homologe mit der nächstniederen C-Zahl durch Pyrolyse ihrer Erdalkali-Salze in Ggw. von Ba- od. Ca-Acetat u. anschließende Oxid. des entstehenden Methylketons. *– E* Krafft degradation *– F* dégradation de Krafft *– I* degradazione di Krafft *– S* degradación de Krafft

Kraft (Symbol F). Ein Grundbegriff aus Naturwissenschaft u. Technik, der als Vektor definiert ist durch die Ableitung des Impulses p nach der Zeit:

$$\vec{F} = \frac{d\vec{p}}{dt}$$

Falls die Masse sich nicht ändert, erhält man die K. zu Masse × Beschleunigung (*Newton). K. ist die Ursache für die Änderung des Bewegungszustands (z. B. Beschleunigung) eines freien Teilchens bzw. für die Deformation gebundener Körper. In der Physik kennt man vier Kräfte, die auch als vier Arten der Wechselwirkung bezeichnet werden. In der Quantenfeldtheorie wird die K. zwischen zwei Teilchen als Austausch eines virtuellen Teilchens beschrieben (s. Tab. unten). Während die Kern-K. u. die Gravitation stets anziehend sind, wirken die elektromagnet. K. u. die schwache Wechselwirkung zwischen gleichen Teilchen abstoßend. Man bemüht sich z. Z., im Rahmen von Eichtheorien eine einheitliche Beschreibung aller vier Kräfte zu entwickeln (*E* Grand Unified Theory, GUT). Für die elektromagnet. u. die schwache Wechselwirkung ist dies schon gelungen s. *Lit.*[1]. Die in der Chemie wirksamen Kräfte sind mit Ausnahme der im folgenden abgehandelten Begriffe im allg. bei ihren „Wirkorten" abgehandelt; *Beisp.:* *Grenzflächen- u. *Oberflächenspannung, *Atombau (Kernkräfte), *chemische Bindung (Bindungskräfte), *Elementarteilchen (starke/schwache Wechelwirkungs-Kräfte). *– E = F* force *– I* forza *– S* fuerza
Lit.: [1] Phys. Bl. **49**, 621 (1993).

Kraftbetriebene Arbeitsmittel. Unter k. A. versteht man *Kraftmaschinen*, die zur Umwandlung von Energie dienen (*Beisp.:* Dampf-, Gas- u. Wasserturbinen; Dampfmaschinen; Verbrennungs- u. Elektromotoren; Wind- u. Wasserräder), *Arbeitsmaschinen*, die zur Gewinnung von Naturstoffen, zur Be- u. Verarbeitung, zur Prüfung, zum Transport u. a. verwendet werden (*Beisp.:* Baumaschinen, Textilmaschinen, Kunststoff-Bearbeitungsmaschinen, Hebezeuge, Industrieroboter) u. *Kraftübertragungseinrichtungen*, die der Übertragung von Kräften od. Drehmomenten dienen (*Beisp.:* Transmissionen, Kupplungen, Getriebe). Die Unfallverhütungsvorschrift „Kraftbetriebene Arbeitsmittel" (VBG 5) enthält grundsätzliche sicherheitstechn. Anforderungen an kraftbetriebene Arbeitsmittel. Darüber hinaus sind andere gefahren- u. arbeitsmittelspezif. Unfallverhütungsvorschriften zu beachten, z. B. UVV „Elektr. Anlagen u. Betriebsmittel" (VBG 4), UVV „Lärm" (VBG 121), UVV „Maschinen u. Anlagen zur Be- u. Verarbeitung von Holz u. ähnlichen

Tab.: Die vier physikal. Kräfte.

Name der Kraft	Stärke	Reichweite	Austauschteilchen Name	Masse	Teilchen, auf die die Kraft wirkt	Beisp.
Kernkraft (starke Wechselwirkung)	1	kurz, 10^{-15} m	Gluonen		Quarks	Protonen als gebundener Zustand dreier Quarks
Kernkraft (starke Wechselwirkung)	1	kurz, 10^{-15} m	π°-Meson	0,14 GeV	Hadronen	Kern als gebundener Zustand von Nukleonen
elektromagnet. Kraft	10^{-2}	lang, ∞ (~ $\frac{1}{r^2}$)	Photon	0	elektr. geladene Teilchen	Atomhülle
schwache Wechselwirkung	10^{-5}	kurz, 10^{-17} m	Vektorboson $W^{\pm}$, Z°	81 GeV	Quarks/ Leptonen	Kern-β–Zerfall, Radioaktivität
Gravitation	10^{-39}	lang, ∞ (~ $\frac{1}{r^2}$)	Graviton (?)	0	alle Teilchen	Schwerkraft, Planetenbewegung

Werkstoffen" (VBG 7 j), s. *Lit.* – *E* power operated equipment – *F* équipements motorisés – *I* strumenti di lavoro che trasformano l' energia – *S* maquinaria motriz para transformación de la energía
Lit.: UVV Allg. Vorschriften (VBG 1) in der Fassung vom 1.4.1992 ▪ UVV Elektr. Anlagen u. Betriebsmittel (VBG 4) in der Fassung vom April 1996 ▪ UVV Kraftbetriebene Arbeitsmittel (VBG 5) in der Fassung vom 1.1.1993 ▪ UVV Lärm (VBG 121) in der Fassung vom 1.10.1990 ▪ UVV Maschinen u. Anlagen zur Be- u. Verarbeitung von Holz u. ähnlichen Werkstoffen (VBG 7 j) in der Fassung vom 1.1.1993 ▪ Bezugsquelle für Unfallverhütungsvorschriften: Carl Heymanns Verl. KG, Luxemburger Straße 449, 50939 Köln od. Jedermann-Verl., Postfach 10 31 40, 69021 Heidelberg.

Kraftfahrzeugabgase. Bez. für die *Abgase von frei lenkbaren Landfahrzeugen mit eigenem Antrieb u. Energievorrat. Tab. 1 zeigt die Zusammensetzung der K., wie sie in Verbrennungsmotoren entstehen. Durch Verbesserung der Motoren u. Einführung von Emissionsminderungstechnik insbes. für Kohlenmonoxid, Stickstoffoxide (NO_x) u. Kohlenwasserstoffe konnten die Schadstoffemissionen deutlich vermindert werden.

Tab. 1: Zusammensetzung von Kraftfahrzeugabgasen in Vol.-%.

	Otto-motor	Diesel-motor		Otto-motor	Diesel-motor
CO_2	6,5–8	3,5	CO	4–8	unter 0,05
	(7–13)	(9)		(1–8)	(0,1–0,3)
H_2O	7–10	3,5	H_2	0,5–4	–
	(9–11)	(9)		(0,1–1)	(0,1)
O_2	1–1,5	16	N_2	71	77
	(0,1–2)	(3–6)		(74–76)	(77)

Werte für Leerlauf, Werte in Klammern für Vollast.

Tab. 2: Abgasgrenzwerte für die Serienproduktion von Pkw (in g/km).

		ab 1983*	ab 92/93**	ab 96/97**
Benzin	CO	17,5 –33	3,16	2,2
	HC+NO_x	5,95–8,75	1,13	0,5
Diesel	CO	17,5 –33	3,16	1,0
	HC+NO_x	5,95–8,75	1,13	0,7
	Partikel	–	0,18	0,08

CO – Kohlenmonoxid; NO_x – Stickstoffoxide; HC – Kohlenwasserstoffe. * – ohne Katalysator, alter ECE-Testcyclus, Grenzwerte abhängig vom Fahrzeuggew.; ** – neuer EU-Fahrcyclus.

Tab. 2 zeigt die nach Straßenverkehrs-Zulassungs-Ordnung gültigen Emissionsgrenzwerte[1]. Trotz der weiter gestiegenen Gesamtfahrleistungen (1994 591 Mio. km) sinken die Schadstoffemissionen der in der BRD zugelassenen Kfz (1995 ca. 48 Mio. Kfz) z. T. deutlich[2] (Tab. 3, vgl. Tab. 2 bei Emissionsquellen); der Energieverbrauch stagniert aufgrund gesteigerter Motoreneffizienz seit 1992.

Zu den *Luftverunreinigungen durch den Kraftfahrzeugverkehr gehören neben den K. auch die beim Umschlag, dem Transport u. der Lagerung entstehenden Verdampfungsverluste von Kraftstoff.

Die höchsten durch K. verursachten Immissionswerte treten im Bereich städt. Hauptverkehrsstraßen sowie im Kfz-Innern auf; v. a. Stickstoffoxide u. Kohlenwasserstoffe werden photochem. umgewandelt u. tra-

Tab. 3: Emissionen aus dem Straßenverkehr.

	1990	1994
Kohlendioxid [Mt]	149	158
Stickstoffoxide	1223	1046
(NO_x, berechnet als NO_2) [kt]		
Schwefeldioxid [kt]	77	51
Kohlenmonoxid [Mt]	6,5	4,0
Staub [kt]	41	42
flüchtige organ. Verb. (ohne Methan,	1404	677
NMVOC: non-methan-VOC) [kt]		
Methan [kt]	65	36

gen bei entsprechenden Wetterlagen zur Entstehung von *Smog bei.

Gesetzliche Regelungen: Die *Emissionen aus Kraftfahrzeugen werden aufgrund von Vorschriften gemäß der Straßenverkehrs-Zulassungs-Ordnung begrenzt. Regelungen bestehen z. B. für Neuwagen wie auch für Abgasuntersuchungen. EG-Regelungen betreffen z. B. den Blei-Gehalt von Benzin (Richtlinie 85/210/EWG), Maßnahmen gegen die Emission gasf. Schadstoffe aus Dieselmotoren (Richtlinie 88/77/EWG) u. Maßnahmen gegen die Verunreinigung der Luft durch Abgase von Kraftfahrzeugmotoren mit Fremdzündung (Richtlinie 70/220/EWG u. 83/351/EWG). Mit der Richtlinie 91/441/EWG wurde der *Dreiwege-Katalysator mit Lambda-Sonde als die derzeit wirksamste Schadstoff-Minderungstechnik EU-weit durchgesetzt. Nach *Bundes-Immissionsschutzgesetz begrenzt die 3. BImSchV den Schwefel-Gehalt von Dieselkraftstoff, die 10. BImSchV regelt die Beschaffenheit von Kraftstoffen, die 19. BImSchV verbietet Chlor- u. Brom-Verb. als Kraftstoffzusatz. Die 20. BImSchV begrenzt die Kohlenwasserstoff-Emissionen bei der Lagerung von Ottokraftstoffen, die 21. BImSchV bei der Betankung. Durch das Benzinbleigesetz (BzBlG) von 1971 ist der Blei-Gehalt in Normalbenzin seit 1988 auf 0,013 g/L, in Superbenzin auf 0,15 g/L begrenzt. Durch steuerliche Förderung u. die Verwendung von Abgaskatalysatoren, die durch Blei inaktiviert werden, hat sich bleifreies *Benzin am Markt durchgesetzt. Nach EG-Recht ist die Vermarktung von Ottokraftstoffen mit bis zu 5 Vol.-% Benzol erlaubt. In der BRD liegt der durchschnittliche Benzol-Gehalt bei 2%. Im September 1995 hat die dtsch. Mineralöl-Ind. freiwillig ein Benzol-armes Benzin (Superplus) eingeführt. – *E* vehicle exhaust fumes – *F* gaz d'échappement d'automobiles – *I* gas di scarico automobilistico – *S* gases de escape de automóviles
Lit.: [1] Umweltbundesamt (Hrsg.), Jahresbericht 1995, S. 386–394, Berlin: Selbstverl. 1996. [2] Sechster Immissionsschutzbericht der Bundesregierung, Bonn: BMU 1996.

Kraftfeld. In der Molekülspektroskopie versteht man unter K. einen Satz von *Kraftkonstanten (Ableitungen der Gesamtenergie eines Mol. bei ruhenden Kernen nach den gewählten Schwingungskoordinaten), der die zwischen den Atomen wirkenden Kräfte beschreibt. Man unterscheidet zwischen *harmon.* u. *anharmon.* K.; ersteres beinhaltet nur harmon. Kraftkonstanten (2. Ableitungen), letztere auch anharmon. (3. u. höhere Ableitungen).

Anstelle einer endlichen Taylor-Entwicklung der Gesamtenergie eines Mol., die im allg. auf einen engen Bereich um die *Gleichgewichtsgeometrie beschränkt ist, können auch allgemeinere analyt. Ansätze für die Wechselwirkungen zwischen den Atomen in einem Mol. u. auch zwischen Atomen verschiedener Mol. gemacht werden. Dies erfolgt v. a. beim Studium größerer organ. u. biolog. Mol. K.- od. *Molekül-Mechanik*-(MM)-Rechnungen werden durchgeführt z. B. zur Ermittlung der Struktur u. des Energiegehalts von verschiedenen Konformeren (s. Konformation) od. zur Wechselwirkung zwischen *Enzymen u. Substrat. – *E* force field – *F* champ de force – *I* campo di forze – *S* campo de fuerza

Lit.: Adv. Phys. Org. Chem. **13**, 1–82 (1976) ▪ Angew. Chem. **92**, 417–429 (1980); **95**, 1–12 (1983) ▪ Burkert u. Allinger, Molecular Mechanics (ACS Monogr. 177), Washington: ACS 1983 ▪ Chem. Soc. Rev. **7**, 133–166 (1978) ▪ Deb, The Force Concept in Chemistry, New York: Van Nostrand Reinhold 1981 ▪ Ermer, Aspekte von Kraftfeldrechnungen, München: Baur 1981 ▪ Niketic u. Rasmussen, The Consistent Force Field, Berlin: Springer 1977 ▪ Struct. Bonding **27**, 161–211 (1976) ▪ Top. Stereochem. **13**, 117–194 (1982).

Kraftkonstanten. Begriff aus der Mol.-Spektroskopie u. Schwingungslehre. Für eine *harmonische Schwingung gilt das Kraftgesetz $\vec{F} = -f \cdot \vec{x}$; hierbei ist $\vec{F}$ die Kraft u. $\vec{x}$ die Auslenkung aus der Gleichgew.-Lage; den Parameter f bezeichnet man als Kraftkonstante. Man unterscheidet zwischen *harmon.* u. *anharmon.* K.; wenn nur von K. die Rede ist, sind erstere gemeint. Im mehrdimensionalen Fall (mehratomiges Mol.) sind sie definiert als $f_{ij} = (\partial^2 V / \partial R_i \, \partial R_j)_e$; V ist hierbei die Potentialfunktion, R_i u. R_j sind Schwingungskoordinaten (z. B. Änderungen von Bindungslängen u. Bindungswinkeln bezüglich der *Gleichgewichtsgeometrie) u. der Subskript e symbolisiert, daß die zweite partielle Ableitung am Ort der *Gleichgewichtsgeometrie gebildet wird. Die wichtigste Quelle für experimentelle Werte von K. sind Schwingungsfrequenzen. Da die Zahl der K. im allg. wesentlich größer ist als die Zahl der Schwingungsfrequenzen eines *Isotops, sind Zusatzdaten erforderlich, wenn man alle K. f_{ij} bestimmen will. Geeignete Größen sind hierbei Isotopenverschiebungen, *Zentrifugaldehnungskonstanten od. Coriolis-Kopplungskonstanten.

K. sind Größen, die sensitiv auf die Stärke einer Bindung reagieren. So findet man deutlich unterschiedliche Werte für die harmon. CC-Streckschwingungs-K. von Acetylen (16 N m^{-1}), Ethylen (9 N m^{-1}) u. Ethan (5 N m^{-1}). Häufig reichen die experimentellen Daten nicht aus, um ein allg. harmon. Kraftfeld (GHFF: general harmonic force field) zu bestimmen; in solchen Situationen sind nur näherungsweise Kraftfelder bestimmbar, wovon eine Reihe von Varianten vorgeschlagen wurden, z. B. UBFF (*Urey-Bradley force field*) od. HOFF (*hybrid orbital force field*); Näheres s. *Lit.*[1]. – *E* force constant – *F* constante de force – *I* costante di forza – *S* constantes de fuerza

Lit.: [1] Pure Appl. Chem. **50**, 1707–1714 (1978). *allg.:* Califano, Vibrational States, London: Wiley 1976 ▪ Fadini, Molekülkraftkonstanten, Darmstadt: Steinkopff 1976 ▪ s. a. IR-Spektroskopie u. Schwingung(sspektren).

Kraft-Prozeß s. Zellstoffgewinnung.

Kraftstoffe. Sammelbez. für meist flüssige od. gasf. *Brennstoffe, die zum Betrieb von Verbrennungsmotoren dienen. Man unterscheidet nach der Verw.-Art z. B. Düsen-, Flug-, Diesel-, Motor-, Otto-, Traktoren-, Renn-K. u. -*Treibstoffe. – *E* fuels – *F* carburants, combustibles – *I* carburanti, combustibili – *S* carburantes, combustibles

Kraft-Verfahren s. Cellulose.

Kraft-Wärme-Kopplung. Bez. für die gekoppelte Umwandlung chem. Energie (z. B. in Brennstoffen) in mechan. Arbeit zur Stromerzeugung u. Wärme zur Nutzung für Fernheizungen bzw. Prozeßdampf in einer Anlage. Im Gegensatz zur reinen Stromerzeugung mit ihren üblicherweise hohen Energieverlusten in Form von Abwärme wird der „Dampfkraftprozeß" auf einem bestimmten Temp.-Niveau abgebrochen u. der Wasserdampf für Fernheizzwecke od. als industrielle Prozeßwärme entnommen. Bei gleichem Brennstoffeinsatz vermindert sich dadurch zwar die Stromabgabe, der Nutzungsgrad des Brennstoffs erhöht sich aber je nach Anlage bis auf über 80% gegenüber ca. 38% bei reiner Stromerzeugung. Die K.-W.-K. wird in der chem. Ind. vielfach genutzt. Hier fällt im chem. Prozessen meist in vielfältiger Form Abwärme an, bes. bei der techn. Durchführung von exothermen Reaktionen. Es wird versucht, diese Wärme bei möglichst hohem Temp.-Niveau durch Dampferzeuger wieder zu gewinnen, damit eine möglichst günstige Energiegesamtnutzung möglich wird. Dampferzeuger sind z. B. Kühler für Produktströme (z. B. Quenchkühler, Abhitzekessel, zur techn. Ausführung solcher Kühler s. *Lit.*[1]). Dieser Dampf wird in K.-W.-K. eingesetzt, so daß der Bedarf einer Großanlage an Strom u. Prozeßdampf durch den chem. Prozeß selbst gedeckt wird, z. B. bei der Ammoniak-Synth. od. der Verbrennung von Ammoniak zur Salpetersäure-Herstellung. Im günstigen Fall kann eine Großanlage auch den Bedarf anderer Anlagen decken, z. B. Steam-Cracker zur Herst. von Ethen. – *E* force-heat coupling – *F* couplage force-chaleur – *I* accoppiamento di forza e calore – *S* acoplamiento fuerza-calor

Lit.: [1] ACHEMA Jahrb. **1994**, 1933. *allg.:* Chem. Ing. Tech. **51**, 833 f. (1979) ▪ VDI-Wärmeatlas, Düsseldorf: VDI 1994.

Krahn. Kurzbez. für die 1909 gegr. Handelsfirma, seit 1972 Krahn Chemie GmbH, 20457 Hamburg. *Daten* (1997): Ca. 75 Beschäftigte, ca. 150 Mio. DM Umsatz (1995). *Verkaufsprogramm:* Roh- u. Hilfsstoffe für die Ind., insbes. Chemikalien, Kautschuke; Rohstoffe für Farben u. Lacke, für Dicht- u. Klebstoffe, für Kosmetik u. Reinigungsmittel; Schmiermittelrohstoffe, Additive, Füllstoffe, Harze, Pigmente, Weichmacher u. Ingenieurkeramik.

Krakenmoleküle s. Podanden.

Kramer-Effekt s. Exoelektronen.

Krampfadern s. Varizen.

Kranbeeren s. Preiselbeeren.

Krapp. Im Mittelmeerraum schon vor Jahrtausenden kultivierte, auch in Ostasien u. Nordamerika verbreitete, 50–60 cm hohe ausdauernde Pflanze (Färberröte,

Rubia tinctorum, Rubiaceae) mit gelbfleischigem Wurzelstock. Die beim Trocknen rot werdende Krapp- od. Färberwurzel enthält als färbende Bestandteile neben *Purpurin 2 bis 3,5% Di- u. Trihydroxy-*Anthrachinon-Glykoside, hauptsächlich die aus *Alizarin u. *Primverose bestehende *Ruberythrinsäure (2-O-β-Primverosyl-alizarin, $C_{25}H_{26}O_{13}$, M_R 534,47). K. wurde schon von den alten Ägyptern, Griechen, Römern, Indern, Persern u. Türken zum Färben von Wolle, Seide u. bes. von Teppichen benutzt [1] (Krapplacke s. Alizarin). Ende des 16. Jh. wurde die Krapp-Pflanze über Italien eingeführt u. in Frankreich, Holland, im Elsaß u. an anderen Stellen in großem Maßstab angebaut. Heute kommt sie nur noch in manchen Gegenden verwildert vor. Pharmazeut. wird K. als spasmolyt. wirkendes Nieren- u. Blasenmittel verwendet. – *E* madder – *F* garance (des teinturiers) – *I* robbia, garanza – *S* rubia, granza
Lit.: [1]Chem. Unserer Zeit **15**, 179–189 (1981); Chem. Ind. (London) **1994**, 28.
allg.: Braun (4.), S. 192 f. ▪ Hager (5.) **5**, 219 ▪ Dragoco-Rep. **25**, 21–27 (1978) ▪ s. a. Alizarin. – *[HS 1404 90]*

Kratky, Otto (1902–1995), Prof. für Theoret. u. Physikal. Chemie, Univ. Berlin, Prag, Graz. *Arbeitsgebiete:* Polymere, Biophysik, Röntgenstrukturanalyse bei Cellulose, Faserproteinen, Eisenoxidsole, Krist.-Bau von Choleinsäuren, Konvergenz-Verf., Röntgenkleinwinkelstreuung, Micellen.
Lit.: Allg. Prakt. Chem. **23**, 1 (1972) ▪ Ber. Bunsenges. Phys. Chem. **91**, 3 (1987) ▪ Chem. Kunstst. Aktuell **30**, 113 (1976) ▪ Kürschner (16.), S. 1946 ▪ Nachr. Chem. Tech. Lab. **20**, 111 f. (1972); **40**, Nr. 2, 255 (1992); **43**, Nr. 4, 485 (1992) ▪ Neufeldt, S. 203, 382 ▪ Pötsch, S. 250 f.

Kratky-Porod-Kette (wurmartige Kette). *Polymer-Ketten sind in Abhängigkeit von ihrer chem. Struktur unterschiedlich flexibel. Ihre Segmente können aufgrund ihrer endlichen Dicke u. aufgrund von Rotationsbehinderungen um die Kettenbindungen nur bestimmte Positionen im Raum einnehmen. Polymere, die als „halbsteif" (semiflexibel) einzuordnen sind, lassen sich dabei gut mit dem Modell der K.-P.-K. beschreiben. Dieses Modell unterteilt eine reale Polymerkette in eine unendlich große Anzahl unendlich kleiner, hypothet. Kettensegmente, so daß eine kontinuierlich gekrümmte (wurmartige) Kette resultiert. Im Rahmen dieses Modells können die Eigenschaften von Polymeren, die dem Übergangsbereich zwischen ideal *kettensteifen Polymeren u. statist. geknäuelten Makromolekülen angehören, mit Hilfe von nur zwei Parametern beschrieben werden, der *Konturlänge u. der *Persistenzlänge. – *E* Porod-Kratky chain, wormlike chain, continuously curved chain – *F* chaîne de Kratky-Porod – *I* catena di Kratky-Porod – *S* cadena Kratky-Porot, cadena como gusano
Lit.: Elias (5.) **2**, 67.

Kratos®. Kohlungsmittel zur Wärmebehandlung von Eisen u. Stahl. *B.:* Degussa.

Krauch, Carl (1887–1968), Vater von C. H. Krauch, Prof. für Chemie, Heidelberg, BASF. *Arbeitsgebiete:* Mineralöl-, Stickstoff-, Buna-Hochdrucksynth., Verf. zur Gewinnung von Synth.-Gas zur Ammoniak-Herst., Entwicklung von Mo- u. W-Katalysatoren für Hochdruckhydrierung von Kohle, Teeren u. Ölen.
Lit.: Neufeldt, S. 131.

Krauch, Carl Heinrich (geb. 1931), Sohn von Carl *Krauch, Prof. für Organ. Chemie, Mainz, ehem. Vorstandsvorsitzender der Hüls AG u. Mitglied des Vorstandes der VEBA AG, ehem. Präsident der GDCh. *Arbeitsgebiete:* Photochemie von Naturstoffen, Kunststoffe, Photopolymerisation, Waschmittel-Builder.
Lit.: Chem. Ind. (Berlin) **32**, 449 f. (1989) ▪ Kürschner (16.), S. 1948 ▪ Nachr. Chem. Tech. Lab. **39**, Nr. 10, 1186 (1991).

Krauseminzeöle. Durch Wasserdampfdest. erhältliche ether. Öle aus dem blühenden Kraut verschiedener Mentha-Arten, *Mentha spicata* („native spearmint") u. *M. cardiaca* („scotch spearmint"). Farblose bis gelbgrüne Flüssigkeit mit frischem, kümmelartig-minzigem Geruch, D. 0,920–0,937, lösl. in Ethanol u. fetten Ölen. Die Hauptanbaugebiete sind in den USA: Ölproduktion 1992 ca. 3200 t. Kleinere Anbaugebiete gibt es in China u. Indien, die Produktion lag 1992 bei ca. 500 t.
Zusammensetzung: Hauptbestandteil u. typ. für den organolept. Eindruck ist *(–)-*Carvon (USA 55–66%; China/Indien ca. 80%). Die weitere Zusammensetzung hängt vom Typ ab: Ein Midwest-Scotch-Öl enthält z. B. *Limonen (15%), *1,8-*Cineol (1,5%), *Menthon (1%), *1,6-Dihydrocarvon (2%) usw.
Verw.: Für Mundpflegemittel, bes. Kaugummi u. in der Nahrungsmittel-Industrie. – *E* spearmint oil – *F* essence de menthe crépue – *I* essenca di menta crispa – *S* esencia de menta rizada
Lit.: Gildemeister **7**, 394–407 ▪ ISO 3033 (1988) ▪ Roth u. Kormann, Duftpflanzen – Pflanzendüfte, S. 232, Landsberg: ecomed 1997 ▪ Ullmann (5.) **A 11**, 233; **A 18**, 211. – *[HS 3301 25; CAS 8008-79-5]*

Krauss-Maffei. Kurzbez. für die 1931 gegr. Firma Krauss-Maffei AG, 80973 München. *Aktivitäten:* Entwicklung u. Fertigung von Filtrationszentrifugen, Kontakt- u. Konvektionstrocknern, Reaktoren, Nutsch-Trocknern, Zentrifugal-Verdampfern, Vak.-, Trommel- u. Scheibenfiltern, Druckfiltern sowie trenntechn. Prozeßlinien mit zugehöriger Peripherie. Komplette Prozeß-Automatisierungssysteme. Die Maschinen, Apparate u. Prozeßlinien werden vorwiegend in der Chemie-, Pharma-, Kunststoff-, Grundstoff-, Nahrungsmittel-Ind. sowie in der Umwelttechnik eingesetzt.

Krautabtötungsmittel s. Herbizide.

KRE. Kurzz. für *konstitutionelle Repetiereinheit (E CRU von constitutional repeat(ing) unit).

Kreatin (*N*-Amidinosarkosin, *N*-Carbamimidoyl-*N*-methylglycin).
$C_4H_9N_3O_2$, M_R 131,13. Als Monohydrat ein farbloses,

$$\underset{H_2N-\overset{\overset{\displaystyle HN}{\|}}{C}-\overset{\overset{\displaystyle CH_3}{|}}{N}-CH_2-COOH}{}$$

krist. Pulver, Schmp. 303 °C (Zers.), lösl. in Wasser, fast unlösl. in Alkohol u. Ether. In wäss. Lsg. wird *Kreatinin gebildet. K. findet sich im Muskelsaft der Wirbeltiere zu 0,05–0,4%, in geringen Mengen auch im Gehirn u. Blut; Name von griech.: kréas = Fleisch. Im Organismus entsteht es durch Transamidinierung von L-Arginin auf Glycin zu Guanidinoessigsäure u. deren anschließende Methylierung mittels S-*Adenosylmethionin (durch *Guanidinoacetat-Methyltransferase*, EC 2.1.1.2, als Katalysator). Zur Funktion des

K. als Phosphat-Gruppen-Akzeptor s. Kreatinphosphat. In der Niere wird K. rückresorbiert, so daß sein Auftreten im Harn auf Nierenfunktionsstörungen schließen läßt. Die Ausscheidungsform des K. ist Kreatinin. Den Abbau des K. zu Harnstoff u. *Sarkosin katalysiert die in Mikroorganismen vorkommende *Kreatinase* (Kreatin-Amidinohydrolase, EC 3.5.3.3). Man hält K. für einen appetitfördernden Bestandteil von Rindfleisch u. *Fleischextrakt. K.-Zusatz zur Nahrung verstärkt die körperliche Leistungsfähigkeit[1]. – *E* creatine – *F* créatine – *S* creatina

Lit.: [1] Int. J. Sport Nutr. **5**, 94–101 (1995).
allg.: Beilstein E IV 4, 2426. – *[HS 2925 20; CAS 57-00-1]*

Kreatinase s. Kreatin.

Kreatinin (2-Imino-1-methyl-4-imidazolidinon). $C_4H_7N_3O$, M_R 113,12. Farblose Krist., Schmp. 305 °C

(Zers.), lösl. in Wasser u. Alkohol, unlösl. in Ether, gibt mit Säuren meist gut krist. Salze. K. entsteht im Organismus durch (nicht-enzymat.) Umwandlung aus *Kreatinphosphat u. wird über die Niere ausgeschieden; die Menge der K.-Ausscheidung ist der *Muskel-Masse proportional u. für das jeweilige Individuum annähernd konstant. K. ist in *Fleischextrakt u. *Fleischbrühwürfeln enthalten. Es ist an der Rotfärbung zu erkennen, die bei Zusatz von wäss. Pikrinsäure-Lsg. u. Natronlauge eintritt (*Jaffé-Reaktion unter Bildung eines *Meisenheimer-Komplexes). Allerdings ist diese Reaktion nicht spezif., denn sie kann durch Ascorbinsäure, Aceton, Acetessigsäure, Fructose, Glucose u. ä. Verb. sowie z. B. durch *Cephalosporine gestört werden. Als Maß für die Nierenfunktion[1] läßt sich K. im Serum spezif. mit *Kreatininase* (Kreatinin-Amidinohydrolase, EC 3.5.2.10; katalysiert die Reaktion K. + H_2O → *Kreatin) bestimmen. – *E* creatinine – *F* créatinine – *I* chreatinina – *S* creatinina

Lit.: [1] Clin. Chem. **38**, 1933–1953 (1992).
allg.: Beilstein E V 25/14, 80 f. – *[HS 2933 29; CAS 60-27-5]*

Kreatininase s. Kreatin.

Kreatin-Kinase (ATP:Kreatin-*N*-Phosphotransferase, EC 2.7.3.2; Abk.: CK). Von CK, einem Dimer vom M_R 82000, existieren verschiedene *Isoenzyme, die spezif. z. B. im Skelettmuskel, im Gehirn od. im Herzmuskel lokalisiert sind. Durch Phosphat-Gruppen-Transfer von *Adenosin-3′-triphosphat auf *Kreatin (→ *Kreatinphosphat) im Intermembranraum der *Mitochondrien u. die Umkehrung dieses Vorgangs im *Cytoplasma stark energiebedürftiger Gewebe (z. B. Muskel) trägt CK zur Flexibilität des Energie-Haushalts bei. Bei Herzmuskelschäden (bes. beim *Herz-Infarkt) tritt das betreffende Isoenzym vermehrt im Serum auf, weshalb seine Bestimmung (z. B. mit Hilfe von Antikörpern) zur Diagnose herangezogen wird. – *E* creatine kinase – *F* créatine-kinase – *I* creatinchinasi – *S* creatina-quinasa, creatincinasa

Lit.: Biochim. Biophys. Acta **1274**, 81–88 (1996) ▪ Curr. Biol.

4, 42–46 (1994) ▪ Nature (London) **381**, 281 f., 341–345 (1996).

Kreatinphosphat (Phosphokreatin).

Als freie Säure: $C_4H_{10}N_3O_5P$, M_R 211,11. Verb. aus Phosphorsäure u. *Kreatin, die im frischen *Muskel verbreitet ist u. dort als Energie-speicherndes Phosphat (*Phosphagen*) eine wichtige Rolle spielt. Im arbeitenden Muskel gibt K. mit *Adenosin-5′-diphosphat unter dem Einfluß des Enzyms *Kreatin-Kinase *Adenosin-5′-triphosphat (ATP) u. *Kreatin; im ruhenden Muskel läuft die umgekehrte Reaktion ab. Da das Phosphat-Übertragungspotential des K. um ca. 13 J/mol höher als das des ATP ist, liegt das chem. Gleichgew. mehr auf der Seite des letzteren. Bei einigen Wirbellosen tritt L-*Argininphosphat* (N^ω-Phospho-L-arginin) als Phosphagen an die Stelle des Kreatinphosphats. – *E* creatine phosphate – *F* créatine-phosphate – *I = S* creatina-fosfato

Lit.: Beilstein E IV 4, 2426 ▪ Stryer 1996, S. 471 f. – *[CAS 67-07-2]*

Krebs. Irreversible maligne Entartung körpereigener *Zellen, die durch fortgesetzte Zellteilung zur Entstehung *maligner Neoplasien* führt. Diese (wörtlich) „bösartigen Neubildungen" dringen in das umgebende Gewebe ein u. zerstören es. Auf dem Lymph- od. Blutweg sind sie zur Bildung von *Metastasen* (Tochtergeschwülsten) fähig, so daß schließlich wichtige Körperfunktionen durch den Einfluß der desorganisierten Krebszellen gestört werden. Finden die prim. malignen Entartungen in epithelialen Geweben statt, so bezeichnet man sie als *Carcinome* (griech.: karkinos = Krebs), die *Sarkome* (griech.: sarkos = Fleisch) bilden sich aus Bindegewebe.
Die verschiedenen K.-Formen unterscheiden sich sehr in bezug auf ihre Entstehung, ihr klin. Bild u. ihren Verlauf. Allen gemeinsam ist das zerstörend u. verdrängend wirkende Wachstum u. die Bildung von Metastasen. So entwickeln sich Carcinome u. a. in der Haut, der Lunge, im Magen u. Darm, Prostata, Gebärmutter u. weiblicher Brust. Geschwulste des Nervensyst. sind überwiegend Tumoren der Gliazellen (s. a. Hirnsubstanz). Sarkome treten z. B. als Geschwulste der Muskeln, der Knochen, des lymphat. Syst. (maligne Lymphome) od. als *Leukämien auf.
Die Entstehung von K. (*Carcinogenese) ist ein bisher nur unvollkommen verstandener Prozeß. Eine gewisse Rolle spielt die erbliche Disposition u. das Auftreten von Vorerkrankungen, die ein hohes Entartungsrisiko beinhalten u. daher als *Präcancerosen* bezeichnet werden. Ferner sind chem. *Carcinogene, ionisierende Strahlen, Viren, Hormone u. Störungen der körpereigenen Abwehr an der Carcinogenese beteiligt. Die Auswirkungen des K.-Wachstums auf den Organismus sind zum einen lokale Verdrängung, Kompression u. Zerstörung von Organgewebe, ggf. mit Blutungen, zum anderen allg. Kräfteverfall, Blutarmut od. Symptome durch Sekretion z. B. von Hormonen durch das Tumorgewebe.

Zur Früherkennung finden bezüglich der häufigsten K.-Erkrankungen Vorsorgeuntersuchungen statt. In der BRD hat jede Frau ab dem 20. u. jeder Mann ab dem 45. Lebensjahr gesetzlichen Anspruch auf eine jährliche Vorsorgeuntersuchung, insbes. auf K. von Gebärmutter, Brust, Darm, Prostata, Haut u. Nieren. Diese Untersuchungen schließen eine cytolog. Beurteilung von Abstrichen ein.
Die K.-Behandlung ist abhängig von Form u. Verlauf der jeweiligen Erkrankung. Ziel ist es, die entarteten Zellen ohne schwerwiegende Schädigung des Organismus zu entfernen od. zumindest in ihrem Wachstum zu hemmen. Dazu werden die chirurg. Entfernung der Geschwulst od. befallener Organe bzw. Organteile, die *Chemotherapie u. die Bestrahlung mit ionisierenden Strahlen allein od. in Kombination angewandt. – *E* = *F* cancer – *I* cancro – *S* cáncer
Lit.: Noltenius, Tumorhandbuch, München: Urban & Schwarzenberg 1987 ■ Schirrmacher, Krebs – Tumoren, Zellen, Gene, Heidelberg: Spektrum der Wissenschaft Verlagsges. 1990.

Krebs, Bernt (geb. 1938), Prof. für Anorgan. Chemie, Univ. Kiel, Bielefeld, Münster. *Arbeitsgebiete:* Schwefel-, Selen-, Tellur-Verb., Übergangsmetall-Schwefel-Komplexe, Poly-oxo-Verb., Struktur- u. Krist.-Chemie, Bioanorgan. Chemie: Übergangsmetalle in Lebensprozessen.
Lit.: Kürschner (16.), S. 1959 f. ■ Nachr. Chem. Tech. Lab. **44**, Nr. 7/8, 812 (1996) ■ Wer ist wer (35.), S. 804.

Krebs, Edwin Gerhard (geb. 1918), Prof. für Biochemie u. Pharmakologie, Univ. of Washington, Seattle. *Arbeitsgebiete:* Stoffwechselvorgänge. 1992 erhielt er für die Entdeckung der reversiblen Phosphorylierung gemeinsam mit *Fischer, E. H. den Nobelpreis für Physiologie od. Medizin.
Lit.: Lexikon der Naturwissenschaftler, S. 2252.

Krebs, Sir Hans Adolf (1900–1981), Prof. für Biochemie, Sheffield, Oxford. *Arbeitsgebiete:* Biochemie, Stoffwechselenergetik, Aufstellung des Harnstoff-Cyclus u. des später auch nach ihm benannten *Citronensäure-Cyclus. K. erhielt 1953 zusammen mit *Lipmann den Nobelpreis für Physiologie od. Medizin.
Lit.: Biochem. Soc. Symp. **27**, 3–9 (1968) ■ Lexikon der Naturwissenschaftler, S. 252 ■ Nachmansohn, S. 319 ff. ■ Naturwiss. Rundsch. **21**, 231–236 (1968); **35**, 225–235 (1982) ■ Neufeldt, S. 177, 197, 374, 382 ■ Pötsch, S. 251.

Krebs-Cyclus s. Citronensäure-Cyclus.

Krebse. Die K. od. *Krustentiere* (Crustaceae; zu Diantennata, Branchiata) sind ein ca. 40 000 Arten umfassender Unterstamm der *Arthropoden (Gliederfüßler, ca. 980 000 Arten). Sie sind also *Invertebraten* (wirbellose Tiere). K. sind – bis auf einige landlebende Asseln (Ordnung Isopoda) – durch Kiemen atmende Wassertiere, deren Körper von einem ggf. durch Kalk-Einlagerungen verstärkten *Chitin-Panzer bedeckt ist. Dieser ist bes. auffällig bei den zur Ordnung Decapoda (ca. 10 000 Arten) gehörenden schwimmenden bzw. kriechenden Groß-K. (s. u.). Die K. durchlaufen – ähnlich wie die *Insekten – mehrere durch Häutungen abgegrenzte Larvenstadien, deren Abfolge wie bei jenen hormonell gesteuert wird. Das Häutungshormon ist das dem entsprechenden *Insektenhormon nahe verwandte sog. *Crustecdyson* (Ecdysteron, 20-Hydroxy-*Ecdyson), dem – ähnlich wie dort das *Juvenilhormon – ein häutungshemmendes Hormon entgegenwirkt. Der Farbwechsel zur Anpassung an die Umgebung wird bei K. durch Neurohormone gesteuert; bei den in den *Chromatophoren unter dem Panzer gespeicherten Farbstoffen handelt es sich meist um *Chromoproteine. Ein bekanntes Beisp. ist das braungrüne *Ovoverdin* aus Hummerschalen (ein sog. *Crustacyanin*), in dem ein Carotinoid an Protein gebunden ist. Beim Kochen wird dieser Komplex zerstört u. das leuchtend rote *Astaxanthin* (3,3′-Dihydroxy-4,4′-dioxo-β-carotin) freigesetzt. Eine Reihe von K. dient der menschlichen Ernährung, z.B. Garnelen (*E* shrimps), Langusten, Fluß-K., Hummer, Taschen-K., Strand- u. Wollhandkrabben, neuerdings auch *Krill. – *E* crabs, crustaceans – *F* crustacés – *I* gamberi – *S* cangrejos, crustáceos
Lit.: Wehner u. Gehring, Zoologie, 23. Aufl., Stuttgart: Thieme 1995. – *[HS 0106 00]*

Krebserzeugende Stoffe. Stoffe, die beim Menschen krebserzeugend wirken od. bei denen hinreichende Anhaltspunkte bestehen, daß sie beim Menschen *Krebs erzeugen können. K. S. werden mit dem *Gefahrensymbol u. der Gefahrenbez. *giftig gekennzeichnet.
Wegen des hohen gesundheitlichen Risikos beim Umgang mit k. S. ist grundsätzlich zu prüfen, ob anstelle k. S. Stoffe mit geringerer Gefährdung verwendet werden können. Wenn der Umgang mit k. S. notwendig ist, sind bes. Schutz- u. Überwachungsmaßnahmen erforderlich. Hierzu gehören die regelmäßige Kontrolle der Luft am Arbeitsplatz (*Arbeitsbereichsüberwachung*) u. die bes. ärztliche Überwachung exponierter Personen (Vorsorgeuntersuchungen). Durch die Arbeitsbereichsüberwachung soll sichergestellt werden, daß die Grenzwerte für k. S. (*TRK-Werte) eingehalten od. so weit wie möglich unterschritten werden. Gleichzeitig erlaubt die Arbeitsbereichsüberwachung eine Kontrolle der techn. Schutzmaßnahmen (s. Arbeitsschutz).
Die Arbeitsverf. beim Umgang mit k. S. sind so zu gestalten, daß diese Stoffe nicht in die Luft am Arbeitsplatz gelangen bzw. auf die hier tätigen Personen einwirken, z.B. durch geschlossene Anlagen. Ist dies nicht möglich, sind die freiwerdenden Stoffe an der Austritts- od. Entstehungsstelle zu beseitigen, z.B. durch Absaugung. Kann hierdurch nicht ausgeschlossen werden, daß k. S. frei werden, sind Lüftungsmaßnahmen zu treffen. Wenn die techn. u. organisator. Maßnahmen nicht ausreichen, sind persönliche Schutzausrüstungen einzusetzen, z.B. Atem-, Körperschutz, damit die Exposition so gering wie möglich gehalten wird. Der Umfang der notwendigen Maßnahmen richtet sich auch nach den speziellen physikal. Eigenschaften des Stoffes u. der Art u. Stärke seiner krebsverursachenden Wirkung.
K. S. werden nach Anhang I der GefStoffV unterteilt in die *Kategorie 1:* Stoffe, die beim Menschen bekanntermaßen krebserzeugend wirken; – *Kategorie 2:* Stoffe, die als krebserzeugend für den Menschen angesehen werden sollten u. – *Kategorie 3:* Stoffe, die wegen möglicher krebserregender Wirkung beim

Menschen Anlaß zur Besorgnis geben, über die jedoch nicht genügend Informationen für eine befriedigende Beurteilung vorliegen.

Stoffe der Kategorie 1 u. 2 werden mit dem Gefahrensymbol T u. der Gefahrenbez. „giftig" u. mit dem R-Satz 45 (kann Krebs erzeugen) gekennzeichnet. Bei inhalativer Exposition ist R-Satz 49 anzugeben (kann Krebs erzeugen beim Einatmen). Stoffe der Kategorie 3 werden mit dem Gefahrensymbol Xn u. der Gefahrenbez. „gesundheitsschädlich" gekennzeichnet. Es ist der R-Satz 40 (irreversibler Schaden möglich) zu verwenden.

Nach § 35 Absatz 3 sind Zubereitungen als krebserzeugend anzusehen, sofern der Massengehalt an einem k. S. gleich od. größer als 0,001 ist u. nicht andere stoffspezif. Konzentrationsgrenzen festgelegt sind. Für eine Reihe von k. S. gelten bes. Gehaltsgrenzen für den Massengehalt in der Zubereitung. Sie sind ebenfalls in § 35 Absatz 3 aufgelistet.

Da bestimmte k. S. techn. unvermeidlich sind, z. T. auch natürlich vorkommen, u. Expositionen gegenüber diesen Stoffen nicht völlig ausgeschlossen werden können, benötigt die Praxis des Arbeitsschutzes Richtwerte für die zu treffenden Schutzmaßnahmen u. die meßtechn. Überwachung (TRK). Die Einhaltung der TRK-Werte am Arbeitsplatz soll das Risiko einer Beeinträchtigung der Gesundheit vermindern, vermag dieses jedoch nicht völlig auszuschließen; vgl. Carcinogene u. Krebs. – *E* cancerigenic substances, carcinogenic substances – *F* substances cancérigènes – *I* agenti cancerogeni – *S* sustancias cancerígenas

Lit.: GefStoffV vom 26.10.1993 (BGBl. I, S. 1782), zuletzt geändert am 09.10.1996 (BGBl. I, S. 1498) ▪ Merkblatt „Bes. Schutzmaßnahmen in Laboratorien" (M 006), Ausgabe 6/1989 ▪ Regeln für Sicherheit u. Gesundheitsschutz beim Umgang mit krebserzeugenden u. erbgutverändernden Gefahrstoffen (ZH 1/513), Ausgabe 1/1996 ▪ TRGS 900, Grenzwerte in der Luft am Arbeitsplatz: „Luftgrenzwerte-MAK u. TRK" (BArbBl. Nr. 4/1995, S. 47, zuletzt geändert u. ergänzt durch Nr. 3/1996, S. 78) ▪ TRGS 905, Verzeichnis krebserzeugender, erbgutverändernder od. fortpflanzungsgefährdender Stoffe (BArbBl. Nr. 4/1995, S. 70, zuletzt geändert durch Nr. 10/1995, S. 46) ▪ UVV Umgang mit krebserzeugenden Gefahrstoffen (VBG 113) in der Fassung vom 1.10.1991. – Bezugsquelle für Merkblätter, Richtlinien u. Unfallverhütungsvorschriften der BG Chemie: Carl Heymanns Verl. KG, Luxemburger Straße 449, 50939 Köln od. Jedermann-Verl., Postfach 10 31 40, 69021 Heidelberg; für ZH 1-Schriften: Jedermann-Verlag.

Krebs-Henseleit-Cyclus s. Harnstoff-Cyclus.

Krebsmittel s. Cytostatika

KREEP s. Mondgestein.

Kreide s. Kalke u. Erdzeitalter.

Kreiden (Abkreiden). Nach DIN 55 945 (09/1996) bei *Anstrichen Bez. für das Ablösen von *Pigmenten u. *Füllstoffen, die infolge Abbau des Bindemittels an der Oberfläche einer Beschichtung freigelegt werden. – *E* chalking – *F* dépigmentation – *I* gessare – *S* desprendimiento de pigmentos

Kreislauf. In der Biologie u. Medizin Bez. für den K. von Körperflüssigkeiten in Gefäßsyst. mit der Aufgabe des Transports verschiedenster Substanzen (Atemgase, Nährstoffe, Hormone, Zellen) u. Wärme. Bei den meisten Wirbellosen sind die Körperflüssigkeiten aufgrund des offenen Gefäßsyst. nicht voneinander getrennt, die sog. *Hämolymphe* tritt aus den Gefäßen direkt in die Zwischenzellräume ein. Wirbeltiere besitzen in einem geschlossenen Gefäßsyst. transportiertes Blut sowie ein davon getrenntes Lymphsyst. (s. a. Lymphe) mit speziellen Gefäßen. Der Blut-K. wird in Bewegung gehalten durch muskuläre Pumpen (*Herzen), die je nach stammesgeschichtlicher Entwicklungsstufe von unterschiedlich komplexem Bau sind.

Der K. der Wirbeltiere u. des Menschen wurde erstmals 1628 von W. Harvey (1578–1657) beschrieben. Er besteht aus zwei hintereinander geschalteten Hauptabschnitten, dem K. des Körpers u. dem der Lungen. Der größere Körper-K. wird durch die linke Kammer (Ventrikel) des Herzens in Bewegung gehalten u. verteilt das Blut über Schlagadern (Arterien) in die Organen des gesamten Körpers. Venen sammeln das Blut aus dem Körper-K. u. führen es der rechten Herzkammer zu. Diese dient als Pumpe für den Lungen-K., der das Blut zum Austausch von Atemgasen in der Lunge verteilt u. von dort aus der linken Herzkammer zuführt. Die Regulation der K.-Funktionen geschieht über regionale Durchblutungsänderungen sowie über hormonelle u. zentralnervöse Steuerung der Funktionen des Herzens u. der Gefäße. – *E = F* circulation – *I* circolazione – *S* circulación

Lit.: Schmidt u. Thews, Physiologie des Menschen, S. 498–561, Heidelberg: Springer 1995.

Kreislaufwirtschaft. Als K. werden gemäß *Kreislaufwirtschafts- und Abfallgesetz Maßnahmen zur *Abfallvermeidung u. *Abfallverwertung bezeichnet. Hierzu gehören die anlageninterne Kreislaufführung von Stoffen, die abfallarme Produktgestaltung u. ein auf den Erwerb abfall- u. schadstoffarmer Produkte gerichtetes Konsumverhalten (Vermeidungsmaßnahmen) sowie die stoffliche u. energet. Verwertung einschließlich dem Bereitstellen, Überlassen, Sammeln, Einsammeln durch Hol- u. Bringsyst., Befördern, Lagern u. Behandeln von *Abfällen zur Verwertung.

Kreislaufwirtschafts- und Abfallgesetz (KrW-/AbfG). Das K.- u. A. ist Kernstück des Gesetzes zur Vermeidung, Verwertung u. Beseitigung von Abfällen vom 27.9.1994[1]. Dieses ist ein sog. Artikelgesetz, das neben dem K.- u. A. noch Änderungen zum *Bundes-Immissionsschutzgesetz sowie anderen Gesetzen zu deren Anpassung an das K.- u. A. enthält. Es ist am 7.10.1996 in Kraft getreten u. hat zu diesem Zeitpunkt das *Abfallgesetz von 1986 abgelöst. Hierdurch haben sich grundlegende Änderungen im dtsch. Abfallrecht ergeben. Das Gesetz setzt zum einen die *EG-Richtlinie über Abfälle u. die *EG-Richtlinie über gefährliche Abfälle in dtsch. Recht um. Zum anderen soll die Abfallwirtschaft zur Kreislaufwirtschaft umgestaltet werden, d.h. zur Ressourcenschonung sind Produktion, Produkte u. Konsum so zu gestalten, daß Abfälle möglichst vermieden u. nicht vermeidbare Abfälle als *Sekundärrohstoffe in den Wirtschaftskreislauf zurückgeführt werden. Abfälle, die weder vermieden werden können noch für eine Kreislaufführung geeignet sind, sollen aus dem Kreislauf entfernt u. umweltverträglich beseitigt werden.

Wesentliche Regelungen: – Es wird der europ. Abfallbegriff übernommen. Dieser umfaßt alle Stoffe u. Gegenstände, die nicht Produkte sind, einschließlich der bisher als *Reststoff bzw. *Wirtschaftsgut verwerteten Stoffe, u. führt somit zu einer erheblichen Ausweitung der Anwendbarkeit des Abfallrechts. Es wird zwischen Abfällen zur Verwertung (früher: Reststoffe) u. Abfällen zur Beseitigung (früher: Abfälle) differenziert. Vom Abfallbegriff des K.- u. A. ausgenommen sind wie im bisherigen Abfallgesetz Stoffe, die nach anderen Gesetzen zu beseitigen sind (z.B. Kernbrennstoffe, Abfälle aus der Gewinnung von Bodenschätzen). – Nach den Grundsätzen der Kreislaufwirtschaft sind Abfälle in erster Linie zu vermeiden u. in zweiter Linie stofflich od. energet. zu verwerten. Die stoffliche u. energet. Verwertung sind unter bestimmten Voraussetzungen gleichwertig; Vorrang hat die jeweils umweltverträglichere Verwertungsart, wobei der Vorrang der stofflichen od. energet. Verwertung für bestimmte Abfallarten durch Rechtsverordnung festgelegt werden kann. Nicht verwertbare Abfälle sind gemeinwohlverträglich u. im Inland zu beseitigen.

Die im bisherigen Abfallgesetz verankerte Überlassungspflicht von Abfällen an die entsorgungspflichtigen Körperschaften (s. Anschluß- u. Benutzungszwang) wird eingeschränkt; Abfallerzeuger u. -besitzer sind grundsätzlich selbst zur Entsorgung ihrer Abfälle verpflichtet, wobei diese Pflicht auf private Entsorgungsträger übertragbar ist. – Erzeuger, bei denen bestimmte Mindestmengen an Abfällen anfallen, müssen Abfallwirtschaftskonzepte u. Abfallbilanzen mit Angaben zu Vermeidungs-/Verwertungsmaßnahmen sowie zur durchgeführten bzw. geplanten Entsorgung von Abfällen erstellen. – Hersteller, Verarbeiter u. Vertreiber von Erzeugnissen tragen die Produktverantwortung, d. h. Erzeugnisse sind so zu gestalten, daß bei deren Herstellung u. Gebrauch das Entstehen von Abfällen vermindert wird u. die umweltverträgliche Entsorgung der nach Gebrauch der Erzeugnisse entstandenen Abfälle sichergestellt ist. Die Konkretisierung dieser Grundpflicht erfolgt durch Rechtsverordnungen, die Verbote, Beschränkungen, Kennzeichnungen, Rücknahme- u. Rückgabepflichten enthalten können. Mit Ausnahme der Deponien bedürfen *Abfallentsorgungsanlagen nicht der abfallrechtlichen Zulassung, sondern unterliegen dem Bundes-Immissionsschutzrecht. – Die abfallrechtliche Überwachung wird dem erweiterten Abfallbegriff entsprechend auf Abfälle zur Verwertung ausgedehnt. – Neu geregelt wird die Verzahnung von Bundesimmissionsschutz- u. Abfallrecht. War bisher der immissionsschutzrechtlich genehmigungsbedürftigen Anlagen das Immissionsschutzrecht dem Abfallrecht vorgelagert (s. Reststoff), so sind nunmehr stoffbezogene Anforderungen nach dem K.- u. A. an die Verwertung in solchen Anlagen möglich.

Lit.: [1] Gesetz zur Vermeidung, Verwertung u. Beseitigung von Abfällen vom 27.9.1994, BGBl. I, S. 2705. *allg.:* Birn, Kreislaufwirtschafts- u. Abfallgesetz in der betrieblichen Praxis, Loseblatt-Ausgabe, Augsburg: WEKA, seit 1995 ▪ Fluck, Kreislaufwirtschafts- u. Abfallrecht, Loseblatt-Ausgabe, Heidelberg: Müller, seit 1995 ▪ von Köller, Kreislaufwirtschafts- u. Abfallgesetz, Berlin: E. Schmidt 1995.

Kreisprozeß s. Born-Haber-Kreisprozeß, Carnotscher Kreisprozeß u. Hauptsätze.

Krempel s. Karde.

Kremserweiß s. Bleiweiß.

Kren s. Meerrettich.

Kreon®. Kapseln u. Granulat mit *Pankreatin bei entsprechenden Enzym-Mangelkrankheiten. *B.:* Solvay Arzneimittel.

Kreosol s. 4-Methylbrenzcatechin.

Kreosot (von griech.: kreas = Fleisch u. sozein = schützen). Aus der schweren *Holzteer-Öl-Fraktion durch Extraktion mit NaOH erhaltenes, stark rauchartig riechendes Öl, das hauptsächlich aus *Guajakol u.a. Phenolen u. Phenolethern besteht (sog. *Rohkreosot*) u. stark antisept. wirkt. Durch Rektifikation gereinigtes *Buchenholzteer-K.* ist ein gelbliches Öl, Sdp. 200–220°C, D. 1,08–1,09, in organ. Lsm. lösl., in Wasser kaum. Es kann zur Herst. pharmazeut. Präp. (bes. Hustenmittel) verwendet werden. Die sauren, Phenol-haltigen Teeröl-Fraktionen von *Braunkohlenteer u. *Steinkohlenteer werden ebenfalls – bes. im engl. Sprachraum – als K. od. *Kreosotöl* bezeichnet. Sie dienen als *Insektenabwehrmittel in verschiedenen *Holzschutzmitteln. Beim *Räuchern von Fleischwaren wirkt der Rauch durch seinen Gehalt an K. konservierend (Name!). K. wurde 1832 erstmals von von *Reichenbach aus Buchenholzteer hergestellt. Aufgrund seines typ. K.-Geruchs erhielt auch der *Kreosotstrauch* (*Larrea mexicana*, Zygophyllaceae), dessen Blätter als Droge gegen Erkältungskrankheiten u. für Rheumabäder Verw. finden, seinen Namen. – *E* creosote – *F* créosote – *I* creosoto – *S* creosota

Lit.: Hager (5.) **8**, 681 ff. ▪ Ullmann (4.) **12**, 705; (5.) **A 22**, 358 ff. ▪ Winnacker-Küchler (4.) **5**, 646 f. – *[HS 2707 91, 3807 00; CAS 8021-39-4]*

Krepp-Papier s. Papier.

Kresidine. Trivialname für giftige *ar*-Methoxy-*ar*-methylaniline, $C_8H_{11}NO$, M_R 137,18, die als Farbstoff-Zwischenprodukte dienen. – *E=F* cresidines – *I* cresidine – *S* cresidinas

Lit.: Beilstein E III **13**, 1577. – *[HS 2922 29; G 6.1]*

Kresole (Cresole, Methylphenole).

a   b   c

C_7H_8O, M_R 108,14. Die 3 isomeren K. reagieren mit $FeCl_3$ unter Blaufärbung. (a) *o*-K., farblose Krist., D. 1,046, Schmp. 31°C, Sdp. 191°C, WGK 2 (Selbstentz.). – (b) *m*-K., D. 1,035, Schmp. 12°C, Sdp. 203°C, WGK 2; farblose bis gelbe Flüssigkeit, lösl. in Alkohol, Ether u. Chloroform, wenig lösl. in Wasser. *m*-K. wirkt stärker antisept. als Phenol, ist aber weniger giftig. – (c) *p*-K., D. 1,0178, Schmp. 36°C, Sdp. 202°C, WGK 2 (Selbstentz.), sehr leicht lösl. in Alkohol, Ether u. Chloroform, wenig lösl. in Wasser.

Das Einatmen der Dämpfe ruft, neben Symptomen von seiten des Gehirns, Reizung der Augen u. der Atemwege hervor. Beim Erhitzen nehmen Verdampfen u.

Giftwirkung schnell zu. Die Flüssigkeiten durchdringen die Haut u. verursachen Haut- u. Augenschädigungen sowie Lähmung des Zentralnervensyst. u. mit Verzögerung Nieren- u. Leberschädigungen. Bei Aufnahme durch den Mund kommt es zusätzlich zu Verätzungen des Verdauungskanals, MAK 5 ppm (MAK-Werte-Liste 1996). K. u. K.-Derivate sind in der Natur weit verbreitet. Sie werden als Metaboliten von verschiedenen Mikroorganismen gebildet u. werden im Urin von Säugetieren gefunden. *p*-K. entsteht bei der Fäulnis von Eiweiß aus Tyrosin u. findet sich wie Phenol in Form des Schwefelsäureesters im menschlichen Harn (pro Tag werden durchschnittlich 87 mg *p*-K. ausgeschieden). Alle drei *Alkylphenole sind neben Phenol im Steinkohlen- u. Buchenholzteer enthalten, aus denen sie ursprünglich isoliert wurden; das flüssige gelbbraune Isomerengemisch (sog. *Trikresol*) wird nach einmaliger Dest. unter dem Namen *Rohe Carbolsäure* direkt verwendet. Die Reinherst. der 3 K. erfolgt techn. z. B. aus dem *Carbolöl durch Extraktion mit Natronlauge od. nach dem Phenoraffin-Verf. der Lurgi, bei dem wäss. Natriumphenolat-Lsg. u. Diisopropylether als Extraktionsmittel eingesetzt werden. Seit Mitte der 60iger Jahre werden die K. zunehmend synthet. hergestellt, z. B. durch Methylierung von Phenol mit Methanol in der Gasphase u. auch in der Flüssigphase (eine ausführliche Beschreibung der verschiedenen Synth. gibt Ullmann[1]).

Verw.: Ähnlich wie Phenol wirken auch die K. stark desinfizierend; sie werden daher in Form von wäss. Seifenlsg. (Lysol) od. wäss. Salzlsg. zu Desinfektionszwecken verwendet. Sog. *Kresol-Seifenlsg.* sind wäss. Emulsionen aus Leinöl, wäss. alkohol. KOH u. K., wobei Kaliseife als Emulgator wirkt. Die giftige Flüssigkeit wird vor Gebrauch mit der 20–200fachen Menge Wasser verdünnt u. zu Desinfektionszwecken aller Art sowie zur Bekämpfung von Blatt- u. Schildläusen eingesetzt. K. werden zur Herst. von Kresolharzen, als Lsm. für Drahtlacke, in Form ihrer Phosphorsäureester als Hydraulikflüssigkeiten usw. sowie zur Herst. von Kresyl-Verb. verwendet. *o*-K. wird zu einem großen Teil zur Herst. von Herbiziden u. Insektiziden, wie z. B. nach Nitrierung zum 2-Methyl-4,6-dinitrophenol („4,6-Dinitro-*o*-kresol", *DNOC), v. a. aber nach Chlorierung zum 4-Chlor-2-methylphenol u. weiterer Umsetzung zu Selektivherbiziden, eingesetzt. *p*-K. dient nach Alkylierung mit Isobuten zur Herst. von 2,6-*Di-tert*-butyl-4-methylphenol (BHT), das als Antioxidans u. Alterungsschutzmittel für Kunststoffe, Schmieröle u. Nahrungsmittel verwendet wird. Der Name kommt von *Kreosot u. ol (Endung von Phenol). – *E* cresols – *F* crésols – *I* cresoli – *S* cresoles

Lit.: [1] Ullmann (5.) **A 8**, 25 ff.
allg.: Beilstein E IV **6**, 1940, 2035, 2093 ▪ Hager (5.) **3**, 354 ff. ▪ Hommel, Nr. 117, 118, 118a ▪ Rippen ▪ Ullmann **10**, 787–796; **E**, 184 f.; (4.) **15**, 61–78 ▪ Weissermel-Arpe (4.), S. 384, 389 f. – *[HS 2907 12; CAS 95-48-7 (o-K.); 108-39-4 (m-K.); 106-44-5 (p-K.); G 6.1]*

Kresol-Harze (CF-Harze). Gruppe von *Phenol-Harzen (Phenoplast), die durch Kondensation von Kresol-Gemischen mit Formaldehyd gewonnen werden. K.-H. zeichnen sich gegenüber den Harzen auf der Basis reiner Phenole durch erhöhte Verträglichkeit mit hydrophoben Substanzen aus. Sie isolieren elektr. bes. gut u. werden rein od. kombiniert mit Phenolharzen als Bindemittel für Preßmassen, zur Herst. von elektrotechn. wichtigen Sondermassen u. Lackharzen, als Beschichtungsmaterialien u. Härter für *Epoxidharze verwendet. – *E* cresol resins – *F* résines crésoliques – *I* resine cresoliche – *S* resinas cresólicas

Lit.: Encycl. Polym. Sci. Eng. **11**, 47 ▪ Ullmann (4.) **18**, 248 ▪ s. a. Phenol-Harze. – *[HS 3909 40]*

o-Kresolphthalein (3,3′-Dimethylphenolphthalein).

$C_{22}H_{18}O_4$, M_R 346,38. Weißgelbes Pulver, Schmp. 223 °C, lösl. in Alkohol, wenig lösl. in Wasser. Eine 0,04%ige Lsg. in 50%igem Alkohol wird als Indikator (bei pH-Wert 8,2 farblos u. bei 9,8 rot) in der Maßanalyse verwendet. – *E* o-cresolphthalein – *F* o-cresolphthaléine – *I* o-cresolftaleina – *S* o-cresolftaleína

Lit.: Beilstein E V **18/4**, 193. – *[HS 2932 29; CAS 596-27-0]*

Kresolpurpur (*m*-Kresolsulfonphthalein). $C_{21}H_{18}O_5S$, M_R 382,43. Olivgrünes, metallglänzendes Pulver, lösl. in Alkohol, wenig lösl. in Wasser, unlösl. in Ether u. Benzol; Formel s. Bromphenolblau.

Verw.: Indikator, Umschlagsgebiet pH-Wert-Bereich 1,2–2,8: rot-gelb, pH-Wert-Bereich 7,4–9: gelb-purpurrot. Ähnlich *Kresolrot* (*o*-Kresolsulfonphthalein): rotbraunes Pulver, Indikator, Umschlagsgebiet pH-Wert-Bereich 0,2–1,8: rot-gelb, pH-Wert-Bereich 7,0–8,8: gelb-purpurrot; Formel s. Bromphenolblau. – *E* cresol purple – *F* pourpre de crésol – *I* porpora cresolica – *S* púrpura de cresol

Lit.: Beilstein E V **19/3**, 460 ▪ Ullmann (4.) **13**, 186. – *[HS 2934 90; CAS 2303-01-7(K.); 1733-12-6 (Kresolrot)]*

Kresolrot s. Kresolpurpur.

Kresolsäure s. Kresylsäuren.

Kresol-Seifenlösung s. Kresole.

Kresolsulfonphthaleine s. Kresolpurpur.

o-Kresotinsäure (2-Hydroxy-3-methylbenzoesäure).

$C_8H_8O_3$, M_R 152,15. Gelbliches, geruchloses Pulver, Schmp. 169–170 °C, schwer lösl. in Wasser, leicht lösl. in Alkohol u. Ether u. unbegrenzt lagerfähig, aber Eisen-empfindlich.

Verw.: Zwischenprodukt für Farbstoffe, Färbereihilfsmittel u. Arzneimittel. Außer der *o*-K. kennt man noch 9 isomere Kresotinsäuren. – *E* o-cresotic acid – *F* acide o-crésotique – *I* acido o-cresotico – *S* ácido o-cresótico

Lit.: Beilstein E IV **10**, 601 ▪ Ullmann (4.) **13**, 166; (5.) **A 13**, 523. – *[HS 2918 29; CAS 83-40-9]*

Kresoxim. Common name für Methyl-(E)-(methoxy-imino)[2-(o-tolyloxymethyl)phenyl]acetat.

$C_{18}H_{19}NO_4$, M_R 313,4, Schmp. 97,2–101,7 °C, LD_{50} (Ratte oral) >5000 mg/kg, von der BASF entwickeltes *Fungizid aus einer neuen, von den *Strobilurinen abgeleiteten Klasse mit breitem Wirkspektrum gegen Pilzerkrankungen im Obst-, Gemüse-, Wein-, Getreide- u. Kartoffelanbau. – $E = F = I$ kresoxime – S kresoxima
Lit.: Brighton Crop Protection Conference Pest and Diseases – 1992, S. 403, Farnham: The British Crop Protection Council, 1992.

Kressen. Zu den *Cruciferae (Brassicaceae) gehörende, einjährige od. ausdauernde, krautige Pflanzen, die aufgrund ihres Gehalts an *Glucosinolaten bzw. *Senfölen scharf senfartig schmecken (althochdtsch.: cresso = scharf; Name!). Die Brunnenkresse (*Nasturtium officinale* R. Br.) kommt verbreitet an Bachläufen usw. vor, sie hat gefiederte Laubblätter u. kleine weiße Blüten. Das Kraut enthält *Gluconasturtin*, aus dem durch Myrosinase-Einwirkung Phenethylisothiocyanat freigesetzt wird. Die Gartenkresse (*Lepidium sativum* L.) ist ähnlich der vorgenannten K. als Kulturpflanze weit verbreitet u. enthält *Glucolepidin* u. *-tropaeolin*, aus denen enzymat. Ethyl- u. Benzylisothiocyanat gebildet werden. *Nicht* zu den Kreuzblütlern zählt die aus Südamerika (Peru, Mexiko) stammende Kapuzinerkresse (*Tropaeolum majus* L., Tropaeolaceae), die jedoch ebenfalls das Glucosinolat Glucotropaeolin enthält. Sie ist wegen ihrer leuchtend orange-braunroten Blüten eine beliebte, rankende Gartenpflanze. Die Blütenknospen dienen gelegentlich als Ersatz für *Kapern. Die Brunnen- u. die Garten-K. sind geschätzte Salat- u. Küchenkräuter; arzneilich wurden sie volksmedizin. zur Blutreinigung, gegen Skorbut u. Harnwegsinfektionen angewendet. – E cress – F cressons – I cescioni – S lepidios
Lit.: Bundesanzeiger 22 a/01. 02. 1990 ▪ Hager (4.) **5**, 487–490; **6 a**, 39 f.; **6 c**, 305–307. – *[HS 0709 90]*

Kresyl. . . s. Cresyl. . .

Kresylester (Cresylester). Sammelbez. für häufig wohlriechende u. daher parfümist. gebrauchte Ester des *p*-*Kresols. – E cresyl esters – F esters crésyliques – I estere di cresile – S ésteres cresílicos

Kresylsäuren (Kresolsäure). Mißverständliche Sammelbez. für ein Gemisch von *Kresolen, *Dimethylphenolen u. a. Phenolen.

Kresze, Günter (1921–1987), Prof. für Organ. Chemie, TU München. *Arbeitsgebiete:* Organoschwefel-Verb., Stereochemie, Cyclisierungen, Dien-Synth. u. Cycloadditionen zu Heterocyclen, chem. Dokumentation u. Information.
Lit.: Kürschner (15.), S. 2488 ▪ Nachr. Chem. Tech. Lab. **25**, 540 f. (1977).

Kretschmann, Josef (geb. 1929), Dr. rer. nat., bis 31. 12. 1991 Mitglied des Direktoriums der Henkel KGaA. *Arbeitsgebiete:* Techn. Chemie, Oleochemie, Waschmittelchemie.
Lit.: Leitende Männer der Wirtschaft, S. 711, Darmstadt: Hoppenstedt 1982.

Kreussler. Kurzbez. für die Firma Chem. Fabrik Kreussler & Co. GmbH, 65 082 Wiesbaden. *Produktion:* Textilhilfsmittel, pharmazeut. Präparate.

Kreuzblütler s. Cruciferae.

Kreuzdorn. Sammelbez. für verschiedene zu den Rhamnaceae zählende Sträucher, denen ein mehr od. weniger hoher Gehalt an abführend wirkenden *Anthraglykosiden (bes. in der Rinde) gemeinsam ist. Die bekanntesten Vertreter sind der eigentliche K. (*Rhamnus cathartica* L.), der amerikan. K. (*R. purshiana* DC., s. Kaskara-Rinde) u. der *Faulbaum [*R. frangula* L. (*Frangula alnus* Mill.)], deren Rindenextrakte zur Herst. von Abführmitteln dienen. – E buckthorn – F nerprun purgatif, noirprun – I spincervino – S espino cerval
Lit.: Frohne u. Pfänder, Giftpflanzen, S. 316–319, Stuttgart: Wiss. Verlagsges. 1997 ▪ Hager (5.) **6**, 392–410.

Kreuzkonjugation s. gekreuzt-konjugiert.

Kreuzkraut. Sammelbez. für krautige, gelb blühende Pflanzen der Gattung Senecio (*Asteraceaen), denen ein mehr od. weniger großer Gehalt an giftigen Senecio-Alkaloiden mit *Pyrrolizidin-Gerüst gemeinsam ist. Am bekanntesten sind das Jakobs-K. (*Senecio jacobaea* L., Jakobs-Greiskraut), in ganz Europa u. im westlichen Asien verbreitet, das Gemeine Greiskraut (*S. vulgaris* L.) od. Kreuzkraut, ein häufiges Unkraut in Gärten, auf Äckern, Schuttplätzen usw., in ganz Europa u. Asien, das Fuchssche Greiskraut (*S. nemorensis* L. ssp. *fuchsii* Gmel.) od. Kreuzkraut, in Bergmischwäldern Mittel- u. Südeuropas vorkommend, u. das Weißfilzige Greiskraut (*S. bicolor* ssp. *cineraria*), eine Küstenpflanze des Mittelmeergebiets, auch als Zierpflanze anzutreffen. Die K.-Arten wurden früher zum Stillen von Blutungen, bes. der Gebärmutter, u. äußerlichen Wunden verwendet. Wegen der carcinogenen u. hepatotox. Wirkung der Pyrrolizidin-Alkaloide wird jedoch von der Anw. dieser Drogen abgeraten[1]; vgl. a. Huflattich. – *E* ragwort – *F* séneçon commun – *I* senecione – *S* hierba cana
Lit.: [1] Bundesanzeiger 138/27. 07. 1990.
allg.: Hager (5.) **6**, 661–680 ▪ Wichtl (3.), S. 542 f.

Kreuzkümmel s. Römischer Kümmel.

Kreuzresistenz s. Resistenz.

Kreuzspinne. *Araneus diadematus*, bekannte europ. Gartenspinne. Diese für den Menschen ungefährliche Radnetzspinne zeigt auf der Rückseite ein weißes Kreuz, das durch *Guanin-Krist. gebildet wird. Diese Krist. sind in Guanocyten eingeschlossen, die durch die Cuticula scheinen; s. a. Spinnengifte. – *E* common garden spider – *F* épeire diadème – *S* araña común de jardín
Lit.: Foelix, Biologie der Spinnen, Stuttgart: Thieme 1992.

Kreuzung. Bez. für das Zusammenbringen von genet. Material unterschiedlicher Individuen (*Genotypen) mit dem Ziel der genet. *Rekombination. Die Mendelsche K. (s. Mendelsche Gesetze) ist ein Standardverf. der klass. *Genetik u. der Züchtungsgenetik. Man unterscheidet *monohybride* (monofaktorielle) (s. Abb.) u. *di-* (u. multi-) *hybride Kreuzung*.

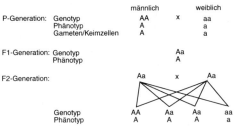

Abb.: Monohybride Kreuzung, dominant-rezessiv (P-Generation: Elterngeneration; F1/F2-Generationen: Tochtergenerationen).

K. mit zwei (dihybride K.) od. mehreren Merkmalen sind komplizierter, da die Zahl der Kombinationsmöglichkeiten in der F2-Generation stark zunimmt. Die K.-Genetik spielt auch heute im Zeitalter der vielfältigen Möglichkeiten zur *in vitro*-Neukombination von Erbinformationen v. a. in der Tier- u. Pflanzenzüchtung noch immer eine wichtige Rolle. – *E* crossbreeding, hybridization – *F* croisement – *I* incrocio – *S* cruzamiento

Lit.: Strickberger, Genetik, S. 103 ff., München: Hanser 1988.

Kribbelkrankheit s. Ergot-Alkaloide.

Kriechen. Der Alltagssprache entlehnte Bez. für die Eigenschaft von Werkstoffen (z. B. Metallen, Kunststoffen, Zement), sich unter Druckbelastung plast. zu verformen.

Kriechprobe. Qual. Nachw. von Fluoriden durch Ätzprobe mit konz. Schwefelsäure in einem Reagenzglas, dessen Wand durch die entstehende Flußsäure angeätzt wird; nach Schütteln benetzt deshalb die Schwefelsäure nicht mehr, sondern läuft tropfenförmig an der Wand ab. – *E* creep test – *F* essai de fluage – *I* test strisciante – *S* prueba de fluencia

Kriegsmann, Heinrich (geb. 1925), Prof. (emeritiert) für Anorgan. Chemie, Humboldt-Univ. Berlin. *Arbeitsgebiete:* Strukturanalyse, Struktur-Eigenschafts-Beziehungen, Spurenanalyse.

Lit.: Nachr. Chem. Tech. Lab. **40**, Nr. 12, 1409 (1992).

Krill (Walkrebs). Dem Norweg. (kril = Fischbrut) entlehnte Bez. für die hauptsächlich in der Antarktis in großen Mengen vorkommende Leuchtgarnele *Euphausia superba* (s. a. Krebse). Die gesamte Entwicklung findet im freien Wasser statt. Nach 2–3 Jahren wird der K. geschlechtsreif u. lebt ca. 4 Jahre. Der K. ernährt sich von dem reichen Phytoplanktonangebot der antarkt. Meere. Unter günstigen Bedingungen treten in den oberen Wasserschichten bis 200 m Tiefe riesige K.-Schwärme auf. K. ist die Hauptnahrung der Bartenwale. Seit den 70er Jahren ist eine Nutzung des 3–6 cm langen u. ca. 1 g schweren, Eiweiß-reichen K. für Nahrungs- u. Futtermittel im Gespräch. Dieser Verw. steht allerdings noch im Weg, daß im Panzer des K. große Mengen Fluoride angereichert sein können. Da diese bereits kurze Zeit nach dem Absterben des Tieres, auch beim Einfrieren, in die Muskulatur einwandern u. damit die Tiere un-

genießbar machen, muß die Entschalung sehr rasch vorgenommen werden. – $E = F = I = S$ krill

Lit.: Wehner u. Gehring, Zoologie, 23. Aufl., Stuttgart: Thieme 1995. – *[HS 0106 00]*

Kringel-Domänen s. Plasminogen.

Kristallbaufehler. Bez. für häufig auftretende Abweichungen vom regelmäßigen Aufbau der *Kristalle, die unterschiedlich geartet sein können. Man unterscheidet K. hinsichtlich ihrer Dimensionalität. Nulldimensionale K. sind *Punktfehlstellen*. Sind im *Kristallgitter (s. Kristallstrukturen) einzelne Positionen unbesetzt, so spricht man von Leerstellen od. *Schottky-Defekt*. Sind hingegen neben den regulären Gitterplätzen auch *Zwischengitterplätze besetzt, dann handelt es sich um *Anti-Schottky-Defekte*. Beim *Frenkel-Defekt besetzt ein Gitterbaustein statt eines regulären Gitterplatzes einen Zwischengitterplatz. Punktdefekte sind Gleichgewichtszustände. Ihre Konzentration nimmt daher mit sinkender Temp. ab. Bei tiefen Temp. findet man jedoch höhere Konz. an Punktdefekten, als dies dem thermodynam. Gleichgewicht entspricht. Defekte werden also „eingefroren", weil sie nicht mehr durch Diffusion od. Platzwechsel ausheilen können. Bei *Substitutionsdefekten* sind Gitterplätze durch Fremdatome besetzt; *interstitielle Mischkrist.* treten häufig bei Leg. auf, bei denen Zwischengitterplätze durch Fremdatome, beispielsweise durch Wasserstoff besetzt sind. Auch bei manchen *nichtstöchiometrischen Verbindungen (*Bertholliden) beobachtet man nulldimensionale Baufehler. Z. B. ist die ideale Zusammensetzung von Wüstit FeO; bei 1350 °C reicht der Existenzbereich jedoch von $Fe_{0,95}O$ bis $Fe_{0,84}O$. Im Fe-Teilgitter befinden sich Leerstellen, was zur Konsequenz hat, daß ein Teil der Fe-Ionen nun statt aus Fe^{2+}- aus Fe^{3+}-Ionen besteht. Leerstellen in Ionengittern besitzen eine effektive Ladung. Eine Anionen-Leerstelle kann z. B. ein *einsames Elektron einfangen u. bildet ein *Farb-Zentrum [1]. Auf solche Farbzentren sind auch die unterschiedlichen Färbungen z. B. von Mineralen gleicher Zusammensetzung wie Rubin u. Saphir sowie von verschiedenen Quarz-Varietäten zurückzuführen. Eindimensionale Baufehler sind *Stufen-* od. *Schrauben-Versetzungen* (Abb.). In realen Krist. kommen beide Formen meist gemischt vor.

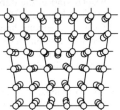

Abb.: Stufenversetzung in einem einatomigen einfach-kub. Kristall. Man kann eine Stufen-Versetzung als Einfügung einer Halbebene in einen Krist. auffassen. Die untere Kante der Halbebene ist die Versetzungslinie (nach Weiss u. Witte, s. *Lit.*).

Stapelfehler treten bes. bei Festkörpern auf, bei denen die Bindungen stark anisotrop ausgeprägt sind (z. B. in den Schichtengittern von CdI_2, MoS_2, SiC, Schichtsilicaten etc.). Stapelfehler u. Zwillingskristalle kann man zwischen die ein- u. zweidimensionalen Baufehler ein-

ordnen. Zu letzteren gehören die *Korngrenzen. Ein anderer Typ von zweidimensionalen Baufehlern entsteht, wenn sich auf einer Gitterebene Leerstellen ansammeln. Dreidimensionale Baufehler sind z. B. Gasblasen, eingeschlossene Lsm.-Reste od. Einschlüsse von Fremdkörpern. Energiereiche Strahlen, wie z. B. Neutronen, α-, β- od. γ-Strahlen, können an Krist. *Strahlenschäden verursachen. Diese Schäden führen prim. meist zu Punktdefekten. Durch Diffusion können sie ausheilen, aber umgekehrt auch agglomerieren u. Cluster (10–100 nm) od. gar mikroskop. Ausscheidungen bilden.
Die physikal. Eigenschaften von z. B. *Halbleitern u. *Szintillatoren werden v. a. durch K. hervorgerufen u. beeinflußt. Realkrist. mit natürlichen od. absichtlich z. B. durch *Dotierung mit Fremdatomen (s. a. Ionenimplantation) erzeugten K. haben andere Eigenschaften als Idealkrist. (s. Einkristalle). Bestimmte Eigenschaften wie die mechan. Festigkeit u. die elektr. Leitfähigkeit hängen in hohem Maß von K. ab. Der erhöhte Energieinhalt von *Aktivstoffen ist häufig durch K. bedingt. Die *Thermolumineszenz geht auf die Ausheilung von K. zurück (*Rekombination, *Austauschreaktionen). Zur Untersuchung von K. bedient man sich v. a. der *Kristallstrukturanalyse; bis in mol. Dimensionen gelangt man mit der Transmissions-Elektronenmikroskopie. Unordnung in Krist. beobachtet man nicht nur bei Ionenkristallen. Gerade in Molekülkrist. ist Fehlordnung von Teilen der Struktur ein häufig beobachtetes Phänomen. – E crystal defects, lattice defects – F defauts (de reseau) – I difetti di cristallo – S defectos cristalinos

Lit.: [1] Angew. Chem. 85, 281–289 (1973); 90, 95–103 (1978). allg.: Balian et al., Physics of Defects, Amsterdam: North-Holland 1982 ▪ Greenwood, Ionenkristalle, Gitterdefekte u. nichtstöchiometrische Verbindungen, Weinheim: Verl. Chemie 1973 ▪ Nabarro, Dislocations in Solids (5 Bd.), Amsterdam: North-Holland 1979 ▪ Parsonage u. Staveley, Disorder in Crystals, Oxford: Univ. Press 1979 ▪ Weiss u. Witte, Kristallstruktur u. chemische Bindung, S. 293, Weinheim: Verl. Chemie 1983.

Kristallchemie. Während die *Kristallgeometrie die Raumgitter mit ihren mathemat. Punktlagen behandelt, befaßt sich die K. mit realen Kristallgittern (s. Kristallstrukturen), bei denen die Punktlagen mit Atomen, Ionen od. Mol. besetzt sind u. die durch wechselseitige Bindungskräfte (s. chemische Bindung) das Kristallgitter aufbauen u. seine Eigenschaften bestimmen. Je nachdem, ob der Schwerpunkt der Betrachtung auf chem. od. kristallograph. Aspekten liegt, kann man die K. als Teilgebiet der Chemie od. *Kristallographie ansehen.
Geschichte.: Histor. Ausgangspunkt der K. war die Ermittlung von Zusammenhängen zwischen der chem. Zusammensetzung von Krist. u. der *Kristallmorphologie. *Haüy postulierte Ende des 18. Jh., daß – abgesehen von Stoffen des kub. Kristallsyst. – jeder chem. einheitlichen Substanz eine charakterist. Gruppe von Kristallformen zukomme. Die Gleichheit od. Ungleichheit zweier Stoffe könne man schon an den Kristallformen erkennen. Diese Vorstellung erfuhr entscheidende Veränderungen durch die Entdeckung von Mischkrist. durch Beudant (1818), von Isomorphie, Isodimorphie u. Polymorphie durch Mitscherlich (1819–1822), der Enantiomorphie durch Pasteur (1860) u. der Isotypie durch Rinne (1894–1897). Die Entwicklung der *Kristallstrukturanalyse hat in hohem Maße zu einem besseren Verständnis der K. beigetragen. Die moderne K. wurde v. a. durch die Arbeiten von * u. Sir W. L. *Bragg, V. M. *Goldschmidt („Der Bau eines Krist. wird durch die Mengen- u. Größenverhältnisse sowie durch die Polarisationseigenschaften seiner Bausteine bestimmt.") u. L. *Pauling u. deren Schülern begründet. Großen Anteil an der Weiterentwicklung der K. hat die Suche nach neuen Werkstoffen – man denke dabei z. B. an Halbleiter u. deren Dotierung, an Polymere, an elektr. leitfähige „mol. Metalle" etc. – E crystal chemistry – F cristallochimie – I cristallochimica – S cristaloquímica

Lit.: Angew. Chem. 95, 67–80 (1983) ▪ Bild Wiss. 9, 576–585 (1972) ▪ s. a. Kristallographie.

Kristalle (von griech.: krystallos = Eis). In der Antike die Bez. für den Berg-K., den man für intensiv u. langdauernd gefrorenes Eis hielt. Später wurde der Begriff auf alle festen, von ebenen Flächen gesetzmäßig begrenzten Stoffe ausgedehnt. Der krist. Zustand ist der thermodynam. stabile Zustand der *Festkörper. K. können aus der Schmelze, aus Lsg. od. aus der Gasphase entstehen (s. Kristallisation). Wesentliches Merkmal für K. ist eine gesetzmäßige *Anisotropie. Es gibt allerdings auch K.-Eigenschaften, die sich bei bestimmten K. isotrop verhalten. Die Bausteine, aus denen die jeweilige K.-Substanz besteht, bilden charakterist. Anordnungen aus, die sich dreidimensional period. wiederholen (s. a. die K.-Definition bei Kristallgeometrie). Sind die Gitterbausteine Ionen, so spricht man von Ionen-Kristallen (z. B. NaCl). Zwischen den Bausteinen wirken elektrostat. Kräfte. Die Mol. in Molekül-K. werden durch *van-der-Waals-Kräfte oder durch *Wasserstoff-Brückenbindungen zusammengehalten. In Atom-K. sind die Bausteine, die Atome, durch Atombindungen verknüpft. Die metall. Bindung ist das Charakteristikum von Metallkristallen. In Edelgas-K. wirken lediglich van-der-Waals-Kräfte. Eine streng regelmäßige Anordnung (Ideal-K.) wird in der Regel nicht erreicht. Vielmehr bilden sich, auch bei ungestörtem Wachstum, Real-K. (vgl. Einkristalle) mit mehr od. weniger ausgeprägten *Kristallbaufehlern. Auch bei K. mit solchen Baufehlern ist die Fernordnung groß, im Gegensatz zu amorphen *Festkörpern, *Gläsern od. *Quasikristallen. In der Natur vorkommende K. sind häufig polykrist., d. h. sie bestehen aus einer unregelmäßigen Anhäufung von kryptokrist. od. röntgenkrist. (<0,1 μm) Kristalliten, das sind winzige K., die bis zur Berührung wachsen u. sich an der Bildung ebener Grenzflächen gegenseitig hindern, z. B. in erstarrten Gesteins- od. Metallschmelzen. Sie erscheinen daher makroskop. oft isotrop, ihre anisotrope Natur läßt sich aber durch eine Reihe von Untersuchungs-Meth. (s. Kristallstrukturanalyse) u. entsprechende Probenvorbereitung (Anschleifen, Polieren, Ätzen etc.) zweifelsfrei feststellen. Auch einige charakterist. Phänomene, die auf der *Anisotropie der K. beruhen, ermöglichen deren Identifizierung. Dazu gehören z. B. Bruchverhalten u. Spaltbarkeit[1]. Setzt man einen spitzen Gegenstand auf eine K.-Fläche u. schlägt darauf, so springt der K. meist nach bevorzugten, ebenen Flächen auseinander. Auch die Neigung mancher K. zum *Dekrepitieren ist nicht in allen Richtungen gleichförmig ausgeprägt. In der *Ritzhärte* können Unterschiede in Längs- u. Querrichtung auftreten. Die *Zug-, Zerreiß-, Biege-* u. *Druckfestigkeit* sowie die *Schallgeschw.* in K. sind in verschiedenen Richtungen unterschiedlich, ebenso die *elektr. Wärmeleitfähigkeit*, die *Wärmeausdehnung* (z. B. findet beim Kalkspat in manchen Richtungen Ausdehnung, in anderen gleichzeitig Zusammenziehung statt), die *Doppelbrechung* des Lichts, der *Brechungsindex* u. *elektroopt.* Effekte, die *Piezoelektrizität, Tribo-* u. *Kristallolumineszenz* u. verschiedene andere Eigenschaften. Auch die *Farbe* kann von der Raumrichtung abhängig sein. So sind z. B. verschiedene Turmalin-Abarten in der einen Richtung braun, blau od. grün durchsichtig, in der dazu senkrechten Richtung dagegen völlig undurchsichtig *(Pleochroismus)*.

Die Gesamtheit aller der Symmetrie u. dem physikal. Verhalten nach gleichwertigen Flächen eines K. nennt man *K.-Form*; die Lehre von den K.-Formen ist die *Kristallmorphologie.

K. sind zwar in der mineral. Welt am auffälligsten – der bisher größte natürliche K. ist der Beryll von Malakialine (Madagaskar) mit einer Länge von 18 m, einem Durchmesser von 3,5 m u. einer Masse von 380 t, – doch sind sie zumindest ebenso häufig in der organ. Chemie (z. B. sogar in Butter[2]) wie auch in lebender Materie anzutreffen, z. B. in Stützgeweben u. Gerüstsubstanzen von Pflanzen u. Tieren, patholog. als Blasen-, Nieren- u. Harnsteine, als Ablagerungen von Harnsäure od. Harnsäure-Salzen in den Gelenken od. in der Niere bei Gicht, u. selbst *Viren sind z. T. kristallisierbar. Übergangsformen zwischen krist. u. nichtkrist. Zustand stellen die sog. *Para-K.*, die *plast. K.* wie Campher u. die *flüssigen Kristalle* dar. Künstliche, gezüchtete K. (vgl. Einkristalle u. Kristallisation) haben auf vielen Gebieten große Bedeutung erlangt (z. B. als Halbleiter-, Ultraschall-, Laser-, Maseru. Modulator-K., als Solarzellen, Röntgenmonochromatoren u. ä.). Synthet. Edelsteine, z. B. Diamanten, werden schon in Größenordnungen von mehreren t/a hergestellt. – *E* crystals – *F* cristaux – *I* cristalli – *S* cristales

Lit.: [1] Mineral-Mag. **6**, 374 – 378, 466 ff. (1982). [2] Naturwiss. Rundsch. **32**, 315 – 321 (1979).
allg.: s. Festkörper u. die hier folgenden Stichwörter.

Kristalle nach Maß s. Kristall-Engineering.

Kristall-Engineering. Ziel des K.-E. (*E Crystal Engineering*, Abk.: C. E.) ist es, „maßgeschneiderte" Festkörperstrukturen („*Kristalle nach Maß*") zu erzeugen u. dadurch die Eigenschaften eines Krist. zu kontrollieren. Nach einer Art Baukastenprinzip sollen einfache Komponenten so zu einem Festkörper zusammengesetzt werden, daß die gewünschte Materialeigenschaft mit möglichst wenigen ungünstigen Nebeneffekten erhalten wird. Bei Mol.-Krist. materialwissenschaftlich interessanter Verb. ist in vielen Fällen die stark abstrahierte Form der Mol. ein wichtiger Faktor, der die Packung des Gesamtverbands im Rahmen der van-der-Waals-Wechselwirkungen entschei-

dend beeinflußt. So fügen sich beispielsweise tellerförmige Mol. leicht zu Stapeln u. stäbchenförmige Mol. zu hexagonalen Stabpackungen zusammen. – *E* crystal engineering – *F* ingéniérie du cristal – *I* ingegneria dei cristalli – *S* ingeniería de cristal
Lit.: Angew. Chem. **107**, 2541 – 2558 (1995) ▪ Pure Appl. Chem. **27**, 647 (1971).

Kristallfamilien s. Kristallsysteme.

Kristallfeldtheorie s. Ligandenfeldtheorie.

Kristallgeometrie. *Kristalle zeigen in ihrer äußeren Gestalt u. in ihrem inneren Aufbau charakterist., miteinander korrespondierende Symmetrieeigenschaften (s. a. Kristallmorphologie). Dabei versteht man hier unter *Symmetrie die regelmäßige (gesetzmäßige) Wiederholung eines Motivs. Man bezeichnet die Anordnung von Motiven als *homogen*, wenn jedes Motiv eine Umgebung besitzt, die sich in Nichts von der Umgebung eines anderen, an einer beliebigen Stelle herausgegriffenen Motivs unterscheidet. Eine homogene Anordnung von Motiven zu *homogenen Mustern* ist das charakterist. Merkmal der Kristalle. Jedes Motiv einer homogenen Folge kann durch eine *Translation (Parallelverschiebung) od. eine Drehung od. eine Kombination von beiden Operationen (Schraubung) mit einem dazu kongruenten Motiv zur Deckung gebracht werden (Abb. 1). Hierbei handelt es sich um eine Operation erster Art.

Abb. 1: Die Schraubung als allg. homogene Folge kongruenter Motive (nach Buerger, s. *Lit.*).

Eine Operation zweiter Art liegt vor, wenn dabei eine alternierende Folge enantiomorpher Motive (s. Enantiomerie) erzeugt wird. Überlegt man sich, durch welche Symmetrieoperation (Deckoperation) ein Krist. mit sich selbst zur Deckung gebracht werden kann, dann ergeben sich 8 Symmetrieelemente: 1. 5 Drehungsachsen (Drehachsen od. *Gyren*) mit den Zähligkeiten 1, 2 (Digyre), 3 (Trigyre), 4 (Tetragyre) u. 6 (Hexagyre)[1], – 2. die vierzählige Drehinversionsachse ($\bar{4}$), – 3. die Spiegelebene od. Symmetrieebene (m) u. – 4. das Symmetriezentrum od. Inversionszentrum ($\bar{1}$). Die zugehörigen Symmetrieoperationen sind 1. die Drehung (*Rotation), 2. die Drehinversion, 3. die Spiegelung u. 4. die *Inversion (s. Abb. 2 auf S. 2274).
Die erwähnten Symmetrieelemente werden auch als *Punktsymmetrie*-Elemente bezeichnet, weil es mind. einen Punkt gibt, der bei der entsprechenden Symme-

Dreh(ungs)achsen		Drehinversionsachsen	
Zähligkeit	Symbole in der Zeichnung	Zähligkeit	Symbole in der Zeichnung
1		$\bar{1}$ Symmetriezentrum	O
2	⬮	2 (≡ m)	— m steht senkrecht auf der Zeichenebene ⌐ m liegt in der Zeichenebene
3	▲	$\bar{3}$ (≡3+$\bar{1}$)	△
4	◆	$\bar{4}$	◈
6	⬢	$\bar{6}\left(\equiv\frac{3}{m}\right)$	⬣

Abb. 2: Symbole für Punktsymmetrie-Elemente in Zeichnungen (nach Weiss u. Witte, s. *Lit.*).

trieoperation in sich selbst überführt wird. In einem Krist. können mehrere Punktsymmetrieelemente auftreten. Auch bei deren Kombination muß es mind. einen Punkt geben, der durch die Wirkung aller Symmetrieelemente in sich selbst überführt wird. Die mögliche Kombination aller Punktsymmetrieelemente führt zu den 32 *Kristallklassen od. *kristallograph. Punktgruppen.* Legt man zur mathemat. Beschreibung ein in enger Beziehung zum Symmetriegerüst stehendes Koordinatensyst. in die Krist., so ergeben sich die 6 Kristallfamilien. Zur Beschreibung von Gitterebenen (Netzebenen) bzw. Kristallflächen u. von Gitterpunkten dienen die *Millerschen Indizes (hkl). Gittergeraden bzw. Kristallkanten werden durch die Indizes [uvw] beschrieben. Abb. 3 enthält einige entsprechend indizierte Flächen (Abb. 3a) bzw. Geraden (Abb. 3b) eines orthorhomb. Gitters.

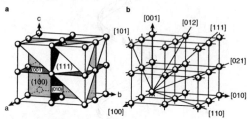

Abb. 3: Ein orthorhomb. Raumgitter mit Netzebenen (hkl) u. Gittergeraden [uvw] (nach Ramdohr-Strunz, s. *Lit.*).

Schneidet man aus einem homogenen makroskop. Krist. kleine Vol.-Elemente heraus, so haben sie dieselben physikal. u. chem. Eigenschaften, unabhängig davon, an welcher Stelle sie herausgeschnitten werden. Dies führt zu der Vorstellung, daß der Krist. ein *Translationsgitter* besitzt *(Kristallgitter).* In Abb. 4. ist ein solches Translationsgitter gezeigt.

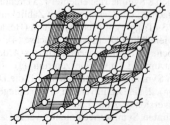

Abb. 4: Ausschnitt aus einem Raumgitter mit Andeutung von drei Zerlegungsmöglichkeiten in Elementarzellen (nach Christen, s. *Lit.*).

Die kleinste Baueinheit, ein *Parallelepiped*, das von drei, von einem gemeinsamen Gitterpunkt ausgehenden Basisvektoren aufgespannt wird, nennt man *Elementarzelle.* Die Baueinheiten wiederholen sich in allen Translationsrichtungen. Welche Baueinheit als Elementarzelle gewählt wird, ist bis zu einem gewissen Grad willkürlich (s. Abb. 4). Diejenige Zelle, welche von den drei kürzesten nicht-coplanaren Basisvektoren gebildet wird, ist die *reduzierte Zelle.* Denkt man sich ein dreidimensionales Translationsgitter aus nur einer Teilchensorte aufgebaut, so kann man in jedem der 7 *Kristallsysteme eine Elementarzelle so zuordnen, daß sie gerade ein Teilchen enthält (jedes Teilchen an einem Eckpunkt zählt nur zu $^1/_8$). Dabei wählt man die Aufstellung so, daß ein Teilchen (meist mit hoher Punktsymmetrie) mit dem Ursprung des Koordinatensyst. des Kristallsyst. zusammenfällt. Eine solche Elementarzelle nennt man *primitiv* (P). Es ist zweckmäßig, eine Zelle zu wählen, die auch die Symmetrie des Gitters berücksichtigt. Diese Zelle ist die *konventionelle Zelle.* Die Symmetrie kann durch die Metrik der Gitterparameter oft besser zum Ausdruck gebracht werden, wenn man neben primitiven Zellen auch *zentrierte* Elementarzellen zuläßt. Bravais (1850) hat gezeigt, daß sich aufgrund ihrer Symmetrie 14 Typen von Translationsgittern unterscheiden lassen: Die *Bravais*-Typen od. *Bravais*-Gitter (Abb. 5).

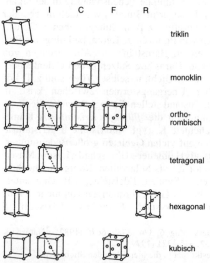

Abb. 5: Die Zellen der 14 symmetr. Gitter (Bravais-Gitter) u. ihre Verteilung auf die 6 Kristallfamilien. Es bedeuten; P = primitiv, I = innenzentriert, C = einfach flächenzentriert, F = allseitig flächenzentriert, R = rhomboedr. (nach Buerger, s. *Lit.*).

Im atomaren Bereich haben Translationen, die mit einer Punktsymmetrieoperation verknüpft sind, eine große Bedeutung. Eine Dreh(ungs)achse, verbunden mit einer Translation führt zu einer Schraubenachse, eine Spiegelebene, die mit einer Translation kombiniert ist, ergibt eine Gleitspiegelebene (Abb. 6 auf S. 2275). Läßt man nur rechtshändige Koordinatensyst. zu, erhält man mit diesen Zusatzsymmetrieelementen aus den 32 Kristallklassen die 230 *Raumgruppen-Typen. Symmetrieuntersuchungen stellen eine Anw. der mathemat. *Gruppentheorie dar. Auf dieser Grundlage

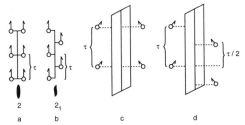

Abb. 6: Anordnung von asymmetr. Teilchen bei einer zweizähligen Dreh(ungs)achse (a), einer zweizähligen Schraubenachse (b), einer zweizähligen Spiegelebene (c) u. einer Gleitspiegelebene (d). τ ist die Translationsperiode parallel zur Achse bzw. Spiegelebene (nach Weiss u. Witte, s. *Lit.*).

sind die Muster, die Krist. betreffen, in eindeutiger u. vollständiger Weise den Raumgruppen zugeordnet. Zur Beschreibung der Raumgruppen u. der kristallograph. Punktgruppen dienen die *Hermann-Mauguin Symbole* (HM-Symbole). Die in der Chemie zur Beschreibung der Punktsymmetrie von Mol. üblichen *Schoenflies Symbole* haben in der Kristallographie nur untergeordnete Bedeutung.

Das allg. *Korrespondenzprinzip* der Krist. besagt, daß die morpholog., physikal. u. chem. Eigenschaften der Krist. in charakterist. Weise mit der *Kristallstruktur zusammenhängen. *Form, Tracht* u. *Habitus* der Krist. sind ein vereinfachtes Abbild der Kristallstruktur (die Zusammenhänge sind unter *Kristallmorphologie diskutiert). – *E* crystal geometry – *F* géométrie cristalline – *I* cristallogeometria – *S* geometría cristalina

Lit.: [1] Es werden allerdings auch *quasiperiod.* (mit einem dreidimensionalen Gitter unvereinbare) Muster (*Penrose*-Muster) z. B. mit 5-, 10- u. 12-facher Symmetrie diskutiert: z. B. Acta Crystallogr. Sect. A **44**, 105–112 (1988).
allg.: Buerger, Kristallographie, S. 17, 36, Berlin: de Gruyter 1977 ■ Christen, Struktur u. Energie, S. 203, Aarau: Sauerländer 1980 ■ Ramdohr-Strunz, S. 21 ■ Weiss u. Witte, Kristallstruktur u. chemische Bindung, S. 7, 12, 14, Weinheim: Verl. Chemie 1983 ■ s. a. Kristallographie, Kristallstrukturanalyse.

Kristallgitter. In der *Kristallographie sind K. die Menge aller ganzzahligen Linearkombinationen von 3 linear unabhängigen Vektoren. Die Basisvektoren spannen ein Parallelepiped auf, welches *Elementarzelle* des Gitters genannt wird. Häufig wird fälschlicherweise K. mit *Kristallstrukturen gleichgesetzt. – *E* crystal lattice – *F* réseau cristallin – *I* reticolo cristallino – *S* red cristalina

Kristallglas s. Glas.

Kristallin. Im engeren Sinne versteht man unter k. Stoffen alle Stoffe, deren kleinste Bestandteile (Atome, Mol., Ionen) *Kristallstrukturen aufbauen. In erweitertem Sinne u. umgangssprachlich setzt man k. mit „makroskop. sichtbar krist." gleich u. bezeichnet mit *kristallinisch* solche Stoffe, die aus winzigen Kristalliten bestehen od. gar nur mit verfeinerten Techniken (s. Kristallstrukturanalyse) als *Kristalle erkennbar sind. – *E* crystalline – *F* cristallin – *I* cristallino – *S* cristalino

Kristalline. Struktur-*Proteine (*Skleroproteine) der Augenlinse, die für deren Transparenz u. Lichtbrechung verantwortlich sind. Die inneren Zellen der Augenlinse, die zu 20 bis 60% ihres Naßgew. aus Protein,

davon 90% K., bestehen, besitzen keine Zellkerne od. andere Zellorganellen, werden auch nicht – wie etwa *Erythrocyten – im Lauf der Zeit durch neue Zellen ersetzt, so daß dort keine Neusynth. der K. während der Lebensdauer des Individuums stattfindet. Die K. müssen daher langlebig u. widerstandsfähig gegen Umwelteinflüsse wie Wärme, Lichtstrahlung u. Radikale sein. K. werden bei Wirbeltieren mit vorangestellten griech. Buchstaben unterschieden, wobei α-K. (Aggregate vom M_R 800 000 aus αA- u. αB-Untereinheiten vom M_R 20 000), β-K. (Aggregate vom M_R 40 000–200 000 aus Untereinheiten vom M_R 20 000–30 000) u. γ-K. allen Wirbeltieren gemeinsam sind; die beiden letzteren gehören zur β-γ-Superfamilie. Die A- u. B-Untereinheiten der α-K. gehören zur Familie der kleinen *Hitzeschock-Proteine[1]. Als *Chaperone tragen sie zur Stabilität der übrigen K. bei u. verhindern so eine Trübung der Linse. Andere K. besitzen überraschenderweise *Enzym-Natur: ε-K., das in Vögeln, Krokodilen u. Geckos[2] vorkommt, ist eine *Lactat-Dehydrogenase, τ-K. aus Vögeln, Fischen, Reptilien u. Neunaugen eine *Enolase. Beim (unabhängig von unserem entwickelten) Auge des Tintenfischs bildet Glutathion-*S*-Transferase (s. Glutathion) das Kristallin S. Mit dem ζ-K. des Kamels u. des Meerschweinchens wurde eine Chinon-Oxidoreduktase (EC 1.6.5.5) für die Linse rekrutiert. – *E* crystallins – *F* cristallines – *I* cristallini – *S* cristalinos
Lit.: [1] Adv. Enzymol. Rel. Areas Mol. Biol. **69**, 155–201 (1994). [2] Naturwissenschaften **83**, 177 f. (1996).
allg.: Eur. J. Biochem. **235**, 449–465 (1996) ■ Wistow, Molecular Biology and Evolution of Crystallins. Gene Recruitment and Multifunctional Proteins in the Eye Lens, Berlin: Springer 1995.

Kristalline Flüssigkeiten s. flüssige Kristalle.

Kristalline Schiefer s. metamorphe Gesteine.

Kristallisation. Bez. für den Vorgang der Bildung von *Kristallen in vorher homogenen Systemen. Die K. kann aus Lsg., Schmelzen od. der Gasphase erfolgen. Bei der K. aus Lsg. erreicht man die K. durch Eindampfen od. Abkühlen (*Ausfrieren), bis unter den gegebenen Temp.-Bedingungen die Sättigungskonz. der betreffenden Substanz in der Lsg. überschritten wird. Sollten hierbei *Übersättigung od. *Unterkühlung eintreten, so muß die K. durch *Impfen – d. h. durch Zusatz von als K.-Keime wirkenden Kristallbruchstücken od. Kristallpulver – ausgelöst werden; Näheres zur Rolle der Keime s. dort. Als *Kristallzüchtung* bezeichnet man Meth. zur künstlichen Gewinnung von gut ausgebildeten Krist. für bestimmte Verw.-Zwecke, z. B. von *Einkristallen für opt. od. (opto)elektron. Zwecke (ggf. durch *Epitaxie) od. von *Edelsteinen u. Schmucksteinen für techn. od. Schmuckzwecke (ggf. durch *Hydrothermalsynthese od. anderen Verf. der *Hochdruckchemie). Die K. aus Lsg. kann auch durch *Aussalzen od. *Ausfällen eingeleitet werden, denn auch in diesen Fällen wird die Sättigungskonz. einer gelösten Substanz überschritten, sei es durch Zugabe einer leichter lösl. Substanz, Änderung des Lsm. (z. B. bei Zusatz von Alkohol zu wäss. Kochsalz-Lsg.) od. durch die Vereinigung von zwei Reaktionslsg. (hier wird durch chem. Reaktion die Sättigungskonz. der entstehenden Substanz überschritten). Auf Aussalz-Effekten beruht z. B. die Gewinnung von Kaliumnitrat durch *Konversion* von *Chilesalpeter. Zur Thermodynamik, Kinetik u. Verf.-Technik der K. u. ihrer Anw. auf großtechn. Prozesse s. *Lit.*[1].

Salze, die sich in ihrer Löslichkeit stark unterscheiden, können durch sog. *fraktionierte Krist.* (auch in großtechn. Maßstab, s. *Lit.*[2]) voneinander getrennt od. durch *Umkristallisation gereinigt werden. So lösen sich z. B. in 100 mL Wasser 36 g Kaliumchlorid, 6,6 g Kaliumchlorat u. 1,5 g Kaliumperchlorat. Läßt man dieses Lösungsgemisch langsam eindunsten, so werden sich zuerst die Kaliumperchlorat-Krist., dann (hauptsächlich) Kaliumchlorat-Krist. u. zuletzt (vorwiegend) Kaliumchlorid-Krist. ausscheiden. In ähnlicher Weise haben sich in verschiedenen geolog. Epochen die Salze bei der Eintrocknung von Meeresbecken vorwiegend nach ihrer Wasserlöslichkeit ausgeschieden; *Beisp.:* *Kali- u. *Abraumsalze. Läßt man dagegen z. B. ein Gemisch von gelöstem Eisensulfat u. Zinksulfat auskristallisieren, so trennen sich diese beiden Bestandteile nicht mehr; man erhält vielmehr *Mischkristalle, die wechselnde Anteile von Zn- u. Fe-Ionen enthalten. Die *fraktionierte K.* bot früher die einzige Möglichkeit, die Seltenerdmetalle voneinander zu trennen. Die Meth. wird heute bes. zur Gewinnung von opt. aktiven Verb. diskutiert[3]. Man erhält bei der K. um so größere u. regelmäßigere Krist., je langsamer ihr Wachstumsprozeß erfolgt (z. B. bei langsamem, erschütterungsfreiem Abkühlen od. Eindunsten der Lsg.). Strebt man dagegen ein möglichst feinkrist. Produkt an, so muß die K. schnell erfolgen (z. B. durch schnelles Abkühlen unter Rühren od. schnelles Eindampfen der Lsg.). Je kleiner die erhaltenen Krist. einer Substanz sind, desto reiner sind sie im allgemeinen. Eine Vergrößerung der gebildeten Krist. erreicht man, wenn man sie vor der Abtrennung noch einige Zeit in der *Mutterlauge* hält: Hierbei wachsen die größeren auf Kosten der kleineren. Man bezeichnet dieses Phänomen verschiedentlich als *Sammel-* od. *Rekrist.*, meist aber (nach Wilhelm *Ostwald) als *Ostwald-Reifung.*

Die K. aus der Schmelze erfolgt durch Abkühlen bis zum od. bis unterhalb des Schmelzpunktes. Auch hier kann durch Unterkühlung ein instabiler Zustand eintreten, aus dem bei Zusatz von Keimen spontane K. unter Wärmeentwicklung eintritt. Die mit der K. verbundene Wärmetönung (*K.-Wärme*) ist dem Betrag nach gleich, dem Vorzeichen nach aber entgegengesetzt der zur Umwandlung der Krist. in den Ausgangszustand der K. benötigten *Umwandlungswärme (Lsg.-, Schmelz-, Subl.-Wärme). Die durch rasche Abkühlung erzwungene K. verläuft nicht selten unter Bildung von *Dendriten. Die K.-Geschw. ist für die Ausbildung des mikrokrist. *Gefüges (z. B. von *Metallen u. *Legierungen) von entscheidender Bedeutung, da die Arten der entstehenden *Korngrenzen* [entlang derer die sog. *interkrist.* *Korrosion ("Kornzerfall") eintreten kann] großen Einfluß auf die Materialeigenschaften haben[4]. Kornvergrößerungen im Gefüge lassen sich z. B. durch *Rekrist.* – hier meist *Anlassen u. *Vergüten genannt – erreichen.

Aus der Gasphase (z. B. bei der *Sublimation) bilden sich Krist. durch *Kondensation direkt, wenn die Temp. der Kondensationsfläche unterhalb des Tripelpunktes im p,T-Zustandsdiagramm[5] liegt.

Es gibt K., die von Lumineszenzerscheinungen begleitet sind (Kristalloluminoszenz). Im Laboratorium verwendet man zur K. *Kristallisierschalen,* flache Schalen aus Glas od. Porzellan mit meist ebenem Boden, senkrechten Wänden u. Ausguß. Zur K. in techn. Maßstab benutzt man sog. *Kristallisatoren* (Kristallisierapparaturen, Kristaller od. Kristallierer, vgl. *Lit.*[6]), in denen Krist. durch Abkühlen, Evakuieren od. Eindampfen von Lsg., durch Abkühlen von Schmelzen od. durch Kondensation erhalten od. in denen Einkrist. gezüchtet werden. Daneben gibt es zahlreiche weitere Typen, so z. B. Sprüh-K., Spritztürme, Säulenkristaller usw. Die Bez. *Kristallisatoren* (od. *Mineralisatoren*) benutzt man auch für Zusätze wie z. B. Verb. von Li$^+$, B^{3+}, F$^-$, W^{6+}, die bes. in natürlichen u. künstlichen Schmelzen Kristallbildung bewirken. So bringt z. B. ein Zusatz von 1% Wolframsäure geschmolzenen Quarz od. Feldspat zur Kristallisation.

Auch amorphe Stoffe können spontan kristallisieren. Beim *Glas nennt man diesen im allg. unerwünschten, bei der Herst. von *Glaskeramiken jedoch bezweckten Vorgang *Entglasung* (Devitrifikation, s. Glaszustand). Fragen des Kristallwachstums spielen auch eine Rolle bei der Bildung von Hochpolymeren u. beim *Zonenschmelzen zur Reinigung von organ. u. anorgan. Substanzen. Interessante Ergebnisse erwartet man von Untersuchungen zur K. im schwerelosen Raum; zu Kristallisatoren s. *Lit.*[7]. – *E* crystallization – *F* cristallisation – *I* cristallizzazione – *S* cristalización

Lit.: [1] Chem. Tech. (Heidelberg) **11**, 1157–1162 (1982); Ullmann (5.) **A 8**, 99–138. [2] Chem. Prod. **9**, Nr. 11, 28 ff. (1980). [3] Naturwissenschaften **69**, 123–129 (1982). [4] Winnacker-Küchler (4.) **4**, 3–9. [5] Ullmann (4.) **2**, 665. [6] Chem. Ind. (Düsseldorf) **35**, 460–463 (1983). [7] ACHEMA-Jahrb. **1994**, 1920. *allg.:* Brauer (3.) **1**, 115–118 ■ Heiman et al. (Hrsg.), Crystals. Growth, Properties and Applications, Bd. 9 u. 12, Berlin: Springer 1983, 1988 ■ Hein u. Buhrig (Hrsg.), Kristallisation aus Schmelzen, Leipzig: Dtsch. Verl. für Grundstoff-Ind. 1983 ■ Nývlt, Industrial Crystallisation, Weinheim: Verl. Chemie 1982 ■ Ullmann (5.) **B 2**, 3-1; **B 1**, 2–43. – *Zeitschriften u. Serien:* Crystals, Growth, Properties and Applications, Berlin: Springer (seit 1978) ■ Crystal Growth, New York: Plenum (seit 1974) ■ Industrial Crystallisation, Amsterdam: North-Holland (seit 1979) ■ Progress in Crystal Growth and Characterization, Oxford: Pergamon (seit 1978).

Kristallisatoren s. Kristallisation.

Kristallisierschalen s. Kristallisation.

Kristallite s. Kristalle.

Kristallkalk. Bez. für ein im Schmelzverf. hergestelltes *Calciumoxid.

Kristallklassen. Aus dem Raumgitterprinzip der *Kristalle (s. Kristallgeometrie) ergeben sich als Symmetrieelemente des Kontinuums 1-, 2-, 3-, 4- u. 6-zählige Dreh(ungs)achsen, Spiegelebenen, das Inversionszentrum u. Drehinversionsachsen. Die mathemat. Ableitung der möglichen Kombinationen führt zu den 32 *Symmetrieklassen* od. kristallograph. *Punktgruppen* (s. Tab.).

Tab.: Die 32 kristallograph. Punktgruppen. 1, 2, 3, 4 u. 6 = Dreh(ungs)achse (n) entsprechender Zähligkeit; $\bar{1}, \bar{2}, \bar{3}, \bar{4}$ u. $\bar{6}$ = Drehinversionsachse (n̄); $\bar{1}$ ≡ Inversionszentrum; $\bar{2}$ = m ≡ Spiegelebene.

Kristallsyst.	Typ						
	n	n̄	$\frac{n}{m}$	n 2 2	n m m	n̄ 2 m	$\frac{n}{m}\frac{2}{m}\frac{2}{m}$
triklin	1	$\bar{1}$					
monoklin	2	$\bar{2} = m$	$\frac{2}{m}$				
orthorhomb.				2 2 2	2 m m		$\frac{2}{m}\frac{2}{m}\frac{2}{m}$
trigonal	3	$\bar{3}$	$\left[\frac{3}{m} = \bar{6}\right]$	3 2	3 m	$\bar{3}\frac{2}{m}$	
tetragonal	4	$\bar{4}$	$\frac{4}{m}$	4 2 2	4 m m	$\bar{4}$ 2 m	$\frac{4}{m}\frac{2}{m}\frac{2}{m}$
hexagonal	6	$\bar{6}$	$\frac{6}{m}$	6 2 2	6 m m	$\bar{6}$ 2 m	$\frac{6}{m}\frac{2}{m}\frac{2}{m}$
kub.				2 3			$\frac{2}{m}\bar{3}$
				4 3 2		$\bar{4}$ 3 m	$\frac{4}{m}\bar{3}\frac{2}{m}$

Da einerseits dem Muster eines Krist. ein räumliches Punktgitter zugrunde liegt, andererseits dieser Krist. eine der 32 möglichen Symmetrien der Tab. besitzt, muß auch sein Punktgitter mit der Kristallsymmetrie konform sein. Ein Krist., der die Symmetrie einer bestimmten Punktgruppe aufweist, gehört zu der entsprechenden Kristallklasse. Die 32 Symmetrieklassen wurden bereits von *Hessel* (1796–1872) abgeleitet. – *E* crystal classes – *F* classes de cristaux – *I* classi cristalline – *S* clases cristalinas

Lit.: s. Kristallographie, Kristallstrukturanalyse.

Kristallkunde s. Kristallographie.

Kristallmembran s. ionenselektive Elektroden.

Kristallmorphologie. Die K. ist die Lehre von den *Kristallformen*, der Gesamtheit aller der Symmetrie u. dem physikal. Verhalten nach gleichwertigen Flächen eines Krist., u. stellt somit ein Teilgebiet der *Kristallgeometrie dar. Bereits 1669 fand *Steno(nius) (an Quarz-Krist.) das von *de l'Isle* 1783 allg. formulierte Gesetz der Winkelkonstanz. 1782 entwickelte *Haüy die Vorstellung, daß die Krist. aus Bausteinen zusammengesetzt sind, die in ihrer Gestalt den Spaltstücken entsprechen. 1823 stellte *Neumann* das Gesetz der einfachen rationalen Indizes auf (*Rationalitätsgesetz). Alle diese Beobachtungen u. Vorstellungen lassen sich heute zwanglos durch die Annahme einer dreidimensionalen Gitterstruktur (s. Kristallgeometrie) erklären. Die Bedeutung der K. als Meth. zur Strukturaufklärung ist deshalb mit der raschen Verbreitung der *Kristallstrukturanalyse mittels Beugemeth. zurückgegangen. Zur zweidimensionalen Darst. eines dreidimensionalen Gebildes bedient man sich in der darstellenden Geometrie einer *Projektion*. Zur Darst. von Krist. haben sich zwei Projektionstypen als zweckmäßig erwiesen: 1. die *Stereograph. Projektion* u. 2. die *Gnomon. Projektion*. Beide Typen sind (unterschiedlich definierte) Projektionen von Flächennormalen auf eine Ebene. Man kennzeichnet Kristallflächen mit (hkl), Krist.-Formen dagegen mit {hkl} (s. Millersche Indizes). Z.B. werden die 8 Flächen des Oktaeders mit (111), ($\bar{1}$11), (1$\bar{1}$1), (11$\bar{1}$), ($\bar{1}$1$\bar{1}$), ($\bar{1}\bar{1}$1), (1$\bar{1}\bar{1}$), ($\bar{1}\bar{1}\bar{1}$) angegeben. Zur vereinfachten Darst. dieser symmetrie-

bezogenen Flächen schreibt man {111}. Analoges gilt für den Würfel, für das Rhombendodekaeder u. das Pentagondodekaeder deren Formen mit {100}, {110} bzw. mit {210} beschrieben werden (Abb. 1).

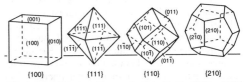

Abb. 1: Die einfachen Formen im kub. Syst.: {100} = Würfel; {111} = Oktaeder; {110} = Rhombendodekaeder u. {210} = Pentagondodekaeder; {210} wird z.B. am Pyrit beobachtet, daher auch Pyritoeder genannt (nach Ullmann, s. *Lit*.).

Wenn alle an einem Krist. vorhandenen Flächen gleich (z.B. Würfel) od. zur Hälfte spiegelbildlich gleich sind, so liegt eine *einfache Form* vor. Eine Kristallform, die von ungleichen, mehreren einfachen Kristallformen angehörenden Flächen begrenzt ist, nennt man eine *Vereinigung* od. *Kombination*. In der Kombination sind in der Regel die Flächen einer einfachen Kristallform größer als die der anderen; sie heißt der *Träger* der Kombination od. die *trachtbeherrschende Fläche*. Jede der 32 *Kristallklassen* der 7 *Kristallsysteme (bzw. der 6 Kristallfamilien) hat eine allg. Kristallform; alle übrigen Kristallformen sind spezielle Kristallformen.

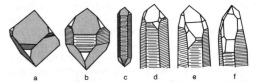

Abb. 2: Quarzkrist. *gleicher Tracht* (gleichartige Kennzeichnung der Flächen), aber unterschiedlichen Habitus (a: würfelartig, b: kurzprismat., c: langprismat.) bzw. solche *gleichen Habitus*, aber unterschiedlicher (d: normal prismat., e: Übergangs-, f: spitzrhomboedr.) Tracht (nach *Lit.*[1]).

Die durch die Summe aller Flächen eines Krist. bestimmte Form bezeichnet man als *Tracht* (Kristalltracht), während die relativen Größenverhältnisse der

Flächen zueinander den *Habitus* (Kristallhabitus) bestimmen. Zwei Krist. gleicher Tracht können einen unterschiedlichen Habitus aufweisen (Abb. 2a–c) od. umgekehrt bei verschiedener Tracht gleichen Habitus haben (Abb. 2d–f). Oft lassen sich aus diesen Erscheinungsformen Rückschlüsse auf die Struktur ziehen, was bereits 1937 zur Formulierung der sog. *Donnay-Harker-Regel* führte[2].
Andererseits läßt sich der Habitus durch bestimmte Zusätze bei der Krist. gezielt verändern[3]. Eine wichtige Möglichkeit zur Beeinflussung des Kristallwachstums ist die *Epitaxie, d. h. Verwachsungen verschiedener Krist., bei denen ein Partner die Wachstumsrichtung des anderen bestimmt. *Enantiomorph* sind zwei spiegelbildlich zueinander geformte Krist., die sich nicht zur Deckung bringen lassen (s. die Abb. der Krist. von Links- u. Rechtsquarz u. von Natriumchlorat bei optische Aktivität). Zwei an einer gemeinsamen Fläche verwachsene Krist. werden als *Zwillinge bezeichnet. Der gleiche Stoff kann je nach Außenbedingungen in verschiedenen Kristallformen kristallisieren (s. Polymorphie) – z. B. ist Calciumcarbonat im *Calcit trigonal, im *Aragonit rhomb., Schwefel kann rhomb. u. in monoklinen Prismen kristallisieren. Umgekehrt kann aber auch die gleiche Kristallform bei ganz verschiedenen Stoffen vorkommen; so kristallisieren z. B. Kochsalz, Kaliumbromid, Silberchlorid, Bleiglanz, Magnesiumoxid u. v. a. Stoffe in Würfeln. Je nachdem, ob ein Stoff bei der Krist. die für ihn typ. Kristallgestalt ungehindert entwickeln kann od. ob er eine ihm aufgezwungene annehmen muß, unterscheidet man Idiomorphie u. *Allotriomorphie. Während also Kristallflächen sehr unterschiedlich ausgebildet sein können, gelten für die Kristallwinkel strenge Gesetzmäßigkeiten, wie schon *Steno(nius) 1669 für den Quarz nachwies. Die Winkelmessung[4] erfolgt mit sog. *Goniometern* (von griech.: gonia = Winkel), mit denen man den Ergänzungswinkel zu 180° mißt. Anlege- od. Kontaktgoniometer sind wegen ihrer geringen Genauigkeit nur für Näherungsmessungen geeignet. Das *Reflexionsgoniometer* verwendet die Lichtreflexe spiegelnder Kristallflächen zur Messung der Winkel. Unter der Bez. *Holoeder* (Voll-, Ganzflächner), die in allen Kristallsyst. vorkommt, versteht man Krist. mit dem in dem betreffenden Syst. höchstmöglichen Symmetriegrad. Werden bei Holoedern systemat. bestimmte Symmetrieelemente weggelassen, so entstehen häufig Körper mit der halben Flächenzahl; diese werden als *Hemieder* (Halbflächner) bezeichnet. Wenn bei mehrfachem Weglassen von Symmetrieelementen aus dem Holoeder ein Körper mit einem Viertel der ursprünglichen Flächen entsteht, liegt ein *Tetartoeder* vor. Falls eine gewöhnliche Symmetrieachse unter Minderung der Symmetrie polar wird, spricht man von *Hemimorphie*, von *Enantiomorphie* dagegen, wenn weder Symmetriezentren noch Spiegelebenen vorhanden sind u. Krist. deshalb wie Bild u. Spiegelbild nebeneinander vorliegen können (s. die Abb. Rechts- u. Linksquarz bei optische Aktivität). Mit *Pedion* bezeichnet man die aus einer einzigen Fläche bestehende Form. *Pinakoide* sind Kristallformen mit 2 parallelen Flächen. *Domen* heißen die aus zwei nicht-parallelen Flächen bestehenden Formen, die über eine Symme-

trieebene verbunden sind. Eine ähnliche Form haben die ein keilförmiges Flächenpaar bildenden *Sphenoide*. *Prismen* sind Flächenformen mit drei od. mehr Flächen, die einer Geraden (Prismenachse) parallel laufen. Ein *Rhomboeder* entsteht, wenn man einen Würfel entlang einer Raumdiagonalen verzerrt. *Dipyramiden* sind Basis-verschmolzene Pyramiden. Auch *Trapezoeder* u. *Skalenoeder* sind aus zwei Pyramiden zusammengesetzt. – *E* crystal morphology – *F* morphologie des cristaux – *I* morfologia cristallina – *S* morfología cristalina

Lit.: [1]Mineral-Mag. **6**, 5–18 (1982). [2]Angew. Chem. **85**, 595–601 (1973). [3]Angew. Chem. **97**, 476–496 (1985). [4]Ramdohr-Strunz, S. 17 ff.
allg.: Ullmann (4.) **15**, 84 ▪ s. a. Kristallographie, Symmetrie, Mineralogie.

Kristallographie (Kristallkunde). Bez. für die Wissenschaft von Bau, Struktur, Zusammensetzung, Wachstum u. Auflösung von natürlichen u. künstlichen *Kristallen sowie von deren chem. u. physikal. Eigenschaften. Die K. kann in folgende Gebiete unterteilt werden: 1. *Kristallgeometrie* (räumliche *Struktur u. *Symmetrie der Krist., s. a. Kristallmorphologie), 2. *Kristallchemie* u. 3. *Kristallphysik*. Die Bez. K. wurde erstmals von dem Schweizer Mineralogen A. *Cappeler* 1725 verwendet. Nicht selten wird die K. heute begrifflich mit der *Kristallstrukturanalyse gleichgesetzt. – *E* crystallography – *F* cristallographie – *I* cristallografia – *S* cristalografía
Lit.: Bednowitz, World Directory of Crystallographers, Dordrecht: Reidel 1981 ▪ Borchardt-Ott, Kristallographie, Berlin: Springer 1993 ▪ Buerger, Kristallographie, Berlin: de Gruyter 1977 ▪ Burzlaff u. Zimmermann, Kristallsymmetrie – Kristallstruktur, Erlangen: Merkel 1986 ▪ Hahn, Shmueli u. Wilson (Hrsg.), International Tables for Crystallography (3 Bd.), Dordrecht: Kluwer Academic Publishers 1995, 1996 ▪ Haussühl, Kristallphysik, Weinheim: Verl. Chemie 1983 ▪ Kleber, Einführung in die Kristallographie, Berlin: Verl. Technik 1990 ▪ McKie u. McKie, Essentials of Crystallography, Oxford: Blackwell 1986 ▪ Paufler, Physikalische Kristallographie, Weinheim: Verl. Chemie 1986 ▪ Ramdohr-Strunz, S. 1–337 ▪ Ullmann (4.) **15**, 79–115 ▪ Vainstein, Modern Crystallography (2 Bd.), Berlin: Springer 1981, 1982 ▪ Weiss u. Witte, Kristallstruktur u. chemische Bindung, Weinheim: Verl. Chemie 1983. – *Zeitschriften:* Z. Kristallogr., Frankfurt: Akad. Verl. Ges. (seit 1877) ▪ Acta Crystallographica, Cambridge: Univ. Press (seit 1948) – *Organisationen:* Dtsch. Gesellschaft für Kristallographie e. V. (DGK) ▪ *IUCr.

Kristallolumineszenz s. Lumineszenz.

Kristalloptik s. Kristallphysik.

Kristallose. Süßstoff aus *Saccharin-Natrium.

Kristallphysik. Bez. für dasjenige Randgebiet der Physik, das sich als Teilgebiet der *Kristallographie mit den physikal. Eigenschaften der *Kristalle u. deren Zusammenhang mit ihrer Struktur, insbes. mit den Auswirkungen der *Anisotropie befaßt. Als bes. wichtiger Sektor der K. beschäftigt sich die *Kristalloptik* mit *Doppelbrechung u. *Polarisation, *Interferenz-Erscheinungen im polarisierten Licht, Drehung der Polarisationsebene, *Lumineszenz-Erscheinungen u. *Pleochroismus. – *E* crystal physics – *F* cristallophysique – *I* fisica cristallina – *S* cristalofísica
Lit.: s. Kristalle u. Kristallographie.

Kristallpulvermethode s. Kristallstrukturanalyse.

Kristallstrukturanalyse. Wichtigstes Verf. zur Ermittlung der räumlichen Anordnung der Atome in krist. Festkörpern mit Hilfe von *Röntgen-, Elektronen-, *Synchrotron-, Protonen- od. Neutronenstrahlen, deren Wellenlängen etwa den Atomabständen in Kristallgittern (ca. 10^{-10} m) entsprechen. Die am meisten verbreitete Form der K. (Diffraktometrie) beruht auf der *Beugung (Diffraktion)* u. *Interferenz der *Röntgenstrahlen (*Röntgenbeugung*) an den Elektronen der Gitteratome (s. Röntgenstrukturanalyse). Die Synchrotronstrahlung[1] hat den Vorteil, daß beliebige Wellenlängen eingestellt werden können, was v. a. bei der Untersuchung von Krist. biolog. relevanter Mol. eine Rolle spielt. Wegen der hohen Strahlungsintensität kann man auch extrem kleine Einkrist., z. B. mit einer Kantenlänge von unter 10 μm, untersuchen. Die *Neutronenbeugung basiert dagegen auf der Beugung von Neutronenstrahlen an den Atomkernen. Sie erlaubt die genaue Lokalisierung sehr leichter Atome (Wasserstoff); außerdem kann die magnet. Ordnung von (anti)ferromagnet. Krist. bestimmt werden.

1912 haben M. F. T. von *Laue, Friedrich u. Kniping durch Aufnahme eines *Laue-Diagramms* gezeigt, daß Krist. als Beugungsgitter für Röntgenstrahlen fungieren können u. damit gleichzeitig die Wellennatur der Röntgenstrahlung bewiesen. Trifft kohärente, monochromat. Röntgenstrahlung (Primärstrahl) in einem ganz bestimmten Einfallswinkel Θ (*Glanz-* bzw. *Braggwinkel*) auf eine Netzebenenschar (s. Netzebene), so wird ein Teil der Strahlung so gebeugt, daß der abgelenkte Teilstrahl (Sekundärstrahl) den gleichen Winkel mit der Netzebenenschar einschließt wie der Primärstrahl. Die Beziehung zwischen dem Beugungswinkel Θ, der Wellenlänge λ des (Röntgen)-Strahls u. dem Netzebenenabstand d ist die *Braggsche Gleichung* od. Reflexionsbedingung: $n \cdot \lambda = 2\,d \cdot \sin \Theta$ (Abb. 1).

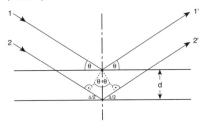

Abb. 1: Braggsche Reflexionsbedingung: 1, 2 = einfallende parallele Strahlen; 1′, 2′ = gebeugte Strahlen; d = Netzebenenabstand; Δ = Gangunterschied zwischen 1′ u. 2′.

Weil nach außen hin eine Ähnlichkeit mit der Reflexion eines Lichtstrahls an einem Spiegel besteht, werden die Beugung am Kristallgitter auch als Reflexion u. die erhaltenen Beugungsmuster als Reflexe bezeichnet. *Ewald* hat dargelegt, wie man mit einer einfachen geometr. Konstruktion auf anschauliche Weise die Röntgenbeugungsbedingung u. das *reziproke Gitter miteinander verknüpfen kann. Nur noch histor. bedeutsam ist das *Laue-Verfahren*. Die Versuchsanordnung dafür ist in Abb. 2 a wiedergegeben.

a

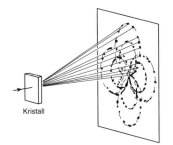

b

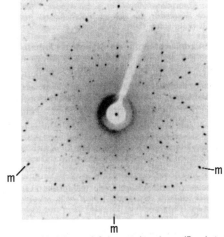

Abb. 2: Laue-Verfahren: a) Schemat. Anordnung (Durchstrahltechnik). b) Laue-Aufnahme von Calcit ⊥ (0001) (nach Ramdohr-Strunz, s. *Lit.*).

Ein „weißer" Röntgenstrahl (d. h. ein Röntgenstrahl mit einem kontinuierlichen Spektrum von ca. 0,01 bis 10 nm) trifft auf ein Kristallplättchen. Hinter dem Krist. (Durchstrahltechnik) od. davor (Rückstrahltechnik) befindet sich senkrecht zum Primärstrahl eine photograph. Platte. An jeder Netzebenenschar wird nun Röntgenstrahlung einer ganz bestimmten Wellenlänge gebeugt u. zwar jeweils diejenige, welche die Braggsche Gleichung erfüllt. Aus dem auf dem Film abgebildeten Beugungsmuster (Abb. 2 b) kann man sofort die *Punktsymmetrie*-Elemente parallel zum Primärstrahl ablesen.

Für eine quant. Auswertung ist dieses Verf. z. T. wegen der Schwierigkeiten bei der Bestimmung der Intensitäten jedoch weniger geeignet. U. a. deshalb wird heute bei der K. ausschließlich mit monochromat. Strahlung gearbeitet. Die Meth. beruhen auf einem 1913 von Sir W. H. u. Sir W. L. *Bragg ausgearbeiteten Verfahren. Für eine *Drehkrist.*-Aufnahme benötigt man einen zylindr. Film. Ein *Einkristall K wird so auf die Spitze einer Drehachse A montiert, daß die Filmachse, die Drehachse u. eine kristallograph. Achse des Krist. zusammenfallen. Der Röntgenstrahl P fällt senkrecht zur Drehachse auf den Krist. u. erzeugt auf dem Film punktförmige Schwärzungen (Reflexe), die auf Schichtlinien liegen (Abb. 3; S. 2280).

Aus dem Schichtlinienabstand u. dem Radius R des Filmzylinders kann man die Translationsperiode in Richtung der Drehachse ermitteln. Läßt man den Krist.

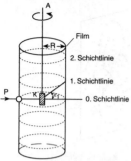

Abb. 3: Schemat. Darst. einer Drehkristallaufnahme (nach Weiss u. Witte, s. *Lit.*).

während der Aufnahme nur in einem kleinen Winkelbereich hin- u. herschwenken, dann kann man auf der erhaltenen *Oszillations*-Aufnahme evtl. vorhandene Spiegelsymmetrie senkrecht zur Drehachse erkennen. Eine verzerrte Darst. einer Ebene des reziproken Gitters wird erhalten, wenn man den Film, gekoppelt an die Oszillationsbewegung des Krist., parallel zur Filmachse hin- u. herverschiebt (*Weißenberg*-Aufnahme). Hingegen ist ein *Präzessions-Diagramm* (s. Präzessionsmethode) ein unverzerrtes Abbild einer reziproken Gitterebene. Fertigt man solche Aufnahmen für hinreichend viele Schichten des reziproken Gitters an, so kann man aus den Intensitäten (Schwärzungsgrad) der Reflexe die *Kristallstruktur bestimmen.

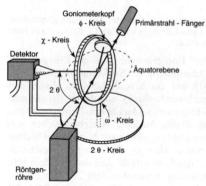

Abb. 4: Schemat. Darst. eines Vierkreis-Diffraktometers (nach Glusker u. Trueblood, s. *Lit.*).

Heute wird die beschriebene Filmtechnik für eine quant. Auswertung nur noch in Spezialfällen eingesetzt. Normalerweise verwendet man automat. Einkrist.-*Diffraktometer* mit unterschiedlicher Geometrie. Ein solches Diffraktometer (Abb. 4) erlaubt es, beliebige Netzebenenscharen in Reflexionsstellung zum einfallenden Röntgenstrahl zu bringen u. die Intensität des gestreuten Röntgenstrahls mit einem *Zählrohr als Detektor zu messen. In den letzten Jahren hat sich rasch eine neue Generation von Einkrist.-Diffraktometern durchgesetzt, bei denen sog. ortsempfindliche Detektoren eingesetzt werden. Das Verf., das unter dem Stichwort *Röntgenstrukturanalyse näher beschrieben wird, bringt v. a. bei großen Mol. eine enorme Zeitersparnis. Intensitätsmessungen (Datensammlungen) zur Strukturanalyse können nun häufig innerhalb weniger Stunden durchgeführt werden.

Neben den Verf., bei denen man von Einkrist. ausgeht, gibt es auch sog. *Kristallpulvermethoden*. Die wichtigste dieser Meth. ist das von P. J. W. *Debye u. P. *Scherrer entwickelte *Debye-Scherrer-Verfahren*. Eine Probe der zu untersuchenden Substanz wird in einem zylindr. Röhrchen von ca. 0,5 mm Durchmesser als feines Kristallpulver (Korngröße <0,1 mm) von monochromat. Röntgenlicht durchstrahlt. Der Röntgenstrahl trifft nun immer auf eine Vielzahl von Kristallchen, die gerade so orientiert sind, daß die Bragg-Bedingung erfüllt ist. Die Gesamtheit der reflektierten Strahlen einer Netzebenenserie liegt auf einem Kegelmantel mit einem bestimmten Öffnungswinkel. Eine Schwärzung tritt auf dem Film dort ein, wo der Kegelmantel den Filmzylinder schneidet. Statt eines Röntgenfilms werden heute auch bei Pulver-Meth. – ähnlich wie bei Einkristallmessungen – Zählrohre od. ortsempfindliche Detektoren benutzt (Abb. 5 a).

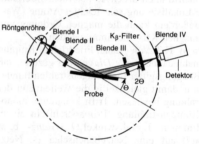

Abb. 5 a: Strahlengang bei einem Pulverdiffraktometer.

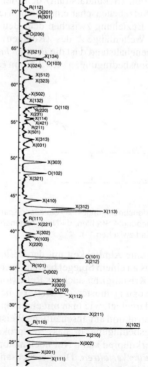

Abb. 5 b: Indiziertes Beugungsdiagramm von einem Autolack (Cu-K$_\alpha$-Strahlung; Meßbereich 22° < 2θ < 71°; X = BaSO$_4$; O = ZnO; R = Rutil).

Pulvermeth. werden routinemäßig zur Charakterisierung von krist. Substanzen od. Substanzgemischen eingesetzt. Von einer Vielzahl von Substanzen sind die Pulverdiagramme bekannt u. katalogisiert bzw. in Datenbanken gespeichert [2]. Durch Vgl. kann man Substanzgemische analysieren (Abb. 5 b). Die Linienform der Reflexe läßt außerdem z. B. auf die *Korngröße* von Kristalliten u. auf Kristalldefekte schließen, u. der Untergrund liefert Hinweise auf amorphe Bestandteile im Pulver. Pulvermessungen kann man leicht bei verschiedenen Temp. durchführen u. eventuell auftretende Phasenumwandlungen nachweisen od. Ausdehnungskoeff. berechnen. Die Auswertung von hochaufgelösten Pulverdiagrammen zur vollständigen K. gewinnt zunehmend an Bedeutung. Voraussetzung dafür ist die Zuordnung der Linien zu bestimmten Netzebenenscharen (Indizierung). Bei Kenntnis der Bragg-Winkel kann man so unmittelbar die Metrik der Elementarzelle ermitteln. Während die Strukturbestimmung bei kub. od. hexagonalen Kristallstrukturen meist gelingt, ist sie bei Syst. mit niedrigerer Symmetrie immer noch nur in Ausnahmefällen möglich. Durch den Einsatz von ausgeklügelten Programmen sind in letzter Zeit jedoch vielversprechende Fortschritte erzielt worden (s. a. Röntgenstrukturanalyse u. Rietveld-Methode).

Zur Bestimmung der Kristallstruktur benötigt man die sog. *Strukturfaktoren F*, die sich als komplexe Zahlen aus einem Real- u. Imaginärteil od. aus *Strukturamplitude* u. *Phasenwinkel* zusammensetzen. Die Ermittlung der dem Krist. zugrundeliegenden Struktur wäre mathemat. trivial (*Fouriertransformation), wenn man aus den gemessenen Intensitäten der Reflexe neben den Strukturamplituden auch deren Phasen ermitteln könnte. Diese Information kann durch einfache Messungen jedoch nicht erhalten werden (*Phasenproblem*). Es wurde daher eine Reihe von Verf. entwickelt, die Phasen zu bestimmen. Die *Patterson*-Funktion verwendet die phasenunabhängigen F^2-Werte u. liefert alle interatomaren Abstandsvektoren. Patterson-Maxima entsprechen den Produkten der Elektronenzahl der beteiligten Atome. Vektoren zwischen „Schwer"-Atomen (z. B. I-Atomen in einer organ. Verb.) zeichnen sich deshalb durch eine besonders hohe Intensität aus. Häufig kann so die Lage des Schweratoms bestimmt werden (*Schweratom*-Meth. od. *Patterson*-Verf.). Die erhaltenen Phasen können nun als Startphasen zur sukzessiven Erarbeitung des gesamten Modells eingesetzt werden. Enthält die zu untersuchende Verb. selbst kein Schweratom, so kann dieses durch direkte Substitution eingeführt werden. Stehen zwei od. mehrere Kristallsubstanzen mit gleicher geometr. Atom-Anordnung aber partiell unterschiedlicher Zusammensetzung zur Verfügung, so führt der Vgl. der Amplitudenbeträge aller Reflexe zwischen den Krist. zur Kenntnis der Phasen der Reflexe. Diese Meth. der *isomorphen Substitution* wurde erfolgreich zur Strukturbestimmung von biochem. relevanten großen Mol. eingesetzt. Meilensteine dieser Entwicklung waren z. B. die Strukturbestimmung von Proteinen durch *Pauling, Vitamin B_{12} durch D. Crowfoot-*Hodgkin, von Myoglobin durch *Kendrew u. von Hämoglobin durch *Perutz. Die meisten Kristallstrukturen werden

heute mittels *Direkter Meth.* gelöst. Bei diesem Verf. nutzt man gewisse Zusammenhänge zwischen den Intensitäten innerhalb von Reflexgruppen u. den Phasen aus. Die Entwicklung der Meth. ist von einer Reihe von Forschern vorangetrieben worden, von denen *Karle u. *Hauptman mit dem Nobelpreis geehrt wurden. Sehr ausgefeilte Computerprogramme [3] ermöglichen vielfach eine nahezu automat. Lösung von Kristallstrukturen. Kennt man nun die ungefähre Lage eines größeren Teils der Atome, so kann man die dieser Anordnung entsprechenden theoret. Amplituden- u. Phasenwerte berechnen. Eine Kombination der experimentell gewonnenen Amplituden- mit den theoret. Phasenwerten führt zu einem neuen, verbesserten Modell. Hat man durch sukzessive Anw. dieses Verf. die angenäherten Positionen aller Atome bestimmt, so kann man durch ein mathemat. Verf. (Meth. der kleinsten Quadrate, *E least squares*) die Lageparameter unter Einbeziehung von Parametern für die therm. Bewegung der Atome optimieren (verfeinern) [4]. Man unterscheidet eine „Verfeinerung nach F bzw. nach F^2". Die Güte der Übereinstimmung zwischen den F- bzw. den F^2-Werten für das theoret. Modell (F_c) u. den aus den Meßwerten erhaltenen „beobachteten" F-Werten (F_o) wird durch den sog. R-Wert u. durch den „gewichteten" R-Wert wR wiedergegeben. Zu beachten ist, daß R-Werte auf F^2-Basis (R_2 od. wR_2) grundsätzlich etwa 2–3mal so groß sind wie solche auf F-Basis. Für Kristallstrukturen ohne kristallograph. Besonderheiten sind R_2-Werte um ca. 0,02 möglich. In der Regel werden für K. von kleinen Mol. R-Werte bis ca. 0,1 als hinreichend erachtet. Ein weiteres Gütekriterium ist der *Gütefaktor S* (Goodness of fit = *GooF*), der Werte um 1 annehmen sollte. Er berechnet sich nach

$$S = (\sum_{hkl} w\, \Delta^2) \cdot (m-n)^{-1},$$

mit w = Gewichtungsfaktor, $\Delta = \|\,|F_o| - |F_c|\,\|$ bzw. $|F_o^2 - F_c^2|$, m = Zahl der Reflexe u. n = Zahl der Parameter. Hinweise auf Fehler im Modell liefern z. B. physikal. unsinnige Werte für die anisotropen therm. Parameter u. ungewöhnliche Atomabstände. Aus den Lageparametern der Atome kann man schließlich die Geometrie der Mol. (z. B. Bindungsabstände u. -winkel) berechnen. Die Lageparameter, die therm. Parameter u. die daraus abgeleiteten Größen sind mit „Unsicherheiten" (*standard uncertainty*, Abk.: s. u.; früher: *estimated standard deviation*, Abk.: e.s.d.) behaftet. Diese Werte werden in Klammern hinter die Parameter geschrieben. Zur anschaulichen Darst. werden schließlich Mol.-Zeichnungen [5] angefertigt. Unter bestimmten Voraussetzungen kann man, v. a. durch Kombination der Ergebnisse von Röntgen- u. Neutronenbeugung, neben der Atom-Anordnung auch Informationen über den Aufenthaltsort von Bindungselektronen u./od. freien Elektronen erhalten (Elektronendichtebestimmung) [6]. Für Routineuntersuchungen stehen heute automat. arbeitende Geräte (Vierkreis-Diffraktometer) zur Verfügung (s. Abb. 4). Als Detektoren werden meist *Szintillationszähler od. neuerdings auch sog. ortsempfindliche Zähler eingesetzt, mit denen man mehrere Reflexe gleichzeitig bestimmen kann. Für die Messung der Intensitäten benötigt man in Abhängigkeit von verschiedenen Parametern, z. B. der Zahl der zu bestimmenden Atome, einige Stunden bis zu einigen Wochen. Mit Hilfe der elektron. Datenverarbeitung kann dann die Struktur häufig innerhalb von wenigen Minuten od. Stunden Rechenzeit gelöst u. verfeinert werden – eine Arbeit, die früher Monate in Anspruch genommen hat u. die mit der heute erreichten Genauigkeit nicht möglich gewesen wäre. Für die Strukturaufklärung größerer Proteine gibt es aber auch heute noch kein schnelles Routineverf., nach wie vor müssen hierfür unter Umständen Jahre veranschlagt werden. Ein Ersatz der K., etwa durch die Elektronenmikroskopie, ist bislang noch nicht in Sicht[7]. Die Technik hat zwar einen Stand erreicht, der es ermöglicht, isolierte od. in Mol. eingebaute Schweratome auf direktem Weg sichtbar zu machen, die atomare Struktur von Mol. ist jedoch nur in wenigen Spezialfällen erkennbar. – *E* crystal structure determination, crystal diffractometry – *F* analyse des structures cristallines, diffractométrie – *I* analisi della struttura cristallina – *S* determinación de estructuras cristalinas, análisis de la estructura cristalina

Lit.: [1]Chem. Unserer Zeit **21**, 104 (1987). [2]International Centre for Diffraction Data (ICDD), The Powder Diffraction File, Newton Square (PA): ICDD 1997. [3]Main et al., MULTAN 11/82, A System of Computer Programs for the Automatic Solution of Crystal Structures from X-ray Diffraction Data, Univ. of York, England u. Univ. Louvain, Belgien (1982); Sheldrick, SHELXS-86, Program for Crystal Structure Solution, Univ. Göttingen (1986). [4]Sheldrick, SHELXL-93, Program for Crystal Structure Refinement, Univ. Göttingen (1993); J. Appl. Cryst. **26**, 343–350 (1993). [5]Johnson, ORTEP, ORNL 5138, Oak Ridge National Laboratory, Tennessee, USA (1976); Keller, SCHAKAL92, A Computer Program for the Graphic Representation of Molecular and Crystallographic Models, Univ. Freiburg (1992). [6]Chimia **41**, 104–116 (1987). [7]Angew. Chem. **92**, 531–546 (1980).

allg.: Bacon, Neutron Scattering in Chemistry, London: Butterworth 1977 ▪ Chem. Unserer Zeit **16**, 71–88, 116–123 (1982) ▪ Glusker, Lewis u. Rossi, Crystal Structure Analysis for Chemists and Biologists, New York: VCH Verlagsges. 1993 ▪ Glusker u. Trueblood, Structure Analysis, S. 46, New York: Oxford University Press 1972 ▪ Hall u. Ashida, Methods and Application in Crystallographic Computing, Oxford: Clarendon 1984 ▪ Kirk-Othmer (3.) **22**, 438–455 ▪ Krischner, Einführung in die Röntgenfeinstrukturanalyse, Wiesbaden: Vieweg 1980 ▪ Ladd u. Palmer, Structure Determination by X-ray Crystallography, New York: Plenum 1985 ▪ Luger, Modern X-Ray Analysis on Single Crystals, Berlin: de Gruyter 1980 ▪ Massa, Kristallstrukturbestimmung, Stuttgart: Teubner 1996 ▪ Ramdohr-Strunz, S. 319 ▪ Sayre, Computational Crystallography, Oxford: Clarendon 1982 ▪ Sheldrick, Krüger u. Goddard, Crystallographic Computing 3, New York: Oxford University Press 1985 ▪ Stout u. Jensen, X-Ray Structure Determination, New York: Wiley 1989 ▪ Weiss u. Witte, Kristallstruktur u. chemische Bindung, S. 47, 59, Weinheim: Verl. Chemie 1983 ▪ Wölfel, Theorie u. Praxis der Röntgenstrukturanalyse, Braunschweig: Vieweg 1987.

Kristallstrukturen. Häufig wird fälschlich für K. auch der Begriff *Kristallgitter verwendet. K. sind dreidimensionale period. Muster aus kongruenten *Gittern*, deren Punkte durch die Schwerpunkte von Atomen, Ionen od. Mol. besetzt sind. Sie genügen der *Symmetrie der 230 *Raumgruppen-Typen. K. sind mittels *Kristallstrukturanalyse bestimmbar. Zur Beschreibung der K. einer chem. Verb. benötigt man folgende Angaben: 1. Chem. Formel, 2. *Gitterkonstanten, 3. *Raumgruppe, 4. die Koordinaten u. Auslenkungs-

parameter der Atome sowie die Besetzungsfaktoren der Punktlagen. Kenntnisse über K. haben seit der ersten Strukturbestimmung 1913 exponentiell zugenommen. Waren es bis 1928 lediglich ca. 1000 Untersuchungen, so stieg ihre Zahl bis 1960 auf 13000 u. bis 1967 auf 24000. Die meisten Strukturuntersuchungen sind in Sammelwerken[1] erfaßt, schnelle Recherchen sind v. a. über elektron. Datenbanken[2] möglich.

In *Ionengittern* (z. B. NaCl) werden die Ionen nicht durch gerichtete *Valenzen, sondern durch im Prinzip richtungsunabhängige elektrostat. Anziehungskräfte (*Coulomb*-Kräfte) zusammengehalten. Bei *Atomgittern* mit kovalenten Bindungen können dagegen gerichtete (*anisodesmische) Kräfte wirken. Da hier die Bindung durch *Valenzelektronen zustande kommt, spricht man auch von *Valenzgittern*; typ. Beisp. hierfür sind Diamant, Ge u. Si. In *Metallgittern* (s. Metalle u. chemische Bindung) gibt es außer bei *intermetallischen Verbindungen naturgemäß keine Vorzugsrichtung der Ladungsverteilung; d. h. der K.-Typ wird in erster Linie von den Raumansprüchen der Atome bestimmt. Die Valenz- od. *Leitungselektronen gehören nun nicht mehr diskreten Atomen an – sie sind gemeinsamer Besitz aller Atome. Aus diskreten Energieniveaus werden Energiebänder, deren Besetzungswahrscheinlichkeiten mit Hilfe der *Brillouin-Zonen beschrieben werden. Das *Bändermodell* spielt eine wichtige Rolle bei der Erklärung der *elektr. Leitfähigkeit* von metall. Leitern u. *Halbleitern. Bei *Mol.*-Krist. sind die intramol. Kräfte sehr groß gegenüber den intermol. *Van-der-Waals-Kräften, weshalb solche Krist. eine vergleichsweise geringe Härte u. niedrige Schmp. aufweisen. K., die geladene organ. Mol. sowie anorgan. Ionen enthalten, gewinnen in Forschung u. Anwendung zunehmend an Bedeutung. In solchen K. sind Coulomb- u. Van-der-Waals-Kräfte sowie *Wasserstoff-Brückenbindungen bestimmend. Die einzelnen Bausteine (Atome, Ionen od. Mol.) führen um ihre Ruhelagen (die Gitterpunkte) harmon. Schwingungen aus, deren Amplituden sich mit steigender Temp. vergrößern bis zum Zusammenbruch der K. beim *Schmelzpunkt. In grober Näherung entspricht die *Schmelzenthalpie* der *Gitterenergie.

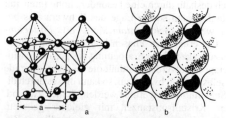

Abb. 1: Struktur von Steinsalz, a) mit Hervorhebung der Koordinationsoktaeder, b) mit den Wirkungsbereichen der Na- u. Cl-Ionen (nach Ramdohr-Strunz, s. *Lit.*).

Ein wichtiges Kriterium zur Beschreibung der K. anorgan. Festkörper ist die *Koordinationszahl* (KZ), unter welcher hier – anders als in der *Koordinationslehre – die Anzahl der nächsten Nachbarn eines Gitterbausteins verstanden wird. Für Mol.-Krist. sind sog. *Packungseffekte von überragender Bedeutung. Die erste Strukturbestimmung wurde von W. H. u. W. L.

*Bragg mit Röntgenstrahlen an Steinsalz durchgeführt. In einer kub. Elementarzelle (s. Kristallgeometrie) befinden sich 4 Na^+- u. 4 Cl^--Ionen (Abb. 1). Jedes Na-Ion ist symmetr. von 6 Cl-Ionen u. jedes Cl-Ion von 6 Na-Ionen umgeben (Abb. 1 a u. b). Für beide Ionen-Sorten ist die Koordinationszahl [6] – die *Koordinationspolyeder* sind *Oktaeder*. Der Abstand zwischen zwei benachbarten Ionen ist die Hälfte der Gitterkonstanten a. Zur Beschreibung der Koordinationsverhältnisse werden bisweilen die *Koordinationsformeln* nach *Niggli* verwendet (für NaCl: {$NaCl_{6/6}$} – jedes Ion ist von 6 Ionen der anderen Sorte umgeben). Strukturtypen werden heute auch mit der *Bauverband*-Terminologie[3] charakterisiert, wobei v. a. die kristallograph. Verwandtschaft von K. berücksichtigt wird. In Abb. 2 a–d sind die wichtigsten u. einfachsten K. von Elementen wiedergegeben. Abb. 2 a stellt den *Kupfer-Typ* (A_1-Typus) dar. Außer Cu kristallisieren z. B. auch Ag u. Au in diesem Typ. Die Elementarzelle ist *kub. flächenzentriert* (kfz, *E* fcc) u. entspricht somit auch der in Abb. 3 a gezeigten *kub. dichtesten Kugelpackung* (kdp, *E* ccp, Schichtfolge ABCABC...). Der *Eisen*- od. *Wolfram-Typ* (A_2-Typus), in dem z. B. auch die Alkalimetalle kristallisieren, ist in Abb. 2 b dargestellt. Die Elementarzelle ist *kub. innen(raum)zentriert* (krz, *E* bcc). In dem in Abb. 2 c dargestellten Magnesium-Typ (A_3-Typus) kristallisieren z. B. auch Zn u. Cd. Die *hexagonal primitive* Elementarzelle entspricht der in Abb. 3 b gezeigten *hexagonal dichtesten* Kugelpackung (hdp, *E* hcp, Schichtfolge ABAB...). Der in Abb. 2 d gezeigte *α-Polonium-Typ* mit einer *kub. primitiven* Elementarzelle ist wegen der geringen Packungsdichte bislang nur bei einer instabilen Po-

Phase bekannt. Die Koordinationszahlen sind beim A_1- u. A_3-Typus 12, beim A_2-Typus 8 u. im α-Polonium-Typ 6. In den Abb. 1 u. 4 a–c sind einige wichtige K.-Typen von einfachen AB-Verb. aus zwei verschiedenen Atom-Sorten wiedergegeben. Wohl am häufigsten ist der in Abb. 1 dargestellte *Steinsalz-Typus* (NaCl-Typus); er findet sich u. a. bei den meisten Alkalihalogeniden, ferner u. a. bei Silberchlorid, Bleiglanz, Magnesiumoxid, vielen Nitriden u. Carbiden. Hier ist sozusagen ein flächenzentrierter Chlorid-Würfel in einen flächenzentrierten Natrium-Würfel hineingestellt. Bei dem viel selteneren *Cäsiumchlorid-Typ* (CsCl, Abb. 4 a) sind zwei primitive Würfelgitter ineinandergestellt; es steht hier z. B. ein Cäsium-Ion in der Würfelmitte, u. in den Eckpunkten des Würfels befinden sich die Chlorid-Ionen (KZ 8). Dieser Typ wurde auch bei einigen intermetall. Verb. (z. B. CuZn, AgZn, AlNi) festgestellt. Beim *Zinkblende-Typ* (ZnS, Abb. 4 b) sind zwei flächenzentrierte Würfel ineinander geschoben, u. jeder Baustein einer Atom-Sorte ist von 4 Bausteinen der anderen Atom-Sorte tetraedr. umgeben (Niggli-Formel: {$ZnS_{4/4}$}). Der Diamant kristallisiert im gleichen Gittertyp wie ZnS, jedoch sind alle Gitterplätze einheitlich mit C-Atomen besetzt.

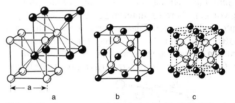

Abb. 4: Strukturen von AB-Verb.: a) CsCl, b) Zinkblende ZnS, c) NiAs (nach Ramdohr-Strunz, s. *Lit.*).

Abb. 4 c zeigt den sehr verbreiteten *Rotnickelkies-Typ* (NiAs-Typ); er steht der hexagonal dichtesten Kugelpackung nahe u. findet sich bes. bei schweren, stark glänzenden, kaum spaltbaren hexagonalen Erzen wie NiAs, NiSb, FeS. Hier ist jedes Kation (Punkte) von 6 Anionen (Kreise) u. 2 Kationen, jedes Anion von 6 Kationen umgeben; die 6 Kationen bilden ein trigonales Prisma, die 6 Anionen ein Oktaeder. In den Abb. 5 a–d sind die K. einiger AB_2-Verb., bestehend aus zwei verschiedenen Atom-Sorten, im Mengenverhältnis 1:2 dargestellt. Der *Fluorit-Typ* (CaF_2) aus Abb. 5 a

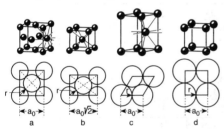

Abb. 2: Kristallstruktur von a) Kupfer, b) Eisen, c) Magnesium, d) Polonium (nach Ramdohr-Strunz, s. *Lit.*).

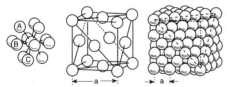

Abb. 3 a: Kub. dichteste Kugelpackung (nach Ramdohr-Strunz, s. *Lit.*).

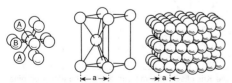

Abb. 3 b: Hexagonal dichteste Kugelpackung (nach Ramdohr-Strunz, s. *Lit.*).

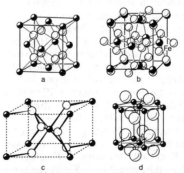

Abb. 5: Einige AB_2-Strukturen: a) Fluorit CaF_2, b) Pyrit FeS_2, c) Rutil TiO_2, d) Cadmiumiodid CdI_2 (a, b, d nach Ramdohr-Strunz, s. *Lit.*; c nach Kleber, s. *Lit.*).

ist im Mineralreich sehr verbreitet; er findet sich v. a. bei Flußspat, Thorianit u. Uranpecherz, ferner bei Strontiumchlorid, Bariumfluorid, Bleifluorid usw. Bei Flußspat ist hier jeweils ein kleiner Würfel von Fluor (Kreise) von einem flächenzentrierten Gitter von Calcium (Punkte) eingeschlossen. Jedes Ca-Ion ist hier von 8 Fluorid-Ionen umgeben, während um jedes Fluorid-Ion 4 Ca-Ionen tetraedr. angeordnet sind. Der *Pyrit-Typ* (Abb. 5b) findet sich u. a. bei Pyrit (FeS_2), Hauerit (MnS_2), Kohlensäureschnee (CO_2), CoS_2, NiS_2 usw. Dieser Typ hat große Ähnlichkeit mit dem Steinsalz-Typ von Abb. 1, man braucht hier nur an Stelle der Na-Ionen den Schwerpunkt von zwei hantelförmig angeordneten Schwefel-Atomen einzusetzen, um beide Gitter ineinander zu überführen. Der sehr häufige *Rutil-Typ* (Abb. 5c) findet sich u. a. bei Rutil (TiO_2), Zinnstein (SnO_2), MgF_2, ZnF_2, NbO_2, MoO_2 usw. Beim Rutil sitzen die Ti-Atome an den Eckpunkten u. in der Mitte von tetragonalen, zentrierten Quadern, während sich die O-Atome (Kreise) annähernd oktaedr. um die zentralen Ti-Atome gruppieren. Beim ebenfalls häufigen *Cadmiumiodid-Typ* (CdI_2, Abb. 5d) liegt ein einfaches *Schichtgitter* vor; hierbei ist immer eine Cadmium-Schicht (Punkte) von zwei Iod-Schichten (Kreise) umgeben, mit der sie eine engere, von den oberen u. unteren Schichten deutlich getrennte Einheit bilden. Dieser Typ findet sich u. a. bei $Mg(OH)_2$, PbI_2, $Mn(OH)_2$, TiS_2, SnS_2. Große Bedeutung hat in den letzten Jahren eine ABX_3-K. erlangt. Die in Abb. 6 dargestellte *Perowskit*-Struktur ($CaTiO_3$) ist die

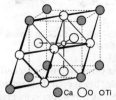

Abb. 6: *Perowskit*-Struktur. Die Ca- u. O-Ionen bilden eine kub. dichteste Kugelpackung (nach Müller, s. *Lit.*).

strukturelle Basis der neuen *Hochtemperatur-Supraleiter. In dieser Struktur ist jedes Ca^{2+}-Ion kuboktaedr. von 12 u. jedes Ti^{4+}-Ion oktaedr. von 6 Sauerstoff-Ionen umgeben. Jedes O^{2-}-Ion besitzt 4 Ca^{2+}- u. 2 Ti^{4+}-Nachbarn. K., die aus mehreren verschiedenen Atomsorten bestehen, sind oft recht kompliziert aufgebaut. Ihre Darst. sind deshalb unübersichtlich. Häufig kann man jedoch die Baumuster auf bekannte einfache Strukturen zurückführen. Unter Einwirkung hoher Drücke u./od. Temp. (vgl. Hochdruck- und Hochtemperaturchemie) können viele Stoffe in andere *Modifikationen – evtl. mit anderer Koordinationszahl – übergehen[4]; *Beisp.*: Kohlenstoff (Graphit → Diamant, KZ 3 → 4), Silicium, Germanium, Zinn (Diamant-Typ → *β*-Zinn-Typ, KZ 4 → 6), Zinksulfid (Zinkblende-Typ → Wurtzit-Typ, KZ 4 → 4). Die Prinzipien der Packung (s. Packungseffekte) ungeladener Mol. sind von denen der Ionenverb. völlig verschieden[5]. – *E* crystal structures – *F* structures cristallines – *I* strutture cristalline – *S* estructuras cristalinas

Lit.: [1] Z. B. Landolt-Börnstein, Zahlenwerte u. Funktionen aus Naturwissenschaft u. Technik, Neue Serie, Berlin: Springer (seit 1971); Ondik u. Mighell, Crystal Data Determinative Tables, Swarthmore: JCPDS 1978; Kennard et al., Molecular Structures and Dimensions, Dordrecht: Reidel (seit 1970). [2] Z. B. Fachinformationszentrum Energie – Physik – Mathematik, Eggenstein-Leopoldshafen; Kristallstrukturdatenbank Bonn; Cambridge Cristallographic Data Centre. [3] Acta Cryst. **A 46**, 1–11 (1990). [4] Ramdohr-Strunz, S. 167 f.; Chem. Unserer Zeit **10**, 180–188 (1976). [5] Kitaigorodsky, Molekülkristalle, Berlin: Akademie Verl. 1979. *allg.*: Müller, Anorganische Strukturchemie, Stuttgart: Teubner 1991 ▪ Ramdohr-Strunz, S. 106, 111, 119, 121, 133, 135, 136, 141 ▪ Wells, Structural Inorganic Chemistry, Oxford: University Press 1984 ▪ s. a. Kristallographie.

Kristallsysteme. Zur analyt. Beschreibung der Krist. legt man in diese ein Koordinatensyst. mit den Basisvektoren *a*, *b* u. *c*, das in enger Beziehung zum Symmetriegerüst steht. Die *c*-Achse (im monoklinen K. die *b*-Achse) des Koordinatensyst. wird in die Hauptdreh(ungs)achse gelegt, d. h. in die Achse der größten Zähligkeit, bzw. in die Drehinversionsachse (s. Kristallgeometrie). Die beiden anderen Achsen legt man, außer im triklinen (u. rhomboedr.) Syst., senkrecht zur ausgezeichneten Achse, u. zwar so, daß sie möglichst mit Dreh(ungs)achsen, Drehinversionsachsen od. Normalen von Spiegelebenen zusammenfallen. Geht man nach diesen Gesichtspunkten vor, so erhält man die in der Abb. zusammengestellten K. bzw. Koordinatensysteme.

Das trigonale u. hexagonale Syst. sind eng miteinander verwandt. Der heute verwendete Begriff *Kristall-*

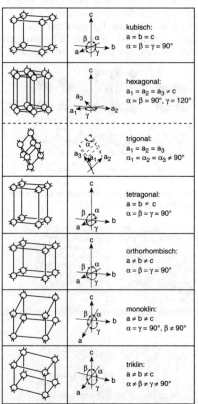

Abb.: Die Kristallsysteme mit den entsprechenden Koordinatensyst. u. den dazugehörigen Elementarzellen (nach Ullmann, s. *Lit.*).

familie [1] berücksichtigt diese Beziehung. Kennzeichnend für das trigonale Syst. ist eine dreizählige Symmetrie (Dreh-, Drehinversions- bzw. Schraubenachse), für das hexagonale Syst. hingegen eine sechszählige Symmetrie. Aufbauend auf die 6 Kristallfamilien bzw. die 7 K. erhält man die 32 *Kristallklassen u. die 230 *Raumgruppen-Typen (s. a. Kristallgeometrie). Von den 25, zum trigonalen K. gehörenden Raumgruppen können 7 auch mit einem hexagonalen Koordinatensyst. beschrieben werden. Die hexagonale Aufstellung führt zu einer in den Punkten $\frac{1}{3}$, $\frac{2}{3}$, $\frac{2}{3}$ u. $\frac{2}{3}$, $\frac{1}{3}$, $\frac{1}{3}$ zweifach zentrierten Elementarzelle mit dreifachem Volumen. Diese 7 rhomboedr. Zellen werden dem Bravais-Typ R zugeordnet. – *E* crystal systems – *F* systèmes cristallins – *I* sistemi cristallini – *S* sistemas cristalinos

Lit.: [1] Hahn, International Tables for Crystallography (Bd. A), Dordrecht: Kluwer Academic Publishers 1996.
allg.: Ullmann (4.) **15**, 82 ▪ s. a. Kristallgeometrie, Kristallstrukturen, Kristallographie.

Kristalltracht s. Kristallmorphologie.

Kristallviolett (Hexa-*N*-methylparafuchsinchlorid, C. I. Basic Violet 3, C. I. 42 555).

$C_{25}H_{30}ClN_3$, M_R 407,99. K. ist ein wichtiger Vertreter aus der Gruppe der *Triarylmethan-Farbstoffe; in der ausländ. Lit. wird K. offenbar auch mit *Gentianaviolett od. *Methylviolett gleichgesetzt. K. bildet bronzefarbene (mit 9 Mol. Kristallwasser) od. mehrfarbig schillernde (wasserfreie) Krist., die sich in Wasser mit violetter Farbe lösen. Mit Salzsäure wird die Lsg. erst blau, dann grün, zuletzt gelb. Der Name K. ist auf die gute Krist.-Fähigkeit dieser Verb. zurückzuführen.
Herst.: Kondensation von *N,N*-Dimethylanilin mit Phosgen, wobei das Zwischenprodukt 4,4′-Bis(dimethylamino)benzophenon (*Michlers Keton) durchlaufen wird, od. durch Kondensation von 4-(Dimethylamino)benzaldehyd mit zwei Äquivalenten *N,N*-Dimethylanilin.
Verw.: In der Veterinärmedizin als Antiseptikum; zur Herst. von Farbbändern, Kopierstiften, Druckfarben, zur Papierfärbung, als Indikator für Perchlorsäure-Titrationen in nichtwäss. Medien usw., sowie als Bestandteil von Bakteriennährböden. – *E* crystal violet – *F* violet cristallisé – *I* violetto cristallizzato – *S* violeta cristal
Lit.: Beilstein E IV **13**, 2284 ff. ▪ Hager (5.) **1**, 550; **2**, 353 ▪ Kirk-Othmer **20**, 675 f. ▪ Ullmann (5.) **A 5**, 370; **A 14**, 130, 132, 135; **A 24**, 569 ▪ Winnacker-Küchler (3.) **4**, 242 – *[HS 3204 13; CAS 548-62-9]*

Kristallwasser. Als K. werden die Wassermol. in wasserhaltigen, krist. Verb. bezeichnet, die bei der Krist. aus wäss. Lsg. (meist unter Ausbildung von *Wasserstoff-Brückenbindungen*) in die *Kristallstruktur inte-

griert werden. Im allg. können sie nicht ausgetrieben werden, ohne daß die Kristallstruktur zusammenbricht. *Beisp.:* $CuSO_4 \cdot 5 H_2O$, $Na_2CO_3 \cdot 10 H_2O$. Ist das Wasser in einer ion. Verb. unmittelbar an die Kationen gebunden, spricht man von *Kationenwasser*, z. B. in Bischofit, $MgCl_2 \cdot 6 H_2O$. Hier bildet das Mg^{2+}-Ion mit den 6 H_2O-Mol. einen oktaedr. Komplex; Näheres s. bei Hydrate, vgl. dagegen Clathrate u. Konstitutionswasser. Bei Krist. aus anderen Lsm. können auch diese Mol. (z. B. Dichlormethan, Toluol, Benzol, Ether u. dgl.) in die Krist. eingebaut werden. Die Züchtung von *Einkristallen gelingt oft erst bei Verw. von Solventien, die in die Kristallstruktur integriert werden u. die vorhandenen Hohlräume optimal ausfüllen. – *E* water of crystallization – *F* eau de cristallisation – *I* acqua di cristallizzazione – *S* agua de cristalización

Kristallzüchtung s. Kristallisation.

Kritisch. 1. In der *Kerntechnik Bez. für eine Neutronen-vermehrende Anordnung, wenn der effektive Multiplikationsfaktor eins ist. In diesem Fall entstehen ebenso viele Neutronen wie absorbiert werden u. durch Begrenzung u. Kanäle des Kernreaktors abdiffundieren. Hierbei kommt die *Kettenreaktion weder zum Erliegen (dann wäre sie *unter-* od. *subk.*) noch führt sie zu einer Vergrößerung der Neutronendichte (*über-* od. *superk.* *Kernreaktion). Die Mindestmasse spaltbaren Materials, in der bei bestimmter geometr. Anordnung u. Zusammensetzung eine sich selbst unterhaltende Kernkettenreaktion eintritt, nennt man *k. Masse*; Näheres s. in DIN 25 401 Tl. 8 (09/1986), a. zur Definition von k. Konz., Größen, Vol., Experimenten etc.
2. In der Thermodynamik versteht man unter „k." bestimmte *Größen* u. deren *Daten*, s. folgende Stichwörter.
3. Außerdem benutzt man das Adjektiv auch in anderen Zusammenhängen: die *k. Temp.* bei *elektrischen Leitern u. in der *Supraleitung ist die Sprungtemp., die *k. Micell(bildungs)konz.* (KMK) ist eine wichtige Kenngröße in der *Kolloidchemie (s. a. Micellen), die *k. Pigmentvolumenkonz.* (KPVK) ist von bes. Bedeutung für die rheolog. Eigenschaften von *Pigmenten. – *E* critical – *F* critique – *I* critico – *S* crítico

Kritische Dichte. 1. In der Thermodynamik ist die k. D. ein Element der *kritischen Größen. Im Gegensatz zum krit. Druck p_k u. zur krit. Temp. T_k ist das krit. Volumen V_k (s. Abb. bei kritische Größen) von der Stoffmenge n abhängig. Die k. D. $\rho_k = m/V_k$ ist dagegen nur von der Stoffart abhängig u. wird deshalb, anstelle von V_k, in den Tab. aufgeführt.
2. In der Ökologie auch *krit. Zahl:* Die *Abundanz (Populationsdichte) von Tieren (Schädlingen), die größere Schäden an Pflanzenbeständen erwarten läßt u. von daher auch aus ökonom. Gründen eine Bekämpfung sinnvoll erscheinen läßt; in diesem Sinne spricht man vom ökonom. Schwellenwert, wenn der zu erwartende Schaden gleich dem Bekämpfungsaufwand ist. – *E* critical density; critical number – *F* densité critique – *I* densità critica – *S* densidad crítica

Kritische Größen (Kritische Daten, kritische Konstanten). In der *Thermodynamik Sammelbez. für die krit. Temp. T_k, den krit. Druck p_k, das krit. Vol. V_k u. die krit. Dichte ρ_k. Zur Erläuterung dieser Begriffe stelle man sich einen evakuierten Behälter vor, der etwa zur Hälfte mit einer Flüssigkeit gefüllt u. luftdicht verschlossen ist.

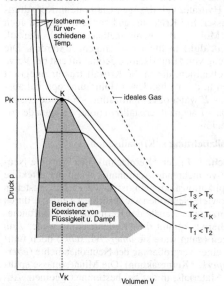

Abb.: Isothermen in der Nähe des krit. Punktes K.

Bei Zimmertemp. $T = T_1$ bildet sich zwischen Dampf u. Flüssigkeit ein dynam. Gleichgew. aus, wobei ebenso viele Dampfmol. in die Flüssigkeit zurückwandern wie umgekehrt Flüssigkeitsmol. in den Dampfraum übertreten (s. Abb.). Die Flüssigkeit steht also unter ihrem eigenen *Dampfdruck. Erwärmt man nun die Flüssigkeit ($T = T_2$), so wandern mehr Flüssigkeitsmol. in den Dampfraum, die Dichte des Dampfs nimmt zu, während die Dichte der Flüssigkeit gleichzeitig sinkt. Schließlich wird bei weiterem Erhitzen ein Punkt erreicht, an dem die Dichte des Dampfs ebenso groß ist wie die der Flüssigkeit, so daß zwischen Dampf u. Flüssigkeit kein Unterschied mehr besteht u. der Flüssigkeits-Meniskus verschwindet. Die Temp. an diesem Punkt nennt man die *krit. Temp.* (T_k), den dazugehörigen Druck den *krit. Druck* (p_k), die hierbei gemessene Dichte die *krit. Dichte* (ρ_k) u. das Vol., das ein Mol des betreffenden Stoffs bei dieser krit. Temp. einnimmt, das *krit. Vol.* (V_k); *Beisp.:* s. Tab.; weitere Werte findet man in *Tabellenwerken.

Oberhalb der krit. Temp. läßt sich ein Gas auch unter Anw. stärkster Drücke nicht mehr verflüssigen, deshalb hielt man z. B. Wasserstoff (krit. Temp. $-239,9\,°C$) lange Zeit für ein permanentes *Gas (d. h. für ein Gas, das nicht verflüssigt werden kann). Mit den *Van-der-Waals-Konstanten a u. b (s. Gasgesetze) sowie der *Gaskonstante R stehen die k. G. in einfachen Beziehungen: $T_k = 8\,a/27\,R\,b$ (man vgl. damit die wesentlich höhere Inversionstemp. $T_i = 2\,\alpha/R\,b = 2\,T_B \approx 7\,T_k$), $p_k = a/27\,b^2$, $V_k = 3\,b$. Führt man hier die *reduzierten Zustandsgrößen* τ od. ϑ (reduzierte Temp. $= T/T_k$),

Tab.: Beisp. für kritische Größen von Stoffen.

Krit. Daten	Temp. [°C]	Druck [bar]	D. [kg/L]	Vol. [L]
Wasserstoff	−239,91	12,96	0,0301	0,061
Sauerstoff	−118,574	50,43	0,4361	0,074
Stickstoff	−147,95	34,0	0,314	0,087
Kohlendioxid	+ 31,06	73,825	0,4661	0,096
Ammoniak	+132,4	113,0	0,235	0,072
Wasserdampf	+374	221,29	0,315	0,057

π (reduzierter Druck $= p/p_k$) u. φ (reduziertes Vol. $= V/V_k$) ein, so ergibt sich die *Van-der-Waalssche Zustandsgleichung* zu $(\pi + 3/\varphi^2)(3\,\varphi - 1) = 8\,\vartheta$. Man nennt diesen 1881 von van der *Waals formulierten Satz das *Theorem der übereinstimmenden Zustände* od. das *Korrespondenzprinzip*. Die Weiterentwicklung u. Verallgemeinerung des Korrespondenzprinzips durch Riedel (1954) ermöglichte die Ableitung eines sog. *krit. Parameters* α_k (Riedel-Zahl), mit dessen Hilfe sich thermodynam. Stoffeigenschaften besser als früher voraussagen lassen (*Lit.*[1]). Die Kenntnis der k. G. ist eine Voraussetzung für die Arbeit der *Hochdruckchemie u. der *Hochtemperaturchemie; die Existenz krit. Punkte wurde 1869 von T. Andrews (1813 – 1885) entdeckt. Stoffe im Gebiet jenseits der durch die krit. Daten gegebenen Grenzen befinden sich im sog. *überkrit. Zustand*, in dem sie ggf. andere Eigenschaften aufweisen. Insbes. zeichnen sich manche Gase (bes. CO_2) durch überraschende Löse-Eigenschaften aus, was sie als unter schonenden Bedingungen einsetzbare Lsm. zur selektiven Extraktion geeignet macht: Mit dem Verf. der *Destraktion (*Hochdruckextraktion*, HDE) werden heute großtechn. Coffein, Hopfen u. a. therm. labile Stoffe gewonnen (*Lit.*[2]) od. organ. Verunreinigungen aus Gewässern angereichert. Dasselbe Prinzip nutzt man auch in der sog. *Fluid Chromatographie u. zur Katalysatorregenerierung. – *E* critical constants – *F* constantes critiques – *I* costanti critiche – *S* constantes críticas

Lit.: [1]Chem. Labor Betr. **33**, 544 ff. (1982); **34**, 108 (1983). [2]Chem. Ing. Tech. **53**, 529 – 542 (1981); Chem. Ind. **29**, 659 – 663 (1977); Parfüm. Kosmet. **63**, 117-125 (1982). *allg.:* Gebhardt u. Krey, Phasenübergänge u. kritische Phänomene, Wiesbaden: Vieweg 1980 ▪ Kohlrausch, Praktische Physik 1, S. 389, Stuttgart: Teubner 1996 ▪ Kohlrausch, Praktische Physik 3, S. 532 ff., Stuttgart: Teubner 1996 ▪ Paulaitis et al., Chemical Engineering at Supercritical Fluid Conditions, Ann Arbor: Ann Arbor Sci. Publ. 1983 ▪ s. a. Flüssigkeiten, Gase u. Destraktion.

Kritische Micell(bildungs)konzentration s. Micellen u. Kolloidchemie.

Kritische Pigmentvolumenkonzentration s. Pigmente.

Kritische Punktanalyse s. HACCP.

Kritischer Druck s. Kritische Größen.

Kritischer Parameter s. Kritische Größen.

Kritischer Punkt. In dem pV-Diagramm eines realen Gases (s. Abb. bei *Kritische Größen) Punkt der krit. Temp. T_k, des krit. Drucks p_k u. des krit. Vol. V_k. Die *Isotherme der krit. Temp. besitzt im k. P. mathemat.

einen Wendepunkt (d. h. $d^2p/dV^2 = 0$) mit horizontaler Tangente (d. h. $dp/dV = 0$). – *E* critical point – *F* point critique – *I* punto critico – *S* punto crítico

Kritisches Volumen s. Kritische Größen.

Kritische Temperatur (Kurzz.: T_k). Temp., unterhalb der reale Gase verflüssigt werden können; s. kritische Größen, kritischer Punkt. – *E* critical temperature – *F* température critique – *I* temperatura critica – *S* temperatura crítica

Kritische Zahl s. Kritische Dichte.

Kröhnke-Reaktion s. Nitrone, Nitroso-Verbindungen.

Krötengifte. Sammelbez. für *Toxine, die von den zu den Froschlurchen (*Anura*) zählenden Echten Kröten (Bufonidae) sezerniert werden; zusammen mit den *Salamandergiften* stellen die K. das Hauptkontingent der *Amphibiengifte. Die Kröten besitzen in der Ohrgegend wulstartige Hautdrüsen, die bei Druck mit den Fingern od. mit der Pinzette ein giftiges Sekret abscheiden, das beim Trocknen einen Rückstand hinterläßt. Die hieraus od. aus extrahierten Krötenhäuten erhältlichen K. enthalten nicht nur biogene Amine wie die *Catecholamine *Adrenalin, *Noradrenalin, *Dopamin u. dessen *N*-Methyl-Derivat Epinin sowie Tryptamin-Derivate wie z. B. Bufotenin (das auch im *Knollenblätterpilz-Gift vorkommt), sondern auch die sog. *Bufogenine*, die z. T. erst beim Trocknen unter Enzym-Einwirkung aus den *Bufotoxinen (Suberoylargininester der Bufogenine) entstehen. Die Bufogenine sind herzwirksam, ähnlich Digitalis od. Strophanthin; sie haben ein Steroid-Gerüst u. zeigen enge chem. Verwandtschaft mit *Scillarenin, dem Aglykon des Hauptglykosids der *Meerzwiebel. Von den herzaktiven *Cardenoliden (Aglykonen der Digitalis-Reihe) unterscheiden sich die *Bufadienolide hauptsächlich durch den zu einem Sechsring erweiterten Lacton-Ring; die Glykoside beider Gruppen faßt man zusammen als *Herzglykoside. Für die Kröten stellen diese Toxine nicht nur ein Abwehrmittel gegen natürliche Feinde, sondern v. a. einen Schutz vor dem Befall mit Mikroorganismen dar[1] (vgl. a. Magainine). Andererseits nutzen Igel die K. ihrerseits zum Schutz, indem sie ihr Stachelkleid unmittelbar nach dem Verzehr von Kröten einspeicheln[2].

Verw.: Die K. wurden schon im Altertum als Heilmittel verwendet, u. in der japan. sowie der chines. Medizin ist das getrocknete Sekret (Ch'an Su, Sen-so) heute noch in Gebrauch. Ein geheimnisvoller Zusammenhang zwischen Herz, Galle, Sexualität u. Kröten wird in den Legenden mancher Kulturen unterstellt. In der modernen Medizin sind die K. durch die leichter zugänglichen *Digitalis-Glykoside verdrängt worden. Nicht nur Kröten, sondern auch eine Reihe von Fröschen scheiden aus ihren Hautdrüsen physiolog. wirksame Sekrete aus, wobei bes. die Toxine der Farbfrösche (Dendrobatidae) als äußerst giftig bekannt sind. Bei diesen *Froschgiften*, die von den Eingeborenen Süd- u. Mittelamerikas als *Pfeilgifte verwendet werden, handelt es sich um Alkaloide wie z. B. *Batrachotoxin mit Steroid-Gerüst, *Pumiliotoxin mit Perhydrochinolin-Gerüst, *Histrionicotoxin mit Spiropi-

peridin-Gerüst u. a. komplizierte Verbindungen. – *E* toad poisons, toad toxins, toad venoms – *F* venins de crapaud – *I* veleni di rospo – *S* venenos de los sapos, bufotoxinas

Lit.: [1] Naturwissenschaften **62**, 15–21 (1975); Habermehl, Gifttiere u. ihre Waffen, 5. Aufl., S. 125–133, 170, Berlin: Springer 1994. [2] Nature (London) **268**, 628 (1977). *allg.*: Manske **43**, 185–288 ▪ Tauscher u. Lindequist, Biogene Gifte, S. 184 f., 509–512, Berlin: Akademie-Verl. 1987 ▪ Zechmeister **41**, 205–340 ▪ s. a. Batrachotoxin, Bufadienolide, Bufotenin, Bufotoxin, Dendrobates-Alkaloide, Gifte, Toxine u. weitere Einzelstichwörter.

Krogh, Schack August Steenberger (1874–1949), Prof. für Physiologie, Univ. Kopenhagen. *Arbeitsgebiete*: Atmungsstoffwechsel, wofür er 1920 den Nobelpreis für Medizin od. Physiologie erhielt.
Lit.: Lexikon der Naturwissenschaftler, S. 253.

Krokant. Besteht aus mind. 20% grob bis fein zerkleinerten Mandeln u. Nüssen u. karamelisierten Zuckerarten[1]. Die Verw. von Geruch- u. Geschmackgebenden Stoffen u. Lebensmitteln, wie z. B. Fetten u. Milcherzeugnissen, ist üblich. Es werden Hart-, Weich- u. Blätterkrokant unterschieden. – *E* cracknel – *F* nougatine – *I* croccante – *S* crocante
Lit.: [1] Bund für Lebensmittelrecht u. Lebensmittelkunde (Hrsg.), Begriffsbestimmungen u. Verkehrsregeln für Zuckerwaren u. verwandte Erzeugnisse, Hamburg: Behrs 1982. *allg.*: Hoffmann et al., Zucker u. Zuckerwaren, S. 246–249, Hamburg: Parey 1985 ▪ Lebensmittelkontrolleur **4**, 13 (1989) ▪ Z. Zucker- Süßwarenwirtsch. **39**, 135 ff. (1986); **40**, 237–240 (1987).

Krokoit (Rotbleierz). $PbCrO_4$, monoklines Mineral, Krist.-Klasse $2/m$-C_{2h}, Struktur wie *Monazit, s. *Lit.*[1]; zu einer orthorhomb. Modif. s. *Lit.*[2], zur Wärmeausdehnung von K. s. *Lit.*[3]. Flächenreiche säulige, nadelige bis spießige Krist.; auch derb, eingesprengt, als Krusten u. Anflug; rot, gelbrot, orange, Strich gelborange; diamant- bis glasartiger, zuweilen fettiger Glanz, H. 2,5–3, D. 5,9–6,1, unebener bis muscheliger Bruch. K. entsteht in *Oxidationszonen von Blei-*Lagerstätten, wenn Blei- u. Chrom-haltige Verwitterungslsg. zusammentreffen.
Vork.: Dundas/Tasmanien, Swerdlovsk/Ural/Rußland, Callenberg/Sachsen.
Verw.: In Tasmanien zeitweise als Bleierz abgebaut; s. a. Bleichromat. Zur Gesundheitsgefährdung s. Bleichromat. – *E* crocoite – *F* crocoïse, crocoïte – *I* crocoite, piombo rosso – *S* crocoíta
Lit.: [1] Z. Kristallogr. **176**, 75–83 (1986). [2] Acta Crystallogr. **12**, 416 (1959). [3] Mineral. Mag. **60**, 963–972 (1996). *allg.*: Lapis **6**, Nr. 4, 5 f. (1981) („Steckbrief") ▪ Ramdohr-Strunz, S. 617 f. ▪ Schröcke-Weiner, S. 598 f. – *[HS 260700; CAS 14654-05-8]*

Krokonsäure s. Oxokohlenstoffe.

Krokydolith. Bez. für die *Asbest-artige Varietät des zur Gruppe der Alkali-*Amphibole gehörenden dunkelblauen bis schwarzen Minerals *Riebeckit*, $Na_2Fe_2^{3+}$ $(Fe^{2+},Mg)_3[(OH)_2/Si_8O_{22}]$; bildet feinfaserige, seidenglänzende, lavendelblaue Aggregate. K.-Asbest (*Blauasbest*) hat eine höhere Zugfestigkeit, aber eine geringere Hitzebeständigkeit u. weniger elast. Fasern als Chrysotil-Asbest; er ist für textile Verarbeitung nicht geeignet. Er ist gegen Säuren beständig, nicht aber ge-

gen Laugen. Die mechan. Stabilität nimmt oberhalb
von 300 °C rasch ab; Schmp. ca. 1100 °C. Zu Mikrostrukturen u. den Mechanismen der Faserbildung von
K. s. *Lit.*[1]. Die verkieselten u. z. T. oxidierten Abarten
des K. sind als *Falkenauge* od. *Tigerauge* (*Katzenauge) geschätzte Schmucksteine.
Vork.: In *gebänderten Eisensteinen[2] in Südafrika
(Kapprovinz u. Transvaal) u. West-Australien.
Arbeitsschutz: K.-Asbest gilt hinsichtlich seiner *Asbestose, Lungenkrebs u. bes. Mesothelioma hervorru-
fenden Eigenschaften als der gefährlichste der Asbe-
ste; TRK-Wert für alveolengängigen K.-Feinstaub (Fa-
serlänge >5 µm, Durchmesser <3 µm, Länge:Durch-
messer >3 : 1) 0,025 Fasern pro m³ Luft; Näheres s. bei
Asbest, zur Oberflächenchemie, bes. des Eisens, von
K.-Fasern im Hinblick auf die Wechselwirkung mit
physiolog. Flüssigkeiten s. *Lit.*[3]. – *E* = *F* crocydolite –
I crocidolite, amianto azzurro – *S* crocidolita
Lit.: [1] Am. Mineral. **76**, 1467–1478 (1991). [2] Mining Geol. **33**,
213–222 (1993). [3] Am. Mineral. **80**, 1093–1103 (1995).
allg.: Deer et al., S. 261–267 ▪ Guthrie u. Mossman (Hrsg.),
Health Effects of Mineral Dusts (Reviews in Mineralogy,
Vol. 28), S. 16 f., 100–137, Washington (D. C.): Mineralogical Society of America 1993 ▪ Kühn-Birett, Merkblätter Gefährliche Arbeitsstoffe, 42. Erg.-Lieferung 2/89, A 135-1, Blatt
2212, München: Ecomed 1989 ▪ Ramdohr-Strunz, S. 729 ▪ s. a.
Asbest. – *[CAS 12001-28-4]*

Kroll-Betterton-Verfahren s. Bismut.

Krone. Von Pedersen[1] geprägter Trivialname für makrocycl. Polyether, der auf die zickzackförmige, in
zwei Ebenen angeordnete u. an eine Krone erinnernde
Konstellation der Atome anspielt.

a   b

Zur Benennung einzelner Verb. mit Krone-Kurzbez.
nach IUPAC-Regel I-10.4.5.7 wird vor der Bez.
„Krone" die Gesamtzahl der Atome im Ring angegeben u. dahinter die Anzahl der Sauerstoff-Atome im
Polyether-Ring; die Namen etwa ankondensierter
Ringe werden vorangestellt; *Beisp.:* 18-Krone-6 (a) u.
sym-Dibenzo-18-krone-6 (b). Die systemat. Namen
lauten für a ($C_{12}H_{24}O_6$, M_R 264,32, Schmp. 39–40 °C)
1,4,7,10,13,16-Hexaoxacyclooctadecan u. für b
($C_{20}H_{24}O_6$, M_R 360,41, Schmp. 164 °C, hautreizend)
6,7,9,10,17,18,20,21-Octahydrodibenzo[*b*,*k*]-1,4,
7,10,13,16-hexaoxacyclooctadecin. – *E* crown – *F*
couronne – *I* = *S* corona
Lit.: [1] Angew. Chem. **84**, 16–26 (1972).
allg.: s. Kronenverbindungen.

Kronecker-Symbol. Das aus der Mathematik stammende u. in der *Theoretischen Chemie vielbenutzte
K.-S., meist mit δ_{ij} bezeichnet, hat den Wert 1 für i = j
u. den Wert Null, wenn i von j verschieden ist.

Kronenether. Sammelbez. für eine Klasse von planar
gebauten makrocycl. *Polyethern. Sie stellen eine spezielle Klasse der *Koronanden* (Coronanden) dar. Die
O-Atome sind meist durch Ethylen-Brücken verbunden, u. oft sind ein od. mehrere Benzol- od. Cyclohe-

xan-Ringe ankondensiert, s. a. die Abb. bei Krone. Die
K. mit aromat. Ringen sind farblose, krist. Verb., deren Schmp. innerhalb eines bestimmten Ringsyst. mit
der Zahl der Benzol-Ringe steigen u. die in Wasser unlösl., in Alkoholen u. ä. organ. Lsm. wenig, in Methylenchlorid u. Chloroform gut lösl. sind. Die hydrierten
K. sind farblose, viskose Flüssigkeiten od. Feststoffe
mit niedrigem Schmp., die im allg. leichter lösl. sind
als die entsprechenden aromat. Vorstufen; sie können
ggf. mehrere Isomere bilden. Die K. sind therm. stabil, die aromat. können sogar halogeniert, nitriert od.
mit Formaldehyd zu Polymeren umgesetzt werden.
Die O-Atome der K. können auch teilw. od. ganz durch
andere Heteroatome (N, P, S) ersetzt sein, wodurch man
u. a. Aza-, Phospha- od. Thia-K. erhält, od. es können
polare Gruppen, z. B. –OH, an einen isocycl. Kohlen-
stoff-Ring gebunden sein, so daß sie alle gleichge-
richtet in das Innere eines Hohlraumes zeigen (*Spherand*, s. Abb.). Eine weitere Möglichkeit besteht darin,
daß heteroaromat. Bausteine die Donor-Pos. übernehmen; z. B. im *Sexipyridin* (s. Abb.).

Spherand   *cyclo*-Sexi[2,6]pyridin
Abb.: Beisp. für Kronenether: Spherand u. Sexipyridin.

Für die Synth. von K. sind zahlreiche Meth. ausgearbeitet worden. Einfache monocycl. K. wie 18-Krone-
6 (Abb. s. bei Krone) können z. B. durch Umsetzung
geeigneter *Polyethylenglykole mit entsprechenden
Dichloriden in alkal. Tetrahydrofuran-Lsg. hergestellt
werden.
Verw.: Die wichtigste Eigenschaften der K., wie aller
Koronanden, ist ihre Fähigkeit, als *mehrzähnige Komplexbildner* mit Metall-Ionen – bes. leicht mit Alkali-
u. Erdalkalimetall-Ionen – Koordinationsverb. zu bilden, die in organ. Lsm. lösl. sind. Sie werden auch *Ionophore (Ionen-Träger) genannt, weil sie Ionen transportieren können. Die entstehenden *Kronenverbindungen (*Coronate*) sind um so stabiler, je besser das
Kation in den Hohlraum des Liganden paßt. Man kann
daher die durch die Mol.-Größe u. durch evtl. Seitenketten – wie den K. nicht selten die Gestalt von *Lasso-
Verb. (*E* lariates) geben – vorgegebene Selektivität zu
Trennzwecken ausnutzen; durch den Einbau von Chro-
mophoren in die K. läßt sich die Komplexierung anhand von Farbänderungen verfolgen. Typ. Anw. finden die K. in der *Phasentransfer-Katalyse, zur *Maskierung, *Dekontamination, *Racemattrennung usw.,
s. a. das folgende Stichwort. Die K. wurden seit Mitte
der 60er Jahre von Pedersen (Nobelpreis 1987), später
bes. von Vögtle systemat. untersucht; verwandte Verb.
sind die Katapinanden (*Katapinate), *Kryptanden u.
die offenkettigen *Podanden, für die auch deskriptive
Namen wie *Krabben*- od. *Krakenmol.* anzutreffen sind.

– *E* crown ethers – *F* éthers couronne – *I* etere a corona – *S* éteres corona
Lit.: s. Kronenverbindungen.

Kronenverbindungen (Koronate). Gruppenbez. für chem. Verb. höherer Ordnung (*Molekülverbindungen, mol. *Einschlußverbindungen), die aus *Kronenethern als „Wirtsmol." u. ion. Verb. als „Gastmol." entstehen können; eine Parallele ist die Bildung von *Etheraten* aus *Ethern. K. u. die mit ihnen verwandten *Kryptate können als synthet. Rezeptormodelle bzw. als Enzymmodelle fungieren. Viele Metall-Kationen werden von den als mehrzähnige (multidentale) *Ionophore wirkenden Kronenethern – in Abhängigkeit von der Ringgröße oft sogar selektiv – komplex gebunden u. dadurch „solvatisiert". Somit lassen sich Reaktionen unter Beteiligung von Salzen in unpolaren, aprot. Lsm. in homogener Phase durchführen. Durch die *Solvatation der Kationen werden sehr reaktive, nicht solvatisierte (sog. „nackte") Anionen freigesetzt, die unter milden Bedingungen u. im neutralen Medium als starke Nucleophile, Basen oder Oxid.-Mittel wirken können. Sogar eine K. mit nichtsolvatisierten Elektronen ($Cs^+ 18$-Krone-6 · e^-, „Elektrid") ist beschrieben worden[1]. Die wie in einem Käfig eingeschlossenen Kationen (meist von Alkali- od. Erdalkalimetallen) lassen sich dank der lipophilen Außensphäre der K. nicht nur in unpolare organ. Lsm. einbringen, z.B. bei der *Phasentransfer-Katalyse[2,3], sondern auch beim physiolog. Austausch von K^+- gegen Na^+-Ionen (*Natrium-Kalium-ATPase) durch Zellmembranen transportieren[4]. Einige natürlich vorkommende K. (*natürliche Ionophore*) besitzen als *Antibiotika Bedeutung. Die bekanntesten sind *Valinomycin u. *Nonactin.

Valinomycin

Abb.: Beisp. für eine Kronenverb., das Antibiotikum-Valinomycin.

Valinomycin besitzt eine überragende K^+-Selektivität u. wird daher als *ionenselektive Elektrode in der medizin. Diagnostik eingesetzt (K^+-Bestimmung in Körperflüssigkeiten); in *Lit.*[5] sind Stereobilder des Valinomycin-Kalium-Komplexes zu finden, die die Bindungsverhältnisse verdeutlichen.
Außer Metall-Ionen können auch organ. Kationen, z.B. *quartäre Ammonium-Verbindungen u. ungeladene Gastmol. mit HO-, HN- u. HC-aciden Gruppen in K. eingeschlossen sein. Andererseits können manche Kronenether Alkalimetalle auch unter Bildung von

Salzen mit Alkalimetall-Anionen auflösen[6]. Die wegen ihres stöchiometr. Verhältnisses Wirts- zu Gastmol. von den *Einschlußverbindungen (vgl. a. Clathrate u. Cyclodextrine) abzugrenzenden K. spielen im Laboratorium eine Rolle bei Synth. u. selektiven Trennungen, bei der *Maskierung gefährlicher Arbeitsstoffe[7], bei der *Isotopentrennung[8]. Einen ausführlichen Überblick über die *Wirt-Gast-Beziehungen* u. die Chemie der K. u. der mit diesen nahe verwandten *Katapinate, *Kryptate u. *Podate erhält man aus den zahlreichen Aufsätzen von *Vögtle u. *Lit.*[9]. – *E* crown compounds – *F* composés couronne – *I* composti a corona – *S* compuestos corona

Lit.: [1] J. Am. Chem. Soc. **104**, 3781 (1982). [2] Top. Curr. Chem. **101**, 147–200 (1982). [3] Angew. Chem. **89**, 521–533 (1977). [4] Top. Curr. Chem. **101**, 1–82 (1983). [5] Christen u. Vögtle, Organische Chemie – Von den Grundlagen zur Forschung 2. Bd., S. 548, Frankfurt, Aarau: Salle u. Sauerländer 1990. [6] Angew. Chem. **91**, 613–625 (1979). [7] Naturwissenschaften **67**, 255 f. (1980). [8] Helv. Chim. Acta **65**, 1687–1693 (1980). [9] Kontakte (Merck) 1977–1983.
allg.: Angew. Chem. **97**, 721 (1985); **100**, 92 (1988) ■ Gokel, Crown Ethers & Cryptands, Cambridge: Royal Society of Chemistry 1991 ■ Hiraoka, Crown Compounds, Amsterdam: Elsevier 1982 ■ Janssen Chimica Acta **9**, 3 (1991); **10**, 14 (1992) ■ de Jong u. Reinhoudt, Stability and Reactivity of Crown-Ether-Complexes, New York: Academic Press 1981 ■ March (4.), S. 82 ff. ■ Nachr. Chem. Tech. Lab. **36**, 8 (1988) ■ Patai, The Chemistry of Ethers, Crown Ethers, Hydroxyl Group and their Sulphur Analogs, Chichester: Wiley 1980 ■ Pure Appl. Chem. **52**, 2303–2319, 2441–2459 (1980) ■ Top. Curr. Chem. **48**, 67–129 (1974); **78**, 1–29 (1978); **98**, 1–41 (1981); **113** (1983); **115** (1983); **125**, 131 (1984); **132** (1986) ■ Ullmann (5.) **A 8**, 91 ff. ■ Vögtle, Supramolekulare Chemie, 2. Aufl., Stuttgart: Teubner 1992 ■ Vögtle u. Weber, Host Guest Complex Chemistry. Macrocycles, Berlin: Springer 1986. – *Zeitschrift:* Journal of Inclusion Phenomena, Dordrecht: Reidel (seit 1983).

Kronglas. Bez. für eine Gruppe *optischer Gläser hoher Lichtbrechung u. relativ niedriger Dispersion (Abbesche Zahl $v_d = 50$–ca. 90), s. Glas u. optische Gläser. Der Name K. (*Crown-Glas*) geht zurück auf das histor. Herstellverf., bei dem eine Glaskugel geblasen wurde, die durch einseitiges Aufschneiden u. starke Rotation zu einem kronenähnlichen Gebilde geformt wurde. – *E* crown glass – *F* crown, verre d'optique crown, verre crown – *I* vetro coronale – *S* crown-glass
Lit.: Kirk-Othmer (3.) **11**, 843 f.; (4.) **12**, 589 f. ■ Ullmann (4.) **12**, 353 ff.; (5.) **A 12**, 403 f. ■ Winnacker-Küchler (4.) **3**, 108, 149 f.

Kronofloc®. Eisen(II)-chlorid-Lsg. zur *Schlammkonditionierung, Phosphat-Elimination, Blähschlammbekämpfung u. Industrieabwässerreinigung. *B.:* Kronos International Inc.

Kronos® Titandioxid. Umfangreiches Sortiment von *Titandioxid-Qualitäten vom Rutil- od. Anatas-Typ (letztere durch den Buchstaben A gekennzeichnet), die als hervorragend deckende Weißpigmente für Anstrichstoffe, Farben, Fasern, Kunststoffe, Papier, Kosmetika usw. od. für Email, Glas, Keramik u. Schweißelektroden Verw. finden. *B.:* Kronos Titan-GmbH.

Kronos Titan-GmbH. Sitz 51373 Leverkusen; das 1927 von der I. G. Farben u. der National Lead Co. gegr. u. bis 1971 als Titan-Ges. firmierende Unternehmen gehört heute zur Kronos Inc., USA u. NL Industries GmbH. *Daten* (1995): 1220 Beschäftigte, 564 Mio. DM Umsatz. *Produktion:* Titandioxid-Pigmente, Wasserchemikalien auf Eisen-Basis.

Kropf (Struma). Vergrößerung der *Schilddrüse infolge von Gewebswucherung. Meist liegen Störungen im Stoffwechsel der Schilddrüsenhormone (s. a. Hyperthyreose u. Hypothyreose) zugrunde. So führt ernährungsbedingter Iod-Mangel durch die eingeschränkte Hormonproduktion zur Stimulierung des Drüsenwachstums (Iod-Mangel-Struma). Zur Vorbeugung wurde in Iod-Mangelgegenden die Iodierung des Speisesalzes eingeführt. Sog. strumigene Stoffe wie Perchlorate, Bromide, Thiocyanate u. Thioharnstoff-Derivate greifen in die Schilddrüsenhormonsynth. ein. Auch Entzündungen od. Geschwulste der Schilddrüse können einen K. hervorrufen. – *E* goitre (US goiter), struma – *F* goitre, struma – *I* gozzo, struma – *S* bocio, estruma

KRS-5. Rote Mischkrist. aus 42% TlBr u. 58% TlI zur Verw. als ATR-Prismen- u. Fenstermaterial in der *IR-Spektroskopie.

Krumpffrei-Ausrüstung. Bez. für Verf. der *Textilveredlung, die das Krumpfen von Textilien – insbes. solchen aus stark quellfähigen Fasern – verhindern od. wenigstens verringern sollen. Unter *Krumpfen* versteht man das *Schrumpfen*, Einlaufen, Eingehen von Textilwaren unter dem Einfluß von Feuchtigkeit, z. B. beim Waschen. Die K.-A. (die oft ebenfalls als „Krumpfen" bezeichnet wird) als Maßnahme der *Pflegeleicht-Ausrüstung wird durch webtechn. Maßnahmen u. Dämpfen, insbes. aber durch Einlagerung von Kunstharzen als *Hochveredlungsmittel (früher auch durch Chlorung zwecks Vernetzung) erreicht. Bekannte Verf. zur K.-A. sind die *IFP-, *Bancora- u. *Sanfor®-Verfahren. – *E* shrinkproofing – *F* préparation antirétrécissement – *I* finissaggio antirestrittivo – *S* acabado inencogible
Lit.: Autorenkollektiv, Appretur, S. 360–397, Leipzig: VEB Fachbuchverl. 1990 ▪ Chwala u. Anger (Hrsg.), Handbuch der Textilhilfsmittel, S. 707 ff., Weinheim: Verl. Chemie 1977 ▪ s. a. Textilveredlung.

Krupp. Kurzbez. der 1811 von Friedrich Krupp gegr. Fried. Krupp AG Hoesch-Krupp, seit 1992 Aktiengesellschaft, deren Geschäftsanteile im Besitz der gemeinnützigen Alfred Krupp von Bohlen u. Halbach-Stiftung sind. 1997 wurde der Geschäftsbereich Stahl der Krupp Hoesch Stahl AG mit der Thyssen Stahl AG zu einem neuen Unternehmen Thyssen Krupp Stahl AG zusammengelegt. Zahlreiche *Tochter- u. Beteiligungsges.* im In- u. Ausland: Krupp Hoesch Stahl AG (100%), Krupp Mannesmann Stahl AG (50%), Werner Pfleiderer GmbH (99,5%), Hoesch Rothe Erde GmbH (100%), Nippon Roballo Company Ltd., Tokio (100%), Gerlach-Werke GmbH (100%), Krupp Thyssen Nirosta GmbH (60%) u. andere *Daten* (1996, weltweit): 69 608 Beschäftigte, 24,4 Mrd. DM Umsatz. *Unternehmensbereiche u. Produktion:* Stahl für Fahrzeug- u. Maschinenbau, Bauteile u. Konstruktionselemente; Nickel-Basislegierungen u. hochlegierte Sonderstähle für die Umwelttechnik; Maschinenbau: Kunststoffmaschinenbau für die Aufbereitung u. Verarbeitung von Kunststoffen u. Elastomeren, Großwälz-

lager für Förder- u. Gewinnungskräne, Laufwerke u. Laufwerkskomponenten für kettenbetriebene Erdbewegungsmaschinen, Bauprodukte u. -systeme für die chem. u. petrochem. Industrie, Öl- u. Gasförderung (Offshore-Technik), Luft- u. Raumfahrt, Elektronik u. Elektrotechnik, Münzrohlinge, Stahlhochbau, Automobilzulieferer (Fahrwerk, Konstruktionsteile, Antrieb u. Lenkung), Transport u. Logistik, Recycling.

Krupp, Alfred K. (1812–1887), Kaufmann, Sohn von *Krupp, F. K., entwickelte das Unternehmen *Krupp, Fried. K. AG zur damals größten Gußstahlfabrik der Erde.

Krupp, Friedrich K. (1787–1826), Kaufmann, gründete 1811 die Firma *Krupp, Fried. K. AG, um engl. Gußstahl zu veredeln. Verschuldet überläßt er vor seinem Tod die Geschäftsführung seinem zwölfjährigen Sohn *Krupp, Alfred.
Lit.: Weimer u. Wolfram, Kapitäne des Kapitals, S. 146 f., Frankfurt/Main: Suhrkamp 1995.

Krupp-Eisenschwamm-Verfahren s. Krupp-Renn-Verfahren.

Krupp-Renn-Verfahren. In den 30er Jahren entwickeltes *Direktreduktionsverf.* für Eisen-arme u. saure Erze, die in *Drehrohröfen mit Koks zu *Eisen reduziert wurden, wobei dieses in Form schwammiger, fast schlackenfreier *Luppen anfiel. Das Verf. wurde auch zur Ferronickel-Herst. eingesetzt. Weiterentwicklungen stellen das *SL/RN-Verfahren u. das *Krupp-Eisenschwamm-Verf.* dar, bei dem die Abtrennung des erhaltenen Eisenschwamms aus dem Reaktionsgemisch magnet., elektrostat., durch Sieben usw. erfolgt. – *E* Krupp Renn process – *F* Procédé de Krupp-Renn – *I* processo Krupp-Renn – *S* procedimiento Krupp-Renn
Lit.: Ullmann (5.) A 14, 363 ▪ Winnacker-Küchler (4.) 4, 127 ▪ s. a. Eisen.

Krustentiere s. Krebse.

KrW-/AbfG. Abk. für *Kreislaufwirtschafts- und Abfallgesetz.

Kryal®. Reinstaluminium (99,999%) mit extrem niedrigem spezif. elektr. Widerstand, im wesentlichen eingesetzt als Kontaktmaterial in der Elektronik (Halbleiterfertigung). *B.:* Vereinigte Aluminium-Werke.

Kryo… Von griech.: krýos = Frost abgeleitete Vorsilbe in Begriffen, die in irgendeiner Beziehung zur *Kälte stehen. *Kryogenik* beschäftigt sich mit dem Verhalten von Stoffen u. Organismen bei tiefen Temp., mit den Arbeitsgebieten *Kryobiologie, Kryobiochemie, Kryochemie* (*Tieftemperaturchemie), *Kryotherapie, Kryophysik* etc., vgl. a. die folgenden Stichwörter. Näheres s. bei Kälte u. Tieftemperaturtechnik u. den dort erwähnten Begriffen. – *E = F* cryo… – *I = S* crio…
Lit.: s. Kältetechnik u. Tieftemperaturtechnik.

Kryobiose. Das Überleben bei tiefer Temp. z. B. in Anabiose (s. abiotisch).

Kryoglobuline. Heterogene Gruppe kältelabiler *Globuline des Blut-*Plasmas. Wie *Kryofibrinogen* erhöhen sie die Viskosität des Bluts bei (peripherem) Temperaturabfall, während die *Kryoagglutinine* bei

Abkühlung zur *Agglutination der *Erythrocyten führen. Die K., die im allg. strukturell abnormale *Immunglobuline enthalten, treten aus ungeklärter Ursache im Zusammenhang mit Erkrankungen des Immunsyst., der Leber u. mit Infektionen sowie auch spontan im Blut auf (sek. bzw. prim. *Kryoglubulinämie*). Immunolog. u. klin. unterscheidet man drei Haupttypen; Typ II mit Untertypen umfaßt die große Mehrheit der Kryoglobuline. – *E* cryoglobulins – *F* cryoglobulines – *I* crioglobuline – *S* crioglobulinas
Lit.: Clin. Exp. Rheumatol. **13**, Suppl. 13, S71 ff. (1995) ▪ Immun. Infekt. **22**, 169–176 (1994).

Kryohydrate s. Eutektikum.

Kryokonit (von *kryo… u. griech. konis = Staub). Bez. für auf Schnee od. Eis abgelagerten od. gebildeten dunklen „Eisstaub" (Staubdeposition od. kryophile Organismen wie die Kieselalge *Ancylonema nordenskiöldii*, die Grünalge *Chlamydomonas nivalis* u. das *Cyanobakterium *Gloeocapsa sanguinea*). Dieser kann sich durch Strahlungsabsorption erwärmen, ein Schmelzen seiner Umgebung u. damit die Entstehung sog. K.-Löcher bewirken. Diese können in der Arktis 60 cm Tiefe erreichen u. ein Biotop für Kryobios bilden. – *E* cryoconite – *F=I* crioconite – *S* crioconita
Lit.: Antarctic Sci. **2**, 143–148 (1990) ▪ Tischler, Einführung in die Ökologie (3.), S. 289, Stuttgart: Fischer 1984.

Kryolith (Natriumhexafluoroaluminat, Eisstein). Na$_3$[AlF$_6$] od. AlF$_3$ · 3 NaF, für die Aluminium-Herst. wichtiges Mineral, M$_R$ 209,94. Struktur[1] wie *Perowskit, mit über Ecken verknüpften [AlF$_6$]- u. [NaF$_6$]-Oktaedern. Na in den Zwischenräumen der Oktaeder hat in der bei 20 °C stabilen monoklinen (pseudokub.) Modif. (*α-K.*, Krist.-Klasse 2/m-D$_{2h}$) [8er]-Koordination, in der oberhalb ~550 °C (612 °C in *Lit.*[2]) stabilen rhomb. Modif. (*β-K.*, Krist.-Klasse mmm-D$_{2h}$) [12er]-Koordination. Bereits unterhalb der Temp. der – auch mit einer Änderung der elektr. Leitfähigkeit von K. verbundenen – *ferroelast. Phasenumwandlung*[2] wurden mit *NMR-Spektroskopie Diffusionen der Na-Atome u. Schwingungsbewegungen der [AlF$_6$]-Oktaeder festgestellt[3]; damit steht wahrscheinlich eine plast. Verformbarkeit von K. oberhalb von 450 °C (*Lit.*[4]) in Zusammenhang[3].
Würfelförmige Krist.; derb, spätig, körnig u. dicht; perlmutt- bis glasartig glänzend, durchscheinend. Überwiegend weiß (durch Flüssigkeitseinschlüsse), auch farblos od. verschieden gefärbt. H. 2,5–3, D. 2,97, Schmp. 1009–1012 °C. K. ist durch Kochen mit Laugen od. Kalkmilch leicht aufzuschließen, lösl. in konz. Schwefelsäure.
Vork., Verw.: Oft zusammen mit Chiolith. Kleinere Lager im Ural u. in den USA; in den Graniten von Kaffo/Nigeria (2–4% K.). Die K.-Lagerstätte Ivigtut in Grönland ist seit 1970 erschöpft. Heute wird K. techn. nach verschiedenen Verf. hergestellt, s. Ullmann (*Lit.*); seine Hauptverw. als Flußmittel bei der elektrolyt. Gewinnung von Aluminium geht jedoch zugunsten von AlF$_3$ zurück. Weitere Verw.: Füllstoff für Kunstharze, Bestandteil elektr. leitfähiger Keramiken, Katalysator, Insektizid.
Gesundheitsschutz: Wegen seiner geringen Löslichkeit in Wasser (pro 100 g Lsg. 0,042 g bei 25 °C u.

0,135 g bei 100 °C) gilt K. als relativ ungiftig; die Löslichkeit wird jedoch bei Kontakt mit Magensäure nach Einnahme erhöht. – *E = F* cryolite – *I* criolite – *S* criolita
Lit.: [1] Can. Mineral. **13**, 377–382 (1975). [2] Phys. Chem. Miner. **19**, 528–544 (1993). [3] Phys. Chem. Miner. **21**, 373–386 (1994). [4] Bull. Geol. Soc. Den. **33**, 401–413 (1985).
allg.: Lapis **5**, Nr. 12, 5 f. (1980) („Steckbrief") ▪ Ramdohr-Strunz, S. 490 f. ▪ Ullmann (5.) **A 11**, 296, 323–328; **A 14**, 271. – *[HS 252700; CAS 15096-52-3; G 6.1]*

Kryomahlung s. Kaltmahlung.

Kryopumpe. In der *Vakuumtechnik zur Erzeugung von Hoch- u. Ultrahochvak. eingesetzte Pumpen, deren Saugvermögen auf der Bindung der Gasteilchen an Kaltflächen beruht. Die Saugleistung einer K. ist durch die Größe ihrer Kaltflächen begrenzt. Sie können erst ab einem Startdruck $\leq 10^{-3}$ mbar eingesetzt werden. Der erreichbare Enddruck p$_e$ ergibt sich aus dem Dampfdruck p$_s$ des zu pumpenden Gases bei der Temp. der Kaltflächen T$_k$ u. aus der Temp. T$_w$ der Apparaturwand mittels:

$$p_e = p_s(T_k) \cdot \sqrt{T_w/T_k}.$$

Bei Abkühlung auf die Temp. von flüssigem Helium (dies wird mit einem geschlossenen Kühlkreislauf erreicht) erhält man bei Wasserstoff $p_e \approx 10^{-14}$ mbar, während der Druck bei Stickstoff unterhalb jeder Meßgrenze liegt.
Neben gewöhnlicher *Kondensation wird zum Pumpen schwer kondensierbarer Gase, wie z.B. Wasserstoff, auch Kryotrapping u. Kryosorption eingesetzt. Bei *Kryotrapping* liegt das schwer zu kondensierende Gas in einem Gasgemisch mit leicht kondensierbaren Gasen wie Ar, CH$_4$, CO$_2$, NH$_3$ u. höheren Kohlenwasserstoffen vor. Die Dampfdruckerniedrigung für das schwer kondensierbare Gas ist hierbei um mehrere Zehnerpotenzen größer. Zur *Kryosorption* wird vor dem Pumpvorgang eine Adsorbatschicht gebildet od. ein festes Adsorbat, z. B. Aktivkohle, verwendet, in denen das schwer zu kondensierende Gas gebunden wird. – *E* cryo pump – *F* pompe cryogénique – *I* pompa criogenica – *S* criobomba
Lit.: Kohlrausch, Praktische Physik 1, S. 85, Stuttgart: Teubner 1996 ▪ Wutz, Adam u. Walcher, Theory and Practice of Vacuum Technology, Braunschweig: Vieweg 1989.

Kryoskopie, kryoskopische Konstante s. Molmassenbestimmung.

Kryosorption s. Kryopumpe.

Kryosphäre. Die *Erde bedeckende Eis- u. Schneemassen; s. Hydrosphäre.

Kryostate. Geräte zur automat. Einstellung tiefer Temp. (*Kältethermostate*) mit Hilfe von Kompressionskältemaschinen, die Ammoniak, Propan, Ethan, Fluor-Chlor-Derivate des Methans bzw. Ethans u.a. Kältemittel einsetzen, von *Kältemischungen. Die zu kühlenden Objekte können dabei an den Temp.-geregelten Kältemittelkreislauf angeschlossen (Umwälzpumpe) od. durch Eintauchen in eine Badflüssigkeit gekühlt werden. – *E = F* cryostats – *I* criostati – *S* criostatos
Lit.: Kohlrausch, Praktische Physik 1, S. 354, Stuttgart: Teubner 1996 ▪ s. a. Kältetechnik.

Kryotrapping s. Kryopumpe.

Kryptanden. Von griech.: kryptós = verborgen, versteckt abgeleitete, von *Lehn (Nobelpreis 1987) geprägte Bez. für makropolycycl., mit den *Kronenethern verwandte *Azapolyether*, in denen 2 od. mehr Brückenkopf-Stickstoff-Atome durch ein od. mehrere O-Atome enthaltende Brücken verbunden sind. Infolge ihres räumlichen Baues vermögen die K. mit Metall-, insbes. Alkali- u. Erdalkali-Ionen, äußerst stabile Komplexe – die *Kryptate – zu bilden. Die Benennung der K. kann in einer sehr stark vereinfachenden Schreibweise so vorgenommen werden, daß man nur die Anzahl der in den einzelnen Brücken enthaltenen O-Atome angibt. Danach wird das abgebildete 4,7,13,16,21,24-Hexaoxa-1,10-diazabicyclo[8.8.8]hexacosan, $C_{18}H_{36}N_2O_6$, M_R 376,49, Schmp. 68–71 °C,

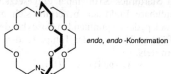

endo, endo -Konformation

als [2.2.2]Kryptand bezeichnet. Bezüglich ihrer N-Atome können diese Makrobicyclen in 3 verschiedenen stereoisomeren Formen *(exo/exo, exo/endo, endo/endo)* auftreten. Ihre Komplexe haben jedoch stets *endo/endo*-Struktur, was sich durch Röntgenstrukturanalyse zeigen ließ. Ebenso wie [2.2.2]K. sind auch [2.2.1]K. u. [2.1.1]K. (farblose Öle) in Wasser u. vielen organ. Lsm. gut, in Ether u. Petrolether weniger gut löslich. Die Synth. der K. ist aufwendiger als die der verwandten *Kronenether (Koronanden)* u. der *Podanden. Zur Verw. der K. als *Ionophore s. das folgende Stichwort. – *E = F* cryptands – *I* criptandi – *S* criptandos
Lit.: s. Kronenverbindungen.

Kryptate. Gruppenbez. für chem. Verb. höherer Ordnung (*Molekülverbindungen) aus *Kryptanden u. ion. Verb., in denen das Metall-Kation von den Brücken des Komplexbildners dreidimensional umgeben, also gleichsam in dem Hohlraum des Kryptanden „versteckt" ist (Name!). Die insbes. von *Lehn systemat. untersuchten K. sind also mehrzähnige Koordinationsverb. mit stöchiometr. *Wirts- zu Gastmol.*-Verhältnis (also mol. *Einschlußverbindungen); aufgrund ihrer unpolaren Außensphäre sind sie in organ. Lsm. lösl., u. selbst $KMnO_4$ läßt sich mit Hilfe einer solchen Hüllverb. in Benzol lösen. Von ähnlicher Struktur, aber geringerer Bedeutung als die K. sind die Katapinate, vgl. die Abb. dort. Die Selektivität der Kryptanden hinsichtlich des einzuschließenden Kations u. die Stabilität der gebildeten K. sind aufgrund der Hohlkugelstruktur im allg. größer als diejenigen von vergleichbaren *Podaten od. *Kronenverbindungen. Am stabilsten sind sphär., mehrfach überbrückte Kryptate. Eine Tab. mit Daten von Alkali- u. Erdalkali-K. findet man in *Lit.*[1], zur Stabilität von Schwermetall-K. in wäss. Lsg. s. *Lit.*[2]. Anw. finden K. zur Trennung von Kationen-Gemischen, zur Entwicklung von Kationen-Austauschern, zur selektiven Extraktion bestimmter Elemente aus Salzlsg. u. zur Entgiftung des Körpers, z. B. zur Dekorporierung von – ggf. radioaktivem – Stron-

tium od. a. Schwermetall-Spuren. Die Anw.-Möglichkeiten für K. als Transport-Vehikel (*Carrier) sind prinzipiell die gleichen wie die der Kronenverbindungen, vgl. die dort zitierten Autoren. Auch zur Bildung von „nackten" Anionen od. von Alkalimetall-Anionen bieten sich die K. an. – *E = F* cryptates – *I* criptati – *S* criptatos
Lit.: [1] Topics Curr. Chem. **101**, 1–82 (1982). [2] Helv. Chim. Acta **60**, 2633–2643 (1977).
allg.: s. Kronenverbindungen.

Kryptokristallin s. Kristalle.

Kryptomelan. $K_{0-2}(Mn^{4+},Mn^{3+})_8(O,OH)_{16}$, zu den *Braunsteinen gehörendes schwarzes, braunschwarzes od. stahlgraues undurchsichtiges Mineral, wichtiges Manganerz, krist. monoklin (pseudotetragonal), Krist.-Klasse $2/m$-C_{2h}; Tunnelstruktur wie *Hollandit[1], Struktur von $K_{1,33}Mn_8O_{16}$ s. *Lit.*[2]. Nach *Lit.*[3] wandelt sich tetragonaler K. beim Erhitzen an Luft bei 710 °C in monoklinen K. u. bei 850–950 °C über Bixbyit $(Mn,Fe)_2O_3$ in *Hausmannit um. Gewöhnlich derb u. dicht, als Krusten u. nierig-traubige, schalige Massen aus sehr dünnen Fasern, auch als *Dendriten. Als „Psilomelan", „Hartmanganerz" od. „Schwarzer Glaskopf" bezeichnete Stücke in alten Sammlungen bestehen zu etwa 60% aus K.; H. 6–6,5, meist aber darunter, D. 4,3, oft muscheliger Bruch. Strichfarbe bräunlich bis schwarz, halbmetall. bis pechartiger Glanz. Kalium ist gewöhnlich z. T. durch Ba ersetzt; K. kann ferner Na, Cu, Zn, Co, Ni, Fe u. adsorbiertes Wasser enthalten.
Vork.: Nach *Pyrolusit verbreitetstes Manganoxid-Mineral, meist unter Oberflächenbedingungen gebildet; z. B. in Thüringen, vielerorts in den westlichen USA; in sedimentären od. ehemals sedimentären Manganerz-Lagerstätten, z. B. Georgien, Mato Grosso/Brasilien u. Indien. In Böden (*Boden); zur Eignung von K. für die Altersbestimmung von Böden u. Verwitterungsprofilen mit der *Kalium-Argon-Methode (bzw. der $^{40}Ar/^{39}Ar$-Meth.) s. *Lit.*[4]. – *E* cryptomelane – *F* cryptomélane – *I = S* criptomelano
Lit.: [1] Acta Crystallogr. Sect. B **38**, 1056–1065 (1982). [2] Acta Crystallogr., Sect. B **42**, 162–167 (1986). [3] Mineralog. J. (Japan) **15**, 50–63 (1990). [4] Am. Mineral. **79**, 80–90 (1994).
allg.: Füchtbauer (Hrsg.), Sedimente u. Sedimentgesteine (Sediment-Petrologie Tl. II), 4. Aufl., S. 604–609, Stuttgart: Schweizerbart 1988 ▪ Ramdohr-Strunz, S. 537 ▪ Varentsov u. Grasselly (Hrsg.), Geology and Geochemistry of Manganese. Vol. 1, S. 60–64, Stuttgart: Schweizerbart 1980 ▪ s. a. Braunsteine. – *[HS 2602 00; CAS 12325-71-2]*

Krypton (von griech.: kryptós = verborgen). Chem. Symbol Kr, nichtmetall. Element, das von *Ramsay 1898 erstmals aus Luft unter Benutzung des Lindeschen Luftverflüssigungsverf. hergestellt wurde, Ordnungszahl 36, Atomgew. 83,80. Isotope im natürlichen K. (in Klammern Häufigkeit): 78 (0,35%), 80 (2,25%), 82 (11,6%), 83 (11,5%), 84 (57,0%), 86 (17,3%). K. bildet 17 künstliche Isotope mit HWZ zwischen 0,21 s u. $2,1 \cdot 10^5$ a, von denen bes. ^{85}Kr (β-Strahler, HWZ 10,76 a) umweltrelevant ist. K. ist ein farb- u. geruchloses, einatomiges *Edelgas, D. 3,733 (0 °C), Schmp. –157,02 °C, Sdp. –153,35 °C, krit. D. 0,909, krit. Temp. –63,75 °C, krit. Druck 5,5 MPa; in 100 mL Wasser lösen sich bei 0 °C 11 mL Krypton. Es ist gewöhnlich nullwertig, doch konnten bei tieferen Temp. *Gashydrate* (z. B. 8 Kr · 46 H$_2$O, Schmp. 13 °C) u. lockere *Additionsverb.* mit 1, 2, 3, 6, 8 u. 16 Mol. *Bortrifluorid* (BF$_3$) u. auch echte *Edelgas-Verbindung des K. hergestellt werden, in denen K. +2-wertig ist. K. gibt mit Hydrochinon ziemlich beständige *Clathrate; das radioaktive K.-Isotop 85 kann in Clathrat-Form aufbewahrt werden. Über eine *Einschlußverbindung von K. in Cyclodextrin s. *Lit.*[1]. Echte Verb. des K. sind nur mit Fluor bekannt; *Beisp.*: *K.-difluorid* (KrF$_2$, D. 3,24), eine bei −78 °C beständige, im Vak. bei 0 °C sublimierbare farblose Krist.-Masse, die ein starkes Fluorierungs- u. Oxid.-Mittel ist. In Komplexsalzen, wie KrF[SbF$_6$] u. Kr[Sb$_2$F$_{11}$] (Schmp. 45 °C bzw. 50 °C) ist das KrF$^+$-Kation als das stärkste bislang bekannte Oxid.-Mittel in der Lage, Au zu AuF$_5$, O$_2$-Gas zu dem O$_2$$^+$-Kation od. ClF$_5$ u. BrF$_5$ zu ClF$_6$$^+$- u. BrF$_6$$^+$-Kationen zu oxidieren.

Vork.: In der Luft zu 0,000330 Gew.-%; der Anteil an der obersten 16 km dicken Erdkruste einschließlich Luft- u. Wasserhülle wird auf nur 1,9 · 10^{-8}% geschätzt; damit gehört K. zu den seltensten Elementen. Emissionsquellen für das radioaktive Isotop ^{85}Kr sind Anlagen, in denen verbrauchte Kernbrennstoffe wieder aufgearbeitet werden (bei der Kernspaltung von ^{235}U entstehendes ^{85}Kr wird beim Öffnen der Brennstäbe frei), Reaktoren, in denen ^{239}Pu für Kernwaffen erbrütet wird, sowie Kernwaffen-Explosionen (nur 2%). Eingeatmetes ^{85}Kr wird vom Organismus relativ schnell wieder abgegeben, da es nicht am Stoffwechsel teilnimmt; eine größere Bedeutung hat dagegen die Strahlenbelastung der Haut bei entsprechender Exposition (*Lit.*[2]). Die aus Wiederaufarbeitungsanlagen durch entweichendes ^{85}Kr freigesetzte Radioaktivität wird als unbedenklich eingestuft[3]. Nach einem in der BRD entwickelten Verf. kann ^{85}Kr durch Tieftemp.-Rektifikation u. Abfüllung in Stahlflaschen zurückgehalten werden, alternativ kommt die irreversible Fixierung von K. in speziellen Zeolithen in Betracht. Zur Wiederaufarbeitung abgebrannter Kernbrennstoffe s. *Lit.*[4].

Herst.: Als Nebenprodukt der Sauerstoff-Gewinnung aus flüssiger Luft durch fraktionierte Adsorption u. Desorption an Aktivkohle, Näheres s. bei Winnacker-Küchler u. Kirk-Othmer (*Lit.*). Nach *Lit.*[5] enthält hochreines K. oftmals Spuren von CF$_4$, das nicht aus dem Herst.-Prozeß, sondern vermutlich aus der Atmosphäre stammt.

Verw.: K. findet seine techn. Hauptanw. in der Glühlampen-Ind., wo es wegen seiner geringen Wärmeleitfähigkeit höhere Temp. der Glühfäden gestattet, als dies bei Stickstoff- od. Argon-Füllungen der Fall ist (*K.-Lampe*); aus 1 Mio. L Luft erhält man 1 L K., das zur Füllung von 15 Lampen reicht. Ferner ist K. ein Füllgas für Geiger-Zähler, Szintillationszählrohre, Iod-Lampen u. elektron. Geräte. Das instabile KrF dient zusammen mit anderen angeregten Edelgashalogeniden als Lichtquelle in Lasern, KrF$_2$ u. seine Komplexsalze im Laboratorium als Oxid.-Mittel. – *E* = *F* krypton – *I* cripto – *S* criptón

Lit.: [1] Angew. Chem. **86**, 594 f. (1974). [2] Naturwissenschaften **63**, 266–272 (1976). [3] Büchner et al., Industrial Inorganic

Chemistry, S. 592 f., Weinheim: VCH Verlagsges. 1989. [4] Chem. Ztg. **111**, 95 ff. (1987). [5] Umschau **80**, 412 (1980); **81**, 91 (1981).
allg.: Gmelin, Syst.-Nr. 1, Edelgase, S. 169–181, Erg.-Bd., 1970 ▪ Hommel, Nr. 931, 932 ▪ Kirk-Othmer (4.) **13**, 1–38 ▪ Separation, Storage and Disposal of Krypton-85, Vienna: IAEA 1980 ▪ Ullmann (5.) **A 11**, 342 ▪ Winnacker-Küchler (4.) **3**, 645 ▪ s. a. Edelgase u. Edelgas-Verbindungen. – [HS 2804 29; CAS 7439-90-9; G 2]

Kryptondifluorid s. Krypton.

Krypton-Lampe s. Krypton.

Kryptophenole. Veraltete Bez. für *Alkylphenole mit sperrigen Alkyl-Resten, die keine typ. Phenol-Reaktion mehr zeigen.

Kryptosterin s. Lanosterin.

Krysal®. Gemisch aus Argon u. CO$_2$ als Schweißschutzgas. *B.*: Messer Griesheim.

Krystallin. Histor. Name für *Anilin.

Krytox®. Perfluoralkylether-Öle u. Fette zur Verw. als inertes Schmiermittel unter extremen Temp.-Bedingungen od. im Kontakt mit aggressiven Chemikalien; auch als PTFE Telomer-Dispersion in Wasser, Isopropanol od. H-FKW 141b zur Verw. als Trockengleitmittel, Formentrennmittel od. Farbenadditiv. *B.*: DuPont.

Krz. Abk. für kub. raumzentriert, s. Kristallstrukturen.

KS s. Kalksandsteine.

K-Säure. Zur Gruppe der *Buchstabensäuren zählende *Naphthylaminsulfonsäure.

K-Strahlung s. Konversionselektronen.

Kt (ct). Kurzz. für *Karat.

KTA. Abk. für *Kerntechnischer Ausschuß.

KTG. Abk. für *Kerntechnische Gesellschaft e. V.

Ku. Vorgeschlagenes Symbol für das *chemische Element 104, *Kurtschatovium.

Kuball, Hans-Georg (geb. 1931), Prof. für Physikal. Chemie, Univ. Kaiserslautern. *Arbeitsgebiete:* Spektroskopie anisotroper Syst., insbes. Chiralität orientierter Mol.; Untersuchung des Circulardichroismus an uniaxialen Syst.; Ordnungszustände von flüssigkrist. Phasen, wobei Gast/Wirt (LC-Phase)-Syst. im Vordergrund stehen.
Lit.: Kürschner (16.), S. 2010 ▪ Nachr. Chem. Tech. Lab. **39**, Nr. 10, 1190 (1991) ▪ Wer ist wer (35.), S. 824.

Kubelka-Munk-Theorie s. Farbe u. Lichtstreuung.

Kubisch raum- bzw. **flächenzentriert** (Krz bzw. Kfz) s. Kristallstrukturen.

Ku(c)kersit s. Ölschiefer.

Küchenkrepp s. Papier.

Küchenschelle (Kuhschelle). In Mittel- u. Westeuropa auf Trockenrasen, Kalkböden, in Föhrenwäldern vorkommende Anemonen-Arten mit rotvioletten, außen weißhaarigen Blüten: *Pulsatilla vulgaris* Mill. u. *P. pratensis* (L.) Mill. (*Anemone pulsatilla* bzw. *pratensis*, Ranunculaceae). K. enthalten das außerordentlich stark reizend auf Haut u. Schleimhäute wirkende *Protoanemonin (ein *Butenolid-Derivat), das auch stark bakterizid wirkt, u. *Anemonin (beide gehen beim Trocknen in unwirksame Anemoninsäure über), außerdem Bitterstoffe, Gerbstoffe u. im Wurzelstock auch Saponine. Von einer arzneilichen Verw. der K. wird abgeraten[1]. – *E* daneflower, pasque flower – *I* pulsatilla – *S* pulsatila

Lit.: [1] Bundesanzeiger 223/30. 11. 1985.
allg.: Hager (5.) **4**, 280–284 ▪ Frohne u. Pfänder, Giftpflanzen, S. 301 f., Stuttgart: Wiss. Verlagsges. 1997.

Küchler, Leopold (1910–1984), Prof. für Physikal. Chemie, Univ. Frankfurt u. Hoechst AG. *Arbeitsgebiete:* Kerntechnik, Kinetik der Polymerisationen, Kettenreaktionen, M_R-Bestimmung bei hohen Temp., Zerfallreaktionen bei Ethan, Cyclopentan, Mikroanalyse usw.; Mitverfasser von *Winnacker-Küchler.
Lit.: Kürschner (15.), S. 2542.

Kühl, Georg Walter (geb. 1904), Dr., Chemiker u. Erfinder. *Arbeitsgebiete:* Entwicklung der Komplexometrie (1942), Balcke-Kurzschlußverf. zum Enthärten des Wassers, Entwicklung von Gläsern mit variabler Lichtdurchlässigkeit, Heizwertmeßgeräte, Filtriergeräte, Kolorimeter, Wasserhärte-Meßgerät (Hydrotimeter).

Kühler. Zur Kühlung von Flüssigkeiten, Gasen u. Dämpfen verwendete Geräte, die je nach Verw.-Zweck u. Arbeitstemp. verschieden ausgestattet sind u. deren Wirkung auf *Wärmeübertragungs-Prozesse an ihren Kühlflächen beruht, wobei die Kühlwirkung u. a. durch die Größe der Kühlfläche u. die konstruktiven Merkmale bestimmt wird. Eine große Kühlfläche wird durch spezielle Formgebung (Kugel-, Schlangen-K.) erreicht.

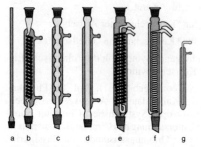

a   b   c   d   e   f   g
Abb.: Kühler für den Laboratoriumsgebrauch

Die Abb. zeigt einige bes. häufig in der *Laboratoriumspraxis* verwendete K.-Typen. Prinzipiell unterscheidet man zwischen *Produkt-K.*, bei denen bei der *Destillation anfallendes Kondensat abgeleitet wird, u. *Rückflußkühler*, die zur Kondensation u. Rückführung der Dämpfe in den Dest.-Kolben bestimmt sind. Erstere (*Liebig-K.*, Abb. d, u. *Schlangen-K.*, Abb. b) verwendet man „absteigend" u. unter Einleitung des Kühlmittels (Wasser) von unten (*Gegenstromprinzip, C. E. Weigel, 1771). Zu den Rückfluß-K. rechnet man den aus einem einfachen Glasrohr bestehenden *Luft-K.* (a), der für die Kondensation von Dämpfen ab ca. 150 °C geeignet ist, u. den *Allihn-* od. *Kugel-K.* (c). Der *Dimroth-K.* (e) ist ein mit einem Mantel versehener Einhänge-K., der sowohl als Rückfluß- als auch als Produkt-K. dienen kann. Der *Intensiv-K.* (f) stellt eine Kombination von Liebig- u. Dimroth-K. dar; er ist bes. für Arbeiten mit tiefsiedenden

Lsm. (z. B. Ether) geeignet. Eine spezielle Art von Rückfluß-K. ist der *Kühlfinger* od. Einhänge-K. (g), der hauptsächlich für Substanzmengen im Halbmikrobereich geeignet ist. In der chem. Technologie werden zum Kühlen auch speziell ausgestattete *Wärmeaustauscher, Kühltürme, Rohrbündel-, Platten-, Walzen-K. usw. aus den verschiedensten Materialien benutzt. Labor-K. werden gewöhnlich bis zu einer Dampftemp. von 120 °C mit fließendem, zwischen 120–160 °C mit stehendem Wasser u. ab ca. 150 °C mit Luft gekühlt. Für tiefe Temp. werden *Kältemischungen u. Tiefkühlmittel verwendet, s. Kältetechnik. – *E* condensers – *F* condenseurs, réfrigérants – *I* condensatore, refrigeratore – *S* refrigerantes

Lit.: ACHEMA-Jahrb. **1991**, 1932 f. ▪ Condensers: Theory and Practice (Inst. Chem. Eng. Symp. Series 75), Oxford: Pergamon 1983 ▪ DIN 12576, 12581, 12591–12593 (03/1976) ▪ Kirk-Othmer (3.) **20**, 87–107 ▪ McKetta **11**, 319–422 ▪ Morris, Heat Transfer and Fluid Flow in Rotating Coolant Channels, New York: Wiley 1982 ▪ Organikum, S. 3 ff., Berlin, Heidelberg: Barth 1996 ▪ Ullmann (4.) **2**, 411 ff.

Kühlfalle. Aus Glas gefertigte Vorrichtung (s. Abb.), zum Ausfrieren von Lsm. od. leichtflüchtigen Reaktionsprodukten mit Hilfe einer Kühlung durch flüssigen Stickstoff od. einer Aceton/Trockeneismischung. Bes. beim Arbeiten am Hochvakuum sollte zwischen Reaktionsapparatur u. Vakuumpumpe mind. eine K. gesetzt werden, um die Pumpe vor aggressiven Reaktionsprodukten zu schützen.

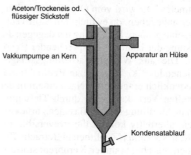

Aceton/Trockeneis od. flüssiger Stickstoff

Vakkumpumpe an Kern   Apparatur an Hülse

Kondensatablauf

Abb.: Kühlfalle.

– *E* trap – *I* trappola per vapore – *S* trampa fría

Kühlmittel. Sammelbez. für *Wärmeübertragungsmittel, die zur Abführung von Wärme verwendet werden, z. B. in verschiedenen Formen von *Kühlern bei der *Kondensation von Dämpfen (s. a. Destillation), zum Kühlen von *Reaktionsapparaten in der chem. Technologie, von *Reaktoren in der Kerntechnik usw. Bei den K. kann es sich um Gase, Flüssigkeiten od. Festkörper handeln (z. B. Luft, Kühlsole, K-Na-Lsg., Trockeneis usw.); dem K.-Wasser werden ggf. *Gefrierschutzmittel, Härtestabilisatoren, Korrosionsinhibitoren etc. beigemischt. Bei der Verdampfungskühlung u. der Verdunstungskühlung gehen flüssige K. unter Aufnahme der *Verdampfungswärme in den gasf. Zustand über (s. a. Verdampfung). In der *Kältetechnik spricht man statt von K. von Kältemitteln. – *E* coolants – *F* frigorigènes – *I* refrigerante – *S* agentes refrigerantes

Lit.: s. Kältetechnik, Kühler u. Wärmeübertragung.

Kühlmittelöle s. Bohröle.

Kühlschmierstoffe s. Bohröle.

Kühlwasseraufbereitung. Während bei der Aufbereitung natürlicher Wasservork. zu Trinkwasser die Entkeimung (z. B. mittels *Chlorung od. *Ozonisierung) sowie die Enthärtung von entscheidender Bedeutung sind, ist für Kühlwässer, die nicht im Kreislauf gefahren werden, lediglich die Entfernung ungelöster Substanzen wichtig. Vom Kühlwasser zu unterscheiden sind Wässer, die zur Dampferzeugung – *Kessel- u. Kesselspeisewasser – Verw. finden; hier ist im Vgl. zum Trinkwasser eine noch weitergehende Entgasung u. Entsalzung nötig. Über Verf. zur Entfernung gelöster Salze u. des Kohlendioxids s. Wasserenthärtung.

Für große, einmalig zu verwendende Kühlwassermengen genügt feststoffarmes Wasser. In diesem Fall muß *Uferfiltrat nicht weiter aufbereitet werden, während das dem Gewässer entnommene Oberflächenwasser, mit Feststoffgehalten bis zu 500 mg/L geflockt, in jedem Fall über Kiesfilter filtriert werden muß.

Wenn Kühlwasser aus Gründen des Gewässerschutzes im Kreislauf gefahren wird, steigen die möglichen Verunreinigungen stark an. Grundsätzlich auftretende Schwierigkeiten in solchen Kreisläufen sind Korrosion, Carbonat-Ausscheidung, Schmutzablagerung u. mikrobieller Bewuchs. Daraus folgt die Notwendigkeit einer K., die der der Kesselspeisewasser-Aufbereitung ähnlich ist. Über die bei *Wasserenthärtung beschriebenen Verf. hinaus ist hierbei die Zugabe von Korrosionsinhibitoren (z. B. Phosphonsäuren/Zink-Salze od. Natriumbenzoate, Benzimidazole usw.) u. eine Entkeimung (z. B. mittels UV-Strahlung) nötig. Ausschlaggebend für die Verw. eines organ. Inhibitors u. letztendlich für die Kreislaufführung des Kühlwassers ist die biot. u. abiot. Abbaubarkeit der Korrosionhemmstoffe im Gewässer. – *E* cooling water processing – *I* trattamento delle acque di raffreddamento – *S* preparacción de agua refrigerante

Kühn, Klaus (geb. 1927), Prof. für Biochemie, Max-Planck-Inst. für Biochemie, München. *Arbeitsgebiete:* Struktur u. Funktion von Bindegewebskomponenten, Regulation ihrer Genexpression, Wechselwirkung zwischen Zellen u. extrazellulärer Matrix.
Lit.: Kürschner (16.), S. 2018 ▪ Wer ist wer (35.), S. 828.

Külbel s. Glas (S. 1542).

Kümmel. In Europa u. Asien beheimateter, wildwachsender u. angebauter, ca. 30–100 cm hoher Doldenblütler (*Carum carvi* L., Umbelliferae = Apiaceae), dessen graubraune Früchte (Doppelachänen) bei der Reife in Teilfrüchte zerfallen. Sie enthalten 2–8% *Kümmelöl, 20–23% Rohprotein u. ca. 15% fettes Öl.
Verw.: Als Gewürz, auch als Bestandteil von *Curry, in Likör u. Schnäpsen, wegen der Inhaltsstoffe des ether. Öls auch als *Spasmolytikum u. *Carminativum. – *E* caraway – *F* cumin – *I* cumino – *S* comino
Lit.: Bundesanzeiger 22 a/01.02.1990 ▪ DAB **1996** u. Komm. ▪ Chem. Ztg. **102**, 61–64, 260–263 (1978) ▪ Hager (5.) **4**, 693–700 ▪ Melchior u. Kastner, Gewürze, S. 88–91, Berlin: Parey 1974 ▪ Wichtl (3.), S. 134f. – *[HS 090940]*

Kümmelöl. Farbloses bis gelbes, mild u. gewürzartig schmeckendes ether. Öl, das bei längerem Stehen an der Luft gelb u. dickflüssig wird; D. 0,903–0,918, lösl.

in 2–10 Vol.-Tl. 80%igem Alkohol; Bestandteile: 50–60% (+)-*Carvon, 30–45% (+)-*Limonen, Dihydrocarvon, Carveol usw.
Herst.: Man zerquetscht die Früchte des *Kümmels u. erhält nach Wasserdampfdest. 2–8% Öl.
Verw.: Zur Likörbereitung, Seifenparfümierung u. als *Carminativum bei Koliken, Appetitlosigkeit u. dgl.; in der Veterinärmedizin dient es in 5%iger Lsg. od. Salbe als Heilmittel gegen Hunderäude. – *E* caraway oil – *F* essence de carvi – *I* essenca di carvi – *S* esencia de comino
Lit.: Gildemeister **6**, 393 ▪ ISO 8896 (1987) ▪ Roth u. Kormann, Duftpflanzen – Pflanzendüfte, S. 233, Landsberg: ecomed 1997 ▪ s. a. Kümmel. – *[HS 330129]*

Künstliche Intelligenz (Kurzz.: KI). Teilgebiet der Informatik, das sich seit Ende der 50er Jahre entwickelte u. sich damit beschäftigt, Rechner u. Maschinen so zu gestalten, daß ihr Verhalten als „intelligent" bezeichnet werden kann. Das bedeutet, diese Maschinen mit Fähigkeiten des Erkennens, Denkens, Schlußfolgerns, Lernens u. a. zu versehen u. ihnen den Gebrauch von Wissen zu ermöglichen. Die KI umfaßt somit eine große Spanne von Bereichen, zu denen v. a. Spracherkennung u. -Erzeugung, Bilderkennung u. -Erzeugung, Robotik, wissensbasierte (od. auch Experten)Syst., deduktive Verf. u. maschinelles Lernen gehören. Der letztere Bereich beinhaltet auch das Nutzen von Erfahrungen (Case-Based Reasoning).

Während früher KI-Syst. meist stand-alone-Syst. waren, sind sie heute in komplexe betriebliche u. Software-Umgebungen eingebettet. Zu den erfolgreichsten Anw.-Gebieten gehören Diagnose (Medizin, Technik), Planung (Betriebswirtschaft, Roboter) u. Entscheidungsunterstützung. – *E* artificial intelligence – *F* intelligence artificielle – *I* intelligenza artificiale – *S* inteligencia artificial
Lit.: Charniak u. McDermott, Introduction to Artificial Intelligence, Reading: Addison-Wesley 1985 ▪ Chien u. Liebowitz, Artificial Intelligence, Vol. 2, S. 43–64, Encyclopedia of Physical Science and Technology, New York: Academic Press 1987 ▪ Harmon u. King, Expertensysteme in der Praxis, München: Oldenbourg 1992 ▪ Harmon, Maus u. Morrisey, Expertensysteme, Werkzeuge u. Anwendungen, München: Oldenbourg 1989 ▪ Rich, KI-Einführung u. Anwendung, New York: McGraw-Hill 1988 ▪ Shapiro (Hrsg.), Encyclopedia of Artificial Intelligence, Chichester: Wiley 1990. – *Inst.:* Institut für Künstliche Intelligenz, 67663 Kaiserslautern. – *Förderung:* Langjährige Förderung durch Forschungsprogramme der Bundesregierung, ESPRIT.

Küpe. Der Name Küpe kommt von einer niederdtsch., von latein.: cupa = Tonne abgeleiteten Bez. für Holzgefäße („Kübel"), in denen man früher den *Indigo z. B. mit Urin zu der farblosen, reduzierten Form vergären ließ. Heute versteht man unter K. die reduzierende Färbeflotte der *Küpenfärberei. – *E* vat – *F* cuve – *I* vagello – *S* tina, cuba

Küpenfärberei (Küperei). Die *Küpenfarbstoffe erfordern ein bes. Färbeverf. das in seinen Grundzügen seit dem Altertum bekannt ist u. früher z. B. mit *Indigo u. *Purpur durchgeführt wurde. Die Küpenfarbstoffe sind Verb. mit *indigoider* bzw. *anthrachinoider Struktur* u. meist unlöslich. Für die K. müssen sie zunächst unter Anw. von Red.-Mitteln, wie Natriumhydrogensulfit, -dithionit, -hydroxymethansulfinat od.

Borhydriden, als wasserlösl., faseraffiner Leukofarbstoff in die hier als *Küpe bezeichnete Färbeflotte überführt werden. Dieser Prozeß ist nicht notwendig bei den *Leukoküpen-Farbstoffestern, die per se wasserlösl. Derivate des Leukoindigos bzw. von dessen Analoga sind.

Die Küpe ist oft anders gefärbt als der nicht reduzierte, ursprüngliche Farbstoff; sie ist z. B. beim Indigo farblos od. gelblich [vgl. Leuk(o)...], beim Indanthrenblau blau, beim Indanthrengelb tiefblau, beim Indanthrengoldorange fuchsinrot usw. Das zur färbende Gewebe wird im einfachsten Fall in die Küpe getaucht. Wegen der hohen Faseraffinität der Leukofarbstoffe ist die Färbegeschw. zunächst sehr hoch u. kann zu Ungleichmäßigkeiten führen, die durch Zugabe von Egalisiermitteln u./od. Temp.-Erhöhung ausgeglichen werden müssen. Auf die im allg. schnelle Adsorption in den Faser-Randzonen folgt eine Diffusion des Farbstoffs in das Faserinnere, die durch Temp.-Erhöhung beschleunigt werden kann. Anschließend wird die erschöpfte Färbeflotte abgelassen, die Textilware gespült u. dem Kontakt mit Luftsauerstoff od. geeigneten Oxid.-Mitteln ausgesetzt, wobei sich der ursprüngliche Farbstoff durch Oxid. wieder zurückbildet; im Fall der *Leukoküpen-Farbstoffester dienen v. a. anorgan. Peroxo-Verb., Kaliumdichromat od. Natriumchlorit/Essigsäure u. alkal. Natriumhypochlorit als Oxidantien. Der hierbei entstehende, wasserunlösl. Farbstoff haftet auf der Faser sehr gut; er ist außerordentlich echt u. kann durch Luftsauerstoff nicht mehr verändert werden. Die wesentlichen chem. Prozesse bei der K. lassen sich wie folgt formulieren (am *Beisp.:* des Indigos, vgl. dessen Formel):

R = Na : Leukoindigo
R = SO₃Na, SO₃H : Leukoküpen-Farbstoffester

Die Färbungen mit Küpenfarbstoffen werden u. a. für Wasch- u. Buntbleichartikel (Haus-, Tisch- u. Bettwäsche, Frottierwaren) sowie für Gardinen, Markisen u. Möbelbezugsstoffe verwendet. Früher konnten Färbungen mit *Indanthren-Farbstoffen mit dem Indanthren-Bildzeichen gekennzeichnet werden. – *E* vat dyeing – *F* colorisation en cuves – *I* tintura al tino – *S* tintura en tina
Lit.: s. Küpenfarbstoffe.

Küpenfarbstoffe. Für die *Küpenfärberei verwendete Farbstoffe; typ. Vertreter sind *Indigo u. a. *indigoide* Farbstoffe, *Indanthren- u. a. *anthrachinoide* Farbstoffe, *Phthalocyanin- u. Naphthalin-Farbstoffe usw. Auch *Schwefel-Farbstoffe vom Typ des *Hydron®-Blau R, 3R, G u. *Immedial®- u. Immedial-Licht-Farbstoffe gehören hierher, desgleichen die *Leukoküpen-Farbstoffester. Eine Aufstellung der auf dem europ. Markt angebotenen K. findet sich in *Lit.*[1]. – *E* vat dyes – *F* colorants de cuve – *I* coloranti di tino – *S* colorantes de tina, colorantes de cuba
Lit.: [1] Text. Chem. Color. **28**, Nr. 7 (1996).
allg.: Kirk-Othmer (3.) **8**, 169, 227–254, 282, 313 f.; (4.) **8**, 546, 639, 674, 696, 733; **18**, 1048 ▪ Melliand Textilber. **55**,

952–962 (1974) ▪ Ullmann (4.) **7**, 631; **11**, 138; (5.) **A 2**, 403–407 ▪ Venkataraman, The Chemistry of Synthetic Dyes, Bd. 5, New York: Academic Press 1971 ▪ Winnacker-Küchler (3.) **4**, 266–293, 351–357, 391–396; (4.) **7**, 36–38. –
[HS 3204 15]

Kürbis. Beerenfrucht der im trop. Amerika heim., auch in Europa kultivierten kriechenden od. kletternden, gelbblühenden Gattung *Cucurbita* (Cucurbitaceae), die hauptsächlich als Garten-K. od. als Riesen-K. angebaut werden. Die Früchte der Buschsorten werden unreif, die der rankenden Sorten reif als Suppe, Gemüse, Kompott od. Marmelade verzehrt. Aus den K.-Kernen (den Samen), die früher als Bandwurmmittel u. heute noch gegen Blasenreizung u. Prostata-Beschwerden verwendet werden – sie enthalten u. a. *Phytosterine, *Tocopherole u. *Selen –, wird das sog. *Kürbiskernöl gewonnen[1]. Frische K. enthalten in 100 g eßbarer Substanz (in g): 95,0 Wasser, 0,8 Eiweiß, 0,1 Fette, 3,5 Kohlenhydrate (davon 0,6 Faserstoffe) u. 0,15 Äpfelsäure. Der Vitamingehalt ist gering, u. auch der Nährwert ist mit 62,8 kJ sehr niedrig. Manche wildwachsenden K.-Sorten sind wegen ihres *Cucurbitacin-Gehalts bemerkenswert. – *E* pumpkin – *F* courge, potiron – *I* zucca – *S* calabaza
Lit.: [1] Fat. Sci. Technol. **90**, 487 ff. (1988).
allg.: Bundesanzeiger 223/30.11.1985 u. 11/17.01.1991 ▪ Franke, Nutzpflanzenkunde, 5. Aufl., Stuttgart: Thieme 1992 ▪ Hager (5.) **4**, 1068–1079 ▪ Wichtl (3.), S. 178 f. (Samen). –
[HS 0709 90]

Kürbis-Inhibitoren s. Serin-Proteasen.

Kürbiskernöl. Fettes, in 40% Ausbeute kalt gepreßtes Öl aus den Kernen von *Kürbissen. K. besteht aus den Glycerinestern von 6–13% Palmitinsäure, 5–8% Stearinsäure, 25–35% Ölsäure u. 40–56% Linolensäure; D. 0,92–0,925, Erstarrungspunkt −15,5 °C, SZ 11–13, VZ 185–190, IZ 120. Wegen seines hohen Gehalts an γ*Tocopherol wird K. nicht leicht ranzig; v. a. in Südosteuropa wird es als Speiseöl verwendet. – *E* pumpkin oil – *F* huile de courge – *I* olio di seme di zucca – *S* aceite de pepitas de calabaza
Lit.: s. Kürbis.

Küvetten. Kleine Behälter aus Glas, Spezialglas, Quarz, anorgan. Verb. (z. B. MgF_2, KCl, TlBr) od. Kunststoff (durchsichtig), verkittet od. verschmolzen, quaderförmig od. zylindrisch. Sie nehmen Gase, Lsg., Mikroorganismen u. dgl. zum Zwecke der Projektion, Spektralanalyse (z. B. IR-, UV- u. dgl. Analysen) auf. Für Routineuntersuchungen u. für kinet. Messungen wurden auch Durchfluß-K. entwickelt. – *E* = *F* cuvettes – *I* bacinelle, vaschette – *S* cubetas

Kugelfall-Viskosimeter s. Viskosimetrie.

Kugelgraphit s. Graphit.

Kugelhaufenreaktor s. Kernreaktoren.

Kugelkühler s. Kühler.

Kugelmühlen s. Mühlen.

Kugelrohr. Bez. für eine Apparatur zur schonenden *Destillation, *Sublimation od. Lösemittelverdampfung, die sich bes. für kleine Substanzmengen eignet. Sie besteht aus mehreren mit Normschliff versehenen Glaskugeln, einem elektr. beheiztem *Luftbad, einem Motor, der eine langsame Rotation der K. erlaubt u. einem Anschluß für eine Vakuumpumpe (Aufbau s. Abb.). Das Destillat wird in einem od. mehreren K. gesammelt, die waagrecht angeordnet sind u. mit einem geeigneten Kältemittel gekühlt werden (z. B. kalter Luftstrom, festes CO_2).

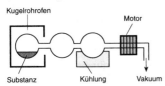

Abb.: Kugelrohr-Apparatur

– *E* ball-tube still – *F* appareil de destillation tubulaires à billes – *I* distillatore tubolare a sfere – *S* tubo de bolas
Lit.: ACHEMA-Jahrb. **1991**, 1284.03.

Kugelschreiberpasten. Der Mitte der vierziger Jahre dieses Jh. als Schreibgerät entwickelte Kugelschreiber enthält in der Schreibspitze seiner Mine eine Kugel, die sich bei der Schreibbewegung in der K. dreht u. diese in dünner Schicht auf das Papier überträgt. K. müssen, um funktionsfähig zu sein, eine Viskosität von ca. 10–20 Pa · s bei 20 °C u. eine Oberflächenspannung von mind. 40 dyn/cm ≙ 40 mN/m haben. Damit wird das Auslaufen u. Herauskriechen der K. aus dem Kugelspalt verhindert. Als Pigmente für K. werden mit Olein aufgeschlossene *kationische Farbstoffe verwendet. Zur Herst. dokumentenechter blauer Pasten müssen Blaubasen mit einer lösl. Phthalocyanin-Base kombiniert werden. Dokumentenechte Schwarzpasten lassen sich durch Kombination einer Kupferphthalocyanin-Base mit einer Nigrosin-Base, Grün durch Einsatz des dokumentenechten Brillantgrünsalz AF od. durch Kombination eines gelben Fettfarbstoffes mit einer Phthalocyanin-Base u. Rot durch Einsatz komplizierter Fällungsfarbstoffe herstellen. Die Regulierung der Viskosität der Pasten, der Anschreibbarkeit u. der Abriebfestigkeit wird mit einem in Benzylalkohol od. höherem Glykol (z. B. Phenyl- od. Propylenglykol) gelösten Kunstharz (Phthalatharze, Cyclohexanonharz) u. Polyvinylpyrrolidon als Verdickungsmittel erreicht. – *E* ball point pen inks – *F* encre de stylo à bille – *I* paste (impasti) per penne a sfera – *S* tintas de bolígrafo
Lit.: Kirk-Othmer (3.) **13**, 395 (4.) **14**, 499 ▪ Ullmann (4.) **23**, 260 f; (5.) **A 9**, 42 ff. – [HS 3215 90]

Kuhn, Hans (geb. 1919), Prof. für Physikal. Chemie, Max-Planck-Inst. für Biophysikal. Chemie, Göttingen. *Arbeitsgebiete:* Elektronengasmodell von π-Elektronensyst., zwischenmol. Wechselwirkungen in Syst. monomol. Schichten, makromol. Selbstorganisation u. Evolution. Inhaber zahlreicher Ehrungen, u. a. der Liebig-Denkmünze der GDCh.
Lit.: Kürschner (16.), S. 2016 f. ▪ Nachr. Chem. Tech. Lab. **42**, Nr. 7/8, 797 (1994) ▪ Pötsch, S. 252 ▪ Wer ist wer (35.), S. 835.

Kuhn, Richard (1900–1967), Prof. für Biochemie, Max-Planck-Inst. für Medizin. Forschung, Heidelberg. *Arbeitsgebiete:* Polyene, Isolierung u. Trennung zahlreicher Carotinoide, Anw. der Adsorptionschromatographie, Isolierung der 4-Aminobenzoesäure, des Vitamins B_2 (Riboflavin), Synth. des sog. gelben Fer-

ments, von Kumulenen, Kampfstoffen, von Vitamin B_6 u. Pantothensäure, Antivitamine, Resistenzfaktoren (Bifidus-Faktoren, Solanumglykoside), Aminozucker (Ganglioside) usw. Kuhn erhielt 1938 den Nobelpreis für Chemie für seine Arbeiten über Carotinoide u. Vitamine. Die nach ihm benannte u. von der BASF gestiftete Richard-Kuhn-Medaille wird seit 1968 von der GDCh an hervorragende Wissenschaftler verliehen.
Lit.: Angew. Chem. **80**, 501–519 (1968) ▪ Chem. Unserer Zeit **2**, 26–31 (1968) ▪ Lexikon der Naturwissenschaftler, S. 253 ▪ Nachmansohn, S. 217, 223, 337 ▪ Nachr. Chem. Tech. Lab. **13**, 355 (1965) ▪ Pötsch, S. 253.

Kuhn, Werner (1899–1963), Prof. für Physikal. Chemie, Univ. Basel. *Arbeitsgebiete:* Herst. opt. aktiver Stoffe aus inaktivem Material, photochem. Isotopen-Trennung, Kautschuk-Elastizität, Strömungsdoppelbrechung bei Hochpolymeren, Absorptionsspektrum von Polyenen, Theorie der Dest., Herst. von D_2O durch Dest., geochem. Probleme, Alterung der Organismen.
Lit.: Lexikon der Naturwissenschaftler, S. 253.

Kuhn-Roth-Methode. Von R. *Kuhn entwickelter oxidativer Abbau von organ. Verb. mit Chromsäure-Schwefelsäure, wobei endständige C-Methyl-Gruppen in Essigsäure umgewandelt werden, die man maßanalyt. bestimmen kann.

$$\underset{|}{\overset{|}{C}}-CH_3 \xrightarrow{CrO_3\,/\,H_2SO_4} H_3C-COOH$$

– *E* Kuhn-Roth method – *F* méthode Kuhn-Roth – *I* metodo di Kuhn-Roth – *S* método Kuhn-Roth
Lit.: Chem. Ber. **95**, 579 (1962) ▪ Krauch u. Kunz, Reaktionen der organischen Chemie, 5. Aufl., S. 534, Heidelberg: Hüthig 1976.

Kula, Maria-Regina (geb. 1937), Prof. für Enzymtechnologie, Heinrich-Heine-Univ., Düsseldorf. *Arbeitsgebiete:* Technologie der Aufarbeitung biolog. aktiver Proteine, enzymat. katalysierte Synth., Coenzym-Regenerierung. K. ist Trägerin des Bundesverdienstkreuzes u. erhielt 1995 den Enzyme Engineering Award.
Lit.: Kürschner (16.), S. 2014 ▪ Nachr. Chem. Tech. Lab. **43**, Nr. 12, 1338 (1995).

Kultivierung s. Fermentation.

Kultur. Von latein.: cultura = Landbau abgeleitete Bez. für die Züchtung u. Haltung von *Mikroorganismen, Organen, *Geweben, pflanzlichen, tier. u. menschlichen *Zellen od. *Viren (Bakterien-, Hefe-, Pilz-, Algen-, Organ-, Gewebe-, *Zellkultur u. a.). Die Kulturen legt man auf festen od. flüssigen *Nährmedien an, die die für den jeweiligen Zelltyp notwendigen Nährstoffe enthalten. Die Kultivierung erfolgt in der Regel unter spezif. Bedingungen (aerobe od. anaerobe Bedingungen, CO_2-Gehalt, pH- u. Redox-Wert, Temp., Rühr- bzw. Schüttelgeschw. etc.). Je nach K.-Art unterscheidet man Submers- (Flüssigkeits-), *Oberflächen-, Stich- od. trägergebundene Kulturen.
Verw.: Für wissenschaftliche (z. B. Diagnostik, Genetik) u. industrielle Zwecke (z. B. Produktion von Bioprodukten, *Abwasserbehandlung). – *E* = *F* culture – *I* coltura – *S* cultivo
Lit.: Isaac u. Jennings, Kultur von Mikroorganismen, Heidelberg: Spektrum Akadem. Verl. 1996 ▪ Präve et al. (4.), S. 261–304 ▪ Schlegel (7.), S. 211–220.

Kulzer DURAFILL® flow. Lichthärtendes Einkomponenten-Composite auf Microfill-Basis zur erweiterten Fissurenversiegelung u. zur Versorgung kleiner kariöser Läsionen (Zahnmedizin). *B.:* Heraeus Kulzer GmbH.

Kumulation (von latein.: cumulare = anhäufen). Im engeren Sinn Steigerung eines Wirkstoffeffekts im Organismus dadurch, daß dem Organismus von neuem ein Stoff zugeführt wird, dessen früher eingenommene Dosen noch nicht völlig ausgeschieden sind, sich die Mengen u. Wirkungen also addieren. Hier ist auch zu denken an die Speicherung u. *Persistenz von Schadstoffen in Pflanzen od. Algen (z. B. Schwermetalle), Vögeln (Pestizide), Fischen (Quecksilber), Krill (Fluor) etc. Die Gefahr kumulativer *Vergiftung besteht bes. bei Stoffen, die sehr langsam ausgeschieden werden; vgl. Akkumulation. – *E = F* cumulation – *I* accumulazione – *S* acumulación

Kumulene. Von latein.: cumulare = anhäufen u. *...en abgeleitete Bez. für solche organ. Verb., bei denen sich zwei od. mehr *Doppelbindungen in ununterbrochener Folge aneinanderreihen, die also ein Syst. von *kumulierten Doppelbindungen* besitzen. Ihren Grundkörper bildet das *Allen (*1,2-Propadien*, $H_2C=C=CH_2$), das nächst einfache aliphat. K. ist das Butatrien ($H_2C=C=C=CH_2$); nicht selten faßt man Verb. mit nur einem 1,2-Dien-Syst. (s. Abb. c bei Diene) als *Allene* zusammen. Disubstituierte K. sind infolge ihrer Mol.- *Chiralität opt. aktiv, wenn sie eine gerade Anzahl von Doppelbindungen aufweisen; s. a. Atropisomerie. Ist deren Anzahl ungerade, so bilden sie *E,Z*-Isomere. Die Farbe der K. vertieft sich mit der Zahl der kumulierten Doppelbindungen; gegen Brom, Bromwasserstoff u. Ozon sind sie sehr reaktionsfähig, gegen Sauerstoff jedoch relativ beständig. K. werden auch in der Natur, v. a. in Pilzen u. Algen angetroffen; so z. B. in dem Antibiotikum *Mycomycin aus dem Bakterium *Nocardia acidophiles*, dessen opt. Aktivität allein auf die Atropisomerie der Kumulen-Gruppierung zurückzuführen ist.

R\
  C=C=N–R   Ketenimine
R/

R\
  C=C=O   *Ketene
R/

R–N=C=N–R   *Carbodiimide

R–N=C=O   *Isocyanate

R–N=C=S   *Isothiocyanate

O=C=C=C=O   *Kohlenstoffsuboxid (*Kohlensuboxid)

Vielfältige Nutzung in Laboratorium u. Ind. finden die in Einzelstichwörtern beschriebenen *Heterokumulene* (K. mit Heteroatomen, s. Abb.). Das Gebiet der K. ist bes. von R. *Kuhn u. *Bohlmann bearbeitet worden. – *E* cumulenes – *F* cumulènes – *I* cumuleni – *S* cumulenos

Lit.: Brandsma u. Verkrruijsse, Synthesis of Acetylenes, Allenes and Cumulenes, Amsterdam: Elsevier 1981 ▪ Katritzky et al. **1**, 953 ff. ▪ Landor, The Chemistry of the Allenes (3 Bd.), London: Academic Press 1983 ▪ Houben-Weyl **5/2 a**, 963 – 1076 ▪ Patai, The Chemistry of Ketenes, Allenes and Related Compounds (2 Bd.), New York: Wiley 1980 ▪ s. a. Allen, Diene u. die einzelnen Heterokumulene.

Kumulierte Doppelbindungen (von latein.: cumulare = anhäufen). Bez. für *Doppelbindungen, die 3 od. mehr unmittelbar aufeinanderfolgende C-Atome einer C-Kette verbinden; *Beisp.:* *Allen u. die *Kumulene, vgl. Abb. c bei Diene. – *E* cumulated double bonds – *F* doubles liaisons cumulées – *I* doppi legami cumulati – *S* dobles enlaces acumulados

Kumulus®. *Fungizid auf der Basis von Schwefel gegen Pilzkrankheiten u. Spinnmilben. *B.:* BASF.

Kumys (Kumyß). Traditioneller K. ist ein schäumendes, säuerliches Getränk, das von Nomaden der zentralasiat. Steppen durch eine gleichzeitige Milchsäure- u. alkohol. Gärung aus Stutenmilch (Zuckergehalt ca. 6%) gewonnen wird. K. schmeckt je nach Reifegrad mehr od. weniger sauer (pH-Wert 4) u. enthält neben 0,2 – 0,7% Milchsäure auch 0,5 – 2,5% Ethanol. Aufgrund gewisser antibiot. Eigenschaften wird K. in Rußland auch als Heilmittel verwendet. Die Heilwirkung wird teils der Stutenmilch, teils den zur Fermentierung eingesetzten Mikroorganismen zugeschrieben. Mittels geeigneter Technologie zur Modifizierung von Milch u. einem entsprechend angepaßten Fermentationsverf. kann auch aus Kuhmilch ein K.-ähnliches Produkt hergestellt werden. – *E* kumiss, koumiss – *F* koumiss – *I* kumis – *S* cumis

Lit.: Chem. Mikrobiol. Technol. Lebensm. **9**, 178 – 183 (1988) ▪ Riechst. Aromen Kosmet. **26**, 260 (1976) ▪ Umschau **77**, 681 (1977).

Kunckel von Löwenstern, Johann (1630 od. 1638 – 1702 od. 1703), Glasmacher, Apotheker u. Alchemist an verschiedenen Fürstenhöfen. *Arbeitsgebiete:* Iatrochemie, Herst. von Rubinglas u. a. Gläsern, Einführung des Lötrohrs in die chem. Analyse.

Lit.: Lexikon der Naturwissenschaftler, S. 255 ▪ Pötsch, S. 253.

Kunitz-Inhibitor s. Serin-Proteasen.

Kunkeln. Fachsprachliche Bez. für zylinderförmige Preßlinge aus *Sprengpulver od. -salpeter, die eine zentrale Bohrung zwecks Aufreihung der einzelnen Formkörper haben.

Kunstfasern. Heute zugunsten von *Chemiefasern aufgegebene Bez. für textile *Fasern, die durch Umwandlung von Naturstoffen (*Beisp.:* die sog. *Kunstseiden) od. vollsynthet. (*Beisp.:* s. Synthesefasern) erhalten werden. – *E* artificial fibers, man-made fibers – *F* fibres artificielles – *I* fibre sintetiche – *S* fibras artificiales

Kunstgläser (polymere Gläser). Bez. für Werkstoffe mit glasähnlichen Eigenschaften auf der Basis von organ. *Polymeren, die beim Abkühlen aus der Schmelze glasartig (amorph) erstarren. Ein derartiges Verhalten zeigen in der Regel Polymere mit großen u. unregelmäßig verteilten Substituenten an der Hauptkette, wie z. B. ataktikt. *Polystyrol u. *Polymethylmethacrylat. K. können in vielen Fällen vorteilhaft anorgan. *Glas ersetzen. Breite techn. Anw. gefunden als K. haben v. a. die Polymethacrylate (s. Acrylglas). – *E* glassy polymers, polymeric glasses – *F* verres polymères – *I* vetri polimeri – *S* vidrios polímeros, polímeros vítreos

Lit.: Kunststoff-J. **10**, Nr. 10, 42 – 52 (1976) ▪ s. a. Acrylglas.

Kunstharzbeton s. Polymerbeton.

Kunstharzdispersionen s. Polymerdispersionen.

Kunstharze. Nach DIN 55958 (12/1988) *synthetische Harze, die durch Polymerisations-, Polyadditions- od. Polykondensationsreaktionen hergestellt werden. Sie können durch Naturstoffe, z. B. pflanzliche od. tier. Öle bzw. *natürliche Harze, modifiziert sein. Zu den K. zählt man weiterhin auch chem., z. B. durch Veresterung od. Verseifung, modifizierte natürliche Harze. – *E* synthetic resins – *F* résines synthétiques – *I* resine sinteciche – *S* resinas sintéticas

Kunstharzfilme. Bez. für mit *Reaktionsharzen (härtbare *Kunstharze auf der Basis von MF, PF, UF, UP) imprägnierte u. vorkondensierte Spezialpapiere, die, auf Trägerplatten aufgerollt, unter Hitze u. Druck härten. Nach dem gleichen Prinzip werden auch elast. duroplast. Laminate hergestellt. Zu den K. gehören *Dekorfilme, *Overlays, *Underlays, Barrierefilme u. Rückseitenfilme für die dekorative Beschichtung von Holzwerkstoffen, *Kernfilme* aus mit Phenol-Harzen beschichteten Papierbahnen für die Herst. von Schichtpreßstoffplatten u. *Laminaten, Schutzfilme für die Sperrholzbeschichtung, *Grundierfilme u. Kunststoff-Furniere für die Möbel-Ind., Leime u. Klebstoffe in Filmform für die flächige Verbindung von Holz/Holz, Holz/Metall, Metall/Metall u. a. – *E* synthetic resin films – *F* films de résine synthétique – *I* pellicole di resina sintetica – *S* películas de resina sintética

Kunstholz. Unzweckmäßiger Begriff, unter dem man Werkstoffe aus Holzmehl als Füllstoff u. Portlandzement als Bindemittel ebenso verstehen kann wie Produkte im Sinne von *Holz-Kunststoff-Kombinationen (Polymerholz) od. irgendwie „vergütete" Hölzer. – *E* artificial wood – *F* bois modifié, bois aggloméré, similbois – *I* legno artificiale – *S* madera artificial

Kunsthonig (Invertzuckercreme). Ein aus mehr od. weniger stark invertierter Saccharose mit od. ohne Verw. von Stärke-Sirup od. Stärke-Zucker hergestelltes, aromatisiertes, dem *Honig in Aussehen, Geruch u. Geschmack ähnliches Erzeugnis. Je nach Herst. enthält K. organ. Nichtzuckerstoffe, Mineralstoffe, Saccharose u. *5-Hydroxymethyl-furfural (0,08–0,14%). Der Zusatz von *Lebensmittelfarbstoffen ist üblich. Zur Herst. von K. wird eine 75%ige Saccharose-Lsg. säurehydrolyt. (z. B. durch Salz-, Schwefel-, Phosphor- od. Ameisensäure) od. seltener enzymat. in Glucose u. Fructose gespalten. Der Säure-Zusatz wird mit Natrium- od. Calciumcarbonat u. a. neutralisiert u. der invertierte Sirup aromatisiert. Aromaträger sind v. a. Phenylessigsäureester. Während der Inversion entsteht durch Zers. von Fructose u. Glucose eine merkliche Menge an 5-Hydroxymethylfurfural, das durch den *Fiehe-Test nachweisbar ist u. zur Unterscheidung von K. u. Honig dient. K. wird als Brotaufstrich sowie zur Herst. von Backwaren verwendet. – *E* artifical honey – *F* miel artificiel – *I* miele artificiale – *S* miel artificial

Lit.: Belitz-Grosch (4.), S. 803 f. ▪ Franzke, Lehrbuch der Lebensmittelchemie, Bd. 2, S. 183, Berlin: Akademie 1982. – *[HS 1702 90]*

Kunsthorn s. Casein-Kunststoffe, Galalith.

Kunstkohle s. Graphit.

Kunstleder. Unter Verw. von *Kunststoffen hergestellte textile u. a. flexible Flächengebilde mit od. ohne Deckschicht, welche dem Verw.-Zweck entsprechende z. T. lederähnliche Eigenschaften u./od. Oberflächengestaltung (z. B. Prägung) haben (vgl. DIN 16922, 02/1981).

Einteilung: 1. Gewebe-K.: Hier kann der Träger aus einer od. mehreren, gleichen od. verschiedenen, miteinander fest verbundenen Lagen bestehen, z. B. aus eng- od. weitmaschigen Geweben, Gewirken, Gestricken, Geflechten, Netzwerken (Netztuchen) – man spricht dann z. B. von ein- od. zweiseitig beschichteten Geweben. Die Kunststoffbeschichtung besteht z. B. aus PVC, Acryl-, Methacryl-, Vinylestern, Polyamiden, Mischpolymerisaten u. dgl.

2. Vlies-K.: Flächengebilde aus ungeordneten Fasern (z. B. Filze u. Faservliese), die durch ein Bindemittel untereinander verbunden sein können (ausgenommen sind Erzeugnisse mit naturgewachsenem *Leder als Träger). Die Vlies-K. sind zumeist mit wasserunlösl. Imprägniermitteln verfestigte Cellulose- od. Textilvliese, die in der Regel ein- od. zweiseitig mit lederähnlichen Deckschichten versehen werden.

3. Faser-K.: Erzeugnisse aus losen, ungeordneten Fasern, die durch Kunststoffe als Bindemittel verfestigt sind (*Fabinet*). Man erhält sie z. B. durch Verkleben von Lederfasern (aus Lederabfällen, bes. von pflanzlich gegerbtem Leder) mit 8–40% eines Bindemittels aus Kautschuklatices od. Dispersionen mit Acryl- od. Vinylestern, Isobutylenpolymerisaten u. dgl.

4. Folien-K.: Erzeugnisse ohne bes. Träger- od. Gerüstsubstanzen, d. h. weitgehend homogene Folien aus Kautschuk, PVC mit Weichmachern, Polyamiden, Mischpolymerisaten u. dgl. ohne Fasereinlagerung.

5. Mit den Vlies-K. eng verwandt sind die auf der Basis von *Wirr*faservliesen aufgebauten *Poromeren u. die *Schaumkunstleder*.

K. haben breite Verw. gefunden z. B. für Sitzbezüge u. Innenauskleidungen von Verkehrsmitteln, für Koffer u. Täschnerwaren, Schuhmaterial, Oberbekleidung usw. – *E* leatherlike material, artificial leather – *F* cuir factice, cuir artificiel – *I* similpelle – *S* cuero artificial

Lit.: Encycl. Polym. Sci. Eng. **8**, 677–697 ▪ Kirk-Othmer (3.) **6**, 377–386; **14**, 231–249; (4.) **6**, 595–605; **15**, 177–192 ▪ Ullmann (4.) **15**, 163–170; (5.) A **15**, 283–292.

Kunstseiden. Histor. Bez. für *Chemiefasern aus Cellulose(estern), die heute als *Cellulose-Fasern zusammengefaßt werden. In chem. u. färber. Hinsicht sind die K. keine „Seiden" im Sinne von Naturseide, denn letztere ist aus Proteinen aufgebaut (*Fibroin, s. a. Seide). Dagegen bestehen *Viskosefasern* u. die *Kupferseide* (ähnlich wie mercerisierte Baumwolle) aus *regenerierter *Cellulose (Hydratcellulose), u. die Acetatseiden* sind *Celluloseacetate. Da die K. jedoch mit der Naturseide viele physikal. Eigenschaften (Griff, Glanz, Geschmeidigkeit, Feinheit der Fäden) gemein haben u. diese für die prakt. Beurteilung von Geweben wesentlich sind, ist die Bez. „K." verständlich. In Deutschland faßte man früher Fasern aus regenerierter Cellulose u. ihren Estern auch als *Reyon* zusammen, im Ausland nur die aus Cellulose-Regeneraten als *Rayon*. In DIN 60001 Tl. 3 (10/1988) sind die einzelnen Faserarten begrifflich genormt, Tl. 4 (08/1991) nennt ihre international üblichen Kurzz., s. Chemiefasern.

Im Vgl. zu reiner Baumwollcellulose besitzen die Cellulose-K. (Viskoseseide, Kupferseide) aufgrund ihrer chem. Vorbehandlung die Merkmale eines schwachen Abbaus (etwas erhöhtes Red.-Vermögen, leichtere Färbbarkeit, leichtere Verdaulichkeit für Cellulose-abbauende Enzyme, leicht gesteigerte Hygroskopizität u. Quellbarkeit, etwas verminderte mechan. Festigkeit). Diese veränderten Eigenschaften sind v. a. durch die geringeren Mol.-Größen der K. bedingt. Die chem. Unterscheidung der verschiedenen K. läßt sich folgendermaßen durchführen: Acetatseide löst sich in reinem Aceton vollständig (Triacetat u. U. nur teilw. od. gar nicht) u. gibt außerdem beim Verbrennen an kleiner Flamme unter Entwicklung von stechend sauren Gasen (Essigsäure) spröde, glasige Massen. Viskoseseide u. Kupferseide werden durch ihr Anfärbungsvermögen gegenüber *Faserreagenzien erkannt. Unter dem Mikroskop zeigen die K.-Fäden eine sehr glatte, straffe, glasartig glänzende Oberfläche, während die Naturseiden rauher u. unausgeglichener aussehen. Die Dicke der einzelnen Fädchen, die jeweils zu dickerem *Faden* od. *Garn versponnen werden, beträgt 10–40 µm, die Dicke eines Naturseidenfadens etwa 15 µm. Die Feinheit der Fäden wurde früher nach *Denier-Graden, heute nach *tex gemessen.

Herst.: Hier unterscheidet man im wesentlichen folgende 3 Hauptarbeitsgänge: 1. Die *Gewinnung* einer geeigneten, mehr od. weniger zähflüssigen Spinnlsg., – 2. die *Formung* der Spinnflüssigkeit zu feinen Fäden infolge Pressens durch feine Düsen aus nichtrostenden Metallen (Gold-Platin-Leg., Tantal), Porzellan od. Glas, – 3. die *Nachbehandlung*, Härtung, Trocknung u. Verspinnung der Fäden.

Als Ausgangsstoffe für *Acetatfasern* benutzt man die in Aceton bzw. Dichlormethan gelösten *Celluloseacetate (Sekundäracetat bzw. Triacetat), die nach dem *Trockenspinnverf.* durch Düsen gegen einen 50–60 °C heißen Luftstrom gepreßt werden, wobei das Lsm. verdampft. *Viskosefasern u. *Kupferseide werden mittels *Naßspinnverf.* hergestellt: *Viskose*, die aus *Cellulosexanthogenat durch Reifen entstandene Lsg., wird durch Düsen in ein Fällbad aus H_2SO_4 u. Na_2SO_4, beim Kupfer-Verf. die als Tetramminkupfer(II)-Komplex gelöste Cellulose in entgegenströmendes warmes Wasser gepreßt. Im Fäll- od. Spinnbad werden die Lsg.-vermittelnden Xanthogenat-Gruppen bzw. Cu-Ionen von der Cellulose wieder abgespalten. Es entstehen dabei Fasern, die wie *Baumwolle aus reiner Cellulose bestehen, allerdings mit niedrigerem Polymerisationsgrad. Durch Änderung der Verf.-Führung lassen sich die Viskosefasern modifizieren; die so zugänglichen *Modalfasern* unterteilt man in *Hochmodulfasern u. *Polynosic®-Fasern. *Acetatfasern* haben einen naturseidenartigen Glanz u. Griff, geringe Knitterneigung, große Weichheit, Leichtigkeit u. geringe Quellfähigkeit im Wasser. Ihr spezif. Gew. beträgt nur 1,3; sie erweichen bei 200 °C u. schmelzen bei 260 °C. Zum Färben eignen sich *Dispersionsfarbstoffe. Textilien aus Acetatfasern sind meist pflegeleicht. Die Stoffe aus regenerierter Cellulose haben ähnliche Eigenschaften wie Baumwolle u. können nach denselben Verf. gefärbt werden. Einen Vgl. der verschiedenen Faserarten ermöglicht die Tab. in *Lit.*[1].

Geschichte: Um 1885 kam *Chardonnet-Seide als erste K. auf; sie wurde 1891 techn. in Mengen von 50 kg/d hergestellt. Fremery u. Urban entdeckten u. entwickelten (eigentlich auf der Suche nach Glühbirnenfäden) 1892 die Kupferseide. Acetatseide wurde während des 1. Weltkriegs erstmals fabriziert. Die K. (Cellulosics) sind in der Produktionsstatistik in den 70er Jahren von den vollsynthet. Fasern (Synthetics) überholt worden, s. die Zusammenstellung bei Chemiefasern. – *E* artificial silk, cellulosics – *F* soie artificielle – *I* sete artificiali – *S* sedas artificiales

Lit.: [1] Winnacker-Küchler (4.) **6**, 724.
allg.: Encycl. Polym. Sci. Eng. **3**, 200–223; **6**, 691–702; **14**, 45–72 ▪ Kirk-Othmer (3.) **5**, 89–117; **19**, 855–880; (4.) **10**, 598–624, 696–762 ▪ Rogowin u. Galbreich, Die chemische Behandlung u. Modifizierung der Zellulose, Stuttgart: Thieme 1983 ▪ Ullmann (4.) **9**, 213–226; (5.) **A 5**, 401–418, 447 f. ▪ Winnacker-Küchler (3.) **5**, 287–398; (4.) **6**, 711–723.

Kunststoffabfälle. In der BRD fallen jährlich insgesamt ca. 3 Mio. t K. bei der Kunststoffproduktion, -verarbeitung u. -weiterverarbeitung sowie bei Endverbrauchern an. Bei K. aus dem unmittelbaren Herstellungsprozeß od. aus der Kunststoffverarbeitung handelt es sich in der Regel um sortenreine u. weitgehend unverschmutzte Materialien, die größtenteils in den Produktionsprozeß zurückgeführt od. aufgearbeitet werden. Im Unterschied dazu setzen sich K. gewerblicher Endverbraucher od. der privaten Haushalte aus üblicherweise zahlreichen Kunststoffsorten zusammen u. sind z. T. stark verunreinigt. Entsprechend den Haupteinsatzgebieten für Kunststoffe stammen die K. vorwiegend aus dem Verpackungsbereich, dem Automobil- sowie dem Bausektor.

Soweit K. nicht verwertet werden, erfolgt eine Entsorgung zusammen mit dem *Hausmüll, d. h. K. werden vornehmlich deponiert. K. verhalten sich auf *Deponien zwar weitgehend inert, beanspruchen aber aufgrund ihres geringen spezif. Gewichts ein hohes Deponievolumen.

Als Verwertungsmöglichkeiten für K. kommen grundsätzlich drei Alternativen in Frage: die werkstoffliche, rohstoffliche u. energet. Verwertung (s. Abb.); bei biolog. abbaubaren K. tritt anstelle der werkstofflichen Verwertung die *Kompostierung.

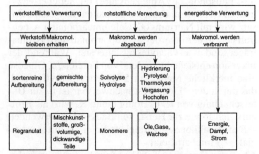

Abb.: Schema der Verwertung von Kunststoffabfällen[1].

Bei der *werkstofflichen Verwertung*, dem eigentlichen Kunststoffrecycling, werden K. unter Beibehaltung ihrer Polymerstruktur aufgeschmolzen u. direkt zu Formteilen verpreßt od. als Regranulat bzw. Mahlgut weiterverarbeitet. Von den drei Hauptkunststoffgruppen *Thermoplaste, *Duroplaste u. *Elastomere lassen sich lediglich die Thermoplaste durch erneutes Aufschmelzen direkt recyceln; allerdings ist dieser Vorgang durch die bei der therm. Beanspruchung der Makromol. auftretende chem. Schädigung nicht beliebig oft wiederholbar. Duroplaste, Elastomere sowie zahlreiche Verbundkunststoffe sind therm. nicht regenerierbar u. allenfalls als Füllstoff verwendbar bzw. müssen rohstofflich od. energet. verwertet werden. Wegen der Unverträglichkeit der einzelnen Kunststoffsorten untereinander erfordert das werkstoffliche Recycling sortenreine u. saubere Materialien u. ist daher mit vertretbarem Aufwand nur für eine Teilmenge der K. durchführbar. Zwar lassen sich auch Gemische verschiedener thermoplast. K. werkstofflich verarbeiten, jedoch mit deutlichen Qualitätseinbußen. Die für das werkstoffliche Recycling erforderliche Aufarbeitung von K. aus Sammlungen (z.B. des *Dualen Systems) umfaßt in der Regel folgende Schritte: Vorzerkleinerung, Vorsortierung zur Abtrennung von Störstoffen, Zerkleinern, Waschen, Entwässerung, Trocknung, Sortierung, Extrusion, Schmelzfiltration u. Granulierung. Die gebräuchlichsten Sortierverf., das Schwimm-Sink-Verf. (Trennung der Kunststoffsorten im Schwerkraftfeld) u. *Hydrozyklon-Verf. (Trennung im Zentrifugalfeld) basieren auf den unterschiedlichen Dichten der Kunststoffe.

Bei der *rohstofflichen Verwertung* (chem. Recycling) werden die polymeren Werkstoffe zu niedermol. Rohstoffen umgewandelt, die sich in Chemie- od. Raffinerieanlagen erneut einsetzen lassen. Im Unterschied zu den werkstofflichen Verf. werden die rohstofflichen Verf. als Universalverf. bezeichnet, da sie auch vermischte u. verschmutzte K. verwerten können; im Regelfall ist keine Sortierung od. Reinigung, sondern lediglich eine Zerkleinerung u. Homogenisierung der Einsatzstoffe erforderlich. Zu den rohstofflichen Verf., die in der Praxis angewandt bzw. in Großversuchen bereits durchgeführt wurden, zählen therm. Verf. wie Hydrierung, *Pyrolyse, *Vergasung (s. Abfallbehandlung), *Thermolyse u. der Einsatz von K. im Hochofenprozeß sowie chem. Verf. (*Solvolyse). Bei der Thermolyse von K. werden diese durch Erhitzen in petrochem. Rohstoffe (z.B. *Naphtha) umgewandelt, die in der chem. Ind. weiterverarbeitet werden können. Im Hochofenprozeß können K. als Reduktionsmittel für die Umwandlung von Eisenerz in Eisen verwendet werden u. ersetzen Kohlenstaub, Schweröl od. Erdgas. Durch Polykondensation od. Polyaddition hergestellte Kunststoffe lassen sich durch Solvolyse (Hydrolyse, Alkoholyse) verwerten. Hierbei findet unter Druck u. bei erhöhten Temp. eine Rückspaltung der Polymere in ihre monomeren Ausgangsstoffe (z.B. Polyole) statt. Diese Verf. befinden sich teilw. noch im Erprobungsstadium.

Die *energet. Verwertung* von K. nutzt deren hohe Heizwerte zur Energieerzeugung. Die Verbrennung kann in speziellen Anlagen (z.B. Monoverbrennung im Wirbelschichtreaktor) od. als Mitverbrennung, z.B. in Hausmüllverbrennungsanlagen od. in Drehrohröfen der Zementind. erfolgen; eine Sortierung u. Reinigung der K. ist nicht erforderlich.

Die generelle Festlegung einer ökolog. Rangfolge von werkstofflicher, rohstofflicher u. energet. Verwertung ist nicht möglich. Werkstoffliche Verf. besitzen ein höheres ökolog. Potential, stellen aber hohe Anforderungen an die Qualität der Einsatzstoffe u. sind limitiert durch Aufbereitungsaufwand u. Substitutionsfaktor (Mengenverhältnis, in dem Neuware durch Altware substituierbar ist). Rohstoffliche u. energet. Verf. stellen nur moderate Anforderungen an die Einsatzstoffe, führen jedoch zu relativ gering veredelten Produkten. Die ökolog. Wertigkeit des jeweiligen Verf. hängt entscheidend davon ab, welche Umweltbelastungen (z.B. Ressourcenverbrauch, Emissionen) bei Anw. des Verf. im Vgl. zur jeweiligen Primärproduktion auftreten u. mit welcher Effizienz Primärressourcen durch K. ersetzt werden können[2]. – *E* plastic waste – *F* déchets plastiques

Lit.: [1] Industrieinitiative für Umweltschutz e. V. (Hrsg.), Umweltbrief, Nr. 12, S. 11, Köln 1995. [2] Studie der Arbeitsgemeinschaft Kunststoffverwertung (Kurzfassung) „Ökobilanzen zur Verwertung von Kunststoffabfällen aus Verkaufsverpackungen", TÜV Rheinland Sicherheit u. Umweltschutz GmbH, Köln 1995.
allg.: Entsorga-Magazin **14**, Nr. 9, 14–27 (1995) ▪ Härdtle et al., Recycling von Kunststoffabfällen, 2. Aufl., Berlin: E. Schmidt 1991 ▪ Tiltmann, Recycling betrieblicher Abfälle, Loseblatt-Ausgabe, Tl. 4/5.7.1, Augsburg: WEKA ▪ VGB Kraftwerkstechnik **74**, Nr. 3, 236–242 (1994).

Kunststoff-Beschichtung. Nicht eindeutige Bez., unter der man sowohl die *Beschichtung *von* Kunststoffen (z.B. *Kunststoffmetallisierung) als auch *mit* Kunststoffen verstehen kann. Letzteres wird in der Regel nach 4 verschiedenen Verf. durchgeführt, von denen das *Kunststoff-Flammspritzen heute nur noch geringe Bedeutung hat. Techn. wichtig sind dagegen das *Wirbelsinterverf.*, bei dem das erwärmte Werkstück in die *Wirbelschicht des Kunststoffpulvers getaucht wird; das *elektrostat. Pulverspritzen*, bei dem der, wie in verwandten Verf. der *Pulverbeschichtung, elektrostat. (50–90 kV) aufgebrachte Kunststoff im Ofen aufgeschmolzen wird; sowie das *Tauchverf.*, bei dem das Werkstück in Plastisole od. Kunststofflsg. bzw. -dispersionen eingetaucht wird. Bei der Beschichtung mit PE wird zur besseren Haftung des Pulvers häufig ein Bindemittel verwendet. – *E* polymer coating – *F* recouvrement synthétique – *I* plastificazione – *S* 1. recubrimiento del plástico, 2. recubrimiento con plástico
Lit.: ACHEMA-Jahrb. **1994**, 1948.01.11 ▪ Encycl. Polym. Sci. Eng. **3**, 619–633 ▪ McKetta **9**, 427–441 ▪ Ullmann (5.) **A 12**, 515; **A 20**, 746; **A 21**, 172; **A 18**, 399 ▪ Winnacker-Küchler (4.) **6**, 471 ▪ s. a. die Textstichwörter.

Kunststoff-Dispersionen s. Polymerdispersionen.

Kunststoffe. Unter „Kunststoffen" versteht man allg. (gemäß einem Definitionsvorschlag des Normenausschusses Kunststoffe im DIN) „Materialien, deren wesentliche Bestandteile aus solchen makromol. organ. Verb. bestehen, die synthet. od. durch Abwandeln von Naturprodukten entstehen. Sie sind in vielen Fällen unter bestimmten Bedingungen (Wärme u. Druck) schmelz- u. formbar". K. sind also prinzipiell organ. *Polymere. Zu den K. gehören ihrer Natur nach auch die *Kautschuke u. die *Chemiefasern; sie werden jedoch wirtschaftsstatist. gesondert erfaßt, bleiben also hier außer Betracht. Dagegen zählt die Wirtschaftssta-

tistik die synthet. *Lackrohstoffe u. die *Klebstoffe zu den Kunststoffen. Umgangssprachlich werden alle Gegenstände aus K. im engeren Sinne etwas abschätzig als *Plastik* bezeichnet.
Die Makromol. der K. können (s. Abb. 1) linear, verzweigt od. vernetzt sein.

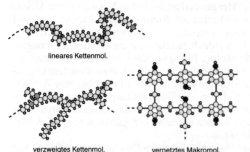

lineares Kettenmol.

verzweigtes Kettenmol.   vernetztes Makromol.
Abb. 1: Struktureller Aufbau von Kunststoff-Molekülen.

Lineare K.-Mol. haben keine Seitenketten; ideale Linearität wird aber nur selten erreicht. Verzweigte K.-Mol. sind gekennzeichnet durch mehr od. weniger lange Seitenketten, die kovalent an die Hauptkette gebunden sind. K. mit linearem bzw. verzweigtem Aufbau sind in der Regel *Thermoplaste.
Bei intermol. Verknüpfung benachbarter K.-Mol. spricht man von *Vernetzung. Diese kann dreidimensional weitmaschig od. engmaschig erfolgen. Weitmaschig vernetzte K. bezeichnet man als *Elastomere, engmaschig vernetzte als *Duroplaste od. Duromere. Die Makromol. der *Thermoplaste* werden bei Wärmezufuhr zunehmend beweglich. Bei Erreichen der *Glasübergangstemperatur erweicht der Thermoplast u. eine formgebende Verarbeitung des K., z. B. durch Pressen, Extrudieren, Spritzgießen, Gießen, Ziehen od. Kalandrieren wird möglich. Bekannte Thermoplaste sind z. B. die Massen-K. *Polyethylen, *Polypropylen, *Polystyrol, *Polyamide, *Polyester od. *Polyvinylchlorid.

Kovalent vernetzte K., z. B. Phenol-Formaldehyd-Harze (Phenoplaste) od. *Melamin- u. *Harnstoff-Harze, können dagegen aufgrund ihrer Netzwerkstruktur nicht mehr thermoplast. verarbeitet werden. Zunächst unvernetzte, thermoplast. verarbeitbare K. können nachträglich chem. (u. a. durch Peroxide) od. physikal. (Einwirkung energiereicher Strahlung) vernetzt werden, wobei sich ihre Eigenschaften z. T. wesentlich verändern. Ihre Formbeständigkeit in der Wärme wird erhöht, die Permeabilität für Gase u. Dämpfe wegen des nunmehr dichteren Gitterwerks der Makromol. dagegen verringert. Die Kettenmol. der K. können im Festzustand *amorph* (ungeordnet) u./od. teilw. geordnet (*teilkrist.*) sein. Der Ordnungszustand kann durch die Zugabe von Krist.-Keimen (sog. *Nukleierungsmitteln) wesentlich verbessert werden. Diese Möglichkeit wird z. B. bei Polyamid u. Polypropylen genutzt. Die Folge sind steifere, härtere u. mechan. festere Werkstoffe. Die ungeordneten amorphen Bereiche können unterhalb des Schmelzbereichs des jeweiligen K. durch Orientieren (Verstrecken, *Recken) in einen Zustand höherer Ordnung überführt werden. Dies geschieht z. B. bei synthet. Fasern, bei verstreckten Folienstreifen, Monofilen u. verfestigten Folien. Hohe Ordnungsgrade können darüber hinaus auch durch Verarbeitung aus einer flüssigkristallinen Schmelze od. Lsg. heraus erzielt werden.
K. sind generell nach allen für die Synth. von Polymeren üblichen *Polyreaktionen – *Polyadditionen, *Polykondensationen u. *Polymerisationen – u. *Polymer-analogen Reaktionen herstellbar. Eine Übersicht über die nach diesen Reaktionen zugänglichen einzelnen K.-Klassen mit Nennung wichtiger K.-Typen gibt Tab. 1.
Für die meisten K.- u. Polymer-Typen sind Kurzz. eingeführt worden, die in der DIN 7728, Tl. 1 (01/1988) genormt sind. Die Kurzz. wichtiger K. sind in Anlehnung an diese DIN-Norm in alphabet. Reihenfolge in der Tab. 2 aufgelistet. Diese Kurzz. sind ggf. durch Zusätze wie -(Co)polymer, -Harz, -Kautschuk u. a. zu er-

Tab. 1: Kunststoff-Klassen u. Kunststoff-Typen.

abgewandelte Naturstoffe	synthet. Kunststoffe		
	Polykondensate	Polymerisate	Polyaddukte
Duroplaste	*Duroplaste*	*Thermoplaste*	*Duroplaste*
Casein-Kunststoffe	Phenol-Harz	Polyethylen	Epoxidharz
	Harnstoff-Harz	Polypropylen	vernetzte Polyurethane
Thermoplaste	Thioharnstoff-Harz	Poly-1-buten	
Cellulosenitrat	Melamin-Harz	Poly-4-methyl-1-penten	*Thermoplaste*
Celluloseacetat	*ungesätt. Polyesterharze*	Ionomere	lineare Polyurethane
Cellulosemischester	Alkydharz	Polyvinylchlorid	chlorierte Polyether
Celluloseether	Allylharz	Polyvinylidenchlorid	
	Silicon	Polymethyl-methacrylat	
	Polyimid	Polyacrylnitril	
	Polybenzimidazol	Polystyrol	
		Polyacetal	
	Thermoplaste	Fluor-Kunststoffe	
	Polyamid	Polyvinylalkohol	
	Polycarbonat	Polyvinylacetat	
	Polyester	Poly-*p*-xylylen	
	Polyphenylenoxid		
	Polysulfon		
	Polyvinylacetal		

Tab. 2: Kurzz. wichtiger Kunststoffe (nach DIN 7728, Tl. 1, 01/1988).

ABS	Acrylnitril-Butadien-Styrol
AMMA	Acrylnitril-Methylmethacrylat
CA	Celluloseacetat
CAB	Celluloseacetobutyrat
CF	Kresol-Formaldehyd
CMC	Carboxymethylcellulose
CS	Casein
DAP	Diallylphthalat
EC	Ethylcellulose
EP	Epoxid
EPS	expandierbares Polystyrol
EVA	Ethylen-Vinylacetat
EVAL	Ethylen-Vinylalkohol
FEP	Tetrafluorethylen-Hexafluorpropylen
HDPE	Polyethylen hoher Dichte (Hart-PE)
LDPE	Polyethylen niederer Dichte (Weich-PE)
MBS	Methylmethacrylat-Butadien-Styrol
MC	Methylcellulose
MF	Melamin-Formaldehyd
PA	Polyamid
PA 6	Polymeres aus ε-Caprolactam
PA 66	Polykondensat aus Hexamethylendiamin u. Adipinsäure
PAN	Polyacrylnitril
PB	Polybuten
PBTP	Polybutylenterephthalat
PC	Polycarbonat
PCTFE	Polychlortrifluorethylen
PE	Polyethylen
PEC	chloriertes Polyethylen
PEP	Ethylen-Propylen
PETP	Polyethylenterephthalat
PF	Phenol-Formaldehyd
PI	Polyimid
PIB	Polyisobutylen
PMMA	Polymethylmethacrylat
POM	Polyoxymethylen, Polyacetal
PP	Polypropylen
PPO	Polyphenylenoxid
PPS	Polyphenylensulfid
PS	Polystyrol
PTFE	Polytetrafluorethylen
PUR	Polyurethan
PVAC	Polyvinylacetat
PVAL	Polyvinylalkohol
PVC	Polyvinylchlorid
PVDC	Polyvinylidenchlorid
PVDF	Polyvinylidenfluorid
PVK	Polyvinylcarbazol
PVP	Polyvinylpyrrolidon
SAN	Styrol-Acrylnitril
SB	Polystyrol mit Elastomer auf der Basis von Butadien modifiziert
SI	Silicon
SMS	Styrol-α-Methylstyrol
UF	Harnstoff-Formaldehyd
UP	ungesätt. Polyester

gänzen (z. B. MF-Harz für Melamin-Formaldehyd-Harz).
Die meisten der in der Tab. 2 aufgeführten K. werden in Einzelstichwörtern ausführlich behandelt.
Die Vielzahl der heute bereits zur Verfügung stehenden K. mit ihrem weitgefächerten Eigenschafts-Spektrum ermöglicht es, mit ihnen sehr breite Anw.-Bereiche abzudecken. K. sind daher in der Lage, das altbekannte Angebot an Werkstoffen wie Holz, Glas, Kera-

mik od. Metalle zu ergänzen u. zu verbessern. K. besitzen gegenüber diesen Werkstoffen eine Reihe von Vorteilen, aber auch Nachteile, wie die Tab. 3 veranschaulicht.

Tab. 3: Vor- u. Nachteile von Kunststoffen als Werkstoffe.

Vorteile	Nachteile
niedriges spezif. Gew.	meist nur geringe mechan. Festigkeit, Formbeständigkeit in der Wärme u. Wärmestandfestigkeit
hohe Beständigkeit gegen Korrosion u. Verrottung	
hohe elektr. Isolierfähigkeit, Wärmeschutz- u. Dämmwirkung gegen Schall	Anfälligkeit gegen Alterung, d. h. Beeinträchtigung der physikal. Eigenschaften unter der Einwirkung von Licht, Wärme u. Sauerstoff
leichte Formgebung u. wirtschaftliche Verarbeitbarkeit, deshalb idealer Werkstoff für die Massenfertigung	wegen ihrer organ. Natur sind die meisten K. brennbar
in vielen leuchtenden Farben in der Masse einfärbbar, bedruck- u. metallisierbar	schwierig auszubessern, Reparatur lohnt nur selten
breites Angebot preiswerter Rohstoffe	begrenzte Maßhaltigkeit, Neigung zur Nachschwindung u. zum Kriechen

Folgende Eigenschaften werden bei K. bes. angestrebt:
hohe mechan. Festigkeit, Steifheit u. Härte
hohe Schlag- u. Kerbschlagzähigkeit
günstiges Verhältnis von Festigkeit u. Dichte
hohe Formbeständigkeit in der Wärme u. Wärmestandfestigkeit
niedriger Wärmeausdehnungskoeff.
hohe Transparenz
hohe Beständigkeit gegen Licht- u. Wärmealterung
günstiges Schwindungsverhalten u. hohe Maßbeständigkeit
hohe Beständigkeit gegen Chemikalien u. Spannungskorrosion
Schwerentflammbarkeit bzw. Unbrennbarkeit
hohe Impermeabilität gegen Gase u. Dämpfe bzw. selektive Permeabilität für bestimmte Medien
Metallisierbarkeit im Hochvak., bes. auf galvan. Wege
gute antistat. Ausrüstbarkeit
günstiges Verhalten beim Schäumen u. Vernetzen
günstiges Verhalten beim Verstärken durch Zusatzstoffe od. im Verbund mit klass. Werkstoffen
leichte u. damit wirtschaftliche Verarbeitbarkeit im weitesten Sinne, d. h. einschließlich Einsparen der Aufbereitungskosten durch Zugabe aller Begleitstoffe bei der Polymerisation od. auch die unmittelbare Polymerisation der Monomeren zu Halb- u. Fertigerzeugnissen
umweltfreundliches Verhalten u. tox. Unbedenklichkeit
leichte Rückführbarkeit in den Rohstoff-Kreislauf
niedrige Rohstoff- u. Verarbeitungskosten.

Nicht nur die Wahl der Monomeren sowie der Ordnungszustand od. die Kettenlänge (*Polymerisationsgrad) der Makromol. bieten Möglichkeiten zur Eigenschafts-Veränderung von Kunststoffen. Ähnlich wie bei metall. Werkstoffen durch Legieren können auch durch Vermischen strukturell unterschiedlicher Polymerer (Herst. von Polymerleg., *Polymerblends) maßgeschneiderte Eigenschaften von K. eingestellt werden. Ähnliches kann auch erreicht werden über die *Copolymerisation (*Block-, *Pfropfcopolymerisation) von chem. unterschiedlichen Monomeren. Musterbeisp. hierfür sind Copolymere von Styrol mit Acrylnitril (SAN) od. Butadien (ABS). Mit Hilfe dieser Comonomere können das mechan. Verhalten in der Wärme bzw. die Schlagzähigkeit des Polystyrols we-

Tab. 4: Kunststoff-Produktion weltweit.

Region	Produktion [10^6 t]					Anteil [%]	
	1982	1985	1988	1991	1994	1982	1994
Westeuropa	20,8	24,5	28,4	31,7	34,1	34	30,5
Nordamerika	17,9	23,6	29,5	30,8	37,0	29	33,0
Asien	10,4	13,9	17,8	22,6	27,8	17	24,5
Osteuropa	8,2	9,7	11,3	7,3	5,6	14	5,0
Lateinamerika	2,2	30,	3,8	4,1	4,5	4	4,0
Ozeanien	0,7	0,8	1,0	0,7	0,7	1	0,5
Afrika/Naher Osten	0,5	1,0	2,0	2,9	3,0	1	2,5
insgesamt	60,7	76,5	93,8	100,1	112,7	100,0	100,0

sentlich verbessert werden. *Füllen* u. *Verstärken* von K. sind heute als weitere Wege zur Eigenschafts-Verbesserung von großer techn. u. wirtschaftlicher Bedeutung. Zur *Faserverstärkung dienen vorwiegend Glasfasern (*glasfaserverstärkte Kunststoffe), Stahl- u. Kohlenstoff-Fasern, früher auch Asbest, als *Füllstoffe hauptsächlich mineral. Materialien wie Carbonate, Silicate etc. Durch K.-Verstärkung können viele der oben aufgestellten Forderungen erfüllt werden. Bei einem Glasfaser-Gehalt von 30% z.B. wird die Zugfestigkeit von K. verdoppelt, der Elastizitätsmodul steigt auf den dreifachen Wert, die Schwindung wird um zwei Drittel verringert, der Längenausdehnungskoeff. kommt dem der Metalle nahe. Bei den Thermoplasten wirkt sich die Verstärkung mit Glasfasern bes. günstig aus. Duroplast. Formmassen u. Gießharze werden seit langem mit Fasern u. Füllstoffen verstärkt, um ihnen v.a. die Sprödigkeit zu nehmen. Eine um Größenordnungen höhere Verstärkungswirkung wird mit anorgan. *Whiskers erzielt, z.B. bei Epoxidharzen. Eine Verbesserung des mechan. Verhaltens der K. in der Wärme – hierbei muß man zwischen einer chem. (*Thermostabilität*) u. einer physikal. (Formbeständigkeit in der Wärme, *Wärmestandfestigkeit*) Komponente unterscheiden – läßt sich durch Verfeinern des krist. Aufbaus erreichen. Darüber hinaus bieten sich folgende Möglichkeiten: Einbau steifer, voluminöser Gruppen in die Polymerketten (PMMA, PS, PVDC), Einbau polarer Gruppen (PAN, PA 66), Einbau von Ringverb. in die Kette (PPO, Polysulfon, PC), Vernetzen.
Die Entwicklung therm. belastbarer K. hat zu den sog. *hochtemperaturbeständigen Kunststoffen geführt, die Dauer-Gebrauchstemp. im Bereich von 160–260 °C haben u. kurzzeitig weitaus höheren Temp. ausgesetzt werden können. Die Bemühungen, immer anspruchsvollere Anw.-Gebiete für K. zu eröffnen, haben zu Produkten geführt, die sich u.a. auszeichnen durch hohe mechan. Festigkeit (u.a. *flüssigkristalline Polymere), elektr. Leitfähigkeit (*elektrisch leitfähige Polymere), interessante opt. Eigenschaften (*polymere Lichtwellenleiter), gute Verträglichkeit mit menschlichen Geweben (*medizinische Kunststoffe) u. biolog. Abbaubarkeit.
Die hervorragenden Eigenschaften derartiger Hochleistungs-K. wurden sowohl über die Entwicklung von neuen Monomeren u. Herst.-Verf. als auch über die Kombination von unterschiedlichen Polymeren zu mehrphasigen Syst. (z.B. Polymerblends, Poly-

merleg., *interpenetrierende polymere Netzwerke) eingestellt. Eine wichtige Rolle spielen bei diesen Entwicklungen K. als innovative Werkstoffe. Beisp. für derartige sog. *technische Kunststoffe (*E engineering plastics*) sind *Polycarbonate für opt. Speichersyst. in der Elektronik u. im Computerbau sowie *Hochleistungs-Verbundwerkstoffe*, die hohe mechan. Belastbarkeit mit niedrigem spezif. Gew. verbinden. Letztere ermöglichen bei Flugzeugen – der Airbus A 320 besteht z.B. zu ca. 15 Gew.% aus solchen Kunststoffen – mehr Nutzlast bei geringerem Treibstoffverbrauch. K. sind auch auf anderen Wegen breit modifizierbar, z.B. durch Einarbeiten von (verstärkenden) Füllstoffen, Pigmenten, Weichmachern u.a.
Aufgrund der enormen Vielseitigkeit ihrer Anw.-Möglichkeiten haben die K. im Verlauf ihrer über 100jährigen Geschichte – der erste K. wurde mit *Celluloid 1869 eingeführt, ihm folgten u.a. Galalith (1897), Bakelite (1908) u. Polyvinylchlorid (1928) – ihre heutige riesige Marktbedeutung erlangt.
1994 wurden weltweit ca. 113 Mio. t K. produziert (s. Tab. 4, *Lit.*[1]).
In der BRD erreichte die K.-Produktion 1994 ein Vol. von über 11 Mio. t (s. Tab. 5 u. 6, *Lit.*[2]).
Der Produktionswert von K.-Erzeugnissen in der BRD betrug 1994 ca. 96 Mrd. DM (Tab. 7 u. 8; *Lit.*[3]).
Die Tab. 5 bis 8 geben zusätzlich einen Überblick über die Mengenverhältnisse der wichtigsten K. u. deren hauptsächlichen Einsatzgebiete innerhalb der BRD, Tab. 9 zeigt den Verbrauch von K. nach Einsatzgebieten in Westeuropa (Stand 1993, s. *Lit.*[4]).
Die BRD ist mit einem Pro-Kopf-Verbrauch von 119 kg weltweit führend im Konsum von K., gefolgt von Österreich, den USA, Japan, der Schweiz, Italien u. Frankreich mit 116, 108, 87, 86, 81 u. 71 kg (*Lit.*[1]).

Tab. 5: Kunststoff-Produktion, -Außenhandel u. -Verbrauch in der BRD (1991 bis 1994).

	Menge [1000 t]				Veränderung [%]
	1991	1992	1993	1994	1994/93
Produktion	8 984	9 977	9 684	11 128	+14,9
Import	4 673	4 963	4 467	5 299	+18,6
Export	5 160	5 414	5 105	6 434	+26,0
Verbrauch*	8 497	9 526	9 046	9 993	+10,5

*Inlandverfügbarkeit: Produktion + Import – Export

Tab. 6: Kunststoffproduktion in der BRD (1992 bis 1994).

Kunststoff	Produktionsmenge [1000 t]			Veränderung [%]
	1992	1993	1994	1994/93
Polymerisate, insgesamt	6 279	6 055	6 647	+ 10,4
davon				
PE-HD	734	714	794	+ 11,2
PE-LD/LLD	–	929	973	+ 4,7
PP	557	629	707	+ 12,5
PVC	1 240	1 210	1 264	+ 4,5
Polystyrol	–	564	656	+ 16,4
Styrol-Copolymere	–	285	403	+ 41,3
sonstige	–	1 724	1 850	+ 7,3
Polykondensate/ Polyaddukte, insgesamt	3 543	3 477	4 314	+ 24,1
davon				
PA	–	236	320	+ 35,8
PC	–	218	250	+ 14,7
PET	–	67	96	+ 43,3
Alkydharze	–	154	157	+ 1,8
UP-Harze	148	80	101	+ 25,5
PF-Harze	–	233	270	+ 15,9
MF- und UF-Harze	–	535	–	–
PUR	–	907	1 171	+ 29,1
sonstige	–	1 047	–	–
Cellulose-Derivate insgesamt	155	153	166	+ 8,9

Quelle: Statist. Bundesamt/VKE

Tab. 7: Produktionswert der drei Sparten der dtsch. Kunststoff-Ind. (1991 bis 1994).

Kunststoff-sparte	Produktionswert [Mio. DM]				Veränderung [%]
	1991	1992	1993	1994	1994/93
Erzeugung	30 220	28 940	27 019	30 470	+ 12,8
Verarbeitung	56 964*	59 440	56 581	60 072	+ 6,2
Maschinenbau	6 719	6 206	5 591	5 708	+ 2,1
Kunststoffind. insgesamt	93 903	94 586	89 191	96 250	+ 7,9

*nur alte Bundesländer

Tab. 8: Produktionswert der in der BRD hergestellten Kunststofferzeugnisse.

Kunststofferzeugnis	Produktionswert [Mio. DM]	
	1993	1994
Kunststoff-Halbzeuge	17 348 833	18 532 433
Kunststoff-Einzelteile	17 115 314	17 891 071
Kunststoff-Bauelemente	6 975 687	8 210 479
Kunststoff-Verpackungsmittel	8 436 867	8 576 827
Kunststoff-Fertigerzeugnisse	5 665 843	5 565 159
Veredlung und Reparaturen	1 038 715	1 295 606
Kunststofferzeugnisse insgesamt	56 581 259	60 071 575

Quelle: Statist. Bundesamt, GKV-Berechnungen

K. werden in vielen Fällen zur Herst. von kurzlebigen Wirtschaftsgütern eingesetzt u. führen damit zu einem gravierenden Abfallproblem. Die Entsorgung von K. ist heute ein Politikum. Beiträge zur Problemlösung

Tab. 9: Verbrauch von Kunststoffen in Westeuropa in Einsatzgebieten (*Lit.*[4]).

Einsatzgebiet	Verbrauch [%]
Verpackungen	41
Bau-Ind.	20
Elektro/Elektronik	12
Fahrzeuge	7
Landwirtschaft	4
sonstige	16

sind u. a. VO zur Rücknahme von K.-Verpackungen (z. B. Einweg-K.-Flaschen). Die K. erzeugende u. verarbeitende Ind. trägt selbst mit intensiven Bemühungen zum *Recycling von K. zur Minimierung dieses Problems bei, von den anfallenden K.-Abfällen wurden 1993 in Westeuropa 2,5 Mio. t wiederverwertet, davon alleine 1,1 Mio. t in der BRD. Die dtsch. Recyclingquote liegt damit bei 37%, während in ganz Westeuropa nur 14% der anfallenden K.-Abfälle wiederverwertet wurden. Der hohe Heizwert von K.-Abfällen wird in beträchtlichem Umfang in Müllverbrennungsanlagen zur Energiegewinnung genutzt. Gezieltes Recycling setzt u. a. sichere Identifizierung von K. voraus. Dazu sind unterschiedliche Meth. entwickelt worden, die auf einfacher Bestimmung physikal. Eigenschaften der K. (*Lit.*[5]), naßchem. Tests nach einem Trennungsgang (*Lit.*[6]) od. spektroskop. Verf. (*Lit.*[7]) beruhen. – *E* plastics – *F* matières plastiques – *I* materie sintetiche – *S* plásticos, materiales sintéticos

Lit.: [1] Kunststoffe **85**, 1761 (1995). [2] Kunststoffe **85**, 1766 (1995). [3] Kunststoffe **85**, 1764 (1995). [4] Kunststoffe **85**, 1506 (1995). [5] Lernen Leisten **1981**, 53–59 (Beilage zu Chem. Labor Betr. **32**). [6] Pharm. Unserer Zeit **2**, 61–71 (1973). [7] Hummel u. Scholl, Atlas der Polymer- u. Kunststoffanalyse, Bd. 1–3, München: Hanser 1978–1982.
allg.: In Anbetracht des überaus reichhaltigen Angebots an K.-Lit., auch in dtsch. Sprache insbes. aus den Verl. Hanser (München), VDI (Düsseldorf), Hüthig (Heidelberg), Grundstoff-Ind. (Leipzig) u. Springer (Berlin), kann hier nur eine knappe Übersicht gegeben werden, die keine Wertung beinhaltet. Batzer **1–3** ▪ Becker, Braun u. Carlowitz, Die Kunststoffe, München: Hanser 1989 ▪ Brandrup u. Immergoot, Polymer Handbook, 3. Aufl., New York: John Wiley & Sons 1989 ▪ Compr. Polym. Sci. **1–7**, 1. u. 2. Suppl. ▪ Domininghaus, Die Kunststoffe u. ihre Eigenschaften, Düsseldorf: VDI 1988 ▪ Elias (5.), **1** u. **2** ▪ Hellerich, Harsch u. Haenk, Werkstoff-Führer Kunststoffe, 5. Aufl., München: Hanser 1989 ▪ Mark et al., Encyclopedia of Polymer Science and Engineering (Encycl. Polym. Sci. Eng.), Vol. 1–17, Suppl.-Vol., Index-Vol., New York: John Wiley & Sons 1985–1990. – *Verbände* (Auswahl): Fachvereinigung Gelatine im VCI e. V. (Frankfurt/M.); Fachverband Klebstoffindustrie e. V. (Düsseldorf); Fachverband Kunststofferzeugende Industrie e. V. (VKE, Frankfurt/M.); Verband der Lackindustrie e. V. (Frankfurt/M.), Fachverband der Stärkeindustrie e. V. (Bonn); Hauptverband der Deutschen Holz u. Kunststoffe verarbeitenden Industrie u. verwandter Industriezweige e. V. (HDH, Wiesbaden); Gesamtverband kunststoffverarbeitende Industrie e. V. (GKV, Frankfurt/M.); Wirtschaftsverband der deutschen Kautschukindustrie e. V. (WdK, Frankfurt/M.); Fachverband Bau-, Möbel- u. Industrie-Halbzeuge aus Kunststoff (Frankfurt/M.); Fachverband Kunststoff-Konsumwaren (Frankfurt/M.); Fachverband Technische Teile im GKV (Frankfurt/M.); Fachverband Verpackung u. Verpackungsfolien aus Kunststoff (Frankfurt/M.); Arbeitsgemeinschaft verstärkte Kunststoffe e. V. (AVK) (Frankfurt/M.); Fachverband

Schaumkunststoffe e. V. (FSK, Frankfurt/M.); Industrieverband Hartschaum e. V. (IVH, Heidelberg); Industrieverband Polyurethan-Hartschaum e. V. (IVPU, Stuttgart); Verband Deutscher Papierfabriken e. V. (VDP, Bonn); Hauptverband der Papier, Pappe u. Kunststoffe verarbeitenden Industrie e. V. (HPV; Frankfurt/M.); Industrieverband Papier- u. Plastikverpackungen e. V. (IPV, Frankfurt/M.); Fachverband für imprägnierte u. beschichtete Papiere (FIBEPA, Offenbach); Industrieverband Kunststoffbahnen (IVK, Frankfurt/M.); Kunststoffrohrverband e. V. (KRV, Bonn); Bundesverband der Lederwaren u. Kunststofferzeugnisse e. V. (Offenbach); Arbeitsgemeinschaft Deutsche Kunststoff-Industrie (AKI, Frankfurt/M.); Arbeitsgemeinschaft PVC u. Umwelt e. V. (Bonn); Industrieverband Verpackung u. Folien aus Kunststoff e. V. (IK, Bad Homburg v. d. H.); Qualitätsverband Kunststofferzeugnisse e. V. (Bonn); Technische Vereinigung der Hersteller u. Verarbeiter von Kunststoff-Formmassen e. V. (Würzburg).

Kunststoff-Flammspritzen. Verf. der *Kunststoff-Beschichtung, bei dem thermoplast. *Kunststoffe in Schichten von z. B. 0,8 – 1,0 mm festhaftend auf Metall, Glas u. dgl., nicht dagegen auf Holz, Weichgummi, Beton u. Kunststoffe, aufgespritzt werden können, vgl. Flammspritzen. – *E* flame spraying of plastics – *F* plastication à chaud, projection d'un plasiques à travers une flamme – *I* spruzzatura di materia sintetica alla fiamma – *S* proyección de plástico a la llama, pulverización a la llama

Kunststoff-Galvanisierung. Eine Meth. der *Galvanotechnik zur *Kunststoff-Metallisierung, die sich bes. für ABS-Kunststoffe, aber auch für PP, PPO u. a. *Kunststoffe eignet. Seit der Einführung der K.-G. (1964) ist das Verf. wesentlich vereinfacht worden, vgl. *Lit.*[1], so daß es sich heute als Sequenz folgender Schritte darstellt: *Beizen u. Aktivieren, Sparspülen, Entgiften, Spülen, Beschleunigen, chem. *Verkupfern od. *Vernickeln, Spülen, galvan. Verkupfern u. schließlich Galvanostegie. Für Theorie u. Praxis der K.-G. s. *Lit.*[2]; zur Prüfung s. DIN 53494 u. 53496 (beide 05/1984). In vollautomat. Anlagen werden so für Rundfunkgeräte, Plattenspieler, Schreibgeräte, Elektro- u. Haushaltsgeräte Rahmen, Gehäuse, Blenden, Drucktasten, für die Boots-, Sanitär- u. Möbel-Ind. Beschläge u. für die Automobil-Ind. Spiegel-, Rückleuchtengehäuse u. Kühlergrills sowie Uhrengehäuse u. Modeschmuck gefertigt. Bes. Anforderungen an die K.-G. werden bei der Herst. gedruckter Schaltungen gestellt[3]. – *E* electroplating of plastics – *F* galvanisation synthétique – *I* galvanizzazione di materia sintetica – *S* electrorecubrimiento de plásticos

Lit.: [1]Chem. Unserer Zeit **15**, 201 – 207 (1981). [2]Christoph et al., Kunststoff-Galvanisierung, Handbuch für Theorie u. Praxis, Saulgau: Leuze 1986. [3]Technische Regel VDI/VDE 3710: Fertigung von Leiterplatten; chemische u. galvanische Verfahren, Düsseldorf: VDI 1983.
allg.: ISO 4525 (10/1985) ▪ s. a. Kunststoffmetallisierung u. Galvanotechnik.

Kunststoffkleben. Bez. für das *Kleben von *Kunststoffen sowohl untereinander als auch mit anderen Werk- od. Baustoffen. Die Verklebbarkeit von Kunststoffen ist stark abhängig von deren Polarität, deren Benetzungsverhalten, den Möglichkeiten zur Ausbildung von Haftungskräften usw. Polare Kunststoffe wie

*Polyvinylchlorid, *Poly(meth)acrylate, *Polyester, *Polyurethane od. *Celluloseester lassen sich in der Regel gut verkleben, unpolare wie *Polyethylen, *Polypropylen sowie *Fluor- u. *Silicon-Polymere dagegen nur schwer. Bei unpolaren Kunststoffen ist Verklebbarkeit oft erst nach einer Oberflächenbehandlung, z. B. durch Oxid. od. Beizen, möglich.
Für das Verkleben von Kunststoffen werden überwiegend *Lösemittel- u. *Reaktions-Klebstoffe verwendet. Letztere sind u. a. Produkte auf der Basis von *Epoxidharzen, *ungesättigten Polyestern od. Polymethacrylaten. Bei den Lsm.-Klebstoffen spielt die Löslichkeit der zu verklebenden Kunststoffe im Lsm. des Klebstoffes eine wichtige Rolle. In Spezialfällen ist auch eine Verklebung mit reinen Lsm. möglich, wenn die Lsm. in der Lage sind, die Oberfläche der Kunststoffe anzulösen od. anzuquellen. Auch *Schmelzklebstoffe können für das K. eingesetzt werden. – *E* bonding of plastics – *F* collage de plastiques – *I* appicciare plastica – *S* pegado de plásticos

Lit.: Habenicht, Kleben, S. 335 – 351, Berlin: Springer 1986 ▪ VDI-Ges. für Kunststofftechnik, Klebstoffe u. Klebverfahren für Kunststoffe, Düsseldorf: VDI 1979.

Kunststoff-Metallisierung. Sammelbez. für alle Verf. der *Kunststoff-Beschichtung, mit denen man gepreßte od. gespritzte *Kunststoff-Gegenstände mit einer dünnen, gut haftenden Metallschicht überziehen kann. Vorteile sind: Gew.- u. Kostenersparnis gegenüber Metallgegenständen, geringe Anfälligkeit gegen Korrosion, Schutz des Kunststoffs gegen Einwirkung von Lsm., Öl, Feuchtigkeit etc. Im allg. nimmt man die K.-M. vor durch *Kunststoff-Galvanisierung, Aufsprühen geeigneter Lsg. (*Kathodenzerstäubung) od. *Aufdampfen von Metallen im Vakuum. Bei der Spritztechnik verwendet man Spritzpistolen, in denen ein Gemisch von z. B. Silbersalz-Lsg. u. Red.-Mitteln auf den Kunststoffgegenstand versprüht wird, so daß auf dessen Oberfläche ein glänzender Silber-Spiegel entsteht. Mit dem Hochvak.-Bedampfungsverf. erzielt man glänzende, etwa 0,1 – 1,0 µm *dünne Schichten aus Al, Au, Ag, Cu u. dgl. auf Kunststoff-Artikeln aus ABS, PA, PC, PF, PMMA, PS, UF. Eine hohe wirtschaftliche Bedeutung besitzen z. Zt. die stromlosen naßchem. K.-M.-Verf., v. a. für Cu-, Ni- u. Ag-Beschichtungen. Als Red.-Mittel werden meist Formaldehyd, Natriumhypophosphit, Natriumborhydrid od. Aminoborane eingesetzt. Stromlos erzeugte Metallbezüge dienen häufig als Grundlage für eine nachfolgende galvan. Beschichtung. – *E* metallic coating of plastics, metallizing of plastics – *F* métallisation synthétique – *I* metallizzazione di materia sintetica – *S* metalización de plástico

Lit.: Christoph et al., Kunststoff-Galvanisierung, Handbuch für Theorie u. Praxis, Saulgau: Leuze 1986 ▪ Encycl. Polym. Sci. Eng. **9**, 580 – 622 ▪ Kunststoffoberflächenbehandlung in der Feinwerktechnik (Metallisieren, VDI-Richtl. 2421, Bl. 2), Düsseldorf: VDI 1980 ▪ s. a. Kunststoffe u. Galvanotechnik.

Kunststoff-Papiere. K.-P. sind extrudierte, zumindest oberflächlich poröse Folien aus synthet. *Polymeren. Da extrudierte Folien selbst nicht über die für Farbstoff-Aufnahme, Opazität u. niedrige Dichte erforderliche Porenstruktur verfügen, muß diese durch

nachträgliches Verstrecken, Schäumen, Beschichten od. Anquellen erzeugt werden. Das Verstrecken muß dabei biaxial erfolgen, da die Folien sonst beim Bedrucken aufgespleißt werden. – *E* synthetic papers – *I* carte di polimeri sintetici – *S* papel sintético
Lit.: Elias (5.) **2**, 557.

Kunststoffrecycling s. Kunststoffabfälle.

Kunststoff-Schweißen. Nach DIN 7732, Tl. 1 (06/1963) versteht man unter K.-S. das „Vereinigen von thermoplast., d. h. nicht härtbaren *Kunststoffen gleicher od. verschiedener Art unter Anw. von Wärme u. von Druck sowie mit od. ohne Zusetzen von artgleichem Kunststoff (Zusatzwerkstoff). Das Verschweißen geht innerhalb des Temp.-Bereichs der Warmbildsamkeit der Berührungsflächen der zu verschweißenden Teile vor sich". Dabei verbinden sich die Kunststoffteile durch gegenseitige Diffusionsprozesse der Makromoleküle. Es lassen sich demnach nur Kunststoffe verschweißen, die durch Wärme erweichbar bzw. schmelzbar sind, nicht aber vernetzte Hochpolymere. Bei den *Schweißverfahren für Kunststoffe (DIN 1910, Tl. 3, 09/1977) unterscheidet man dielektr. (Hochfrequenz-) Schweißen, Heizelement-, Reibungs-, Warmgas- u. Ultraschallschweißen. – *E* plastics welding – *F* soudure des matières plastiques – *I* saldatura di materia sintetica – *S* soldadura de plásticos
Lit.: ACHEMA-Jahrb. **1994**, 2495.01.04 ■ Schweißen u. Kleben, Düsseldorf: Dtsch. Verl. Schweißtechnik 1981 ■ Thieme, Plastschweißen, Berlin: Technik 1980 ■ Ullmann (5.) **A 20**, 735 ■ s. a. Kunstsoffe u. Schweißverfahren.

Kunststoffverwertung s. Kunststoffabfälle.

Kunstwerkprüfung. Zu den mannigfachen Beziehungen zwischen Kunst u. Chemie gehört auch die analyt. Prüfung von Kunstwerken. Hierbei ist nicht nur zu denken an die Untersuchung der Werke bekannter Künstler, sondern auch an vorgeschichtliche Zeugnisse künstler. Betätigung; *Beisp.:* Höhlenmalerei, Grabbeigaben, Kultgefäße, Schmuck u. selbst Reliquien wie z. B. das Turiner Grabtuch[1]. Zur *Altersbestimmung von Kunstschätzen bedient man sich ähnlicher Meth. wie in der Archäologie u. bei der Untersuchung von *Fossilien. Eine genaue Kenntnis des Materials u. des handwerklichen Aufbaus von Kunstwerken kann deren zeitliche Zuordnung, ggf. auch eine persönliche Zuschreibung ermöglichen u. Fälschungen aufzudecken helfen. Auch der *Konservierung von Museumsgegenständen u. der *Restaurierung* geht heute im allg. die K. voraus. Bei der Untersuchung des oft unersetzlichen Kunstgegenstands mit naturwissenschaftlichen Meth. darf dieser in seinem originalen Bestand nicht geschädigt werden, d. h. alle Untersuchungen müssen mit mikroskop. kleinen Substanzmengen durchgeführt werden. Der Idealfall entspricht der sog. zerstörungsfreien *Werkstoffprüfung, bei der dem Kunstgegenstand überhaupt keine Substanz entnommen wird. Für die Untersuchung anorgan. Materialien wird sehr häufig die *Emissionsspektroskopie herangezogen. Man erhält auf diese Weise einen raschen Überblick über die Bestandteile einer anorgan. Farbsubstanz, einer Leg., eines Glases, Gesteins od. keram.

Materials. Findet man z. B. in der Farbe eines Gemäldes größere Mengen von Chrom, Cadmium, Zink od. Titan, so ist damit bereits sichergestellt, daß das Gemälde nicht vor dem 19. Jh. entstanden sein kann, da alle Pigmente, die diese Elemente enthalten, erst im 19. Jh. in den Handel kamen bzw. in dieser Zeit zum erstenmal hergestellt worden sind. Beisp. für derartige Analysen, die außerdem Gebrauch von mikroskop., mikrochem. Meth. u. dem Debye-Scherrer-Verf. (s. Kristallstrukturanalyse) machen, findet man bei Kühn[2] u. Riederer[3]. Unter den Meth. der *Spurenanalyse, die in der K. ebenso zur Anw. kommen wie in der *forensischen Chemie, ist bes. aussagekräftig die *Aktivierungsanalyse, die z. B. eine eindeutige Unterscheidung zwischen alten holländ. u. venezian. Meistern anhand der typ. Element-Verteilungsmuster in den verwendeten Bleiweiß-Qualitäten zuläßt. Zur Untersuchung von antiken Keramiken[4] eignen sich die Elektronenmikroskopie ebenso wie Röntgenbeugung u. -fluoreszenzspektroskopie, Elektronenspektroskopie, Rasterelektronenmikroskopie u. die Thermolumineszenz. Über die Herkunft von Marmor kann z. B. die massenspektroskop. Bestimmung der O- u. C-Isotopenverhältnisse Auskunft geben[5]. Mit Hilfe von ESCA u. REM lassen sich Tinten auf alten Handschriften bestimmen[6].

In der Regel ist die bloße Kenntnis der elementaren Zusammensetzung nicht ausreichend, um ein anorgan. Material zu charakterisieren. Bei Münzen, Kleinplastiken, Schmuckstücken aus Metallen u. keram. Material kommt eine mikroskop. Untersuchung des Gefüges hinzu; bei Gemälden das mikroskop. Studium des maltechn. Aufbaus an Hand von Querschnitten sowie die Bestimmung von Größe, Gestalt u. opt. Eigenschaften der Pigmentteilchen. Aufnahmen von Gemälden im Röntgen-, UV- u. IR-Licht lassen die Licht- u. Schattenverteilung sowie die „persönliche Handschrift" des Malers deutlicher als auf dem Gemälde selbst hervortreten; weiterhin zeigen sich bei der Fluoreszenzanalyse etwaige Übermalungen, Kompositionsveränderungen u. Reparaturen. Eine Restauration als Ergebnis solcher Untersuchungen zeigen die Abb. bei Thomson, *Lit.*[7]. Ausgegrabene metall. Gegenstände, die noch mit dicken Erd- u. Korrosionskrusten bedeckt sind, lassen in der Röntgenaufnahme ihre ursprüngliche Gestalt u. evtl. Verzierungen erkennen. Bei der Prüfung von Schäden an Bauwerken werden luftverunreinigende Spurenmetalle durch Neutronenaktivierungsanalyse bestimmt[8]. – *E* materials testing of works of art – *F* essai des matériaux d'objets d'art – *I* collaudo dell' opera d' arte – *S* ensayo de los materiales de objetos de arte
Lit.: [1] Umschau **81**, 642–647 (1981). [2] Chem. Unserer Zeit **3**, 50–57 (1969). [3] Naturwissenschaften **69**, 82–86 (1982). [4] Chem. Unserer Zeit **14**, 37–43 (1980). [5] Naturwissenschaften **67**, 446–451 (1980). [6] Chem. Eng. News **52**, Nr. 6, 21 (1974). [7] Nachr. Chem. Tech. Lab. **26**, 13–16 (1978). [8] J. Environ. Anal. Chem. **6**, 95–109 (1979).
allg.: Fortschr. Mineral. **57**, 203 ff. (1979) ■ Goffer, Archaeological Chemistry, New York: Wiley 1980 ■ Riederer, Kunstwerke chemisch betrachtet, Berlin: Springer 1981 ■ Selected Test Methods for Books, Documentary Materials, and Works Art, Atlanta: TAPPI 1981. – *Serie:* National Gallery Technical Bulletin, London: National Gallery.

Kunstwolle s. Reißwolle.

Kunz, Horst Walter (geb. 1940), Prof. für Organ. u. Bioorgan. Chemie, Univ. Mainz. *Arbeitsgebiete:* Peptid-Chemie, Schutzgruppen, Depsipeptid-Synth., Kohlenhydrat-Chemie, Glykosid- u. Saccharid-Synth., Glykopeptid-Synth., Glykokonjugat-Antigene, stereoselektive Synth., Kohlenhydrat-Auxiliare. *Lit.:* Kürschner (15.), S. 2585.

Kunzit s. Spodumen.

Kupfer (von latein.: cuprum, entstanden durch Abwandlung von latein.: aes Cyprium = zypr. Erz). Wegen seiner Herkunft ordnete man K. der zypr. Göttin Aphrodite (= Venus der Römer) zu u. gab ihm deren Symbol ♀. Chem. Symbol Cu, metall. Element, Ordnungszahl 29, Atomgew. $63,546 \pm 0,003$. Natürliche Isotope (in Klammern Häufigkeit in %): 63 (69,17) u. 65 (30,83); daneben sind künstliche K.-Isotope mit HWZ zwischen 3,2 s u. 61,88 h bekannt. K. tritt in den Oxid.-Stufen 0, +1, +2 u. +3 (selten +4, z. B. Cs_2CuF_6) auf, wobei die K.(II)-Salze (meist blaue od. grüne Verb.) am stabilsten sind. K. steht in der ersten Nebengruppe des Periodensyst. (11. Gruppe) über Silber u. Gold u. wird wie diese zu den *Übergangsmetallen gezählt (*K.-Gruppe*); es zeigt als Halbedelmetall mit diesen Edelmetallen einige Ähnlichkeiten. Außer dem goldgelben Cäsium sind z. B. Gold u. K. die einzigen farbigen metall. Elemente. Silber u. K. sind die besten Leiter für Wärme u. Elektrizität: Setzt man die relative Wärmeleitfähigkeit bzw. elektr. Leitfähigkeit von K. = 100%, so beträgt sie für Silber 107% bzw. 106%, für Gold 79% bzw. 72% u. für Eisen 20% bzw. 17%. Reines K. ist rot, D. 8,94, Schmp. $1083,0 \pm 0,1\,°C$, Sdp. 2595 °C, Härte nach Mohs 2,5–3, Zugfestigkeit 20–45 kg/ mm^2. K. kristallisiert kub.-flächenzentriert, vgl. die Abb. des K.-Typs bei Kristallstrukturen. K. ist ein ziemlich hartes, dabei gleichzeitig sehr zähes u. dehnbares Metall, das man ähnlich wie Gold u. Silber zu sehr dünnen (grünlichblau durchscheinenden) Blättern u. feinen Drähten formen kann. Wird ein K.-Stab mit großer Gewalt auseinandergezogen, so dehnt er sich vor dem Zerreißen um etwa 50% seiner ursprünglichen Länge aus. Die Härte kann durch Beimengungen von anderen Metallen (bes. Beryllium, aber auch Arsen u. Antimon) beträchtlich gesteigert werden; durch Zulegieren kleiner Tellur-Mengen erhält man Automaten-K. mit kurzen Drehspänen. Mit Zink, Zinn, Silber, Nickel, Eisen, Aluminium, Mangan, Silicium, Platin u. vielen anderen Metallen läßt sich K. gut legieren, s. Kupfer-Legierungen. Zum Gießen ist K. ungeeignet, da es größere Sauerstoff-Mengen auflöst u. beim Erstarren größtenteils wieder abgibt; die Sauerstoff-Gehalte für die verschiedenen K.-Sorten liegen zwischen 0,005 u. 0,040%.

Unter günstigen Umständen sind K.-Geräte sehr haltbar, auch unter Wasser – auf dem Meeresboden bei Helgoland gefundene K.-Gegenstände wiesen ein Alter von 710 ± 100 Jahren auf. An normaler feuchter Luft entsteht früher od. später eine grünliche *Patina, die das darunter befindliche metall. K. vor weiterer chem. Einwirkung (Korrosion) schützt. K. ist bei gewöhnlicher Temp. u. bei Ausschluß von Luft widerstandsfähig gegenüber Salz-, Schwefel-,

Ameisen-, Essig-, Milch-, Wein-, Citronen- u. Phosphorsäure, nicht dagegen bei Einwirkung in flachen, offenen Gefäßen. Ähnlich auflösend wirken Salpetersäure:

$$3\,Cu + 8\,HNO_3 \rightarrow 3\,Cu(NO_3)_2 + 4\,H_2O + 2\,NO$$

(das NO wird in Berührung mit Luft zu braunen NO_2-Dämpfen oxidiert) od. Gemische aus nicht-oxidierenden Säuren u. Oxid.-Mitteln. In siedender konz. Schwefelsäure löst sich K. unter Bildung von K.-Sulfat, in Ammoniakwasser (nach einigen Tagen) unter Bildung von blauem Tetramminkupferhydroxid $[Cu(NH_3)_4](OH)_2$. Im Feuer zeigt rotes K.-Blech zunächst bunte Anlauffarben, die durch *Interferenz an sehr dünnen Oxid-Schichten verursacht werden (Farben dünner Blättchen); diese gehen bei stärkerem Erhitzen in eine dickere Schicht von dunklem K.-Oxid über. Die Entfernung von Oxidschichten auf K. u. K.-Leg. kann mit im Handel befindlichen Aktivierungs-, Beiz- u. Flußmitteln erfolgen. Über Komplexe des K. mit organ. Liganden s. Kupfer-organische Verbindungen.

Nachw.: Eine qual. Prüfung auf K. kann mit Hilfe der durch K.-Ionen bewirkten grünen Flammenfärbung (s. a. Beilstein-Test), anhand der mit Pyridin/Iod-Reagenz auftretenden Fluoreszenz mit *Thermochromie (*Lit.*[1]), durch Tüpfelanalyse mit *Dithiooxamid, durch Bildung der tiefblauen *Tetramminkupfer(II)-Salze usw. erfolgen. Die quant. Bestimmung von K. kann komplexometr. mit *Calcon, iodometr., gravimetr. (z. B. als CuSCN), elektrolyt., kolorimetr. mit *Bathocuproin od. *Formazanen vorgenommen werden. Für die Spurenanalyse eignen sich die Atomabsorptionsspektroskopie sowie massenspektrometr. od. elektrochem. Methoden[2]. Über eine photometr. Bestimmung von K.-Spuren nach Anreicherung durch Ionenaustausch s. *Lit.*[3]. In Stahl u. Eisen läßt sich K. auch durch *Neutronenaktivierungsanalyse bestimmen; über die enzymat. Bestimmung von Nanogramm-Mengen Cu^{2+} s. *Lit.*[4]. Einen Vgl. verschiedener Meth. zur K.-Spurenanalyse in Frischwasser gibt *Lit.*[5].

Physiolog. Wirkungen: Metall. K. zeigt nur insofern physiolog. Wirkung, als es in saurer Umgebung Spuren von lösl. Salzen abgibt, die K.-Ionen (Cu^{2+}) bilden. Diese wirken auf Algen, Kleinpilze u. Bakterien schon in sehr geringen Mengen als starkes Gift; so wird z. B. die Schraubenalge *Spirogyra* bereits durch K. in einer Konz. von 1 ppb geschädigt. Daher sollen z. B. auch Schnittblumen in K.-Gefäßen länger haltbar sein als in Glasgefäßen. Die molluskizide Wirkung des K. versuchte man zur Bekämpfung von Bilharziose-Zwischenwirten zu nutzen. Es gibt allerdings auch Bakterien aus der Gruppe der *Thiobacillus*-Arten, die hohe K.-Mengen (um 50 g/L) tolerieren u. daher zum *Auslaugen armer K.-Erze (sog. *Bioleaching) benutzt werden. Vom tier. Organismus werden im allg. verhältnismäßig große Mengen an K.-Verb. ohne bes. Nachteile vertragen. So hat man z. B. gefunden, daß der Mensch mit der Nahrung täglich bis zu 1–5 mg K. aufnimmt, wovon aber nur wenig (0,5–2 mg) resorbiert wird; ein Erwachsener von 70 kg Gew. enthält 100–150 mg K., u. eine tägliche Aufnahme von 0,05–0,5 mg pro kg Körpergew. wird als vertretbar angesehen. K. ist für den Menschen u. Höhere Tiere u. auch für zahlreiche Pflanzen ein *essentielles *Spurenelement, u. zwar als Bestandteil von *Kupfer-Proteinen mit Enzym-Funktion. Die Inhalation von Dämpfen u. Rauch kann jedoch sog. Metall-Fieber verursachen, MAK (K.-Rauch) 0,1 mg/m^3, (K.-Staub) 1 mg/m^3. Lösl. K.-Salze (bes. K.-Sulfat) sind in größeren Mengen starke (reflektor.) *Emetika. Näheres zur Toxizität u. Therapie s. bei Lit.[6]. Bei Weichtieren u. Krebsen des Meeres findet sich im Blut an Stelle von Eisen-haltigem *Hämoglobin das K.-haltige *Hämocyanin; hier wirkt das aus dem Meerwasser aufgenommene K. als Atmungskatalysator. Durch das K.-haltige *Plastocyanin* der *Chloroplasten wird die Bildung des *Chlorophylls (Blattgrün) gefördert. Deshalb zeigen z.B. mit K.-Vitriol-Lsg. gespritzte Reben (K.-Verb. wirken gegen *Peronospora*) oft ein sattes Grün u. die auf Mangel an wasserlösl. K.-Verb. beruhende Urbarmachungskrankheit, Heidemoorkrankheit od. Weißseuche (äußert sich in mangelhafter Chlorophyll-Bildung u. Wachstumsminderung) kann aus demselben Grund durch Düngung mit K.-Verb. weitgehend beseitigt werden. Auch bei sehr K.-empfindlichen Algen scheinen äußerst geringe K.-Spuren lebensnotwendig zu sein, doch wird schon bei geringfügigen Steigerungen der K.-Konz. die tödliche Dosis erreicht.

Vork: Etwa 0,007% des obersten, 16 km dicken Anteils der festen Erdkruste besteht aus K.; damit steht es in der Häufigkeitsliste der Elemente an 25. Stelle. K. kommt als Halbedelmetall gelegentlich gediegen od. z.B. mit Arsen vergesellschaftet (Whitneyit) vor, doch überwiegen die K.-Minerale. Das größte Lager von gediegenem K. findet sich am Oberen See auf der Keweenawhalbinsel (US-Staat Michigan), wo auf präkambr. Melaphyr-Decken u. Quarzporphyren meist staub- bis schrotkorngroße K.-Stückchen anzutreffen sind; andere Lager sind im Ural u. in Neu-Mexiko. Das gediegene K. ist meist derb od. eingesprengt, in Blöcken, Klumpen od. auch dendrit., moos- od. eisblumenartig; der Strich ist metallglänzend, die Farbe kupferrot (doch finden sich oft auch dunkle, braune, schwarze, grüne od. blaue oberflächliche Verwitterungsrinden); eine bebilderte Beschreibung findet man bei Lit.[7]. Die wichtigsten, im allg. in Einzelstichwörtern behandelten K.-Minerale sind der K.-Kies (CuFeS$_2$) u. der K.-Glanz (Cu$_2$S); geringere Bedeutung haben Bornit (Cu$_5$FeS$_4$), Bournonit (2 PbS · Cu$_2$S · Sb$_2$S$_3$), Fahlerze, Malachit [Cu$_2$(OH)$_2$CO$_3$], Berzelianit (Cu$_2$Se), K.-Lasur [2 CuCO$_3$ · Cu(OH)$_2$], Pseudomalachit {Cu$_5$[(PO$_4$)(OH)$_2$]$_2$}, Cuprit (Cu$_2$O). Neben diesen Erzen werden auch Silicate, Carbonate u. Chloride des K. zur K.-Gewinnung herangezogen, z.B. der Atacamit [CuCl$_2$ · 3 Cu(OH)$_2$]. Spuren von K. finden sich in allen Böden, Tieren u. Pflanzen; auch hat man dieses Metall schon in Meteoriten u. auf der Sonne nachweisen können. Große K.-Erzlager befinden sich in den nord- u. südamerikan. Kordilleren, im kanad. Schild, in Zentralafrika. Über größere Lagerstätten verfügen auch die GUS-Staaten. Von wirtschaftlicher Bedeutung sind ferner Vork. in Polen, den Philippinen u. Australien sowie neuerdings Papua-Neuguinea. Die westeurop. K.-Vorräte sind unbedeutend. Die früher sehr ergiebigen Mansfelder Kupferschiefer-Lager sind nahezu er-

schöpft; die seit 1199 betriebene Erzförderung wurde Mitte 1990 eingestellt. Der Durchschnittsgehalt verarbeitbarer K.-Erze, der um 1900 noch etwa 5% betrug, liegt heute bei ca. 1%. Noch in der Entwicklung befindet sich die Ausbeutung von marinen *Mangan-Knollen mit einem durchschnittlichen K.-Gehalt von 0,5%, deren Vork. auf insgesamt 10^{10}–10^{12} t geschätzt werden. Näheres zu K.-Vork. u. Erzförderung s. Lit.[8].

Herst.: Einen Überblick über die Verf. der K.-Gewinnung u. der K.-Anreicherung in den einzelnen Stufen gibt folgendes Schema.

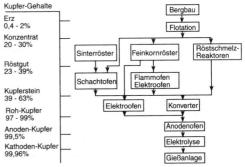

Kupfer-Gehalte
Erz 0,4 - 2%
Konzentrat 20 - 30%
Röstgut 23 - 39%
Kupferstein 39 - 63%
Roh-Kupfer 97 - 99%
Anoden-Kupfer 99,5%
Kathoden-Kupfer 99,96%

Bergbau
Flotation
Sinterröster · Feinkornröster · Röstschmelz-Reaktoren
Schachtofen · Flammofen Elektroofen
Elektroofen · Konverter
Anodenofen
Elektrolyse
Gießanlage

Abb.: Verf. zur Gewinnung von Kupfer; nach Winnacker-Küchler (Lit.).

Um 1 t Roh-K. zu erhalten, sind im Tagebau rund 1000 t Gestein zu bewegen; ohne den Abraum verbleiben ca. 200 t Roherz (ca. 0,4–2% K.). Die Gangart der sulfid. Erze wird im allg. durch *Flotation abgetrennt. Bei der pyrometallurg. Verhüttung wird zunächst (ggf. nach vorausgegangenem teilw. *Rösten) der sog. K.-Stein als Gemisch aus K.- u. Eisensulfid erschmolzen, aus dem in Konvertern in der ersten Blasphase (Vorblasen) der sog. Spurstein (Cu$_2$S) u. in der zweiten (Garblasen) das 97–99%ige Roh-K. als durch Gaseinschlüsse blasiges sog. Blister-K. erhalten wird. Ein einstufiges Verf. ist z.B. das *WORCRA-Verfahren. K.-arme oxid. u. oxid.-sulfid. Erze werden meist hydrometallurg. verarbeitet, d.h. durch *Auslaugen mit verd. H$_2$SO$_4$, durch elektrochem. Meth. u. heute auch durch *Bioleaching mit Bakterien – in den USA werden auf diese Weise jährlich über 250 000 t K. gewonnen! Aus den K.-Salzlsg. wird das K. mittels Eisenschrott als Zement-K. od. elektrolyt. abgeschieden. Näheres zur K.-Gewinnung s. bei Kirk-Othmer, Winnacker-Küchler u. Ullmann (Lit.), bei denen auch ältere Verf. (*Darren), die Lsm.-Extraktion ebenso wie die zahlreichen Raffinations-Verf. näher beschrieben sind. K. wird meist durch *elektrolytische Raffination gereinigt. Ihr geht immer eine Feuerraffination durch Polen voraus – hierunter versteht man die auch heute noch ausgeübte Red. von Sauerstoff-reicheren K.-Schmelzen durch Eindrücken frischer Buchen- od. Birkenstämme in das flüssige Metall. Bei modernen Verf. des Gaspolens werden Erdgas od. a. reduzierende Gase eingeblasen. Die Elektrolyse der K.-Anoden (30–60 °C, 0,3–2 V, 160–250 A/m^2) findet üblicherweise in schwefelsaurer CuSO$_4$-Lsg. statt; das kathod. abgeschiedene Elektrolyt-K. (E.-K., E-Cu) hat eine Reinheit von >99,95%. Aus der Anode stammende unedlere Metalle (z. B. Zn, Ni, Co, Fe) bleiben in Lsg., die edleren (z. B. Ag, Au, Pd, Pt, Se, Te, Bi, As, Sb u. Pb) bilden zusammen mit mitgerissenem K. den sog. *Anodenschlamm*, der abgetrennt u. auf die Begleitmetalle weiter verarbeitet wird. Über moderne Verf. u. Energieeinsparungen bei der elektrolyt. K.-Raffination s. *Lit.*[9]. Ca. 40% des verbrauchten K. entstammt dem *Recycling von Alt- u. Abfall-K. sowie Abwässern der Galvano- u. K.-Seiden-Ind.; man bezeichnet dieses K. als *Sek.-K.* im Gegensatz zu dem aus der Bergwerksproduktion stammenden *Prim.-Kupfer*. Die Erzförderung entsprach 1988 weltweit einer Menge von 8,70 Mio. t K., wobei Chile mit 1,45, die USA mit 1,42 u. die ehem. UdSSR mit 0,99 Mio. t an der Spitze lagen, gefolgt von Kanada (722 kt), Zambia (480 kt), Zaire (467 kt), Polen (441 kt), der VR China (370 kt) sowie Peru, Mexiko, Australien, Papua-Neuguinea, den Philippinen u. Südafrika. Der Weltverbrauch an Raffinade-K. belief sich 1987 auf 10,43 Mio. t; in der BRD wurden insgesamt 987 000 t K. verbraucht, davon 374 000 t aus Alt- u. Abfallmaterial (*Lit.*[10]). Die Weltjahresproduktion (ohne Recycling) liegt inzwischen bei ca. 6,5 Mio. t K., die Reserven werden auf 310 Mio. t geschätzt.

Verw.: Ca. 40% der jährlichen K.-Produktion werden zur Herst. von *Kupfer-Legierungen verwendet. K. ist jedoch eines der wenigen Metalle, die auch in reinem, nicht-legiertem Zustand eine techn. wichtige Rolle spielen. So findet K. eine umfangreiche Anw. in der Elektro-Ind., die ca. die Hälfte der jährlich erzeugten K.-Mengen aufnimmt. Wegen seiner guten Wärmeleitfähigkeit werden Braukessel, Vak.-Pfannen, Lötkölben, Dest.-Apparaturen, Heiz- u. Kühlschlangen usw. aus reinem K. od. aus K.-Leg. hergestellt. Ferner braucht man K. für Dachdeckungen, Statuen, Schiffsbeschläge, Patronenhülsen, Zündkapseln, Münzen, für Apparaturen der Spiritus-, Essig-, Fett- u. Zucker-Ind. usw. Der Gebrauch von K. im Kunstgewerbe (K.-Stich) beruht auf der leichten Polierbarkeit u. Gravierbarkeit des metall. K. od. seiner Leg.; nicht selten genügt *Verkupfern. Über die galvan. Verkupferung s. *Lit.*[11] u. über stromlose K.-Abscheidung in der Leiterplattentechnik s. *Lit.*[12]. K.-Verb. dienen als Pigmente, Katalysatoren (*Lit.*[13]), Stabilisatoren u. als spezif. Lsm. für Cellulose bei der Herst. von *Kupferseide. Über Cuprate mit Erdalkali- u. Seltenerdmetallen als Hochtemp.-Supraleiter s. *Lit.*[14]. Zur Rolle des K. in der präparativen organ. Chemie vgl. Kupfer-organische Verbindungen. In Form seiner Salze spielt K. wegen der fungiziden Wirkung seit altersher eine bedeutende Rolle im Pflanzenschutz u. in Holzschutzmitteln. In Intrauterinpessaren hat K. kontrazeptive Wirkung, u. K.-Komplexe dienen zur Behandlung von Arthritis (*Lit.*[15]).

Geschichte: K. ist dem Menschen als Werkstoff u. Schmuckwerkstoff schon seit mehr als 9000 Jahren bekannt. Wurde anfänglich nur gediegen vorkommendes K. verarbeitet, so gewannen die alten Ägypter bereits vor 6000 Jahren K. aus Erzen, die in Geröllfeldern aufgesammelt wurden. Der eigentliche Bergbau begann vor ca. 3000 Jahren in der heutigen Negev-Wüste. Während der Römerzeit lagen die ergiebigsten K.-Mi-

nen auf Zypern. Das älteste europ. K.-Bergwerk im ehem. Jugoslawien stammt aus der 2. Hälfte des 5. Jahrtausends vor unserer Zeitrechnung, u. auch auf Helgoland soll schon vor Jahrtausenden K.-Erz verhüttet worden sein (*Lit.*[16]). Im Jahre 922 wurden der K.-Erz-Bergbau in Sachsen (Frankenberg), u. um 1500 errichteten die Fugger das erste K.-Monopol. In Zaire ermöglichte das Auftreten von „K.-Blumen" (Pflanzen, die nur in K.-reichem Erdreich wachsen), Schmelzöfen aus dem 14. Jh. aufzufinden (*Lit.*[17]). – *E* copper – *F* cuivre – *I* rame – *S* cobre

Lit.: [1] Naturwissenschaften **61**, 107–110 (1974). [2] Townshend, Encyclopedia of Analytical Science, S. 852–858, London: Academic Press 1995. [3] Chem. Tech. (Leipzig) **29**, 329 ff. (1977). [4] J. Chem. Soc., Chem. Commun. **1972**, 502. [5] Int. J. Environ. Anal. **8**, 259–275 (1980). [6] Braun-Dönhardt, S. 227 f.; Ludewig-Lohs, S. 270 ff.; Reismann et al., Summary Review on the Health Effects Associated with Copper, Springfield, VA: EPA 1987. [7] Mineral.-Mag. **6**, 199–207 (1982). [8] Mining Annual Review, C33–C39, London: Mining Journal Ltd. 1989; Minerals Yearbook, 1987, Bd. I, S. 289–340, Washington: Bureau of Mines 1989. [9] Erzmetall **38**, 581–587 (1985); Metall (Berlin) **39**, 1049–1055 (1985). [10] British Geological Survey, World Mineral Production 1984–1988, Preliminary Statistics, Nottingham: Keyworth 1989; Metallstatistik, Bd. 75, S. 25–33, 243, Frankfurt: Metallgesellschaft 1988. [11] Jahrb. Oberflächentech. **40**, 39–46 (1984); **43**, 56–64 (1987). [12] Metalloberfläche **38**, 487–491 (1984). [13] Prog. Inorg. Chem. **35**, 219–327 (1987). [14] Nachr. Chem. Tech. Lab. **35**, 488 f. (1987); Chem. Unserer Zeit **21**, 30 ff. (1988). [15] Sorensen, Inflammatory Diseases and Copper, Clifton: Humana Press 1982; Prog. Med. Chem. **15**, 211 ff. (1978). [16] Spektrum Wiss. **1980**, Nr. 7, 108–115; Nr. 2, 10–20. [17] Endeavour NS **6**, 72–77 (1982).

allg.: Belitz-Grosch (4.), S. 381 ▪ Brauer (3.) **2**, 971 ▪ Gmelin, Syst.-Nr. 60, Cu, 1955–1966, Organocopper Compounds, Bd. 1–4; Index, 1983–1987 ▪ Kirk-Othmer (4.) **7**, 381–428 (K.), 429–505 (K.-Leg.), 505–520 (K.-Verb.) ▪ Snell-Ettre **10**, 598 ff. ▪ Ullmann (5.) A **7**, 471–593 ▪ Winnacker-Küchler (4.) **4**, 350–389, 468–471 ▪ Zahlreiche einschlägige Publikationen werden auch vom Dtsch. Kupfer-Institut (DKI) herausgegeben. – *Organisationen:* Conseil Intergouvernemental des Pays Exportateurs de Cuivre (CIPEC), F 75008 Paris, 37–39 Rue de la Bienfaisance ▪ Copper Development Association, Mutton Lane, Potters Bar, Herts, EN6 3AP (Großbritannien) ▪ Dtsch. Kupferinstitut (DKI), Am Bonneshof, 40474 Düsseldorf ▪ International Copper Association, 260 Madison Avenue, New York, NY 10016 ▪ s. a. andere Kupfer...-Stichwörter. – *[HS 7401 10, 7402 00, 7403; CAS 7440-50-8]*

Kupfer(II)-acetatarsenit s. Schweinfurter Grün.

Kupferacetate. (a) *Kupfer(II)-acetat*, $C_4H_6CuO_4$, $Cu(O-CO-CH_3)_2$, M_R 181,64, blaue Krist., Schmp. 130–140 °C (Zers.). Das Monohydrat bildet dunkelgrüne Krist., D. 1,882, Schmp. 115 °C, bei ca. 240 °C Zers.; lösl. in Wasser, wenig lösl. in Alkohol. Die Herst. erfolgt aus Kupfer(II)-carbonat od. Kupfer(II)-hydroxid u. Essigsäure.

Verw.: Früher als Adstringens u. mildes Ätzmittel, Zwischenprodukt zur Herst. von *Schweinfurter Grün (Pariser Grün), Fungizid, Katalysator für organ. Reaktionen, in der Färberei.

(b) *Bas. K.* s. Grünspan. – Über *Kupfer(I)-acetat* s. *Lit.*[1]. – *E* copper acetates – *F* acétates de cuivre – *I* acetati di rame – *S* acetatos de cobre

Lit.: [1] Naturwissenschaften **62**, 237 (1975); Paquette **2**, 1302. *allg.:* Beilstein E IV **2**, 111 ▪ Gmelin, Syst.-Nr. 60, Cu, Tl. B, 1961, S. 679–695 ▪ Hager (5.) **7**, 1114 ▪ Kirk-Othmer **6**, 267 f.;

(3.) **7**, 99, 102; (4.) **7**, 514 ▪ Merck-Index (12.), Nr. 2690 ▪ Paquette **2**, 1303 ▪ Ullmann (4.) **15**, 575; (5.) **A 7**, 583 f. – *[HS 291529; CAS 142-71-2]*

Kupfer(II)-acetylacetonat [Bis(2,4-pentandionato-*O*,*O*′)kupfer(II)].

$C_{10}H_{14}CuO_4$, M_R 261,76, blaues Pulver, Zers. ab 245 °C. K. wird als Katalysator, Stabilisator, Additiv, zur Herst. von Fungiziden etc. verwendet (vgl. Metallacetylacetonate). – *E* copper(II) acetylacetonate – *F* acétylacétonate de cuivre(II) – *I* acetilacetonato di rame(II) – *S* acetilacetonato de cobre(II)
Lit.: Beilstein E IV **1**, 3665 ▪ Paquette **2**, 1311 ▪ Ullmann (4.) **14**, 215. – *[HS 291440; CAS 13395-16-9]*

Kupferantimonglanz s. Wolfsbergit.

Kupferarsenate. Sammelbez. für Kupfer(II)-Salze der *Arsenigen Säure u. der *Arsensäure.
1. *Kupfer(II)-arsenite*, $CuHAsO_3$ od. $Cu(AsO_2)_2$ od. $Cu_3(AsO_3)_2$. Gelbgrüne Pulver, unlösl. in Wasser u. Alkohol, lösl. in verd. Säuren. Als *Scheeles Grün* wird ein Gemenge von normalen u. bas. Kupfer(II)-arseniten, das schon 1778 von Scheele hergestellt u. als Malerfarbe (giftig) verwendet wurde, angesehen; heute wird Bariummanganat(VI) als Pigment benutzt. *Kupfer(II)-acetatarsenit* ist das *Schweinfurter Grün.
2. *Kupfer(II)-arsenat* bildet als Tetrahydrat $Cu_3(AsO_4)_2 \cdot 4H_2O$, M_R 540,52, ein bläulich-grünes Pulver, unlösl. in Wasser, lösl. in verd. Säuren u. Ammoniakwasser. Es ist als Insektizid, Fungizid u. Holzschutzmittel einsetzbar, darf jedoch in verschiedenen Ländern, z. B. in der BRD, nicht mehr im Pflanzenschutz verwendet werden. Das gleiche trifft auch zu auf die sog. *Kupferarsen-Brühe* (Arsenkupfer-Kalkbrühe), eine wäss. Suspension von Calciumarsenat u. Kupferkalk, die früher im Weinbau eingesetzt wurde. – *E* copper arsenates – *F* arséniates de cuivre – *I* cuprarsenati – *S* arseniatos de cobre
Lit.: Gmelin, Syst.-Nr. 60, Cu, Tl. B, 1961, S. 944 f., 950 f. ▪ Kirk-Othmer (4.) **7**, 514 ▪ Ullmann (5.) **A 3**, 127. – *[HS 284290; CAS 10290-12-7 (CuHAsO₃); 7778-41-8 (Cu₃(AsO₃)₂)]*

Kupferarsen-Brühe s. Kupferarsenate.

Kupferarsenit s. Kupferarsenate.

Kupferblüte s. Cuprit.

Kupferbromide. (a) *Kupfer(I)-bromid.* CuBr, M_R 143,45. Farblose kub. Krist., D. 4,72, Schmp. 504 °C, Sdp. 1345 °C, wird am Licht grün bis dunkelblau, wenig lösl. in Wasser, in HCl u. Ammoniak-Lsg. unter Komplex-Bildung lösl., unlösl. in konz. H_2SO_4 u. Aceton. CuBr-Verb. mit Pyridin-Derivaten zeigen Lumineszenz-Thermochromie. Verw. als Katalysator für organ. Reaktionen; in photograph. Emulsionen.
(b) *Kupfer(II)-bromid*, $CuBr_2$, M_R 223,35. Fast schwarze, zerfließliche Krist., D. 4,710, Schmp. 498 °C (zerfällt bei ca. 300 °C unter Brom-Abgabe), sehr leicht lösl. in Wasser, lösl. in Alkohol u. Aceton, unlösl. in Benzol. Verw. als Bromierungsmittel bei organ. Synth. sowie in der Photographie. – *E* copper bro-

mides – *F* bromures de cuivre – *I* bromuri di rame – *S* bromuros de cobre
Lit.: Brauer (3.) **2**, 973 ff., 977 f. ▪ Gmelin, Syst.-Nr. 60, Cu, Tl. B, 1958, S. 367 – 383 ▪ Kirk-Othmer (4.) **7**, 514 ▪ Ullmann (5.) **A 7**, 584. – *[HS 282759; CAS 7787-70-4 (a); 7789-45-9 (b)]*

Kupfer(II)-carbonat. Das K. $CuCO_3$ konnte bislang nicht erhalten werden; dagegen gibt es gut kristallisierende, wasserunlösl., bas. Carbonate, z. B. *Malachit u. Kupferlasur, Doppelcarbonate mit Kaliumcarbonat ($CuCO_3 \cdot K_2CO_3$). Wenn man Soda-Lsg. zu Kupfersulfat-Lsg. gießt, entsteht ein grünlichblauer, z. T. kolloidaler Niederschlag von $CuCO_3 \cdot Cu(OH)_2 \cdot 1/2 H_2O$, der beim Erhitzen auf 200 °C in *Malachit, $Cu_2(CO_3)(OH)_2$, übergeht. Bas. K. können auch zur Bildung von *Patina beitragen.
Verw.: Unter den Bez. Azurblau, Kupferblau, Mineralblau, Lasurblau, Hamburger Blau, Bremer Blau u. dgl. werden bas. K. in der Malerei, zur Herst. roter Porzellanglasuren, in der Pyrotechnik, als Färbemittel in der Papierfabrikation, zum Schwarzbeizen von Messing u. dgl. verwendet. – *E* copper(II) carbonate – *F* carbonate de cuivre(II) – *I* carbonato di rame(II) – *S* carbonato de cobre(II)
Lit.: Brauer **2**, 901 f. ▪ Gmelin, Syst.-Nr. 60, Cu, Tl. A, 1955, S. 11, 19, 31, 173; Tl. B, 1961, S. 650 – 655 ▪ Kirk-Othmer (4.) **7**, 506 ff. ▪ Ullmann (5.) **A 7**, 573. – *[HS 283699; CAS 12069-69-1 (CuCO₃ · Cu(OH)₂ · 1/2 H₂O)]*

Kupferchloride. (a) *Kupfer(I)-chlorid*, CuCl, M_R 99,00. Farblose Tetraeder (Zinkblende-Struktur), D. 4,14, Schmp. 430 °C, Sdp. 1490 °C, 100 g Wasser lösen 1,5 g CuCl · HCl, Alkalichlorid-Lsg. usw. lösen CuCl unter Bildung von Komplexsalzen, z. B. $H[CuCl_2]$, Ammoniak unter Bildung von $[Cu(NH_3)_2]Cl$ u. $[Cu(NH_3)_4]Cl$. K. wird durch Red. von Cu(II)-chlorid in siedender HCl mit Elektrolyt-Kupfer od. durch Ausfällen aus NaCl-haltiger Kupfersulfat-Lsg. mittels durchgeleitetem SO_2 als Red.-Mittel hergestellt. Verw. in der *Gasanalyse u. Technik zur CO-Absorption, zum Nachw. von Arsenwasserstoff, als Katalysator bei Olefin-Oxid. u. bei der Acrylnitril-Synthese.
(b) *Kupfer(II)-chlorid*, $CuCl_2$, M_R 134,45. Als Dihydrat blaue, gewöhnlich (infolge anhaftender Lsm.-Spuren) grüne rhomb. Nadeln, D. 2,51, Schmp. ca. 100 °C, gut lösl. in Wasser, Methanol, Ethanol, mäßig lösl. in Aceton u. Ethylacetat. Wasserfreies $CuCl_2$ ist eine gelbe, zerfließliche Masse, D. 3,386, Schmp. 620 °C (extrapoliert), bei 510 °C Zers. unter Bildung von CuCl u. Chlor. Die sehr konz. wäss. Lsg. dieser Verb. ist dunkelbraun, beim Verdünnen wird sie zunächst grün, bei stärkerer Verdünnung blaßblau (Cu^{2+}-Ionen). Die Herst. erfolgt durch direkte Chlorierung von metall. Kupfer in Ggw. von Luft u. Wasser, als Lsg. aus Kupfersulfat u. Bariumchlorid; im Labor löst man z. B. Kupferoxid (CuO) in Salzsäure u. dampft vorsichtig ein. Verw. als Katalysator in organ. Synth., bes. bei *Oxychlorierungen u. im *Deacon-Prozeß, als Sauerstoff-Überträger für Anilin- u. Diphenylschwarz, Dianisidinblau u. dgl. im Textildruck, zur Herst. von Wäschezeichentinte, in der Feuerwerkerei zur Herst. grüner Flammen, in der Photographie zur Kupfer-Ätzung (20 % $CuCl_2$ u. 15 % Salzsäure), zum Raffinieren von Erdöl.

(c) *Bas. Kupfer(II)-chlorid [Kupfer(II)-oxychlorid,* systemat. Bez.: Dikupfer(II)-chloridtrihydroxid], $Cu_2Cl(OH)_3$, als Tetrahydrat: *Braunschweiger Grün.* Das natürlicherweise als *Atacamit vorkommende bas. K. entsteht als in Wasser unlösl. grünes Pulver aus einer NaCl-haltigen CuCl-Lsg. bei Luftzutritt. Es wird im Obst-, Wein-, Hopfen-, Gemüse-, Bananenanbau u. dgl. gegen pilzbedingte Pflanzenkrankheiten (*Peronospora* usw.) verwendet, s. a. Kupferkalkbrühe. – *E* copper chlorides – *F* chlorures de cuivre – *I* cloruri di rame – *S* cloruros de cobre
Lit.: Brauer (3.) **2**, 972f., 976f. ■ Braun-Dönhardt, S. 227f. ■ Chem. Ztg. **103**, 296 – 299 (1979) ■ Gmelin, Syst.-Nr. 60, Cu, Tl. B, 1958, S. 204 – 316, 323 – 331 ■ Hager **4**, 373f. ■ Hommel, Nr. 838 ■ Kirk-Othmer (4.) **7**, 507f. ■ Naturwissenschaften **61**, 107 – 110 (1974) ■ Perkow ■ Ullmann (5.) **A 7**, 587 ■ Winnacker-Küchler (3.) **4**, 730f.; **7**, 256 ■ Wirkstoffe ips, S. 220f. – *[HS 2827 39; CAS 7758-89-6 (a); 7447-39-4 (b); 1332-40-7 (c)]*

Kupfer(I)-cyanid. CuCN, M_R 89,56. Giftiges, weißes od. fast weißes, aus monoklinen Prismen bestehendes Krist.-Pulver, D. 2,92, Schmp. 473 °C (unter N_2); unlösl. in Wasser u. verd. Säuren, leicht lösl. in konz. Säuren unter HCN-Entwicklung sowie in wäss. Ammoniak, Ammonium-Salzlsg. u. Alkalicyanid-Lösung. Mit letzteren entstehen z. B. Komplexe von der Formel $M_2^I[Cu(CN)_3]$ u. $M_3^I[Cu(CN)_4]$ mit M^I=K, Na Verw. in der Galvanotechnik zur Kupfer- u. Messing-Abscheidung, zur Synth. von Nitrilen u. Farbstoffen. – *E* copper(I) cyanide – *F* cyanure de cuivre(I) – *I* cianuro di rame(I) – *S* cianuro de cobre(I)
Lit.: Beilstein E IV **2**, 56 ■ Braun-Dönhardt, S. 75 ■ Gmelin, Syst.-Nr. 60, Cu, Tl. B, 1961, S. 850 – 856 ■ Kirk-Othmer (4.) **7**, 514 ■ Ullmann (5.) **A 7**, 584, 587. – *[HS 2837 19; CAS 544-92-3; G 6.1]*

Kupfer-Dampf-Laser. Aufbau ähnlich dem eines Gas-Lasers (s. Abb. dort) mit einer meist gepulsten Entladung in einer Kupfer-Dampf-Helium-Atmosphäre. Der Kupfer-Dampf wird durch Erhitzen z. B. röhrenförmigen Heizelementes auf 1420 °C erzeugt. Bei einer Wiederholfrequenz von 20 kHz wird eine mittlere Leistung von 20 W erreicht. Bei Verw. einer Kupfer-Hohlkathode u. einer He/Ar-, He/Ne- od. He/Xe-Gasmischung konnte auch kontinuierliche Lasertätigkeit erreicht werden (*Lit.* [1]). Der K.-D.-L. emittiert ~30 Linien zwischen 248 nm u. 799 nm; die beiden intensivsten sind bei 510,554 nm u. 578,213 nm. – *E* copper laser – *F* laser à cuivre – *I* laser a rame – *S* láser de cobre
Lit.: [1] Appl. Phys. Lett. **28**, 207 (1976).
allg.: Beck, Englisch u. Gürs, Table of Laser Lines in Gases and Vapors, Berlin: Springer 1978 ■ Encyclopedia of Physical Science and Technology, Bd. 8, S. 490f., 548f., New York: Academic Press 1992.

Kupfer(II)-fluorid. CuF_2, M_R 101,54. Wasserfreies K. sollte farblos sein; das Dihydrat liegt vor als blaßblaues Pulver od. monokline Krist., D. 2,93, wenig lösl. in Wasser, lösl. in Säuren; zur Toxizität s. bei Fluoriden. K. wird durch Einwirkung von HF auf Kupfercarbonat hergestellt u. für Email, keram. Erzeugnisse, als Katalysator bei organ. Synth. u. Umlagerungen, für Fluorierungen, als Herbizid, Fungizid u. Termitenrepellent verwendet. – *E* copper(II) fluoride

– *F* fluorure de cuivre(II) – *I* fluoruro di rame(II) – *S* fluoruro de cobre(II)
Lit.: Brauer (3.) **1**, 246f. ■ Gmelin, Syst.-Nr. 60, Cu, Tl. B, 1958, S. 196 – 200 ■ Kirk-Othmer (3.) **10**, 719f. – *[HS 2826 19; CAS 7789-19-7]*

Kupferglanz s. Chalkosin.

Kupfergrün s. Chrysokoll.

Kupfer(II)-hydroxid (Kupferoxidhydrat). $Cu(OH)_2$, M_R 97,56. Blaßblaues, giftiges Pulver, D. 3,368, wird bei 60 – 80 °C dunkel (H_2O-Abspaltung, CuO-Bildung), unlösl. in Wasser, lösl. in wäss. Säuren, Ammoniak- u. Cyanid-Lsg.; K. wird bei der Herst. von *Schweizers Reagenz, *Kupferseiden, Beizmitteln, Schiffsbodenfarben, Katalysatoren, als Fungizid im Obst-, Wein-, Hopfen-, Gemüse- u. Bananenanbau verwendet. – *E* copper(II) hydroxide – *F* hydroxyde de cuivre(II) – *I* idrossido di rame(II) – *S* hidróxido de cobre(II)
Lit.: Brauer **2**, 893 ■ Gmelin, Syst.-Nr. 60, Cu, Tl. B, 1958, S. 98 – 117 ■ Kirk-Othmer (4.) **7**, 508 ■ Ullmann (5.) **A 7**, 572. – *[HS 2825 50; CAS 20427-59-2]*

Kupferindig s. Covellin.

Kupferiodide. (a) *Kupfer(I)-iodid*, CuI, M_R 190,45. Weißes Pulver, D. 5,63, Schmp. 606 °C, Sdp. ca. 1290 °C; in Wasser, verd. Säuren u. Alkohol unlösl., unter Komplexbildung in Kaliumcyanid, Kaliumiodid u. Ammoniakwasser lösl.; CuI findet Verw. in der Photographie u. Katalyse; CuI bildet mit HgI_2 Doppelsalze [*Kupfer(I)-tetraiodomercurat*, Cu_2HgI_4], die wegen ihrer Farbänderungen als Temp.-Indikatoren brauchbar sind. Wie auch andere Cu(I)-Halogenide zeigt CuI als Komplex mit Pyridin-Derivaten *Lumineszenz-Thermochromie*, was zur Unterscheidung der Stickstoff-Heterocyclen herangezogen werden kann (*Lit.* [1]).
(b) *Kupfer(II)-iodid*, CuI_2, M_R 317,36, ist bislang nicht bekannt, da es spontan in CuI u. I_2 zerfällt. – *E* copper iodides – *F* iodures de cuivre – *I* ioduri di rame – *S* yoduros de cobre
Lit.: [1] Ann. Univ. Sarav. **15**, 7 – 28 (1980); Z. Anal. Chem. **265**, 337ff. (1973).
allg.: Brauer (3.) **2**, 975f. ■ Gmelin, Syst.-Nr. 60, Cu, Tl. B, 1958, S. 389 – 924 ■ Kirk-Othmer (4.) **7**, 514 ■ Ullmann (5.) **A 7**, 584f. – *[HS 2827 60; CAS 7681-65-4 (a); 13767-71-0 (b)]*

Kupferkalkbrühe (Bordeauxbrühe). Bez. für eine aus gebranntem Kalk u. wäss. Kupfersulfat-Lsg. erhaltene Suspension, die je nach Mischungsverhältnis Doppelsalze unterschiedlicher Zusammensetzung enthält: Bei einer 1:1-Mischung entstehen wahrscheinlich $4CuO·SO_3·3H_2O$, bei $Ca(OH)_2$-Überschuß bildet sich $[Ca(OH)_2]_3·CuSO_4$. Die K. wurde bereits 1885 von Millardet beschrieben u. in den Weinbaugebieten um Bordeaux erfolgreich zur Bekämpfung des Falschen Mehltaus an Reben (*Plasmopara viticola*) angewendet. Weitere Einsatzgebiete sind die Kraut- u. Knollenfäule bei Kartoffeln (*Phytophtora infestans*) sowie verschiedene Krankheiten im Obst-, Gemüse- u. Zierpflanzenbau. Die K. wirkt darüberhinaus auf viele Insekten als Repellent u. besitzt bis zu einem gewissen Grad ovizide Eigenschaften.
Wird anstelle von gebranntem Kalk Natriumcarbonat (Soda) verwendet, entsteht die *Kupfersodabrühe* (Burgunderbrühe), die 1887 von Masson eingeführt

wurde. Sie enthält $Cu(OH)_2 \cdot CuCO_3$ (Malachit) u. fand als Beizmittel im Getreidebau u. Spritzmittel gegen Blattkrankheiten Verwendung. Heute ist sie nur noch in außereurop. Ländern von Bedeutung. – *E* bordeaux mixture, burgundy mixture – *F* bouillie bordelaise – *I* liquido conciante di calce-rame – *S* caldo cúprico, caldo bordelés, caldo borgoñés

Lit.: Farm ▪ Pesticide Manual (Bordeaux mixture) ▪ Wegler, Chemie der Pflanzenschutz- u. Schädlingsbekämpfungsmittel, Bd. 2, Berlin: Springer 1970. – *[HS 3808 20]*

Kupferkies (Chalkopyrit). $CuFeS_2$, weitverbreitetes, techn. wichtiges Kupfererz mit 34,6% Cu, 30,5% Fe u. 34,9% S; kann u. a. kleine Beimengungen von Ag, Au, Pt, Co, Ni, Mn u. Zn enthalten. Messinggelbe bis goldgelbe, metallglänzende, oft bunt od. auch schwarz angelaufene, undurchsichtige, Tetraeder-ähnliche, oft zu *Zwillingen verwachsene tetragonal-skalenoedr. Krist., Krist.-Klasse $\overline{4}2m$-D_{2d}; meist als derbe bis feinkörnige Massen od. Imprägnationen. Die Krist.-Struktur des K. läßt sich aus dem *Zinkblende-Gitter durch Verdoppelung der Elementarzelle bei gleichzeitigem Ersatz von 2 Zn durch Cu u. Fe ableiten, s. die Abb.; K. bildet orientierte Verwachsungen mit Zinkblende.

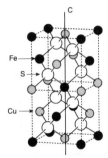

Abb.: Krist.-Struktur von Kupferkies; nach Matthes, *Lit.*, S. 39.

Zu den Bindungsverhältnissen in K. s. *Lit.*[1], zu den komplizierten Phasenbeziehungen im *ternären System Cu–Fe–S s. Ribbe (*Lit.*). Strich grünlichschwarz, Bruch muschelig bis uneben, etwas spröde, H. 3,5–4, D. 4,1–4,3. Bei *Verwitterung u. a. Übergang in inhomogenes *Kupferpecherz* bzw. *Ziegelerz*, bestehend aus *Azurit, *Malachit, *Cuprit, *Covellin, viel *Brauneisenerz u. a. Mineralien.

Vork.: Die wirtschaftlich wichtigsten K.-Vork. sind die porphyr. Stockwerks- u. Kupferimprägnations-Lagerstätten (*E* porphyry copper deposits), die im Bereich aktiver Plattenränder od. Inselbögen des zirkumpazif. Raumes (z.B. Morenci/Arizona u. Bingham/Utah/USA, Chuquicamata/Chile, El Teniente/Mexiko), Südosteuropas (z.B. Rosia Poieni/Rumänien, Bor/Serbien) usw. an stockförmig aufgedrungene saure helle *magmatische Gesteine (z.B. Quarz-*Diorite, *Monzonite, Dacite, *Rhyolithe) mit porphyr. *Gefüge gebunden sind; sie enthalten 10–1000 Mio. t imprägnationsartig od. als Adernetz ausgebildetes, im Tagebau förderbares Erz mit meist 0,5–1,5% Cu; als Beiprodukte fallen Mo (aus *Molybdänit), Ag, Au, Mn u. Zn an. Kennzeichnend sind Zonen hydrothermaler Alteration, s. Sawkins (*Lit.*). Weitere Vork. (*Lagerstätten): In schichtgebundenen se-

dimentären Lagerstätten, z. B. zentralafrikan. Kupfergürtel von Sambia u. Zaire, *Kupferschiefer in Polen; in massiven Sulfiderz-Lagerstätten („Kieslager"), z. B. Rammelsberg/Harz (Abbau eingestellt), Rio Tinto/Spanien, Kuroko/Japan; in hydrothermalen *Gängen, z. B. Siegerland/Westfalen.

Verw.: Wichtigstes Erzmineral von Kupfer; zu der für die Aufbereitung der Erze durch *Flotation wichtigen elektrochem. Oxid. von K. in wäss. Lsg. s. *Lit.*[2]. Wegen ihrer Halbleiter- u. bes. optoelektron. Eigenschaften finden ternäre Verb. vom K.-Typ Verw. in Faseroptiken, Sensoren u. im Fernmeldebereich; zur elektron. Polarisierbarkeit von K.-Halbleitern s. *Lit.*[3]. – *E* = *F* chalcopyrite – *I* calcopirite – *S* calcopirita

Lit.: [1] Phys. Chem. Miner. **20**, 489–499 (1994). [2] Am. Mineral. **80**, 725–731 (1995). [3] Cryst. Res. Technol. **31**, 827 ff. (1996).

allg.: Anthony et al., Handbook of Mineralogy, Vol. 1, S. 89, Tucson (Arizona): Mineral Data Publishing 1990 ▪ Deer et al., S. 594 ff. ▪ Matthes, Mineralogie (5.), S. 38 f., Berlin: Springer 1996 ▪ Ramdohr, Die Erzmineralien u. ihre Verwachsungen, S. 564–581, Berlin: Akademie-Verl. 1975 (erzmikroskop. Beschreibung) ▪ Ramdohr-Strunz, S. 429–432 ▪ Ribbe (Hrsg.), Sulfide Mineralogy (Short Course Notes, Bd. 1), Washington (D. C.): Mineralogical Society of America 1974 (zahlreiche Erwähnungen des Stichworts) ▪ Sawkins, Metal Deposits in Relation to Plate Tectonics (2.), S. 18–34, 120–144, 216–231, 374 f., Berlin: Springer 1990 ▪ Ullmann (5.) **B2**, 23-11 f., 23-20 f. ▪ s. a. Lagerstätten. – *[HS 2603 00; CAS 1308-56-1]*

Kupfer-Kunstseide s. Kupferseide.

Kupfer-Laser s. Kupfer-Dampf-Laser.

Kupferlasur s. Azurit.

Kupferlebererz s. Cuprit.

Kupfer-Legierungen. Guß- u. *Knetlegierungen mit *Kupfer als Hauptleg.-Element. Cu bildet mit zahlreichen anderen Metallen Mischkristalle. Im Vgl. zu Cu weisen diese u. damit auch die entsprechenden K.-L. insbes. bessere mechan. Eigenschaften auf. Die Schweißeignung ist durchweg gut, vielfach wird von K.-L. auch wegen ihrer bes. chem. (Beständigkeit) u. physikal. Eigenschaften (gute elektr. u. Wärmeleitfähigkeit sowie Kaltum- u. Kaltverformbarkeit) Gebrauch gemacht. Die Gruppen von K.-L. werden nach dem jeweiligen Hauptleg.-Element benannt. *Messing[1]: Cu-Zn-Leg. mit mind. 50% Cu. Man unterscheidet einphasige α-Leg. (bis 37% Zn, s. Tombak) u. $\alpha+\beta$-Leg. (>37% Zn, Hartmessing), wobei erstere die bessere Verformbarkeit u. Beständigkeit sowie niedrigere Festigkeit aufweisen. Durch Zusatz von max. 3% nicht gelöstem Pb wird die Zerspanbarkeit verbessert. *Sondermessinge* enthalten zur Erzielung bes. Eigenschaften zusätzlich Al, As, Fe, Mn, Ni, P, Si u./od. Sn *Bronzen. *Cu-Al-Leg.*[2] mit 3–14% Al sind die chem. beständigsten Kupfer-Legierungen. Oberhalb 10% ist eine Verformbarkeit nicht mehr möglich. In *Cu-Si-Leg.* erhöhen max. 3% Si ebenfalls die Beständigkeit. *Cu-Be-Leg.* mit Gehalten bis 2,8% Be sind aufgrund der Ausscheidung von Cu_2Be aushärtbar mit trotzdem hoher elektr. Leitfähigkeit. *Cu-Pb-Sn-Leg.*[3] mit max. 18% Pb u. 10% Sn zeichnen sich durch gute Wärmeleitfähigkeit bei gleichzeitig hervorragenden Notlaufeigenschaften (s. Lagerwerkstoffe) aufgrund der Pb-Einlagerungen aus. *Cu-Zn-Ni-Leg.*[4] mit 11–28% Ni sind ebenfalls sehr korrosionsbeständig (*Neusilber, *Argentan). *Cu-Ni-Leg.* werden ggf. mit Fe-Zusatz in einem breiten Leg.-Bereich eingesetzt, da Cu u. Ni lückenlos homogene Mischkristalle bilden. Diese Leg. zeigen eine für K.-L. ungewöhnlich gute *Warmfestigkeit (*Monel), daneben auch eine bes. chem. Beständigkeit. Weitere *Sonderleg.* werden beispielsweise als *Münzmetalle eingesetzt. K.-L. werden bevorzugt in der Elektro-, Sanitär-, Verf.-, Getriebe- u. Lagertechnik (Gleitlager) sowie Nährmittel-Ind. verwendet. – *E* copper alloys – *F* alliages de cuivre – *I* leghe di rame – *S* aleaciones de cobre

Lit.: [1]DIN 17660 (12/1983); DIN 1709 (11/1981). [2]DIN 17665 (12/1983); DIN 1714 (11/1981). [3]DIN 1716 (11/1981). [4]DIN 17658 (06/1973); DIN 17663 (12/1983). *allg.:* Gräfen (Hrsg.), Lexikon Werkstofftechnik, S. 590 ff., Düsseldorf: VDI 1993 ▪ Ullmann (5.) **A 7**, 525 ff.

Kupfernaphthenate. Kupfer-Salze der *Naphthensäuren mit ca. 8% Cu; LD_{50} (Ratte oral) > 6000 mg/kg, WGK 2 (Selbsteinst.). Grüne Massen, die als Fungizide zum Imprägnieren von Holz sowie von natürlichen Fasern, z. B. für Sandsäcke u. Schiffstaue, verwendet werden; Wildverbißmittel. – *E* copper naphthenates – *F* naphténates de cuivre – *I* naftenati di rame – *S* naftenatos de cobre

Lit.: Braun-Dönhardt, S. 234 ▪ Ullmann **8**, 553; (4.) **12**, 690; (5.) **A 7**, 586.

Kupfer(II)-nitrat. $Cu(NO_3)_2$, M_R 187,56. Blaugrüne, zerfließliche Krist., Schmp. 256 °C, subl. oberhalb 150 °C, lösl. in Wasser, Ethylacetat u. Dioxan. K. bildet ein Hexahydrat $Cu(NO_3)_2 \cdot 6 H_2O$ od. $[Cu(H_2O)_4]$ $(NO_3)_2 \cdot 2 H_2O$ (M_R 295,65, blaue Tafeln od. säulige Prismen, D. 2,074, Schmp. 26 °C), Nonahydrat $Cu(NO_3)_2 \cdot 9 H_2O$ (unterhalb –20 °C beständig), Trihydrat $Cu(NO_3)_2 \cdot 3 H_2O$ (M_R 241,60, tiefblaue, prismat. Säulen, D. 2,32, Schmp. 114 °C) u. bas. Salze wie z. B. $Cu_2(OH)_3(NO_3)$. Die zerfließlichen *Hydrate spalten beim Erwärmen außer Wasser auch Salpetersäure ab, wobei bas. Salze entstehen. K. ist ein starkes Oxid.-Mittel, das z. B. in Mischung mit Phosphor eine stoßempfindliche, explosive Masse gibt. K. findet Verw. als Weißblechtinte, zum Schwarzfärben von Kupfer, Brünieren von Eisen, zur Herst. von Kupferoxid, Korrosions- u. Holzschutzmitteln, Flotations- u. Bohrhilfsmitteln, in der Färberei u. Farbstoff-Ind. als Oxid.-Mittel. – *E* copper(II) nitrate – *F* nitrate de cuivre(II) – *I* nitrato di rame(II) – *S* nitrato de cobre(II)

Lit.: Gmelin, Syst.-Nr. 60, Cu, Tl. B, 1958, S. 164–193 ▪ Hager **4**, 375 f. ▪ Kirk-Othmer (4.) **7**, 508 ▪ Ullmann (5.) **A 7**, 585. – *[HS 2834 29; CAS 3251-23-8]*

Kupfer-organische Verbindungen. Die Knüpfung von C/C-Bindungen mit Hilfe Metall-organ. Reagenzien spielt eine bedeutende Rolle in der organ. Synthese. Von den mehr als 70 Metallen, die *Metall-organische Verbindungen bilden können, sind an exponierter Stelle Lithium-, Magnesium- u. Kupfer(I)-organ. Verb. zu nennen. Letztere sind nach dem *HSAB-Prinzip „weichere" nucleophile Reagenzien als *Lithium- od. *Magnesium-organische Verbindungen u. unterscheiden sich daher signifikant in Substitutions- u. Additions-Reaktionen von diesen. Zwei Typen von K.-o. V. mit kovalent gebundenen Alkyl- u. Arylsubstituenten sind bekannt: Neutrale, wenig reaktive Verb.

des Typs R–Cu u. hochreaktive Cuprate des Strukturtyps R_2Cu–Li. Die Herst. von K.-o. V. geschieht vorwiegend durch Umsetzung von Kupfer(I)-Salzen [CuI, $CuBr \cdot S(CH_3)_2$, CuCN] mit Metall-organ. Reagenzien, vorwiegend Lithium-organ. u. *Grignard-Verbindungen (*Transmetallierung). Im Falle der Umsetzung mit CuCN werden Cuprate „höherer Ordnung" (Higher-Order-Cyanocuprat) postuliert [1], deren genaue Struktur allerdings nicht geklärt ist.

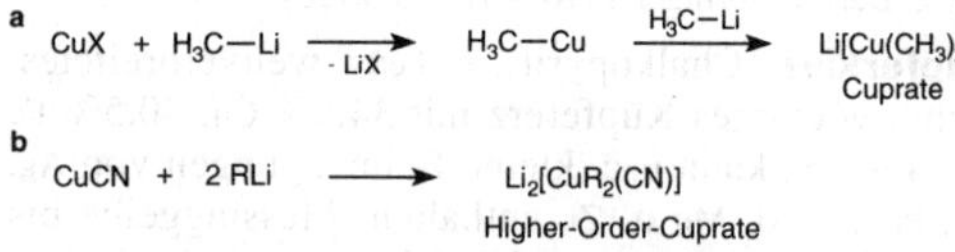

Abb. 1: Cuprate u. Higher-Order-Cuprate.

Die Reaktionen der K.-o. V. lassen sich in drei Gruppen einteilen: (a) *Substitutionen mit Halogenalkanen u. a. elektrophilen Verb.; (b) 1,4-*Additionen an α,β-ungesätt. Carbonyl-Verb. (vgl. Michael-Addition); (c) Carbocuprierung, d. h. die Addition an nicht aktivierte Alkine. In neuerer Zeit stehen *regio- u. *stereoselektive Synth. mit K.-o. V. im Mittelpunkt des Interesses [2].

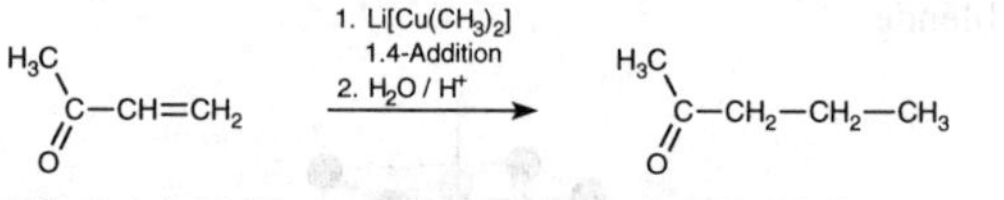

Abb. 2: 1,4-Addition von Kupfer-organischen Verbindungen an α,β-ungesätt. Carbonyl-Verbindungen.

In der organ. Synth. spielte das Element Kupfer schon immer eine Rolle u. in vielen bekannten Reaktionen kommen K.-o. V. zum Einsatz. Zu nennen sind hier die *Sandmeyer- u. *Ullmann-Reaktion u. die verschiedenen Varianten der Alkin-*Kupp(e)lungen. Zu den K.-o. V. rechnet man gelegentlich auch organ. Kupfer-Komplexe, z. B. Kupferphthalocyanin-Farbstoffe, *Porphyrin-Cu-Komplexe u. die *Kupfer-Proteine, obwohl diese keine Cu, C-Bindung enthalten. – *E* organocopper compounds – *F* composés cupro-organiques – *S* compuestos organocúpricos

Lit.: [1]Org. React. **41**, 135–631 (1992). [2]Angew. Chem. **109**, 195–213 (1997). *allg.:* Katritzky et al. **2**, 585 f. ▪ Kontakte (Darmstadt) **1993**, 3 ff. ▪ Krause, Metallorganische Chemie, S. 175 ff., Heidelberg: Spektrum Akadem. Verl. 1996 ▪ Liebeskind, Advance Metal-Organic Chemistry, Vol. 4: High-Order-Cuprate Chemistry, Greenwich, Conn.: JAI 1995 ▪ Schlosser, Organometallics in Synthesis. S. 283 ff., Chichester: Wiley 1994 ▪ Taylor, Organocopper Reagents: A Practical Approach, Oxford: Oxford University Press 1994 ▪ Wilkinson-Stone-Abel **2**, 709 ff.; II **3**, 57 ff.

Kupferoxidammoniak s. Kupferseide.

Kupferoxide. (a) *Kupfer(I)-oxid,* Cu_2O, M_R 143,09. Gelbes bis rotbraunes, wasserunlösl. Pulver od. luftbeständige, reguläre Krist., D. 5,8–6,2, Schmp. 1235 °C, unlösl. in Wasser, lösl. in Ammoniakwasser (Komplex-Bildung), Halogenwasserstoffsäuren, verd. Schwefelsäure. Cu_2O besitzt eine interessante Struktur aus zwei sich gegenseitig durchdringenden Teilgittern, die nicht miteinander verbunden sind. *Herst.:* Cu_2O entsteht bei der Einwirkung von Laugen auf Kupfer(I)-chlorid. Auf der Bildung von Cu_2O beruht auch der Nachw. reduzierender Zucker u. Aldehyde mit *Fehlingscher Lösung.

Verw.: In *Antifoulingfarben für *Schiffsanstriche, als Fungizid in Kakao- u. Bananenkulturen, Antioxidans in Schmiermitteln, Katalysator, in der Galvanotechnik, zur Herst. von Gleichrichtern, Pigmenten, zum Rotfärben von Glas u. Email, zur Entgiftung von Abgasen aus Autos, Raffinerien, Hochöfen u. dgl., indem die Stickstoffoxide in N_2 u. O_2 zerlegt u. das CO zu CO_2 oxidiert werden.

(b) *Kupfer(II)-oxid*, CuO, M_R 79,55. Schwarzes, amorphes od. krist. Pulver, D. 6,3–6,4, Schmp. 1326 °C, unlösl. in Wasser, lösl. in verd. Säuren sowie langsam in Ammoniakwasser. CuO wird durch Wasserstoff od. Kohlenoxid schon unterhalb 250 °C zu rotem Kupfer reduziert u. adsorbiert leicht Sauerstoff, Stickstoff, Kohlendioxid u.a. Gase. Bei höheren Temp. (über 1000 °C) zerfällt es in Kupfer(I)-oxid u. Sauerstoff: $2\,CuO \rightarrow Cu_2O + \frac{1}{2}O_2$.

Herst.: CuO entsteht beim Erhitzen von Kupfer-Spänen od. Kupfer-Draht auf Rotglut od. durch Erhitzen von Kupfer(II)-hydroxid, Kupfer(II)-carbonat od. Kupfer(II)-nitrat.

Verw.: In der Elementaranalyse als Katalysator, als Bandwurmmittel, zur Entschwefelung von Erdöl, in Antifoulingfarben. Da dünne Schichten von CuO nahezu undurchlässig für kurzwelliges, aber durchlässig für langwelliges Licht sind, eignet es sich als Wärmesammler in Sonnenenergie-Kollektoren. Außerdem dient CuO zur Herst. von Kupfer-Rubinglas, blaugrüner Gläser u. Glasuren, zur Färbung von imitierten Edelsteinen (schon die alten Ägypter haben Glasflüsse mit Kupferoxid blau gefärbt, Ägyptischblau). Neben den hier behandelten K. kennt man noch *Kupfersuboxid* (Cu₄O) u. *Kupferperoxid* (CuO₂ · H₂O). – *E* copper oxides – *F* oxydes de cuivre – *I* ossidi di rame – *S* óxidos de cobre

Lit.: Brauer (3.) **2**, 978 f. ▪ Gmelin, Syst.-Nr. 60, Cu, Tl. B, 1958, S. 35 – 97 ▪ Kirk-Othmer (4.) **7**, 508 f. ▪ Ullmann (5.) *A* 3, 365; *A* 5, 550; *A* 7, 569 ff. – *[HS 2825 50; CAS 1317-39-1 (a); 1317-38-0 (b)]*

Kupferoxidhydrat s. Kupfer(II)-hydroxid.

Kupfer(II)-oxychlorid s. Kupferchloride.

Kupferpecherz s. Kupferkies u. Cuprit.

Kupferphosphide s. Phosphide.

Kupferphthalocyanin-Farbstoffe s. Phthalocyanin-Farbstoffe.

Kupfer-Proteine (veraltet: Kupfer-Proteide). Sammelbez. für *Metallproteine, die *Kupfer-Ionen in ihrer *prosthetischen Gruppe enthalten. Kupfer kann im aktiven Zentrum in verschiedenen, durch *EPR-Spektroskopie unterscheidbaren Elektronenkonfigurationen vorliegen; man unterscheidet den „blauen", den „nicht blauen" u. einen „zweikernigen" Typ (Typen 1 – 3). Funktionell sind die K. oft *Oxygenasen od. Dioxygenasen. *Beisp.:* *Plastocyanin, Galactose-Oxidase (EC 1.1.3.9), Ascorbinsäure-Oxidase (EC 1.10.3.3), *Monoamin-Oxidase, *Cytochrom-c-Oxidase, *Laccase, *Caeruloplasmin (s. a. unten), *Superoxid-Dismutase, *Hämocyanin. Ein bei fast allen Säugetieren vorhandenes, jedoch artspezif. bei Mensch u. Primaten fehlendes Kupfer-Enzym ist *Uricase, die die Harnsäure-Oxid. zu Allantoin katalysiert. *Metallothionein mit seinem hohen Gehalt an Thiol-Gruppen bindet neben Kupfer- auch andere Schwermetall-Ionen. Die Bedeutung der K.-P. im Organismus wird dadurch belegt, daß Enzymdefekte zu empfindlichen Stoffwechselstörungen führen. So hat die Unterproduktion od. das Fehlen der für die Pigmentbildung in Haut u. Haaren verantwortlichen *Tyrosinase die Bildung von weißem Haar od. *Albinismus* zur Folge. Auf einem genet. bedingten Mangel an *Caeruloplasmin*, einem Kupfer-Transport-Protein, beruht die *Wilsonsche Krankheit (hepatolentikuläre Degeneration)*, bei der die Kupfer-Verb. vermehrt in Gehirn, Leber, Auge u.a. Geweben abgelagert werden u. die unbehandelt zum Tod führt. Durch komplexe Bindung des Kupfers an D-Penicillamin lassen sich diese Schäden – rechtzeitige Erkennung, z. B. mit Radiokupfer, vorausgesetzt – beheben. – *E* copper proteins – *F* cuproprotéines – *I* cuproproteine – *S* cuproproteínas

Lit.: Enzyme Nomenclature. Recommendations 1992 of the Nomenclature Committee of the International Union of Biochemistry and Molecular Biology, S. 555 f., San Diego: Academic Press 1992.

Kupfer(I)-rhodanid s. Kupfer(I)-thiocyanat.

Kupferron (Ammonium-Salz des *N*-Nitroso-*N*-phenylhydroxylamins).

$C_6H_9N_3O_2$, M_R 155,16. Schwach gelbliche, hautschädigende Krist., Schmp. 164 °C, in Wasser u. Alkohol leicht lösl., die Farbe vertieft sich beim Lagern. Wichtiges Reagenz zur Trennung u./od. Bestimmung sowie zum Nachw. von Al, Hf, Mo, Th, Bi, Tl, Ti, Zr, Ga, Ce, Fe, Nb, Ta, Sn, W, U, V, Be, Cu u. den Seltenerdmetallen. – *E* = *F* cupferron – *I* N-nitrosofenilidrossilammina d' ammonio – *S* cupferrón

Lit.: Beilstein E IV **16**, 891 ▪ Fries-Getrost, S. 28, 137, 151, 165, 216, 318, 361, 372, 383, 391, 423. – *[HS 292800; CAS 135-20-6]*

Kupferschiefer. Extrem feinkörniger, aus *Faulschlamm-Ablagerungen entstandener, durch organ. Substanzen charakterist. dunkelgrau bis schwarz gefärbter *mariner* *Tonstein, der auch dünne Lagen carbonat. Materials enthält; zur Zusammensetzung der Bitumensubstanz des K. von Sangerhausen/Sachsen-Anhalt s. *Lit.*[1]. Der K. wurde im Zechstein (*Erdzeitalter) im südlichen Randbereich eines Meeres über kontinentalen Rotsedimenten (Red Beds) des Rotliegenden abgelagert. Höhere Cu-Gehalte treten v. a. in der Umgebung von Sulfid-freien, durch *Hämatit u. *Goethit gefärbten, als „*Rote Fäule*" bezeichneten Ablagerungen auf. Das *Kupfer kommt in den Sulfid-Mineralien *Bornit, *Chalkosin, *Kupferkies, *Covellin u. Idait (Cu₅FeS₆) vor, Blei u. Zink als *Bleiglanz u. *Zinkblende; häufigstes Sulfid-Mineral ist jedoch *Pyrit. Ein stellenweise den K. unterlagernder gebleichter *Sandstein („*Weißliegendes*") enthält in Sulfid-Bändern (Entstehung s. *Lit.*[2]) auch *Digenit. Neben Cu, Pb u. Zn enthalten die Erze auch Mo, Ag, Au,

Hg, Co, Ni, Re, V, U, Platinmetalle u. Bi. Der Schwefel der Sulfide entstammt Schwefelwasserstoff, der durch bakterielle Red. von Meerwasser-Sulfat entstanden ist; zur kontrovers diskutierten *Metallogenese des K. s. Lit.[3,4] u. Pohl (Lit.).

Vork.: Der K. unterlagert eine Fläche von ca. 600 000 km^2 in der BRD, Polen, den Niederlanden u. England; nur 1% dieser Fläche führt jedoch Cu-Gehalte von >0,3%. Aus dem fast 1000 Jahre im Abbau stehenden Revier Mansfeld („Mansfelder K.") im Südost-Harz wurden bis zur Schließung im Jahre 1970 rund 1,5 Mio. t Kupfer produziert. Die im Abbau stehende Lagerstätte Lubin/Polen mit 1500 Mio. t geschätzten Vorräten mit >1% Cu (u. ca. 30 g/t Ag) macht Polen zu einem der Hauptproduzenten von Kupfer in Europa. – E copper slate, kupferschiefer – F schistes cuivreux – I scisto cuprico – S esquisto cuprífero o cúprico

Lit.: [1] Chem. Erde **48**, 61–78 (1988). [2]Mineral. Deposita **27**, 242–248 (1992). [3]Econ. Geol. **84**, 1003–1027 (1989). [4]Sawkins, Metal Deposits in Relation to Plate Tectonics (2.), S. 275ff., 283ff., Berlin: Springer 1990. allg.: Füchtbauer (Hrsg.), Sedimente u. Sedimentgesteine (Sediment-Petrologie Tl. II) (4.), S. 630–634, Stuttgart: Schweizerbart 1988 ▪ Pohl, Lagerstättenlehre (4.), S. 83–87, Stuttgart: Schweizerbart 1992.

Kupferseide [Kupferkunstseide, Cupro, Kurzz. CUP nach DIN 60001 Tl. 4 (08/1991)]. Histor. Bez. für eine *Kunstseide aus regenerierter *Cellulose. Das Herst.-Verf. fußt auf der Entdeckung, daß sich gereinigte Cellulose (*Linters u./od. *Zellstoff) in *Schweizers Reagenz löst. Bei diesem auch Cuoxam od. Kupferoxidammoniak genannten Lsm. handelt es sich um eine wäss. tiefdunkelblaue Lsg. von Tetraamminkupfer(II)-hydroxid. Als Lsm. ist auch der *Ethylendiamin-Komplex des Kupfers [Cu(en)$_2$] verwendbar. Aus der entstandenen hochviskosen Flüssigkeit, die 4% Kupfer, 29% Ammoniak u. 10% Cellulose enthält, läßt sich die Cellulose als Faden wieder ausfällen, indem man die Lsg. durch Spinndüsen in warmes, schnell strömendes Wasser preßt. Da der Faden hierbei stark gestreckt wird (Streckspinnverf.), lassen sich Fäden von großer Feinheit u. aus diesen wollähnliche Stapelfasern gewinnen. Nachfällung u. Entkupferung in verd. H$_2$SO$_4$ schließen sich an. Das Verf. wurde bes. von den Firmen Glanzstoff u. Bemberg weiterentwickelt (Bembergseide), u. zwar im Hinblick auf eine kontinuierliche Arbeitsweise u. die Rückgewinnung der wertvollen Kupfer-Verb., z. B. durch Ionenaustauscher. Als *Chemiefaser hat die K. – bekannte Marken waren Bemberg, Cuprama u. Cupresa – keine große Bedeutung mehr; außer in Italien u. Japan wird sie heute hauptsächlich in den osteurop. Ländern erzeugt. – E cuprammonium rayon – F soie au cuivre, soie à l'oxyde de cuivre ammoniacal – I raion cuproammoniacale – S seda artificial al cobre

Lit.: Kirk-Othmer (3.) **19**, 868–880; (4.) **10**, 713ff. ▪ Ullmann (4.) **9**, 222ff.; (5.) A **5**, 413ff. ▪ Winnacker-Küchler (4.) **6**, 721.

Kupfersodabrühe s. Kupferkalkbrühe.

Kupferstahl. Histor. Bez. für wetterfeste Baustähle. Unlegierte Stähle sind gegenüber atmosphär. Korrosion bekanntlich nicht beständig. Ursächlich hierfür ist die Bildung von Korrosionsprodukten (*Rost), die weder fest auf der Stahloberfläche haften, noch so dicht

sind, daß sie einen weiteren Zugang von Feuchtigkeit u. aggressiven Gasen aus der Atmosphäre an die Stahloberfläche unterbinden. Damit ist keine Schutzwirkung gegeben. Durch Zulegieren bes. von Kupfer bis ca. 0,5% kann die Ausbildung der Rostschicht verbessert u. damit der Ablauf der Korrosion deutlich gehemmt werden. Dadurch wird ein gesteigerter Schutz bei Bewitterung in Ind.-, Stadt- u. Landklimaten erreicht. Wetterfeste Stähle werden auch als rostträge Stähle bezeichnet (im Gegensatz zu den rostbeständigen Stählen mit mind. 13% Chrom). Anfängliche Hoffnungen, diese Stähle ohne zusätzlichen Schutz (Anstrich) verwenden zu können, haben sich wegen der Auswirkungen aggressiver industrieller Kleinklimate sowie der Bildung wenig ansprechender Rostfahnen an Fassaden u. Rohrbrücken allerdings nicht erfüllt. – E weather resisting steel – F acier au cuivre – I acciaio cuprico – S acero al cobre

Lit.: Stahl-Eisen-Werkstoffblatt 087 (06/1981) ▪ Verein Dtsch. Eisenhüttenleute (Hrsg.), Werkstoffkunde Stahl, Bd. 1, S. 23, 57, Bd. 2, S. 465, Berlin: Springer 1984 u. 1985.

Kupferstein s. Kupfer (Herst.).

Kupfer(II)-sulfat. CuSO$_4$, M$_R$ 159,61. Wasserfrei farblose Krist., D. 3,603. K. bildet ein Pentahydrat CuSO$_4$ · 5H$_2$O, M$_R$ 249,69, das auch als Kupfervitriol (Blauer Vitriol, Blaustein) bezeichnet wird; durchsichtige, große, lasurblaue, trikline, ziemlich beständige Krist., D. 2,284. Beim Erhitzen verliert das 5-*Hydrat stufenweise sein Krist.-Wasser, der Vorgang ist umkehrbar (*Hydratation). Neben den genannten bildet K. noch verschiedene andere dunkel- bis blaßblaue Hydrate, so z. B. CuSO$_4$ · 9H$_2$O (nur unterhalb –20°C beständig) u. CuSO$_4$ · 6H$_2$O. Bei starkem Erhitzen zerfällt das entwässerte CuSO$_4$ in Kupferoxid, Schwefeldioxid u. Sauerstoff. In Wasser ist das Pentahydrat leicht lösl.: 423 g/L bei 20°C, 2032 g/L bei 100°C. Die wäss. Lsg. reagiert stark sauer, hat einen widerwärtigen, metall. Geschmack u. wirkt als *Emetikum, s. a. Kupfer. In Glycerin löst sich CuSO$_4$ mit smaragdgrüner Farbe, in Alkohol ist es unlöslich. Mit den Sulfaten von Zink, Magnesium, Eisen(II), Cobalt, Nickel u. Cadmium gibt CuSO$_4$ leicht Mischkristalle.

Vork.: Selten in wasserfreier Form als Chalkocyanit (Hydrocyanit); mit 5H$_2$O als Chalkanthit krustenförmig als Ausblühung od. in faserigen u. körnigen Aggregaten, blau, glasglänzend u. durchscheinend, Bruch muschelig, D. 2,2–2,3, H. 2,5. In dieser Form ist K. ein verbreitetes Verwitterungsprodukt von Chalkopyrit (*Kupferkies) u. a. Erzen, z. B. in vielen Gruben von Rammelsberg, Herrengrund, Rio Tinto u. in Chile als eines der wichtigsten Kupfer-Erze.

Herst.: Im Laboratorium aus Kupfer(II)-oxid u. verd. Schwefelsäure od. durch Einwirken von konz. heißer Schwefelsäure auf metall. Kupfer, in der Technik aus Kupfer-Abfällen, Kupferoxiden (beim Rösten sulfid. Erze erhalten) bzw. bas. Kupferchlorid u. Schwefelsäure.

Verw.: K. ist mit Abstand das wichtigste Kupfer-Salz. Es dient z. B. zur Herst. von Pigmenten u. a. Kupfer-Verb., als Fungizid (*Kupferkalkbrühe) u. Algizid, in Düngemitteln gegen Heidemoor- u. Urbarmachungskrankheit, als Futtermittelzusatz gegen Kupfer-Mangel bei Weidetieren, zur Konservierung von Holz u. Tierbälgen, zur Herst. galvan. Bäder (zum *Verkupfern) u. Elemente (Daniell- u. Meidinger-Element), zur Metallfärbung u. Kupferstich-Ätzung in der Druckerei, Photographie (Verstärkersubstanz, Beize für Farbstofftonungen) u. Farbstoff-Fabrikation, in der Färberei zur Nachbehandlung von Färbungen, um diese wasch- u. lichtechter zu machen (Nachkupfern, bes. beim Färben mit Direkt- u. Schwefel-Farbstoffen), als Reserve unter Küpenfarbstoffen (Indigo), zur Herst. von *Kupferseide (s. a. Schweizers Reagenz), als Katalysator bei der *Kjeldahl-Methode, in wasserfreier Form zum Nachw. kleiner Wassermengen in organ. Lsm. (Blaufärbung infolge Bildung von $CuSO_4 \cdot 5 H_2O$), zum Entwässern von Alkohol, in der Medizin als Brech-, Ätz- u. Bandwurmmittel (Haustiere) u. als Gegenmittel bei Phosphor-Vergiftungen. – *E* copper(II) sulfate – *F* sulfate de cuivre(II) – *I* solfato di rame(II) – *S* sulfato de cobre(II)

Lit.: Acta Hydrochem. Hydrobiol. **17** (1), 61–73 (1989) ▪ Braun-Dönhardt, S. 227 f. ▪ Gmelin, Syst.-Nr. 60, Cu, Tl. B, 1958, S. 491–579 ▪ Kirk-Othmer (4.) **7**, 509 f. ▪ Perkow ▪ Ramdohr-Strunz, S. 595, 606 ▪ Ullmann (5.) **A 7**, 577 ff. ▪ s. a. Kupfer. – *[HS 283 25; CAS 7758-98-7 (CuSO₄); 7758-99-8 (CuSO₄ · 5 H₂O)]*

Kupfersulfide. (a) *Kupfer(I)-sulfid*, Cu_2S, M_R 159,16. Blaues bis grauschwarzes glänzendes krist. Pulver, D. 5,6, Schmp. 1100 °C, das den Strom leitet u. in Wasser u. Schwefelammonium fast ganz unlösl., in heißer konz. Salzsäure schwer u. in Salpetersäure leichter lösl. ist. Aus der Schmelze krist. es kub., das Mineral *Kupferglanz* (*Chalkosin) dagegen rhombisch. Man erhält Cu_2S durch Erhitzen von Kupfer mit Schwefel. Es wird zur Herst. von Leuchtstoffen u. für Thermoelemente verwendet.
(b) *Kupfer(II)-sulfid*, CuS, M_R 95,61. Schwarzes Pulver, D. 4,6, das den Strom leitet u. an feuchter Luft langsam z. T. zu $CuSO_4$ oxidiert wird. Beim Glühen an der Luft geht es in CuO über. In heißer, verd. Salpetersäure löst es sich leicht unter Nitrat-Bildung, dagegen ist es in verd. Mineralsäuren, Kalium- u. Natriumsulfid-Lsg. unlöslich. Kupfer(II)-sulfid entsteht als schwarzer Niederschlag, wenn man in Cu(II)-Salzlsg. Schwefelwasserstoff einleitet. In der Natur kommt CuS als Mineral *Kupferindig* (*Covellin) vor. K. dient als Sauerstoff-Überträger im Textildruck. – *E* copper sulfides – *F* sulfures de cuivre – *I* solfuro di rame – *S* sulfuros de cobre

Lit.: Brauer (3.) **2**, 981 ff. ▪ Gmelin, Syst.-Nr. 60, Cu, Tl. B, 1958, S. 434–484 ▪ Kirk-Othmer (4.) **7**, 516 ▪ Ullmann (5.) **A 7**, 586. – *[HS 2830 90; CAS 22205-45-4 (a); 1317-40-4 (b)]*

Kupfer(I)-tetraiodomercurat s. Kupferiodide.

Kupfer(I)-thiocyanat [veraltet: Kupfer(I)-rhodanid]. CuSCN, M_R 121,63. Weißes od. gelbliches Pulver, D. 2,85, unlösl. in Wasser u. Alkohol, lösl. in Ammoniakwasser, wird durch starke Mineralsäuren zersetzt. Verw. zur Baumwollfärbung mit Anilinschwarz, als Antifoulingfarbe, in der analyt. Chemie. – *E* copper(I) thiocyanate – *F* thiocyanate de cuivre(I) – *I* tiocianato di rame(I) – *S* tiocianato de cobre(I)

Lit.: Beilstein E IV **3**, 303 ▪ Gmelin, Syst.-Nr. 60, Cu, Tl. B 1961, S. 868–874 ▪ Ullmann (5.) **A 7**, 586. – *[HS 2838 00; CAS 1111-67-7]*

Kupferuranglimmer s. Torbernit.

Kupfervitriol s. Kupfer(II)-sulfat.

Kupferzement s. Kupfer (Herst.) u. Zementation (2.).

Kupffer-Zellen s. Makrophagen.

Kupolofen. Im Rahmen der Eisenmetallurgie verwendeter, auch als *Kuppelofen* bezeichneter zylindr. Schachtofen mit ca. 800 mm Durchmesser u. ca. 8 m Höhe aus Stahlblech mit Feuerfestauskleidung zum Erschmelzen von *Gußeisen. Die Beschickung (Roheisen vom Hochofen, Gußbruch, Schrott, Koks, Zuschläge) wird auf der Gichtbühne eingeworfen, die Zuführung der aus Wirtschaftlichkeitsgründen in Vorerhitzern erwärmten Verbrennungsdruckluft erfolgt im unteren Drittel. Das Gußeisen wird an der untersten Stelle abgestochen u. einem Vorherd od. einer Gießpfanne zugeführt. Die metallurg. Vorgänge im K. ähneln denen des *Hochofens. Der früher übliche Guß direkt aus dem Hochofen (Guß erster Schmelzung) erfolgt heute allenfalls noch für Teile untergeordneter Bedeutung. Heute findet der Guß aus separaten Schmelzöfen wie dem K. statt (Guß zweiter Schmelzung), da nur so eine Einstellung u. Steuerung der Gußqualität möglich ist. – *E* cupola furnace – *F* cubilot – *I* cubilotto – *S* cubilote

Lit.: Lueger, Lexikon der Hüttentechnik, Bd. 5, S. 362 ff., Stuttgart: DVA 1963 ▪ Schimpke, Schropp u. König, Technologie der Maschinenbaustoffe, 18. Aufl., S. 375 ff., Stuttgart: Hirzel 1977.

Kupp(e)lung. Allg. Bez. für chem. Reaktionen, die zur Ausbildung einer Bindung zwischen Kohlenstoff-Atomen od. einem Kohlenstoff- u. einem Heteroatom (im allg. Stickstoff-Atom) führen. Solche Reaktionen treten v. a. bei der Bildung von *Azofarbstoffen auf, wobei aromat. *Diazonium-Verbindungen v. a. mit aromat. Aminen od. Phenolen als K.-Komponenten verknüpft werden (*Azokupplung*), s. das Beisp. der Bildung von Buttergelb bei Azo-Verbindungen.
Von K., insbes. von *oxidativer* K., spricht man auch bei gewissen C,C-Verknüpfungen (z. B. über Metallorgan. Verb.), z. B. bei der *Wurtz-Synthese. K. über *Kupfer-organische Verbindungen sind schon seit 100 Jahren bekannt, z. B. die *Glaser-K.* zur Verknüpfung von Alkinen u. die *Ullmann-Reaktion zur Herst. von *Biphenylen. Variationen der Glaser-K. sind die *Eglinton-K.*, bei der monosubstituierte Alkine mit Cu(II)-Salzen in Pyridin gekuppelt werden u. die *Cadiot-Chodkiewicz-K.*, die die Herst. von unsymmetr. Dialkinen aus einem Alkin u. einem Halogenalkin ermöglicht (s. Abb. 1, S. 2318). Die Eglinton-K. kann erfolgreich zur Herst. von *Annulenen nach der *Sondheimer-Meth.* eingesetzt werden.
Mit Nickel-Übergangsmetall-Komplexen, z. B. Nickeltetracarbonyl, können Allyl- u. Vinylhalogenide miteinander gekuppelt werden (s. Abb. 2, S. 2318). Im ersten Falle entstehen 1,5-, im zweiten 1,3-Diene.
K.-Schritte werden oft bei der Biosynth. von Naturstoffen durchlaufen, z. B. bei der von *Isochinolin-Alkaloiden; neuerdings können auch Polymere (z. B. *Polyarylether, PPO) durch oxidative K. hergestellt werden.

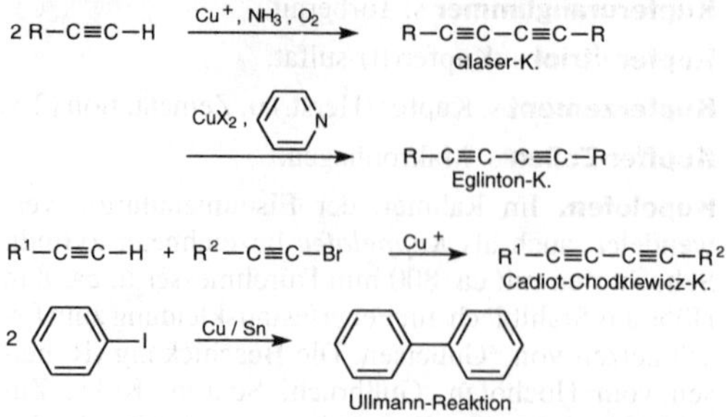

Abb. 1: Kupp(e)lungen mit Hilfe von Kupfer-organ. Verbindungen.

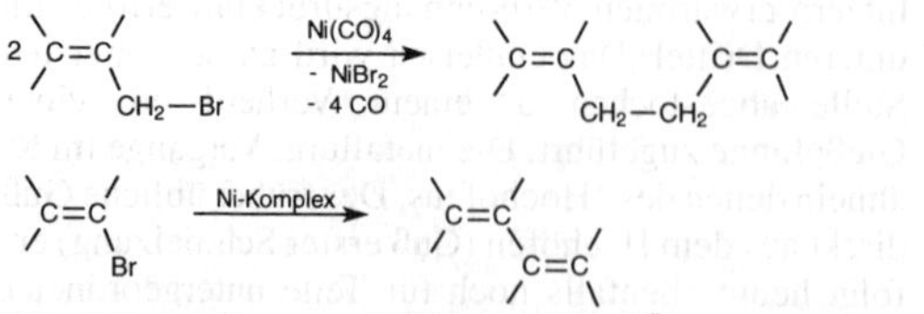

Abb. 2: Kupp(e)lungen mit Hilfe von Nickel-Übergangsmetall-Komplexen.

Reduktive K. beobachtet man bei der Red. von Ketonen, z. B. mit Magnesiumamalgam; dabei entstehen 1,2-*Diole (*Pinakole), wie bei *Ketone gezeigt wird. Als *K.-Reagenzien* werden die Hilfssubstanzen für die *Peptid- u. *Nucleotid-Synth. bezeichnet, die es ermöglichen, Amid- od. Ester-Bindungen bei niedriger Temp. zu knüpfen; *Beisp.:* *Dicyclohexylcarbodiimid. Bifunktionale K.-Reagenzien können sogar zur *Vernetzung von Proteinen benutzt werden. – *E* coupling – *F* appairage – *I* accoppiamento – *S* copulación

Lit. (ohne Azo-Kupplung): March (4.), S. 449–463, 714–720, 725 ff. ▪ Patai, The Chemistry of Triple-bonded Functional Groups, Part 1, S. 529–534, Chichester: Wiley 1983 ▪ Trost-Fleming **3**, 413 ff. ▪ s. a. Azofarbstoffe, Azo-Verbindungen, Oxidation u. andere Textstichwörter.

Kupplungsbeläge. Bez. für Materialien, die ähnlich wie *Bremsbeläge zusammengesetzt, hochtemperaturbeständig u. abriebfest sind u. mit denen die Kupplungsplatten von motorgetriebenen Fahrzeugen belegt sind. Statt des früher viel verwendeten Asbests werden heute Mineral-, Glas-, Kohlenstoff-, Metall-, Polyacrylnitril- od. Aramid-Fasern eingesetzt. – *E* clutch facings, clutch linings – *F* garnitures d'embrayage – *I* guarnizioni della frizione – *S* guarniciones de embrague

Lit.: Encycl. Polym. Sci. Eng. **1**, 377; **11**, 81 f. ▪ Kirk-Othmer (3.) **4**, 202–212; (4.) **4**, 523–536 ▪ Ullmann (5.) **A 3**, 161, 163. – *[HS 6813.10, 6813.90]*

Kupplungs-Reagenzien s. Kupp(e)lung.

Kurantmünzen. Zum gesetzlichen Zahlungsmittel erklärte Münzen, die vom Empfänger in jeder Menge entgegengenommen werden mußten. Früher als Währungsmünze eines Landes bezeichnet, repräsentierte der Metallwert der Münze deren Nennwert. Im Gegensatz zu den K. war die Annahmepflicht von *Scheidemünzen mit ihren wesentlich geringeren Nennwerten begrenzt. Heute sind alle Münzen Scheidemünzen, s. Münzmetalle. – *E* currency – *S* moneda corriente

Kurchatov(ium) s. Kurtschatovium.

Kurnakovit. $Mg[B_3O_3(OH)_5](H_2O)_5$, farbloses, weißes od. rosa gefärbtes, oberflächlich oft weiß verwittertes triklines Borat-Mineral, Krist.-Klasse $\bar{1}$-C_i; zur Struktur mit Clustern (*Cluster-Verbindungen) mit $[B(O,OH)_3]$- u. $[B(O,OH)_4]$-Gruppen s. *Lit.*[1,2]. Dichte, körnige, spaltbare u. z. T. riesige, farblos durchscheinende Krist.; glasartiger, auf Spaltflächen perlmuttartiger Glanz, H. 3, D. 1,76–1,78.

Vork.: In den Inder-Borat-Lagerstätten in Kasachstan u. in Kalifornien/USA; in beiden Vork. zusammen mit dem monoklinen (Krist.-Klasse 2/m-C_{2h}), dünne weiße Nadeln u. dichte weiße bis rosa Massen bildenden *Inderit*, $Mg[B_3O_3(OH)_5](H_2O)_5$. – *E = F = I* kurnakovite – *S* kurnakovita

Lit.: [1] Acta Crystallogr. Sect. B **30**, 2194–2199 (1974). [2] Grew u. Anovitz (Hrsg.), Boron (Reviews in Mineralogy, Vol. 33), S. 71 ff., Washington (D. C.): Mineralogical Society of America 1996.
allg.: Ramdohr-Strunz, S. 587 ▪ Roberts, Campbell u. Rapp, Encyclopedia of Minerals (2.), S. 462 (K.), 397 (Inderit), New York: Van Nostrand Reinhold 1990. – *[HS 2528 90; CAS 12068-67-6]*

Kuromatsuen s. Longifolen.

Kurpackungen s. Haarbehandlung.

Kurrolsches Salz s. kondensierte Phosphate u. Polyphosphate.

Kursivbuchstaben (schräge Druckbuchstaben). In chem. Namen verwendet man K. für Namensteile, die in Namen u. Registern beim alphabet. Sortieren ebenso wie Ziffern erst auf späterer Stufe bewertet werden. *Beisp.: o-, m-, p-, sec-, tert-, as-, s-* (Isomeren-Bez.); *N-, O-, S-* (Stellungs-Bez.); *cis-, trans-, (E)-, (Z)-, (R)-, (S)-* (Stereo-Bez.). – *E* italics – *F* italiques – *I* lettere oblique – *S* letra bastardilla

Kurtschatovium (Kurchatovium). Zu Ehren Kurtschatovs u. des nach ihm benannten Inst. in Dubna von der russ. Arbeitsgruppe um *Flerov (1964) vorgeschlagener Name für das (nach der Kernreaktion: $^{242}Pu + ^{22}Ne \rightarrow ^{260}104 + 4n$) durch Beschießung von Plutonium 242 mit beschleunigten Neon-Ionen (113–115 MeV Energie) „synthetisierte" *Transactinoiden-Element 104 (Symbol Ku). Von der amerikan. Gruppe um *Ghiorso wurde statt K. der Name *Rutherfordium* (Symbol Rf) vorgeschlagen, doch soll nach IUPAC-Empfehlung vom 31. 8. 1994 dieses Element, das – auch aufgrund chem. Untersuchungen – als *Eka-*Hafnium bezeichnet werden kann, den Namen Dubnium erhalten. Nach *Lit.*[1] nimmt IUPAC den Vorschlag zurück u. empfiehlt wie CAS Rutherfordium. – *E = F* kurchatovium – *I = S* kurtschatovio

Lit.: [1] Chem. Internat. **19** (3), 68 f. (1997).
allg.: Kirk-Othmer (4.) **1**, 438 ff. ▪ s. a. Transactinoide.

Kurunga. Aus Ostasien stammendes, Alkohol-haltiges Sauermilchprodukt.

Kurzbezeichnung (chem. Kurzbez.) s. Common names u. Freinamen.

Kurzwegdestillation s. Destillation.

Kurzzeichen s. Abkürzungen.

Kurzzeitreaktionen s. schnelle Reaktionen.

Kurzzeittest. Labortestverf. von max. 4 d Dauer zur Bestimmung der akuten *Toxizität (z. B. *LC$_{50}$ u. *LD$_{50}$) eines Stoffes an einer Organismen-*Art.
Lit.: Korte (3.), S. 346.

Kusch, Polykarp (1911–1993), Prof. für Physik, Univ. of Texas, Dallas. Für seine genaue Bestimmung des magnet. Moments im Elektron erhielt er 1955 zusammen mit *Lamb den Nobelpreis für Physik.
Lit.: Lexikon der Naturwissenschaftler, S. 255.

Kutscher-Steudel-Extraktionsapparat. Ein Gerät zur kontinuierlichen *Extraktion von Flüssigkeiten (Lsg.) mit nicht mischbaren Lsm. geringerer Dichte; Verf. der *Flüssig-Flüssig-Extraktion; s. a. Perforation. – *E* Kutscher-Steudel perforator – *F* appareil d'extraction de Kutscher-Streudel – *I* apparecchio d' estrazione di Kutscher-Steudel – *S* extractor de Kutscher-Steudel

Kutterhilfsmittel. Bez. für Stoffe, die bei der Herst. von Brühwurst aus nicht schlachtwarmem Fleisch verwendet werden. Gesetzlich zulässig bis zu einer Höchstmenge von 0,3% sind in der BRD Natrium- u. Kalium-Verb. der Essigsäure, Milchsäure, Weinsäure u. Citronensäure sowie (unter Kennzeichnungspflicht u. nicht in Mischung mit den vorerwähnten Verb.) Natrium- u. Kaliumdiphosphate, wobei der pH-Wert einer 0,5%igen wäss. Lsg. dieser Stoffe 7,3 nicht übersteigen darf. Diphosphate führen durch die Trennung des *Actomyosins in *Actin u. *Myosin zur Wiederherst. der Warmfleischeigenschaften u. steigern die Quellung der myofibrillären Eiweiße. Die Salze der Genußsäuren erhöhen die Ionenstärke des Brätes u. wirken dadurch quellungssteigernd auf die Eiweiße. K. erhöhen somit die Wasser- u. Fettbindekapazität des Brätes u. vermindern od. verhindern erhitzungsbedingte Gelee- u. Fettabsätze. – *E* chopping auxiliary agents – *F* appareillage de cotre – *I* ausilio per la produzione di salame in brodo – *S* auxiliares de la trituradora para embutidos
Lit.: Fleischerei **35**, 272 ff. (1984) ▪ Fleischwirtschaft **65**, 10–20, 1451–1460 (1985) ▪ Gerhardt, Zusatzstoffe u. Zutaten als Kutterhilfsmittel, Emulgatoren u. Stabilisatoren für Fleisch u. Fleischerzeugnisse. Fleischforschung u. Praxis. Heft 12, Alzey: Verl. der Rheinhess. Druckwerkstätte 1979.

Kutzelnigg, Werner (geb. 1933), Prof. für Theoret. Chemie, Univ. Bochum. *Arbeitsgebiete:* Theorie der chem. Bindung, Quantenchemie, ab-initio-Theorie, Elektronenkorrelation, Relativist. Theorie, magnet. Eigenschaften von Mol.; Liebig-Denkmünze, 1996.
Lit.: Kürschner (16.), S. 2061 ▪ Nachr. Chem. Tech. Lab. **19**, 346 (1971); **41**, Nr. 7/8, 901 (1993); **44**, Nr. 4, 424 (1996) ▪ Wer ist wer (35.), S. 844.

KV. Abk. für Koordinationsverb., s. Koordinationslehre.

KVW-Verfahren s. Kaffee.

Kwai®. Trockenpulver aus Knoblauchzwiebel zur Vorbeugung gegen Arteriosklerose. *B.:* Lichtwer.

Kwashiorkor s. Proteine (*Ernährung*).

Kwass. Leicht *alkoholisches Getränk (russ. Volksgetränk), das durch Vergärung von mit Wasser angerührten Mehlsorten, Malz, Brot u. dgl. mit od. ohne Zusatz von Zucker hergestellt wird; zur Würzung gibt man Pfefferminz od. ähnliche Stoffe hinzu. Da neben der alkol. Gärung auch eine Milchsäure-Gärung stattfindet, schmeckt K. säuerlich; er enthält normalerweise 0,5–2% vol. Ethanol, 0,1–0,5% Milchsäure u. 5% Extrakte. In der BRD wird dieses Getränk aus Haltbarkeitsgründen als Konzentrat gehandelt u., mit Mineralwasser verdünnt, verzehrt. Auch ein hinsichtlich der Brotgrundlage dem K. ähnliches, sonst aber wesentlich anderes, Alkohol- u. Kohlensäure-freies Getränk ist im Verkehr. – *E = S* kwass – *I* kvas
Lit.: Ernähr. Umsch. **33**, 252 f. (1986) ▪ Gordian **88**, 97 (1988) ▪ Rehm, Industrielle Mikrobiologie, S. 561, Berlin: Springer 1980 ▪ Ullmann (4.) **24**, 414.

K-Wert (Fikentscher-Konstante). Der auch als Eigenviskosität bezeichnete K-W. ist ein über Viskositätsmessungen von Polymer-Lsg. einfach zu bestimmender u. daher im techn. Bereich häufig benützter Parameter zur Charakterisierung von Polymeren. Für eine bestimmte Polymer-Sorte wird er unter standardisierten Meßbedingungen als alleine abhängig von der mittleren Molmasse der untersuchten Probe angenommen u. über die Beziehung K-W. = 1000 k nach der Fikentscher-Gleichung

$$k = \frac{1,5 \lg \eta_r - 1 \pm \sqrt{1 + \left(\frac{2}{c} + 2 + 1,5 \lg \eta_r\right) \cdot 1,5 \lg \eta_r}}{150 + 300 \, c}$$

berechnet, in der bedeuten: η_r = relative Viskosität (dynam. Viskosität der Lsg./dynam. Viskosität des Lsm.) u. c = Massenkonz. an Polymer in der Lsg. (in g/cm³). In der Realität ist der K-W. jedoch konzentrationsabhängig u. wird bei hohen Molmassen zunehmend unempfindlich gegen Änderungen des M_R, was seinen prakt. Nutzen einschränkt. – *E* k value – *F* valeur k – *I* valore k – *S* valor k
Lit.: Batzer **1**, 16; **3**, 83 f. ▪ Elias (5.) **1**, 98.

KWG, KWI. Abk. für Kaiser-Wilhelm-Ges. bzw. -Inst., s. Max-Planck-Gesellschaft.

KWS, KW-Stoffe. Gelegentlich anzutreffende Abk. für *Kohlenwasserstoffe.

Kyanisieren s. Holzschutzmittel.

Kyanit (Cyanit, Disthen). Al$_2$O$_5$Si Al$_2$[O/SiO$_4$] od. Al$_2$O$_3$ · SiO$_2$, zu den Inselsilicaten (*Silicate) gehörendes triklines Mineral, Krist.-Klasse $\bar{1}$-C$_i$; trimorph (*Polymorphie) mit *Andalusit u. *Sillimanit (vgl. Aluminiumsilicate). Die Struktur enthält alles Aluminium als über gemeinsame Kanten verknüpfte, in Zickzack-Ketten parallel zur Längsachse der Krist. angeordnete [AlO$_6$]-Oktaeder (Al$^{[6]}$Al$^{[6]}$[O/SiO$_4$]), Näheres s. Kerrick (*Lit.*). Breitstengelige od. linealartige, öfters gekrümmte, meist blaue, aber auch grüne, gelblichweiße od. graue, durchsichtige bis durchscheinende prismat. Krist. od. Aggregate; D. 3,5–3,7. Die H. in der Längsrichtung ist 4–4,5, quer dazu jedoch 6–7 (*Anisotropie der K.*). Vollkommene Spaltbarkeit u. glas- bis perlmuttartiger Glanz. Beim Erhitzen geht K. bei ca. 1350 °C in *Mullit über. Nach der Formel 62,93 Gew.-% Al$_2$O$_3$ u. 37,07 Gew.-% SiO$_2$; daneben geringe Gehalte an Fe, Cr, Ti u. V. Der in zahlreichen Arbeiten (s. Kerrick, *Lit.*) bestimmte *Tripelpunkt im Phasen-Diagramm von Al$_2$SiO$_5$, an dem K., Andalusit u. Sillimanit zusammen vorkommen, liegt nach *Lit.*[1] bei 504 ± 20 °C u. 0,375 GPa.

Vork.: In *metamorphen Gesteinen, u. a. in *Gneisen, Glimmerschiefern (*Glimmer) u. *Quarz-Knauern, z. B. in Rußland, den USA u. Indien (Hauptförderländer), ferner in Tirol, der Schweiz u. im Bayer. Wald; in *Eklogiten, z. B. in Ostbayern, Kärnten u. West-Norwegen; in Gesteinen der Ultra-*Hochdruckmetamorphose[2], z. B. in *Coesit-führenden Eklogiten in China u. in *Talk-K.-Gesteinen („*Weißschiefer*") in den Alpen.
Verw.: Als Rohmaterial für hochfeuerfeste Stoffe u. Keramiken; wegen der großen Vol.-Zunahme von 16–18% beim Erhitzen auf >1325 °C in Keramiken u. Feuerfest-Produkten als Kompensationsmittel für Schrumpfung beim Brennen. Selten als Edelstein. – *E* kyanite – *F* cyanite – *I* cianite – *S* cianita
Lit.: [1] Am. Mineral. **78**, 298–315 (1993). [2] Mineral. Mag. **59**, 93–102 (1995).
allg.: Deer et al., S. 59 ff. ▪ Harben u. Bates, Industrial Minerals, Geology and World Occurrence, S. 246–251, London: Industrial Minerals Division of Metal Bulletin Plc 1990 ▪ Kerrick, The Al_2SiO_5 Polymorphs (Reviews in Mineralogy, Vol. 22), Washington (D. C.): Mineralogical Society of America 1990 ▪ Matthes, Mineralogie (5.), S. 120 f., Berlin: Springer 1996 ▪ Ullmann (5.) **A 23**, 667, 691 f. – *[HS 2508 50; CAS 1302-76-7]*

Kyanol. Histor. Bez. für *Anilin.

Kymene®. Lsg. eines Additionsprodukts, entweder auf Polyamidaminepichlorhydrinharz-Basis od. Polyaminoepichlorhydrinharz-Basis als Naßfestmittel für Papier- u. Tissuefabrikation im neutralen u. alkal. pH-Bereich. *B.:* Hercules.

Kynar®. PVDF-(*Polyvinylidenfluorid)Thermoplast mit hoher Temp. u. chem. Beständigkeit für Isolationen, Dichtungen u. Beschichtungen. *B.:* Elf Atochem.

L-Kynurenin [(*S*)-2-Amino-4-(2-aminophenyl)-4-oxobuttersäure].

$C_{10}H_{12}N_2O_3$, M_R 208,22. Farblose Blättchen, Zers. bei 191 °C (Schmp. der DL-Form 219 °C), wenig lösl. in Wasser, bildet mit Säuren wasserlösl. Salze. Als Stoffwechselprodukt des *Tryptophans im Organismus wird K. täglich in Mengen von ca. 1 mg im Harn ausgeschieden (Name von griech.: kýōn = Hund u. oũron = Urin). L-K. kann – nach Hydroxylierung zu 3-Hydroxy-L-kynurenin (durch *Kynurenin-3-Monooxygenase*, EC 1.14.13.9) sowie dessen Abbau zu 3-Hydroxyanthranilsäure (unter Einwirkung der von *Vitamin B₆ als Cofaktor abhängigen *Kynureninase*, EC 3.7.1.3) – über weitere Schritte dem Abbau durch den *Citronensäure-Cyclus zugeführt, od. aber bei der Biosynth. von *Nicotinamid-Adenin-Dinucleotid verwertet werden. Alternativ, u. bes. bei Vitamin-B₆-Mangel, können verschiedene Ausscheidungsprodukte des L-K. gebildet werden: *Kynurensäure, Xanthurensäure, Anthranilsäure. Das Oxid.-Produkt 3-Hydroxy-L-kynurenin ist auch ein Zwischenprodukt bei der Bildung von *Ommochromen der Krebse u. Insekten. –

E kynurenine – *F* cynurénine – *I* L-chinurenina – *S* quinurenina
Lit.: Beilstein E III **14**, 1656 f. (D, L u. DL), E IV **14**, 2562 f. (DL). – *[CAS 2922-83-03 (L-K.); 343-65-7 (DL-K.)]*

Kynureninase, Kynurenin-3-Monooxygenase s. L-Kynurenin.

Kynurenin-3-Monooxygenase s. L-Kynurenin.

Kynurensäure (4-Hydroxychinolin-2-carbonsäure).

$C_{10}H_7NO_3$, M_R 189,17. Gelbe Nadeln, Schmp. 283 °C, in siedendem Wasser zu ca. 1% lösl., unlösl. in Ether, lösl. in heißem Alkohol, entsteht im Körper verschiedener Tiere u. von Menschen beim Abbau von L-*Tryptophan aus L-*Kynurenin u. ist ein Urinbestandteil. Bei Mangel an *Vitamin B₆ wird K. verstärkt ausgeschieden. – *E* kynurenic acid – *F* acide cynurénique – *I* acido chinurenico – *S* ácido quinurénico
Lit.: Beilstein E V **22/6**, 280 f. – *[HS 2933 40; CAS 492-27-3]*

Kyotorphin.

Aus den Synapsen des Gehirns isolierbares neuroaktives Dipeptid L-Tyrosyl-L-arginin (Tyr-Arg, $C_{15}H_{23}N_5O_4$, M_R 337,38). K. wirkt analget., indem es Met⁵-*Enkephalin aus der Hirnsubstanz freisetzt. Die Biosynth. erfolgt mit Hilfe des Enzyms K.-Synthase[1] (Tyrosin-Arginin-Ligase, EC 6.3.2.24) aus L-*Arginin u. L-*Tyrosin, wobei *Adenosin-5′-triphosphat in *Adenosin-5′-monophosphat u. anorgan. Diphosphat gespalten wird. K. kann in Glia-Zellen als Vorstufe für Stickstoffmonoxid dienen[2]. Zum Abbau durch eine Peptidase s. *Lit.*[3]. – *E* kyotorphin – *F* kyotorphine – *I* chiotorfina – *S* quiotorfina
Lit.: [1] Peptides **16**, 1317 ff. (1995); **17**, 407–411 (1996). [2] Neurosci. Lett. **212**, 1–4 (1994). [3] J. Biochem. **117**, 897–902 (1995). – *[CAS 70904-56-2]*

Kyropoulos-Verfahren s. Einkristalle.

Kytta-Gel®. *K.-Creme* u. *K.-Gel* mit (Hydroxyethyl)salicylat gegen schmerzhafte rheumat. Beschwerden. *K.-Plasma* u. *K.-Salbe* mit Radix Symphyti Fluid-Extrakt gegen Prellungen, *K.-Balsam f.* zusätzlich mit Methylnicotinat, *K.-femin* Dragées mit Keuschlammfrüchte-Trockenextrakt, *K-Cor* Tabl. u. Tropfen mit Weißdornextrakt, *K.-Sedativum* Dragées mit Baldrian-, Hopfen- u. Passionsblumen-Trockenextrakt. *B.:* Kytta/Siegfried.

Kytta-Siegfried. Kurzbez. für die Kytta-Siegfried Pharma GmbH, 72272 Alpirsbach, ein Unternehmen der American Home Products Corp., Madison, New Jersey (USA). *Daten* (1995): 200 Beschäftigte, 75 Mio. DM Umsatz. *Produktion:* Pharmazeut. Präparate.

KZ. Abk. für Koordinationszahl, s. Koordinationslehre u. Kristallstrukturen.

L

λ (lambda). Elfter Buchstabe des *griechischen Alphabets. – a) In Namen von chem. Stammverb. zeigt λ für Nichtmetall-Atome „anormale", erhöhte *Bindigkeit an (Hypervalenz), deren Wert man als Hochzahl am λ anfügt (IUPAC-Regeln D-1.62, R-1.1, I-7.2.2.3); *Beisp.:* Pentaphenyl-λ^5-phosphan = $P(C_6H_5)_5$. – b) Symbol für physikal.-chem. Größen; *Beisp.:* Wellenlänge von Strahlungen, (Kern-)Zerfallskonstante (auch k), Wärmeleitfähigkeit (auch k), mittlere freie Weglänge (auch l), molare Ionen-Leitfähigkeit, abs. Aktivität. – c) Veraltetes Symbol für Mikroliter (μL, 10^{-6} L). – d) Zur „Luftzahl" λ von Verbrennungsmotoren u. -anlagen s. Katalysator, Lambda-Fenster u. Lambda-Wert. – e) Zum „λ-Punkt" s. Helium u. Lambda-Kurve.

Λ (Lambda). Großschreibungsform von *λ. In der Elektrochemie Symbol für die molare Elektrolytleitfähigkeit. Bei Elementarteilchen Symbol für einen *Hyperonen-Typ.

l. a) Symbol für physikal.-chem. Größen; *Beisp.:* Länge, mittlere freie Weglänge (auch λ), Drehimpuls-Quantenzahl im *Atombau, einer der *Millerschen Indizes. – b) Vor Namen für chem. Verb. bedeutet l- linksdrehende *optische Aktivität [*läv(o); latein.: laevus = links], wird aber in der Lit. oft fälschlich statt *L als Bez. der abs. *Konfiguration verwendet u. ist daher besser mit (−)- zu bezeichnen; Gegensatz: d- = (+)-. Eingeklammertes kursives (l)- bedeutet dagegen eine Konfiguration mit 2 gleichen (engl.: like) R/S-Symbolen, also (R,R)- u./od. (S,S)-Isomer; Gegensatz: (u)-.

L. a) In den Namen von biochem. Verb. kennzeichnet L- die abs. *Konfiguration eines C-Atoms mit nach links (latein.: laevus) weisendem Heteroatom in der Fischer-Projektion (s. Kohlenhydrate); in der Lit. oft fälschlich *l- geschrieben. Wegen des engen Anwendungsbereichs von D- u. L- werden die allg. gültigen Symbole (R)- u. (S)- häufiger verwendet (s. Konfiguration).
b) Symbol für die Einheit *Liter u. für physikal.-chem. Größen; *Beisp.:* *Löslichkeitsprodukt, Loschmidtsche Zahl (vgl. Avogadro-Konstante N_A u. *Avogadro'sche Zahl), Selbstinduktion, Drehimpuls(quantenzahl), Strahlungsdichte. – c) Symbol für *Leucin in der IUB-Peptidnotation. – d) Früher schrieb man dem Fehlen einer „L-Region" in aromat. *kondensierten Ringsystemen carcinogene Wirkung zu; vgl. K. – e) Als L-Ketten bezeichnet man bestimmte Komponenten von *Immunglobulinen u. *Antikörpern. – f) Prüfprädikat bei *Holzschutzmitteln (Verträglichkeit mit bestimmten Klebstoffen u. Leimen entsprechend den Angaben

im Prüfbescheid nachgewiesen) gemäß DIN 4076 Tl. 5 (11/1981).

La. Chem. Symbol für das Element *Lanthan.

LA. Kurzz. für Gummifasern, s. Elastofasern.

Lab. Extrakt aus der Schleimhaut des L.-Magens von Saugkälbern u. anderer Jung-Säugetiere. Es enthält *Chymosin* (EC 3.4.23.4, *Labferment, Rennin* – nicht zu verwechseln mit *Renin), eine *Pepsin-ähnliche *Aspartat-Proteinase (M_R 30 700; pH-Wert-Optimum: leicht sauer; Calcium-Ionen als Cofaktor), die als inaktives Proenzym od. *Zymogen (M_R 36 200) entsteht u. die proteolyt. durch Pepsin od. durch Eigenwirkung aktiviert wird. L. zeichnet sich durch seine Fähigkeit aus, die Milchgerinnung auszulösen, was durch die Spaltung einer einzelnen Peptid-Bindung in κ-*Casein zustande kommt. Daher wird es in großem Umfang zur Herst. von *Käse verwendet. L. wird mit Hilfe einer 40 °C warmen wäss. Lsg., die Borsäure, Kochsalz u. Nelkenöl enthält, aus den fein zerschnittenen Kälber-L.-Mägen (4. Magen des 4-fach unterteilten Magensyst. der Wiederkäuer) extrahiert, wobei das Chymosin aus dem *Prochymosin* (Prorennin) aktiviert wird. In Käsereien gibt man das L. zu 20–30 °C warmer *Milch, worauf das Casein in wenigen min zu *L.-Bruch* gerinnt u. auf *Käse verarbeitet werden kann; unterhalb von 15 °C u. oberhalb von 55 °C tritt keine nennenswerte L.-Wirkung mehr ein. Das von Berridge 1945 erstmals gereinigte u. krist. Enzym wird vorwiegend in Form von Flüssigextrakten, die zur Konservierung 17–18% Kochsalz u. 1% Natriumbenzoat od. Kaliumsorbat enthalten, in Einstellungen von 1 : 10 000 od. 1 : 15 000 gehandelt. Trockenpräp. können einen Wirkungsgrad von 1 : 100 000 haben; dabei gibt die zweite Zahl einer solchen Angabe die Menge Milch in mL an, die von 1 g des Präp. in 40 min bei 35 °C zur Gerinnung gebracht werden kann.
L.-ähnlich wirkende Verb. finden sich auch bei anderen tier., pflanzlichen u. mikrobiellen Organismen; die Gattung der *L.-Kräuter* (speziell das Echte L.-Kraut, *Galium verum,* Rubiaceae) hat z. B. daher ihren Namen. Auch führt die Casein-Verdauung mit anderen proteolyt. Enzymen, v. a. Pepsin A (EC 3.4.23.1) u. C (*Gastricsin,* EC 3.4.23.3) zu ähnlichen Spaltprodukten wie die L.-Gerinnung. Mikrobielles L., das v. a. aus *Mucor pusillus* Lindt, *M. miehi* (beide EC 3.4.23.23) u. *Endothia parasitica* (EC 3.4.23.22) gewonnen wird, ist in der BRD nach der Käse-VO als *L.-Austauschstoff* zugelassen, u. entsprechend wird ca. 30% der Käseproduktion der BRD mit mikrobiellem L. hergestellt. Die Produktion von mikrobiellem L. liegt weltweit bei

ca. 10 t/a; heute ist gentechnolog. gewonnenes Chymosin konkurrenzfähig u. wird auch verstärkt eingesetzt. – *E* rennet – *F* présure – *I* caglio – *S* cuajo – [HS 3507 10; CAS 9001-98-3 (Chymosin)]

7,13-Labdadien-6β,15-diol s. Labdane.

***ent*-7,14-Labdadien-2α,13-diol** s. Labdane.

Labdane.

1

Grindelinsäure

ent-7,14-Labdadien-2α,13-diol   7,13-Labdadien-6β,15-diol

Große Gruppe überwiegend bicycl. Diterpene mit dem Grundgerüst (**1**), die zunächst aus Koniferen [1] isoliert wurden. Sie kommen jedoch auch im Tabak [2], in Korbblütlern [3], Lippenblütlern [4], Cistaceae [5], Apocynaceae [6] u. a. vor. Bei einigen Verb. sind weitere Ringe vorhanden. Die L. leiten sich meist von den Grindelan-Diterpenen ab. Als *Beisp.* seien *Grindelinsäure* ($C_{20}H_{32}O_3$, M_R 320,47, Krist., Schmp. 100–101 °C), *ent-7,14-Labdadien-2α,13-diol* ($C_{20}H_{34}O_2$, M_R 306,49) u. *7,13-Labdadien-6β,15-diol* ($C_{20}H_{34}O_2$, M_R 306,49) genannt. Wichtigster Vertreter der Grindelan-Diterpene ist *Forskolin. – *E = F* labdanes – *I* labdani – *S* labdanos

Lit.: [1] Indian J. Chem., Sect. B **26**, 453 (1987). [2] Acta Chem. Scand., Sect. B **42**, 708–716 (1988); Phytochemistry **21**, 395 (1982); **22**, 1294 (1983). [3] Phytochemistry **18**, 115, 1513 (1979); **19**, 111, 977, 2475 (1980); **20**, 275, 843, 1069, 1613, 2388 (1981); **21**, 173, 1103 (1982); **27**, 624, 2953, 2994 (1988); **28**, 1463 ff. (1989). [4] S. Afr. J. Chem. **41**, 124 f. (1988). [5] Phytochemistry **28**, 557–560 (1989). [6] Phytochemistry **27**, 2255–2259 (1988).
allg.: Bull. Chem. Soc. Jpn. **61**, 4023–4028 (1988) ▪ Bull. Soc. Chim. Fr. **1961**, 1429 ▪ Pharm. Unserer Zeit **19**, 36 (1990). – [CAS 1438-57-9 (Grindelinsäure)]

Labdanum (Ladanum). Bez. für pflanzliche *Harze, die aus Teilen mediterraner Cistus-Sträucher (*Cistus crecticus, C. ladanifer*; Familie Cistaceae) gewonnen werden. Die L.-Gewinnung erfolgt durch Extraktion von Zweigen u. Blättern mit heißem Wasser od. durch Abschaben von Pflanzenteilen. Bei der Extraktion der Pflanzenteile mit organ. Lsm. (Alkohol, Petrolether, Benzol) fällt das sog. L.-*Resinoid an.
Die Hauptmenge des L. wird in Spanien erzeugt. Hauptinhaltsstoffe dieses Harzes sind Ketone (Acetophenon, 2,2,6-Trimethylcyclohexanon), Alkohole (*Borneol, Diterpenalkohole, *Eugenol), Phenole u. Harzsäureester. Durch Wasserdampfdest. von L. erhält man L.-Öl od. Cistus-Öl als goldgelbe, viskose Flüssigkeiten. Das sog. „echte" Cistus-Öl wird durch Wasserdampfdest. aus frischen Pflanzenteilen der Cistaceae-Sträucher isoliert. L. wird wegen seiner Ambra-ähnlichen Duft-

note u. seiner guten *Fixateur-Eigenschaften als Grundlage für Parfüme u. künstliches *Ambra verwendet. – *E = F* labdanum – *I* ladano – *S* ládano
Lit.: Ullmann (4.) **12**, 527; (5.) **A 11**, 230. – [HS 1301 90]

Labdanumöl s. Labdanum.

Label s. Markierte Verbindungen.

Labetalol (Rp).

Internat. Freiname für den als Antihypertonikum eingesetzten α- u. β-Rezeptorenblocker (±)-5-{1-Hydroxy-2-[(1-methyl-3-phenylpropyl)amino]ethyl}-salicylamid, $C_{19}H_{24}N_2O_3$, M_R 328,41. Verwendet wird das Hydrochlorid, Schmp. 187–189 °C; λ_{max} (0,1 N NaOH): 246, 333 nm ($A_{1cm}^{1\%}$ 241, 145); LD_{50} (Maus i.v.) 47 mg/kg, (Maus oral) 1450 mg/kg. L. wurde 1971 u. 1977 von Allen & Hanbury patentiert. – *E = S* labetalol – *F* labétalol – *I* labetalolo
Lit.: ASP ▪ DAB **1996** u. Komm. ▪ Hager (5.) **8**, 685–688. – [HS 2924 29; CAS 36894-69-6 (L.); 32780-64-6 (Hydrochlorid)]

Labferment s. Lab.

Labiatensäure. Veraltete Bez. für *Rosmarinsäure.

Labil (von latein.: labare = schwanken). Adjektiv zur Kennzeichnung des *instabilen* *Zustands einer Verb. od. eines Syst., das leicht in eine stabile Form überführt werden kann, vgl. a. metastabile Zustände u. Stabilität. *Thermolabil* drückt aus, daß die Überführung (z. B. von einem Isomer in ein anderes) bereits durch schwache Erwärmung bewirkt werden kann. – *E = F = I* labile – *S* lábil

Labklix. Flüssigkonzentrat u. Pulver für die Reinigung von Glaswaren u. Geräten; L. 13 übertrifft die *Chromschwefelsäure an Reinigungskraft, hat aber nicht deren gefährliche Eigenschaften. *B.:* Serva.

Labkraut s. Lab.

Labodest® Kolonnen u. Anlagenteile. Geräte u. Zubehör zur *Destillation, Rektifikation, Extraktion, Adsorption u. Reaktion. *B.:* Fischer Labor- u. Verfahrenstechnik.

Labor s. Laboratorium u. chemische Laboratorien.

Laboranten. Sammelbez. für die in Laboratorien der Hochschulinst. u. Versuchsanstalten od. in der Ind. tätige Mitarbeiter von Naturwissenschaftlern, insbes. im physikal. u. chem.-biolog. Bereich. Man unterscheidet zwischen Biologielaborant Biologie-, *Chemie-, Foto-, Lack-, landwirtschaftlichen, landwirtschaftlich-techn., milchwirtschaftlichen, Pflanzenschutz-, Physik-, Textil- u. veterinärmedizin. Laboranten. Diese Gruppe wird im Berufsfeld der naturwissenschaftlich-techn. Ausbildungsberufe mit meist 3–3½jähriger Ausbildungsdauer zusammengefaßt, vgl. a. Chemie-Berufe. Ihr Aufgabengebiet umfaßt die Mitarbeit in Forschung, Anw.-Technik, Materialprüfung u. Wertbestimmung von Rohstoffen sowie Produktionsvorbereitung u. Überwachung der laufenden Fertigung. Sie arbeiten selbständig nach Anweisungen des Labor- od. Versuchsleiters. Typ. für L. ist der Umgang mit kleinen Substanzmengen. Typ. Anforderungen an L. sind naturwissenschaftlich-techn. Verständnis, Geduld, Konz.-Fähigkeit, Ausdauer, Gewissenhaftigkeit u. Farbtüchtigkeit. – *E* laboratory assistant – *F* laborantin – *I* assistenti di laboratorio – *S* laborantes

Laboratorium (Labor). Von latein.: laborare = arbeiten abgeleiteter Name für den zweckentsprechend eingerichteten Arbeitsraum des Chemikers, Physikers, Biochemikers, Apothekers etc. (s. chemische Laboratorien). L., in denen mit *Gefahrstoffen umgegangen u. nach chem. od. physikal. chem. Meth. analyt., präparativ od. anwendungstechn. gearbeitet wird, müssen nach den Bestimmungen der *Richtlinien für Laboratorien des Hauptverbandes der gewerblichen Berufsgenossenschaften u. den allg. anerkannten Regeln der Technik beschaffen sein u. benutzt werden. Allg. anerkannte Regeln sind z. B. DIN-Normen (s. *Lit.*).
Bei Arbeiten mit bes. gesundheitsgefährlichen Stoffen sind zusätzliche Schutzmaßnahmen zu berücksichtigen. Neben den einschlägigen Unfallverhütungsvorschriften, insbes. der UVV „Allg. Vorschriften" (VBG 1) u. der UVV „Gesundheitsdienst" (VBG 103) sind weitere Rechtsnormen wie z. B. die *Gefahrstoffverordnung (GefStoffV), die Arbeitsstättenverordnung (ArbStättV) u. die VO über ionisierende Strahlen (Strahlenschutzverordnung, StrlSchV) zu beachten. Für den Umgang mit biolog. Agenzien findet die Unfallverhütungsvorschrift „Biotechnologie" (UVV 31, VBG 102) Anwendung. – *E* laboratory – *F* laboratoire – *I* = *S* laboratorio

Lit.: GefStoffV vom 26. 10. 1993 (BGBl. I, S. 1782), zuletzt geändert am 09. 10. 1996 (BGBl. I, S. 1498) ▪ Merkblatt „Bes. Schutzmaßnahmen in Laboratorien" (M 006), Ausgabe 6/1989 ▪ Regeln für Sicherheit und Gesundheitsschutz beim Umgang mit krebserzeugenden u. erbgutverändernden Gefahrstoffen (ZH 1/513), Ausgabe 1/1996 ▪ Richtlinien für Laboratorien (ZH 1/119), Ausgabe 10/1993 ▪ UVV Allg. Vorschriften (VBG 1) in der Fassung vom 1. 4. 1992 ▪ UVV Arbeitsmedizinische Vorsorge (VBG 100) in der Fassung vom 1. 10. 1993 ▪ UVV Biotechnologie (VBG 102) in der Fassung vom 1. 1. 1988 ▪ UVV Erste Hilfe (VBG 109) in der Fassung vom 1. 10. 1994 ▪ UVV Umgang mit krebserzeugenden Gefahrstoffen (VBG 113) in der Fassung vom 1. 10. 1991. – Bezugsquelle für Merkblätter, Richtlinien u. Unfallverhütungsvorschriften der BG Chemie: Carl Heymanns Verl. KG, Luxemburger Straße 449, 50939 Köln od. Jedermann-Verl., Postfach 10 31 40, 69021 Heidelberg, für ZH 1-Schriften: Jedermann-Verl., Postfach 10 31 40, 69021 Heidelberg.

Laborgeräte s. chemische Laboratorien.

Labor-Informations-Management-System s. LIMS.

Labor(jung)werker vgl. Chemie-Berufe.

Labortische. Die in chemischen Laboratorien üblichen Tische, die für eine Belastung chem., mechan. u. therm. Art geeignet sind. Sie sind mit den notwendigen Versorgungsleitungen u. Entnahmestellen für unterschiedliche Medien wie Wasser, Abwasser, Gase u. Druckluft versehen. Die eingebauten Ventile u. Hähne müssen entsprechend der DIN 12 920 (10/1995) farbig gekennzeichnet sein. – *E* laboratory benches – *F* paillasses de laboratoire – *I* banco da laboratorio – *S* mesas de laboratorio

Lit.: DIN 12926 (Tl. 1, 01/1993; Tl. 2, 11/1993), 12 915 (02/1994), 12 916 (10/1995).

Labradorisieren s. Labrador(it).

Labrador(it). Zu den *Feldspäten u. hier zu den *Plagioklasen* gehörendes triklines Mineral mit sehr komplizierter Struktur[1]. Krist. selten (z. B. Ätna/Sizilien); meist als leistenförmiger od. körniger Gemengteil in überwiegend dunklen *magmatischen Gesteinen, z. B. in *Gabbros (u. a. Harz, Grönland) u. *Basalten (z. B. Schottland, Island). Farblos, weiß, bläulich, undurchsichtig grau bis schwarzgrau, H. 5 – 6, D. ca. 2,7. Manche L., z. B. von der Halbinsel Labrador (Name!)/Kanada, Mexiko, Madagaskar u. Finnland (*„Spektrolith"*) zeigen ein charakterist. Farbenspiel (*„Labradorisieren"*) in leuchtend blauen, rot bronzenen, grünen, gelben u. rötlichen Farben. Dieser Farbeffekt wird auf Wechselwirkungen des Lichts erst mit elektronenmikroskop. Meth. erkennbaren lamellenartigen Verwachsungen (sog. *Boeggild-Verwachsungen*) mit einer Periodizität von >1000 Å (*Lit.*[2]) zurückgeführt[3,4], im Röntgenbeugungsbild solcher L. erscheinen Supersatelliten-Reflexe[2,5].

Verw.: Labradorisierende Abarten als Schmuckstein u. zur Herst. von Steinkugeln, Steineiern usw. – *E* = *F* = *I* labradorite – *S* labradorita
Lit.: [1] Acta Crystallogr. Sect. A **37**, 229 – 238 (1981); Sect. B **40**, 228 – 237 (1984). [2] Z. Kristallogr. **200**, 141 – 156 (1992). [3] Naturwissenschaften **52**, 427 f. (1965). [4] Am. Mineral. **63**, 584 – 590 (1978). [5] Naturwissenschaften **52**, 640 f. (1965). *allg.*: Eppler, Praktische Gemmologie (5.), S. 342 ff., Stuttgart: Rühle-Diebener 1994 ▪ s. a. Feldspäte. – *[HS 2516 90; CAS 12173-78-3]*

lac s. lac-Operon.

Lac. Latein. Bez. für Milch, z. B. in *lac sulfuris* = Schwefelmilch, s. Calciumpolysulfide.

Lacca s. Resina, Schellack, zur Etymologie s. Lacke.

Laccainsäure (CI Natural Red 25).

R = CH$_2$—CH$_2$—NH—CO—CH$_3$: L. A
R = CH$_2$—CH$_2$—OH : L. B
R = CH$_2$—CH—COOH : L. C
       |
      NH$_2$
R = CH$_2$—CH$_2$—NH$_2$: L. E

Tab.: Daten von Laccainsäuren.

Laccain-säuren	Summen-formel	M_R	CAS
L. A	$C_{26}H_{19}NO_{12}$	537,44	15979-35-8
L. B	$C_{24}H_{16}O_{12}$	496,38	17249-00-2
L. C	$C_{25}H_{17}NO_{13}$	539,41	23241-56-7
L. D	$C_{16}H_{10}O_7$	314,25	18499-84-8
L. E	$C_{24}H_{17}NO_{11}$	495,40	–

Bez. für rote Anthrachinon-Pigmente aus der Lackschildlaus *Coccus laccae* (*Laccifer lacca*), die auf ind. Wirtsbäumen (*Butea monosperma* u. *Zyphus mauritiana*) beheimatet ist. Ursprünglich galt L. als einheitliche Verbindung. Sie wurde jedoch später als Gemisch erkannt (vgl. Tab.). L. D (Xanthokermessäure) [gelbe Nadeln, Schmp. >300 °C (Zers.), λmax 345 nm] weist größere strukturelle Unterschiede zu den L. A-C auf u. kommt auch in *Rheum*- u. *Cassia-Arten*[1] vor. L. werden als Farbstoff für Kosmetika u. Lebensmittel verwendet. – *E* laccaic acid – *F* acide laccaïque – *I* acido laccaico – *S* ácido lacaico

Lit.: [1] Aust. J. Chem. **34**, 2401 (1981); J. Chem. Soc., Chem. Commun. **1978**, 688 (Synth.); Chem. Pharm. Bull. **22**, 1159 (1974); Phytochemistry **17**, 895 (1978); Tetrahedron Lett. **1967**, 2437; **1968**, 2223, 2231.

allg.: Cell Biol. Toxicol. **1**, 111–125 (1984) ▪ Curr. Sci. **57**, 30 ff. (1988) ▪ J. Oil Colour Chem. Assoc. **67**, 117 f. (1984) ▪ Thomson, Naturally Occurring Quinones III, S. 440, London: Chapman & Hall 1987.

Laccase (*p*-Polyphenoloxidase, *p*-Diphenoloxidase). Ein aus einigen Pilzen u. aus dem japan. Lackbaum (*Rhus vernicifera*) isolierbares, Kupfer enthaltendes Enzym, das zahlreiche Polyphenole oxidiert (z. B. Guajakol, Hydrochinon, Catechin, aber auch *p*-Phenylendiamin). Dabei wird Sauerstoff zu Wasser reduziert. L. ist ein *Kupferprotein mit 4 verschieden gebundenen Cu-Atomen, das vermutlich auch an der Biosynth. von *Lignin beteiligt ist. – *E* laccase – *I* laccasi, *p*-polifenolossidasi – *S* lacasa

Laceran®. Salbe mit *Harnstoff gegen trockene Haut u. Neurodermitis. *B.:* Beiersdorf.

Lachgas. Von Sir H. *Davy bereits um 1800 geprägter Name für das später *Stickoxydul*, ⬛ 🔥 heute systemat. *Distickstoff(mon)oxid* genannte u. hier bei *Stickstoffoxide behandelte Gas N_2O. Das als *Inhalationsnarkotikum verwendete Gas kann bei der Einatmung (zur *Narkotisierung*) zu lebhaften Halluzinationen u. Träumen u. dabei auch zu einer erhöhten Lachbereitschaft führen. Das 1776 von *Priestley erstmals hergestellte Gas wurde von Davy 1799 als Narkotikum vorgeschlagen, als solches aber erst 1844 von dem engl. Zahnarzt Wells angewandt; 1868 erfolgte durch Andrews die erste Operation unter L.-Sauerstoff-Narkose. Dies ist auch die heute gebräuchlichste Applikationsform, da L. in Kombination mit genügend Sauerstoff prakt. ungiftig ist. Die analget. Wirkung ist stark u. die Narkosewirkung schnell, aber relativ schwach u. ohne Muskelentspannung, so daß L. oft als Basisnarkotikum zusammen mit *Halothan od. *Barbituraten od. mit *Muskelrelaxantien eingesetzt wird[1]. Voraussetzung bei diesen u. a. Verw. von L. (s. Stickstoffoxide) ist, daß die oxidierenden u. damit brand- u. explosionsfördernden Eigenschaften des Gases berücksichtigt werden[2]. – *E* laughing gas – *F* gaz hilarant – *I* gas esilarante – *S* gas hilarante

Lit.: [1] Pharm. Unserer Zeit **11**, 18–32 (1982). [2] aerosol rep. **16**, 318–320 (1977).

allg.: Chem. Labor Betr. **34**, 358 (1983) ▪ Cohen, Das Lachgas, eine chemisch-kulturhistorische Studie, Leipzig: Engelmann 1907 ▪ Hommel Nr. 600, 1122 ▪ Kirk-Othmer (4.) **2**, 781 f. ▪ s. a. Inhalationsnarkotika u. Stickstoffoxide. – *[HS 281 29; G 2]*

Lackbenzin s. Benzin, Terpentinöl-Ersatz u. Testbenzine.

Lackdraht s. Isolierlacke.

Lacke. L. sind nach DIN 971-1 (09/1996) flüssige od. pastenförmige od. pulverförmige Beschichtungs-

stoffe, die, auf einen Untergrund aufgebracht, eine deckende Beschichtung mit schützenden, dekorativen od. spezif. techn. Eigenschaften ergeben. Die Hauptkomponenten der L. sind *Bindemittel, *Lösemittel, *Pigmente, *Füllstoffe u. *Lackhilfsmittel. Beim nichtdeckenden *Klar-L.*, dessen Farbe nur von der des Bindemittels abhängt, entfällt das Pigment, beim festen, pulverförmigen L. das Lösemittel. Von den L. sind zu unterscheiden die *Farblacke, die durch sog. *Verlackung* entstehen.

Einteilung: Zur Einteilung der L. sind verschiedene techn. Gesichtspunkte gebräuchlich:

1. *Stoffliche Zusammensetzung*, d. h. die Bindemittelbasis: z. B. *Alkydharz-, *Chlorkautschuk-, *Epoxidharz-, *Acrylharz-, Öl-, *Nitro-, Polyester-, Polyurethan-, Kombinations-Lacke auf Cellulosenitrat- u. Alkydharz-Basis.

2. *Lsm.:* z. B. Spiritus-, Ester-L., *Wasserlacke.

3. *Applikationsweise:* z. B. Gieß-, Elektrotauch-, Coil-Coating-, Heißlackier-Spritz-, Tauch-, Träufel-Lacke.

4. *Aufbau des Anstrichsyst.:* z. B. Deck-L., Einschicht-L., Füller, Grundierung, Vorlacke.

5. *Trocknungsweise:* z. B. *Einbrennlacke, lufttrocknende L., kalthärtende L., feuchtigkeitshärtende L., physikal. trocknende Lacke.

6. *Vernetzungsreaktion:* z. B. Polyadditions-L., Polykondensations-L., Polymerisations-Lacke.

7. *Verw.:* z. B. Auto-L., Boots-L., Fußboden-L., Heizkörper-L., Holz-L., Maler-L., Abzieh-L., Kapsel-L., Leitlacke.

8. *Anw. u. Eigenschaften:* z. B. chemikalienfeste L., säurefeste L., Elektroisolier-L., elektr. leitende L., Rostschutz-L., Matt-L., Klar-L., Transparent-L., Effekt-L., Zweikomponenten-Lacke.

Als *Bindemittel* werden überwiegend veredelte Naturprodukte, z. B. aus *Kolophonium u. Ölen od. *Cellulosenitrat (Nitro-L.), u. vollsynthet. aufgebaute Harze (*Kunstharze) verwendet. Die klass. natürlichen *Harze wie Kopale, Bernstein, Schellack sind heute nur noch von geringer L.-techn. Bedeutung. An *Kunstharzen* werden verwendet: Phenolharze, Aminharze (z. B. Benzoguanamin-, Harnstoff-, Melamin-Harze), Alkydharze, Polyvinylacetat, Epoxidharze, Polyurethanharze, Polyesterharze, mit Kolophonium modifizierte Phenolharze, Chlorkautschuk, chloriertes Polypropylen, Cyclokautschuk, Ketonharze, Acrylharze. Große Bedeutung besitzen nach wie vor die Alkydharze, deren *Lackhärtung bei 80–200 °C erfolgt. Die mit Ölen bzw. ungesätt. Fettsäuren modifizierten werden im allg. mit Aminharzen, die gesätt. Fettsäuren enthaltenden auch mit Cellulosenitrat kombiniert. Auto-, Kühlschrank-, Waschmaschinen-, Heizkörper- od. Ind.-L. werden aus sog. niedrig- bis mittelöligen Alkydharzen gefertigt. Sind die Anforderungen (z. B. an die Alkali-Beständigkeit) bes. hoch, so werden andere Kunstharze, z. B. Acrylharze, eingesetzt. Langölige Leinöl-, Soja- od. Tallölalkydharze werden für Malerzwecke verwendet.

Lsm.- bzw. *Verdünnungsmittel* sind Flüssigkeiten, in denen man das Bindemittel auflöst, um L. in eine besser applizierbare Form zu bringen. Beim Trocknen des L.-Anstrichs verdunsten diese Lsm. fast vollständig, wobei der L. als vernetzter od. auch nicht vernetzter

Film glänzend, matt od. auch seidenmatt zurückbleibt. An Lsm. werden verwendet: Etheralkohole, Aliphaten, Alkohole („Spiritus", „Sprit"), Aromaten, chlorierte Kohlenwasserstoffe, Ester, Hydroaromaten, Ketone, Terpenkohlenwasserstoffe, Wasser u. a.; im allg. werden mehrere dieser Lsm. kombiniert. In Maler-L. verwendet man meist nur aliphat. Kohlenwasserstoffe von mildem Geruch, während in Einbrennlacken meist Aromaten mit anderen Lsm.-Zusätzen verwendet werden. Da Lsm. im allg. sowohl brennfähige als auch häufig gesundheits- u. umweltschädliche Stoffe sind, werden mehr u. mehr mit Wasser verdünnbare Lacksyst. eingesetzt. So werden heute z. B. Autokarosserien mit Wasser-verdünnbaren L. im Elektrotauchlackierverf. (s. elektrophoretische Lackierung) grundiert. Aus dem gleichen Grund findet auch die Lsm.-freie *elektrostatische Beschichtung (*Pulverbeschichtung) verstärkten Einsatz. Festkörperreiche L.-Syst. bezeichnet man fachsprachlich als *High-Solid-Systeme.*

Um farbige deckende Anstriche zu erhalten, müssen die L. pigmentiert, d. h. mit in gebräuchlichen Lsm. unlösl. organ. od. anorgan. Pigmenten versetzt werden, z. B. mit Titandioxid, Eisenoxidrot, Eisenoxidschwarz, Chromoxidgrün, Molybdat-, Cadmium-Pigmenten, Rußen od. Azo-, Phthalocyanin-, Triarylmethan-Pigmenten.

Zur Verbilligung od. um bestimmte Effekte zu erreichen, werden Füllstoffe (z. B. Kieselgele, Blancfixe, Kieselgur, Talkum usw.) zugesetzt, v. a. bei Grundierungen u. Vor-L. u. zur Erzielung von Spezialeffekten. Bei diesen *Effekt-L.* ist zu denken an Matt-, Runzel-, Eisblumen-, Hammerschlag-, Metallic-, Spinnweb-Effekte. Für die Elektrotechnik werden L. durch Pigmentieren mit Metall-Pulver – bes. Silber, Gold u. Platin – leitfähig gemacht (*Leit-L.*). Neuentwickelte *Photo-L.* finden als *Photoresists in der Halbleitertechnik Verwendung.

Herst.: Die Vermischung von Pigment u. Bindemittel erfolgt auf verschiedenen Aggregaten. Die Pigmentpasten werden auf Walzenstühlen (Dreiwalzen) bzw. mit Sandmühlen, Kugelmühlen od. Dissolvern abgerieben. Dabei werden die Pigmentagglomerate zerschlagen u. die Pigmentteilchen vom Bindemittel umhüllt. Die aus den Geräten auslaufenden Mahlpasten werden anschließend mit weiteren Zusätzen wie z. B. Bindemitteln, Lsm. u. L.-Hilfsmitteln zum Endprodukt L. versetzt. Näheres zur Technologie der L.-Herst. s. bei Kirk-Othmer u. Winnacker-Küchler (*Lit.*).

Die Applikation von L. auf Werkstücke wird als *Lackieren* bezeichnet. Dies kann erfolgen: Durch Anstreichen mit dem Pinsel (z. B. bei Maler-L.), durch Aufspritzen mit Hilfe von Spritzgeräten (z. B. Preßluft-, elektrostat. wirkenden, Airless- u. Heißspritzpistolen), durch Fluten, Tauchen, Gießen, Walzen, bei Metallbändern durch Coil Coating mit Einbrenn-L., bei Pulver-Beschichtung durch elektrostat. Beschichtung od. Sintern in der Wirbelschicht u. schließlich durch die bes. in der Auto-Ind. häufig angewandte elektrophoret. Lackierung. Bei der Verarbeitung von L. sind die entsprechenden *Unfallverhütungsvorschriften ebenso zu beachten wie Maßnahmen zum Umweltschutz, insbes. zur Rückhaltung von Lsm.-Emissionen. Im Anschluß an den L.-Auftrag erfolgt

die – je nach L. u. Auftragsweise – unterschiedlich verlaufende Lackhärtung: Näheres s. dort.

Die Anforderungen, die an die applizierten gehärteten L. gestellt werden, werden von vielen Firmen durch Lieferspezifikationen umrissen, in denen in detaillierter Form die Prüfungen u. Prüfmeth. beschrieben u. die geforderten Werte in Grenzen angegeben sind. Zahlreiche Meth. zur Prüfung der diversen L.-Eigenschaften sind in DIN-Vorschriften spezifiziert (DIN-Katalog, Sachgruppe 5930, Berlin: Beuth, jährlich).

Geschichte: Einer der ältesten L. ist der *Schellack, dessen Name sich wie der des L. selbst über italien.: lacca u. ind.: lakh zurückführen läßt auf sanskrit.: laksha = hunderttausend, weil sehr viele Lackschildläuse an der Schellack-Bildung beteiligt sind. Die Verw. von L. als schützender Überzug war schon in vorchristlicher Zeit bekannt; die *Lack-Kunst* stand im alten China seit dem 1. Jahrtausend vor unserer Zeitrechnung u. in der islam. Welt auch schon frühzeitig in hoher Blüte, gelangte jedoch erst gegen Ende des Mittelalters nach Europa. Die Bez. L. wurde noch bis in die jüngste Zeit wechselweise mit *Firnis gebraucht (vgl. Japanlack). Heute hat L. v. a. industrielle Bedeutung als Schutz- u. Isolierschicht, häufig mit Dekorcharakter.

Wirtschaft: In der BRD wurden 1996 ca. 1544 10^3 t Farben u. L. im Wert von ca. 7985 Mio. DM hergestellt, s. die Tab.[1].

Tab.: Produktionszahlen 1996 der dtsch. Farben- u. Lack-Industrie; nach *Lit.*[1].

	10^3 t	Mio. DM
wasserbasierende Farben u. Lacke	897	3 151
Lsm.-basierende Farben u. Lacke	546	4 167
andere Farben u. Lacke für bes. Anw.	101	667
insgesamt	1 544	7 985

– *E* lacquers – *F* laques, vernis – *I* lacche, vernici – *S* lacas, barnices

Lit.: [1] farbe + lack **103**, Nr. 3, 16 (1997).
allg.: Encycl. Polym. Sci. Eng. **3**, 567–687 ▪ Kirk-Othmer (3.) **6**, 427–481; **16**, 742–761; (4.) **6**, 669–760; **17**, 1049–1082 ▪ Ullmann (4.) **15**, 589–726; (5.) **A 18**, 359–544 ▪ Winnacker-Küchler (4.) **6**, 735–815 ▪ s. a. Anstrichstoffe, Beschichtung u. a. Textstichwörter. – *Zeitschriften:* Coating, St. Gallen: Coating Thomas & Co. (seit 1967) ▪ farbe + lack, Hannover: Vincentz (seit 1895) ▪ Industrie Lackierbetrieb, Hannover: Vincentz (seit 1930). – *Organisationen u. Inst.:* CEPE (Verband der europ. Lackhersteller, Square Marie-Louise 49, B-1040 Brüssel) ▪ FATIPEC (Dachverband der europ. Farben-, Lack- u. Druckfarbentechniker, 28, Rue Saint Dominique, F-75007 Paris) ▪ Forschungsinstitut für Pigmente u. Lacke e. V. (70569 Stuttgart, Allmandring 37) ▪ National Paint and Coatings Association (NPCA), 1500 Rhode Island Ave, N. W., Washington DC 20005 ▪ Verband der Lackindustrie e. V. (VdL), Karlstr. 21, 60329 Frankfurt.

Lackentferner s. Abbeizmittel.

Lackfarbe. Nach DIN 55 945 (09/1996) meist im Handwerk noch gebräuchliche Benennung für einen pigmentierten *Lack.

Lackhärtung. Das Aushärten von in flüssigem Zustand aufgetragenen *Lacken zu stabilen Oberflächenschichten wird als L. bezeichnet. Diese L. kann entweder durch *Lufttrocknung* (physikal. Trocknung, oxidative Vernetzung, Luftfeuchtigkeitshärtung) erfolgen od. – wie bei der *Härtung von Kunststoffen – durch *Polymerisation (ungesätt. Polyester/Styrol), durch *Polyaddition (Polyisocyanat/Polyhydroxy-Verb. od. Polyepoxid/Polyamin) u. durch *Polykondensation (*Alkyd- od. *Acrylharze mit Aminharzen). Bei der Ofen- od. *Infrarottrocknung werden diese Reaktionen durch Wärme ausgelöst bzw. beschleunigt. Polymerisierbare Lacksyst. können auch mit *Ultraviolett- od. *ionisierender Strahlung gehärtet werden. Für die UV-Vernetzung, bei der üblicherweise *Quecksilberdampf-Lampen als Lichtquellen benutzt werden, sind v. a. Acryl- u. bestimmte Polyesterlacke geeignet. Diesen müssen sog. *Photoinitiatoren* auf der Basis von Benzophenon-Derivaten od. Thioxanthonen zugesetzt werden, die bei der Photolyse Radikale liefern. Näheres zu den Mechanismen der auch für die Härtung von *Druckfarben wichtigen UV-L. s. *Lit.*[1]. Das *Impuls-Strahl-Trocknungsverf.* (IST) arbeitet ebenfalls mit UV-Strahlen, die jedoch in Form von sehr kurzwelligen hochenerget. Impulsen eingesetzt werden. Die L. durch *Elektronenstrahlen* (ESH, *E* electron beam curing = EBC) kann monomerhaltige Lacke zu harten, widerstandsfähigen Filmen polymerisieren. Das Verf. ist auch bei pigmentierten Lacken problemlos anwendbar u. verläuft in Abwesenheit von Sauerstoff. Die Polymerisation erfolgt in Bruchteilen von Sekunden. Die L. durch Elektronenstrahlen ist bes. bei hohen Durchsätzen wirtschaftlich. – *E* curing of lacquers – *F* durcissage des laques – *I* indurimento di lacca – *S* endurecimiento de lacas

Lit.: [1]J. Coating Technol. **60**, 63–72 (1988).
allg.: Kirk-Othmer (3.) **19**, 607–624; (4.) **20**, 830–859 ▪ Ullmann (4.) **15**, 694 f.; (5.) **A 18**, 451–455, 500 ff. ▪ Winnacker-Küchler (4.) **6**, 807, 812 ▪ s. a. Lacke.

Lackharze. Sammelbez. für die als *Lackrohstoffe bekannten natürlichen *Harze (L. im eigentlichen Sinne) od. für synthet. Produkte (*Lackkunstharze*).
Lit.: s. Lacke.

Lackhautverhinderer. Synonym für *Antihautmittel.

Lackhilfsmittel. Als L. werden Verb. bezeichnet, die zur Herst. von *Lacken außer den *Lackrohstoffen benötigt werden u./od. die zur Einstellung u. Stabilisierung der Eigenschaften von Lacken dienen; *Beisp.:* *Emulgatoren, *Netz- u. *Dispergiermittel, *Schaumverhütungsmittel, Biozide, *Antioxidantien, *Antihautmittel, *Absetzverhinderungsmittel, Lackverlaufmittel, Antiausschwimmittel, Effektzusätze, *Wachse zur Herst. von Mattlacken. – *E* lacquer auxiliaries – *F* auxiliaires pour laques – *I* ausiliari per lacca – *S* auxiliares para lacas
Lit.: Ullmann (4.) **15**, 675–678; (5.) **A 18**, 365 f., 465–472 ▪ s. a. Lacke.

Lackkonservierer s. Autopflegemittel.

Lackkunstharze s. Lackharze.

Lackleder. Bez. für ein *Leder, das eine glatte, spiegelnde, wasserundurchlässige, schwarze od. bunte Lackschicht erhält. Diese bestand früher aus Leinölfirnis bzw. hochviskosen Cellulosenitraten od. Schelllack od. Harnstoff-Formaldehyd-Harzen, kombiniert mit Cellulosenitraten od. hochviskosen Polyvinylace-

tat-Produkten, heute aus Reaktionslacken auf Polyurethan-Basis. – *E* patent leather – *F* cuir verni – *I* cuoio verniciato – *S* charol, cuero charolado
Lit.: Ullmann (4.) **16**, 162 f.; **19**, 335. – *[HS 4109 00]*

Lackleinöl s. Leinöl.

Lackmus. Blauer Farbstoff, der sich aus verschiedenen *Flechten, z. B. *Variolaria, Roccella* u. *Lecanora*, gewinnen läßt[1]. Er fand früher bes. in den Niederlanden zum Bläuen von Wäsche u. zum Färben von Genußmitteln (Weine, Backwerk, Likör, Käse), Schminke u. Zuckerpapier Verwendung. Für die Textilfärberei ist L. wegen seiner Farbumschläge in Säuren u. Laugen ungeeignet. Heute wird L. ausschließlich als Säure-Base-*Indikator verwendet (bei pH 4,5 rot, bei 8,3 blau), u. zwar hauptsächlich in Form der wäss. Lsg. (*L.-Tinktur*) u. des *L.-Papiers*, bei dem es sich um Papierstreifen handelt, die mit schwach saurer od. alkal. L.-Tinktur imprägniert sind (*Reagenzpapier). Der Hauptbestandteil des L. ist polymer aus 7-Hydroxy-3-phenoxazinon-Chromophoren aufgebaut, was seine Verwandtschaft mit *Orcein erklärt. Aus L. wird unter der Bez. *Azolitmin* eine spezielle Farbkomponente mit L.-ähnlichen Eigenschaften hergestellt u. ebenfalls als Indikator in den Handel gebracht.
Geschichte: L. wurde als chem. Reagenz um 1300 n. Chr. von dem Arzt u. Alchemisten Arnaldus de Villanova erstmals verwendet. Der Name kommt von niederländ. lakmoes, dessen Deutung unsicher ist (Lack? + Moos od. Mus?). – *E* litmus – *F* tournesol – *I* tornasole – *S* tornasol
Lit.: [1]Angew. Chem. **73**, 665–673 (1961).
allg.: Hager **5**, 426–428 ▪ Ullmann (4.) **11**, 116. – *[HS 3203 00]*

Lackpflegemittel s. Autopflegemittel u. Polituren.

Lackpolituren, Lackreiniger s. Autopflegemittel u. Polituren.

Lackrohstoffe. Sammelbez., unter der man im allg. die zur Herst. eines *Lacks benötigten u. hier ggf. in Einzelstichwörtern behandelten Bindemittel (natürliche Harze u. deren Abwandlungsprodukte, Kunstharze, Cellulosenitrat), Pigmente, Lsm., Füllstoffe, Trockenstoffe, Weichmacher, Härter, seltener auch die *Lackhilfsmittel versteht. – *E* lacquer raw materials – *F* matériaux de composition des laques – *I* materie prime per lacca – *S* materias primas para lacas
Lit.: s. Lacke.

Lackschwarz s. Knochenkohle.

Lackwolle s. Cellulosenitrat.

lac-Operon (Lactose-Operon). *Desoxyribonucleinsäure (DNA)-Sequenz im Genom von *Escherichia coli* (*E. coli*) mit *Promotor, *Operator u. Strukturgenen, die den Lactose-Metabolismus regulieren u. codieren. Bei den Strukturgenen handelt es sich um drei benachbarte u. gemeinsam regulierte Gene: lacZ [3063 Basenpaare (Bp), β-*Galactosidase zur Spaltung von *Lactose in *Galactose u. *Glucose], lacY (ca. 800 Bp, β-Galactosid-Permease; katalysiert den Transport von Lactose durch die Zellmembran) u. lacA (ca. 800 Bp, β-Galactosid-Transacetylase, Funktion noch nicht eindeutig geklärt), gefolgt von einem *Terminator. Die drei Gene werden in der genannten Reihenfolge in Form einer polycistron. *mRNA transkribiert. Die *Transkription des lac-O. wird über ein Zusammenspiel von neg. (lac-*Repressor) u. pos. Genregulation [cAMP-CAP (CAP = catabolite activator protein), s. cAMP-Rezeptor-Protein; s. a. Katabolit-Repression u. Regulation] gesteuert. Das lac-O. wurde in den 50er Jahren von *Jacob u. *Monod zum grundlegenden Studium der Genregulation benutzt (Jacob-Monod-Modell).

a) reprimierter Zustand des Lactose-Operons:

b) induzierter Zustand des Lactose-Operons:

Abb.: Aufbau u. Regulation des lac-Operons; nach Stryer 1996, *Lit.*

Der lac-Repressor ist das Produkt des dem lac-O. direkt vorgeschalteten Regulatorgens (lacI, 1111 Bp). Der aktive lac-Repressor (M_R 152 000) besteht aus vier ident. Untereinheiten von je 360 *Aminosäuren u. kommt mit 10 – 20 Mol. pro Zelle vor (0,002% des gesamten Zell-Proteins). In Abwesenheit eines Induktors bindet der Repressor mit hoher Affinität an die Repressor-Bindungsregion des lac-Operators, wodurch die Transkription verhindert wird. In Ggw. eines Induktors (v. a. Allolactose, ein intrazelluläres Umwandlungsprodukt von Lactose) erfährt der Repressor durch die Verbindung mit dem Induktor eine Änderung der *Konformation, die seine Affinität zur Operator-DNA herabsetzt u. der beladene Repressor gibt den Operator zur Transkription frei. Die Transkription erfolgt jedoch nur, wenn ein zweites Regulator-Protein (*cAMP-Rezeptor-Protein) am Promotor an dessen cAMP-CAP-Bindungsregion bindet, was Voraussetzung für die Anheftung der RNA-Polymerase an der RNA-Polymerase-Bindungsregion des Promotors ist. *Verw.:* Die regulator. Eigenschaften des lac-O. werden zur kontrollierten Expression von *cDNA in *E. coli* od. eukaryont. Zellen (z. B. *Saccharomyces cerevisiae*) genutzt. – *E* lac operon – *F* opéron lac – *I* operone lac – *S* operón lac

Lit.: Lehninger et al., Prinzipien der Biochemie (2.), S. 1074 – 1087, Heidelberg: Spektrum Akadem. Verl. 1994 ▪ Stryer 1996, S. 995 – 1005 ▪ Watson et al., Rekombinierte DNA (2.), S. 45 – 50, Heidelberg: Spektrum Akadem. Verl. 1993.

Lacophthal®. Augentropfen mit *Polyvidon als Tränenersatz bei trockenen Augen. *B.:* Winzer.

lac-Repressor s. lac-Operon.

Lacrimal®. Augentropfen mit *Polyvinylalkohol als Tränenersatz bei trockenen Augen. *B.:* Pharm-Allergan.

Lacrisic®. Augentropfen mit Methylhydroxypropylcellulose, *Polyvidon, Glycerol als Tränenersatz bei trockenen Augen. *B.:* Winzer.

Lactagoga. Mittel zur Anregung der Milchsekretion.

α-**Lactalbumin.** In der Milch der Säugetiere zu 0,14 – 0,60% (*Humanmilch) bzw. 0,14 – 0,33% (Kuhmilch) enthaltenes *Albumin, das beim Menschen aus 123 Aminosäuren besteht u. ein M_R von ca. 14 000 besitzt. Beim Kochen der Milch gerinnt L. unter Einschluß von Calciumcaseinat u. Milchfett zu dem bekannten, weißen Oberflächenhäutchen. L. ist eine Untereinheit der Lactose-Synthase (s. Lactose). Entwicklungsgeschichtlich stammt L. von *Lysozym ab, wie man durch Sequenzvgl. festgestellt hat. – *E* *α*-lactalbumin – *F* *α*-lactalbumine – *I* *α*-lattalbumina – *S* *α*-lactalbúmina – *[HS 3502 90]*

β-**Lactam-Antibiotika.** Sammelbez. für eine Klasse von *Antibiotika, deren Grundgerüst einen 4-gliedrigen *β*-Lactam-Ring (s. a. Lactame), das Azetidin-2-on (s. Azetidine) enthält. Die 1929 von *Fleming entdeckten *Penicilline (klin. Einführung von Penicillin V: 1954) werden zusammen mit den 1953 gefundenen *Cephalosporinen (Cephalosporin C: 1965) als die klass. *β*-L.-A. bezeichnet. Sie werden mit Ausnahme der 1971 entdeckten 7-Methoxycephalosporine (Cephamycine) von *Pilzen gebildet. Die Markteinführung der semisynthet. *β*-L. A., wie *Ampicillin, *Cloxacillin, *Carbenicillin, *Amoxicillin od. *Piperacillin, ist mit der erfolgreichen großtechn. Herst. der Bausteine 6-Aminopenicillansäure (6-APS) u. 7-Aminocephalosporansäure (7-ACS) verknüpft. Verbesserte Meth. beim Wirkstoff-Screening führten in den letzten 20 Jahren u. a. zu der von *Actinomyceten gebildeten *Clavulansäure u. den *Carbapenem-Verb. (z. B. Olivansäuren, *Thienamycine, Epithienamycine, Asparenomycine, Carpetimycine), die sowohl eine breite antibakterielle als auch inhibitor. Wirkung auf *β*-Lactamasen haben. Zu den Monolactamen gehören die von Actinomyceten gebildeten *Nocardicine u. die von Bakterien produzierten Monobactame mit meist schwacher antibiot. Wirkung. Die als *Adjuvans verwendete Clavulansäure besitzt selbst keine antibiot. Wirkung, kann jedoch als irreversibler *β*-Lactamase-Inhibitor resistente Keime im Kombinationspräp. (z. B. mit Amoxicillin) bekämpfen. Zur biolog. Wirkung (bakterizide Wirkung durch Hemmung der bakteriellen Zellwandsynth.) s. Penicilline.
β-L.-A. sind auch heute, 60 Jahre nach ihrer Entdeckung, die medizin. wichtigste Wirkstoffklasse gegen Infektionskrankheiten mit dem größten Marktvolumen. Die histor. Entwicklung der *β*-L.-A. führt von Penicillin (1929) über Cephalosporine (1953), Cephamycine, Oxacepheme, Clavulansäure, Carbapeneme, Norcardicine u. Peneme (70er Jahre), Monobactame (1983) zum 1992 entdeckten Ly 223447 (s. *Lit.*).
Die natürlichen *β*-L.-A. lassen sich nach ihrer Struktur in 5 Klassen gruppieren (s. Abb. auf S. 2328). – *E* *β*-lactam antibiotics – *F* antibiotiques de *β*-lactame – *I* antibiotici di *β*-lattami – *S* antibióticos de *β*-lactama

Lit.: Page, The Chemistry of *β*-Lactams, London; Blackie Academic & Professional 1992 ▪ Präve et al. (4.), S. 666 – 673. – *[HS 2941 10; 2941 90]*

Strukturklasse	Typ. Struktur	Beispiel
Penam		Penicillin V $R^1 = $
Ceph-3-em		Cephalosporin C $R^1 = $ $R^2 = H$ $R^3 = $
Clavam		Clavulansäure $R^1 = $ OH $R^2 = $ COOH
Carbapenem		Thienamycin $R^1 = $ $R^2 = $
Monobactam		Nocardicin A $R^1 = $
		Sulfazecin $R^1 = $ $R^2 = OCH_3$

Abb.: Grundstrukturen natürlich vorkommender β-Lactam-Antibiotika.

Abb.: Synth. von Lactamen.

β-Lactamasen (Penicillinasen, Penicillin-Amido-β-lactam-Hydrolase, EC 3.5.2.6). Konstitutive od. induzierbare bakterielle *Enzyme, die die 4-gliedrigen β-Lactam-Ringe von *β-Lactam-Antibiotika hydrolyt. öffnen. β-L. sind damit die Hauptursache bakterieller *Resistenz gegen β-Lactam-Antibiotika wie *Penicilline u. *Cephalosporine. Aufgrund ihrer Substratspezifität lassen sich β-L. in drei Gruppen unterteilen: *Penicillinasen, Cephalosporinasen u. Breitband-β-Lactamasen. β-L. besitzen Spezies-abhängig unterschiedliche Struktur mit M_R 12400 bis 49000 u. pH-Optima: 6–8. β-L. lassen sich z.B. von *Clavulansäure od. *Carbapenemen inhibieren. – *E* = *F* β-lactamases – *I* β-lattamasi – *S* β-lactamasa

Lit.: Methods Enzymol. **43,** 69–100, 640–687 (1975) ▪ Schomburg u. Salzmann, Enzym-Handbook, Vol. 4, Berlin: Springer 1991.

Lactame. Gruppe von cycl. Amiden, die die Atom-Gruppierung –NH–CO– enthalten u. sich formal von den *Lactonen dadurch ableiten, daß sie an der Stelle des Ring-O-Atoms die Atom-Gruppierung NH enthalten. Die Benennung erfolgt entweder als heterocycl. Keton od. in Analogie zu der der Lactone [1]; nach IUPAC-Regel R-5.7.5.3 bezeichnet man z.B. das γ-L. der 4-Aminobuttersäure als Butano-4-lactam od. (bevorzugt) als Pyrrolidin-2-on (2-Pyrrolidon, Tetrahydropyrrol-2-on). L. entstehen durch intramol. Kondensation von 4- od. 5-Aminocarbonsäuren (s. Abb. a); ist die Amino-Gruppe noch weiter von der Carboxy-Gruppe entfernt, so erfolgt Polykondensation zu *Polyamiden, wie z.B. bei ε-Aminocapronsäure (s. Abb. b). Diese wird durch Hydrolyse aus *ε-Caprolactam, das durch *Beck-

mann-Umlagerung aus Cyclohexanonoxim hergestellt wird, gebildet.

Die systemat. als *2-*Azetidinone anzusprechenden β-Lactame sind die Grundkörper der *Lactam-Antibiotika (*Penicilline u. *Cephalosporine). Bes. reaktionsfähig sind die α-Lactame od. *Aziridinone. Durch Oxid. lassen sich manche L. in *Imide überführen. Die L. sind zu einer speziellen Form der *Tautomerie mit Lactimen [–N=C(OH)–] befähigt, die eine Analogie zur *Keto-Enol-Tautomerie darstellt. Makrocycl. L.-Gruppierungen liegen in den *Ansamycinen vor. Chirale, bicycl. L. sind hervorragende Vorstufen u. Template in der *stereoselektiven Synthese [2]. Die Schwefel-Analoga werden *Thiolactame* genannt. – *E* lactams – *F* lactames – *I* lattami – *S* lactamas

Lit.: [1] IUPAC, Nomenklatur der Organischen Chemie, S. 146, Weinheim: VCH Verlagsges. 1997. [2] J. Chem. Soc., Chem. Commun. **1997,** 1–8.
allg.: Acc. Chem. Res. **28,** 383 (1995) ▪ Patai, The Chemistry of Acid Derivatives, Part 1, Chichester: Wiley 1979 ▪ Weissermel-Arpe, S. 272 ff. ▪ s.a. Amide, ε-Caprolactam, Lactone u. Polyamide. – *[HS 293371, 293379]*

Lactaroviolin (7-Isopropenyl-4-methyl-1-azulencarbaldehyd).

Lactaroviolin   15-(Stearoyloxy)guaja-1,3,5,9,11-pentaen

$C_{15}H_{14}O$, M_R 210,28, purpurrote Krist., Schmp. 58 °C, lösl. in organ. Lsm., unlösl. in Wasser. L. ist ein antibiot. wirksamer Farbstoff aus dem Edelreizker (*Lactarius deliciosus*); dieser enthält einen karottenroten Milchsaft, der sich bei Verletzung des Fruchtfleischs innerhalb von Minuten grünlich verfärbt. Die Verfärbung beruht auf der enzymat. Umwandlung von *15-(Stearoyloxy)-guaja-1,3,5,9,11-pentaen* ($C_{33}H_{52}O_2$, M_R 480,77, orangegelbes Harz) in Lactaroviolin. – *E* lactaroviolin – *F* lactaroviolin – *I* lattaroviolina – *S* lactaroviolina

Lit.: Beilstein E IV 7, 1437 ▪ Merck-Index (12.), Nr. 5346 ▪ Turner **1**, 230; **2**, 257 ▪ Zechmeister **51**, 185 ff. – *[CAS 85-33-6]*

Lactase s. Galactosidasen.

Lactat-Acidose. Seltene, aber schwere u. lebensbedrohliche Störung des *Säure-Basen-Gleichgewichtes (s. a. Azidose), die durch Beeinträchtigung des aeroben Stoffwechsels mit Anhäufung von Milchsäure u. Brenztraubensäure infolge von gravierenden Sauerstoff-Mangelzuständen, z. B. bei Schock od. Herzstillstand, zustandekommt. – *E* lactic acidosis – *F* acidose lactique – *I* acidosi lattico – *S* acidosis láctica

Lactat-Dehydrogenase (Milchsäure-Dehydrogenase, Abk.: LDH). *Oxidoreduktase (M_R 100 000 – 150 000), die die Reaktion:

$$\text{Pyruvat} + \text{NADH} + \text{H}^+ \rightleftharpoons \text{Lactat} + \text{NAD}^+$$

(NAD$^+$, NADH: *Nicotinamid-Adenin-Dinucleotid, oxidierte bzw. reduzierte Form) katalysiert, die im anaeroben Stoffwechsel (z. B. im arbeitenden Muskel u. bei Milchsäure-Bakterien) zur Regenerierung des in der *Glykolyse benötigten NAD$^+$ von Bedeutung ist. An LDH sind von T. *Wieland u. G. *Pfleiderer die *Isoenzyme entdeckt worden, deren das Wirbeltier-Enzym 5 verschiedene besitzt [Kombinationen der Herz- (A od. H) u. Skelettmuskel-Monomeren (B od. M) zum Tetramer: A_4, A_3B, A_2B_2, AB_3 u. B_4]. LDH aus Wirbeltieren ist immer tetramer u. für L-Lactat spezif. ((*S*)-Lactat:NAD$^+$-Oxidoreduktase, EC 1.1.1.27), während LDH anderer Herkunft dimer od. tetramer u. für L- od. D-Lactat ((*R*)-Lactat:NAD$^+$-Oxidoreduktase, EC 1.1.1.28) spezif. sein können. In *Sperma ist die ebenfalls tetramere LDH C od. X enthalten. B_4 kommt auch als ε-*Kristallin in Augenlinsen von Vögeln u. Krokodilen vor. Gewisse bakterielle LDH werden durch D-*Fructose-1,6-bisphosphat alloster. aktiviert. *Verw.:* Da die Isoenzyme Organ-spezif. verteilt sind, ist ihre Serum-Konz. für die Verlaufskontrolle bestimmter Erkrankungen (z. B. Herzinfarkt, Leber-, Blut-, Muskel-Erkrankungen, Tumoren) von Wert. Verw. findet LDH auch in der *enzymatischen Analyse in gekoppelten opt. Tests (Bildung od. Verbrauch von NADH als Nachw.-Reaktion für verschiedene Metaboliten u. Enzym-Aktivitäten). – *E* lactate dehydrogenase – *F* lactate-déshydrogénase – *I* latticodeidrogenasi – *S* lactato-deshidrogenasa

Lit.: J. Chromatogr. B – Biomed. Appl. **684**, 25–49 (1996) ▪ Stryer 1996, S. 522 f., 607 f., 808. – *[HS 3507 90; CAS 9001-60-9 (L-L.-D.); 9028-36-8 (D-L.-D.)]*

Lactate. Bez. für *Milchsäureester u. für Salze der *Milchsäure. Antimon-L. spielt als Beizmittel in der Textilfärbung eine Rolle, Silber-L. als Antiseptikum bei Wundverbänden, Aluminium- od. Zirconium-L. als Antihidrotikum, Eisen-L. werden gegen Blutarmut eingenommen, u. Natrium-L. ist ein Glycerin-Ersatzmittel. Natrium-, Kalium- u. Calcium-L. sind als Zusatzstoffe E 325–327 lebensmittelrechtlich z. B. bei der Herst. von Sülzen, als *Kutterhilfsmittel, *Kochsalz-Ersatzmittel usw. zugelassen. Natrium- u. Calcium-L. sind ebenso wie die Milchsäure selbst durch die *FDA als *GRAS (*Generally Recognized as Safe*)-Substanzen eingestuft. – *E = F* lactates – *I* lattati – *S* lactatos

Lit.: Bossart u. Perret, Lactate in Acute Conditions, Basel: Karger 1979 ▪ Fachgruppe Lebensmittelchemie u. Gerichtliche Chemie in der GDCh (Hrsg.), Genußsäuren u. ihre Salze. Anwendung u. Wirkung in Lebensmitteln, Hamburg: Behrs 1989 ▪ Moret et al., Lactate, Berlin: Springer 1980 ▪ s. a. Hydroxycarbonsäuren u. Milchsäure. – *[HS 2918 11]*

Lactid (Dilactid, 3,6-Dimethyl-1,4-dioxan-2,5-dion).

$C_6H_8O_4$, M_R 144,13; entsteht durch intermol. Wasserabspaltung aus Milchsäure. Farb- u. geruchlose Krist., Schmp. 128 °C ((±)Dilactid); in Wasser unter Hydrolyse zu Milchsäure, in Benzol wenig, in Chloroform u. Methanol lösl. *Verw.:* Als Zwischenprodukt bei organ. Synthesen. Von L. als Typ leitet sich der Gruppenname *Lactide* für derartige cycl. Doppelester von α-Hydroxycarbonsäuren ab. – *E = F* lactide – *I* lattide – *S* lactida

Lit.: Beilstein E V **19/5**, 10 ▪ Kirk-Othmer (4.) **13**, 1045. – *[HS 2932 29; CAS 4511-42-6 (L); 95-96-5 (DL)]*

Lactil®. *Feuchthaltemittel für kosmet. Zwecke aus den Na-Salzen der 2-Pyrrolidon-5-carbonsäure u. der Milchsäure sowie *Collagen-Hydrolysaten. *B.:* Th. Goldschmidt AG.

Lactime. Tautomere der *Lactame.

Lactimether s. Imidsäuren.

Lactitol.

Vorgeschlagener internat. Freiname für 4-*O*-β-D-Galactopyranosyl-D-glucit, $C_{12}H_{24}O_{11}$, M_R 344,32, Schmp. 146 °C, $[\alpha]_D^{23}$ +14° (c 4/H_2O). Als Laxans verwendet werden das Monohydrat, Schmp. 94–97 °C, auch 120 °C angegeben, $[\alpha]_D^{22}$ +12,3°, u. das Dihydrat, Schmp. 75 °C, $[\alpha]_D^{25}$ +13,5°. L. ist von Zyma (Importal Neda Pulver®) im Handel. – *E = F* lactitol – *I* lattitolo

Lit.: Merck-Index (12.), Nr. 5352. – *[CAS 585-86-4 (L.); 81025-03-8 (Dihydrat); 81025-04-9 (Monohydrat)]*

Lact(o)... Vorsilbe (von latein.: lac = Milch), die in Namen von Stoffen, Prozessen od. Apparaten auf einen Zusammenhang mit Milch, Lactose od. Milchsäure hinweist, s. a. Galacto... – *E = F = S* lact(o)... – *I* latt(o)...

Lactobionsäure (4-*O*-β-D-Galactopyranosyl-D-gluconsäure).

$C_{12}H_{22}O_{12}$, M_R 358,30. Sirup, $[\alpha]_D^{20}$ +25° (H_2O), gut lösl. in Wasser, lösl. in Ethanol, Methanol u. Eisessig. L. wird durch Oxid. von Lactose erhalten; findet Verw.

als Carrier für Antibiotika. Das Calcium-Salz findet in *Calcium-Präparaten Verwendung. – *E* lactobionic acid – *F* acide lactobionique – *I* acido lattobionico – *S* ácido lactobiónico
Lit.: Beilstein E V **17/7**, 436 ▪ Merck-Index (12.), Nr. 5354 ▪ Ullmann (5.) **A 15**, 113. – *[HS 293299; CAS 96-82-2]*

Lactobiose s. Lactose.

Lactoferrin. Spurenprotein der Milch (M_R 77000–93000), das in der Milchdrüse gebildet wird. Der Gehalt der Milch an L. ist mit 10 mg/100 g sehr gering. L. wirkt antibakteriell, wobei die Hemmwirkung durch den Entzug des für die Bakterien essentiellen Eisens erklärt wird, vgl. a. Transferrin. – *E* lactoferrin – *F* lactoferine – *I* lattoferrina – *S* lactoferrina

Lactoflavin s. Riboflavin, Vitamine (B₂).

Lactogen s. Prolactin.

β-Lactoglobulin. In *Milch u. Kolostrum (Vormilch, s. Humanmilch) enthaltenes *Globulin (2–3 g/L Kuhmilch). Bei L. handelt es sich um ein Protein mit M_R von ca. 37000, das aus 2 Untereinheiten mit M_R von je ca. 18000 besteht. L. gehört zu den *Lipocalinen, ist Struktur-verwandt u.a. mit dem *Retinol-bindenden Protein des Blutplasmas u. bindet selbst auch Retinol, was seine biolog. Funktion darstellen könnte. – *E* β-lactoglobulin – *F* β-lactoglobuline – *I* β-lattoglobulina – *S* β-lactoglobulina – *[HS 350400]*

Lactognost®. Reagenz zur Bestimmung der alkal. *Phosphatase, insbes. zur Prüfung schonend pasteurisierter Milch u. zum Nachw. von Rohmilch in pasteurisierter Milch. *B.:* Heyl.

Lactomul®. Glycerin-Polyethylenglykol-Talgfettsäureester, Glycerin-Polyethylenglykol-Ricinoleat, Emulgatoren zur Verw. in der Futtermittel-Industrie. *B.:* Grünau.

Lactone. Sammelbez. für die „inneren *Ester" von *Hydroxycarbonsäuren; *Beisp.:* 4-Hydroxypentansäure (γ-Hydroxyvaleriansäure) geht beim Erhitzen unter Wasserabspaltung in ein γ-Lacton über (s. Abb. 1 a), das als γ-Valerolacton od. systemat. (IUPAC-Regel R-5.7.5.1) als 5-Methyl-tetrahydrofuran-2-on (Dihydro-5-methyl-2(3*H*)-furanon, Pentano-4-lacton) bezeichnet wird (Namensbildung durch Anhängen von „...olid" an den Namen des zugehörigen Kohlenwasserstoffs, z.B. Pentan-4-olid, wird nicht mehr empfohlen[1]). Man kennt zwar α-Lactone od. *Oxiranone* (nur bei tiefen Temp. beständig)[2] u. β-Lactone od. *Oxetanone*, zu denen z.B. *Propiolacton u. *Diketen gehören, am beständigsten sind jedoch γ-Lactone mit einem Fünfring wie γ-Valerolacton u. γ-Butyrolacton; δ-Lactone (Sechsring) sind schon schwieriger herzustellen, z.B. nach *Ružička* durch Oxid. cycl. Ketone mit Peroxoschwefelsäure (*Carosche* Säure, s. Abb. 1 b) od. durch die *Baeyer-Villiger-Oxidation. In manchen Fällen bilden sich dimere L. wie das *Lactid. (s. a. Beisp. bei Hydroxycarbonsäuren).
In der Natur treten (meist ungesätt.) L. häufig auf; *Beisp.:* Cumarin, Cardenolide, Bufadienolide, Santonin, Phthalide, Germacranolide, Helenin, Geschmacksstoffe von Fetten, Ascorbinsäure, Bitterstoffe u. viele Riechstoffe[2,3], z.B. *Ambrettolid u.

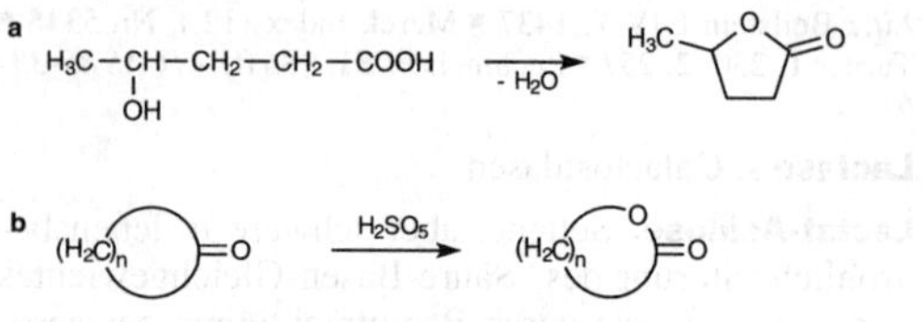

Abb. 1: Synth. von γ- (a) u. δ-Lactonen (b).

Exaltolid. Nicht wenige L. fallen durch ihre cyto- u. phytotox. sowie allergisierenden Wirkungen auf; viele L. werden pharmazeut. genutzt, insbes. die Makrolid- u. Peptolid-Antibiotika. Einige das Pflanzenwachstum regelnde Stoffe sind ebenfalls Lactone. Stereoselektive Synth. von L. mit Hilfe chiraler Übergangsmetall-Komplexe[4,5] u. die sog. Halolactonisierung, z.B. die *Iodlactonisierung*[6,7] (s. Abb. 2), sind aktuelle Schwerpunkte in der L.-Chemie. Die bei der Iodlactonisierung gebildeten Iodalkyllactone stellen wiederum hervorragende Edukte für stereoselektive Synth. von Diolen u. Epoxiden dar. Die *Iodlactamisierung* führt entsprechend zu Iodalkyllactamen[8]. Die Schwefel-Analoga der L. heißen *Thiolactone*, u. Ersatz des Ring-Sauerstoffs durch –NH– führt zu den *Lactamen.

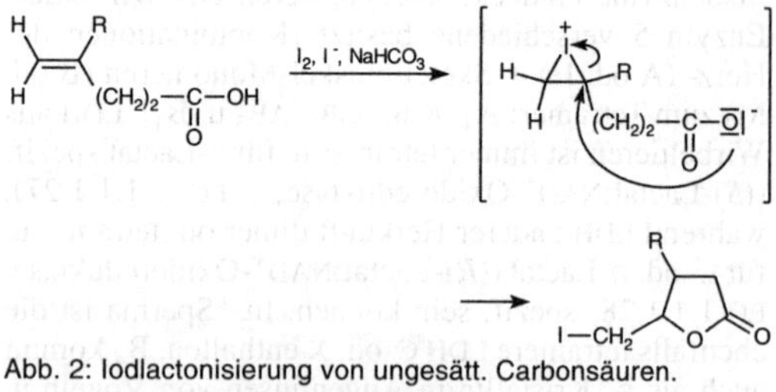

Abb. 2: Iodlactonisierung von ungesätt. Carbonsäuren.

– *E = F* lactones – *I* lattoni – *S* lactonas
Lit.: [1] IUPAC, Nomenklatur der Organischen Chemie, S. 145, Weinheim: VCH Verlagsges. 1997. [2] Angew. Chem. **86**, 683–691 (1974). [3] Zechmeister **35**, 431–527. [4] Chem. Rev. **96**, 423 (1996). [5] Aldrichimica Acta **29**, 3 (1996). [6] Carey-Sundberg, S. 926. [7] Waldmann, Organic Synthesis Highlights II, S. 51, Weinheim: VCH Verlagsges. 1995. [8] Pearson, Adv. Heterocycl. Nat. Prod. Syn., Vol. 3, Greenwich, Conn.: JAI Press 1996.
allg.: Contemp. Org. Synth. **2**, 133 (1995); **3**, 295 (1996) ▪ Houben-Weyl **E5**, 715–773 ▪ Katritzky et al. **5**, 121 ff., 257 ff. ▪ Patai, The Chemistry of Acid Derivatives (2 Bd.), Chichester: Wiley 1979 ▪ Patai, The Chemistry of Lactones and Lactams, Chichester: Wiley 1993 ▪ Ullmann (5.) **A 11**, 206 f. – *[HS 293221; 293229]*

Lactonitril s. Hydroxypropionitrile.

Lactose (Milchzucker, Lactobiose, 4-*O*-β-D-Galactopyranosyl-D-glucose).

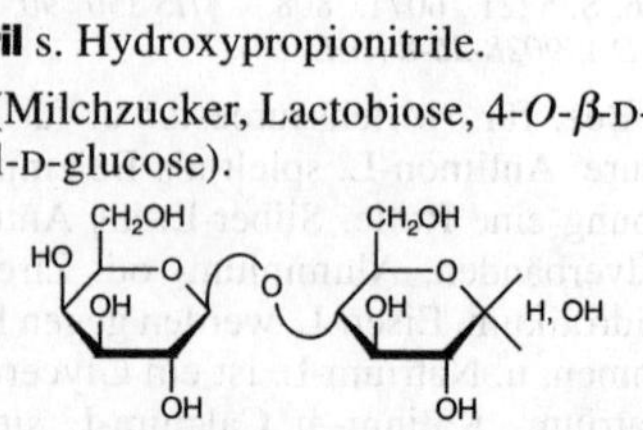

$C_{12}H_{22}O_{11}$, M_R 342,30. Als Monohydrat schwach süß schmeckende monokline, sphenoidale (keilförmige), farblose Krist., D. 1,525, Schmp. 223 °C (α-Form, wasserfrei) u. 252 °C (β-Form, wasserfrei). L. reduziert Fehlingsche Lsg. u. ist in Wasser gut, in Alkohol wenig, in Ether nicht löslich. L. ist ein *Disaccharid aus D-Galactose u. D-Glucose, das in der *Milch vorkommt (*Humanmilch ca. 6,7%, Kuhmilch ca. 4,5%). In der Milchdrüse der Säugetiere entsteht L., indem Uridindiphosphat-D-Galactose (UDP-D-Galactose) unter dem katalyt. Einfluß von *Lactose-Synthase* (EC 2.4.1.22; das Enzym ist ein Komplex aus *N*-Acetyllactosamin-Synthase, EC 2.4.1.90, u. α-*Lactalbumin*) mit D-Glucose zusammentritt u. unter Abspaltung von Uridin-5′-diphosphat (UDP, s. Uridinphosphate) mit dieser β-glykosid. verknüpft wird. Dabei bilden sich α-*Lactose* u. β-*Lactose* im Verhältnis 2:3; aus wäss. Lsg. krist. die α-Form bei Temp. unterhalb, die β-Form oberhalb von 93 °C aus. L. kommt in verschiedenen Milchprodukten vor, z. B. in Butter; sie wird bei der Herst. von Käse, Kumys, Kefir, Sauermilch u. dgl. vergoren; die meisten L. nutzenden Bakterien besitzen für deren Aufnahme spezielle Transportsyst. in der Zellmembran, z. B. *Lactose-Permease* von *Escherichia coli*, die *chemiosmotisch mit Hilfe einer Konz.-Differenz von Wasserstoff-Ionen arbeitet[1]. L. wirkt schwach abführend, hat etwa den gleichen Nährwert wie *Saccharose u. ist durch Mineralsäuren u. spezif. durch β-*Galactosidase hydrolyt. spaltbar, was man als Nachw.-Reaktion ausnutzen kann. Die physiolog. Verdauung der L. findet ebenfalls durch dieses Enzym statt, das im Säuglings- u. Kleinkindalter reichlich gebildet wird. Beim Erwachsenen ist β-Galactosidase oft aber nur noch ungenügend (Europäer) od. kaum (Asiaten, Afrikaner) vorhanden, so daß es nach unkontrolliertem Genuß von Milch zu Verdauungsstörungen (Krämpfe, Diarrhoe) kommen kann. Techn. wird L. aus Molke durch Eindampfen u. Umkristallisieren gewonnen; sie findet hauptsächlich bei der Herst. von diätet. Nahrungsmitteln, homöopath. u. a. pharmazeut. Präp. als Binde-, Füll- u. Adsorptionsmittel Verwendung. Im Laboratorium kann L. als Ausgangsmaterial zur Synth. von Heterocyclen dienen, in der Technik zur Herst. von Tensiden (*Zuckerester). – *E = F* lactose – *I* lattosio – *S* lactosa

Lit.: [1] Stryer 1996, S. 334 f.
allg.: Beilstein E V **17/7**, 196 ff. ▪ Stryer 1996, S. 495 f. – [HS 1702 10; CAS 63-42-3]

Lactose-Operon s. lac-Operon.

Lactose-Permease, Lactose-Synthase s. Lactose.

Lactotropin s. Prolactin.

Lactoylphenetidin s. Phenetidine.

Lactucarium s. Lattich.

Lactucin.

R = H : Lactucin
R = CO—CH₂—⟨⟩—OH : Lactu(co)picrin

Lactulid A

$C_{15}H_{16}O_5$, M_R 276,29, Krist., Schmp. 224–228 °C, $[\alpha]_D^{17}$ +78° (Pyridin), stark giftiges *Sesquiterpenlacton aus Lattich (*Lactuca*)-Arten (Asteraceae), bes. *Lactuca virosa* (Giftlattich). L. ist neben *Lactu(co)picrin*

($C_{23}H_{22}O_7$, M_R 410,42), dem (4-Hydroxyphenyl)-essigsäureester von L., u. dessen β-D-Glucosid in den Pflanzen enthalten. Ebenfalls in *Lactuca* kommen die Glucoside der bicycl. *Lactulide* (Lactulid A: $C_{15}H_{20}O_4$, M_R 264,32) vor. Sie werden Lactuside genannt[1]. Wegen des seltenen Vork. der Pflanzen ist die Vergiftungsgefahr gering, jedoch kommt L. auch in Gartensalat-Varietäten (*Lactuca sativa*) vor u. ist die Ursache für gelegentlich auftretende Handekzeme nach der Zubereitung. Intoxikationen machen sich durch Schweißausbrüche, Atmungsbeschleunigung, Zunahme der Herztätigkeit u. a. bemerkbar. – *E* lactucin – *F* lactucine – *I* lattucina – *S* lactucina

Lit.: [1] Phytochemistry **25**, 2375 (1986).
allg.: Beilstein E V **18/4**, 421 f. ▪ Merck-Index (12.), Nr. 5359 ▪ Phytochemistry **20**, 2371 (1981); **21**, 1163 (1982) ▪ Planta Med. **57**, 190 (1991) ▪ Pol. J. Chem. **63**, 297–301 (1989) ▪ R. D. K. (4.), S. 444, 843 f. – [CAS 1891-29-8 (L.); 65725-11-3 (Lactu(co)picrin); 102488-14-2 (Lactulid A)]

Lactu(co)picrin s. Lactucin.

Lactulide s. Lactucin.

Lactulose (4-*O*-β-D-Galactopyranosyl-D-fructose).

(β-Anomer)

$C_{12}H_{22}O_{11}$, M_R 342,30, farblose Krist., Schmp. 163–165 °C. L. ist ein synthet. Disaccharid aus D-Galactose u. D-Fructose, das durch alkal. Epimerisierung von Lactose gewonnen wird; L. zeigt Mutarotation, ist gut lösl. in warmem Wasser, reduziert Fehlingsche Lsg., schmeckt süßer als Lactose. L. wird nicht resorbiert u. von der Darmflora zu niederen Fettsäuren, Wasserstoff u. Methan abgebaut, welche die Peristaltik fördern u. den Stuhl erweichen. L. findet Verw. als Lebertherapeutikum u. als Darmregulans; zu Erkennung u. Reinheit s. Hager (*Lit.*). L. findet sich in erhitzter Milch u. ist Indikator für eine derartige Behandlung. – *E = F* lactulose – *I* lattulosi – *S* lactulosa

Lit.: Beilstein E V **17/7**, 214 ▪ Hager (5.) **8**, 689 ▪ Mutschler (7.) ▪ Ullmann (4.) **18**, 123; (5.) **A 9**, 447. – [HS 2940 00; CAS 4618-18-2]

lac-Z-Gen s. lac-Operon.

Ladanum s. Labdanum.

Ladderane. Bez. für kondensierte Ringsyst. aus an-

[n]Ladderane

[5]Ladderan

Abb.: [5]Ladderan-Synth. durch photochem. Cycloaddition von Polyenen, die mit Hilfe von Paracyclophan-Spacern räumlich fixiert sind (topochemische Synthese).

nelierten Cyclobutan-Einheiten, die eine „leiterartige" Struktur aufweisen. Die Anzahl der Ringe wird in eckigen Klammern der Bez. L. vorangestellt; z.B. [5]Ladderan. Die Herst. der L. geschieht vorwiegend durch Cycloaddition von Cyclobutadienen bzw. Photolyse von räumlich fixierten Polyenen. – *E* ladderanes – *S* ladderanos
Lit.: Angew. Chem. **107**, 742 (1995).

Laddok®. *Herbizid auf der Basis von *Bentazon u. *Atrazin für die Bekämpfung von breitblättrigen Unkräutern u. Gräsern in Mais u. Sorghum. *B.:* BASF.

Ladedichte s. Explosivstoffe u. Sprengstoffe.

Ladenburg, Albert (1842–1911), Prof. für Chemie, Kiel u. Breslau. *Arbeitsgebiete:* Benzol-Formel, aliphat. u. aromat. Silicium-Verb., Synth. von Coniin u. Piperidin, Konstitutionsermittlung des Atropins.
Lit.: Krafft, S. 353 ▪ Lexikon der Naturwissenschaftler, S. 256 ▪ Neufeldt, S. 58, 80 ▪ Pötsch, S. 255.

Ladenburg-Benzol s. Prisman u. Benzol-Ring.

Ladung. In der Chemie versteht man unter L. meistens die *elektr.* L., d.h. eine bestimmte Elektrizitätsmenge. Die L. ist eine in 2 verschiedenen Arten (pos. u. neg. L.) auftretende skalare physikal. Größe, die sich streng additiv verhält, d.h. die Gesamtladung eines Syst. aus einzelnen Ladungen ist exakt gleich der Summe der Einzelladungen. Zwischen L. wirken abstoßende (bei gleichnamigen L.) od. anziehende Kräfte; die zwischen 2 Punktladungen wirkende Kraft gehorcht dem *Coulomb-Gesetz.* Die L. wird in der Einheit *Coulomb*, Abk. C, angegeben: $1 C = 1 As$ (Ampèresekunde); s.a. Einheiten. Die kleinste L.-Menge ist die *Elementarladung* (s. Fundamentalkonstanten). Jede vorkommende Ladung ist ein ganzzahliges Vielfaches der Elementarladung. Die *Quarks (s. Elementarteilchen) besitzen zwar L. vom Betrag 1/3 od. 2/3 einer Elementarladung, doch sind diese Spezies in freiem Zustand allenfalls bei äußerst hohen, im Labor z.Z. unerreichbaren Energien beobachtbar. – $E = F$ charge – *I* carica – *S* carga

Ladungsaustauschreaktionen. Reaktionen, bei denen ein Elektron zwischen einem neutralen u. einem geladenen Atom od. Mol. ausgetauscht wird, z.B. $A + B^+ \rightarrow A^+ + B$. L. spielen in der *Plasmachemie, Atmosphärenchemie u. Chemie der interstellaren Wolken eine wichtige Rolle. – *E* charge exchange reactions – *F* réactions d'échange de charge – *I* reazioni di scambio di carica – *S* reacciones de intercambio de carga

Ladungsdichte (Symbol: ρ). Ladungsmenge pro Volumen. Der Begriff L. wird in der Chemie oft synonym mit *Elektronendichte verwendet.

Ladungssteuermittel. L. sind chem. Verb., die die Polarität u. Höhe von reibungs(tribo)elektr. Aufladung bestimmen. In der Regel sind L. in ein Polymer eingearbeitet, dessen Lage in der triboelektr. Spannungsreihe durch sie verändert wird. Verwendet werden L. in elektrograph. Tonerpulver für Fotokopierer, Laserfax u. -drucker. – *E* charge control agents – *F* agent de contrôle de charge – *I* agente di controllo della carica – *S* agente de control de carga
Lit.: J. Elektrostat. **30**, 213–230 (1993).

Ladungszahl. Die L. gibt die Größe der Ladung eines *Ions in Einheiten der Elementarladung e (s. Fundamentalkonstanten) an; z.B. hat SO_4^{2-} die L. 2–.

Lähmungsvergiftung s. PSP (Paralytic Shellfish Poisoning).

Länderarbeitsgemeinschaft Wasser s. LAWA.

Läppen. Spanendes Feinstschleifverf. mit losem, in einer Flüssigkeit (Öl, Petroleum) aufgeschlemmtem Schleifkorn (Korund, Siliciumcarbid, Borcarbid), das auf dem zumeist aus *Gußeisen gefertigten Läppwerkzeug (Läppscheibe) geführt wird. Zu bearbeitendes Werkstück u. formübertragendes Werkzeug gleiten unter fortwährendem Richtungswechsel aufeinander. Die Schneidbahnen der Körner sind dabei ungerichtet, wie das Schliffbild geläppter Oberflächen zeigt. Flach-L. wird eingesetzt zur Planbearbeitung von Kolbenringen, Stanzteilen, Kupplungsringen u. Zahnsegmenten, Rund-L. zur Endbearbeitung von Buchsen, Hülsen u. Zylindern. Mit L. werden Rauheiten <0,5 µm erreicht. – *E* lapping – *F* rodage à l'abrasif libre – *I* lappatura – *S* tribopulimento
Lit.: König, Fertigungsverfahren, Bd. 2, Schleifen, Honen, Läppen, S. 267 ff., Düsseldorf: VDI 1989 ▪ Tschätsch, Handbuch spanende Formgebung, S. 316 ff., Darmstadt: Hoppenstedt 1988.

Lärche. Bes. in Europa u. Nordamerika verbreiteter, zu den Coniferen zählender Baum (*Larix decidua*, Pinaceae), der seine Nadeln im Herbst abwirft. Raschwüchsig; besiedelt als sehr frostresistentes Licht- u. Pionierholz v. a. die subalpine Stufe der Alpen u. bildet mit die Waldgrenze. Sehr harzreich.
Durch Anbohren der Stämme läßt sich sog. *L.-Terpentin* od. *Venezian. Terpentin* gewinnen, ein gelblichbräunlicher, klarer, dickflüssiger *Balsam, der u. a. pharmazeut. als lokales Antiseptikum verwendet wird. Er enthält ca. 14–15% ether. Öl, sog. *L.-Öl*, aus dem zahlreiche Terpenkohlenwasserstoffe, -alkohole, -aldehyde u. a. Terpenoide isoliert wurden. Durch Auskochen von Kernholz-Spänen erhält man *Arabinogalaktan (sog. *L.-Gummi*). Die Samen enthalten ca. 10% stark trocknendes fettes *L.-Samenöl*, das zur Seifenherst. u. für Anstrichmittel Verw. findet. – *E* larch – *F* mélèze – *I* larice – *S* alerce, lárice

Lärm(schutz) s. Schall(dämmstoffe) u. Umweltschutz.

Laetrile. Aus Aprikosenkernen isoliertes, hauptsächlich aus *Amygdalin bestehendes Präparat, dem v. a. in den USA bes. Wirksamkeit als Krebs-Chemotherapeutikum nachgesagt wurde. Nach mehrjähriger Prüfung hat sich jedoch herausgestellt, daß das auch *Vitamin B_{17}* genannte Produkt nicht nur keinerlei therapeut. Nutzen hat, sondern – weil es wie andere *cyanogene Glykoside hydrolyt. *Blausäure freisetzen kann – sogar zum Tode führen kann. Im Tierversuch erwies sich L. darüber hinaus als teratogen. – *E* laetrile – *I* laetrile (vitamina B_{17}) – *S* laetrile
Lit.: New England J. Med. **306**, 201–206 (1982) ▪ Martindale (29.), S. 1582 ▪ s. a. cyanogene Glykoside. – [CAS 1332-94-1]

Läuse s. Parasiten.

Läutern. In Alltagssprache u. Technik vielfältig verwandter Begriff, der allg. die Entfernung von *Verunreinigungen bedeutet. *Beisp.:* Das Entfernen der Gangart bei der Erz-Aufbereitung, das Abtrennen der Schlacke von Metall-Schmelzen, das Entgasen von Glas-Schmelzen, die Trennung der Würze vom Treber bei der Bierherst., das Reinigen der Pelze in der Rauchwaren-Ind. mit Hilfe von *L.-Hilfmitteln* (Wasch- u. Entfettungsmitteln) usw. – *E* refining, clarifying, fining – *F* affinage, clarification, épuration – *I* affinazione – *S* refinado, clarificación

Läv(o)... (von latein.: laevus = links). Bedeutet als Bestandteil von Verb.-Namen, daß diese Verb. linksdrehend = lävogyr, lävorotator. (*Beisp.:* Lävulose) od. ein Derivat einer linksdrehenden Verb. ist (*Beisp.:* Lävulinsäure); die Schreibweise in Freinamen ist *Lev...*; wird häufig *l-* od. besser (–)-abgekürzt; nicht zu verwechseln mit *L-*! Vgl. Dextro... – *E = I = S* lev(o)... – *F* lév(o)...

Lävopimarsäure.

$C_{20}H_{30}O_2$, M_R 302,46, Schmp. 147–150 °C. Die zu den *Diterpenenoiden gehörende L. ist eine in Koniferen-*Harzen vorkommende *Harzsäure, aus denen sie, z. B. durch Extraktion mit organ. Lsm., isoliert werden kann. – *E* levopimaric acid – *F* acide levopimarique – *I* avido levopimarico – *S* ácido levopimárico
Lit.: Beilstein E IV, 9, 2173 f. – *[CAS 79-54-9]*

Lävulinsäure (4-Oxopentansäure). $H_3C-CO-CH_2-CH_2-COOH$, $C_5H_8O_3$, M_R 116,12. Farblose Krist., D. 1,14, Schmp. 37 °C, Sdp. 246 °C, 140 °C (11 hPa), in Wasser, Alkohol u. Ether leicht löslich. *Herst.:* Aus Hexosen, z. B. aus Fructose („Lävulose"), durch Kochen mit Salzsäure. L. zeigt sowohl Ketonals auch Säure-Eigenschaft. Einige Reaktionen deuten darauf hin, daß L. als 4-Hydroxy-4-pentanolid vorliegt[1]. L. wird beim Textildruck u. zu organ. Synth. (Weichmacher, Lsm., Riechstoffe) verwendet, das Calcium-Salz auch in *Calcium-Präparaten. – *E* levulinic acid – *F* acide levulinique – *I* acido levulinico – *S* ácido levulínico
Lit.: [1] Beyer-Walter, Lehrbuch der organischen Chemie, S. 299f., Stuttgart: Hirzel 1991.
allg.: Beilstein E IV 3, 1580 ▪ Merck-Index (12.), Nr. 5498 ▪ Ullmann 11, 409 f.; (4.) 13, 159; (5.) A 18, 317. – *[HS 2918 30; CAS 123-76-2; G 8]*

Lävulose s. D-Fructose.

LAFS. Abk. für *Laser-Atomfluoreszenz-Spektrometrie.

Lagaly, Gerhard (geb. 1938), Prof. für Anorgan. Chemie, Univ. Kiel. *Arbeitsgebiete:* Allg. Kolloidchemie, Tonmineralchemie, Silicat-Chemie, polymere Kolloide, Doppelhydroxide, Porenstrukturanalyse, röntgenograph. Untersuchungen, Katalyse mit Schichtverb., Stabilität von Dispersionen u. Emulsionen, Rheologie.

Lagenstein s. Achate.

Lagerklassen s. Lagerung von Gefahrstoffen.

Lagermetalle. Im Verbund mit tragenden Metallen (Stützschalen aus *Stahl od. *Grauguß) in Form von bis zu 3 mm dicken Laufschichten eingegossene metall. Werkstoffe zur Herst. hochwertiger Zweistoff-Gleitlager mit optimalem Eigenschaftsspektrum (s. a. Lagerwerkstoffe). *Pb-Sn-L.*[1]: Früher als Weißmetall bezeichnet, mit <10% Sn u. <16% Sb sowie geringem Cu-Anteil. *Pb-L.:* Bleileg. mit <15% Sb sowie geringen Sn- u. As-Anteilen. *Sn-L.:* Sn-Gehalt >80%, daneben <13% Sb, <7% Cu u. <3% Pb. *Cu-Pb-Sn-L.*[2]: Früher als Blei- od. Bleizinnbronzen bezeichnet, mit <26% Pb u. <11% Sn. Bei Dreistoff-Gleitlagern wird auf die gegossene Schicht aus L. noch eine galvan. abgeschiedene Laufschicht aus einer Pb-Sn-Leg. mit ca. 0,02 mm Dicke aufgebracht, die den Einlauf begünstigt. – *E* bearing metal – *F* métal de coussinet – *I* metallo di cuscinetto – *S* metal de cojinete
Lit.: [1] DIN ISO 4381 (11/1992). [2] DIN 1716 (11/1981).
allg.: Ullmann (4.) 16, 1 ff.; (5.) A 3, 399 ff.

Lagerstätten. Nach DIN 21918 (08/1980) Bez. für „natürliche Ablagerungen od. Anreicherungen von allen mineral. *Rohstoffen in festem, flüssigem od. gasf. Zustand, die in od. auf der Erde, auf dem Meeresgrund, im Meeresuntergrund od. im Meerwasser vorkommen. L. können aus einem od. mehreren L.-Körpern bestehen." Dabei bleibt unberücksichtigt, ob eine Nutzung erfolgt od. nicht. Zu den L. rechnen sowohl Mineralals auch Gesteins-L., z. B. Erz-L., die L. der Kernbrennstoffe (Uran u. Thorium), die Salz.-L. (*Evaporite), die L. der Ind.-Mineralien sowie die Vork. der fossilen Energieträger Erdöl, Erdgas u. Kohle. *Nutzbare L.* kommen nach Größe u. Inhalt für eine wirtschaftliche Gewinnung in Frage. *Bauwürdige L.* sind z. Z. mit wirtschaftlichem Gewinn nutzbar. Die Gesamtvorräte einer L. gliedern sich in die gewinnbaren Vorräte (*bauwürdige Vorräte, Reserven*), die den Bedingungen von Abbau u. Verarbeitung genügen, u. in die nicht od. noch nicht gewinnbaren Vorräte (*Ressourcen*).
Damit eine L. bauwürdig wird, mußten sich Mineralien, Metalle, Erze u. dgl. örtlich stark über die Durchschnittszusammensetzung der Erdkruste (*Geochemie) hinaus anreichern, z. B. Eisen von 5% auf 30%, Zink von (durchschnittlich) 0,007 auf 4%, Kupfer von 0,0055 auf 0,5%, Aluminium von 8,13 auf 22% u. Gold von 0,004 auf 2 ppm (g/t). Die entsprechenden Anreicherungsfaktoren (*Clarke-Werte*) betragen für Fe 30, für Zn 570, für Cu 90, für Al 2,7, für Sn 7500 u. für Au 500; zur Bildung von Erz-L. s. *Lit.*[1]. Die wichtigsten *Formen* der L. (s. Bender, *Lit.*) sind *Erzgänge, massige Erzkörper* (Derberze, Stockwerks-L., Imprägnations-L.), *schichtgebundene L.* (unabhängig von ihrer Form u. bes. ihrem Intern-*Gefüge an eine Schicht od. Schichtenfolge gebunden), *schichtförmige L.* (schichtiges Gefüge, z. B. als Erzflöze, Erzlager, Erzlinsen, Trümmererze, *Seifen) u. *Erztaschen*.
Klassifikation: Schwierig; z. B. analog zur *Petrographie Einteilung in magmat., metamorphe u. sedimentäre L.; Bildung von L.-Typen nach ihrer (räumlichen) Verbindung mit den Wirtsgesteinen, z. B. „L. in Sedimenten" (z. B. Guilbert u. Park, s. *Lit.*) od. Klas-

sifikation in Beziehung zur *Plattentektonik (z. B. Sawkins, s. *Lit.*). Einige wichtige, sämtlich durch *Metamorphose überprägbare L.-Gruppen bzw. L.-Typen sind:

1. *L. in Verbindung mit *magmatischen Gesteinen:* Nach der Frühkrist. (z. B. *Chromit-L.) u. der Hauptkrist. scheiden sich aus einer unter hohem Druck stehenden, an flüchtigen Bestandteilen (bes. Wasser) reichen Restschmelze die *Pegmatite aus. Bei weiterer Abkühlung, im sog. *pneumatolyt. Stadium* (500–400 °C) dringen die im überkrit. bzw. dampfförmigen Zustand befindlichen Fluide in Spalten u. Hohlräume des umgebenden Gesteins ein, wandeln dies z. T. um (z. B. in *Skarne) u. bilden örtliche Anreicherungen von Mineralien, z. B. *Kassiterit u. *Wolframit. Im *hydrothermalen Stadium* (zwischen etwa 400 °C u. 100 °C; vgl. Hydrothermalsynthese) krist. aus heißen, wäss., unter hohem Druck stehenden H_2O, CO_2 u. auch NaCl enthaltenden Lsg. u. Solen bei Abkühlung weitere Mineralien, insbes. viele Metallerze (Sulfide, Carbonate), u. zwar in *Gängen od. sonstigen Hohlraumfüllungen u. als Imprägnationen. *Beisp.:* Die Chrom-Platin-L. des Bushvelds in Südafrika, die Porphyry-Copper-L. (*Kupferkies) u. die granit. Zinn- u. Uran-L.; viele Gold-L. stehen in Verbindung mit *Vulkaniten, bes. solche in *Grünstein-Gürteln.

2. *L. in Sedimenten u. *Sedimentgesteinen:* Oft als sek. L. durch *Verwitterung, Zerstörung u. Transport von Mineralien u. Erzen aus prim. L. entstanden; zu ihrer Einteilung s. Guilbert u. Park (*Lit.*). *Beisp.:* Kupfer-Gürtel von Sambia/Zentralafrika, sedimentäre Manganerz- u. Eisenerz-L., Phosphat-L., *Evaporite u. Seifen (z. B. Goldseifen, *Diamant-Seifen); in Beziehung zur Verwitterung stehen z. B. *Bauxit-L. u. Nickellaterit-L. (*Laterit).

3. *(Submarin)-hydrothermal-sedimentäre L.:* Hierher gehören die schichtgebundenen u. meist schichtigen massiven Sulfiderz-L. (*Kieslager*), die zusammen mit viel *Pyrit (Schwefelkies) v. a. Sulfide der Buntmetalle Kupfer, Blei u. Zink sowie Gold, Silber u. Sondermetalle enthalten. *Beisp.:* Rammelsberg/Harz (Abbau eingestellt), Rio Tinto/Spanien, Kuroko/Japan („Kuroko-Typ", s. *Lit.*[2]), Besshi/Japan u. die Pyrit-Kupferkies-L. von Zypern (in *Ophiolithen). Die rezente Entstehung dieses L.-Typs konnte 1978 erstmalig auf dem Boden der Tiefsee im Bereich der Ostpazif. Schwelle beobachtet werden. Dort werden an Kamin-artigen Austrittsstellen am Meeresboden [den „*Schwarzen Rauchern*" (*E* „black smokers") u. den „*Weißen Rauchern*" (*E* „white smokers")] Metall-haltige schwarzgraue od. weißlichgraue Suspensionen mit Temp. von 300–380 °C im Verband mit tonigen Sedimenten (*Tone) abgesetzt, s. dazu *Lit.*[3] u. Füchtbauer (*Lit.*).

Für die Bildung von Erz-L. im Lauf der *Erdzeitalter lassen sich nach *Lit.*[1] 5 tekton. (*Tektonik) Zeitalter (je 2 davon im Archaikum u. Proterozoikum) unterscheiden; jedes davon ist durch einen anderen Transportmechanismus (z. B. silicat. Magmen, aus dem Magma entweichende Flüssigkeiten u. Dämpfe sowie Meer- u. Grundwasser) für die Metalle u. durch eine andere Gruppe von Erzen gekennzeichnet. Der mengenmäßig größte Anteil an bereits abgebauten u. als

Vorräte noch vorhandenen Erzen vieler Metalle ist in wenigen großen bis sehr großen L. u. dort auf wenige L.-Typen konzentriert. Auf die im Hinblick auf ihren Metallinhalt reichsten 10% der Bunt- u. Edelmetall-L. entfallen über 86% allen Goldes, 79% allen Silbers, 84% allen Kupfers, 71% allen Zinks u. 73% allen Bleis[4]. Mehr als 50% der Gesamtmenge an diesen Metallen ist auf je 4 Länder konzentriert; 57% allen Kupfers befindet sich in Porphyry Copper-Lagerstätten[4]. Von großer Bedeutung sind auch die L. nichtmetall. Rohstoffe wie Gips, Kalke, Sand, Kies, Kohle, Torf, Salz usw.; wertmäßig rangieren Steinkohle sowie Sand u. Kies noch vor Eisen u. Gold[5].

An der Erzbildung (Metallogenese) sind bes. die Chalkogene (S u. O) beteiligt. Mit den Bildungsprozessen von Bodenschätzen aller Art, ihrer regionalen Verbreitung u. ihrer Zusammensetzung sowie den Meth. zur *Prospektion u. *Exploration befaßt sich die *L.-Kunde.* Heute ermöglicht die Entwicklung *neuer Technologien* den Abbau immer ärmerer Erze, z. B. das *Auslaugen mit Hilfe von Bakterien (*Bioleaching), das auch die Nutzung von Abfällen, Abraumhalden, Flugasche u. a. Rückständen erlaubt. Nützliche Dienste bei der L.-Suche leistet die *Fernerkundung* (*Geologie). Ein mögliches Rohstoffpotential für die Zukunft stellen wegen ihrer Gehalte an Nickel, Cobalt u. Kupfer die *Manganknollen dar. – *E* deposits – *F* gisements, gîtes – *I* giacimenti – *S* yacimientos

Lit.: [1] Spektrum Wiss. **1991**, Nr. 7, 86–94. [2] Episodes **14**, 246–251 (1991). [3] Spektrum Wiss. **1983**, Nr. 6, 74–87; **1986**, Nr. 3, 78–87. [4] Econ. Geol. **90**, 88–104 (1995). [5] Mineralische Rohstoffe, Hannover: Bundesanstalt für Geowissenschaften u. Rohstoffe (BGR) 1995.

allg.: Baumann, Nikolskij u. Wolf, Einführung in die Geologie u. Erkundung von Lagerstätten, Leipzig: Grundstoffind. 1979 ▪ Bender (Hrsg.), Angewandte Geowissenschaften, Bd. IV: Untersuchungsmethoden für Metall- u. Nichtmetallrohstoffe, Kernenergierohstoffe, feste Brennstoffe u. bituminöse Gesteine, Stuttgart: Enke 1986 ▪ Bliss (Hrsg.), Developments in Mineral Deposit Modeling (US Geol. Surv. Bull. 2004), Denver (Colorado): US Geological Survey 1992 ▪ Evans, Erzlagerstättenkunde, Stuttgart: Enke 1992 ▪ Füchtbauer (Hrsg.), Sedimente u. Sedimentgesteine (4.) (Sediment-Petrologie Tl. II), S. 569–681, Stuttgart: Schweizerbart 1988 ▪ Guilbert u. Park, The Geology of Ore Deposits, New York: Freeman 1986 ▪ Harben u. Bates, Industrial Minerals, Geology and World Deposits, London: Industrial Minerals Division of Metal Bulletin Plc 1990 ▪ Kuzvart u. Böhmer, Prospecting and Exploration of Mineral Deposits, Amsterdam: Elsevier 1986 ▪ Maynard, Geochemistry of Sedimentary Ore Deposits, Berlin: Springer 1983 ▪ Mineral Deposits of Europe (5 Bd.), London: Inst. Mining Metall., seit 1979 ▪ Pohl, Lagerstättenlehre (4.), Stuttgart: Schweizerbart 1992 ▪ Sawkins, Metal Deposits in Relation to Plate Tectonics (2.), Berlin: Springer 1990 ▪ Whiting, Hodgson u. Mason (Hrsg.), Giant Ore Deposits (Soc. Econ. Geol. Spec. Publ. 2), Littleton (Colorado): Society of Economic Geologists 1993 ▪ Wirtschaftsvereinigung Bergbau e. V. (Bonn), Das Bergbau-Handbuch (5.), Essen: VGE Verl. Glückauf 1994 ▪ Wolf, Handbook of Strata-Bound and Stratiform Ore Deposits, 14 Bd., Amsterdam: Elsevier 1976, 1981, 1986. – *Zeitschriften u. Serien:* Economic Geology, El Paso (Texas): Economic Geology Publishing Comp.; Erzmetall, Clausthal-Zellerfeld: GDMB Informationsges.; Geologisches Jahrbuch Reihe D (Hrsg. BGR Hannover et al.), Stuttgart: Schweizerbart (seit 1972); Mineralium Deposita, Berlin: Springer (seit 1966); Ore Geology Reviews, Amsterdam: Elsevier (seit 1986) ▪ Rohstoffwirtschaftliche Länderberichte (Hrsg. BGR Hannover et al.), Stuttgart: Schweizerbart (seit 1972) ▪ Untersuchungen über Angebot u. Nachfrage mineralischer Rohstoffe (Hrsg. BGR Hannover u. Dtsch. Inst. für Wirtschaftsforschung Berlin), Stuttgart: Schweizerbart (seit 1971). – *Inst. u. Organisationen:* Bundesanstalt für Geowissenschaften u. Rohstoffe (BGR), 30655 Hannover; GDMB Gesellschaft für Bergbau, Metallurgie, Rohstoff- u. Umwelttechnik e. V., 38678 Clausthal-Zellerfeld.

Lagerung von Gefahrstoffen. Vorratswirtschaft erfordert eine Optimierung nach Gesichtspunkten von Umweltschutz, Sicherheit u. Wirtschaftlichkeit. Die L. v. G. im Hinblick auf Sicherheit für Menschen u. Umwelt wird durch umfangreiche Rechtsvorschriften reglementiert; *Beisp.:* Die *GefStoffV mit den dazu erlassenen *Technischen Regeln für Gefahrstoffe (TRGS); die VO über brennbare Flüssigkeiten (*VbF) mit den dazu erlassenen Techn. Regeln für brennbare Flüssigkeiten (TRbF), die Druckbehälter-VO u. die dazu erlassenen Techn. Regeln für Druckbehälter (TRB) u. für Gase (TRG); die *Störfall-Verordnung; das *Wasserhaushaltsgesetz (WHG) mit der VO über Anlagen zum Lagern, Abfüllen u. Umschlagen von wassergefährdenden Stoffen mit den entsprechenden Techn. Regeln.
Weitere Spezialvorschriften zur Lagerung bestimmter Stoffe finden sich z. B. für organ. Peroxide in der Unfallverhütungsvorschrift „Organische Peroxide" sowie für Sprengstoffe im Sprengstoffgesetz. Lagergüter im Bereich der chem. Ind. können sehr unterschiedliche Eigenschaften mit verschiedenen Gefahrenmerkmalen haben. Unter sicherheitstechn. Aspekten werden dabei verschiedene Produkte mit gleichen od. ähnlichen Gefahrenmerkmalen in Lagerklassen zusammengefaßt. Die *Lagerklassen* sind in Anlehnung an die Gefahrgutklassen der Transportvorschriften, nach den Gefährlichkeitsmerkmalen des *Chemikaliengesetzes u. der GefStoffV u. unter Berücksichtigung von *Gefahrenklassen in Vorschriften für die Lagerung gebildet worden.
Darüber hinaus sind die Stoffeigenschaften zu berücksichtigen, die bei Austritt von Produkten aus einem Lager nachteilige Wirkung auf oberird. Gewässer, Grundwasser od. Kläranlage haben können.
Auf der Grundlage von Lagerklassen entwickelte der *Verband der Chemischen Industrie e. V. (VCI) ein Konzept zur Zusammenlagerung von Chemikalien. Produkte unterschiedlicher Lagerklassen sind separat zu lagern, soweit nicht generell od. unter bestimmten Bedingungen eine Zusammenlagerung erlaubt ist. Für Gebäude, in denen Gefahrstoffe in mehr od. weniger großen Mengen zwischengelagert, für den Produktionsprozeß vorgehalten od. als Fertigprodukte magaziniert werden, sind nachfolgende sicherheitstechn. Mindestanforderungen zu beachten:
- möglichst kleine Brandabschnitte
- Lagermengenbegrenzung
- Verw. von feuerbeständigen u. aus nichtbrennbaren Baustoffen bestehenden Bauteilen (F 90-A gemäß DIN 4102, Tl. 4 (03/1994)
- Einbau mind. feuerhemmender Feuerschutzabschlüsse
- Verschließen aller Kabel- u. Rohrdurchführungen entsprechend den Bauteilanforderungen
- Schaffung von Auffangräumen
- Löschwasserrückhalteeinrichtungen
- ausreichende Löschwasserversorgung

- Installierung einer Brandmelde- u. Gaswarnanlage
- Einrichtung von Wandhydranten u. Ausstattung mit ausreichender Anzahl von Feuerlöschern
- Sicherung gegen unbefugte Entnahme durch bauliche Maßnahmen
- Anlage von Angriffswegen für die Feuerwehr zur Brandbekämpfung
- Undurchlässigkeit des Fußbodens für gelagerte Stoffe
- Kennzeichnung u. Freihaltung von Fluchtwegen u. Notausgängen
- ausreichende Beleuchtung
- ausreichende Lüftung (zur Einhaltung der Arbeitsplatzgrenzwerte).

Für den sicheren u. wirtschaftlichen Betrieb eines Lagers ist die Planung u. Steuerung der Arbeitsabläufe durch zweckmäßige organisator. Regelungen entscheidend. Die Leitung des Lagers ist insbes. verantwortlich für:
- den sicheren Umgang mit den Produkten
- die Kontrolle einer ordnungsgemäßen Produktkennzeichnung
- die ordnungsgemäße Lagerung entsprechend den produktspezif. erforderlichen Lagerbedingungen
- die Einhaltung der Maßnahmen zur Arbeitshygiene, zum Brandschutz, zur Arbeitssicherheit u. zum Umweltschutz
- die Planung von Maßnahmen für Notfälle
- die Auswahl qualifizierter Mitarbeiter
- die Schulung u. Unterweisung der Mitarbeiter.

Eine sichere Lagerhaltung erfordert ein Informationssyst., das laufend aktuelle Daten über die lagernden Stoffe u. die Lagerplätze liefert. Lager- u. Verkehrsflächen müssen auf dem Grundstück funktionsgerecht angeordnet sein. Die Flächen innerhalb des Lagerbereichs, die für Bereitstellung, Abwicklung usw. vorgesehen sind, sind nach ihren Funktionen eindeutig zu gliedern. – *E* storage of dangerous substances – *F* entreposage de produits dangereux – *I* stoccaggio di sostanze pericolose – *S* almacenamiento de sustancias peligrosas
Lit.: GefStoffV vom 26. 10. 1993 (BGBl. I, S. 1782), zuletzt geändert am 09. 10. 1996 (BGBl. I, S. 1498) ▪ Gesetz über explosionsgefährliche Stoffe (SprengG) vom 17. 4. 1986 (BGBl. I, S. 577), in der Fassung vom 5. 10. 1994 (BGBl. I, Nr. 3) ▪ Gesetz zur Ordnung des Wasserhaushalts (WHG) in der Fassung vom 23. 9. 1986 (BGBl. I, Nr. 50, S. 1529), zuletzt geändert durch Gesetz vom 26. 8. 1992 (BGBl. I, Nr. 41, S. 1564) ▪ TRGS 511 Ammoniumnitrat [BArbBl. Nr. 3 (1990), S. 80] ▪ TRGS 514 Lagern sehr giftiger Stoffe in Verpackungen u. ortsbeweglichen Behältern [BArbBl. Nr. 12 (1992), S. 46, ergänzt im BArbBl. Nr. 3 (1995), S. 52] ▪ TRGS 515 Lagern brandfördernder Stoffe in Verpackungen u. ortsbeweglichen Behältern [BArbBl. Nr. 12 (1992), S. 46, ergänzt im BArbBl. Nr. 3 (1995), S. 52] ▪ VO über Anlagen zur Lagerung, Abfüllung u. Beförderung brennbarer Flüssigkeiten zu Lande (VbF) vom 27. 2. 1980, zuletzt geändert am 27. 12. 1993 (BGBl. I, S. 2378) ▪ Zwölfte VO zur Durchführung des Bundes-Immissionsschutzgesetzes (Störfall-VO) in der Fassung vom 20. 09. 1991 (BGBl. I, S. 1891, 2044), geändert durch VO vom 26. 10. 1993 (BGBl. I, Nr. 57, S. 1782).

Lagerwerkstoffe. Werkstoffe, die zur Herst. von Lagern eingesetzt werden. Lager gehören zu den wichtigsten Maschinenelementen, da sie ein belastetes, in der Regel Kraft übertragendes Teil (z. B. eine Welle) mit Relativbewegung zum Lager langzeitig ohne techn. bedeutsame Abnutzung formschlüssig führen. Wenn die Relativbewegung im Lager eine Rollreibung auslöst, spricht man von Wälzlagern, wenn eine Gleitreibung auftritt, von Gleitlagern.

Wälzlager mit ihren Komponenten Laufringe, Käfig u. Wälzkörper für hohe Beanspruchungen werden aus harten, verschleißfesten Werkstoffen gefertigt, insbes. aus gehärtetem, nichtrostendem *Stahl mit hohen C-Gehalten, s. Wälzlagerstahl. In jüngster Zeit werden auch wartungsarme Lager mit Wälzkörpern aus Siliciumnitrid angeboten.

Die Werkstoffpalette für Gleitlager ist im Vgl. dazu weitaus umfangreicher, da sie wegen der miteinander konkurrierenden betriebsseitigen Anforderungsbedingungen maßgeblich vom *Verbundsystem Gebrauch macht. Anforderungen an L. für Gleitlager sind: Gute Einlauf-, Gleit- u. Notlaufeigenschaften, hohe Verschleißfestigkeit, hohe Flächenbelastbarkeit, gute Benetzbarkeit durch das *Schmiermittel* ohne chem. Wechselwirkung (Korrosion) u. die Fähigkeit, in gewissen Grenzen harte Fremdkörper durch Einbetten unschädlich zu machen. Prinzipiell wird unterschieden zwischen L. für Massivgleitlager (Einstofflager, Vollager) u. solchen für Mehrstofflager (Verbundlager). L. für *Einstofflager* sind *Grauguß u. *Kupfer-Legierungen der Typen Cu-Sn, Cu-Sn-Zn-Pb (s. Rotguß), Cu-Zn (*Sondermessing) u. Cu-Al(-Fe-Ni) sowie Cu-Pb-Sn. Bei mäßiger Beanspruchung werden auch Al-Zn-Si-Cu-Pb- u. Al-Sn-Cu-Ni-Leg. eingesetzt. Ebenfalls zu den Einstofflagern zählen Lager aus Sintermetallen (Sintereisen mit Cu, Sinterbronze mit Graphit) mit einer Porosität bis zu 30%, die mit Schmieröl getränkt werden u. dadurch gute Notlaufeigenschaften im Falle von Schmierproblemen aufweisen. Derartige L. sind teilw. wartungsfrei. Kunststoff-Vollager (Polyamid, Polyoxymethylen, Polyethylen, Polytetrafluorethylen, Polyimid, Polyethylenterephthalat, Polyurethan) haben gegenüber Lagern aus metall. Werkstoffen die Vorteile eines gesicherten Trockenlaufs, einer größeren Beständigkeit, einer besseren Einbettfähigkeit für Fremdkörper u. einer besseren Schwingungsdämpfung. Allerdings setzt die größere Wärmedehnung bei gleichzeitig geringerer Wärmeleitfähigkeit hinsichtlich der exakten Abmessungen Grenzen. Zu erwähnen sind des weiteren noch Lager aus imprägnierter Kohle od. gesinterter Oxidkeramik. Letztere werden insbes. unter chem. aggressiven Bedingungen eingesetzt, wobei als Schmiermittel das aggressive Produkt dient. Bei therm. Grenzbeanspruchungen werden Lager aus *heißisostat. gepreßten* Nitriden der Elemente Si od. Al verwendet. Hinsichtlich metall. Werkstoffe für *Mehrstofflager* vgl. Lagermetalle. Bei bes. Anw. werden auf Stahl-Stützschalen porige Schichten aus Cu-Zn-Pulvern aufgesintert, unter Druck mit Thermoplasten gefüllt u. mit einer Thermoplast-Gleitschicht versehen. – *E* bearing materials – *F* matériaux pour coussinets – *I* materiali per cuscinetto – *S* materiales para cojinetes
Lit.: Ullmann (4.) **16**, 1 ff.; (5.) **A 3**, 399 ff.

Lagopodine.

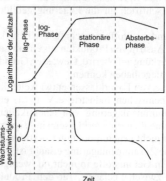

R¹ = R² = H : Lagopodin A
R¹ = H, R² = OH : Lagopodin B
R¹ = R² = OH : Hydroxylagopodin B

Sesquiterpenoide Chinon-Farbstoffe vom Cuparan-Typ aus Kulturen von *Coprinus lagopus, C. macrorhizus* u. *C. cinereus.* Die Wildformen dieser Pilze bilden keine Lagopodine. Die L. sind eng verwandt mit dem biosynthet. sehr gut untersuchten *Helicobasidin. Man unterscheidet *L. A* {$C_{15}H_{18}O_3$, M_R 246,31, gelbe Krist., $[\alpha]_D$ −10° (CHCl$_3$)}, *L. B* ($C_{15}H_{18}O_4$, M_R 262,31) u. *Hydroxy-L. B* ($C_{15}H_{18}O_5$, M_R 278,30, orangerote Krist., Schmp. 184−186°C). – *E* lagopodins – *F* lagopodines – *I* lagopodine – *S* lagopodinas
Lit.: Acta Chem. Scand. Ser. B **28**, 492−500 (1974) (Synth.) ▪ Czygan, Pigments in Plants, S. 152, Stuttgart: Fischer 1980 ▪ Phytochemistry **14**, 1433 (1975); **15**, 2004 (1976) ▪ Thomson, Naturally Occurring Quinones III, S. 30, London: Chapman & Hall 1987 ▪ Zechmeister **51**, 187 f. – *[CAS 62185-66-4 (L. A); 62512-03-2 (L. B); 56973-45-6 (Hydroxy-L. B)]*

lag-Phase (Adaptionsphase, Inkubationsphase). Engl. Bez. für die Zeit, in der bei einer submers betriebenen *Batch-Fermentation (s. a. kontinuierliche Fermentation) direkt nach dem Beimpfen noch keine Zellvermehrung zu beobachten ist. Die lag-P. läßt sich weiter unterteilen in eine Induktions- u. Akzelerationsphase. In der *Induktionsphase* werden die frisch eingeimpften Zellen od. deren Stoffwechsel häufig geschädigt, so daß einige Zellen absterben (geringere Lebend-Zellzahl). In der folgenden *Akzelerationsphase* stellen sich die überlebenden Zellen auf die veränderten Kulturbedingungen ein, was zur Aktivierung des Stoffwechsels u. zur Induktion von Enzymen führt. Die Zellzahl bleibt konstant, während die Zellmasse durch Zellvergrößerung zunehmen kann. In der *log-Phase (logarithm. Wachstumsphase) setzt dann die Zellvermehrung (s. a. Wachstum) ein. Der weitere Ablauf der Fermentation mit *stationärer Phase u. Absterbe-Phase kann der Abb. entnommen werden (Wachstumskurve).

Abb.: Batch-Kultur mit lag-, log-, stationärer u. Absterbephase.

– *E* lag phase – *F* phase de latence – *I* fase d' adattamento – *S* fase de retardo
Lit.: Rehm-Reed (2.) **1**, 111−162 ▪ Schlegel (7.), S. 211−216.

Laherradurin s. Annonine.

Lahn. Bez. für *Fasern aus flachgewalzten Metalldrähten.
Lit.: Meyer zur Capellen, Lexikon der Gewebe, S. 165, Frankfurt: Dtsch. Fachverlag 1996.

L'Air Liquide. Kurzbez. für das 1902 gegr. französ. Unternehmen L'Air Liquide S. A., 59562 La Madeleine Cedex. *Produktion:* Geräte u. Anlagen zur Verflüssigung u. fraktionierten Dest. von Luft, Erdgas u. a. Gasgemischen, Zubehör für Tieftemp.-Laboratorien, Ind.- u. Forschungsgase, Taucherausrüstungen, Schweißmaterial u. -Zubehör, Kunststoffe, Arzneimittel, Wasserstoffperoxid u. Düngemittel, Verfahrensentwicklung, Biotechnologie.

Laitan®. Kapseln mit Kava-Kava-Wurzelstock-Trockenextrakt (s. Kawain) gegen Angst- u. Unruhezustände. *B.:* Schwabe/Spitzner.

Lake (Pökellake). Eine zum *Pökeln von Fleisch benutzte 15–20%ige Salzlsg., in die die Fleischstücke eingelegt werden. In der L. entwickelt sich unter geeigneten Bedingungen (niedrige Temp., Anwesenheit von Nitrit, Absinken des Redoxpotentials) die erwünschte typ. Pökelflora. Dazu gehören salztolerante Stämme aus der Familie der Micrococcaceae, Milchsäure-Bildner der Gattungen *Lactobacillus* u. Enterococcen, Gram-neg. Bakterien der Gattung *Vibrio* sowie Salz-tolerante Hefen. – *E* pickle – *F* saumure – *I* salamoia – *S* salmuera

Lakritze. Dunkelfarbige, süß schmeckende Massen, die aus verkleistertem Mehl (30–45%), Zucker (30–40%), Stärkesirup, Gelatine u. eingedicktem Süßholzsaft bestehen u. zu Stangen, Bändern, Figuren usw. geformt werden. L.-Masse als Zuckerware wurde bereits 1760 von dem engl. Apotheker Dunhill hergestellt. Charakterist. u. geschmacksbestimmender Inhaltsstoff des Süßholzsafts ist *Glycyrrhizin, ein β,β'-Glucuronidoglucuronid der Glycyrrhetinsäure. Daneben enthält der Extrakt *Cumarine, *Flavonoide, verschiedene Zucker, Harze u. *Sterine.
Einfache L.-Waren enthalten mind. 5% Süßholzextrakt, bessere Erzeugnisse enthalten 30% u. mehr. Zur Aromatisierung dienen ether. Öle, v. a. Anisöl, u. Pflanzenauszüge; zur Bestimmung von Glycyrrhizin in L.-Waren s. *Lit.* [1].
Verw.: Als Zucker-Waren, medizin. in *Expektorantien, gegen *Ulcus u. *Gastritis. Beim Verzehr großer Mengen L. (einige hundert g/d) kann es u. U. zu Vergiftungen kommen, die sich mit Symptomen wie Herzschmerzen, Bluthochdruck, Ödem, Kopfschmerzen u. allg. Schwäche äußern; Näheres s. *Lit.* [2]. – *E* liquorice, licorice – *F* reglisse – *I* liquirizia – *S* orozuz, regaliz
Lit.: [1] J. Agric. Food Chem. **31**, 389–393 (1983); Ernährung **13**, 82–86 (1988). [2] Pharm. Ztg. **134**, 3059–3064 (1989). *allg.:* Hoffmann et al., Zucker u. Zuckerwaren, S. 204–210, Berlin: Parey 1985 ▪ Minifie, Chocolate, Cocoa and Confectionery (3.), S. 671–620, New York: Van Nostrand 1989 ▪ Pharm. Unserer Zeit **12**, 49–53 (1983) ▪ Zucker Suesswaren Wirtsch. **39**, 95 ff. (1986) ▪ s. a. Glycyrrhizin. – [HS 1704 90]

Laktation. Unter L. versteht man die Milch-Produktion beim Säuger. Die L. beginnt nach der Geburt u. wird durch *Prolactin (L.-Hormon) angeregt. Bei der Kuh beginnt die L. mit dem Kalben u. dauert etwa 305 d. – *E=F* lactation – *I* lattazione – *S* lactación

LAK-Zellen s. Lymphokin-aktivierte Killer-Zellen.

LAL s. Lysinoalanin.

Lalancette-Reagenz. 1. In Graphit eingelagertes CrO_3 (*Seloxcette) als Oxid.-Mittel z. B. für prim. u. sek. Alkohole. – 2. Sulfidiertes Natriumborhydrid $Na–S–B(SH)_2$ ($NaBH_2S_3$) in Tetrahydrofuran als Red.-

Mittel z. B. für Aldehyde u. Ketone. – *E* Lalancette's reagent – *F* réactif de Lalancette – *I* reagente di Lalancette – *S* reactivo de Lalancette
Lit.: Can. J. Chem **46**, 2754 (1968) ▪ Synthesis **1972**, 526–532.

Lamawolle s. Wolle.

Lamb, Willis Eugene (geb. 1913), Prof. für Theoret. Physik, Stanford Univ., California. *Arbeitsgebiete:* Atombau, Kristallstruktur, Mikrowellen-Spektroskopie, Molekularstrahl-Resonanzmeth., Entdeckung der Lamb-Verschiebung (*E* Lamb shift) bei der Untersuchung der Feinstruktur des Wasserstoff-Spektrums; dafür 1955 Nobelpreis für Physik (zusammen mit P. *Kusch).
Lit.: Lexikon der Naturwissenschaftler, S. 257 ▪ Who's Who in America (51.), S. 2438.

Lambda s. λ u. Λ.

Lambda-Cyhalothrin.

Vorgeschlagener common name für $(\pm)$-$((S^*)$-α-Cyano-3-phenoxybenzyl)-$(1R^*)$-*cis*-3-(Z)-(2-chlor-3,3,3-trifluorpropenyl)-2,2-dimethylcyclopropancarboxylat, $C_{23}H_{19}ClF_3NO_3$, M_R 449,86, Schmp. 49 °C, LD_{50} (Ratte oral) ca. 56 mg/kg (WHO), von ICI entwickeltes nicht-system. synthet. *Pyrethroid mit Kontakt- u. Fraßgiftwirkung gegen zahlreiche Insektenarten im Getreide-, Mais-, Raps-, Obst-, Hopfen-, Wein- u. Baumwollbau. – *E* lambda-cyhalothrin – *I* lambda-cialotrina – *S* lambda-cihalotrina
Lit.: Perkow ▪ Pesticide Manual. – [CAS 91465-08-6]

Lambda-Fenster. Um beim *Dreiwege-Katalysator sowohl die Oxid. des Kohlenstoffmonoxids u. der Kohlenwasserstoffe als auch die Red. der Stickstoffoxide gleichzeitig u. optimal ablaufen zu lassen, ist die Einhaltung eines Kraftstoff/Luft-Verhältnisses mit dem *Lambda-Wert (Luftzahl) von $\lambda = 1,0$ erforderlich. In Verbrennungsmotoren mit Dreiwege-Katalysator erfolgt die Regelung der Luftzahl elektron., wobei die *Lambda(λ)-Sonde* als Regelgröße den Sauerstoff-Gehalt der Motorabgase vor dem Katalysator mißt. Das L.-F. ist der Bereich, in dem hohe Umsätze (d. h. Oxid. der Kohlenwasserstoffe u. des CO mittels Sauerstoff zu CO_2, Red. von NO_x mittels CO zu N_2) erreicht werden. Die Entwicklung von multifunktionellen Katalysatoren geht in Richtung auf ein möglichst breites L.-F., so daß unter verschiedensten Betriebsbedingungen im Kraftfahrzeugverkehr ein hoher Umsatz gewährleistet ist. – *E* lambda window – *F* fenêtre lambda – *I* finestra lambda – *S* ventana lambda
Lit.: Chem. Unserer Zeit **18**, 37 ff. (1984) ▪ Haus Tech. Essen, Vortragsveröff. **82**, 360 ff. (1989) ▪ VDI Ber. (Ver. Dtsch. Ing.) Nr. **730**, 97 ff. (1989); Nr. **525** (1985).

Lambda-Kurve (Lambda-Phänomen). Besonderheiten im Phasendiagramm von Helium bei Temp. unterhalb von 3 K. Die *Molwärme, gemessen beim Sättigungsdruck, zeigt eine Temp.-Abhängigkeit, die graph. aufgetragen einem griech. „λ" gleicht; deshalb wird diese Erscheinung *Lambda-Phänomen* genannt.

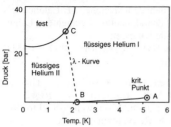

Abb.: Phasendiagramm von Helium. Die gekennzeichneten Punkte entsprechen A (krit. Punkt): T = 5,204 K, p = 2,275 bar; B (Lambda-Punkt): T = 2,17 K, p = 50,42 mbar; C: T = 1,743 K, p = 29,476 bar.

Im p-T-Diagramm (s. Abb.) wird der Punkt B als *Lambda-Punkt* bezeichnet; er entspricht einer Temp. von 2,17 K u. einem Druck von 50,42 mbar. Mit steigendem Druck verschiebt sich der *Lambda-Punkt* zu tieferen Temp. längs der Lambda-Kurve. – *E* lambda point – *F* courbe Lambda – *I* curva lambda, punto lambda – *S* curva lambda

Lit.: Bergmann u. Schäfer, Experimentalphysik, Bd. I, München: Oldenbourg 1990 ▪ Kohlrausch, Praktische Physik 1, S. 344 f., Stuttgart: Teubner 1985.

Lambdamycin s. Chartreusin.

Lambda-Nomenklatur s. λ.

Lambda-Phänomen s. Lambda-Kurve.

Lambda-Phage (λ-Phage). Temperenter DNA-*Phage, der sich auf *Escherichia coli* vermehrt. Die Phagenpartikel bestehen aus einem isometr. Kopf sowie Schwanz u. enthalten lineare, doppelsträngige DNA. Der L.-P. ist ein gut untersuchter Phage, dessen Genom vollständig sequenziert ist (48 502 Basenpaare) u. als klass. Modellsyst. zur Phagengenetik u. zur Regulation der *Genexpression eingesetzt wird. L.-P. u. dessen Einzelkomponenten sind wichtige Hilfsmittel für das DNA-*Klonieren (z. B. *Lambda-Vektoren, *Cosmide, *Genbanken, Lambda-Repressor). – *E* lambda phage – *F* phage lambda – *I = S* fago lambda

Lit.: Glick u. Pasternak, Molekulare Biotechnologie, S. 98–104, 205–208, 301–304, Heidelberg: Spektrum Akadem. Verl. 1995 ▪ Römpp Lexikon Biotechnologie, S. 457f. ▪ Stryer 1996, 873ff., 995, 1003–1006 ▪ Watson et al., Rekombinierte DNA (2.), S. 89–93, Heidelberg: Spektrum Akadem. Verl. 1993.

Lambda-Punkt s. Lambda-Kurve.

Lambda-Sonde s. Katalysatoren.

Lambda-Vektor. Bez. für DNA-Klonierungsvektoren, die auf *Lambda-Phagen basieren u. z. B. für den Aufbau von genom. od. *cDNA-*Genbanken benutzt werden. – *E* lambda vectors – *F* vecteurs lambda – *I* vettori lambda – *S* vectores lambda

Lit.: Glick u. Pasternak, Molekulare Biotechnologie, S. 49–57, Heidelberg: Spektrum Akadem. Verl. 1995 ▪ Lehninger et al., Prinzipien der Biochemie (2.), S. 1126–1129, Heidelberg: Spektrum Akadem. Verl. 1994.

Lambda-Wert. Maß für das Verhältnis der in den Verbrennungsraum eingeführten zu der zur vollständigen Verbrennung theoret. benötigten Luftmenge. Ist der L.-W. <1 spricht man von einem fetten Gemisch (Luftmangel), ist er >1, dann heißt das Gemisch mager (Luftüberschuß). Verbrennungsmotoren mit Abgasrei-

nigung durch *Dreiwege-Katalysatoren müssen bei einem L.-W. von eins betrieben werden, da hierbei die oxidierbaren u. reduzierbaren Komponenten im Abgas untereinander optimal umgesetzt werden. Die Einhaltung dieses *Lambda-Fensters erfolgt durch elektron. Regelung der Luftzahl. – *E* lambda-value – *F* valeur lambda – *I* valore lambda – *S* valor lambda

Lambert-Beersches Gesetz. Grundgesetz der *Absorptiometrie, das durch Vereinigung des *Beerschen Gesetzes* (nach diesem ist der Lichtabsorptionskoeff. einer farbigen Lsg. proportional der Konz. der im farblosen Lsm. gelösten Substanz) u. des *Lambertschen Gesetzes* (genau: *Bouguer-Lambert-Gesetz*; nach diesem ist die differentiale Lichtabsorption einer Lsg. bei konstanter Konz. der gelösten Substanz ihrer Schichtdicke proportional) erhalten wurde. Das L.-B. G. lautet – in vereinfachter Form unter Verw. des natürlichen statt des dekad. Logarithmus u. unter der Voraussetzung der Wellenlängenabhängigkeit der Meßgrößen – nach DIN 1349 Tl. 1 (06/1972):

$$\Phi_{ex} = \Phi_{in} \cdot e^{-\kappa_n} \cdot c \cdot d,$$

wobei Φ = Strahlungsfluß (ex = austretend, in = einfallend), κ_n = molarer Absorptionskoeff., c = Konz. u. d = Schichtdicke sind. In dem DIN-Normblatt u. in *Lit.*[1] sind die Beziehungen zwischen den erwähnten u. a. Begriffen vorgestellt: *Reinabsorptions-* bzw. *-transmissionsgrad* (α_i bzw. τ_i), *Absorptionsmaß* (A) u. *Absorptionskoeffizient* (a). Früher waren Begriffe wie *Intensität* (I), *Extinktion* (E) u. *Extinktionsmodul* bzw. *-koeff.* (m bzw. ε) üblich, wobei das L.-B. G. folgende Gestalt hatte: $I = I_0 \cdot e^{-\varepsilon \cdot c \cdot d}$. Der Quotient I/I_0 wurde *Durchlässigkeit* od. *Transparenz*, der Quotient I_0/I *Opazität* od. *opt. Dichte* genannt (heute τ_i bzw. A, s. oben). Die Absorptions- od. Transmissionsmessung ist die Grundlage aller quant. Verf. der *Photometrie (z. B. *UV-Spektroskopie) u. der *Kolorimetrie (hier vergleicht man $c_1 \cdot d_1 = c_2 \cdot d_2$). Das L.-B. G. gilt in Absorption u. Emission (z. B. bei *Lasern) jedoch nur unter der Voraussetzung, daß keine Mehrphotonprozesse stattfinden u. daß keine physikal.-chem. (z. B. Dissoziation) od. chem. Prozesse zwischen Lsm. u. farbiger Substanz auftreten, wenn die Konz. verändert wird. – *E* Lambert-Beer law – *F* loi de Lambert-Beer – *I* legge di Lambert-Beer – *S* ley de Lambert-Beer

Lit.: [1] IUPAC, Größen, Einheiten u. Symbole in der Physikalischen Chemie, S. 35, Weinheim: VCH Verlagsges. 1996. *allg.:* Völz, Industrial Color Testing, Fundamentals and Techniques, Weinheim: VCH Verlagsges. 1995 ▪ s. a. UV-Spektroskopie.

Lamé. Mit Metallfäden durchwirkte Textilwaren.

Lamecreme®. Marke von Grünau für verschiedene Typen emulgierender Grundstoffe vom O/W-Typ für pharmazeut. u. kosmet. Emulsionssyst., z. B. auf Basis von *Glycerinmono/distearat mit Kaliumstearat bzw. Lipopeptiden u. Fettalkohol. *B.:* Henkel.

Lamegin®. *Mono- u. *Diglyceride von Speise-Fettsäuren, z. T. verestert mit Mono- und Diacetylweinsäure (E 472 e); Emulgatoren zur Verw. in der Lebensmittel-Ind., speziell zur Herst. von Hefe-getriebenem Gebäck. *B.:* Grünau.

Lamellengraphit s. Graphit u. Gußeisen.

Lamepon®. Marke von Grünau für ein Sortiment verschiedener *Eiweiß-Fettsäure-Kondensate, die als bes. haut- u. schleimhautfreundliche *Tenside in milden kosmet. Tensid-Reinigungspräp. Verw. finden. **B.:** Henkel.

Lamequat® L. Marke von Grünau für ein kationisiertes *Collagen-Hydrolysat, *Avivage-Mittel u. Additiv für Haar- u. Körperpflege. **B.:** Henkel.

Lamesoft®. Marke von Grünau für flüssige wäss. Dispersionsprodukte auf der Basis von Fettsäureglyceriden u. Eiweißfettsäure-Kondensat. Verw. als Rückfettungskomponenten u. Trübungsmittel in kosmet. Wasch- u. Reinigungsformulierungen. **B.:** Henkel.

Lamesorb®. Sorbitanfettsäureester (vgl. Sorbitanester) u. *Polysorbate; Emulgatoren u. Lösungsvermittler für die Lebensmittel-Ind., Tierernährung u. Pharmazie. **B.:** Grünau.

Lamictal® (Rp). Tabl. mit dem *Antiepileptikum *Lamotrigin. **B.:** Glaxo Wellcome/Desitin.

Laminare Strömung. Strömung eines Gases od. einer Flüssigkeit, bei der sich die einzelnen Schichten der Strömung nicht vermischen, sondern parallel zueinander bewegen. In einem kreisförmigen Rohr stellt sich ein parabol. Geschw.-Profil ein. Es gilt das *Hagen-Poiseuillesche Gesetz. L. S. treten auf, solange die *Reynolds-Zahl unterhalb eines durch die Geometrie des durchströmten Körpers gegebenen krit. Werts bleibt. Ist die Reynolds-Zahl größer als der krit. Wert, schlägt die Strömung in eine *turbulente Strömung um. – *E* laminar flow – *F* écoulement laminaire – *I* corrente laminare – *S* corriente laminar

Laminaribiose s. Laminarin.

Laminarin (Laminaran, Laminariose).

$(C_6H_{10}O_5)_n$, M_R 2000–5000, feines Pulver, Polysaccharid aus *Laminaria*-Arten (Blatt- od. Riementang). L. ist ein lineares *Glucan mit β-1,3-glykosid. u. einzelnen β-1,6-glykosid. Bindungen. Es existieren zwei Formen, von denen die eine aufgrund eines höheren Verzweigungsgrads (aus *L. cloustoni*) nicht wasserlösl. ist. Die lösl. Form wird aus *L. digitata* gewonnen. L. kann mit Wasser unter Säure- (1%ige Salzsäure) od. Alkohol-Zusatz aus den zerkleinerten Algen gewonnen werden (Ausbeute: ca. 40 g/kg Pflanzenmaterial). Bei der teilw. Hydrolyse entsteht das Disaccharid *Laminaribiose* (3-*O*-β-D-Glucopyranosyl-D-glucose, $C_{12}H_{22}O_{11}$, M_R 342,30)[1] bei vollständiger Hydrolyse 96% Glucose. L. wird zur Glucose-Gewinnung, als Zusatz zu Penicillin- u. Sulfonamid-Streupuder verwendet. L.-Sulfat ist ein Blutgerinnungsmittel. – *E* laminarin, laminaran – *F* laminarine – *I* = *S* laminarina

Lit.: [1] Karrer, Nr. 646.
allg.: Agric. Biol. Chem. **43**, 603 (1979) ▪ Black et al., in Whistler u. BeMiller, Industrial Gums (2.), S. 137–145, New York: Academic Press 1973 (Übersicht) ▪ J. Chem. Soc. **1965**, 885 ▪ Merck-Index (12.), Nr. 5363. – *[CAS 9008-22-4]*

Laminate. Von latein.: lamina = Platte abgeleitete Bez. für mehrschichtige Formstücke (*Schichtstoffe*) aus Trägermaterialien wie Glasfasergeweben, Papier, Holz, Textilien, Kunststoff-Folien, die mit Bindemitteln (*Laminierharzen*) wie Epoxid-, Melaminharzen, Thermoplasten usw. verklebt sind. L. werden verwendet z. B. für techn. Zwecke (gedruckte Schaltungen, für den Flugzeug-, Fahrzeug-, Bootsbau), wetterfeste Verkleidungen, Sportgeräte (z. B. Skier), dekorative Zwecke. Beispielsweise bestehen L. für den Möbelbau aus mehreren Lagen Kernfilm auf Phenolharz-Basis u. einem *Dekorfilm auf Aminoplastharz-Basis als Oberflächenschicht u. ggf. einem zusätzlich über dem Dekor verpreßten, transparenten od. eingefärbten *Overlay. Die L. werden durch schichtweises Auftragen der harzgetränkten Trägerstoffe (*Laminieren*) hergestellt, wobei man z. B. Verf. der Extrusionslaminierung, Walzenschmelzverf. usw. anwendet; vgl. a. glasfaserstärkte Kunststoffe, Kaschieren u. Schichtpreßstoffe. – *E* laminates – *F* agglomérés laminés, agglomérés stratifiés – *I* laminati – *S* laminados

Lit.: Encycl. Polym. Sci. Eng. **8**, 617–646 ▪ Kirk-Othmer (3.) **13**, 968–993; **14**, 1–41 ▪ Ullmann (4.) **15**, 326 f., 480 f.; (5.) **A 9**, 268 f.

Lamine (Kernlamine). Innerhalb der inneren Kern-Membran umgibt den Zellkern (s. Zellen) die *Kernlamina* (Kernfaserschicht), die aus einem bes. Typ *intermediärer Filamente (IF) gebildet wird. Diese IF des Typs IV bestehen bei Säugetieren hauptsächlich aus den L. A, B u. C (M_R 60 000–78 000); andere Tier-Klassen besitzen z. T. andere Lamine. Die IF der Kernlamina haben gegenüber den strukturverwandten cytoplasmat. IF die bes. Fähigkeit, sich – wahrscheinlich mit Hilfe weiterer Proteine – zu rechtwinkligen Geflechten zusammenzulagern. Während der *Mitose (Kernteilung) werden die L. vorübergehend phosphoryliert u. treten auseinander, wobei die L. B an die Kernmembran assoziiert bleiben. Dabei dienen als Membrananker wahrscheinlich *all-trans*-Farnesyl-Reste (vgl. Farnesol), die in Thioether-Bindung mit L-Cystein-Seitenketten verknüpft sind. – *E* lamins – *F* lamines – *I* lamine – *S* laminas

Lit.: Alberts et al., Molekularbiologie der Zelle, 3. Aufl., S. 946 f., Weinheim: VCH Verlagsges. 1995 ▪ Int. Rev. Cytol. **162 B**, 141–182 (1995).

Lamingsche Masse. Histor. *Gasreinigungs-Masse* (Laming 1846) aus $FeSO_4$ u. $Ca(OH)_2$, mit der man bei der *Leuchtgas-Herst. versuchte, den Schwefelwasserstoff (ca. 1%) u. die im Rohgas enthaltene Blausäure in Form von Eisensulfid u. Blutlaugensalz zu binden. *Lit.:* Ullmann (3.) **4**, 645.

Laminieren s. Laminate.

Laminine. L. treten neben *Entactin in der *Basalmembran (Basal-*Lamina*, daher der Name) als *Glykoproteine auf.

Struktur: L. (M_R 850 000) bestehen aus 3 verschiedenen *Polypeptid-Ketten (α, β u. γ), deren α-helikale (s. Helix) Bereiche einander umwinden u. die zusätzlich durch *Disulfid-Brücken miteinander verknüpft sind. Sie bilden ein elektronenopt. sichtbares 1 µm langes Mol. in Form eines Kreuzes mit drei kurzen u. einem langen Arm u. globulären *Domänen an den Enden. Je nach Zelltyp u. Entwicklungszustand werden

Tab.: Zusammensetzung der Laminine.

Laminin	Synonym	Zusammen-setzung
L. 1	EHS-L.	$\alpha1\beta1\gamma1$
L. 2	*Merosin*	$\alpha2\beta1\gamma1$
L. 3	S-L.	$\alpha1\beta2\gamma1$
L. 4	S-*Merosin*	$\alpha2\beta2\gamma1$
L. 5	*Epiligrin, Kalinin, Nicein*	$\alpha3\beta3\gamma2$
L. 6	K-L.	$\alpha3?\beta1\gamma1$
L. 7	KS-L.	$\alpha3?\beta2\gamma1$

Isoformen (1–7) der L. produziert, die sich durch verschiedene Unterformen der einzelnen Polypeptid-Ketten unterscheiden (s. Tab.). Die L. besitzen mehrere dem *epidermalen Wachstumsfaktor verwandte Domänen. *Funktion:* L. binden an das *Collagen (Typ IV) u. das *Glykosaminoglykan der Basalmembran sowie über spezif. Zelloberflächen-*Rezeptoren (*Zell-Adhäsionsmoleküle, speziell *Integrine, aber auch andere[1]) an Zellen. Dadurch vermitteln sie den Zellen sowohl Halt u. Umgebungsinformationen als auch die Fähigkeit, zu wandern u. sich in Geweben zu organisieren. Einigen Zelltypen, z.B. den basalen Epidermiszellen der Haut, dienen die L. auch als *Wachstumsfaktoren. Möglicherweise sind sie an Krebswachstum u. Metastasierung beteiligt[2]. Bei Neuronen (Nervenzellen) beeinflussen sie die Wachstumsrichtung der Axone (Nervenfasern)[3]. $\beta2$ ist – neben *Agrin – für die Ausbildung der neuromuskulären *Synapse nötig[4]. Bei erblichem Defekt der Merosin-spezif. $\alpha2$-Kette kommt es zur kongenitalen Muskeldystrophie[5]; sind $\alpha3$, $\beta3$ od. $\gamma2$, die Bestandteile des Epiligrins, defekt, ist eine Form der Epidermolysis bullosa (Stoßblasensucht) die Folge[6]. – *E* laminins – *F* laminines – *I* laminine – *S* lamininas

Lit.: [1]Biol. Chem. **377**, 471–480 (1996). [2]Seminars Cancer Biol. **7**, 119–128 (1996). [3]Brain Res. Rev. **23**, 1–27 (1997); Mol. Neurobiol. **12**, 95–116 (1996). [4]Nature (London) **374**, 258–262 (1995); Science **269**, 362f., 413–416 (1995). [5]Neuromusc. Disorders **7**, 7–12 (1997). [6]Neuromusc. Disorders **6**, 409–418 (1996).

allg.: Alberts et al., Molekularbiologie der Zelle, 3. Aufl., S. 1149, 1169–1171, Weinheim: VCH Verlagsges. 1995 ▪ J. Investig. Dermatol. **106**, 209–214 (1996) ▪ Matrix Biol. **15**, 369–381 (1996).

Lamisil® (Rp). Tabl. u. Creme mit dem *Antimykotikum *Terbinafin-Hydrochlorid. *B.:* Novartis.

Lamivudin (Rp).

Internat. Freiname für 4-Amino-1-[(2*R*,5*S*)-2-(hydroxymethyl)-1,3-oxathiolan-5-yl]-2(1*H*)-pyrimidinon (Kurzbez.: 3TC), $C_8H_{11}N_3O_3S$, M_R 229,26, Schmp. 160–162 °C; $[\alpha]_D^{21}$ –135° (c 0,38/CH_3OH). L. zählt zu den *Reverse Transcriptase-Hemmern, ist das erste Nucleosid der L-Reihe, das wirksamer als sein D-Isomer ist u. wird zur Behandlung HIV-Infizierter eingesetzt. Als bes. gut hat sich die Kombinationstherapie mit *Zidovudin u. *Indinavir erwiesen. Es ist von Glaxo-Wellcome (Epivir®) im Handel. – *E* = *F* lamivudine – *I* = *S* lamivudina

Lit.: Merck-Index (12.), Nr. 5365. – *[HS 293490; CAS 134678-17-4]*

LAMMA. Abk. für *E* Laser *M*icroprobe for *M*aterial *A*nalysis s. Laser-Mikrosonde.

Lamotrigin (Rp).

Internat. Freiname für 6-(2,3-Dichlorphenyl)-1,2,4-triazin-3,5-diamin, $C_9H_7Cl_2N_5$, M_R 256,09, Schmp. 216–218 °C; LD_{50} (Maus oral) 250 mg/kg. L. wurde als Antiepileptikum 1981 von Wellcome Foundation (Lamictal®, Glaxo Wellcome) patentiert. – *E* = *F* lamotrigine – *I* = *S* lamotrigina

Lit.: ASP ▪ Hager (5.) **8**, 692 ▪ Merck-Index (12.), Nr. 5367 ▪ Pharm. Ztg. **139**, 750ff. (1994); **142**, 710f. (1997). – *[HS 293369; CAS 84057-84-1]*

Lamoxactam s. Latamoxef.

Lamoxiren s. Algenpheromone.

Lampen (von griech.: lámpein = scheinen, leuchten). Umgangssprachliche Bez. für Leuchten im Haushalt u. Gewerbe, im engeren Sinne Bez. für künstliche Lichtquellen – bekanntestes *Beisp.:* *Glühlampe. Im chem. u. physikal.-chem. Laboratorium, für photochem. Zwecke u. in der Technik kennt man u.a. folgende spezielle, z.T. in Einzelstichwörtern ausführlicher behandelte L.-Ausführungen:

Metallfaden-L., Gasentladungs-L., Hohlkathoden-L., Impuls-L., Ultraviolett- u. Infrarotstrahler, Kohlefaden- u. -bogen-L., Leuchtstoff-L., Projektions-L., Spektral-L. (z.B. Xenon-L., Deuterium-L., Wasserstoff-L.), Metalldampf-L. (z.B. Natrium-, Quecksilberdampf-, Halogenmetalldampf-L.), Photou. Photokopier-L., Blitz-L., Tauch-L., Entkeimungsstrahler.

In abgewandeltem Sinne spricht man von L. auch bei Lötlampen u. Heizlampen. – *E* lamps – *F* lampes – *I* lampade – *S* lámparas

Lampenbürsten-Chromosomen s. Chromosomen.

Lampionblume s. Kapstachelbeeren.

Lamproit. Bez. für eine Gruppe von *Lamprophyrähnlichen, Kalium-reichen subvulkan. u. vulkan. Gesteinen; nach Mitchell u. Bergman (*Lit.*) u. *Lit.*[1] mit folgenden Molverhältnissen: K_2O/Na_2O >3 (*E* ultrapotassic), K_2O/Al_2O_3 >0,8, ($K_2O + Na_2O$)/Al_2O_3 >1 (peralkal.), je <10 Gew.-% FeO u. CaO, TiO_2 1–7 Gew.-%, >2000 ppm Ba, >500 ppm Zr, >1000 ppm Sr u. >200 ppm La.

L. enthalten 5–90% folgender *charakterist. Minerale:* Einsprenglinge (*Gefüge) von Al-armem Ti-*Phlogopit, Ti-„Tetraferriphlogopit" (nur in der Grundmasse), K-Richterit (*Amphibole; mit 3–5% TiO_2), Mg-reicher *Olivin, Al- u. Na-armer Diopsid (*Pyroxene), *Leucit (mit 1–4 Gew.-% Fe_2O_3) u. Sanidin (mit 1–5 Gew.-% Fe_2O_3). Als *Nebengemengteile* (<5% des Mineralbestandes) können u.a. vorhanden sein: *Priderit* $(K,Ba)(Ti,Fe^{3+})_8O_{16}$, *Wadeit* $(K,Na)_2Zr[Si_3O_9]$, *Apatit, *Perowskit, Magnesio-*Chromit, Ti-haltiger *Magnetit u. *Armalcolit* $(Fe,Mg)Ti_2O_5$. Nach Mitchell u. Bergman (*Lit.*) wird die Vielzahl der für die L. gebräuchlichen Gesteinsnamen durch den Mineralbestand berücksichtigende Bez. ersetzt, z. B.:

Wyomingit Diopsid-Leucit-Phlogopit-L.
Orendit Diopsid-Sanidin-Phlogopit-L.
Cedricit Diopsid-Leucit-L.
Mamilit Leucit-Richterit-L.
Wolgidit madupit. Diopsid-Leucit-Richterit-L.
  (madupit. = Phlogopit in der Grundmasse)
Fitzroyit Leucit-Phlogopit-Lamproit.

Die Magmen (*Magma), aus denen die L. erstarrt sind, sind im oberen Erdmantel in von *Metasomatose betroffenen Bereichen unter reichlicher Beteiligung flüchtiger Bestandteile entstanden, s. dazu auch *Lit.*[2]. Die L. unterscheiden sich von *Kimberliten, Alkali-*Basalten u. Lamprophyren durch ihren Mineralbestand, ihre Mineralchemie u. ihre Geochemie.

Vork.: Meist nahe den Randbereichen in alten Schilden, z. B. in Nordwest-Australien u. Wyoming/USA. In West-Grönland, Elfenbeinküste/Afrika u. Nordwest-Australien zusammen mit Kimberliten. Aus Arkansas/USA u. NW-Australien wurden 1984 *Diamantenführende Olivin-L. u. Leucit-L. beschrieben[3]. – *E = F* lamproites – *I* lamproiti – *S* lamproitas

Lit.: [1] Can. Mineral. **34**, 175–186 (1996). [2] J. Petrol. **35**, 787–817 (1994). [3] Kornprobst (Hrsg.), Kimberlites 1: Kimberlites and Related Rocks, S. 195–283, Amsterdam: Elsevier 1984.
allg.: Fitton u. Upton (Hrsg.), Alkaline Igneous Rocks (Geol. Soc. Spec. Publ. 30), S. 103–190, Oxford: Blackwell 1987 ▪ Mitchell u. Bergman, Petrology of Lamproites, New York: Plenum Press 1991 ▪ s. a. Diamanten, Kimberlit, Lamprophyre.

Lamprophyre. Nach der in *Lit.*[1,2] vorgeschlagenen Redefinition Bez. für mitteldunkle bis dunkle, gewöhnlich als *Ganggesteine, aber auch als *Vulkanite (z. B. in Mexiko) u. Plutonite auftretende *magmatische Gesteine mit reichlichen dunklen Einsprenglingen (porphyr. *Gefüge) von *Glimmer (*Phlogopit od. Biotit) od./u. *Amphibol (*Hornblende od. Alkali-Amphibole) mit od. ohne *Pyroxen, mit od. ohne *Olivin, in einer Grundmasse aus denselben Mineralen; *Feldspäte (gewöhnlich Alkali-Feldspäte) sind auf die Grundmasse beschränkt. L. zeigen z. T. enge Beziehungen zu *Lamproiten u. *Kimberliten; Zusammenfassungen der 3 Gesteinsgruppen unter Begriffen wie „lamprophyr. Gesteine" (*Lit.*[3]) od. „L.-Clan" (Rock, *Lit.*) werden jedoch in *Lit.*[1,2] abgelehnt. Der Glimmer-Gehalt bewirkt im Bruch einen schimmernden Glanz (griech.: lampros = glänzend, Name!). Viele L. neigen zu Umwand-

Tab.: Namen u. mineralog. Zusammensetzung einiger Lamprophyre; nach Dietrich u. Skinner (*Lit.*), S. 174, Tab. 4-3.

vorherrschende maf. Mineralien	vorherrschende Feldspäte		Feldspatfrei ±Foide, häufig mit Glasbasis
	Alkalifeldspat	Plagioklas	
Biotit	Minette	Kersantit	Alnöit (mit Melilith)[a]
Biotit			Polzenit (mit Melilith)[b]
Hornblende/ Augit od. Diopsid	Vogesit	Spessartit	
Alkali-Amphibole/Pyroxene	Sannait	Camptonit	Monchiquit

[a] maf. Mineralien mehr als 50%
[b] 70–90% Feldspat-Vertreter

lungserscheinungen mit Bildung von *Calcit, *Chlorit, Sericit (*Muscovit), *Epidot u. *Zeolithen.

Vork.: In Form von wenige cm bis mehrere m dicken („mächtigen") Gängen v. a. in Verbindung mit Plutoniten (magmat. Gesteine), z. B. in Australien; in Mitteleuropa z. B. Vogesen, Schwarzwald, Kaiserstuhl, Spessart u. Böhmen. Namen u. mineralog. Zusammensetzung einiger L. s. Tab.; zu der älteren Klassifikation der L. nach Streckeisen s. *Lit.*[4]. – *E = F* lamprophyres – *I* lamprofiri – *S* lampropórfidos, lampropórfiros

Lit.: [1] Mineralogy Petrology **51**, 137–146 (1994). [2] Can. Mineral. **34**, 175–186 (1996). [3] Le Maitre (Hrsg.), A Classification of Igneous Rocks and Glossary of Terms, S. 10 f., 83, Oxford: Blackwell 1989. [4] Neues Jahrb. Mineral., Abhandl. **134**, 9 ff. (1978).
allg.: Dietrich u. Skinner, Die Gesteine u. ihre Mineralien, S. 172 ff., Thun: Ott 1984 ▪ Fitton u. Upton (Hrsg.), Alkaline Igneous Rocks (Geol. Soc. Spec. Publ. No. 30), S. 191–226, Oxford: Blackwell 1987 ▪ Rock, Lamprophyres, London: Blackie 1990 ▪ Wimmenauer, Petrographie der magmatischen u. metamorphen Gesteine, S. 146–150, Stuttgart: Enke 1985.

Lampteroflavin.

$C_{22}H_{28}N_4O_{10}$, M_R 508,49, Öl mit gelbgrüner Fluoreszenz, lösl. in Wasser. L. wurde aus den Lamellen des frisch gesammelten fluoreszierenden japan. Pilzes *Lampteromyces japonicus* („moon night mushroom") isoliert. Zunächst wurde L. für *Riboflavin gehalten, da die UV-Spektren ident. Maxima aufweisen [λ_{max} (Emission) 524 nm]. Tatsächlich ist der Riboflavin-Anteil des Mol. für das nächtliche Leuchten des Pilzes verantwortlich. – *E* lampteroflavin – *F* lamptéroflavine – *I = S* lampteroflavina

Lit.: Bioorg. Chem. **17**, 474 (1989) ▪ Chem. Unserer Zeit **22**, 69 f. (1988) ▪ Tetrahedron **46**, 1367–1378 (1990); **47**, 6215 (1991) (Synth.). – *[CAS 114590-52-2]*

Lampterol s. Illudine.

Lana… Von latein.: lana = *Wolle od. vom botan. Namen des Wolligen Fingerhuts (*Digitalis lanata*) abgeleiteter Wortbestandteil von Handelsnamen, vgl. die folgenden Stichwörter.

Lana philosophica. Alchimist. (latein.) Bez. für „Philosoph. Wolle"; eigenartige, weiße od. gelbliche Fäden aus *Zinkoxid, die sich am Tiegelrand bilden u. sich z. T. in der Luft ausbreiten, wenn man etwas Zink in einem Tiegel mit sehr heißer Flamme erhitzt u. dann in dem sehr heißen Metall herumstochert, so daß es hell zu brennen anfängt. – *E* philosopher's wool – *F* laine philosophique – *I* lana filosofica – *S* lana philosophica, lana filosófica

Lanatoside s. Digitalis-Glykoside.

Lancaster. Kurzbez. für die 1972 gegr. Firma Lancaster Synthesis Ltd., Eastgate, White Lund, Morecambe LA3 3DY (GB). *Produktion:* Organ. Feinchemikalien, Auftragsforschung, Kundensynthesen. *Vertretung* in der BRD: Lancaster Synthesis GmbH, 63155 Mühlheim am Main.

Lanco-Wax®, Lanco Glidd®. Marken-Gruppe für spezielle Oberflächenbeschichtungen, Lacke u. Druckfarben bestehend aus unterschiedlich modifizierten Polypropylen- od. Polyethylen-Wachsen, die in verschiedenen Polymeren (PVC, Nitrocellulose, Acrylate, Polyester, Polyurethane u. a.) eingesetzt werden können. Erhöhen die mechan. Belastbarkeit u. erzeugt Oberflächenglanz. *B.:* Lubrizol.

Land, Edwin Herbert (1909–1991), amerikan. Physiker u. Industrieller. *Arbeitsgebiete:* Entwicklung polarisierender Kunststoffolien für Polarisationssonnenbrillen u. -filter, Entwicklung der Sofortbildphotographie u. eines Sofortbild-Farbfilm-Systems. *Lit.:* Lexikon der Naturwissenschaftler, S. 258.

Landau, Lev Davidovich (1908–1968), Prof. für Theoret. Physik, Univ. Moskau. *Arbeitsgebiete:* Diamagnetismus freier Elektronen in Metallen, Kolloidchemie, Zeta-Potential, Quantenelektrodynamik, Superfluidität des Heliums, Quantenfeldtheorie, Plasmaphysik u. DLVO-Theorie, Stoßwellen; Nobelpreis für Physik 1962 für seine Untersuchungen über die Superfluidität von flüssigem Helium. *Lit.:* Lexikon der Naturwissenschaftler, S. 258 f. ▪ Livanova, Landau, New York: Pergamon 1980 [vgl. Naturwiss. Rundsch. **35**, 302 f. (1982)] ▪ Nachmansohn, S. 120 ▪ Poggendorff **7 b/5**, 2704–2708.

Landau-Zener-Modell. Modell zur Berechnung der Übergangswahrscheinlichkeiten nichtadiabat. Übergänge; Näheres s. nichtadiabatische Wechselwirkung.

Landé-Faktor (auch g-Faktor, gyromagnet. Faktor bzw. Verhältnis). Nach Alfred Landé (1888–1975, Prof. für Physik, Tübingen u. Columbus, Ohio) benannter, dimensionsloser Proportionalitätsfaktor, der den Zusammenhang zwischen dem magnet. Moment $\vec{m}$ u. den Drehimpulsen eines Teilchens od. Teilchensyst. beschreibt. Für ein einzelnes Elektron gilt $\vec{m} = g \cdot \mu_B \cdot \vec{D}/t$, mit $\mu_B =$ Bohrsches Magneton (*Fundamentalkonstanten) u. $\vec{D} =$ Drehimpuls. Ist $\vec{D}$ der Bahndrehimpuls $\vec{L}$, so gilt $g = 1$; für den Spin $\vec{S}$ wird meist angenähert $g_s = 2$. Experimentell wird g_s heute durch Speicherung eines Elektrons in einer *Penning-Falle bestimmt (*Lit.*[1]). Mit $g_s = 2{,}002319304386(20)$ ist es eine der am genauesten ausgemessenen Naturkonstanten. Ausgehend von den quantenmechan. Dirac-Gleichungen u. Korrekturen durch die Quanten-Elektrodynamik kann g_s auch abs. berechnet werden. Experimenteller u. berechneter Wert stimmen auf 10^{-10} miteinander überein.
Bei Nukleonen tritt an Stelle von μ_B (beim Elektron) das wesentlich kleinere Kernmagneton μ_K. Für Elektronen in der Atomhülle ergibt sich im Fall der LS-Kopplung (Gesamtdrehimpuls $\vec{J} = \vec{L} + \vec{S}$)

$$g = \frac{3J(J+1) + S(S+1) - L(L+1)}{2J(J+1)},$$

s. a. Magnetochemie. – *E* Landé g factor – *F* facteur g de Landé – *I* fattore g di Landé – *S* factor g de Landé *Lit.:* [1] Dehmelt in: Arecchi, Strumia u. Walther (Hrsg.), Advances in Laser Spectroscopy, New York: Plenum 1983; Sci. Am. **243**, 104 (1980); Europhysics news **21**, 31 (1990).

allg.: Cohen-Tannoudji, Diu u. Laloë, Quantum Mechanics I u. II, New York: Wiley 1977 ▪ s. a. Atombau.

Landesanstalt für Immissionsschutz (LIS). Landesanstalt in Nordrhein-Westfalen mit Sitz in 45133 Essen, Wallneyer Str. 6. Aufgabe der LIS ist das Messen, Forschen u. Entwickeln auf dem Gebiet der Luftreinhaltung sowie Geräusch- u. Erschütterungsminderung, z. B. durch Entwicklung von Immissions- u. Emissionsmeßverfahren. Die LIS erstellt Gutachten u. berät die Regierung u. a. staatliche Stellen; die Zentralstelle für Störfall-VO u. gefährliche Stoffe ist ein Teil der LIS.

Landolt, Hans Heinrich (1831–1910), Prof. für Physikal. Chemie, Bonn, Aachen u. Berlin. *Arbeitsgebiete:* Opt. Aktivität organ. Substanzen, Gesetz von der Erhaltung der Masse bei chem. Reaktionen, Hrsg. des *Landolt-Börnstein; s. a. Landoltsche Zeitreaktion. *Lit.:* Lexikon der Naturwissenschaftler, S. 259 ▪ Pötsch, S. 257.

Landolt-Börnstein. Kurzbez. für das von *Landolt u. Börnstein 1883 begründete Tab.-Werk „Zahlenwerte u. Funktionen aus Physik, Chemie, Astronomie, Geophysik u. Technik", das zwischen 1950 u. 1980 in 6. Aufl. vom Springer-Verl., Berlin, herausgegeben wurde. Das Werk gliedert sich in 4 Bd. mit jeweils mehreren Teilen, u. Teilbd. (insges. 27 Bd): 1. Atom- u. Molekularphysik, 2. Eigenschaften der Materie in ihren Aggregatzuständen, 3. Astronomie u. Geophysik, 4. Technik. Im Jahre 1961 begann im gleichen Verl. die Herausgabe des verwandten Werkes „Zahlenwerte u. Funktionen aus Naturwissenschaften u. Technik. Neue Serie". Das Werk ist ähnlich konzipiert wie das Hauptwerk in 7 Gruppen mit jeweiligen Bd. u. Teilbd.: 1. Kernphysik u. Kerntechnik, 2. Atom- u. Molekularphysik, 3. Kristall- u. Festkörperphysik, 4. makroskop. u. techn. Eigenschaften der Materie, 5. Geophysik u. Weltraumforschung, 6. Astronomie, Astrophysik u. Weltraumforschung, 7. Biophysik. Bis 1997 waren ca. 213 Bd. erschienen. Die Textpartien sind zweisprachig gehalten (dtsch. u. engl.). Ein Gesamt- u. ein Formelregister für das Gesamtwerk sind verfügbar. Der Gesamtkatalog ist auch online abrufbar. – INTERNET-Adresse:http://www.science.springer.de/newmedia/laboe/lbhome.htm

Landoltsche Zeitreaktion. Bei dieser von *Landolt 1886 entdeckten *gekoppelten* *Reaktion (heute als Prototyp einer *Zeitreaktion angesehen) läßt man verd. Schweflige Säure mit einem Überschuß an Iodsäure (HIO_3) bei Anwesenheit von etwas Stärke reagieren. Erst nach längerem Warten – dann aber ganz plötzlich – färbt sich die Stärke blau, da während der Reaktion zwischen Schwefliger Säure u. Iodsäure die Bildung des freien I_2 durch Reaktion (c) zunächst verhindert wird. Sobald die Schweflige Säure vollständig abreagiert hat [Reaktionen (a) u. (c)], wird die bis dahin farblose Lsg. innerhalb von Sekundenbruchteilen dunkelblau, weil jetzt nach Gleichung (b) die Ausscheidung von Iod einsetzt:

$$3\,H_2SO_3 + HIO_3 \rightarrow 3\,H_2SO_4 + HI \text{ (a)}$$
$$5\,HI + HIO_3 \rightarrow 3\,H_2O + 3\,I_2 \text{ (b)}$$
$$H_2SO_3 + I_2 + H_2O \rightarrow H_2SO_4 + 2\,HI \text{ (c)}$$

Das Gesamttempo dieser gekoppelten Reaktionskette wird durch denjenigen Teilprozeß bestimmt, der am langsamsten verläuft (a). Am Beisp. der L. Z. wurde der geschwindigkeitsbestimmende Einfluß des langsamsten Teilschritts für die Brutto-*Stufenreaktion erkannt. – *E* Landolt reaction – *F* réaction de Landolt – *I* reazione di Landolt – *S* reacción de Landolt

Lit.: Z. Physik. Chem. **32**, 27–50 (1962) ▪ Z. Naturforsch. Tl. B **12**, 600 f. (1957) ▪ s.a. Zeitreaktionen u. Oszillierende Reaktion.

Landsteiner, Karl (1868–1943), Prof. für Serologie, Wien u. New York. *Arbeitsgebiete:* Blutgruppenphysiologie, Entdeckung der Blutgruppen A, B u. 0, der Faktoren M, N u. P, Beschreibung des Rhesus-Faktors, Aufstellung des Hapten-Begriffs, Virusätiologie der Kinderlähmung; Nobelpreis für Medizin 1930.

Lit.: Chem. Rundsch. **21**, 513 (1968) ▪ Lexikon der Naturwissenschaftler, S. 259 ▪ Neufeldt, S. 108, 208.

Langbeinit. $K_2Mg_2[SO_4]_3$ bzw. $K_2SO_4 \cdot 2\,MgSO_4$, ausschließlich marin gebildetes kub. Salzmineral, Krist.-Klasse 23-T_4, *Struktur* s. *Lit.*[1,2]; Prototyp einer Gruppe isotyper (*Isotypie) Sulfate $A_2^{1+}B_2^{2+}[SO_4]_3$, mit $A^{1+} = NH_4$, K, Rb, Cs, Tl u. $B^{2+} = Mg$, Ca, Mn, Fe, Co, Ni, Zn u. Cd. Zu den Strukturen u. Phasen-Übergängen von kub. zu orthorhomb. Symmetrie bei den Kalium-Doppelsulfaten ($A^+ = K$) mit $B^{2+} = Mg$, Ni, Co, Zn u. Ca s. *Lit.*[2]. Meist nadelige od. körnige Massen, selten als Krist.; H. 3,5, D. 2,8. Glasglänzend, farblos durchsichtig, weiß durchscheinend od. durch Verunreinigungen verschieden gefärbt, spröde. Chem. Zusammensetzung nach der Formel: 22,7% K_2O, 19,4% MgO, 57,9% SO_3. Schmp. 930 °C; in Wasser schwer löslich.

Vork.: Nestartig in Kalisalz-Lagern, z.B. Harz, Österreich, Galizien/Polen, Punjab Salt Range/Indien; große Massen in New Mexico/USA u. Saskatchewan/Kanada. – *E* = *F* = *I* langbeinite – *S* langbeinita

Lit.: [1] Neues Jahrb. Mineral. Monatsh. **1979**, Nr. 4, 182–188. [2] Phys. Chem. Miner. **13**, 17–24 (1986).
allg.: Ramdohr-Strunz, S. 595 ▪ Schröcke-Weiner, S. 571 f. – [CAS 14977-37-8]

Langbein-Pfanhauser. Kurzbez. für die 1873 gegr. Langbein-Pfanhauser Werke AG, 41 409 Neuss, die als Holding zahlreiche Beteiligungen im In- u. Ausland hat. *Produktion:* Anlagen u. Chemikalien zur chem. u. elektrolyt. Oberflächenbehandlung, Anlagen zur Entsorgung, Wertstoffrückgewinnung u. zur industriellen Teilereinigung, Nichteisenmetalltechnologie.

Lange, Otto Ludwig (geb. 1927), Prof. (emeritiert) für Botanik, Univ. Würzburg. *Arbeitsgebiete:* Pflanzliche Primärproduktion, Anpassung der Pflanzen (z.B. auch Flechten) an extreme Umweltbedingungen, Ökophysiologie der Photosynthese.

Lit.: Kürschner (16.), S. 2088 ▪ Wer ist wer (35.), S. 854.

Langer & Co. Kurzbez. für die 1958 gegr. Firma Langer & Co. GmbH, 27712 Ritterhude, seit 1993 ein Tochterunternehmen der LUBRIZOL Corp. Wickliffe, USA. *Daten* (1995): 118 Beschäftigte, 40 Mio. DM Umsatz. *Produktion:* Rohstoffe u. Hilfsmittel für die Lack- u. chem. Ind., z.T. unter dem Handelsnamen Lanco.

Langerhanssche Inseln s. Pankreas.

Langevin, Paul (1872–1946), Prof. für Physik, Ecole de physique et chimie, Sorbonne, Paris. *Arbeitsge-*

biete: Paramagnetismus u. allg. Magnetismus, Ultraschall, Ionisation, Atomforschung, Röntgenstrahlen, kinet. Gastheorie, Piezoelektrizität.

Lit.: Lexikon der Naturwissenschaftler, S. 259 f. ▪ Neufeldt, S. 113.

Langevin-Funktion. Von *Langevin eingeführte Funktion der Form: $L(x) = \coth(x) - 1/x$. Für die Variable x gilt in der Physik u. Physikal. Chemie: $x = \mu F/kT$; hierbei sind μ ein elektr. od. magnet. *Dipolmoment, F die Feldstärke des elektr. od. magnet. Feldes, k die Boltzmann-Konstante (s. Boltzmann'sches Energieverteilungsgesetz) u. T die abs. Temperatur. Die L.-F. beschreibt das Verhalten von Materie in elektr. od. magnet. Feldern. – *E* Langevin function – *F* fonction de Langevin – *I* funzione di Langevin – *S* función de Langevin

Lit.: Atkins, Physikalische Chemie, 2. Aufl., S. 715, Weinheim: VCH-Verlagsges. 1996 ▪ Wedler, Lehrbuch der Physikalischen Chemie, 3. Aufl., S. 522, 853, Weinheim: VCH Verlagsges. 1987.

Langevin-Modell s. Ionen-Molekül-Reaktionen.

Langmuir, Irving (1881–1957), Dr., Physikochemie, General Electric Co., Schenectady, USA. *Arbeitsgebiete:* Kurzwegdest., Oktett-Theorie, Elektronendublett, chem. Bindungen, Schweißen mit atomarem Wasserstoff (s. *Langmuir-Fackel), Dampfdrücke von hochschmelzenden Metallen, Adsorption monomol. Schichten (Langmuir-Freundlich-Gleichung od. Langmuirsche Adsorptionsisotherme), Oberflächenspannung (*Langmuirsche Waage), Begriff der „aktiven Zentren" bei der heterogenen Katalyse, chem. Reaktionen bei niederen Drücken, künstlicher Regen, Konstruktion von Hochvakuumpumpen u. gasgefüllten Wolfram-Lampen. L. erhielt 1932 den Nobelpreis für Chemie für seine Erkenntnisse über die Adsorption an Phasengrenzen.

Lit.: Lexikon der Naturwissenschaftler, S. 260 ▪ Neufeldt, S. 138, 140 ▪ Pötsch, S. 258 ▪ Strube et al., S. 81, 84.

Langmuir-Blodgett-Filme (LB-Filme, LB-Schichten). *Dünne Schichten aus geordneten Monolagen, die aus *amphiphilen od. amphotropen (Verb., die sich aufgrund ihrer Struktur nach mind. zwei Prinzipien ordnen lassen) Mol. aufgebaut sind. Die Herst.-Technik wurde zuerst von Langmuir u. Blodgett vorgeführt: Amphiphile Mol., die aus einem hydrophilen (wasseranziehenden) u. einem hydrophoben (wasserabstoßenden) Bereich aufgebaut sind (Teil a der Abb. S. 2344), bilden auf einer Wasseroberfläche eine geordnete, monomol. Schicht (Teil b), die sich durch Eintauchen u. Herausziehen eines Trägers auf diesen übertragen läßt (Teil c). Die so aufgebauten LB-Multischichten besitzen vertikal zur Trägeroberfläche eine relativ gute Schichtanordnung, aber unregelmäßige Domänenstruktur horizontal zum Träger (Teil d).

Verw.: Für LB-Filme wird eine Vielzahl techn. Anw. diskutiert z.B. als Elektronenstrahl- od. Photoresist, für die nichtlineare Optik od. die reversible Informationsspeicherung, sowie zum Bau von Bio- u. Immunsensoren (s. ionenselektive Feldeffekt-Transistoren). – *E* Langmuir Blodgett films – *F* films Langmuir-Blodgett – *I* film di Langmuir-Blodgett – *S* películas Langmuir-Blodgett

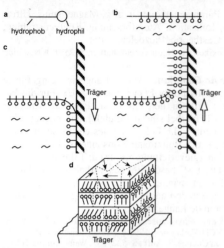

Abb.: Herst. u. Struktur von Langmuir-Blodgett-Filmen.

Lit.: Angew. Chem. **100**, 117, 750 (1988) ▪ Evans u. Wennerström, The Colloidal Domain, Weinheim: VCH Verlagsges. 1994 ▪ Gaines, Insoluble Monolayers at Liquid-Gas Interfaces, New York: Interscience 1966 ▪ Vögtle, Supramolekulare Chemie, Stuttgart: Teubner 1992.

Langmuir-Blodgett-Polymerisationstechnik s. Polymerisation in ultradünnen Schichten.

Langmuir-Fackel. Bez. für eine Anordnung, mit der beim *Arcatom-Verfahren als Folge der *Rekombination von H-Atomen an der Metalloberfläche durch die unter Leuchterscheinungen freiwerdende therm. Energie sehr hohe Temp. erzeugt werden. – *E* Langmuir torch – *F* chalumeau de Langmuir – *I* cannello di Langmuir – *S* antorcha de Langmuir

Langmuir-Hinshelwood-Mechanismus. Nach *Langmuir u. *Hinshelwood benannter, möglicher *Reaktionsmechanismus einer heterogen katalysierten Reaktion (s. a. Katalyse). Nach dem L.-H.-M. werden zwei Reaktanden A u. B. an benachbarte Stellen der Katalysatoroberfläche durch *Chemisorption gebunden u. reagieren anschließend miteinander. Danach wird das Reaktionsprodukt P desorbiert (s. Desorption). Die *Reaktionsgeschwindigkeit einer dem L.-H.-M. folgenden Reaktion ist dem Produkt der Bedeckungsgrade Θ_A u. Θ_B von A u. B proportional: d $[P]/dt = k\,\Theta_A\,\Theta_B$ (k: Reaktionsgeschwindigkeitskonstante). Unter dem Bedeckungsgrad versteht man das Verhältnis der Zahl der besetzten Adsorptionsplätze auf der Katalysatoroberfläche zur Gesamtzahl der verfügbaren Plätze. Ein anderer Mechanismus der heterogenen Katalyse ist der *Eley-Rideal-Mechanismus*; hierbei reagiert ein Gasphasen-Teilchen B mit einem adsorbierten Teilchen A, so daß sich für die Reaktionsgeschwindigkeit d $[P]/dt = k\,p_B\,\Theta_A$ ergibt; p_B ist hierbei der Partialdruck des gasförmigen Reaktanden B. – *E* Langmuir-Hinshelwood mechanism – *I* meccanismo di Langmuir-Hinshelwood – *S* mecanismo de Langmuir-Hinshelwood

Lit.: Atkins, Physikalische Chemie, 2. Aufl., Weinheim: VCH Verlagsges. 1996.

Langmuirsche Waage. Von *Langmuir (1917) entwickelte Vorrichtung zur direkten Messung partieller *Oberflächenspannungen von Filmen (mono- u. multimol. Schichten), z. B. von Stearinsäure in Wasser. Die L. W. ähnelt einem zweidimensionalen Kolben (s. *Lit.*[1], Abb. 23.29); mit ihr wird der Filmdruck (in Nm^{-1}) in Abhängigkeit von der Oberfläche gemessen, die einem Filmmolekül zur Verfügung steht. – *E* Langmuir's film balance – *F* balance de film de Langmuir – *I* bilancia di Langmuir – *S* balanza de Langmuir

Lit.: [1] Barrow, Physikalische Chemie, 6. Aufl., Tl. III, S. 166 ff., Braunschweig: Vieweg 1984.
allg.: Wedler, Physikalische Chemie, 3. Aufl., S. 385 ff., Weinheim: VCH Verlagsges. 1987.

Langzeit-Depression s. Glutamat-Rezeptoren.

Langzeit-Potenzierung s. Glutamat-Rezeptoren.

Langzeittest. Bis zu mehrere Monate dauernder Labor- od. Freilandtest mit einer od. mehreren Generationen mind. einer Organismenart („Testspezies") zur Prüfung des ökotoxikolog. Potentials eines Stoffes od. Stoffgemisches, z. B. nach *Chemikaliengesetz, Stufe 2, für neue Stoffe. – *E* long term test – *F* test longue durée – *I* test a lungo termine – *S* ensayo a largo plazo

Lit.: Korte (3.), S. 225–245.

Lanicor® (Rp). Tabl., Tropfen u. Ampullen mit Digoxin gegen Herzschwäche. *B.:* Boehringer-Mannheim.

Lanitop® (Rp). Tabl., Tropfen u. Ampullen mit *Metildigoxin gegen Herzschwäche. *B.:* Boehringer-Mannheim.

Lanolin (Wollfett, Wollwachs). Fettartiges Sekret aus den Talgdrüsen von Schafen, das sich in deren *Wolle absetzt u. daraus durch aufwendige Reinigungsverf. gewonnen wird. Der Name leitet sich von latein.: lana = Wolle u. oleum = Öl ab. Rohes L. ist ein schmieriges, übelriechendes, gelbbraunes Gemisch von Estern, Di-Estern und Hydroxy-Estern. Bei deren Hydrolyse wurden bis jetzt 69 aliphat. Alkohole (C_{14}–C_{36}) u. 6 Sterole (Cholesterin, Dihydrocholesterin, Lanosterin, Dihydrolanosterin, Agnosterin, Dihydroagnosterin) sowie 138 Fettsäuren (C_8–C_{41}) isoliert[1]. Die das *Unverseifbare des L. bildenden Alkohole werden auch als *Wollwachsalkohole* bezeichnet.

Auffällig ist der hohe Anteil von endständig verzweigten *Fettsäuren u. *Fettalkohole sowie von α-*Hydroxyfettsäuren. Die übelriechenden u. färbenden Bestandteile des Rohwollwachses werden bei der Gewinnung durch Oxid. größtenteils zerstört; das so erhaltene, reine *wasserfreie Wollwachs* ist eine hellgelbe, durchscheinende Masse, von schwachem, angenehmem Geruch, die im Gegensatz zu gewöhnlichen Fetten u. fetten Ölen nur schwer ranzig wird; D. 0,924–0,960, Schmp. 36–41 °C, Verseifungszahl 95–120, Iodzahl 15–30, in Alkohol wenig, in Chloroform u. Ether leicht löslich. Das reine Wollwachs nimmt große Mengen Wasser auf, wobei gleichmäßige, haltbare Emulsionen entstehen. Das im Handel erhältliche L. stellt ein Gemisch dar, das man durch Zusammenschmelzen von 65 Tl. Wollwachs, 20 Tl. Wasser u. 15 Tl. dickflüssigem Paraffin erhält. Durch Kneten kann man weitere 100 Tl. Wasser einarbeiten, ohne daß sich die äußere Beschaffenheit ändert.

Verw.: Da diese Produkte leicht durch die Poren der Haut eindringen, eignen sie sich hervorragend als *Salbengrundlage für kosmet. u. a. Cremes. Allerdings besitzt L. ein gewisses Irritationspotential u. kann Allergien auslösen[2]). Techn. Verw. findet L. zur Fettung von Textil- u. Lederwaren sowie als Rostschutzmittel. Auch die reinen *Wachsalkohole werden zur Herst. von Eucerin u. ä. *Absorptionsgrundlagen herangezogen. Durch Acetylierung, Ethoxylierung u. Hydroxylierung lassen sich weitere kosmet. verwendbare Produkte gewinnen. – **E** lanolin – **F** lanoline – **I = S** lanolina

Lit.: [1] Motiuk, J. Am. Oil Chem. Soc. **56**, 91–97, 651–658 (1979); **57**, 145 f. (1979). [2] Janistyn **1**, 305 f., 545 f. *allg.:* Contrib. Dermatitis **3**, 69 (1977) ▪ J. Soc. Cosmet Chem. **1975**, 26 ▪ Parfüm. Kosmet. **59**, 413 (1978). – [HS 1505 10, 1505 90]

Lanostan.

Systemat. Bez. für das Grundgerüst 4,4,14α-Trimethylcholestan ($C_{30}H_{54}$, M_R 414,76), das dem *Lanosterin u. verwandten *Triterpenen u. *Steroiden zugrunde liegt. – **E = F** lanostane – **I = S** lanostano

Lanosterin (Kryptosterin, Lanosterol, Lanosta-8,24-dien-3β-ol, 4,4,14α-Trimethyl-5α-cholesta-8,24-dien-3β-ol).

$C_{30}H_{50}O$, M_R, 426,73, Krist., Schmp. 140–141 °C, $[\alpha]_D$ +58° (CHCl₃), lösl. in Chloroform u. Ethanol. Der *Triterpen-Alkohol L. kommt neben *Cholesterin u. Agnosterin in größeren Mengen im *Lanolin (Wollfett von Schafen) vor. L. ist der biosynthet. Vorläufer von *Cholesterin u. damit der *Sexualhormone, *Gallensäuren, Vitamin D u. a. (vgl. a. Triterpene)[1]. Im Gegensatz hierzu erfolgt die Steroid-Biosynth. in photosynthet. aktiven Pflanzen über das mit L. strukturisomere *Cycloartenol. – **E** lanosterol – **F** lanostérol – **I** lanosterolo – **S** lanosterol, lanosterina

Lit.: [1] Mann, Secondary Metabolism, 2. Aufl., S. 141–146, Oxford: Clarendon Press 1987; J. Am. Chem. Soc. **104**, 6479 f. (1982). *allg.:* Beilstein E IV **6**, 4188 ▪ Helv. Chim. Acta **60**, 1961–1966 (1977) ▪ Merck-Index (12.), Nr. 5372. – [HS 2906 13; CAS 79-63-0]

Lanosterol s. Lanosterin.

Lansoprazol (Rp).

Internat. Freiname für 2-[3-Methyl-4-(2,2,2-trifluorethoxy)-2-pyridylmethylsulfinyl]-1*H*-benzimidazol, $C_{16}H_{14}F_3N_3O_2S$, M_R 369,37,

Schmp. 178–182 °C (Zers.). L. ist wie *Omeprazol ein Protonen-Pumpen-Hemmer, der die H⁺/K⁺-ATPase u. dadurch die Magensäuresekretion hemmt. Es wurde als Ulkus-Therapeutikum 1986 von Takeda (Agopton®) patentiert u. ist auch von Albert Roussel (Lanzor®) im Handel. – **E** lansoprazole – **F** lansoprazol – **I** lansoprazolo – **S** lansoprazola

Lit.: Merck-Index (12.), Nr. 5373. – [HS 2933 39; CAS 103577-45-3]

Lanthan.

Metall. Element, chem. Symbol La, Ordnungszahl 57, Atomgew. 138,9055. Natürliche Isotope (Häufigkeit in Klammern): 138 (0,09%) u. 139 (99,91%); daneben künstliche Isotope ¹²³La–¹⁴⁴La mit HWZ zwischen 17 s u. 60000 a. L. steht in der 3. Gruppe des *Periodensystems u. gehört zusammen mit den über ihm stehenden Elementen *Scandium (Ordnungszahl 21) u. *Yttrium (39) sowie den auf ihm folgenden *Lanthanoiden (58–71) zu den *Seltenerdmetallen.

Es tritt in drei Modif. auf, nämlich unterhalb 310 °C hexagonal (D. 6,162), zwischen 310 u. 868 °C kub. flächenzentriert (D. 6,190) u. oberhalb 868 °C kub. raumzentriert (D. 5,97); Schmp. 920 °C, Sdp. 3469 °C. Unterhalb −268 °C (6 K) wird L. supraleitend. Das Metall ist an frischen Schnittflächen weiß, läuft jedoch an der Luft blaugrau an. An trockener Luft schützt eine oberflächliche Oxidschicht vor weiterer Oxid., an feuchter Luft bildet sich an der Metalloberfläche weißes L.-Hydroxid [La(OH)₃]. In Abhängigkeit von der Metallform entzündet sich L. an der Luft bei 350–450 °C. Es löst sich leicht in verd. Mineralsäuren, in seinen (farblosen) Verb. (s. Lanthan-Verbindungen) ist es dreiwertig; zur physiolog. Wirkung des Metalls u. seiner Verb. s. Lit.[1].

Vork.: L. kommt in den Mineralen *Allanit, *Bastnäsit u. *Monazit der *Ceriterden vor. Mit einer Häufigkeit in der obersten 16 km dicken Erdkruste von ca. 0,0018% steht L. an 35. Stelle der Häufigkeitsskala.

Herst.: Die Herst. von L.-Metall in Reinheitsgraden von bis zu 99% erfolgt mittels Schmelzflußelektrolyse aus L.-Chlorid u. L.-Fluorid, diejenige von hochreinem L.-Metall durch calciotherm. Red. der gleichen Salze. L.-Verb. verschiedener Reinheitsgrade werden mittels fraktionierter Krist., Ionen-Austausch od. Flüssig-flüssig-Verteilung erhalten.

Verw.: Die Verw. von L.-Metall u. -Verb. in der Technik ist beschränkt. L. hat eine gewisse Bedeutung als Leg.-Hilfsmittel aufgrund seiner hohen Reaktionsfreudigkeit mit Sauerstoff, Schwefel u. a. nichtmetall., im Stahl störenden Verunreinigungen. LaCo₅ besitzt Dauermagnet-Eigenschaften, LaNi₅ bes. Speichervermögen für Wasserstoff; s. Metallhydride. Hochreines La₂O₃ wird bei der Herst. von opt. Glas für Kameralinsen zur Verringerung der chromat. Aberration u. zur Erhöhung der Brechwerte eingesetzt, s. Lit.[2]. Verschiedene *Lanthan-Verbindungen besitzen katalyt. Eigenschaften für die Erdöl-Krackung, Dehydrierung, Polymerisation u. Autoabgasverbrennung. L.-Verb., dotiert mit anderen *Seltenen Erden (z. B. Europium-od. Samariumoxid), fluoreszieren bei Elektronen-strahlanregung mit roter Farbe, LaCl$_3$ soll arterio-sklerot. Gewebeveränderungen verhindern können (*Lit.*[3]).

Geschichte: L. wurde 1839 von Mosander in einer Substanz entdeckt, die man bis dahin für reines Cer-oxid hielt. Weil sich dieses seltene Element sozusagen im Cer versteckt, wurde es von seinem Entdecker als L. bezeichnet, abgeleitet von griech.: lanthanein = ver-borgen sein. – *E* lanthanum – *F* lanthane – *I* lantanio – *S* lantano

Lit.: [1] Annu. Rev. Pharmacol. Toxicol. **14**, 343–354 (1974). [2] Schott Inf. **1980**, Nr. 3, 2–6. [3] Science **213**, 1511 (1981). *allg.:* Brauer (3.) **2**, 1066–1116 ▪ Gmelin, Syst.-Nr. 39, Sel-tenerdelemente, Tl. A–D, 1938, 1973 ff. ▪ Kirk-Othmer (4.) **14**, 1091–1115 ▪ Snell-Ettre **15**, 149–160 ▪ Ullmann (5.) A **6**, 144 ▪ s.a. Seltenerdmetalle u. Lanthanoide. – *[HS 2805 30; CAS 7439-91-0]*

Lanthancarbonat s. Lanthan-Verbindungen.

Lanthanchlorid s. Lanthan-Verbindungen.

Lanthanhydroxid s. Lanthan-Verbindungen.

Lanthanide. In der Lit. noch anzutreffende Bez. für die Reihe der Elemente 58–71 (*Lanthanoide).

Lanthannitrat s. Lanthan-Verbindungen.

Lanthanoide. Gruppenbez. für die 14 auf *Lanthan folgenden Elemente 58–71 (vielfach einschließlich La) der *Seltenerdmetalle. Gelegentlich wird das „Ele-mentsymbol" Ln verwendet, wenn man irgend eines der L.-Elemente meint. Die L. umfassen Cer (58), Pra-seodym (59), Neodym (60), Promethium (61), Sama-rium (62), Europium (63), Gadolinium (64), Terbium (65), Dysprosium (66), Holmium (67), Erbium (68), Thulium (69), Ytterbium (70) u. Lutetium (71). Es sind silberglänzende, an Luft anlaufende Metalle; Gd ist un-terhalb 16 °C ferromagnetisch. Die große Ähnlichkeit ihres chem. Verhaltens ist im *Atombau der L. be-gründet: Während bei allen die äußerste Elektronen-schale (6 s) mit 2 Elektronen besetzt ist, wird das nied-rigere 4 f-Niveau schrittweise, mit zunehmender Ord-nungszahl mit 14 Elektronen besetzt u. damit die Auf-füllung der N-Schale auf 32 Elektronen erreicht; zur Eingliederung der L. in das *Periodensystem s. *Lit.*[1], insbes. im Vgl. zu den *Actinoiden s. *Lit.*[2]. Innerhalb der L.-Reihe nimmt das Gadolinium mit Halbbeset-zung der 4 f-Schale eine Sonderstellung ein; daneben sind die L. in zwei Untergruppen mit den Elementen 58–64 u. 65–71 einzuteilen, in denen sich der period. Gang verschiedener Eigenschaften der Elemente u. ih-rer Verb. widerspiegelt (s. z. B. Tab.).

Über die aperiod. abnehmenden Ionenradien s. Lan-thanoiden-Kontraktion. Bei chromatograph. Trennun-gen der L. können sich Isotopie-Effekte bemerkbar ma-chen, s. *Lit.*[3]. Obwohl zahlreiche L. viel häufiger in der Erdrinde vorkommen als manche Gebrauchsmetalle (*Beisp.:* Nd > Co, Pb; Pr > As, Bi; Gd > Be, Ag, Cd; Ce > Sn), sollen Eigenschaften u. Verhalten der L. weiterhin bei dem geläufigeren Begriff *Seltenerdmetalle* behandelt werden. Aufgrund ihrer Elektronenkonfigurationen sind einige L.-Elemente u. deren Verb. bes. zur *Do-tierung von *Lasern u. in der Magnetochemie vielbe-achtete Untersuchungsobjekte, z.B. als *Verschie-bungsreagenzien für die NMR-Spektroskopie [*Beisp.:* Eu(DPM)$_3$ u. Eu(fod)$_3$ u. die Pr-Analoga], als *magneti-sche Werkstoffe (*Beisp.:* LnCo$_5$ u. Ln$_2$Co$_{17}$), als Supra-leiter usw., vgl. auch die Gegenüberstellungen bei *Lit.*[4]. – *E* lanthanoids – *F* lanthanoïdes – *I* lantanoidi – *S* lantanoides

Tab.: Eigenschaften der Lanthanoide.

Element	D.	Schmp. [°C]	Oxid.-Stufen	Farbe Ln^{3+}
58 Ce	6,67	795	+3, +4	farblos
59 Pr	6,77	935	+3, +4	gelbgrün
60 Nd	7,00	1024	+3, +4	rotviolett
61 Pm	7,22	≥1037	+3	violettrosa
62 Sm	7,54	1072	+2, +3	gelb
63 Eu	5,26	826	+2, +3	gelb bis rot
64 Gd	7,90	1312	+3	farblos
65 Tb	8,23	1356	+3, +4	fast farblos
66 Dy	8,56	1407	+3, +4	blaß gelbgrün
67 Ho	8,80	1461	+3	bräunlich gelb
68 Er	9,06	1497	+3	rosa
69 Tm	9,32	1545	+2, +3	blaßgrün
70 Yb	6,96	816	+2, +3	farblos
71 Lu	9,84	1652	+3	farblos

Lit.: [1] Hardt, Die periodischen Eigenschaften der chemischen Elemente, Stuttgart: Thieme 1990; Chem. Labor Betr. **32**, 152 f. (1981). [2] Chem. Ztg. **112**, 255–263 (1988). [3] Angew. Chem. **95**, 327 f. (1983). [4] Angew. Chem. **93**, 205 f. (1981); Natur-wissenschaften **62**, 172–178 (1975).
allg.: Analyst (London) **113**, 1757–1779 (1988) ▪ Herrmann u. Brauer, Synthetic Methods of Organometallic and Inorganic Chemistry, Vol. 6, Lanthanides and Actinides, Stuttgart: Thieme 1997 ▪ J. Organomet. Chem. **511**, 1–17, 1996 ▪ s.a. Lanthan u. Seltenerdmetalle. – *[HS 2805 30]*

Lanthanoiden-Kontraktion. Bez. für die Erschei-nung, daß die *Ionenradien der (dreiwertigen) *Sel-tenerdmetalle von Ordnungszahl 57 (La) bis 71 (Lu) in-folge der Zunahme der Kernladungszahl ohne Beset-zung einer neuen Elektronenschale stetig abnehmen. Diese Kontraktion ist so stark, daß schon das Dyspro-sium-Ion – trotz seiner doppelt so großen Atommasse – etwa den gleichen Ionenradius wie das im Perioden-syst. über Lanthan stehende Yttrium-Ion besitzt u. des-halb zusammen mit diesem z. B. aus einem Kationen-austauscher eluiert wird. Für Verb. der *Lanthanoide läßt sich eine magnetochem. Reihe aufstellen, deren Verlauf dem der L.-K. entspricht. Die L.-K. ist die Ur-sache für die z. T. große chem. Ähnlichkeit der Lan-thanoiden-Elemente untereinander; sie wirkt sich auch noch in den Verwandtschaften Zr/Hf, Nb/Ta u. evtl. so-gar Mo/W aus, welche paarweise nahezu ident. Ionen-radien aufweisen. – *E* lanthanoid contraction – *F* con-traction lanthanéidique – *I* contrazione lantanoidica – *S* contracción lantanoidica

Lanthanoide-organische Verbindungen. Der Einsatz von Lanthanoiden in der organ. Synth. beschränkte sich lange Zeit auf die Verw. von Cer(IV)-ammonium-nitrat (s. Cer-Verbindungen) als Nachweisreagenz u. Oxid.-Mittel für Alkohole u. auf Shiftreagenzien in der NMR-Spektroskopie. In neuerer Zeit haben dagegen v. a. Samarium(II)- u. Cer(III)-Verb. Bedeutung er-langt, da diese Lanthanoidenkationen große Affinität zu Sauerstoff in organ. Verb. zeigen u. als potente Lewis-Säuren agieren.

Abb.: Samarium- u. Cer-Verb. in der organ. Synth.: (**a**) Grignardartige Reaktion mit Ketonen; (**b**) Pinakol-Synth.; (**c**) regioselektive 1,2-Addition an Enone.

Samariumdiiodid – aus 1,2-Diiodethan u. dem Element synthetisiert – besitzt überragende Elektronendonator-Eigenschaften u. die durch Umsetzung mit Alkylhalogeniden erzeugten *Metall-organischen Verbindungen ähneln den *Grignard-Verbindungen. Samarium(II)-Verb. können erfolgreich in der *Barbier-Wieland-Reaktion, bei der Desoxygenierung von Epoxiden, bei der Herst. von Pinakolen, auch in stereoselektiven Varianten, eingesetzt werden. Samarium kann auch mit sehr guten Resultaten in der *Simmons-Smith-Reaktion anstelle von Zink verwendet werden, wobei eine deutliche Verbesserung der Diastereoselektivität beobachtet wird. Cer(III)-chlorid kann *Transmetallierung mit Organolithium- u. Grignard-Verb. eingehen. Die so erhaltenen Organocer(III)-Verb. sind weniger bas. als entsprechende Lithium- od. Magnesium-Verb., was für etliche synthet. Zwecke bedeutende Vorteile hat. Die Kombination Natriumborhydrid/CeCl$_3$ (*Luche-Reagenz*) reduziert selektiv Enone zu Allylalkoholen. – *E* organolanthoid compounds – *F* composés lanthanoïdo-organiques – *S* compuestos organolantanoides

Lit.: Angew. Chem. **109**, 355 (1997) ▪ Herrmann, Organolanthoid Chemistry: Synthesis, Structure, Catalysis, in: Topics in Current Chemistry, Vol. 179, Berlin: Springer 1996 ▪ Imamoto, Lanthanides in Organic Synthesis, Orlando: Academic Press 1994 ▪ Nachr. Chem. Tech. Lab. **38**, 1080 (1990) ▪ Patai, The Chemistry of Metalcarbon Bond, Vol. 5, S. 319 ff., Chichester: Wiley 1989 ▪ Wilkinson-Stone-Abel **3**, 174 ff.; II **4**, 1ff.

Lanthanoxid s. Lanthan-Verbindungen.

Lanthansulfat s. Lanthan-Verbindungen.

Lanthan-Verbindungen. (a) *Lanthanoxid* (La$_2$O$_3$), M$_R$ 325,81, schneeweißes, lockeres, unlösl. Pulver, D. 6,51, Schmp. 2315 °C, Sdp. 4200 °C. – (b) *Lanthanhydroxid*, [La(OH)$_3$], M$_R$ 189,93, farblos, unlöslich. – (c) *Lanthanchlorid* (LaCl$_3$), M$_R$ 245,26, farblose, zerfließliche, leichtlösl. Massen, D. 3,84, Schmp. 860 °C. – (d) *Lanthannitrat* [La(NO$_3$)$_3$ · 6 H$_2$O], M$_R$ 324,92, farbloses, wasserlösl. Salz, Schmp. ca. 40 °C. – (e) *Lanthansulfat* [La$_2$(SO$_4$)$_3$ · 9 H$_2$O], M$_R$ 565,98, farblos, D. 2,821, in heißem Wasser schwerer lösl. als in kaltem. – (f) *Lanthancarbonat* [La$_2$(CO$_3$)$_3$ · 8 H$_2$O], M$_R$ 457,84, farblos, D. 2,6–2,7, schwerlöslich. – *E* lanthanum compounds – *F* composés de lanthane – *I* composti di lantanio – *S* compuestos de lantano

Lit.: s. Lanthan u. Lanthanoide. – [*HS 2846 90; CAS 1312-81-8 (a); 10099-58-8 (c); 10277-43-7 (d); 10099-60-2 (e); 6487-39-4 (f)*]

L-Lanthionin [3,3′-Thiodi-L-alanin, (*R,R*)-3,3′-Thiobis(2-aminopropionsäure)].

$$\underset{NH_2}{\overset{H}{HOOC-\overset{|}{\underset{|}{C}}-CH_2-S-CH_2-\overset{|}{\underset{|}{C}}-COOH}}$$

C$_6$H$_{12}$N$_2$O$_4$S, M$_R$ 208,23. Farblose hexagonale Krist., Schmp. 295–296 °C (Zers.), [α]$_D^{25}$ +9,4° (NaOH/H$_2$O), Alkali-stabil, lösl. in verd. Säuren u. Alkalien, wenig lösl. in Wasser, unlösl. in Alkohol, Ether, Chloroform u. Aceton. L. wird erhalten durch Erhitzen von Wolle mit milden Alkali-Puffern auf 100 °C. L.-Bindungen sollen auch bei der Haarbehandlung mit Heißwellpräp. entstehen. – *E* = *F* lanthionine – *I* = *S* lantionina

Lit.: Beilstein E IV **4**, 3152 ▪ J. Am. Chem. Soc. **96**, 1925–1930 (1974) ▪ Merck-Index (12.), Nr. 5375. – [*HS 2930 90; CAS 922-55-4*]

Lantibiotika. Biolog. aktive Polypeptide aus Gram-pos. Bakterien, die die Thioetheraminosäuren *Lanthionin u. 3-Methyllanthionin sowie α,β-ungesätt. Aminosäuren enthalten. Das bekannteste L. ist *Nisin[1] (C$_{143}$H$_{230}$N$_{42}$O$_{37}$S$_7$, M$_R$ 3354,08), das zur Lebensmittelkonservierung, bes. bei Käse u. Obstkonserven, verwendet wird. Andere sind Subtilin[2], Cinnamycin, Duramycin, *Gallidermin*[3] (=Leu[6]-*Epidermin, C$_{98}$H$_{141}$N$_{25}$O$_{23}$S$_4$, M$_R$ 2165,59) od. *Pep5*[4] (C$_{153}$H$_{256}$N$_{48}$O$_{39}$S$_3$, M$_R$ 3488,19). L. wirken gegen Gram-pos. Keime, sie sind wirksam gegen die bei Ak-

Pep 5

Epidermin
Dhb = (*Z*)-2-Amino-2-butenoyl (Dehydrobutyrinyl)

neerkrankungen auftretenden Erreger *Propionibacterium acnes* u. Streptokokken, z. B. *Streptococcus pyogenes*.

Biosynth.: Epidermin, Gallidermin u. Pep5 gehören zu den wenigen Antibiotika, die aus ribosomal synthetisierten Vorläufern durch posttranslationale, enzymat. Modif. gebildet werden. Bei Zugabe von Inhibitoren der Protein- od. RNA-Synth. kann die Antibiotika-Produktion vollständig unterbunden werden. – *E* lantibiotics – *F* lantibiotiques – *I* lantibiotici – *S* lantibióticos

Lit.: [1] Angew. Chem., Int. Ed. Engl. **24**, 1051 (1985). [2] Hoppe Seyler's Z. Physiol. Chem. **354**, 810 (1973). [3] Eur. J. Biochem. **177**, 53–59 (1988) (Gallidermin). [4] Angew. Chem. **101**, 618–621 (1989). *allg.:* Angew. Chem. **108**, 2235 (1996) (Biosynth.) ▪ Angew. Chem., Int. Ed. Engl. **30**, 1051 (1991). – *[CAS 99165-17-0 (Epidermin); 117978-77-5 (Gallidermin); 84931-86-2 (Pep5)]*

Lapachol [Taiguinsäure, 2-Hydroxy-3-(3-methyl-2-butenyl)-1,4-naphthochinon, C. I. 75490].

Lapachol   α-Lapachon

β-Lapachon

$C_{15}H_{14}O_3$, M_R 242,27, gelbe Prismen, Schmp. 139–140 °C, lösl. in Alkohol, Chloroform, Essigsäure, wenig lösl. in Ether u. heißem Wasser. L. u. seine Derivate sind weit verbreitete prenylierte Naphthochinone aus holzbildenden Pflanzen, z. B. aus dem Kernholz von *Paratecoma peroba* (Bignonialeae) u. dem Teakholz (*Tectona grandis,* Verbenaceae). L. hat Antitumoreigenschaften u. wird in Brasilien in diesem Sinn angewendet [1]. Jedoch wirkt es im Rattenversuch abortiv u. teratogen [2]. L. ist strukturell eng mit *Vitamin K verwandt u. wirkt wie dieses hemmend auf die Blutgerinnung [3]. Weiterhin wird L. als Haarfärbemittel verwendet [4]. Antivirale Eigenschaften von L. wurden beschrieben [5]. Wichtige Derivate sind *L.-Methylether, Lomatiol* [2-Hydroxy-3-(4-hydroxy-3-methyl-2-butenyl)-1,4-naphthochinon, $C_{15}H_{14}O_4$, M_R 258,27], *α-Lapachon* ($C_{15}H_{14}O_3$, M_R 242,27, gelbe Nadeln, Schmp. 119 °C) u. *β-Lapachon* ($C_{15}H_{14}O_3$, M_R 242,27, orange Nadeln, Schmp. 156 °C). Das entsprechende 2-Hydroxy-1,4-naphtochinon, das mit einem Geranyl-Rest anstelle eines Prenyl-Rests substituiert ist, heißt 3-*Geranyllawson*. – *E = F = S* lapachol – *I* lapacolo

Lit.: [1] J. Environ. Sci. Health A **19**, 533–577 (1984); Cancer Chemother. Rep., Part 5, **4**, 11 (1974). [2] Mutat. Res. **255**, 155 (1991); Rev. Port. Farm. **38**, 21 ff. (1988). [3] Arch. Biochem. Biophys. **234**, 405–412 (1984). [4] Aerosol Cosmet. **8**, 4, 6–13 (1986); J. Heterocycl. Chem. **29**, 1457 (1992). [5] Rev. Microbiol. **14**, 21–26 (1983). *allg.:* Beilstein E IV **8**, 2487 ▪ Karrer, Nr. 1218, 1222 ▪ Merck-Index (12.), Nr. 5376 ▪ S. Afr. J. Chem. **43**, 96 (1990) ▪ Thom-

son, Naturally Occurring Quinones III, S. 139–142, London: Chapman & Hall 1987. – *[CAS 84-79-7 (L.); 4707-33-9 (α-Lapachon); 4707-32-8 (β-Lapachon)]*

Lapachone s. Lapachol.

Lapilli s. pyroklastische Gesteine.

Lapis. Latein. Bez. für Stein; im einzelnen heißen L. infernalis = Höllenstein, *Lapislazuli = Lasurstein, L. pumicis = Bimsstein, L. smiridis = Schmirgel.

Lapislazuli (Lapis lazuli, Lasurstein). Name für ein *Gestein, das weitestgehend od. wesentlich aus dem dunkelblauen, seltener auch grünlichen od. violetten Mineral *Lasurit*, $(Na,Ca)_8[(SO_4,S,Cl)/(AlSiO_4)_6]$, besteht, das zur *Sodalith-Gruppe gehört. Lasurit bildet meist in *Marmor eingewachsene, bis mehrere cm große kub. Krist., eingesprengte Körner u. derbe Massen; charakterist. Begleitminerale sind im L. messinggelber *Pyrit, Calcit, *Dolomit, seltener auch *Glimmer u. Diopsid (s. Pyroxene). Die Struktur von Lasurit [1] enthält *Sodalith-Käfige mit Polysulfid-Radikalionen (S_3^{2-}), die die Ursache für die blaue Farbe sind, s. dazu *Lit.*[2,3]. Lasurit hat einen hellblauen Strich, H. 5–5,5, D. 2,38–2,45 (bei L. meist höher).

Vork.: Sar-e-Sang/Badakhshan/Afghanistan[4], Ovalle-Kordillere/Chile, Slyudyanka westlich des Baikal-Sees/Sibirien; ferner in Colorado u. Kalifornien/USA, Baffin Island/Kanada, Myanmar (Burma), Pamir/Tadschikistan.

Geschichte, Verw.: L. wird seit mehr als 6000 Jahren als Schmuckstein [heute: Kugel- u. Splitter-Ketten, Cabochons (*Edelsteine u. Schmucksteine), Ringsteine, Anhänger usw.] u. zur Herst. kunstgewerblicher Gegenstände (heute u. a. Figuren, Schalen u. Vasen) verwendet. Für viele Jh. war Sar-e-Sang in Afghanistan das einzige bekannte Vork.; von dort stammender L. wurde bereits 2500 v. Chr. im Mittelmeerraum u. im Zweistromland zu Prunkschmuck, Rollsiegeln u. Skarabäen verarbeitet. Im mittelalterlichen Europa wurde aus gemahlenem L. das kostbare Farbpigment *Ultramarin hergestellt; dessen Synth. gelang erstmals 1828. Zu Nachahmungen (Imitationen) von L. s. Eppler (*Lit.*); zur Geschichte des L. s. *Lit.*[2] u. *Lit.*[4]. Die Bez. L. geht auf latein.: lapis = Stein u. das pers. Wort für blau, „lazur", arab. „lazul", zurück. – *E* lapis lazuli – *F* lapis-lazuli – *I* lapislazzuli – *S* lapizlázuli

Lit.: [1] Acta Crystallogr., Sect. C **41**, 827–832 (1985). [2] Chem. Unserer Zeit **8**, 65–71 (1974). [3] Z. Dtsch. Gemmol. Ges. **39**, 159–163 (1990). [4] Lapis **19**, Nr. 11, 20–27 (1994). *allg.:* Anthony et al., Handbook of Mineralogy, Vol. II, Tl. 2, S. 455, Tucson (Arizona): Mineral Data Publishing 1995 (Lasurit) ▪ Eppler, Praktische Gemmologie (5.), S. 355–360, Stuttgart: Rühle-Diebener 1973 ▪ Lapis **10**, Nr. 10, 7 ff. (1985) („Steckbrief") ▪ Ullmann (4.) **18**, 618–628 ▪ s. a. Edelsteine u. Schmucksteine. – *[HS 7103 10; 7103 99]*

Laplace-Operator. Mathemat. Differentialoperator, der in kartes. Koordinaten die Form $\Delta = \partial^2/\partial x^2 + \partial^2/\partial y^2 + \partial^2/\partial z^2$ hat; $\partial^2/\partial x^2$ bedeutet hierbei zweimalige partielle Differentiation nach der Koordinate x (entsprechendes gilt für y u. z). Der L.-O. spielt als Beitrag zum *Hamilton-Operator in der *Quantentheorie eine wichtige Rolle. – *E* Laplace operator – *F* opérateur de Laplace – *I* operatore di Laplace – *S* operador de Laplace

Laponite®. Synthet. Magnesiumschichtsilicat, das als Thixotropiermittel eingesetzt wird. *B.:* Laporte Ltd.

Laporte. Kurzbez. für das 1888 gegr. engl. Chemieunternehmen Laporte PLC. London WC1B 3RA, an dem Solvay S. A. beteiligt ist. *Produktion:* Organ. Spezialchemikalien, Absorptionsmittel, Pigmente, Desinfektionsmittel, Hygienechemikalien, Industriechemikalien, Chemikalien für die Metall- u. Elektronikindustrie, Chemikalien für die Versiegelung, Oberflächenbeschichtungen. *Daten* (1996): ca. 1,1 Mrd. engl. Pfund Umsatz.

Laqueur, Ernst (1880–1947), Prof. für Pharmakologie, Univ. Gent u. Amsterdam. *Arbeitsgebiete:* Hormone, Insulin, Keimdrüsen- u. Hypophysenhormone, Isolierung des Testosterons 1935.
Lit.: Neufeldt, S. 190 ▪ Pötsch, S. 259.

Large Electron Positron Collider s. LEP.

Large Hadron Collider s. LHC.

Lariam® (Rp). Tabl. mit *Mefloquin zur Prophylaxe u. Therapie der *Malaria. *B.:* Roche.

Lariate s. Kronenether.

Larimar s. Pektolith.

Larixinsäure s. Maltol.

Larmor-Frequenz. Nach dem brit. Physiker J. Larmor (1857–1942) benannte Frequenz der Präzessionsbewegung eines elementaren magnet. Dipols $\vec{\mu}$ in einem Magnetfeld der Flußdichte $\vec{B}$. Für Elektronen ergibt sich die Kreisfrequenz $\omega_L = e \cdot B/2\,m$ (e = Elementarladung, m = Masse der Elektronen) u. hieraus die L.-F. $\nu_L = \omega_L/2\,\pi$. Die Larmor-Präzessionsbewegung ist wichtig für die Erklärung des Diamagnetismus u. der Elektronenspin-Resonanz (*EPR-Spektroskopie) sowie der Kernspinresonanz (*NMR-Spektroskopie) u. des *Photonen-Echos. – *E* Larmor frequency – *F* fréquence de Larmor – *I* frequenza di precessione di Larmor, girofrequenza – *S* frecuencia de Larmor

Larnit s. Calciumsilicate.

Larodur®. Selbstvernetzende, hitzehärtbare Polyacrylatharze (s.a. Acrylharze) für einschichtige Einbrennlacke, v.a. für Haushaltsgeräte. *B.:* BASF.

Laroflex®. Verseifungsbeständiges Copolymerisat aus Vinylchlorid u. Vinylisobutylether zur Verw. als Bindemittel für Druck-, Straßenmarkierungs-, Fassaden- u. Korrosionsschutzfarben sowie für Anstriche auf Leichtmetall, Beton u. Kunststoffen. *B.:* BASF.

Laromer®. Ungesätt. Acrylesterharze u. funktionelle *Acrylsäureester zur Herst. strahlungshärtbarer Lacke u. Druckfarben. *B.:* BASF.

Laromin®. Flüssige aliphat. u. cycloaliphat. *Polyamine als Härtungskomponenten für Epoxidharze zur Herst. Lsm.-haltiger u. wäss. Reaktionslacke. *B.:* BASF.

Laropal®. Aldehyd- u. Ketonharze als Kondensationsbindemittel zur Herst. von Lacken u. Anstrichstoffen sowie als Bindemittel für Universal-Pigmentpräparationen. *B.:* BASF.

Larvikit. Hell bis dunkel bläulichgraues, grobkörniges, pluton. *magmatisches Gestein, Varietät von Al-

kalifeldspat-*Syenit (Alkalisyenit) mit etwa 90% *Feldspäten (durch Entmischung entstandene Verwachsungen von Alkali-Feldspat u. Oligoklas), oft mit durch die Feldspat-Verwachsungen verursachtem blauschillerndem Farbenspiel, u. wenig Titanaugit (*Pyroxene) ± Biotit (*Glimmer).
Vork.: Zwischen Oslo u. dem Langesundsfjord in Südnorwegen.
Verw.: Zur Verblendung von Fassaden, als geschliffener Ornamentstein, als Grabstein; Handelsnamen s. Müller (*Lit.*). – *E* = *F* = *I* larvikite – *S* larvikita
Lit.: J. Petrol. **21**, 499–531 (1980) ▪ Müller, Gesteinskunde (3.), S. 73, 79, Ulm: Ebner 1991 ▪ Wimmenauer, Petrographie der magmatischen u. metamorphen Gesteine, S. 128 f., Stuttgart: Enke 1985 ▪ s. a. magmatische Gesteine.

Larvizide. Bez. für *Pflanzenschutzmittel u. Schädlingsbekämpfungsmittel, die sich gegen die Larven von *Insekten (Raupen, Maden) u. *Milben richten, s. a. Insektizide.

Larylin®. *Hustensirup* u. *L. Hustenstiller Pastillen* mit *Dropropizin, *L. Husten-Heißgetränk, L. Hustensaft – lösend* u. *L. Hustenpastillen – lösend* mit *Ambroxol, *L. Heißgetränk* mit *Paracetamol u. *L. Nasenspray N* mit *Oxymetazolin. *B.:* Bayer.

Laryngomedin® N. Sprühlsg. mit *Hexamidin-diisethionat gegen Mund- u. Rachenentzündungen. *B.:* Rhône-Poulenc Rorer.

LAS. Abk. für lineare *Alkylbenzolsulfonate.

Lasalocide.

Tab.: Struktur u. Daten von Lasalocid-Komponenten.

L.	R^1	R^2	Summenformel	M_R	CAS
A	CH_3	CH_3	$C_{34}H_{54}O_8$	590,80	25999-31-9
B	C_2H_5	CH_3	$C_{35}H_{56}O_8$	604,82	55051-86-0
C	CH_3	C_2H_5	$C_{35}H_{56}O_8$	604,82	55051-84-8

Von *Streptomyces lasaliensis* produziertes Gemisch ionophorer *Polyether-Antibiotika, aus dem die Komponenten A bis E isoliert wurden. L. wirken antibakteriell u. antiviral (HIV), LD_{50} (Maus oral) 146 mg/kg. *L. A* {Schmp. 110–114 °C, $[\alpha]_D$ –7,5° (CH_3OH)}, das bevorzugt mit divalenten Kationen Komplexe bildet, wird biosynthet. auf dem *Polyketid-Weg aus fünf Einheiten Acetat, vier Propionat u. drei Butyrat aufgebaut; der Benzol-Ring entsteht durch Cyclisierung. L. A (Bovatec®) wird in Form des Natrium-Salzes (Avatec®) in der Geflügelzucht als Kokzidiostatikum verwendet. – *E* lasalocids – *F* lasalocides – *I* lasalocidi – *S* lasalocidas
Lit.: Beilstein E V **19/8**, 285 f. ▪ J. Am. Chem. Soc. **112**, 3659 (1990) ▪ Tetrahedron **49**, 5979–5996 (1993) ▪ Westley (Hrsg.), Polyether Antibiotics, Bd. 1 u. 2, New York: Dekker 1983. – *Biosynth.:* Birch u. Robinson, in Vining u. Stuttard (Hrsg.), Genetics and Biochemistry of Antibiotic Production, S. 443–476, Boston: Butterworth-Heinemann 1995 ▪ J. Antibiot. **39**, 1270 (1986) ▪ Zechmeister **58**, 1–82. – *Synth.:* J. Org. Chem. **53**,

1046 (1988) ▪ Synform **3**, 1–18 (1985). – *Wirkung:* Antimicrob. Agents Chemother. **36**, 492 (1992). – *[HS 2941 90]*

Lascivol.

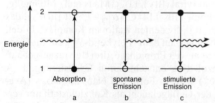

$C_{17}H_{28}N_2O_7$, M_R 372,42, Krist. (aus Aceton), Schmp. 138 °C (Monohydrat), $[\alpha]_D$ –89,7° (CH$_3$OH), leicht lösl. in polaren Lösemitteln. Bitterstoff aus dem Blätterpilz „Unverschämter Ritterling" (*Tricholoma lascivum*). Das Cyclohexenon-Derivat L. ist zu ca. 2% im Trockengewicht der Pilze enthalten. Mit methanol. Salzsäure entsteht aus L. 5-Methoxy-2,4-dimethylindol. Indole mit ähnlichem Substitutionsmuster, z. B. *2,4-Dimethylindol* ($C_{10}H_{11}N$, M_R 145,20), wurden aus *Tricholoma sciodes* u. *T. virgatum* isoliert, was eine biosynthet. Beziehung zu L. nahelegt[1]. – *E = F = S* lascivol – *I* lascivolo

Lit.: [1] Tetrahedron **50**, 3571 (1994)
allg.: Justus Liebigs Ann. Chem. **1990**, 1115. – *[CAS 129421-88-1]*

Laser (Abk. für *E Light Amplification by Stimulated Emission of Radiation*). Lichtquellen, die Strahlung mit hoher spektraler Dichte in einen sehr kleinen Raumwinkel emittieren. Bei der Wechselwirkung von elektromagnet. Strahlung (Photonen) mit Materie unterscheidet man neben der *Absorption* (Syst. wird von einem niedrigen Energieniveau 1 durch ein Photon mit der passenden Energie h · ν=E_2-E_1, mit h = Plancksches Wirkungsquantum u. ν = Frequenz des Lichts, in ein höheres Niveau 2 gehoben, s. Abb. 1 a) zwei Arten der Emission: Die *spontane Emission*, bei der das Syst. spontan, d. h. ohne äußere Einwirkung, von 2 nach 1 zurückkehrt u. dabei ein Photon in eine nicht vorher bestimmbare Raumrichtung abstrahlt (Abb. 1 b), u. die *stimulierte Emission* (Abb. 1 c). Bei letzterer wird das in dem Energieniveau 2 befindliche Syst. durch ein einlaufendes Photon der passenden Energie h · ν dazu stimuliert von 2 nach 1 zu springen. Das dabei freiwerdende, weitere Photon stimmt in Energie, Ausbreitungsrichtung u. Phase mit dem einlaufenden Photon überein; d. h. der *Verstärkereffekt* besteht darin, daß ein Photon einläuft u. zwei ident. hinauslaufen.

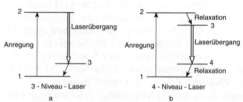

Abb. 1: Absorption u. Emission bei einem Zwei-Niveau-System.

Während bei konventionellen Strahlungsquellen (Glühlampen, Gasentladungslampen, s. Lampen) die Strahlung durch spontane Emission entsteht u. somit in einen großen Raumwinkel emittiert wird, findet beim L. vorrangig stimulierte Emission statt; hierbei sorgt der Verstärkereffekt für eine starke Korrelation der einzelnen Photonen, d. h. die Strahlung ist kohärent

(s. Kohärenz). Die Wahrscheinlichkeit W für die einzelnen Übergänge in Abb. 1 hängt von der Besetzung n_1 u. n_2 der beiden Energieniveaus u. von der Intensität I des Strahlungsfeldes ab. Es gilt für die Absorption: W_A=n_1 · B_{12} · I; für die spontane Emission: W_{SE}=n_2 · A_{21}; für die stimulierte Emission: W_{IE}=n_2 · B_{21} · I. Die Größen A u. B sind die *Einstein-Koeffizienten* für den Übergang 1 ↔ 2; ihr Verhältnis wurde von Einstein zu B/A = λ^3/(8 · π · h) hergeleitet (λ = Wellenlänge). Je kurzwelliger die emittierte Strahlung ist, um so schwieriger ist es, W_{IE}>W_{SE} zu erreichen. Man braucht ein sehr intensives Strahlungsfeld, was oft nicht mehr kontinuierlich, sondern nur noch gepulst realisiert werden kann. Damit die stimulierte Emission größer als die Absorption (W_{IE}>W_A) ist, muß n_2>n_1 sein, d. h. das energet. höhere Niveau 2 muß stärker besetzt sein als das niedrigere Niveau 1. Weil bei einer therm. Besetzung nach dem *Boltzmann*'schen Energieverteilungsgesetz stets n_1>n_2 gilt, wird die Situation n_2>n_1 als *Besetzungsinversion* bezeichnet. Es ist nicht möglich, durch Strahlung Besetzungsinversion in einem 2-Niveau-Syst. (Abb. 1) zu erreichen; es muß sich mind. um ein 3-Niveau-Syst. (Abb. 2 a) handeln od. besser um ein 4-Niveau-Syst. (Abb. 2 b, sowie Abb. bei Helium-Neon-Laser, CO$_2$-Laser). Wenn der Übergang 2 → 3 (Relaxation, Abb. 2 b) sehr schnell ist, reichert sich in Niveau 3 eine große Besetzung an. Das Niveau 4 muß ebenfalls wieder schnell entleert werden (was z. B. beim *Excimer-Laser* durch Dissoziation geschieht).

Abb. 2: Übergänge bei einem 3- bzw. 4-Niveau-Laser.

Bei Farbstoff-L. werden organ. Farbstoffe verwendet, die neben einem Singulett- (S_0, S_1 u. S_2 in Abb. 3) auch ein Triplett-Syst. (T_1, T_2, T_3) besitzen. Durch Anregung mit dem Pumplicht der Energie E=h · ν_p werden von S_0 startend Schwingungsniveaus in S_1 besetzt. Bei kürzerer Anregungswellenlänge, z. B. im UV durch einen *Excimer-Laser*, kann die Anregung auch über den S_2-Zustand erfolgen. Durch schnelle therm. Relaxation werden die untersten Schwingungsniveaus des S_0-Zustandes bevölkert. Der Laserübergang erfolgt mit Emission der Energie E=h · ν_L zu vibron. höherliegenden Niveaus des S_0-Grundzustandes, die therm. unbesetzt sind (Besetzungsinversion). Übergänge von Singulett ins Triplett-Syst. sind nach den Auswahlregeln für elektromagnet. Strahlung nicht erlaubt. Durch stoßinduzierte interne Übergänge wird aber ein Teil der Population von S_1 nach T_1 konvertiert. Der Zustand T_1 hat eine lange Lebensdauer (da der Übergang nach S_0 nicht möglich ist); allerdings ist eine Anregung in den T_2-Zustand möglich, wozu die Energie h · ν_L gerade in Resonanz ist; d. h. es kommt zur Selbstabsorption des Laserlichtes u. damit zur Unterbindung des Laserprozesses. Aus diesem Grund konnten zunächst nur gepulse Farbstoff-L. gebaut werden. Abhilfe bieten sog. Triplett-Quencher (s. Quenchen) wie z. B. *Cyclooctatetraen, das Akzeptorniveaus unterhalb des T_1-Niveaus der meisten sichtbaren Farbstoffe hat. Durch Stöße wird die Population von T_1 nach S_0 transferiert. Ein weiterer Quencher ist O_2, das aus der Luft aufgenommen wird.

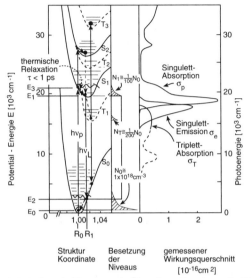

Abb. 3: Energie-Niveau, sowie Übergänge, Besetzung der Niveaus u. Wirkungsquerschnitte für Rhodamin 6 G (nach Johnston, s. *Lit.*).

Der prinzipielle Aufbau eines L. (Abb. 4) besteht aus einem opt. aktiven Verstärker u. einem *Laser-Resonator (Spiegel). Durch Einkoppeln von Energie (beim *Gas-Laser durch Elektronenstoß, beim *Dioden-Laser durch Rekombination von Elektronen u. Löchern, beim *Farbstoff-Laser u. vielen *Festkörper-Lasern durch Lichtstrahlung od. beim *chemischen Laser durch chem. Bindungsenergie) wird Besetzungsinversion erzeugt. Zunächst findet spontane Emission statt, wobei auch einige Photonen entstehen, die durch die Spiegel des Resonators reflektiert werden, sich dann in dem angeregten Medium vervielfachen u. so dafür sorgen, daß die stimulierte Emission dominanter wird als die spontane.

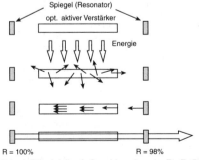

Abb. 4: Prinzipieller Aufbau eines Lasers; R = Reflexionskoeffizient.

Eine bestimmte Menge spontaner Emissionen wird bei jedem L. abgestrahlt. Wird das L.-Licht durch nach-

folgende opt. Verstärker geleitet, muß durch Abbildung auf Lochblenden darauf geachtet werden, daß diese spontane Emission nicht weiter verstärkt wird (Fachausdruck: ASE von *E* amplified *s*pontanous *e*mission, bei Farbstoff-L. in der Größenordnung von wenigen %). Damit ein L. kohärente Strahlung emittiert, müssen die Verluste, hervorgerufen durch resonatorinterne Reflexion u. Absorption sowie durch den Auskoppelspiegel, kleiner sein als die Verstärkung. Je nach spektraler Breite der Verstärkung kann für mehrere Wellenlängen λ die Resonatorbedingung d = n · λ · m/2 mit d = Abstand zwischen den Spiegeln, m = ganze Zahl erfüllt sein, mit der Konsequenz, daß der L. mehrere Wellenlängen emittiert (Mehr-Moden-L., *E* multi mode laser). Setzt man weitere Elemente wie *Etalon od. doppelbrechende Filter in den Resonator, so erhöht man bis auf einen sehr schmalen Wellenlängenbereich die Verluste. u. erreicht, daß nur noch eine Mode anschwingen kann (*Ein-Moden-Laser, *E* single mode laser). Diese L. finden Anw. in der *Holographie, sowie in der *hochauflösenden u. *Doppler-freien Spektroskopie. Der Wellenlängenbereich, in dem heute L. verfügbar sind, reicht vom IR- bis in den VUV-Bereich (s. dazu auch *Lit.*[1]).

Die emittierte Leistung erstreckt sich von µW bei Dioden-L. bis zu PW (10^{15} W) bei Festkörper-Lasern. Je nach L.-Typ wird das Licht kontinuierlich (*E* continous wave, Kurzform: cw) od. gepulst emittiert. Verschiedene Techniken werden zur Erzeugung kurzer Pulse eingesetzt: Mit der Anregung durch gepulste Gasentladung od. gepulste Blitzlampen erreicht man Pulsdauern von einigen µs bis ns; durch Güteschaltung (*E* Q-switch, von quality-switch) werden intensivere Lichtpulse erzeugt; durch Koppeln von L.-Moden (*Modenkopplung) wurden Pulsdauern bis ~100 fs realisiert; die kürzesten Pulse von 6 fs erzeugt man durch Pulskompression (s. Farbstoff-Laser) u. Modenkopplung von breitbandigen Festkörper-L., z.B. *Titan-Saphir-Laser. Aufgrund der hohen emittierten Leistung beinhaltet das Arbeiten mit L. eine Gefahr für die Augen. Bes. Vorsicht ist bei Strahlung im nichtsichtbaren Spektralbereich (UV u. IR) angebracht u. bei gepulsten L., da die Dauer der Lichtblitze viel kürzer ist als die Reaktionszeit des Augenlides (~$^1/_{10}$ s). Abgestuft nach der Leistung, der Pulsdauer u. der Wellenlänge ist der räumliche Bereich, in dem L.-Strahlung vorkommt, zu kennzeichnen u. nur für autorisierte Personen zugänglich zu machen (*Lit.*[2]). Die heutigen Anw. des L. sind zu vielfältig, als daß sie hier umfassend aufgeführt werden könnten. Exemplar. seien folgende Gebiete erwähnt:

Medizin: Je nach applizierter Leistungsdichte u. Bestrahlungszeit wird biolog. Gewebe koaguliert, carbonisiert od. verdampft (s. Abb. 5). Bes. die Koagulation setzt man sehr erfolgreich in der Chirurgie stark durchbluteter Organe ein. Weitere etablierte Techniken sind das Fixieren der Augennetzhaut, das Koagulieren aussprossender Gefäße, das Abtragen von Warzen u. Tätowierungen von der Haut, sowie das Glätten von Falten, das Abtragen von Karzinomen im gynäkolog., Hals-Nase-Ohren-, Bronchial- u. Magen-Darm-Bereich, sowie das Rekanalisieren von Arterien. Durch kurze Pulse kann Gewebe ohne Wärmeeinwirkung auf die Umgebung abgetragen werden, was in der Mikrochirurgie u. bei der refraktiven Hornhautchirurgie (gezieltes Abtragen der Augenhornhaut, um Weit- od. Kurzsichtigkeit zu korrigieren) eingesetzt wird. Neue Verf., die sich zum Teil in der klin. Testphase befinden, sind die *photodynamische Therapie (s. a. Laserfarbstoffe, u. die opt. Kohärenztomographie; s. *Lit.*[3]).

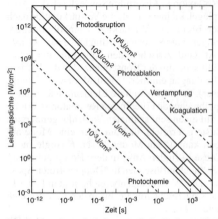

Abb. 5: Gewebeveränderungen, die in der Laser-Medizin eingesetzt werden.

Materialbearbeitung: L. dienen zum Bohren, Fräsen, Schneiden, Markieren u. Schweißen usw. bes. von hochschmelzenden Materialien, wobei die angewendete Leistungsdichte u. Bestrahlungszeit in Abb. 6 gezeigt ist.

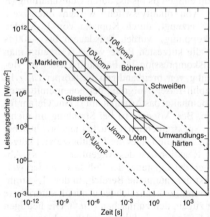

Abb. 6: Laser-Materialbearbeitung.

Die L.-Technik hat sich etabliert sowohl zum Schneiden von cm-dicken Stahlplatten, als auch für filigrane Arbeiten auf elektron. Mikrochips. Vorteile des L. sind die geringe Materialerwärmung u. die hohe Präzision, s. *Lit.*[4].

Meßtechnik: Im Baugewerbe werden L. zum Ausrichten u. Entfernungsmessen eingesetzt, in Flugzeugen als L.-Kreisel zum Messen von Drehbewegungen. In der Geologie wird durch L. die Drift von Schollen der Erdkruste ausgemessen, sowie durch Aussenden von L.-Pulsen zu Reflexionssatelliten die Höhe von Bergen od. Senken in der Meeresoberfläche mit Zentimetergenauigkeit (*Lit.*[5]). Der Einsatzbereich von L.

für die Entfernungsmessung reicht von der Bestimmung des Abstandes Erde – Mond bis zur Bestimmung der Gitterkonstanten von Kristallen (*Avogadro-Konstante).

Militär: Abgesehen von dem viel diskutierten SDI-Programm (s. a. chemische Laser) werden L. auch im militär. Bereich bereits eingesetzt. Bei den sog. „smart bombs" wird das Zielobjekt durch einen L. beleuchtet u. die Bombe od. Rakete über Photosensoren u. einen Rechner gesteuert genau in das Ziel gelenkt.

Datenübertragung u. Informationstechnik: Der modulierte Strahl eines Dioden-L. wird über eine Lichtleitfaser geführt u. erlaubt eine wesentlich höhere Datenübertragung als mit herkömmlichem Kupfer-Kabel (s. Glasfasern, integrierte Optik). Durch L. wird die Information von CD-Platten od. das kodierte Strichmuster (*E* bar code) auf den Artikeln im Supermarkt gelesen. Bezüglich des L.-Einsatzes in der Chemie, der Analytik u. des Umweltschutzes s. Laser-Chemie, Laser-Atomfluoreszenz-Spektrometrie u. LIDAR.

Geschichte: Die Theorie des L. geht auf die Formulierung der stimulierten Emission durch A. Einstein zurück. Ch. *Townes war der erste, der diese Emission für die Verstärkung einsetzte, indem er den *Maser (*E* *M*icrowave *A*mplification by *S*timulated *E*mission of *R*adiation) entwickelte. Die ersten Maser wurden mit Ammoniak-Dampf realisiert; die Emissionswellenlänge von $\lambda = 1,25$ cm war in der Größenordnung der Apparaturdimension. 1958 dachten Townes u. A. *Schawlow darüber nach, das Maser-Prinzip in den opt. Wellenlängenbereich zu übertragen. Da dort aber die Wellenlängen im Bereich von 0,5 µm sind, müssen viel höhere Anforderungen an die Genauigkeit des Aufbaus gestellt werden. Sie entwickelten das Konzept eines opt. Verstärkers, der sich in einem Resonator aus opt. Spiegeln befindet. 1964 erhielten Townes u. die russ. Physiker A. M. Prokhorov u. N. Basov den Nobelpreis für Physik für die Entwicklung des Maser-Laser-Prinzips. Schawlow erhielt ihn 1981 (zusammen mit N. Bloembergen u. K. M. Siegbahn) für die Spektroskopie an Wasserstoff. Experimentell wurde der er-

Tab.: Die Entwicklung weiterer Laser.

1961	der Helium-Neon-Laser durch A. Javan, W. Bennett u. D. Herriott (Bell Lab.) – es war der erste kontinuierliche Laser – u. im gleichen Labor der Neodym-Laser durch L. F. Johnson u. K. Nassau
1962	der erste Halbleiter-L. von R. Hall (General Electric Research Lab.) (s. Dioden-Laser)
1963	der CO_2-Laser durch C. K. N. Patel (Bell Lab.) u. der erste Ionen-L. (Quecksilber-Dampf) durch A. Bloom u. E. Bell (Spectra Physics)
1964	der Ar-L. von W. Bridges (Hughes Research Lab.)
1966	der Helium-Cadmium-Laser durch W. T. Silfvast, G. R. Fowles u. B. D. Hopkins (Univers. of Utah) u. der Farbstofflaser durch P. P. Sorokin u. J. R. Lankard (IBM Research Lab.) sowie F. P. Schäfer (Marburg, heute Göttingen)
1975	der Excimer-Laser durch J. J. Ewing u. C. Brau (Evco-Everett Research Lab.)
1976	der Freie-Elektronen-Laser durch J. M. J. Madey u. Mitarbeiter (Stanford Univ.)
1985	der Röntgenlaser (Verstärkung im weichen Röntgenbereich) durch D. Matthews u. eine große Zahl von Mitarbeitern (Lawrence Livermore Lab.)

ste L. 1960 von T. Maiman (Hughes Research Lab.) realisiert. Es war ein *Rubin-Laser, der durch Blitzlampen gepumpt wurde. Den opt. Resonator bildeten Bedampfungen auf den flachen Enden des Rubin-Kristalls. Die Entwicklung weiterer L. zeigt die Aufstellung auf S. 2352 – $E = F = I$ laser – S láser

Lit.: [1] Phys. Bl. **42**, 283 (1986). [2] Sutter, Schreiber u. Ott, Handbuch Laser Strahlenschutz, Berlin: Springer 1989. [3] Itzkan u. Izatt, Medical Use of Lasers, Vol. 10, S. 33 – 60, Encyclopedia of Applied Physics, Weinheim: VCH Verlagsges. 1994; Berlien u. Müller, Angewandte Lasermedizin, Landsberg: ecomed 1989; Niemz, Laser – Tissue Interaction, Berlin: Springer 1996; Eichler u. Seiler, Lasertechnik in der Medizin, Grundlagen, Systeme, Anwendungen, Berlin: Springer 1991. [4] Rubahn, Laseranwendung in der Oberflächenphysik u. Materialbearbeitung, Stuttgart: Teubner 1996; Metev u. Veiko, Laser-Assisted Microtechnology, Berlin: Springer 1994. [5] Spektr. Wiss. **1996**, Nr. 1, 113.

allg.: Brunner u. Junge, Lasertechnik – Eine Einführung, Heidelberg: Hüthig 1982 ▪ Johnston, Tuneable Dye Laser, Encyclopedia of Physical Science and Technology, Vol. 14, New York: Academic Press 1987 u. weitere Artikel in Encyclopedia of Physical Science and Technology, Vol. 8, S. 403 – 682, New York: Academic Press 1992 u. in Encyclopedia of Applied Physics, Vol. 8, S. 283 – 464, Weinheim: VCH Verlagsges. 1994 ▪ Kneubühl u. Sigrist, Laser, Stuttgart: Teubner 1995. – *Zeitschriften, Serien u. Referateorgan:* Advances in Laser Spectroscopy, New York: Wiley (seit 1982) ▪ Chemical and Biochemical Applications of Lasers, New York: Academic Press (seit 1974) ▪ CRC Handbook of Laser Science and Technology, Boca Raton: CRC Press (seit 1982) ▪ Journal of Soviet Laser Research, New York: Plenum (seit 1980) ▪ Laser Chemistry, London: Harwood (seit 1982) ▪ Laser Focus World, Tulsa, OK 74112 USA: PennWell Publ. Co. (seit 1965) ▪ Laser u. Optoelectronik, Stuttgart: AT-Fachverl. (seit 1969) ▪ Optics and Lasers in Engineering, Barking: Applied Sci. Publ. (seit 1981) ▪ Photophysics and Laser Chemistry, Berlin: Springer (seit 1981) ▪ Science Research Abstracts, Part B: Laser and Electro-Optic Reviews, Riverdale: Cambridge Scient. Abstracts (seit 1972). – *Buchreihen:* Springer Series in Chemical Physics, Heidelberg: Springer ▪ Springer Series in Optical Sciences, Heidelberg: Springer ▪ Topics in Applied Physics, Heidelberg: Springer. – *Organisation:* MPI für Quantenoptik, 85748 Garching.

Laser-Atomfluoreszenz-Spektrometrie (Abk. LAFS, auch LEAFS von E laser excited $a$tomic $f$luorescence $s$pectrometry). Opt. Nachw.-Meth. in der Spurenanalytik.

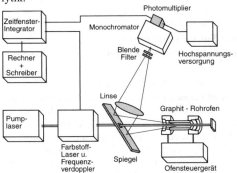

Abb.: Schemat. Darst. eines Laser-Atomfluoreszenz-Spektrometers.

Die Abb. zeigt die wesentlichen Komponenten: Die in einem Graphit-Rohrofen atomisierte Probe wird durch einen gepulsten Laser, dessen Wellenlänge auf einen atomaren Übergang abgestimmt ist, angeregt. Die Flu-

oreszenz wird über einen Monochromator u. einen *Photomultiplier nachgewiesen. Der Monochromator hilft, das Laserstreulicht zu unterdrücken, denn meist wird nicht die direkte resonante Fluoreszenz, sondern die Stokes-Fluoreszenz (s. Stokes-Regel) beobachtet. Experimentell wurde gefunden, daß das Fluoreszenzsignal (bei Blei) über sieben Dekaden linear von der Konz. abhängt. Bei einem Probevol. von 10 µL wurde bei Blei eine Nachw.-Grenze von 14 fg ≙ 0,7 ppt erreicht; dies entspricht gegenüber der konventionellen Atom-Absorptionspektrometrie einer Steigerung um zwei Größenordnungen. Durch *Frequenzverdopplung der Laserstrahlung können Wellenlängen im UV- u. VUV-Bereich erreicht werden u. so auch Elemente wie Selen (Nachw.-Grenze 80 fg bzw. 8 ppt), Arsen, Antimon u. Tellur quant. nachgewiesen werden. – E laser excited atomic fluorescence spectrometry – F spectrométrie de fluorescence atomique par laser – I spettrometria di fluorescenza atomica laser – S espectrometría de fluorescencia atómica por láser

Lit.: Appl. Phys. Bl. **61**, 339 (1995) ▪ Laser Optoelektronik **18** (2), 120 (1986).

Laser Chemical Vapo(u)r Deposition (Abk. LCVD). Bez. für ein Verf., bei dem mit Hilfe eines *Lasers festes Material aus einer reaktiven Gasphase an einer Substratoberfläche abgeschieden wird. Die dabei ablaufende chem. Reaktion bezieht ihre Anregungsenergie z. T. aus dem Fokus des Laserstrahls, der die Oberfläche lokal erwärmt. Durch LCVD können dreidimensionale Mikrostrukturen erzeugt werden. – E laser chemical vapor deposition – I deposizione per vaporizzazione a laser chimico – S deposición química del vapor con ayuda de un láser

Lit.: Bauerle, Chemical Processing with Lasers, Berlin: Springer 1996 ▪ J. Appl. Phys. **72**, 5956 (1992) ▪ Phys. Unserer Zeit **24**, 60 (1993); **27**, 138 (1996).

Laser-Chemie. Teilgebiet der *Photochemie, in dem beabsichtigt ist, durch *Laser chem. Reaktionen zu steuern, z. B. indem eine gewünschte Reaktion mit erhöhter Reaktionsgeschw. abläuft u. somit Konkurrenzreaktionen, die zu unerwünschten Nebenprodukten führen, minimiert werden. Sofern die Reaktionsgeschw. von der Orientierung der Reaktionspartner od. der Besetzung bestimmter Rotations- od. Schwingungsniveaus abhängt, können die Ausgangsprodukte durch Laserstrahlung passender Wellenlänge (s. durchstimmbare Laser) präpariert werden. So kann z. B. beim HDO-Mol. die Isotopieverschiebung ausgenutzt werden, um selektiv nur die H-O-(od. D-O-)Schwingung anzuregen. Durch Absorption von weiteren Photonen kann das Mol. dissoziiert werden (Mehrphotondissoziation), wobei selektiv nur DO-(od. HO-)Radikale entstehen. Laser wurden sehr erfolgreich eingesetzt, um Einblick in den mikroskop. Ablauf vieler Reaktionen zu gewinnen. Der Einsatz von Lasern zur Synth. von Monomeren (Vinylchlorid), Polymeren (Polyethylen) sowie von biolog. aktiven Substanzen (Vitamin D_3) wird u. a. in dem Übersichtsartikel von Kleinermanns u. Wolfrum (*Lit.*[1]) beschrieben. Der Durchbruch, Laser zur Reaktionssteuerung bei Synth. einer chem. Substanz in der Mengenproduktion einzusetzen, hat noch nicht stattgefunden. Ein Grund liegt hierbei in dem hohen Preis von Laserphotonen verglichen zu konventionellen Lampen. – *E* laser chemistry – *F* chimie de laser – *I* chimica laser – *S* química del láser

Lit.: [1] Angew. Chem. **99**, 38 (1987).
allg.: Andrews, Lasers in Chemistry, Berlin: Springer 1990 ∎ Bäuerle, Chemical Processing with Lasers, Berlin: Springer 1996 ∎ Ben-Shaul et al., Laser and Chemical Change, Berlin: Springer 1981 ∎ Ho, Laser Spectroscopy and Photochemistry on Metal Surfaces, London: World Scientific 1995 ∎ Encyclopedia of Applied Physics, Vol. 8, S. 283–298, Weinheim: VCH Verlagsges. 1994 ∎ Letokhov, Nonlinear Laser Chemistry, Berlin: Springer 1983 ∎ Letokhov (Hrsg.), Laser Analytical Spectrochemistry, Bristol: IOP 1985 ∎ Moore (Hrsg.), Chemical and Biochemical Applications of Lasers, Vol. 1 – 5, New York: Academic Press 1974 – 1980. ∎ Steinfeld (Hrsg.), Laser-Induced Chemical Processes, New York: Plenum Press 1981. – *Zeitschriften:* Physical Chemistry; Journal of Chemical Physics.

Laser-Diode s. Dioden-Laser, LED u. Halbleiter.

Laser-Doppler-Anemometrie. Berührungsloses, opt. Meßverf., um Teilchengeschw. in einer Strömung zu bestimmen. Hierzu wird der Lichtstrahl eines Lasers (kontinuierlicher Betrieb, Leistung einige mW bis W) über einen Strahlteiler in zwei parallele Teilstrahlen L_1 u. L_2 (s. Abb.) aufgespalten. Eine Sammellinse fokussiert beide Teilstrahlen auf einen gemeinsamen Punkt. Das Vol., in dem sie sich überlappen, wird Schnitt- bzw. Meßvol. genannt. Fliegt ein Teilchen mit der Geschw. $\vec{v}$ durch dieses Vol., so werden beide Strahlen an ihm gestreut. Für jede gestreute Welle tritt aufgrund des *Doppler-Effekts eine Frequenzverschiebung Δf_1 bzw. Δf_2 auf, die u. a. von dem Winkel zwischen dem Lichtstrahl u. $\vec{v}$ abhängt u. somit für L_1 u. L_2 verschieden ist. Die Differenz der Frequenzverschiebungen

$$\Delta f = |\ \Delta f_1 - \Delta f_2\ |$$

wird in der Intensität des gestreuten Lichts als Schwebungsfrequenz gemessen. Es gilt die Beziehung

$$\Delta f = |\vec{v}|\cdot\sin\alpha\cdot\frac{2\cdot\sin\beta}{\lambda},$$

wobei λ die Wellenlänge des verwendeten Lichts ist u. die Winkel α u. β gemäß der Zeichnung definiert sind. Mit $|\vec{v}|\cdot\sin\alpha$ wird nur die Komponente der Geschw. $\vec{v}$ in der Zeichenebene senkrecht zur Symmetrieachse bestimmt ($v_\perp$). Um auch die zweite Komponente senkrecht zur Zeichenebene zu bestimmen, muß der Meßaufbau erweitert werden. Entweder verwendet man drei Teilstrahlen mit unterschiedlicher Polarisation des Lichts od. zweimal den Aufbau der Abb. (einer wie abgebildet in der Zeichenebene u. der zweite bei gemeinsamer Symmetrieachse in einer Ebene senkrecht zur Zeichenebene) u. benutzt zwei verschiedene Wellenlängen.

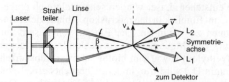

Abb.: Meßanordnung der Laser-Doppler-Anemometrie

– *E* laser Doppler anemometry – *F* anémométrie Doppler à laser – *I* anemometria Doppler a laser – *S* anemometría Doppler de láser

Lit.: Appl. Optics **17**, 3890 (1980) ∎ Appl. Phys. Lett. **4**, 176 (1964) ∎ Junge (Hrsg.), Jahrbuch für Optoelektronik 1988, S. 101, Weinheim: VCH Verlagsges. 1988 ∎ Laser Optoelektronik **17** (4), 362 (1985) ∎ Phys. Unserer Zeit **24**, 15 (1993) ∎ Ruck, Laser-Doppler-Anemometer, Stuttgart: AT 1987.

Laser-Farbstoffe. Farbstoffe wie z. B. Terphenyl, Stilben, Cumarin, Rhodamin, Pyridin, substituierte Phenoxazine bzw. -one (s. Tab. 1 u. 2 auf S. 2355), die als opt. Verstärker in *Farbstoff-Lasern eingesetzt werden. Da L.-F. durch hohe Lichtleistungen von Blitzlampen od. Pump-Lasern (*Edelgas-Ionen-Laser, Nd/Yag-Laser, *Stickstoff-Laser, *Excimer-Laser) angeregt werden, müssen sie photochem. sehr stabil sein, was durch ihre *Stabilität* (Produkt aus Lichtleistung u. Zeit, s. Tab.) ausgedrückt wird. L.-F. werden mit einer sehr geringen Konz. (10^{-2} bis 10^{-5} molare Lsg.) in Lsm. wie Cyclohexan (CH), Ethylenglykol (EG), 1,4-Dioxan (DI), Dimethylsulfoxid (DMSO), Methanol (ME), Ethanol (E), Benzylalkohol (BZ) od. Propylencarbonat (PC) gelöst. Eine vollständigere Liste der Lsm. gibt *Lit.*[1]. Der Wellenlängenbereich, in dem die einzelnen L.-F. Laserlicht emittieren, hängt von der Wellenlänge des Pumplichtes u. der Betriebsweise (kontinuierlich od. .gepulst) ab. Die Tab. (s. a. *Lit.*[1]) geben einen Überblick. Die Toxizität von L.-F. ist nur in einigen Fällen untersucht (s. *Lit.*[2]), da die meisten L.-F. nur in sehr geringen Mengen hergestellt werden. Da alle L.-F. in starker Verdünnung eingesetzt werden, sind tox. Gefahren vorrangig durch die eingesetzten Lsm. gegeben. Für eine neue Meth. der Krebstherapie, der *Photodynamischen Therapie, wird z. Z. untersucht, ob man u. a. L.-F. einsetzen kann, um selektiv carcinomes Gewebe abzutöten. – *E* laser dyes – *F* colorants de laser – *I* coloranti laser – *S* colorantes de láser

Lit.: [1] Brackmann, Lambdachrom Laser Dyes, Göttingen: Firma Lambda Physik 1986. [2] Mosovsky, Laser Dye Toxicity, Hazards and recommended Controls, Vortrag American Industrial Hygiene Conference, Philadelphia Pennsylvania 1983; Laser Focus May **1975**, 59.
allg.: Drexhage, in Schäfer (Hrsg.), Structure and Properties of Laser Dyes: Topics in Applied Physics, Vol. 1., Berlin: Springer 1970 ∎ Maeda, Laser Dyes, London: Academic Press 1983 ∎ Maeda, Laser Dyes, New York: Academic Press 1984 ∎ Steppel, in Weber (Hrsg.), Organic Dye Lasers in Lasers and Masers, Vol. 1, Handbook of Laser Science and Technology, Boca Raton: CRC Press 1982.

Laser-Fusion s. Kernfusion.

Laser-induzierte Fluoreszenz s. Fluoreszenz-Spektroskopie.

Laser-Mikroprobe s. Laser-Mikrosonde.

Laser-Mikroskop (Laser-Raster-Mikroskop). Mikroskop, bei dem ein fokussierter Laserstrahl über die Probe gerastert wird u. die Intensität des transmittierten bzw. gestreuten Lichtes in Abhängigkeit vom Auftreffort aufgezeichnet wird. Details s. Mikroskope. – *E* laser (scanning) microscope – *F* microscope à laser – *I* microscopio laser – *S* microscopio láser

Laser-Mikrosonde (Laser-Mikroprobe). Mikrosonde für die chem. Analyse von festen u. pulverförmigen Substanzen. Die Abb. zeigt den prinzipiellen Aufbau. Meist wird der Strahl eines gepulsten (s. Q-switched) Nd/Yag-Lasers frequenzverdoppelt (dann hat er die Wellenlänge $\lambda=532$ nm) od. frequenzvervierfacht

Tab. 1: Laser-Farbstoffe, die mit einem Excimer-Laser gepumpt werden.

Farbstoff	Durchstimm-bereich [nm]	Effizienz [%]	Pump-wellenlänge [nm]	Lsm.*	Stabilität [Wh]
BM-Terphenyl	312–343	4,1	248	CH	28
p-Terphenyl	332–350	8,1	308	DI	330
DMQ	346–377	8,5	308	DI	850
QUI	368–402	11,1	308	DI	1100
BiBuQ	367–405	10,5	308	DI	780
PBBO	386–420	7,3	308	DI	240
DPS	399–415	11,0	308	DI	96
Stilbene 1	405–428	6,0	308	EG	4
Stilbene 3	412–443	8,8	308	ME	9
Cumarin 120	423–462	14,6	308	ME	15
Cumarin 2	432–475	15,1	308	ME	21
Cumarin 47	440–484	17,8	308	ME	30
Cumarin 102	460–510	18,2	308	ME	174
Cumarin 307	479–553	16,3	308	ME	62
Cumarin 334	506–537	12,3	308	ME	160
Cumarin 153	522–600	15,1	308	ME	120
Rhodamine 6G	569–608	16,3	308	ME	210
Rhodamine B	588–644	12,4	308	ME	144
Sulforhodamine B	594–642	12,6	308	ME	98
Rhodamine 101	614–672	12,0	308	ME	75
DCM	632–690	11,8	308	DMSO	27
Rhodamine 700	701–768	10,9	308	ME	60
Pyridine 1	670–760	10,1	308	DMSO	92
Oxazine 750	735–796	5,7	308	DMSO	125
Pyridine 2	695–790	11,0	308	DMSO	105
Rhodamine 800	776–823	6,2	308	DMSO	58
Styryl 9	810–875	8,7	308	DMSO	60
HITC	837–905	5,8	308	DMSO	23
IR 144 + IR 125	842–965	2,6	308	DMSO	20
IR 125	890–960	4,3	308	DMSO	20
IR 140	882–985	2,7	308	DMSO	20

* Abk. s. Text

Tab. 2: Laser-Farbstoffe, die mit einem Edelgas-Ionen-Laser gepumpt werden.

Farbstoff	Durchstimm-bereich [nm]	Effizienz [%]	Laser Typ	Lsm.*	Stabilität [Wh]
Polyphenyl 1	375–411	4	Kr	EG	n.m.
Stilbene 1	395–435	12	Ar	EG/BZ (5:1)	200
Stilbene 3	406–465	18	Ar	EG/BZ (5:1)	300
Cumarin 2	438–480	14	Ar	EG/BZ (5:1)	100
Cumarin 47	450–500	14	Ar	EG/BZ (5:1)	100
Cumarin 102	460–520	12	Ar	EG/BZ (5:1)	100
Cumarin 6H	476–515	13	Kr	EG/BZ (5:1)	100
Cumarin 30	480–545	12	Kr	EG/BZ (5:1)	100
Cumarin 7	495–570	8	Ar	EG/BZ (5:1)	100
Cumarin 6	520–580	13	Ar	EG/BZ (4:1)	100
Fluorescein	540–580	7	Ar	EG/ME (16:1)	1000
Rhodamine 110	530–600	7	Ar	EG/ME (16:1)	1000
Rhodamine 6G	560–650	25	Ar	EG/ME (16:1)	1000
Rhodamine B	605–657	13	Ar	EG/ME (16:1)	200
Rhodamine 101	620–700	24	Ar	EG/ME (16:1)	200
DCM	610–740	17	Ar	EG/BZ (5:1)	500
Rhodamine 700	700–810	33	Kr	EG/ME (16:1)	1000
Pyridine 1	670–780	25	Ar	EG/PC (4:1)	500
Oxazine 1	695–800	30	Kr	EG/ME (16:1)	200
Oxazine 750	745–890	30	Kr	EG/PC (4:1)	300
Pyridine 2	685–820	18	Ar	EG/PC (4:1)	500
Styryl 8	720–840	12	Ar	EG/PC (4:1)	200
DOTCI	750–860	22	Kr	EG/DMSO (5:1)	100
Styryl 9M	790–920	15	Ar	EG/PC (4:1)	500
HITC	815–920	10	Kr	EG/DMSO (5:1)	100
HDITC	875–984	8	Kr	EG/DMSO (5:1)	100
IR 140	880–1010	15	Kr	EG/DMSO (5:1)	100

* Abk. s. Text

(λ=266 nm, Details s. Frequenzverdopplung) u. auf die Probenoberfläche fokussiert. Durch die hohe Intensitätsdichte (~10^{11} W/cm^2) wird das Material atomisiert u. z. T. (~10%) ionisiert. Die entstandenen Ionen werden durch elektr. Felder abgesaugt u. über ein Massenspektrometer (meist ein Flugzeitmassenspektrometer mit einem Refektron) nachgewiesen. Die laterale Auflösung beträgt 1–3 μm in Reflexion bzw. ≤1 μm in Transmission.

Die meisten chem. Elemente können ab einer Konz. von 1 ppm nachgewiesen werden. Indem der Laserstrahl mehrmals hintereinander auf die gleiche Stelle gerichtet wird, können Tiefenprofilmessungen von <1 μm bis zu einigen 10 μm durchgeführt werden. Verglichen mit Tiefenmessungen mittels Oberflächenanalyse-Verf. wie *ISS od. *SIMS, bei denen Eindringtiefen von ~1 nm erzielt werden, dringt der Laserstrahl recht tief ein, weshalb die L.-M. eine Meth. zur Vol.-Untersuchung u. weniger zur Oberflächenuntersuchung darstellt. Je nach Ausführung der L.-M. werden ein weiterer Laserstrahl od. ein Elektronenstrahl zur Nachionisierung von abgelösten Neutralteilchen eingesetzt. L.-M. sind auf dem Markt unter verschiedenen Abk. eingeführt: LAMMA, LIMA od. LASMA.

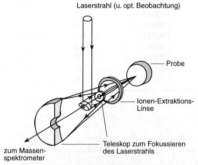

Laserstrahl (u. opt. Beobachtung)

Probe

Ionen-Extraktions-Linse

zum Massenspektrometer

Teleskop zum Fokussieren des Laserstrahls

Abb.: Aufbau einer Laser-Mikrosonde.

– *E* laser microprobe – *F* microsonde à laser – *I* microprova laser – *S* microprueba láser
Lit.: Moenke-Blankenburg, Laser-Micro-Analysis, New York: Wiley 1989.

Laserphotodetachment-Elektronenspektrometrie (LPES). V. a. zur Bestimmung von *Elektronenaffinitäten verwendete Meth., bei der das Überschußelektron eines *Anions durch ein Laser-Photon entfernt wird u. die kinet. Energie des austretenden Elektrons gemessen wird. Näheres zur experimentellen Technik s. *Lit.*[1]; s. a. Photoelektronen-Spektroskopie. – *E* laser photodetachment electron spectrometry – *F* spectrométrie électronique à photodétachement par laser – *I* spettrometria elettronica a laserfotoespulsione – *S* espectroscopia electrónica por separación a través del laser-fotón
Lit.: [1] J. Phys. Chem. Ref. Data **14**, 731 (1985).
allg.: Bowers, Gas Phase Ion Chemistry, Bd. 3, Orlando: Academic Press 1984 ▪ Maier, Ion and Cluster-Ion Spectroscopy and Structure, Amsterdam: Elsevier 1989.

Laser-Polymerchemie. In der Polymer-Chemie werden *Laser als kostenintensive Strahlenquelle dann eingesetzt, wenn ihre bes. Vorteile, die in der Erzeugung ultrakurzer Strahlungsimpulse, der präzisen Fo-

kussierung u. der exakten Dosierbarkeit der Leistung liegen, genutzt werden sollen. So lassen sich mit Hilfe der L.-P. z. B. Diffusionsprozesse od. die Kinetik von Polymerisations-, Depolymerisations- u. Isomerisierungsreaktionen untersuchen. Laserstrahl-initiierte Polymerisationen sind in der Flüssig-, Fest- u. Gasphase möglich. In der Technik hat die L.-P. Anw. gefunden u. a. in der Holographie, der opt. Datenspeicherung, der Drucktechnik u. in der Mikrotechnik. Auch bei der Oberflächenmodifizierung, Funktionalisierung u. Strukturierung von Polymeren mit Laserstrahlen sind hohe Wertschöpfungsraten zu erreichen. – *E* laser polymer chemistry – *F* chimie de polymères au laser, chimie polymérique par laser – *I* chimica polimerica a laser – *S* química de polímeros por láser
Lit.: Adv. Polym. Sci. **63**, 49 ff., 133 ff. (1984) ▪ Houben-Weyl **E 20**, 80–89.

Laser-Raster-Mikroskop s. Laser-Mikroskop.

Laser-Resonator. Aufbau aus mind. zwei Spiegeln, durch die das emittierte Licht in den opt. Verstärker des *Lasers zurückgekoppelt wird, was zu einer größeren Photonendichte u. somit zu einer stärkeren stimulierten Emission führt. Während im allg. alle anderen Spiegel einen Reflexionskoeff. von nahezu 1 haben, ist ein Spiegel, der Auskoppelspiegel, leicht transparent (bei Helium-Neon-Lasern: ~2%, bei Ar$^+$-Lasern: 10–15%, bei Farbstoff-Lasern: ~30%). Für kontinuierliche Laser muß ein *stabiler Resonator* (z. B. ein planer Spiegel u. ein Hohlspiegel mit Krümmungsradius r; der Abstand d muß kleiner als r sein; Teil a der Abb.) eingesetzt werden. Bei gepulsten Lasern kann aufgrund des großen Verstärkungsfaktors auch ein *instabiler Resonator* (Teil b der Abb.) verwendet werden, z. B. beim *Excimer-Laser. L.-R., in denen sich eine stehende Welle ausbildet, nennt man *lineare Resonatoren*; sie können auch gefaltet sein (Teil c der Abb.). Mathemat. wird ein L.-R. wie ein *Interferometer (s. Etalon) beschrieben. Die Resonatorbedingung lautet für den linearen L.-R.: $\lambda = 2\,n \cdot m \cdot d$, n = Brechungsindex, m = ganze Zahl, d = Resonatorlänge u. λ = Wellenlänge des Lichtes.

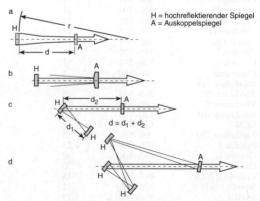

H = hochreflektierender Spiegel
A = Auskoppelspiegel

a

b

c

$d = d_1 + d_2$

d

Abb.: Verschiedene Arten von Laser-Resonatoren (Erklärung s. Text).

Bei einem *Ringresonator* (Teil d der Abb.) bildet sich eine Wanderwelle aus. Da ihre Kohärenzlänge größer als die Resonatorlänge l (= Länge eines Umlaufes) ist, muß die Welle phasenrichtig mit sich selber koppeln. Die Resonatorbedingung lautet somit:

$$\lambda = m \cdot n \cdot l.$$

Durch Verw. von gewölbten Spiegeln werden mehrere Strahltaillen im Resonator erzeugt, in denen der opt. Verstärker, ggf. Verdopplerkrist. bzw. sättigbare Absorber, zur *Modenkopplung gestellt wird. – *E* laser resonator – *F* résonateur à laser – *I* risonatore laser – *S* resonador de láser

Lit.: s. Laser.

Laser-Spektroskopie. Teilgebiet der Spektroskopie, bei dem Laser eingesetzt werden. Aufgrund der hohen spektralen Dichte (Intensität pro Wellenlängenintervall) u. der Emission in einen sehr kleinen Raumwinkel (s. Kohärenz) sind mit Lasern spektroskop. Verf. möglich, die mit herkömmlichen Lichtquellen nicht durchführbar sind. Heute sind durchstimmbare, schmalbandige ($\Delta\nu < 1\,\mathrm{MHz} \triangleq \Delta\lambda = 0.8 \cdot 10^{-6}$ nm bei $\lambda = 500$ nm) Laser für jede gewünschte Wellenlänge im sichtbaren Spektralbereich kommerziell erhältlich (Details s. Farbstoff-Laser); somit haben Laser in der Forschung Lampen als Lichtquellen fast vollständig abgelöst. Neben der Absorptions-, Fluoreszenz- u. Anregungsspektroskopie (s. Abb. Fluoreszenz-Spektroskopie), die bereits zur *hochauflösenden Spektroskopie gehören, sind Verf. der L.-S. entwickelt worden, die sub-Doppler-Auflösung erlauben. Hierzu zählen die Anregung in kollimierten *Atom- u. *Molekülstrahlen, die *Sättigungsspektroskopie, die *Polarisationsspektroskopie u. die Zweiphotonenspektroskopie. Kopplung angeregter Niveaus wird durch kohärente Anregung dieser Zustände untersucht (*Quantenbeats). Durch Laserpulse von nur wenigen fs (10^{-15} s) Dauer werden schnelle Prozesse der Energieverteilung in Mol. u. chem. Reaktionen untersucht. – *E* laser spectroscopy – *F* spéctroscopie par laser – *I* spettroscopia laser – *S* espectroscopia láser

Lit.: Andrew, Applied Laser Spectroscopy, Weinheim: VCH Verlagsges. 1992 ▪ Demtröder, Laser Spectroscopy, Berlin: Springer 1981 ▪ McKellar et al., Laser Spectroscopy, Berlin: Springer 1981 ▪ Phys. Bl. **50**, 1061 (1994) ▪ Svanberg, Atomic and Molecular Spectroscopy, Berlin: Springer 1991 ▪ Yen, Laser Spectroscopy of Solids II, Berlin: Springer 1989. – *Konferenzen:* International Conferences on Laser Spectroscopy (2jährig), Proceedings in Springer Series of Optical Sciences.

Lasix® (Rp). Tabl. u. Kapseln mit dem Diuretikum *Furosemid, Ampullen zur Injektion u. Infusion sowie die Tropfen enthalten das Natrium-Salz. *B.:* Hoechst.

LASMA. Abk. für *E Las*er *M*ass *A*nalyser s. Laser-Mikrosonde.

Lasso-Verbindungen s. Kronenether.

Lasubin (Lasubin I).

$C_{17}H_{25}NO_3$, M_R 291,39, Schmp. 120–122 °C, $[\alpha]_D^{20}$ –8,8° (CH_3OH). *Chinolizidin-Alkaloid aus *Lager-

stroemia subcostata (Lythraceae). – *E = F* lasubine – *I = S* lasubina

Lit.: Beilstein E V **21/5**, 551 ▪ Chem. Lett. **1985**, 1117 ▪ J. Am. Chem. Soc. **110**, 7445 (1988) ▪ J. Chem. Soc., Chem. Commun. **1983**, 1143 ▪ J. Org. Chem. **49**, 1909 (1984) ▪ Justus Liebigs Ann. Chem. **1986**, 1823 ▪ Tetrahedron Lett. **34**, 2729 (1993) ▪ Thomson, The Chemistry of Natural Products, S. 305 f., London: Blackie 1985. – *[HS 293990; CAS 68622-77-5]*

Lasur. Bez. sowohl für die Eigenschaften eines *Pigments, geringes *Deckvermögen u. daher hohe *Transparenz zu zeigen, als auch für den infolge geringen Pigment-Gehalts durchsichtigen bzw. durchscheinenden Überzug, der z. B. die Maserung von Holz noch deutlich erkennen läßt. Zum *Lasieren* sind v. a. sehr feinkörnige, leichte, weiche u. zerreibbare Pigmente mit hohem Ölbedarf geeignet (*Lasurfarben*). – *E* glazing – *F* glacis – *I* vernice trasparente, velo – *S* esmalte, barniz, color transparente

Lasurblau s. Kupfer(II)-carbonat.

Lasurit, Lasurstein s. Lapislazuli.

Latamoxef (Rp).

Internat. Freiname für das – früher *Lamoxactam*, auch *Moxalactam*, genannte – antibiot. wirksame *Cephalosporin (6R,7S)-7-[(Ξ)-2-Carboxy-2-(4-hydroxyphenyl)acetamido]-7-methoxy-2-(1-methyl-1H-tetrazol-5-ylthiomethyl)-8-oxo-5-oxa-1-azabicyclo[4.2.0]oct-2-en-2-carbonsäure aus der Gruppe der Oxacepheme, $C_{20}H_{20}N_6O_9S$, M_R 520,47, Schmp. 117–122 °C unter Zers., $[\alpha]_D^{?}$ –15,3 ± 2,6° (c 0,216/CH_3OH), λ_{max} (CH_3OH): 276 nm ($A_{1cm}^{1\%}$ 196). Verwendet wird auch das Dinatrium-Salz, Zers. beim Erwärmen, $[\alpha]_D^{22}$ –45°, λ_{max} (H_2O): 270 nm ($A_{1cm}^{1\%}$ 213). L. wurde 1977 u. 1979 von Shionogi patentiert. Bei der Anw. von L. können erhöhte Blutungsneigungen auftreten (durch Vitamin-K-Gabe vermeidbar); außerdem besteht Alkohol-Unverträglichkeit durch Hemmung der Aldehyd-Dehydrogenase. – *E = F = I = S* latamoxef

Lit.: ASP ▪ Beilstein E V **27/17**, 68 ▪ Hager (5.) **8**, 696–699. – *[HS 294190; CAS 64952-97-2 (L.); 64953-12-4 (Dinatrium-Salz)]*

Latanoprost (Rp).

Internat. Freiname für Isopropyl-(5Z,15R)-9α,11α, 15-trihydroxy-17-phenyl-18,19,20-trinor-5-prosten-1-oat, $C_{26}H_{40}O_5$, M_R 432,60, farbloses Öl, $[\alpha]_D^{20}$ +31,57° (c 0,91/Acetonitril). L. ist ein Prostaglandin-Derivat. Es wurde 1993 von Kabi Pharmacia patentiert u. ist als Anti-Glaukom-Mittel in der klin. Prüfung. – *E = F = I = S* latanoprost

Lit.: Merck-Index (12.), Nr. 5387 ▪ Pharm. Ztg. **141,** 617 – 624, 2306 f. (1996). *– [HS 29 18 19; CAS 130209-82-4]*

Latekoll®. In wäss. Alkalien lösl. *Polyacrylate als Verdickungsmittel für Polymerdispersionen u. Stabilisator für Naturkautschuklatices. *B.:* BASF.

Latent. Von latein.: latens = heimlich, verborgen abgeleitete Bez. für den Zustand, daß potentiell mögliche Effekte (Reaktionen, Wirkungen) nicht od. nicht direkt in Erscheinung treten. So spricht man in der Chemie von l. *Lösemitteln (s. a. Lösungsvermittler), l. photograph. Bildern (s. Photographie), l. Wärme (s. Umwandlungswärme), l. *funktionellen Gruppen (s. a. Schutzgruppen). *– E = F* latent *– I = S* latente

Latenzzeit. Bez. für die Zeitspanne zwischen der Einwirkung von Nervenreizen, Krankheitskeimen, gesundheitsschädigenden Stoffen od. Strahlen auf Zellen od. Organismen u. dem Erkennbarwerden der Wirkung. *– E* latent period *– F* période de latence *– I* periodo di latenza *– S* período de latencia

Laterit (von latein.: later = Ziegelstein). Bez. für durch Eisenoxide u. -hydroxide (vorwiegend *Hämatit u. *Goethit) ziegelrot, dunkelrot, dunkelbraun od. beinahe schwarz gefärbte Rückstandsgesteine, aus denen durch *Verwitterung in trop.-wechselfeuchtem Klima die Alkalien, Erdalkalien u. auch das Siliciumdioxid abtransportiert worden sind u. neben den Eisen-Verb. nur *Kaolinit u. *Aluminiumhydroxide (v. a. Gibbsit) zurückgeblieben sind; wenn letztere überwiegen, spricht man von *Bauxit. Chem. Analysen (Al, Fe, Si, Ti) von auf unterschiedlichen Ausgangsgesteinen gebildeten L. s. *Lit.*[1].
Die L. sind ihrer Entstehung nach eigentlich den Böden (*Boden) u. hier den *Ferralsolen* zuzurechnen. In einer Ausfällungszone unter einem oberen Auslaugungshorizont enthalten viele L. harte Krusten von SiO$_2$ (*Silcretes*), Eisenoxiden u. -hydroxiden (*Ferricretes*) od. Manganoxiden (*Mangerden*). Zur Gruppe der Rückstandslagerstätten gehören *laterit. Golderze* (z. B. in West-Australien), *laterit. Eisen-(Ni,Co-)Erze* (z. B. In Albanien, Guinea, Kuba u. auf den Philippinen) u. wirtschaftlich bedeutende *laterit. Nickel-Lagerstätten* (z. B. Neukaledonien, Philippinen, Kuba, Brasilien).
Vork.: Z. B. Indien, Südost-Asien, Australien, Westafrika, Uganda, Brasilien; s. a. *Lit.*[2].
Verw.: Als Baustein. Die Nickel-L.-Erze enthalten mehr als zwei Drittel der Weltrohstoff-Reserven an Nickel. *– E = I* laterite *– F* latérite *– S* laterita
Lit.: [1] Chem. Erde **55,** 97 – 108 (1995). [2] Fortschr. Mineral. **44,** 67 – 130 (1967).
allg.: Füchtbauer (Hrsg.), Sedimente u. Sedimentgesteine (Sediment-Petrologie Tl. II) (4.), S. 47 – 63, Stuttgart: Schweizerbart 1988 ▪ MacFarlane (Hrsg.), Laterites – Some Aspects of Current Research, Berlin: Borntraeger 1987 ▪ Pohl, Lagerstättenlehre (4.), S. 60 – 64, Stuttgart: Schweizerbart 1992 ▪ Scheffer u. Schachtschabel, Lehrbuch der Bodenkunde (13.), S. 372, 441 ff., Stuttgart: Enke 1992 ▪ s. a. Bauxit u. Eisen. – *[CAS 12211-33-5]*

Latex (latein.: latex = Flüssigkeit; Plural: Latices). Die Bez. L. war ursprünglich auf den Milchsaft *Kautschuk-liefernder Pflanzen (*Hevea*-Arten) beschränkt. Heute werden als L. ganz allg. kolloidale *Dispersio-

nen von *Polymeren in wäss. Medien bezeichnet. Derartige Dispersionen sind in der Regel milchig-weiße Flüssigkeiten mit auch bei relativ hohen Polymer-Konz. niedrigen Viskositäten. L. lassen sich nach ihrer Provenienz unterteilen in natürliche, pflanzlichmetabol. erzeugte u. synthet., durch *Emulsionspolymerisation geeigneter Monomerer od. durch Dispergieren von Polymeren in einem Dispersionsmittel hergestellte. Andererseits kann eine Einteilung nach ihrer Polymer-Basis vorgenommen werden, z. B. in Kautschuk-, Polychloropren-, Poly(styrol-co-butadien)-L. u. a.; L. enthalten allg. Zusatzstoffe wie Schutzkolloide, Stabilisatoren, Verdickungsmittel, Pigmente u. Vulkanisationshilfsmittel. Die Polymere können aus dem L. abgetrennt werden, z. B. nach Koagulation durch Einfrieren bzw. Versetzen des L. mit Elektrolyten.
Verw.: Als Bindemittel in den umgangssprachlich als Latexfarben bezeichneten *Dispersionsfarben; zur Herst. von Tauchartikeln, Gummifäden u. Schaumgummi; für Beschichtungen u. Imprägnierungen. – *E = F* latex *– I* latice *– S* látex
Lit.: Calvert, Polymer Latices and their Applications, London: Applied Polymer Science Publishers 1982 ▪ Ullmann (4.) **13,** 673 – 682. *– [HS 4001 10, 4002 11, 4002 41, 4002 51, 4002 91]*

Latexfarben s. Dispersionsfarben.

Latex-IPN s. interpenetrierende polymere Netzwerke.

Lathyrismus. Vergiftungserscheinungen, die nach dem Verzehr größerer Mengen von Samen der Kicher- od. Saat-Platterbse (*Lathyrus sativus*) auftreten können. Die Vergiftung äußert sich in Gefühlsstörungen, Krämpfen u. Lähmungen u. kommt vorwiegend in Südeuropa u. Südostasien vor, wo die Saat-Platterbse vorwiegend als Viehfutter verwendet wird. Als Ursache werden in den Samen vorkommende, nichtproteinogene Aminosäuren (*Lathyrogene*), z. B. α-Amino-oxalylaminopropionsäure, angesehen, die als Nervengift wirken. *– E* lathyrism *– F* lathyrisme *– I = S* latirismo

Lathyrogene s. Lathyrismus.

Latia-Luciferin s. Luciferine.

Latices s. Latex.

α-Latrotoxin. *Protein (M$_R$ 116 000) aus dem Gift der Schwarzen Witwe. Stimuliert in den *Synapsen der Wirbeltiere die massive *Exocytose von *Neurotransmittern. Angriffspunkt (*Rezeptor) des Toxins ist ein *Neurexin, welches seinerseits mit *Synaptotagmin in Wechselwirkung tritt[1]. *– E* α-latrotoxin *– F* α-latrotoxine *– I* α-latrotossina *– S* α-latrotoxina
Lit.: [1] Nature (London) **353,** 65 – 68 (1991).
allg.: Ann. N. Y. Acad. Sci. **710,** 38 – 64 (1994) ▪ FEBS Lett. **325,** 81 – 85 (1993).

Latschenkiefernöl s. Fichten- u. Kiefernnadelöle.

Lattich. Zu den Korbblütlern (*Asteracen) zählende, milchsaftführende Pflanzengattung *Lactuca* (latein.: lac = Milch), deren bekanntester Vertreter der *Gartenod. Kopfsalat (Lactuca sativa var. capitata)* mit seinen Abarten Pflück- u. Schnittsalat sowie einer Reihe neuer Züchtungen ist. Er verdankt seinen erfrischenden Geschmack dem Gehalt an sauren Salzen organ. Säuren, bes. Milchsäure. Andere L.-Arten sind

Gift-L. (*L. virosa*), *Wilder* od. *Stachel-L.* (*L. sertiola*) u. *L. quercina.* Der eingedickte Milchsaft dieser Pflanzen, insbes. von *L. virosa*, wurde früher als sog. *Lactucarium* wegen seiner antitussiven u. leicht berauschenden Wirkung arzneilich verwendet. Lactucarium ist ein braunes Pulver od. unregelmäßige Stücke von wachsartiger Konsistenz u. bitterem Geschmack, teilw. lösl. in Wasser, Alkohol u. Ether. Es enthält als sedierend wirkende Komponenten den Bitterstoff *Lactucin*, ein *Sesquiterpenlacton, u. dessen (4-Hydroxyphenyl)-essigsäureester *Lact(uc)opikrin* od. *Intybin*, ferner Triterpenalkohole u. -ester (Taraxasterin, β-Amyrin, Lactucerole, Lactucerine u. a.) u. *Hyoscyamin, auf das wohl die Giftwirkung zurückgeht. Eng mit den L.-Gewächsen verwandt sind *Löwenzahn u. die *Zichorien-Arten *Endivie* u. *Chicorée*, während der *Huflattich trotz der Namensverwandtschaft *nicht* zu den L.-Arten gehört. – *E* lettuce – *F* laitue – *I* lattuga – *S* lechuga

Lit.: Franke, Nutzpflanzenkunde, 5. Aufl., Stuttgart: Thieme 1992.

Latwerge (Electuaria). Veraltete Bez. für brei- od. teigförmige, zum inneren Gebrauch bestimmte Arzneizubereitungen aus Pulver, flüssigen od. halbflüssigen Stoffen (*Beisp.:* *Theriak); umgangssprachlich auch für Obstmus. – *E* electuary – *F* électuaires – *I* lattucario, elettuario – *S* electuarios

Lit.: Hager (4.) **7a**, 502.

Laubfärbung. Eine bes. im Herbst, aber auch bei Baum- u. Waldschäden auftretende Umfärbung der Blätter vieler Pflanzen. Sie wird im wesentlichen durch die *Blattfarbstoffe* *Chlorophyll, *Phytochrome, *Carotinoide (*Xanthophylle* wie *Lutein) u. (seltener) *Anthocyane bestimmt. Diese Farbstoffe finden sich teils im Zellsaft gelöst (Anthocyane), teils in bestimmte Zellorganellen eingelagert, die man als *Chromatophoren* od. *Plastiden* bezeichnet u. in Chloroplasten (Chlorophyll-haltig) u. Chromoplasten (Carotinoid-haltig) unterteilt. Unter den verschiedenen Farbstoffkomponenten überwiegt das Chlorophyll mengenmäßig so stark, daß die übrigen Farbstoffe verdeckt werden: Das Laubblatt sieht grün aus. In der gemäßigten Zone ändert sich dieser Zustand mit dem Ende der sommerlichen Vegetationsperiode bei vielen Pflanzen, wenn Nähr- u. Reservestoffe (auch Chlorophyll) aus den Blättern abgebaut u./od. in die Pflanze zurücktransportiert werden. Dann kommen die übrigen rotgelb-braunen Farbkomponenten des bunten Herbstlaubs zur Geltung. Dieser dem *Laubfall* u. der *Winterruhe* (vgl. Hibernation) vorausgehende Alterungsprozeß, an dem auch Außenfaktoren (Licht, Temp.) u. Welkstoffe beteiligt sind, wird durch Pflanzenhormone gesteuert. Der Laubfall wird dadurch eingeleitet, daß allmählich die Bildung des *Hemmstoffs* *Abscisinsäure im Vgl. zur Bildung der *Pflanzenwuchsstoffe* vom *3-Indolylessigsäure-Typ überwiegt. – *E* leaf pigmentation, autumnal tints – *F* pigmentation des feuilles – *I* colorazione delle foglie – *S* pigmentación de las hojas

Lauch. Zu den Liliengewächsen zählende Gattung von Zwiebelpflanzen (Alliaceae), aus der eine Reihe wichtiger Nutzpflanzen stammt, wie die *Zwiebel, Knoblauch, *Schnittlauch u. *Porree; letzterer wird umgangssprachlich auch als der eigentliche L. bezeichnet. Der charakterist. Geruch u. Geschmack der L.-Gewächse entsteht durch enzymat. Abbau in den *L.-Ölen* enthaltenen Schwefel-haltigen Aminosäure-Derivaten (z. B. *Alliin, Dihydroalliin usw.), wobei verschiedene Di- u. Polysulfide u. auch die typ. *Tränenreizstoffe gebildet werden. – *E* leek – *F* ail, poireau – *I* porro – *S* puerro

Lit.: Franke, Nutzpflanzenkunde, 5. Aufl., Stuttgart: Thieme 1992. – *[HS 0703 90]*

Laudamonium®. *Benzalkoniumchlorid zur hygien. Hände-, Haut- u. Wunddesinfektion, wirksam gegen Bakterien u. Hautpilze. *B.:* Henkel-Ecolab.

Laudani(di)n s. Laudanosin.

Laudanosin (*N*-Methyltetrahydropapaverin).

(*S*)-(+)-Form

Natürliche (*S*)-(+)-Form, $C_{21}H_{27}NO_4$, M_R 357,45, $[\alpha]_D$ +103° (C_2H_5OH), Schmp. 89 °C, lösl. in Alkohol, Chloroform, Ether. Das giftige Benzyltetrahydroisochinolin-Alkaloid L. kommt in geringen Mengen im Schlafmohn (*Papaver somniferum*) vor. Es ist ebenso wie die (*R*)-Form u. das Racemat gut synthet. zugänglich. L. ruft *Tetanie (Krämpfe) hervor. Eng verwandt mit L. sind *Laudanidin* {$C_{20}H_{25}NO_4$, M_R 343,42, Prismen, Schmp. 185 °C, $[\alpha]_D$ +134° (CH_3OH)} u. sein Racemat *Laudanin*, die am C-Atom 3′ des Phenyl-Rests eine freie OH-Gruppe besitzen. – *E* = *F* laudanosine – *I* = *S* laudanosina

Lit.: Beilstein E V **21/6**, 48 ff. ▪ Chem. Pharm. Bull. **25**, 69 (1977) ▪ Hager (5.) **3**, 911; **7**, 313 ▪ J. Chem. Soc. Chem. Commun. **1982**, 769 ▪ J. Heterocycl. Chem. **15**, 541 (1978) ▪ Merck Index (12.), Nr. 5391 ▪ Tetrahedron Lett. **29**, 351 (1988) ▪ Ullmann (5.) **A 1**, S. 369 f. ▪ s. a. Papaverin u. Isochinolin-Alkaloide. – *[HS 2939 10; CAS 2688-77-9 ((S)-(+)-L.); 3122-95-0 (Landanidin)]*

Laudanum (Opiumtinktur). Lsg. von *Opium in Alkohol.

Laue, Max Felix Theodor von (1879–1960), Prof. für Physik, Kaiser-Wilhelm-Inst. Berlin u. Univ. Göttingen. *Arbeitsgebiete:* Spektralanalyse des Röntgenlichts, Untersuchung des Feinbaus der Krist. durch Röntgeninterferenzen (Krist.-Strukturanalyse, Laue-Diagramm), Theorie der Supraleitung, Relativitätstheorie; Nobelpreis für Physik 1914 für die Entdeckung der Röntgenbeugung an Kristallen.

Lit.: Herneck, Max von Laue, Leipzig: Teubner 1979 ▪ Krafft, S. 212 ff. ▪ Lexikon der Naturwissenschaftler, S. 261 ▪ Neufeldt, S. 128, 343, 356 ▪ Pötsch, S. 260.

Laue-Diagramm s. Kristallstrukturanalyse.

Laueit. $MnFe_2^{3+}[OH/PO_4]_2 \cdot 8 H_2O$, honigbraunes bis braungelbes triklines Mineral, Krist.-Klasse $\bar{1}$-C_i; Struktur s. *Lit.*[1]; trimorph (*Polymorphie) mit dem sehr ähnlichen monoklinen honigbraunen bis orangeroten *Pseudolaueit* (Struktur s. *Lit.*[2]) u. dem gelbgrünen bis bräunlichgelben *Stewartit*, mit denen zusammen er meist in zersetztem od. auf frischem *Rockbridgeit als Sekundärmineral in Phosphat-*Pegmatiten vorkommt. L. bildet kleine, stark glänzende, durchsichtige bis durchscheinende Krist., H. 3, D. 2,44–2,49.

Vork.: Hagendorf/Oberpfalz (histor.); Galilea/Brasilien; New Hampshire u. South Dakota/USA u. Namibia. – *E* = *I* laueite – *F* lauéite – *S* laueíta

Lit.: [1] Am. Mineral. **50**, 1884–1892 (1965). [2] Am. Mineral. **54**, 1312–1323 (1969).

allg.: Mineral. Rec. **20**, 363 f. (1989) ▪ Nriagu u. Moore (Hrsg.), Phosphate Minerals, S. 63, Berlin: Springer 1984 ▪ Ramdohr-Strunz, S. 648. – *[CAS 15318-72-6]*

Laufmaschen s. Maschenfestmittel.

Laufmittel s. Fließmittel u. Dünnschichtchromatographie.

Laugen. Nicht eindeutig abgegrenzter Begriff, der vom altgerman. Begriff für Wasch-, Badewasser, abgeleitet wurde. Als L. bezeichnet man allg. die wäss. Lsg. von *Basen, sofern sie deutlich alkal. reagieren, doch wird die Bez. häufig nur auf die wäss. Lsg. starker Basen, dann meist sogar nur auf die Lsg. von Natrium- (Natronlauge) od. Kaliumhydroxid (Kalilauge) eingeschränkt. Da auch die Salze starker Basen mit schwachen Säuren alkal. reagieren, verwendet man auch für deren Lsg. häufig die Bez. L. (*Beisp.:* Sodalauge, Bleichlauge). In einem völlig anderen Zusammenhang tritt die Bez. in *Mutterlauge auf. In der Technologie werden als L. vielfach wäss. Lsg. u. Lsg.-Gemische bezeichnet, die – unabhängig von der Acidität – alle möglichen Nutz- u. Ballastbestandteile enthalten können (*Ablaugen*; *Beisp.:* Sulfit-Ablaugen), u. in der *Hydrometallurgie kennt man Techniken wie die Cyanid-Laugerei u. (ggf. mikrobielles) Auslaugen, s. Bioleaching. – *E* lyes, leaches – *F* lessives – *I* liscive – *S* lejías

Laugenstein. Feste Mischung aus etwa 3 Tl. Natriumhydroxid (Ätznatron) u. 2 Tl. Soda, die z. B. zur Seifenherst. u. zum Abbeizen von Ölanstrichen verwendet wird. Oft bezeichnet man als L. auch rohes NaOH.

Laugieren s. Mercerisation.

Laugung s. Auslaugen, Bioleaching u. mikrobielle Laugung.

Laumontit. $Ca_4[Al_8Si_{16}O_{48}] \cdot 18 H_2O$, zusammen mit dem wasserärmeren *Leonhardit*, $Ca_4[Al_8Si_{16}O_{48}]$· <14 H_2O, zu den *Zeolithen mit Viererring-Ketten gehörendes Mineral, krist. monoklin; Struktur u. chem. Analysen s. Gottardi-Galli (*Lit.*) u. *Lit.*[1], zur Struktur von deuteriertem L. s. *Lit.*[2]; zur reversiblen Hydratation u. Entwässerung von L. s. *Lit.*[3]. Krist. langsäulig bis stengelig, vertikal gestreift; stengelige, faserige u. erdige Aggregate; H. 3–3,5, D. 2,25–2,35, Glasglanz, auf Spaltflächen Perlmutterglanz; farblos, weiß, gelblich, rötlich. L. wird an der Luft unter Wasserverlust matt, trübe u. bröckelig.

Vork.: Auf Klüften u. Blasenräumen von *magmatischen Gesteinen, z. B. in *Basalten von Poona u. Bombay/Indien; auf Erzgängen, in *Sedimentgesteinen u. in *metamorphen Gesteinen („*Zeolith-*Fazies"), z. B. in Neuseeland. Weitere Vork. in Hessen, Tirol/Österreich, England, Californien, Oregon u. New Jersey/

USA u. der Schweiz. – *E* laumontite – *F* laumonite – *I* laumontite, laumonite – *S* laumontita, laumonita

Lit.: [1] Zeolites **13**, 249–255 (1993). [2] Eur. J. Mineral. **5**, 851–856 (1993). [3] Neues Jahrb. Mineral., Monatsh. **1992**, Nr. 9, 385–397; Phys. Chem. Miner. **23**, 328–336 (1996).

allg.: Anthony et al., Handbook of Mineralogy, Vol. II, Tl. 2, S. 452, Tucson (Arizona): Mineral Data Publishing 1995 ▪ Gottardi-Galli, Natural Zeolites, S. 100–110, Berlin: Springer 1985 ▪ Ramdohr-Strunz, S. 792 ▪ s. a. Zeolithe.

Laundrosil®. Aktiv-*Bentonit mit hohem Weißgrad als Waschmittelzusatz. *B.:* Süd-Chemie.

Laurate. 1. Bez. für Salze der *Laurinsäure. Techn. Bedeutung als *Metallseifen haben Blei- u. Zinn-L. als Stabilisatoren bei der Herst. von *PVC, Zink-L. in der Gummi-, Kunststoff-, Druckfarben- u. Arzneimittel-Ind. sowie Aluminium-L. als Imprägnierungsmittel. 2. Bez. für die Ester der *Laurinsäure (*Laurinsäureester*); sie sind im allg. farblose, hochsiedende, in Wasser unlösl., in Alkohol u. Ether lösl. Flüssigkeiten mit Sdp. von 260 °C, die in kosmet. Zubereitungen od. zur Herst. von *Tensiden verwendet werden. – *E* = *F* laurates – *I* laurati – *S* lauratos

Lit. (zu 2.): Seifen, Öle, Fette, Wachse **114**, 85, 122, 155, 247 (1988). – *[HS 2915 90]*

Laurell-Puffer s. Puffer.

Laurent, Auguste (1807–1853), Prof. für Chemie u. Münzprüfer in Bordeaux u. Paris. *Arbeitsgebiete:* Synth. von Anthracen, Anthrachinon, Phthalsäure u. Phthalsäureanhydrid, Begründung der organ. Typenlehre (zusammen mit *Gerhardt), Nachw. der Substituierbarkeit von Wasserstoff durch Chlor in organ. Verbindungen.

Lit.: Krafft, S. 214 f. ▪ Lexikon der Naturwissenschaftler, S. 262 ▪ Neufeldt, S. 35 ▪ Pötsch, S. 260 ▪ Strube et al., S. 47, 49.

Laurentsche Säure s. Naphthylaminsulfonsäuren u. Naphtholsulfonsäuren (Tab.).

Lauricöle. Sammelbez. für pflanzliche Öle, deren Fettsäure-Zusammensetzung ein Maximum im C-Zahlbereich 12 bis 14 aufweist. Typ. Beisp. sind Kokosöl od. *Palmkernöl. Die Bez. leitet sich von laurus (latein.: = Lorbeer) ab.

Laurinaldehyd s. Dodecanal.

12-Laurinlactam (ω-Laurolactam, Azacyclotridecan-2-on).

$C_{12}H_{23}NO$, M_R 197,32, farblose Krist., Schmp. 151,8 °C, lösl. in organ. Lsm., nur wenig lösl. in Wasser.

Herst.: Ein Gemisch aus Cyclododecanol u. Cyclododecanon (erhalten aus 1,5,9-Cyclododecatrien) wird in Cyclododecanon überführt u. dann oximiert. Aus dem Oxim erhält man mit Schwefelsäure unter Beckmann-Umlagerung das L.; ausführliche Beschreibung sowie weitere Synth.-Möglichkeiten s. *Lit.*[1].

Verw.: L. ist Ausgangsprodukt für die Herst. von Polyamid 12 (Nylon 12). – *E* ω-laurolactam – *F* ω-laurolactame – *I* ω-laurolattame – *S* ω-laurolactama

Lit.: [1] Weissermel-Arpe (4.), S. 284 ff.
allg.: Beilstein E V **21/6**, 566 ▪ Ullmann (4.) **17**, 489; (5.) **A 8**, 203; **A 10**, 573. – *[HS 2933 79; CAS 947-04-6]*

Laurinsäure (Dodecansäure). $H_3C–(CH_2)_{10}–COOH$, $C_{12}H_{24}O_2$, M_R 200,31. Farblose Nadeln, D. 0,868, Schmp. 44 °C, Sdp. 131 °C (1,3 mbar), unlösl. in Wasser, lösl. in Alkohol u. Ether, kommt als Glycerinester in den *Lauricölen u. als Hexadecylester im *Walrat vor. L. wird zur Herst. von Laurylalkohol u. *Tensiden verwendet. – *E* lauric acid – *F* acide laurique – *I* acido laurico – *S* ácido láurico
Lit.: Beilstein E IV **2**, 1082 ▪ Hager **2**, 825; **7 b**, 156 ▪ Karrer, Nr. 699. – *[HS 2915 90; CAS 143-07-7]*

Laurinsäureester s. Laurate.

Laurit. RuS_2, einziges bisher bekannt gewordenes Ruthenium-Mineral, krist. kub. wie *Pyrit; kleine Krist. u. abgerollte, gerundete Körner; eisenschwarz, metall. glänzend, Strichfarbe dunkelgrau. H. 7,5, D. 6–7. Chem. Zusammensetzung nach der Formel 61,1% Ruthenium, 38,9% S, z. T. mit Osmium-Gehalten.
Vork.: Als prim. Mineral in Transvaal/Südafrika, Stillwater/Montana/USA, British Columbia/Kanada; auch in *Chromit-Erzen, z. B. in Oman; sonst bevorzugt in *Seifen, z. B. auf Borneo, in Sierra Leone u. Südafrika. – *E* = *F* = *I* laurite – *S* laurita
Lit.: Am. Mineral. **54**, 1330–1346 (1969) ▪ Anthony et al., Handbook of Mineralogy, Vol. I, S. 289, Tucson (Arizona): Mineral Data Publishing 1990 ▪ Ramdohr, Die Erzmineralien u. ihre Verwachsungen, S. 879, Berlin: Akademie-Verl. 1975 ▪ Ramdohr-Strunz, S. 459. – *[HS 2616 90; CAS 12197-04-5]*

Lauroguadin.

Internat. Freiname für das *Antiseptikum/*Desinfektionsmittel 1,1'-[4-(Dodecyloxy)-*m*-phenylen]diguanidin, $C_{20}H_{36}N_6O$, M_R 376,55. – *E* = *F* lauroguadine – *I* = *S* lauroguadina
Lit.: Beilstein E IV **13**, 1428. – *[HS 2925 20; CAS 135-43-3]*

Lauroyl... (Dodecanoyl...). Bez. für die Atomgruppierung $–CO–(CH_2)_{10}–CH_3$. – *E* = *F* lauroyl... – *I* lauroil...

Lauroylperoxid (Didodecanoylperoxid, Dilauroylperoxid).

$H_3C–(CH_2)_{10}–\overset{O}{\overset{\|}{C}}–O–O–\overset{O}{\overset{\|}{C}}–(CH_2)_{10}–CH_3$

$C_{24}H_{46}O_4$, M_R 398,62. Farbloses, grobes, geschmackfreies Pulver, Schmp. 48–50 °C, unlösl. in Wasser, lösl. in Ölen u. vielen organ. Lsm.; in trockenem Zustand brennbarer, reaktionsfähiger u. stark brandfördernder Stoff, bei Temp. über 50 °C beginnt die Zers. u. beschleunigt sich selbst. Der Staub verursacht schwache Reizung der Augen u. der Atemwege, wenig giftig; wassergefährdender Stoff, WGK 1.
Verw.: Als Polymerisationskatalysator für Vinylchlorid u. zum Bleichen von Ölen, Fetten, Wachsen. – *E* lauroyl peroxide – *F* peroxyde de lauroyle – *I* perossido di lauroile – *S* peróxido de lauroílo
Lit.: Beilstein E IV **2**, 1102 ▪ Hommel, Nr. 276. – *[HS 2915 90; CAS 105-74-8; G 5.2]*

Lauryl... In Trivial- u. Handelsnamen übliche, nicht empfohlene Bez. für die Atomgruppierung $–(CH_2)_{11}–CH_3$; einzelne Verb. s. unter Dodecyl... – *E* = *F* lauryl... – *I* = *S* lauril...

Laurylalkohol s. 1-Dodecanol.

Laurylgallat s. Gallussäureester.

Laurylpyridiniumchlorid (1-Dodecylpyridiniumchlorid).

$\left[\quad N^+ –(CH_2)_{11}–CH_3 \right] Cl^-$

$C_{17}H_{30}ClN$, M_R 283,88, Krist. mit 1 Mol. H_2O, Schmp. 92 °C; wassergefährdender Stoff, WGK 3 (Selbsteinst.); stabile oberflächenaktive Verb., ähnlich auch das Sulfat u. Bromid. L. wird als Weichmacher, Textilhilfsmittel u. Phasentransferkatalysator verwendet. – *E* lauryl pyridinium chloride – *F* chlorure de laurylpyridinium – *I* cloruro di laurilpiridinico – *S* cloruro de laurilpiridinio
Lit.: Beilstein E V **20/5**, 231 ▪ Chem. Eng. Sci. **38**, 765 (1983). – *[HS 2933 39; CAS 104-74-5]*

Lauta-Masse. Bei der Aluminium-Herst. aus Bauxit anfallender sog. *Rotschlamm, der hauptsächlich aus Eisen(III)-hydroxid besteht u. als *Gasreinigungs-Masse bes. bei der Entschwefelung von *Stadtgas Verw. findet.

Lauths Violett s. Thionin.

Lava (Laven). Bez. für eine bei ihrer Förderung an die Erdoberfläche od. am Meeresboden weitgehend entgaste magmat. Gesteinsschmelze (*Magma); auch das daraus erstarrte Gestein wird im allg. als L. bezeichnet. Die Förderung von L. kann *effusiv* (durch Ausfließen), *explosiv* (*pyroklastische Gesteine), als *Glutwolken* (Ignimbrit) od. *gemischt* erfolgen. Je nach Viskosität, die wiederum vom SiO_2-Gehalt u. vom Gasgehalt abhängig ist, sowie dem Austrittsort der geförderten Schmelzen, entstehen unterschiedliche Erstarrungsformen der L.; bei basalt. (*Basalte) L. z. B. *Pahoehoe-L.* (Fladen-L., Strick-L., Seil-L.; Aussprache: pah'-ho-eh-ho-eh) u. *Aa-L.* (Brocken-L.; Aussprache: ah-ah'). Auf Hawaii entstanden mehrmals *L.-Seen*, z. B. 1959 im Kilauea Iki-Krater. Zur Entstehung riesiger *deckenförmiger L.-Ergüsse* (Plateau-Basalte, z. B. Dekkan-Trapp/Indien) s. *Lit.*[1]. Am Meeresboden ausfließende basalt. L. erstarrt zu *Kissen-L.* (*E* pillow lava). Sehr viskose, saure (SiO_2-reiche) L., meist von *Rhyolith- od. *Trachyt-Zusammensetzung, bildet kurze, dicke Ströme od. steilwandige L.-Massen, sog. Lavadome (*Staukuppen*) od. L.-Nadeln (*Stoßkuppen*), über der od. um die Austrittsstelle. Die Ausflußtemp. von basalt. L. liegen zwischen 1200 u. 1000 °C, die von SiO_2-reicheren L. zwischen ca. 950 u. 750 °C. – *E* = *I* = *S* lava – *F* lave
Lit.: [1] Spektrum Wiss. **1993**, Nr. 12, 58–66.
allg.: Matthes, Mineralogie (5.), S. 219–223, Berlin: Springer 1996 ▪ Pichler (Hrsg.), Vulkanismus, Heidelberg: Spektrum der Wissenschaft Verlagsges. 1985 ▪ Press u. Siever, Allgemeine Geologie, S. 88–91, Heidelberg: Spektrum Akadem. Verl. 1995 ▪ s. a. Vulkane u. magmatische Gesteine.

Lavakies. Durch Brechen od. Mahlen aus *Lava gewonnenes Material, verwendbar z. B. als *Betonzuschlag zur Herst. von *Leichtbeton. – *[HS 2517 10]*

Laval-Düse. Zylindersymmetr. Düse mit einer sich kontinuierlich verjüngenden u. dann wieder erweiternden Form. Verw. zur Erzeugung von kalten Überschall-*Atomen u. *Molekülstrahlen (s. adiabatische Abkühlung). – *E* Laval nozzle – *F* tuyère de Laval – *I* ugello di Laval – *S* tobera Laval
Lit.: Kohlrausch, Praktische Physik 2, S. 639, Stuttgart: Teubner 1996 ▪ Phys. Bl. **43**, 1 (1987) ▪ Scoles (Hrsg.), Molecular Beam Methods, Oxford: University Press 1988.

Lavandin(öl). Leicht gelbliches, bewegliches Öl mit einem frischen, blumig-krautigen Geruch, aber viel erdiger u. camphriger als der von *Lavendelöl.
Herst.: Durch Wasserdampfdest. aus dem blühenden Kraut des L. (*Lavandula angustifolia×Lavandula latifolia*), einer sterilen Kreuzung zwischen echtem Lavendel (s. Lavendelöl) u. Spik-Lavendel (s. Spiköl). L. wird hauptsächlich in Südfrankreich kultiviert. Die L.-Pflanze ist widerstandsfähiger als der Lavendel, weshalb der Anbau nicht mehr nur an die als klass. Lavendelanbaugebiete geltenden Hochplateaus gebunden ist u. sich zu einem großen Teil auch bis ins Rhône-Tal ausgeweitet hat. Da L. auch wesentlich höhere Ölerträge gibt, hat L. das Lavendelöl in bezug auf die Produktionsmenge weit überflügelt, obwohl das Lavendelöl eigentlich von höherem parfümist. Wert ist. Weltweit dürften jährlich ca. 1000 t Öl erzeugt werden, wovon auf die „Grosso"-Varietät ca. 75% entfallen. Neben dem ether. Öl werden aus dem L. auch noch in nennenswerter Menge Extrakte (L.-Concret, L.-Absolue) hergestellt. Der Geruch dieser dunkelgrünen, pastösen bis viskosen Produkte ist sehr naturhaft, süßer u. haftfester als der des Öls.
Zusammensetzung [1]: Als typ. für das Öl der „Grosso"-Varietät gelten folgende Werte: *1,8-*Cineol:* 4–7%, **Campher:* 6–8%, (–)-*Linalool:* 25–35%, (–)-*Linalylacetat* (s. Linalool): 28–38%, (+)-*Terpinen-4-ol:* 2–4%, **Borneol:* 1,5–3%; (–)-*Lavandulol* ($C_{10}H_{18}O$, M_R 154,25): 0,3–0,5%, (–)-*Lavandulylacetat*

R = H : (–)-Lavandulol
R = CO—CH₃ : (–)-Lavandulylacetat

($C_{12}H_{20}O_2$, M_R 196,29): 1,5–3%.
Verw.: L. ist ein natürlicher Parfümrohstoff mit einer großen Anw.-Breite, v. a. in preiswerten Parfümierungen für die verschiedensten Anw.-Zwecke eingesetzt. Das L.-Concret wird v. a. für Seifenparfümierungen, das L.-Absolue in Eaux de Cologne verwendet. – *E* lavandin oil – *F* essence de lavandin – *S* esencia de lavandina
Lit.: [1] Perfum. Flavor. **20** (3), 23 (1995).
allg.: Arctander, Perfume and Flavor Materials of Natural Origin, S. 338, 341, 343, Elisabeth, N. J.: Selbstverl. 1960 ▪ Bauer, Garbe u. Surburg, Common Fragrance and Flavor Materials, 2. Aufl., S. 161, Weinheim: VCH Verlagsges. 1990 ▪ ISO 3054 („Abrialis") (1987); 8902 („Grosso") 1987 ▪ Ohloff, S. 142. – *Toxikologie:* L.-Öl: Food Cosmet. Toxicol. **14**, 447 (1976); L.-Absolue: Food Chem. Toxicol. **30** (Suppl.), 65 (1992). – *[HS 3301 29; CAS 8022-15-9 (L.); 498-16-8 (Lavandulol); 20777-39-3 (Lavandulylacetat)]*

Lavandulaöle s. Lavandin-, Lavendel- u. Spiköl.

Lavandulol, Lavandulylacetat s. Lavandin(öl).

Lavendamycin.

$C_{22}H_{14}N_4O_4$, M_R 398,38, dunkelrote Krist., Schmp. >300 °C. Chinon-Antibiotikum aus *Streptomyces lavendulae*, wirkt antifung. u. antineoplastisch. L. ist in Struktur u. Wirkung dem *Streptonigrin ähnlich. – *E* lavendamycin – *F* lavendamycine – *I* lavandamicina – *S* lavendamicina
Lit.: Foye (Hrsg.), Cancer Chemotherapeutic Agents, S. 645–651, Washington: ACS 1995 ▪ Heterocycles **21**, 91–106 (1984); **24**, 1067–1073 (1986) ▪ J. Antibiot. **35**, 259–265 (1982) ▪ J. Heterocycl. Chem. **24**, 1253–1260 (1987) ▪ J. Med. Chem. **30**, 1918–1928 (1987) ▪ J. Org. Chem. **50**, 5782–5789, 5790 (1985); **58**, 7089 ff. (1993). – *Synth.:* Chem. Pharm. Bull. **33**, 3053 (1985); **36**, 4355–4363 (1988) ▪ Lindberg, Strategies and Tactics in Organic Synthesis, Bd. II, S. 1–56, San Diego: Academic Press 1989 ▪ Tetrahedron **42**, 5065–5071 (1986). – *[HS 2941 90; CAS 81645-09-2]*

Lavendelöl. Schwach gelbes bis leicht gelb-bräunliches Öl mit einem typ. frischen, blumig-krautigen, süßen, balsam. u. leicht holzigen Duft.
Herst.: Durch Wasserdampfdest. aus dem blühenden Lavendelkraut, *Lavandula angustifolia.* Die Hälfte der auf ca. 200–250 t geschätzten Weltjahresproduktion wird in Bulgarien erzeugt. Etwa 50 t stammen aus dem klass. Lavendelanbaugebiet Südfrankreich, wo der Lavendel in einer Höhe zwischen 600 u. 1500 m in den Departments Alpes de Haute Provence, Drôme u. Vaucluse wächst. 75% des französ. Öls stammen von sog. Populationslavendel, der aus den Samen des wildwachsenden Lavendels gezogen wird; die übrigen 25% werden vorwiegend aus der geklonten Varietät „maillette" erhalten, die zwar höhere Ölausbeuten, aber eine weniger gute geruchliche Qualität ergibt. Kleinere Lavendelanbaugebiete sind auf der ganzen Welt verstreut, z. B. auf dem Gebiet der ehem. UdSSR, in Tasmanien usw.
Zusammensetzung [1]: Öle aus französ. Populationslavendel: *cis-*Ocimen:* 5–9%; *trans-Ocimen:* 3–5%; *1,8-*Cineol:* <1%; **Campher:* <0,4%; (–)-*Linalool:* 27–35%; (–)-*Linalylacetat* (s. Linalool): 30–40%; (+)-*Terpinen-4-ol:* 3–4%; (–)-*Lavandulylacetat* [s. Lavandin(öl)]: 4–4%. Bulgar. L. enthält meist 45–50% (–)-*Linalylacetat* [2].
Verw.: L. findet bei der Parfümherst. vielfältige Verw., z. B. in Lavendelwässern, in Herrendüften u. Parfüms mit maskuliner Note usw.; in der Medizin in Karminativa u. Balneotherapeutika. – *E* lavender oil – *F* essence de lavande – *S* esencia de lavanda
Lit.: [1] Perfum. Flavor. **20** (3), 23 (1995). [2] Parfum. Cosmet. Arom. **110**, 58 (1993).
allg.: Arctander, Perfume and Flavor Materials of Natural Origin, S. 347, Elisabeth, N. J.: Selbstverl. 1960 ▪ Bauer, Garbe u. Surburg, Common Fragrance and Flavor Materials, 2. Aufl., S. 160, Weinheim: VCH Verlagsges. 1990 ▪ Gildemeister **7**, 18 ▪ H&R Contact **27**, 12 ▪ ISO 3515 (1987) ▪ Ohloff, S. 142. – *Toxikologie:* Food Cosmet. Toxicol. **14**, 4512 (1976). – *[HS 3301 23; CAS 8000-28-0]*

Lavendelwasser s. Lavendelöl.

Laventin®. *Netz- u. *Waschmittel mit breitem Anw.-Spektrum für die Textil.-Ind.; L. CW: Alkanolpolyglykolether, L. W: Ethoxyliertes Fettsäure-Derivat. **B.:** BASF.

Laves-Phasen. Die größte Gruppe der *intermetallischen Verbindungen mit der Zusammensetzung AB_2, einer überwiegend metall. Bindung (hohe Koordinationszahl u. Packungsdichte) u. einem angenäherten Atomradienverhältnis R_A/R_B von 1,225. Sie kristallisieren in den Strukturtypen $MgCu_2$, $MgZn_2$ u. $MgNi_2$. Den L.-P. kommt bei der Beurteilung des Ausscheidungs- u. damit auch Wärmebehandlungszustands moderner, nichtrostender Stähle eine gewisse Bedeutung zu. – *E* Laves phases – *F* phases de Laves – *I* fasi di Laves – *S* fases de Laves
Lit.: s. intermetallische Verbindungen.

Lavipol®. Flüssiges Schwerpunkt-*Tensid zum Einsatz als Waschkraftverstärker bei öl- u. fettverschmutzter Berufskleidung in gewerblichen Wäschereien. In Kombination mit dem Schwerpunkt-Alkali Leggil® super bes. geeignet zur Entfernung von Mineralöl-Verschmutzungen bei 70 °C. **B.:** Henkel-Ecolab.

Lavoisier, Antoine Laurent de (1743 – 1794), Privatgelehrter in Paris, Mitglied der französ. Akademie, Inspektor für Pulver u. Salpeter. *Arbeitsgebiete:* Anw. quant. Meßmeth. in der Chemie (Waage!), Widerlegung der Phlogistontheorie, richtige Deutung der Vorgänge bei alkohol. Gärung, Verbrennung u. Atmung, Zusammensetzung der Luft, Versuche mit reinem Sauerstoff, Studien über Elementaranalyse, Aufstellung einer neuen Elementliste u. Reform der chem. Namengebung, Gesetz von der Erhaltung der Masse, auch bei enzymat. Reaktionen.
Lit.: Krafft, S. 215 f. ▪ Lexikon der Naturwissenschaftler, S. 262 ▪ Neufeldt, S. 383 ▪ Pötsch, S. 261 f. ▪ Strube et al., S. 111 ff.

LAW. Abk. für *E* Low Active Waste, s. Radioaktive Abfälle.

LAWA. Abk. für Länderarbeitsgemeinschaft Wasser, Hrsg. von *Gewässergüte-Karten der BRD.
Lit.: Römpp Lexikon Umwelt, S. 420.

Lawesson-Reagenz   [2,4-Bis(4-methoxyphenyl)-1,3,2,4-dithiadiphosphetan-2,4-disulfid].

$C_{14}H_{14}O_2P_2S_4$, M_R 404,47, Schmp. 228 – 229 °C; kann durch Reaktion von P_4S_{10} mit Anisol hergestellt werden. Das L.-R. wird zur Einführung von Schwefel in Carbonyl-Verb. verwendet u. ist eines der wirksamsten Thionierungs-Reagenzien. – *E* Lawesson reagent – *F* réactif de Lawesson's – *I* reattivo di Lawesson – *S* reactivo de Lawesson
Lit.: Beilstein E IV 16, 1113 ▪ Houben-Weyl E 5, 1244 f. ▪ Org. Synth. 62, 158 (1984) ▪ Paquette 1, 530–533. – [HS 2934 90; CAS 19172-47-5]

Lawrence, Ernest Orlando (1901 – 1958), Prof. für Atomphysik. Univ. Berkeley, California. *Arbeitsge-

biete: Entwicklung u. Bau der ersten Cyclotrone u. Calutrone zur Isotopentrennung von Uran 235, biolog. u. medizin. Anw. der Atomphysik. 1939 Nobelpreis für Physik. Nach ihm ist das Transuran mit der Ordnungszahl 103 *Lawrencium benannt.
Lit.: Davis, Lawrence u. Oppenheimer, New York: Simon and Schuster 1968 ▪ Lexikon der Naturwissenschaftler, S. 262 f. ▪ Naturwiss. Rundsch. 31, 229–236 (1978) ▪ Neufeldt, S. 171 ▪ Pötsch, S. 262.

Lawrencium (Symbol Lr). Künstliches, radioaktives Element, Ordnungszahl 103 (s. Transurane). Als letztes Glied der *Actinoide wurde L. 1959 von Ghiorso et al. an der Univ. of California durch Bombardierung von *Californium mit Bor im Linearbeschleuniger hergestellt u. nach E. O. *Lawrence benannt. Von dem 3-wertigen Element sind mehrere Isotope bekannt, deren längstlebiges (^{260}Lr, HWZ 180 s) ein α-Strahler ist. – *E* = *F* lawrencium – *I* laurenzio – *S* laurencio
Lit.: s. Actinoide, Radionuklide u. Transurane. – [HS 2844 40; CAS 22537-19-5]

Lawson (2-Hydroxy-1,4-naphthochinon).

$C_{10}H_6O_3$, M_R 174,16, gelbe Prismen, Schmp. 195 – 196 °C (Zers.). *Hydroxy-1,4-naphthochinon aus *Lawsonia*-Arten sowie *Impatiens*-Arten (Lythraceae) u. färbender Bestandteil von *Henna.
Verw.: In Haarfärbe- u. Sonnenschutzmitteln, als Fungizid u. Bakterizid. Der *Methylether von L. ($C_{11}H_8O_3$, M_R 188,18, hellgelbe Nadeln, Schmp. 183 °C) kommt auch in karib. Montmorillonitgestein vor. – *E* = *F* = *I* lawsone – *S* lawsona
Lit.: Beilstein E IV 8, 2360 f. ▪ Czygan, Pigments in Plants, 2. Aufl., S. 352, 357, 358, 360, Stuttgart: Fischer 1980 ▪ Karrer, Nr. 1207 ▪ Thomson, Naturally Occurring Quinones III, S. 137 f., London: Chapman & Hall 1987. – [HS 2914 69; CAS 83-72-7 (L.); 2348-82-5 (L.-methylether)]

Lawsonit. $CaAl_2[(OH)_2/Si_2O_7] \cdot H_2O$, zu den Soro-*Silicaten gehörendes *Silicat. Mineral, Krist.-Klasse mmm-D_{2h}; zur Struktur u. zu Phasenübergängen bei tieferen Temp. s. *Lit.[1]. Z. T. große, tafelige bis säulige, vollkommen spaltbare Krist., auch derb od. körnig. Farblos, weiß, grau, blaßblau bis graublau, rosa. H. 6, D. 3,1, Glas- bis Fettglanz.
Vork.: V. a. in Gesteinen der *Hochdruckmetamorphose, bes. in Glaukophanschiefern (*Amphibole) u. ehem. Grauwacken. *Beisp.:* Mehrorts in Californien/USA u. Japan; in Neuseeland, Piemont, Kalabrien/Italien; auf Korsika u. den Kykladen-Inseln. Zur Stabilität von L. bei hohen Drücken (nach *Lit.[2] bis 9,2 GPa) u. Temp. s. *Lit.[3]. – *E* = *F* = *I* lawsonite – *S* lawsonita
Lit.: [1] Am. Miner. 80, 1277–1285 (1995); 81, 1080–1091 (1996). [2] Earth Planet. Sci. Lett. 124, 105–118 (1994). [3] Contrib. Mineral. Petrol. 118, 99–108 (1994); Am. Mineral. 80, 1286–1292 (1995).
allg.: Deer et al., S. 100 ff. ▪ Deer, Howie u. Zussman, Rock-Forming-Minerals (2.), Vol. 1 B, Disilicates and Ring Silicates, S. 180–200, London: Longman Scientific & Technical 1986 ▪ Lapis 15, Nr. 6, 7 ff. (1990) („Steckbrief"). – [CAS 1318-81-6]

Lawson-Kriterium s. Kernfusion u. Kernreaktoren.

Laxantien. Von latein.: laxans = lockernd, erleichternd abgeleitetes Synonym für *Abführmittel.

Laxoberal®. Tabl. u. Tropfen mit dem *Laxans *Natriumpicosulfat. *L. Bisa Abführdragees* mit dem Laxans *Bisacodyl. *B.:* Boehringer Ingelheim.

lb. Kurzz. für latein.: libra = Pfund, angelsächs. Gew.-Einheit. Sofern nicht anders angegeben, versteht man darunter das *Avoirdupois pound* von 453,592 g u. nicht das *Apothekergewicht *troy pound* von 373,24 g.

LB-Filme, -Schichten s. Langmuir-Blodgett-Filme.

LC₅₀. LC = (mittlere) letale Konz.; zur Angabe der akuten *Toxizität. Die Konz. eines Stoffes in Wasser od. Luft, die bei 50% der Testorganismen während der Expositionszeit u./od. innerhalb einer bestimmten Zeit danach zum Tode führt. – *E* lethal concentration – *I* concentrazione letale – *S* período letal medio
Lit.: Richtlinie 79/831/EWG vom 25.4.84, z.B. in Rippen, Handbuch Umweltchemikalien (2.), Tl. 4, Landsberg: Ecomed 1987 ▪ Römpp Lexikon Umwelt, S. 442 (letale Konzentration).

LCA. Abk. für engl. *life cycle assessment* für Lebensweganalyse od. Ökobilanz. Nach der Definition in ISO 14040 besteht ein LCA aus vier Stufen: Festlegung des Ziels u. Untersuchungsrahmens (goal and scope definition), Sachbilanz (inventory analysis), Wirkungsabschätzung (impact assessment) u. Auswertung der Ergebnisse (interpretation of results). Die Sachbilanz umfaßt alle zur Herst. eines Produkts erforderlichen Material- u. Energieflüsse von der Gewinnung u. Verarbeitung der Rohstoffe über die Herst. u. Nutzung des Produkts bis zu dessen Entsorgung („von der Wiege bis zur Bahre", „from cradle to grave") sowie die damit verbundenen Emissionen (Luft, Wasser, Boden). Während über das Handhaben von Sachbilanzen internat. Konsens besteht, sind die Einzelheiten zu impact assessments u. interpretation, darunter die Auswahl u. Wichtung von Kriterien wie Ozon-Zerstörungspotential, Beiträge zum Treibhauseffekt od. Einfluß auf die Biodiversität, noch Gegenstand intensiver Diskussionen. Sachbilanzen liegen heute für zahlreiche Produktgruppen vor u. dienen als Basis für vergleichbare Ökobilanzen. Unternehmensintern werden sie zur Identifizierung von Verbesserungspotentialen eingesetzt („benchmarking"). Dafür werden Systemgrenzen oft enger gezogen („cradle-to-gate"). – *E* life cycle assessment – *F* analyse du cycle de vie
Lit.: A Technical Framework for Life Cycle Assessment, Washington: SETAC 1995 ▪ Cahn, Proc. 3rd World Conference on Detergents: Global Perspectives, S. 58–63, Champaign 1993 ▪ Consoli et al., Guidelines for LCA: A Code of Practice, Washington: SETAC 1993 ▪ DIN/EN/ISO 14040: Umweltmanagement – Ökobilanz – Prinzipien u. allg. Anforderungen.

L-CA s. leukocyte common antigen.

LCAO-(MO)-Methode (von engl. *l*inear *c*ombination of *a*tomic *o*rbitals to *m*olecular *o*rbitals). Meth. der *Quantenchemie, bei der an Atomkernen lokalisierte Einelektronenfunktionen χ_k (Atomorbitale) zu mol. Einelektronenfunktionen φ_i (Mol.-Orbitalen) linear kombiniert werden:

$$\varphi_i = \sum_k \chi_k \, C_{ki}.$$

Die Koeffizienten C_{ki} werden im allg. über das *Energievariationsprinzip bestimmt (s.a. Hartree-Fock-Verfahren). – *E* LCAO(-MO)method – *F* méthode CLOA(-OM) – *I* metodo LCAO(-MO) – *S* método CLOA(-OM)
Lit.: s. HMO-Theorie, MO-Theorie u. Quantenchemie.

LCD (Liquid Crystal Display). Liquid Crystal Displays (Flüssigkristallanzeigen) sind eines der Hauptanwendungsgebiete von *Flüssigen Kristallen. Flüssigkristallanzeigen werden seit über 20 Jahren für Uhren aller Art, Taschenrechner, für Anzeigen in Automobilen, für Mobiltelefone u. für Anzeigen in elektron. Meßgeräten eingesetzt. Die in den letzten Jahren entwickelte Flachbildschirmtechnologie auf der Basis von LCDs hat den tragbaren Personalcomputern zum Durchbruch verholfen. Auch in tragbaren Fernsehern wird diese Technik eingesetzt, so daß aufgrund des potentiell großen Marktes eine rasante techn. Entwicklung stattgefunden hat u. weiter zu erwarten ist.

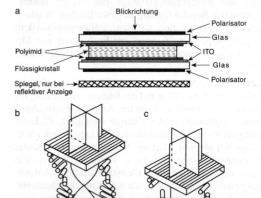

Abb.: Aufbau u. Funktionsweise einer TN-LCD-Zelle (nach Collins u. Patel, s. *Lit.*).

Flüssigkristallanzeigen beruhen auf der Verw. von elektroopt. Effekten, von denen eine Vielzahl mittlerweile beschrieben ist. Am Beisp. der sog. TN-Zelle (TN = twisted nematic = verdrillt nemat.) läßt sich das Funktionsprinzip erläutern. Die TN-Zelle wurde 1971 von Schadt u. Helfrich entwickelt u. beruht auf folgendem Prinzip (s. Abb. a): Zwischen zwei Glasplatten im Abstand von ca. 5–15 μm befindet sich ein nemat. Flüssigkrist. (s. flüssige Kristalle), der eine pos. dielektr. Anisotropie besitzen muß. Die inneren Oberflächen der TN-Zelle sind mit dünnen, transparenten Elektrodenschichten aus z.B. Indium-Zinnoxid (ITO = indium tin oxide) u. Orientierungsschichten aus Polyimid überzogen. Letztere werden z.B. durch Reiben in einer Vorzugsrichtung so präpariert, daß sich die Längsachsen der Flüssigkristallmol. in dieser Richtung orientieren. Die Vorzugsrichtung beider Platten ist um 90° gegeneinander gedreht, so daß sich eine gleichförmige Verdrillung der Mol.-Längsachsen der Flüssigkristallmol. ergibt. Außerdem sind zwei um ebenfalls 90° gegeneinander verdrehte Polarisatoren außen auf den Glasoberflächen aufgebracht. Die Schwingungsebene des auf den Flüssigkrist. auffallenden polarisierten Lichts wird beim Durchgang durch die Zelle den Mol.-Längsachsen folgend um 90° gedreht (Waveguiding-Effekt), das linear polarisierte Licht kann den zweiten Polarisator ungehindert passieren, die Zelle ist transparent (s. Abb. b). Legt man nun eine Spannung (1,5–5 V) an die Elektrodenflächen, die größer ist als die sog. Schwellspannung $V_{Schwell}$, so richten sich die Mol. parallel zum elektr. Feld aus (Freedericksz-Übergang), lediglich an der Oberfläche bleibt die ursprüngliche Orientierung erhalten (s. Abb. c). Die Schwingungsebene des polarisierten Lichts wird nun nicht mehr gedreht u. das linear polarisierte Licht kann den zweiten Polarisator nicht passieren, die Zelle erscheint dunkel. Beim Ausschalten der Spannung nimmt die nemat. Phase innerhalb kurzer Zeit (ca. 10 ms, abhängig hauptsächlich von der Rotationsviskosität des Flüssigkrist., aber auch von seinen elast. Eigenschaften) ihre verdrillte Struktur wieder ein, die Zelle erscheint wieder hell (Schadt-Helfrich-Effekt). Da der Effekt des elektr. Feldes unabhängig von seinem Vorzeichen ist, kann Wechselspannung verwendet werden, um unerwünschte elektrochem. Effekte zu vermeiden. Dieses Prinzip der TN-Zelle wird meist in monochromen, reflektiven Anzeigen verwendet, bei denen das einfallende Licht durch einen Spiegel unterhalb der Zelle zurückgeworfen wird. Ein Beisp. dafür sind die weit verbreiteten Sieben-Segment-LCD-Anzeigen, in denen sieben geeignet gestaltete Elektrodenflächen benutzt werden, um die Ziffer 8 zusammenzusetzen. Mit diesen sieben Segmenten lassen sich auch alle anderen Ziffern von 0 bis 9 darstellen, wenn die einzelnen Segmente separat angesteuert werden, um sie entweder hell od. dunkel zu schalten. Dieses Ansteuerungsprinzip läßt sich allerdings nicht auf eine beliebig hohe Bildpunktzahl erweitern. Eine Möglichkeit, eine höhere Punktzahl zu erreichen, bietet das Multiplexverf., bei dem streifenförmige Elektroden in Zeilen u. Spalten auf der oberen, bzw. der unteren Glasoberfläche aufgebracht werden, um an den Überkreuzungen einzelne Bildpunkte anzusteuern. Matrix-LCD-Displays, die das Multiplexverf. benutzen, werden zunehmend durch sog. TFT-LCD-AM-Displays (TFT = thin film transistor, AM = active matrix) abgelöst, bei denen die einzelnen Bildpunkte durch einzelne Transistoren od. Dioden angesteuert werden. Farbige TFT-LCD-Anzeigen werden bes. bei tragbaren Computern (Notebook-PCs) eingesetzt mit Auflösungen von 800×600 Bildpunkten u. mehr. Größere Farbdisplays dieser Art mit bis zu 1280×1024 Pixeln sind auch schon kommerziell erhältlich. Für größere monochrome, reflektive Displays mit dem Multiplexverf. werden jedoch auch weiterhin häufig STN-LCD-Displays (STN = supertwisted nematic) eingesetzt, bei denen der Verdrillungswinkel der nemat. Phase 270° beträgt. Für die Anw. als Monitore bei Desktop-PCs u. bei Workstations zeichnet sich ebenfalls ein großer Markt ab. Für diese Anw. ist es erforderlich, daß die Blickwinkelabhängigkeit verbessert wird. Eine aussichtsreiche technolog. Entwicklung sind hier Displays, die

IPS (in plane switching)-TFT-LCDs benutzen. Bei IPS-LCDs wird der nemat. Flüssigkrist. ohne angelegte Spannung nicht verdrillt, die Elektroden sind auf einer Seite der Zelle kammartig aufgebracht. Im Zustand ohne angelegte Spannung erscheint die Zelle dunkel. Nach Anlegen der Spannung werden die Mol. nun um 90° verdrillt, so daß die Schwingungsebene des linear polarisierten Lichts ebenfalls gedreht wird u. den zweiten gekreuzt angebrachten Polarisator passieren kann. Die Zelle erscheint transparent.

In den oben beschriebenen LCDs werden *nematische Flüssigkristalle* benutzt. Auch *smektische Flüssigkristalle* können für Displays verwendet werden. Hier sind in den letzten Jahren die SSFLC-Displays (SSFLC = surface stabilized ferroelectric liquid crystals) entwickelt worden, die die ferroelektr. Eigenschaften von smekt. C*-Phasen ausnutzen, bei denen chirale Mol. vorliegen, od. die C*-Phase durch Zusatz von chiralen Dotierstoffen erzeugt wird (s. *flüssige Kristalle). Die SSFLC-Displays zeichnen sich durch schnelle Schaltzeiten (10–100 μs) aus, sind jedoch wegen der notwendigen geringen Abstände zwischen den Glasplatten (≈2 μm) schwierig zu fertigen.

Der Bedarf an Flachbildschirmen für mobile Anw. wird in den nächsten Jahren weiter wachsen. 1995 hatte der Markt einen Umfang von 10,6 Mrd. Dollar, wobei 88% auf LCD-Displays entfielen. Die Entwicklung von LCD-Displays wird in Zukunft in Richtung größerer Displays mit höherer Anzahl von Bildpunkten, schnelleren Schaltzeiten u. mit verbesserten opt. Eigenschaften gehen, s. *Lit.*[1]. – *E* liquid crystal display – *I* visualizzatore a cristalli liquidi – *S* indicador de cristal líquido

Lit.: [1] Nachr. Chem. Tech. Lab. **45**, 9–15 (1997).
allg.: Bergmann u. Schaefer, Lehrbuch der Experimentalphysik, Bd. 5, Berlin: de Gruyter 1992 ■ Collins u. Patel, Handbook of Liquid Crystal Research, New York: Oxford University Press 1997 ■ Sci. Am. **1993**, Nr. 3, 40–45 ■ Stegemeyer, Liquid Crystals, Darmstadt: Steinkopff 1984 ■ Stierstadt, Physik der Materie, Weinheim: VCH-Verlagsges. 1989.

LCKW. Abk. für leichtflüchtige *Chlorkohlenwasserstoffe.

LCP. Kurzz. (abgeleitet von der engl. Bez. *l*iquid *c*rystalline *p*olymers) für *flüssigkristalline Polymere.

LCP-Gläser (LCP von *E l*iquid *c*rystalline *p*olymers). LCP-G. bestehen aus thermotrop-*flüssigkristallinen Polymeren. Die Fließvorgänge bei der im flüssigkrist. (meist nemat.) Zustand erfolgenden Verarbeitung bewirken eine Vorzugsorientierung der stäbchenförmigen Mesogene, die beim Wiedererkalten erhalten bleibt. In dieser Vorzugsrichtung weisen die LCP-G. deutlich höhere Elastizitätsmoduln u. Reißfestigkeiten auf als im ungeordneten, isotropen Zustand. So können LCP-G. zu tragenden Teilen mit bes. Festigkeiten in der am meisten belasteten Richtung verarbeitet werden. Da ein solcher Effekt ansonsten nur durch faserförmige Füllstoffe erreicht wird, werden die LCP-G. auch als selbstverstärkende Kunststoffe bezeichnet. – *E* liquid crystalline polymer glasses – *F* verres de polymères liquides cristallins – *I* vetri di cristalli polimeri liquidi – *S* vidrios de polímeros cristalinos liquidos

Lit.: Elias (5.) **1**, 767; **2**, 455.

LCR s. ligase chain reaction.

LCVD. Abk. für *Laser Chemical Vapo(u)r Deposition.

LD. Abk. für *letale Dosis.

LDA. Abk. für 1. *Laser-Doppler-Anemometrie – 2. *Lithiumdiisopropylamid.

LDAC-Verfahren. Variante des *LD-Verfahrens (*LD*-*Arbed *Centre National) zum *Frischen von P-reichen (1 bis 2%) Roheisensorten. Hierbei wird – abweichend vom LD-Verf. – zusammen mit Sauerstoff Staubkalk auf die Schmelze geblasen. Die gebildete kalkreiche, flüssige Schlacke ermöglicht in einem ersten Schritt eine gleichmäßige Entphosphorung. Anschließend wird das Roheisen im zweiten Blasabschnitt entkohlt. – *E* LDAC process – *F* procédé LDAC – *I* processo LDAC – *S* procedimiento LDAC
Lit.: s. LD-Verfahren.

LDH. Abk. für *Lactat-Dehydrogenase.

LDL. Abk. für *Lipoproteine.

LDPE. Kurzz. (nach DIN 7728, Tl. 1, 01/1988; abgeleitet von der engl. Bez. *low density polyethylene*) für unter hohem Druck hergestelltes *Polyethylen niedriger Dichte.

LD-Verfahren. Sauerstoff-Aufblas-Verf. zum *Frischen von *Stahl, erstmalig in betrieblichem Maßstab in Österreich (*Linz-Donawitz-Verf.*) angewendet. Eingesetzt wird P-armes (P<0,2%) Roheisen zusammen mit Schrott u. Kalk. Gegenüber den Bodenblasverf. mit Luft (*Bessemer-Verfahren, *Thomas-Verfahren) ergibt das Verblasen mit Sauerstoff eine deutlich bessere, Stickstoff-arme Stahlqualität bei gleichzeitig erhöhter Wirtschaftlichkeit. Allerdings wurde anfangs nicht durch den Boden eingeblasen (Probleme mit der Ausmauerung), sondern der Sauerstoff wurde mit ca. 6 – 10 bar über eine wassergekühlte Lanze auf die Schmelze aufgeblasen. Bodenblasen wurde mittels techn. Kunstgriffe erst mit dem *OBM-Verfahren realisiert. Die Verw. reinen Sauerstoffs in der Stahlmetallurgie wurde ermöglicht durch die großtechn. Luftzerlegung nach Linde-Fraenkel; heute ist die Stahl-Ind. der größte Sauerstoff-Verbraucher. Die Tiegelgröße beim LD-V. liegt für Massenstähle bis 400 t, für Qualitätsstähle bei ca. 100 t. – *E* LD process – *F* procédé LD – *I* processo LD – *S* procedimiento LD
Lit.: Ullmann (4.) **22**, 5 ff. ▪ Winnacker-Küchler (4.) **4**, 137 ff.

Leaching. Dem Engl. entlehntes Synonym für *Auslaugen.

Leader-Region s. Leader-Sequenz.

Leader-Sequenz. In *Genetik u. *Gentechnologie 1. Bez. für die N-terminale Präsequenz (15 – 30 *Aminosäuren) von sekretierten *Proteinen, die auch als Signal-Sequenz od. Signal-Peptid bezeichnet wird. Die L.-S. dient zur ortsspezif. Bindung an Zielorte, z. B. zum Transport von Proteinen über Kompartimentgrenzen (u. a. *Membranen). In einem an die *Translation anschließenden Modifizierungsprozeß wird die L.-S. durch eine spezif. *Protease erkannt u. während des Sekretionsvorgangs aus der Zelle od. aus einer ihrer Organellen abgespalten, so daß das reife, biolog. aktive Protein entsteht.

2. Bez. für die nicht translatierte Sequenz von *Nucleotiden variabler Länge am 5′-Ende der *mRNA vor dem AUG-*Start-Codon (*Leader-Region*). Die L.-S. enthält eine sog. *Shine-Dalgarno-Sequenz, die an die 16S-*rRNA bindet u. so das Start-Codon zur Translation in geeigneter Richtung positioniert. Bei einer Reihe von Aminosäuren ist die L.-S. an der Regulation des für die Aminosäuren-Biosynth. verantwortlichen *Operons beteiligt (s. Attenuator). – *E* leader sequence – *F* séquence leader – *I* sequenza leader – *S* secuencias líder
Lit.: Alberts et al., Molekularbiologie der Zelle (3.), Weinheim: VCH Verlagsges. 1995 ▪ Glick u. Pasternak, Molekulare Biotechnologie, S. 117 f., 129, 132, Heidelberg: Spektrum Akadem. Verl. 1995 ▪ Watson et al., Rekombinierte DNA (2.), S. 48 ff., Heidelberg: Spektrum Akadem. Verl. 1993.

Leaf Movement Factors (LMF). Dem Engl. entlehnte Bez. für solche Stoffe, die in geeigneten Pflanzen – beliebtestes Studienobjekt ist die *Mimose* od. *Sinnpflanze* (*Mimosa pudica*) – eine mehr od. weniger rasche Blattbewegung auslösen. Wird die *Nastie durch Chemikalien-Einwirkung initiiert, so spricht man von *Chemonastie* (vgl. Chemotropismus), geht sie auf den Tag-Nacht-Rhythmus zurück, so nennt man sie *Nyktinastie*. Weitere Reize sind Wärme (Thermonastie), Stoß (Seismonastie), Verwundung (Traumonastie) u. Berührung (Thigmonastie). Als auslösende Faktoren bei Mimosen (M-LMF) wurden Gentisinsäureapiosid, Aminosäuren sowie Guanosin- u. Adenosincyclomonophosphate isoliert, als *Nyktinasten* od. Periodic LMF (PLMF) außerdem noch Gallussäureglucosidsulfat. Die LMF wirken auf die H^+-, Ca^{2+}, K^+-Ionenströme u. verursachen dadurch Änderungen des Membranpotentials bei den Zellen der Pulvini (Gelenkpolster). Die damit verbundene Turgoränderung ist letztlich Ursache des blitzartigen Zusammenklappens der Blätter; die LMF werden daher auch als *Turgorine* bezeichnet. – *E* leaf movement factors – *F* facteur de mouvement des feuilles – *I* fattori sul movimento della foglia – *S* factores de movimiento de las hojas
Lit.: Nultsch, Allgemeine Botanik, Stuttgart: Thieme 1996 ▪ Plant Physiol. **109**, 729 (1995).

LEAFS s. Laser-Atomfluoreszenz-Spektrometrie.

Lebedev, Sergei Vasilewitch (1874 – 1934), Prof. für Organ. Technologie, Leningrad. *Arbeitsgebiete:* Isomerisation u. Polymerisation von Olefinen, katalysierte Synth. von Butadien aus Ethanol (Lebedevsche Butadien-Synth.), Herst. von Synth.-Kautschuk auf Butadien-Basis.
Lit.: Pötsch, S. 262 ▪ Poggendorff **7 b/5**, 2759 ff.

Le Bel, Joseph Achille (1847 – 1930), Privatgelehrter in Paris. *Arbeitsgebiete:* Erklärung der *optischen Aktivität organ. Verb. durch die Annahme asymmetr. Kohlenstoff-Atome (1874, gleichzeitig mit, aber unabhängig von van't *Hoff).
Lit.: Angew. Chem. **86**, 604 – 611 (1974) ▪ Chem. Unserer Zeit **8**, 143 – 147 (1974) ▪ Krafft, S. 177 ▪ Lexikon der Naturwissenschaftler, S. 263 ▪ Neufeldt, S. 64, 335 ▪ Pötsch, S. 263.

Leben. Alkohol-haltiges Sauermilchprodukt aus Ägypten bzw. Nordafrika.

Lebende Polymere. *Polymere, deren reaktive Kettenenden auch nach Verbrauch des gesamten zunächst zur *Polymerisation eingesetzten Monomers intakt bleiben, so daß bei erneuter Zugabe von frischen Monomeren ein Weiterwachsen der Ketten einsetzt. L. P. fallen an bei sog. *lebenden Polymerisationen*, bei denen es sich meist um *anionische Polymerisationen handelt. In jüngerer Zeit gewinnen aber zunehmend auch lebende *kationische u. sogar lebende *radikalische Polymerisationen an Bedeutung. Auch *Gruppen-Transfer-Polymerisationen können in bestimmten Fällen über l. P. verlaufen. Der Aufbau der l. P. wird maßgeblich von den Schritten Initiierung u. Kettenwachstum bestimmt; Kettenübertragungs- u. Kettenabbruchreaktion finden während der lebenden Polymerisation prakt. nicht statt. Aus diesem Grunde wird die *Molmasse der l. P. im Idealfall nur von dem Ausgangsverhältnis von Initiator u. Monomer bestimmt. Werden die l. P. weiterhin unter Bedingungen aufgebaut, die ein gleichzeitiges Wachstum aller in einem Reaktionsansatz vorhandenen Ketten gewährleisten, so ist die Anlagerung eines Monomeren an ein beliebiges Kettenende rein zufallsbestimmt. Dies führt zu l. P. mit einer sehr engen Verteilung der Molmassen (Poisson-Verteilung); bei einigen Analysemeth. verhalten sich diese Polymere, die *Uneinheitlichkeiten von unter 0,10 aufweisen, wie ein monodisperses, d. h. aus Makromol. nur einer einzigen Länge bestehendes Produkt. Die lebende Polymerisation ist hervorragend geeignet zur Herst. von *Blockcopolymeren, wenn einem Reaktionsansatz z. B. in wechselnder Reihenfolge unterschiedliche Monomere zugesetzt werden, sobald das jeweils vorangegangene Monomer vollständig verbraucht ist. Auch eignen sich l. P. ausgezeichnet zum Studium von Polymerisations-Depolymerisations-Gleichgewichten. Zu für die Herst. von l. P. geeigneten Initiatoren u. Monomeren s. anionische u. kationische Polymerisation. Sollen die Produkte lebender Polymerisationen nach beendeter Reaktion isoliert werden, so können die l. P. natürlich durch definierte Maßnahmen, z. B. durch Zugabe von Protonendonatoren (z. B. Methanol) bei der anion. Polymerisation, desaktiviert werden. – *E* living polymers – *F* polymères vivants – *I* polimeri viventi – *S* polímeros vivos
Lit.: Compr. Polym. Sci. **3**, 365 ff. ▪ Elias (5.) **1**, 346 ff. ▪ Odian (3.), S. 356 ff.

Lebende Polymerisation s. lebende Polymere.

Lebensbaum s. Thujaöl.

Lebensdauer (Lebenszeit). 1. In der Physik Bez. für denjenigen (gemittelten) Zeitraum, in dem metastabile Teilchen, Zustände, Syst. unverändert bestehen können. Von L. (*mittlerer L.*) spricht man z. B. in der Photochemie (L. von Triplett- od. Singulettzuständen), bei Elementarteilchen (L. von Neutronen, Hyperkernen), bei Radionukliden (Symbol τ, mit der *Zerfallskonstante* λ über $\tau = 1/\lambda$ u. mit der *Halbwertszeit* $T_{1/2}$ über $\tau = T_{1/2}/\ln 2$ verknüpft) usw.
2. In der Biologie Zeitraum zwischen Ei-Befruchtung u. Tod des Individuums [1], wird aber häufig beim Menschen u. a. bei höheren Tieren erst ab Geburt bzw. Eiablage gezählt (chronolog. L.). Die physiolog. L. ist die unter optimalen Bedingungen mögliche, die öko-log. L. die unter realen Bedingungen erreichte, mittlere L. der Individuen einer Population. – *E* mean life, life-span, longevity – *F* vie moyenne – *I* vita, durata (tempo) della vita – *S* vida media
Lit.: [1] Schaefer u. Tischler, Ökologie (2.), S. 147, Stuttgart: Fischer 1983.

Lebensformen. Anpassungserscheinungen (*Adaptation) bei Organismen verschiedener taxonom. Stellung, die ähnlichen *Ökofaktoren ausgesetzt sind. Üblicherweise spricht man von den Repräsentanten einer L. als L. selbst u. bezeichnet ihre bauliche od. funktionelle Adaptation als Lebensformtypus od. Strukturtypus (Gestalttypus, Morphotypus). Eine typ. L. findet sich bei vielen schnell schwimmenden (tauchenden) Fischen, Säugetieren u. Vögeln – ihr Rumpf gleicht einer stromlinienförmigen Spindel. – *E* life forms – *F* formes biologiques – *I* forme di vita – *S* formas biológicas
Lit.: Römpp Lexikon Umwelt, S. 432.

Lebensgemeinschaft s. Biozönose.

Lebensmittel. Das derzeit gültige Lebensmittel- u. Bedarfsgegenständegesetz vom 15. 8. 1974 (BGBl. I, S. 1946) definiert L. als „Stoffe, die dazu bestimmt sind, in unverändertem, zubereitetem od. verarbeitetem Zustand vom Menschen verzehrt zu werden; ausgenommen sind Stoffe, die überwiegend dazu bestimmt sind, zu anderen Zwecken als zur *Ernährung od. zum Genuß verzehrt zu werden." Diese Formulierung dient v. a. der Abgrenzung der L. gegenüber den *Arzneimitteln. Laut Gesetz sind Umhüllungen u. Überzüge von L., die dazu bestimmt sind mitverzehrt zu werden, od. bei denen der Mitverzehr vorauszusehen ist, den L. gleichgestellt. Zu den L. zählt auch *Trinkwasser. Von den L. zu unterscheiden sind die *Lebensmittel-Zusatzstoffe, die L. zur Beeinflussung ihrer Beschaffenheit od. zur Erzielung bestimmter Eigenschaften od. Wirkungen zugesetzt werden.
L. können neben ihren natürlichen Bestandteilen, unter denen es auch solche mit möglichen Schadwirkungen gibt, weitere Stoffe enthalten, die natürlicher od. synthet. Herkunft sein können, u. die beabsichtigt od. unbeabsichtigt in das L. gelangt sein können; im letzteren Fall können sie anthropogenen od. natürlichen Ursprungs sein. Aufgrund der zunehmenden Umweltverschmutzung wird es immer schwieriger, schadstoffreie Lebensmittel herzustellen. Zum Schutz des Verbrauchers vor Schadstoffen (z. B. *Pflanzenschutzmittel, *Tierarzneimittel, *Schwermetalle, *Mykotoxine) hat der Gesetzgeber eine Vielzahl von Gesetzen u. VO erlassen, die das Vork. solcher Stoffe in L. verbieten bzw. Grenzwerte für das Vork. festlegen. Auf internat. Ebene arbeiten zahlreiche Expertengremien, so z. B. die *Codex-Alimentarius-Kommission an der Schaffung eines sicheren L.-Angebotes zum Schutz der Gesundheit u. zur Verwirklichung einer ehrlichen Handelspraxis mit Lebensmitteln.
Einzelne L. u. L.-Gruppen werden in diesem Werk in gesonderten Stichwörtern behandelt od. zumindest bei Nahrungsmitteln erfaßt; s. a. die folgenden Stichwörter u. Nahrungsmittel sowie Ernährung u. Zusatzstoffe. – *E* foods – *F* aliments – *I* alimentari – *S* alimentos

Lit.: Baker et al., Fundamentals of New Food Product Development, Amsterdam: Elsevier 1988 ▪ Biol. Unserer Zeit **17**, 55–63 (1987) ▪ Birch et al., Food Science (3.), Oxford: Pergamon Press 1986 ▪ Chemie in Lebensmitteln (2.), Frankfurt: Zweitausendeins 1990 ▪ Heeschen, Pathogene Mikroorganismen u. deren Toxine in Lebensmitteln tierischer Herkunft, Hamburg: Behrs 1989 ▪ Hermann, Exotische Lebensmittel (2.), Berlin: Springer 1987 ▪ Kallweit et al., Qualität tierischer Nahrungsmittel, Stuttgart: Ulmer 1988 ▪ Krusen, Unsere Lebensmittel – Zusammensetzung-Verarbeitung-Nährwert, Hamburg: Behrs 1989 ▪ Kunz, Grundriss der Lebensmittel-Mikrobiologie, Hamburg: Behrs 1988 ▪ Lewis, Physical Properties of Foods and Food Processing Systems, Weinheim: VCH Verlagsges. 1987 ▪ Rao u. Rizvi (Hrsg.), Engineering Properties of Foods, New York: Dekker 1986 ▪ Souci, Fachmann u. Kraut, Die Zusammensetzung der Lebensmittel. Nährwerttabellen (3.), 1986/87, Stuttgart: Wissenschaftliche Verlagsges. 1986 ▪ Thomson (Hrsg.), Food Acceptability, London: Elsevier 1988 ▪ Wallhäuser, Lebensmittel u. Mikroorganismen, Darmstadt: Steinkopff 1989 ▪ Watson, Natural Toxicants in Foods, Weinheim: VCH Verlagsges. 1987 – *Zeitschriften u. Serien:* Annals of Nutrition and Metabolism, Basel: Karger (seit 1959) ▪ Annual Review of Nutrition, Palo Alto: Ann. Rev. Inc. (seit 1981) ▪ Critical Reviews in Food Science and Nutrition, Boca Raton: CRC Press (seit 1970) ▪ Deutsche Lebensmittel-Rundschau, Stuttgart: Wissenschaftliche Verlagsges. (seit 1903) ▪ Food and Chemical Toxicology, Oxford: Pergamon Press (seit 1963) ▪ Food Reviews International, New York: Dekker (seit 1985) ▪ Food Science, New York: Dekker (seit 1975) ▪ Progress in Food and Nutrition Science, Oxford: Pergamon ▪ Science des Aliments/Food Science, Paris: Techn. & Doc. ▪ World Review of Nutrition and Dietetics, Basel: Karger (seit 1959) ▪ s. a. Ernährung, Lebensmittelchemie, Nahrungsmittel u. a. Textstichwörter sowie einzelne L. u. L.-Herst.-Verf. ▪ *weitere Lit.* s. in Scientific and Technical Books and Serials in Print, London: Bowker (jährlich) u. im CASSI. Zahlreiche einschlägige Titel, bes. zur L.-Technologie erscheinen bei AVI (Westport), Noyes (Park Ridge), Elsevier Appl. Sci. (Barking), FAO (Roma), solche zum L.-Recht bes. bei Heymanns (Köln) u. Beck (München). – *Organisationen:* Bundesforschungsanstalt für Ernährung, Kennedyallee, 53175 Bonn ▪ *Bundesgesundheitsamt ▪ *DFG ▪ *FAO ▪ *FDA ▪ *WHO.

Lebensmittelallergien. Durch *Lebensmittel bzw. deren Inhalts- u. Zusatzstoffe ausgelöste Unverträglichkeitsreaktionen. In 90% aller Fälle sind Haut u. Atemwege die reagierenden Organe. Auch der Magen-Darm-Trakt ist von nahrungsmittelallerg. Erscheinungen häufig betroffen. Die Zahl der Lebensmittel, die als *Antigene wirksame Substanzen enthalten, ist außerordentlich groß. Bei der Kuhmilch, die in 20% aller Fälle an den allerg. Erkrankungen beteiligt ist, sind mehrere Proteine, so z. B. *α-Lactalbumin, *β-Lactoglobulin u. *Casein, für die Antigennatur der Milch verantwortlich. Relativ häufig sind auch Allergien gegen Eier (Albumin als Antigen) u. Fisch-Eiweiß. Bei den *Lebensmittelzusatzstoffen sind es insbes. Sulfite die allergieauslösend wirken. Insgesamt ist aber der Anteil an L., die durch Zusatzstoffe ausgelöst werden, im Vgl. zu nativen Auslösern verschwindend gering. – *E* food allergies – *F* allergies aux produits alimentaires – *I* allergie alimentari – *S* alergias alimentarias

Lit.: Akt. Ernähr. **14**, 49–56 (1989) ▪ Borelli u. von Mayenburg (Hrsg.), Ernährung bei Nahrungsmittelallergie, München: Falkenhäuser 1988 ▪ Brenemann (Hrsg.), Handbook of Food Allergies, New York: Dekker 1987 ▪ Ernähr. Umsch. **13**, 195 ff. (1988) ▪ Food Technol. **1996**, Nr. 2, 83–88, Nr. 3, 86–91 ▪ Internist **27**, 362–371 (1986) ▪ Lessof, Food Allergy, ILSI Europe Concise Monograph Series 1994 ▪ Lindner, Toxikologie der Nahrungsmittel (4.), S. 204–210, Stuttgart: Thieme 1990.

Lebensmittelbestrahlung. Verf. zur Keimred. in Lebensmitteln. Bei der L. werden zwei Strahlenarten verwendet, u. zwar β- u. γ-Strahlen, wobei letztere das zu bestrahlende Gut besser durchdringen. Bei der Bestrahlung entsteht im Lebensmittel eine große Zahl ionisierter od. angeregter Mol., die ihrerseits zu sehr reaktiven Produkten zerfallen u. so die Basis für nachfolgende Reaktionen im Lebensmittel bilden. Die Wirkung auf Mikroorganismen erfolgt prim. über das genet. System. Die Tab. zeigt die verschiedenen Anw.-Gebiete der Lebensmittelbestrahlung.

Tab.: Anwendungsbereiche der Lebensmittelbestrahlung.

Ziel	Dosisbereich [kGy]
Keimungshemmung bei Zwiebeln, Kartoffeln u. Knoblauch	0,02–0,15
Reifungshemmung bei Früchten	0,1–1
Insektenbekämpfung in Getreide, Getreideprodukten u. Trockenfrüchten	0,3–1
Bekämpfung von Parasiten, pathogenen Organismen u. Mikroorganismen	0,1–8
Keimreduktion bei Fleisch, Fisch, Gemüse u. Früchten	0,4–10
vollständige Entkeimung von Lebensmitteln	10–50

Bei der Strahlenanw. werden jedoch nicht nur die unerwünschten Mikroorganismen abgetötet, sondern es können auch nachteilige chem. u. physikal. Veränderungen im Lebensmittel ausgelöst werden. So kann es zu einer Zers. von Inhaltsstoffen (Vitaminen, Aminosäuren od. essentiellen Fettsäuren) kommen. Aussehen, Geruch, Geschmack u. Konsistenz können nachteilig verändert werden. Außerdem ist bei den vielfältigen Folgereaktionen die Bildung toxikolog. bedenklicher Verb. möglich. Näheres s. *Lit.*[1,2]. Weltweit ist die L. inzwischen in mehr als 30 Staaten, so z. B. in den USA, Rußland, Japan u. Australien zugelassen. Für den Bereich der EG wurden 1986 für bestimmte Lebensmittelgruppen Richtwerte für die Strahlendosis festgelegt. In der BRD ist die L. zu Konservierungszwecken derzeit nicht zugelassen. Auch der Import bestrahlter Lebensmittel ist verboten. Über die Möglichkeiten für den analyt. Nachw. einer L. s. *Lit.*[3]. – *E* food irradiation – *F* irradiation d'aliments – *I* irradiazione alimentare – *S* irradiación de alimentos

Lit.:[1] Bögl et al., Der Einfluß der Strahlenbehandlung auf die einzelnen Lebensmittel, Berlin: Reimer 1980.[2] Eberwein et al., Pharmazeutische Qualität von Phytopharmaka, Stuttgart: Dtsch. Apotheker-Verl. 1984.[3] Lebensmittelchem. Gerichtl. Chem. **43**, 103 f. (1989); Mitt. Geb. Lebensmittelunters. Hyg. **79**, 217–223 (1988); **80**, 22–29 (1989); **81**, 39–50 (1990). *allg.:* Beta-gamma **1**, 27–33 (1989) ▪ Bundesgesundheitsblatt **31**, 290–303 (1988) ▪ Lebensmittelkontrolleur **4**, II, 1–5 (1989) ▪ Mitt. Geb. Lebensmittelunters. Hyg. **76**, 10–27 (1985) ▪ Schriftenreihe des Bundes für Lebensmittelrecht u. Lebensmittelkunde **1989**, Heft 114, 27–39 ▪ Z. Lebensm. Unters. Forsch. **180**, 357–368 (1985).

Lebensmittelchemie. Zweig der angewandten Chemie, der sich mit der Chemie der *Lebensmittel u. mit den chem. Aspekten der *Lebensmitteltechnologie befaßt, wobei insbes. die Erkenntnisse der Ernährungsphysiologie, der *physiologischen Chemie u. der *Toxikologie (s. a. Lebensmitteltoxikologie) berücksichtigt werden. Zu den Aufgaben des Lebensmittelchemikers s. dort.

Untersuchungsschwerpunkte der L. sind z. B.: Qual. u. quant. Analyse von Lebensmitteln auf erlaubte od. verbotene *Lebensmittelzusatzstoffe, auf Rückstände von Pflanzenschutz- u. Schädlingsbekämpfungsmitteln, Düngemitteln, Lsm., Antibiotika, Hormonen, Tierarzneimitteln u. Schwermetallen. Ähnliche Bedeutung haben Arbeiten über nachteilige Veränderungen in Lebensmitteln im Verlauf unsachgemäßer Lagerung od. Zubereitung, z. B. Geruchsfehler, Ranzigkeit bis hin zur Bildung von Giftstoffen (z. B. *Mykotoxine, *Nitrosamine, *polycyclische aromatische Kohlenwasserstoffe). Zu den Aufgaben des Lebensmittelchemikers gehört neben der Überwachung des *Trinkwassers auch die Kontrolle der Herst., des Handels u. des Verkehrs mit Kosmetika, Tabakerzeugnissen u. sonstigen Bedarfsgegenständen. Hier ergeben sich enge Beziehungen zu den Aufgaben der Umweltanalytik.

Ein weiterer Schwerpunkt der L. ist die Bereitstellung u. ständige Weiterentwicklung analyt. Methoden. Zunehmendem Interesse begegnen sowohl die *enzymatische Analyse (z. B. Inhaltsstoffanalytik) als auch mikrobiolog. Untersuchungen (z. B. *Lebensmittelhygiene).

Derzeit gibt es in der BRD 51 chem.- u. Lebensmittel-Untersuchungsämter. – *E* food chemistry – *F* chimie alimentaire – *I* chimica alimentare – *S* química alimentaria

Lit.: Analytik von Rückständen pharmakologisch wirksamer Stoffe, Bd. 13 der Schriftenreihe: „Lebensmittelchemie, Lebensmittelqualität", Hamburg: Behrs 1988 ▪ Baltes, Lehrbuch der Lebensmittelchemie (2.), Berlin: Springer 1989 ▪ Belitz-Grosch (4.) ▪ Fachgruppe Lebensmittelchemie u. gerichtliche Chemie in der GDCh (Hrsg.), Der Lebensmittelchemiker – Experte für den Verbraucher- u. Umweltschutz, Weinheim: VCH Verlagsges. 1989 ▪ Food Lab. Newslett. **11**, 37–41 (1988) ▪ Food Rev. Int. **4**, 195–209 (1988) ▪ Gassner et al., Mikroskopische Untersuchung pflanzlicher Lebensmittel (5.), Stuttgart: Fischer 1988 ▪ Gilbert (Hrsg), Analysis of Food Contaminants, Essex: Elsevier 1984 ▪ Herman, Verzeichnis der Chem.- u. Lebensmittel-Untersuchungsämter in der BRD, Weinheim: VCH Verlagsges. 1988 ▪ Homann u. Deutschmann, Mikroskopische Untersuchungen pflanzlicher Lebensmittel, Stuttgart: Fischer 1989 ▪ Jellinek, Sensory Evaluation of Food. Theory and Practice, Weinheim: Verl. Chemie 1985 ▪ J. Chromatogr. **477**, 187–233 (1989) ▪ Koch, Getränkebeurteilung (Handbuch der Lebensmittel-Technologie), Stuttgart: Ulmer 1986 ▪ Lebensmittelchem. Gerichtl. Chem. **40**, 101 f. (1986) ▪ Lebensm. Ind. **35**, 10–13 (1988) ▪ Linskens u. Jackson, Wine Analysis, Berlin: Springer 1988 ▪ Linskens u. Jackson, Analysis of Nonalcoholic Beverages, Berlin: Springer 1988 ▪ Matissek et al., Lebensmittelanalytik, Berlin: Springer 1989 ▪ Piggott (Hrsg.), Statistical Procedures in Food Research, London: Elsevier 1986 ▪ Prentice, Measurements in the Rheology of Foodstuffs, London: Elsevier 1984 ▪ Rüssel, Rückstandsanalytik von Wirkstoffen in tierischen Produkten, Stuttgart: Thieme 1986 ▪ Schwedt, Chemie u. Analytik der Lebensmittelzusatzstoffe, Stuttgart: Thieme 1986 ▪ Stauffer, Enzyme Assays for Food Scientists, New York: Van Nostrand 1989 ▪ Thier u. Zeumer, Manual of Pesticide Residue Analysis, Weinheim: VCH Verlagsges. 1987 ▪ Williams, Near-Infrared Technology in the Agricultural and Food Industries, St. Paul, Minnesota: American Association of Cereal Chemists, Inc. 1987 ▪ Z. Lebensm. Unters. Forsch. **180**, 267–279 (1984). – *Zeitschriften u. Serien:* Bundesgesundheitsamt (Hrsg.), Amtliche Sammlung von Untersuchungsverfahren nach § 35 LMBG, Berlin: Beuth (seit 1980) ▪ Develpoments in Food Analysis Techniques, London: Applied. Sci. Publ. (seit 1978) ▪ Food Chem. News, Washington: Food Chemical News (seit 1959) ▪ Food Chemistry Barking: Appl. Sci. Publ. (seit 1976) ▪ Journal of Environmental Science and Health, Part B: Pesticides, Food Contaminants, Agricutural Wastes, New York: Dekker ▪ Lebensmittelchemie, Weinheim: VCH Verlagsges. (seit 1946) ▪ Mitteilungen auf dem Gebiete der Lebensmitteluntersuchung u. Hygiene, Bern: Eidgenössische Drucksachen- u. Materialzentrale (seit 1909) ▪ Schweizerisches Lebensmittelbuch (5.), Bern: Eidg. Drucksachen- u. Materialzentrale (seit 1964) ▪ Zeitschrift für Lebensmittel-Untersuchung u. -Forschung, Berlin: Springer ▪ zahlreiche Titel erscheinen bei AVI (Westport) u. im Fachbuchverl. (Leipzig). – *Organisationen u. Inst.:* Dtsch. Forschungsanstalt für Lebensmittelchemie, 85748 Garching ▪ Fachgruppe Lebensmittelchemie u. gerichtliche Chemie in der *GDCh ▪ Bundesamt für den Verbraucherschutz, Bern ▪ Natural Food Colours Association, Schaffhauserrheinweg 125, CH-4002 Basel ▪ Ständiges Internationales Büro für analytische Chemie der Menschen- u. Tiernahrungsmittel, 18, avenue de Villars, F-75007 Paris.

Lebensmittelchemiker. An 15 Universitäten u. *Hochschulen besteht in der BRD die Möglichkeit, die *Lebensmittelchemie als eigenständigen Studiengang zu wählen bzw. diesen Studiengang über ein *Chemie-Studium (od. auch Pharmazie) abzuschließen. Der Lebensmittelchemiker befaßt sich mit der Chemie von Lebensmitteln hinsichtlich Zusammensetzung, Veränderung bei Lagerung u. Verarbeitung sowie Analysenmeth. zur Prüfung auf Reinheit u. Qualität, mit den zahlreichen Zusatzstoffen, ferner mit Tabakerzeugnissen u. kosmet. Mitteln. Auch Bedarfsgegenstände wie z. B. die Verpackung, Bekleidung, Spielwaren od. Reinigungs- u. Pflegemittel werden untersucht. Grenzgebiet ist einerseits die Lebensmitteltechnologie, vgl. dazu Lebensmittelingenieur, andererseits die Ernährungswissenschaft. Statist. Daten zu den Studenten/Doktoranden der Lebensmittelchemie werden regelmäßig erhoben, s. *Lit.*[1]. Ein Teil der L. ist auch freiberuflich tätig, vgl. Handelschemiker. Die Lebensmittelchem. Ges.-Fachgruppe in der *GDCh hat einen Mitgliederstand (1996) von 2847. – *E* food chemist – *I* chimico alimentare – *S* químico bromatólogo

Lit.: [1] Nachr. Chem. Tech. Lab. **44**, 731–738 (1996). *allg.:* Blätter zur Berufskunde, 3-ID 03, Bielefeld, Bertelsmann (aktualisierte Aufl. 1996) ▪ Nachr. Chem. Tech. Lab. **44**, 1235 (1996) ▪ s.a. Chemiestudium.

Lebensmittelfarbstoffe. Natürliche u. synthet. *Farbstoffe u. *Pigmente, die zum Färben von Nahrungs-, Genuß- u. Arzneimitteln zugelassen sind.

Das Auftreten von Vergiftungsfällen durch die Verw. von Schwermetall-Salzen zur Färbung von *Lebensmitteln führte 1887 zu der ersten gesetzlichen Regelung der Verw. von L. durch das sog. Farbengesetz. Da nach Einführung organ. synthet. Farbstoffe gelegentlich gesundheitlich bedenkliche Wirkungen bekannt wurden, wurden weltweit seit den 50er Jahren Positivlisten erlaubter L. erstellt.

Im internat. Rahmen erarbeiten das *Codex Alimentarius-Komitee als beratendes Gremium der *FAO/*WHO bzw. die *JECFA als beratendes Gremium der EG Empfehlungen, die als Grundlage für die nat. Gesetzgebungen dienen können. In der BRD wird der Gesetzgeber von der Farbstoffkommission der DFG beraten, die als Ergebnis ihrer Arbeit u. a. die Mitteilungen

Tab.: Liste der in der ZZulV aufgeführten Farbstoffe.

Lfd. Nr.	Stoff	EWG-Nummer/ C-Nummer	Verwendungszweck
1.	Lactoflavin (Riboflavin)	E 101	für Lebensmittel allg.
	β-Carotin	E 160 a	
2.	Riboflavin-5′-phosphat	E 101 a	für Lebensmittel allg.
	α-Carotin	E 150 a	
	γ-Carotin		
3.	Zuckercouleur	E 150	für Lebensmittel allg., ausgenommen Brot u. Kleingebäck sowie Lebensmittel, aus deren Verkehrsbez. hervorgeht, daß sie mit Malz, Karamel, Kakao, Schokolade, Kaffee od. Tee hergestellt sind u. sofern hierdurch der Anschein einer besseren als der tatsächlichen Beschaffenheit erweckt wird.
4.	Canthaxanthin	E 161 g	– für Kuchenverzierungen in einer Menge von höchstens 50 mg auf 1 kg – für kandierte Früchte in einer Menge von höchstens 50 mg auf 1 kg
5.	Erythrosin	E 127	für Mischobstkonserven mit Kirschanteil, Cocktailkirschen u. kandierte Kirschen, jew. in einer Menge von höchstens 150 mg auf 1 kg Kirschanteil
6.	Kurkumin	E 100	für die in Liste B Nr. 1 bis 7 u. 11 genannten Lebensmittel
	Chinolingelb	E 104	
7.	Gelborange S	E 110	für die in Liste B Nr. 1.3 bis 7.11 u. 12 genannten Lebensmittel
8.	Tartrazin	E 102	für die in Liste B Nr. 7 genannten Lebensmittel
9.	Bixin, Norbixin (Annatto, Orlean)	E 160 b	für die in Liste B Nr. 1 bis 9 u. 11 genannten Lebensmittel; bei Nr. 8 u. Nr. 9 jedoch nur E 160 b
	Capsanthin Capsorubin	E 160 c	
	Lycopin	E 160 d	
	β-Apo-8′-carotinal	E 160 e	
	β-Apo-8′-carotinsäureethylester	E 160 f	
	Xanthophylle	E 161	
	Flavoxanthin	E 161 a	
	Lutein	E 161 b	
	Cryptoxanthin	E 161 c	
	Rubixanthin	E 161 d	
	Violaxanthin	E 161 e	
	Rhodoxanthin	E 161 f	
10.	Echtes Karmin (Karminsäure, Cochenille)	E 120	für die in Liste B Nr. 1 bis 7 u. 10 bis 12 genannten Lebensmittel; bei Nr. 10 jedoch nur E 124
	Azorubin	E 122	
	Cochenillerot A (Ponceau 4 R)	E 124	
	Beetenrot, Betanin	E 162	
	Anthocyane	E 163	
11.	Amaranth	E 123	für die in Liste B Nr. 3, 4, 6, 7 u. 11 genannten Lebensmittel
12.	Patentblau V	E 131	für die in Liste B Nr. 1 bis 7 u. 11 genannten Lebensmittel
	Indigotin I (Indigocarmin)	E 132	
13.	Chlorophylle	E 140	für die in Liste B Nr. 2 bis 7 u. 11 genannten Lebensmittel
	Kupferverbindungen der Chlorophylle	E 141	
	Brillantsäuregrün BS (Lisamingrün)	E 142	
14.	Brillantschwarz BN	E 151	für die in Liste B Nr. 1 bis 5, 7 u. 11 genannten Lebensmittel
	Carbo medicinalis vegetabilis	E 153	
15.	Titandioxid	E 171	für die in Liste B Nr. 3, 6 u. 11 genannten Lebensmittel
	Eisenoxide u. -hydroxide	E 172	
16.	Calciumcarbonat	E 170	für Oberflächen der in Liste B Nr. 3 genannten Lebensmittel; E 175 auch für die in Nr. 7 genannten Lebensmittel
	Aluminium	E 173	
	Silber	E 174	
	Gold	E 175	
17.	Rubinpigment BK (Litholrubin BK)	E 180	für Überzüge von Käse
	Stoffe der Nummer 3, 6, 7 u. 9 bis 14		
18.	Methylviolett B	C 2	zum Stempeln der Oberfläche von Lebensmitteln u. ihren Verpackungsmitteln sowie zum Färben u. Bemalen der Schale von Eiern
	Viktoriablau R	C 3	
	Viktoriablau B	C 4	
	Acilanbrillantblau FFR (Brillantwollblau FFR)	C 5	
	Naphtholgrün B	C 7	
	Acilanechtgrün 10 G (Alkaliechtgrün 10 G)	C 8	
	Ceresgelb GRN	C 9	
	Ceresrot G	C 10	
	Sudanblau II	C 11	
	Ultramarin	C 12	
	Phthalocyaninblau	C 13	
	Phthalocyaningrün	C 14	
	Echtsäureviolett R	C 17	
	Stoffe der Nummern 2 bis 17		

„Kosmetische Färbemittel" u. „Farbstoffe für Lebensmittel" herausgegeben hat. Die Arbeiten der Kommission fanden Eingang in die Zusatzstoff-Zulassungs-VO (ZZulV), die in der BRD die Verw. von L. regelt. Dabei gilt, daß Grundnahrungsmittel nicht gefärbt werden dürfen. Von den rund 50 in der ZZulV (s. Tab.) aufgeführten Farbstoffen dürfen nur Lactoflavin, α-, β- u. γ-Carotin, Gold u. Silber für Lebensmittel allg. verwendet werden. Alle anderen L. dürfen nur in einer begrenzten Anzahl von Produkten (s. Anlage 6 Liste B der VO) zugesetzt werden u. unterliegen der Deklarationspflicht.

Die meisten der synthet. L. gehören der Gruppe der *Azofarbstoffe an. Es handelt sich um gut wasserlösl., an beiden Aromaten sulfonierte Verb., die im Darm zu 10–20% reduktiv gespalten werden. Ihre Metaboliten werden mit dem Harn ausgeschieden. Unter Beschuß geraten sind in der Vergangenheit die beiden Azofarbstoffe *Tartrazin (E 102) u. *Amaranth (E 123). So soll der Gelbfarbstoff Tartrazin Überempfindlichkeitsreaktionen bzw. Allergien auslösen. Amaranth wurde 1981 in den USA als *Carcinogen eingestuft, obwohl die zugrunde liegenden Fütterungsversuche äußerst umstritten sind. Die EG folgte dieser Empfehlung nicht.

Zu den synthet. L. zählen auch Triphenylmethan-Farbstoffe. Bei den natürlichen L. handelt es sich u. a. um Chlorophylle, Anthocyane u. Carotinoide. Die von einem L. zu erfüllenden Reinheitsanforderungen in der Zusatzstoffverkehrs-VO vom 10.7.1984 (BGBl. I, S. 897) geregelt. Zur Analytik der L. s. *Lit.*[1-3]. – *E* food colorants – *F* colorants alimentaires – *I* coloranti per alimenti – *S* colorantes para alimentos, colorantes alimentarios

Lit.: [1] Z. Anal. Chem. **319**, 573–576 (1984). [2] J. Chromatogr. **411**, 437–444 (1987). [3] Nahrung **33**, 261–268 (1989).
allg.: AID-Verbraucherdienst **35**, 113–119 (1991) ▪ Bertram, Farbstoffe in Lebensmitteln u. Arzneimitteln, Stuttgart: Wissenschaftliche Verlagsges. 1989 ▪ DFG, Farbstoffe für Lebensmittel, Weinheim: VCH Verlagsges. 1988 (Loseblattsammlung) ▪ DFG, Kosmetische Färbemittel (3.), Weinheim: VCH Verlagsges. 1991 ▪ FDA Consumer **27** (Nr. 12), 15–19 (1993) ▪ Hendry u. Houston (Hrsg.), Natural Food Colorants, Glasgow: Blackie 1991 ▪ Otterstätter (Hrsg.), Die Färbung von Lebensmitteln, Arzneimitteln, Kosmetika, Hamburg: Behrs 1987 ▪ Schweppe, Handbuch der Naturfarbstoffe, Landsberg: ecomed 1992.

Lebensmittelgesetz. Der Erlaß von L. dient dem vorbeugenden Verbraucherschutz hinsichtlich des Verkehrs mit Nahrungsmitteln, Genußmitteln u. Bedarfsgegenständen. Der Schutz des Verbrauchers vor Gesundheitsschäden ist der wichtigste Zweck von L. u. den darauf basierenden VO. Daneben dienen die Vorschriften auch dem Schutz des Verbrauchers vor Irreführung u. Täuschung. In den Bereich des L. fällt auch der Schutz des Trinkwassers, des wohl wichtigsten Lebensmittels. In Deutschland wurde 1879 das erste L. verkündet, das 1927 durch ein neues, umfassenderes L. ersetzt wurde. Das vom Bundestag 1958 verabschiedete Gesetz zur Änderung u. Ergänzung des L. brachte wesentliche Änderungen mit sich. Es definierte zum ersten Mal den Begriff der „Fremdstoffe". Dieser Begriff ist im derzeit in der BRD gültigen L., dem Gesetz über den Verkehr mit Lebensmitteln, Ta-

bakerzeugnissen, kosmet. Mitteln u. sonstigen Bedarfsgegenständen (LMBG) vom 15.8.1974 (BGBl. I, S. 1946) durch den Begriff „*Zusatzstoffe" ersetzt worden. – *E* pure food law – *F* règlementation relative aux produits alimentaires – *I* legge alimentare – *S* código alimentario

Lit.: Bund für Lebensmittelrecht u. Lebensmittelkunde (Hrsg.), Leitfaden für die lebensmittel-rechtliche Praxis (2.), Stuttgart: Wissenschaftliche Verlagsges. 1984 ▪ Hahn u. Muermann, Praxis-Handbuch Lebensmittelrecht, Hamburg: Behrs 1987.

Lebensmittelhygiene. Nach den allg. Grundsätzen des *Codex Alimentarius ist unter L. jede Maßnahme zu verstehen, „die notwendig ist, um die Unbedenklichkeit, den einwandfreien Zustand u. die Bekömmlichkeit von *Lebensmitteln in allen Stadien – vom Anbau, der Erzeugung od. Herst. bis hin zum Endverbraucher – zu gewährleisten". Die hygien. Qualität eines Lebensmittels wird im wesentlichen durch die Faktoren Rohstoff, Technik, Mensch u. Umwelt beeinflußt. Für bestimmte Lebensmittel gibt es in der BRD Rechtsnormen über die Anforderungen an deren hygien. Beschaffenheit, z. B. *Trinkwasser, *Milch, Eiprodukte, *Speiseeis u. *diätetische Lebensmittel. Bes. hygien. Anforderungen werden auch an *Fleisch gestellt, was sich in mehreren Rechtsnormen wie z. B. dem Fleischhygiene-Gesetz vom 24.2.1987 (BGBl. I, S. 649), der Fleischhygiene-VO vom 30.10.1986 (BGBl. I, S. 1678) u. dem Geflügelfleischhygienegesetz vom 15.7.82 (BGBl. I, S. 993) äußert.

Die Überwachung der L. obliegt staatlichen Stellen, die Untersuchung ist Aufgabe der *Lebensmittelchemie u. der Veterinärmedizin, die Aufsicht führt das Bundesamt für Verbraucherschutz. – *E* food sanitation – *F* hygiène alimentaire – *I* igiene alimentare – *S* higiene de los alimentos, higiene alimentaria

Lit.: Arch. Lebensmittelhyg. **37**, 59–65 (1986) ▪ Ernährung **11**, 677ff. (1987) ▪ Kielwein, Leitfaden der Milchkunde u. Milchhygiene (2.) Berlin: Parey 1985 ▪ Sinell, Einführung in die Lebensmittelhygiene (2.) Berlin: Parey 1985 ▪ Zentralbl. Bakteriol. Parasitenkd. Infektionskr. Hyg., Abt. 1: Orig. **170**, 143–184 (1980).

Lebensmittelingenieur. *Lebensmitteltechnologie kann an 5 wissenschaftlichen *Hochschulen in der BRD als eigenständiger Studiengang gewählt werden, ferner als Schwerpunkt bei Verf.-Technik/*Chemieingenieurwesen, Lebensmitteltechnik od. Ernährungswissenschaften. Nach Abschluß als Diplom-*Ingenieur ist der L. v. a. in der Lebensmittel- u. Getränkeherst. tätig. Als spezialisierter Verf.-Ingenieur ist er auch in anderen Bereichen einsetzbar, z. B. Leitung, Überwachung u. Planung techn. Anlagen, jedoch ist die Zahl der Arbeitsplätze begrenzt. An 8 *Fachhochschulen werden eigenständige Studiengänge angeboten, die z. B. auch die Schwerpunkte Getränketechnologie od. Milch- u. Molkereiwirtschaft umfassen. – *E* food engineer – *F* ingénieur nutritioniste – *I* ingegnere alimentare – *S* ingeniero en alimentos

Lit.: Blätter zur Berufskunde, 3-IQ 05, 3-IQ 06, 2-IT 30, 2-IT 31 u. 2-IH 30, Bielefeld: Bertelsmann (aktualisierte Aufl.).

Lebensmittelkonservierung s. Konservierung

Lebensmitteltechnologie. Zusammenfassende Bez. für alle Maßnahmen, mit deren Hilfe *Lebensmittel erzeugt, verarbeitet u. für Handel u. Verkehr präpariert werden. Neben physikal. (mechan.) Verf. wie Zerkleinern, Trocknen, Zentrifugieren, Filtrieren, Gefrieren, Verpacken etc. spielen chem. Verf. wie z. B. die Konservierung, die Raffination von Fetten u. die Modif. von Stärke eine entscheidende Rolle. Auch küchentechn. Zubereitungsverf. wie Kochen, Backen u. Braten gehören zu den lebensmitteltechnolog. Verfahren. Einen wichtigen Beitrag zur L. leisten biotechnolog. Verf., in deren Verlauf Lebensmittel mit Hilfe von Mikroorganismen hergestellt od. verändert werden. Hier sei z. B. die alkohol. Gärung (vgl. Ethanol) sowie die Herst. von *Käse u. Sauermilchprodukten erwähnt. Zu den Aufgaben der L. gehört weiterhin die Entwicklung neuer Lebensmittelzubereitungs- u. Herst.-Verf., die Entwicklung neuer Lebensmittel u. -zusatzstoffe sowie die Erschließung alternativer Rohstoffquellen. – *E* food technology – *F* technologie alimentaire – *I* tecnologia alimentare – *S* tecnología alimentaria

Lit.: Crit. Rev. Food Sci. Nutr. **27**, 159–187 (1988) ▪ Fellows, Food Processing Technology, Weinheim: VCH Verlagsges. 1988 ▪ Field, Process Engineering in the Food Industry. Developments and Opportunities, London: Elsevier 1989 ▪ Hall, Farrall u. Rippen, Encyclopedia of Food Engineering (2.), Westport: AVI Publishing 1986 ▪ Heiss, Lebensmitteltechnologie (2.), Berlin: Springer 1988 ▪ Int. Z. Lebensmitteltechnol. Verfahrenstechnik **35**, 6–16 (1984) ▪ Mathlouthi (Hrsg.), Food Packaging and Preservation. Theory and Practice, London: Elsevier 1986 ▪ Mitt. Geb. Lebensmittelunters. Hyg. **75**, 421–446 (1984) ▪ Rogers u. Fleet (Hrsg.), Biotechnology and Food Industry, New York: Gordon and Breach Science Publishers 1989 ▪ Tscheuschner (Hrsg.), Lebensmitteltechnik, Darmstadt: Steinkopff 1986. – *Organisationen:* Ges. Dtsch. Lebensmitteltechnologen e. V. (GDL), Stuttgart.

Lebensmitteltoxikologie. Toxikolog. Subdisziplin, die die möglichen gesundheitsschädlichen Wirkungen aller Stoffe, die in *Lebensmitteln vorkommen können, untersucht, die Risiken ermittelt u. ggf. Grenzwerte für das Vork. der Stoffe in einzelnen Lebensmitteln od. für die Menge, die bei lebenslanger täglicher Aufnahme duldbar ist, vorschlägt. Die L. unterscheidet dabei nach ihrer Herkunft in Lebensmitteln 4 Arten toxikolog. relevanter Stoffe: *Zusatzstoffe, Rückstände, Verunreingungen u. tox. natürliche Inhaltsstoffe. – *E* food toxicology – *F* toxicologie alimentaire – *I* tossicologia alimentare – *S* toxicología alimentaria

Lit.: Classen, Elias u. Hammes, Toxikologisch-hygienische Beurteilung von Lebensmittelinhalts- u. -zusatzstoffen sowie bedenklichen Verunreingungen, Berlin: Parey 1987 ▪ Concon, Food Toxicology (2 Bd.), New York: Dekker 1988 ▪ Eisenbrand u. Metzler, Toxikologie für Chemiker, Stuttgart: Thieme 1994 ▪ Füllgraff, Lebensmittel-Toxikologie, Stuttgart: Ulmer 1989 ▪ Gilbert, Analysis of Food Contaminants, London: Elsevier 1984 ▪ Lindner, Toxikologie der Nahrungsmittel (4.), Stuttgart: Thieme 1990 ▪ Macholz u. Lewerenz, Lebensmitteltoxikologie, Berlin: Akademie 1989 ▪ Watson, Natural Toxicants in Food. Progress and Prospects, Weinheim: VCH Verlagsges. 1987.

Lebensmittelumhüllungen. Sammelbez. für die direkt mit *Lebensmitteln in Berührung stehenden Hüllmaterialien, z. B. bei Fleisch, Wurst, Käse, Butter usw., aber auch *Schrumpffolien bei Brot, Erdnüssen etc. Man unterscheidet bei den L. eßbare (z. B. Wursthüllen aus Natur-*Darm, Gelatine od. Alginaten), die nach dem Gesetz den Lebensmitteln gleichgestellt sind, von solchen aus Papier, Pappe, Kunststoff- od. Metallfolien, die nicht nur das Produkt vor Austrocknung u. Aromaverlust u. vor schädlichen äußeren Einflüssen schützen sollen, sondern auch gesundheitlich unbedenklich sein müssen, also weder Farbstoffe noch Weichmacher u. dgl. freisetzen dürfen. – *E* food wrapping material – *F* emballages alimentaires – *I* involucri (imballi) alimentari – *S* envoltorios de alimentos

Lebensmittelvergiftungen. Vergiftungserscheinungen, die nach dem Verzehr von mit Fremdstoffen, Giften od. Bakterien verunreinigten *Lebensmitteln auftreten. So führt die z. B. durch Umweltverschmutzung bedingte *Kontamination der Nahrung mit verschiedenen Metallen (Blei, Zink, Kupfer, Cadmium), Pestizid-Rückständen od. radioaktivem Material zu chron. Schädigungen. Metalle können durch Aufbewahrung saurer Lebensmittel aus Leg. u. Emaillierungen der Kochgeräte herausgelöst werden. Dazu kommen kriminelle Arten von Zusätzen wie die Vergällung von Rapsöl mit Anilin u. Acetanilid (Spanien 1981) od. der Zusatz von *Diethylenglykol zu Wein (Österreich 1985).

Vergiftungen durch natürliche Gifte in Lebensmitteln entstehen z. B. durch Pilzgifte (s. Giftpilze u. Mykotoxine) od. Mutterkorn-Alkaloide (*Ergot-Alkaloide), aber auch in anderen pflanzlichen Lebensmitteln kommen Gifte vor wie *Goitrin in Kohl-Arten, *Solanin in Kartoffeln u. Tomaten, *Myristicin in Muskatnüssen, *Phasin in Bohnen u. *Amygdalin in bitteren Mandeln u. Steinobstkernen.

Die häufigsten L. sind bakteriell bedingt. Sie entstehen durch Genuß von durch Bakterienbesiedelung verdorbenen Lebensmitteln. Krankheitserscheinungen werden dabei zum einen durch die Infektion mit den aufgenommenen Erregern verursacht (Nahrungsmittelinfektion, z. B. *Typhus) od. durch die Vergiftung mit den von den Bakterien produzierten *Toxinen (Nahrungsmittelintoxikation, z. B. *Botulismus). Die häufigsten bakteriellen Erreger von L. sind Enteritis-*Salmonellen u. bestimmte Enterotoxin-bildende *Staphylokokken-Stämme. In früheren Zeiten spielte die Übertragung von Tuberkulose durch verseuchte rohe Milch eine bedeutende Rolle. Auch die Besiedelung mit *Schimmelpilzen führt zur Kontamination der Nahrung mit Giften wie den *Mykotoxinen *Aflatoxin, *Citrinin, u. *Patulin.

Die Symptome von L. sind entweder meist mehr od. weniger akute Brechdurchfälle, klin. Bilder bestimmter Infektionskrankheiten (Typhus, Paratyphus, Ruhr, Cholera etc.) od. langfristige Veränderungen durch chron. Vergiftung (z. B. *Cadmium-Vergiftung, erhöhtes Krebsrisiko etc.). Der Vorbeugung von L. dienen die Maßnahmen der *Lebensmittelhygiene wie z. B. Milchpasteurisierung, einwandfreie Lagerung u. Sterilisierung von Konserven u. a. Lebensmitteln sowie eine gründliche Trinkwasseraufbereitung. – *E* food poisoning – *F* intoxications alimentaires – *I* intossicazioni alimentari – *S* intoxicaciones alimentarias

Lit.: Lindner, Toxikologie der Nahrungsmittel, Stuttgart: Thieme 1990 ▪ Wirth u. Gloxhuber, Toxikologie, Stuttgart: Thieme 1994.

Lebensmittelzusatzstoffe. Stoffe mit od. ohne Nährwert, die in der Regel weder selbst als *Lebensmittel verzehrt noch als charakterist. Lebensmittelzutat verwendet werden u. einem Lebensmittel aus technolog. Gründen bei der Herst., Verarbeitung, Zubereitung, Behandlung, Verpackung, Beförderung od. Lagerung zugesetzt werden, wodurch sie selbst od. ihre Nebenprodukte zu Bestandteilen des Lebensmittels werden od. werden können.

Die Anw.-Regelungen folgen dem Verbotsprinzip mit Erlaubnisvorbehalt, d. h., die verwendeten Stoffe sind in Positivlisten nach Gruppen zusammengestellt. Die meisten Zulassungen stehen in der Zusatzstoff-Zulassungsverordnung, die eine Umsetzung zum harmonisierten EU-Recht darstellt. Zur Kennzeichnung der Zusatzstoffverw. in Lebensmitteln ist in der Zutatenliste von Fertigpackungen jeweils der zutreffende Klassenname als Verw.-Grund anzugeben, gefolgt vom Namen od. der EG-Nummer des zugesetzten Stoffe. Befreiende Ausnahmen aus dieser Vorschrift der Lebensmittel-Kennzeichnungs-VO (LMKV) sollen nach dem EG-Recht abgebaut werden.

Die Reinheitsanforderungen an die Lebensmittelqualität u. Identitätsbeschreibungen sind für alle Zusatzstoffe in der Zusatzstoff-Verkehrsordnung (*Lit.*[1]) zusammengefaßt. Im internat. Bereich gelten die Reinheitsbeschreibungen von SCF, *Codex Alimentarius u. *JECFA in den Food and Nutrition Papers der *FAO. Zusatzstoffe, die bei der Lebensmittelherst. zwar verwendet werden, nicht aber im Produkt verbleiben, sog. processing aids (Verarbeitungshilfsstoffe), bedürfen nach § 11 Abs. 2 LMBG (Lebensmittel-Bedarfsgegenstände-Gesetz) keiner Zulassung, sofern ihre unvermeidlichen Rückstände u. Reaktionsprodukte gesundheitlich, geruchlich u. geschmacklich technolog. unwirksam u. unbedenklich sind. Hierfür trägt der Anwender die Verantwortung, während bei den anderen Zusatzstoffen der Staat mit der Zulassung die Verantwortung für die Unbedenklichkeit trägt.

Die Zulassung wird nur nach sorgfältiger Prüfung der gesundheitlichen Unbedenklichkeit u. der technolog. Notwendigkeit erteilt. Die erforderlichen aufwendigen Untersuchungen zur Physiologie u. Toxikologie werden von internat. Expertengremien (SCF, JECFA) bewertet; die Grenzen der sicheren Verträglichkeit werden als *ADI-Wert (acceptable daily intake) in mg/kg Körpergew. u. d ausgedrückt.

Die inzwischen erfolgte Umstellung auf ein EG-einheitliches Lebensmittelrecht hat in den vergangenen Jahren erhebliche Änderungen der derzeitigen Stoff- u. Anw.-Listen gebracht (s. Tab.). Einige L. sind natürlicher Herkunft, wie z.B. *Chlorophyll aus grünen Pflanzen, *Lecithin aus Eiern od. Sojabohnen. Andere dagegen sind rein synthet. Substanzen wie z.B. die *Azofarbstoffe *Tartrazin u. *Amaranth, die *Antioxidantien *BHA u. *BHT u. die Süßstoffe *Saccharin u. Cyclamat (*Natriumcyclamat). Eine Zwischenstellung nehmen Substanzen ein, die natürlich vorkommen, aber auf Grund des großen Bedarfs synthet. hergestellt werden (z.B. *Carotin od. *Sorbinsäure).

Der Einsatz von L. ist nicht unumstritten, da einige L. u. U. tox. Auswirkungen beim Menschen zeigen. So können z.B. die traditionell in Lebensmitteln verwen-

Tab.: Lebensmittelzusatzstoffe, für die die EG-Rahmen-Richtlinie Anw. findet.

Farbstoffe	modifizierte Stärken
Konservierungsmittel	Süßstoffe
Antioxidantien	Backtriebmittel
Emulgatoren	Schaumverhüter
Schmelzsalze	Überzugsmittel
Verdickungsmittel	Mehlbehandlungsmittel
Geliermittel	Festigungsmittel
Stabilisatoren	Feuchthaltemittel
Geschmacksverstärker	Bindemittel
Säuerungsmittel	Enzyme
Säureregulatoren	Füllstoffe
Trennmittel	Treib- u. Verpackungsgase

deten Sulfite u. der *Lebensmittelfarbstoff Tartrazin bei sensibilisierten Personen allerg. Reaktionen auslösen. Auch die antioxidativ wirksamen Gallussäureester besitzen ein allergisierendes Potential. Bei der Abschätzung des gesundheitlichen Risikos von Nitrat u. Nitrit ist, neben der Toxizität von Nitrat u. Nitrit selbst, die Bildung *carcinogener *Nitrosamine als die eigentlich toxikolog. bedeutsame Konsequenz zu beachten. Infolge dieser Möglichkeit ist die Verw. von Nitrat u. Nitrit problematisch. Im Tierversuch an der Ratte erwiesen sich die Antioxidantien BHT u. BHA sowie der Süßstoff Saccharin als cocarcinogen wirksam[2].

Obwohl einige wenige der als L. verwendeten Substanzen tox. Wirkungen zeigen können, überwiegt bei den derzeit zugelassenen L. bei sachgemäßer Anw. der Nutzen dieser Stoffe bei weitem. So können in Lebensmitteln die nicht konserviert sind, bakterielle Toxine entstehen, die weit gefährlicher sind als die Konservierungsstoffe. Zur toxikolog. Beurteilung von L. s. a. *Lit.*[3]. – *E* food additives – *F* additifs alimentaires – *I* additivi alimentari – *S* aditivos alimentarios

Lit.:[1] ZVerkV vom 10. 7. 1984 (BGBl. I, S. 897).[2] Food Chem. Toxicol. **24**, 1071 – 1082, 1163 – 1166 (1986).[3] Classen et al., Toxikologisch-hygienische Beurteilung von Lebensmittelinhalts- u. -Zusatzstoffen sowie bedenklichen Verunreinigungen, Berlin: Parey 1987; Fülgraff, Lebensmittel-Toxikologie, S. 49 – 104, Stuttgart: Ulmer 1989.
allg.: Baltes, Lebensmittelchemie (2.), S. 148 – 187, Berlin: Springer 1989 ▪ Belitz-Grosch (4.), S. 385 – 421 ▪ Concon, Food Toxicology. Part B: Contaminants and Additives, New York: Dekker 1988 ▪ Dtsch. Lebensm. Rundsch. **84**, 277 – 281 (1988) ▪ 1. Ergänzung der Zusatzstoff-Rahmen-Richtlinie vom Dez. 1988 (Dokument III/3671/88 Rev 2) ▪ Ernährung **12**, 99 – 103 (1988) ▪ Gordian **88**, 11 f., 210 – 214 (1988); **89**, 181 – 185 (1989) ▪ Hughes, The Additives Guide, New York: Wiley & Sons 1987 ▪ Kuhnert, Lebensmittelzusatzstoffe, Frankfurt: Deutscher Fachbuchverl. 1983 ▪ Lück, Augen auf – was steht drauf? Zusatzstoffe u. Zutaten in unseren Lebensmitteln, Stuttgart: Hippokrates 1986 ▪ Schwedt, Chemie u. Analytik der Lebensmittelzusatzstoffe, Stuttgart: Thieme 1986.

Lebenszeit s. Lebensdauer.

Leber. Zentrales Stoffwechselorgan u. wichtige Drüse des Verdauungstraktes. Die L. des Menschen ist ein ca. 2 kg schweres rötlich-braunes Organ im oberen Bauchraum. Das L.-Gewebe besteht zu 80% aus Leberparenchymzellen (Hepatocyten) u. zu 20% aus Nichtparenchymgewebe, vorwiegend Zellen des retikuloendothelialen Syst. (Makrophagen), Begrenzungszellen der Blutbahnen (Endothelzellen) u.

Fettspeicherzellen. Die L. ist funktionell zwischen Verdauungstrakt u. großen *Kreislauf geschaltet. Über ein spezielles Gefäßsyst. (Pfortadersyst.), das 60% der L.-Durchblutung stellt, erhält die L. nährstoffreiches Blut aus dem Magen-Darm-Trakt. Die Hepatocyten nehmen resorbierte Stoffe auf, speichern sie, bauen sie ab od. geben sie nach Verstoffwechselung wieder in das Blut ab. Fremdsubstanzen u. giftige Stoffwechselprodukte werden inaktiviert. Die L. produziert *Galle, die über ein Syst. von Gallengängen gesammelt u. über einen verbindenden Ausführungsgang in die Gallenblase u. den Dünndarm abgegeben wird. Im Rahmen der Aufrechterhaltung des Stoffwechsels von *Kohlenhydraten, *Proteinen u. *Lipiden des Organismus laufen in der L. folgende Vorgänge ab: Die Metabolisierung von Zuckern, die Speicherung von *Glykogen u. die *Gluconeogenese, der Abbau von *Triglyceriden u. deren Auf- od. Umbau zu Lipiden (Lipogenese), *Lipoproteinen u. Steroiden (*Cholesterin u. *Gallensäuren) u. die Synth. von *Aminosäuren u. Proteinen bzw. deren Katabolismus durch Des- od. Transaminierung zu Glucose, *Ketonkörpern, Harnstoff. Ferner werden in der L. die meisten Proteine des Blutplasmas synthetisiert, u. a. bestimmte *Faktoren der *Blutgerinnung, verschiedene Enzyme u. *Albumine. Die metabol. Inaktivierung (Entgiftung) von Substanzen geschieht durch Enzym-Syst. wie Oxidoreduktasen-, insbes. ein Oxygenasen-Syst., mit dessen Hilfe Fremdstoffe wie Arzneimittel u. Kohlenwasserstoffe oxidiert u. nach Sulfatierung, Methylierung, Acetylierung od. Glycinierung als Konjugate in einer wasserlösl. Form ausgeschieden werden können. Ein wichtiges Enzym der L. ist z. B. die *Alkohol-Dehydrogenase, die 90% des konsumierten Ethanols metabolisiert. Die L. ist Mittelpunkt des Stoffwechsels von Eisen u. a. Spurenelementen u. metall. Giften. Außerdem ist die L. Speicherorgan z. B. für das bei der *Hämatopoese unentbehrliche Vitamin B_{12} (*Cyanocobalamin). Da die Stoffwechselfunktionen der L. viel Energie verbrauchen, hat sie, bei einem Anteil am Körpergew. von nur ca. 2%, einen ca. 26%igen Anteil am Grundumsatz bei einem O_2-Verbrauch von 66 mL/min. Bei Schädigungen der L.-Zellen, wie z. B. durch giftige (hepatotox.) Substanzen, *Hepatitis u. a. Hepatopathien, gelangen L.-spezif. Enzyme in die Blutbahn, die dort nachgewiesen werden können. Zur Diagnostik durch Leberfunktionstests gehören deshalb u. a. die enzymat. Analyse von GOT, GPT u. γ-GT (s. Glutaminsäure, Absatz Diagnostik) sowie Belastungstests mit Galactose u. die Messung der Ausscheidungsgeschw. von Farbstoffen wie *Bromsulfalein. – *E* liver – *F* foie – *I* fegato – *S* hígado
Lit.: Arias et al., The Liver: Biology and Pathobiology, New York: Raven Press 1988.

Leberkies s. Markasit.

Leberpräparate. Präp. aus Leberextrakt od. Leberhydrolysat, die Vitamin B_{12}-Cyanokomplex enthalten u. früher zur Behandlung der *perniziösen Anämie verwendet wurden.

Leberschutztherapeutika. Präp. zur Behandlung von Lebererkrankungen, die u. a. verschiedene Aminosäuren, *Silybin, Inositol, *Lactulose od. *Orazamid enthalten. Ein gesicherter Wirkungsnachw. dieser Substanzen steht derzeit noch aus. – *E* liver-protective substances – *F* produits de protection hépatique – *I* terapeutici per la protezione del fegato – *S* hepatoprotectores

Leberstärke s. Glykogen.

Lebertran (Oleum Jecoris). Aus frischen od. durch Kälte konservierten Lebern von Dorsch (Dorschleberöl), Heilbutt (*Heilbuttleberöl), Kabeljau u. a. *Gadus*-Arten gewonnenes *Fischöl, das durch Unterkühlen u. Filtration bei 0 °C von den leichter erstarrenden Fettanteilen befreit ist. Hellgelbes, schwach fischartig riechendes Öl, D. 0,918–0,928, VZ 180–197 (Unverseifbares <1,3%), IZ 150–180; 100 g L. enthalten durchschnittlich 99 g Fett, 850 mg Cholesterin, 26 mg Vitamin E, ca. 26 mg Vitamin A (85000 IE) u. 0,2 mg Vitamin D (8500 IE). L. wird therapeut. (mit Geschmackskorrigentien u. in Form von L.-Emulsionen) bei Vitamin-A- u. D-Mangelzuständen verwendet. Es ist auch Bestandteil von Salben zur Wundbehandlung. – *E* fish liver oil – *F* huile de foie de morue – *I* olio di fegato – *S* aceite de hígado de pescado
Lit.: DAB 7 u. Komm. ■ Hager (4.) **7b**, 176–190. – *[HS 2504 10]*

Leblanc (Le Blanc), Nicolas (1742–1806), Mediziner, Privatgelehrter u. Fabrikant in Paris. *Arbeitsgebiete:* Erfindung des nach ihm benannten Verf. zur Soda-Herst., Studien über Krist.-Bildung.
Lit.: Lexikon der Naturwissenschaftler, S. 264 ■ Pötsch, S. 263 f. ■ Strube et al., S. 14, 136, 142 ff.

Leblanc-Verfahren s. Natriumcarbonat.

Lecanorsäure (Glabratsäure, *p*-Diorsellinsäure, α-Orsellinsäure, Parmeliasäure).

R^1	R^2	R^3	R^4	
CH_3	OH	H	CH_3	Lecanorsäure
CH_3	H	CH_2—CH—CH—CH_2—OH OH OH	CH_3	Erythrin
CH_3	CH_3	H	CH_3	Evernsäure
C_3H_7	CH_3	H	C_3H_7	Divaricatsäure
CH_3	CH_3	H	C_7H_{15}	Sphaerophorin
C_5H_{11}	CH_3	H	C_3H_7	Imbricarsäure
C_5H_{11}	H	H	C_5H_{11}	Anziasäure
C_5H_{11}	CH_3	H	C_5H_{11}	Perlatolinsäure
CH_2—CO—C_3H_7	CH_3	H	C_5H_{11}	Glomellifersäure
CH_2—CO—C_5H_{11}	H	H	C_5H_{11}	Olivetorsäure
CH_2—CO—C_5H_{11}	CH_3	H	CH_2—CO—C_5H_{11}	Microphyllinsäure

$C_{16}H_{14}O_7$, M_R 318,28, Nadeln, Schmp. 184 °C (Zers.). L. ist ein *Depsid aus zahlreichen Flechten, insbes. Parmeliaceen u. Rocellaceen. Neben L. kommen zahlreiche Derivate als Flechteninhaltsstoffe vor (s. Abb.). – *E* lecanoric acid – *F* acide lécanorique – *I* acido lecanorico – *S* ácido lecanórico
Lit.: Aust. J. Chem. **41**, 1789 (1988) (Synth.) ■ Beilstein E IV **10**, 1527 ■ Karrer, Nr. 1024–1042. – *[CAS 480-56-8]*

LECCAM s. Selectine.

Le Châtelier, Henry Louis (1850–1936), Prof. für Chemie, Paris. *Arbeitsgebiete:* Spezif. Wärme von Gasen, Silicat-Chemie, Metallographie, Entwicklung eines Thermoelements (Le Châtelier-Pyrometer), chem. Gleichgew., Formulierung des später nach ihm benannten *Prinzips des kleinsten Zwangs.

Lit.: Krafft, S. 177 ▪ Lexikon der Naturwissenschaftler, S. 264 ▪ Neufeldt, S. 76 ▪ Pötsch, S. 264.

Lechatelierit s. Fulgurite.

Lecithinasen s. Phospholipasen.

Lecithin-Cholesterin-Acyltransferase s. Lipoproteine.

Lecithine. Von griech.: lekithos = Dotter abgeleitete, früher gebräuchlichere Gruppenbez. für diejenigen *Glycero-*Phospholipide, die sich aus Fettsäuren, Glycerin, Phosphorsäure u. *Cholin durch Veresterung bilden. Heute hat sich die Bez. *Phosphatidylcholine* (PC) weitgehend durchgesetzt.

Struktur u. Eigenschaften: Die in der Natur vorkommenden L. sind wie die eng verwandten *Kephaline Derivate der 1,2-Diacyl-*sn*-glycerin-3-phosphorsäuren (Phosphatidsäuren; X = H; R^2-CO-O- in Fischer-Projektion nach links weisend), besitzen also α-Konfiguration; beim β-L. ist der mit Cholin veresterte Phosphorsäure-Rest an die mittelständige Hydroxy-Gruppe eines Glycerids gebunden. Aus der Verschiedenheit der Fettsäure-Reste R^1 u. R^2 ergibt sich eine große Zahl verschiedener Lecithine. Bei Extraktionen aus biolog. Material erhält man immer Gemische (oft noch mit Kephalinen vergesellschaftet). So enthält eine L.-Fraktion aus Sojabohnen (dem gebräuchlichsten Rohstoff) z.B. Palmitinsäure, Stearinsäure, Palmitoleinsäure, Ölsäure, Linolsäure u. Linolensäure. Normalerweise ist die gesätt. Fettsäure mit der prim., die ungesätt. mit der sek. Hydroxy-Gruppe des Glycerins verestert. Frisch gewonnene L. sind weiß, werden an der Luft jedoch bald zu bräunlichgelben, hygroskop., wachsartigen Massen. Sie sind in Ether u. oft auch in Alkohol leicht lösl. u. zersetzen sich bei ca. 200 °C. Zum Verhalten von L.-Wasser-Phasen s. Phospholipide.

Vork. u. biolog. Bedeutung: Zu Biosynth. u. Abbau s. Phospholipide. L. sind Bestandteile der Zellmembranen aller Lebewesen, bes. reichlich in Eidotter (daher der Name), Hirn u. pflanzlichen Samenzellen. In den vier *Lipoprotein-Fraktionen des Serums findet man sie in unterschiedlichen Konz. an Proteine gebunden. Zur *Hämolyse kommt es, wenn *Phospholipasen aus *Bienen- od. *Schlangengift die L. der *Erythrocyten durch Abspaltung der mittelständigen Fettsäuren in *Lysolecithine (vgl. das Formelbild mit HO– statt R^2-CO-O–) umwandeln. Durch intrazelluläre Phospholipasen können aus L. – ähnlich wie aus *Phosphoinositiden – *second messengers wie *Arachidonsäure, *Diacylglycerine u. Phosphatidsäuren generiert werden[1].

Verw.: Die aus Sojabohnen, in kleineren Mengen auch aus anderen Samen u. für pharmazeut. Präp. gelegentlich auch aus Eidotter od. Hirnsubstanz gewonnenen L. werden als *Emulgatoren hauptsächlich in der Nahrungsmittel-Ind. in Margarine, Schokolade, Backwaren u. Überzugsmassen verwendet, ferner in kosmet. Präp., zur Lederbehandlung u. zur *Avivage in der Textil-Industrie. – *E* lecithins – *F* lécithines – *I* lecitine – *S* lecitinas

Lit.: [1] Biochim. Biophys. Acta **1212**, 26–42 (1994).
allg.: Alberts et al., Molekularbiologie der Zelle, 3. Aufl., S. 698 f., Weinheim: VCH Verlagsges. 1995 ▪ Nutr. Rev. **52**, 327–339 (1994) ▪ Stryer 1996, S. 280, 282, 723 f. – *[HS 2923 20]*

Lecksuche. Unter L. versteht man das Aufsuchen einer undichten Stelle in einem geschlossenen Syst., das mit Flüssigkeit od. Gas gefüllt od. evakuiert ist. In Flüssigkeitssyst. verwendet man z.B. lösl. Fluoreszenz-Farbstoffe, die beim Aussickern aus dem Leck im UV-Licht sichtbar werden, od. *Tracer-Gase wie NH_3, H_2S od. CO_2, die das Leck durch Rauchbildung infolge chem. Reaktion anzeigen od. die leicht nachweisbar sind. In Syst. mit Gas-Überdruck prüft man auf *Gasdichtigkeit* mit Hilfe von geruchsintensiven *Gasodorierungs-Mitteln u./od. mit *Gasspürgeräten. Nach Aufstreichen einer Tensidlsg. auf Behälter, Rohre od. Pipelines kann ein Leck auch an der Blasenbildung erkannt werden; ähnlich wirken L.-Sprays[1]. Über elektron. Geräte zur L. wie Schnüffelsonden, He-Massenspektrometer od. Thermistorbrücken s. *Lit.*[2]. An Vak.-Apparaturen aus Glas hat sich die sog. Hochfrequenzpistole („*Krabbelmax*“) sehr bewährt[3]. An unterird. Pipelines kann die L. z.B. mit Hilfe von Radionukliden erfolgen od. durch Korrelationsanalyse der Geräusche, die beim Austritt von Flüssigkeiten entstehen[4]. – *E* leak detection – *F* détection de fuites – *I* rivelazione di perdite – *S* detección de fugas

Lit.: [1] Aerosol Rep. **20**, 377–385 (1981). [2] Chem. Rundsch. **36**, Nr. 9, 13, 16 (1983). [3] Brauer (3.) **1**, 67. [4] Spektrum Wiss. **1982**, Nr. 1, 41 f.
allg.: ACHEMA-Jahrb. **1994**, 1982 ▪ Einführung in die Lecksuche mit Hilfe der Helium-Massenspektroskopie, Stuttgart: Varian 1981 ▪ Lauer et al., Gaslecksuche, Grafenau: Expert 1980 ▪ Lecksuche an Chemieanlagen (Dechema-Monogr. 89), Weinheim: Verl. Chemie 1980 ▪ Löffler, Leckortung in Rohrleitungen, Stuttgart: IRB 1986 ▪ McMaster, Nondestructive Testing Handbook (2 Bd.), Metals Park: Am. Soc. Metals 1982 ▪ Ullmann (5.) **B 3**, 21–25.

Leclanché-Element s. galvanische Elemente u. Taschenbatterien.

Lecoq s. Boisbaudran.

Lectine s. Lektine.

LED. Abk. für *Licht-emittierende Dioden* (*E* light emitting diodes, Leuchtdioden), d.h. Bauelemente der *Optoelektronik, die für digitale Anzeigen bei Taschenrechnern, elektron. Geräten, Uhren usw. Anw. finden. Die Lichtemission beruht auf der *Rekombination von Elektron-Loch-Paaren (*Excitonen) im Übergangsgebiet eines in Durchlaßrichtung gepolten pn-Übergangs (*Halbleiter). Die Größe der Bandlücke dieses Halbleiters bestimmt in etwa die Wellenlänge: Blei-Salze (PbSe u.a.), InP/InGaAs sowie mit Si dotiertes GaAs ermittieren infrarotes Licht, Verb. des Typs $GaAs_{1-x}P_x$ rotes bis orangefarbenes Licht, mit N dotiertes GaP grünes Licht. Die noch teureren, blau emittierenden LED bestehen aus SiC od. GaN, auch mehrfarbige LED sind konstruierbar. Bei hinreichend starker Ladungsträgerinversion können Besetzungsinversion u. stimulierte Emission erreicht werden, aus der Lumineszenzdiode wird dann eine Laserdiode (*Diodenlaser). Während bei einem einfachen pn-Übergang die Stromdichte zum Erreichen von stimulierter Emission sehr hoch ist, läßt sich bei Doppelheterostrukturen dieser Wert deutlich senken. Dabei wird ein Material mit kleinerer Bandlücke in den pn-Übergangsbereich eingebracht, das sowohl die Ladungsträger als auch die Photonen durch einen Wellenleitereffekt führt. In einem GRINSCH (graded index separate confinement heterostructure)-Laser wird dieses weiter verbessert, die Ladungsträger werden in einem quasi-zweidimensionalen *Quantentrog (Dicke ca. 10 nm) eingesperrt, die Photonen durch kontinuierliche Variation der Halbleiterzusammensetzung u. damit der Brechzahl in einem ca. 0,5 bis 1 µm weiten Gebiet. Für Leuchtdioden aus organ. Materialien s. *Lit.*[1]. – *E* light emitting diodes – *I* diodo a emissione luminosa – *S* diódos emisores de luz

Lit.:[1] Chem. Unserer Zeit **31**, 76ff. (1997).
allg.: Baier, Elektronik-Lexikon, S. 123 f., 363, Stuttgart: Franckh 1982 ■ Ebeling, Integrierte Optoelektronik, Berlin: Springer 1989 ■ Paul, Optoelektronische Halbleiterbauelemente, Teubner Studienskripten, Nr. 96, Stuttgart: Teubner 1985 ■ Sze, Physics of Semiconductor Devices, 2. Aufl., New York: Wiley 1981 ■ Winstel u. Weyrich, Optoelektronik I: Lumineszenz- u. Laserdioden, Berlin: Springer 1981 ■ s. a. Halbleiter, Optoelektronik.

Ledeburit. Eutektikum des *Eisen-Kohlenstoff-Systems bei 4,3% Kohlenstoff. Aufgrund der eutekt. Unterkühlung der Schmelze auf eine Solidustemp. von 1147°C ergibt sich ein Gefüge mit typ. strukturiertem Erscheinungsbild [eutekt. Gemenge von *Austenit u. *Zementit* (Fe_3C)].
Mit Auftreten des L. im Gefüge von Fe-C-Leg. oberhalb von ca. 2,1% C ist die Leg. prakt. nicht mehr kaltverformbar u. wird als *Gußeisen bezeichnet. Mit sinkender Temp. scheidet der bei 1147°C noch 2,06% C enthaltende Austenit im Gußeisen C in Form von Fe_3C-Krist. aus, bis bei einer Temp. von 723°C der eutektoide Punkt mit 0,8% C erreicht wird. Dort zerfällt der Austenit in das Gemenge *Perlit aus *Ferrit u. Zementit. Die Bez. L. für das feinkörnige Gefügegemenge ist auch bei Raumtemp. noch zutreffend, wenn sich der Austenit-Anteil in Zementit u. Perlit umgewandelt hat, da das ursprüngliche Erscheinungsbild erhalten bleibt. Bei den Gußeisensorten handelt es sich im allg. um untereutekt. Fe-C-Leg., d. h. Leg. mit einem C-Gehalt <4,3%. Durch den Zusatz von Chrom wird der Beginn der L.-Bildung zu niedrigeren C-Gehalten verlagert. So enthält ein Stahl mit 1% C u. 15% Cr im Gefüge bereits L., allerdings in Form eines ternären Eutektikums, s. Wälzlagerstahl. Diese *ledeburit. Stähle* sind schmiedbar, da in ihnen die L. durch den Verformungsvorgang zertrümmert wird u. in feinkörniger, homogen verteilter Form zu einer hohen Verschleißbeständigkeit beiträgt. – *E* = *I* ledeburite – *F* lédéburite – *S* ledeburita

Lit.: Schumann, Metallographie, 10. Aufl., S. 298, 308, 467, Leipzig: VEB für Grundstoffind. 1980.

Leder. Bez. für das von Anhangsgebilden (Haare, Federn usw.) befreite, aus *Collagen bestehende Produkt aus Häuten verschiedener Tierarten, das durch *Gerbung* u. weitere *Zurichtungen* – insbes. Fetten u. *Färben – gewonnen wird, s. Gerberei u. die hier wie dort folgenden Stichwörter. L. ist durch seine bes. Eigenschaften, wie faserig-poröse, luftdurchlässige Struktur, wodurch es 28% seines Gew. an Wasserdampf adsorbieren u. reversibel abgeben kann, weitgehende Wasserabstoßung u. Wärmeisolationsvermögen bei relativ guter Festigkeit etc., seit Jahrtausenden als Bekleidungsmaterial u. Werkstoff in Gebrauch. Die Bez. der verschiedenen L.-Arten richtet sich zum einen nach der Herkunft von den verschiedenen Tierarten, zum anderen nach der speziellen Verw.- u./od. Aufbereitungsart. So unterscheidet man Unter- u. Ober-L. in der Schuhfabrikation, Sattler-, Polsterer-, Täschner-, Handschuh-L. usw. sowie Sämisch-, Boxcalf-, Glacé-, Chevreau-, Saffian-, Rindbox-, Lack-, Wild- od. Velours-L. usw., die ggf. in eigenen Stichwörtern besprochen werden. In Erzeugerländern gegerbtes u. gefettetes L. wird oft als sog. *Crustleder* (od. Crustware) zur Weiterverarbeitung exportiert. Angesichts der steigenden „Rohstoff"-Preise u. der aufwendigen u. daher kostenintensiven Herst. wird seit langem nach L.-Substituten gesucht, insbes. für die Zwecke der Schuh-Ind., doch wurde trotz interessanter Entwicklung bei *Kunstledern u. *Poromeren noch kein Produkt mit gleich guten Eigenschaften wie L. gefunden. – *E* leather – *F* cuir – *I* cuoio – *S* cuero

Lit.: Encycl. Polym. Sci. Technol. **8**, 195–210 ■ Kirk-Othmer (3.) **14**, 200–231; (4.) **15**, 159–177 ■ Ullmann (4.) **16**, 109–177; (5.) A **15**, 259–282 ■ s. a. Gerberei.

Lederberg, Joshua (geb. 1925), Prof. für Biologie, Univ. Wisconsin u. Stanford Univ., Palo Alto, California. Präsident der Rockefeller Univ., New York. *Arbeitsgebiete:* Genetik u. Molekularbiologie, Sexualität u. Gen-Austausch (Transduktion) bei Bakterien. Nobelpreis für Physiologie od. Medizin 1958 zusammen mit *Beadle u. *Tatum für seine Entdeckungen über genet. Neukombinationen u. Organisation des genet. Materials bei Bakterien.
Lit.: Lexikon der Naturwissenschaftler, S. 264 ■ Who's Who in America (51.), S. 2499.

Lederbraun s. Vesuvin.

Lederderm® (Rp). Filmtabl. mit dem Tetracyclin-Antibiotikum *Minocyclin-Hydrochlorid. *B.:* Lederle.

Lederer, Edgar (geb. 1908), Prof. für Organ. Chemie, Gif-sur-Yvette (Frankreich). *Arbeitsgebiete:* Naturstoffchemie, Biochemie, Chromatographie.
Lit.: Nachmansohn, S. 337 ■ Pötsch, S. 264.

Lederer-Manasse-Reaktion s. Hydroxymethylierung.

Lederfärbung. Um *Leder zu färben, verwendet man je nach Typ des zur Gerbung benutzten *Gerbstoffs anion., kation. od. Metallkomplex-Farbstoffe. Grundsätzlich unterscheidet man Faßfärbung im rotierenden Walkfaß, Spritzfärbung, Druckfärbung u. Bürstfärbung spezieller Leder von Hand auf der Tafel. – *E*

leather dyeing – *F* teinture du cuir – *I* colorazione del cuoio – *S* tinción de cuero
Lit.: Kirk-Othmer (3.) **8**, 331–334; (4.) **8**, 740–743 ▪ Ullmann (4.) **16**, 148–159; (5.) A **15**, 275 f. ▪ s. a. Gerberei u. Leder.

Lederfett s. Degras u. Licker.

Lederhaut s. Auge.

Lederhilfsmittel. Oberbegriff für alle Stoffe, die bei der der *Gerberei folgenden Behandlung von *Leder zur Verw. kommen: Färberei- u. Bleichhilfsmittel, Fettungsmittel u. -hilfsmittel, Grundier- u. Imprägniermittel, Hydrophobiermittel etc., s. a. Lederzurichtmittel. – *E* leather auxiliaries – *F* produit auxiliaire pour cuir – *I* ausilio per cuoio – *S* productos auxiliares para cuero
Lit.: s. Gerberei u. Leder.

Lederle. Die Lederle Arzneimittel GmbH & Co., 82515 Wolfratshausen, befindet sich im Besitz der American Home Products Corp., Madison, New Jersey (USA). *Daten* (1995): 750 Beschäftigte, 200 Mio. DM Umsatz. *Produktion:* Arzneimittelspezialitäten.

Lederleim s. Leime.

Lederlind®. Mundgel u. Paste mit dem *Antimykotikum *Nystatin gegen *Candida*-Infektionen. *B.:* Lederle.

Lederolinor®. Meist durch Sulfatieren wasserlösl. bzw. emulgierbar gemachte tier. u. pflanzliche Öle, z. T. mit Zusätzen spezif. wirkender Fettkörper für die *Licker-Fettung von Leder. *B.:* Henkel.

Lederseifen s. Sattelseifen.

Lederzurichtmittel. Bez. für Stoffe, durch die der *Leder-Oberfläche ein gewünschtes Aussehen u. eine bessere Widerstandsfähigkeit gegen äußere Einflüsse verliehen wird. Man unterscheidet Grundierungs- u. Narbenverfestigungsmittel (Polyacrylate, Polyurethane u. dgl. in organ. Lsm. od. wäss. Dispersionen), Lederdeckfarben (Pigmente mit Bindemitteln, Dispergiermitteln usw.), Bindemittel (Harze, Wachse, Cellulose-Derivate usw.), Abschlußlacke (Cellulosenitrat-, Polyurethan-Basis od. Gemische) u. Zurichthilfsmittel. – *E* leather finishings – *F* produits pour le finissage du cuir – *I* agente per imbozzimatura del cuoio – *S* productos para el acabado del cuero
Lit.: s. Gerberei u. Leder.

Ledol (Ledumcampher).

$C_{15}H_{26}O$, M_R 222,37, Krist., Schmp. 105 °C, Sdp. 282 °C, $[\alpha]_D^{20}$ +28° (CHCl$_3$), lösl. in organ. Lsm., unlösl. in Wasser. Stark reizendes *Sesquiterpen aus den Blättern von *Ledum palustre* (Sumpfporst, Ericaceae). L. bewirkt bei oraler Aufnahme Erbrechen, Schweißausbrüche, Pulsbeschleunigung, Schmerzen in Muskeln u. Gelenken sowie Krämpfe u. Erregungszustände. Die Blätter von *L. palustre* wurden früher dem Bier zugesetzt, um es berauschender zu machen.

Verw.: Therapeut. wurden *Ledum*-Produkte bei Keuchhusten, Bronchialkatarrh, Ekzemen u. rheumat. Erkrankungen verwendet, als Droge obsolet. In Abwägung der Risiken (heftige Reizerscheinungen im Magen-Darm-Trakt) u. der nicht hinreichend belegten Wirkung ist von der Verw. des Öls u. Krauts abzuraten [1]. – *E* = *S* ledol
Lit.: [1] Braun-Frohne (6.), S. 340.
allg.: Beilstein E IV **6**, 425 f. ▪ J. Nat. Prod. **53**, 830 (1990) ▪ J. Org. Chem. **45**, 4765 (1980) ▪ Karrer, Nr. 1908 ▪ Merck-Index (12.), Nr. 5454 ▪ R. D. K. (3.), S. 415, 905. – *[CAS 577-27-5]*

Ledumcampher s. Ledol.

Lee, Tsung Dao (geb. 1926), Prof. für Theoret. Physik, Columbia-Univ., New York, Volksrepublik China. *Arbeitsgebiete:* Feldtheorie, statist. Mechanik, Hydrodynamik, Astrophysik, Konstruktion der chines. Atombombe. Erhielt für seine Untersuchungen zum Paritätsprinzip 1957 den Nobelpreis für Physik (zusammen mit *Yang).
Lit.: Lexikon der Naturwissenschaftler, S. 264 ▪ Pötsch, S. 265 ▪ The International Who's Who (16.), S. 908.

Lee, Yuan Tseh (geb. 1936), Prof. für Chemie, Univ. Berkeley, California. *Arbeitsgebiete:* Kinetik chem. Reaktionen. Mit Hilfe der von *Herschbach entwickelten Meth. der gekreuzten Molekularstrahlen gelang es ihm, auch Reaktionen zwischen Mol. u. Fluor-, Brom- bzw. Sauerstoff-Atomen zu analysieren. Hierfür erhielt er 1986 zusammen mit *Herschbach, D. R. u. *Polanyi, J. C. den Nobelpreis für Chemie.
Lit.: Lexikon der Naturwissenschaftler, S. 264.

LEED. Abk. von *E* Low Energy Electron Diffraction, einem Verf. zur Strukturanalyse von Werkstoffoberflächen, bei dem im Ultrahochvak. (<10^{-13} bar) „langsame" Elektronen von 10–200 eV an den obersten atomaren Schichten in typ. Weise gebeugt werden. Die LEED-Technik bildet eine Ergänzung zur *Auger-Spektroskopie u. zählt wie diese zu den Verf. der Sekundär-*Elektronenspektroskopie. Sie eignet sich bes. zur Untersuchung adsorptiv gebundener Materie, z. B. an Katalysatoroberflächen bei der heterogenen *Katalyse. Vergleichbare *Elektronenbeugungs-Muster wie mit LEED erhält man auch bei HEED (*High Energy Electron Diffraction*) mit „mittelschnellen" Elektronen von 10–1000 keV bzw. mit RHEED (*Reflection High Energy Electron Diffraction*), indem der Elektronenstrahl unter einem nahezu streifenden Einfall auf die Oberfläche gebracht wird. Da bei RHEED Streuung vorrangig an dem starken Coulomb-Feld der Ionenkerne erfolgt, sind die erhaltenen Spektren mit einfachen Näherungen wesentlich zutreffender beschreibbar als die Ergebnisse von LEED (*Lit.* [1]). – *E* low energy electron diffraction – *F* diffraction électronique à basse énergie – *I* diffrazione di elettroni di bassa energia – *S* difracción de electrones de baja energía
Lit.: [1] Clarke, Surface Crystallography, New York: Wiley & Sons 1985.
allg.: Henzler u. Göpel, Oberflächenphysik des Festkörpers, Stuttgart: Teubner, 1995 ▪ Van Hove, Weinberg u. Chan, Low Energy Electron Diffraction, Berlin: Springer 1986 ▪ Surface Sci. **27**, 239–326 (1988).

Leerstellen s. Kristallbaufehler u. Zwischengitterplätze.

Leerversuch s. Blindprobe.

Lefax®. Kautabl., Tropfen u. Saft mit *Simethicon gegen Völlegefühl, Meteorismus u. dgl. *B.:* Asche.

Leflunomid (Rp).

Internat. Freiname für 5-Methyl-4'-(trifluormethyl)-4-isoxazolcarboxanilid, $C_{12}H_9F_3N_2O_2$, M_R 270,21. L. ist ein neues Immunsuppressivum. Es hemmt die Phosphorylierung von Rezeptor-Tyrosinen in T-Zellen. Es befindet sich von Hoechst in Phase III der klin. Prüfung gegen rheumatoide Arthritis. – *E = F = I* leflunomide – *S* leflunomida

Lit.: Dtsch. Apoth. Ztg. **136**, 3960 f. (1996) ▪ J. Biol. Chem. **270**, 12398–12403 (1995) ▪ J. Heart Lung Transplant. **12**, 5275–5286 (1993). – *[HS 293490; CAS 75706-12-6]*

Legalon®. Dragées u. Lsg. mit *Silymarin bei Hepatitis u.a. Lebererkrankungen; *L. SIL* (Rp), Ampullen mit *Silibinin als Antidot bei Lebervergiftung durch *Knollenblätterpilze. *B.:* Madaus.

Legal-Test. Nach dem Breslauer Arzt E. Legal (1859–1922) benannter, in Harnteststreifen für Diabetiker genutzter Farbtest auf die *Ketonkörper Aceton u. Acetessigsäure, die mit *Nitroprussidnatrium u. Glycin bei alkal. pH eine Violettfärbung zeigen; Phenylketone reagieren orangerot. – *E* Legal test – *F* réaction de Legal – *I* test di Legal – *S* prueba de Legal

Leghämoglobin. Aus Wurzelknöllchen von *Hülsenfrüchten (Leguminosen) isolierbare rote Substanz, die dem *Myoglobin der Wirbeltiere ähnelt. Durch die reversible Bindung von O_2 kann L. den hohen Sauerstoff-Bedarf bei der *Stickstoff-Fixierung durch die *Knöllchenbakterien gewährleisten. Das *Apoprotein wird von den Pflanzenzellen, das *Häm von den Bakterien gebildet. – *E* leghemoglobin, legoglobin – *F* leghémoglobine – *I* legemoglobina – *S* leghemoglobina

Lit.: Czygan, Pigments in Plants, 2. Aufl., S. 314, Stuttgart: Fischer 1980 ▪ Endeavour **31**, 139–142 (1972) ▪ Merck-Index (12.), Nr. 5456 ▪ s. a. Hämoglobin.

Legierung. Metall. ein- od. mehrphasiger Werkstoff eines Zwei- od. Mehrstoffsyst., dessen Ausgangskomponenten (L.-Elemente) metallurg. miteinander in Wechselwirkung treten u. dabei zur Bildung neuer Phasen führen (*Mischkristalle, *intermetallische Verbindungen, Metall-Nichtmetall-Verb., *Überstrukturen). Die Eigenschaften der L. können in Abhängigkeit von den gebildeten Phasen ähnlich wie die der L.-Elemente sein od. sich stark von ihnen unterscheiden. Die von der Temp. abhängigen Phasengleichgew. in Zwei- od. Mehrstoffsyst. werden in *Zustandsdiagrammen dargestellt [1]. Die heute kaum noch überschaubare Anzahl der techn. eingesetzten L. ergibt sich zum einen aus der Vielzahl der verfügbaren L.-Syst., zum anderen aus der Tatsache, daß L. in der Regel nicht im Gleichgew. eingesetzt werden; erst aus dem Ungleichgewichtszustand ergibt sich das interessante Eigenschaftsspektrum. Die Benennung von L.-Gruppen folgt im allg. dem Element mit dem größten Anteil, z.B. *Nickel-Legierungen, *Kupfer-Legierungen, die Bez. einzelner L. orientiert sich zumeist an der Zusammensetzung, speziellen Eigenschaften od. dem Anw.-Bereich. Daneben kommen (bes. im Hinblick auf die Bedeutung der Datenverarbeitung) zunehmend Werkstoffnummern zur Anwendung.

Bereits frühe Phasen der Menschheitsgeschichte haben den engen Zusammenhang zwischen der gesellschaftlichen Fortentwicklung u. der Entwicklung der L.-Technik gezeigt (Bronzezeit, Eisenzeit). Diese Wechselbeziehung war zu allen Zeiten gültig; so sind auch die techn. Entwicklungen unserer Zeit trotz zunehmender Bedeutung nichtmetall. Alternativwerkstoffe ohne die Verfügbarkeit von Hochleistungs-L. undenkbar (Flugtechnik, Energietechnik u.a.). – *E* alloy – *F* alliage – *I* lega – *S* aleación

Lit.: [1] Hansen, Constitution of Binary Alloys, 2. Aufl., New York: McGraw-Hill Book Comp. 1958; Massalski (Hrsg.), Binary Alloy Phase Diagrams, Metals Park: Am. Soc. Metals 1987.

allg.: Schumann, Metallographie, 10. Aufl., Leipzig: Verl. Grundstoffind. 1980.

Legionärskrankheit s. Legionellen.

Legionellen. Der Erreger der sog. Legionärskrankheit, *Legionella pneumophila*, ist ein Gram-neg., Katalase- u. Oxidase-pos. Bakterium, das nur schwer auf Agar anzuzüchten ist u. deshalb häufig bei mikrobiolog. Untersuchungen übersehen wird. Mit Mueller-Hinton-Agar u. einem Zusatz von Cystein u. Eisendextran lassen sich allerdings gute Ergebnisse erzielen. Bakterien der Gattung *Legionella* besitzen einen Zelldurchmesser zwischen 0,3 u. 0,8 µm u. sind etwa 2 bis 3 µm lang. *Legionella* wird regelmäßig im Erdboden u. im Wasser angetroffen. Eine Erhitzung auf ca. 70 °C tötet L. im allg. sicher ab. *Legionella* hat sein Wachstumsoptimum bei einem pH-Wert zwischen 7 u. 9,2 bei 20 °C. Betroffen von L.-Befall sind Befeuchtungssyst. von Klimaanlagen, die die Hauptgefahrenquelle für die mikrobielle Verbreitung darstellen. Es sind einige Erkrankungen u. Todesfälle als Hospitalismuskeim bekannt geworden (auch durch *Pseudomonas aeruginosa* u.a. Arten dieser Gattung sowie *Klebsiella pneumoniae*). Auf eine aerogene Infektion ist auch die Legionärskrankheit zurückzuführen, die bei einem Veteranentreffen im Juli 1976 zu 147 Erkrankungen führte, wobei 29 Todesfälle auftraten. Als Ursache für diese Erkrankung wurde eine Kontamination der Klimaanlage des Tagungshotels festgestellt. Heute häufen sich, bes. in der warmen Jahreszeit, Erkrankungen mit L. (Inkubationszeit 2–10, max. 26 d) mit einem zunächst an Grippe erinnernden Prodromalstadium auch in europ. Ländern. Z.Z. werden häufig *Methylisothiazolone zur Desinfektion des Waschwassers in der Klimatechnik verwendet. – *E* legionellae – *I* legionelle – *S* legionelas

Lit.: Bundesgesundheitsblatt **38**, 284–287 (1995).

Leguminosen s. Hülsenfrüchte.

Legupren®. Schaumstoffsyst. auf der Basis ungesätt. *Polyesterharze; einsetzbar für den Verbund mit Füllstoffen (vornehmlich granulierte Leichtfüllstoffe wie expandierte Silicate). *B.:* Bayer.

Leguval®. Sortiment von ungesätt. *Polyesterharzen zur Herst. von glasfaserverstärkten Rohren, Platten, Behältern u. Großformteilen, als Grundlage für Kittmassen, Gießharzbeton u. Mörtelmassen, für Beschichtungen im Bauwesen sowie für Polyester-Schaum (Legupren®). *B.:* Bayer.

Lehm. Durch feinsten Limonit (*Brauneisenerz) gelblich od. bräunlich gefärbter *Ton mit nennenswerten Anteilen von *Sand u. Schluff (*klastische Gesteine), ferner mit Gehalten an *Kalk, *Glimmer-Blättchen u. zersetzten u. frischen Gesteinsbruchstücken. L. ist entweder an Ort u. Stelle verbliebenes Produkt der *Verwitterung von tonigen bzw. *Aluminiumsilicat-reichen Gesteinen, d. h. eine *Boden-Art (Klassifikation s. Scheffer u. Schachtschabel, *Lit.*) od. umgelagertes (sog. allochthones) Verwitterungsmaterial, z. B. als *Hang-L.* od. *Auelehm.*
Verw.: In Heilerden; in regenarmen Gebieten als Baustoff; gebräuchlichstes Material zur Ziegel-Herstellung. Bei gleichzeitig hohem Kalk-Gehalt entstehen nicht rote, sondern gelblich-graue Brennfarben. – *E* loam – *F* glaise – *I* argilla – *S* arcilla, barro
Lit.: Pohl, Lagerstättenlehre (4.), S. 300 f., Stuttgart: Schweizerbart 1992 ▪ Scheffer u. Schachtschabel, Lehrbuch der Bodenkunde (13.), S. 22 ff., Stuttgart: Enke 1992 ▪ Spektrum Wiss. **1981**, Nr. 2, 15; **1982**, Nr. 2, 22 f. – *[HS 250700]*

Lehmann & Voss. Kurzbez. für die 1894 gegr. Firma Lehmann & Voss & Co., 20354 Hamburg. *Produktion:* Produkte für die Oberflächentechnik, Filtration, Pharmazie u. Kosmetik; elastomere Rohstoffe, Füllstoffe, Werkstoffe u. Additive.

Lehn, Jean-Marie (geb. 1939), Prof. für Chemie, Univ. Strasbourg u. Collège de France, Paris. *Arbeitsgebiete:* Konformation cycl. Verb., NMR-Spektroskopie, Strukturchemie, Synth. u. Eigenschaften von Makropolycyclen u. ihren Komplexen (Kryptaten), supramol. Chemie. 1987 erhielt er zusammen mit Pedersen u. *Cram den Nobelpreis für Chemie für die Entwicklung u. Verw. von Mol. mit strukturspezif. Wechselwirkung von hoher Selektivität.
Lit.: Lexikon der Naturwissenschaftler, S. 265 ▪ Neufeldt, S. 291 ▪ The International Who's Who (16.), S. 910.

Lehnartz, Emil (1898–1979), Prof. für Physiolog. Chemie, Univ. Münster. *Arbeitsgebiete:* Chem. Physiologie des Muskels u. des intermediären Stoffwechsels.
Lit.: Kürschner (15.), S. 1852 ▪ Nachmansohn, S. 308.

Lehninger, Albert, Lester (geb. 1917), Prof. für Physiolog. Chemie, John Hopkins Univ., Baltimore, Maryland, sowie Univ. London, Rom, Padua, Tel Aviv u. Göttingen. *Arbeitsgebiete:* Enzymat. Reaktionen, Ionentransport durch Mitochondrien, Energietransformation in biolog. Syst.; Autor zahlreicher Lehrbücher für Biochemie.
Lit.: Pötsch, S. 266.

Lei, Ley s. Schiefer.

Leibniz, Gottfried Wilhelm (1646–1716), Philosoph, Mathematiker, Physiker u. Diplomat. Gilt als führender u. universalster Geist seines Jh., auch als „Aristoteles des 17. Jahrhunderts" bezeichnet. Neben seinen bahnbrechenden mathemat. Untersuchungen, beispielsweise der Infinitesimalrechnung, die wesentliche Grundlage aller Naturwissenschaften bildete, erbrachte er auch auf dem Gebiet der Physik zahlreiche Leistungen: Er erkannte das Produkt aus der Masse u. dem Quadrat der Geschw. als maßgebend für die „lebende Kraft" (heute als kinet. Energie bezeichnet) u. fand 1693 das Gesetz von der Erhaltung der mechan. Energie.
Lit.: Lexikon der Naturwissenschaftler, S. 265 ▪ Pötsch, S. 266.

Leicester, Henry M. (geb. 1906), Prof. für Biochemie, San Francisco. *Arbeitsgebiete:* Biochemie der Zähne, Geschichte der Chemie.
Lit.: Neufeldt, S. 402, 403, 405.

Leichengifte s. Ptomaine.

Leichtbauplatten s. Holzwolle-Leichtbauplatten.

Leichtbausteine. Bez. für Bausteine aus *Leichtbeton, Gips u. Porenbeton (Gas-, Schaum- u. Leichtkalkbeton). Zu den L. gehören auch Lochziegel u. Kalksandleichtsteine. – *E* light-weight building stones – *F* pierres légères de construction – *I* pietre da costruzione leggeri – *S* piedras ligeras de construcción
Lit.: DIN 105 Tl. 2 (08/1981) u. Tl. 5 (05/1984).

Leichtbenzin. Bez. für eine Dest.-Fraktion des *Erdöls, mit Siedegrenzen von 70–90 °C, die als Fleckentfernungsmittel u. für andere bei *Benzin erwähnte Zwecke verwendet wird. – *E* light petrol – *F* essence minéral légère – *I* benzina leggera – *S* bencina ligera – *[HS 271000]*

Leichtbeton. Durch *Betonzusatzmittel wie feinkörnige Zuschläge od. treibende, gasblasenbildende Zusätze porig gestalteter *Beton mit einer Trockendichte von max. 2,0 kg/dm^3. *Beisp.:* Bims-, Schaumschlacken-, Schlacken-, Ziegelsplitt-, Holz-, Hüttenbims- u. Porenbeton (Schaum- u. Gasbeton). L. dient als *Leichtbaustein zur Wärme- u. Schalldämmung. – *E* light-weight concrete – *F* béton léger – *I* calcestruzzo leggero – *S* hormigón ligero
Lit.: DIN 1045 (07/1988) ▪ Scholz, Baustoffkenntnis, 12. Aufl., S. 340–346, Düsseldorf: Werner 1991 ▪ Ullmann (4.) **8**, 324 f. ▪ Wendehorst, Baustoffkunde, 24. Aufl., S. 472–484, Hannover: Vincentz 1994.

Leichtentzündliche Stoffe. Nach der *Gefahrstoffverordnung Bez. für Stoffe, die sich bei gewöhnlicher Temp. an der Luft ohne Energiezufuhr erhitzen u. schließlich entzünden können, od. die durch kurzzeitige Einwirkung einer Zündquelle leicht entzündet werden können u. nach deren Entfernung weiterbrennen od. weiterglimmen; – flüssige Stoffe, die einen Flammpunkt unter 21° C haben, aber nicht hochentzündlich sind; – Gase bzw. verflüssigte Gase, die bei Normaldruck mit Luft einen Zündbereich haben; – Stoffe, die bei Berührung mit Wasser od. mit feuchter Luft leicht entzündliche Gase in gefährlicher Menge (mind. 1 L pro kg u. h) entwickeln. L. S. werden mit dem *Gefahrensymbol u. der Gefahrenbez. „leichtentzündlich" gekennzeichnet; s. a. brennbare Flüssigkeiten. – *E* highly flammable substances – *F* substances facilement inflammables – *I* sostanze facilmente infiammabili – *S* sustancias fácilmente inflamables

Lit.: GefStoffV vom 26. 10. 1993 (BGBl. I, S. 1782), zuletzt geändert am 09. 10. 1996 (BGBl. I, S. 1498).

Leichtgips (Porengips). Durch Zusätze von Treibmitteln (z. B. H_2O_2 od. Kalkpulver u. Salzsäure) leicht u. porös gemachter *Gips.

Leichtmetalle. Metall. Werkstoffe mit einer speziellen D. von max. 4,5 g/cm^3. Dazu gehören Mg, Al, Be u. Ti sowie ihre Legierungen. L. werden bevorzugt dort eingesetzt, wo das Gew. von Komponenten im Hinblick auf optimale Energienutzung eine Rolle spielt, etwa in der Flug- u. Kraftfahrzeugtechnik, aber auch in der Haustechnik. – *E* light metals – *F* métaux légers – *I* metalli leggeri – *S* metales ligeros

Leichtmineralien s. Mineralien.

Leichtöl. Bez. für je nach Herkunft verschieden zusammengesetzte Kohlenwasserstoff-Gemische.
1. Das beim Erhitzen von *Braun- od. *Steinkohlenteer bei 170–190 °C überdestillierende, flüssige Produkt besteht zu 60–65% aus Benzol, Toluol u. Xylol; D. ca. 0,85–0,93. Zur Isolierung der Bestandteile wird dieses sog. *Rohbenzol* nach Abtrennung von Basen u. Phenolen nochmals einer fraktionierten Dest. unterworfen.
2. Bez. für ein Gemisch aus Pentan, Hexan, Cyclohexan u. Methylcyclohexan (ca. 95–98%) sowie Benzol (*Rohbenzin*), das als Lsm. u. Motorkraftstoff Verw. findet.
3. Bez. für leichtes *Heizöl. – *E* light oil – *F* huile légère – *I* olio leggero – *S* aceite ligero
Lit.: Winnacker-Küchler (4.) **5**, 472–484. – *[HS 2707 10, 2707 50, 2710 00]*

Leichtwasserreaktor s. Kern-Reaktoren.

Leichtziegel s. Ziegel.

Leidenfrostsches Phänomen. Bez. für die von dem dtsch. Arzt u. Physiker Johann Gottlieb Leidenfrost (1715–1794) aufgefundene Erscheinung, derzufolge Wassertropfen auf einer über 100 °C heißen Platte „tanzen", weil die zwischen Wassertropfen u. Unterlage bestehende Dampfschicht die Wärmezufuhr derart behindert, daß der Tropfen nur langsam verdampft u. sich von der Dampfschicht getragen auf der Metallplatte unregelmäßig bewegt. Aus dem gleichen Grund verdampft auf den Fußboden ausgegossene *flüssige Luft* relativ langsam. – *E* Leidenfrost phenomenon – *F* phénomène de Leidenfrost – *I* effetto Leidenfrost, calefazione – *S* fenómeno de Leidenfrost

Leime. Bez. (nach DIN 16 920, 06/1980) für *Klebstoffe, die aus wasserlösl. tier. (*Glutin, *Casein), pflanzlichen (*Stärke, *Dextrin, *Celluloseether) od. synthet. (z. B. Polyacrylsäure-Derivate, *Polyvinylalkohol, *Polyvinylpyrrolidon) *Polymeren u. Wasser als Lsm. bestehen. Sie gehören zur der Klasse der einkomponentigen, physikal. kalt (*Kaltleime*) od. heiß (tier. L.: *Heißleime*) abbindenden Klebstoffe, bei denen das Lsm. (Wasser) während des Verklebens entweicht. Insbes. bei den tier. L. erfolgt eine Unterteilung nach der Provenienz des Ausgangsmaterials, z. B. in Haut-, Leder-, Knochen- u. Fisch-Leim. Derartige L. sind Umwandlungsprodukte der in tier. Bindegeweben enthaltenen *Collagene, die sich unter partiel-

ler Hydrolyse unter Bildung von Glutin in heißem Wasser lösen. Die resultierenden Lsg. erstarren beim Erkalten gallertartig u. trocknen zu einer hornartigen transparenten Masse ein. Diese löst sich erst beim Erwärmen wieder in Wasser zu einer Lsg. mit hoher Klebkraft auf. L. wurden früher häufig als Tafeln (Tafel-L.), heute weitgehend als Granulate od. in Form von Würfeln vermarktet. Bes. reine tier. L. werden auch Gelatine-L. genannt. L. können als sog. Misch-L. auch auf mehreren Rohstoffen basieren. Zusätze von Kunstharz-Dispersionen zu Stärke- od. Dextrin-L. verbessern z. B. die Wasserfestigkeit von mit diesen Klebstoffen hergestellten Verklebungen. Die Bedeutung der natürlichen L. geht zugunsten der der synthet. L. immer stärker zurück.
Verw.: Im großen Umfang zur Verklebung von Holz, Pappe, Papier, Folien usw.; ferner als Appretiermittel u. Bindemittel für *Leimfarben. – *E* glue – *F* = *I* colle – *S* cola
Lit.: Habenicht, Kleben, S. 60 ff., Berlin: Springer 1986 ▪ Ullmann (4.) **14**, 239 ff.; (5.) **A 1**, 237 ff. – *[HS 3505 20, 3506 10, 3506 99]*

Leimen, Leimung s. Papier.

Leimfarben. Nach DIN 55 945 (09/1996) Bez. für Anstrichstoffe mit wasserlösl. Klebstoffen (*Leim) als *Bindemittel, die ihre Löslichkeit in Wasser beim Trocknen nicht verlieren. Der *Anstrich bleibt also empfindlich gegen Nässe u. Feuchtigkeit u. kann durch Abwaschen entfernt werden. Demnach sind unlösl. auftrocknende *Casein-Farben im Sinne dieser Begriffsbestimmung keine Leimfarben. Schon in der Antike verwendeten die Ägypter Knochenleim als Farbbindemittel, u. bei dem trockenen Klima ihrer Heimat bewährte er sich auch in Außenanstrichen. Heute stellt man L. z. B. durch Verrühren von Zinkweiß, Chromgelb, Chromgrün, Ultramarinblau u. dgl. in synthet. od. natürlichen Leimen her. – *E* distemper – *F* peintures à la colle, peintures en détrempe – *I* colori a colla – *S* pinturas preparadas con cola, pinturas al temple
Lit.: Gatz (Hrsg.), Lexikon der Anstrichtechnik (8. Aufl.), Bd. 1 S. 158 f., München: Callwey 1987. – *[HS 3210 00]*

Leimfilme s. Klebfolien.

Leimharze. Bez. für *Harze auf der Basis von *Polykondensaten aus Formaldehyd (*Formaldehyd-Harze) u. Phenolen, Harnstoffen od. Melamin. L. werden zur Herst. von *Klebstoffen für das Verkleben von Substraten aus Holz (*Holzverleimung*) verwendet. – *E* resin glue, resin size – *F* résines adhérentes – *I* resine per colle – *S* resinas encolantes
Lit.: Habenicht, Kleben, S. 42–47, Berlin: Springer 1986. – *[HS 3909 40]*

Leimpresse s. Papier.

Leimseifen s. Seifen.

Lein(en) s. Flachs.

Leinöl. Goldgelbes, in gebleichtem Zustand schwach gelbliches, fettes, *trocknendes Öl, das aus den zerkleinerten Samen des Leins (s. Flachs) in der Kälte mit Hilfe von Etagenpressen bei einem Druck von 180–350 bar u. einer Ausbeute von 20–30% erhalten wird. Der Preßrückstand (Preßkuchen, Ölkuchen) enthält noch 7–8% Öl u. stellt ein geschätztes Futtermittel dar. Die dem Rohöl anhaftenden Schleimstoffe werden durch Erhitzen auf 280 °C od. Filtrieren mit *Bleicherde entfernt. L. ist leicht lösl. in Ether, Petrolether, Benzol, Schwefelkohlenstoff sowie chlorierten Kohlenwasserstoffen u. stellt ein komplexes Gemisch von Glycerinestern überwiegend ungesätt. *Fettsäuren dar (Tab.).

Tab: Typ. Fettsäure-Zusammensetzung des Leinöls.

Fettsäure	Anteil [Gew.-%]
Palmitinsäure	5
Stearinsäure	4
Ölsäure	22
Linolsäure	17
Linolensäure	52
IZ	155–205
VZ	188–196
Schmp.	–20° C

Von allen *Fetten u. Ölen weist das L. die höchste *Iod-Zahl auf. An der Luft kommt es daher leicht zur unerwünschten Autoxid., die über die Zwischenstufe von Hydroperoxiden zu festen, polymeren Produkten (*Linoxyn*) führt. Hierbei handelt es sich um ein Harz-artiges, Ether-lösl., in Wasser langsam quellendes, Kautschuk-artiges Produkt, das in dünner Schicht durchsichtige, dünne, klare Filme bildet (Leinöl-*Firnis). Linoxyn stellt den wesentlichen Bestandteil aller Ölfarbenanstriche u. des *Linoleums dar. Dieser Oxid.- u. Polymerisationsvorgang kann durch Verw. geeigneter Autoxid.-Inhibitoren, z. B. bestimmter Amine od. Phenole, verlangsamt od. umgekehrt durch UV-Licht od. Spuren von Übergangsmetall-Ionen beschleunigt werden. Wird L. ohne weitere Zusätze unter Luftabschluß in Aluminium-Apparaturen auf 250–300 °C erhitzt, so entsteht das zähflüssigere L.-*Standöl od. Dicköl, dessen Anstriche fester, elast. u. beständiger gegen Witterungs- u. Temp.-Unterschiede sind. Bes. Qualitäten werden als Lackleinöl bezeichnet.
Verw.: Zu Ölfarben, Firnissen, Öllacken u. Linoleum, in geringem Umfang auch zur Modifizierung von Alkydharzen (Leinölalkyde), zur Bereitung von Schmierseifen, Kitt, Buchdruckerschwärze, *Linimenten u. dgl. L. kann in seinen Eigenschaften als Farbenbindemittel durch oxidierte u. polymerisierte Mineralöle ersetzt werden. In geringem Umfang findet es auch als Speiseöl Verwendung. In neuerer Zeit bietet L. als nachwachsender Rohstoff auch interessante Ansatzpunkte für eine L.-Folgechemie. Wichtigste Erzeuger sind die La Plata-Staaten, USA, Canada, Indien, Ägypten u. die UdSSR. – *E* linseed oil, flaxseed oil – *F* huile de lin – *I* olio di lino – *S* aceite de linaza
Lit.: Henkel-Ref. **31**, 7–13 (1995) ▪ Ullmann (5.) **A 10**, 227 ▪ Winnacker-Küchler (3.) **5**, 448 ▪ s. a. Fette u. Öle. – *[HS 1515.11, 1515.19]*

Leinölfirnis s. Firnisse.

Leinsamen. Kleine, braune, flache, längliche Samen des angebauten *Leins* (s. Flachs). Die L. enthalten 5,5–14% Wasser, 3–6% Pflanzenschleim (gibt bei Hydrolyse Rhamnose, Galactose, Arabinose u. Xylose), 30–45% fettes Öl (*Leinöl), etwa 20% Eiweiß,

bis zu 0,9% Lecithin, ferner Enzyme (z. B. Lipase), 2–2,5% Zucker, Sterine u. 3–4% Mineralsubstanzen. L. enthalten außerdem die *cyanogenen Glykoside *Linamarin u. Lotaustralin (0,1–1,5%).
Verw.: In der Kosmetik zur Erweichung der Haut, in der Medizin als Quellstoff-Abführmittel. – *E* linseed – *F* linette – *I* seme di lino – *S* linaza, semillas de lino
Lit.: Bundesanzeiger 228/05. 12. 84 ▪ DAB **1996** u. Komm. ▪ Hager (5.) **5**, 670–686 ▪ Wichtl (3.), S. 346 ff. ▪ s. a. Leinöl. – *[HS 1204 00]*

Leinwand. Sammelbez. für in typ. Weise gewebte, meist glatte Textilien unterschiedlicher Dichte, Feinheit u. Ausrüstung aus *Flachs; s. a. Bastfasern. – *E* linen – *F* toile de lin, tissue de lin – *I* lino – *S* lienzo, tela de lino
Lit.: s. Flachs u. Bastfasern.

Leioderm®. Creme mit *8-Chinolinol-sulfat, *L. P Creme* zusätzlich mit *Prednisolon gegen Ekzeme. *B.:* LAW.

Leipziger Arzneimittelwerke. Die Leipziger Arzneimittelwerke GmbH, 04328 Leipzig, befinden sich im Besitz der American Home Products Corp., Madison, New Jersey (USA). *Daten* (1995): 250 Beschäftigte, 60 Mio. DM Umsatz. *Produktion:* Arzneimittel, Vitamine, Wundbehandlungsmittel.

Leipziger Gelb s. Bleichromat.

LEIS. Abk. für *E* *L*ow *E*nergy *I*on *S*cattering, s. Ionenstreu-Spektroskopie.

Leishmaniosen (Leishmaniasen). Bez. für Tropenkrankheiten, die durch, nach dem schott. Militärarzt William Boog Leishman (1865–1926) benannte, *Flagellaten (*Leishmania*, *Trypanosomen) hervorgerufen u. durch blutsaugende Insekten übertragen werden. Nach einer Inkubationszeit, die bis zu 2 Jahren dauern kann, entstehen je nach Erreger die sog. *Aleppo-* od. *Orientbeule* (Infektion der Haut), *Kala-Azar* (Befall des *retikulo-endothelialen Systems), das *Chiclero-Ulkus* (Geschwürbildung der Ohrmuschel) od. die *Espundia* (brasilian. L., Zerstörung des Gesichtes). Die Chemotherapie erfolgte früher mit *Brechweinstein, heute mit organ. Antimon(V)-Verb. wie *Stibophen od. mit Mitteln wie *Pentamidin. – *E = S* leishmaniasis – *F* leishmanioses – *I* leishmaniosi
Lit.: Brandis et al., Lehrbuch der Medizinischen Mikrobiologie, S. 644–648, Stuttgart: Fischer 1994 ▪ Dönges, Parasitologie, Stuttgart: Thieme 1988.

Leistung (Kurzz.: P). In der Physik definiert als die zeitliche Ableitung der Arbeit (W): $P = dW/dt$. Falls die geleistete Arbeit zeitlich konstant ist, erhält man die L. als Quotient aus Arbeit (W) u. Zeit (t): $P = W/t$. Die SI-Einheit der L. ist: $1 \, J/s = 1 \, W$ (Watt). Die nicht gesetzliche Einheit PS (Pferdestärke) ergibt sich zu $1 \, PS \approx 735{,}5 \, W$.

Die *elektr.* L. ist das Produkt aus Stromstärke (I) u. Spannung (U): $P = U \cdot I$. Liegt in einem Wechselstromkreis aufgrund von kapazitiven u./od. induktiven Widerständen eine Phasenverschiebung φ zwischen U u. I vor, so gilt

$$P = U_{eff} \cdot I_{eff} \cdot \cos \varphi,$$

wobei sich die Effektivwerte aus den Scheitelwerten

U_0 bzw. I_0 von U u. I ergeben durch:

$$U_{eff} = U_0/\sqrt{2} \ u. \ I_{eff} = I_0/\sqrt{2}.$$

Bei Verbrennungsmotoren unterscheidet man zwischen der *indizierten L.* (werden von den Verbrennungsgasen an die Kolben abgegeben) u. der kleineren *Nutz-L.*, die an die Kurbelwelle abgegeben wird. – *E* power – *F* puissance – *I* potenza – *S* potencia
Lit.: Brockhaus, Naturwissenschaften u. Technik, Wiesbaden: Brockhaus 1983 ▪ Kohlrausch, Praktische Physik, Bd. 1 u. 2, Stuttgart: Teubner 1996.

Leiter s. elektrische Leiter u. Leitfähigkeit.

Leiterpolymere (Doppelstrangpolymere). *Polymere, die, wie z.B. cyclisiertes Poly-1,2-(butadien) (*Polybutadiene, s. Abb. 1) aus 2 Hauptketten bestehen, die in regelmäßigen Abständen intramol. miteinander verbunden sind, deren Formelbild also an eine Leiter erinnert (L. ist keine Bez. für leitfähige Polymere).

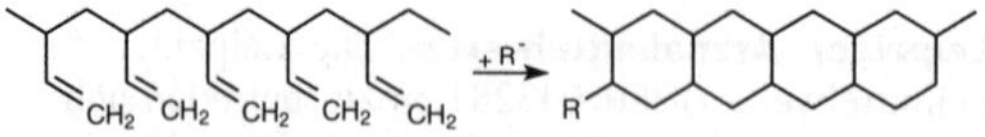

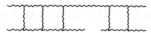

Abb. 1: Cyclisierung von Poly-1,2-(butadien) zu Leiterpolymeren.

Bevorzugtes Verf. zur Herst. von L. sind unter Cyclisierung verlaufende *polymeranaloge Reaktionen an *Polyacrylnitril, Poly-1,2-butadien, *Polyvinylisocyanaten od. *Polyvinylketonen. Daneben hat in den letzten Jahren der Aufbau von L. über repetitive *Diels-Alder-Reaktionen enorm an Bedeutung gewonnen (s. Diels-Alder-Polymerisationen). L. zeichnen sich im allg. durch hohe Temp.-Beständigkeit aus, da die Spaltung kettenständiger Bindungen nicht wie bei einstrangigen Polymeren automat. mit einer Abnahme des *Polymerisationsgrades verbunden ist. Das vermutlich techn. bedeutendste L. ist cyclisiertes Polyacrylnitril als Edukt für die Herst. von *Kohlenstoff-Fasern.
Polymere, die sowohl doppelsträngige als auch einsträngige Segmente enthalten (s. Abb. 2) werden als Halbleiterpolymere bezeichnet.

Abb.: Halbleiterpolymere.

– *E* ladder polymers – *F* polymères en échelle – *I* polimeri a pioli – *S* polímeros en escalera
Lit.: Elias (5.), **1**, 44, 565 ▪ Compr. Polym. Sci. **1**, 441 f. ▪ Odian (3.), S. 12, 151, 714.

Leitfähige Polymere s. elektrisch leitfähige Polymere.

Leitfähigkeit. Entsprechend der Fähigkeit der Stoffe, elektr. Strom u. Wärme zu leiten, unterscheidet man elektrische Leitfähigkeit (s.a. elektrische Leiter) u. Wärmeleitfähigkeit; Näheres s. dort; zur *Photoleitfähigkeit* s. Photoeffekte. – *E* conductivity – *F* conductivité, conductibilité – *I* conduttività – *S* conductividad, conductibilidad

Leitfähigkeitskoeffizient. Begriff aus der *Elektrochemie. Der L. trägt der Wechselwirkung zwischen den *Ionen u. zwischen Ionen u. Lsm.-Mol. in einer Elek-

trolyt-Lsg. Rechnung. Es gilt: $\Lambda/\Lambda_0 = \alpha \cdot \lambda$. Hierbei ist Λ die Äquivalentleitfähigkeit der betrachteten Lsg., Λ_0 der entsprechende Wert für unendliche Verdünnung, α der Dissoziationsgrad u. λ der Leitfähigkeitskoeffizient. – *E* coefficient of conductivity – *F* coefficient de conductivité – *I* coefficiente di conduttività – *S* coeficiente de conductividad
Lit.: s. Elektrochemie.

Leitfähigkeitswasser s. Wasser (Gewinnung).

Leitform, Leitart s. Charakterart.

Leitfossilien s. Fossilien u. Paläontologie.

Leithners Blau s. Cobaltblau.

Leitisotope s. markierte Verbindungen u. Radioindikatoren.

Leitklebstoffe s. Klebstoffe.

Leitlacke s. Lacke.

Leitsalze s. Polarographie.

Leitstrukturen. Bez. für meist niedermolekulare *Wirkstoffe aus der Natur od. der Synthesechemie, deren strukturelle Neuartigkeit bezüglich einer bestimmten Indikation die Basis zu vertiefenden Studien bildet. Ziel ist eine Wirkstoffentwicklung zum Pharmakon od. zur Agrochemikalie. In der Regel werden mit Suchsyst. im *Wirkstoff-Screening zunächst sog. Hits aufgefunden, deren biolog. Aktivität durch weitergehende biolog. Ausprüfung (Sekundärtestung) u. *in vivo*-Studien weiter zu verifizieren sind. Hieraus abgeleitete L. werden u.a. zur Optimierung von Struktur-Wirkungsbeziehungen strukturell gezielt variiert, um einen möglichst erfolgreichen Entwicklungskandidaten auszuwählen. – *E* lead structures – *F* structures d'orientation – *I* strutture di guida – *S* estructuras guías

Leitstruktursuche s. Wirkstoff-Screening.

Leitungsanästhesie s. Lokalanästhetika.

Leitungsband s. Halbleiter.

Leitungselektronen. *Elektronen, die zu unvollständig besetzten äußeren *Energiebändern im Festkörper gehören u. wesentlich zum elektr. Stromtransport beitragen.

Leitwert s. elektrische Einheiten, elektrische Leitfähigkeit u. Konduktometrie.

Lektine (Lectine). Von latein.: legere = auswählen abgeleitete Bez. für Proteine, die sehr spezif. (Poly)Saccharide – auch in Lipid- od. Protein-gebundener Form – erkennen u. binden. L. sind in allen Organismen weit verbreitet – Hauptlieferanten sind *Bohnen u. Schnecken – u. geben sich durch die Fähigkeit der *Agglutination von *Erythrocyten zu erkennen (*Hämagglutinine*). Die alte Bez. *Phytagglutinine (Phytohämagglutinine)* zeigt, daß die ersten L. in Pflanzen gefunden wurden, v.a. in Bohnen u.a. *Hülsenfrüchten wie Rangoonbohnen, Gartenbohnen, Jackbohnen, Sojabohnen u. Linsen, aber auch in Kartoffeln, Weizenkeimen u. Rizinus. Nicht selten wurden L. für *Lebensmittelvergiftungen verantwortlich gemacht. Benannt werden sie normalerweise nach ihrer Herkunft als „L. aus…" od. „…-*Agglutinin" (*Beisp.:* Weizenkeimagglutinin, *E* Abk. WGA) od. nach ihrer Wirkung (*Beisp.*: Leukoagglutinin, das Lymphocyten zur Zellteilung veranlaßt). Am längsten bekannt sind *Concanavalin A, *Abrin, *Ricin u. *Phasin; früher war auch die (mißverständliche) Bez. *Protektine* für die L. gebräuchlich[1]. Als Ordnungsprinzip der L. benutzt man heute ihre Spezifität für bestimmte Zucker[2]. Die L. unterscheiden sich von den ebenfalls Zucker erkennenden *Immunglobulinen u. *Antikörpern dadurch, daß sie nicht erst auf einen Reiz hin entstehen, sondern organismenspezif. Inhaltsstoffe sind. Sie sind Proteine od. Glykoproteine mit M_R zwischen 8500 u. 300 000, die aus 2 bis 8 Untereinheiten bestehen. Das bisher kleinste isolierte Pflanzen-L. stammt aus der Brennnessel u. wirkt fungistat., indem es *Chitin bindet[3]. Die Aminosäure-Sequenzen verschiedener pflanzlicher L. zeigen oft große Übereinstimmung[4]. Ihre Isolierung ist seit der Entwicklung der *Affinitätschromatographie leichter geworden; der Nachw. erfolgt durch *Hämagglutinations-Tests*. Dabei zeigt sich, daß manche L. Blutgruppen-spezif. sind, weil sie nur bei Erythrocyten mit bestimmten *Blutgruppensubstanzen reagieren, während andere L. unspezif. sind. Viel Interesse haben L. gefunden, die bei Lymphocyten *Mitose auslösen (als *Mitogene* wirken). Andere erkennen die veränderte Membranstruktur von Tumorzellen[5]. Über die biolog. Funktionen der L. weiß man außer über ihre Bedeutung bei der Adhäsion von Bakterienzellen[6] bisher nur wenig, vgl. *Lit.*[4] u. *Lit.*[1]. Dennoch sind L. ein wichtiges Hilfsmittel für die *Serodiagnostik u. a. Meth. der Biochemie u. Molekularbiologie: Nach Immobilisierung an Sepharose dienen sie zur Isolierung von Zellbestandteilen, Glykoproteinen, Polysacchariden u. a. durch Affinitätschromatographie. Durch Fixierung eines Fluoreszenzmol. od. eines Schwermetalls an ein solches L. lassen sich die Bindungsstellen auf den *Zellen unter dem Mikroskop sichtbar machen. Vor der Verw. von L. in *Antiadiposita (*Stärke-Blocker*) wird gewarnt. Einen Überblick bietet *Lit.*[4].

Geschichte: Die L. wurden 1948 von Rekonen (Helsinki) in Hülsenfrüchten entdeckt, nachdem bereits Stillmark (Dorpat) 1887/88 beobachtet hatte, daß Ricin im Probierglas rote Blutkörperchen zu Klumpen verklebt. – *E* lectins – *F* lectines – *I* lectine – *S* lectinas

Lit.: [1]Dtsch. Apoth. Ztg. **133**, 2371 (1993); Naturwiss. Rundsch. **28**, 73–82 (1975). [2]Experientia **46**, 433–441 (1990); Naturwissenschaften **68**, 606–612 (1981). [3]Chem. Unserer Zeit **23**, 212 (1989); Naturwiss. Rundsch. **43**, 175 (1990). [4]Chem. Unserer Zeit **14**, 155–159 (1980); **15**, 155–162 (1981); Naturwissenschaften **65**, 239–244 (1978). [5]Angew. Chem. **85**, 1083–1096 (1973); Gabius et al., Lectins and Glycoconjugates in Oncology, Berlin: Springer 1988. [6]Dtsch. Ärztebl. **80**, Heft 5, 25–30 (1983).
allg.: Adv. Carbohydr. Chem. Biochem. **35**, 127–140 (1978) ▪ Annu. Rev. Biochem. **42**, 541–574 (1973); **50**, 207–232 (1981) ▪ Annu. Rev. Microbiol. **35**, 85–112 (1981) ▪ Annu. Rev. Phytopatol. **16**, 453–482 (1978) ▪ Bøg-Hansen, Lectins, Berlin: de Gruyter 1981 u. 1982 ▪ Carbohydr. Res. **191**, 305–315 (1989) ▪ Carbohydr. Polym. **10**, 281–288 (1989) ▪ Franz (Hrsg.), Advances in Lectin Research (3 Bd.), Berlin: VEB Volk u. Gesundheit 1990 ▪ Gold u. Balding, Receptor Specific Proteins, Amsterdam: Excerpta Medica 1975 ▪ Int. Rev. Cytol. **52** (1978); **75** (1982) ▪ J. Supramol. Struct. **8**, 79 (1978) ▪ Laver et al., The Influenza Virus Hemagglutinin, Berlin: Springer 1978 ▪ Luther, Lectin u. Toxin der Mistel, Berlin: Akademie 1982 ▪ Naturwissenschaften **77**, 103–109 (1990) ▪ Phytohämagglutinins, Uppsala: Pharmacia AB 1979 ▪ Roth, The Lectins, Jena: Fischer 1978 ▪ Sci. Am. **236**, Nr. 6, 108–119 (1977) ▪ Sharon et al., Lectins, London: Chapman & Hall 1989 ▪ Tobiska, Die Phytohämagglutinine, Berlin: Akademie 1964 ▪ Wallach, Membrane Molecular Biology of Neoplastic Cells, S. 435–481, Amsterdam: Elsevier 1975.

Lekutherm®. Sortiment von Gieß- u. Laminierharzen auf *Epoxidharz-Basis (Diglycidyl-Verb.) mit entsprechenden L.-Härtern (Säureanhydrid-Heißhärter od. Alkylamin-Kalthärter), die im Formenbau (L. E-Typen) u. in der Elektro-Ind. (L. X-Typen) Verw. finden. *B.:* Bayer.

Lelobanidin s. Lobelia-Alkaloide.

Leloir, Luis Federico (1906–1987), Prof. für Physiologie, Univ. Buenos Aires. *Arbeitsgebiete:* Adrenalin-Ketonkörper-Stoffwechsel, Hypertensin, Lactose-Gärung, Galactokinase, Hexosephosphate, Zucker-Nucleotide, Biosynth. von Glykogen, Stärke u. a. Kohlenhydrate; Nobelpreis für Chemie 1970.
Lit.: Chem. Unserer Zeit **4**, 197 f. (1970) ▪ Lexikon der Naturwissenschaftler, S. 266 ▪ Nachr. Chem. Tech. Lab. **18**, 440 f. (1970) ▪ Neufeldt, S. 223 ▪ Nobel Prize Lectures Chemistry 1963–1970, Amsterdam: Elsevier 1972 ▪ Pötsch, S. 267.

Lémery, Nicolas (1645–1715), französ. Iatrochemiker u. Arzt. *Arbeitsgebiete:* Antimon, Gifte, Extraktion von Salzen aus Pflanzen, Unterscheidung zwischen den drei „Königreichen" Mineralreich, Pflanzenreich u. Tierreich.
Lit.: CHEMKON **1995**, Nr. 2, 187 ▪ Pötsch, S. 267 ▪ Strube et al., S. 41.

Lemocin®. Lutschtabl. mit *Tyrothricin, Cetrimoniumbromid (s. Cetyltrimethylammoniumbromid) u. *Lidocain, *L. CX Gurgellösung* mit *Chlorhexidin-Digluconat gegen Mund- u. Rachenentzündungen. *B.:* Novartis.

Lemongrasöl. Hellgelbes bis orangegelbes Öl, frischer u. starker Zitronengeruch, etwas scharf-bitter, krautig, blätterartig.
Herst.: Durch Wasserdampfdest. aus den trop. Gräsern *Cymbopogon flexuosus* (sog. ostind. L.) od. *C. citratus* (sog. westind. L.). Hauptanbaugebiet für die ostind. Art ist Indien, für die westind. Art Mittel- u. Südamerika.
Zusammensetzung[1]: Hauptbestandteil ist *Citral (30–35% Neral; 40–50% Geranial).
Verw.: Hauptsächlich zur Parfümierung von Haushaltsartikeln (Seife); früher auch für die Gewinnung von Citral. Wegen der Konkurrenz durch das synthet. hergestellte Citral u. das Litseacubeba-Öl als anderer natürlicher Citral-Quelle ist die Bedeutung des L. in den letzten Jahrzehnten stark zurückgegangen. Die Weltjahresproduktion dürfte heute nur noch bei ca. 1000 t liegen. – *E* lemongrass oil – *F* essence de citronnelle – *S* esencia de citronela
Lit.: [1]Perfum. Flavor. **19** (2), 29 (1994).
allg.: Bauer, Garbe u. Surburg, Common Fragrance and Flavor Materials, 2. Aufl., S. 152, Weinheim: VCH Verlagsges. 1990 ▪ Gildemeister **4**, 325 ▪ ISO 3217 (1974); 4718 (1981) ▪ Roth u. Kormann, Duftpflanzen, Pflanzendüfte, S. 236, Landsberg: ecomed 1997. – *Toxikologie:* Food Cosmet. Toxicol. **14**, 455, 457 (1976). – *[HS 3301 29; CAS 8007-02-1]*

Lemonschellack s. Schellack.

Lenacil.

Common name für 3-Cyclohexyl-1,5,6,7-tetrahydro-2H-cyclopentapyrimidin-2,4(3H)-dion, $C_{13}H_{18}N_2O_2$, M_R 234,30, Schmp. 315–317 °C, LD_{50} (Ratte oral) 11 000 mg/kg (WHO), von DuPont 1974 eingeführtes selektives *Herbizid gegen Ungräser u. Unkräuter im Zucker- u. Futterrüben-, Spinat-, Erdbeer- u. Zierpflanzenbau. – $E = S$ lenacil – $F = I$ lenacile
Lit.: Farm ▪ Perkow ▪ Pesticide Manual. – *[HS 293 59; CAS 2164-08-1]*

Lenard, Philipp Eduard Anton von (1862–1947), Prof. für Physik, Univ. Kiel u. Heidelberg. *Arbeitsgebiete:* Leuchtstoffe, Phosphoreszenz, Kathodenstrahlen, Photoeffekte, Oberflächenspannung, Flüssigkeitsoberflächen, Wasserfallelektrizität, Atombau, Lichtgeschwindigkeit. 1905 Nobelpreis für Physik für seine Arbeiten über die Natur der Kathodenstrahlen (Lenard-Röhre). Verfasser einer mehrbändigen „dtsch. Physik" als Gegenstück zur „jüd. Physik". Als Antisemit scharfer Gegner von *Einstein.
Lit.: Krafft, S. 218–220 ▪ Krafft u. Meyer-Abich, Große Naturwissenschaftler, S. 210 f., Frankfurt: Fischer 1970 ▪ Lexikon der Naturwissenschaftler, S. 267 ▪ Neufeldt, S. 111.

Lenard-Phosphore. Nach *Lenard benannte *leuchtfähige Stoffe,* die eine lichtempfindliche Grundsubstanz, ein Schmelzmittel u. Spuren (weniger als 0,01 %) eines Aktivators enthalten müssen, damit sie bei Auftreffen von Strahlung (opt. Strahlung, Elektronen) aufleuchten. Die Leuchterscheinungen sind als sog. *Rekombinations-*Phosphoreszenz zu deuten: Beim *Gudden-Pohl-Effekt wird diese von einem elektr. Feldeffekt überlagert; s. a. Leuchtstoffe. – *E* lenard phosphors – *F* phosphors de Lenard – *I* fosfori di Lenard – *S* fósforos de Lenard
Lit.: s. Leuchtstoffe.

Lendormin® (Rp). Schlaftabl. mit *Brotizolam. *B.*: Boehringer-Ingelheim.

Lendrich-Verfahren s. Kaffee.

Lennard-Jones, Sir John Edward (1894–1954), Prof. für Theoret. Chemie, Univ. Cambridge. *Arbeitsgebiete:* Elektronenanordnung in Mol., Oberflächenkräfte, Flüssigkeitsstrukturen, zwischenatomare Kräfte.
Lit.: Nature (London) **174**, 994 f. (1954) ▪ Pötsch, S. 267 f. ▪ Poggendorff **7b/5**, 2820 f.

Lennard-Jones-Potential. Von *Lennard-Jones (*Lit.*[1]) eingeführtes Modellpotential zur näherungsweisen Beschreibung der zwischenmol. Wechselwirkungsenergie zwischen Atomen od. Mol. (*zwischenmolekulare Kräfte). Das L.-J.-P. ist von der Form

$$V(R) = C_m R^{-m} - C_n R^{-n},$$

wobei C_m u. C_n pos. Konstanten u. R der zwischenmol. Abstand sind. Der 2. Term beschreibt die anziehende Wechselwirkung bei großem Abstand, der 1. Term die mit beginnender Überlappung der Elektronenhüllen einsetzende Abstoßung. Für die Exponenten m u. n werden meist die Werte 12 bzw. 6 verwendet; man spricht dann von einem L.-J.-(12,6)-P. – *E* Lennard-Jones potential – *F* potentiel de Lennard-Jones – *I* potenziale di Lennard-Jones – *S* potencial de Lennard-Jones
Lit.: [1] Proc. R. Soc. London, Ser. **A 106**, 441, 463 (1924). *allg.*: s. zwischenmolekulare Kräfte.

Lenograstim (Rp). Formel s. unten. L. ist der erste humanident., an Thr 133 glykosylierte, rekombinante Granulocyten-koloniestimulierende Faktor (rHuG-CSF). Die Substanz besteht aus 174 Aminosäuren u. zu 4 % aus einer Zuckerkette; M_R 20000. Es wird gentechn. aus Ovarialzellen des chines. Hamsters hergestellt. L. ist zugelassen zur Behandlung schwerer Neutropenien bei Patienten mit nicht-myelo. malignen Erkrankungen während myelo-tox. Chemotherapie. L. ist von Rhône-Poulenc Rorer (Granocyte®) im Handel. – $E = S$ lenograstim – *F* lénograstim
Lit.: Merck Index (12.), Nr. 4558 ▪ Pharm. Ztg. **140**, 1024 ff. (1995). – *[CAS 135968-09-1]*

Lenthionin (1,2,3,5,6-Pentathiepan). $C_2H_4S_5$, M_R 188,35, Krist., Schmp. 60–61 °C. L. ist ein Inhaltsstoff des ostasiat. Speisepilzes Shiitake (*Lentinus edodes,* Basidiomycetes) u. verleiht ihm zusammen mit den im Formelschema angegebenen Polythiepanen u. 1,2,4-Trithiolan den charakterist. Geruch[1]. Vorstufen dieser

Lenthionin   1,2,4,6-Tetra-thiepan   Hexathiepan   1,2,4-Trithiolan

2,4,5,7-Tetrathiaoctan-2,2,7,7-tetraoxid   2,3,5,7,9-Pentathiadecan-9,9-dioxid

Aromastoffe sind 2,4,5,7-Tetrathiaoctan-2,2,7,7-tetraoxid u. 2,3,5,7,9-Pentathiadecan-9,9-dioxid (SE-3)[2]. Die cycl. Aromastoffe können auf einfache Weise durch Reaktion von Dichlormethan mit $Na_2S_{2,5}$ (aus Na_2S u. Schwefel) hergestellt werden[1]. Shiitake-Pilze gewinnen – auf abgestorbenem Holz gezüchtet – aufgrund ihres ausgezeichneten Aromas auch in Europa zunehmend an Beliebtheit. L. findet sich als flüchtiger Bestandteil auch in gekochtem Hammelfleisch[3] u. in der Alge *Chondria californica*[4]. – **E** lenthionin – **F** lenthionine – **S** lentionín

Lit.: [1]Tetrahedron Lett. **1966**, 573; **22**, 1939 (1981); Chem. Pharm. Bull. **15**, 988 (1967); J. Food Sci. **32**, 559 (1967); Zechmeister **36**, 251. [2]J. Org. Chem. **59**, 2273 (1994). [3]J. Agric. Food Chem. **27**, 355 (1979). [4]J. Org. Chem. **41**, 2465 (1976).
allg.: Beilstein E V **19/12**, 251. – *[CAS 292-46-6]*

Lentinacin s. Eritadenin.

Lentinan.

$(C_6H_{10}O_5)_n$, M_R 400 000–800 000, farbloses Pulver, Zers. >250 °C, lösl. in wäss. alkal. Lsg., wenig lösl. in heißem Wasser, Dimethylsulfoxid. Hoch verzweigtes $(1{\rightarrow}3)\beta$-D-Glucan aus dem ostasiat. Speisepilz Shiitake (*Lentinus edodes*). L. hemmt das Wachstum bestimmter Tumoren[1] u. stärkt das Immunsystem[2]. – **E = F** lentinan – **I** lentinano – **S** lentinán

Lit.: [1]Adv. Exp. Med. Biol. **166**, 181 (1983); Cancer Detect. Prev., Suppl. **1**, 423–443 (1987); EOS-Riv. Immunol. Immunofarmacol. **2**, 93–104 (1982); **4**, 85–96 (1984); Int. Congr. Ser. – Excerpta Med. **576**, 1–16 (1981); **690**, 116–128 (1985); Med. Actual. **24**, 91–95 (1988); Nature (London) **222**, 637 (1969); Pharma Projects a684 (Mai 1989). [2]Nature (London) **222**, 637 (1969); Pharm. Unserer Zeit **10**, 39 (1981); **19**, 157–164 (1990); Phytother. Res. **2**, 159–164 (1988).
allg.: Aoki et al., Manipulation of Host Defence Mechanism, Amsterdam: Excerpta Medica 1982 ■ s. a. Lenthionin u. Lentinsäure.

Lentinsäure.

$C_{12}H_{22}N_2O_{10}S_4$, M_R 482,55, Schmp. 186 °C (Zers.), $[\alpha]_D^{22}$ +27,0° (0,1 m $NaHCO_3$). Kommt in dem ostasiat. Speisepilz Shiitake, *Lentinus edodes*, als Aroma-Vorstufe vor. L. wurde zuerst als Vorläufer der Duftsubstanz *Lenthionin* (1,2,3,5,6-Pentathiepan[1]) u. a. cycl.

Polythiepane aus *L. edodes* isoliert[2]. L. kommt auch in *Micromphale perforans*[3] u. *Collybia hariolorum*[3] vor. Ein Epimeres mit abweichender Konfiguration der chiralen Sulfoxid-Gruppe, *Epilentinsäure*, wurde aus weiteren aromareichen Pilzen, *M. foetidum, M. cauvetii* u. *C. impudica*, isoliert {Schmp. 221 °C, $[\alpha]_D^{22}$ +58,8° (0,1 m $NaHCO_3$)}.
Metabolismus: Die mit γ-Glutamyltranspeptidase gebildete Deglutamyllentinsäure wird weiter von C–S-Lyase in Ammoniak, Brenztraubensäure u. ein labiles Intermediärprodukt zersetzt. Dieses ergibt über einige Zwischenstufen schließlich verschiedene Duftsubstanzen, u. a. Lenthionin[4,5]. – **E** lentinic acid – **F** acide lentinique – **S** ácido lentínico

Lit.: [1]Chem. Pharm. Bull. **15**, 756–760, 988–993 (1967). [2]Agric. Biol. Chem. **35**, 2059–2069 (1971). [3]Tetrahedron Lett. **1976**, 3129–3132. [4]Agric. Biol. Chem. **35**, 2070–2080 (1971). [5]Phytochemistry **19**, 553–557 (1980).
allg.: Turner **2**, 469, 486, 488. – *[CAS 12705-98-5]*

Lentiviren s. Viren.

Lenzing.
Kurzbez. für die 1938 gegr. Firma Lenzing AG, A-4860 Lenzing. *Daten* (1995): 3056 Beschäftigte, ca. 6 Mrd. ÖS Umsatz. *Produktion:* Viskose- u. Modalfasern, Papier, Chemikalien (Natriumsulfat, Schwefelsäure, Essigsäure, Furfural), synthet. Folien u. Fäden, Kunststoffmaschinenbau, Hostaflon-Garne, Zellstoff.

Lenzsche Regel s. Induktionsgesetz.

Leomin®.
Sortiment von Präparations- u. *Avivage-Mitteln, *Antistatika u. Weichmachungsmitteln auf der Basis von modifizierten bzw. Stickstoff-haltigen Fettsäurepolyglykolestern, quaternären Fettsäure-Derivaten u. anion. Phosphorsäure-Derivaten. **B.:** Hoechst.

Leonard,
Nelson Jordan (geb. 1916), Prof. (emeritiert) für Organ. Chemie u. Biochemie, Univ. of Illinois, Urbana. *Arbeitsgebiete:* N-Heterocyclen, Dreidimensionale- u. Fluoreszenz-Untersuchung der Enzym-Coenzym-Bindungs-Anordnung, Kovalenz-Bindung der DNA/RNA Querschnitte.
Lit.: Who's Who in America (50.), S. 2530.

Leonhardit s. Laumontit.

Leonil®.
Netz- u. Klotzhilfsmittel für Textilien auf der Basis von Alkansulfaten u. Phosphatestern. **B.:** Hoechst.

Leonische Fäden.
Feine, runde Drähte (z. B. 20 m auf 1 g) aus Al, Cu od. Messing, Gold- od. Silber-plattiert, feuervergoldet od. mit Zink auf Silberglanz galvanisiert, zur Verw. als billige Metallfäden u. -gespinste für Brokat-Stoffe. Die nach der span. Stadt Léon, in der diese Technik entwickelt wurde, benannten L. F. wurden z. B. bei militär. Rangabzeichen verwendet. – **E** leonese filaments – **I** fili di Léon – **S** hilo brisado
Lit.: Meyer zur Capellen, Lexikon der Gewebe, S. 172, Frankfurt: Dtsch. Fachverlag 1996.

Leonit.
$K_2Mg[SO_4]_2 \cdot 4 H_2O$ od. $K_2SO_4 \cdot MgSO_4 \cdot 4 H_2O$, weißes, gelbliches od. blaugraues, durchscheinendes, glas- bis wachsartig glänzendes, deutlich spaltbares, monoklines Mineral, Krist.-Klasse $2/m$-C_{2h}, Struktur s. *Lit.*[1]; H. 2,5–3, D. 2,20. Krist. u. unregelmäßige, mit anderen Salzmineralien wie *Kainit, *Sylvin u.

*Steinsalz verwachsene Körner. L. bildet *Mischkristalle mit dem nur als synthet. Verb. bekannten *Mangan-L.*, $KMn[SO_4]_2 \cdot 4H_2O$.

Vork.: In marinen *Evaporiten, z.B. in den Staßfurter Salzlagern; in New Mexico/USA. – $E = I$ leonite – F léonite – S leonita

Lit.: [1] Z. Kristallogr. **173**, 75–79 (1985).
allg.: Lapis **12**, Nr. 3, 7 ff. (1987) („Steckbrief") ▪ Ramdohr-Strunz, S. 610 ▪ Winnacker-Küchler (3.) **1**, 139 ff; (4.) **2**, 326. – *[CAS 15226-80-9]*

Leophen®. Breites Sortiment von *Netzmitteln für die Textil-Ind.; L. BN: Alkoholsulfat für das Mercerisieren von Baumwolle, L. LG: Natrium-Salze aliphat. Sulfosäuren als Laugiernetzmittel, L. M: Phosphorsäureester mit nichtion. Emulgatoren, wirkt schaumdämpfend, L. ML: Alkylsulfat für das Mercerisieren u. Laugieren, L. RA: Natrium-Salz eines Sulfobernsteinsäureesters, anion. L. U u. UL: Kombinationen nichtion. u. anion. Tenside. *B.:* BASF.

Leopoldina Halle s. Deutsche Akademie der Naturforscher Leopoldina.

LEP (Abk. für *E* *L*arge *E*lectron *P*ositron Collider). *Teilchenbeschleuniger bei der europ. Institution CERN in Genf. Den kreisförmigen Speicherring mit einem Durchmesser von fast 27 km durchlaufen in entgegengesetzter Richtung je vier intensive Pakete von 10^{11} Elektronen u. Positronen, die in den Experimentierzonen zur Kollision gebracht werden.
In der ersten Phase (LEP 1, bis 1995) wurden mit Schwerpunktenergien von 91 GeV Z-Resonanzen untersucht (s. *Lit.* [1]). Ab Ende 1996 (LEP 2) wurde eine Erhöhung auf 161 GeV vorgenommen, um geladene schwache Eichbosonen W^+ u. W^- (s. Elementarteilchen) zu erzeugen u. deren Eigenschaften zu vermessen. Es ist geplant, nach dem Jahr 2000 LEP 2 stillzulegen u. zum „Large Hadron Collider" (*LHC) umzubauen.
Kleine Kuriosität: U.a. durch einen Streik bei der franzős. Eisenbahn 1996 erkannte man, daß eine tageszeitliche Schwankung der Strahlenergie bis zu 10 MeV durch Ströme des Hochgeschwindigkeitszuges TGV verursacht werden (*Lit.* [2]). – *E* large electron positron collider – *I* acceleratore per la collisione di elettroni-positroni grandi – *S* productores de colisiones grandes electrón positrón

Lit.: [1] Phys. Bl. **51**, 837 (1995). [2] Phys. Unserer Zeit **27**, 135 (1996).
allg.: Phys. Bl. **50**, 128 (1994); **52**, 846 (1996) ▪ Phys. Unserer Zeit **21**, 36 (1990) ▪ Sci. Am. **263**, Nr. 7, 34 (1990).

LEPD s. Neutronenaktivierungsanalyse.

Lephne-Test s. Indigocarmin.

Lepidin s. Methylchinoline.

Lepidokrokit (Rubinglimmer). γ-FeOOH, diamantglänzende, durchsichtig bis durchscheinend rubinrote bis gelbrote, dünntafelige od. nadelige rhomb. Krist. (Kristallklasse mmm-D_{2h}), Krist.-Rosetten, -Gruppen u. -Rasen; stark gelappte od. gezähnte Blättchen od. Leisten; auch derb, radialstrahlig, als faserige u. schuppige Aggregate (griech.: lepis = Schuppe, krokys = Flocke); erdig, pulverig. H. 5, D. 4,0. Nach der Formel 89,86% Fe_2O_3, 10,14% H_2O; ein Tl. des Fe^{3+} kann

durch Al ersetzt werden [1]; Untersuchung Al-substituierter L. mit *Mößbauer-Spektroskopie s. *Lit.* [2]. Zum Einfluß der Kristallinität auf das Mößbauer-Spektrum von L. s. *Lit.* [3]. L. zersetzt sich beim Erhitzen an Luft unterhalb von 300 °C zu (ferromagnet.) Maghemit, γ-Fe_2O_3, s. dazu *Lit.* [4]. Zur Umwandlung von grünem *Rost in L. s. *Lit.* [5].

Vork.: Zusammen mit *Goethit in *Brauneisenerz, z.B. Siegerland u. Bieber/Hessen (histor.). Als Pigment in braunem *Ocker. In tonigen, Carbonat-freien, staunassen *Sedimenten u. Böden (*Boden). S.a. Eisenhydroxide. – $E = I$ lepidocrocite – F lépidocrocite – S lepidocrocita

Lit.: [1] Clays Clay Miner. **38**, 209 ff. (1990). [2] Clays Clay Miner. **44**, 214–219 (1996). [3] Mineral. Mag. **48**, 507–511 (1984); Phys. Chem. Miner. **13**, 61–67 (1986). [4] Phys. Chem. Miner. **18**, 131–143 (1991). [5] Clay Miner. **29**, 87–92 (1994).
allg.: Deer et al., S. 580 f. ▪ Lapis **7**, Nr. 6, 6 f. (1982) („Steckbrief") ▪ Ramdohr-Strunz, S. 554 ▪ Scheffer u. Schachtschabel, Lehrbuch der Bodenkunde (13.), S. 43 ff., Stuttgart: Enke 1992. – *[CAS 12022-37-6]*

Lepidolith (Lithionglimmer). $K(Li,Al)_{2-3}[(OH,F)_2/AlSi_3O_{10}]$ od. $K_2(Li,Al)_{5-6}[Si_{6-7}Al_{2-1}O_{20}](OH,F)_4$ (Deer et al., *Lit.*), sehr komplizierter, überwiegend monokliner Lithium-*Glimmer, häufigstes Li-haltiges Mineral; zur Struktur s. *Lit.* [1] u. Bailey (*Lit.*), zur Verteilung der Kationen in der Struktur s. *Lit.* [2]. Verschiedene Polytypen (*Polytypie); am häufigsten sind *L.-1M* u. *L.-2M₂*.
L. bildet perlmuttglänzende, pfirsichblütenfarbene bis rosenrote, auch weiße, seltener graue, tafelige, pseudohexagonale Krist. od. Blättchen, Schuppen od. Körner. H. 2–3, D. 2,8–2,9. Chem. Analysen ergeben u.a. Gehalte an Na, Rb, Cs, Fe, Mn, Mg u. Sr.
Vork.: V.a. in *Granit-*Pegmatiten; *Beisp.:* USA (u.a. Pala/Californien u. South Dakota); Tanco/Manitoba/Kanada, Minas Gerais/Brasilien, Madagaskar, Etiro/Namibia, Bikita/Simbabwe u. Tördal/Norwegen.
Verw.: Zur Herst. von Lithium, Li-Salzen u. Spezialgläsern. Zur geolog. *Altersbestimmung mit der *Rubidium-Strontium-Datierung. – $E = I$ lepidolite – F lépidolite – S lepidolita

Lit.: [1] Tschermaks Mineral. Petrogr. Mitt. **23**, 65–75 (1976); **24**, 23–37 (1977). [2] Am. Mineral. **66**, 1221–1232 (1981); Clay Miner. **22**, 375–386 (1987).
allg.: Bailey (Hrsg.), Micas (Reviews in Mineralogy, Vol. 13), S. 270–279, Washington (D.C.): Mineralogical Society of America 1984 ▪ Deer et al., S. 308 ff. ▪ Harben u. Bates, Industrial Minerals, Geology and World Occurrence, S. 145–152, London: Industrial Minerals Division of Metal Bulletin Plc 1990 ▪ Lapis **12**, Nr. 10, 6–9 (1987) („Steckbrief") ▪ Ramdohr-Strunz, S. 749 f. – *[HS 253090; CAS 1317-64-2]*

Lepidopterane (Cecropine). Antibakteriell wirkende Peptide, die die Seidenspinnerraupe zur Selbstverteidigung benötigt. Man unterscheidet die L. A, B u. C u. die Cecropine A, B u. D:

H–Arg–Trp–Lys–Ile–Phe[5]–Lys–Lys–Ile–Glu–Lys[10]–Met
–Gly–Arg–Asn[15]–Ile–Arg–Asp–Gly–Ile–Val[20]–X–Ala–
Gly–Pro–Ala[25]–Ile–Glu–Val–Leu–Gly[30]–Ser–Ala–Lys–
Ala–Ile[35]-NH₂

Lepidopteran A: X = Lys
Lepidopteran B: X = *erythro*-5-Hydroxy-L-lysyl

Die L. sind nicht zu verwechseln mit dem *Pteridin-Derivat *Lepidopterin*,

$C_9H_8N_6O_3$, M_R 248,20, aus *Ephestia kühnella* (Mehlmotte)[1]; vgl. a. Pteridine. – *E* lepidopterans – *F* lépidoptéranes – *I* lepidopterani – *S* lepidopteranos

Lit.: [1] Helv. Chim. Acta **44**, 1783 (1961); **45**, 2479 (1962); **46**, 51 (1963).

allg.: Tetrahedron **42**, 829 (1986). – *[CAS 91196-41-7 (L.); 29067-92-3 (Lepidopterin)]*

Lepidopterin s. Lepidopterane.

Leponex® (Rp). Ampullen u. Tabl. mit dem *Neuroleptikum *Clozapin. *B.:* Wander Pharma.

Lepra (Aussatz, Hansensche Krankheit). Chron. Infektionskrankheit, hervorgerufen durch das säurefeste Bakterium *Mycobacterium leprae*. Die Übertragung erfolgt durch langen engen Hautkontakt u. durch Nasenschleim, die Erreger befinden sich v. a. in Makrophagen u. in den die Nervenfasern umgebenden Schwannschen Zellen. Nach der relativ langen Inkubationszeit (3–5 a) kommt es durch Entzündungsvorgänge zur Zerstörung von Nerven. Dadurch bedingte Ernährungsstörungen u. Gefühllosigkeit führen zu entstellenden Verkümmerungen u. Verletzungen von Haut, Muskeln u. Knochen. Nach bes. Merkmalen im Verlauf unterscheidet man verschiedene Formen der L.: die tuberkuloide L. mit relativ gutartigem Verlauf u. die rasch fortschreitende lepromatöse L. sowie ihre Übergangsformen.
Die Diagnose wird durch den Erregernachw. in einem Abstrich von der Nasenscheidewand gestellt, die Behandlung erfolgt mit verschiedenen Leprostatika wie z. B. *Dapsone, *Rifampicin in Kombination mit *Isoniazid od. *Protionamid. – *E* leprosy – *F* lèpre – *I* lebbra – *S* lepra

Lit.: Brandis et al., Lehrbuch der Medizinischen Mikrobiologie, S. 555–560, Stuttgart: Fischer 1994.

Leprocyben-Farbstoffe.

Im UV-Licht fluoreszierende *Xanthon-Farbstoffe der Pilzgattung *Cortinarius* (Klumpfüße), Untergattung *Leprocybe* (Rauhköpfe). Hauptpigment der L.-F. ist das Nonaketid *Leprocybin*, $C_{24}H_{20}O_{13}$, M_R 516,42, gelbgrüne Krist., Schmp. >240 °C (Zers.), $[\alpha]_D$ −60° (H_2O), ein β-D-Glucosid mit dem Aglykon Leprocybosid. Biosynthet. wird Leprocybin durch Ringschluß aus dem Diarylketon *Leprophenon* ($C_{18}H_{12}O_9$, M_R 372,29) gebildet, das zusammen mit Leprolutein

vorkommt. Als weitere Nebenpigmente wurden u. a. Homodermolutein u. Homoendocrocin aus *Cortinarius* (*Leprocybe*) *venetus* isoliert. – *E* leprocybe pigments – *F* colorants de léprocybe – *I* coloranti al leprocibe – *S* colorantes de leprocybe

Lit.: Justus Liebigs Ann. Chem. **1982**, 1280–1296 ▪ Zechmeister **51**, 174–179. – *[CAS 82850-45-1 (Leprocybin)]*

Leprocybin s. Leprocyben-Farbstoffe.

Leprophenon s. Leprocyben-Farbstoffe.

Leprostatika s. Lepra.

Leptin (Ob-Protein). Von Fettzellen ins Blut sezerniertes *Protein (M_R ca. 16 000), dessen Plasma-Konz. mit dem Fettgehalt des Körpers korreliert u. das, wahrscheinlich zusammen mit *Melanocortin u. *Neuropeptid Y[1], die Nahrungsaufnahme u. den Energiehaushalt reguliert. Mäuse, denen das L.-Gen (*obese, ob*) fehlt, sind stark übergewichtig, u. bei ihnen wie auch bei normalen Mäusen führen L.-Gaben zur Reduzierung von Futteraufnahme u. Gewicht. L. bindet an *Rezeptoren in den Langerhansschen Inseln des *Pankreas, wo es die *Insulin-Sekretion inhibiert[2]. Umgekehrt wird die L.-Biosynth. durch Insulin u. Gluco-*Corticosteroide erhöht, bei Kälteeinwirkung dagegen erniedrigt. Dem *Hypothalamus, wo es den Appetit beeinflußt, dient L. als Eingangssignal für die Gesamtmasse des Körperfetts. L. kann in weiblichen Mäusen die Reifung der Geschlechtsfunktionen beschleunigen[3], was in Zusammenhang stehen könnte mit der Beobachtung, daß bei Magersüchtigen Ovulationsstörungen auftreten. In Leber- u. Fettzellen wird die Insulin-Empfindlichkeit herabgesetzt; dies könnte die häufig bei Übergewichtigen auftretende Insulin-Resistenz erklären[4]. Zur Rolle des L. bei der *Hämatopoese s. *Lit.*[5]. L.-Rezeptoren bis jetzt unbekannter Funktion befinden sich in *Herz, *Milz u. *Nieren. – *E* leptin – *F* leptine – *I* = *S* leptina

Lit.: [1] Science **275**, 751 ff. (1997). [2] Diabetes **46**, 313–316 (1997). [3] Science **275**, 88 ff. (1997). [4] FEBS Lett. **402**, 9 ff. (1997); Science **274**, 1151 f., 1185–1188 (1996). [5] Curr. Biol. **6**, 1170–1180 (1996).

allg.: Biospektrum **2**, Nr. 3, 30 ff. (1996) ▪ Curr. Biol. **8**, 920–923 (1996) ▪ J. Biol. Chem. **272**, 6093–6096 (1997) ▪ Med. Res. Rev. **17**, 225–234 (1997).

Leptit. Aus dem Schwed. stammende Bez. für feinkörnige bis kleinkörnige, schiefrig-plattige (*Gefüge) bis massige, oft streifig inhomogene, grau bis rosa od. bunt gefärbte präkambr. (*Erdzeitalter) *Gneise, die aus SiO_2-reichen (sauren) vulkan. Gesteinen (*Vulkanite) entstanden sind. – *E* = *F* = *I* leptite – *S* leptita

Lit.: Wimmenauer, Petrographie der magmatischen u. metamorphen Gesteine, S. 234, 273, Stuttgart: Enke 1985. – *[HS 251690]*

Leptonen. Durch Rosenfeld 1948 geprägte, von griech.: leptós = klein, gering abgeleitete Gruppenbez. für zu den *Fermionen gehörende *Elementarteilchen mit halbzahligem *Spin. Näheres s. Elementarteilchen. – *E* = *F* leptons – *I* leptoni – *S* leptones

Lerchensporn. In feuchten Laubwäldern der gemäßigten Zonen Europas heim., purpurrot od. weiß blühende Pflanzen der Gattung *Corydalis* (Papaveraceae), die giftigen *Corydalis-Alkaloide enthalten; Näheres s. dort. – *E* = *F* = *S* corydalis – *I* coridale

Lit.: s. Corydalis-Alkaloide.

Leromoll®. Modifizierte Sulfonsäureester als *Weichmacher für Beschichtungsstoffe, Lacke, Fugenvergußmassen, Klebstoffe u. Druckfarben. *B.:* Bayer.

Leseraster. Bez. für die Anordnung, in der bei der *Translation von *mRNA in ein Protein, ausgehend von einem festgelegten Startpunkt (*Start-Codon), die codierende Sequenz für eine Aminosäure in nicht-überlappenden Tripletts zusammengefaßt u. abgelesen wird (s. genetischer Code). Eine *Mutation, die in der *DNA-Sequenz eine Base zufügt od. entfernt (*Insertion bzw. *Deletion), ändert das L. für die gesamte nachfolgende Sequenz (Leserasterverschiebung), woraus ein Protein mit geänderter Aminosäure-Zusammensetzung resultiert. Wird das L. nicht durch *Terminations-Codons unterbrochen, spricht man von einem offenen Leseraster. – *E* reading frame – *F* cadre, phase de lecture – *I* reticolo di lettura – *S* marco de lectura
Lit.: Stryer 1996, S. 107–114.

Lessing-Ring. Bez. für einen Keramik-*Füllkörper (*Raschig-Ring* mit Innensteg).
Lit.: Kirk-Othmer (3.) **1**, 55; (4.) **1**, 40.

LESTR s. Fusin.

LET (Abk. für *E Linear Energy Transfer*). Es ist der mittlere Energieverlust dE, den Teilchen von *ionisierender Strahlung durch Stöße auf dem Weg ds erleiden, wobei der Energieverlust pro Einzelstoß kleiner als eine vorgegebene Energie Δ ist:

$$LET = L_\Delta = \left(\frac{dE}{ds}\right)_\Delta$$

L_Δ hat die SI-Einheit J/m, wird aber auch häufig in den atomaren Einheiten eV/m od. eV/µm angegeben, ebenso wie die Energiegrenze Δ in eV. LET läßt den Energietransfer unberücksichtigt, bei dem große Energiebeträge übertragen werden u. bei dem z.B. durch δ-Elektronen (*Delta-Strahlen) od. durch Bremsstrahlung zusätzliche Strahlenbelastung in der unmittelbaren Umgebung der Teilchenbahn herrscht. Dieser zusätzliche Effekt wird bei der Definition der *Äquivalentdosis durch den Qualitätsfaktor berücksichtigt. – *E* linear energy transfer – *F* transfert linéaire d'énergie – *I* trasferimento lineare di energia – *S* transferencia lineal de la energía
Lit.: Krieger u. Petzold, Strahlenphysik Dosimetrie u. Strahlenschutz, Bd. 2, S. 47, Stuttgart: Teubner 1989 ▪ Reich (Hrsg.), Dosimetrie ionisierender Strahlung, Stuttgart: Teubner 1990.

Letale Dosis, LD (latein.: letalis = tödlich). *Dosis eines Wirkstoffes od. einer ionisierenden Strahlung, bei der innerhalb eines bestimmten Zeitraumes der Tod eintritt. Die L. D. von chem. Stoffen wie Arzneimitteln wird meist spezif. als LD_{100} od. LD_{50} angegeben (s. a. Dosis). – *E* lethal dosis – *F* dose létale – *I* dose letale – *S* dosis letal

Letale Konzentration s. LC_{50}.

Letale Synthese. Beim *biologischen Abbau werden manchmal Verb. gebildet, die eine essentielle Stoffwechselreaktion des erzeugenden Organismus hemmen[1] u. diesen abtöten. Viele Vergiftungsmechanismen beruhen ebenfalls auf l. S. (s. Aflatoxine u. Bio-

aktivierung). Z. B. bilden nicht-adaptierte Pflanzen auf Fluorid-reichen Böden *Fluoressigsäure, aus der im *Citronensäure-Cyclus Monofluorcitrat entsteht, welches die *Aconitase u. damit den Citronensäure-Cyclus hemmt[2] (s. a. dead-end pathway). – *E* lethal synthesis – *F* synthèse létale – *I* sintesi letale – *S* síntesis letal
Lit.: [1] Trends Biotechnol. **3**, 300–305 (1985). [2] Schlee (2.), S. 214 ff.

Letrozol (Rp).

Internat. Freiname für das *Cytostatikum 1-[Bis(4-cyano-phenyl)methyl]-1,2,4-triazol, $C_{17}H_{11}N_5$, M_R 285,31, Schmp. 181–183 °C. L. wurde 1987 u. 1990 von Ciba-Geigy patentiert u. ist von Novartis (Femara®) gegen Mamma-Carcinom im Handel. – *E* letrozole – *F* létrozol – *I* letrozolo – *S* letrozola
Lit.: J. Pharm. Sci. **83**, 520 (1994) ▪ Merck-Index (12.), Nr. 5474. – *[CAS 112809-51-5]*

Letternmetall. Blei-Leg. mit 28% Sb u. 5% Sn für das graph. Gewerbe bes. zur Herst. von Komplettgußschriften im Handsatz. – *E* type metal – *F* métal à lettres – *I* lega per caratteri – *S* metal tipográfico
Lit.: Hofmann, Blei und Bleilegierungen, 2. Aufl., S. 342 ff., Berlin: Springer 1962.

Leu s. L-Leucin.

Leucenin, Leucenol s. Mimosin.

Leuchs-Anhydride s. Oxazolidinone u. Peptid-Synthese.

Leuchtbakterien s. Biolumineszenz u. Luciferine.

Leuchtbomben s. Leuchtsätze.

Leuchtdichte (Kurzz. L_v). Strahlungsleistung Φ pro Fläche A (des Strahlers) u. Raumwinkel Ω dividiert durch $\cos\varphi$, wobei φ der Winkel zwischen Lichtstrahlrichtung u. Flächennormale des Strahlers ist:

$$L_v = \frac{\partial^2 \Phi}{\partial A \cdot \partial \Omega} \cdot \frac{1}{\cos\varphi}$$

Die SI-Einheit ist *Candela pro m^2 (cd/m^2), s. Tab. bei *Photometrie. – *E* radiation density – *F* brillance – *I* brillanza – *S* densidad lumínica
Lit.: Kohlrausch, Praktische Physik 2, S. 209 f., Stuttgart: Teubner 1996.

Leuchtdiode s. LED.

Leuchtdruckfarben s. Leuchtpigmente.

Leuchtelektron. Bez. für ein *einsames (*Valenz-) Elektron, das bes. leicht durch *Anregung auf ein höheres Energieniveau gebracht werden kann u. bei der Rückkehr in den *Grundzustand Licht aussendet. Die bes. bei Alkali-Metallen zu beobachtende Erscheinung ist die Ursache für die *Flammenfärbung u. wird bei der *Emissionsspektroskopie ausgenutzt. – *E* optical electron – *F* électron périférique, électron optique – *I* elettrone luminescente – *S* electrón óptico, electrón excitado

Leuchtfarben s. Leuchtpigmente.

Leuchtgas. Von der früheren Verw. für Beleuchtungszwecke abgeleitete histor. Bez. für *Brenngase, die heute – bei geänderter Zusammensetzung – als *Stadtgas bezeichnet werden. Mitte bis Ende des 18. Jh. wurde die Anw. des beim Verkoken von Steinkohle gewonnenen Gases zu Beleuchtungszwecken entdeckt, die ersten Gaswerke zur Erzeugung von L. entstanden 1802 in Baltimore/USA u. 1811 in Freiberg. Die erste Straßenbeleuchtung mit L. wurde 1813 in England (Westminsterbrücke) installiert. Die klass. L.-Erzeugung aus Steinkohle zur Verw. als Stadtgas ist heute weitgehend aufgegeben zugunsten der Versorgung mit *Erdgas. – *E* lighting gas, illuminating gas – *F* gaz d'éclairage – *I* gas illuminante – *S* gas del alumbrado *Lit.:* Ullmann (3.) **4**, 651–684; (4.) **4**, 362 f. ▪ s. a. Stadtgas.

Leuchtkäfer s. Biolumineszenz u. Luciferine.

Leuchtkugeln s. Leuchtsätze.

Leuchtöl s. Leuchtpetroleum.

Leuchtpetroleum (Kerosen, Leuchtöl). Unter L. versteht man ein *Erdöl-Destillat, das aus zwischen 130 u. 280 °C siedenden, raffinierten Kohlenwasserstoff-Fraktionen besteht u. in Docht-, Düsen- u. Verdampfergeräten für Beleuchtungszwecke verwendet wird (vgl. DIN 51 636, 11/1981). In der Lit. sind jedoch auch andere Siedegrenzen zu finden. Zusätzlich überschneidet sich im amerikan. Sprachgebrauch der Petrochemie „L." mit *Kerosin. – *E* kerosene (oil), lamp kerosene – *F* pétrole lampant – *I* petrolio, cherosene – *S* petróleo lampante, keroseno *Lit.:* s. Erdöl. – *[HS 271000]*

Leuchtpigmente (Lumineszenzpigmente). Bez. für anorgan. od. organ. lumineszenzfähige *Pigmente, die in Anstrichstoffen od. a. Beschichtungen eingesetzt werden u. entweder nach *Anregung durch elektromagnet. Strahlung *Fluoreszenz u./od. *Phosphoreszenz zeigen (*Nachleuchtpigmente*) od. selbstleuchtende Leuchtstoffe sind (Näheres s. dort). *Verw.:* Als *Tagesleuchtfarben, in *Leucht(druck)farben*, in Instrumentenanzeigen, Fernsehbildröhren, Röntgen- u. Radarleuchtschirmen, Leuchtplaketten, *Sicherheits- od. Signalfarben für Schutzbekleidung, *optischen Aufhellern u. dgl., s. a. Leuchtstoffe. – *E* luminescent pigments – *F* pigments luminiscents – *I* pigmenti luminosi – *S* pigmentos luminiscentes *Lit.:* DIN 55944 (04/1990), 67510 Tl. 1 (01/1992) ▪ s. a. Leuchtstoffe. – *[HS 3206 50]*

Leuchtprobe s. Zinn.

Leuchtquallen s. Luciferine u. Aequorin.

Leuchtröhren s. Leuchtstoffe.

Leuchtsätze. Gemische aus einem festen Brennstoff (Holzmehl, Ruß, Schellack, Kolophonium, Stearin, Lactose, Kunststoffe), einem Oxidationsmittel (Nitrate, Peroxide, Perchlorate, Chlorate) u. Stoffen zur *Flammenfärbung (Natrium-, Strontium-, Barium-, Kupfer-Salze), denen zur Lichtverstärkung oft noch Al- od. Mg-Pulver (vgl. Blitzlicht) beigegeben werden. *Magnesiumlicht* ist außerordentlich hell, da sich das bei der Verbrennung entstehende MgO bis auf Weißglut (>2000 °C) erhitzt. Das sog. *Weißfeuer* der

arab. Chemiker des Mittelalters bestand aus einer Mischung von Salpeter, Schwefel u. Realgar (s. Arsensulfide). *Verw.:* Zur Herst. von Feuerwerkskörpern, Signalmitteln, Leuchtkugeln, Leuchtspurmunition, Leuchtbomben (Al-, Mg-Pulver) etc. Die im 2. Weltkrieg verwendeten „Christbaumlichter" entwickelten eine Helligkeit von 1–1,5 MW. – *E* flare compositions – *F* compositions éclairantes – *I* composti per lampo – *S* composiciones luminosas *Lit.:* Kirk-Othmer (3.) **19**, 484–499; (4.) **20**, 680–697 ▪ Ullmann (4.) **19**, 629; (5.) **A22**, 437–452 ▪ s. a. Pyrotechnik.

Leuchtschirm s. Leuchtstoffe.

Leuchtstoffe. Bez. für zur *Lumineszenz befähigte Stoffe, die nach *Anregung fluoreszieren. Die Anregung von Gasen zur *Fluoreszenz erfolgt überwiegend elektr. in *Gasentladungen (*Beisp.:* Quecksilber-, Natrium-Dampflampen).

Geschichte: Über leuchtende Steine wurde schon im Altertum geschrieben. Insbes. aus dem nahen u. fernen Osten sind zahlreiche Legenden über solche „wunderbaren Juwelen" bekannt. Indessen beginnt die Geschichte der L. erst im Mittelalter um 1600 mit dem Schuster u. Alchemisten Casciarola aus Bologna, der wie viele andere zu dieser Zeit Gold herstellen wollte. Wahrscheinlich bestand das von ihm hergestellte Material aus *Bariumsulfat, das Spuren von Bismut od. Mangan enthielt, u. das beim Erhitzen in Bariumsulfid überging. Das von ihm hergestellte Produkt ist unter der Bez. *„Bologneser Leuchtstein"* in die Geschichte eingegangen. Damals kam auch die Bez. Phosphor (Lichtträger) für solche Stoffe auf, was natürlich mit dem Element *Phosphor nichts zu tun hat. Die Bez. hat sich jedoch bes. im engl. sprechenden Raum hartnäckig gehalten, obwohl sie immer wieder zu Zweideutigkeit führt. Die eigentliche wissenschaftliche Untersuchung von L. begann jedoch erst Ende des 19. Jahrhunderts. Namen wie A. H. *Becquerel, Verneuil, *Lenard u. v. a. sind damit verbunden. Es wurden nicht nur die spektralen Verteilungen der anregenden u. emittierten Strahlung, sondern auch die Dauer des Leuchtens (Nachleuchten), der Einfluß der Temp. u. a. Parameter bei einer großen Zahl von geeigneten Materialien gemessen. Hierbei wurde die wichtige Entdeckung gemacht, daß bei fast allen diesen *„Mineralphosphoren"*, wie z. B. Sulfiden, Oxiden, Seleniden od. Carbonaten, die Anwesenheit von geringen Spuren von Schwermetallen, wie Cu, Mn, Ag u. a. notwendig ist, um *Lumineszenz zu erzeugen, u. daß zur Erzielung guter Qualitäten hochgereinigte Grundmaterialien verwendet werden müssen. Zu Anfang des 20. Jh. setzte dann die stürm. Entwicklung bei der Erforschung u. Herst. der für die verschiedensten Gebiete der Technik geeigneten L. ein, so daß heute tausende von Tonnen L. weltweit produziert werden.

Als zum Leuchten anregende Energiearten kommen in Frage: Elektromagnet. Strahlung (γ-Strahlen, *Röntgenstrahlen, UV, sichtbares *Licht), Korpuskularstrahlen (α-Strahlen, β-Strahlen), Elektr. Felder (s. Elektrolumineszenz), mechan. Einwirkung (s. Tribolumineszenz).

Zu den physikal. Eigenschaften der L. s. Phosphoreszenz u. Fluoreszenz. Die in der Technik angewendeten L. sind prakt. alle phosphoreszierend, mit mehr od. weniger langen Nachleuchtzeiten.

Herst.: Die Herst. von L. erfolgt im techn. Maßstab in gas- od. strombeheizten Brennöfen bei Temp. zwischen ca. 700 °C u. 1600 °C je nach Art der Grundstoffe u. den zu erzielenden Eigenschaften. Die Glühatmosphäre ist in den meisten Fällen Luft. Es können jedoch auch reduzierende Atmosphären erforderlich sein. Das Glühgut wird in Quarzgutiegel gefüllt u. in die Öfen gegeben, wo es je nach den gewünschten Eigenschaften verschieden lange Zeit auf Temp. gehalten wird. In fast allen Fällen muß zum Entstehen der *Lumineszenz eine geeignete Schwermetall-Verb. (Aktivator) hinzugegeben werden. Es gibt L., die bereits durch Zugabe einer Schwermetall-Verb. zu einem einheitlichen Grundstoff hergestellt werden können. In vielen Fällen wird jedoch erst bei dem Glühprozess aus verschiedenen einfacheren Verb. eine komplexere Verb. erhalten. Zu den ersteren L. gehört z. B. das in Elektronenstrahlröhren verwendete, blau leuchtende Zinksulfid, das in hochreiner Form mit einer Ag-Lsg. dotiert u. dann bei 750–900 °C geglüht wird. Zu den aus verschiedenen Komponenten hergestellten L. gehört das Zn-Silicat. Nach dem Glühprozeß werden je nach Anw. noch Nachbehandlungen vorgenommen, wie z. B. Fraktionieren, um bestimmte Kornverteilungen zu erreichen, Auswaschen, um die Schmelzmittel u. bei dem Glühprozeß entstandenen störenden Verb. zu entfernen, u. ä.

Nomenklatur: Hinter der Grundsubstanz wird, durch einen Doppelpunkt abgetrennt, das dotierende Element (Aktivator) angegeben, z. B. ZnS:Ag.

Anw.: Die Anw. von L. ist sehr vielseitig. Die wichtigsten werden nachfolgend behandelt:

1. *Anregung durch Elektronenstrahlen:* Fernseh- u. Computerbildschirme, Oszillographenröhren, Bildwandler. Für Schwarz-weiß-Fernsehbildschirme hat man noch bis vor kurzem eine Mischung aus blauleuchtendem ZnS:Ag u. gelb-leuchtendem ZnS/CdS:Ag benutzt, das je nach Mischungsverhältnis eine weiße Fluoreszenz verschiedener Tönung ergibt. Nachdem CdS in der Zwischenzeit zu den gefährlichen Arbeitsstoffen zählt, ersetzt man das ZnS/CdS:Ag durch ZnS:Cu, Al.

Für Farbfernseh-Bildschirme werden 3 Leuchtstoffe verwendet: Blauer Leuchtstoff ZnS:Ag, grüner Leuchtstoff ZnS:Cu, Al, roter Leuchtstoff Y_2O_2S:Eu.

Für Computer-Bildschirme u. Oszillographenröhren kommen je nach den gewünschten Eigenschaften außer den oben bereits angegebenen eine große Zahl von L. in Frage: Y_2O_3:Eu (rot leuchtend), YVO_4:Eu (rot), Zn_2SiO_4:Mn (grün), $CaWO_4$ (blau), (Zn, Mg) F_2:Mn (orange), $MgSiO_3$:Mn (rot), ZnO:Zn (blaugrün) u. a.

2. *Anregung durch Röntgenstrahlen:* Herst. von Röntgen-Durchleuchtungsschirmen u. -Verstärkerfolien für medizin. Zwecke. Die verwendeten L. müssen Grundsubstanzen haben, die befähigt sind, Röntgenstrahlen stark zu absorbieren. In Frage kommen: $CaWO_4$ (blau), Gd_2O_2S:Tb (grün), Y_2O_2S:Tb (weißlich), La_2O_2S:Tb (grün), BaFCl:Eu (UV-C), LaOBr:Tb (blau).

3. *Anregung durch UV-Strahlen:* L.-Lampen, L.-Werberöhren, Quecksilber-Hochdrucklampen. Die Auswahl der L. erfolgt nach der gewünschten Emissionsfarbe. Die ersten Arbeiten zur Herst. von L.-Lampen für Beleuchtungszwecke erfolgten in den dreißiger Jahren dieses Jahrhunderts. Um weiß leuchtende Lampen zu erhalten, mußte man L.-Mischungen anwenden, da weiß-leuchtende L. nicht bekannt waren. Man verwendete hierfür Mg-Wolframat (blau), (Zn,Be)-Silicat:Mn (gelb) u. evtl. Cd-Borat:Mn (rot). Nach dem letzten Weltkrieg setzte eine stürm. Entwicklung auf dem Gebiet der L.-Lampen-Herst. ein. Damit war auch die Entwicklung neuer L. verbunden. Da der (Zn,Be)-Silicat:Mn-L. inzwischen zu den gefährlichen Arbeitsstoffen gerechnet werden mußte, suchte man nach neuen Substanzen, die in der Lage waren, weiße Lumineszenz zu erzeugen. Es ist dies das heute in großen Mengen verwendete sog. Halophosphat [$Ca_{10}(PO_4)_6F$, Cl:Sb, Mn]. Je nach den verwendeten Anteilen der Halogene (F, Cl) u. der Aktivatoren (Sb, Mn) kann man weißes Leuchten der verschiedenen Farbtemp. erzeugen. Weitere L. sind z. B. $(SrMg)_2P_2O_7$:Eu (UV-A), $Sr_2P_2O_7$:Sn (blau), $Sr_4Al_{14}O_{25}$:Eu (blaugrün), Y_2SiO_5:Ce, Tb (grün), Y(P,V)O_4:Eu (rot). Ziel ist es, auf diesem Gebiet hauptsächlich höhere Lichtintensitäten u. bessere Farbwiedergabe-Eigenschaften zu erreichen; z. B. mit den sog. *„Drei-Banden-Leuchtstoffen"*. Man verwendet hier zur Erzeugung weißen Lichts die Mischung von 3 verschiedenen L. mit schmalen Emissionsbanden. Üblicherweise sind dies: $BaMg_2Al_{10}O_{27}$:Eu (blau), $MgAl_{11}O_{19}$:Ce, Tb (grün) u. Y_2O_3:Eu (rot).

4. *Anregung durch sichtbares Licht:* Hier sind insbes. L. von Bedeutung, die durch Anregung mit kurzwelligem sichtbarem Licht nach Abschalten der anregenden Lichtquelle längere Zeit nachleuchten, also starke Phosphoreszenz zeigen. Hauptsächlich wird hier ZnS:Cu verwendet, aus dem mit geeigneten Lacken die sog. „Nachleuchtfarben" hergestellt werden. Bei dunkel adaptiertem Auge kann man das Nachleuchten noch nach 20 h erkennen. Mit dem L. werden auch Folien u. ä. hergestellt, um den gleichen Effekt zu erzielen. Die Nachleuchtfarben haben in der letzten Zeit sehr an Bedeutung zugenommen, weil man damit Fluchtwege markieren kann, die bei Lichtausfall noch erkannt werden können.

5. *Anregung durch elektr. Felder* (*Elektrolumineszenz*): Beim Anlegen eines elektr. Feldes lumineszierende Stoffe. Die ersten Beobachtungen dieser Erscheinung gehen auf Gudden u. Pohl (1920), Lossew (1923) u. Destriau (1936) zurück. In den letzten Jahren ist die Elektrolumineszenz eingehend untersucht worden, so daß sie sowohl für die Festkörperforschung als auch für viele techn. Anw. Bedeutung erlangt hat. Die zuerst entdeckten elektrolumineszierenden Substanzen SiC u. ZnS waren richtungsweisend für das Auffinden weiterer elektrolumineszierender L. u. Halbleiter. Im wesentlichen sind Verb. der Gruppe II/XVI elektrolumineszenzfähig, wie z. B. ZnS, ZnSe, CdS usw., die mit verschiedenen Aktivatoren, wie Cu od. Mn, aktiviert sind. Anw. finden die Elektrolumineszenz-L. z. B. bei Zifferblättern von Meßinstrumenten, Hintergrund-Leuchtflächen von Flüssigkristallanzeigen u. ä. – *E* phosphors, luminophors – *F* luminophores, lu-

menophores – *I* sostanze luminescenti – *S* luminóferos

Lit.: Butler, Fluorescent Lamp Phosphors, New York: Pennsylvania State University Press 1980 ■ Di Bartolo, Luminescence of Inorganic Solids, New York: Plenum Press 1978 ■ Garlick, Lumineszenz, in: Handbuch der Phys., Bd. XXVI, Licht und Materie II, Berlin: Springer 1958 ■ Leverenz, An Introduction to Luminescence of Solids, New York: Wiley 1950 ■ Pringsheim, Fluorescence and Phosphorescence, New York: Intersience 1949 ■ Riehl, Einführung in die Lumineszenz, München: Karl Thiemig 1971. – *Zeitschriften:* Journal of Luminescence, Amsterdam (North Holland Publ. C.) ■ Journal of the Electrochemical Society, USA.

Leuchtstofflampen (od. -röhren) s. Leuchtstoffe, Lampen u. Gasentladung.

Leuchtstoffwerk GmbH. Sitz 69123 Heidelberg. *Produktion u. Entwicklung:* Leuchtstoffe, Tages- u. Nachtleuchtfarben.

L-Leucin [Abk. Leu od. L; (*S*)-2-Amino-4-methylpentansäure].

$$CH_3 \qquad NH_2$$
$$H_3C-CH-CH_2-\underset{\underset{H}{|}}{C}-COOH$$

$C_6H_{13}NO_2$, M_R 131,17. Schimmernd weiße Krist.-Schuppen (daher der Name, von griech.: leukós = weiß), D. 1,293, Subl. bei 145–148 °C, Zers. bei 293–295 °C (DL-Leu: Zers. bei 332 °C od. 290 °C), lösl. in Wasser u. Mineralsäuren, unlösl. in Ether. L. gehört zu den Protein-Bestandteilen aller Organismen (bes. reichlich in *Albuminen* u. *Globulinen*) u. ist für den Menschen u. viele Tiere eine *essentielle *Aminosäure, deren Zufuhr (Tagesbedarf für den Erwachsenen ca. 1 g) aus der Nahrung gedeckt wird. Ein Mindergehalt im Blutplasma kann auf chron. *Alkoholismus hindeuten. In Mikroorganismen wird L. aus Pyruvat aufgebaut; wegen seines Abbaus zu *Ketonkörpern (Acetessigsäure) gehört es zu den *ketogenen Aminosäuren*. L. wird in Aminosäure-Infusionslsg. u. chem. definierten Diäten eingesetzt; es wird aus Protein-Hydrolysaten durch Extraktion gewonnen. Die D-Form kommt in einigen *Polypeptid-Antibiotika vor. L. wurde 1818 von *Proust aus Käse u. 1827 von Braconnot aus Fleisch erstmals erhalten. – *E* = *F* L-leucine – *I* = *S* L-leucina

Lit.: Beilstein E IV **4**, 2738 ff. – *[HS 2922 49; CAS 61-90-5]*

Leucin-Aminopeptidase (Cytosol-Aminopeptidase, EC 3.4.11.1). *Exopeptidase, die entgegen ihrer geläufigen Bez. nicht für Leucin spezif. ist. Sie spaltet keine L-Lysin- od. L-Arginin-Reste ab, jedoch besitzt sie – wie viele andere Peptidasen auch – *Esterase-Aktivität. L.-A. ist ein hexameres Enzym (M_R 326000), das 6–12 Zink-Ionen bindet. Ein L-Serin-Rest wirkt an der Katalyse mit (vgl. Serin-Proteasen). – *E* = *F* leucine aminopeptidase – *I* leucinam(m)inopeptidasi – *S* leucina aminopeptidasa

Lit.: Adv. Enzymol. Rel. Areas Mol. Biol. **68**, 153–213 (1994). – *[CAS 9001-61-0]*

Leucinocain (Panthesin).

$$N(C_2H_5)_2$$
$$H_2N-\langle\!\!\langle\!\!\!\bigcirc\!\!\!\rangle\!\!\rangle-CO-O-CH_2-\underset{|}{CH}-CH_2-CH(CH_3)_2$$

Internat. Freiname für das *Lokalanästhetikum (±)-(2-Diethylamino-4-methylpentyl)-4-aminobenzoat, $C_{17}H_{28}N_2O_2$, M_R 292,42, Schmp. 84–85 °C. Verwendet wird das Mesilat, Schmp. 171 °C. – *E* leucinocaine – *F* leucinocaïne – *I* leucinocaina – *S* leucinocaína

Lit.: Beilstein E IV **14**, 1143. – *[HS 2922 49; CAS 92-23-9 (L.); 135-44-4 (Mesilat)]*

Leucin-Reißverschluß. Strukturmotiv einer *Protein-Familie von *Transkriptionsfaktoren [z. B. CREB (s. Adenosin-3′-5′-monophosphat), *Fos, Jun, *Myc sowie GCN4 aus Hefe], die in dimerem Zustand spezif. an bestimmte palindrome Sequenz-Abschnitte (Responsivelemente, RE) der *Desoxyribonucleinsäuren (DNA) binden. Charakterist. ist eine *amphipathische Helix, die in regelmäßigen Abständen (jede 7. Position) *Leucin-Reste enthält, deren hydrophobe Seitenketten alle nach einer Seite weisen. Die Leucin-Seitenketten zweier Helices zweier Protein-Monomerer greifen wie die Zähne eines Reißverschlusses alternierend ineinander u. bewirken durch *hydrophobe Bindung aneinander die Dimerisierung der Proteine, wobei sich auch funktionsfähige Heterodimere (Dimere aus unterschiedlichen Monomeren) bilden können. Da die Proteine nur dimer fest an DNA binden, bewirkt die unterschiedliche „Festigkeit" u. Spezifität der Reißverschluß-Verb. eine unterschiedliche Affinität der Proteine zum RE, obwohl ihre eigentlichen DNA-Bindungs-Domänen fast ident. sind. – *E* leucine zipper – *F* fermeture à leucine – *I* leucina-zip – *S* cierre en cremallera de leucina

Leucit. $K[AlSi_2O_6]$ od. $K_2O \cdot Al_2O_3 \cdot 4 SiO_2$, zu den *Feldspat-Vertretern gehörendes Mineral; krist. oberhalb von 650 °C kub. (*Hoch-L.*, Kristallklasse m3m-O_h, Struktur s. *Lit.*[1]); wandelt sich nach *Lit.*[2] schon bei 665 °C (938 K) über eine tetragonale, von 665–645 °C (938–918 K) stabile Zwischenphase[3] unter Bildung zahlreicher *Zwillingslamellen (s. Abb.) u. Beibehaltung der Krist.-Form in tetragonalen *Tief-L.* (Krist.-Klasse 4/m-C_{4h}, Struktur s. *Lit.*[4]) um. Zur anhaltenden Diskussion um geordnete od. ungeordnete Al-Si-Verteilung in L. s. *Lit.*[5,6], zu deren Einfluß od. Nicht-Einfluß auf die Phasenumwandlung tetragonal/kub. s. *Lit.*[2,6,7].

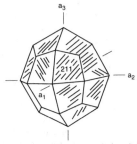

Abb.: Leucit-Krist. (Deltoidikositetraeder), mit kristallograph. Achsen u. Zwillingslamellen; nach *Lit.*[8].

L. bildet charakterist., rundum ausgebildete kub. Krist. (Deltoidikositetraeder, sog. „*Leucitoeder*", s. Abb.), Körner od. körnige Aggregate. H. 5,5–6, D. 2,45–2,5, durchscheinend bis (selten) durchsichtig; farblos, weiß, grau od. gelblich, Glasglanz, auf dem muscheligen Bruch Fettglanz. Bes. L. in Plutoniten (*magmatische Gesteine) sind oft in *Pseudo-L.* (*Pseudomorphosen aus Kali-*Feldspat) umgewandelt.

***Vork.*:** V. a. in SiO_2-armen, Kalium-reichen vulkan. Ge-steinen, z. B. *L.-*Phonolithen, L.-*Basalten* u. *Leuci-titen* (L. >90% der hellen Minerale, dunkler Hauptbe-standtl. ist Klino-*Pyroxen). *Beisp.:* Eifel, Kaiser-stuhl, Italien (u. a. Toskana, Albaner Berge, Vesuv), Arkansas u. Wyoming/USA (in *Lamproiten). Seit den frühen 80er Jahren haben in Australien *L.-Lamproite* wegen ihres Gehaltes an *Diamanten wirtschaftliche Bedeutung erlangt. L. wird lokal als Kalidünger ver-wendet. 1797 wies M. H. *Klaproth im L. das Element Kalium nach, das man bis dahin nur als Bestandteil von Pflanzen (Pflanzen-Alkali, Pottasche) kannte. – *E* = *F* leucite – *I* leucite, granato bianco – *S* leucita

Lit.: [1] Z. Kristallogr. **127**, 213–224 (1968). [2] Am. Mineral. **78**, 486–492 (1993). [3] Am. Mineral. **71**, 937–945 (1986); Phys. Chem. Miner. **16**, 714–719 (1989); **17**, 259–265 (1990). [4] Am. Mineral. **61**, 108–115 (1976). [5] Phys. Chem. Miner. **15**, 78–83 (1987); **16**, 591–598 (1989); Am. Mineral. **79**, 1025–1031 (1994). [6] Am. Mineral. **80**, 705–714 (1995). [7] Phys. Chem. Miner. **17**, 220–227 (1990). [8] Lapis **13**, Nr. 12, 8 (1988). *allg.:* Deer et al., S. 488–495 ▪ Lapis **13**, Nr. 12, 6 ff. (1988) („Steckbrief") ▪ Matthes, Mineralogie (5.), S. 166 f., Berlin: Springer 1996. – *[HS 252930; CAS 1302-34-7]*

Leuckart-Reaktion. Bez. für mehrere mit dem Namen R. Leuckarts verbundene Reaktionen.

1. *Leuckart-Wallach-Reaktion:* Reduktive Alkylami-nierung von Carbonyl-Verb. in Ggw. von Amei-sensäure.

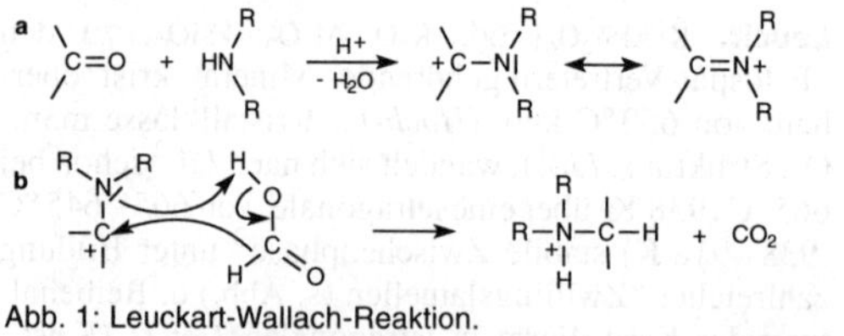

Abb. 1: Leuckart-Wallach-Reaktion.

Als Carbonyl-Komponente kommen Aldehyde u. Ke-tone in Frage, als Stickstoff-Verb. Ammoniak, prim. u. sek. Amine (s. Abb. a). Eine zur Amin-Methylierung geeignete Variante (mit Formaldehyd als Carbonyl-Verb.) heißt auch *Eschweiler(-Clarke)-Reaktion*; eine weitere Meth. verwendet Dimethylformamid; anstelle der Ameisensäure können auch andere Red.-Mittel wie Wasserstoff in Ggw. eines Katalysators, Zink u. Salz-säure, Natriumborhydrid u. a. eingesetzt werden. Der Vorteil der Leuckart-Wallach-Reaktion besteht darin, daß auch Verb. reduktiv alkyliert werden können, die bei der katalyt. *Hydrierung den Hydrierungs-Kataly-sator vergiften. Am besten lassen sich tert. Amine her-stellen, die als Ammoniumformiate anfallen (s. Abb. b).

2. *Benzamid-Synth.:* Die Umsetzung von aromat. Verb. mit Isocyanaten in Ggw. von $AlCl_3$ (Bedingungen der *Friedel-Crafts-Reaktion) gibt N-substituierte Benz-amide.

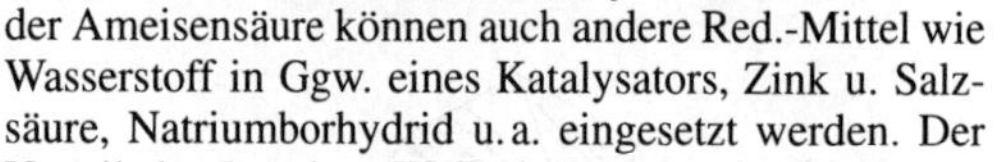

Abb. 2: Benzamid-Synth. nach Leuckart.

3. *Xanthogenat-Spaltung:* Arylxanthogenate geben beim Erhitzen aromat. Thioether, bei alkal. Hydrolyse Thiophenole.

– *E* Leuckart reaction – *F* réaction de Leuckart – *I* rea-zione di Leuckart – *S* reacción de Leuckart

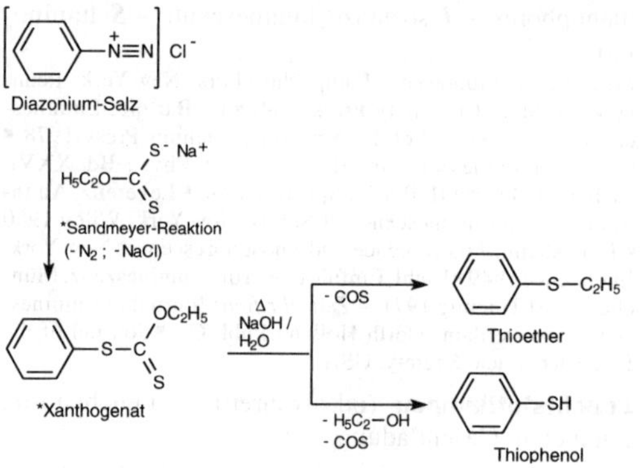

Abb. 3: Leuckart-Thiophenol-Synthese.

Lit. *(zu 1.):* Bull. Chem. Soc. **49**, 2485 (1976) ▪ Hassner-Stu-mer, S. 233 ▪ Houben-Weyl **11/1**, 648–664 ▪ Laue-Plagens, S. 206 ▪ March (4.), S. 899 ▪ Org. React. **5**, 301–331 (1949) ▪ Trost-Fleming **8**, 84. – *(zu 2.):* Hassner-Stumer, S. 232 ▪ s. a. Friedel-Crafts-Reaktion. – *(zu 3.):* Hassner-Stumer, S. 231.

Leuckart-Wallach-Reaktion s. Leuckart-Reaktion.

Leuco-atromentin s. Leucomentine.

Leucomentine (Leukomentine).

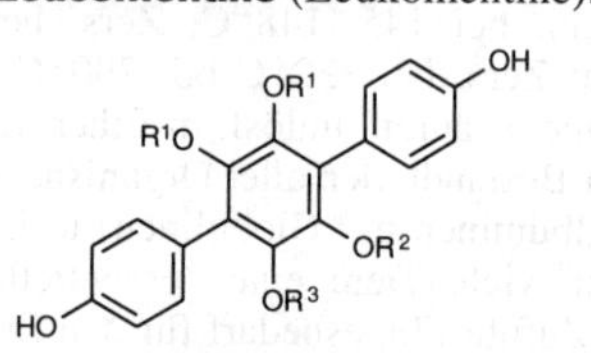

R^1	R^2	R^3		EPH =
EPH	H	H	L.-2	
EPH	EPH	H	L.-3	
EPH	EPH	EPH	L.-4	
H	H	H	Leuco-atromentin	

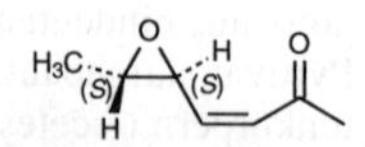

Farblose biosynthet. Vorläufer des seit langem be-kannten Terphenylchinon-Farbstoffs *Atromentin aus dem Samtfußkrempling (*Paxillus atrotomentosus*, Ba-sidiomycetes, Höhere Pilze). L. sind Ester des Leuco-atromentins mit 4,5-Epoxy-2-hexensäure, die unter Einwirkung von Alkalien gespalten u. zu Atromentin oxidiert werden. Je nach Zahl der Ester-Gruppen un-terscheidet man *L.-2* ($C_{30}H_{26}O_{10}$, M_R 546,53), *L.-3* ($C_{36}H_{32}O_{12}$, M_R 656,64, Hauptkomponente) u. *L.-4* {$C_{42}H_{38}O_{14}$, M_R 766,76, Krist., Schmp. 180°C, $[\alpha]_D$ +104° (CH_3OH)}. Bei der sauren Hydrolyse der L. wird der Oxiran-Ring der freigesetzten Epoxy-2-he-xensäure geöffnet u. *Osmundalacton gebildet, das sich gegenüber Raupen des Schmetterlings *Eurema he-cabe mandarina* als Fraßhemmer erwiesen hat [1]. Mög-licherweise sind die L. u. ihre Abbauprodukte für den geringen Insektenbefall des Samtfußkremplings ver-antwortlich. Die L. werden von gelben Flavomentinen u. violetten Spiromentinen begleitet. – *E* leucomentins – *F* leucomentines – *I* leucomentine – *S* leucomentinas ***Lit.:*** [1] Appl. Entomol. Zool. **18**, 129 (1983); Chem. Pharm. Bull. **32**, 2815 (1984); Justus Liebigs Ann. Chem. **1989**, 797–801, 803–810; Zechmeister **51**, 20 f. – *[CAS 121254-42-0 (L.-2); 121254-43-1 (L.-3); 121254-44-2 (L.-4)]*

Leucopterin [Leukopterin, 2-Amino-5,8-dihydro-4,6,7(1*H*)-pteridintrion]. $C_6H_5N_5O_3$, M_R 195,14, feine farblose Krist., bildet gelbe Natrium-, Ammonium- u.

Silber-Salze. In alkal. Lsg. fluoresziert L. blau. L. ist in Schmetterlingsflügeln enthalten. – *E* leucopterin – *F* leucoptérine – *I* = *S* leucopterina
Lit.: Beilstein E V **26/18**, 392 ▪ J. Chem. Ecol. **13**, 1843–1847 (1987) ▪ Merck-Index (12.), Nr. 5481 ▪ Zechmeister **4**, 64 ▪ s. a. Pteridine u. Xanthopterin. – *[HS 2933 59; CAS 492-11-5]*

Leucosin. *Albumin, das in kleinen Mengen in *Getreide-Samen vorkommt. L. gerinnt bei 65 °C u. enthält 11,3% Leucin u. Isoleucin, 6,7% Glutaminsäure, 5,9% Arginin, 4,4% Alanin, 3,8% Phenylalanin, 3,4% Asparaginsäure usw. Herst. durch Sättigung von wäss. Auszügen aus entölten *Weizen-Keimlingen mit Ammoniumsulfat od. NaCl/MgSO$_4$. – *E* leucosin – *F* leucosine – *I* = *S* leucosina

Leucovorin s. Folinsäure.

Leukämie (griech.: aima = Blut, Weißblütigkeit u. *leuk(o)...). Von R. Virchow (1821–1902) geprägte Bez. für eine in verschiedenen Formen auftretende maligne Entartung (s. a. Krebs) des blutbildenden Systems. Bei der L. kommt es zu einer unkontrollierten abnorm hohen Vermehrung einer bestimmten Art von *Leukocyten, v. a. im Knochenmark, den Lymphknoten u. der Milz u. deren Erscheinen im peripheren Blut. Oft geht die L. mit Anschwellung der Milz u. der Lymphknoten einher. Das normale blutbildende Gewebe im Knochenmark wird durch die wuchernden Zellen verdrängt, so daß oft eine Abnahme der roten Blutkörperchen (*Anämie) u. der Blutplättchen (Thrombocytopenie) auftritt. L. mit raschem Ausfall der Blutbildung u. der Blutzellfunktion durch Wucherung von meist unreifen Zellen werden als *akute L.*, die mit langsamem Verlauf als *chronische L.* bezeichnet. Als verursachende Bedingungen werden Knochenmarksschädigungen durch chem. *Carcinogene, ionisierende Strahlen u. Viren sowie genet. Faktoren angesehen. Für die verschiedenen nach dem Zelltyp unterschiedenen Formen der L. wurden spezielle Verf. der Behandlung entwickelt, bei denen bestimmte Kombinationen von Chemotherapeutika (s. a. Chemotherapie u. Cytostatika) nach festgelegten Zeitplänen eingesetzt werden. Bei manchen Formen erfolgt die Behandlung auch durch Knochenmarkstransplantation. – *E* leukemia – *F* leucémie – *I* = *S* leucemia
Lit.: Begemann u. Rastetter, Klinische Hämatologie, Stuttgart: Thieme 1992.

Leukämie-inhibierender Faktor (Differenzierungsinhibierende Aktivität, Differenzierungs-stimulierender Faktor, cholinerg-neuronaler Differenzierungsfaktor, LIF, HILDA). Multifunktionales *Cytokin, ein *Glykoprotein aus 180 Aminosäure-Resten (Mensch) mit je nach Zelltyp unterschiedlichem Kohlenhydrat-Anteil, das als Differenzierungs-, Überlebens- u. *Wachstumsfaktor für verschiedene Zellen wirkt. U. a. regt es die *Differenzierung von Leukämie-Zellen (zu *Makrophagen) u. von Nervenzellen (zu *cholinergen *Neuronen) an. LIF spielt bei der Embryonalentwicklung der Säuger eine wichtige Rolle. – *E* leuk(a)emia-

inhibitory factor – *F* facteur inhibiteur de la leucémie – *I* fattore inibitore della leucemia – *S* factor inhibidor de la leucemia
Lit.: Eur. Cytokine Network **7**, 699–712 (1996) ▪ Proc. Natl. Acad. Sci. USA **91**, 7833 ff. (1994).

Leukase® (Rp). Wundbehandlungsmittel (Salbe u. Puder) mit *Framycetin-sulfat, *L. N Kegel* zusätzlich mit Lidocain. *B.*: SmithKline Beecham.

Leukeran (Rp). Tabl. mit *Chlorambucil als *Cytostatikum. *B.*: Glaxo Wellcome.

Leukippos (etwa 490–420 v. Chr.), griech. Philosoph. Gründete gemeinsam mit seinem Schüler Demokrit die Atomtheorie u. prägte den Begriff „atomos". Er gilt auch als Entdecker der Kausalitätsgesetze; s. Atom.
Lit.: Lexikon der Naturwissenschaftler, S. 268 ▪ Pötsch, S. 268.

Leuk(o)... (von griech.: leukos = weiß, farblos). Leuc... (Leuk...) als Bestandteil von Verb.-Namen drückt aus, daß es sich um farblose, weiße od. zumindest nur schwach gefärbte Verb. handelt (*Beisp.*: Leucin, Leucit). L. dient als Präfix zur Kennzeichnung der farblosen od. zumindest schwächer od. anders als die oxidierte Form gefärbten Red.-Produkte bestimmter *Farbstoffe. Gelegentlich wird der Begriff *Leuko*-Verb. (seltener Leukobasen) auf die Red.-Produkte der *Küpenfärberei eingeschränkt (*Beisp.*: Leuko-Küpenfarbstoffester). *Leukobasen* sind demgegenüber insbes. die Red.-Produkte der *Triarylmethan-Farbstoffe, die sich nicht direkt, sondern erst in Form ihrer Salze auf Fasern, v. a. auf Wolle u. Seide, aufziehen lassen. Derselbe Wortstamm ist anzutreffen in Leukämie, Leukocyten (weiße Blutkörperchen) u. Leukomitogene, -rekrutine, -kinesine u. -taxine (*Lymphokine od. Wundhormone); vgl. die folgenden Stichwörter. – *E* leuc(o)..., leuk(o)... – *F* = *I* = *S* leuc(o)...

Leukoanthocyanidine (Proanthocyanidine). In Pflanzen vorkommende Flavan-3,4-diole, die unter Säure-Einwirkung in die *Anthocyanidine umgewandelt werden. – *E* leucoanthocyanidins – *F* leucoanthocyanidines – *I* leucoantocianidine – *S* leucoantocianidinas

Leukocyte common antigen (L-CA, CD45). Membran-durchspannendes *Glykoprotein auf der Oberfläche von *Leukocyten (macht ca. 10% ihrer Membran-Proteine aus), das aufgrund alternativen *Spleißens in mehreren verschiedenen Formen vorkommt (M_R 180 000–220 000). L-CA wird für die Aktivierung von T-*Lymphocyten durch ihren Antigen-Rezeptor benötigt u. besitzt die Aktivität einer Tyrosin-spezif. *Protein-Phosphatase (E. C. 3.1.3.48). – *E* leukocyte common antigen – *F* antigène commun des leucocytes – *I* antigene comune della leucocita – *S* antígeno común de los leucocitos
Lit.: J. Biol. Chem. **266**, 23 517–23 520 (1991).

Leukocyten (griech.: *leuk(o)... u. *cyto..., weiße Blutkörperchen). Zusammenfassende Bez. für Blutzellen ohne *Hämoglobin-Gehalt. Im peripheren Blut sind normalerweise 4300 bis 10 000 L. pro µL vorhanden. Zu den L. zählt man Granulocyten (54–62% der L.), *Lymphocyten (25–33%) u. Monocyten (3–7%), die wichtige Funktionen im Rahmen der kör-

pereigenen Abwehr haben. Dabei kooperieren die verschiedenen Zelltypen untereinander, wahrscheinlich gesteuert durch als *Mediatoren wirkende Signalsubstanzen wie Leukotaxine, *Lymphokine u. a. Bei vielen entzündlichen Erkrankungen od. *Leukämien verändert sich die Anzahl der L. im Blut, was auch zu diagnost. Zwecken genutzt wird. L. entstehen im Knochenmark aus einfachen Vorläuferzellen, die sich in die verschiedenen Zellinien differenzieren können.
Granulocyten werden nach der cytolog. Anfärbbarkeit in neutrophile (59% der L.), eosinophile (2,4%) u. basophile (0,6%) unterteilt. Neutrophile Granulocyten verbringen ca. 6–8 h in der Blutzirkulation. Der größte Anteil (90%) befindet sich im Knochenmark, 2–3% im Blut, der Rest in den Geweben. Ihre Aufgabe ist die Beseitigung von eingedrungenen Bakterien u. abgestorbenen körpereigenen Zellen durch Phagocytose, meist im Rahmen einer entzündlichen Reaktion (s. a. Entzündung). Spezielle Signalsubstanzen wie *Interleukine u. bestimmte *Komplement-Faktoren bewirken eine Ausschüttung von Granulocyten aus dem Knochenmark. Weitere chem. Mediatoren führen zur Orientierung u. Bewegung der Zellen aus dem Blut zur Quelle der Signale in das Gewebe hinein. Zur Durchdringung des Gewebes können sie Enzyme wie *Collagenase u. *Elastase freisetzen. Material, das durch *Immunglobuline u. bestimmte Komplement-Faktoren (*Opsonine) verändert wurde (Opsonisierung), kann durch neutrophile Granulocyten aufgenommen werden. Über komplexe Enzymsyst. produzieren die Zellen tox. Sauerstoff-Verb. wie *Wasserstoffperoxid u. Hydroxy-Radikale sowie *Hypochlorige-Säure, *Hypochlorit u. *Chlorine, die Mikroorganismen oxidieren u. halogenieren können. Eosinophile Granulocyten sind in Gestalt u. Funktion den neutrophilen sehr ähnlich. Sie sind an entzündlichen Reaktionen durch Parasiten u. im Rahmen allerg. Reaktionen beteiligt. Die Funktion der basophilen Granulocyten ist nicht bekannt. Es wird angenommen, daß sie bei allerg. Reaktionen eine Rolle spielen, da ihre Granula Mediatoren der allerg. Sofortreaktion (s. a. Allergie) enthalten.
Die *Monocyten* sind Teil eines Syst. von Freßzellen, des Monocyten-Macrophagen-Syst., das sich aus den Monocyten des Blutes u. den Macrophagen der Gewebe zusammensetzt. Letztere bilden das sog. Reticuloendotheliale Syst. (RES). Die Funktion auch der Monocyten ist die Abwehr von Mikroorganismen sowie das Zusammenspiel mit den *Lymphocyten im Rahmen der zellvermittelten Immunantwort (s. a. Immunologie). Sie sind wie die Granulocyten zu amöbenhaften Bewegungen fähig u. können durch Zusammenschluß von mehreren Zellen sog. Riesenzellen bilden. – *E* leukocytes – *F* leucocytes – *I* leucociti – *S* leucocitos
Lit.: Begemann u. Rastetter, Klinische Hämatologie, Stuttgart: Thieme 1992 ■ Roitt, Brostoff u. Male, Kurzes Lehrbuch der Immunologie, Stuttgart: Thieme 1995.

Leukoindigo s. Indigo u. Küpenfärberei.

Leukokinesine. Zu den *Mediatoren zählende Proteine, die die Wanderungsgeschw. von *Leukocyten beeinflussen.

Leukoküpen-Farbstoffester. Aus *Küpen-Farbstoffen der Indigo-, Anthrachinon- od. Indanthren-Reihe, durch Red. mit Eisen-Pulver u. separate od. (überwiegend) sofort anschließende Veresterung mit Chloroschwefelsäure gebildete, wasserlösl. Farbstoffe für die Küpenfärberei; Näheres s. dort. Bekannte Marken für L.-F. sind Anthrasol, Indigosol, Solasol; einen Überblick über die Entwicklung der L.-F. seit 1921 gibt *Lit.*[1]. – *E* leuco vat dye esters – *F* esters de leuco-colorants à cuve – *I* esteri dei leucocoloranti di tino – *S* ésteres de leucocolorantes tina
Lit.: [1] Dtsch. Färberkal. **1978**, 79–129.
allg.: s. Küpenfarbstoffe.

Leukolith. Äußerst fein gemahlener *Anhydrit, der nach Zusatz von kleinen Mengen Ätzkalk, Glaubersalz u. dgl. unter Wasser gut erstarrt u. ähnlich wie *Estrich-Gips verwendet werden kann.

Leukomalachitgrün s. Triarylmethan-Farbstoffe.

Leukomentine s. Leucomentine.

Leukomitogene. Proteine, die die Produktion u. Reifung von *Leukocyten im Knochenmark anregen.

Leukona®. Sortiment von Balneotherapeutika, die ether. Öle, Campher, Pflanzenauszüge u. ggf. noch Methylsalicylat od. Chloralhydrat, auch Iod od. Schwefel u. Moor enthalten können; auch als Sauna-Konzentrat mit ether. Ölen u. Campher. *B.:* Atzinger.

Leukoplasten s. Plastiden.

Leukopoese s. Hämatopoese.

Leukopterin s. Leucopterin.

Leukorekrutine. Signal-Proteine, die die Ausschüttung von *Leukocyten aus dem Knochenmark in den Blutkreislauf anregen.

Leukotaxine. Als *Mediatoren wirkende Proteine, die *Leukocyten zur zielgerichteten Orientierung u. Bewegung veranlassen.

Leukotriene (LT). Von *Samuelsson wegen ihrer Herkunft aus *Leukocyten u. aufgrund des konjugierten *Trien-Syst. in ihrem C-Gerüst geprägte Bez. für eine Gruppe biolog. hochaktiver Substanzen, die sich biosynthet. – ebenso wie die *Prostaglandine, *Thromboxane u. *Lipoxine – von der *Arachidonsäure u. a. ungesätt. C_{20}-Fettsäuren ableiten (*Eicosanoide). Während die Bildung der Prostaglandine u. Thromboxane durch das Enzym *Cyclooxygenase* initiiert wird, benötigt die L.-Biosynth. die Einwirkung der 5-*Lipoxygenase[1]. Die Biosynth. der Lipoxine erfordert in zwei aufeinander folgenden Schritten die Reaktion von Arachidonsäure mit 5-Lipoxygenase u. 15-Lipoxygenase. Heute sind nicht nur die Biosynth.-Wege der L. aufgeklärt, sondern auch (bes. durch E. J. *Corey) stereoselektive Synth. ausgearbeitet worden (*Lit.*[2]).
Aus einer zunächst entstehenden 5-Hydroperoxyeicosatetraensäure (5-HpETE, $C_{20}H_{32}O_4$, M_R 336,47) bilden sich über ein instabiles Zwischenprodukt (das 5,6-Epoxid LTA_4, $C_{20}H_{30}O_3$, M_R 318,46) durch Hydrolyse ein 5,12-Dihydroxy-Derivat (LTB_4, $C_{20}H_{32}O_4$, M_R 336,47) od. durch *Glutathion-Addition das LTC_4 [($5S,6R$)-6-S-Glutathionyl-5-hydroxy-(7E,9E,11Z,14Z)-eicosatetraensäure, $C_{30}H_{47}N_3O_9S$, M_R 625,78]. Aus dieser ge-

Abb.: Biosynth. der Leukotriene.

hen weitere Derivate (*LTD₄*, $C_{25}H_{40}N_2O_6S$, M_R 496,66, u. *LTE₄*, $C_{23}H_{37}NO_5S$, M_R 439,61) hervor, die Cystein enthalten – der Index 4 gibt die Gesamtzahl der Doppelbindungen im Mol. an. Die stark bronchokonstriktor. u. in der Lunge sekretionsfördernd wirkenden Cysteinyl-L. LTC₄-LTE₄ erwiesen sich als ident. mit der sog. *SRS-A* (von *E* slow reacting substance of anaphylaxis), einer schon 1938 in der *Lunge entdeckten Substanz, die allerg. Reaktionen u. *Anaphylaxie auslösen u. durch starke Verengung der Atemwege zu *Asthma-Anfällen führen kann. Die Wirkung ist bis zu 1000mal stärker als die von *Histamin od. von Prostaglandinen. Das als Calcium-Ionophor wirkende LTB₄ bewirkt durch *Chemotaxis die Adhäsion der Leukocyten an die Blutgefäßwand. LTB₄ bewirkt die Aggregation von Leukocyten, die Freisetzung oxidierender Enzyme u. die Erzeugung von Superoxid-Radikalen, die entzündungsfördernd u. gewebezerstörend wirken. Deshalb spielen die L. bei *Entzündungen eine Schlüsselrolle. Während die klass. Therapie entzündlicher Erkrankungen mit Steroid-Derivaten (*Cortison-Präp. u. a.) sowie nichtsteroidalen *Antiphlogistika (*Indometacin etc.) durch Cyclooxygenase-

Hemmung die Biosynth. der Prostaglandine unterdrückt, verfolgen neue Therapieansätze eine Hemmung der L.-Biosynth. mit 5-Lipoxygenase-Hemmern u. Leukotrien-Antagonisten. Man verspricht sich hiermit Erfolge bei der kausalen Therapie chron. Erkrankungen wie Asthma, Rheuma, Psoriasis u. chron. Polyarthritis. – *E* leukotrienes – *F* leucotriènes – *I* leucotrieni – *S* leucotrienos

Lit.: [1] Annu. Rev. Biochem. **63**, 383 (1994); Biochim. Biophys. Acta **1128**, 117 (1992). [2] J. Org. Chem. **58**, 3516 (1993); Nachr. Chem. Tech. Lab. **31**, 117–120 (1983); Tetrahedron **52**, 6635 (1996).
allg.: Angew. Chem. **94**, 881–889 (1982) ▪ Gunston, Harwood u. Padley, The Lipid Handbook (2.), S. 605 ff., London: Chapman & Hall 1994 ▪ Merck-Index (12.), Nr. 5482 ▪ Pure Appl. Chem. **53**, 1203–1213 (1981) ▪ Vitamins Hormones **39**, 1–27 (1982). – *Pathobiochemie, Pathophysiologie:* Adv. Drug Res. **15**, 111–167 (1986) ▪ Adv. Prostagl. Thrombox., Leukotr. Res. **9**, (1982) ▪ Ann. N. Y. Acad. Sci. **524**, 334–344, 345 ff. (1988) ▪ Annu. Rev. Biochem. **52**, 355–378 (1983) ▪ Asthma Rev. **2**, 75–124 (1989) ▪ Berti et al., Leukotrienes and Prostacyclin, New York: Plenum 1983 ▪ FEBS Lett. **235**, 194–200 (1988) ▪ Forth, Henschler u. Rummel, Pharmakologie u. Toxikologie (5.), S. 194–215, Mannheim: BI Wissenschaftsverl. 1987 ▪ Gastroenterology **96**, 29–36 (1989) ▪ Int. J. Tissue React. **10**, 79–83 (1988) ▪ Lewis, in Kelley (Hrsg.), Textbook of Rheu-

matology, S. 253–265, Philadelphia: Saunders 1989 ▪ Lewis, in Gallin et al. (Hrsg.), Inflammation, S. 121–138, New York: Raven 1988 ▪ Pharmac. Ther. **44**, 1–62 (1989) ▪ Pharm. Unserer Zeit **18**, 76–81 (1989); **24**, 264 (1995) ▪ Piper, Leukotrienes and Other Lipoxygenase Products, New York: Wiley 1983 ▪ Piper, SRS-A and Leukotrienes, New York: Wiley 1981 ▪ Prostagl. Leukotr. Med. **28**, 73–93 (1987) ▪ Prostagl. Leukotr. Essent. Fatty Acids Rev. **35**, 219–229 (1989) ▪ Rokach (Hrsg.), Leukotrienes and Lipoxygenases, Amsterdam: Elesevier 1988/1989 ▪ Science **237**, 1171–1176 (1987). – *Synth.:* Actual. Chim. Ther. **14**, 39–53 (1987) ▪ Nat. Prod. Rep. **1**, 409 (1984); **5**, 1–45 (1988). – *Zeitschriften u. Reihen:* Advances in Prostaglandin, Thromboxane and Leucotriene Research (23 Bd. bis 1995), New York: Raven 1976–1995 ▪ Eicosanoids, Berlin: Springer (seit 1988) ▪ s. a. Prostaglandine u. Thromboxane. – *[CAS 71774-08-8 (1); 72059-45-1 (2); 73151-67-4 (3); 72025-60-6 (4); 73836-78-9 (5); 75715-89-8 (6)]*

Leuko-Verbindungen. Bez. für farblose Vorstufen von Farbstoffen, die im allg. durch Redox-Reaktion ineinander umwandelbar sind.

Leukoxen s. Ilmenit.

Leuprorelin (Rp). 5-Oxo-Pro-His-Trp-Ser-Tyr-D-Leu-Leu-Arg-Pro-NH-C_2H_5. Internat. Freiname für ein synthet., cytostat. wirksames *Gonadoliberin-Analogon, $C_{59}H_{84}N_{16}O_{12}$, M_R 1209,42. Verwendet wird das Acetat, $[\alpha]_D^{25}$ –36,8° (c 1/1%ige Essigsäure), λ_{max} (0,1 M NaOH): 240, 280, 289 nm ($A_{1cm}^{1\%}$ 113,1, 52,5, 51,5). L. wurde 1975 von Takeda (Enantone®) u. 1977 von Abbott (Carcinil®) patentiert. Es wird insbes. gegen Prostatacarcinom, ovarielle Epithelcarcinome u. Endometriose eingesetzt. – *E* leuprorelin – *F* leuproréline – *I = S* leuprorelina

Lit.: Hager (5.) **8**, 705 ff. – *[HS 2933 29; CAS 53714-56-0 (L.); 74381-53-6 (Acetat)]*

Leurocristin s. Vincristin.

Levaform®. Trennmittel für die Gummi-Ind. auf der Basis von Dimethylpolysiloxan od. fettsauren Alkali-Salzen. *B.:* Bayer.

Levalan®. Sortiment von 2:1 Azometallkomplex-*Farbstoffen zum Färben von Wolle u. Polyamiden. *B.:* Bayer.

Levallorphan (Rp).

Internat. Freiname für den Opioid-Rezeptor-Antagonist *N*-Allyl-3-morphinanol, $C_{19}H_{25}NO$, M_R 283,41, Schmp. 180–182 °C; $[\alpha]_D^{20}$ –88,9° (c 3/CH_3OH); (*R,R*)-Tartrat: Schmp. 176–177 °C, λ_{max} (wäss. Säure): 279 nm ($A_{1cm}^{1\%}$ 71). L. wird in der Therapie nicht eingesetzt, da es mit *Naloxon einen besseren Opiat-Antagonisten gibt. – *E* levallorphan – *F* lévallorphane – *I* levallorfano – *S* levalorfano

Lit.: Beilstein E V **21/3**, 453 ▪ Florey **2**, 339–361 ▪ Hager (5.) **8**, 707 ff. – *[HS 2933 90; CAS 152-02-3 (L.); 71-82-9 (Tartrat)]*

Levamisol (Rp). Internat. Freiname für (*S*)-2,3,5,6-Tetrahydro-6-phenylimidazo[2,1-*b*]thiazol, $C_{11}H_{12}N_2S$,

M_R 204,29, Schmp. 60–61,5 °C, $[\alpha]_D^{25}$ –85,1° (c 10/$CHCl_3$). Das Hydrochlorid, Schmp. 227–229 °C, $[\alpha]_D^{25}$ –124° ±2° (c 0,9/H_2O) ist als Adjuvans/Immunstimulans (Ergamisol®, Janssen-Cilag) für die Kombinationstherapie mit *Fluorouracil bei Koloncarcinom zugelassen, wird auch als Anthelmintikum gegen Ascaris-Infektionen eingesetzt. In der Veterinär-Medizin wird das Racemat (*Tetramisol*), Schmp. 264–265 °C; LD_{50} (Maus i.v.) 22 mg/kg, (Maus oral) 210 mg/kg, als Anthelmintikum verwendet. – *E* levamisole – *F* lévamisole – *I* levamisolo – *S* levamisol

Lit.: Beilstein E V **27/8**, 127 ▪ DAB **1996** u. Komm. ▪ Hager (5.) **8**, 709 ff. – *[HS 2934 90; CAS 14769-73-4 (L.); 16595-80-5 (L.-Hydrochlorid); 5036-02-2 (Tetramisol); 5086-74-8 (Tetramisol-Hydrochlorid)]*

Levanox®. Wäss. Zubereitungen von anorgan. u. organ. *Pigmenten zur Verw. in Anstrich-, Druck-, Tapeten- u. Buntfarben u. in der Papier-Industrie. *B.:* Bayer.

Levapren®. *Ethylen-Vinylacetat-Copolymere für hitzebeständige Kabelisolierungen, Schmelz- u. Lsm.-Klebstoffe u. zur Schlagzähmodifizierung von PVC. *B.:* Bayer.

Levarterenol. Von der WHO vorgeschlagene u. 1981 zugunsten von *Norepinephrin* zurückgezogene Kurzbez. für die hier unter *Noradrenalin näher charakterisierte Verbindung.

Levasil®. Kieselsol (wäss. kolloidale *Siliciumdioxid-Lsg.) für verschiedene Anw.: Feuerfestbindemittel für keram. Fasern (vakuumgeformte Artikel), hochtemperaturbeständige Isolierstoffe, Spezialmörtel, Feinguß nach dem Schalenverf., keram. Bindemittel, z. B. für Katalysatoren; Beschichtung von Magnetblechen, Anrührflüssigkeit für Dentaleinbettmassen, Rutschfestausrüstung von Kartonagen. *B.:* Bayer.

Levelling-off-Polymerisationsgrad. Bez. – abgeleitet aus engl. *levelling-off degree* of *polymerization*, Kurzz. LODP – für den *Polymerisationsgrad von *Polymeren, die zurückbleiben, wenn aus einer *mikrokristallinen Polymer-Probe die nicht-krist., amorphen u. daher kettenabbauenden Reagenzien gut zugänglichen Bereiche vollständig zerstört, die weniger gut zugänglichen krist. Bereiche jedoch noch nicht merklich angegriffen wurden. Das wichtigste Beisp. hierfür ist der hydrolyt. Abbau der amorphen Bereiche mikrokrist. *Cellulose. Der LODP korreliert bei schonend durchgeführten Hydrolyse-Verf., bei denen die krist. Regionen der Polymeren nicht angegriffen werden, mit deren Kristallitgröße. – *E* levelling-off degree of polymerization – *F* degré de polymérisation „levelling-off" – *I* grado di polimerizzazione levelling-off – *S* grado de polimerización „levelling-off"

Lit.: s. mikrokristalline Cellulose u. mikrokristalline Polymere.

Levepox®. Flüssige *Epoxidharze aus Biphenol A u. *Epichlorhydrin zusammen mit L.-Härter T3 (Pentaethylenhexamin) u. L.-Beschleuniger (tert. aromat. Amin) als Bindemittel für Spachtelmassen, Kunstharzmörtel, Reaktions-Kleber, Lacksyst. Betonversiegelungen usw. *B.:* Bayer.

Levextrel®. Makroporöse Einschlußpolymerisate auf der Basis von *Styrol/*Divinylbenzol, die in ihren Hohlräumen ein selektiv wirkendes Extraktionsmittel enthalten. Verw. zur Abtrennung von Spurenelementen aus Lsg., z. B. von radioaktiven Substanzen aus Abwässern od. von Begleitmetallen in der Hydrometallurgie. *B.:* Bayer.

Levi-Montalcini, Rita (geb. 1909), Prof. für Neurobiologie, Washington Univ., St. Louis, Montana, Dept. of Zoology. 1969–1979 Direktorin des Laboratoriums für Zellbiologie des Nationalen Forschungsrates in Rom. Mitglied der Päpstlichen Akademie der Wissenschaften. *Arbeitsgebiete:* Experimentelle Neurologie, Isolierung u. Charakterisierung des Nervenwachstumsfaktors, zelluläre Nachrichtenübertragung. 1986 erhielt sie zusammen mit S. *Cohen den Nobelpreis für Physiologie od. Medizin für die Entdeckung der Hormon-ähnlichen Signalsubstanzen Nerve Growth Factor (NGF) u. Epidermal Growth Factor (EGF).
Lit.: Lexikon der Naturwissenschaftler, S. 269 ▪ Naturwiss. Rundsch. **39**, 554 (1986) ▪ The International Who's Who (16.), S. 921.

Lev(o). . . s. Läv(o). . .

Levobunolol (Rp).

Internat. Freiname für den β-Rezeptoren-Blocker 5-[(*S*)-3-(*tert*-Butylamino)-2-hydroxypropoxy]-3,4-dihydro-1(2*H*)-naphthalinon, $C_{17}H_{25}NO_3$, M_R 291,39. Verwendet wird das Hydrochlorid, Schmp. 209–211°C; $[\alpha]_D^{24}$ –19,6° ±0,7° (c 2,9/CH_3OH), λ_{max} (NaOH): 221, 253, 310 nm ($A_{1cm}^{1\%}$ 754, 275, 73). L. wurde 1970 u. 1972 von Warner Lambert patentiert u. ist gegen Glaukom von Pharm-Allergan (Vistagan®) im Handel. – **E** = **S** levobunolol – **F** lévobunolol – **I** levobunololo
Lit.: ASP ▪ Hager (5.) **8**, 713 f. – *[HS 2922 50; CAS 47141-42-4 (L.); 27912-14-7 (Hydrochlorid)]*

Levocabastin (Rp).

Internat. Freiname für (–)-(3*S*,4*R*)-1-[*cis*-4-Cyan-4-(4-fluorphenyl)cyclohexyl]-3-methyl-4-phenyl-4-piperidincarbonsäure, $C_{26}H_{29}FN_2O_2$, M_R 420,53, Schmp. 68°C, verwendet wird das Hydrochlorid. L. ist ein Histamin-H_1-Rezeptor-Antagonist, der zur lokalen Therapie allerg. Rhinitis u. Konjunktivitis eingesetzt wird. Es wurde 1981 u. 1983 von Janssen (Livocab®) patentiert u. ist auch von CIBA-Vision/Winzer (Levopta®) im Handel. – **E** levocabastine – **F** lévocabastine – **I** = **S** levocabastina
Lit.: Pharm. Ztg. **140**, 2538 ff., 2546 (1995). – *[CAS 79516-68-0 (L.); 79547-78-7 (Hydrochlorid)]*

Levocarnitin. Von der WHO vorgeschlagener Freiname für L-*Carnitin, (*R*)-3-Hydroxy-4-trimethyl-

ammoniobutyrat, Schmp. 197–198°C, $[\alpha]_D^{30}$ –23,9° (c 0,86/H_2O). L. wird bei Dialyse-bedingtem L.-Mangel eingesetzt. Es ist von Medice (Biocarn®, Nefrocarnit®) u. Sigma Tau (L-Carn®) im Handel. – **E** levocarnitine – **I** levocarnitina
Lit.: Beilstein E IV **4**, 3185. – *[HS 2923 90; CAS 541-15-1]*

Levodopa (Rp). Internat. Freiname für L-*Dopa, (*S*)-2-Amino-3-(3,4-dihydroxyphenyl)propionsäure (Formel s. Dopa), Schmp. 276–278°C, $[\alpha]_D^{13}$ –13,1° (c 5,12/1 N HCl); λ_{max} (0,1 N HCl): 280 nm ($A_{1cm}^{1\%}$ 137 bis 147); LD_{50} (Maus oral) 3650 mg/kg. L. wird gegen Parkinson von medphano (Dopaflex®) eingesetzt. – **E** levodopa – **I** levodopa
Lit.: ASP ▪ Beilstein E IV **14**, 2492 f. ▪ DAB **1996** u. Komm. ▪ Florey **5**, 189–223 ▪ Hager (5.) **8**, 714–719. – *[HS 2922 50; CAS 59-92-7]*

Levofloxacin (Rp).

Internat. Freiname für den *Gyrasehemmer (–)-(3*S*)-9-Fluor-2,3-dihydro-3-methyl-10-(4-methylpiperazino)-7-oxo-7*H*-pyrido[1,2,3-*de*]-1,4-benzoxazin-6-carbonsäure, $C_{18}H_{20}FN_3O_4$, M_R 361,37, Schmp. 228 u. 234°C[1]. L. ist das *in vitro* doppelt so wirksame (–)-Isomer von *Ofloxacin. Es zeichnet sich außerdem durch verminderte epilept. Aktivität aus[2]. L. wurde 1986 von Daiichi Seiyaku (Cravit®, in der klin. Prüfung) als Bakterizid patentiert. – **E** levofloxacin – **F** lévofloxacine – **I** levofloxacina – **S** levofloxacín
Lit.: [1] Chem. Pharm. Bull. **43**, 649–653 (1995). [2] Chemother. **40**, 412–417 (1994).
allg.: Arzneimittelforschung **4**, 363–418 (1992) ▪ Drugs **47**, 677–700 (1994); **48**, 132 (1994). – *[CAS 100986-85-4 (L.); 138199-71-0 (L.-Hemihydrat)]*

Levoglutamid. Von der WHO vorgeschlagener Freiname für L-*Glutamin.

Levomenol. Internat. Freiname für (–)-α-*Bisabolol.

Levomenthol. Internat. Freiname für (–)-*Menthol.

Levomepromazin (Rp).

Internat. Freiname für das *Neuroleptikum (*R*)-3-(2-Methoxy-10*H*-phenothiazin-10-yl)-*N,N*,2-trimethylpropylamin, $C_{19}H_{24}N_2OS$, M_R 328,47, Schmp. ~126°C, $[\alpha]_D^D$ –17° (c 5/$CHCl_3$), in Wasser prakt. nicht löslich. Das Hydrochlorid u. das Maleat sind als Generika im Handel. – **E** levomepromazine – **F** lévomépromazine – **I** = **S** levomepromazina
Lit.: Beilstein E V **27**/8, 484 f. ▪ DAB **1996** u. Komm. ▪ Merck-Index (12.), Nr. 6066. – *[HS 2934 30; CAS 60-99-1 (L.); 1236-99-3 (Hydrochlorid); 7104-38-3 (Maleat)]*

Levomethadon (BtMVV, Anlage IIIA). Internat. Freiname für (–)-Methadon (Formel s. dort). Verwendet wird das Hydrochlorid, Schmp. 241–246°C, $[\alpha]_{20}^{20}$ –145° (c 2,5/H_2O), auch $[\alpha]_{20}^D$ –169° (c 2,1/C_2H_5OH) an-

gegeben; LD_{50} (Maus s.c.) 44 mg/kg. L. ist als Narko-analgetikum von HMR (L-Polamidon®) im Handel. – *E* levomethadone – *F* lévométhadone – *I* levometa-done – *S* levometadona
Lit.: ASP ▪ Hager (5.) **8**, 719–722. – *[HS 2922 30; CAS 125-58-6 (L.); 5967-73-7 (Hydrochlorid)]*

Levomethorphan (BtMVV, Anlage I). Internat. Freiname für (–)-3-Methoxy-17-methylmorphinan, $C_{18}H_{25}NO$, M_R 271,40, Schmp. 109–111°C, $[\alpha]_{20}^D$ –49,3° (c 3/C_2H_5OH), λ_{max} (0,05 M H_2SO_4): 278 nm ($A_{1cm}^{1\%}$ 78). L. gehört zu den nicht verkehrsfähigen Btm. Sein Enantiomer Dextromethorphan (Formel s. dort) ist in vielen Hustenmitteln enthalten. – *E* = *I* levome-thorphan – *S* levometorfán
Lit.: Hager (5.) **8**, 722 f. – *[HS 2933 39; CAS 125-70-2]*

Levonorgestrel (Rp.). Internat. Freiname für das *Gestagen D-(–)-Norgestrel (Formel s. dort), Schmp. 235–237°C, auch 237–239°C angegeben, $[\alpha]_{20}^D$ –32,4° (c 0,496/$CHCl_3$), λ_{max} (CH_3OH): 241 ($A_{1cm}^{1\%}$ 537). L. ist in Minipillen u. in Kombination mit Estrogenen als Antikonzeptionsmittel generikafähig im Handel. – *E* = *I* = *S* levonorgestrel – *F* lévonorgestrel
Lit.: DAB **1996** u. Komm. ▪ Hager (5.) **8**, 723 ff. – *[HS 2937 92; CAS 797-63-7]*

Levophta® (Rp). Augentropfen mit dem Antiallergi-kum *Levocabastin. *B.:* CIBA Vision/Winzer.

Levopropoxyphen (Rp).

$$H_3C \quad O{-}CO{-}CH_2{-}CH_3$$
$$(H_3C)_2N{-}CH_2{-}\overset{S}{\underset{H}{C}}{-}\overset{R}{\underset{C_6H_5}{C}}{-}CH_2{-}C_6H_5$$

Internat. Freiname für [(1*R*,2*S*)-1-Benzyl-3-(di-methylamino)-2-methyl-1-phenylpropyl]-propionat, $C_{22}H_{29}NO_2$, M_R 339,48, den als *Antitussivum wir-kenden linksdrehenden Antipoden des *Dextropro-poxyphens, Schmp. 75–76°C, $[\alpha]_{20}^D$ –68,2° (c 0,6/ $CHCl_3$). – *E* levopropoxyphene – *F* lévopropoxyphène – *I* levopropossifene – *S* levopropoxifeno
Lit.: Beilstein EIV **13**, 2221 ▪ Hager (5.) **8**, 725 f. – *[HS 2922 19; CAS 2338-37-6]*

Levopropylhexedrin (Rp).

$$\underset{CH_2}{\overset{H}{\underset{S}{\bigcirc}}}\overset{NH{-}CH_3}{\underset{CH_3}{C}}$$

Internat. Freiname für das sympathomimet. als *Ap-petitzügler u. Psychostimulans wirkende (*S*)-1-Cyclo-hexyl-*N*-methyl-2-propanamin, $C_{10}H_{21}N$, M_R 155,28, Sdp. 80–81 °C (1,2 kPa), d_4^{15} 0,852, n_D^{20} 1,4590, auch 1,4598 angegeben, $[\alpha]_{20}^D$ –8,81°. – *E* levopropylhexe-drine – *F* lévopropylhexédrine – *I* levopropilesedrina – *S* levopropilhexedrina
Lit.: ASP ▪ Hager (5.) **8**, 727. – *[HS 2921 30; CAS 6192-97-8]*

Levorphanol (BtmVV, Anlage II).

Internat. Freiname für das starke *Analgetikum (3–5mal stärker wirkend als *Morphin) 17-Methyl-3-

morphinanol, $C_{17}H_{23}NO$, M_R 257,38, Schmp. 198–199°C; $[\alpha]_{20}^D$–56° (c 3/C_2H_5OH). Verwendet wird auch das (*R*,*R*)-Hydrogentartrat-Dihydrat, Schmp. 113–115°C, $[\alpha]_{20}^D$ –14,7° bis –16,3° (c 3/H_2O), λ_{max} (H_2O): 279 nm ($A_{1cm}^{1\%}$ 46). – *E* levorphanol – *F* lévor-phanol – *I* levorfanolo – *S* levorfanol
Lit.: ASP ▪ Beilstein E V **21/3**, 450 ▪ Hager (5.) **8**, 727 ff. – *[HS 2933 90; CAS 77-07-6 (L.); 5985-38-6 (Hydrogentartrat-Dihydrat)]*

Levothyroxin (Rp). Internat. Freiname für L-*Thyro-xin.

Levoxin®. Organ. aktiviertes *Hydrazinhydrat zu Sauerstoff-Bindung u. Korrosionsschutz im Kessel-speisewasser. *B.:* Bayer.

Levyn. $NaCa_{2,5}[Al_6Si_{12}O_{36}] \cdot 18 H_2O$, zu den *Zeolithen gehörendes trigonales Mineral, Krist.-Klasse $\bar{3}$m-D_{3d}, mit typ. *Käfig-Struktur* aus Sechserringen aus [SiO_4]- u. [AlO_4]- Tetraedern [1]; Kristallchemie s. *Lit.*[2], Synth. s. *Lit.*[3] (Bez.: ZK 20) u. *Lit.*[4]. Dünntafelige sechssei-tige Krist., oft als *Zwillinge u. garbenförmige Ag-gregate. L. ist farblos, weiß, grau durchsichtig bis durchscheinend, durch Verunreinigungen auch gelb-lich od. rötlich. H. 4–4,5, D. 3,1, muscheliger Bruch. *Vork.:* Vorwiegend in Hohlräumen von *Basalten, oft mit den Zeolithen Erionit u. *Offretit verwachsen. *Beisp.:* Faröer-Inseln, Island, Nordirland, Vogelsberg in Hessen; in Oregon u. Colorado/USA. – *E* levyne – *F* lévyne – *I* = *S* levina
Lit.: [1] Tschermaks Miner. Petrogr. Mitt. **22**, 117–129 (1975); Neues Jahrb. Mineral., Monatsh. **1996**, Nr. 3, 114–124. [2] Zeo-lites **1**, 157–160 (1981). [3] US Pat. 3459676 (1969). [4] Clays Clay Minerals **29**, 171–183 (1981).
allg.: Anthony et al., Handbook of Mineralogy, Vol. II, Tl. 2, S. 466, Tucson (Arizona): Mineral Data Publishing 1995 ▪ Gottardi-Galli, Natural Zeolites, S. 192–199, Berlin: Springer 1985 ▪ Ramdohr-Strunz, S. 797 ▪ s. a. Zeolithe. – *[CAS 1318-83-8]*

Lewasorb®. Pulverharz-*Ionenaustauscher, regene-riert zum sofortigen Einsatz. Einzelkomponenten zur Reinigung von Wasser u. Lsg., insbes. Kondensat, Ab-wasser der Kernkraft-Ind., Zucker-Lösung. Ge-brauchsfertige Mischungen für Getränkezubereitung, Entsalzung kleiner Wassermengen, Dekontaminierung von Trinkwasser u. Gegenständen. *B.:* Bayer.

Lewatit®. Kationen- u. Anionenaustauscher auf der Basis von Polymerisationskunstharzen mit unter-schiedlicher Vernetzung, makroporöser Struktur u. aktiven Gruppen verschiedener Säure- u. Basenstärke od. selektiven Eigenschaften. Einsatzgebiete: Aufbe-reitung von Wasser u. Lsg., Abwasserreinigung, Ad-sorption, Entfärbung, Chromatographie, Hydrometall-urgie, Dekontaminierung, Katalyse, Träger für En-zyme u. Wirkstoffe, Labor u. Analytik, Nährstoffträ-ger für die Zierpflanzendüngung bei Hydro- u. Erd-kulturen. *B.:* Bayer.

Lewis, Edward B. (geb. 1918), Prof. für Biologie, Ca-lifornia Inst. of Technology. *Arbeitsgebiete:* Embryo-nalentwicklung. Er entdeckte 1978, daß die Larve der Taufliege *Drosophila* in zahlreiche Segmente aufge-gliedert ist, von denen jedes für die Entwicklung eines Organs bzw. Körperteils verantwortlich ist. 1995 er-hielt er zusammen mit *Nüsslein-Volhard, C. u.

Wieschaus, E. F. den Nobelpreis für Physiologie od. Medizin für seinen Beitrag zur Aufklärung, wie Gene die frühe Embryonalentwicklung steuern.
Lit.: Lexikon der Naturwissenschaftler, S. 269.

Lewis, Gilbert Newton (1875–1946), Prof. für Physikal. Chemie, Berkeley, California. *Arbeitsgebiete:* Oktettregel (zusammen mit W. *Kossel), Chem. Bindung, Kovalenz, Elektronenpaar-Bildung, Koordinationslehre, Erweiterung des Säure-Base-Begriffs (*Lewis-Säure), induktiver Effekt, Auswertung magnet. Erscheinungen bei der Konstitutionsermittlung organ. Stoffe, Herst. von Schwerem Wasser durch Elektrolyse von gewöhnlichem Wasser, Thermodynamik, Elektrolyse, Fluoreszenz; s. a. nachfolgende Stichworte.
Lit.: Lexikon der Naturwissenschaftler, S. 269 f. ▪ Neufeldt, S. 135, 146 ▪ Pötsch, S. 269 ▪ Strube et al., S. 84.

Lewis-Addukt s. Elektronen-Donator-Akzeptor-Komplexe u. Lewis-Säure.

Lewis-Base. Ein Elektronenpaardonator, d. h. ein *nucleophiles* Mol. od. Ion, das ein *einsames Elektronenpaar für die Bindung mit einer Lewis-Säure (Näheres s. dort) zur Verfügung stellen kann. – *E* Lewis base – *F* = *S* base de Lewis – *I* base di Lewis

Lewis-Formeln (Lewis-Diagramme, Lewis-Strukturen, Elektronenformeln). Von G. N. *Lewis 1916 eingeführte Schreibweise zur schemat. Darst. der *Elektronenstruktur u. Bindungsverhältnisse in Mol.[1]. Jedes *Valenzelektron wird durch einen neben das chem. Symbol des betreffenden Elements gesetzten Punkt dargestellt, z. B. H·, ·Ç usw.
Beim Entstehen einer kovalenten Bindung (s. chemische Bindung) bilden normalerweise zwei Elektronen ein Elektronenpaar mit antiparallel gerichteten *Spins. Damit erreichen die an der Bindung beteiligten Atome häufig eine *Edelgaskonfiguration.* So teilen sich die beiden Wasserstoff-Atome im H_2-Mol. (L.-F.: H:H od. H–H; der Valenzstrich symbolisiert ein Bindungs-Elektronenpaar) den Besitz ihrer zwei Elektronen (= ein gemeinsames Elektronenpaar), womit jedes Atom die Elektronenkonfiguration des Helium-Atoms erhält. Auch im F_2-Mol. verfügen die beiden Fluor-Atome über ein gemeinsames Bindungs-Elektronenpaar u. erreichen damit mit jeweils 8 Valenzelektronen in ihrer Umgebung (*Oktettregel,* s. Bindigkeit) die Elektronenkonfiguration des Neon-Atoms; die zugehörige L.-F. lautet

$$:\ddot{F}\cdot\cdot\ddot{F}: \text{ od. } :\ddot{F}–\ddot{F}: \text{ od. } |\underline{\overline{F}}–\underline{\overline{F}}|$$

In der letzten Formel sind hierbei die sich in nichtbindenden *Atomorbitalen befindlichen spingepaarten Elektronen, die sog. *einsame Elektronenpaare bilden, durch am jeweiligen Atom lokalisierte vertikale od. horizontale Striche symbolisiert. – *E* Lewis formulae – *F* formules de Lewis – *I* formule di Lewis – *S* fórmulas de Lewis

Lit.: [1] J. Am. Chem. Soc. **38**, 762 (1916); Lewis, Valence and the Structure of Atoms and Molecules, New York: Chemical Catalog Co. 1923.
allg.: Dickersen et al., Prinzipien der Chemie, 2. Aufl., Berlin: de Gruyter 1988 ▪ Huheey, Anorganische Chemie, Berlin: de Gruyter 1988 ▪ Pauling, Die Natur der chemischen Bindung, 2. Aufl., Weinheim: Verl. Chemie 1964.

Lewisit. 1. Im 1. Weltkrieg verwendeter flüssiger *Kampfstoff aus *Dichlor(2-chlorvinyl)arsan,* $Cl–CH=CH–AsCl_2$ ($C_2H_2AsCl_3$, M_R 207,32), D. 1,888, Schmp. 0 °C, Sdp. 190 °C (Zers.), der durch Oxid.-Mittel u. *Dimercaprol entgiftet werden konnte.
2. Hinsichtlich der Führung eines eigenen Namens nicht gesichertes, kleine lichtgelb bis braunrot durchscheinende Krist. bildendes Mineral. Nach *Lit.*[1] dem *Roméit* $(Ca,Fe,Mn,Na)_2(Sb^{5+},Ti^{4+})_2(O,OH,F)_7$ (Struktur wie *Pyrochlor) verwandt; die dort untersuchten oktaedr. L.-Krist. von Tripuhy/Brasilien erwiesen sich als ein submikroskop. Gemenge von Roméit u. einem in seiner Struktur dem Pyrochlor verwandten Mineral. – *E* = *F* = *I* lewisite – *S* lewisita
Lit.: [1]Contrib. Mineral. Petrol. **127**, 136–146 (1997). *allg. (zu 1.):* Beilstein E IV **4**, 3680 ▪ Kirk-Othmer (3.) **3**, 259; **5**, 413; (4.) **3**, 644 ▪ Klimmek et al., Chemische Gifte u. Kampfstoffe, S. 45 ff., 51, 57, 58, Stuttgart: Hippokrates 1983 ▪ Ullmann (5.) **A 3**, 138 ▪ s. a. Kampfstoffe. – *(zu 2.):* Ramdohr-Strunz, S. 520. – *[CAS 541-25-3 (1.)]*

Lewis-Säure. Aufgrund der von G. N. *Lewis 1923 vorgeschlagenen Erweiterung des *Säure-Base-Begriffes ist eine *Säure ein Elektronenpaarakzeptor, d. h. ein Mol. od. Ion mit unvollständiger Edelgaskonfiguration (mit *Elektronenlücke), das um eine *Lewis-Base zur Verfügung gestelltes Elektronenpaar aufnehmen u. mit dieser ein sog. *Lewis-Addukt* bilden kann (*Beisp.*: s. Tab.).

Tab.: Beisp. für Lewis-Addukte.

Lewis-Säure		Lewis-Base		Lewis-Addukt
H^+	+	OH^-	→	H_2O
H^+	+	NH_3	→	NH_4^+
BF_3	+	NH_3	→	$BF_3 \cdot NH_3$
BF_3	+	$O(C_2H_5)_2$	→	$BF_3 \cdot O(C_2H_5)_2$
SO_3	+	H_2O	→	H_2SO_4

Eine L.-S. ist elektrophil, während eine Lewis-Base nucleophil ist, s. elektrophile u. nucleophile Reaktionen.
Es können somit auch Mol. u. Ionen als Säuren aufgefaßt werden, die nach den klass. Vorstellungen keine Säuren sind; hierunter befinden sich bes. wichtige, katalyt. wirksame Verb. wie Bortrifluorid u. die Bromide von P u. Al u. v. a. die Chloride von B, Al, P, Sb, As, Fe, Zn, Sn u. sog. *Supersäuren. Bei vielen über *Carbokationen verlaufenden organ. Reaktionen spielen L.-S. eine Rolle, z. B. bei Umlagerungen, Katalysen, Eliminierungen, bei der Friedel-Crafts-Reaktion, der Ionenkettenpolymerisation u. Alkylierungen von Carbonyl-Verbindungen. L.-S. werden auch als NMR-*Verschiebungsreagenzien eingesetzt; s. a. Säure-Base-Begriff. – *E* Lewis acid – *F* acide de Lewis – *I* acido di Lewis – *S* ácido de Lewis
Lit.: Jensen, The Lewis Acid-Base concepts: An Overview, New York: Wiley 1980 ▪ s. a. Säure-Base-Begriff.

Lexotanil® 6 (Rp). Tabl. mit *Bromazepam gegen psych. Störungen. *B.*: Roche.

Leybold s. Balzers und Leybold.

LFEB. Abk. für die sog. *Lineare *Freie Energie-Beziehung,* die z. B. in der *Hammett- u. der *Taft-Gleichung eine Rolle spielt.

LFSE. Abk. für *Ligandenfeld-Stabilisierungsenergie*; Näheres s. Ligandenfeldtheorie.

LH s. Lutropin.

LHC (Abk. für *E Large Hadron Collider*). Von der europ. Institution CERN in Genf geplanter *Teilchenbeschleuniger. Nach dem Jahr 2000 soll die bisherige Anlage *LEP in LHC umgebaut werden. Die erste Stufe, ein 10TeV-Beschleunigerring soll im Jahr 2004 fertiggestellt sein; bis 2008 soll dann durch zusätzliche Magnetsyst. eine Energie von 14TeV erreicht werden. Hierdurch wären Experimente zum *top*-Quark (s. Elementarteilchen) u. zur CP-Verletzung (s. Parität) möglich. Nach der Entscheidung der amerikan. Regierung, den *Superconducting Super Collider* (SSC) nicht zu bauen, ist LHC weltweit konkurrenzlos. Neben den europ. Ländern hat Japan seine Beteiligung fest zugesagt u. Länder wie die USA, Kanada, China, Indien u. die GUS-Staaten haben ihr Interesse an einer Beteiligung bekundet. *– E* large hadron collider *– I* acceleratore per la collisione di adroni grandi *– S* productores de colisiones grandes hadrón
Lit.: Phys. Bl. **51**, 74, 472 (1995).

Lherzolith s. Peridotite.

LHKW. Abk. für leichtflüchtige *Halogenkohlenwasserstoffe.

LH-RH (Rp). Ampullen mit *Gonadoliberin (Gonadorelinacetat) zum Hypophysen-Funktionstest. *B.:* Ferring.

Li. Chem. Symbol für *Lithium.

Libavius (Libau), Andreas (um 1540 od. 1550– 1616), aus Halle stammender Lehrer, Arzt u. Chemiker in Rothenburg u. Coburg. *Arbeitsgebiete:* Abfassung des seinerzeit führenden Chemiebuchs Alchemia collecta, Untersuchungsverf. für Erze u. Mineralwässer, Herst. von Sublimat, Bernsteinsäure, Zinnchlorid usw.
Lit.: Krafft, S. 222f. ▪ Lexikon der Naturwissenschaftler, S. 270 ▪ Pötsch, S. 270.

Libby, Willard Frank (1908– 1980), Prof. für Chemie, Geophysik, Los Angeles, California. *Arbeitsgebiete:* Radioaktivität, Isotope, Geophysik, Kosmochemie u. -physik. 1960 Nobelpreis für Chemie für seine Untersuchungen des Mengenverhältnisses des radioaktiven ^{14}C zum nicht-radioaktiven ^{12}C als Grundlage für die Radiokohlenstoff-Altersbestimmung.
Lit.: Lexikon der Naturwissenschaftler, S. 270 ▪ Naturwissenschaften **68**, 435f. (1981) ▪ Neufeldt, S. 220 ▪ Pötsch, S. 271.

Libby-Owens-Verfahren s. Glas (S. 1541 rechts).

...liberin. Von IUPAC/IUB vorgeschlagenes Suffix in den Namen der *Releasing Hormone* od. *Faktoren* („Liberine"), d.h. der *Hypothalamus-Hormone od. Faktoren, die in der *Hypophyse die eigentlichen Hormone freisetzen; *Beisp.* (in Klammern gängige Abk.): *Corticoliberin = Corticotropin-freisetzender Faktor (CRF, CRH), Prolactoliberin = Prolactin-freisetzender Faktor (PRF, PRH), Luliberin = Luteinisierendes Hormon-freisetzender Faktor (LH-RF, LHRH). Dagegen empfiehlt die WHO in Freinamen von Releasing Hormonen die Endung ...*relin*. Gegenspieler der „Liberine" sind die „Statine", s. ...statin u. Hormone. *– E* liberin *– F* libérine *– I = S* ...liberina

Libethenit. $Cu_2[OH/PO_4]$, lauch-, oliv- od. schwärzlichgrünes, oberflächlich oft schwarz angelaufenes, fettglänzendes, sprödes rhomb. Mineral, Krist.-Klasse mmm-D_{2h}; Struktur s. *Lit.*[1,2]. Meist kleine, scheinbar oktaedr., einzeln od. als Krusten aufgewachsene Krist. u. nierige bis kugelige Aggregate. Kann etwas As statt P enthalten.
Vork.: In *Oxidationszonen von Kupfer-haltigen Erzvork., z.B. L'ubietová (Libethen, Name!) in der Slowakei, Cornwall/England, Ural/Rußland, Zaire. – *E = I* libethenite *– F* libethénite *– S* libetenita
Lit.: [1] Neues Jahrb. Mineral., Abhandl. **134**, 147– 156 (1979). [2] Can. Mineral. **16**, 153– 157 (1978).
allg.: Nriagu u. Moore (Hrsg.), Phosphate Minerals, S. 65, Berlin: Springer 1984 ▪ Ramdohr-Strunz, S. 629. *– [CAS 1318-84-9]*

Libra s. Apothekergewicht.

Licansäure s. Oiticicaöl.

Lichen. Latein. Bez. für *Flechte; z.B. *Lichen islandicus* als alter Name für *Cetraria islandica*, das sog. *Isländische Moos.

Lichenase s. Lichenin.

Lichenin (Flechtenstärke, Moosstärke, Reserve-Cellulose). $(C_6H_{10}O_5)_x$. Farbloses, amorphes, hygroskop. Pulver, lösl. in siedendem Wasser u. Salzsäure. Das als Zellwand- od. Reservesubstanz in vielen *Flechten, insbes. im *Isländischen Moos verbreitete L. ist ein lineares *Glucan, d.h. ein unverzweigt u. Cellulose-ähnlich aufgebautes Polysaccharid aus ca. 60– 200 Glucose-Resten in β-1,3- u. β-1,4-Bindung (etwa im Verhältnis 1:2). Das begleitende Stärke-ähnliche Iso-L. besteht aus ca. 40 Glucose-Einheiten, die (im Verhältnis 1:1) α-1,3- bzw. α-1,4-glykosid. verknüpft sind; im Gegensatz zu L. ist Iso-L. lösl. in kaltem Wasser u. gibt eine Blaufärbung mit Iod. L. ist durch Säuren u. Enzyme, z.B. durch die spezif. wirkende *Lichenase* quant. zu Glucose hydrolysierbar. Im Vgl. mit der strukturverwandten *Cellulose, deren phylogenet. Vorläufer L. möglicherweise ist, zeigt L. höheres Quellvermögen. Es wird daher als Expektorans genutzt. *– E* lichenin *– F* lichénine *– I* lichenina *– S* liquenina
Lit.: J. Nat. Sci. Counc. Sri Lanka **1**, 183 (1973) (Rev.) ▪ Karrer, Nr. 677 ▪ Merck-Index (12.), Nr. 5503 ▪ s.a. Isländisches Moos.

Lichesterinsäure s. Isländisches Moos.

LiChro®. Gruppe von Marken, für die Liquid Chromatography (s. Flüssigkeitschromatographie). Die Produktpalette umfaßt Gerätesyst. (LiChrograph®), Edelstahl-Kartuschen (LiChroCART®), stationäre Phasen (LiChrogel®, LiChrosorb®, LiChroprep®, LiChrospher®), Lsm. (LiChrosolv®), Reagenzien u. Puffer (LiChropur®) für den gesamten Anwendungsbereich der Flüssigchromatographie. *B.:* Merck.

Licht. Im allg. Sprachgebrauch die vom menschlichen *Auge wahrnehmbare *Strahlung des sichtbaren Bereichs des Spektrums mit Wellenlängen zwischen 400 u. 800 nm. Gelegentlich bezeichnet man auch die sich an diesen Bereich anschließenden elektromagnet. Strahlungen als (ultraviolettes, infrarotes, sogar als Röntgen-) Licht. Bei der Absorption u. Reflexion von

L. wird von der Strahlung Impuls übertragen, der sich als mechan. *L.-Druck* experimentell nachweisen läßt. L. breitet sich geradlinig mit *L.-Geschw.* aus ($2,99792458 \cdot 10^8$ m/s im Vak., $2,25 \cdot 10^8$ m/s in Wasser). Transmission (Transparenz, Lichtdurchlässigkeit) in verschiedenen Medien ist abhängig von *Absorption, Brechung (s. Refraktion), Streuung (s. Lichtstreuung), *Reflexion, *Interferenz u. *Beugung, *Polarisation usw., auf deren Gesetzmäßigkeiten sich wichtige opt. Analyseverf. aufbauen. Das von L.-Quellen (s. Lampen) ermittelte L. ist nur selten *monochromat.*, sondern besitzt je nach Bauart u. Betriebsparametern (Druck, Strom) eine spektrale Verteilung (*Lit.*[1]), aus der mittels Monochromatoren, Interferenzfiltern od. Etalons schmalbandiges L. ausgesondert werden kann. Mit einem *Laser kann man direkt monochromat. Strahlung erzeugen. Das blaue L. in Schwerwasser-Reaktoren ist *Čerenkov-Strahlung, das grüne des Leuchtkäfers *Biolumineszenz. Die Wechselwirkungen zwischen L. u. Materie sind sehr vielgestaltig; sie sind das Arbeitsgebiet von Photochemie, -biologie, -physik, Chemi- u. Biolumineszenz, Optik u. L.-Technik usw. Einige Aspekte des L. ergeben sich auch aus den folgenden u. den Photo…-Stichwörtern. – *E* light – *F* lumière – *I* luce – *S* luz

Lit.: [1] Phys. Bl. **42**, 128 (1986); Waymouth, Light Sources, in Encyclopedia of Physical Science and Technology, Vol. 8, S. 697–730, New York: Academic Press 1992.
allg.: Brill, Light: Its Interaction with Art and Antiquities, New York: Plenum 1980 ▪ Haken, Light, Bd. 1, Amsterdam: Elsevier 1981 ▪ Ullmann (4.) **16**, 215–252 ▪ Völz, Industrial Color Testing, Weinheim: VCH Verlagsges. 1995.

Lichtäther s. Ether.

Lichtatmung s. Photosynthese.

Lichtblau. Anorgan. Blaupigmente auf der Basis von Mischkrist. aus Co-Al-Cr-Oxiden od. aus Co-Al-Oxiden, welche jeweils Spinell-Struktur aufweisen u. bis über 1000 °C hitzebeständig sind. L. wird in der Lack-Ind. zum Färben von Kunststoffen aus PA, PE, PS, ABS, PVC usw., zum Anfärben von Email u. Keramik sowie für Druckfarben u. für Außenanstriche in Zement- u. Kalkfarben verwendet. – *E* light-blue colour – *F* (pigment) bleu claire – *I* celeste chiaro – *S* (pigmento) azul claro

Lichtbogen. Zwischen zwei Elektroden selbständig ablaufende *Gasentladung *(Bogenentladung)*. Im *Plasma des L. herrschen Temp. bis 7300 K, in sog.

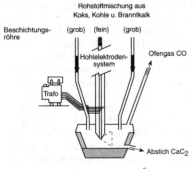

Abb.: Geschlossener Carbid-Ofen (schemat. nach *Lit.*[2]).

Hochleistungs-L. *(Hochstrombogen)* auch bis zu 50000 K. Man benutzt L. als Lichtquellen, zum *Schweißen (s. a. Arcatom-Verfahren) u. Schneiden, zum Schmelzen in der Metallurgie (*Lichtbogenofen, Lit.*[1]), zur Herst. von Acetylen aus Kohlenwasserstoffen (*Lit.*[2]) etc. (s. Abb.). In Hochspannungsschaltern auftretende L. werden durch eine Gasströmung (Druckluft od. SF_6) gelöscht[3]. – *E* = *F* arc – *I* = *S* arco voltaico

Lit.: [1] Kirk-Othmer (3.) **11**, 531–541. [2] Winnacker-Küchler (4.) **5**, 194 ff. [3] Phys. Unserer Zeit **26**, 120 (1995).
allg.: Hase u. Reitze, Lehrbuch des Lichtbogenschweißens, Essen: Girardet 1981 ▪ Wuttke, Die Lichtbogen-Schweißung in Frage u. Antwort, Berlin: Verl. Technik 1979 ▪ s. a. Plasma u. Schweißen.

Lichtbrechung s. Refraktion.

Lichtdruck s. Druckverfahren u. Licht.

Lichtechtheit. Bez. für die Widerstandsfähigkeit von Stoffen aller Art (Textilien, Drucke, Kunststoffe, keram. Werkstoffe usw.) u. in allen Verarbeitungszuständen gegen Farbänderungen durch direkte Einwirkung von Tageslicht ohne direkte Einwirkung der Witterung. Wegen ihres Tageslichtcharakters eignen sich bes. *Xenon*-Lampen für die Durchführung von – in ihren Ausführungen im allg. genormten – L.-Prüfungen; mit einer Xe-Hochdrucklampe von 6000 W Leistung lassen sich 1 Jahr Tageslicht in ca. 320 h simulieren. Zu L.-Testverf. s. *Lit.*[1]. Um die Stabilität gefärbter Textilien gegenüber der Lichteinwirkung, d.h. die L. zu bestimmen, werden verschiedene Tests (z.B. L. trocken, naß, mit alkal. od. saurem Schweiß, etc.), die in DIN-Normen bzw. ISO-105-Normen festgelegt sind, durchgeführt. Dabei gilt: Je höher die Bewertung, desto stabiler, d.h. echter ist der Farbstoff z.B. gegenüber der Lichteinwirkung. – *E* light fastness – *F* solidité à la lumière – *I* resistenza alla luce – *S* solidez a la luz

Lit.: [1] Ullman (5.) **A 18**, 457.
allg.: Evans u. Stapleton, Structural Factors Affecting the Lightfastness of Dyed Fibers (Chem. Synthetic Dyes 8), New York: Academic Press 1978 ▪ s. a. Textil- u. Werkstoffprüfung.

Lichtemittierende Diode s. LED.

Lichtenberg-Legierung. Niedrigschmelzende Leg. aus 50% Bi, 30% Pb u. 20% Sn mit einem Schmp. von 96 °C.

Lit.: s. Schmelzlegierungen.

Lichterythem. Hautrötung nach Belastung mit kurzwelligem UV-Licht (Sonnenbrand), s. a. Hautbräunung.

Lichtfilter (Optische Filter). Feste, flüssige (auch gelöste) od. gasf. Reinsubstanzen od. Gemische, die nach Maßgabe ihres Absorptions-Spektrums die Strahlung eines einfallenden Lichtstrahls teilw. absorbieren od. reflektieren, so daß nur Strahlung erwünschter Wellenlängen durchgelassen wird. Bekannte L. sind neben den in *Sonnen- od. *Lichtschutzmitteln eingearbeiteten Verb. die bes. in der Photographie gebräuchlichen UV- u. IR-Farbfilter, Polarisationsfilter, Farbkorrekturfilter usw.; in der Photochemie werden häufig in der Masse gefärbte Gläser od. Filterlsg. mit anorgan. Salzen (Cu, Co, Ni) verwandt. Je nach Wellenlängenabhängigkeit des Transmissionsfaktors spricht man von Bandfiltern od. Kantenfiltern. Sehr schmalbandige Bandfilter werden durch *Interferenzschichten erhalten (Interferenzfilter). – *E* light filters – *F* filtres – *I* filtro colorato – *S* filtros ópticos

Lichtgelb. Anorgan. Gelbpigmente auf der Basis von Mischkrist. aus Ni-Sb-Ti-Oxiden od. aus Cr-Sb-Ti-Oxiden jeweils mit *Rutil-Struktur. Die L.-Pigmente geben licht- u. wetterechte, grünstichige bzw. rotstichige Gelbtöne. Sie sind hitzebeständig bis 1000 °C u. zum Färben von PVC, Polyethylen u. a. Kunststoffen, zum Anfärben von Email u. Keramik sowie für Lacke u. für Außenanstriche in Kalk- u. Zementfarben etc. geeignet. – *E* light yellow – *F* jaune lumineux – *I* giallo chiaro – *S* amarillo claro

Lichtgeschwindigkeit. Ausbreitungsgeschw. des Lichts u. a. elektromagnet. Wellen. Die L. im Vak. beträgt $c = 299\,792\,458\ \mathrm{m\,s^{-1}}$. Sie ist nach A. *Einsteins spezieller Relativitätstheorie die max. mögliche Geschw., mit der sich eine Wirkung ausbreiten kann. – *E* velocity of light – *F* vitesse de la lumière – *I* velocità della luce – *S* velocidad de la luz

Lichtgrün. a) Als anorgan. Grünpigment mit einer Hitzebeständigkeit bis 1000 °C besteht *Lichtgrün 5 G* aus Mischkrist. von Co-Ni-Ti-Zn-Oxiden mit Spinell-Struktur. Zum Anw.-Bereich s. Lichtgelb u. Lichtblau.

b) *Lichtgrün SF, gelblich.*
Saurer *Triarylmethanfarbstoff, $C_{37}H_{34}N_2Na_2O_9S_3$, M_R 792,86, rotbraunes Pulver, in Wasser mit grüner Farbe löslich. L. SF färbt Wolle u. Seide grün u. wird als Lackfarbstoff u. in der Mikroskopie verwendet (Plasma- u. Cellulose-Farbstoff). L. SF ist als krebserzeugend eingestuft (Giftliste, Stand 06/95). – *E* light green – *F* vert lumineux – *I* verde chiaro – *S* verde claro – *[CAS 68186-85-6 (a); 5141-20-8 (b)]*

Lichtkrebs. Umgangssprachlicher Ausdruck für Formen von Hautkrebs, deren Entstehung durch chron. Überbelastung mit kurzwelligem UV-Licht begünstigt wird.

Lichtleiter. Anordnung von opt. Komponenten zur Weiterführung von Licht. Neben den Aufbauten aus Spiegeln u. Linsen zur Strahlfokussierung stehen heute im gesamten sichtbaren u. im nahen ultravioletten sowie im nahen infraroten Spektralgebiet *Lichtleitfasern mit sehr geringen Verlusten zur Verfügung. – *E* light conductor – *F* guide de lumière – *I* conduttore fotosensibile – *S* conductor de luz, conductor óptico

Lichtleitfaser. Quarz- od. *Glasfaser zum Weiterleiten von Licht. Die Dämpfungsfaktoren neuerer Fasern sind im sichtbaren u. nahen infraroten Spektralbereich

sehr niedrig; z. B. bei 850 nm kleiner als 3 dB/km (d. h. nach 1 km Länge Abnahme auf 50%), bei 1300 nm kleiner als 0,5 dB/km und bei 1550 nm bis 0,16 dB/km. D. h. je nach Wellenlänge fällt die Intensität erst nach 30–50 km auf die Hälfte ab. Bei kurzen Wellenlängen, ist die Dämpfung durch die Rayleigh-Streuung (s. Lichtstreuung) u. bei langen Wellenlängen durch die Eigenabsorption bestimmt. So ist z. B. bei $\lambda = 10,6\ \mu m$ (Emission des *CO_2-Lasers) die Dämpfung mit 10^6 dB/km zu groß, weshalb diese Strahlung über Spiegel u. Linsensyst. (*Lichtleiter) geführt wird. L. werden in der Nachrichtentechnik (*Faseroptik), bes. im Verbund mit *integrierter Optik, in der Meßtechnik, Spektroskopie u. Medizin verwendet. Zu Herst. u. Einsatz von L. s. *Lit.*[1]. – *E* light conducting fiber – *F* fibre optique – *I* fibra di conduzione fotosensibile – *S* fibra óptica

Lit.: [1] Freidinger, in Junge (Hrsg.), Lichtwellenleiter u. -leiterkabel, parat Jahrb. Optoelektronik 1988, S. 33, Weinheim: VCH Verlagsges. 1988.
allg.: Phys. Unserer Zeit **19**, 37 (1988) ▪ Schwanhäuser, Lichtwellenleiter, Weinheim: VCH Verlagsges. 1989 ▪ Sci. Am. **259**, Nr. 11, 76 (1988) ▪ Spektr. Wiss. **1996**, Nr. 7, 107 ▪ Young, Optik, Laser, Wellenleiter, Berlin: Springer 1996.

Lichtmengengesetz s. Bunsen-Roscoesches Gesetz.

Lichtpausen. Oberbegriff für *Diazokopien u. *Blaupausen als *Durchleuchtungskopien.* Diese entstehen, indem die im Lichtpausmaterial *(Diazopapier)* enthaltenen Diazo-Verb. an den belichteten Stellen zersetzt werden [u. die damit ihre Fähigkeit zur *Kupp(e)lung einbüßen] bzw. indem die Eisen-Salze unter Bildung von Berliner Blau reagieren. Bei der sog. *Trocken-* od. *Ammoniak-Entwicklung* enthält die lichtempfindliche Schicht sowohl die Diazo-Verb. als auch die Kupplungskomponenten nebeneinander, u. die vorzeitige Farbentwicklung wird durch die Ggw. von organ. od. anorgan. Säuren unterbunden. Nach erfolgter Belichtung (durch das zu kopierende Original hindurch) tritt an den Stellen, die von Lichtquanten getroffen wurden, Stickstoff in mol. Form aus. An denjenigen Stellen, an denen das zu kopierende Original beschriftet war [das Kopiermaterial (Schicht) also „im Schatten" lag], blieb die Diazo-Verb. unversehrt. Unter dem Einfluß gasf. Ammoniaks tritt nun bei der Entwicklung zwischen den verbliebenen Anteilen der Diazo-Verb. u. den ohnehin lichtindifferenten Kupplungspartnern (Phenole, Naphthole, Heterocyclen etc.) Kupplung zu farbigen Azo-Verb. ein, u. die resultierende Diazokopie erweist sich als mehr od. weniger scharfes Abbild des Originals. Bei dem sog. *Halbfeuchtverf.* ist die Kupplungskomponente nicht in unmittelbarer Nähe der lichtempfindlichen Diazo-Verb., sondern wirkt erst im Entwicklerbad zusammen mit dem Alkali auf die bei der Belichtung nicht ausgeblichenen Anteile ein. Jeder der beiden L.-Prozesse liefert ein Positiv, während die *Cyanotypie* od. *Blaupause* (s. Eisensalz-Verfahren) das Original als Negativ kopiert, also weiße Linien auf blauem Grund liefert. Das L.-Prinzip ist zwar schon seit ca. 1890, das Eisensalz-Verf. sogar schon seit 1842 (Herschel) bekannt, doch wurden das Trockenverf. erst nach 1920 u. das Halbfeuchtverf. erst nach 1930 in den Handel gebracht. – *E* photostats – *F* photocalque – *I* copie cianografiche – *S* copias heliográficas, fotocalcos

Lit.: Kirk-Othmer (3.) **20**, 134–141 ▪ Ullmann (4.) **20**, 179 ff. ▪ Winnacker-Küchler (4.) **7**, 517 f., 565–568 ▪ s. a. Reprographie.

Lichtquanten s. Photonen.

Lichtquellen s. Lampen.

Lichtsättigung. Beleuchtungsstärke (Photonenflußdichte) von photosynthet. aktiver Strahlung (PAR), oberhalb derer die Photosyntheserate (Kohlendioxid-Aufnahme, Nettophotosynth.) von Pflanzen nicht mehr zunimmt. Bei mitteleurop. *C$_3$-Pflanzen liegt die L. selten über 1 mEinstein m^{-2} s^{-1}, bei *C$_4$-Pflanzen meist deutlich höher. – *E* light-saturation – *F* saturation lumineuse – *I* saturazione di luce – *S* saturación de luz

Lit.: Biochim. Biophys. Acta **973**, 241–249 (1989) ▪ Plant Physiol. **81**, 1115–1122 (1986) ▪ Richter, Stoffwechselphysiologie der Pflanzen (5.), S. 119–122, Stuttgart: Thieme 1988.

Lichtsammel-Komplexe, -Pigmente s. Antennen-Komplexe.

Lichtschutzmittel. Im weitesten Sinne Bez. für Stoffe, die techn. Produkte od. Organismen vor der schädigenden Einwirkung des Lichts schützen bzw. Folgeschäden von Lichteinwirkung (*Alterung) verhüten sollen. Beispielsweise sind außer der menschlichen *Haut – hier spricht man jedoch meist von *Sonnenschutzmitteln, die (als *Hautpflegemittel) im folgenden ausgeklammert bleiben sollen – bes. schutzbedürftig: Kunststoffe, Kautschukprodukte, Textilien, Anstrichmittel. Die L. wirken im allg. dadurch, daß sie die als Strahlung absorbierte Energie in (unschädliche) Wärme umwandeln (*strahlungslose Desaktivierung*). Die Zusammensetzung der L. richtet sich nach der Verträglichkeit mit der zu schützenden Stoffgruppe, der Art der Strahlung (UV, sichtbares Licht, evtl. Spektralbereich) u. der physiolog. Unbedenklichkeit. Produkten aus Kautschuk u. a. Elastomeren od. Kunststoffen werden meist als *Radikal-Fänger wirkende *Alterungsschutzmittel sowie *UV-Absorber zugesetzt. – *E* UV absorbers, light stabilizers ≐ *F* protecteurs contre la lumière – *I* protettore antisolare – *S* agentes protectores contra la luz

Lit.: Kirk-Othmer (3.) **23**, 615–627 ▪ Ullmann (4.) **8**, 21; **15**, 259, 676.

Lichtstärke s. Candela.

Lichtstreuung. Umlenkung einer gerichteten Lichtstrahlung in Strahlung, die sich in andere Raumrichtungen ausbreitet. Die Intensität I in der gerichteten Strahlung nimmt gemäß $I = I_0 \cdot e^{-b \cdot d}$ ab (I_0 = eingestrahlte Intensität, b = Streukoeff., d = Laufstrecke durch das streuende Medium). L. findet an Atomen, Mol. u. kleinen Partikeln [Kolloide (s. Kolloidchemie), *Aerosole usw.] statt; je nach Wellenlänge λ der Strahlung u. Größe x der Streuzentren sind hierfür verschiedene Prozesse verantwortlich:

1. *Compton-Streuung*, vorrangig bei hochenerget. Strahlung (*Röntgenstrahlung, *Gammastrahlen). Abhängig vom Streuwinkel ist die Wellenlänge der gestreuten Strahlung größer als die der einfallenden Strahlung.

2. *Rayleigh-Streuung* findet statt, wenn die Größe der Streuzentren klein verglichen mit der Wellenlänge λ

ist. Bei dieser Streuung wird die Wellenlänge λ nicht verändert. Das gestreute Licht ist je nach Streuwinkel ggf. polarisiert (s. Abb. 1).

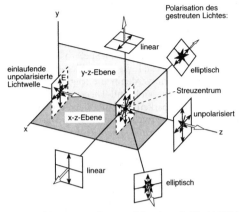

Abb. 1: Lichtstreuung. Das von links eingestrahlte Licht ist unpolarisiert, ebenso wie das transmittierte. Da hierbei der elektr. Feldvektor, dargestellt durch die kleinen Pfeile, stets senkrecht auf der Strahlrichtung steht, fehlt in dem gestreuten Licht die Komponente des elektr. Feldes in Einstrahlrichtung. Somit ist das unter 90° gestreute Licht linear polarisiert u. das in andere Richtungen gestreute ellipt. polarisiert.

Für die Intensität I, die pro Volumeneinheit in den Streuwinkel φ gestreut wird, wurde von Rayleigh hergeleitet:

$$I(\varphi) = I_0 \frac{2\pi^2}{N \cdot \lambda^4}(n^2(\lambda)-1)^2(1+\cos^2\varphi)$$

mit $n(\lambda)$ = Brechungsindex des streuenden Mediums u. N = Teilchendichte. Hieraus erhält man (durch Integration über alle Streuwinkel) den Rayleigh-Streukoeff. bzw. Luftstreukoeffizient:

$$b(\lambda) = \frac{8\pi^2}{3N \cdot \lambda^4}(n^2(\lambda)-1)^2.$$

Die $1/\lambda^4$-Abhängigkeit dieses Koeff., nach seinem Entdecker auch oft *Tyndall-Effekt* genannt, hat zur Folge, daß blaues Licht rund 10 mal stärker gestreut wird als rotes. Die Erdatmosphäre (umgangssprachlich der Himmel), von der wir nur gestreutes Licht sehen, leuchtet deshalb blau, während z. B. am Abend das direkte Sonnenlicht aufgrund des langen Weges durch die Atmosphäre die blauen Komponenten verloren hat u. somit rot aussieht.

3. *Mie-Streuung*, bei der ebenfalls die Wellenlänge λ nicht verändert wird, findet statt, wenn die Abmessungen der Streupartikel größer als λ sind. Die von Mie für kugelförmige Teilchen hergeleiteten Formeln sind komplizierter als die der Rayleigh-Streuung. Mie-Streuung ergibt in Vorwärts- u. Rückwärtsrichtung eine höhere Intensität verglichen zur Rayleigh-Streuung. Die Abb. 2 (S. 2404) zeigt die Abstrahlcharakteristik für Rayleigh- bzw. Mie-Streuung.

4. *Brillouin-Streuung.* Hierbei wird das Licht an Dichtemodulationen (≙ Änderungen des Brechungsindex) gestreut, die durch akust. Wellen im Medium induziert werden. Da die akust. Wellen mit Schallgeschw. das Medium durchlaufen, ist aufgrund des *Doppler-Effektes die Wellenlänge des gestreuten Lichtes verschoben.

5. *Raman-Streuung*, bei der die Strahlung von Atomen bzw. Mol. absorbiert u. wieder reemittiert wird. Je nachdem ob die Emission in energet. höhere od. niedrigere Niveaus, verglichen zum Startniveau, erfolgt, hat das gestreute Licht eine größere od. kleinere Wellenlänge (Stokes- od. Anti-Stokes-Linien). Die Wellenlängendifferenz ist durch das atomare bzw. mol. Syst. gegeben. Details s. Raman-Spektroskopie.

Bei der Berechnung von L. in trüben Medien mit Hilfe von elektr. Rechnern werden heute folgende Rechenmethoden eingesetzt: Viel-Fluß-Theorie (aus Gründen der prakt. Handhabbarkeit wird die Vier-Fluß- bzw. die Zwei-Fluß-Theorie verwendet; letztere wird nach ihren Entwicklern *Kubelka-Munk-Theorie* genannt, s. Lit.[1]), Diffusionstheorie (s. Ficksche Gesetze), *Monte-Carlo-Methode od. *Finite-Elemente-Verfahren.

Verhältnis	Art der Streuung	Abstrahlcharakteristik
$d < \lambda$	Rayleigh-Streuung	gleichmäßig, $1 + \cos\Theta$, wichtig im UV- u. blauen Spektralbereich, da Streuamplitude $\sim 1/\lambda^4$
$d \approx \lambda$	Mie-Streuung	in Vorwärts- u. Rückwärtsrichtung
$d > \lambda$	Mie-Streuung	primär in Vorwärtsrichtung

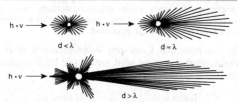

Abb. 2: Abstrahlcharakteristik bei Streuprozessen, abhängig vom Verhältnis λ zu d.

Verw.: Bestimmung der Dichte u. Größenverteilung von Partikeln in der Luft (z. B. staubfreie Räume in der Halbleiterind., Luftverschmutzung) od. in Lsg. (*Kolloidchemie). Brillouin-Streuung wird zur Modulation von Laserstrahlen verwendet u. Raman-Streuung zur Spektroskopie, s. a. Anti-Stokes-Raman-Laser. In der Medizin wird Lichtstreuung zur Durchleuchtung von Organen (weibliche Brust, Köpfe von Neugeborenen, Haut, Gelenke) eingesetzt. Auch wenn z. Z. die Auflösung noch nicht so gut ist wie bei Ultraschall- bzw. Röntgendiagnostik, so ist L. doch eine zukünftige Alternative, weil keine Gewebebelastung durch Strahlenschäden auftritt. – *E* light scattering – *F* diffusion de la lumière – *I* diffusione della luce – *S* difusión de la luz, dispersión de la luz

Lit.: [1] Völz, Industrial Color Testing, Weinheim: VCH Verlagsges. 1995.
allg.: Cardona u. Guntherodt (Hrsg.), Light Scattering in Solids VI, Berlin: Springer 1991 ▪ Snell-Hilton **2**, 412–427 ▪ Ullmann **2/1**, 816–828.

Licht-Wasser-Verfahren s. Sulfoxidation.

Lichtzeigerpflanzen s. Heliophyten.

Licker (von latein.: liquor = flüssiger Zustand; Fettlicker). In der *Gerberei benutzte Bez. für *Fettungsmittel*, mit denen Chromleder, Täschnerleder, Bekleidungs- u. Handschuhleder nach der Gerbung gefettet werden. Derartige L. sind Emulsionen aus Fett (Degras, Tran, Klauen-, Sperm-, Ricinus-, Olivenöl u. dgl.), Wasser u. Emulgatoren (Seife, Türkischrotöl) od.

aus sulfatierten Fetten u. Ölen, Paraffin-, Chlorparaffinsulfonaten, chlorierten natürlichen Fettstoffen u. chlorierten Fettstoffsulfonaten inklusive entsprechender Gemische dieser natürlichen u. synthet. Stoffe. Zum *Lickern* bringt man das Chromleder z. B. in Fässern 20–30 min mit dem 45 °C warmen L. in Berührung, wobei dem Fettlicker das ganze emulgierte Fett entzogen wird (ohne daß sich das Leder nachher bes. fettig anfühlt) u. eine klare Lsg. zurückbleibt. Die neg. geladenen Fett-Tropfen werden dabei wahrscheinlich an die pos. geladenen Amino-Gruppen des *Leders gebunden, wodurch dieses geschmeidig u. wasserdicht wird. – *E* fat liquor – *F* émulsion grasse – *I* grasso emulsionato – *S* lickers, agentes de engrase

Lit.: Ullmann (4.) **16**, 168; (5.) **A 15**, 276 f. ▪ s. a. Leder.

Licomer®. Wäss. Polymer- u. Polymerwachs-Dispersionen zur Herst. von Selbstglanzemulsionen (s. Selbstglanzpflegemittel, Fußbodenpflegemittel) für die Pflege von Fußböden. *B.:* Hoechst.

Licristal®. Marke für nemat. u. cholester. *flüssige Kristalle für elektroopt. Anzeigen u. zur Anzeige von Temp.-Änderungen; außerdem für die zerstörungsfreie Materialprüfung als Lsm. für die NMR-, EPR-, UV- u. IR-Spektroskopie sowie als stationäre Phase in der Gaschromatographie. *B.:* Merck.

LIDAR (Abk. von E *Light Detection and Ranging*). Ein Verf., das ähnlich funktioniert wie RADAR (*Radio Detection and Ranging*) u. zur Detektion von Gasen in der Atmosphäre eingesetzt wird. Abb. 1 zeigt die wichtigsten Komponenten.

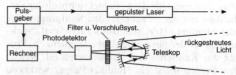

Abb. 1: Schemat. Aufbau eines LIDAR-Systems.

Lichtpulse eines Lasers werden ausgesandt u. das rückgestreute Licht über einen Hohlspiegel (oft auch Teleskop) gesammelt u. über einen Photodetektor (oft Photomultiplier) gemessen. Um den Photodetektor nicht durch Laserlicht, das in unmittelbarer Umgebung gestreut wird, od. durch Tageslicht zu sättigen bzw. zu schädigen, werden Zeitschalter u. spektrale Filter eingesetzt. Abb. 2 gibt ein typ. Meßsignal in Abhängigkeit von der Zeit t zwischen Senden des Laserpulses u. Empfangen von rückgestreutem Licht wieder.

Die Laufzeit t des Lichtes gibt Auskunft über die Entfernung s zu einer Gaswolke u. die Intensität des Signals Information über die Konz. der Wolke. Prinzipiell gilt für die gemessene Intensität $P_r(t)$

$$P_r(t) = P_0 \cdot \beta(s) \cdot A_r \cdot s^{-2} \cdot \exp\left(-2 \cdot \int_0^s \alpha(r)\, dr\right)$$

mit $s = c/2 \cdot t$ (c = Lichtgeschwindigkeit), P_0 = zum Zeitpunkt $t = 0$ ausgesandte Intensität, β = Vol.-Rückstreukoeff. der Atmosphäre, A_r = effektive Fläche des Detektorsyst. (Hohlspiegel), α = Vol.-Extinktionskoeff. der Atmosphäre.

In dieser Gleichung, auch LIDAR-Gleichung genannt, sind die Koeff. β u. α für jede Gasart in spezif. Weise

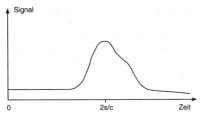

Abb. 2: Typ. LIDAR-Signal, das durch Streuung an Partikeln im Abstand s herrührt.

wellenlängenabhängig. Um selektiv nur eine Gasart nachzuweisen u. auch den Einfluß von Streupartikeln (*Lichtstreuung) zu eliminieren, müssen Laserpulse mit verschiedener Wellenlänge, λ_1 u. λ_2, ausgesandt werden, wobei z. B. λ_1 eine Resonanzlinie ist. Der Quotient $P_r(t,\lambda_1)/P_r(t,\lambda_2)$ wird durch einen Rechner ausgewertet. Um mit verschiedenen Wellenlängen arbeiten zu können, werden mehrere Festfrequenz-Laser parallel aufgebaut (*Lit.[1]*) od. man benutzt einen durchstimmbaren *Farbstoff-Laser, der in den meisten Fällen durch einen *Excimer-Laser gepumpt wird. Indem die Laserpulse nacheinander in verschiedene Raumrichtungen ausgesandt werden, wird die räumliche Verteilung von Gasen in einer Wolke ausgemessen (s. Abb. 3). Die Entfernung L zwischen LIDAR-Gerät u. Wolke kann für die Gase O_3, NO_2 u. SO_2 mehrere Kilometer betragen bei einer absoluten Empfindlichkeit von wenigen ppb (*Lit.[3]*).

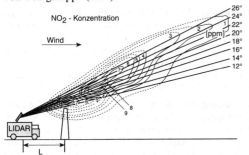

Abb. 3: Meßprinzip des LIDAR-Verf. (nach *Lit.[2]*).

Auch die Abnahme der Ozon-Konz. in 50 km Höhe (*antarktisches Ozonloch) wurde in den letzten Jahren durch LIDAR ausgemessen (*Lit.[4]*). Nicht nur spezif. Gase, sondern auch Verteilung, Konz., Größe u. Art von Aerosolpartikeln in der Atmosphäre werden durch LIDAR bestimmt, wobei man das Auftreten von scharfen, zeitlichen Spitzen jeweils nach dem Ausbruch großer Vulkane klar erkennt (*Lit.[5]*); s. a. DAS-LIDAR, Luftverunreinigung. – *E* light detection and ranging – *F* détection et localisation de la lumière (LIDAR) – *I* radar ottico, laser radar – *S* radar óptico

Lit.: [1] Lahmann et al., State of the Art DAS Lidar for SO_2 and NO_2, GKSS 84/E/50. [2] Wolf et al., in Inguscio (Hrsg.), Applied Laser Spectroscopy, New York: Plenum Press 1990. [3] Weitkamp, Remote Measurement of Tropospheric Parameters by Lidar, GKSS 85/E/50. [4] Phys. Bl. **40**, 44 (1984). [5] Phys. Unserer Zeit **21**, 81 (1990).
allg.: Applied Optics **28**, 2052 (1989) ▪ Hinkley (Hrsg.), Laser Monitoring of Atmosphere, Berlin: Springer 1976 ▪ Zuer, Laser Beams in the Atmosphere, New York: Consultants Bureau 1982.

Liddicoatit s. Turmalin.

Lidocain.

$$CH_3$$
$$\text{—NH—CO—CH}_2\text{—N(C}_2\text{H}_5)_2$$
$$CH_3$$

Internat. Freiname für das *Lokalanästhetikum u. Antiarrhythmikum 2-Diethylamino-2′,6′-dimethylacetanilid, $C_{14}H_{22}N_2O$, M_R 234,34, Schmp. 68–69 °C, λ_{max} (H_2O): 262 nm ($A_{1cm}^{1\%}$ 17,9), in Wasser nicht, in Ethanol leicht lösl.; Lagerung dicht verschlossen, lichtgeschützt. Verwendet wird auch das Hydrochlorid-Monohydrat, Schmp. 77–79 °C, wasserfrei, Schmp. 127–129 °C, LD_{50} (Maus oral, i.p., i.v.) 292, 105, 19,5 mg/kg. L. wurde 1948 von Astra (Xylocain®) patentiert u. ist generikafähig. – *E=F* lidocaine – *I* lidocaina – *S* lidocaína
Lit.: ASP ▪ Beilstein E IV **12**, 2538 ▪ DAB **1996** u. Komm. ▪ Florey **14**, 207–243, **15**, 761–779 ▪ Hager (5.) **8**, 735–738. – *[HS 2924 29; CAS 137-58-6 (L.); 6108-05-0 (Hydrochlorid-Monohydrat)]*

Lidoflazin (Rp).

$$F$$
$$H_3C$$
$$F\text{—}\quad\text{—CH—(CH}_2)_3\text{—N}\quad\text{N—CH}_2\text{—CO—NH—}\quad$$
$$H_3C$$

Internat. Freiname für das als Coronardilatator wirkende 2-{4-[4,4-Bis(4-fluorphenyl)butyl]-1-piperazinyl}-2′,6′-dimethylacetanilid, $C_{30}H_{35}F_2N_3O$, M_R 491,62, Schmp. 159–161 °C, in Wasser <0,01% löslich. L. wurde 1965 u. 1966 von Janssen patentiert. – *E=F* lidoflazine – *I=S* lidoflazina
Lit.: Beilstein E V **23/2**, 297 ▪ Hager (5.) **8**, 738 ff. – *[HS 2933 59; CAS 3416-26-0]*

Lidojekt®. Ampullen mit dem *Lokalanästhetikum *Lidocain-Hydrochlorid. *B.:* Hexal.

Lieben, Adolf (1836–1914), Prof. für Organ. Chemie, Univ. Palermo, Turin, Prag u. Wien. *Arbeitsgebiete:* homologe Reihen der aliphat. Verb., organ. Reaktionsmechanismen. Er deutete 1905 die Pinakolon-Umlagerung.
Lit.: Pötsch, S. 271.

Lieben, Fritz (1890–1966), Prof. für Medizin, Chemie, Univ. Wien. *Arbeitsgebiete:* Aminosäuren, Eiweiß, Chemiegeschichte, Aufbau der Materie.
Lit.: Neufeldt, S. 401.

Liebermann, Carl Theodor (1842–1914), Prof. für Chemie, Berlin. *Arbeitsgebiete:* Einwirkung von Salpetriger Säure auf Phenole u. sek. Amine, Konstitutionsermittlung von Anthrachinon u. Alizarin (zusammen mit *Graebe), Anthracen u. Phenanthren, Quercitrin u. Rhamnetin; s. a. nachfolgendes Stichwort zu den nach ihm benannten Nachweisreaktionen.
Lit.: Krafft, S. 38 ▪ Lexikon der Naturwissenschaftler, S. 271 ▪ Nachmansohn, S. 25, 163, 177 ▪ Neufeldt, S. 60, 331 ▪ Pötsch, S. 271.

Liebermann-Reaktionen. Mit dem Namen *Liebermann werden eine Reihe von Nachw.-Reaktionen in Verb. gebracht:

1. *Liebermann-Buchard-Reaktion* auf *Cholesterin: Einer Lsg. der zu untersuchenden Substanz in Chloroform werden Acetanhydrid u. einige Tropfen konz. Schwefelsäure zugefügt: In Ggw. von Cholesterin treten nacheinander rosarote, blaue, dunkelgrüne Farbtöne auf, während Ergosterin u. Stigmasterin sofort Blau-, später Grünfärbung geben[1].

2. *Liebermannsche Anthrachinon-Reaktion:* Die Untersuchungssubstanz wird in wäss. NaOH gelöst u. mit Zinkstaub gekocht: In Ggw. von *Anthrachinon blutrote Färbung.

3. *Liebermannsche Nitroso-Reaktion:* Sek. Amine geben mit Salpetriger Säure ölige Nitrosamine (Achtung! Nitrosamine sind *cancerogen*, Hautkontakt vermeiden!), die mit wenig Phenol u. konz. Schwefelsäure über 4-Nitrosophenol mit überschüssigem Phenol zu protoniertem dunkelblauem Indophenol kondensieren. Bei vorsichtigem Eingießen in Wasser wird die Lsg. rot, nach Zugabe von Natronlauge unter Bildung des Anions erneut blau od. blaugrün. Andere Nitroso-Verb. lassen sich auf dieselbe Weise charakterisieren; *p*-unsubstituierte Phenole lassen sich mit Natriumnitrit über dasselbe Endprodukt charakterisieren[2,3].

4. *Liebermann-Storch-Reaktion:* Unspezif. Farbtest auf Harze, bei dem man die Probe mit Acetanhydrid kocht, abkühlen läßt u. 1–2 mL der Lsg. mit einem Tropfen konz. Schwefelsäure versetzt: In Ggw. von Harzen flüchtige, violettblaue Färbung. – *E* Liebermann tests – *F* réactions de Liebermann – *I* reazioni di Liebermann – *S* reacciones de Liebermann

Lit.: [1] Arch. Pharm. (Weinheim) **297**, 577 (1964); Townshend (Hrsg.), Encyclopedia of Analytical Science, Bd. 2, S. 709, New York: Academic Press 1995. [2] Ber. Dtsch. Chem. Ges. **7**, 247, 806 (1874). [3] Laatsch, Die Technik der organischen Trennungsanalyse, S. 74, 96, 100, Stuttgart: Thieme 1988.

Liebig, Justus von (1803–1873), Prof. für Chemie, Gießen u. München. *Arbeitsgebiete:* Elementaranalyse, Stoffwechsel von Pflanzen u. Tieren, Weiterentwicklung der Ideen von *Kastner zur künstlichen Düngung u. Agrikulturchemie, Einführung des Begriffs „Neutralisation", Charakterisierung von Knallsäure, Äpfelsäure, Milchsäure, Ameisensäure, Harnsäure-Derivate, Aldehyden, Chloral, Benzoesäure, Chloroform, Aceton, Atropin, Gerbsäure, Cyanamid, Ethyl-Derivate (die Bez. Äthyl für die C_2H_5-Gruppe wurde von L. 1834 eingeführt), Amygdalin, Globulin, Benzilsäure-Umlagerung usw.; Überlegungen zur Isomerie, Silber-Spiegel, Backpulver, Fleischextrakt, Organisation von Chemie-Unterricht u. -Studium. L. bildete viele, später berühmte Chemiker aus: A. W. von *Hofmann, F. A. *Kekulé, M. J. von Pettenkofer, R. A. *Erlenmeyer, C. A. *Wurtz usw.

Lit.: Chem. Labor Betr. **24**, 439–450 (1973) ▪ Chem. Unserer Zeit **7**, 106–111 (1973) ▪ Chem. Unserer Zeit **12**, 170 (1978) ▪ Chem. Ztg. **106**, 13–18 (1982) ▪ Krafft, S. 224 f. ▪ Lexikon der Naturwissenschaftler, S. 271 ▪ Neufeldt, S. 18, 22–29, 32 ▪ Pötsch, S. 272 ▪ Strube et al., S. 122 ff., 149 f.

Liebigit (Uranothallit). $Ca_2[UO_2/(CO_3)_3] \cdot$ ~11 H_2O, grünes bis gelblichgrünes, glasartig, auf Spaltflächen perlmuttartig glänzendes, im ultravioletten Licht intensiv grüne *Fluoreszenz zeigendes, radioaktives Verwitterungsmineral in Uranerzen; krist. rhomb., Krist.-Klasse mm2-C_{2v}; *Struktur* s. *Lit.*[1]. Sehr kleine kurzprismat. u. tafelige Krist., gewöhnlich aber körnige, nierig-traubige od. schuppige Krusten.

Vork.: St. Joachimsthal (Jachymov)/Böhmen, Schneeberg/Sachsen, Cornwall/England, Lodève/Frankreich, Colorado-Plateau/USA. – *E* = *F* liebigite – *I* liebigite, uranotallite – *S* liebigita

Lit.: [1] Tschermaks Mineral. Petrogr. Mitt. **30**, 277–288 (1982). *allg.:* Lapis **21**, Nr. 3, 10 f. (1996) („Steckbrief") ▪ Ramdohr-Strunz, S. 584. – *[CAS 14831-68-6]*

Liebig-Kühler s. Kühler.

Liebstöckel. Zu den Doldengewächsen (*Umbelliferae) zählende, aus Südostasien stammende, 1–2 m hohe Pflanze (*Levisticum officinale* Koch, Umbelliferae = Apiaceae), deren Blätter nach *Suppenwürze riechen (daher auch der Name *Maggikraut*). L. wird als Gewürz für Salate, Fleisch- u. Fischgerichte sowie in Likören (Magenbitter) verwendet. Die getrockneten Wurzeln bzw. das Kraut (*Herba) werden in Form von Tee als *Stomachikum, *Carminativum u. (umstrittenes) *Diuretikum genutzt. Alle Pflanzenteile enthalten ein ether. Öl, dessen *Sellerieöl-artiger Geruch bes. von *Phthaliden (Butyliden- u. Butylphthalide) bestimmt wird; in den Wurzeln finden sich auch photoallergisierende *Furocumarine. – *E* lovage – *F* livèche – *I* levistoco – *S* levístico, apio de montaña

Lit.: Bundesanzeiger 101/01.06.90 ▪ DAB 7 u. Komm. ▪ Hager (5.) **5**, 664–670 ▪ Melchior u. Kastner, Gewürze, S. 236 ff., Berlin: Parey 1974 ▪ Ullmann (5.) **A11**, 223 ▪ Wichtl (3.), S. 340 f.

Liesegang, Raphael Eduard (1869–1947), Chemiker, Frankfurt. Berater für photograph. u. pharmazeut. Firmen. *Arbeitsgebiete:* Kolloidchemie, Entdeckung der *Liesegangschen Ringe. L. fand 1892 den Hydrochinon-Entwickler Aristogen.

Lit.: Kolloid Z. **49**, 226 (1929) ▪ Lexikon der Naturwissenschaftler, S. 272 ▪ Pötsch, S. 273 ▪ Strube et al., S. 75.

Liesegangsche Ringe. Bez. für period. Fällungserscheinungen in *Gelen in Form von konzentr. Ringen. Wenn von zwei miteinander einen *Niederschlag bildenden Substanzen (z.B. Kaliumchromat u. Silbernitrat) die eine im Gel (z.B. in Gelatine) gelöst ist u. ein Tropfen einer Lsg. der anderen Substanz auf das Gel gebracht wird, so entstehen L. R. beim Eindiffundieren der zweiten Substanz in das Gel (*Lit.*[1]). Analoge period. *Strukturen findet man auch in biolog. od. geolog. Objekten (z.B. in *Achaten) u. bei *oszillierenden Reaktionen. – *E* Liesegang rings – *F* anneaux de Liesegang – *I* livelli a Liesegang – *S* anillos de Liesegang

Lit.: [1] Sci. Am. **220** Nr. 6, 131–135 (1969). *allg.:* Stern, Bibliography of Liesegang Rings, Washington: U. S. Government Printing Office 1967.

Lievrit s. Ilvait.

LIF. 1. s. Leukämie-inhibierender Faktor. – 2. Abk. für Laser-induzierte Fluoreszenz s. Fluoreszenz-Spektroskopie.

LIGA. Kombination von *Li*thographie mit Synchrotonstrahlung, *G*alvanoformung u. *A*bformung, um Mikrostrukturen für elektron. Schaltkreise herzustellen. Der Vorteil des Verf. liegt darin, daß diese Mikrostrukturen mit Strukturhöhen von mehreren hundert Mikrometern bei kleinsten Lateralabmessungen im Mikrometerbereich gefertigt werden können.

Lit.: Fujimasa, Micromechanical Devices, in Encyclopedia of Physical Science and Technology, Vol. 10, S. 139–156, New York: Academic Press 1992 ▪ Phys. Bl. **44**, 166 (1988).

Liganden (von latein.: ligare = binden). Bez. für elektr. neutrale Mol. od. neg. geladene Ionen, die um ein Zentralatom gruppiert sind u. deren Anzahl in den Koordinationsverb. (*Komplexe) von der Koordinationszahl des Zentralatoms bzw. -ions abhängt. Näheres zu den Bindungsverhältnissen der L., zur Funktion bei *Austauschreaktionen (sog. *L.-Austausch*) u. in der Stereochemie etc. s. bei Koordinationslehre, u. vgl. a. das folgende Stichwort. Man unterscheidet ein- u. mehrzählige (früher ...zählige) L., von denen letztere auch zur *Chelat-Bildung befähigt sind (z.B. Oxalat, Acetoacetat). Bes. interessante u. nützliche Vertreter der mehrzähnigen L. sind die cycl. u./od. kettenförmigen *Coronanden* (*Kronenether), *Kryptanden, Katapinanden* u. *Podanden*; die abgeleiteten Komplexe nennt man entsprechend Coronate (*Kronen-Verbindungen), *Kryptate, Katapinate u. *Podate. Derartige L. stellen oft selektive *Ionophore dar. In *homolept. Komplexen* sind alle L. eines Zentralatoms gleich, in *heterolept.* dagegen verschieden. Die Eigenschaften des Zentralatoms werden stark von der Art der L. beeinflußt; *Beisp.:* Homogene *Katalyse, Eisen im *Hämoglobin, Cobalt im *Cyanocobalamin. In der Biochemie versteht man unter L. (auch) kleine Mol., die an spezif. Stellen von Makromol. gebunden werden; *Beisp.:* Substrate od. Coenzyme an einem Protein (Enzym). Solche L. werden für die *Affinitätschromatographie an ein unlösl. Trägermaterial fixiert. – *E* = *F* ligands – *I* leganti – *S* ligandos

Lit.: Gerloch u. Constable, Transition Metal Chemistry, Weinheim: VCH Verlagsges., 1994 ▪ Hollemann-Wiberg (101.), S. 1206 ff. ▪ s. a. Koordinationslehre u. Ligandenfeldtheorie.

Ligandenfeldtheorie. Verf. der *Quantenchemie zur theoret. Beschreibung von Koordinationsverb. (s. Koordinationslehre), insbes. Übergangsmetallkomplexen. Solche Verb. sind aus einem *Zentralatom* od. -ion (häufigerer Fall; im folgenden wird nur hiervon gesprochen) u. einer bestimmten Anzahl (Koordinationszahl, Abk. KZ) von *Liganden* aufgebaut. Aufbauend auf Arbeiten von W. *Kossel u. Magnus, die Koordinationsverb. (KV) mit Hilfe eines ion. Modells – Zentralion u. Liganden werden als starre Kugeln mit einem definierten Radius betrachtet – beschrieben haben, sowie auf Arbeiten von *Bethe, Kramers u. Van Vleck haben Ilse u. Hartmann (*Lit.*[1,2]) die systemat. Entwicklung u. Anw. der L. betrieben. Sie geht von dem freien Zentralion aus u. betrachtet die Änderungen der energet. Verhältnisse u. Aufspaltungen, die sich bei der Ausbildung chem. Bindungen zwischen Zentralion u. Liganden ergeben; dies können auch symmetrieerniedrigende Strukturänderungen des Kerngerüstes sein (s. Jahn-Teller-Effekt). Die L. ist eine semiempir. Theorie u. enthält eine Reihe von Parametern, die an experimentelle Daten, z.B. aus Elektronenanregungsspektren, angepaßt werden. Wenn die Liganden in vereinfachender Weise als Punktladungen od. Punktdipole dargestellt werden, wird auch die Bez. *Kristallfeldtheorie* verwendet; der Begriff L. wird dann für eine Erweiterung benutzt, bei der die elektron. Struktur der Liganden näherungs-

weise berücksichtigt wird. Hier wird, im Einklang mit vielen anderen Autoren, der Begriff L. im umfassenderen Sinne verwendet.

Mit Hilfe der L. lassen sich v. a. die opt. u. magnet. Eigenschaften von KV der Übergangsmetallatome in befriedigender Näherung beschreiben. Die energet. Verhältnisse bei der Bildung eines oktaedr. Übergangsmetallkomplexes mit d^1-Konfiguration (eines der fünf d-Orbitale ist mit einem Elektron besetzt) – *Beisp.:* $Ti(H_2O)_6^{3+}$ – sind schemat. in Abb. 1 dargestellt.

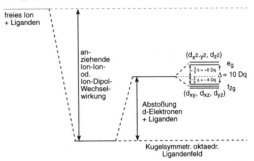

Abb. 1: Schemat. Darst. der energet. Verhältnisse bei der Bildung eines Übergangsmetallkomplexes mit oktaedr. Anordnung der Liganden.

Bei größeren Abständen zwischen Zentralion u. Liganden überwiegt die anziehende Ion-Ion- od. Ion-Dipol-Wechselwirkung. Bei einer Annäherung existiert zwischen dem d-Elektron u. den Liganden eine abstoßende Wechselwirkung, die zu einer Energieerhöhung führt. Da das Ligandenfeld wegen der unsymmetr. Besetzung der d-Orbitale keine Kugelsymmetrie besitzt, wird die Entartung der d-Orbitale teilw. aufgehoben. Bei oktaedr. Symmetrie resultiert ein Satz von 3 energiegleichen tieferliegenden Orbitalen u. ein Satz von 2 energiegleichen höherliegenden Orbitalen. Ihre Energiedifferenz, der sog. *Ligandenfeldstärkeparameter*, wird mit Δ od. 10 Dq bezeichnet. Wählt man das Koordinatensyst. derart, daß die beiden axialen Liganden auf der z-Achse liegen u. die vier äquatorialen Liganden auf der x- bzw. y-Achse, so gehören die Orbitale d_{xy}, d_{xz} u. d_{yz} zur tieferen u. die Orbitale $d_{x^2-y^2}$ u. d_{z^2}, die in Richtung der Liganden weisen, zur höheren Energie. Ihre gruppentheoret. Bez. sind t_{2g} bzw. e_g. Der Energiegewinn, der aus der Besetzung eines tieferliegenden t_{2g}-Orbitals resultiert, heißt *Ligandenfeldstabilisierungsenergie* (LFSE); für das besprochene Beisp. (d^1) hat die LFSE den Wert $-2/5\ \Delta$ od. -4 Dq. Für das blaßviolett gefärbte Komplexion $[Ti(H_2O)_6]^{3+}$ erhält man Δ direkt aus dem Maximum der langwelligsten Absorptionsbande zu 20 300 cm^{-1} od. 243 kJ mol^{-1}; Δ-Werte werden meist. in cm^{-1} (Wellenzahl-Einheiten) angegeben.

Dieser Übergang, der als d-Elektronenbande bezeichnet wird (s. Abb. 2), ist relativ intensitätsarm, da er im freien Ti^{3+}-Ion verboten ist. Er entspricht dem Elektronenübergang vom t_{2g}- zum e_g-Niveau; die zugehörigen elektron. Zustände werden mit $^2T_{2g}$ bzw. ^2E_g bezeichnet (im freien Ion: ^2D). Wesentlich intensitätsreicher sind im allg. die *Charge-Transfer-* u. die *Ligandenbanden*, die bei kürzeren Wellenlängen auftreten u. mit Ladungsübertragung zwischen Zentralion u.

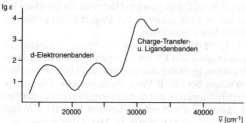

Abb. 2: Schemat. Struktur des Elektronenanregungsspektrums eines Übergangsmetallkomplexes.

Liganden bzw. Elektronenanregung innerhalb der Liganden verknüpft sind.

Der Parameter Δ bestimmt die Stärke des Ligandenfeldes; er ist abhängig vom Zentralion u. der Natur der Liganden. Δ-Werte für verschiedene Zentralionen, aber gleiche Liganden (H_2O), sind in Tab. 1 angeführt.

Tab. 1: Δ-Werte oktaedr. Hexaaqua-Komplexe $[M(H_2O)_6]^{n+}$.

Zentralion	Konfiguration	Δ [cm^{-1}]
Ti^{3+}	$3d^1$	20 300
V^{3+}	$3d^2$	17 800
V^{2+}	$3d^3$	11 800
Cr^{3+}	$3d^3$	17 400
Cr^{2+}	$3d^4$	13 900
Mn^{3+}	$3d^4$	21 000
Mn^{2+}	$3d^5$	7 500
Fe^{3+}	$3d^5$	12 600
Fe^{2+}	$3d^6$	10 400
Co^{3+}	$3d^6$	16 500
Co^{2+}	$3d^7$	10 000
Ni^{2+}	$3d^8$	8 500
Cu^{2+}	$3d^9$	12 600

Ordnet man die Liganden nach zunehmenden Δ-Werten, so erhält man die *spektrochem. Reihe*, die nahezu für jedes Zentralion gültig ist:

$I^- < Br^- < Cl^- \approx SCN^- \approx N_3^- < F^- < OH^- < H_2O < NCS^- < NH_2CH_2COO^- < NH_3 \approx C_5H_5N < SO_3^{2-} < NO_2^- < H^- < CN^-$.

Bei Liganden mit mehreren Koordinationsmöglichkeiten ist die jeweilige Koordinationsstelle durch Fettdruck gekennzeichnet.

Bei KV mit mehr als einem d-Elektron werden die Verhältnisse deutlich komplizierter, wenn man die Wechselwirkung der d-Elektronen untereinander explizit berücksichtigt. Diese führt bereits im freien Zentralion zu einer Aufspaltung, z. B. der d^2-Konfiguration in die Zustände (in energet. aufsteigender Reihenfolge) ^3F, ^3P, ^1G, ^1D u. ^1S. Das oktaedr. Ligandenfeld bewirkt dann eine weitere Aufspaltung, z. B. des ^3F-Zustands in 3 Zustände mit den spektroskop. Bez. $^3A_{2g}$, $^3T_{1g}$ u. $^3T_{2g}$. Bei schwachem Ligandenfeld ist es vorteilhaft, zunächst die Wechselwirkung zwischen den einzelnen d-Elektronen zu berücksichtigen u. dann erst die Wirkung des Ligandenfeldes zu betrachten (*Meth. des schwachen Feldes*); in der *Meth. des starken Feldes* (z. B. bei CN^- als Liganden) wird umgekehrt verfahren. Bei einer gegebenen d^N-Konfiguration u. schwachem Ligandenfeld sind – analog zum freien Zentralion – Komplexe mit möglichst großem Gesamt-*Elektronenspin energet. bevorzugt (s. a. Hundsche Regeln); man nennt sie *High-Spin-* od. *Outer-Orbital-Kom-*

plexe. Ein Beisp. ist $[FeF_6]^{3-}$; Eisen liegt hier als Fe^{3+} mit d^5-Konfiguration vor. Alle Orbitale (t_{2g} u. e_g) sind hier einfach besetzt, wobei die Spins der 5 Elektronen parallel ausgerichtet sind. Der Gesamtspin beträgt S = 5/2 (in Einheiten von $\hbar = h/2\,\pi$, h: Plancksches Wirkungsquantum, s. Fundamentalkonstanten). Mit ihm ist ein effektives magnet. Moment μ_{eff} vom Betrag $\sqrt{4\,S\,(S+1)}\,\mu_B$ verknüpft; μ_B ist hierbei das *Bohrsche Magneton*. Für $[FeF_6]^{3-}$ erhält man demnach μ_{eff} = 5,92 μ_B, in sehr guter Übereinstimmung mit einem experimentellen Wert von 5,9. Ein *Beisp.* eines *Low-Spin-* od. *Inner-Orbital-Komplexes* mit Fe^{3+} als Zentralion ist $[Fe(CN)_6]^{3-}$. Hier bleiben die e_g-Orbitale unbesetzt, da sie wegen der starken Ligandenfeldaufspaltung energet. so hoch liegen, daß zur Spinpaarung weniger Energie aufgewendet werden muß. Im $[Fe(CN)_6]^{3-}$ sind somit die t_{2g}-Niveaus mit 5 Elektronen besetzt, wobei 4 Elektronen gepaart sind. Somit ist S = 1/2 u. μ_{eff} = 1,73 μ_B (exp.: 1,8 μ_B). Weitere Beisp. findet man bei *Magnetochemie*.

Die Ergebnisse quant. Berechnungen der Termsyst. von KV mit Hilfe der L. lassen sich kompakt in Form von speziellen Diagrammen darstellen. Von Orgel wurden Diagramme nach der Meth. des schwachen Feldes berechnet (s. *Orgel-Diagramme*); die *Tanabe-Sugano-Diagramme* beruhen auf der Meth. des starken Feldes. – *E* ligand field theory – *F* théorie des champs de ligands – *I* teoria dei campi dei leganti – *S* teoría del campo de los ligandos

Lit.: [1] Z. Phys. Chem. **197**, 239 (1951). [2] Z. Naturforsch. Teil A **6**, 751 (1951).

allg.: Reinhold, Quantentheorie der Moleküle, Stuttgart: Teubner 1994 ▪ Schläfer u. Gliemann, Einführung in die Ligandenfeldtheorie, Frankfurt: Akadem. Verlagsges. 1967 ▪ Schuster, Ligandenfeldtheorie, Weinhein: Verl. Chemie 1973.

Ligase chain reaction (LCR, Ligase-Kettenreaktion). Die l. c. r. ist eine *Amplifikations-Reaktion in der *Gentechnologie, mit der man gezielt neben *DNA auch *Allel-spezif. *Punktmutationen nachweisen kann. Sie wird z. B. als schnelle Meth. in der medizin. DNA-Diagnostik eingesetzt. Ähnlich wie bei der *polymerase chain reaction mit oligonucleotide ligation assay (PCR/OLA) wird bei der l. c. r. die Proben-DNA mit einem OLA-Sondenpaar im Überschuß versetzt u. durch eine thermostabile *Ligase verknüpft. Gezielte Temp.-Erhöhung u. -Erniedrigung in nacheinander ablaufenden Cyclen erlaubt die Verknüpfung zweier benachbarter *Oligonucleotide nur dann, wenn diese an der Verbindungsstelle abs. komplementär zur Zielsequenz sind. Ist aufgrund einer Fehlpaarung keine Verknüpfung der Sonden möglich, lassen sich auch keine Ligationsprodukte nachweisen. – *E* ligase chain reaction – *F* réaction en chaîne ligase – *I* reazione a catena delle ligasi – *S* reacción en cadena de la ligasa

Lit.: Glick u. Pasternak, Molekulare Biotechnologie, S. 214–219, Heidelberg: Spektrum Akadem. Verl. 1995 ▪ Newton et al., PCR, Heidelberg: Spektrum Akadem. Verl. 1994.

Ligase-Kettenreaktion s. ligase chain reaction.

Ligasen (von latein.: ligare = binden). Nach der *IUBMB-Klassifikation der *Enzyme bilden die L. die 6. Hauptklasse (früher halbsystemat. *Synthetasen* genannt), die die Verknüpfung von zwei Mol. mit energet. Unterstützung durch Nucleosidtriphosphate, meist

*Adenosin-5'-triphosphat od. die umgekehrte Reaktion katalysieren. Soll der synthet. Aspekt einer Reaktion betont werden, werden die L. wie auch Enzyme anderer Hauptgruppen gelegentlich als *Synthasen* bezeichnet; die Bez. Synth*e*tasen ist jedoch den L. vorbehalten. *Beisp.:* *Carboxylasen (EC 6.4), *DNA-Ligasen [1] (EC 6.5.1.1, 6.5.1.2). – *E = F* ligases – *I* legasi – *S* ligasas
Lit.: [1] Annu. Rev. Biochem. **61**, 251–281 (1992).

Lightcoat®. Quellfähiges, modifiziertes Schicht-*Silicat, das ohne od. nur mit geringem Bindemittelzusatz gut auf Papieroberflächen haftet. *B.:* Süd-Chemie.

Light Detection and Ranging s. LIDAR.

Light Water®. Auch unter der Abk. AFFF (*aqueous film-forming foam*) bekanntes, z. T. ATC (*alcohol type concentrate*)-haltiges schaumbildendes *Feuerlöschmittel mit *quartären Ammonium-Verbindungen, die *Fluorkohlenwasserstoff-Reste (C_7F_{15} od. C_8F_{17}) u. hydrophile Gruppen tragen (*Fluor-Tenside). L. W. hat die Fähigkeit, sich selbst auf brennenden polaren od. unpolaren Flüssigkeiten, die leichter als Wasser sind (Name!), sehr schnell auszubreiten u. einen Film zu bilden, der die Verdampfungsgeschw. stark reduziert u. Entflammen verhindert. *B.:* 3 M.

Light weight coated (LWC). Fachbez. für dünne, maschinengestrichene, *Kaolin-haltige Papiere, auf denen bes. Versandhauskataloge u. Magazine gedruckt werden. – *E* light weight coated – *I* carta patinata leggera – *S* cobertura ligera
Lit.: s. Papier.

Lignane. In Pflanzen u. z. T. auch in Höheren Pilzen vorkommende niedermol. Naturstoffe, die biosynthet. durch oxidative Kopplung von Aryl-C_3-Einheiten (Coniferylalkohol, 4-Hydroxyzimtalkohol, Sinapylalkohol) entstehen. Sie werden nach Strukturmerkmalen klassifiziert.
Guajaretsäure wurde aus *Guajakharz von *Guajacum officinale* isoliert; sie dient als Referenzverb. zur Bestimmung der abs. Konfiguration von L. (s. a. Nordihydroguajaretsäure). Cubebin ist in unreifen Früchten von *Piper cubeba* enthalten. Pinoresinol kommt in *Picea, Pinus* u. *Abies* spp. vor. Viele L. wirken als Antagonisten des *Platelet-Activating Factor. Steganacin, aus *Steganotaenia araliacea* (Apiaceae), wirkt antileukämisch. Früher unterschied man außerdem die nicht über die β,β'-Positionen der Seitenketten verknüpften *Neo-L.* (*Beisp.:* Eusiderin A). Trimere werden als *Sesqui-L.* (*Beisp.:* Americanin B), Tetramere

(–)-Guajaretsäure

(+)-Pinoresinol

Enterolacton

(–)-Cubebin

(–)-Eusiderin A

(–)-Steganacin

Americanin B

als *Di-L.* bezeichnet. Einige Stickstoff-haltige Benzodioxan-Dimere u. -Trimere des *N*-Acetyldopamins sind in der Cuticula von Insekten enthalten [1]. Bemerkenswert ist auch das Vork. von L. in Säugetieren, einschließlich des Menschen [2]. Sie entstehen im Verdauungstrakt durch mikrobielle Transformation aus dem mit der Nahrung aufgenommenen Lignin. Dem zu dieser Gruppe gehörenden Enterolacton werden sowohl carcinogene als auch cytostat. Eigenschaften zugeschrieben. Gegen die frühere Annahme, daß L. Zwischenstufen der Biosynth. von *Lignin darstellen, spricht die opt. Aktivität vieler L., während Lignin opt. inaktiv ist. Die Verknüpfung von Phenylpropan-Einheiten mit *Flavonoiden führt zu *Flavono-L.* (s. Silybin). – *E* lignans – *S* lignanes
Lit.: [1] Chem. Unserer Zeit **27**, 189–197 (1993). [2] Chem. Unserer Zeit **14**, 208 (1980); Nature (London) **287**, 738–742 (1980); Tetrahedron Lett. **22**, 349 f. (1981).
allg.: Chem. N. Z. **52**, 109 ff., 115 (1988) ■ Exp. Opin. Ther. Patents **6**, 547–554 (1996) (Wirkung) ■ Front. Gastrointest.

Tab.: Strukturmerkmale u. Daten von Lignanen.

Lignan	Strukturtyp	Summen-formel	M_R	Schmp. [°C]	$[\alpha]_D$	CAS
(–)-Guajaretsäure	Dibenzylbutan	$C_{20}H_{24}O_4$	328,41	99–101	–94° (C_2H_5OH)	500-40-3
(–)-Cubebin	Dibenzylbutyrolactol	$C_{20}H_{20}O_6$	356,38	131–132	–17,1° (Aceton); –45,7° ($CHCl_3$)	18423-69-3
(+)-Pinoresinol	Furofuran	$C_{20}H_{22}O_6$	358,39	122	+84,4° (Aceton)	487-36-5
(–)-Steganacin	Dibenzocyclooctan	$C_{24}H_{24}O_9$	456,45		–114° ($CHCl_3$)	41451-68-7
Enterolacton	Dibenzylbutyrolacton	$C_{18}H_{18}O_4$	298,34			78473-71-9
(–)-Eusiderin A	Benzodioxan	$C_{22}H_{26}O_6$	386,44	94	–25,4°	59332-00-2
Americanin B	Sesquilignan	$C_{27}H_{24}O_9$	492,48			

Res. **14**, 165–176 (1988) ▪ Holzforschung **42**, 375–384 (1988) ▪ J. Nat. Prod. **53**, 396–406 (1990) ▪ J. Pharm. Sci. **68**, 664 (1979) ▪ Justus Liebigs Ann. Chem. **1989**, 1147–1151 ▪ Luckner (3.), S. 395f. ▪ Nat. Prod. Rep. **12**, 183–205 (1995) ▪ Phytochemistry **23**, 1207–1220 (1984) ▪ Phytother. Res. **1**, 97–106 (1987) ▪ Planta Med. **55**, 531–535 (1989) ▪ Zechmeister **35**, 1–72.

Lignifizierung s. Lignin.

Lignin. Ein hochmol., aromat. Stoff, der in verholzenden Pflanzen die Räume zwischen den Zellmembranen ausfüllt u. zu Holz werden läßt (*Lignifizierung* bzw. *Verholzung*)[1]. Auf diese Weise entsteht ein Mischkörper aus druckfestem L. u. zugfester *Cellulose. L. ist noch an andere Polysaccharide (Polyosen) gebunden[2]. Der L.-Gehalt des getrockneten Pflanzenmaterials beträgt etwa 27–33% im Coniferenholz u. 22% im Laubholz[3].

Struktur: L. ist als höhermol. Abkömmling des Phenylpropans aufzufassen. Je nach Holzart ist der Phenyl-Ring mit ein bis zwei Methoxy-Gruppen u. die Propan-Einheit mit Hydroxy-Gruppen substituiert. Bei Nadelhölzern findet sich ausschließlich der Guajacyl-Typ (vgl. Guajakol), bei Laubholz außerdem der Syringyl- (vgl. Syringasäure) u. Cumar-Typ. Durch verschiedene Verknüpfungsmöglichkeiten entstehen u. a. auch *Lignan- u. *Cumarin-Strukturen, cycl. Ether u. Lactone.

Isolierung[5]: Ein geringer Teil von L. ist wasserlöslich. Der unlösl. Anteil wird je nach Extraktionsmittel unterschieden in Milled Wood(MW)-L. (Extraktionsmittel: Aceton) u. Dioxan-Lignin. Es besitzt ein M_R

von ca. 5000–10000; z.B. Fichtenholz-L.: M_R ca. 10000, D. 1,3–1,4. Der Methoxy-Gehalt der L. aus verschiedenen Pflanzenarten ist unterschiedlich. L. ist cremefarben u. wird unter Einwirkung von heißem Wasser thermoplastisch.

Biosynth.[6]: L. wird aus Coniferylalkohol (*Coniferin) bzw. Syringaaldehyd unter Einwirkung von *Laccase (Phenoldehydrase) gebildet. Im Boden erfolgt durch *Ligninasen von Bakterien u. Pilzen der Abbau des L. zu *Huminsäuren.

Techn. L.: L. fällt als Nebenprodukt der Zellstoffgewinnung an. Beim Aufschluß des Holzes entstehen *Ligninsulfonsäuren als Bestandteil der sog. Schwarzlaugen od. Sulfit-Ablaugen, in denen sie als Phenolate gelöst sind (*Alkali-L.*). Hieraus kann durch Behandlung mit Schwefelsäure u. Rauchgasen (CO_2) die sog. L.-Säure ausgefällt werden (ca. 200 kg/t Zellstoff).

Verw.: Alkali-L. wird in Nordamerika als Bindemittel für Preßplatten auf Holz- u. Cellulose-Basis, als Dispergiermittel, zur Klärung von Zucker-Lsg., Stabilisierung von Asphaltemulsionen, Schaumstabilisierung usw. verwendet. Mikrobiolog. Verf. werden zur L.-Nutzung untersucht[7]. Der weitaus größte Teil des Alkali-L. wird jedoch durch Verbrennung der Schwarzlaugen als Energiespender für den Zellstoffprozeß verwendet.

Analytik: L. läßt sich durch verschiedene Farbreaktionen nachweisen: Rotfärbung mit *Phloroglucin/Salzsäure (Wiesnersche Reaktion), Gelbfärbung mit Anilin/Schwefelsäure od. Violettfärbung mit

Abb.: Modell eines Fichtenholz-L., Ausschnitt aus einem Mol., nach *Lit.*[4].

*Schiffs Reagenz[8]. Diese Reaktionen können zum Nachw. von L. in Papier verwendet werden („holzhaltiges" od. „holzfreies" Papier). Zur quant. Analyse von Holz kann L. mit rauchender Salzsäure bzw. 72%iger Schwefelsäure von der Cellulose abgetrennt werden. Bei der Behandlung von L. mit elementarem Chlor (Chlor-Bleiche zur Abtrennung des L. von Cellulose) entstehen giftige chlorierte aromat. Verb., die z.T. als Vorläufer der Dioxine aufzufassen sind[9]. Deshalb wurde dieses chlorierende Verf. weitgehend durch oxidative Prozesse (mit Sauerstoff, Wasserstoffperoxid u. Chlordioxid) ersetzt. Bei vorsichtiger Oxid. von L. entsteht *Vanillin. Daraus resultiert der Vanillin-Geruch stark holzhaltiger Papiere. Jedoch ist die techn. Gewinnung von Vanillin aus L. nicht lohnend. Bei der trockenen Dest. von Holz wird aus den Methoxy-Gruppen des L. Methanol freigesetzt (Methanol-Gehalt von Ethanol bei Vergärung holzhaltiger Früchte u. anschließender Dest.). Bei der Kali-Schmelze von L. bilden sich Protocatechusäure (s. Dihydroxybenzoesäuren) u. *Gallussäure. – *E* lignin – *F* lignine – *I* = *S* lignina

Lit.: [1] Annu. Rev. Plant. Physiol. **30**, 105–130 (1979); Umschau **70**, 434–442 (1970). [2] Holzforschung **11**, 65 (1975). [3] Angew. Chem. **86**, 336–344 (1974). [4] Hager (4.) **7b**, 61. [5] Nature (London) **174**, 1057 (1954). [6] Chem. Unserer Zeit **10**, 21–29 (1976); Naturwissenschaften **64**, 619–625 (1977); Z. Chem. **30**, 233–239 (1990). [7] Chem. Eng. (Albany) **89**, Heft 26, 25 (1982); Z. Chem. **19**, 332–343 (1979); Pure Appl. Chem. **53**, 33–43 (1981); Naturwissenschaften **67**, 39f. (1980); **68**, 97f. (1981). [8] DAB **9**, 174f. [9] Chemosphere **17**, 51–57, 481–491 (1988). *allg.:* ACS Symp. Ser. No. **397** (1989) ▪ Adv. Biochem. Eng. **20**, 193–204 (1981); **23** 157–187 (1982) ▪ Agrarspectrum Bd. 14: Holz als nachwachsender Rohstoff, S. 151–156, Frankfurt: DLG-Verl. 1988 ▪ Crawford, Lignin Biodegradation and Transformation, New York: Wiley 1981 ▪ Drew et al., Enzymatic Transformation of Lignin, Springfield: NTIS 1979 ▪ Enzyme Microbiol. Technol. **2**, 11ff., 170ff. (1980); **3**, 90ff. (1981) ▪ Gross, in: Swain et al., Biochemistry of Plant Phenolics, New York: Plenum 1979 ▪ Holzforschung **40** (1986) ▪ Holz-Lexikon, Bd. 1, S. 729–734, Stuttgart: DRW 1988 ▪ Kirk-Othmer (4.) **15**, 268–289 ▪ Lignin Biodegeneration (2 Bd.), Boca Raton: CRC Press 1980 ▪ Methods Enzymol. **161** (1988) ▪ Pearl, The Chemistry of Lignin, New York: Dekker 1967 ▪ Tanner u. Löwus, Plant Carbohydrates, Berlin: Springer 1981 ▪ Ullmann, (5.) **A 15**, 305–315 ▪ Winnacker-Küchler (3.) **3**, 410, 441–448, 460–466; (4.) **5**, 594ff., 651ff. – [CAS 9005-53-2]

Ligninasen. Lignin-spaltende Enzyme holzzerstörender Pilze (z.B. Kiefernbaumschwamm, Zunderschwamm), die durch den *Lignin-Abbau die Korrosionsfäule (Weißfäule) des Holzes verursachen. – *E* = *F* ligninases – *I* ligninasi – *S* ligninasas

Ligninsulfonsäure. L. ist das beim Sulfit-Aufschluß von *Holz zur Gewinnung von *Cellulose anfallende Reaktionsprodukt aus nativem *Lignin u. schwefliger Säure. Bei diesem Aufschlußverf. wird Lignin an den C_3-Seitenketten der Phenylpropan-Grundeinheiten (Abb.: s. Lignin) sulfoniert. In Abhängigkeit von den beim Aufschlußverf. verwendeten Basen resultieren wasserlösl. Natrium-, Ammonium-, Calcium- od. Magnesium-Salze der Ligninsulfonsäure. Angaben zum M_R der L. variieren mit Werten von ca. 10000–200000; die Anzahl der Sulfonsäure-Gruppen beträgt ca. 2 pro 5–8 Phenylpropan-Einheiten. L. u. ihre Salze, die Ligninsulfonate, sind Hauptbestandteil

der Sulfit-Ablaugen, aus denen sie als braune Pulver isoliert werden können. Die isolierten Produkte finden breite techn. Verw., z.B. als Dispergatoren in Zement- u. Gipsmörteln, als Bohrspülflüssigkeiten sowie als Flotationshilfsmittel, als Zusatz bei der Futtermittelpalettierung sowie zur Formsandbindung in Gießereien. Die Hauptmenge der L. wird aber nach Aufkonzentrieren der Sulfit-Ablaugen in den Zellstoff-Fabriken zur Energiegewinnung verbraucht. – *E* ligninsulfonic acid, lignosulfonic acid – *F* acide lignine-sulfonique, acide lignosulfonique – *I* acido ligninsolfonico – *S* ácido ligninsulfónico, ácido lignosulfónico

Lit.: Fengel u. Wegener, Wood: Chemistry, Ultrastructure, Reactions, S. 282ff., 545–549, Berlin: de Gruyter 1984 ▪ Sarkanen u. Ludwig, Lignins, S. 597–637, New York: Wiley 1971 ▪ Ullmann (4.) **16**, 255–258.

Ligninteer s. Holzteer.

Lignit (Xylit). Geolog. junge Braunkohlenart (Weichbraunkohle) aus einer erdigen Grundmasse, die oft holzige Elemente enthält (latein.: lignum = Holz). In den angelsächs. Ländern wird „L." vielfach als Synonym für *Braunkohle benutzt. – *E* = *F* = *I* lignite – *S* lignito

Lit.: s. Braunkohle u. Kohle. – [HS 2702 10]

LIGNOCEL®. Holzfaserstoffe u. -granulate für techn. Anw. wie Filtration, Kunststoffsektor, Porenbildner, Trägerstoffe usw. *B.:* J. Rettenmaier & Söhne GmbH + Co.

Lignocerinsäure s. Tetracosansäure.

Lignocerylalkohol s. Wachsalkohole.

LIGNOFLOK®. Faserstoffe auf Rohcellulose-Basis für techn. Anw. wie Gummibesohlung, Leime, Linoleum u. Kunststoffsektor. *B.:* J. Rettenmaier & Söhne GmbH + Co.

Lignum (latein. = *Holz). Einige Hölzer haben als Drogen, in der Färberei- u. Riechstoff-Ind. techn. Bedeutung; *Beisp.:* L. Cedri = Zedernholz, L. Campechianum = Blauholz, L. Fernambuci = Rotholz, Pernambukholz, L. Guajaci = Guajakholz, Pockholz, L. Haematoxyli = Blauholz, L. Juniperi = Wacholderholz, L. Muira puama = Potenzbaumholz, L. Quassiae = Quassiaholz, Fliegenholz, L. Santali = Sandelholz, L. Sassafras = Fenchelholz, L. Suberinum = Korkholz.

Ligroin s. Benzin.

Liguster (Rainweide, Tintenbaum). Zu den Ölbaumgewächsen zählender, in Europa u. Westasien heim., häufig auch als Zierstrauch vorkommender Strauch mit duftenden weißen Blüten u. glänzend-schwarzen Beeren-Früchten *Ligustrum vulgare* L. (Oleaceae). Die Beeren sind nur sehr schwach giftig, möglicherweise aufgrund des Gehalts an Saponinen u. Bitterstoffen aus der Reihe der Seco-Iridoide. Die Vergiftung äußert sich in Erbrechen u. Durchfall, Blätter u. Rinde wirken hautreizend. Die Beeren wurden früher zum Färben von Wein benutzt. – *E* privet – *F* troène commun – *I* ligustro – *S* alhena, ligustre, alcana, ligustro

Lit.: Hager (4.) **5**, 508f. ▪ Frohne u. Pfänder, Giftpflanzen, S. 274ff., Stuttgart: Wiss. Verlagsges. 1997.

Ligustrazin (Tetramethylpyrazin). $C_8H_{12}N_2$, M_R 136,20. Antihypertensiver Inhaltsstoff der chines. Heilpflanze *Ligusticum chuanxiong* (Apiaceae). L.

hemmt die Plättchenaggregation, indem es Ca^{2+}-Ionen der Plättchenmembran verdrängt (antithrombot. Wirkung). – $E = F$ ligustrazine – $I = S$ ligustrazina
Lit.: Beilstein E V 23/5, 440 f. ▪ Chem. Pharm. Bull. **40**, 954 (1992) ▪ Med. Chem. Res. **2**, 434–442 (1992). – *[HS 293390; CAS 1124-11-4]*

Ligustrin s. Syringaaldehyd.

like (Kurzz.: l od. lk) s. Konfiguration.

Lilly s. Eli Lilly.

LIMA. Abk. für *E Laser Ionisation Mass Analyser*, s. Laser-Mikrosonde.

Lima-Bohnen s. Rangoonbohnen.

Limbatril® (Rp). Lack-Tabl. mit *Amitriptylin-hydrochlorid u. *Chlordiazepoxid gegen Depressionen. *B.:* Roche.

Limbisches System s. Gehirn.

Limetten. Früchte der in den Mittelmeerländern, Mittelamerika u. Kalifornien kultivierten L.-Bäume *Citrus aurantifolia.* Die dünnschaligen, sauren od. süßen *Citrusfrüchte werden wie Citronen zur Herst. von Preßsäften u. *Limettöl genutzt. – *E* limes – *F* limonelles – *I* limette – *S* limas
Lit.: Franke, Nutzpflanzenkunde, 5. Aufl., Stuttgart: Thieme 1992. – *[HS 080530]*

Limettin s. Limettöl.

Limettöl. Ether. Öl, das aus Limetten (*Citrus aurantiifolia* u. *C. latifolia*) durch Auspressen od. Wasserdampfdest. gewonnen wird. Die Weltjahresproduktion beträgt ca. 500–1000 t. Es enthält 75% *Terpene, davon ca. 15% *Fenchol, Terpinenol, *Terpineol, *Cineole u.a., sowie das *Cumarin-Derivate *Limettin* (5,7-Dimethoxycoumarin,

$C_{11}H_{10}O_4$, M_R 206,20, Schmp. 147–148 °C). Wegen seines *Furocumarin-Gehalts kann L. photosensibilisierend u. Lichterythem-bildend wirken (Photoallergie).
Verw.: Hauptsächlich für die Aromatisierung von Lebensmitteln, v. a. für Erfrischungsgetränke. Dest. L. ist ein essentieller Bestandteil des Cola-Aromas. Gepreßtes L. findet Verw. bei der Parfümherst., z. B. für frische Noten in Eaux de Cologne. – *E* lime oil – *F* essence de limette – *I* essenca della limetta – *S* aceite de lima
Lit.: Flavour Fragr. J. **10**, 33 (1995) ▪ Perfum. Flavor. **16** (2), 17, 60 (1991) ▪ Römpp Lexikon Naturstoffe, S. 364, Stuttgart: Thieme 1997 – *[HS 330114; CAS 90063-52-8 (1.); 8008-26-2 (2.)]*

Limitierender Faktor (begrenzender Faktor). Ursprünglich von *Liebig auf Nährstoffe bei der Pflanzenernährung bezogener *Ökofaktor, der das Wachstum von Organismen od. Populationen od. deren Produktion einschränkt. – *E* limiting factor – *F* facteur

de limitation – *I* fattore limitante – *S* factor limitador
Lit.: Bick, Ökologie, S. 10 f., Stuttgart: Fischer 1989.

LIM-Motiv s. Cystein-reiches intestinales Protein.

Limnion. Bereich des freien Wassers von Seen. Nach den Temp.-Verhältnissen unterscheidet man dort die Oberflächenschicht (Epi-L.), Temp.-Sprungschicht (Meta-L.) u. Tiefenschicht (Hypo-L.). Als Lebensraum wird das L. auch als *Pelagial* bezeichnet, seine Bewohner sind das *Nekton* (das sich weitgehend unabhängig von den Strömungen fortbewegen kann) u. das *Plankton. Zum Süßwasser gehörig heißt limn., im Gegensatz zu marin (zum Meer gehörig) u. terrestr. (zum Land gehörig). – *E* limnion
Lit.: Römpp Lexikon Umwelt, S. 642f.

Limnologie (Binnengewässerkunde). Von griech.: limné = See, Teich u. logos = Lehre hergeleitete Bez. für die Wissenschaft, die sich mit den physikal., chem. u. biolog. Eigenschaften von Binnengewässern u. den Beziehungen ihrer Komponenten beschäftigt, also z. B. Struktur, *Hydrologie, Stoff- u. Energiehaushalt (s. a. Ökologie), Limnobotanik, Limnozoologie u. Limnobakteriologie betrifft. Themen der angewandten L. sind bes. *Abwasserbehandlung, *Gewässerbelastung, *Gewässergütebestimmung, *Gewässerschutz u. Wasseraufbereitung. Gelegentlich wird – im Gegensatz zu der Definition der „Internat. Vereinigung für theoret. u. angewandte L." – L. als Seenkunde von der Potamologie, der Fließgewässerkunde, unterschieden. – *E* limnology – *F* limnologie – *I* limnologia – *S* limnología
Lit.: Schwoerbel, Einführung in die Limnologie (6.), Stuttgart: Fischer 1987 ▪ Taub (Hrsg.), Lakes and Rivers – Ecosystems of the World 23, Amsterdam: Elsevier 1984 ▪ Wetzel, Limnology (2.), Philadelphia: Sounders 1983. – *Serien u. Zeitschriften:* Annales de Limnologie, Paris: Masson ▪ Archiv für Hydrobiologie (mit Beilage: Ergebnisse der Limnologie), Stuttgart: Schweizerbartsche Verlagsanstalt ▪ Deutsche Gewässerkundliche Mitteilungen, Koblenz: Bundesanstalt für Gewässerkunde ▪ Limnologica, Berlin: Akademie-Verl. ▪ Limnology and Oceanography, Lawrence (Kansas): Am. Soc. Limnology and Oceanography Inc.

Limonaden. Von französ.: limon=Citrone abgeleitete Bez., ursprünglich für ein Erfrischungsgetränk aus Citronensaft, Zucker u. Wasser, heute allg. für alkoholfreie *Getränke, die aus Essenzen natürlicher Herkunft unter Verw. von Zuckern sowie Genußsäuren, mit Kohlensäure-haltigem Wasser od. a. Tafelwasser hergestellt werden. Werden diese Erzeugnisse ohne Kohlensäure hergestellt, so handelt es sich – je nach Verw.-Temp. – um Kaltgetränke od. Warmgetränke. Die im Handel befindlichen trüben Citrus-L. enthalten geringe Anteile der entsprechenden Citrussäfte. Spezielle L. sind die Cola-Getränke, die als Coffein-haltig zu bezeichnen sind, da sie 60–250 mg Coffein pro L enthalten. Als Geschmacksstoff darf Phosphorsäure (bis zu 700 mg/L) zugesetzt werden. Der Zuckergehalt dieser mit Zuckercouleur gefärbten L. liegt bei 10–11%. Tonic-Wasser wird unter Zusatz von *Chinin (bis zu 86 mg/L) als Bitterstoff hergestellt. – *E* lemonades, soft drinks, carbonates beverages – *F* limonades – *I* gassose – *S* bebidas refrescantes (de esencias de frutas)

Lit.: Baltes, Lehrbuch der Lebensmittelchemie (2.), S. 413 f., Berlin: Springer 1989 ▪ Green u. Hougthon, Developments in Soft Drinks Technology (2 Bd.), Barking: Appl. Sci. Publ. 1979, 1981 ▪ s. a. Getränke. – *[HS 2202 10, 2202 90]*

Limone. Synonym für *Citrone, s. Citrusfrüchte.

Limonen (*p*-Mentha-1,8-dien, 4-Isopropenyl-1-methylcyclohexen).

$C_{10}H_{16}$, M_R 136,24. Angenehm citronenartig riechende Flüssigkeit, D. 0,840, Sdp. 176 °C, unlösl. in Wasser, mischbar mit Alkohol. L. kommt in der Natur sehr häufig vor, (+)-L. zu 90% im Pomeranzen-, Kümmel-, Dill-, Citronenöl usw., (–)-Limonen im Edeltannenöl sowie amerikan. Pfefferminzöl, (±)-L. (Dipenten) im Kienöl, sibir. Fichtennadelöl, Neroliöl, Muskatnußöl, Campheröl usw. L. ist Licht-, Luft-, Wärme-, Alkali- u. Säure-empfindlich u. autoxidiert zu *Carvon. L. findet Verw. zur Parfümierung billiger Seifen u. in der Farben- u. Lack-Industrie. – *E = I* limonene – *F* limonène – *S* limoneno

Lit.: Beilstein E IV **5**, 438 ff. ▪ IARC Monogr. **56**, 135 (1993) ▪ J. Org. Chem. **58**, 3998 (1993) (Biosynth.) ▪ Nat. Prod. Rep. **6**, 291–309 (1989) ▪ Merck-Index (12.), Nr. 5518 ▪ Ullmann (5.) **A 11**, 166. – *[HS 2902 19; CAS 5989-27-5 ((R)-(+)-L.); 5989-54-8 ((S)-(–)-L.); 7705-14-8 (Dipenten)]*

Limonin (Evodin, Limonsäure-di-δ-Lacton).

$C_{26}H_{30}O_8$, M_R 470,52, Krist., Schmp. 298 °C, $[\alpha]_D$ –125° (Aceton), lösl. in Alkohol, Eisessig, wenig lösl. in Wasser u. Ether. Dilacton, Bitterstoff aus Citronen- u. Orangenkernen, der durch oxidativen Abbau aus tetracycl. Triterpen-Vorläufern gebildet wird. Der Schwellenwert für den bitteren Geschmack von L. beträgt 0,75 µmol/L. Bei der Herst. von Orangensaft aus bestimmten Fruchtsorten bereitet die Abtrennung von L. erhebliche Schwierigkeiten[1]. – *E* limonin – *F* limonine, limone – *I = S* limonina

Lit.: [1] ACS Symp. Ser. **143**, 63–82 (1980); **405**, 84–96 (1989); Aust. J. Biotechnol. **2**, 65–76 (1988); Food Biotechnol. **1**, 249–261 (1987); Pharm. Unserer Zeit **7**, 148 (1978). *allg.:* Acta Crystallogr. C, Cryst. Struct. Commun. **46**, 425 ff. (1990) ▪ Beilstein E V **19/12**, 475 ▪ Karrer, Nr. 3903 ▪ Merck-Index (12.), Nr. 5519 ▪ Phytochemistry **24**, 2911 (1985) (Biosynth.) ▪ Sci. Food Agricult. **28**, 875–884 (1977) ▪ s. a. Limonoide. – *[CAS 1180-71-8]*

Limonit s. Brauneisenerz.

Limonoide. Gruppe von oxidierten Triterpenen der Pflanzenfamilien Meliaceae, Rutaceae u. Cneoraceae; eng verwandt mit den *Quassinoiden. Wie diese wirken L. fiebersenkend u. zeigen Wirkungen bei der Therapie der Malaria. In der Volksmedizin werden die Blätter der entsprechenden Pflanzen als Tee zubereitet. Das L. *Azadirachtin wirkt stark fraßhemmend auf Insekten. Bestimmte L. haben eine *Ecdyson-ähnliche Wirkung auf Insektenlarven[1]. – *E* limonoids – *F* limonoïdes – *I* limonoidi – *S* limonoides

Lit.: [1] ACS Symp. Ser. **296**, 206–219 (1986); **330**, 396–415 (1987). *allg.:* Bull. Chem. Soc. Jpn. **1987**, 2503 ▪ Can. J. Chem. **67**, 257–260 (1989) ▪ Chem. Br. **1990**, 31 ▪ J. Agric. Food Chem. **38**, 1400–1403 (1990) ▪ J. Nat. Prod. **51**, 30 (1988); **52**, 882–885 (1989) ▪ Phytother. Res. **4**, 29–35 (1990) ▪ Zechmeister **45**, 1–102.

Limptar® (Rp). Tabl. mit *Chininsulfat u. *Theophyllin-Ethylendiamin gegen nächtliche Wadenkrämpfe. *B.:* Cassella med.

LIMS. Abk. für *Labor-Informations-Management-System. LIMS ist ein *Expertensystem, das sowohl die Verwaltung u. Abwicklung von Aufträgen als auch die Akquisition u. Auswertung von Ergebnissen im Labor unterstützt. Im analyt. Labor übernimmt LIMS die Auftragsverwaltung, die Analysenplanung, die Auswertung der Daten, die statist. Bewertung der Ergebnisse, die Report-Abfassung sowie die Archivierung. LIMS kann also den Arbeitsablauf rationalisieren sowie den Qualitätsstandard verbessern. – *E* labor-information-management-system – *I* sistema di gestione automatizzata del laboratorio – *S* sistema de administración de la informacción de laboratorios

Lit.: Townshend (Hrsg.), Encyclopedia of Analytical Science, Bd. 4, S. 2481–2489, New York: Academic Press 1995 ▪ Ullmann (5.) **B 6**, 307–315.

Limulus-Test. Mikrobiolog. Schnellmeth. zum Nachw. von lebenden od. toten Gram-neg. Bakterien in Lebensmitteln wie z. B. Hackfleisch[1], Milch-[2] u. Eiprodukten[3]. Der Test findet auch Anw. in der Pharmazie z. B. zur Prüfung auf *Pyrogen-Freiheit bei Injektionslösungen[4]. Bei diesem Testverf. werden lysierte Blutzellen des Pfeilschwanzkrebses *Limulus polyphemus* eingesetzt, die nach spezif. Aktivierung durch *Endotoxine (*Pyrogene) aus Gram-neg. Bakterien über eine proteolyt. Reaktion eine Gel-Bildung auslösen. – *E* Limulus assay test – *F* test de Limulus – *I* test del Limulus – *S* ensayo del Limulus

Lit.: [1] Arch. Lebensmittelhyg. **38**, 166–172 (1987). [2] Arch. Lebensmittelhyg. **35**, 32–35 (1984). [3] Z. Lebensm. Unters. Forsch. **188**, 531–534 (1989). [4] Bioforum **16**, 210–212 (1993).

lin- (lin., Lin.). Abk. für *linear.

Linalool (β-Linalool, 3,7-Dimethyl-1,6-octadien-3-ol).

$C_{10}H_{18}O$, M_R 154,25, nach Maiglöckchen riechende Flüssigkeit. Ungesätt. acycl. Monoterpen-Alkohol, der in beiden enantiomeren Formen natürlich vorkommt: (3R)(–)- u. (3S)(+)-L., Sdp. 198–199 °C, $[\alpha]_D$ ±20,6° (unverd.).

Vork.: (–)-L. im brasilian. Rosenholzöl (= brasilian. „Linaloe-Öl", *Aniba rosaeodora*, Lauraceae) 80–85%; (+)-L. (Coriandrol) im *Korianderöl 60–80% u. im mexikan. „Linaloe-Öl" (*Bursera delpechiana = B. pencillata*, Burseraceae) 60–65%. L. kommt auch als Ester mit verschiedenen Carbonsäuren vor, z. B. *Linalylacetat*[1] (3-Acetoxy-3,7-dimethylocta-1,6-dien, $C_{12}H_{20}O_2$, M_R 196,29). Die Linalylester werden auch aus L. synthet. hergestellt, da sie verschiedene parfümist. genutzte Duftnoten hervorrufen; zur Synth. von L. s. *Lit.*[2]. L. u. L.-Ester werden in der Parfüm-Ind. u. L. zur Synth. von *Tocopherolen verwendet. − *E* = *S* linalool − *F* linalol

Lit.: [1] Beilstein E IV 1, 2278 f. (L.); 2, 204 f. (Linalylacetat); Ullmann (5.) A 11, 164. [2] J. Chem. Soc., Perkin Trans. 1 1990, 2715; J. Org. Chem. 51, 2599 (1986).
allg.: Karrer, Nr. 120 ▪ Merck-Index (12.), Nr. 5520 ▪ Ullmann (5.) A 11, 156. − *[HS 2905 22; CAS 126-91-0 ((−)-L.); 126-90-9 ((+)-L.); 115-95-7 (Linalylacetat)]*

Linalylacetat s. Linalool.

Linamarin (Phaseolunatin, 2-β-D-Glucopyranosyloxy-2-methylpropionitril).

R = CH₃ : Linamarin
R = C₂H₅ : Lotaustralin

$C_{10}H_{17}NO_6$, M_R 247,25. Bitter schmeckende, giftige Nadeln, Schmp. 143−144 °C, $[\alpha]_D$ −28,5° (H_2O), gut lösl. in Wasser u. Alkohol, unlösl. in Ether. L. kommt in Leinsamen (*Linum usitatissimum*), Maniok, Kautschukbaum (*Hevea brasiliensis*) u. *Rangoonbohnen (*Phaseolus lunatus*) vor. Auch in den Puppen u. Raupen einiger Schmetterlinge ist L. neben *Lotaustralin* ($C_{11}H_{19}NO_6$, M_R 261,27) nachgewiesen worden[1]. Als *cyanogenes Glykosid wird L. durch ein Begleitenzym (*Linamarinase*, früher: Linamarase, Linase) in Glucose u. Acetoncyanhydrin bzw. Glucose, Aceton u. HCN gespalten, doch sind normalerweise von *Leinsamen keine Vergiftungen zu befürchten[2]. Die Ernährung mit unzureichend gekochtem Maniok kann jedoch bei Föten möglicherweise zu Mißbildungen führen[3]. Name von latein.: linum = Lein, Flachs u. amarus = bitter. − *E* linamarin − *F* linamarine, linamarinoside − *I* = *S* linamarina

Lit.: [1] Insect Biochem. Mol. Biol. 24, 161−165 (1994); Naturwiss. Rundsch. 33, 289 (1980). [2] Dtsch. Ärztebl. 76, 955 f. (1979). [3] New Sci. 93, 437 (1982).
allg.: Beilstein E V 17/7, 397 ▪ Karrer, Nr. 2334 ▪ R. D. K. (4.), S. 459 f., 990 ▪ s. a. cyanogene Glykoside. − *[CAS 554-35-8]*

Linase s. Linamarin.

Linatin (1-L-γ-Glutamylamino-D-prolin).

$C_{10}H_{17}N_3O_5$, M_R 259,26, amorphes Pulver, $[\alpha]_D^{25}$ +46,4° (H_2O), sehr gut lösl. in Wasser. Giftiges Hydrazin-Derivat aus Leinsamen (*Linum usitatissimum*), das als *Pyridoxin-(Vitamin B_6-)Antagonist wirkt[1]. L. wurde als erste natürlich vorkommende Hydrazinsäure identifiziert. − *E* = *F* linatine − *I* = *S* linatina
Lit.: [1] Methods Enzymol. 62, 483 (1979).
allg.: Beilstein E V 22/1, 210 ▪ Tetrahedron Lett. 1974, 1799 (Synth.) ▪ Zechmeister 39, 230. − *[CAS 10139-06-7]*

Lincol®. Lineare Alkohole (C_6−C_{12}) für die Herst. von PVC-*Weichmachern. *B.:* Condea.

Lincomycin (Rp).

Internat. Freiname für ein *Antibiotikum aus Kulturen von *Streptomyces lincolnensis*, Methyl-6,8-didesoxy-6-(*trans*-1-methyl-4-propyl-L-2-prolinamido)-1-thio-D-*erythro*-α-D-*galacto*-octopyranosid, $C_{18}H_{34}N_2O_6S$, M_R 406,54, $[\alpha]_D^{20}$ +158° (c 0,1/H_2O). Verwendet werden auch das Hydrochlorid-Monohydrat, Schmp. 145−147 °C, u. das Hydrochlorid-Hemihydrat, Schmp. 155−157 °C, LD_{50} (Maus i.p.) 1 g/kg, (Maus oral) 4 g/kg. L. wurde 1963, 1964, 1968 u. 1978 von Upjohn (Albiotic®) patentiert. L. wirkt bes. bei Infektionen durch Gram-pos. Bakterien u. zeigt keine Kreuzresistenz mit anderen Antibiotika, doch sind in einigen Fällen Leber- u. Nierenschädigungen aufgetreten. − *E* lincomycin − *F* lincomycine − *I* = *S* lincomicina
Lit.: Beilstein E V 22/1, 285 ▪ DAB 1996 u. Komm. ▪ Florey 23, 269−319 ▪ Hager (5.) 8, 740 ff. − *[HS 2941 90; CAS 154-21-2 (L.); 859-18-7 (Hydrochlorid-Hemihydrat); 7179-49-9 (Hydrochlorid-Monohydrat)]*

Lindan. Common name für γ-1,2,3,4,5,6-Hexachlorcyclohexan (γ-HCH), $C_6H_6Cl_6$, M_R 290,83, Schmp. 112,5−113,5 °C, LD_{50} (Ratte oral) 88 mg/kg (GefStoffV), MAK 0,5 mg/m³ [für das techn. Gemisch aus α- u. β-HCH gilt die Formel (⅙ α-HCH-Konz. + β-HCH-Konz.) ≤0,5 mg/m³]. L. ist eins von acht Stereoisomeren des 1,2,3,4,5,6-Hexachlorcyclohexans (HCH, Benzolhexachlorid, BHC). Da es bei der Konfigurationsbez. der HCH-Isomeren üblich ist, nur die Chlor-Atome zu nennen, kann man − unter der Annahme, daß die HCH immer in der Sesselform vorliegen − je nach Lage dieser Atome (a = axial, e = äquatorial) unterscheiden zwischen:

γ-HCH

HCH	Konfiguration	Konformation	Schmp. [°C]
α−	ααβαββ	aaeeee	160
β−	αβαβαβ	eeeeee	309
γ−	ααβααβ	aaaeee	114
δ−	αααβαβ	aeeeee	139
ε−	ααββββ	aeeaee	219
ζ−	αααααα	aeaeae	-
η−	αααβββ	aaeaee	90
ϑ−	ααααββ	aeaeee	125

Herst.: Durch Photochlorierung von Benzol. Das so gewonnene techn. HCH enthält 65−70% α-HCH, 7−10% β-HCH, 14−15% γ-HCH (L.), ca. 7% δ-HCH, 1−2% ε-HCH sowie 1−2% sonstige Verb. wie Heptachlor- u. Octachlorcyclohexan. Letztere sollen wesentlich zum unangenehmen Geruch des techn. HCH beitragen. L. wird aus diesem Isomeren-Gemisch durch Extraktion mit Methanol isoliert u. in der BRD seit 1972 in einer Reinheit von mind. 99,5% an Weiterverarbeiter abgegeben. Das nach der Extraktion zurückbleibende Isomeren-Gemisch kann therm. in die verwertbaren Nebenprodukte Trichlorbenzol u. Chlorwasserstoff gespalten werden.

Verw.: L. wird als *Insektizid mit Kontakt-, Fraß- u. Atemgiftwirkung bevorzugt gegen Bodenschädlinge (v. a. in Form von Saatgutbehandlungsmitteln) u. gegen rindenbewohnende Forstschädlinge eingesetzt. Es ist Bestandteil von *Holzschutzmitteln u. findet im außereurop. Bereich bei der Bekämpfung von Parasiten an Nutztieren Verwendung. Darüber hinaus wird L. gegen Vorratsschädlinge, Wanzen in Kakao- u. Schadkäfer in Kaffee-Plantagen angewendet.

Toxikologie: Bezüglich der Toxizität bestehen zwischen den einzelnen HCH-Isomeren deutliche Unterschiede. In hohen Dosierungen wirken α-HCH u. L. stimulierend, β- u. δ-HCH vorwiegend depressiv auf das Zentralnervensystem. Die akute Toxizität von L. [LD$_{50}$ (Ratte oral) 90 mg/kg] ist höher als die von α-HCH (600 mg/kg) u. β-HCH (6000 mg/kg), bei der chron. Toxizität verhält es sich wegen der besseren Wasserlöslichkeit des L. genau umgekehrt. Bei einem bes. empfindlichen Mäusestamm wurden Lebertumore beobachtet, die man auf eine indirekte Wirkung v. a. des β-HCH zurückführt. Bei Arbeitnehmern in HCH- u. L.-Produktionsbetrieben, in deren Blut etwa 100mal mehr α-, β- u. γ-HCH als bei der Normalbevölkerung nachgewiesen wurde, konnte auch nach langjähriger Exposition keine Gesundheitsgefährdung festgestellt werden.

Ökologie: α-HCH u. L. verteilen sich wegen der besseren Wasserlöslichkeit u. des höheren Dampfdrucks leichter als β- u. δ-HCH. Der Abbau erfolgt durch Mikroorganismen u. Sonnenlicht. Von den vier genannten Isomeren wird L. am schnellsten abgebaut. Die HWZ soll dabei etwa ein halbes Jahr betragen. L. ist somit weniger persistent als die meisten anderen hochchlorierten Kohlenwasserstoffe.

Geschichte: Die Bildung von HCH aus Benzol u. Chlor wurde 1825 von Faraday entdeckt. Van der Linden (Name!) isolierte 1912 α-, β-, γ u. δ-HCH aus dem Isomerengemisch. Auf die insektizide Wirkung wurde erstmals 1933 von Bender hingewiesen. 1942 wurde bei ICI entdeckt, daß diese Wirkung des techn. HCH ausschließlich auf das γ-HCH zurückzuführen ist. In den Jahren 1945–47 wurde bei Merck (Darmstadt), Boehringer Sohn u. a. Firmen mit der Produktion des techn. HCH begonnen. 1950 wurde L. in der Landwirtschaft eingeführt u. ersetzte dort in den folgenden Jahren das techn. HCH. 1969 gründeten die damaligen L.-Produzenten die Organisation C. I. E. L. (Centre International d'Etudes du Lindane) mit Sitz in Brüssel mit dem Ziel, wissenschaftliche Untersuchungen zur Sicherheit der Herst. u. Anw. von L. zu fördern. In den Jahren 1974–78 wurde die Anw. des techn. HCH in der Landwirtschaft, in der Veterinärmedizin, im Forst u. im Holzschutz in der BRD vom Gesetzgeber verboten. Laut Pflanzenschutz-Anw.-VO vom 25.07.1994 unterliegt L. Anwendungsbeschränkungen. – *E* = *F* lindane – *I* = *S* lindano

Lit.: Beilstein E III **5**, 41–45; E IV **5**, 55–62 ▪ C. I. E. L. (Hrsg.), Lindan – Informationen über einen Wirkstoff, Frei-

burg: Schillinger 1983 ▪ Farm ▪ Kirk-Othmer (4.) **6**, 135–139 ▪ Perkow ▪ Pesticide Manual ▪ Ullmann (5.) **A 14**, 280. – *[HS 2903 51; CAS 58-89-9]*

Linde. Kurzbez. für die 1879 von v. *Linde gegr. Linde AG, 65030 Wiesbaden. *Daten* (1994): 29618 Beschäftigte, ca. 8 Mrd. DM Umsatz. *Produktion:* Verfahrenstechnik u. Anlagenbau für Chemie- u. Petrochemie, Synthesegase, Gasaufbereitung, Erdgas, Luftzerlegung, Kryotechnik, Umweltschutz u. a.; Kälte- u. Einrichtungstechnik für Gewerbe u. Ind., Wärmerückgewinnung, Klima- u. Lüftungsanlagen; techn. Gase: Sauerstoff, Argon, Acetylen, Schweißschutzgase, Kohlensäure, Wasserstoff, Reinstgase, medizin. Gase; Flurförderzeuge u. Hydraulik.

von Linde, Carl (1842–1934), Industrieller, Prof. für Angew. Thermodynamik, TH München. *Arbeitsgebiete:* Erfinder der Ammoniak-Kältemaschine, Luftverflüssigung, Luftzerlegung durch Tieftemp.-Rektifikation. L. gründete 1879 in Wiesbaden die Ges. für Linde's Eismaschinen AG (heute *Linde AG).
Lit.: Krafft, S. 225 f. ▪ Lexikon der Naturwissenschaftler, S. 272 ▪ Neufeldt, S. 95 ▪ Pötsch, S. 273 f.

Linde-Fränkl-Verfahren s. flüssige Luft.

Lindemannglas. Bez. für ein Lithium-Berylliumborat-*Glas, das durchlässig ist für weiche Röntgenstrahlung u. deshalb in der Röntgentechnik Verw. fand.
Lit.: Winnacker-Küchler (4.) **3**, 150.

Lindemann-Hinshelwood-Mechanismus. Von Lindemann 1922 (*Lit.*[1]) vorgeschlagene u. von Hinshelwood 1927 (*Lit.*[2]) erweiterte Theorie zur Behandlung *unimolekularer Reaktionen. – *E* Lindemann-Hinshelwood mechanism – *F* mécanisme de Lindemann-Hinshelwood – *I* meccanismo di Lindemann-Hinshelwood – *S* mecanismo de Lindemann-Hinshelwood
Lit.: [1] Trans. Faraday Soc. **17**, 598 (1922). [2] Proc. Roy. Soc. London, Ser. A **113**, 230 (1927).

Lindenblüten. Getrocknete ganze Blütenstände samt dem gelblichen, angewachsenen Hochblatt der Winterlinde (*Tilia cordata* Mill.) od. Sommerlinde (*T. platyphyllos* Scop., Tiliaceae). L. enthalten u. a. ca. 0,02% *etherische Öle, *Gerbstoffe, *Calciumoxalat, *Flavonoide u. *Schleimstoffe.
Verw.: Ähnlich dem *Holunder zu schweißtreibenden Tees, Expektorantien u. Badezusätzen. Wäss.-alkohol. Extrakte finden in Form 1–3%iger Emulsionen u. Lotionen kosmet. Anwendung. – *E* linden blossoms, lime tree flowers – *F* fleurs de tilleul – *I* fiori di tiglio – *S* flores del tilo, tila
Lit.: Bundesanzeiger 164/01.09.90 ▪ DAB **1996** u. Komm. ▪ Hager (4.) **6 c**, 180–184 ▪ Wichtl (3.), S. 581 f. – *[HS 1211 90]*

Lindenmann, Jean (geb. 1924), Prof. für Medizin, Univ. Zürich. *Arbeitsgebiete:* Experimentelle Mikrobiologie, Entdeckung des Interferons (zusammen mit *Isaacs).
Lit.: Kürschner (16.), S. 2181 ▪ Neufeldt, S. 256.

Linderalacton s. Germacranolide.

Linde-Verfahren s. flüssige Luft.

Lindlar-Katalysator s. Hydrierung.

Lindofluid®. Einreibe- u. Sprühlsg. mit *Bornylacetat, α-*Pinen u. Extrakt aus *Arnika-Blüten u. Melissen-

Blättern gegen Muskel-, Gelenk- u. Nervenschmerzen. **B.:** Lindopharm GmbH.

Lindoxyl®. Tabl., Lsg., Pulver, Tropfen, Suppositorien u. Kapseln mit *Ambroxol-hydrochlorid als *Sekretolytikum bei Atemwegserkrankungen. **B.:** Lindopharm GmbH.

Linear. Bez. für eine geradlinige Anordnung. Bei *kondensierten Ringsyst. wird das (in der IUPAC-Nomenklatur nicht mehr gebräuchliche) Präfix *lin-* kursiv gesetzt; Gegensatz: angular. Bei *Kunststoffen bedeutet l. einen unverzweigten Aufbau, bei Doppelbindungssyst. (z. B. bei *Dienonen) spricht man von l. *Konjugation, in der *Kolloidchemie von Linearkolloiden, bei Eiweiß von Linearproteinen (Faserproteine), in der Strukturchemie von Linearmol. (Kettenmol., s. Makromoleküle). Linearbeschleuniger s. Teilchenbeschleuniger, l. polarisiertes Licht s. optische Aktivität u. zur sog. l. freie Energie-Beziehung (LFEB) s. freie Energie. – *E = S* linear – *F* linéaire – *I* lineare

Linear Energy Transfer s. LET.

Lineare Optik. Die opt. Eigenschaften der Materie lassen sich durch die *Maxwellschen Gleichungen beschreiben. Sie lauten in differenzieller Form unter dem Einfluß der Materie im SI-Syst.

$$\vec{\nabla} \times \mathbf{E} = -\dot{\mathbf{B}}; \quad \vec{\nabla} \times \mathbf{H} = \mathbf{j} + \dot{\mathbf{D}}$$

$$\vec{\nabla} \cdot \mathbf{B} = 0; \quad \vec{\nabla} \cdot \mathbf{D} = \varrho$$

$$\mathbf{D} = \varepsilon_0 \mathbf{E} + \mathbf{P}; \mathbf{B} = \mu_0 \mathbf{H} + \mathbf{M}$$

$$\text{mit } \vec{\nabla} = \left(\frac{\partial}{\partial x}, \frac{\partial}{\partial y}, \frac{\partial}{\partial z} \right).$$

Dabei sind **E** die elektr. Feldstärke, **D** die dielektr. Verschiebung, **H** die magnet. Erregung, **B** die magnet. Flußdichte, **P** die Polarisation der Materie (elektr. Dipolmoment pro Vol.), **M** die Magnetisierung der Materie (magnet. Dipolmoment pro Vol.); ε_0 u. μ_0 sind Naturkonstanten. Um zu einer einfachen Wellengleichung für die Lichtausbreitung in Materie zu kommen, muß etwas über den Zusammenhang von **E** u. **D** bzw. von **H** u. **B** bekannt sein. Für geringe Energieflußdichten (Intensitäten) des Lichtes ist ein linearer Zusammenhang realist., d. h.

$$\mathbf{D} = \varepsilon_0 \, \varepsilon(\omega) \, \mathbf{E}$$
$$\mathbf{B} = \mu_0 \mu(\omega) \, \mathbf{H}$$
$$\mathbf{j} = \sigma(\omega) \, \mathbf{E},$$

wobei $\varepsilon(\omega)$, $\mu(\omega)$ u. $\sigma(\omega)$ die komplexe dielektr. Funktion, die magnet. Suszeptibilität bzw. die elektr. Leitfähigkeit sind. In vielen Materialien gilt im opt. Spektralbereich $\mu(\omega) \approx 1$ u. $\sigma(\omega) \approx 0$ (Ausnahme Metalle), während $\varepsilon(\omega)$ im gesamten Frequenzbereich von $\omega =$ 0 bis über den UV-Bereich hinaus stark von 1 abweicht. Alles, was über Licht unter Verw. dieser linearen Näherung ausgesagt wird, ist lineare Optik. Beispielsweise läßt sich folgende harmon., gedämpfte Wellengleichung für Licht in Materie ableiten

$$\left(\vec{\nabla} \cdot \vec{\nabla} \right) \mathbf{E} - \mu_0 \, \varepsilon_0 \, \mu(\omega) \, \varepsilon(\omega) \frac{\partial^2 \mathbf{E}}{\partial t^2} - \mu(\omega) \, \sigma(\omega) \, \mu_0 \, \frac{\partial \mathbf{E}}{\partial t} = 0.$$

Alle Ansätze, die darüber hinausgehen u. z. B. eine Abhängigkeit der dielektr. Funktion $\varepsilon(\omega)$ von **E** einschließen, führen in den Bereich der nichtlinearen Optik. Beisp. für l. O. sind alle Stoffe (Festkörper, Flüs-

sigkeiten u. Gase), solange die Feldstärken so klein bleiben, daß keine nichtlinearen opt. Effekte auftreten. – *E* linear optics – *F* optique linéaire – *I* ottica lineare – *S* óptica linear
Lit.: Klingshirn, Semiconductor Optics, Berlin: Springer 1995.

Linearproteine s. Skleroproteine.

Lineatin.

$C_{10}H_{16}O_2$, M_R 168,24, Sdp. 68 °C (6,7 hPa), $[\alpha]_D^{22}+36°$ (Pentan). Strukturell ungewöhnliches tricycl. Monoterpen, das dem Ambrosia-Käfer (*Trypodendron lineatum*), einem wichtigen Forstschädling, als Aggregations-*Pheromon dient. – *E* lineatin – *F* linéatine – *I = S* lineatina
Lit.: Beilstein E V **19/1**, 327 f. ■ Can. Entomol. **117**, 49–55 (1985) ■ Experientia **44**, 536 f. (1988) ■ Tetrahedron **45**, 3233–3298 (1989) ■ Tetrahedron Lett. **26**, 1097 (1985) ■ Z. Angew. Entomol. **99**, 442–448 (1985); **100**, 197–218 (1985). – *Synth.:* ACS Symp. Ser. **190**, 87–106 (1982) ■ Acta Chem. Scand. Ser. B **39**, 291–304 (1985); **47**, 1232 (1993) ■ ApSimon **4**, 85 f., 488–491; **9**, 436–444 ■ Helv. Chim. Acta **70**, 1302–1306 (1987) ■ J. Org. Chem. **50**, 114–117, 5649 (1985) ■ Synform **5**, 125–144 (1987). – *[CAS 65035-34-9 ((+)-L.)]*

Lingualtabletten s. Tabletten.

Linienbreite. Spektrale Breite (in Wellenlängen $\Delta \lambda$, in Wellenzahlen $\Delta \bar{v}$ od. in Frequenzeinheiten Δv), mit der eine Spektrallinie gemessen wird. Sie setzt sich zusammen aus der *Doppler-Breite, der natürlichen L. (hervorgerufen durch die begrenzte Lebensdauer des angeregten Niveaus) u. apparativen Größen, wie z. B. dem Auflösungsvermögen des Spektrometers, der Bandbreite des anregenden Lasers, der Krümmung der Phasenfläche des anregenden Lichts u. der Flugzeitverbreiterung (auch wenn zur Anregung eine kontinuierliche Lichtquelle benutzt wird, halten sich die Atome/Mol. aufgrund ihrer Bewegung nur eine begrenzte Zeit in dem Lichtfeld auf). – *E* line width – *F* largeur de raie – *I* larghezza di banda spettrale – *S* ancho de línea
Lit.: Demtröder, Laser Spectroscopy, Berlin: Springer 1981.

Linienspektren s. Spektroskopie.

Linimente (von latein.: linimentum = Schmiere). Zum äußeren Gebrauch bestimmte flüssige od. feste, gleichmäßige Mischungen, die Seife od. Seife u. Fette od. Öle od. ähnliche Stoffe enthalten. Ein festes L. ist z. B. *Opodeldok. – *E* linimenta – *F* liniments – *I* linimenti – *S* linimentos
Lit.: DAB 6, Ergänzungsbuch u. Komm.

Liniplant®. Inhalat mit Eucalyptus- u. Cajeput-Öl gegen Entzündungen der oberen Luftwege. **B.:** Spitzner.

Linker. Von engl.: link = verknüpfen abgeleitete Bez. für Mol. od. Mol.-Gruppen, die bei Synth. zum Verknüpfen größerer Fragmente herangezogen werden; *Beisp.:* Nucleinsäure-Synth., Festphasen- u. Merrifield-Technik, Affinitätschromatographie (*Spacer*). – *E* link – *I* collegamento – *S* eslabón, enlace

Linker DNA s. Chromatin.

Linksdrehung s. optische Aktivität.

Linneit s. Kobaltnickelkiese.

Linola®. *L. Fett 2000 Emulsion* mit *Linolsäure, *L. Emulsion* u. *L. Fett N* zusätzlich mit 9,11-Octadecadiensäuren gegen Rhagaden, Fissuren u. berufsbedingte Hautschäden; *L. H N/Fett* (Rp) mit *Prednisolon, *L. H comp.* (Rp) zusätzlich mit *Neomycinsulfat gegen Dermatosen, *L. urea* mit Harnstoff bei trockener Haut u. Neurodermitis, *L.-Fett-N-Ölbad* enthält Hexadecyl-, Octadecyl(2-ethylhexanoat) u. Isopropylmyristat (6:3:1), *O*-Dodecyl- u. *O*-Tetradecylpolyethylenglykole u. -polypropylenglykole. *L.-sept* enthält *Clioquinol gegen infizierte Hauterkrankungen. *B.:* Wolff.

Linoladiol N (Rp). Emulsionen mit *Estradiol, *Linoladiol HN* zusätzlich mit *Prednisolon gegen Akne u. Entzündungen im Vaginalbereich. *B.:* Wolff.

Linolensäure [*α*-L., (*all-Z*)-9,12,15-Octadecatriensäure].

$C_{18}H_{30}O_2$, M_R 278,42. Farblose Flüssigkeit, D. 0,914, Schmp. −11 °C, Sdp. 230−232 °C (2,3 kPa), unlösl. in Wasser, lösl. in organ. Lösemittel. In Form der Glycerinester ist L. Bestandteil prakt. aller fetten Öle. In hohen Konz. ist es im Hanföl (28%) u. Leinöl (36−46%) enthalten, von dessen latein. Namen (Linum oleum) sich die Bez. ableitet. Im menschlichen u. tier. Organismus werden L. u. a. ungesätt. Fettsäuren zum Aufbau lebensnotwendiger *Lipide benötigt. *γ*-L. [(*all-Z*)-6,9,12-Octadecatriensäure] dient als Substrat für die Biosynth. von *Prostaglandinen, *Hydroxyfettsäuren u. *Leukotrienen. Im allg. werden ungesätt. Fettsäuren als essentiell angesehen, zuweilen wird ihnen Vitamin-Charakter (*Vitamin F) zugeschrieben. − *E* linolenic acid − *F* acide linolénique − *I* acido linolenico − *S* ácido linolénico

Lit.: Beilstein E IV **2**, 1781 ▪ Karrer, Nr. 759 ▪ Ullmann **A 10**, 245. − *[HS 2916.15; CAS 463-40-1 (L.); 506-26-3 (γ-L.)]*

Linoleum (von latein.: lini oleum = Leinöl). Früher als Fußbodenbelag, Wandverkleidung, Tischbelag usw. vielfach verwendetes glattes, abwaschbares Erzeugnis. Haupterfinder des L. ist der Engländer F. Walton, weshalb die nach seinen Angaben seit 1864 fabrikmäßig hergestellte L.-Sorte auch als *Walton-L.* bezeichnet wird. Die L.-Herst. erfolgt aus Leinöl, das nach dem *Bedford-Verf.* durch Einblasen von Luft unter Verw. von Sikkativen u. Harzen (z. B. Kolophonium, Kopalharzen) zum sog. *Bedford-Zement* oxidiert wird. Dieser ist eine dem Rohkautschuk ähnliche, dunkelbraune, elast. Masse, die nach Zusatz von Holz- od. Korkmehl u. Pigmenten auf Juteunterlagen aufgebracht u. anschließend in Öfen bei ca. 80 °C einige Tage bis zu 5 Wochen gereift wird. Häufig wird die L.-Oberfläche mit einer Wachs- od. Lackschicht ausgerüstet. L. ist ein schlechter Wärme- u. Schall-Leiter, schmutzabstoßend, bakterienwidrig u. leicht zu reinigen, beständig gegen Fette u. Öle, aber empfindlich gegen heißes Wasser, organ. Lsm. u. Alkalien. Zum Verkitten u. Verkleben von L. verwendet man Pulver-Klebstoffe auf Zement-Casein- od. Sulfit-Ablaugebasis, Kunstharzklebstoffe od. Dispersionsklebstoffe auf Acrylharz-Basis. Heute wird L. nur noch wenig eingesetzt, es ist weitgehend abgelöst durch *Bodenbeläge auf der Basis von Kunststoffen (überwiegend *PVC). − *E* lino, linoleum − *F* linoléum − *I* linoleum − *S* linóleo, linóleum

Lit.: Encycl. Polym. Sci. Eng. **7**, 244 ▪ Kirk-Othmer **7**, 424 f. ▪ Ullmann (4.) **12**, 23; (5.) **A 11**, 270 ▪ Winnacker-Küchler (3.) **5**, 28. − *[HS 5904 10]*

Linolsäure [(*Z,Z*)-9,12-Octadecadiensäure]. $C_{18}H_{32}O_2$, M_R 280,44. Ungesätt. Fettsäure, D. 0,901,

Schmp. −5 °C, Sdp. 230 °C (1,6 kPa), Iodzahl 181; unlösl. in Wasser, lösl. in den meisten organ. Lösemitteln. Durch selektive katalyt. Hydrierung kann L. in *Ölsäure, durch unselektive Hydrierung in *Stearinsäure überführt werden. L. ist in Form ihrer Glycerinester Bestandteil prakt. aller fetten Öle (s. Tab.).

Tab.: Linolsäure-Gehalt wichtiger Öle.

Öl	L.-Gehalt [Gew.-%]
Palmöl	10
Erdnußöl	30
Baumwollsaatöl	45
Sojaöl	53
Sonnenblumenöl	61
Leinöl	17
Rüböl	20

L. ist für den menschlichen u. tier. Organismus essentiell (Tagesbedarf des Menschen: ca. 6 g) u. dient ebenso wie die Linolensäure zum Aufbau der *Arachidonsäure, einem Bestandteil von *Phospholipiden u. *Prostaglandinen, die Einfluß auf den Serumcholesterin-Spiegel u. den Blutdruck nehmen. Beim Ranzigwerden von Fetten kann die L. in eine isomere Fettsäure mit konjugierter Doppelbindung übergehen, die keinen Vitamin-Charakter mehr besitzt u. Mangelschäden sogar verstärken kann. L. findet Verw. in der Seifen-Ind. sowie zur Herst. von *Dimersäuren. − *E* linoleic acid − *F* acide linoléique − *I* acido linoleico, acido linolico − *S* ácido linoleico

Lit.: Adv. Lipid Res. **18**, 203 (1981) ▪ Beilstein E IV **2**, 1754 ▪ Ullmann **A 10**, 245. − *[HS 2916.15; CAS 60-33-3]*

Linoxyn s. Leinöl.

Linplast®. Adipate, Phthalate od. Trimellitate auf der Basis linearer, geradzahliger Alkohole (C_6–C_{12}) als *Weichmacher für PVC. *B.:* Condea.

Linsen. 1. Bez. für die Samen des zu den *Hülsenfrüchten (Leguminosen) zählenden Schmetterlingsblütlers *Lens culinaris* od. *L. esculenta*, der in Europa u. Vorderasien heim. ist. Die runden, abgeflachten, graubraunen Samen enthalten im getrockneten Zustand (Angaben in g/100 g): 11,1 Wasser, 24,7 Eiweiß, 1,1 Fette, 60,1 Kohlenhydrate, Vitamine u. Mineralstoffe (darunter 810 mg Kalium); der Nährwert ist mit 1420 kJ/100 g = 340 kcal/100 g recht hoch. Unter den Aminosäuren finden sich Homoarginin, Hydroxyarginin u. Hydroxyornithin. L. enthalten ferner ein spezif. D-Glucose- u. D-Mannose-Reste bindendes *Lektin (*Lentillectin*).

2. Aufgrund seiner Form (s. 1.) Bez. für den Teil des *Auges, der sich zwischen Pupille u. Glaskörper befindet. Durch die L. fallendes Licht wird auf die Netzhaut projiziert. Die Augen.-L. besteht aus Epithelgewebe u. Faser-Proteinen (*Kristalline), die sich im Alter eintrüben können (*grauer Star, Katarakt*). In günstigen Fällen ist der Ersatz der L. durch Kunststoff-L. möglich. Auch eine altersbedingte Verhärtung der L. ist bekannt, wodurch die Akkommodation verloren geht; die Korrektur der Sehschärfe kann durch Brillen-*Gläser od. *Kontaktlinsen erfolgen.

3. Abgeleitet von der vorstehend erwähnten Bedeutung, Bez. für lichtdurchlässige Körper, die, in opt. Geräten meist zu L.-Syst. kombiniert, durch Lichtbrechung die Abb. von Gegenständen unter Verkleinerung od. Vergrößerung gestatten. Als Werkstoffe für L. Abschnitt 2 u. 3 dienen verschiedene *Glas-Sorten u. *Kunststoffe. – *E* 1. lentils, 2., 3. lenses – *F* 1., 3. lentilles, 2. cristallins – *I* 1. lenticchie, 2. cristallini, 3. lenti – *S* 1. lentejas, 2. cristalinos, 3. lentes

Lit. (zu 1.): Franke, Nutzpflanzenkunde, S. 144, Stuttgart: Thieme 1992. – *(zu 3.):* s. Glas. – *[HS 071340]*

Linsengesetz. Abb.-Gesetz für einen Gegenstand, der sich im Abstand g von einer Linse mit der Brennweite f befindet. Der Abstand b zwischen Linse u. Bild ergibt sich im Fall einer dünnen Linse gemäß $\frac{1}{f} = \frac{1}{g} + \frac{1}{b}$.

Die Brennweite f einer dünnen Linse berechnet sich aus dem Brechungsindex n des Glases u. den Krümmungsradien R_1 u. R_2 der beiden kugelförmigen Oberflächen nach

$$\frac{1}{f} = (n-1)\left(\frac{1}{R_1} - \frac{1}{R_2}\right).$$

Die entsprechenden Gleichungen für eine dicke Linse sind komplizierter, s. *Lit.* – *E* lens equation – *F* loi lenticulaire – *I* equazione della lente – *S* ecuación de la lente

Lit.: Klein u. Furtak, Optik, Berlin: Springer 1988.

Linters. Unspinnbare, kurze *Baumwoll-Fasern, die nach Entfernen der langen Textilfasern auf den Samen bleiben u. in der Ölmühle vor dem Auspressen des *Baumwollsamenöls in einem od. mehreren Schnitten abgetrennt werden. Die längeren Fasern des 1. Schnittes (3–6 mm) werden für Polster u. Matratzen verwendet, aus den kürzeren (2–3 mm) des 2. Schnittes wird reinste *Cellulose (Zellstoff) für chem. Zwecke, Spezialpapiere, Füll-, Filterhilfsstoffe u. a. gewonnen. – *E* = *F* = *I* = *S* linters

Lit.: s. Baumwolle. – *[HS 140420]*

Linuron.

Xi

Common name für 3-(3,4-Dichlorphenyl)-1-methoxy-1-methylharnstoff, $C_9H_{10}Cl_2N_2O_2$, M_R 249,10, Schmp. 93 °C, LD_{50} (Ratte oral) 1500–4000 mg/kg (WHO), WGK 2, von DuPont u. Hoechst 1960 eingeführtes selektives system. *Herbizid gegen Ungräser u. Unkräuter im Sojabohnen-, Mais-, Gemüse-, Obst-, Wein-

u. Kartoffelbau sowie in zahlreichen anderen Kulturen. – *E* = *F* linuron – *I* linurone – *S* linurón

Lit.: Farm ■ Perkow ■ Pesticide Manual. – *[HS 292800; CAS 330-55-2]*

Lioresal® (Rp). Tabl. u. Injektionslsg. (*L. Intrathecal*) mit *Baclofen gegen Muskelkrämpfe. *B.:* Novartis.

Liothyronin. Internat. Freiname für das Schilddrüsenhormon *3,3′,5-Triiod-L-thyronin.

Lip... Von griech.: lípos = Fett, Öl abgeleitete Vorsilbe in Benennungen, die eine Beziehung zu Fetten herstellen sollen, s. die folgenden Stichwörter. – *E* = *F* = *I* = *S* lip...

Lipactin®. Gel mit *Heparin-Natrium u. *Zinksulfat gegen Herpes-Simplex-Infektionen von Haut u. Schleimhäuten. *B.:* Zyma.

Lipämie s. Lipoproteine.

Lipanthyl® (Rp). Kapseln mit *Fenofibrat gegen Hyperlipidämien. *B.:* Fournier Pharma GmbH.

Liparit s. Rhyolith.

Lipasen (EC 3.1.1.3). Zur Gruppe der *Hydrolasen (spezieller der *Esterasen) gehörende *Enzyme, die spezif. Fette (Triglyceride) in Glycerin u. Fettsäuren spalten; dieser *Lipolyse* genannte Vorgang spielt sich an der Phasengrenze zwischen Fett u. Wasser ab. L. sind verdauungsphysiolog. wichtig u. finden sich bei fast allen Tierarten, aber auch in Öl-haltigen Pflanzensamen (z. B. *Ricinus*) u. in Mikroorganismen. Sie kommen bes. reichlich in *Pankreas, Darmwand u. *Leber vor, pH-Wert-Optimum 5–9. Die Pankreas-L., die mit einem weiteren Protein (Colipase) zusammenarbeitet, spaltet nur die 1- u. 3-ständigen Fettsäuren ab, während das Darmwand-Enzym 2-Acylglycerine angreift. Mechanist. spielt bei der Katalyse oft eine *katalyt. Triade* (vgl. Serin-Proteasen) aus Serin, Histidin u. Asparaginsäure (od. Glutaminsäure) eine Rolle. L. werden bei Störungen der Fett-Verdauung therapeut. verwendet u. dienen auch zur analyt. Bestimmung von Triglyceriden. Zur Lipoprotein-L. s. Lipoproteine; vgl. a. Phospholipasen. – *E* = *F* lipases – *I* lipasi – *S* lipasas

Lit.: J. Lipid Res. **33**, 167–178 (1992) ■ Nature (London) **362**, 793, 814–820 (1993) ■ Trends Biochem. Sci. **18**, 20–25 (1993) ■ Woolley u. Petersen, Lipases: Their Structure, Biochemistry and Application, Cambridge: Cambridge University Press 1994. – *[HS 350790]*

Lip-Fix, Lip-Gloss s. Lippenstifte.

Lipid A s. Lipopolysaccharide.

Lipidämie s. Lipoproteine.

Lipide (von griech.: lípos = Fett, Öl). Sammelbez. für strukturell sehr unterschiedliche, in allen *Zellen vorkommende Stoffe mit übereinstimmenden Lsg.-Eigenschaften: L. sind im allg. in Wasser unlösl., amphiphile L. können jedoch Kolloide, Micellen od. flüssig-krist. Phasen bilden; mit wenig polaren organ. Lsm. wie Benzol, Ether, Chloroform od. Chloroform-Methanol sind sie aus tier. od. pflanzlichem Gewebe extrahierbar. Zu den L. gehören die *eigentlichen Fette* u. die *fettähnlichen Stoffe*. Die im dtsch. Sprachraum früher empfohlene Abgrenzung der letztgenannten als *Lipoide* läßt sich zwar sachlich rechtfertigen, ist jedoch im internat. Gebrauch nicht üblich u. wird daher auch in diesem Werk nicht mehr vorgenommen.

Einteilung: Man unterscheidet (Beisp. in Klammern):
1. *Einfache L.:* Kohlenwasserstoffe (Triacontan, *Squalen, *Carotinoide), Alkohole (*Wachsalkohole, *Retinol, *Cholesterin), Ether (Etherlipide der *Archaea, *PAF), Carbonsäuren (*Fettsäuren), Ester [Neutralfette – d.h. Mono-, *Di- u. Triacylglycerine (*Triglyceride), *Wachse, Sterinester] u. Amide (*Ceramide);
2. *Komplexe L.* („Organfette" mit mehr als 2 Hydrolyseprodukten): Sieht man von den höhermol. Konjugaten wie den *Lipoproteinen u. *Lipopolysacchariden ab, so verbleiben die *Glykolipide u. *Phospholipide, od., nach anderer Einteilung, die *Sphingolipide u. Glycerolipide.

Phosphor-freie *Glyko-L.* sind Glykosphingo-L. (*Cerebroside, *Ganglioside, *Sulfatide) od. Glykoglycero-L. (Glykosyldi- u. -monoglyceride). Um Kohlenhydrat-freie *Phospho-L.* andererseits handelt es sich bei den Sphingophospho-L. (*Sphingomyelinen) u. Glycerophospho-L. (*Lecithine, *Kephaline, Cardiolipine, *Phosphatidylinosite u. -inositphosphate). Wie man sieht, kommen *Sphingo-L.* als Glykosphingo-L., Sphingophospho-L. u. Ceramide vor; ganz entsprechend verhält es sich mit den *Glycero-L.*, die Glykoglycero-L., Glycerophospho-L. od. Neutralfette sein können.

Physiologie: Die komplexen L. sind ebenso wie die oben genannten einfachen L. in ihren Eigenschaften, Vork. u. physiolog. Wirkungen in Einzelstichwörtern näher behandelt. Vgl. auch das Stichwort Membranen, wo wichtige biolog. Funktionen sowie physikal. Eigenschaften der Membran-L. behandelt werden; vgl. a. Blutfette, Hyperlipidämie, Lipoproteine. Zur Funktion von L. bei der *Signaltransduktion s. *Lit.*[1]. – *E* lipids – *F* lipides – *I* lipidi – *S* lípidos

Lit.: [1] FASEB J. **11**, 45–50 (1997).
allg.: Hamilton u. Hamilton, Lipid Analysis: A Practical Approach, Oxford: IRL Press 1994 ▪ J. Nutrit. Biochem. **6**, 172–178 (1995) ▪ Kader u. Mazliak, Plant Lipid Metabolism, Norwell: Kluwer 1995 ▪ Prasad, Manual on Membrane Lipids, Berlin: Springer 1996.

Lipidil® (Rp). Kapseln mit dem *Lipidsenker *Fenofibrat. *B.:* Fournier Pharma.

Lipidosen (Lipoidosen). Erbliche Störungen des *Fett-Stoffwechsels, die zu veränderten *Lipid- od. *Lipoprotein-Konz. im Blut od. zur Speicherung von Lipiden u. Lipoiden in verschiedenen Organen (Fettspeicherkrankheiten) führen. – *E* = *F* lipidoses – *I* lipidosi – *S* lipidosis

Lipidsenker. Pharmaka zur medikamentösen Therapie von *Hyperlipidämien. *Ionenaustauscher* wie *Colestyramin u. *Colestipol binden im Darm *Gallensäuren u. senken über eine Verminderung des Gallensäure-Pools des Körpers den Cholesterol-Spiegel. *Nicotinsäure u. ihre Derivate, z.B. 3-Pyridylmethanol, hemmen die Fettmobilisation. *Probucol reduziert als Antioxidans die Bildung von oxidiertem LDL (s. Lipoproteine). *Hemmstoffe der Hydroxymethylglutaryl-CoA-Reduktase* wie *Compactin u. *Lovastatin vermindern durch die Hemmung dieses Schlüsselenzyms

die Cholesterol-Synthese. *Aryloxyalkancarbonsäuren* wie *Clofibrat u. *Bezafibrat hemmen die Cholesterol-Synth. u. aktivieren die Verstoffwechselung von Fettsäuren. D-*Thyroxin* steigert die Verstoffwechselung von Lipoproteinen, *Phytosterine* wie β-*Sitosterin führen zu einer Hemmung der Cholesterol-Resorption im Darm. L. sind meist nur zur Unterstützung diätet. Maßnahmen sinnvoll. – *E* lipid-lowering substances – *F* abaisseur du niveau de lipides – *I* abbassatore di lipide – *S* sustancias hipolipidemiantes
Lit.: Dtsch. Apoth. Ztg. **135**, 943–960 (1995) ▪ Keller, Lipidsenker, Stuttgart: Wiss. Verlagsges. 1993 ▪ Mutschler (7.), S. 431–439.

Lipidvesikeln s. Liposomen.

Lipmann, Fritz Albert (1899–1986), Prof. für Biochemie, Harvard Univ., Boston, Massachusetts. *Arbeitsgebiete:* Entdeckung des Coenzym A, Vitamin B-Komplex, Energetik der Stoffwechselvorgänge u. Entdeckung der zentralen Rolle des ATP. L. erhielt 1953 (zusammen mit Sir H. A. *Krebs) den Nobelpreis für Medizin od. Physiologie.
Lit.: Lexikon der Naturwissenschaftler, S. 273 ▪ Lipmann, Wanderings of a Biochemist, New York: Wiley 1971 ▪ Nachmansohn, S. 334 ff. ▪ Neufeldt, S. 233 ▪ Pötsch, S. 274.

Lipocaline. Familie kleiner extrazellulärer *Proteine, die als gemeinsame Supersekundärstruktur (s. Proteine) ein 8-strängiges β-Faß besitzen, mit dessen Hilfe sie kleine hydrophobe Mol. binden u. transportieren können. Zu den L. gehören u. a.: β-*Lactoglobulin, $α_1$-*Mikroglobulin, *Retinol-bindendes Protein, die γ-Untereinheit der *Komplement-Komponente C8 u. das bakterielle Protein Bcl[1]. Die L. werden aufgrund von Sequenz-Ähnlichkeiten manchmal mit *Avidin/*Streptavidin u. den cytosol. Fettsäure-bindenden Proteinen zur Superfamilie der *Calycine* zusammengefaßt. – *E* lipocalins – *F* lipocalines – *I* lipocaline – *S* lipocalinas
Lit.: [1] Trends Biochem. Sci. **21**, 127 (1996).
allg.: Biochem. J. **318**, 1–14 (1996) ▪ FEBS Lett. **354**, 7–11 (1994).

Lipochitin-Oligosaccharide s. Lipooligosaccharide.

Lipochrome. Bez. für fettlösl. Naturfarbstoffe, insbes. *Carotine.

Lipocortine s. Annexine.

Lipocutin®. Dispersion stabilisierter, unbeladener od. mit Wirkstoff beladener *Liposomen auf der Basis von Sojalecithin u. Cholesterin; durch L. wird der Lipid-Gehalt des Stratum corneum erhöht u. auf der Haut ein Lipid-Film gebildet, der den natürlichen Haut-Lipiden ähnlich ist. *B.:* Henkel.

Lipodex®. Marke für eine Gruppe von *Fused Silica Kapillarsäulen zur Trennung von opt. aktiven Substanzen in ihre Enantiomeren. Als stationäre Phasen werden *Cyclodextrin-Derivate des α- u. β-Cyclodextrins eingesetzt. *B.:* Macherey-Nagel.

Lipofuszin. Gelbliches bis braunes, Lipid-haltiges Pigment, das in Form von Granula im Plasma verschiedener Körperzellen vorkommt. L. tritt v. a. im Alter als sog. Abnutzungspigment z.B. in Nerven- u. Herzmuskelzellen auf. L.-Granula werden wahrscheinlich aus *Lysosomen gebildet, in denen sich nicht weiter verwertbare Zellbestandteile angesammelt haben. Im Alter reichern sie sich im Cytoplasma an. Ob L. selbst eine schädigende Wirkung auf die Zelle hat od. nur ein Nebenprodukt des Alterungsprozesses ist, ist unklar. – *E* lipofuscin – *F* lipofuscine – *I* = *S* lipofuscina

Lipogele s. Gele.

Lipogenese. Bez. für die zelleigene Synth. von *Fetten u. *Fettsäuren, z. B. aus den von der *Glykolyse gelieferten Bausteinen; *Gegensatz:* *Lipolyse. – *E* lipogenesis – *F* lipogénèse – *I* lipogenesi – *S* lipogénesis

Lipoide. Veraltete Bez. für *fettähnliche Stoffe,* die heute allg. als *Lipide bezeichnet werden.

Lipolyse. Bez. für den körpereigenen Abbau von Fetten u. *Fettsäuren zu kleinen mol. Bruchstücken zwecks Energiegewinnung od. Wiederverw. zum Aufbau anderer Reservestoffe; *Gegensatz:* *Lipogenese; vgl. a. Lipasen. – *E* lipolysis – *F* lipolyse – *I* lipolisi – *S* lipólisis

Lipo-Merz® (Rp). Kapseln mit *Etofibrat gegen Hyperlipidämien. *B.:* Merz & Co.

Liponamid s. Liponsäure.

Liponsäure [(*R*)-5-(1,2-Dithiolan-3-yl)valeriansäure, Thioctsäure, Thioctansäure, Thioctinsäure].

S–S
CH₂–CH₂–CH₂–CH₂–COOH   Liponsäure

HS SR
CH₂–CH₂–CH₂–CH₂–COOH   Dihydroliponsäure (R = H)

$C_8H_{14}O_2S_2$, M_R 206,32. Gelbliche Nadeln, Schmp. 62 °C, Sdp. 165 °C ((*RS*)-Form) bzw. Schmp. 48 °C ((*R*)-Form), in Wasser unlösl., in Fett-Lsm. löslich. Als β-L. bezeichnet man ein *S*-Oxid der L. (diese selbst dann als α-L.), als *Liponamid* od. *Thioctamid* das häufig vorkommende Säureamid u. (selten) als *Thioctan* das Natrium-Salz. L. wurde ursprünglich als Wachstumsfaktor *(Protogen A)* in verschiedenen Mikroorganismen entdeckt, ist aber auch in höheren Pflanzen u. Tieren – Amid-artig über L-Lysin-Reste an Enzyme gebunden – weit verbreitet. Sie wird gelegentlich den B-Vitaminen zugerechnet, dies jedoch zu Unrecht, da sie für den Menschen nicht essentiell ist.
Eine ihrer wesentlichen physiolog. Funktionen besteht in der Beteiligung als *Coenzym bzw. *prosthetische Gruppe z. B. der oxidativen *Decarboxylierung von Brenztraubensäure [durch den *Pyruvat-Dehydrogenase(PDH)-Komplex] u. von 2-Oxoglutarsäure (2-Oxoglutarat-Dehydrogenase-Komplex; im *Citronensäure-Cyclus). Dabei wird die *Disulfid-Brücke geöffnet, die „aktivierte Essigsäure" (im Fall des PDH-Komplexes) in Thioester-Bindung addiert (s. Formel, R = Acetyl), innerhalb des Multienzym-Komplexes „weitergereicht" u. auf *Coenzym A übertragen. L. bleibt hierbei als Dithiol-Verb. zurück (*Dihydroliponsäure*, (*R*)-6,8-Dimercaptooctansäure, $C_8H_{16}O_2S_2$, M_R 208,33), die unter Zwischenschaltung eines Flavoproteins wieder zu L. zurückoxidiert wird. L. u.

Dihydro-L. bzw. Dihydroliponamid bilden auch in sonstiger Hinsicht ein wichtiges Redox-Paar in der Zelle. Zur Wirkung als biolog. Antioxidans s. *Lit.*[1]. L. wird bei Schwermetall-Vergiftungen u. Leberaffektionen verwendet. – *E* lipoic acid – *F* acide lipoïque – *I* acido liponico – *S* ácido lipoico
Lit.: [1] Free Radical Biol. Med. **19**, 227–250 (1995); **22**, 359–378 (1997).
allg.: Beilstein E V **19/7**, 237 ▪ Karlson, Kurzes Lehrbuch der Biochemie, 14. Aufl., S. 85, 206 f., Stuttgart: Thieme 1994. – [HS 2934 90]

Lipooligosaccharide (LOS). Im allg. Sinn *Glykolipide, d. h. mit *Lipiden verknüpfte *Oligosaccharide. Bei bestimmten Gram-neg. Bakterien, die solche Schleimhäute kolonisieren, die nicht regelmäßig von dispergierenden *Gallensäuren gespült werden, bilden LOS die vorherrschenden Glykolipide mit Struktur u. Funktionen ähnlich den *Lipopolysacchariden anderer Gram-neg. Familien. So besitzen sie ein ähnliches Lipid A, aber keine O-spezif. Ketten, u. enthalten insgesamt höchstens 10 Monosaccharid-Einheiten. Die LOS verstärken wahrscheinlich die Resistenz pathogener Bakterien gegen die Abwehrmechanismen des menschlichen *Immunsystems u. ermöglichen das Eindringen in Wirtszellen[1]. Strukturell unterschiedliche, *Chitin-haltige LOS (*Lipochitin-Oligosaccharide*) werden bei Rhizobien (*Knöllchenbakterien) als *Nodulationsfaktoren* sezerniert, die bei der Wirtspflanze die Bildung von Wurzelknöllchen auslösen[2]. – *E* = *F* lipooligosaccharides – *I* lipooligosaccharidi – *S* lipo-oligosacáridos
Lit.: [1] Crit. Rev. Microbiol. **22**, 139–180 (1996). [2] Cell **74**, 951–954 (1993); Crit. Rev. Plant Sci. **15**, 559–582 (1996); Mol. Plant-Microbe Interact. **7**, 684–695 (1994).

Lipophil. Bez. für die Eigenschaft des Molekülteils von *amphiphilen Verb., der eine ausgeprägte attraktive Wechselwirkung zu Fetten (*Lipiden) aufweist. L. sind z. B. die *hydrophoben Kohlenwasserstoffreste von *Tensiden. – *E* lipophilic – *F* lipophile – *I* lipofilo – *S* lipófilo

Lipophob. Bez. für die Eigenschaft des Molekülteils von *amphiphilen Verb., der eine ausgeprägte repulsive Wechselwirkung zu Fetten (*Lipiden) aufweist. L. sind z. B. die *hydrophilen Kopfgruppen, aber auch die perfluorierten Kohlenwasserstoffreste von *Tensiden. – *E* lipophobic – *F* lipophobe – *I* lipofobo – *S* lipófobo

Lipophorine. *Lipoproteine von *Insekten, die *Lipide in der Hämolymphe („Blut" der Insekten) transportieren u. damit Nährstoffe für den Flugmuskel bereitstellen. Die Beladung der L. mit Lipiden aus dem Fettkörper (Fettspeicherorgan) erfolgt mit Hilfe hochmol. Lipid-Transfer-Partikel. Bei zunehmender Sättigung des L. mit Lipid bindet zusätzlich das *amphiphile Apolipoprotein Apolipophorin III (M_R 18 000) an den Komplex. – *E* lipophorins – *F* lipophorines – *I* lipoforine – *S* lipoforinas
Lit.: Adv. Protein Chem. **45**, 371–415 (1994) ▪ Biochem. Cell Biol. **74**, 155–164 (1996).

Lipophosphoglykan (LPG). Auf der Oberfläche der Promastigonten, der für den Menschen infektiösen Zellform der *Protozoen-Gattung *Leishmania,* vor-

herrschendes heterogenes *Glykokonjugat (M_R 5000–40 000). Das LPG variiert je nach Spezies u. Entwicklungsstufe in Typ u. Anzahl der im Phosphoglykan-Tl. des Mol. vorhandenen phosphorylierten *Oligosaccharid-Wiederholungseinheiten. Dadurch wird die Adhäsion des Parasiten im Darm seines Zwischenwirts (Sandmücke) bzw. das Ausschwärmen u. die Infektiosität reguliert[1]. Die Einzeller, die die Leishmaniasen genannten Tropenkrankheiten hervorrufen, sind in der Lage, nach *Phagocytose (z. B. durch *Makrophagen) innerhalb der Phagocyten-Zelle der *Cytolyse u. Verdauung zu widerstehen, zu überleben u. sich zu vermehren. Es wird angenommen, daß das LPG wesentlich zu diesen Fähigkeiten beiträgt[2]. – *E* lipophosphoglycans – *F* lipophosphoglycanes – *I* lipofosfoglicani – *S* lipofosfoglicanos
Lit.: [1] Parasitology **108**, Supplement, S55–S62 (1994). [2] Immunopharmacol. Immunotoxicol. **17**, 595–605 (1995).
allg.: Annu. Rev. Microbiol. **46**, 65–94 (1992).

Lipopolysaccharide (LPS). Sammelbez. für *Konjugate, die (ähnlich den weniger komplexen *Glykolipiden) aus *Lipid- u. *Polysaccharid-Anteilen zusammengesetzt sind. Die in der äußeren Membran der Zellwände Gram-neg. Bakterien vorkommenden LPS sind im Prinzip aus 3 Komponenten aufgebaut: Aus dem Lipid A, dem Kern-Oligosaccharid u. den O-spezif. Ketten. Das *Lipid A* besteht aus phosphorylierten Aminozuckern, die mit langkettigen Fettsäuren verestert sind. Es verankert das LPS in der Bakterien-Membran u. ist für die immun-aktivierende u. *Endotoxin-Natur der LPS u. damit für ihre Wirkung als *Pyrogene verantwortlich. Das sehr Phosphat-reiche *Kern-Oligosaccharid* könnte zusammen mit dem Lipid A für den Kationen-Austausch durch die Zellwand von Bedeutung sein. Die *O-spezif. Ketten*, an der Membranoberfläche lokalisierte, nach ihrer Länge u. Verzweigung hochvariable Homo-Oligosaccharid-Ketten sind die Ursache der O-Spezifität der jeweiligen Bakterien-*Antigene; diese O-Antigene (Name von: *ohne* Hauch) vermitteln im Gegensatz zu den H-Antigenen (von: *Hauch*) *nicht* die Fähigkeit der Hauch-artigen Filmbildung auf Agar-Platten. Zur Stabilisierung der LPS-Schicht sind Calcium-Ionen nötig. Die LPS verleihen den pathogenen Bakterien eine gewisse Resistenz gegen *Phagocytose. Modif. des Lipids A ermöglichen *Salmonella typhimurium* das Überleben innerhalb von *Makrophagen[1]. Durch Variabilität im Bereich der O-antigenen Ketten wird der Angriff durch *Antikörper erschwert. Die im Vgl. zu den *Lipooligosacchariden langen hydrophilen Ketten ersparen den Bakterien an ihrem Standort im Darm die Dispersion durch *Gallensäuren. Inhibitoren der Lipid-A-Biosynth. (z. B. 2-Phenyloxazolin-5-hydroxamsäure) werden zur Zeit als antibakterielle Agenzien diskutiert[2]. – *E = F* lipopolysaccharides – *I* lipopolisaccaridi – *S* lipopolisacáridos
Lit.: [1] Science **276**, 250–253 (1997). [2] Science **274**, 939 f., 980 ff. (1996).
allg.: Mol. Microbiol. **23**, 629–638 (1997) ▪ Progr. Lipid Res. **35**, 283–343 (1996) ▪ Schlegel, Allgemeine Mikrobiologie, 7. Aufl., S. 58 ff. Stuttgart: Thieme 1992.

Lipoproteine (veraltet: Lipoproteide, Proteolipide). Sammelbez. für meist nicht-kovalente *Konjugate aus *Lipiden u. *Proteinen. Die L. bewirken in *Plasma u.

*Serum den Transport der wasserunlösl. Lipide (Lipid-Anteile zwischen 50 u. nahezu 99%). Im Dichtegradienten einer Ultrazentrifuge lassen sich die Serum-L. in 4 Dichteklassen auftrennen: *Chylomikronen*, *VLDL* (very low-density lipoproteins) od. Prä-β-L., *LDL* (low-density lipoproteins) od. β-L. (M_R mehrere Mio., wandern bei der Elektrophorese mit den β-*Globulinen), *HDL* (high-density lipoproteins) od. α-L. (wandern elektrophoret. im α_1-Globulin-Gebiet). Auf diese L. verteilen sich die wichtigsten Lipide (*Triglyceride, *Cholesterin u. *Phospholipide) in charakterist. Weise – s. Tabelle.

Tab.: Lipid-Zusammensetzung der Lipoprotein-Dichteklassen.

	Dichte [g/mL]	Zusammensetzung [%]			
		Gesamt-Lipide	Trigly-ceride	Chole-sterin	Phospho-lipide
Chylomikronen	0,95	99	89	6	4
VLDL	0,950–1,006	90	60	12	18
LDL	1,006–1,063	75	10	50	15
HDL	1,063–1,210	50	5	20	25

Zusätzlich unterscheidet man bei den LDL zuweilen die *IDL* (intermediate-density lipoproteins, D. 1,006–1,019) u. die LDL im engeren Sinn (D. 1,019–1,063). Die Protein-Anteile der L., die *Apolipoproteine*, werden kurz „Apo" geschrieben u. mit den Großbuchstaben A–H bezeichnet – Ausnahme: Apo (a); von den Typen A, C u. E gibt es Untertypen.
Exogener L.-Stoffwechsel: Chylomikronen treten nur vorübergehend – während der *Verdauung der Fette – auf. Wird bes. fettreiche Nahrung verdaut, so kann es durch sie zu einer Trübung des Blutplasmas kommen *(Lipämie, Lipidämie)*, die durch Abspaltung von Fettsäuren (durch *Lipoprotein-Lipase*[1], clearing factor lipase, EC 3.1.1.34) wieder geklärt wird. Die Apo B-48 u. E enthaltenden Chylomikron-Überreste *(remnants)* werden durch die Leber aufgenommen.
Endogener L.-Stoffwechsel: Die VLDL entstehen in der Leber; sie enthalten Apo B-100, C u. E. Im Blut wirkt auch auf sie Lipoprotein-Lipase, so daß sie an Triglyceriden verarmen u. über die IDL (enthalten Apo B-100 u. E) zu den Cholesterin-reichen, Apo-B-100-haltigen LDL werden. Störungen des L.-Stoffwechsels, die sich durch überhöhte *Blutfett-Werte *(Hyperlipoproteinämien, *Hyperlipidämien)* zu erkennen geben, können verschiedene Ursachen haben. Die Bestimmung der verschiedenen L. hat diagnost. Bedeutung für die Erkennung der spezif. Störung. Erhöhtes Auftreten der LDL, die bes. reich an Cholesterin sind, wird für die Entstehung von *Arteriosklerose u. *Herz-Infarkt verantwortlich gemacht. Mit Hilfe des *Cholesterinester-Transfer-Proteins*[2] werden Cholesterinester u. Triglyceride von HDL auf LDL übertragen. Durch Bindung an Apo-B,E-LDL-*Rezeptoren u. *Endocytose, v. a. in der Leber, aber auch in anderen Geweben, werden LDL u. IDL aus dem Blut entfernt, wobei gleichzeitig die innerzelluläre Cholesterin-Synth. gedrosselt wird. *Makrophagen u. Gefäßwandzellen[3] nehmen mit Hilfe ihrer *Säuberungs-Rezeptoren* (scavenger receptors) v. a. modifizierte u. oxidierte LDL auf;

dadurch können erstere zu Schaumzellen werden, die man in arteriosklerot. Plaques findet. Zu den Auswirkungen auf letztere s. *Lit.*[3]. HDL, von Makrophagen u. a. Geweben produziert, können von Zellen freies Cholesterin aufnehmen u. über einen *Docking-Rezeptor*[4] an die Leber u. a. Steroid-verarbeitende Gewebe abgeben. Sie wirken daher zusammen mit *Lecithin-Cholesterin-Acyltransferase* (EC 2.3.1.43), die die Veresterung von Cholesterin katalysiert, der Arteriosklerose entgegen.

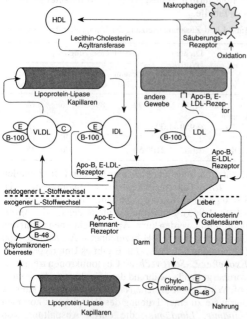

Abb.: Lipoprotein-Stoffwechsel.

Die spezif. Hemmwirkung von Apo (a), das auch in LDL vorkommt u. das laut *cDNA-Sequenz Homologie mit *Plasminogen aufweist, auf die Fibrinolyse (s. Fibrin) durch Endothelzellen (innerste Zellschicht der Blutgefäße) könnte bei der Entstehung von Thrombose u./od. Arteriosklerose mit eine Rolle spielen[5]. Das Auftreten der Isoform 4 des Apo E ist mit höherem Risiko u. früherem Auftreten der *Alzheimerschen Krankheit korreliert[6]. Ein zusätzlich phosphoryliertes u. glykosyliertes L. ist Lipovitellin (s. Vitellin). Insekten besitzen *Lipophorin als Lipoprotein.

Kovalente L.[7]: Kovalente Lipid-Protein-Konjugate entstehen durch Prenylierung von Cystein- (*Prenylproteine) od. Acylierung von Hydroxy- u. Amino-Gruppen (*Acylproteine) vieler verschiedener Proteine. Etliche Membran-Proteine haften in der Lipid-Dop-

pelschicht der Membran mit Hilfe eines *Glykosylphosphatidylinosit-Ankers. – *E* lipoproteins – *F* lipoprotéines – *I* lipoproteine – *S* lipoproteínas

Lit.: [1] J. Lipid Res. **37**, 693–707 (1996); Presse Med. **25**, 207–210 (1996). [2] J. Lipid Res. **34**, 1255–1274 (1993). [3] Nature (London) **386**, 73–77 (1997). [4] Science **271**, 460f., 518 ff. (1996). [5] Annu. Rev. Med. **47**, 432–442 (1996). [6] Annu. Rev. Med. **47**, 387–400 (1996); J. Neurosci. **17**, 516–529 (1997). [7] Casey u. Buss, Lipid Modifications of Proteins, San Diego: Academic Press 1995.
allg.: Bradley et al., Plasma Lipoproteins, Part C, San Diego: Academic Press 1996 ▪ Eur. J. Clin. Invest. **26**, 733–746 (1996).

Lipoprotein-Lipase s. Lipoproteine.

Liposomen (von *Lip... u. griech.: sōma = Körper). Kugelförmige Gebilde (Durchmesser 25 nm bis 1 μm) aus einer od. mehreren konzentr. Lipid-Doppelschichten mit wäss. Innenraum *(Lipidvesikel)*. Derartige Bläschen lassen sich durch mechan. Feinstverteilung von *Phospholipiden (z. B. *Lecithin) in wäss. Medien herstellen. Sie dienen nicht nur in der Biochemie u. Molekularbiologie als Membranmodelle (oft als Protein-haltige *Proteoliposomen*), sondern kommen auch als Träger für Arzneimittel in Frage, die selektiv in bestimmten Organen u. Zellverbänden angereichert werden[1]. – *E = F* liposomes – *I* liposomi – *S* liposomas

Lit.: [1] Adv. Drug Deliv. Rev. **19**, 425–444 (1996); Science **267**, 1275 f. (1995).

Lipotalon® (Rp). Ampullen mit dem Glucocorticoid *Dexamethason-Palmitat gegen akute Schübe des rheumat. Formenkreises. *B.:* Merckle.

Lipoteichonsäuren. *Membran-Komponenten Grampos. Bakterien, z. B. *Staphylococcus aureus*, mit polymerer *Phosphodiester-Struktur. Die Phosphodiester-Gruppen sind durch *Glycerin (od. *Ribit bei *Pneumococcus*) miteinander verbunden. An einem Ende des Poly-(Glycerophosphats) befindet sich eine Oligosaccharid-Verbindungseinheit (hier: *Gentiobiose), die wiederum einen *Diacylglycerin-Rest trägt. Die Glycerin-Einheiten sind zu 80% mit D-*Alanin verestert (od. mit Kohlenhydrat substituiert). Die *Glykolipid-Struktur (Oligosaccharid + Diacylglycerin) verankert die L. in der Zellmembran der Bakterien. Die Biosynth. der L. erfolgt durch schrittweise Übertragung von *Glycerinphosphat von Membran-gebundenem Phosphatidylglycerin auf das – ebenfalls in der Membranverankerte – Glykolipid. Obwohl die Funktionen der L. noch nicht vollständig verstanden werden, nimmt man an, daß sie für die Bakterien lebenswichtig sind. Agenzien, die die Biosynth. der L. od. der verwandten *Teichonsäuren hemmen, könnten potentiell als neuartige Antibiotika von Nutzen sein. – *E* lipoteichoic acids

Abb.: Beisp. einer Lipoteichonsäure aus *Staphylococcus aureus* (X = D-Alanyl od. H; n = 16–40).

– *F* acides lipoteichoïques – *I* acidi lipoteichoici – *S* ácidos lipoteicoicos

Lit.: Biospektrum **1997**, Sonderausgabe, 47–50.

Lipotropin (lipotropes Hormon, LPH). Aus der *Hypophyse isoliertes Peptidhormon, das in 2 Formen vorkommt: Das menschliche β-LPH besteht aus 89 Aminosäuren bekannter Sequenz. Die Aminosäure-Reste 1–56 bilden das γ-LPH, das ebenso wie β-LPH Lipolyse u. Fettsäure-Transport od. -Verbrennung im Fett-Stoffwechsel steuert. Bemerkenswert sind die verwandtschaftlichen Beziehungen zu anderen *Hormonen (z.B. β-*Melanotropin, Met-*Enkephalin u. den *Endorphinen, vgl. die schemat. Übersicht bei Endorphine). Bestimmte Teilsequenzen von *Corticotropin (ACTH) stimmen mit solchen des β-LPH überein, da beide Peptide Bruchstücke eines *Polyproteins, *Proopiomelanocortin* (Proopiocortin, M_R 29 000) sind. β-LPH u. ACTH werden zusammen vom Hypophysen-Vorderlappen ausgeschüttet. In diesem Organ bewirken β-LPH u. β-Endorphin die Freisetzung von *Prolactin. Wie ACTH stimuliert β-LPH die Synth. von *Steroid-Hormonen in den Nebennieren[1]. – *E* lipotropin – *F* lipotropine – *I* = *S* lipotropina

Lit.: [1] Steroids **61**, 332–336 (1996). – *[CAS 9035-55-6]*

Lipovitellin s. Vitellin.

Lipowitz-Legierung. Niedrigschmelzende Leg. aus 50% Bi, 27% Pb, 13% Sn u. 10% Cd mit einem Schmp. von 70 °C. – *E* Lipowitz alloy – *F* alliage de Lipowitz – *I* lega di Lipowitz – *S* aleación de Lipowitz

Lit.: s. Schmelzlegierungen.

Lipoxidase s. Lipoxygenase.

Lipoxine (LX). Als Ergebnis der Untersuchung der Funktion von Lipoxygenase-Enzymen wurde 1983 von Samuelsson u. Mitarbeitern eine neue Klasse linearer Eicosanoide entdeckt, die L. genannt wurden[1]. Es handelt sich um konjugierte Tetraene u. Pentaene, die drei Hydroxy-Gruppen tragen. Die ersten in der Natur aufgefundenen Vertreter wurden LXA u. LXB bzw. entsprechend der Zahl der in ihnen enthaltenen Doppelbindungen LXA_4 u. LXB_4 genannt. *Lipoxin A*: (5*S*,6*S*,7*E*,9*E*,11*Z*,13*E*,15*S*)-5,6,15-Trihydroxy-7,9,11,13-eicosatetraensäure, $C_{20}H_{32}O_5$, M_R 352,47, instabiles Öl; *Lipoxin B*: $C_{20}H_{32}O_5$, M_R 352,47, Öl. Die L. kommen in sehr geringen Mengen in Leukocyten vor. Sie ließen sich erstmals in ausreichender Menge isolieren, als man Human-Leukocyten mit 15-Hydroperoxyeicosatetraensäure (15-HpETE) inkubierte. Später wurden in Schweineleukocyten die LXA_5 u. LXB_5 gefunden.

Den A- bzw. B-Reihen werden inzwischen zahlreiche natürlich vorkommende u. synthet. Isomere (Epimere) zugeordnet. Biosynthet. entstehen die L. aus *Arachidonsäure durch Einwirkung verschiedener oxidierender Enzyme, eine Schlüsselfunktion kommt dabei der 5- u. der 15-Lipoxygenase zu (vgl. die Abb., S. 2424). Ähnlich den Leukotrienen kommt den L. eine pathophysiolog. Funktion im Entzündungsgeschehen u. bei allerg. Reaktionen zu. Weitere biolog. Wirkungen sind u.a. Arterienerweiterung, Stimulation des Superoxid-Freisetzung aus Human-Leukocyten, Inaktivierung von Killerzellen, spasmogene Wirkung auf Lungen-gewebe, Aktivierung von Phosphokinase C (PKC) *in vitro*, Beschleunigung der Degranulation, Förderung der Thromboxan A2-Bildung, Förderung der Extravasation von Plasma[2]. – *E* lipoxins – *F* lipoxines – *I* lipossine – *S* lipoxinas

Lit.: [1] Adv. Prostagl., Thrombox. Leukotr. Res. **15**, 163–166 (1985); Biochem. Biophys. Res. Commun. **118**, 943 (1984); Proc. Natl. Acad. Sci. USA **81**, 5335 (1984). [2] Biochem. Biophys. Res. Commun. **126**, 763 (1985). *allg.: Biosynth.:* J. Biol. Chem. **261**, 16 340–16 345 (1986) ▪ Proc. Natl. Acad. Sci. USA **83**, 1983–1987 (1986) ▪ Wong et al., Lipoxins: Biosynthesis, Chemistry and Biological Activities, New York: Plenum 1988. – *Pathophysiologie:* Acta Physiol. Scand. **130**, 643–647 (1987) ▪ Adv. Inflammation Res. **10**, 117–128 (1985) ▪ Adv. Prostagl., Thrombox. Leukotr. Res. **19**, 1–10, 122–127 (1989) ▪ Agents Actions **26**, 90ff. (1989) ▪ Biochem. Biophys. Res. Commun. **134**, 1215–1222 (1986) ▪ J. Clin. Invest. **85**, 772 (1990) ▪ J. Immunol. **138**, 266–270 (1987) ▪ Pharm. Unserer Zeit **18**, 76 (1989) ▪ Transplant Proc. **18**, 7–9 (1986). – *Reviews:* Actual. Chim. Ther. **14**, 39–53 (1987); **18**, 77–97 (1991) ▪ Adv. Prostagl. Thrombox. Leukotr. Res. **16**, 69–81, 83–97 (1986); **17**, 761–767 (1987) ▪ Science **237**, 1171–1176 (1987). – *Synth.:* Adv. Exp. Med. Biol. **229**, 61–77, 79–92 (1988) ▪ Adv. Prostagl. Thrombox. Leukotr. Res. **16**, 99–109 (1986); **19**, 1, 122 (1989) ▪ Angew. Chem. **99**, 1077ff. (1987); **103**, 1119–1136 (1991) ▪ J. Am. Chem. Soc. **107**, 464–469 (1985) ▪ J. Chem. Soc., Chem. Commun. **1986**, 1816f. ▪ J. Org. Chem. **54**, 5527–5535 (1989) ▪ Rokach et al., in: Chizov (Hrsg.), Org. Synth., Mod. Trends, Proc. 6th IUPAC-Symposium, Oxford: Blackwell 1987 ▪ Synlett. **1993**, 217 ▪ Synthesis **1986**, 453–461 ▪ Tetrahedron **48**, 2441–2452 (1992) ▪ Tetrahedron Lett. **29**, 6297–6300 (1988) ▪ s. a. Eicosanoide, Leukotriene, Prostaglandine u. Thromboxane. – *[CAS 89663-86-5 (LXA₄); 98049-69-5 (LXB₄)]*

Lipoxygenase (Lipoxidase). Zu den *Oxidoreduktasen gehörendes Lipid-abbauendes Enzym, das die Oxid. mehrfach ungesätt. Fettsäuren vornimmt u. bes. in Sojabohnen (EC 1.13.11.12)[1] u. den Vorläufern der *Erythrocyten, den Reticulocyten (EC 1.13.11.33, 15-L.), vorkommt. Die in den letzteren in großen Mengen produzierte L. greift auch komplexe *Lipid-Mol. an u. dient zum Abbau der intrazellulären Membranen bei der Differenzierung zum reifen Erythrocyten. Die Umwandlung der *Arachidonsäure in *Leukotriene beginnt in *Leukocyten mit der Einwirkung einer 5-Lipoxygenase (EC 1.13.11.34). Daneben ist eine 12-L. (EC 1.13.11.31, in *Thrombocyten) bekannt, die Arachidonsäure zu 12-Hydroperoxy-eicosatetraensäure umsetzt. L. enthalten Eisen- u. Zink-Ionen. – *E* lipoxygenase – *F* lipoxygénase – *I* lipossigenasi – *S* lipoxigenasa

Lit.: [1] Z. Naturforsch. Tl. C **51**, 123–138 (1996). *allg.:* Annu. Rev. Biophys. Biomol. Struct. **25**, 431–459 (1995) ▪ Biochim. Biophys. Acta **1128**, 117–131 (1992); **1304**, 65–84 (1996).

Lippenstifte. Schon im Altertum nachweisbare Lippenkosmetika, d.h. Schminkstifte zur Betonung u. Färbung der Lippen, auch zum Schutz, wie die *Lippenpomaden* des 18. Jahrhunderts. L. bestehen meist aus Mischungen von Wachsen u. Ölen mit entsprechenden, für die Anw. an Schleimhäuten gesetzlich zugelassenen (vgl. Kosmetika) Farbstoffen, Perlsubstanzen, Konservierungsmitteln, Antioxidantien u. Pflegestoffen. Grundstoffe sind z.B. *Bienenwachs, *Carnaubawachs, *Candelillawachs, *Ozokerit, *1-Hexadecanol, *Lanolin, *Ricinusöl, *Paraffin-Öl, *9-Octade-

Arachidonsäure

15-Lipoxygenase

15-HpETE

Peroxidase

15-HETE

5-Lipoxygenase

5,15-DiHpETE
(bzw. 5-Hp-15-HETE)

Peroxidase

(6S)-11-trans-LXA

11-trans-LXA

(14S)-8-trans-LXB

8-trans-LXB

(6S)-LXA

Lipoxin B (LXB₄)

Lipoxin A (LXA₄)

Abb.: Biosynth. der Lipoxine.

cen-1-ol. Als pflegende Komponente werden *Vitamin-A-palmitat, Vitamin-E-acetat, *Allantoin, *Panthenol, *Bisabolol od. *Lecithin verwendet. Als Lichtschutzmittel, z. B. für Anw. im Hochgebirge, können *UV-Absorber eingearbeitet sein.

Man unterscheidet pflegende (ohne Farbstoffe) u. dekorative Lippenstifte. Bei Anw. der letzteren können als Hilfsmittel „Lip-Fix" als Unterlage zur Erleichterung einer gleichmäßigen nicht verlaufenden Applikation sowie „Lip-Gloss" als Abschlußauftrag für bes. dekorativen Glanz verwendet werden. Ein „Lippenkonturenstift" kann die mit L. gefärbten Lippen einrahmen. Rezepturbeispiele für die L.-Varianten finden sich in Lit.¹. L. gehören zu den am meisten verwendeten dekorativen Kosmetika. – E lipsticks – F bâtons de rouge à lèvres – I rossetti – S barras de labios

Lit.: ¹ Umbach (Hrsg.), Kosmetik, 2. Aufl., S. 325–330, Stuttgart: Thieme 1995.

allg.: Ullmann (4.) 12, 563 f.; (5.) A 24, 225 f. ▪ Vollmer u. Franz, Chemie in Bad u. Küche, S. 78 f., Stuttgart: Thieme 1991. – [HS 3304 10]

Lippmann, Edmund Oskar von (1857–1940), Prof. für Chemie, Halle. Direktor verschiedener Zuckerfabriken. Arbeitsgebiete: Neue Verf. zur Zuckergewinnung u. -raffination, Geschichte der Naturwissenschaften, insbes. der Chemie u. der Zucker-Technologie.
Lit.: Lexikon der Naturwissenschaftler, S. 273 f. ▪ Neufeldt, S. 400 ▪ Pötsch, S. 275.

Lippmann-Effekt s. Holographie.

Liprevil® (Rp). Tabl. mit dem *Lipidsenker *Pravastatin-Natrium. B.: Schwarz Pharma.

Lipscomb, William Nunn (geb. 1919), Prof. für Physik. Chemie, Univ. Minnesota u. Harvard Univ. Cambridge, Massachusetts. Arbeitsgebiete: Struktur u. Funktion von Enzymen, Protein-Kristallographie, Va-

lenztheorie, quantenchem. Berechnungen bes. bei Boranen u. Carboranen. Für seine Arbeiten über die Struktur der Borane erhielt er 1976 den Nobelpreis für Chemie.
Lit.: Lexikon der Naturwissenschaftler, S. 274 ▪ Nachr. Chem. Tech. Lab. **24**, 519 (1976) ▪ Naturwiss. Rundsch. **29**, 447 f. (1976) ▪ Neufeldt, S. 245 ▪ Pötsch, S. 275 ▪ Umschau **76**, 765 (1976) ▪ Who's Who in America (50.), S. 2592.

Lipstatin.

$C_{29}H_{49}NO_5$, M_R 491,71, hellgelbes Öl, $[\alpha]_D$ −19° (CHCl$_3$), von *Streptomyces toxytricini* produzierter lipophiler Ester mit einem mittelständigen β-Lacton-Ring u. *N*-Formyl-L-leucin als Seitenkette. L. ist ein spezif. Hemmstoff von Triacylglycerin-Lipasen, speziell der Pankreas-Lipase, u. reduziert dadurch die Verdauung von Nahrungsfetten, ohne die Aufnahme freier Fettsäuren zu beeinflussen. In der klin. Erprobung zur Behandlung fettleibiger Patienten befindet sich das *Tetrahydrolipstatin* {THL, Orlistat, $C_{29}H_{53}NO_5$, M_R 495,74, Schmp. 43 °C, $[\alpha]_D$ −33° (CHCl$_3$), es ist synthet. leichter zugänglich}. Die Enzymhemmung durch L. od. THL kommt dadurch zustande, daß ein Serin-Rest des aktiven Zentrums durch das reaktive β-Lacton verestert wird. – *E* lipstatin – *F* lipstatine – *S* lipstatín
Lit.: J. Antibiot. **40**, 1081, 1086 (1987). – *Synth.:* J. Chem. Soc., Perkin Trans. 1 **1993**, 1549 ▪ J. Org. Chem. **56**, 4714 (1991); **60**, 7334 (1995) ▪ Synthesis **1995**, 729–744. – *Wirkung:* Biochem. J. **256**, 357 (1988) ▪ Helv. Chim. Acta **75**, 1593–1603 (1992) ▪ Int. J. Obes. **11**, 35 (1987). – *[CAS 96829-59-3 (L.); 96829-58-2 (THL)]*

Liptay, Wolfgang (geb. 1928), Prof. für Physikal. Chemie, Univ. Mainz. *Arbeitsgebiete:* Theoret. Chemie, Mol.-Spektroskopie, Eigenschaften elektron. angeregter Mol., Elektrochromie, Solvatochromie.
Lit.: Kürschner (16.), S. 2195 ▪ Nachr. Chem. Tech. Lab. **41**, Nr. 1, 69 (1993); **44**, Nr. 6, 653 (1996) ▪ Wer ist wer (35.), S. 893.

Liptinit s. Macerale.

Liptobiolithe. Von griech.: leiptos = zurückgelassen u. *lith(o)...* abgeleitete Sammelbez. für alle harzigen u. wachsartigen biogenen *Sedimente*, die bei der Zers. von *Humus* zurückbleiben u. gesteinsbildend auftreten können (sog. *Wachskohlen*); *Beisp.:* Fossile Harze wie *Bernstein*, Wachse, Schwelkohlen u. *Pyropissit*. – *E* liptobiolithes – *F* liptobiolites – *I* liptobioliti – *S* liptobiolitos

Liquapar® Oil. Flüssige Mischung aus Isopropyl-, Isobutyl- u. *n*-Butyl-Estern der 4-*Hydroxybenzoesäure. Wirksam gegen Gram-pos. u. -neg. Bakterien, Hefen u. Schimmelpilze. *B.:* ISP.

Liquid Crystal Display s. LCD.

Liquidus-Kurve s. Eutektikum.

Liquifilm. Augentropfen mit *Polyvinylalkohol bei verminderter Tränensekretion u. zum Benetzen harter Kontaktlinsen (nicht für weiche). *B.:* Pharm-Allergan.

Liquor (latein.: = Flüssigkeit). 1. In der Medizin bezeichnet man als L. die Gehirn- u. Rückenmarksflüssigkeit (L. cerebrospinalis). Die Räume zwischen Hirnhäuten u. *Gehirn bzw. Rückenmark sowie die Innenräume des Gehirns (Ventrikel) sind mit dieser Flüssigkeit ausgefüllt, die über anatom. Verb. der Liquorräume miteinander zirkulieren kann. Der L. wird ständig von bestimmten Hirngewebsanteilen gebildet u. von in die Hirnvenen ragenden Anteilen der weichen Hirnhaut in das Blut abgegeben. Eine Störung der Liquorzirkulation od. des Gleichgew. zwischen Produktion u. Resorption führt, da das Hirngewebe in der Schädelhöhle nicht ausweichen kann, zur Erhöhung des Hirninnendruckes u. zu Gewebsschäden. Aufgrund des speziellen Baus der Hirngefäße sind Blut- u. Liquorkompartiment voneinander getrennt (Blut-Gehirn-Schranke bzw. Blut-Liquor-Schranke). So ist das Gehirn vor größeren Schwankungen im Säure-Basen-Haushalt od. der Elektrolyt-Konz. im übrigen Körper weitgehend geschützt. L. enthält normalerweise keine Zellen u. kaum Proteine (0,1–0,45 mmol/L), die Pufferung erfolgt v. a. durch das Kohlendioxid-Bicarbonat-System.
Die klin.-chem. Untersuchung des L. spielt eine wichtige Rolle in der Diagnostik von Erkrankungen des Zentralnervensystems. Er wird dazu meist durch Punktion des Liquorraums zwischen Hirnhaut u. Rückenmark im Bereich der Lendenwirbelsäule (Lumbalpunktion) gewonnen u. z. B. auf Abweichungen im Gehalt an Proteinen, Glucose u. Lactat untersucht.
2. In der Pharmazie ist L. die Bez. für flüssige Arzneimittel od. auch allg. für flüssige Chemikalien.
Beisp.: L. Aluminii acetici = Essigsaure Tonerde; L. Ammonii caustici = Salmiakgeist; L. Carbonis detergens = Steinkohlenteer-Lsg.; L. Kalii arsenicosi = Fowler-Lösung.
– *E* liquor, fluid – *F* liqueur, liquide – *I* liquor – *S* líquido, fluido
Lit.: Greiling u. Gressner, Lehrbuch der Klinischen Chemie u. Pathobiochemie, S. 1064–1085, Stuttgart: Schattauer 1995 ▪ Kandel u. Schwartz, Principles of Neural Science, S. 1050–1060, Amsterdam: Elsevier 1991.

LIS. Abk. für *Landesanstalt für Immissionsschutz.

Lisa®. Lichtsammelnde *Kunststoffe auf der Basis verschiedener farbig transparenter *Thermoplaste zur Verw. für Schilder, Hinweistafeln, Leuchtschriften u. Neon-Objekte in der Werbung u. Dekoration. *B.:* Bayer.

Lisino® (Rp). Tabl., Brause-Tabl. u. Saft mit *Loratadin gegen Heuschnupfen u. a. Allergien. *B.:* Essex Pharma.

Lisinopril (Rp).

Internat. Freiname für den *ACE-Hemmer 1-[N^2-((*S*)-1-Carboxy-3-phenylpropyl)-L-lysyl]-L-prolin, $C_{21}H_{31}N_3O_5$, M_R 405,49, Schmp. 159–160 °C, $[\alpha]_D^{20}$ −23,3° (c 1/CH$_3$OH). In L. ist der Alanyl-Rest von Enalaprilat, der Wirkform von *Enalapril, durch Lysyl ersetzt. Es wurde 1980, 1983 u. 1985 von Merck & Co patentiert u. ist als Antihypertonikum von Zeneca

(Acerbon®) u. DuPont/AWD (Coric®) im Handel. –
E = F = S lisinopril – **I** lisinoprile
Lit.: ASP ■ Florey **21**, 233–276 ■ Hager (5.) **8**, 745 ff. –
[HS 293390; CAS 76547-98-3]

Liste Pharmaindex. Kurzbez. für ein vierteljährlich
erscheinendes, von der I. M. P. Kommunikationsges.
mbH, Neu-Isenburg, herausgegebenes Verzeichnis in
der BRD gehandelter pharmazeut. Präparate. Das ähnlich der *Roten Liste aufgebaute Hdb. unterscheidet
sich von dieser bes. durch alphabet. Aufbau u. größere
Aktualität bei etwas geringerer Präp.-Zahl.

Lister, Joseph Baron Lister of Lyme Regis
(1827–1912), Prof. für Medizin, Glasgow, Edinburgh,
London. *Arbeitsgebiete:* Chirurgie, Wundinfektionen,
Einwirkung von Chemikalien auf Mikroben, Begründer der Antisepsis.
Lit.: Lexikon der Naturwissenschaftler, S. 274 ■ Pharm. Ind.
1962, 92–95.

Listeria monocytogenes. Gram-pos., aerob wachsendes Stäbchenbakterium, das in der Umwelt weit
verbreitet ist u. z. B. in Pflanzen, in Tieren, im Wasser,
im Erdboden u. in Milch nachgewiesen wurde. *L. m.*
kann für Menschen u. warmblütige Tiere pathogen
sein. Listerien können durch Kontakt mit infizierten
Tieren od. indirekt über Lebensmittel wie z. B. Milch,
Käse u. Gemüse auf den Menschen übertragen werden[1,2,3]. Weich- u. Frischkäse gelten dabei als die am
häufigsten infizierten Überträger von *L. monocytogenes*[4]. Die manifeste Erkrankung, die Listeriose, äußert
sich u. a. in Form von Hirnhautentzündung u. Blutver-
giftung. Bes. gefährdet sind durch Krankheit ge-
schwächte Personen, ältere Menschen, Säuglinge u.
Schwangere[5,6,7].
Als fakultativ intrazelluläres Bakterium wird *L. m.* pathogen, wenn es in den Organismus gelangt, zwar vom
Immunsyst. erkannt u. in *Makrophagen inkorporiert,
jedoch nicht zerstört wird. – **E** Listeria monocytogenes – **F** listéria monocytogène – **I** Listeria monocito-
gena – **S** Listeria monocytogenes
Lit.: [1] Dtsch. Lebensm. Rundsch. **83**, 219–220 (1987). [2] Lan-
cet **1**, 472 f. (1988). [3] Cultured Dairy Products J. **22**, 13 f., 16 f.
(1987). [4] Arch. Lebensmittelhyg. **37**, 131 ff. (1986). [5] Bacteriol.
Rev. **30**, 309–382 (1966). [6] Med. Welt **36**, 1517 ff. (1985).
[7] Food Technol. (Chicago) **42**, 165–168 (1988).
allg.: Cultured Dairy Products J. **23**, 24 ff. (1989) ■ Dtsch. Lebensm. Rundsch. **85**, 147 ff. (1989) ■ Food Technol. (Chicago)
42, 162 ff., 172–175 (1988) ■ J. Assoc. Off. Anal. Chem. **70**,
769–772 (1987); **71**, 659 f. (1988) ■ Kampelmacher (Hrsg.),
Lebensmittelbedingte Listeriose, Hamburg: Behrs 1989.

Lisurid (Rp).

Internat. Freiname für das *Ergot-Alkaloid-Derivat
3-(9,10-Didehydro-6-methyl-8α-ergolinyl)-1,1-di-
ethylharnstoff, $C_{20}H_{26}N_4O$, M_R 338,45, Schmp. 186°C,
$[\alpha]_D^{20}$ +313° (c 0,6/Pyridin). Verwendet wird das Hy-
drogenmaleat, Schmp. 200°C (Zers.), $[\alpha]_D^{20}$ +288° (c

0,5/CH₃OH), λ_{max} (CH₃OH): 208, 240, 314 nm ($A_{1cm}^{1\%}$
878, 475, 184), LD₅₀ (Maus i.v.) 14,4 mg/kg. L. wurde
als Serotonin-Antagonist (zur Migräneprophylaxe
Cuvalit®, Schering) entwickelt, Studien haben aber
gezeigt, daß L. zu den stärksten Agonisten der postsynapt. Dopamin-D₂-Rezeptoren gehört u. so als Pro-
lactin-Hemmer gegen Parkinson u. gegen hypophysären Riesenwuchs (Dopergin®, Schering) eingesetzt
wird. – **E = F = I** lisuride – **S** lisurida
Lit.: ASP ■ Beilstein E V **25/11**, 324 ■ Hager (5.) **8**, 747–750.
– *[HS 293969; CAS 18016-80-3 (L.); 19875-60-6 (Hydrogen-
maleat)]*

Litalir® (Rp). Kapseln mit dem Cytostatikum *Hy-
droxyharnstoff. **B.:** Bristol-Myers Squibb.

Litchi (Litschi, chines. Haselnuß, Zwillingspflaume).
In Ostasien heim. u. in den Tropen kultivierte Früchte
des L.-Baumes (Sapindaceae, Seifenbaumgewächse).
Die kugeligen (Durchmesser 3–5 cm), von einer war-
zigen, rosafarbigen, harten Schale umschlossenen
Früchte sind unter dem chines. Namen Leechee schon
seit 3000 Jahren bekannt u. werden zu den feinsten
Früchten der Welt gezählt. In der Volksmedizin wurden sie gegen Geschwüre angewandt. Das roh od. als
Konserve verzehrte weiße, säuerlich-süße Fruchtfleisch enthält im frischen Zustand ca. 82% Wasser,
0,9% Eiweiß, 0,3% Fette, 16% Kohlenhydrate, 0,5%
Mineralbestandteile sowie Fruchtsäuren; die flüchtigen Aromastoffe enthalten hauptsächlich Terpenoide
u. 2-Phenylethanol(-Derivate). – **E** litchee, lychee –
F = I litchi – **S** litchí
Lit.: Franke, Nutzpflanzenkunde, 5. Aufl., Stuttgart: Thieme
1992. – *[HS 081090]*

Liter (das od. auch der L.). Im 19. Jh. aus dem gleich-
bedeutenden franös. litre (das rückgebildet aus dem älteren litron, welches seinerseits aus dem latein. litra
abgeleitet ist) eingeführte *Volumen-Einheit des metr.
Maßsyst., die nach dem Einheiten-Gesetz von 1969 als
1/1000 m³ definiert ist; entsprechend sind Untereinheiten
wie Hektoliter (1 hL = 100 L), Deziliter (1 dL = 1/10 L),
Milliliter (1 mL = 1/1000 L) etc. abzuleiten. Nach dem Gesetz über Einheiten im Meßwesen von 1985 (s. gesetzliche Einheiten) sind als Zeichen „l" u. „L" zugelassen, sowie Vorsätze u. Vorsatzzeichen von dezima-
len Vielfachen u. Teilen wie hL od. mL. Bei Gasen
spricht man oft von *Litergewicht*, wenn man die *Gasdichte in g/L meint. Von histor. Interesse ist in der Maßanalyse der *Mohrsche Liter*, der bei einer Eichung mit
Wasser bei 20°C 1,0028 L entspricht. – **E** litre (GB),
liter (US) – **F** litre – **I = S** litro

Litergewicht s. Liter.

Lith... s. Lith(o)...

Lithargyrum s. Bleioxide.

Lithergole s. Raketentreibstoffe.

Lithiierung. Bez. für die Einführung von *Lithium in
organ. Verb., die durch direkte Metallierung od. aus
anderen Lithium-organischen Verbindungen (s. dort)
erfolgen kann. – **E = F** lithiation – **I** litiazione – **S** litia-
ción
Lit.: s. Lithium-organische Verbindungen.

Lithiophilit s. Triphylin.

Lithiophorit s. Braunsteine.

Lithium. Chem. Symbol Li, metall. Element, Atomgew. 6,941±0,003, Ordnungszahl 3. Natürliche Isotope (in Klammern Häufigkeit in %) 7 (92,5) u. 6 (7,5); vier radioaktive Isotope (5, 8, 9 u. 11) mit HWZ zwischen 8,5 ms u. 0,85 s sind bekannt. L. ist ein zähes, silbrig glänzendes Metall, dessen frische Schnittfläche zunächst gelblich, dann grau anläuft. D. 0,534 (L.-Isotop 6 ist das leichteste Metall), Schmp. 181 °C, Sdp. 1342 °C, H. 0,6. L. hat (nach Beryllium) die niedrigste Äquivalentmasse (*Äquivalentgewicht) aller Metalle u. das negativste Redox-Potential aller Elemente. Gemäß seiner Stellung in der 1. Gruppe des Periodensyst. (*Alkalimetalle) ist L. 1-wertig u. seine Verb. sind farblos, sofern nicht das Anion farbig ist. An feuchter Luft verbrennt L. bei etwa 200 °C mit heißer, ruhiger, karminroter Flamme zu L.-oxid. Auch die L.-Verb. geben eine karminrote Flammenfärbung, was man in der analyt. Chemie neben der Bildung des in Wasser schwerlösl. L.-phosphats zum Nachw. sowie zur flammenphotometr. Bestimmung ausnutzen kann. Zur Spurenanalyse von L. mit 8-Chinolinol od. Thorin s. *Lit.*[1], über die Bestimmung von L. mittels ionenselektiver Elektroden, durch *Atomabsorptionsspektroskopie oder mit massenspektrometr. Meth. referiert Townshend (*Lit.*[2]). L. ist in manchen Eigenschaften aufgrund der Schrägbeziehung (s. Periodensystem) dem *Magnesium ähnlicher als dem Natrium. So reagiert es z.B. mit Stickstoff beim Erwärmen unter Bildung von Li_3N u. verbrennt an der Luft zu dem Oxid Li_2O, was dem Verhalten des Mg entspricht, nicht aber dem des Na. Ferner bildet L. in Wasser schwerlösl. Li_3PO_4, Li_2CO_3 u. LiF. Es läßt sich ähnlich wie Blei zu Draht verarbeiten; auch kann man es zu papierdünnen Blättchen schlagen. Es ist in vollständig trockener Luft stabil, dagegen wandelt es sich in feuchter Luft – jedoch langsamer als die übrigen Alkalimetalle – in das Hydroxid um. Wirft man L. auf Wasser, so entwickelt sich Wasserstoff ($2 Li + 2 H_2O \rightarrow 2 LiOH + H_2$); doch schmilzt das Metall nicht zu einem Kügelchen, wie dies bei Na u. K der Fall ist. Um L. vor der Lufteinwirkung zu schützen, wird es in Draht- od. Stangenform in Petrolether schwimmend aufbewahrt.

Physiologie: Als Spurenelement schien L. beim Menschen keine Rolle zu spielen, doch wird diese Auffassung durch neuere Erkenntnisse in Frage gestellt. Der menschliche Körper enthält ca. 2 mg Li als Begleiter von Na; größere Dosen führen zu Übelkeit, Tremor, Sehstörungen, Nierenschäden, Koma u. Herzstillstand; *Lit.*[3]. Einige L.-Verb. werden zur Therapie depressiver Zustände verwendet (*Lithium-Präparate).

Vork.: L. ist in der obersten 16 km dicken Erdkruste in gebundener Form durchschnittlich zu 0,006% vertreten u. steht in der Häufigkeitsliste der Elemente an 27. Stelle. Es bevorzugt saure Eruptivgesteine u. reichert sich oft in Granit-Pegmatiten u. in der Zinn-Formation an. L. kommt in etwa 150 Mineralen vor, doch haben davon nur *Amblygonit, *Lepidolith, *Petalit u. *Spodumen (häufigstes u. wichtigstes L.-Mineral) techn. Bedeutung. Die wichtigsten Bergbauproduzen-

ten befinden sich in den USA u. Kanada, der ehem. UdSSR u. VR China, Australien, Zimbabwe u. Brasilien; hinzu kommen Österreich u. Zaire. Zunehmende Bedeutung gewinnt die L.-Gewinnung aus Solen nord- u. südamerikan. Salzseen, insbes. in Chile. Über die Verteilung der z.Z. auf 11,7 Mio. t L. geschätzten Reserven auf die verschiedenen Länder s. Kirk-Othmer (*Lit.*). Kleinere L.-Mengen finden sich in den Böden von Erstarrungsgesteinen u. Schichtgesteinen, Laven u. Magmen, Meerwässern u. Mineralwässern. L. als Spurenelement wird auch in Pflanzenaschen (z.B. in Tabakasche bis zu 0,5%) aufgefunden.

Herst.: Techn. durch Schmelzelektrolyse eines eutekt., leicht schmelzenden Gemischs aus L.-chlorid u.a. Alkali-Salzen (z.B. Kaliumchlorid); man benutzt Graphit-Anoden u. Stahl-Kathoden (je Zelle z.B. 8000 A u. 6–6,5 V). Der Aufschluß silicat. L.-Minerale erfolgt bei Spodumen, Lepidolith u. Petalit durch Erhitzen mit CaO, bei Amblygonit mit Schwefelsäure; Näheres zur techn. Herst. s. bei Kirk-Othmer, Winnacker-Küchler u. Ullmann, zur Reinherst. s. *Lit.*[4]. 1992 wurden weltweit ca. 39 000 t L.-Verb. (berechnet als Li_2CO_3) hergestellt, die jährliche Steigerungsrate liegt bei etwa 3%. Die Zahl könnte allerdings aufgrund von strateg. Überlegungen auch viel höher liegen, da zur militär. u. kerntechn. Verw. von L. keine verläßlichen Angaben gemacht werden.

Verw.: In der Kerntechnik zur Herst. von Tritium, als Abschirmungsmittel (das L.-Isotop 6 absorbiert Neutronen), zum Nachw. therm. Neutronen, als Reaktorkühlmittel. Die auch in der *Wasserstoffbombe* (s. Kernwaffen) ablaufende Kernreaktion

$$^6_3Li + ^2_1D \rightarrow 2\,^4_2He + 22{,}4\,MeV$$

gilt als aussichtsreiche *thermonukleare Reaktion zur Gewinnung von Kernenergie; die Ausgangsstoffe können dabei in Form von L.-deuterid (s. Lithiumhydrid) eingesetzt werden. Als Leg.-Zusatz kann L. die mechan. Eigenschaften des Aluminiums u. Bleis sowie die Korrosionsbeständigkeit des Magnesiums verbessern; Li/Al- u. Li/Mg-Leg. dienen als leichte u. leicht zu verarbeitende Konstruktionswerkstoffe insbes. in der Luft- u. Raumfahrt (*Lit.*[5]). L. benötigt man auch bei organ. Synth., die z.T. über *Lithium-organische Verbindungen verlaufen, zur *Birch-Reduktion in Aminen u. Ammoniak, zur Synth. komplexer Metallhydride, zur Herst. metallorgan. Verb., für Kondensationen, Dehydrohalogenierungen, zur Herst. tert. Amine aus quartären Ammonium-Salzen, in der Mineralöl-Ind. als Katalysator u. zur Entschwefelung, zur Polymerisation von Isopren zu *cis*-Polymeren, in der Keramik-Ind. zur Regelung des Ausdehnungskoeff., Senkung der Schmelztemp. u. dgl. (s.a. Lithiumaluminiumsilicat), zur Herst. von Schmiermitteln, als Desoxid.- u. Reinigungsmittel bei der Metallurgie von Eisen, Nickel, Kupfer u. deren Leg., für Hochleistungs-Batterien s. *Lit.*[6]; L.-iodat u. -niobat dienen aufgrund ihres ausgeprägten *Pockels-Effekts* (*Elektrooptische Effekte) als Modularkrist. für Laserlicht. Über die Vielfalt der Anw. des L. s. *Lit.*[7].

Geschichte: Das Metall wurde 1817 von Arfvedson in dem schwed. Mineral Petalit entdeckt, u. Berzelius bezeichnete es als Lithion (von griech.: lithos = Stein), weil es im Gegensatz zu Natrium u. Kalium zuerst nur in einem Mineral u. nicht in Pflanzenasche festgestellt wurde. − $E = F$ lithium − $I = S$ litio

Lit.: [1]Fries-Getrost, S. 221. [2]Townshend, Encyclopedia of Analytical Science, S. 2727−2733, London: Academic Press 1995. [3]Braun-Dönhardt, S. 234. [4]Brauer (3.) **2**, 935−944. [5]Aluminium (Düsseldorf) **65**, 615−621 (1989) ▪ VDI-Ber. (Ver. Dtsch. Ing.) **670** (2), 523−537, 539−553 (1988). [6]Chem. Unserer Zeit **24**, 32−36, 90−96 (1990); Matsuda u. Schlaikjer (Hrsg.), Practical Lithium Batteries, Cleveland: JEC Press 1988; Venkatasetty (Hrsg.), Lithium Battery Technology, New York: Wiley 1984; Ullmann (5.) **A 3**, 390−395. [7]Bach (Hrsg.), Lithium: Current Applications in Science, Medicine and Technology, New York: Wiley 1985.
allg.: Büchner et al., Industrial Inorganic Chemistry, S. 215−218, Weinheim: VCH Verlagsges. 1989 ▪ Chem. Rev. **91**, 137−164 (1991) ▪ Gmelin, Syst.-Nr. 20, Li, 1927; Erg.-Bd. 1960 ▪ Hager **5**, 535−545 ▪ Hommel Nr. 279 ▪ Kirk-Othmer (4.) **15**, 434−462 ▪ Schau, Lithium-Behandlung der manisch-depressiven Krankheit, Stuttgart: Thieme 1980 ▪ Ullmann (5.) **A 15**, 393−414 ▪ Winnacker-Küchler (4.) **4**, 327f., 336f., 343f. − *[HS 2805 19; CAS 7439-93-2; G 4.3]*

Lithiumacetat. $H_3C-CO-O-Li$, $C_2H_3LiO_2$, M_R 65,99; weißes Pulver, Schmp. 291 °C; Dihydrat, weißes krist. Pulver, Schmp. 58 °C, leicht lösl. in Wasser u. Alkohol. L. wird als Puffersubstanz, Katalysator u. in der Medizin gegen man. depressive Erkrankungen (Quilonum®) verwendet. − *E* lithium acetate − *F* acétate de lithium − *I* acetato di litio − *S* acetato de litio
Lit.: Beilstein E IV **2**, 109 ▪ Kirk-Othmer (4.) **15**, 447 ▪ Merck-Index (12.), Nr. 5544. − *[HS 2915 29; CAS 6108-17-4 (Dihydrat); 546-89-4 (wasserfrei)]*

Lithiumalanat s. Lithiumaluminiumhydrid.

Lithiumaluminiumhydrid (Lithiumtetrahydridoaluminat, Lithiumalanat). LiAlH$_4$, M_R 37,95. Farbloses Pulver, D. 0,917, Zers. bei 125−150 °C, lösl. in Ether, THF, Polyethern u. Gemischen aus Ethern u. Kohlenwasserstoffen, dagegen unlösl. in Chloroform, Benzol, Petrolether. L. wird durch Wasser u. Luftfeuchtigkeit zersetzt, wobei die Reaktion mit Wasser heftig u. unter Entzündung erfolgt (Wasserstoff-Abspaltung), bei Kontakt mit Halogenhaltigen Lsm. besteht Explosionsgefahr.
Herst.: (auch von Li$_3$AlH$_6$, vgl. *Lit.*[1]): Aus *Lithiumhydrid u. Aluminiumchlorid od. -bromid; auch die Synth. aus den Elementen ist möglich.
Verw.: Seit seiner Entdeckung durch *Schlesinger (1947) dient L. in der organ. Chemie als selektives Red.-Mittel, in Form des *Lithiumaluminiumdeuterid* (LiAlD$_4$) auch als Deuterierungsmittel. L. reduziert in ether. Lsg. selektiv fast alle Kohlenstoff-Heteroatom-Doppelbindungen wie z. B. C=O, C=N usw., schont dagegen die C=C-Bindungen. Auch werden durch L. z. B. Nitro-Verb. zu prim. Aminen reduziert:

$$R-NO_2 \xrightarrow[2.\,H_2O]{1.\,Li[AlH_4]} R-NH_2\,.$$

Aus Carbonyl-Verb. erhält man Alkohole:

$$R_2CO \xrightarrow[2.\,H_2O]{1.\,Li[AlH_4]} R_2CH-OH,$$

aus Carbonsäuren, Estern, Säurechloriden u. Säureanhydriden prim. Alkohole, aus Sulfonen Sulfide, aus Nitrilen, Amiden, Imiden, Lactamen u. Oximen entstehen Amine, aus Hydraziden u. Hydrazonen bilden sich Hydrazine, aus Aldehyden, Ketonen u. Epoxiden Alkohole, aus Benzylhalogeniden, -alkoholen u. -aminen

Alkylaromaten. In speziellen Fällen kann aus ster. Gründen die Reaktion behindert sein. Die Selektivität der L.-Red. läßt sich durch Zugabe von *Lewis-Säuren (AlCl$_3$, BF$_3$) verändern. Die Zers. von nicht umgesetztem L. ist mit Hilfe von Ethylacetat möglich. In der präparativen anorgan. Chemie wird L. für die Laborsynth. zahlreicher Hydride (z. B. von Si, Ge, Sn, P, As, Sb u. a. Elementen) eingesetzt. − *E* lithium aluminium hydride − *F* hydrure de lithium et d'aluminium − *I* idruro di litio e alluminio − *S* hidruro de aluminio y litio
Lit.: [1]Brauer (3.) **2**, 820f.
allg.: Angew. Chem. **94**, 150f. (1982) ▪ Hommel, Nr. 280 ▪ Kirk-Othmer (4.) **13**, 623−626 ▪ Synthetica **1**, 260−269 ▪ s. a. Metallhydride. − *[HS 2850 00; CAS 16853-85-3; G 4.3]*

Lithiumaluminiumsilicat. LiAl[SiO$_4$], M_R 126,01. Faserige Krist. od. weiße Massen, H. 5, D. 2,63. Als *Nesosilicat kommt L. natürlicherweise unter dem Namen *Eukryptit* in Pegmatiten von New Mexico, Connecticut (USA), Bikita (Simbabwe) usw. vor[1]. L. ist bemerkenswert durch seine *neg.* therm. *Ausdehnung (d. h. es zieht sich mit steigender Temp. zusammen) u. durch starke Ionenleitung; zur Deutung der Phänomene s. *Lit.*[2]. L. ist in feuerfesten Glaskeramiken enthalten (bis zu 90%) u. bedingt deren Temp.-Beständigkeit. − *E* lithium aluminium silicate − *F* silicate de lithium et d'aluminium − *I* silicato di litio e alluminio − *S* silicato de aluminio y litio
Lit.: [1]Ramdohr-Strunz, S. 662. [2]Chem. Labor Betr. **29**, 221f. (1978); Naturwissenschaften **63**, 294 (1976).
allg.: s. a. Glaskeramik. − *[CAS 19497-94-0]*

Lithiumamid. LiNH$_2$, M_R 22,96. Farblose Würfel, D. 1,18, Schmp. 373 °C, in Wasser zersetzlich. L. wird zur Claisen-Kondensation, Alkylierung von Nitrilen u. Ketonen, Herst. von Acetylen-Verb. verwendet. Substituiertes L. eignet sich zur Dehydrohalogenierung u. zur Einführung von substituierten Amino-Gruppen. − *E* lithium amide − *F* amide de lithium − *I* ammide di litio − *S* amida de litio
Lit.: Kirk-Othmer (4.) **15**, 447 ▪ s. a. Lithium. − *[HS 2851 00; CAS 7782-89-0]*

Lithium-Batterie. *Batterie (s. Taschenbatterien), deren Anode aus Lithium besteht; als Elektrolyt/Kathodenmaterial verwendet man SOCl$_2$/SOCl$_2$ (3,7 V/3,4 V) bzw. SO$_2$/SO$_2$ (3,0 V/2,7 V) od. mit organ. Elektrolyten die Kathodenmaterialien MnO$_2$ (3,5 V/2,9 V), (CF)$_n$ (3,0 V/2,6 V), Bi$_2$O$_3$ (2,1 V/1,6 V), FeS$_2$ (1,8 V/1,5 V), Bb$_2$Bi$_2$O$_5$ (2,0 V/1,5 V) od. CuO (2,24 V/1,5 V). Die Werte in den Klammern geben jeweils die Ruhespannung bzw. die typ. Entladungsspannung an. L.-B. zeichnen sich durch eine hohe Energiedichte bei ebenfalls hohem Energieinhalt aus, sowie durch eine relativ konstante Spannung über weite Strecken des Entladungsbereiches. Die allg. recht hohe Zellenspannung, die geringe Selbstentladung u. der Betrieb in einem weiten Temp.-Bereich ergeben die Verw. für Knopfzellen in Uhren u. Taschenrechnern, Rundzellen in Kameras, Mikroprozessoren u. Speichereinheiten sowie in speziellen Ausführungen für Herzschrittmacher. Bezüglich der chem. Grundlagen der verschiedenen Elektrolyte u. Kathodenmaterialien, des Aufbaus u. des prakt. Einsatzes s. *Lit.*[1]. Mit neuen, aus-

schließlich aus anorgan. Materialien aufgebauten L.-B. will man in der Praxis 200–300 Wattstunden Energie pro Kilogramm speichern können u. eine Dauerleistung von 1800 W pro Kilogramm erreichen[2]. – *E* lithium battery – *F* batterie à lithium – *I* batteria al litio – *S* batería de litio
Lit.: [1] Chem. Unserer Zeit **24**, 32, 90 (1990). [2] Spektrum Wiss. **1996** (Nr. 10), 103.

Lithiumboranat s. Lithiumborhydrid.

Lithiumborat (Lithiumtetraborat).$Li_2B_4O_7 \cdot 5H_2O$, M_R 259,20. Farbloses, krist. Pulver, Schmp. 930 °C (wasserfrei), wenig lösl. in Wasser, unlösl. in Alkohol, wird in Emails sowie als Schmelzmittel in der Röntgenspektroskopie u. -fluoreszenzanalyse verwendet. – *E* lithium borate – *F* borate de lithium – *I* borato di litio – *S* borato de litio
Lit.: Gmelin, Syst.-Nr. 20, Li, 1927, S. 221; Erg.-Bd. 1960, S. 492 ■ Kirk-Othmer (4.) **15**, 448 ■ Ullmann (5.) **A4**, 275. – *[HS 2840 20; CAS 12007-60-2]*

Lithiumborhydrid (Lithiumtetrahydridoborat, Lithiumboranat). $LiBH_4$, M_R 21,78. Orthorhomb. Krist., D. 0,66, Zers. bei 275 °C; an feuchter Luft u. im Wasser zersetzlich. L. ist ein stärkeres Red.-Mittel als *Natriumboranat, im Vgl. zu *Lithiumaluminiumhydrid reagiert es jedoch milder. Während Carbonyl-Gruppen gewöhnlich schon bei Raumtemp. reduziert werden, reagieren Ester langsam u. erst in der Siedehitze. Das von L. abgeleitete Lithiumtriethylborhydrid {Li[B(C$_2$H$_5$)$_3$H], *Super-Hydride®} eignet sich bes. zur Red. von Alkylhalogeniden. – *E* lithium borohydride – *F* borohydrure de lithium – *I* idruro di boro e litio – *S* borohidruro de litio
Lit.: Angew. Chem. **73**, 371–383 (1961) ■ Brauer (3.) **2**, 793 ■ Chem. Soc. Rev. **5**, 23–50 (1976) ■ Gmelin, Syst.-Nr. 20, Li, Erg.-Bd. 1960, S. 487–489 ■ Kirk-Othmer (4.) **13**, 616 ■ Synthetica **2**, 259–262 ■ Ullmann (4.) **13**, 120 ■ s. a. Metallhydride. – *[HS 2850 00; CAS 16949-15-8]*

Lithiumbromid. $LiBr \cdot H_2O$, M_R 86,85. Bitter schmeckende, weiße, hygroskop. Körner, lösl. in Wasser u. Alkohol. Wasserfreies LiBr bildet weiße, zerfließliche Würfel, D. 3,464, Schmp. 547 °C, Sdp. 1265 °C. L. wird in wäss. Lsg. in Klimaanlagen als Kältemittel verwendet. – *E* lithium bromide – *F* bromure de lithium – *I* bromuro di litio – *S* bromuro de litio
Lit.: Gmelin, Syst.-Nr. 20, Li, 1927, S. 168–185; Erg.-Bd. 1960, S. 410–442 ■ Kirk-Othmer (4.) **15**, 449 ■ Ullmann (5.) **A4**, 423; **A15**, 407; **B3**, 19–24. – *[HS 2827 59; CAS 7550-35-8 (LiBr); 85017-82-9 (LiBr · H$_2$O)]*

Lithiumcarbonat. Li_2CO_3, M_R 73,89. Weißes, leichtes, krist. Pulver, D. 2,11, Schmp. 618 °C, in Wasser schwerlösl. (Ähnlichkeit mit Erdalkalicarbonaten), in Alkohol unlöslich. Es gehört zu den wenigen Salzen, die sich in kaltem Wasser leichter lösen als in warmem. Jeweils rund 25% des gesamten Lithium-Absatzes werden in Form von L. bei der Aluminium-Schmelzflußelektrolyse (u. a. zur Verbesserung der Energieausbeute u. Verminderung der Fluor-Emission) u. in der Glas-, Email- u. Keramik-Ind. (als Flußmittel) eingesetzt. L. ist weiterhin wichtiges Ausgangsmaterial für die Herst. anderer Lithium-Verb., in der Medizin seit 1949 in *Lithium-Präparaten, als Katalysator bei der Veresterung von Tallölen, Überzug auf Elektroden für das elektr. Lichtbogenschweißen. – *E* lithium car-

bonate – *F* carbonate de lithium – *I* carbonato di litio – *S* carbonato de litio
Lit.: Büchner et al., Industrial Inorganic Chemistry, S. 217, 249, Weinheim: VCH Verlagsges. 1989 ■ DAB 10 ■ Gmelin, Syst.-Nr. 20, Li, 1927, S. 223–228; Erg.-Bd. 1960, S. 495–499 ■ Kirk-Othmer (4.) **15**, 448 ■ Ullmann (4.) **16**, 268–273. – *[HS 2836 91; CAS 554-13-2]*

Lithiumchlorid. LiCl, M_R 42,39. Farblose, würfelförmige Krist. od. weißes, zerfließliches Pulver, lösl. in Wasser, Alkohol, Methanol, Glycerin, Aceton. L. krist. aus Wasser unterhalb 98 °C mit 1, 2 od. 3 Mol Krist.-Wasser aus, D. 2,068, Schmp. 614 °C, Sdp. 1382 °C, bildet viele Doppelsalze. L. ist gesundheitsschädlich. L. wird in Heiz- u. Kältebädern (33%ige wäss. Lsg. ist bei –70 °C noch flüssig), in Mischung mit *Lithiumfluorid als Schweißhilfsmittel für Aluminium u. Magnesium, als Zusatz zum Elektrolyten bei kältebeständigen Trockenzellen, zur Herst. von Gefrierschutz-Lsg., als Frostschutzmittel in Feuerlöschgeräten usw. verwendet; L. ist das Ausgangsmaterial für die schmelzelektrolyt. Herst. von Lithium-Metall. – *E* lithium chloride – *F* chlorure de lithium – *I* cloruro di litio – *S* cloruro de litio
Lit.: Gmelin, Syst.-Nr. 20, Li, 1927, S. 114–162; Erg.-Bd. 1960, 327–399 ■ Kirk-Othmer (4.) **15**, 449 ■ s. a. Lithium. – *[HS 2827 39; CAS 7447-41-8]*

Lithiumdeuterid s. Lithiumhydrid.

Lithiumdiisopropylamid (LDA, Diisopropylamin-Lithiumsalz). [(H$_3$C)$_2$CH]$_2$NLi, $C_6H_{14}LiN$, M_R 107,12. Selbstentzündliche, feuchtigkeitsempfindliche, ätzende, unter Zersetzung schmelzende, ster. gehinderte, nicht nucleophile Base, die in der organ. Synth. breite Anw. zur Erzeugung von *Carbanionen findet. L. kann aus wasserfreiem Diisopropylamin u. *n*-Butyllithium hergestellt werden. – *E* lithium diisopropylamide – *F* diisopropylamide de lithium – *I* diisopropilammide di litio – *S* diisopropilamida de litio
Lit.: Compr. Org. Synth. **2**, 55 (1991); **3**, 1 (1991) ■ Org. React. **47**, 1 ff. (1995) ■ Paquette **5**, 3096 ■ s. a. Lithium-organische Verbindungen. – *[HS 2921 19; CAS 4111-54-0]*

Lithiumfluorid. LiF, M_R 25,94. Farbloses Pulver, Würfel od. reguläre Oktaeder, D. 2,635, Schmp. 848 °C, Sdp. 1676 °C, gesundheitsschädlich (MAK 2,5 mg/m³), in Wasser schwer löslich. L. wird für im Infrarot- (0,11–9 µm) u. Ultraviolett-Bereich durchlässige Einkrist. in der Spektroskopie (Prismen, Linsen u. Fenster) u. als Monochromatorkrist. für Röntgenbeugung verwendet. L. ist ferner ein wichtiger Bestandteil von Schweißhilfsmitteln für Leichtmetalle, von Blei-freien Töpfereiglasuren u. Porzellan-Emailschichten. – *E* lithium fluoride – *F* fluorure de lithium – *I* fluoruro di litio – *S* fluoruro de litio
Lit.: Gmelin, Syst.-Nr. 20, Li, 1927, S. 109–114; Erg.-Bd. 1960, S. 305–327 ■ Kirk-Othmer (4.) **15**, 448 ■ Ullmann (5.) **A11**, 329 f. ■ s. a. Lithium. – *[HS 2826 19; CAS 7789-24-4]*

Lithiumglimmer s. Lepidolith.

Lithiumhydrid. LiH, M_R 7,95. Weiße, steinharte Massen, D. 0,82, Schmp. 680 °C, MAK 0,025 mg/m³, die von Wasser unter Wasserstoff-Entwicklung u. Bildung von Lithiumhydroxid zersetzt werden:

$$LiH + H_2O \rightarrow LiOH + H_2.$$

Zwei kg L. entwickeln so viel Wasserstoff, wie in einer 40mal schwereren Stahlbombe von 5,6 L Vol. unter 40 bar Druck enthalten sind. Als geschmolzenes Salz leitet L. den elektr. Strom; hierbei entsteht H_2 an der Anode (*Hydrid-Ionen) u. Li an der Kathode. L. erhält man beim Erhitzen von Lithium im Wasserstoff-Strom bei 600–700 °C (exotherme Reaktion). *Verw.:* Zur Herst. von Lithiumamid, Lithiumbor- u. -aluminiumhydrid, Silanen aus Chlorsilanen, als Raketentreibstoff (mit Fluor), als Reagenz bei der Bestimmung von aktivem Wasserstoff, Katalysator bei der Kunststoff-Herst., Trocknungs-, Kondensations-, Red.-Mittel u. Strahlenschutzmittel. Zur Deuterierung benutzt man *Lithiumdeuterid* (LiD), eine stabile, transportable u. beliebig lagerfähige, verhältnismäßig billig herzustellende Verbindung. ^{6}LiD (aus dem Lithium-Isotop 6 u. *Deuterium) ist der Hauptbestandteil der Wasserstoff-Bomben: 1 kg ^{6}LiD liefert durch Kernfusion die Explosionskraft u. Hitzeentwicklung von ca. 50 000 t Trinitrotoluol (s. thermonukleare Reaktionen u. Kernwaffen). – *E* lithium hydride – *F* hydrure de lithium – *I* idruro di litio – *S* hidruro de litio
Lit.: Brauer (3.) **2**, 948 ▪ Chem. Ztg. **104**, 229–238 (1980) ▪ Gmelin, Syst.-Nr. 20, Li, 1927, S. 71–76; Erg.-Bd. 1960, S. 245–257 ▪ Hommel Nr. 281 ▪ Kirk-Othmer (4.) **15**, 450 ▪ Ullmann (5.) **A 13**, 202 f.; **A 15**, 409 ▪ s. a. Metallhydride. – *[HS 285000; CAS 7580-67-8; G 4.3]*

Lithiumhydroxid. LiOH, M_R 23,95. Weiße Krist. od. Pulver (gewöhnlich Monohydrat LiOH · H_2O), in Wasser mit alkal. Reaktion lösl., D. 2,54, Schmp. 450 °C. L. wird in Akkus, Photoentwicklern, als Verseifungsmittel bei der Herst. von Spezialschmiermitteln, zur Herst. von Boraten, in keram. Erzeugnissen, als CO_2-Absorber (1 g wasserfreies L. absorbiert 450 mL CO_2), als Katalysator verwendet. – *E* lithium hydroxide – *F* hydroxyde de lithium – *I* idrossido di litio – *S* hidróxido de litio
Lit.: Brauer (3.) **2**, 958 f. ▪ Gmelin, Syst.-Nr. 20, Li, 1927, S. 78–85; Erg.-Bd. 1960, S. 262–273 ▪ Hommel, Nr. 857, 857 a ▪ Kirk-Othmer (4.) **15**, 450 f. ▪ Ullmann (5.) **A 15**, 409 ▪ s. a. Lithium. – *[HS 2825 20; CAS 1310-65-2; G 8]*

Lithiumiodat s. Lithium (Verw.).

Lithiumiodid. LiI · 3 H_2O, M_R 133,85. Weiße, zerfließliche Körner od. Massen, an der Luft Gelbfärbung durch freiwerdendes Iod, D. 3,48, Schmp. 73 °C, wasserfrei 446 °C, lösl. in 0,5 Tl. Wasser, verschlossen, u. lichtgeschützt aufbewahren. L. wird in der Photographie u. Medizin, in Szintillationszählern zum Registrieren therm. Neutronen verwendet. – *E* lithium iodide – *F* iodure de lithium – *I* ioduro di litio – *S* yoduro de litio
Lit.: Gmelin, Syst.-Nr. 20, Li, 1927, S. 186–199; Erg.-Bd. 1960, S. 444–468 ▪ Kirk-Othmer (4.) **15**, 450 ▪ s. a. Lithium. – *[HS 282760; CAS 10377-51-2 (LiI); 85017-80-7 (LiI · 3 H_2O)]*

Lithiumniobat s. Lithium (Verw.).

Lithiumnitrat. LiNO₃, M_R 68,95. Farbloses, zerfließliches Salz (gewöhnlich Trihydrat), D. 2,38, Schmp. 264 °C, sehr leicht lösl. in Wasser u. Alkohol. L. wird für Rotfeuerwerk, als Oxid.-Mittel bei der Farbfilmsensibilisierung, in der Metallurgie, zur Oxid. von Spezialtreibstoffen (Decaboran usw.), als Wärmeträger-

medium in Form einer eutekt. Schmelze, z. B. $KNO_3/LiNO_3$-Mischung (Sabalith®), u. zur Herst. anderer Lithium-Verb. verwendet. – *E* lithium nitrate – *F* nitrate de lithium – *I* nitrato di litio – *S* nitrato de litio
Lit.: Gmelin, Syst.-Nr. 20, Li, 1927, S. 94–109; Erg.-Bd. 1960, S. 285–305 ▪ Kirk-Othmer (4.) **15**, 451 ▪ s. a. Lithium. – *[HS 2834 29; CAS 7790-69-4]*

Lithium-organische Verbindungen. L.-o. V. sind polare Organometall-Verb., bei denen Lithium direkt an Kohlenstoff gebunden ist. Da die Li-C-Bindung einen beträchtlichen *kovalenten* Anteil besitzt, sind die L.-o. V. im Gegensatz zu den *salzartigen* Natrium- od. Kalium-organ. Verb. in vielen organ. Lsm. wie Ether od. Kohlenwasserstoffen löslich. Im flüssigen u. teilw. auch im gasf. Zustand sind sie assoziiert. Sie sind empfindlich gegen Sauerstoff u. Feuchtigkeit u. können im reinen Zustand bzw. bei Kontakt mit Luft spontan entflammen. In ihren Reaktionen ähneln die L.-o. V. den *Grignard-Verbindungen. Die Herst. der L.-o. V. geschieht bevorzugt durch Umsetzung von Alkylhalogeniden mit metall. Lithium *(Halogen-Metall-Austausch)* (s. Abb. 1 a). Als Nebenreaktion ist dabei, bes. bei Bromiden u. Iodiden, die Wurtz-Fittig-Reaktion (s. Wurtz-Synthese) zu beobachten. Als zweite Meth. steht die Lithiierung hinreichend acider CH-Verb. mit Lithium od. anderen L.-o. V., deren konjugierte Säure schwächer als die zu lithiierende ist, als Meth. zur Verfügung (s. Abb. 1 b). Daneben existieren noch spezielle Meth. für bestimmte L.-o. V., auf die hier nicht näher eingegangen werden kann.

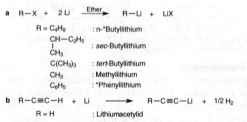

Abb. 1: Synth.-Möglichkeiten von Lithium-organischen Verbindungen.

In Kohlenwasserstoffen u. ether. Lsm. liegen L.-o. V. meist als Oligomere, z. B. Dimere, Tetramere, od. in höheren Aggregaten vor. Spektroskop. u. röntgenograph. Meth. haben zusammen mit Berechnungen mit Hilfe von *ab initio-Meth. v. a. von v. R. Schleyer (s. *Lit.*) ein facettenreiches Bild dieser Metall-organ. Substanzklasse vermittelt.
Verw.: Als Homogenkatalysatoren für Dien-Polymerisationen, für Dehydrohalogenierungen, Wittig-Reaktionen, Carboxylierungen zu Carbonsäuren, Alkylierungen, Arylierungen, Herst. anderer Metall-organ. Verb. durch *Transmetallierung, zur Synth. von *Carbenen aus organ. Halogen-Verbindungen. Neben diesen eigentlichen L.-o. V. spielen einige organ. Li-Salze eine Rolle als starke, wenig nucleophile u. ster. gehinderte Basen sowie in *Lithium-Präparaten u. als *Metallseifen für Schmiermittel usw.

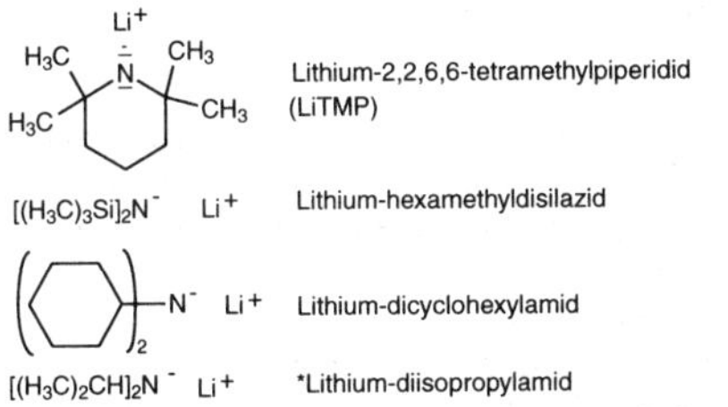

Lithium-2,2,6,6-tetramethylpiperidid (LiTMP)

$[(H_3C)_3Si]_2N^- \quad Li^+$ Lithium-hexamethyldisilazid

Lithium-dicyclohexylamid

$[(H_3C)_2CH]_2N^- \quad Li^+$ *Lithium-diisopropylamid

Abb. 2: Beisp. von Lithium-organischen Verbindungen.

– *E* organolithium compounds – *F* composés organolithiens – *I* composti litioorganici – *S* compuestos organolíticos

Lit.: Acc. Chem. Res. **26**, 227 (1993); **29**, 552 (1996) ▪ Carey-Sundberg, S. 391 ff., 1105 ff. ▪ Katritzky et al. **2**, 551 ff. ▪ Kirk-Othmer (4.) **15**, 453 ▪ Org. React. **47**, 1–314 (1995) ▪ Patai, The Chemistry of the Metal-carbon Bond, Vol. 4, 1 ff., Chichester: Wiley 1987 ▪ Saspe u. v. R. Schleyer, Lithium Chemistry, New York: Wiley 1995 ▪ Tetrahedron, **50**, 5845 (1994) ▪ Ullmann (5.) **A 15**, 410 ▪ Wakefield, Organolithium Methods, London: Academic Press 1990 ▪ Wilkinson-Stone-Abel **1**, 43 ff.; II **1**, 1 ff.

Lithiumoxide. (a) *Lithiumoxid*, Li_2O, M_R 29,88. Weiße, poröse Masse, die sich in Wasser langsam unter Erwärmung zu Lithiumhydroxid (LiOH) auflöst. D. 2,0, Schmp. über 1700 °C. L. wird in Glasuren, *Borosilicat-Gläsern u. in Glaskompositionen für Fernsehröhren verwendet.
(b) *Lithiumperoxid*, Li_2O_2, M_R 45,88. Weißes Pulver, D. 2,14, in Wasser zu 8% lösl., die wäss. Lsg. entwickelt nach Zusatz von Mangan- od. Eisen-Salzen reichlich O_2. – *E* lithium oxides – *F* oxydes de lithium – *I* ossidi di litio – *S* óxidos de litio

Lit.: Brauer (3.) **2**, 950 f., 954 f. ▪ Gmelin, Syst.-Nr. 20, Li, 1927, S. 76 f.; Erg.-Bd. 1960, S. 258–261 ▪ Kirk-Othmer (4.) **15**, 451 (Li_2O), 452 (Li_2O_2) ▪ Ullmann (4.) **17**, 712; (5.) **A 15**, 410. – *[HS 2825 20; CAS 12057-24-8 (a); 12031-80-0 (b)]*

Lithiumperchlorat. $LiClO_4$, M_R 106,39. Farblose, zerfließliche Krist., D. 2,429, Schmp. 236 °C, Zers. bei 430 °C, lösl. in polaren Lsm. wie Wasser u. Alkohol. L. wird hauptsächlich als Elektrolyt in Batterien, früher auch in Kombination mit Alkylboranen als Oxid.-Mittel für Raketentreibstoffe verwendet; eine „Polaris"-Rakete brauchte ca. 13 t Lithiumperchlorat. – *E* lithium perchlorate – *F* perchlorate de lithium – *I* perclorato di litio – *S* perclorato de litio

Lit.: Gmelin, Syst.-Nr. 20, Li, 1927, S. 166–168; Erg.-Bd. 1960, S. 404–410 ▪ Kirk-Othmer (4.) **15**, 451 f. – *[HS 2829 90; CAS 7791-03-9]*

Lithiumperoxid s. Lithiumoxide.

Lithium-Präparate. Seit 1949 weiß man, daß Lithium-Salze Häufigkeit u. Stärke der manischen u. depressiven Phase entsprechender Psychosen mindern u. oft sogar unterdrücken. Über den Wirkungsmechanismus ist noch wenig bekannt[1], wahrscheinlich beeinflussen die Li-Ionen den Neurotransmitter-Transport (erniedrigen den Norepinephrin-Spiegel an den Rezeptoren u. beeinflussen die Serotonin-Konz.). L.-P. werden prakt. vollständig resorbiert. Die therapeut. Breite ist relativ gering. Blutspiegel-Bestimmungen sind deshalb in regelmäßigen Abständen erforderlich. Zu Neben- u. Wechselwirkungen s. *Lit.*[2]. Als L.-P. kommen

hauptsächlich Lithium-acetat, -aspartat, -benzoat, -citrat, -carbonat, -sulfat u. -orotat zur Anwendung. – *E* lithium preparations – *F* préparations de lithium – *I* preparati di litio – *S* preparados de litio

Lit.:[1] Spektrum Wiss. **1981**, Heft 6, 122–129.[2] Ammon, Arzneimittelneben- u. -wechselwirkungen, Stuttgart: Wissenschaftliche Verlagsges. 1991.
allg.: Müller-Oerlinghausen u. Greil (Hrsg.), Die Lithium-Therapie, Berlin: Springer 1986 ▪ Faust, Medikament u. Psyche, Bd. 1, Stuttgart: Wiss. Verlagsges. 1995 ▪ Ullmann (5.) **A15**, 393–414; **A22**, 362 f.

Lithiumsulfat. $Li_2SO_4 \cdot H_2O$, M_R 109,95. Dünne, farblose, monokline Tafeln, D. 2.06, Schmp. 853–859 °C (wasserfrei), in kaltem Wasser besser lösl. als in heißem. L. findet Verw. in Lithium-Präp., als Einkrist. in der Piezoelektrik, Akustik, für Ultraschallsender sowie zur Lichtablenkung. – *E* lithium sulfate – *F* sulfate de lithium – *I* solfato di litio – *S* sulfato de litio

Lit.: DAB 9 Komm., 499 ▪ Gmelin, Syst.-Nr. 20, Li, 1927, S. 207–216; Erg.-Bd. 1960, S. 475–484 ▪ Kirk-Othmer (4.) **15**, 452 ▪ s.a. Lithium. – *[HS 2833 29; CAS 10377-48-7 (Li_2SO_4); 10102-25-7 ($Li_2SO_4 \cdot H_2O$)]*

Lithiumtetrahydridoaluminat s. Lithiumaluminiumhydrid.

Lithiumtetrahydridoborat s. Lithiumborhydrid.

Lith(o)... (von griech.: lithos = Stein). Silbe, die als Bestandteil von Verb.-Namen u. a. Begriffen eine Beziehung zu *Stein* (auch im medizin. Sinne) ausdrückt. *Beisp.:* Lithargyrum, Lithocholsäure (aus Gallensteinen), Lithosphäre, Lithotrophie, Lepidolith, Zeolithe, aber auch Galalith (ein Casein-Formaldehyd-Duroplast). – *E* = *F* lith(o)... – *I* lito... – *S* lit(o)...

Lithocholsäure (3α-Hydroxy-5β-cholan-24-säure).

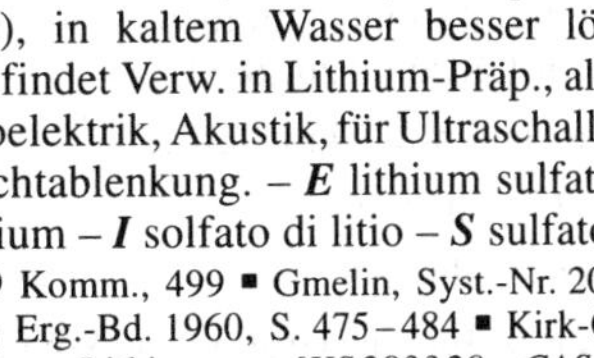

$C_{24}H_{40}O_3$, M_R 376,58, hexagonale Blättchen, Schmp. 184–186 °C, $[\alpha]_D$ +33,7° (C_2H_5OH), lösl. in Benzol, Essigsäureethylester, Ether u. heißem Alkohol, unlösl. in Petrolether. L. wurde aus Menschen-, Rinder- u. Kaninchengalle sowie Gallensteinen isoliert. Experimentelle Studien haben ergeben, daß L. als Promotor bei der Entstehung von Dickdarmkrebs wirkt[1]. L. senkt den Gallenfluß in den Dickdarm u. führt zu Gallensekretstauungen[2]. – *E* lithocholic acid – *F* acide litocholique – *I* acido litocolico – *S* ácido litocólico

Lit.:[1] Cancer Res. **49**, 1178–1181 (1989); Carcinogenesis **10**, 647 ff. (1989); Free Radical Res. Commun. **6**, 359–367 (1989); Nutr. Cancer **9**, 67–71 (1987).[2] Biochim. Biophys. Acta **1004**, 147–150 (1989); Biochem. Pharmacol. **38**, 2543–2549 (1989); Life Sci. **44**, 2033–2040 (1989).
allg.: Beilstein E IV **10**, 785 ▪ Nachr. Chem. Tech. Lab. **43**, 1047–1055 (1995) ▪ s.a. Gallensäuren. – *[HS 2918 19; CAS 434-13-9]*

Lithographie. Bez. für ein 1798 von Senefelder erfundenes *Druckverfahren, bei dem ursprünglich ein Stein (griech.: lithos) als Druckstock benutzt wurde (Steindruck) u. dessen *Flachdruck*-Prinzip dem heutigen *Offsetdruck zugrunde liegt. Als bes. geeignet hatten sich z. B. Solnhofener Platten erwiesen, die daher auch als *Lithographierschiefer*, bezeichnet wurden. Heute dient die L. ausschließlich zum Vervielfältigen von (farbigen) Graphiken. – *E* lithography – *F* lithographie – *I* litografia – *S* litografía

Lithol®. Azo-Farblacke mit z. T. sehr guten Echtheiten. Für Anstrichmittel werden fast ausschließlich die Mangan-haltigen Farblacke verwendet. Sie zeichnen sich in Kombination mit Sicomin® Rot durch sehr gute Licht- u. Wetterechtheit aus. Im Offsetdruck werden ausschließlich Calcium-Lacke eingesetzt, im Flach- u. Tiefdruck außerdem Barium- u. Mangan-Lacke. Für die Kunststoffeinfärbung kommen als weitere Gruppe die Strontium-Lacke hinzu. *B.:* BASF.

Litholyse s. Gallen- u. Harnsteine.

Lithophil s. Geochemie.

Lithophysen s. Obsidian.

Lithopone. Bez. für eine Gruppe von Weißpigmenten, die man durch Calcinieren von gemeinsam gefälltem *Zinksulfid u. *Bariumsulfat herstellt. Der ZnS-Gehalt, der die Qualität der Pigmente bestimmt, beträgt bei stöchiometr. Umsetzung gemäß

$$BaS + ZnSO_4 \rightarrow ZnS + BaSO_4$$

etwa 30%; höhere ZnS-Gehalte, z. B. 60%, werden durch entsprechende Zugabe von $ZnCl_2$ zur Ausgangslsg. erhalten. ZnS-haltige Weißpigmente werden für Speziallacke u. Tapetendruckfarben, in der Kunststoff- u. Gummi-Ind. eingesetzt. Die nach *Litho... u. griech.: ponos = Arbeit benannten L. wurden 1847 in Frankreich entwickelt u. waren weltweit lange in Benutzung, doch ist heute ihre Bedeutung infolge der Entwicklung der *Titandioxid-Pigmente stark zurückgegangen: Der Weltverbrauch sank von ca. 400000 t (1967) auf ca. 220000 t (1990). – *E = F* lithopones – *I* litoponi – *S* litopones

Lit.: Büchner et al., Industrial Inorganic Chemistry, S. 530 f., Weinheim: VCH Verlagsges. 1989 ▪ Kirk-Othmer (4.) **19**, 20 ff. ▪ Ullmann (5.) **A 20**, 290–294. – *[HS 3206 42; CAS 1345-05-7]*

Lithosphäre s. Erde.

Lithotripsie s. Harnsteine.

Lithotrophie. Von griech.: líthos = Stein u. trophé = Ernährung abgeleitete Bez. für eine Ernährungsweise von *Organismen, die reduzierte anorgan. Verb. (z. B. H_2, NH_4^+, H_2S, S, $S_2O_3^{2-}$, Fe^{2+}, NO_2^-, CO) als *Wasserstoff-*Donatoren verwenden. Man unterscheidet je nach der Quelle der Stoffwechselenergie photolithotrophe Organismen (Sonnenlicht: z. B. grüne Pflanzen, *Cyanobakterien, rote *Schwefelbakterien) u. chemolithotrophe Organismen (s. Chemolithotrophie; Energie aus Oxid. anorgan. Verb.: z. B. *Eisen- u. Wasserstoffbakterien, Nitrifikanten). Setzte man früher die Begriffe L. u. *Autotrophie gleich, so versteht man heute unter letzterer nur noch die Fixierung von *Kohlendioxid zur Gewinnung des Zell-Kohlenstoffs. Organismen, die nicht zur Autotrophie bzw. L. fähig sind, ernähren sich durch *Heterotrophie bzw. Organotrophie. – *E* lithotrophy – *F* lithotrophie – *I = S* litotrofia

Lit.: Präve et al. (4.), S. 20, 129–139 ▪ Schlegel (7.), S. 201 f.

Litmomycin s. Granaticin.

Littmann-Laser s. Farbstoff-Laser.

Livingstonit. $HgSb_4S_8$ od. $HgS \cdot 2Sb_2S_3$, grauschwarzes Quecksilber-Mineral, blättrige od. kugelige Massen, derb, auch faserig, an den Kanten rot durchscheinende, monokline Krist., Strich rot; H. 2, D. 4,9. Krist.-Klasse $2/m$-C_{2h}, *Struktur* s. *Lit.*[1].
Vork.: Huitzuco u. Guadalcázar in Mexiko, dort zeitweise als Quecksilber-Erz gewonnen; Honshu/Japan, Khaidarkan/Kirgisien. – *E = F = I* livingstonite – *S* livingstonita
Lit.: [1] Z. Kristallogr. **141**, 174–192 (1975).
allg.: Anthony et al., Handbook of Mineralogy, Vol. I, S. 299, Tucson (Arizona): Mineral Data Publishing 1990 ▪ Gmelin, Syst.-Nr. 34, Hg, Tl. A, 1960, S. 161 ▪ Ramdohr-Strunz, S. 475. – *[HS 261790; CAS 12532-29-5]*

Livocab® (Rp). Nasenspray u. Augentropfen mit dem Antiallergikum *Levocabastin-Hydrochlorid. *B.:* Janssen-Cilag.

Lizardit s. Serpentin.

Lizenz (von latein.: licentia = Freiheit, Erlaubnis). Bez. für die Erlaubnis zur wirtschaftlichen Verwertung einer Erfindung od. eines gewerblichen Schutzrechts (*Patent, *Gebrauchsmuster, Know-how, Sortenschutzrecht, *Marke, Geschmacksmuster, Urheberrecht) gegen Zahlung einer einmaligen od. laufenden Gebühr. Man kennt ausschließliche u. nicht ausschließliche, nat. u. internat. L.-Verträge. Bestimmte Beschränkungen der Vertragspartner können kartellwidrig sein (s. Kartell). Die zu zahlende *L.-Gebühr* ist abhängig von Art, Umfang, Anteil der Benutzung, Umsatz, Stückzahl od. Netto-Verkaufserlös u. beträgt meist zwischen 2 u. 15% z. B. vom Umsatz. *L.-Bereitschaft:* Erklärung der Bereitschaft, jedermann gegen angemessenes Entgelt eine L. zu erteilen; die Erklärung wird gegenüber dem Patentamt abgegeben u. vermindert die Höhe der amtlichen Jahresgebühren für Patentanmeldungen u. Patente. *Zwangs-L.:* Staatlich verordnete L. an Patent od. Gebrauchsmuster bei öffentlichem Interesse od. (z. B. in Entwicklungsländern) bei nicht ausreichender Ausübung durch den Inhaber. – *E* license (USA), licence (GB) – *F* licence – *I* licenza – *S* licencia
Lit.: Gaul, Patentlizenz u. Know-how-Vertrag, Köln: Otto Schmidt 1997 ▪ Pfaff, Internationale Rechtsgrundlagen für Lizenzverträge im gewerblichen Rechtsschutz, München: Beck 1993 ▪ Kirk-Othmer (4.) **15**, 210–217 ▪ s. a. Patente u. a. Textstichwörter ▪ Zahlreiche einschlägige Titel erscheinen bei den Verl. Heymanns (Köln) u. VCH Verlagsges. (Weinheim).

Lizetan®-Spray. *Insektizid auf der Basis von *Propoxur u. *Mercaptodimethur gegen beißende u. saugende Schädlinge an Zier- u. Zimmerpflanzen. *B.:* Bayer.

LK. Kurzz. für „like", s. Konfiguration.

LLC s. Flüssigkeitschromatographie.

LLDPE. Kurzz. (abgeleitet von engl. *l*inear *l*ow *d*ensity *p*oly*e*thylene) für *Polyethylen mit niedriger Dichte u. linearer Struktur.

Lloyds Reagenz. Bes. gereinigte *Bleicherden (*Fuller-Erden*).

Im. Kurzz. für *Lumen.

LMBG. Abk. für Lebensmittel- u. Bedarfsgegenständegesetz, s. Lebensmittelgesetz.

LMF. Abk. für *Leaf Movement Factors.

Ln. Viel benutztes „Elementsymbol" für die *Lanthanoide.

LNG. Abk. für liquefied natural gas, s. Erdgas.

Lobelanidin s. Lobelia-Alkaloide.

Lobelia-Alkaloide.

(Strukturformeln: Lelobanidin, Lobinalin, Lobinanidin 2'-Keton : Isolobinin)

*Piperidin-Alkaloide aus der als Indianer-Tabak (Brechkraut, Asthmagras) od. Aufgeblasene Lobelie bezeichneten, in Nordamerika, bes. in den Great Smoky Mountains beheimateten *Lobelia inflata* u. a. *Lobelia-* u. *Campanula-*Arten (Glockenblumen-Gewächse). Hauptalkaloid der Lobelie ist *Lobelin, das zu 0,2–0,6% in der Pflanze enthalten ist. *Lelobanidin* ($C_{18}H_{29}NO_2$, M_R 291,43) wurde in drei verschiedenen linksdrehenden Formen u. als Racemat isoliert, deren relative Konfiguration an den C-Atomen 2 u. 6 jedoch stets *cis* ist. Im *Lobelanidin* ($C_{22}H_{29}NO_2$, M_R 339,48) ist die Keto-Gruppe des Lobelins (Formel s. dort) zur Hydroxy-Gruppe reduziert (opt. inaktive *meso*-Form), *Lobinanidin* ($C_{18}H_{27}NO_2$, M_R 289,42, Schmp. 95 °C) besitzt anstelle eines Phenyl-Rests eine Ethyl-Gruppe u. einen *trans*-konfigurierten Tetrahydropyridin-Ring. *Isolobinin* ($C_{18}H_{25}NO_2$, M_R 287,40, Krist., Schmp. 78 °C) besitzt antiasthmat., emet., blutdrucksteigernde u. schleimhautreizende Wirkung. Die Lobinin-Gruppe innerhalb der L. umfaßt *Chinolin-Alkaloide, die mit einem Tetrahydropyridin-Ring substituiert sind; z.B. *Lobinalin* ($C_{27}H_{34}N_2$, M_R 386,58, Schmp. 108–110 °C). L.-A. werden in der Homöopathie bei Asthma, Hyperemesis, Übelkeit mit Todesangst u. kaltem Schweiß verwendet. – *E* lobelia alkaloids – *F* alcaloides de la lobélie – *I* alcaloidi della Lobelia – *S* alcaloides de la lobelia

Lit.: Beilstein E V **21**/12, 627f. (Lobelin); **21**/5, 294 (Lobelanidin); **23**/9, 489 (Lobinalin) ▪ Merck-Index (12.), Nr. 5577–5580 ▪ Manske **26**, 112f. ▪ Sax (8.), S. 2133 ▪ Ullmann (5.) **A 1**, 359 ▪ s. a. Lobelin. – *[HS 2939 90; CAS 492-48-8 (Lelobanidin); 552-72-7 (Lobelanidin); 530-11-0 (Lobinanidin); 530-12-1 (Isolobinin); 6887-36-1 (Lobinalin)]*

Lobelin (Inflatin).

(Strukturformel)

$C_{22}H_{27}NO_2$, M_R 337,46, Nadeln, Schmp. 130–131 °C, $[\alpha]_D^{15}$ –43° (C_2H_5OH), Racemat: Schmp. 110 °C, lösl. in heißem Alkohol, Chloroform, Ether, wenig lösl. in Wasser u. Petrolether. Hauptalkaloid der in Nordame-

rika beheimateten *Lobelia inflata* (Indianer-Tabak, Campanulaceae), s. a. Lobelia-Alkaloide. L. wurde als Expectorans sowie als *Tabak-Entwöhnungsmittel verwendet u. wirkt analeptisch. L. ist giftig u. verursacht u. U. schwere Krämpfe u. Brechreiz. – *E* lobeline – *F* lobéline – *I* = *S* lobelina

Lit.: Beilstein E V **21**/12, 627 ▪ Braun-Frohne (6.), S. 346 ▪ Hager (5.) **3**, 744 f. ▪ J. Chem. Soc., Perkin Trans. 1 **1975**, 415 ▪ Merck-Index (12.), Nr. 5580 ▪ R. D. K. (4.), S. 463 f., 850 f. ▪ Snell-Hilton **4**, 611 ▪ s. a. Lobelia-Alkaloide. – *[HS 2939 90; CAS 90-69-7]*

Lobinanidin, Lobinalin s. Lobelia-Alkaloide.

Locabiosol®. Dosier-Aerosol mit *Fusafungin als Antibiotikum für Nasen- u. Rachenraum. **B.:** Servier Deutschland.

Locacorten® (Rp). Lotion, Salbe od. Creme mit *Flumetason-pivalat (auch mit *Clioquinol kombiniert, *L.-Vioform*) gegen entzündliche Hautkrankheiten. **B.:** Zyma.

Locanit®. Zur Nachbehandlung von Färbungen u. Drucken, auf der Basis von Salzen organ. Säuren bzw. Na-Al-Silicat. **B.:** Henkel.

Locasalen® (Rp). Salbe u. Tinktur mit *Flumetason-pivalat u. *Salicylsäure zur Behandlung von Hautkrankheiten. **B.:** Zyma.

Loceryl® (Rp). Creme u. Nagellack mit dem *Antimykotikum *Amorolfin-Hydrochlorid. **B.:** Roche.

Lochfraß. Eine bes. Form der *Korrosion (*Lochkorrosion*).

Lockergestein s. Ton, Tone.

Lock-In-Verstärker (auch Phasen-empfindlicher Verstärker genannt). Elektron. Verstärker, um stark verrauschte Meßsignale besser aufzeichnen zu können. Das zu messende Signal wird hierbei moduliert, indem z. B. bei einer Fluoreszenzlichtmessung die Intensität des anregenden Lichts durch eine rotierende Lochscheibe od. einen elektroopt. Modulator mit einer Modulationsfrequenz bis zu mehreren kHz ein- u. ausgeschaltet wird. Diese Modulationsfrequenz wird als Referenzsignal in den L.-I.-V. gegeben, der aus dem breiten Frequenzspektrum des Meßsignals nur einen schmalen Bereich um die Modulationsfrequenz herausfiltert, das Signal dann synchron zum Modulator gleichrichtet u. über ein Zeitglied glättet. Auf diese Weise kann das Signal-zu-Rausch-Verhältnis um bis zu sechs Größenordnungen verbessert werden. – *E* lock-in-amplifier – *F* amplificateur Lock-In – *I* amplificatore ad aggancio – *S* amplificador lock-in

Lockstoffe. Sammelbez. für einfache od. zusammengesetzte Stoffe, die auf bestimmte Organismen spezif. anlockend wirken. In erster Linie ist hier zu denken an *Insektenlockstoffe u. *Pheromone, aber auch an *Sexuallockstoffe niederer Organismen (z. B. *Gamone) od. höherer Tiere (*Riechstoffe?). Zur Bemessung der Wirksamkeit von natürlichen od. synthet. L. setzt man – z.B. bei *Bombykol – diejenige Substanzmenge, die (in 1 mL Petrolether-Lsg. enthalten) bei 50% einzeln gehaltener Seidenspinner-Männchen eine pos. Reaktion (Flügelschlagen) erzielt, wenn man den Tieren einen mit Untersuchungsflüssigkeit benetzten Glasstab nähert, als 1 *Lockstoff-Einheit* fest. – *E* attractants – *F* substances attractives, attractifs – *I* attraenti – *S* atrayentes

Lit.: Honomichl u. Bellmann, Biologie u. Ökologie der Insekten, CD-ROM, Stuttgart: Fischer 1996.

LOCOL® (Rp). Kapseln mit dem *Lipidsenker *Fluvastatin-Natrium. *B.:* Novartis.

Locron®. Marke für hochbas. *Aluminiumhydroxychlorid; in der Kosmetik als Antitranspirant-, Antiperspirant-Wirkstoff; bei der Wasseraufbereitung als Primärflockungsmittel; in der Textilhilfsmittel-Ind., z.B. als Rohstoff für Beschichtungen u.a. wasserabweisende Ausrüstungen; in der Keramik-Ind. als Rohstoff zur Aluminiumoxid-Gewinnung; als Härterzusatz für Schnellfixierbäder; bei der Papierherst. als Aluminium-Verbindung. *B.:* Hoechst.

Lodoxamid (Rp).

Internat. Freiname für das Antiallergikum N,N'-[(2-Chlor-5-cyan-1,3-phenylen)bisoxamidsäure, $C_{11}H_6ClN_3O_6$, M_R 311,64, Schmp. 212 °C (Zers.); λ_{max} (0,1N NaOH): 239,5 (ε 23 800). Verwendet wird das Trometamol-Salz. L. ist ein Mastzellenstabilisator u. wirkt außerdem hemmend auf eosinophile Granulocyten. Es wurde 1974 u. 1976 von Upjohn patentiert u. ist gegen allerg. Konjunktivitis von Alcon Pharma (Alomide®) im Handel. – *E = F* lodoxamide – *I* lodoxamid – *S* lodoxamida

Lit.: Merck-Index (12.), Nr. 5585. – *[HS 2926 90; CAS 53882-12-5 (L.); 63610-09-3 (Trometamol-Salz)]*

LODP. Kurzz. für *levelling-off-Polymerisationsgrad.

Lodranite s. Tektite.

Loeb, Jacques (1859–1924), Prof. für Biologie, Chicago, Berkeley u. New York. *Arbeitsgebiete:* Mitbegründer der modernen Experimentalbiologie, Kolloide, Eiweiße, künstliche Parthenogenese, Regeneration, Tropismen.

Lit.: Lexikon der Naturwissenschaftler, S. 275 ▪ Nachmansohn, S. 171, 267, 296.

Löcherleitung. In Festkörpern, z.B. in *Metallen, *Halbleitern u. *Isolatoren sind die Elektronenzustände in Bändern angeordnet. Ist ein Band fast vollständig mit Elektronen besetzt, so betrachtet man im allg. nicht die vielen besetzten Zustände (ca. 10^{23} cm^{-3}), sondern die wenigen unbesetzten (z.B. 10^9 bis 10^{20} cm^{-3}). Diese unbesetzten Zustände lassen sich beschreiben als Quasiteilchen mit Ladung, Spin u. Impuls entgegengesetzt zu denen der fehlenden Elektronen. Diese sog. *Defektelektronen od. Löcher (*E* hole) verhalten sich unter dem Einfluß eines äußeren elektr. Felds so, als ob sie eine pos. Elementarladung trügen. Ihr Beitrag zur elektr. Leitfähigkeit wird als L. od. *p-Leitung* bezeichnet. – *E* defect conductivity by holes – *F* conduction par lacunes, conduction par défaut – *I* conduzione per buche – *S* conducción por defectos

Lit.: s. Halbleiter.

Löffler, Friedrich August Johannes (1852–1915), Prof. für Bakteriologie u. Hygiene, Berlin, Greifswald. *Arbeitsgebiete:* Bakteriologie, Bakterienfärbung z.B. mit Methylenblau, Entdeckung der Erreger von Diphtherie, Rotzkrankheit der Pferde, Schweinerotlauf u. Mäusetyphus. Nach ihm benannt ist das Löffler-Serum, ein Nährboden aus Tierserum u. Traubenzuckerbrühe zur Bakterienzüchtung.

Lit.: Lexikon der Naturwissenschaftler, S. 275.

Löllingit (Arsenikalkies, Arseneisen). FeAs$_2$, frisch silberweiß metallglänzendes, grau anlaufendes, opakes rhomb. Mineral, Krist.-Klasse mmm-D$_{2h}$. Nadelförmige od. prismat. Krist. od. eingewachsen als körnige, stengelige od. nadelige Aggregate; im frischen Bruch deutlich heller als *Arsenopyrit, Strichfarbe grauschwarz; H. 5–5,5, D. 7,4–7,5. In der Natur kommen alle Mischungen mit CoAs$_2$ (*Safflorit) vor; mit *Rammelsbergit nur beschränkt mischbar.

Vork.: Hauptsächlich in hydrothermalen *Gängen, z.B. Lölling (Name!) in Kärnten u. Schladming/Steiermark/Österreich, Ontario/Kanada, Colorado/USA, Zloty Stok (Reichenstein)/Polen. – *E = F* lollingite – *I* loellingite – *S* lollingita

Lit.: Anthony et al., Handbook of Mineralogy, Vol. I, S. 300, Tucson (Arizona): Mineral Data Publishing 1990 ▪ Ramdohr, Die Erzmineralien u. ihre Verwachsungen, S. 912–916, Berlin: Akademie-Verl. 1975 (erzmikroskop. Beschreibung) ▪ Ramdohr-Strunz, S. 465 f. – *[HS 2530 90; CAS 12255-61-1]*

Löscalcon. Brausetabl. mit Calciumcarbonat gegen *Calcium-Mangel (Tetanie, Osteoporose). *B.:* Beiersdorf-Lilly.

Löschen. 1. Strahlungslöschung s. Fluoreszenz, Photochemie, Sensibilisation. – 2. Kalklöschen s. Calciumhydroxid. – 3. Feuerlöschen s. Feuerlöschmittel u. Brand...-Stichworte

Löscher s. Sensibilisatoren.

Löschkalk s. Calciumhydroxid.

Löschmittel s. Feuerlöschmittel.

Löschpapier s. Papier.

Löse... In der neueren Dtsch.-sprachigen chem. Lit. sind Bez. wie Lösungsmittel u. *Lösungsvermittler durch „*Lösemittel" u. „Lösevermittler" ersetzt.

Lösemittel (Solvens, Lösungsmittel, s.a. Löse...). Unter L. (Lsm.), versteht man im weitesten Sinne Stoffe, die andere auf physikal. Wege zur *Lösung bringen können, im engeren Sinne anorgan. u. organ. *Flüssigkeiten, die andere gasf., flüssige od. feste Stoffe zu lösen vermögen. Voraussetzung für die Eignung als L. ist, daß sich beim Lösungsvorgang weder der lösende noch der gelöste Stoff chem. verändern, daß also die Komponenten der Lsg. durch physikal. Trennverf. wie Dest., Krist., Subl., Verdunstung, Adsorption in der Originalgestalt wiedergewonnen werden können. Man kennt anorgan. u. organ. L., die hier nur gruppenweise (in Klammern *Beisp.*) vorgestellt werden können; außerhalb der Einteilung stehen *flüssige Kristalle, *Salzschmelzen u. im überkrit. Zustand befindliche Gase (vgl. kritische Größen). Bei den anorgan. L. unterscheidet man zum einen *Protonen-haltige* (H$_2$O, flüssiges NH$_3$, H$_2$S, HF, HCN, HNO$_3$) u. *Pro-*

tonen-(bzw. Wasserstoff-)-*freie L.* (flüssiges SO_2, N_2O_4, NOCl, $SeOCl_2$, ICl, BrF_3, $AsCl_3$, $HgBr_2$ usw.), zum anderen *wäss.* u. *nichtwäßrige Lösemittel.* Der letzterwähnten Gruppe von L. lassen sich natürlich erst recht die organ. L. zuordnen, von denen hier nur die wichtigsten aufgeführt sein können: *Alkohole* (Methanol, Ethanol, Propanole, Butanole, Octanole, Cyclohexanol), *Glykole* (Ethylenglykol, Diethylenglykol), *Ether* u. *Glykolether* (Diethylether, Dibutylether, Anisol, Dioxan, Tetrahydrofuran, Mono-, Di-, Tri-, Polyethylenglykolether), *Ketone* (Aceton, Butanon, Cyclohexanon), *Ester* (Essigsäureester, Glykolester), *Amide* u. a. *Stickstoff-Verb.* (Dimethylformamid, Pyridin, *N*-Methylpyrrolidon, Acetonitril), *Schwefel-Verb.* (Schwefelkohlenstoff, Dimethylsulfoxid, Sulfolan), *Nitro-Verb.* (Nitrobenzol), *Halogenkohlenwasserstoffe* (Dichlormethan, Chloroform, Tetrachlormethan, Tri-, Tetrachlorethen, 1,2-Dichlorethan, Chlorfluorkohlenstoffe) u. *Kohlenwasserstoffe* (Benzine, Petrolether, Cyclohexan, Methylcyclohexan, Decalin, Terpen-L., Benzol, Toluol, Xylole). In vielen Fällen verwendet man (auch aus Wirtschaftlichkeitsgründen) nicht die reinen L., sondern Gemische, die die Lösungseigenschaften vereinigen, od. man greift zu *Lösungsvermittlern. Das Lösungsvermögen von L. wird oft qual. durch die *Kauri-Butanol-Zahl beschrieben. Zu den nichtpolaren (*apolaren) L. gehören Schwefelkohlenstoff, Tetrachlormethan, die meisten aromat. u. die gesätt. aliphat. Kohlenwasserstoffe, zu den *polaren* alle organ. Stickstoff- u. Sauerstoff-Verb., u. schwach polar sind die Halogen- u. manche aromat. Kohlenwasserstoffe. Die empir. bestimmte u. in Einheiten der sog. $E_T(30)$-Skale ausgedrückte *Polarität* steigt z. B. vom apolaren *n*-Hexan über Toluol, Chloroform, *n*-Butanol, Aceton, Ethanol, Formamid bis zum stark polaren Wasser. Die Stärke der *Solvatation eines gelösten Stoffes – bis hin zum Entstehen eines L.-*Käfig-Effekts – ist abhängig von *Acidität, *Basizität, *Polarität u. der *Dielektrizitätskonstante des Lösemittels. Ausschlaggebend für die Wahl eines L. sind neben dem erwünschten Lösungsvermögen u. – bei Ind.-Chemikalien – der Wirtschaftlichkeit folgende im einzelnen diskutierte Gesichtspunkte: Dichte, Siedebereich, Viskosität, Flüchtigkeit u. Verdunstungszahl, Flammpunkt, Zündpunkt, Explosionsgrenzen, Fragen der Luftreinhaltung, physiolog. Unbedenklichkeit (*MAK, *TRK, Vermeidung von Hautläsionen u. Atmungsschädigungen). Hinweise für den Umgang mit L. sind den Merkblättern der Berufsgenossenschaften zu entnehmen. Die L.-Prüfverf. sind weitgehend genormt. Die Ind. verwendet eigene Marken für L. definierter Reinheitsgrade.

Es sei darauf hingewiesen, daß in der Technik unter dem Begriff L. häufig auch bloße Dispersionsmittel eingeschlossen werden, die unter normalen Temp.- u. Druckverhältnissen flüssig sind u. dazu dienen, andere Stoffe zu lösen, zu emulgieren od. zu suspendieren, um deren Verarbeitung (z. B. Lackverdünner) od. auch Entfernung (z. B. Fleckentferner) zu ermöglichen. – *E* solvents – *F* solvants, dissolvants – *I* solventi – *S* disolventes, solventes

Lit.: Book of ASTM Standards, Part 29 (seit 1983: Bd. 06.03): Paint – Fatty Oils and Acids, Solvents, ..., Part 30 (seit 1983:

Bd. 15.05): ... Halogenated Organic Solvents..., Philadelphia: ASTM (jährlich) ▪ Chem. Unserer Zeit **15**, 139–148 (1981) ▪ Coetzee, Recommended Methods for Purification of Solvents and Tests for Impurities, Oxford: Pergamon 1982 ▪ Collings u. Luxon, Safe Use of Solvents, London: Academic Press 1982 ▪ DIN-Katalog, Sachgruppen 5740, 5920, 5960, Berlin: Beuth (jährlich) ▪ Gnamm u. Fuchs, Lösungsmittel u. Weichmachungsmittel (2 Bd.), Stuttgart: Wiss. Verlagsges. 1980 ▪ Grant u. Higuchi, Solubility Behavior of Organic Compounds, New York: Wiley 1990 ▪ Kirk-Othmer (3.) **21**, 355–401 ▪ Lo et al., Handbook of Solvent Extraction, New York: Wiley 1983 ▪ Normen über Rohstoffe für Anstrichstoffe, Bindemittel, Lösungsmittel... (DIN Taschenbuch 117) ▪ Recommended Health-Based Limits in Occupational Exposure to Selected Organic Solvents (Techn. Rep. Series 664), Geneva: WHO 1981 ▪ Reichardt, Solvents and Solvent Effects in Organic Chemistry, Weinheim: VCH Verlagsges. 1988 ▪ Smallwood, Handbook of Organic Solvent Properties, London: Arnold 1995 ▪ Ullmann (5.) **A 24**, 437 ff. – *Serien:* Solvent Extraction and Ion Exchange, New York: Dekker (seit 1983) ▪ Solvents in the Environment Series, Boca Raton: CRC (seit 1976). – Häufig geben die L.-Hersteller kleine Handbücher heraus, die ggf. kostenlos erhältlich sind.

Lösemittelklebstoff. Nach DIN 16 920 (06/1981) Bez. für einen Klebstoff, bestehend aus organ. Grundstoffen in organ. Lsm., in denen die Grundstoffe lösl. sind (z. B. *Kleblack). – *E* solvent adhesive – *F* adhésif à solvant – *I* solvente adesivo – *S* adhesivo con disolvente

Lösferron. Brausetabl. mit Eisen(II)-gluconat gegen Eisenmangel-Anämien. *B.:* Beiersdorf-Lilly.

Löslichkeit s. Lösungen u. Löslichkeitsprodukt.

Löslichkeitskoeffizient s. Absorptionskoeffizient.

Löslichkeitsprodukt (Kurzz.: K_L od. L). Bez. für das Produkt der *Konzentrationen (genau: der wirksamen Konz. = *Aktivitäten) der Ionen (*Ionenprodukt) in der *gesätt.* Lsg. eines Elektrolyten; es ist proportional der Dissoziationskonstanten des Elektrolyten u. abhängig von Temp., Druck u. Art des Lsm. (im allg. Wasser). Bei schwerlösl. Stoffen, wie z. B. Silberchlorid (AgCl), läßt sich das L. leicht angeben, da wegen der starken Verdünnung die Aktivitätskoeff. 1 sind u. der Elektrolyt prakt. vollständig dissoziiert vorliegt, so daß gilt:

$$K_L (AgCl) = c (Ag^+) \cdot c (Cl^-) .$$

Gibt man zu einer Silberchlorid-Lsg. Silbernitrat, so werden die Silber-Ionen in der Lsg. stark vermehrt, was schließlich wegen des konstanten Wertes des L. zum *Ausfällen von festem Silberchlorid führt; die Bildung des *Niederschlags beginnt (theoret.), wenn das *Ionenprodukt das L. übersteigt (*Massenwirkungsgesetz). Bei leichtlösl. Stoffen müssen statt der Konz. die Aktivitäten berücksichtigt werden. Da die Kenntnis der L. für die Auswertung der *Fällungsanalyse u. der *Gravimetrie Voraussetzung ist, sammelt man die Daten in *Handbüchern u. *Tabellenwerken.

Das L. darf jedoch nicht mit der *Löslichkeit* l (s. Lösungen) verwechselt werden; die molare Löslichkeit eines schwerlösl. Salzes vom Typ A_mB_n ergibt sich zu

$$l = \sqrt[m+n]{\frac{K_L}{m^m \cdot n^n}} .$$

– *E* solubility product – *F* produit de solubilité – *I* prodotto di solubilità – *S* producto de solubilidad

Lit.: Atkins, Physikalische Chemie, 2. Aufl., Weinheim: VCH Verlagsges. 1996 ▪ Handbook **67**, 207.

Löß (Löss). Zu den *Siltsteinen gehörendes, gut sortiertes, gewöhnlich ungeschichtetes, unverfestigtes, an steilen Hängen dennoch sehr standfestes, poröses *äol.* (durch Wind erzeugtes) *Sediment aus gleichmäßigem, äußerst feinem, von 10–20% (Mittelwert) *Kalk-Bruchstücken durchsetztem Staub (Korngrößen gewöhnlich zwischen 20 u. 50 μm) aus *Quarz ± *Feldspäten ± *Glimmer usw., mit einem von *Eisenhydroxiden gelblich gefärbten tonigen Bindemittel. Der *Ton-Gehalt beträgt in Mitteleuropa 10–25%, der von *Sand 10–15% u. der Schluff -(Silt-)Anteil 65–80%. Wenn der Kalk durch Wasser herausgelöst wird, entsteht gelbbrauner *L.-*Lehm.* Häufig enthält L. eine sog. *L.-Fauna,* z. B. Schalen von Landschnecken u. Reste von Nagetieren. L. bildet das Substrat für fruchtbare, wasserdurchlässige, ungeschichtete Böden (*Boden).
Vork.: Bevorzugte Liefergebiete von L. sind Räume mit geringer Vegetation u. kräftiger mechan. *Verwitterung (Kälte- u. Wärmewüsten). L. ist in Mitteleuropa in einer breiten Zone nördlich des Mittelgebirgsrandes u. im Raum des Rhein-, Donau- u. Elbe-Tales während der Eis- u. Nacheiszeit durch Ausblasung von feinem Staub aus sandigen Gletscherabschmelz-Gebieten (den sog. Sanderflächen) abgelagert worden. Weitere größere Vork. gibt es in Süd-Rußland, im Mississippi-Gebiet der USA u. in Argentinien. Die bis zu 600 m mächtigen, gut untersuchten u. zeitlich gegliederten [1] L.-Profile in China [2] geben wichtige Hinweise auf Veränderungen des Klimas u. der Umwelt im Quartär (*Erdzeitalter). – $E = F = I = S$ loess
Lit.: [1] Episodes **18**, Nr. 1/2, 58 ff. (1995). [2] Tungsheng, Loess in China (2.), Berlin: Springer 1988.
allg.: Brookfield u. Ahlbrand (Hrsg.), Eolian Sediments and Processes (Developments in Sedimentology 38), Amsterdam: Elsevier 1983 ▪ Earth Sci. Rev. **7**, 67–85 (1971) ▪ Füchtbauer (Hrsg.), Sedimente u. Sedimentgesteine (Sediment-Petrologie Tl. 2) (4.), S. 229 ff., Stuttgart: Schweizerbart 1988 ▪ Scheffer u. Schachtschabel, Lehrbuch der Bodenkunde (13.), S. 6, 9 f., 390, 412, Stuttgart: Enke 1992.

Lösungen. Im weitesten Sinne sind L. homogene *Gemische verschiedener Stoffe, wobei noch die winzigsten Teilvol. der L. eine gleichartige Zusammensetzung aufweisen. Unter L. im engeren Sinne versteht man flüssige Gemische aus mind. 2 Komponenten, in denen die Partner mol.-dispers in unterschiedlichen Mengenverhältnissen vorliegen. Sind die *zwischenmolekularen Kräfte zwischen allen Komponenten gleich groß, so handelt es sich um *ideale L.,* die sich ohne Änderung der inneren Energie bilden u. die dem *Raoultschen Gesetz gehorchen. In der Natur u. Technik sind jedoch ideale L. außer im Gaszustand kaum anzutreffen. Die exakte Beschreibung von *realen L.* ist kompliziert; *Beisp.:* Debye-Hückel-Theorie für Elektrolyt-haltige Lösungen. Von diesen *echten L.* sind die *kolloiden L.* (s. Kolloidchemie) wie *Sole, *Suspensionen u. *Emulsionen zu unterscheiden. Übergangsstufen bilden die L. der Assoziationskolloide u. die *Micellen bei *Tensid- u. *Seifen-Lsg., während die (mol.-dispersen) L. der Makromol. im Sinne der Definition „echte L." sind, auch wenn deren Verhalten in vieler Hinsicht eher denen der kolloiden L. entspricht.

Typen von L.: (a) *L. von Gasen in Gasen:* Gemische von *Gasen bilden den einfachsten Typ einer Lösung. Gase diffundieren in einem abgeschlossenen Raum von selbst so lange ineinander, bis ein homogenes Gemisch vorliegt (s. Diffusion, Gasgesetze). In der Praxis schränkt man jedoch den Begriff L. auf flüssige u. feste Mischphasen ein.
(b) *L. von Gasen in Flüssigkeiten:* Die Auflsg. von Gasen in Flüssigkeiten wird als *Absorption bezeichnet. Hierfür gilt das *Henrysche Gesetz, wonach die Löslichkeit eines Gases proportional dem Gasdruck (bei Gasgemischen den *Partialdrücken) über der Lsg. ist, d. h. bei Verdopplung des Druckes geht die doppelte Gasmenge in Lösung. In der Praxis erreicht man die Auflsg. von Gasen durch Einleiten in die betreffende Flüssigkeit. Die Löslichkeit der Gase in Flüssigkeiten ist außerordentlich verschieden; so lösen sich z. B. in je 1 L Wasser bei Raumtemp. 0,0185 L Wasserstoff, 0,88 L Kohlendioxid, 0,023 L Kohlenmonoxid, 0,0311 L Sauerstoff, 450 L Chlorwasserstoff-Gas, 40 L Schwefeldioxid u. 720 L Ammoniak-Gas auf. Im allg. sind die Gase um so leichter lösl., je leichter sie sich verflüssigen lassen. In Quecksilber sind alle Gase unlösl.; daher dient es oft als Sperrflüssigkeit bei Gasversuchen. Bei höherer Temp. lösen sich die Gase – im Gegensatz zu den meisten festen Stoffen – in Flüssigkeiten weniger gut auf; so lösen sich z. B. (unter Normaldruck) in 1 L Wasser bei 0 °C 1,71 L, bei 10 °C 1,19 L, bei 20 °C 0,88 L, bei 25 °C 0,757 L u. bei 60 °C 0,36 L Kohlendioxid. Die Löslichkeit von Sauerstoff u. Kohlendioxid in Wasser ist von großer biolog. Wichtigkeit; hierdurch wird das Leben von assimilierenden Wasserpflanzen u. von Wassertieren ebenso wie die Atmung aller Tiere (O_2/CO_2-Transport im Blut) ermöglicht. Frisch ausgekochtes Wasser ist nahezu gasfrei.
(c) *L. von Gasen in festen Stoffen:* Hier erfolgt meist Einlagerung der Gasmol. in das Gitter des festen Stoffes. Bes. Wasserstoff-Gas wird von vielen Metallen u. Leg. in erheblichem Umfang aufgenommen u. in die Metallgitter eingebaut; bei Bindung größerer Wasserstoff-Mengen bilden sich auch *Einlagerungsverbindungen (*Berthollide). *Beisp.:* Bei Raumtemp. können Titan u. Zirkonium bis zu 2, Thorium über 3 mol Wasserstoff pro mol Metall aufnehmen. Bei steigender Temp. sinkt das Lösevermögen für Wasserstoff: 1 g Vanadium löst bei 18 °C 157 mL Wasserstoff, bei 500 °C noch 11,2 mL, bei 1000 °C nur noch 2,3 mL. Palladium vermag bei Raumtemp. das 350–850fache seines Vol. an atomarem Wasserstoff aufzulösen; es bläht sich dabei etwas auf u. wird spröde u. rissig (*Wasserstoff-Versprödung*). Verschiedene Leg. mit hohem H_2-Lösevermögen wie z. B. MgH_2 werden als mögliche Energie-Speichersyst. diskutiert, da die H_2-Aufnahme reversibel ist (s. Hydrid-Speicher).
(d) *L. von Flüssigkeiten in Flüssigkeiten:* Flüssigkeiten können ineinander unbegrenzt lösl., also in beliebigen Mengenverhältnissen miteinander mischbar, unvollständig mischbar bzw. lösl. (Mischungslücke) od. ineinander unlösl. sein. Syst. vollständiger Mischbarkeit sind Ethanol/Wasser od. Benzol/Cyclohexan, obwohl sich hier sog. *cybotaktische Strukturen ausbilden können. Unvollständig mischbar – die Zusam-

mensetzung der koexistierenden Phasen kann aus *Zustandsdiagrammen der bei *Destillation abgebildeten Art abgelesen werden – sind z. B. Phenol u. Wasser. Schüttelt man diese beiden Flüssigkeiten miteinander, so entsteht eine schwere, untere Schicht aus 72% Phenol u. 28% Wasser, über der eine leichtere Schicht aus 92% Wasser u. 8% Phenol schwimmt. Erwärmt man das Gemisch, so nimmt die gegenseitige Löslichkeit beider Flüssigkeiten mehr u. mehr zu, u. oberhalb 66 °C, der „oberen krit. Entmischungstemp.", kann man keine Phasen verschiedener Flüssigkeiten mehr unterscheiden: die L. ist völlig homogen geworden. Analog verhalten sich *Schmelzen mehrerer, *Eutektika bildender Stoffe. Setzt man zwei begrenzt miteinander mischbaren Flüssigkeiten eine dritte Substanz zu, so wird sie sich gemäß dem *Nernstschen Verteilungssatz in beiden Phasen, aber in verschiedenen Konz. lösen (*Verteilung). Sehr schwerlösl. od. prakt. unlösl. ineinander sind z. B. Tetrachlormethan u. Wasser, Schwefelkohlenstoff u. Wasser, Quecksilber u. Wasser usw. Schüttelt man diese Flüssigkeiten miteinander, so entstehen grobe *Emulsionen, die sich bald wieder entmischen.

(e) *L. von festen Stoffen in festen Stoffen:* Auch in sog. *festen Lösungen sind die Komponenten so verteilt, daß die eine die Funktion des Lsm. hat. Die gelösten Komponenten können entweder Gitterplätze im Kristallgitter des Lsm. besetzen od. zwischen dessen Gitterbausteinen auf Zwischengitterplätzen eingelagert sein (*Einlagerungsverbindungen, s. a. Legierungen u. Mischkristalle). L. der ersten Art entstehen durch Substitution von Atomen, Ionen od. Mol. des Lsm. durch solche Komponenten, die ähnliches Molvol. u. ähnliche Kristallstruktur besitzen. Der verhältnismäßig seltene Fall der mol.-geometr. Übereinstimmung u. gleichzeitigen chem. Ähnlichkeit der Komponenten liegt vor in den Syst. Kupfer-Nickel, Silber-Palladium u. Stickstoff-Kohlenmonoxid; hier kann jeweils jede der Komponenten als Lsm. fungieren. *Beisp.* für durch Gittersubstitution entstehende feste L. ohne ideale Übereinstimmung der Komponenten sind die Syst. Gold-Platin, Argon-Krypton, Sauerstoff-Stickstoff u. Brombenzol-Iodbenzol. Das klass. *Beisp.* für feste L., in denen ein Atom, Ion od. Mol. *Zwischengitterplätze des Lsm. einnimmt, ist das Syst. Eisen-Kohlenstoff; hier liegen die C-Atome in Zwischenräumen des Fe-Gitters. Feste L. entstehen auch bei vielen Färbevorgängen in der Textilfärberei, z. B. mit *Dispersionsfarbstoffen. Neben L. im krist. Zustand sind feste L. im amorphen Zustand möglich (z. B. in der *Matrix u. im *Glaszustand).

(f) *L. von festen Stoffen in Flüssigkeiten:* Dies ist der in Natur, Wissenschaft u. Technik bei weitem wichtigste u. verbreitetste L.-Typ. Die im folgenden erwähnten Gesichtspunkte u. Gesetzmäßigkeiten gelten deshalb insbes. für diese Art der L., lassen sich jedoch meist auf die übrigen L.-Typen übertragen. Die meisten chem. Prozesse beginnen damit, daß man Feststoffe in Flüssigkeiten löst u. ggf., falls sie unlösl. sind, „aufschließt" (s. Aufschluß), weshalb man die physikal. u. die chem. Auflösung unterscheiden muß. Wenn man beispielsweise Kochsalz od. Zucker in Wasser auflöst u. die L. nachher wieder eindampft od. ein-

trocknen läßt, erhält man die ganze vorher aufgelöste Stoffmenge unverändert zurück. Da sich bei diesem Auflösungsvorgang am Stoff Kochsalz od. Zucker nichts Wesentliches geändert hat, spricht man hier von einer *physikal.* Auflösung; die Aussagen der folgenden Abschnitte beziehen sich fast ausschließlich auf solche L. im engeren Sinne. Im einzelnen kann man sich den Lösungsvorgang wie folgt vorstellen: Wenn man einen lösl. Feststoff in ein Lsm. legt, so lösen sich die jeweils äußersten, in Berührung mit Lsm. befindlichen Ionen od. Mol. aus dem festen *Kristallgitter u. bewegen sich frei zwischen den Mol. des Lsm., wobei sich die Ionen od. Mol. mit einer Hülle aus Wassermol. umgeben (*Hydratation als Sonderfall der *Solvatation). Der Auflösungsprozeß geht so lange weiter, bis die L. gesätt. ist od. bis sich alle Krist. aufgelöst haben. Die Ionen od. Mol. bewegen sich von selbst in der ganzen zur Verfügung stehenden Flüssigkeit (s. Diffusion u. elektrolytische Dissoziation). Dadurch entsteht eine *homogene* Lösung. Die Auflösungsgeschw. der Stoffe ist sehr unterschiedlich; so löst sich z. B. Kupfersulfat in Wasser viel langsamer auf als Kochsalz. In der Technik u. im Laboratorium wird das Auflösungstempo beschleunigt durch möglichst feine Zerkleinerung des zu lösenden Stoffs (Oberflächenvergrößerung u. Überwindung der *Gitterenergie), Erwärmung [erhöht Löslichkeit, s. unten; auch wird mit den Wärmeströmungen des Wassers (*Konvektion) immer wieder neues Lsm. an die Krist. herangeführt], Umrühren od. Umschütteln, wodurch die an den Kristalloberflächen gesätt. L. immer wieder entfernt u. neues Lsm. herbeigebracht wird. In der Technik hängt man das L.-Gut (Krist.) oft in Behältern mit durchlöchertem Boden in die Flüssigkeit; hier sinkt dann die spezif. schwerere, konz. L. von selbst nach unten, u. zum Ersatz kommt Wasser od. verdünntere L. heran.

Die *chem. Auflösung* ist an die chem. *Reaktion des festen Stoffes mit dem Lsm. gebunden, so daß beim Entfernen des Lsm. etwa durch Eindampfen eine neue Substanz zurückbleibt. Übergießt man z. B. Eisen mit Salzsäure, so löst sich das Eisen unter Gasentwicklung u. Grünfärbung der Salzsäure ebenfalls auf; in diesem Fall hat sich aber nicht das Eisen in der Säure gelöst, sondern das aufgrund eines chem. Vorganges entstandene Eisen(II)-chlorid. Die chem. Auflösungsvorgänge sind oft an Gasentwicklung, Färbung, starker Erwärmung, Geruchänderung usw. zu erkennen. Zwischen physikal. u. chem. Lösungsvorgängen gibt es mancherlei Zwischenstufen (z. B. bei der Bildung von *Hydraten).

Lösemittel u. Gelöstes: Wenn man z. B. Kochsalz in Wasser auflöst, ist Wasser das *Lösemittel,* Kochsalz dagegen das *Gelöste.* Wasser ist das bei weitem wichtigste Lsm.; dagegen gibt es zahllose andere organ. u. anorgan. Lsm., die voneinander verschiedene Lösungsfähigkeiten besitzen; im allg. gilt die Regel: *Similia similibus solvuntur,* d. h. Ähnliches wird von Ähnlichem gelöst; Näheres s. bei Lösemittel.

Löslichkeit: Hierunter versteht man die max. Menge eines Stoffes, die das Lsm. bei einer bestimmten Temp. aufnehmen kann, d. h. den Anteil des gelösten Stoffes in einer bei der betreffenden Temp. *gesätt. Lösung.* Die Löslichkeit von Salzen steht in enger Beziehung zum

*Löslichkeitsprodukt. Man findet alle Übergänge zwischen leichtlösl., schwerlösl. u. unlöslich. Sehr leicht lösl. Verb. sind (in g/L Wasser von 20 °C): $CaCl_2$ 745, KI 1445, NH_4NO_3 1787, Saccharose 2040 u. CsF 3670. Schwer lösl. ist der Gips: 1 L Wasser löst bei 18 °C nur 2,02 g davon. Als unlösl. gelten z. B. Bariumsulfat u. Silberchlorid, doch haben genaue Messungen ergeben, daß sich auch diese Stoffe im Wasser ein wenig lösen (1 L Wasser von 18 °C löst 2,2 mg $BaSO_4$) – wahrscheinlich gibt es überhaupt keinen Stoff, der in Wasser total unlösl. ist (vgl. a. Löslichkeitsprodukt). Löslichkeitsdaten von organ. u. anorgan. Stoffen findet man in *Handbüchern u. *Tabellenwerken. *Amphotere Elektrolyte haben die geringste Löslichkeit an ihrem *isoelektrischen Punkt. Höhere bzw. niedrigere *Konzentrationen erzielt man durch *Einengen od. *Eindampfen bzw. durch *Verdünnen. Enthält eine L. mehr gelösten Stoff, als sie bei einer gegebenen Temp. im thermodynam. Gleichgew. enthalten dürfte (z. B. bei *Unterkühlung, s. unten), so nennt man sie *übersättigt. Durch *Impfen mit *Keimen läßt sich bewirken, daß der Überschuß als *Bodenkörper* der nun nur noch gesätt. L. ausfällt. Eine in Bezug auf *eine* Substanz gesätt. L. vermag aber noch andere Stoffe aufzulösen (z. B. kann man in einer gesätt. Kochsalz-L. noch Zucker auflösen). Im DAB 9 sind die folgenden allg. Löslichkeitsangaben (auf 20 °C bezogen) definiert, s. Tabelle.

Tab.: Löslichkeitsangaben (auf 20 °C bezogen) nach dem

sehr lösl.	= lösl. in weniger als 1 Tl. Lsm.
leicht lösl.	= lösl. in 1–10 Tl. Lsm.
lösl.	= lösl. in 10–30 Tl. Lsm.
wenig lösl.	= lösl. in 30–100 Tl. Lsm.
schwer lösl.	= lösl. in 100–1000 Tl. Lsm.
sehr schwer lösl.	= lösl. in 1000–10000 Tl. Lsm.
prakt. unlösl.	= lösl. in mehr als 10000 Tl. Lsm.

Lösungswärme: Hierunter versteht man diejenige Wärmemenge, die beim Auflösen eines Stoffes (fest, flüssig od. gasf.) in einem flüssigen Lsm. freigesetzt od. verbraucht wird. Werden feste Stoffe gelöst, deren Mol. im Gitter durch *Van-der-Waals-Kräfte zusammengehalten werden (z. B. die meisten organ. Verb.), so erfolgt Abkühlung, da die zur Überwindung der Anziehungskräfte notwendige Energie (*Gitterenergie) der Umgebung der Krist., d. h. dem Lsm., entnommen wird (Lösungsenthalpie s. Enthalpie). In anderen Fällen kann man freilich auch Temp.-Erhöhungen beobachten; so werden z. B. bei der Auflösung von je 1 mol (in Wasser-Überschuß) folgende Wärmemengen (in kJ) frei: Natriumhydroxid 41,4, konz. Schwefelsäure 74,9, wasserfreies Natriumsulfat 1,9, wasserfreies Zinksulfat 77,0 u. wasserfreies Kupfersulfat 66,2. In diesen Fällen findet während der Auflösung die Bildung von *Hydraten statt, die von Wärmeentwicklung begleitet ist. Die durch die Hydratation freiwerdende Wärme ist größer als die aufzuwendende Gitterenergie. Damit steht die Tatsache in Übereinstimmung damit, daß z. B. bei der Auflösung von 1 mol Kristallwasser-haltigem Natriumsulfat ($Na_2SO_4 \cdot 10H_2O$) 78,7 kJ verbraucht werden, weil hier die Wärmeentwicklung infolge Hydratbildung wegfällt.

Temperatureinfluß: Die Löslichkeit der Stoffe ist meist deutlich von der Temp. abhängig, u. zwar steigt sie in der Regel mit der Temp. an. Erwärmt man z. B. eine gesätt. L. von Ammoniumchlorid od. Kaliumnitrat samt dem Bodenkörper, so kann man größere Salzmengen zusätzlich in L. bringen (vgl. Abb.).

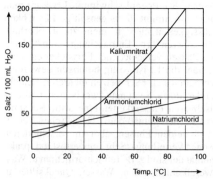

Abb.: Temp.-abhängige Löslichkeit von Natriumchlorid, Ammoniumchlorid u. Kaliumnitrat in Wasser (Lösungskurve).

Läßt man eine z. B. bei 100 °C gesätt. L. von Kaliumnitrat wieder abkühlen, so stellt sich oft zunächst ein *metastabiler Zustand – die *Übersättigung bei *Unterkühlung – ein, bevor der Überschuß des Salzes ausfällt; notfalls muß man die *Kristallisation durch *Impfen induzieren. Bei manchen Stoffen ist die Löslichkeit von der Temp. ziemlich unabhängig; so löst z. B. 1 L Wasser bei Raumtemp. etwa 350 g, bei 100 °C dagegen nicht mehr als 390 g Natriumchlorid. In einigen seltenen Fällen vermindert sich sogar die Löslichkeit mit steigender Temp.; hierher gehören u. a. Lithiumcarbonat u. -sulfat, Cer(IV)-sulfat, Calciumhydroxid u. -chromat. Die Abhängigkeit der Löslichkeit von der Temp. wird oft in *Lösungskurven* dargestellt. Hierbei trägt man auf der waagerechten Achse die Temp., auf der senkrechten die Löslichkeit des betreffenden Salzes ein. Die Abb. läßt erkennen, daß sich Kaliumnitrat in heißem Wasser viel besser auflöst als z. B. Natriumchlorid. Auf derartigen Temp.-abhängigen Löslichkeitsunterschieden basieren auch verschiedene *Trennverfahren, in bes. einfacher Weise z. B. die *Umkristallisation, bei der durch Abkühlung das erwünschte Produkt zum Auskristallisieren, das unerwünschte zum Verbleib in der L. (*Mutterlauge*) gebracht werden kann.

Druckeinfluß: Im *überkrit. Zustand* (vgl. kritische Größen) können manche Gase u. niedrig siedende Flüssigkeiten ein unerwartet großes Lösungsvermögen für bestimmte Stoffe entwickeln, was man zu Stofftrennungen nutzt (*Destraktion, s. a. Hochdruckchemie).

Weitere physikal. Eigenschaften von L.: Die *Dichte* von L. nimmt (außer bei gelösten Gasen) mit der Konz. des Gelösten zu (s. Aräometer), der *Dampfdruck* umgekehrt ab (s. Raoultsche Gesetze), ebenso sinkt der *Schmp.*, dagegen steigen *Sdp.* u. *osmot. Druck*. Diese Eigenschaften nutzt man zur Substanztrennung u. -reinigung u. zur Bestimmung physikal. Daten des Gelösten, vgl. z. B. Siedepunktserhöhung, Gefrierpunktserniedrigung u. osmot. Druck unter Molmassenbestimmung. Temp.-Erhöhung od. -Erniedrigung (Schmelzen, Verdampfen, Kondensieren, Erstarren) läßt die hier behandelten L.-Syst. ineinander übergehen, wobei sich ggf. *Eutektika, *Azeotrope, *nichtstöchiometrische Verbindungen u. a. Syst. bilden können. – $E = F$ solutions – I soluzioni – S soluciones

Lit.: Atkins, Physikalische Chemie, 2. Aufl., Weinheim: VCH Verlagsges. 1996 ▪ Barrow, Physikalische Chemie, Braunschweig: Vieweg 1984 ▪ Barton, CRC Handbook of Solubility Parameters and Other Cohesion Parameters, Boca Raton: CRC Press 1983 ▪ DAB 9 ▪ Houben-Weyl **3/1**, 163–326 ▪ Tanaka et al., Ions and Molecules in Solution, Amsterdam: Elsevier 1983 ▪ Wedler, Lehrbuch der Physikalischen Chemie, 3. Aufl., Weinheim: VCH Verlagsges. 1987.

Lösungsbenzol s. Solvent Naphtha.

Lösungskurve s. Lösungen.

Lösungsmittel s. Lösemittel.

Lösungspetroleum. Bez. für Erdöl-Dest.-Fraktionen mit Sdp. 130–280 °C, die zu Lsg.-, Putz- u. Waschzwecken dienen.

Lit.: DIN 51636 (11/1981) ▪ s. a. Benzin. – *[HS 271000]*

Lösungspolymerisation. Bez. für die *Polymerisation von *Monomeren in Lsm., in denen sowohl die Monomeren als auch die aus ihnen resultierenden *Polymeren lösl. sind.
Vorteile der L. sind: Problemlose Beherrschung der exothermen Polymerisations-Reaktionen durch leichtes Abführen der Reaktionswärme, z. B. durch Refluxieren des Lsm.; die Möglichkeit zur kontinuierlichen Prozeßgestaltung durch fortwährendes Ausführen von Reaktionslsg. u. adäquates Nachdosieren von Monomer, Initiator u. Lsm.; leichte Dosierung von Hilfsmitteln wie *Initiatoren, Reglern u. a.; direkte Herst. von Polymer-Lsg. für spezielle Anw. (*Lacke, *Klebstoffe, Imprägniermittel). Nachteile der L. sind: Polymerisations-Beeinflussung durch Lsm.-Mol.; allg. niedrigere *Molmassen der Polymeren als bei anderen Polymerisations-Verf.; hohe Lsg.-Viskositäten bei hohen Polymer-Konz., hohen *Polymerisationsgraden u./od. hohen Umsätzen der Monomeren; schwierige Entfernung von Rest-Lsm. bei der Isolierung der Polymeren. – E solution polymerization – F polymérisation en solution – I polimerizzazione in soluzione – S polimerización en solución

Lit.: Compr. Polym. Sci. **3**, 261–269 ▪ Encycl. Polym. Sci. Eng. **16**, 443–472 ▪ Houben-Weyl **E 20**, 195–201.

Lösungsvermittler. Bez. für – häufig *grenzflächenaktive – Stoffe, die durch ihre Ggw. andere, in einem bestimmten Lsm. prakt. unlösl. Verb. in diesem Lsm. lösl. od. emulgierbar machen (*Solubilisation). Es gibt L., die mit der schwerlösl. Substanz eine *Molekülverbindung eingehen u. solche, die durch *Micell-Bildung wirken. Man kann auch sagen, daß erst L. einem sog. latenten *Lösemittel sein Lösungsvermögen verleihen; *Beisp.:* Ethanol (als latentes Lsm.) löst Celluloseacetat schlecht, nach Zusatz von 2-Nitropropan (als L.) jedoch viel besser, die Na-Salze der Desoxycholsäure u. a. Gallensäuren sind L. für Fettsäuren u. Fette (*Choleinsäuren), Na-Salicylat ist ein L. für Campher, Fettsäureester von ethoxyliertem Glycerin u. Glykolether sind L. für äther. Öle, Riechstoffe u. fettlösl. Vitamine. Bei Wasser als (latentem) Lsm.

spricht man statt von L. meist von *Hydrotropika* (s. Hydrotropie), in bestimmten Fällen besser von *Emulgatoren. Auch durch Zufügen eines Salzes (*Einsalzen; Gegensatz: *Aussalzen) können manche Substanzen in Lsg. gebracht werden. Auf einem anderen Prinzip basiert die *Phasentransfer-Katalyse, die das Lösevermögen ähnlich drast. wie L. beeinflußt. Hauptanw.-Gebiet für die L. ist die Pharmazie, wo Arzneimittel auf diesem Wege in Form ihrer wäss. Lsg. applizierbar gemacht werden (z. B. Injektionslsg.). Ferner werden öllösl. Vitamine u. Hormone auf diese Weise wasserlösl. gemacht. Weitere Anw.-Möglichkeiten sind gegeben in der Kosmetik für Duftstoffe (äther. Öle), vereinzelt in der Lebensmittel-Ind. (äther. Öle als Aromastoffe), in der Textil-Ind. (Lösen von Farbstoffen in der Färberei u. Druckerei), Waschmittel-Ind. (flüssige Waschmittel), Cellulose-Ind. (Extraktionsprozesse), Leder-Ind. (Prozesse in der Wasserwerkstatt) u. in der Analytik zum Probenaufschluß. – E solubilizers – F agents solubilisants – I agenti solubilizzanti – S solubilizantes

Lit.: s. Lösemittel.

Lösungswärme s. Lösungen.

Löten. Verf. zum Verbinden od. Plattieren von (metall.) Werkstoffen mit Hilfe eines geschmolzenen Zusatzmetalles (*Lote), wobei der Schmp. des Lotes unter dem der zu verbindenden Grundwerkstoffe liegt. Diese werden vom Lot nur benetzt, nicht jedoch angeschmolzen. Der Vorgang des L. ist gekennzeichnet durch ein irreversibles Ausbreiten des Lotes auf der Werkstoffoberfläche als Folge einer exothermen metallurg. Reaktion zwischen Lot u. äußerer Oberflächenschicht des Werkstoffs. Die Netzfähigkeit zeigt sich auch an der Kapillarwirkung in Spalten; das schmelzflüssige Lot füllt diese selbsttätig aus. Im Gegensatz zum *Schmelzschweißen* unterliegt das L. keinen wesentlichen Begrenzungen; mit L. können auch solche Werkstoffe verbunden werden, die sich aufgrund der Bildung unerwünschter (spröder) Phasen durch Schmelzschweißen nicht fügen lassen. Trotzdem haben sich natürlich bestimmte Werkstoff-Lot-Kombinationen in der Praxis bewährt; diese können dem Fachschrifttum entnommen werden. Beim L. wird nach der Arbeitstemp. zwischen *Weich-L.*, *Hart-L.* u. *Hochtemp.-L.* unterschieden, s. a. Lote. Hinsichtlich der Verf.-Technik trennt man nach dem Energieträger. Neben dem *Kolben-L.* (Lötkolben) gibt es das *Tauch-* u. *Salzbad-L.* (flüssiges Lot; Salzschmelze mit od. ohne Ultraschall), das *Flamm-L.* (heißes Gas), das *Induktions-, Widerstands-* u. *Ofen-L.* (elektr. Strom) u. das sich noch in der Entwicklung befindende *Elektronen-* u. *Laserstrahl-L.* (Strahlung hoher Energiedichte). Zum Entfernen der störenden Oxidschicht auf zu verbindenden Werkstückoberflächen u. zum Unterbinden einer Oxid. während des L.-Prozesses werden Flußmittel[1] eingesetzt, beispielsweise als *Lötwasser, *Lötfett od. *Lötpaste. Beim Hart-L. sind *Borax u. *Borsäure die wichtigsten Bestandteile, beim Hochtemp.-L. Chloride, Fluoride od. Phosphate. Beim Weich-L. werden Säure-haltige Substanzen, Fette od. *Kolophonium verwendet. In der Regel müssen Flußmittelreste nach dem L. wegen ihrer Aggressivität

sorgfältig entfernt werden. Wenn Flußmittel-frei gelötet wird (z. B. Hochtemp.-L.), ist Vak. od. Schutzgasatmosphäre Voraussetzung. Die optimale Festigkeit erreichen Lotverb. beim Spalt-Löten. Die Spaltbreite sollte dabei 0,25 mm nicht überschreiten. Bei starker Verschleißbeanspruchung können mit Hilfe des Hochtemp.-L. hochverschleißfeste Schichten auch auf solche Werkstoffe aufgebracht werden, die grundsätzlich nicht schweißbar sind. Ein derartiges Aufpanzern ist beispielsweise als Instandsetzungsmaßnahme verschlissener Oberflächen möglich. – *E* soldering, brazing – *F* soudage, soudure – *I* saldatura – *S* soldar
Lit.: [1] DIN 8511 (07/1985); DIN EN 29 454 (02/1994). *allg.:* Lueger, Lexikon Fertigungstechnik u. Arbeitsmaschinen, Bd. 8, S. 395 ff. u. Bd. 9, S. 36 ff., 495 ff., Stuttgart: DVA 1967 ■ Ruge, Handbuch der Schweißtechnik, 2. Aufl., Bd. II, S. 168 ff., Berlin: Springer 1980 ■ Ullmann (4.) **16**, 313 ff.; (5.) **A 24**, 427 ff.

Lötfette. Säurefreie, pastenartige *Flußmittel* (s. Löten) auf Fettbasis mit Hauptbedeutung in der Elektrotechnik, da der Rückstand weder hygroskop. noch elektr. leitend ist u. das Metall nicht angreift. – *E* soldering fluxes – *F* fondants de soudage – *I* fondenti di saldatura – *S* fundentes de soldadura
Lit.: s. Löten.

Lötgläser s. Glaslote.

Lötpasten. Pastenartige *Flußmittel* (s. Löten) aus einer organ. Trägersubstanz mit Zusätzen von Metallchloriden u. (organ.) Säuren. – *E* paste solder – *F* pâte de brasage – *I* pasta per saldare – *S* pasta para soldar
Lit.: s. Löten.

Lötrohranalyse. Seit dem 17. Jh. vielbenutzte trockene *Vorprobe in der qual. chem. Analyse u. in der Mineralogie. Die Ausführung erfolgt in der Weise, daß man die feingepulverte (im Bedarfsfall mit etwa der 2- bis 3-fachen Menge wasserfreier Soda gemischte) Substanz in eine halbkugelförmige Vertiefung eines Holzkohleblocks bringt u. mit dem *Lötrohr* (Metallrohr mit Mundstück u. seitlichem Ansatz; s. Abb. a – c) stark erhitzt. Dazu wird der seitliche Ansatz des Lötrohrs in die leuchtende Flamme des *Bunsenbrenners gebracht u. durch kräftiges Blasen eine spitze heiße Stichflamme erzeugt (s. Abb. f). Zur Erzeugung einer oxidierenden Flamme (langgestreckte blaue Flamme mit scharfer Spitze, s. gerasterter Teil in Abb. d) wird der Ansatz des Lötrohrs in der Mitte der Flamme etwa

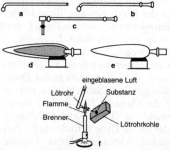

Abb.: Lötrohre (a – c), oxidierende (d) u. reduzierende Flamme (e), Ausführung der Lötrohranalyse.

2 – 3 cm über die Brenneröffnung, für die reduzierende Flamme (Abb. e) an den Saum der Brennerflamme gebracht, wobei man nur vorsichtig bläst, so daß die Flamme nicht entleuchtet wird. An sich eignet sich die Bunsenbrennerflamme zur Erzeugung der erwünschten Flamme nicht so gut wie eine Propanol-Flamme. Je nach der Art des in dem zu untersuchenden Mineral enthaltenen Metalls erhält man Metallkugeln *(Regulus)*, Flitter od. Oxidbeschläge. Wenn dem Rückstand etwas Cobaltnitrat-Lsg. zugefügt u. die Operation wiederholt wird, lassen sich aus auftretenden Färbungen häufig weitere Schlüsse ziehen. Zur weiteren Untersuchung wird der erkaltete Rückstand aus der Grube gelöst, von Soda u. Kohle befreit u. zur Identifizierung einer Reihe von chem. u. physikal. (z. B. auf Sprödigkeit, Duktilität, Ferromagnetismus) Prüfungen unterzogen. Anschauliche Beschreibungen von L. bieten die bebilderten Aufsätze von Oehme [1]; in Fachbüchern findet man nicht selten die einschlägigen Untersuchungen Abk. wie „a. K.v.d. L." = auf Kohle vor dem Lötrohr. Trotz der unaufwendigen u. ortsunabhängigen Ausführung wird heute jedoch wegen der Toxizität vieler Elemente u. Verb. weitgehend auf die L. verzichtet; zur Geschichte der *Lötrohrprobierkunde* s. Szabadváry [2]. – *E* blowpipe analysis – *F* essai sur le charbon – *I* analisi al cannello ferruminatorio – *S* análisis (por reacción) al soplete
Lit.: [1] Mineral.-Mag. **4**, 269 – 271, 365 – 368 (1980). [2] Szabadváry, History of Analytical Chemistry, Oxford: Pergamon 1966. *allg.:* Strähle u. Schweda, Jander u. Blasius – Lehrbuch der analyt. u. präparativen anorgan. Chemie, 14. Aufl., S. 523 f., Stuttgart: Hirzel 1995.

Lötstein s. Ammoniumchlorid.

Lötwasser. Wäss. *Flußmittel* (s. Löten) aus verd. Salzsäure mit Zinnchlorid u. Salmiak. – *E* killed spirits – *F* eau à souder – *I* acqua per saldare – *S* agua de soldar
Lit.: s. Löten.

Loew, Oscar (1844 – 1941), Prof. für Organ. Chemie u. Biochemie, New York, München, Tokio, Berlin. *Arbeitsgebiete:* Formaldehyd, Kondensation zu Formose, Gewinnung aus Methanol, Verw. zur Desinfektion u. Saatgutbeizung, Entdeckung des Enzyms Katalase, Kalk in der Agrikulturchemie, Kalk-Therapie, stimulierende Wirkung kleinster Giftmengen.
Lit.: Lexikon der Naturwissenschaftler, S. 275 ■ Nachmansohn, S. 298 ■ Pötsch, S. 276.

Löwenzahn. Weitverbreitete, gelbblühende, milchsaftführende, formenreiche, mit *Zichorie, *Lattich, *Kok-Saghys u. Schwarzwurzel verwandte Pflanze *Taraxacum officinale* Web. (*Asteracen), deren Heilwirkung schon im Altertum bekannt war. Von der vor der Blüte gesammelten Pflanze enthalten die offizinell genutzten Wurzeln u. Blätter Bitterstoffe vom Sesquiterpenlacton-Typ (früher als Taraxacin bezeichnet; verschiedene *Eudesmanolide u. *Germacranolide), Triterpene (Taraxasterol u. Derivate), Sterole (u.a. *Sitosterin), *Carotine, *Xanthophylle, *Flavonoide; an Zuckern in der Wurzel viel *Fructose u. *Inulin (2% im Frühjahr, 40% im Herbst); sowie bis zu 4,5% Kalium im Kraut. L. wirkt anregend auf die Gallen- u. Nierenfunktion, ist daher häufig Bestandteil von

Blutreinigungstees u. von *Cholagoga u. wird auch als Salat aus frisch gesammeltem Kraut verzehrt. – *E* lion's tooth, dandelion – *F* pissenlit – *I* dente di leone – *S* diente de león, amargón
Lit.: Bundesanzeiger 162/29.08.1992, 228/05.12.1984 u. 164/01.09.1990 ▪ Franke, Nutzpflanzenkunde, Stuttgart: Thieme 1992 ▪ Hager (5.) **6**, 897–904 ▪ Wichtl (3.), S. 571 f. – *[HS 1211 90]*

Loewi, Otto (1873–1961), Prof. für Pharmakologie, Univ. Graz. *Arbeitsgebiete:* Acetylcholin-Wirkung auf Nerven, Adrenalin, Cholinesterase, Eiweiß-Stoffwechsel, Digitalis-Wirkung. Er wies nach, daß der menschliche Organismus Fette nicht in Zucker umwandeln u. aus Aminosäuren Proteine synthetisieren kann. Er erhielt zusammen mit Dale 1936 den Nobelpreis für Physiologie od. Medizin für die Erforschung der chem. Übertragung der Nervenimpulse durch Acetylcholin.
Lit.: Lexikon der Naturwissenschaftler, S. 275 ▪ Neufeldt, S. 142 ▪ Pötsch, S. 277.

Lofepramin (Rp).

Internat. Freiname für das *Antidepressivum vom *Imipramin-Typ 4′-Chlor-2-{[3-(10,11-dihydro-5*H*-dibenz[*b,f*]azepin-5-yl)propyl]methylamino}acetophenon, $C_{26}H_{27}ClN_2O$, M_R 418,97, Schmp. 104–106 °C, verwendet wird das Hydrochlorid, Schmp. 152–154 °C; LD_{50} (Maus oral) >2,5 g/kg, (Maus i.p.) 920 mg/kg. L. wurde 1970 u. 1972 von AB Leo patentiert u. ist von Merck (Gamonil®) im Handel. – *E* lofepramine – *F* lofépramine – *I* = *S* lofepramina
Lit.: Beilstein E V **20/8**, 98. – *[HS 2933 90; CAS 23047-25-8 (L.); 26786-32-3 (Hydrochlorid)]*

Lofexidin (Rp).

Internat. Freiname für das *Antihypertonikum (±)-2-[1-(2,6-Dichlorphenoxy)-ethyl]-4,5-dihydro-1*H*-imidazol, $C_{11}H_{12}Cl_2N_2O$, M_R 259,14, Schmp. 126–128 °C. Verwendet wird das Hydrochlorid, Schmp. 221–223 °C, auch 230–232 °C angegeben, λ_{max} (CH₃OH) 270 nm ($A_{1cm}^{1\%}$ 10,0). L. wurde 1968, 1971 u. 1976 von Nordmark patentiert. – *E* = *F* lofexidine – *I* = *S* lofexidina
Lit.: Beilstein E V **23/10**, 460 f. ▪ Hager (5.) **8**, 750 ff. – *[HS 2933 29; CAS 31036-80-3 (L.); 21498-08-8 (Hydrochlorid)]*

Loftan® (Rp). Tabl. mit dem *β-Sympath(ik)mimetikum *Salbutamol gegen Asthma. *B.:* Cascan/Cascapharm.

Loganin (Meliatin). $C_{17}H_{26}O_{10}$, M_R 390,39, Prismen od. Nadeln, Schmp. 223–224 °C, $[\alpha]_D$ –83° (H₂O). Das Iridoid-Glykosid L. kommt in der Brechnuß (*Strychnos nux-vomica*), im europ. Fieberklee (*Menganthes trifo-*

Abb.: Biosynth. von Secologanin.
PP = Pyrophosphat

liata, Menyanthaceae) u. solchen Pflanzen vor, die *Indol-Alkaloide enthalten. Das Aglykon von L. heißt *Loganetin*, die freie Säure, die in *Swertia caroliniensis* vorkommt, *Loganinsäure* ($C_{16}H_{24}O_{10}$, M_R 376,36). In Brechnuß- u. *Vinca*-Arten kommt auch *Dehydrologanin* ($C_{17}H_{24}O_{10}$, M_R 388,37) mit Keto- statt Hydroxy-Gruppe vor. Das Monoterpen L. ist ein wichtiges Zwischenprodukt in der Biosynth. verschiedener Alkaloide: Durch Oxid. der Methyl-Gruppe, Phosphorylierung u. Ringöffnung entsteht *Secologanin, das mit Tryptamin die *Indol-Alkaloide bildet[1]. – *E* loganin – *F* loganine – *I* = *S* loganina
Lit.: [1] Herbert, The Biosynthesis of Secondary Metabolites (2.), S. 79, 166 f., London: Chapman & Hall 1989; Mann, Secondary Metabolism (2.), S. 113, 287, Oxford: Clarendon Press 1987; Phytochemistry **25**, 2515–2521 (1986); **34**, 1291 (1993). *allg.:* ApSimon **2**, 81; **4**, 494–507 ▪ Beilstein E V **18/7**, 478 (L.), 476 (L.-Säure); **18/9**, 32 f. (Dehydro-L.) ▪ Karrer, Nr. 974 b ▪ Planta Med. **1986**, 327 ff. – *Synth.:* J. Am. Chem. Soc. **107**, 1293–1299 (1985) ▪ J. Org. Chem. **58**, 4756 (1993) ▪ Tetrahedron **37**, Supplement, 9, 13 (1981); **42**, 4035–4043 (1986); **48**, 9495 (1992) ▪ Tetrahedron Lett. **25**, 2345 f. (1984); **28**, 3991 f. (1987) ▪ s.a. Iridoide. – *[CAS 18524-94-2 (L.); 22255-40-9 (Loganinsäure); 152-91-0 (Dehydrologanin)]*

Loganinsäure s. Loganin.

Logarithmische Wachstumsphase s. log-Phase.

log-Phase (logarithm. Wachstumsphase, exponentielle Wachstumsphase). Bez. für einen Abschnitt der Wachstumskurve einer Batch-Kultur (s. Batch-Fermentation), die sich an die lag-Phase (s.a. Abb. dort) anschließt u. durch Zellvermehrung charakterisiert ist. In der ersten Wachstumsphase verläuft das Wachstum abhängig von den vorgegebenen Bedingungen mit max. Rate, bis durch Nährstoffmangel, tox. Stoffwechselprodukte, durch limitierten Stofftransport etc. die Wachstumsrate abnimmt. Die Kultur gelangt dann in die Übergangs- u. *stationäre Phase. – *E* log phase – *F* phase logarithmique – *I* fase log – *S* fase logarítmica
Lit.: Schlegel (7.), S. 209–219.

Lohe s. Gerberei.

Lohmann. Kurzbez. für die 1886 gegr. Firma Dr. Paul Lohmann GmbH KG, Chem. Fabrik, 31 857 Emmerthal. *Produktion:* Metallsalze von organ. u. anorgan. Säuren für die Pharmazie, Lebensmittel-Ind. u. Technik, Arzneimittel.

Lohmann, Karl Heinrich Adolf (1898–1978), Prof. für Physiolog. Chemie, Univ. Heidelberg u. Berlin. *Arbeitsgebiete:* Entdeckung der reversiblen Reaktion von

Adenosintriphosphat mit Kreatin u. Kreatinphosphorsäure (Lohmannsche Transphosphorylierung), Herst. von Cocarboxylase, Glykolyse, Aldolase, Biochemie bösartiger Geschwülste.
Lit.: Nachmansohn, S. 272 ff., 308 ■ Neufeldt, S. 167 ■ Pötsch, S. 277 ■ Trends Biochem. Sci. **1978**, N 184.

LOI. Kurzbez. (abgeleitet von der engl. Bez. *l*imiting *o*xygen *i*ndex) für den sog. *Sauerstoff-Index, der die Brennbarkeit von *Kunststoffen in unterschiedlich zusammengesetzten O_2/N_2-Gemischen angibt. – *E* limiting oxygen index – *I* indice limitante di ossigeno – *S* índice de oxígeno limitante
Lit.: Chem. Kunstst. Aktuell **31**, 267–271 (1977); **32**, 15–19 (1978).

Lokalanästhetika. L. finden wegen ihrer schmerzausschaltenden Wirkung sowohl in der Schmerztherapie (kurz- u. a. langfristig) als auch in der operativen Medizin Verwendung. Das Bewußtsein bleibt dabei unbeeinträchtigt. In Abhängigkeit von der Art der Applikation werden L. zur Oberflächen-/Schleimhautanästhesie (erreicht werden nur die peripheren Nervenendigungen in der Haut); zur Infiltrationsanästhesie (blockiert werden sensible Nerven im Unterhautgewebe/Subcutis; für zahnmedizin. u. kleinere chirurg. Eingriffe) bzw. zur Leitungsanästhesie (gezielte Injektion in bestimmte Nervengebiete, z. B. Nervenplexus, Austrittsstellen der Nerven aus dem Wirbelkanal/Paravertebralanästhesie) verwendet. Außerdem sind noch die Periduralanästhesie (Injektion in den epiduralen Raum; bei liegendem Katheter auch zur Langzeittherapie genutzt; die Motorik ist unbeeinflußt) u. die Spinalanästhesie (syn. Lumbalanästhesie; Injektion in den intrathekalen/subduralen Raum) von Bedeutung.
Wirkung: L. setzen die Membranpermeabilität für Kationen, insbes. Natrium-Ionen, herab, indem sie Ionenkanäle blockieren. Dadurch wird die Erregbarkeit der Nervenfaser vermindert. Für die Penetration zum Wirkort müssen die L. als neutrale Mol., für die Einlagerung in den Ionenkanal als Kationen (protoniert) vorliegen.
Fast alle L. – Ausnahme: *Cocain, das heute noch gelegentlich vorbereitend bei Katarakt-Operationen verwendet wird – wirken gefäßerweiternd, weshalb ihnen zur Verlängerung der Wirkdauer u. zur Verzögerung des Abtransports aus dem Injektionsbereich Vasokonstriktoren wie *Adrenalin zugefügt werden. Als Nebenwirkung ist außer der Beeinflussung des Zentralnervensyst. (zunächst stimulierender, dann depressiver Effekt) v. a. die Verminderung der Reizbarkeit der Herzmuskulatur zu nennen. L. werden deshalb auch therapeut. zur Behandlung bestimmter Formen von Herzrhythmusstörungen genutzt (z. B. *Lidocain).
L. haben den Bauplan (Löfgren-Schema): lipophiler Rest (meist aromat.) – Zwischenkette (mit polarer Gruppe) – hydrophiler Rest (oft tert. Amin-Funktion). Die meisten Substanzen haben Ester- (z. B. *Benzocain, *Procain, *Tetracain) od. Anilid-Struktur (z. B. *Bupivacain, *Butanilicain, *Lidocain, *Mepivacain, Tolyvain). – *E* local anesthetics – *F* anesthesiques locaux – *I* anestetici locali – *S* anestésicos locales
Lit.: Gross, Lehrbuch der therapeutischen Lokalanästhesie, Stuttgart: Hippokrates 1994 ■ Krankenhauspharmazie **9**,

89–95 (1988) ■ Mutschler (7.), S. 226–230 ■ Progr. Drug Res. **4**, 353–405 (1962) ■ Ullmann (5.) **A 15**, 415–422.

Lokalelemente. Nach DIN 50 900 Tl. 2 (06/1975) sind L. *Korrosionselemente* (s. Korrosion), deren wirksame Elektrodenflächen sehr klein sind (d. h. Bruchteile eines mm^2); die L.-Bildung kann in *Lochfraß resultieren. Ein Beisp. für die Wirkungsweise gibt die Abb. wieder: Weißblech (Abb. b) rostet bei Beschädigung der Zinnschicht u. Wasserzutritt rascher als reines Eisen, weil im hierbei entstehenden L. Eisen zur neg. geladenen *Elektrode durch Abgabe von (pos. geladenen) Fe-Ionen wird. Umgekehrt findet bei Schwarzblech (Abb. a) nach Beschädigung der Zink-Schicht keine Rostung statt, weil Zn in der Spannungsreihe über Fe steht u. daher Zn zur neg., sich auflösenden Elektrode wird. Das edlere Metall wird zur *Kathode*, das unedlere zur *Anode*, die aufgelöst – u. darum auch oft *Opferanode* genannt – wird.

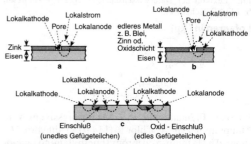

Abb.: Schemat. Darst. des Lokalstromes bei unedleren (a) u. bei edleren Überzügen (b) auf Eisen bzw. Metallflächen mit Fremdbestandteilen (c); nach *Lit.*[1].

In dem so entstandenen *galvanischen Element fließt der Strom vom relativ unedleren zum edleren Metall. Im allg. sind der galvan. Strom u. die Zerstörung um so stärker, je weiter die beteiligten Metalle in der *Spannungsreihe auseinander stehen; daher sind Werkstücke, in denen z. B. Leichtmetalle (wie Aluminium od. Magnesium-Leg.) an Kupfer od. Messing grenzen, bes. gefährdet. Beim techn., schutzschichtfreien Eisen enthält die Oberfläche stets verschiedene edle Fremdbestandteile (z. B. Graphit, Rost, Walzhaut), zwischen denen sich zusammen mit Flüssigkeits-Häutchen, Schwitzwasser usw. L. ausbilden (Abb. c). Man unterscheidet nach *Erbacher zwischen *wirksamen* u. *unwirksamen Lokalelementen.* Bei letzteren ist die Abscheidungsgeschw. des edleren Metalls größer als die Lösungsgeschw. des unedleren Grundmetalls. So schützen z. B. 0,08–0,5 mg Cu^{2+}/L in 6–12%iger Seignettesalz-Lsg. Eisen vollkommen vor Korrosion, da sich eine monoatomare Schicht von Cu auf dem Fe abscheidet. – *E* local cells – *F* piles locales – *I* pile locali – *S* pilas locales
Lit.: [1] Chem. Ing. Tech. **25**, 642 (1953).
allg.: s. Korrosion.

Lokalisierte Molekülorbitale s. Molekülorbitale.

Lokalisierungskriterien. Kriterien zur Berechnung von lokalisierten *Molekülorbitalen (s. a. chemische Bindung, S. 676). Die wichtigsten L. stammen von Boys[1], Edmiston u. Ruedenberg[2]. Bei ersterem wird die Summe der Quadrate der Abstände zwischen den Ladungsschwerpunkten verschiedener Molekülorbitale so groß wie möglich gemacht; letzteres verlangt, daß die Summe der Coulombschen Abstoßungen zwischen verschiedenen Molekülorbitalen möglichst klein ist. In der Praxis führen beide L. im allg. zu ähnlichen Ergebnissen. – *E* localization criteria – *F* critères de localisation – *I* criteri di localizzazione – *S* criterios de localización

Lit.: [1] Rev. Mod. Phys. **32**, 296 (1960); Löwdin, Quantum Theory of Atoms, Molecules and the Solid State, New York: Interscience 1967. [2] Rev. Mod. Phys. **35**, 457 (1963); J. Chem. Phys. **43**, 597 (1965).

allg.: Kutzelnigg, Einführung in die Theoretische Chemie, Bd. 2, S. 212–216, Weinheim: Verl. Chemie 1978.

Lokanten (Stellungsbezeichnungen, Positionsangaben). L. dienen zur Angabe der Stellung (Position) von Substituenten in organ. Verb.; folgende Typen von L. sind üblich: a) Zahlen (numer. L.; für anguläre Kohlenstoff-Atome werden den Zahlen kleine Buchstaben zugefügt); – b) kleine Buchstaben des *griechischen Alphabets (früher allg. für Ketten verwendet, heute nur noch für Ketten in *Konjunktionsnamen); – c) kursiv gesetzte Elementsymbole (bes. für Substituenten an Heteroatomen funktioneller Gruppen). Gleichartige Lokanten werden durch Strichindizes od. hochgestellte Positionszahlen unterschieden; *Beisp.:* Biphenyl-4,4'-diol, α^2-Iod-2,3-furandiessigsäure, *N,N'*-Diethylguanidin, O^1,O^6-Dimethyl-D-glucit. – *E* locants

Lolidin s. Loline.

Loline. Unter der Bez. L. wird eine kleine Gruppe von Alkaloiden zusammengefaßt, die sich als *N*-Alkyl- u. *N*-Acyl-Derivate des 1-Aminopyrrolizidins auffassen lassen. Wegen des gemeinsamen Ringsyst. werden die L. oft auch zu den *Pyrrolizidin-Alkaloiden gerechnet, die Ester des 1-(Hydroxymethyl)pyrrolizidins sind.

Loline
(s.Tab.)

Lolidin

Das Vork. der L. ist auf einige Süßgräser (Poaceae, Gattungen *Lolium, Festuca*) u. die Gattung *Adenocarpus* (Fabaceae, Tribus Genisteae) beschränkt. In *Adenocarpus* sind die L. (v. a. Decorticasin) bevorzugt in den

Blüten u. Samen nachzuweisen [1]. Aus *Lolium cuneatum* stammt *Lolidin* ($C_{18}H_{27}ClN_4O_4$, M_R 398,89, Schmp. 225–226 °C). Die L. der Gräser haben bes. Beachtung gefunden, da ihr Vork. obligator. an die Infektion mit einem zu den Schlauchpilzen (Ascomycetes) gehörenden pilzlichen Endophyten (*Acremonium*, Familie Clavicipitaceae) gebunden ist [2]. Sie lassen sich weder in nicht infizierten Gräsern noch im isoliert kultivierten Pilz nachweisen. Neben den L. lassen sich in Endophyt-infizierten Gräsern zwei weitere Alkaloid-Klassen nachweisen: Ergopeptide (s. Ergot-Alkaloide), für deren Bildung der Pilz verantwortlich ist, sowie Diazaphenanthren-Alkaloide (z. B. *Perlolin), die von der Pflanze gebildet werden. Die Endophyt-infizierten Gräser zeichnen sich durch verstärkte Resistenz gegenüber herbivoren Insekten aus, für die die L. verantwortlich gemacht werden [3]. Die nach Genuß von Endophyt-infiziertem Weidegras beobachteten Vergiftungen von Rindern u. a. Weidetieren werden vermutlich nicht durch L. verursacht, sondern durch die Ergopeptide [4]. – *E* lolines – *F* loline – *S* lolinas

Lit.: [1] Biochem. Syst. Ecol. **20**, 69–73 (1992). [2] Crop. Sci. **22**, 941 ff. (1983); **23**, 1136–1140 (1983); J. Chem. Ecol. **16**, 3301–3316 (1990). [3] Biotechnology **1**, 189 ff. (1983); J. Agric. Chem. **37**, 354–357 (1989). [4] Cheeke (Hrsg.), Toxicants of Plant Origin, Bd. 1, S. 281–289, Boca Raton: CRC Press 1989. *allg.:* Beilstein E V **27/18**, 38 ff. ▪ J. Org. Chem. **46**, 3887 (1981); **51**, 3556 (1986) ▪ Merck-Index (12.), Nr. 5591 ▪ Pelletier **9**, 155–233 ▪ Teuscher u. Lindequist, Biogene Gifte (2.), Stuttgart: Fischer 1994. – *[HS 2939 90; CAS 60092-32-2 (Lolidin)]*

Lomaherpan®. Creme mit Trockenextrakt aus Melissenblättern gegen Herpes labiales. *B.:* Lomapharm.

Lomatiol s. Lapachol.

Lomefloxacin (Rp).

Internat. Freiname für den *Gyrasehemmer 1-Ethyl-6,8-difluoro-1,4-dihydro-7-(3-methyl-1-piperazinyl)-4-oxo-3-chinolincarbonsäure, $C_{17}H_{19}F_2N_3O_3$, M_R 351,35, Schmp. 239–240,5 °C, LD_{50} (Maus i.v.) 245,6 mg/kg, (Maus oral) >4 g/kg. Das Monohydrochlorid, Schmp. 290–300 °C (Zers.) wird gegen Infektionen der Niere u. ableitenden Harnwege einge-

Tab. 1: Die aus dem Pflanzenreich bekannten Loline.

Name	R^1	R^2	Summenformel	M_R	Schmp. [Sdp.] [°C]	$[\alpha]_D$	CAS
Norlolin	H	H	$C_7H_{12}N_2O$	140,19	[94–95 (0,67 kPa)]	+15,1°	4839-19-4
Lolin (Festucin)	H	CH_3	$C_8H_{14}N_2O$	154,21	[103 (0,67 kPa)]	+6,2° (2 HCl/H_2O)	25161-91-5
N-Methyllolin	CH_3	CH_3	$C_9H_{16}N_2O$	168,24	[90–91 (0,27 kPa)]	+9,31° (CH_3OH)	22143-50-6
N-Formylnorlolin	H	CHO	$C_8H_{12}N_2O_2$	168,20	Öl	+31,3° (Aceton)	
N-Acetylnorlolin	H	$COCH_3$	$C_9H_{14}N_2O_2$	182,22	Öl	+49,8° ($CHCl_3$)	38964-35-1
N-Formyllolin	CH_3	CHO	$C_9H_{14}N_2O_2$	182,22	93–94	+47,9° ($CHCl_3$)	38964-33-9
N-Acetyllolin (Lolinin)	CH_3	$COCH_3$	$C_{10}H_{16}N_2O_2$	196,25	73	+36,9°	4914-36-7
Decorticasin	H	$CO–C_2H_5$	$C_{10}H_{16}N_2O_2$	196,25			1380-03-6
N-Butyrylnorlolin	H	$CO–CH_2–C_2H_5$	$C_{11}H_{18}N_2O_2$	210,28	206 (Pikrat, Zers.)		
N-Isobutyrylnorlolin	H	$CO–CH(CH_3)_2$	$C_{11}H_{18}N_2O_2$	210,28	127		
N-Isovalerylnorlolin	H	$CO–CH_2–CH(CH_3)_2$	$C_{12}H_{20}N_2O_2$	224,30	241 (Pikrat, Zers.)		

setzt. L. wurde 1985 von Hokuriku Pharm patentiert. – *E* lomefloxacin – *F* loméfloxacine – *I* lomefloxacina – *S* lomefloxacín
Lit.: Hager (5.) **8**, 752–755. – *[HS 293359; CAS 98079-51-7 (L.); 98079-52-8 (Monohydrochlorid)]*

Lomexin® (Rp). Creme, Lsg. u. Pumpspray mit dem *Antimykotikum *Fenticonazol-Nitrat. **B.:** S&K Pharma.

Lomir® (Rp). Tabl. u. Kapseln mit dem *Calcium-Antagonist *Isradipin gegen Hypertonie. **B.:** Wander Pharma.

Lomonossow, Michail Wassiljewitsch (1711–1765), Prof. für Chemie, St. Petersburg u. Moskau. *Arbeitsgebiete:* Erhaltung von Energie u. Materie, Atomistik, Beziehungen zwischen physikal. u. chem. Eigenschaften der Stoffe, Technologie der Gläser, Metallurgie, Lagerstättenkunde, Theorien zur Funktion der Sinnesorgane u. zu Ursachen von Krankheiten u. a. medizin. Fragen, Entdeckung der Venusatmosphäre. L. war auch Mitgründer der Univ. Moskau (1755), die heute seinen Namen trägt, Dichter, Historiker u. Grammatiker.
Lit.: Krafft, S. 228 ▪ Lexikon der Naturwissenschaftler, S. 275f. ▪ Pötsch, S. 278.

Lomustin (CCNU, Rp).

Internat. Freiname für das *Cytostatikum 1-(2-Chlorethyl)-3-cyclohexyl-1-nitrosoharnstoff, $C_9H_{16}ClN_3O_2$, M_R 233,70, Schmp. 90°C, λ_{max} (CH$_3$OH) 230, 398, 415 nm ($A_{1cm}^{1\%}$ 249, 4,5, 3,89), LD$_{50}$ (Maus oral) 51 mg/kg. L. wird gegen Morbus Hodgkin eingesetzt u. ist von medac (Cecenu®) im Handel. – *E=F* lomustine – *I=S* lomustina
Lit.: ASP ▪ DAB **1996** u. Komm. ▪ Florey **19**, 315–340 ▪ Hager (5.) **8**, 755f. – *[HS 292421; CAS 13010-47-4]*

Lonarid® (Rp). Tabl. mit *Paracetamol u. *Codeinphosphat. **B.:** Boehringer-Ingelheim.

Lonazolac (Rp).

Internat. Freiname für das nichtsteroidale *Antiphlogistikum 3-(4-Chlorphenyl)-1-phenyl-1*H*-pyrazol-4-essigsäure, $C_{17}H_{13}ClN_2O_2$, M_R 312,76, Schmp. 150–151°C; λ_{max} (CH$_3$OH): 281 nm ($A_{1cm}^{1\%}$ 793), pK$_a$ 4,3, LD$_{50}$ (Maus i.v.) 195 mg/kg. Verwendet wird das Calcium-Salz, Schmp. 279–290°C (Zers.), LD$_{50}$ (Maus oral) 670 mg/kg. L. wurde 1974 von Wyeth, 1979 von Byk Gulden patentiert u. ist von Merckle (Argun®) u. Tosse (arthro akut®, irritren®) im Handel. – *E=F=I* lonazolac – *S* lonazolaco
Lit.: ASP ▪ Beilstein E V **25/4**, 401 ▪ Hager (5.) **8**, 756ff. – *[HS 293319; CAS 53808-88-1 (L.); 75821-71-5 (Calcium-Salz)]*

London, Fritz (1900–1954), Prof. für Physikal. Chemie, Univ. Durham, North Carolina. *Arbeitsgebiete:* Valenzkräfte, Wellenmechanik, Supraleitfähigkeit, Diamagnetismus, tiefe Temp.; s. a. folgendes Stichwort.
Lit.: Lexikon der Naturwissenschaftler, S. 276 ▪ Neufeldt, S. 157 ▪ Pötsch, S. 279.

London-Kräfte (Dispersionskräfte). Nach *London benannte, sehr schwache *zwischenmolekulare Kräfte (Anziehungskräfte), mit denen auch aufgrund ihrer Struktur völlig unpolare Atome u. Mol. aufeinander einwirken.
Durch spontane Fluktuation der Elektronendichte wird in einem Mol. ein Dipolmoment erzeugt, welches in einem benachbarten Mol. ebenfalls ein Dipolmoment induziert. Zwischen beiden Dipolmomenten herrscht eine anziehende Kraft; ihre gegenseitige Ausrichtung bleibt erhalten, auch wenn sich das momentane Dipolmoment des ersten Mol. ständig ändert. Die genaue Berechnung der Wechselwirkungsenergie ist sehr kompliziert; eine gute Beschreibung wird durch die *London-Formel* gegeben

$$V = -C/r^6, \text{ mit } C = \frac{2}{3}\alpha_1\,\alpha_2\,\frac{I_1 \cdot I_2}{I_1 + I_2},$$

r = Abstand zwischen Mol. 1 u. 2, I_1, I_2 = Ionisationsenergie u. α_1, α_2 = Polarisierbarkeit. – *E* London forces – *F* forces de London – *I* forze di London – *S* fuerzas de London
Lit.: Atkins, Physikalische Chemie, Weinheim: VCH Verlagsges. 1996 ▪ Barrow, Physikalische Chemie, Anhang S. 33, Braunschweig: Vieweg 1984 ▪ s. a. zwischenmolekulare Kräfte.

Longifolen (Junipen, Kuromatsuen).

$C_{15}H_{24}$, M_R 204,36, Öl, Sdp. 254–256°C [126°C (1,99 kPa)], $[\alpha]_D$ +47° (Aceton), unlösl. in Wasser. Weitverbreitetes pflanzliches *Sesquiterpen, kommt im *Terpentinöl (bis zu 20%) vor u. wird aus der Himalaya-Kiefer gewonnen. L. wird als Boran-Derivat (*Dilongifolylboran*) für asymmetr. Hydrierungen verwendet[1]. – *E=I* longifolene – *F* longifolène – *S* longifoleno
Lit.: [1] J. Org. Chem. **46**, 2988 (1981); **50**, 915 (1985). – *Synth.:* ApSimon **2**, 517–520; **5**, 446–451; Can. J. Chem. **70**, 1375 (1992); J. Am. Chem. Soc. **112**, 4609f. (1990); J. Chem. Soc., Chem. Commun. **1986**, 1691; J. Org. Chem. **50**, 915 (1985); **58**, 2186 (1993).
allg.: Acc. Chem. Res. **14**, 82–88 (1981) ▪ Beilstein E IV **5**, 1192 ▪ Thomson, The Chemistry of Natural Products, S. 174, Glasgow: Blackie 1985 ▪ Zechmeister **40**, 49–104. – *[CAS 475-20-7 ((+)-L.); 16846-09-6 ((–)-L.); 38142-68-6 (Dilongifolylboran)]*

Long terminal repeats s. Retroviren.

Longwell-Manience-Methode. Bez. für ein standardisiertes Verf. zur photometr. Bestimmung von *Aniontensiden als sog. *MBAS (Methylenblau-aktive Substanzen). Die L.-M.-M. stellt eine Alternative zur Zweiphasentitration nach Epton dar. – *E* Longwell-

Manience method – *F* méthode de Longwell-Manience – *I* metodo di Longwell-Manience – *S* método de Longwell-Manience
Lit.: s. Aniontenside, Tenside.

Lonsdaleit s. Diamanten.

Lonza. Kurzbez. für die 1897 gegr. Firma Lonza AG, CH-4002 Basel, eine 100%ige Tochterges. der Alusuisse-Lonza Holding AG. *Daten* (1995): 2738 Beschäftigte, 872 Mio. Srf. Umsatz. *Produktion:* Entwicklung, Herst. u. Vertrieb von Feinchemikalien; Zwischenprodukte u. Wirksubstanzen für Pharmazeutika; Pflanzenschutzmittel; Farben u. Pigmente, Nahrungs- u. Futtermitteladditive, Kleb- u. Riechstoffe, Photochemikalien, Kunststoffe u. Engineering Plastics, Exklusivsysteme.

LONZACURE®. Aromat. od. cycloaliphat. *Diamine als Kettenverlängerungsmittel od. Härter für *Polyurethane u. *Epoxide. *B.:* LONZA.

Loofa s. Luffa.

Lopalind® (Rp). Tabl. u. Lsg. mit dem *Antidiarrhoikum *Loperamid. *B.:* Lindopharm.

Lopedium® (Rp). Tabl., Kapseln, Brausetabl. u. Lsg. mit dem *Antidiarrhoikum *Loperamid. *B.:* Hexal.

Loperamid (Rp).

Internat. Freiname für das *Antidiarrhoikum 4-[4-(4-Chlorphenyl)-4-hydroxypiperidino]-*N,N*-dimethyl-2,2-diphenylbutyramid, $C_{29}H_{33}ClN_2O_2$, M_R 477,05. Verwendet wird das Hydrochlorid, Schmp. 222–223°C, λ_{max} (0,1 N HCl/Isopropanol, 10/90 Vol%) 253, 259, 265, 273 nm ($A_{1cm}^{1\%}$ 10,4, 12,6, 11,3, 4,5), LD_{50} (Maus oral) 105 mg/kg. L. wurde 1972 u. 1973 von Janssen (Imodium®) patentiert u. ist generikafähig. – *E=I* loperamide – *F* lopéramide – *S* loperamida
Lit.: ASP ▪ Beilstein E V **21/2**, 379 ▪ DAB **1996** u. Komm. ▪ Florey **19**, 341–365 ▪ Hager (5.) **8**, 758–762. – *[HS 293339; CAS 53179-11-6 (L.); 34552-83-5 (Hydrochlorid)]*

Lophophora-Alkaloide. Alkaloide aus den in Mexiko beheimateten *Lophophora*-Kakteen (*Peyotl), die bei uns als Zierpflanzen gehalten werden. Die Pflanzen enthalten ca. 5% Alkaloide, vorwiegend *Phenylethylamin-Derivate. Deren bekannteste Wirkungen sind die Erzeugung farbiger Halluzinationen u. a. Veränderungen der Sinneseindrücke. Das giftigste Alkaloid dieser Gruppe ist *Lophophorin. – *E* lophophora alkaloids – *F* alcaloïdes de peyotl – *I* alcaloidi del cactus lofofora – *S* alcaloides del peyote
Lit.: Pharm. Unserer Zeit **14**, 129–137 (1985) ▪ R. D. K. (4.), S. 470ff. ▪ s.a. Peyotl u. Kaktus-Alkaloide. – *[HS 2939.90]*

Lophophorin (*N*-Methylanhalonin).

$C_{13}H_{17}NO_3$, M_R 235,28, Öl, Sdp. 140–145°C (3 hPa), $[\alpha]_D$ –47,3° (CHCl₃), lösl. in Ether u. Chloroform. Giftiges Alkaloid aus dem mexikan. Kaktus *Peyotl [*Lophophora (Anhalonium) williamsii*]. – *E=F* lophophorine – *I=S* lofoforina
Lit.: Beilstein E V **27/24**, 393 f. ▪ Merck-Index (12.), Nr. 5602 ▪ Ullmann (5.) **A 1**, 368 f. ▪ s. a. Peyotl, Kaktus-Alkaloide, Meskalin u. Lophophora-Alkaloide. – *[HS 293990; CAS 17627-78-0]*

Lophotoxin.

$C_{22}H_{24}O_8$, M_R 416,43, Nadeln, Schmp. 164–166°C. Furanocembranolid aus Fächer- u. Geißelkorallen der Gattung *Lophogorgia*. L. ist ein Diterpen u. gehört zu den *Cembranoiden. L. ist ein starkes neuromuskuläres Toxin, das eine irreversible postsynapt. Blockade der *Acetylcholin-Rezeptoren bewirkt. Es ähnelt in dieser Hinsicht dem α-*Bungarotoxin, einem *Kobratoxin; LD_{50} (Maus s.c.) 8 mg/kg. – *E* lophotoxin – *F* lophotoxine – *I* lofotossina – *S* lofotoxina
Lit.: Merck-Index (12.), Nr. 5603 ▪ Science **212**, 1512ff. (1981) ▪ Tetrahedron **41**, 981 (1985) (Review). – *Pharmakologie:* Brain Res. **359**, 233–238 (1985) ▪ Br. J. Pharmacol. **82**, 667–672 (1984) ▪ J. Biol. Chem. **259**, 3763–3770 (1984); **263**, 18568–18573 (1988) ▪ J. Exp. Biol. **137**, 603–607 (1988) ▪ Mol. Pharmacol. **28**, 436–444 (1985) ▪ Neuroscience **20**, 875–884 (1987). – *Synth.:* Chem. Lett. **1987**, 1491–1494 ▪ J. Org. Chem. **45**, 3401 (1981); **51**, 765 ff. (1986) ▪ Tetrahedron Lett. **28**, 2525 (1987). – *[CAS 78697-56-0]*

Lopirin®, L. Cor (Rp). Tabl. mit *Captopril gegen Bluthochdruck, Herzleistungsschwäche. *B.:* Bristol-Myers Squibb.

Loprazolam (Rp, BtMVV Anlage IIIC).

Internat. Freiname für den *Tranquilizer (s. a. 1,4-Benzodiazepine) 6-(2-Chlorphenyl)-2,4-dihydro-2-[(Z)-(4-methyl-1-piperazinyl)methylen]-8-nitro-1*H*-imidazo[1,2-*a*][1,4]benzodiazepin-1-on, $C_{23}H_{21}ClN_6O_3$, M_R 464,91, Schmp. 214–215°C, LD_{50} (Maus oral) >1 g/kg. Verwendet wird auch das Mesilat-Monohydrat, Schmp. 205–210°C, λ_{max} (C_2H_5OH) 330 nm ($A_{1cm}^{1\%}$ 884). L. wurde 1976 u. 1977 von Roussel UCLAF patentiert u. ist von Lipha (Sonin®) im Handel. – *E=F=I=S* loprazolam
Lit.: ASP ▪ Beilstein E V **26/10**, 151 ▪ Hager (5.) **8**, 762 ff. – *[HS 293359; CAS 61197-73-7 (L.); 70111-54-5 (Mesilat-Monohydrat)]*

Lopresor® (Rp). Tabl. mit *Metoprolol-tartrat gegen Hypertonie, koronare Herzkrankheiten usw. – *L. i.v.* mit gleichem Wirkstoff, zur Behandlung von Tachyarrhythmien u. akutem Herzinfarkt. *B.:* Novartis.

LOPROX. Abk. für *Low Pressure Wet Oxidation*, das Verf. der Niederdruck-*Naßoxidation, das bei 120–200 °C u. bei 3–20 bar arbeitet; Marke der Bayer AG. Das L.-Verf. dient der Vorbehandlung stark belasteter Abwässer, deren organ. Inhaltsstoffe in herkömmlichen *Kläranlagen zu langsam abgebaut werden od. die den *biologischen Abbau anderer Stoffe beeinträchtigen können.

Das Rohabwasser wird (evtl. durch Vermischung mit anderen Abwässern) stark angesäuert u. mit den als Katalysator wirkenden Eisen(II)-Ionen u. Chinon-bildenden Substanzen versetzt. Üblicherweise wird diese Mischung über einen Wärmetauscher erhitzt u. in den als mehrstufige Blasenkolonne ausgebildeten Oxidationsreaktor gepumpt (s. Abb.). Als Oxidationsmittel dient reiner Sauerstoff, der über ein Injektor-Syst. feinblasig in den Druckraum eingedüst wird. Nach wenigen h wird das Abwasser über den Wärmetauscher abgekühlt, entspannt u. in eine Kläranlage eingeleitet. Das L.-Verf. ist im Vgl. zu Abwasser-Verbrennung u. Hochdruck-Naßoxid. preiswerter u. einfacher.

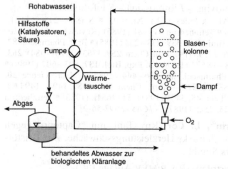

Abb.: Verfahrensschema LOPROX®.

– *E* low pressure wet oxidation – *F* oxidation humide en basse pression – *S* oxidación húmeda de baja presión
Lit.: Purdue Research Foundation (Hrsg.), Proceedings of the 46th Industrial Waste Conference, S. 521–530, Boca Raton: Lewis Publ. 1992.

Loquats s. Japanische Mispeln.

Loracarbef (Rp).

Internat. Freiname für (6R,7S)-7-((R)-2-Amino-2-phenylacetamido)-3-chloro-8-oxo-1-azabicyclo-[4.2.0]oct-2-en-2-carbonsäure, $C_{16}H_{16}ClN_3O_4$, M_R 349,77, Monohydrat M_R 367,79, Schmp. 205–215 °C (Zers.), $[\alpha]_D^{21}$ +34° (c 0,35/H₂O). L. gehört zu der neuen Klasse der Carbacepheme u. unterscheidet sich strukturell von dem Cephalosporin *Cefaclor nur durch Ersatz des Schwefel-Atoms durch eine Methylen-Gruppe. Sein Wirkungsspektrum ist diesem sehr ähn-

lich, es zeichnet sich aber durch eine höhere chem. Stabilität aus. L. wurde 1980 u. 1987 von Kyowa Hakko, das L.-Monohydrat 1989 von Lilly (Lorafem®) patentiert. – *E = F = I = S* loracarbef
Lit.: Pharm. Ztg. **140**, 4324–4329. – *[CAS 76470-66-1 (L.); 121961-22-6 (Monohydrat)]*

Lorafem® (Rp). Kapseln, Saft u. Trockensaft mit dem Cephalosporin-Antibiotikum *Loracarbef. *B.:* Lilly.

Lorandit. TlAsS₂, karminrotes, oberflächlich oft grau angelaufenes, metall.-diamantartig glänzendes, monoklines Mineral, Krist.-Klasse 2/m-C₂ₕ, Struktur u. Bindungsverhältnisse s. *Lit.*[1]; Untersuchungen von L. mit *IR-Spektroskopie u. opt. Absorptionsspektrum (*Spektroskopie) von L. s. *Lit.*[2]. Kleine, durchsichtige bis durchscheinende, etwas biegsame, kurzsäulige od. tafelige Krist., Krist.-Gruppen, auch Anflüge. H. 2–2,5, D. 5,53, Strichfarbe kirschrot.
Vork.: Mit *Auripigment u. *Realgar in Allchar/Mazedonien; in den USA (Wyoming u. Goldlagerstätte Carlin/Nevada); Lengenbach im Wallis/Schweiz; Tzhizhikrut/Tadschikistan.
Verw.: Das Isotop ²⁰⁵Tl aus L. von Allchar als Detektor für den Fluß von *Neutrinos, die bei Fusionsreaktionen im Kern der Sonne entstehen („*LOREX*"-Projekt, s. *Lit.*[3] u. die weiteren in diesem Heft enthaltenen diesbezüglichen Arbeiten). – *E = F = I* lorandite – *S* lorandita
Lit.: [1] Neues Jahrb. Mineral., Abhandl. **168**, 213–235 (1995). [2] Neues Jahrb. Mineral., Abhandl. **167**, 329–343 (1994). [3] Neues Jahrb. Mineral., Abhandl. **167**, Nr. 2/3, 205–245 (1994).
allg.: Anthony et al., Handbook of Mineralogy, Vol. I, S. 302, Tucson (Arizona): Mineral Data Publishing 1990 ▪ Ramdohr-Strunz, S. 475. – *[CAS 15501-93-6]*

Loratadin (Rp).

Internat. Freiname für das *Antihistaminikum Ethyl-4-(8-chlor-5,6-dihydro-11H-benzo[5,6]cyclohepta-[1,2-b]pyridin-11-yliden)-1-piperidincarboxylat, $C_{22}H_{23}ClN_2O_2$, M_R 382,89, Schmp. 134–136 °C; λ_{max} (CH₃OH) 229, 246, 275 (Schulter) nm ($A_{1cm}^{1\%}$ 326, 379, 180). L. wurde 1981 von Schering patentiert u. ist von Essex Pharma (Lisino®) im Handel. – *E = F* loratadine – *I = S* loratadina
Lit.: ASP ▪ Hager (5.) **8**, 764f. – *[HS 2933 39; CAS 79794-75-5]*

Lorazepam (Rp, BtMVV, Anlage IIIC).

Internat. Freiname für den *Tranquilizer (s.a. 1,4-Benzodiazepine) (±)-7-Chlor-5-(2-chlorphenyl)-

1,3-dihydro-3-hydroxy-2H-1,4-benzodiazepin-2-on, $C_{15}H_{10}Cl_2N_2O_2$, M_R 321,16, Schmp. 166–168 °C; λ_{max} (CH_3OH) 229, 320 nm; LD_{50} (Maus oral) >3 g/kg. L. wurde 1963, 1965 u. 1967 von American Home Products patentiert u. ist von Wyeth (Tavor®) u. als Generikum im Handel. – $E = I = S$ lorazepam – F lorazépam
Lit.: ASP ▪ Beilstein E V **25/2**, 248 f. ▪ Florey **9**, 397–426 ▪ Hager (5.) **8**, 765 ff. – *[HS 2933 90; CAS 846-49-1]*

Lorbeer. Im Mittelmeergebiet heim., 5–7 m hoher Strauch *Laurus nobilis* L. (Lauraceae), dessen dunkelgrüne Blätter zu Lorbeeröl [*Lorbeer(blätter)öl] verarbeitet od. in unzerkleinertem Zustand als Küchengewürz (bes. für Fleisch- u. Fischgerichte) verwendet sowie zum Frischhalten Feigen u. anderen Südfrüchten beigepackt werden; ganz früher als L.-Kranz für bes. Verdienste (z. B. röm. Feldherren). Daher auch die Redewendung „sich auf den L. ausruhen“. Die Früchte werden aus *L.-Kernfett* verarbeitet (sog. festes L.-Öl, L.-Wachs), eine grünliche, fettige Masse, D. ca. 0,88, Schmp. ca. 40 °C, VZ 198, IZ 68–80, die hauptsächlich Lauryllaurat, -stearat u. dgl. enthält. – $E = S$ laurel – F laurier – I alloro
Lit.: Hager (4.) **5**, 460 ff. ▪ Melchior u. Kastner, Gewürze, S. 171 f., 242 ff., Berlin: Parey 1974 ▪ Ullmann (5.) **A11**, 231. – *[HS 09 10 40, 1211 90]*

Lorbeer(blätter)öl. Hellgelbes bis gelbes Öl mit einem frischen, süß-würzigen, leicht camphrigen Geruch u. einem frischen, delikat-würzigen, süßen Geschmack, manchmal leicht bitter.
Herst.: Durch Wasserdampfdest. aus den Blättern des vorwiegend im Mittelmeerraum wachsenden Lorbeerbaumes, *Laurus nobilis*.
Zusammensetzung[1]: Hauptbestandteile sind mit ca. 50% 1,8-*Cineol u. mit ca. 10% α-Terpinylacetat. Wichtig für den organolept. Eindruck sind weiterhin *Eugenol (ca. 1%), Methyleugenol (2–4%) u. *Linalool (4–6%).
Verw.: In der Parfümherst. für würzige Duftnoten (Herrennoten); für die Aromatisierung von Lebensmitteln wie Saucen, Essiggemüsen, Fleisch- u. Fischzubereitungen. – E laurel leaf oil, sweet or mediterranean bay oil – F essence de feuilles de laurier – S esencia de nojas de laurel
Lit.: [1] Perfum. Flavor. **11** (3), 52 (1986); **12** (4), 71 (1987); **15** (3), 67 (1990); **18** (3), 65 (1993); **20** (1), 51 (1995).
allg.: Arctander, Perfume and Flavor Materials of Natural Origin, S. 337, Elisabeth, N. J.: Selbstverl. 1960 ▪ Bauer, Garbe u. Surburg, Common Fragrance and Flavor Materials, 2. Aufl., S. 160, Weinheim: VCH Verlagsges. 1990 ▪ Gildemeister **5**, 142. – *Toxikologie:* Food Cosmet. Toxicol. **14**, 337 (1976). – *[HS 3301 29; CAS 8002-41-3]*

Lorcainid (Rp).

Internat. Freiname für das *Antiarrhythmikum 4'-Chlor-N-(1-isopropyl-4-piperidyl)-2-phenylacetanilid, $C_{22}H_{27}ClN_2O$, M_R 370,92, Schmp. 104,9 °C; LD_{50} (Maus i.v.) 18,8 mg/kg, (Maus oral) 483 mg/kg. Verwendet wird das Hydrochlorid, Schmp. 263 °C, λ_{max} (H_2O) 257, 263 nm ($A_{1cm}^{1\%}$ 14,3, 12,1). L. wurde 1977 u. 1978 von Janssen patentiert. – $E = I$ lorcainide – F lorcaïnide – S lorcainida
Lit.: Beilstein E V **22/8**, 59 f. ▪ Hager (5.) **8**, 767 ff. – *[HS 2933 39; CAS 59729-31-6 (L.); 58934-46-6 (Hydrochlorid)]*

Lorentz, Hendrik Antoon (1853–1928), Prof. für Physik, Univ. Leiden. *Arbeitsgebiete:* Elektrizität, Magnetooptik, Lichtfortpflanzung in bewegten Medien, Relativitätstheorie. 1902 Nobelpreis für Physik zusammen mit *Zeeman für die Entwicklung der klass. Elektrontheorie, mit deren Hilfe der *Zeemann-Effekt u. die Drehung der Polarisationsebene des Lichts im magnet. Feld erklärt werden konnten.
Lit.: Krafft, S. 228 ff. ▪ Lexikon der Naturwissenschaftler, S. 276.

Lorentz-Kraft. Kraft F, die auf eine Ladung q wirkt, welche sich mit der Geschw. v in einem Magnetfeld mit der Flußdichte B bewegt: F = q · v × B. Der entsprechende Ausdruck für die Kraft auf einen stromdurchflossenen Leiter (Strom I, Länge l) lautet: F = l · I × B. Die L.-K. ist u. a. wichtig bei *Massenspektrometrie, *Hall-Effekt u. *Wien-Filter. – E Lorentz force – F force de Lorentz – I forza di Lorentz – S fuerza de Lorentz

Lorentz-Lorenz-Gleichung s. Refraktion.

Lorenz, Konrad (1903–1989), Prof. für Humanpsychologie, Königsberg, Münster u. München. Begründer der modernen Verhaltensforschung. *Arbeitsgebiete:* Studien an frei fliegenden Dohlen u. Kolkraben. Er erforschte v. a. bei der Graugans die Entwicklung des instinktiven Verhaltens u. entdeckte das Phänomen der Prägung. Nobelpreis für Physiologie od. Medizin (1973) zusammen mit Karl von *Frisch u. Nikolaas *Tinbergen.
Lit.: Kürschner (15.), S. 2796 ▪ Lexikon der Naturwissenschaftler, S. 276 f.

Lorenzos Öl. Mittel, das zur Behandlung der Adrenoleukodystrophie, einer Degeneration der weißen *Hirnsubstanz durch patholog. Speicherung von *Fettsäuren, eingesetzt wird. L. Ö. ist eine Mixtur von Glyceryltrioleat u. Glyceroltrierucat im Verhältnis 4:1 u. reduziert zusammen mit einer entsprechenden Diät den Gehalt an gesätt. langkettigen Fettsäuren, die für den Krankheitsprozeß verantwortlich gemacht werden, im Plasma der Patienten. Den Verlauf der neurolog. Ausfälle bei erkrankten Patienten scheint es allerdings nicht zu beeinflussen. Benannt ist es nach einem erkrankten Jungen, dessen Eltern in der Entwicklung des Öls eine wichtige Rolle gespielt haben. – E Lorenzo's oil – I olio di Lorenzo – S aceite de Lorenzo
Lit.: Curr. Op. Neurol. **8**, 221–226 (1995).

Loretam® (Rp). Weichgelatinekapseln mit dem *Tranquilizer *Lormetazepam. *B.:* Wyeth.

Lorival®. Depolymerisierter *Natur- u. *Butyl-Kautschuk als natürlicher Weichmacher in Gummi-Mischungen u. Klebstoffen. *B.:* Langer & Co.

Lormetazepam (Rp, BtMVV, Anlage IIIC). Internat. Freiname für den *Tranquilizer (±)-7-Chlor-5-(2-

chlorphenyl)-1,3-dihydro-3-hydroxy-1-methyl-2H-1,4-benzodiazepin-2-on, $C_{16}H_{12}Cl_2N_2O_2$, M_R 335,19, Schmp. 205–207 °C, λ_{max} (H_2O) 231, 314 nm ($A_{1cm}^{1\%}$ 1070, 54), lösl. in Wasser. L. wurde 1963 u. 1967 von American Home Products patentiert u. ist von Brenner-Efeka (Ergocalm®), von Schering/Asche (Noctamid®) u. Wyeth (Loretam®) im Handel. – $E = I = S$ lormetazepam – F lormétazépam
Lit.: ASP ▪ Beilstein E V **25/2**, 251 ▪ Hager (5.) **8**, 769 ff. – *[HS 293390; CAS 848-75-9]*

Lornoxicam (Rp).

Vorgeschlagener internat. Freiname für 6-Chlor-4-hydroxy-2-methyl-N-(2-pyridyl)-2H-thieno[2,3-e]-1,2-thiazin-3-carboxamid-1,1-dioxid, $C_{13}H_{10}ClN_3O_4S_2$, M_R 371,82, orange-gelbe Krist., Schmp. 225–230 °C (Zers.), pK_{a2} 4,7; λ_{max} 371 nm; LD_{50} (Maus oral) >10 mg/kg. L. wurde 1979 von Hofmann-La Roche patentiert u. ist gegen rheumatoide u. Osteoarthritis von Hafslund/Nycomed in der klin. Prüfung. – $E = F = I = S$ lornoxicam
Lit.: Drugs **51**, 639–657 (1996). – *[HS 293490; CAS 70374-39-9]*

Lorol®. Gesätt., einwertige, prim., lineare Fettalkohole im Bereich C_8–C_{22} auf pflanzlicher Basis. Diverse Schnitte u. Einzelfraktionen als Additive für Metallbearbeitungsmittel u. Schmierstoffe, Veresterungskomponenten zur Weichmacherherst., als Grundstoffe zur Herst. von Fettalkoholpolyglykolethern, Fettalkoholsulfaten u. -ethersulfaten. *B.:* Henkel.

LOS s. Lipooligosaccharide.

Losartan (Rp).

Internat. Freiname für 2-Butyl-4-chlor-1-[2′-(1H-tetrazol-5-yl)biphenyl-4-ylmethyl]-1H-imidazol-5-methanol, $C_{22}H_{23}ClN_6O$, M_R 422,92, Schmp. 183,5–184,5 °C, pK_a 5–6. Als Antihypertonikum (*Angiotensin-Antagonist) verwendet wird das Kalium-Salz. L. wurde 1988 u. 1992 von DuPont patentiert u. ist von MSD (Lorzaar®) im Handel. – $E = F = I$ losartan – S losartán
Lit.: Ann. Pharmacother. **30**, 625–636 (1996) ▪ Drugs **51**, 820–845 (1996) ▪ J. Pharm. Biomed. Anal. **14**, 1539–1546 (1996). – *[HS 293329; CAS 114798-26-4 (L.); 124750-99-8 (Kalium-Salz)]*

Loschmidt, Joseph (1821–1895), Prof. für Physikal. Chemie, Wien. *Arbeitsgebiete:* Kinet. Gastheorie,

Größe der Gasmol., Kristallformen, Bestimmung der Loschmidtschen Zahl.
Lit.: CHEMKON **1995**, Nr. 2, 188 ▪ Chem. Ztg. **106**, 1–11 (1982) ▪ Lexikon der Naturwissenschaftler, S. 277 ▪ Neufeldt, S. 55 ▪ Pötsch, S. 280 ▪ Strube et al., S. 41, 48, 132.

Loschmidtsche Zahl s. Avogadro-Konstante u. Avogadro'sche Zahl.

Lossen-Abbau. Von W. C. Lossen (1838–1906)[1] 1872 erstmals beschriebene *Umlagerung*, in deren Verlauf *Hydroxamsäuren* in *Isocyanate übergehen, wenn sie mit $SOCl_2$, P_2O_5, Acetanhydrid u. dgl. erhitzt werden.

Die gebildeten Isocyanate lassen sich zu prim. Aminen hydrolysieren, wobei zunächst Carbamidsäuren entstehen, die nicht stabil sind, sondern unter *Decarboxylierung in die Amine übergehen; vgl. a. Curtius-Umlagerung u. Hofmannscher Abbau. – E Lossen degradation – F dégradation de Lossen – I degradazione di Lossen – S degradación de Lossen
Lit.: [1] Ber. Dtsch. Chem. Ges. **40**, 5079 (1907). *allg.:* Chem. Rev. **33**, 209 (1943); **58**, 374 (1958) ▪ Hassner-Stumer, S. 236 ▪ Laue-Plagens, S. 208 ▪ Houben-Weyl **11/1**, 891 f. ▪ March (4.), S. 1093 ▪ Trost-Fleming **3**, 908; **6**, 798, 821 f.

Lost. Deutscher Deckname für *Bis(2-chlorethyl)sulfid („Senfgas") als *Kampfstoff. Der Name ist aus *Lo*mmel u. *St*einkopff zusammengezogen, die als dtsch. Chemiker im 1. Weltkrieg an der Entwicklung der *Gelbkreuz*waffe beteiligt waren. Nach Ross (*Lit.*[1]) wurde im 2. Weltkrieg in Bari ein mit 100 t Senfgas beladenes Liberty-Schiff durch Luftangriff zerstört, wobei 1000 Menschen ums Leben kamen. Bei vielen dieser L.-Vergifteten beobachtete man eine starke Senkung der *Leukocyten-Zahl. Diese Beobachtung führte zur Synth. möglichst ungiftiger L.-Derivate mit Hemmwirkung auf die Bildung weißer Blutkörperchen, die man gegen *Leukämie einsetzte. Unter Hunderten von hergestellten u. als *Cytostatika geprüften Derivaten bewährten sich diejenigen am besten, bei denen der Schwefel durch Stickstoff ersetzt war (*Stickstofflost). – E mustard gas, sulfur mustard – F gaz moutarde, ypérite – I iprite – S lost
Lit.: [1] J. Chem. Educ. **36**, 368–377 (1959). *allg.:* Beilstein E IV **1**, 1407 ▪ Kirk-Othmer (3.) **5**, 395 ff.; (4.) **5**, 797 ff. ▪ Klimmek et al., Chemische Gifte u. Kampfstoffe, S. 53–66, Stuttgart: Hippokrates 1983. – *[CAS 505-60-2]*

Lotader®. Ethylen-Acrylsäureester-Maleinsäureanhydrid-*Terpolymer; Anw. als Haftvermittler u. Compound-Anw. für die Modifizierung techn. Kunststoffe. *B.:* Elf Atochem.

Lotaustralin s. Linamarin.

Lote. Zusatzstoffe zum *Löten von Komponenten. L. weisen Schmp. auf, die unter denen der zu verbindenden Werkstoffe liegen. Die beim Löten eingebrachte

Wärmeenergie reicht also nicht aus, die Grundwerkstoffe anzuschmelzen. Es wird unterschieden zwischen *Weich-L.* mit Schmp. <450 °C u. *Hart-L.* mit Schmp. >450 °C[1]. Untergruppe der Hart-L. sind die *Hochtemp.-L.* mit Schmp. >900 °C, die ohne Flußmittel (s. Löten) im Vak. od. unter Schutzgas verarbeitet werden.

Schwermetall-Weich-L.[2]: Sb-haltige, -arme u. -freie Pb-Lote. Letztere werden in der Elektronik eingesetzt, erstere für allg. handwerkliche Arbeiten. Cu-haltige Typen verhindern Beschädigungen der Kupfer-Spitze von Lötkolben. Zn-Cd-(Ag)-L. sind therm. höher belastbar, Zn-Ag- u. Zn-Sb-L. werden für Sanitärinstallationen verwendet. – *Leichtmetall-Weich-L.*: Sn-Zn- u. Cd-Zn-L., die auch als Reib-L. verwendet werden, wobei mit dem Lötkolben od. dem Lötstab die störende Oxidhaut aufgerissen wird. – *Schwermetall-Hart-L.*: Cu- u. Cu-Sn-L. für Flußmittel-freies Löten[3]. Messing- u. Neusilber-L. zum Löten von Stahl. Ag-Cd-Cu-L.[4] zum mechanisierten Löten in Maschinen. Ag-P-L. für das Löten von Cu ohne Flußmittel, z. B. bei der Kupfer-Rohrinstallation. Cd-freie Ag-L.[5] zum Löten in der Nahrungsmittel-Industrie. – *Leichtmetall-Hart-L.*[6]: Bekanntester Vertreter ist das eutekt. Al-Si-Lot. Das Hartlöten von Al-Komponenten mit diesem L. erfordert allerdings wegen der geringen Unterschiede der Schmp. Erfahrung, die Beständigkeit ist der des Grundwerkstoffs vergleichbar. – *Hochtemp.-L.*[7]: Anw. in aggressiver Gasatmosphäre bei >400 °C. Ni-Cr-L. mit den Schmp. senkenden Zusätzen. Au- u. Pd-haltige L. für Sonderzwecke. – *E* solder – *F* soudure – *I* saldatura – *S* soldadura

Lit.: [1] DIN 8505 (05/1979). [2] DIN 1767-100 (04/1994). [3] DIN 8513-1 (10/1979). [4] DIN 8513-2 (10/1979). [5] DIN 8513-3 (07/1986). [6] DIN 8513-4 (02/1981). [7] DIN 8513-5 (02/1983). *allg.:* s. Löten.

Lotion. Von latein.: lotio = Waschung abgeleitete Bez. für eine bes. Zubereitungsform für *Kosmetika u. *Dermatika. Im allg. sind L. wäss. od. wäss.-alkohol. Lsg. od. Emulsionen, die je nach Verw.-Zweck (als *Hautpflegemittel, seltener zur *Haarbehandlung) verschiedene Wirkstoffe enthalten. – *E* = *F* lotion – *I* lozione – *S* loción

Lit.: Kirk-Othmer (3.) **7**, 150 ▪ Ullmann (4.) **12**, 562 f. ▪ Umbach (Hrsg.), Kosmetik, 2. Aufl., S. 121 f., Stuttgart: Thieme 1995.

Lotricomb® (Rp). Creme u. Salbe mit *Betamethason-17,21-dipropionat u. *Clotrimazol gegen entzündliche Hautmykosen, Ekzeme. *B.*: Essex Pharma.

Lovastatin [Mev(in)acor®, Mevinolin, Monacolin-K].

$C_{24}H_{36}O_5$, M_R 404,55, Krist., Schmp. 174,5 °C, $[\alpha]_D^{25}$ +323° (CH_3CN), lösl. in Chloroform, Aceton, wenig lösl. in Methanol, Ethanol, unlösl. in Wasser, *Polyketid. Fermentationsprodukt von *Aspergillus terreus* u.

verschiedenen *Monascus*-Arten mit Blutcholesterin-senkenden Eigenschaften durch HMG-CoA-Reductase-Hemmung ($K_i = 1$ nM, Hemmung der Cholesterin-Biosynth. auf der Stufe der *Mevalonsäure).

Verw.: Als Arzneimittel Mevacor® bei Hypercholesterinämie, in klin. Prüfung bei Arteriosklerose u. koronarer Herzkrankheit. Der Naturstoff L. diente als Leitstruktur zur Synth. einer Vielzahl noch deutlich wirksamerer Enzyminhibitoren. Das Hexahydronaphthalin-Syst. wurde dabei u. a. durch isocycl. u. heterocycl. Reste ersetzt. – *E* lovastatin – *F* lovastatine – *I* = *S* lovastatina

Lit.: Chem. Eng. News 7. Sept. **1987**, 7 f. – *Biosynth.:* J. Org. Chem. **61**, 2613–2623 (1996). – *Pharmakologie:* Am. J. Cardiol. **62**, 28J–34J (1988) ▪ Circulation **76**, 534–538 (1987) ▪ Chem. Ind. (London) **1996**, 85–89. – *Synth.:* Atta-ur-Rahman **11**, 335–377 (1992) ▪ J. Am. Chem. Soc. **110**, 6914 ff. (1988); **111**, 2596–2599 (1989) ▪ Lukacs, Recent Progress in the Chemical Synthesis of Antibiotics and Related Microbial Products, S. 829–938, Berlin: Springer 1993 ▪ Tetrahedron **42**, 4909–4951 (1986). – *Review, Bibliographien:* Dtsch. Apoth. Ztg. **130**, 1111 f. (1990) ▪ Neue Arzneimittel **34**, 37 f. (1990) ▪ Merck-Index (12.), Nr. 5616 ▪ SCRIP Sonderheft New Product Review **31**, Richmond: PJB Publications März 1989 ▪ SCRIP (30. März 1990), S. 19. – [CAS 75330-75-5]

Lovelle® (Rp). Tabl. mit dem *Gestagen *Desogestrel u. dem *Estrogen *Ethinylestradiol zur Antikonzeption. *B.*: Organon.

Lovibond. Bez. für eine 1887 eingeführte *Farbzahl, die sich aus der Kombination von 3 Farbgläsern verschiedener Transparenz in rot, blau u. gelb ergibt. Die Farbmessung (*Kolorimetrie) nach L. wird mit sog. *Tintometern* vorgenommen u. bei transparenten Proben (Flüssigkeiten, Getränke, Fette u. dgl.) angewendet. – *E* = *F* = *I* = *S* lovibond

Lit.: Kirk-Othmer (4.) **6**, 847 ▪ Thomas u. Chamberlin, Colorimetric Chemical Analytical Methods (Tintometer Handbook), New York: Wiley 1980.

Low Active Waste s. radioaktive Abfälle.

Low Energy Electron Diffraction s. LEED.

Low Energy Ion Scattering s. LEIS.

Lowi. Kurzbez. für die 1947 gegr. Firma Chem. Werke Lowi GmbH & Co., 84469 Waldkraiburg, ein Tochterunternehmen der Great Lakes Chemical Group. *Daten* (1996): 140 Beschäftigte, 8 Mio. DM Kapital. *Produktion:* Additive für die Kunststoff-, Kautschuk-, Latex-, Klebstoff-Industrie.

Lowitz, Tobias (1757–1804), dtsch.-russ. Chemiker, Göttingen u. Petersburg. *Arbeitsgebiete:* Glucose, antisept. Wirkung von Holzkohle, Adsorption, Nachw. von krist. Bisulfat, Herst. von Eisessig, abs. Ether u. Alkohol, Kälteforschung (−50 °C erreicht), Krist., Chrom, Übersättigung u. Impfung von Lösungen.

Lit.: Lexikon der Naturwissenschaftler, S. 278 ▪ Pötsch, S. 281.

Low-profile-Harze (LP-Harze). Bez. für schwundarm härtende *Harze auf der Basis von *ungesättigten Polyestern, die als Gemische mit *Thermoplasten, z. B. *Polyolefinen, *Polystyrol od. *Polyacrylaten, u. geeigneten *Monomeren, bevorzugt Styrol, eingesetzt werden. – *E* low-profile resins – *F* low-profile-résines

– *I* low-profile-resine, resine a basso profilo – *S* resinas low-profile
Lit.: Batzer **3**, 326 ▪ Elias (5.) **2**, 463.

Lowry, Thomas Martin (1874–1936), Prof. für Physikal. Chemie, London u. Cambridge. *Arbeitsgebiete:* Säure-Base-Theorie, opt. Aktivität, Rotationsdispersion, Enantiomerie.
Lit.: Lexikon der Naturwissenschaftler, S. 278 ▪ Neufeldt, S. 146 ▪ Pötsch, S. 282 ▪ Poggendorff **7b/5**, 2959f. ▪ Strube et al., S. 186.

Lowry-Methode. Von O. H. Lowry 1951 entwickelte Meth. zur quant. Bestimmung von Proteinen u. Enzymen mittels *Biuret-Reaktion u. *Folins Reagenz. – *E* Lowry method – *F* méthode de Lowry – *I* metodo di Lowry – *S* método de Lowry

Low-shrink-Harze (LS-Harze). Bez. für *Harze, die beim Aushärtungsprozeß hinsichtlich Schwundarmut den *Low-profile-Harzen unterlegen sind, diese aber bezüglich Einfärbbarkeit übertreffen. – *E* low-shrink-resins – *F* low-shrink-résines – *I* low-shrink-resine, resine a basso contrazione
Lit.: Batzer **3**, 236.

Low-Spin-Komplexe s. Koordinationslehre, Ligandenfeldtheorie u. Magnetochemie.

Lox. Abk. für *l*iquid *ox*ygen als Oxidans in *Raketentreibstoffen.
Lit.: Ullmann (4.) **20**, 97, 100.

Loxamid®. Slipmittel für Kunststoffe auf der Basis von *Fettsäureamiden u. Ethylendiacylamiden. *B.:* Henkel.

Loxiol®. Markenbez. für eine umfangreiche Palette von *Gleit- u. *Trennmitteln auf der Basis von Fettsäure-Derivaten u. Paraffinen für die Verarbeitung von Polyvinylchlorid u. a. Kunststoffen. *B.:* Henkel.

LP. Kurzz. für *Luftporenbildner.

LPES. Abk. für *Laserphotodetachment-Elektronenspektrometrie.

LPG. 1. Abk. für *l*iquefied *p*etroleum *gas*, s. Motorkraftstoffe; – 2. s. Lipophosphoglykan.

LPH s. Lipotropin.

LP-Harze s. low-profile Harze.

LPS s. Lipopolysaccharide.

LSD s. Lysergsäurediethylamid.

LS-Harze s. low-shrink-Harze.

LS-Kopplung s. Magnetochemie, Landé-Faktor.

LT s. 1. Leukotriene u. – 2. Lymphotoxin.

LTH s. Prolactin.

Lu. Chem. Symbol für das Element *Lutetium.

Lubasin®. Sortiment von synthet. *Klebstoffen für den Filmdruck auf Textilien (s. a. Siebdruck); Basis: Polyvinylcaprolactam; L. TP: Basis Polyacrylate. *B.:* BASF.

LUBRAJEL®. Polymethacrylate kreuzvernetzt mit Glycerin. Gelbildner u. Feuchtigkeitswirkstoff für alle Arten von kosmet. u. industriellen Produkten. *B.:* ISP.

Lubrizol. Kurzbez. für das 1928 gegr. amerikan. Unternehmen The Lubrizol Corporation, Wickliffe, Ohio 44092-2298. Weltweite Produktions- u. Handelsvertretungen. *Daten* (1996, weltweit): ca. 4400 Beschäftigte, 1,6 Mrd. US $ Umsatz. *Produktion:* Additive für Schmiermittel u. Kraftstoffe; Industrieanstriche, Lacke u. Druckfarben; Katalysatoren u. Emissionsfilter; Spezialchemikalien für Petrochemie; Spezialmonomere (Acrylate), Spezialtenside, Kompressorschmiermittel, Chemikalien zur Steuerung der rheolog. Eigenschaften.

Luche-Reagenz s. Lanthanoide-organische Verbindungen.

Luciferasen (EC 1.13.12.5–1.13.12.8, 1.14.14.3, 1.14.99.21). Sammelbez. für strukturell unterschiedliche, zu den *Oxidoreduktasen gehörende Enzyme aus verschiedenen Organismen mit der gemeinsamen Eigenschaft, durch Oxid. von *Luciferinen od. a. Verb. *Biolumineszenz induzieren zu können (Name von latein.: lucifer = lichtbringend). In marinen Organismen läuft diese Reaktion in *Scintillonen ab. Bes. gut untersucht ist das Syst. bei dem Leuchtkäfer *Photinus pyralis*, bei dem eine L. vom M_R 62000 (550 Aminosäure-Reste; EC 1.13.12.7) die folgende Reaktion katalysiert:

$$\text{Photinus-Luciferin} + O_2 + \text{ATP} \xrightarrow{(\text{Mg}^{2+})}$$
oxidiertes Photinus-Luciferin $+ CO_2 + H_2O + \text{AMP} + \text{PP}_i + \text{Licht},$

mit ATP = *Adenosin-5′-triphosphat, AMP = *Adenosin-5′-monophosphat, PP_i = anorgan. Diphosphat, Photinus-Luciferin = (*R*)-4,5-Dihydro-2-(6-hydroxybenzothiazol-2-yl)-thiazol-4-carbonsäure. Der erste Reaktionsschritt ist Diphosphat-Abspaltung u. Bildung von Luciferyl-Adenylat (Anhydrid zwischen Luciferin u. AMP). Die Reaktion, deren Lichtausbeute 88% beträgt, läßt sich zum empfindlichen Nachw. von O_2 u. ATP (bis zu 10^{-11} mol/L) u. a. biochem. Substraten verwerten. Die empfindliche Detektion des Enzyms selbst macht es auch als Marker-Enzym für Gen-Expression geeignet. – *E* luciferases – *F* lucifèrases – *I* luciferasi – *S* luciferasas
Lit.: Structure **4**, 223–228 (1996).

Luciferine. Bez. für bestimmte Naturstoffe, die bei Einwirkung entsprechender Enzyme (Luciferasen) *Biolumineszenz erzeugen. Den L., die in verschiedenen Organismen (Bakterien, Krebsen, Muscheln, Quallen, Tiefseefischen, Würmern, Käfern etc.) vorkommen, liegen völlig unterschiedliche Strukturen zugrunde. Entlang der pazif. Küsten lebende *Cypridina*-Arten (Muschelkrebse), z. B. *Cypridina hilgendorfii*, enthalten als L. ein Pyrazin-Derivat [1] (*Cypridina-*L., $C_{22}H_{27}N_7O$, M_R 405,50). Cypridina-L. liegt, je nach pH-Wert, in drei tautomeren Formen vor. Die Kinetik der Cypridina-Lumineszenz ist 1. Ordnung, sie gilt als das einfachste *Biolumineszenz-Syst.:

$$\text{L.} + O_2 \xrightarrow{\text{Luciferase}} \text{Produkt(e)} + hv.$$

Cypridina-L. ist auch zu *Chemilumineszenz fähig, allerdings mit wesentlich geringerer Lichtausbeute.
Die Leuchtqualle *Aequorea aequorea* erzeugt unter Einwirkung von Ca^{2+}-Ionen eine grüne Biolumineszenz, die auf *Aequorin zurückzuführen ist. Auch das Meeresstiefmütterchen (*Renilla reniformis*) besitzt ein

Cypridina-L.

Luciopterin

Photinus-L.

Latia-L.

Luciferin, das zur Lichterzeugung mol. Sauerstoff benötigt. Dieses L. ist an ein Protein gebunden, gewissermaßen in einer Speicherform. Auch in anderen Anthozoen wurden ähnliche *Photoprotein-Syst. gefunden. Das *Renilla*-L. ist *Coelenterazin, wie auch das L. der Tiefsee-Decapoden *Sergia lucens* u. *Oplophorus gracilorostris*. Leuchtfische enthalten entweder Coelenterazin od. Cypridina-Luciferin. Die L. von Meeresleuchtwürmern sind noch nicht bekannt. Die Oberflächenlumineszenz der Ozeane rührt meistens von Dinoflagellaten her (z.B. *Pyrocystis lunula*, vgl. Gonyautoxine), deren L. mit den Gallenfarbstoffen verwandt sind[2].

Aus dem amerikan. Leuchtkäfer *Photinus pyralis* („firefly") wurde das Thiazol-Derivat (R)-4,5-Dihydro-2-(6-hydroxy-2-benzothiazolyl)-4-thiazolcarbon-säure [*Photinus*-L., $C_{11}H_8N_2O_3S_2$, M_R 280,32, blaßgelbe Krist., Schmp. 190 °C (Zers.)] isoliert, das auch in einheim. Leuchtkäfern (*Lampyris noctiluca*, *Phausis splendidula*, Glühwürmchen) vorkommt[3]. Der japan. Leuchtkäfer *Luciola cruciata* enthält ein *Pteridin-Derivat (*Luciopterin*) als L. ($C_7H_6N_4O_3$, M_R 194,15)[4].

Die Wasserschnecke *Latia neritoides* enthält ein Sesquiterpen (*Latia*-L., $C_{15}H_{24}O_2$, M_R 236,35), das als L. wirkt[5]. Es wurden synthet. L.-Analoge beschrieben[6]. – *E* luciferins – *F* luciférines – *I* luciferine – *S* luciferinas

Lit.: [1] Tetrahedron Lett. **1972**, 2747 f. [2] Chem. Unserer Zeit **23**, 177 ff. (1989); J. Am. Chem. Soc. **110**, 2683 (1988); **111**, 7607–7611 (1989); Nachr. Chem. Tech. Lab. **38**, 159 (1990); J. Biolumin. Chemolumin. **4**, 12–19 (1989); Methods Enzymol. **133**, 307–327 (1986). [3] J. Chem. Soc., Chem. Commun. **1976**, 32, 153. [4] Tetrahedron Lett. **1968**, 2847. [5] Biochemistry **7**, 1734 (1968); J. Chem. Soc., Chem. Commun. **1978**, 297; Tetrahedron Lett. **1979**, 707. [6] Bull. Chem. Soc. Jpn. **65**, 2604 (1992).

allg.: Adv. Oxygenated Processes **1**, 123–178 (1988) ▪ Biol. Unserer Zeit **14**, 140–149 (1984) ▪ Chem. Br. **1994**, 300 ff. ▪ J. Appl. Biochem. **5**, 197–209 (1983) ▪ J. Mol. Catal. **47**, 315–322 (1988). – *Meeresorganismen:* Scheuer I, **3**, 180–222 (Review). – *Käfer:* Adv. Oxygenated Processes **1**, 123–178 (1988) ▪ J. Biolumin. Chemilumin. **4**, 289–301 (1989) ▪ Methods Enzymol. **133**, 51–70 (1986). – [CAS 7273-34-9 (Cypridina-L.); 20240-21-5 (Photinus-L.); 19845-00-2 (Luciopterin); 21730-91-6 (Latia-L.)]

Lucigenin (N,N'-Dimethyl-9,9'-biacridindiinium-dini-trat). $C_{28}H_{22}N_4O_6$, M_R 510,51. Gelbe Krist., Schmp. ca 250 °C (Zers.), die als Substrat für *Chemilumines-zenz-Untersuchungen u. als spezif. Reagenz auf H_2O_2 dienen. – *E* lucigenin – *F* lucigénine – *I* = *S* lucigenina

2 NO_3^-

Lit.: Analyst **111**, 931 (1986) ▪ Anal. Biochem. **164**, 240 (1987); **169**, 262 (1988) ▪ Anal. Chem. **57**, 46 (1985); **60**, 2047 (1988) ▪ Beilstein E V **23/10**, 324 f. – [CAS 2815-97-1]

Luciopterin s. Luciferine.

Lucirin®. Acylphosphin-Derivate als Photoinitiatoren für pigmentierte, vergiftungsarme Lacke u. Druckfarben. *B.:* BASF.

Luckenbach, Reiner (geb. 1941), Prof. für Organ. Chemie, Univ. Mainz, Vorstand des Beilstein-Inst., Frankfurt. *Arbeitsgebiete:* Stereochemie Phosphor-organ. Verb., Stereochemie 3- u. 4-gliedriger Ring-Systeme.
Lit.: Kürschner (16.), S. 2233.

Lucobit®. Zubereitung aus Ethylen-Copolymerisat u. Bitumen zur Herst. extrudierter Dichtungsbahnen (s. a. Dichtungsmassen) für Deponien, den Hoch- u. Tiefbau, Tunnelbau sowie zur Modifizierung von Straßenbau-Bitumen. *B.:* BASF.

Luconyl®. Präparationen organ. u. anorgan. *Pigmente mit nichtion. Dispergiermittel (bei transparenten Eisenoxiden anion. Dispergiermittel). Hauptanw.: Polymerdispersionsfarben, Polymerdispersionsglanzfarben, Volltonfarben u. Abtönpasten auf der Basis wäss. Bindemittel, wasserverdünnbare Lacke, Kunststoff-Putze, Kalk- u. Leimfarben, Tapeten u. Buntpapierfarben, wäss. Holzlasuren. *B.:* BASF.

Ludigol®. Oxid.-Mittel für die Textil-Ind., techn. reines Natrium-Salz der 3-Nitrobenzolsulfonsäure. Zur Oxid. von Küpenfärbungen (s. a. Küpenfarbstoffe, Küpenfärberei) u. zur Verhinderung unerwünschter Red. von Farbstoffen u. Färbungen. *B.:* BASF.

Ludiomil® (Rp). Tabl. u. Ampullen mit *Maprotilin gegen Depressionen. *B.:* Novartis.

Ludipress®. Maßgeschneidertes Granulat aus Lactose-Monohydrat, Kollidon 30 u. Kollidon CL zur Verw. als universelles Direkttablettierhilfsmittel mit den Funktionen: Füll-, Binde-, Spreng- u. Fließmittel. *B.:* BASF.

Ludox®. Kolloidale *Kieselsäure zur Verw. als Bindemittel im Feinguß u. Gleitschutzmittel für Papierverpackungen. *B.:* DuPont.

Ludwigit. $Mg_2Fe^{3+}[O_2/BO_3]$, rhomb. Borat-Mineral, Kristallklasse mmm-D_{2h}; bildet lückenlos *Mischkristalle mit *Vonsenit*, $Fe_2^{2+}Fe^{3+}[O_2/BO_3]$. „Tapetenstruktur" mit ebenen $[BO_3]^{3-}$-Gruppen, s. Lit.[1] u. Grew u. Anovitz (Lit.); zur Struktur von Al-haltigem L. s. Lit.[2]; zur Synth. von L. s. Lit.[3]. Selten nadelige bis faserige, glasartig glänzende Krist., meist dichte, feinkörnige, häufig faserige u. dann seidenartig glänzende Massen. Magnesium-reiche Abarten grün bis dunkelgrün; Vonsenit pechschwarz glänzend, Strichfarbe schwarzgrün bis schwarz, sehr starker *Pleochroismus; H. 5, D. 3,6–4,7; Vonsenit ist stark magnetisch.

Vork.: L. v. a. in *Skarnen, z. B. Banat/Rumänien, Corcolle/Italien, Norberg/Schweden, Nordkorea. Vonsenit in Skarn von Burguillos del Cerro/Spanien; auch in vulkan. Auswürflingen, z. B. Monte Somma-Vesuv u. Insel Vulcano/Italien. – $E = F = I$ ludwigite – S ludwigita

Lit.: [1] Neues Jahrb. Mineral., Monatsh. **1989**, 69–83. [2] Z. Kristallogr. **187**, 201–211 (1989); **200**, 161–167 (1992). [3] Neues Jahrb. Mineral., Monatsh. **1995**, 49–55.
allg.: Grew u. Anovitz (Hrsg.), Boron (Reviews in Mineralogy, Vol. 33), Washington (D. C.): Mineralogical Society of America 1996 ▪ Ramdohr-Strunz, S. 585 f. – *[CAS 12173-85-2]*

Lüftung. Unter L. versteht man die Erneuerung der Raumluft durch direkte od. indirekte Zuführung von Außenluft. In Arbeitsräumen ist dafür zu sorgen, daß die Atemluft einen ausreichenden Sauerstoff-Gehalt enthält sowie Gesundheitsgefahren u. Belästigungen durch gesundheitsgefährdende Luftbeimengungen od. explosionsfähige Gemische vermieden werden. Besteht die Gefahr, daß Grenzwerte (*MAK-, *TRK-Werte) nicht eingehalten werden können, sind bes. Maßnahmen vorzusehen, z. B. Absaugungen. Die L. erfolgt durch freie L. od. lüftungstechn. Anlagen. Diese dienen der Erneuerung der Raumluft durch Zuführung von Außenluft u. Abführung der verbrauchten Luft. Der erforderliche Anteil an Außenluft in der Luft, die den Arbeitsräumen zugeführt wird, ist abhängig von der Tätigkeit (z. B. 20–40 m³/h je Person bei überwiegend sitzender Tätigkeit; über 65 m³/h je Person bei schwerer körperlicher Arbeit) sowie von weiteren Faktoren, z. B. belästigende Gerüche, hohe Wärmelast, gefährliche Dämpfe, Gase od. Stäube. Die Luftgeschw. ist so zu wählen, daß keine unzumutbare Zugluft auftritt. Die *relative Luftfeuchtigkeit ist von großer Bedeutung für die Zuträglichkeit der Raumluft, daher sind von der Lufttemp. abhängige Obergrenzen der relativen Luftfeuchtigkeit einzuhalten. Die Anforderungen an die Arbeitsplatzbelüftung sind staatlichen u. berufsgenossenschaftlichen Vorschriften u. Regelungen zu entnehmen (s. *Lit.*). – E aeration, ventilation – F ventilation, aération – I aerazione – S ventilación, aireación

Lit.: Arbeitsstättenrichtlinie (ASR) 5, Lüftung (BArbBl. Nr. 10/1979, S. 103 geändert durch Nr. 12/1984, S. 85) ▪ VO über Arbeitsstätten (ArbStättV) vom 20.3.1975 (BGBl. I, S. 729) zuletzt geändert am 04.12.1996 (BGBl. I, S. 1841), auch ZH 1/525 (Ausgabe 1997).

Luer Lock. Schlauchverbinder od. Spritzenanschluß für Kanülen, die mit einem Schraubgewinde (s. Abb.) versehen sind, um ein unbeabsichtigtes Lösen der Verbindung zu verhindern.

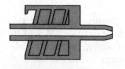
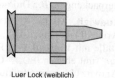

Luer Lock (männlich)   Luer Lock (weiblich)

Lues s. Syphilis.

Lüster. 1. Von latein.: lustrare = beleuchten über französ.: lustre = Glanz abgeleitete Bez. für *keramische Pigmente, mit deren Hilfe durch Brennen auf Glas-,

Tonwaren, Porzellan usw. irisierende, glänzende Überzüge erzeugt werden. Nach dem Brand stellt der L. auf der *Glasur od. auf dem Glas eine außerordentlich dünne Haut von Oxiden dar (Schichtdicke <0,1 µm). Diese dünne Schicht u. die Verschiedenheit der opt. Brechungszahlen der Lüsterfarben u. der Glasur od. des Glases sind die Ursachen der den L., der durch Farbe, Iriseffekt u. Glanz charakterisiert ist (*Farben dünner Blättchen*, s. Interferenz). Farblose L. mit Iriseffekt basieren meist auf Tonerde, Bleioxid od. Zinkoxid; für Perlmuttfarben werden häufig Wismut- od. Titan-L. verwendet. Tiefer gefärbte L. entstehen durch Mitverw. von Verb. der Übergangsmetalle: Eisen-L. hellbraunrot bis goldfarbig, Kobalt-L. mittel- bis tiefdunkelbraun, Kupfer-L. rötlichbraun, Nickel-L. schimmernd hellbraun, Mangan-L. graubraun, Uran-L. grünlich gelb. Durch Zumischen von Glanzgold-Lsg. zu verschiedenen Metall-L. lassen sich interessante Nuancen in purpur, rosa, blau od. violett erzeugen. Spezielle L. sind Craquelier-, Marmorier-, Siebdruck-, Lauf-, Perl-, Fluid- u. Anschlaglüster.
2. Bei *Perlen u. *Perlmutt spricht man ebenfalls von L., wenn man den samtigen, irisierenden Glanz meint. – E luster – $F = S$ lustre – I smalto

Lit.: Ullmann (4.) **14**, 11; (5.) A **5**, 553 f. ▪ s. a. keramische Pigmente.

Lüttke, Wolfgang (geb. 1919), Prof. (emeritiert) für Organ. Chemie, Univ. Göttingen. *Arbeitsgebiete:* Struktur u. Bindungseigenschaften von Nitroso-Verb., Stickstoff-Kohlenstoff-Isotope in der Schwingungsspektroskopie, Mol.-Struktur, innere Rotation u. Bindungscharakter von Kohlenwasserstoffen, grundlegende NMR-Untersuchung von Kohlenwasserstoffen, spektroskop. Untersuchung an Indigo u. a. organ. Farbstoffen, Photophysik, insbes. von antiaromat. Kohlenwasserstoffen.

Lit.: Kürschner (16.), S. 2251 ▪ Wer ist wer (35.), S. 914.

Lüttringhaus, Arthur (1906–1992), Prof. für Chemie, Univ. Halle, Freiburg u. Heidelberg. *Arbeitsgebiete:* Atrop- u. Konformations-Enantiometrie, Racemat-Spaltung, Bindungswinkel, Ansa- u. Catena-Verb., Alkali-organ. Verb., Reaktionsmechanismen, Phenolether-Umlagerungen, Trithione, Thia-Aromaten u. cycl. Disulfide.

Lit.: Kürschner (15.), S. 2831 ▪ Lexikon der Naturwissenschaftler, S. 279 ▪ Nachr. Chem. Tech. Lab. **14**, 287 f. u. 306 f. (1966) ▪ Neufeldt, S. 208 ▪ Pötsch, S. 285 f.

Lufenuron. Common name für 1-[2,5-Dichlor-4-(1,1,2,3,3,3-hexafluorpropoxy)phenyl]-3-(2,6-difluorbenzoyl)harnstoff.

$C_{17}H_8Cl_2F_8N_2O_3$, M_R 511,15, Schmp. 164,7–167,7 °C, LD_{50} (Ratte oral) >2000 mg/kg, von Ciba-Geigy (jetzt Novartis) 1989 eingeführtes *Insektizid zur Bekämpfung von Lepidopteren- u. Coleopteren-Larven in Gemüse-, Obst- u. Baumwollkulturen sowie von Flöhen bei Haustieren u. von Schaben; L. hemmt die

Chitin-Biosynthese. – $E = F$ lufenuron – I lufenurone – S lufenurón
Lit.: Pesticide Manual. – *[CAS 103055-07-8]*

Luffa (Loofa). Im trop. Südostasien u. in Afrika heim. Gurkengewächse (Cucurbitaceae), deren Früchte in unreifem Zustand als Gemüse verzehrt werden. Aus *Luffa cylindrica* (L.) Roem. (syn. *L. aegyptiaca* Mill., Schwammgurke) u. anderen L.-Arten gewinnt man durch Entfernung des Fruchtfleischs pflanzliche *Schwämme, die aus dem harten, rauhen, aber elast., weißgelben Gefäßbündelnetz der Früchte bestehen u. im Wasser leicht quellen. Man kann aus ihnen auch Schuhsohlen, Schuheinlagen, Badeschuhe, Sattelunterlagen u. dgl. herstellen. – $E = F = I = S$ luffa
Lit.: Franke, Nutzpflanzenkunde, Stuttgart: Thieme 1992 ▪ Hager (5.) **5**, 712–717 ▪ Ullmann (4.) **4**, 538 ▪ www.infasquare.it/~servizi/vela/home-f.html. – *[HS 1404 90]*

Luffsche Lösung. Alkal. Kupfer(II)-citrat-Lsg. zur quant. Bestimmung reduzierender Zucker z. B. für die Reinheitsprüfung von Sorbit.

Lufibrol®. Breites Sortiment von Extraktionsmitteln, z. T. mit dispergierenden u. komplexbildenden Eigenschaften, zum Entfernen von Verunreinigungen der Baumwolle u. von Stärke-*Schlichten im Rahmen der Vorbehandlung von Cellulose-Fasern u. deren Mischungen mit Synthesefasern. *B.*: BASF.

Lufixan® LF. Quartäre, kationaktive organ. Stickstoff-Verb. als Nachbehandlungsmittel für Färbungen zur Verbesserung der Naßechtheit. *B.*: BASF.

Luflexen®. Copolymere aus *Ethylen u. α-*Olefinen für Folien u. Spritzgußartikel. Hergestellt unter Verw. von *Metallocen-Katalysatoren, daher hochzäh u. transparent. *B.*: BASF.

Luft. Bez. für das die Erde umhüllende Gasgemisch (s. *Atmosphäre), das aufgrund seiner Zusammensetzung nicht nur das Leben auf der Erde ermöglicht, sondern das auch wegen seines Gehalts an techn. wichtigen Gasen eine bedeutende Rohstoffquelle darstellt. Die mittleren physikal. Daten von L. sind: M_R (aus der Zusammensetzung berechnet) 28,96, D. 1,2928 (0 °C, 101,3 kPa), kein Schmp., Sdp. −194,35 °C (78,8 K). Weitere Daten, wie Kompressibilität, Wärmekapazität, Viskosität, Löslichkeit etc. findet man in *Lit.*[1] u.

Tab.: Natürliche Zusammensetzung trockener Luft.

	Vol.-%	Gew.-%
Stickstoff	78,08	75,51
Sauerstoff	20,95	23,16
Argon	0,934	1,286
Kohlendioxid	0,035	0,046
Neon	0,0018	0,0012
Helium	0,0005	0,00007
Methan	0,00017	
Krypton	0,0001	0,0003
Wasserstoff	0,00005	0,000004
Distickstoffmonoxid	0,00003	
Kohlenstoffmonoxid	0,00002	
Xenon	0,000009	0,00004
Ozon*	0,000001	

* starke zeitliche Fluktuationen

Kirk-Othmer (*Lit.*); zur Definition der sog. Normatmosphäre s. DIN ISO 2533 (12/1979). Die chem. Zusammensetzung der L. ist in Grundzügen schon von *Cavendish (20,84 Vol.-% O_2) aufgeklärt worden. Da der *Feuchtigkeits-Gehalt der L. sehr von der Temp. abhängt (vgl. relative Luftfeuchtigkeit), gibt man (wie in der Tab.) im allg. die Zusammensetzung nach dem Trocknen an. Daß die L. außer in geograph. begünstigten Gebieten nicht mehr die in der Tab. angegebene Zusammensetzung hat, ist auch eine Folge der *Luftverunreinigung. Die Bestandteile der – auch in komprimierter Form (*Druckluft) genutzten – L. können durch *L.-Verflüssigung* u. *L.-Zerlegung* isoliert werden. Hierunter versteht man die Auftrennung des Gemisches L. durch fraktionierte Dest. der *flüssigen Luft.

Die physikal. Erforschung der obersten L.-Schichten mit ihren durch die Strahlung der Sonne bewirkten Ionisations- u. Dissoziationserscheinungen (*Lit.*[2]) ist Aufgabe der *Aeronomie*, während die *Meteorologie* die physikal. Vorgänge in den unteren Schichten u. ihren Einfluß auf *Klima u. Wetter untersucht. Die *Aerobiologie* (*Lit.*[3]) befaßt sich vorwiegend mit der L. als Träger von Bakterien, Sporen, Pollen, anthropogenen Substanzen, Aerosolen etc. u. ggf. mit deren Einfluß auf die Umwelt. Temp. u. Feuchtegehalt der L. spielen nicht nur eine wichtige Rolle für das Wohlbefinden des – heute meist in geschlossenen Räumen lebenden – Menschen, sondern können auch von erheblichem Einfluß auf industrielle Prozesse sein, weshalb die *Klimatechnik inzwischen zu einem eigenen Wissenszweig herangewachsen ist. Zahlreiche organ. u. anorgan. Substanzen sind luftempfindlich (*Autoxidation). Daher kommt in solchen Fällen dem Arbeiten unter *L.-Abschluß* (z. B. unter *Inertgasen = *Schutzgasen od. in der sog. *Glove-Box) erhebliche Bedeutung zu (*Lit.*[4]). – $E = F$ air – I aria – S aire

Lit.: [1] Encycl. Gaz, S. 61–84. [2] Acc. Chem. Res. **14**, 327 ff. (1981). [3] Böhm u. Leuschner (Hrsg.), Advances in Aerobiology (Experientia Supplement 51), Basel: Birkhäuser 1987. [4] Herrmann u. Brauer, Synthetic Methods of Organometallic and Inorganic Chemistry, Vol. 1, S. 8–27, Stuttgart: Thieme 1996.
allg.: Angew. Chem. **108**, 1879–1921 (1996) ▪ Brimblecombe, Air, Composition and Chemistry, Cambridge: Cambridge Univ. Press 1986 ▪ Folienseite des Fonds der Chemischen Industrie, Nr. 22: Umweltbereich Luft, Frankfurt/Main 1995 ▪ Hommel, Nr. 510 ▪ Kirk-Othmer (4.) **1**, 686–711 (air conditioning), 711–825 (air pollution) ▪ Landolt-Börnstein, Gr. 5, Bd. 4 B, Physikalische u. Chemische Eigenschaften der Luft, Berlin: Springer 1988 ▪ Ullmann (5.) **B 7**, 19–153 (Ökologie) ▪ Warneck, Chemistry of the Natural Atmosphere, International Geophysics Series, Vol. 41, New York: Academic Press 1980 ▪ Wayne, Chemistry of Atmospheres (2.), Oxford: Clarendon Press 1991 ▪ s. a. flüssige Luft, Gase.

Luftabschluß s. Luft.

Luftbäder. Bez. für *Heizbäder, bei denen das Reaktionsgefäß nicht in direktem Kontakt mit der Heizquelle steht, sondern von den Verbrennungsgasen einer Gasflamme od. von erwärmter Luft (elektr. Heizkörper od. *Glühlampe als Heizquelle) umspült wird. Ausführungsformen zeigt die Abb., wobei das links gezeigte L. als *Babo-Trichter* bekannt geworden ist. Prinzipiell kann man auch die beheizten *Trockenschränke

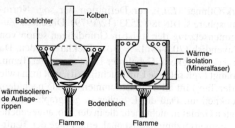

Abb.: Luftbäder nach Babo (links) u. Junghans (rechts).

zu den L. rechnen. – *E* air baths – *F* bains de l'air – *I* bagni d'aria – *S* baños de aire

Luftblasen-Viskosimeter s. Viskosimetrie.

Luftdruck (Kurzz.: p). Der infolge der Schwerkraft durch die *Luft auf die gesetzliche Flächeneinheit ausgeübte *Druck. Der mit *Barometern ermittelte L. wird heute in Pascal, Millibar u. Bar angegeben; frühere Einheiten waren Atmosphäre, Torr bzw. mmHg (Millimeter Quecksilber-Säule) od. mWS (Meter Wasser-Säule).

Tab.: Verschiedene Einheiten des Luftdrucks.

Pascal	$1 \text{ Pa} = 1 \text{ N/m}^2$	SI-Einheit
Bar	$1 \text{ bar} = 10^5 \text{ Pa}$	gesetzliche Einheit
physikal. Atmosphäre	$1 \text{ atm} = 1,01325 \text{ bar}$	Normwert des L.
techn. Atmosphäre	$1 \text{ at} = 0,980665 \text{ bar}$	nicht gesetzlich
Meter Wasser-Säule	$1 \text{ mWS} = 98,0665 \text{ mbar}$	nicht gesetzlich
Millimeter Quecksilber-Säule	$1 \text{ mmHg} = 1 \text{ Torr} = 1,33322 \text{ mbar}$	nicht gesetzlich

Zur Umrechnung des L. auf Normalbedingungen s. Gase u. Gasgesetze. – *E* atmospheric pressure – *F* pression atmosphérique – *I* pressione atmosferica – *S* presión atmosférica

Luftfeuchtigkeit. Im allg. versteht man unter L. die *relative Luftfeuchtigkeit, die nicht nur in der *Klimatechnik u. bei vielen techn. Prozessen, sondern auch in der Analytik der *Gase eine Rolle spielt. – *E* atmospheric humidity – *F* humidité atmosphérique – *I* umidità dell' aria – *S* humedad atmosférica

Luftgas s. Generatorgas.

Lufthülle s. Atmosphäre.

Luftkalk. An der Luft durch CO_2-Aufnahme erhärtender Kalk zur Herst. von *Luftmörtel.

Lit.: Knoblauch u. Schneider, Bauchemie, 2. Aufl., S. 84 f., Düsseldorf: Werner 1987 ▪ Scholz, Baustoffkenntnis, 12. Aufl., S. 169 f., Düsseldorf: Werner 1991.

Luftkerma s. Kerma.

Luftkrankheit s. Reisekrankheiten.

Luftkühler s. Kühler.

Luftmörtel. Mörtel, deren Bindemittel nur an der Luft erhärten (z. B. Kalkmörtel, Gipsmörtel).

Luftporenbildner (Kurzz.: LP). Bez. für solche *Betonzusatzmittel, die im Beton Mikroluftbläschen erzeugen u. dadurch dessen Widerstandsfähigkeit gegen chem. Angriffe u. gegen Frost erhöhen. Als LP kommen bes. Harzseifen, aber auch synthet. Tenside in

Frage, z. B. Alkylarylsulfonate. – *E* air-entraining additive – *F* entraîneur d'air, aérateur – *I* additivi per formare microbolle nel calcestruzzo – *S* aireante

Lit.: Scholz, Baustoffkenntnis, 12. Aufl., S. 259 f., Düsseldorf: Werner 1991 ▪ Ullmann (4.) **8**, 317.

Luftreinhalteplan. Nach §§ 44–47 *Bundes-Immissionsschutzgesetz (BImSchG) sind in Untersuchungsgebieten L. aufzustellen, wenn schädliche Umwelteinwirkungen durch *Luftverunreinigungen auftreten od. zu erwarten sind. Ein L. enthält v. a. eine Sachstandserfassung (Art u. Umfang der festgestellten u. zu erwartenden Luftverunreinigungen einschließlich der Umwelteinwirkungen), eine Ursachenanalyse (Feststellungen über die Ursachen der Luftverunreinigungen) u. Maßnahmen zur Verringerung der Luftverunreinigungen u. Vorsorgemaßnahmen. Analog dem L. kann ein Lärmminderungsplan aufgestellt sein (§ 47 a BImSchG). – *E* air pollution prevention plan – *F* plan de sauvegarde de la pureté de l'air – *I* progetto sulla depurazione dell'aria – *S* plan de mantenimiento de la pureza del aire, plan contra la contaminación atmosférica

Lit.: Klöpfer, Umweltrecht (9.), S. 389–392, München: Beck (Texte in dtv) 1995.

Luftreinhaltung. Oberbegriff für Maßnahmen zur Reinhaltung der Luft, unabhängig davon, ob emittierte Stoffe abgeschieden werden (Sekundärmaßnahmen, z. B. *Entschwefelung, *Entstickung u. *Entstaubung von Rauchgasen) od. eine *Luftverunreinigung z. B. durch Entfernung der entsprechenden Komponenten aus dem Rohstoff (z. B. *Entschwefelung fossiler Brennstoffe) von vornherein vermieden wird (Primärmaßnahmen). Das *Bundes-Immissionsschutzgesetz u. die ihm nachgeordneten VO enthalten die wichtigsten Vorschriften zur L. (s. Kleinfeuerungsanlagen-, Großfeuerungsanlagen-Verordnung, TA Luft u. Luftreinhaltepläne). – *E* air pollution prevention plan – *F* sauvegarde de la pureté de l'air – *I* depurazione dell'aria – *S* mantenimiento de la pureza del aire

Lit.: Brauer (Hrsg.), Handbuch des Umweltschutzes u. der Umweltschutztechnik, Bd. 3, Behandlung von Abluft u. Abgasen, Berlin: Springer 1996 ▪ s. a. Bundes-Immissionsschutzgesetz.

Luftschadstoffe s. Luftverunreinigungen.

Luftverflüssigung s. flüssige Luft.

Luftverunreinigungen. L. im Sinne des *Bundes-Immissionsschutzgesetzes sind Veränderungen der natürlichen Zusammensetzung der Luft, insbes. durch Rauch, Ruß, Staub, Gase, Aerosole, Dämpfe od. Geruchsstoffe. Auch Wasserdampf od. Schadstoffe, die erst durch chem. od. physikal. Umwandlung der L. in der Atmosphäre entstehen, wie z. B. *Photooxidantien, zählen als Luftverunreinigungen. Das Merkmal der L. – also die Veränderung des Naturzustandes – ist im Gegensatz zum Begriff der schädlichen Umwelteinwirkung noch frei von jeder qual. Bewertung; vgl. Innenraumbelastung. – *E* air pollution – *F* pollution atmosphérique – *I* inquinamento dell'aria – *S* impurezas del aire

Lit.: Hutzinger **4 A**, **4 B**, **4 C**, **4 D**.

Luftzerlegung s. Luft u. flüssige Luft.

Lugols Lösung. Schon sehr lange bekannte wäss. *Iod-Kaliumiodid-Lösung[1], deren Zusammensetzung verschieden angegeben wird, z. B. mit 5 Tl. Iod, 10 Tl. Kaliumiodid u. 85 Tl. Wasser, D. 1,115–1,130[2]. L. L. wird in der *Gram-Färbung u. allg. in der Analytik verwendet. – *E* Lugol's solution – *F* solution de Lugol – *I* soluzione di Lugol – *S* solución de Lugol

Lit.: [1] Meyers Konversations-Lexikon, Bd. 12, von 1905. [2] DAB 7 u. Komm. *allg.:* Hager (4.) **1**, 1228.

Luhns. Kurzbez. für die 1869 gegr. Firma Luhns GmbH, 42277 Wuppertal. *Daten* (1995): ca. 580 Beschäftigte, ca. 250 Mio. DM Umsatz. *Produktion:* Seifen, Wasch- u. Reinigungsmittel sowie Kosmetika.

Luhydran®. Physikal. trocknende od. vernetzbare Acrylat-Dispersionen für industrielle Wasserlacke. *B.:* BASF.

Luliberin s. Gonadoliberin.

Lumachellen s. Kalke.

Lumbalanästhesie s. Lokalanästhetika.

Lumbangöl s. Holzöl.

Lumbinon®. Salbe u. Soft-Gel mit (2-Hydroxyethyl)-salicylat bei Bandscheibenschäden u. Ischialgien. *B.:* Lichtenstein.

Lumen (von latein.: lumen = Licht). 1. Einheit des Lichtstroms (Kurzz.: lm); dieser hat die Stärke 1 lm, wenn eine Lichtquelle der Lichtstärke 1 cd (s. Candela) gleichmäßig in den Raumwinkel 1 Steradiant (sr) ausstrahlt: 1 lm = 1 cd · 1 sr. 2. L. ist auch Bez. für „Lichte Weite", z. B. von Glasröhren u. für den Hohlraum von Zellen u. Organen. – *E* = *F* = *I* = *S* lumen

Lumi... Von latein.: lumen = Licht abgeleitete Vorsilbe, die manchen Verb.-Namen vorangesetzt wird, wenn man andeuten will, daß eine Verb. durch eine photochem. Reaktion entstanden ist; *Beisp.:* *Lumicolchicin, *Lumiflavin. – *E* = *F* = *I* = *S* lumi...

Lumichrom {7,8-Dimethylbenzo[*g*]pteridin-2,4(1*H*, 3*H*)-dion, 7,8-Dimethylalloxazin}.

$C_{12}H_{10}N_4O_2$, M_R 242,24, blaßgelbe Krist., Schmp. >300 °C, lösl. in Pyridin, wenig lösl. in Alkohol, Wasser u. Chloroform, die wäss., alkohol. u. Chloroform-Lsg. fluoreszieren blau. Das *Alloxazin-Derivat L. ist wie *Lumiflavin ein Photolyseprodukt des *Riboflavins. – *E* = *F* lumichrome – *I* = *S* lumicromo

Lit.: Beilstein E V **26/14**, 319 f. ▪ Helv. Chim. Acta **64**, 1812–1817 (1981) ▪ J. Am. Chem. Soc. **98**, 830 (1976) ▪ Merck-Index (12.), Nr. 5626 ▪ s. a. Alloxazin u. Lumiflavin. – *[CAS 1086-80-2]*

β-Lumicolchicin.

$C_{22}H_{25}NO_6$, M_R 399,44, Krist., Schmp. 183 °C u. 206 °C (dimorph). L. kommt in vielen *Colchicum*-Arten (Liliaceae) u. a. Pflanzen vor. Es ist ein Photoisomeres des *Colchicins, wie auch sein 5,9-Diepimeres γ-*Lumicolchicin*. α-*Lumicolchicin* ist ein Dimer von β-Lumicolchicin. – *E* = *F* lumicolchicine – *I* = *S* β-lumicolchicina

Lit.: Beilstein E IV **14**, 965 ▪ FEBS Lett. **218**, 102–106 (1987) ▪ J. Chem. Soc., Chem. Commun. **1992**, 974 ▪ J. Chem. Soc., Perkin Trans. 1 **1992**, 1415–1426 ▪ Justus Liebigs Ann. Chem. **1989**, 1075–1079 ▪ Phytochemistry **30**, 3081 (1991). – *[CAS 6901-13-9 (β-L.); 6901-14-0 (γ-L.)]*

Lumière, Gebrüder Louis (1864–1948) u. Auguste (1862–1954), französ. Chemiker u. Erfinder. *Arbeitsgebiete:* Photographie, Farbphotographie, Kinematographie, Kolloidchemie, Pharmazie. Sie führten in Frankreich zum ersten Mal einen 20 m langen Film vor.

Lit.: Lexikon der Naturwissenschaftler, S. 278 ▪ Poggendorff **7 b/5**, 2978–2982.

Lumiflavin {Lumilactoflavin, 7,8,10-Trimethylbenzo-[*g*]pteridin-2,4(3*H*,10*H*)-dion, 7,8,10-Trimethylisoalloxazin}.

$C_{13}H_{12}N_4O_2$, M_R 256,26, orange Krist., Schmp. 330 °C, lösl. in Chloroform mit grüner Fluoreszenz. Das *Flavin-Derivat L. ist wie *Lumichrom ein Photolyseprodukt des *Riboflavins. L. wird als Sensibilisator für photochem. Reaktionen verwendet[1]. – *E* = *F* lumiflavine – *I* = *S* lumiflavina

Lit.: [1] Photochem. Photobiol. **48**, 561–565 (1988). *allg.:* Adv. Spectrosc. **13**, 347–393 (1986) ▪ Beilstein E V **26/14**, 324 ff. ▪ J. Phys. Chem. **93**, 4017–4022 (1989) ▪ Methods Enzymol. **18**, Tl. B, 577–671 (1971) ▪ s. a. Flavin-Adenin-Dinucleotid u. Riboflavin. – *[CAS 1088-56-8]*

Lumilactoflavin s. Lumiflavin.

Lumilux®-Leuchtpigmente. Sortiment von über 300 anorgan. od. organ. fluoreszierenden u. langnachleuchtenden (phosphoreszierenden) Pigmenten (s. a. Leuchtpigmente). Das Sortiment ist unterteilt entsprechend den verschiedenen Anw.-Gebieten in 11 Gruppen, s. Tabelle. *B.:* Riedel.

Tab.: Anw.-Gebiete für Lumilux®-Leuchtpigmente.

Bez.	Verw. für
N-Pigmente (lange nachleuchtend)	Fluchtleitlinien, Arbeits- u. Personenschutz
B-Leuchtpigmente	Fernsehbildschirme, Datendisplays, Flugüberwachungs-, Nachtsichtgeräte usw.
R-Leuchtpigmente	Röntgenverstärkerfolien, Szintillation, Röntgenbildverstärker
C-Leuchtpigmente	Fälschungssicherung von Wertpapieren, Dokumenten u. a. Produkten
Z-Leuchtpigmente	fluoreszierende Ausrüstung von Kunststoffzähnen u. Zahnmassen
Q-Leuchtpigmente	Quecksilber-Niederdruck- u. -Hochdruckröhren

Luminal® (Rp). Ampullen u. Tabl. mit dem *Antiepileptikum *Phenobarbital; *Luminaletten* enthalten eine geringere Dosierung. *B.*: Desitin.

Lumineszenz. Unter L. versteht man die Emission von Licht im sichtbaren, UV- u. IR-Spektralbereich von Gasen, Flüssigkeiten u. Festkörpern nach Energiezufuhr. Glühemission (*Glühen) wird dagegen nicht zur L. gerechnet, ebenso kohärente Streuprozesse bei opt. Anregung. Metalle zeigen im allg. keine Lumineszenz.

Die L. ist stets auf einen Übergang von einem Elektron aus einem energet. höheren Zustand in einen unbesetzten, energet. tieferen Zustand zurückzuführen. Da unbesetzte Elektronen-Zustände oft als pos. geladene „Löcher" behandelt werden, läßt sich die L. auch als *Rekombination eines Elektron-Loch-Paars* beschreiben, bei dem die frei werdende Energie zumindest teilw. in Form eines *Lichtquants* (Photons) abgegeben wird. Wird die frei werdende Energie in eine andere Energieform als Licht umgesetzt (z. B. in Wärme), so spricht man von *strahlungsloser Rekombination*.

In manchen Wissenschaftsgebieten wird der Oberbegriff L. in die beiden Fälle *Fluoreszenz u. *Phosphoreszenz unterteilt. Die L.-Prozesse lassen sich nach der Art der Energiezufuhr einteilen.

Photo-L.: Das Elektron wird durch opt. Anregung in den oberen Energiezustand gebracht. Dabei ist Ein-, Zwei- od. Mehrquanten- bzw. -stufenanregung über virtuelle od. reelle Zwischenniveaus möglich. Das angeregte Elektron erleidet im allg. vor der Rekombination phasenzerstörende Stöße u. evtl. eine energet. Relaxation in energet. tiefere Zustände. Emissionsprozesse, die kohärent zur Anregung sind u./od. nur über virtuell angeregte Zustände führen, werden, wie oben schon erwähnt, nicht zur L. gezählt, so z. B. Raman-, Brillouin- u. Rayleigh-Streuung (s. a. Raman-Spektroskopie), Oberwellenerzeugung etc. Der spektrale Schwerpunkt des Emissionsspektrums liegt im allg. langwellig von der Anregungswellenlänge (*Stokes Regel), Ausnahmen sind bei Zwei- u. Mehrquantenbzw. -stufenanregung möglich. Bei der Photo-L.-Anregungsspektroskopie mißt man die Intensität einer bestimmten Emissionsbande in Abhängigkeit von der Anregungswellenlänge bei konstanter Anregungsintensität. Die so erhaltenen Anregungsspektren ähneln im allg. den Absorptionsspektren u. geben Aufschluß über die Mechanismen, mit denen das obere L.-Niveau bevölkert werden kann.

Chemo-L.: In einer chem. Reaktion entsteht ein Mol. im angeregten Zustand, das seine Anregungsenergie als Lichtquant abgibt. Spielt sich dieser Prozeß in lebenden Zellen ab, z. B. beim Glühwürmchen od. bei bestimmten Meeresalgen, so spricht man von *Biolumineszenz. Grüne Pflanzen emittieren bei der Photosynth. im Roten u. Nahen IR.

Thermo-L.: Ein Ladungsträger wird aus einem angeregten, langlebigen, metastabilen Zustand (Haftstelle) mit zunehmender Probentemp. therm. angeregt (z. B. ins Leitungsband eines *Halbleiters od. *Isolators) u. rekombiniert von dort meist an einem Zentrum strahlend. Das L.-Spektrum gibt dabei Information über den strahlenden Rekombinationsprozeß, das Auftreten der L. mit zunehmender Probentemp. (Glow-Kurve) über die Haftstelle.

Radio-L. (auch Kathodo-, Iono-, Röntgen-L.): Von außen werden Teilchen in ein geeignetes Material geschossen, z. B. Elektronen, α-Teilchen u. a. Ionen od. γ-Quanten. Dieser Effekt wird z. B. bei den im Kernstrahlungs-Nachw. verwendeten *Szintillatoren ausgenützt. Die einfallende radioaktive Strahlung führt zur L., die über einen Photomultiplier (s. Photozellen) registriert wird.

Weiterhin sind bekannt: Lichtemission beim Anlegen eines elektr. Feldes an Halbleiter u. Isolatoren (*Elektrolumineszenz), beim mechan. Zerkleinern od. Zerreiben von manchen Krist. (*Tribolumineszenz), beim Auskrist. (*Kristallo-L.*) aus Schmelzen (z. B. NaOH u. As_2O_3) od. aus Lsg. (z. B. Saccharin aus Aceton-Lsg.), beim Auflösen (*Aquo-L.*) von Krist., beim Bestrahlen mit (Ultra)schall (*Sonolumineszenz) od. bei der Elektrolyse (*Galvano-L.*). – *E* luminiscence – *F* luminescence – *I* luminescenza – *S* luminiscencia

Lit.: Adv. Polym. Sci. **40**, 1–68 (1981) ▪ Basov, Excition and Domain Luminescence of Semiconductors, New York: Plenum 1979 ▪ Beddard u. West, Fluorescent Probes, London: Academic Press 1981 ▪ DeLuca u. McElroy, Bioluminescence and Chemiluminescence, New York: Academic Press 1981 ▪ Demas u. Demas, Encyclopedia of Physical Science and Technology, Vol. 7, S. 438, New York: Academic Press 1987 ▪ Di Bartolo et al., Luminescence of Inorganic Solids, New York: Plenum 1978 ▪ Hurtubise, Solid Surface Luminescence Analysis, New York: Dekker 1981 ▪ Kricka u. Carter, Clinical and Biological Luminescence, New York: Dekker 1982 ▪ Marfunin, Spectroscopy, Luminescence and Radiation Centers in Minerals, Berlin: Springer 1979 ▪ McDermid, in Bamford u. Tipper (Hrsg.), Comprehensive Chemical Kinetics, Bd. 24, Amsterdam: Elsevier 1982 ▪ Mielenz, Measurement of Photoluminescence, New York: Academic Press 1982 ▪ Morawetz et al., Luminescence from Biological and Synthetic Macromolecules (Ann. N. Y. Acad. Sci. 366), New York: N. Y. Acad. Sci. 1981 ▪ Phys. Bl. **51**, 1087 (1995) ▪ Proceedings of the International Conference of Luminescence, z. B. J. Lumin. **24/25** (1981); **31/32** (1984); **40/41** (1987); **48/49** (1991); **60/61** (1994) ▪ Proceedings der Internationalen Sommerschulen: „Atomic and Molecular Spectroscopy", Erice, Sizilien, Di Bartolo (Hrsg.), z. B. NATO ASI Series B, **88** (1983); **114** (1984); Ettore Majorana Intern., Science Series Vol. **30** (1987), New York: Plenum ▪ Prog. React. Kinet. **10**, 301–398 (1981) ▪ Serio u. Pazzagli, Luminescence Assays: Perspectives in Endocrinology and Clinical Chemistry, New York: Raven 1982 ▪ Tarusov u. Veselovsky, Superfaint Plant Luminescence and its Practical Importance (russ.), Moskva: Univ. Press 1979 ▪ Topics Curr. Chem. **100**, 127–167 (1982) ▪ Turro, Modern Molecular Photochemistry, Menlo Park: Benjamin 1978 ▪ Williams, Luminescence of Crystals, Molecules and Solutions, New York: Plenum 1973.

Lumineszenzpigmente s. Leuchtpigmente.

Luminol (3-Aminophthalsäurehydrazid, 5-Amino-2,3-dihydro-1,4-phthalazindion).

$C_8H_7N_3O_2$, M_R 177,16, Schmp. 329–332 °C (nach anderen Angaben 319–320 °C), unlösl. in Wasser, lösl. in Ethanol; wassergefährdender Stoff, WGK 1 (Selbsteinst.). L. zeigt bei alkal. Oxid. mit H_2O_2 sehr

starke *Chemilumineszenz. L. wird zum Nachw. von Blut, Kupfer, Eisen, Cyaniden, Peroxiden u. Peroxidasen verwendet. – *E = F = S* luminol – *I* luminolo
Lit.: Beilstein E III/IV **25**, 4192 ▪ Gundermann et al., Chemiluminescence in Organic Chemistry, Berlin: Springer 1987 ▪ Merck-Index (12.), Nr. 5628 ▪ s. a. Chemilumineszenz. – *[HS 2933 90; CAS 521-31-3]*

Lumipur®. Anorgan. u. organ. Spezialchemikalien, die hinsichtlich der chem., physikal. u. Verarbeitungs-Eigenschaften für die jeweilige Anw., wie Photohalbleiter, opt. Aufdampfschichten, Leitschichten sowie Herst. u. Verarbeitung optimiert u. geprüft werden. *B.:* Riedel.

Lumiten®. Hilfsmittelsortiment für die *Dispersions-Verarbeitung; E-Marken = Entschäumer, N-Marken = nichtion. Tenside, I-Marken = ion. Tenside. *B.:* BASF.

LUMO. Abk. für *Lowest (-energy) Unoccupied Molecular Orbital*, ein *Grenzorbital; Näheres s. HOMO-LUMO-Modell.

Lumogen®. *Fluoreszenz-Farbstoffe (Perylen- u. Naphthalimid-Derivate) für die Kunststoffeinfärbung, fluoreszierende Markierungen, Agrarfolien, Verkehrssicherheit, Sport u. Freizeit, Spielzeug, Werbung u. Solartechnik. *B.:* BASF.

Lunge. Paariges Atmungsorgan der luftatmenden Wirbeltiere. Die L. des Menschen füllt den größten Teil des Brustkorbes aus; ihre beiden Hälften (L.-Flügel) sind gelappt (rechts 3, links 2 Lappen) u. durch Luftröhre u. Bronchien miteinander verbunden. Die L. besteht aus einem schwammigen, rosafarbenem Gewebe, das von einer doppellagigen serösen Haut, der *Pleura* (Rippenfell) überzogen ist. Die äußere Lage der Pleura ist an Brustkorb u. Zwerchfell befestigt, so daß die L. passiv deren Atembewegungen folgt. Die die Atemluft zuführenden Bronchien verästeln sich baumartig u. enden in den *Lungenbläschen (Alveolen)*, in denen der Gasaustausch (sog. *äußere *Atmung*) stattfindet. Dabei wird CO_2 aus dem von der L.-Arterie herangeführten *Blut in die Alveolen abgegeben u. O_2 unter Oxy-*Hämoglobin-Bildung aufgenommen (Näheres s. dort u. bei *Atmung). Das mit O_2 angereicherte Blut wird durch die L.-Venen dem *Herzen zugeleitet. Störungen der L.-Funktion können durch verschiedene Erkrankungen wie z. B. *Asthma u. Infektionserkrankungen sowie äußere Einflüsse von Stäuben (*Asbestose, *Silicose) u. Lungenreizstoffen entstehen. – *E* lung – *F* poumon – *I* polmone – *S* pulmón

Lunge, Georg (1839–1923), Prof. für Chemie, Zürich. *Arbeitsgebiete:* Soda- u. Schwefelsäure-Ind., Methylorange als Indikator, Konstruktion eines Gas-Volumeters.
Lit.: Lexikon der Naturwissenschaftler, S. 279 ▪ Pötsch, S. 284 ▪ Strube et al., S. 136.

Lungenkraut. In Laubwäldern des gemäßigten Europa heim., zu den Rauhblattgewächsen zählende behaarte Pflanze *Pulmonaria officinalis* L. (Boraginaceae) mit rotvioletten Blüten u. weißgefleckten Blättern. L. enthält bis ca. 3% *Kieselsäure, 6–10% Schleimstoffe, *Flavonoide u. *Allantoin. Es wirkt reizlindernd, schwach expektorierend u. wurde in Hustenmitteln verwendet, früher wegen des Lungengewebe-ähnli-

chen Aussehens der Blätter auch bei Lungenkrankheiten. Eine Wirksamkeit von L.-Zubereitungen kann nicht belegt werden [1]. – *E* lungwort – *F* pulmonaire officinale – *I* polmonaria – *S* pulmonaria
Lit.: [1] Bundesanzeiger 193 a/15. 10. 87.
allg.: Hager (5.) **6**, 310–313 ▪ Wichtl (3.), S. 465 f. – *[HS 1211 90]*

Lungen-Surfaktans. Gemisch aus *Phospholipiden (zum großen Teil das *Lecithin Dipalmitoylphosphatidylcholin), die die Innenfläche der *Lunge auskleiden u. die Oberflächenspannung des dort vorhandenen Flüssigkeitsfilms herabsetzen, die sonst bei ausgeatmeter Lunge zum Kollaps der Alveolen (Lungenbläschen) führen würde. Mit dem L.-S. sind bestimmte *Proteine assoziiert, von denen die Surfaktans-Proteine (SP) A u. D hydrophile *Glykoproteine (*Collectine, M_R ca. 30 000–40 000 pro Monomer) sind, die Pathogen-Abwehrfunktionen erfüllen [1], während es sich bei SP B [2] u. C [3] (M_R ca. 5000–18 000) dagegen um hydrophobe *Lipoproteine handelt. – *E* lung surfactant, pulmonary surfactant – *F* surfactant pulmonaire – *I* surfattante polmonare – *S* surfactante pulmonar
Lit.: [1] Biochem. Soc. Trans. **22**, 100–106 (1994). [2] Science **261**, 453–456 (1993); **273**, 1196–1199 (1996). [3] Am. J. Physiol. **263**, L156–L160 (1992).
allg.: Eur. J. Biochem. **244**, 675–693 (1997) ▪ FASEB J. **8**, 957–967 (1994) ▪ Lung **175**, 1–39 (1997).

Lunge-Reagenz. Nachw.-Reagenz für Nitrit u. Nitrat (nach Red.) mit Sulfanilsäure u. α-Naphthylamin, die als getrennte Lsg. in Essigsäure bereitet werden. Die Sulfanilsäure wird durch Nitrit diazotiert; das Diazonium-Ion kuppelt mit dem α-Naphthylamin zu einem roten Azofarbstoff. – *E* Lunge reagent – *F* réactif de Lunge – *I* reagente di Lunge – *S* reactivo de Lunge
Lit.: Strähle u. Schweda, Jander u. Blasius – Lehrbuch der analyt. u. präparativen anorgan. Chemie, 14. Aufl., Stuttgart: Hirzel 1995.

Lunker. Prinzipiell unvermeidbare Bildung von Schwindungshohlräumen während der Erstarrung metall. Schmelzen als Folge der Volumenkontraktion beim Übergang vom flüssigen in den festen Zustand. L. entstehen in der Regel in den zuletzt erstarrenden Bereichen. Grundsätzlich werden Außen- u. Innen-L. unterschieden, wobei erstere nach außen hin offen sind. Hinsichtlich der Abmessungen trennt man zwischen Makro- u. Mikro-Lunker. Letztere haben mikroskop. Abmessungen u. werden bei örtlich dichter Anordnung auch als Porosität bezeichnet. Durch geeignete metallurg., gießtechn. u. konstruktive Maßnahmen wird versucht, die L. in gußteilseitig unkrit. Bereichen auftreten zu lassen, beispielsweise an der Außenoberfläche od. in sog. verlorenen Abschnitten. In Fehleratlanten [1] sind typ. Gußfehler, zu denen die L. gehören, nach Größe, Lage, Form u. Anordnung katalogisiert. Hierauf basierend finden sich in Prüfvorschriften Anw.-spezif. Grenzwerte für Gießfehler, so daß durch Anw. *zerstörungsfreier Werkstoffprüfung der Nachw. einer Bauteilintegrität erbracht werden kann. – *E* shrinkage cavity – *F* retassure – *I* risucchio – *S* rechupe
Lit.: [1] Verein Dtsch. Eisenhüttenleute (Hrsg.), Gußfehler-Atlas, 2. Aufl., S. 123 ff., Düsseldorf: Gießerei 1971.

allg.: Brunhuber (Hrsg.), Gießerei Lexikon, 10. Aufl., S. 494 ff., Berlin: Schiele & Schön 1978.

Lunte s. Zündmittel.

Lupan s. Triterpene.

Lupanin s. Lupinen-Alkaloide u. Spartein.

Lupanolin s. Lupinen-Alkaloide.

Lupasol®. Kation. Polymere (Polyethylenimine) als Haftvermittler für Klebstoffe, Lacke u. Bindemittel, Mehrschicht-Verbund-Folien, Farbstoffe u. Pigmente sowie für medizin., kosmet. u. agrochem. Wirkstoffe. Sie eignen sich zur Modifizierung von Kunststoffen wie Polyamide, Polyester, Polyolefine etc. Polyethylenimine sind sowohl in wasserfreier Form als auch als wäss. Lsg. klare bis leicht trübe, farblose bis gelbe, dünnflüssige bis viskose Flüssigkeiten. *B.:* BASF.

Lupeol [Lup-20(29)-en-3β-ol, Cautchicol, Monogynol B, Viscol, Fagarasterol].

$C_{30}H_{50}O$, M_R 426,73, Nadeln, Schmp. 215°C, $[\alpha]_D$ +26,4° (CHCl$_3$), lösl. in Ether, erwärmtem Alkohol, unlösl. in Wasser. Weitverbreitetes Pflanzen-Triterpen. L. kommt z. B. in der Schale von Lupinensamen (*Lupinus luteus*) vor. – *E = S* lupeol – *F* lupéol – *I* lupeolo
Lit.: Beilstein E IV **6**, 4200 ▪ Karrer, Nr. 2023 ▪ R. D. K. (4.), S. 852. – *[CAS 545-47-1]*

Lupeose s. Stachyose.

Luperox®. Polymerisationsinitiatoren für die Polymerisation, Vernetzung u. Aushärtung von ungesätt. *Polyesterharzen. B.:* Elf Atochem.

Luphen® D. Marke für ein Klebrohstoff-Sortiment von Polyurethan-Dispersionen (Polyester-Polyurethan-Elastomere u. Polyether-Polyurethan-Elastomere) für die Herst. wäss. Polyurethan-Klebstoffe. *B.:* BASF.

Luphos®. Anorgan. *Phosphate u. Phosphat-Kombinationen zur Härtestabilisierung u. Korrosionsminderung in der Trink-, Brauch-, Kessel- u. Kühlwasserbehandlung. *B.:* Giulini Chemie.

Lupinen. Bes. im Mittelmeerraum heim., blau, weiß od. gelb blühende Schmetterlingsblütler (*Lupinus luteus* L. u. andere Arten; Fabaceae, *Hülsenfrüchte). Die zur *Stickstoff-Fixierung befähigten L. werden wegen ihres hohen Eiweiß- (40–50%, zur Aminosäure-Zusammensetzung s. *Lit.*[1]) u. Fettgehalts (12–15%) als Futtermittel, in Mitteleuropa jedoch hauptsächlich zur Gründüngung kultiviert. Störend bei der Verfütterung ist die Anwesenheit von Bitterstoffen u. Triterpenen wie *Lupeol u. von giftigen *Lupinen-Alkaloiden.* Deshalb hat man sog. Süß-L. gezüchtet, denen die störenden Bestandteile fehlen. Wegen ihrer geringen Ansprüche an Boden u. Klima könnten L. außer als *Faserpflanzen auch für die menschliche

Ernährung Bedeutung erlangen; die Samen lassen sich für Kaffee-Ersatz nutzen. – *E* lupines – *F* lupins – *I* lupini – *S* altramuces, lupinos
Lit.: [1] J. Agric. Food Chem. **27**, 977 (1979).
allg.: Frohne u. Pfänder, Giftpflanzen, S. 209, Stuttgart: Wiss. Verlagsges. 1997 ▪ Hager (4.) **5**, 589–594 ▪ Hanelt, Die Lupinen, Wittenberg: Ziemsen 1976 ▪ Thompson u. Casey, Perspectives for Peas and Lupins as Protein Crops, Norwell/Ma.: Kluwer Academic Publishers 1983. – *[HS 1214 90, 2939 90]*

Lupinen-Alkaloide.

R^1 = H , R^2 = CH$_2$OH : 1-Lupinin (**1**)
R^1 = CH$_2$OH , R^2 = H : Epilupinin (**3**)
Lupanin (**2**)

*Chinolizidin-Alkaloide aus *Lupinen. Der Gehalt an L.-A. liegt – je nach Sorte – zwischen 0,6 u. 4,3%[1]. Haupt-Alkaloid ist *1-Lupinin*[2] [(1R,9aR)-1-(Hydroxymethyl)-chinolizidin, $C_{10}H_{19}NO$, M_R 169,27, Öl, Sdp. 255–257°C, $[\alpha]_D^{28}$ –21° (C_2H_5OH)]. Das (+)-Enantiomer, das Racemat [Schmp. 63–64°C (59°C)] sowie die isomeren Formen, 2-, 3- u. 4-(Hydroxymethyl)-chinolizidin sind synthet. zugänglich. Ein weiteres wichtiges L.-A. ist *Lupanin* {2-Oxo-spartein, $C_{15}H_{24}N_2O$, M_R 248,37, (+)-Form: Krist., Schmp. 40°C $[\alpha]_D$ +61,4° (Aceton)}. Die (–)-Form u. das Racemat sowie 2-Hydroxy-17-oxo-11β-spartein, *Lupanolin* ($C_{15}H_{24}N_2O_2$, M_R 264,37, $[\alpha]_D^{23}$ +31° (C_2H_5OH), +64° (H_2O), Schmp. 174–176°C) kommen ebenfalls in Lupinen u. a. Pflanzen vor. Zur Synth. von L.-A. s. *Lit.*[3]. Die L.-A. sind tox. Verbindungen. Der Lupinenfraß durch Weidetiere sollte nicht über 60 g/kg hinausgehen. Vergiftungserscheinungen sind Leber- u. Nierendegeneration, Aborte trächtiger Tiere u. Mißbildungen bei den Embryonen, bes. empfindlich sind Schafe. – *E* lupinus alkaloids – *F* alcaloïdes du lupin – *I* alcaloidi del lupino – *S* alcaloides del lupino
Lit.: [1] R. D. K. (4.), S. 473, 852 f. [2] Can. J. Chem. **63**, 2707 (1985); Chem. Pharm. Bull. **34**, 4523 (1986). [3] Heterocycles **30**, 885 (1990); J. Org. Chem. **55**, 1148 (1990); Tetrahedron: Asymmetry **1**, 147 (1990).
allg.: Beilstein E V **21/1**, 338 (1 u. 3); **24/2**, 295 ff. (2) ▪ Manske **31**, 118–193; **47**, 1–115 ▪ Merck-Index (12.), Nr. 5637 ▪ Phytother. Res. **3**, 101–104 (1989) ▪ Sax (8.), Nr. LIQ 800 ▪ Ullmann (5.) **A 1**, 365. – *Synth.:* J. Chem. Soc., Perkin Trans. 1 **1994**, 2903 ▪ Tetrahedron Lett. **33**, 3633 (1992); **34**, 215 (1993). – *[HS 2939 90; CAS 486-70-4 (1); 550-90-3 ((+)-Form 2); 486-88-4 ((–)-Form 2); 4356-43-8 (Racemat 2)]*

1-Lupinin s. Lupinen-Alkaloide.

Lupinsäure.

$C_{13}H_{18}N_6O_3$, M_R 306,32, Krist., Schmp. 216–217°C, $[\alpha]_D^{20}$ –25° (H_2O). Purin-Derivat aus Keimlingen der Schmalblättrigen Lupine (*Lupinus angustifolius*), das

aus *Zeatin gebildet wird. – *E* lupinic acid – *F* acide lupinique – *I* acido lupinico – *S* ácido lupínico
Lit.: Aust. J. Chem. **31**, 1291 (1978) ▪ Beilstein E V **26/16**, 227 f. ▪ Chem. Pharm. Bull. **25**, 520 (1977) ▪ J. Chem. Soc., Chem. Commun. **1975**, 809 ▪ Tetrahedron **46**, 913–920 (1990) (Synth.). – *[CAS 58137-33-0]*

Lupolen®. Umfangreiches Sortiment von *Polyethylen-Marken niedriger (LDPE/LLDPE) u. hoher Dichte (HDPE) sowie Ethylen-Copolymeren. L., als Granulat od. Grieß geliefert, dient zur Herst. von Folien, Rohren, Platten, Profilen, Klein- u. Großhohlkörpern, Verbundteilen, Spritzgußartikeln u. Kabeln. *B.:* BASF.

Luppen. Etwa faustgroße, Kohlenstoff-arme, fast schlackenfreie Eisenklumpen (aus dem *Krupp-Rennverfahren) für die Stahlerzeugung. Auch die hohlzylinderförmigen Walzstahlblöcke, aus denen Rohre nahtlos gezogen werden, werden oft L. genannt. – *E* lumps – *F* lopins, loupes – *I* masselli di ferro – *S* lopias, bolas de pudelaje, nódulos Renn-Krupp

Lupreton®. Pigment-Präp. in Polyesterharzen zur Herst. farbiger, elektrophotograph. Toner. Der Farbpigmentgehalt beträgt üblicherweise 40%. Die Farbkonzentrate enthalten keine Stell- od. Hilfsmittel, so daß die triboelektr. Aufladungen der daraus gefertigten Toner sehr günstige Stabilitäten aufweisen. *B.:* BASF.

Luprintan®. Fixierhilfsmittel für den Textildruck mit Dispersionsfarbstoffen auf CA(*Celluloseacetat)- u. PES(*Polyester)-Fasern. *B.:* BASF.

Luprintol®. *Emulgatoren auf Arylpolyglykolether-Basis sowie emulgatorhaltige Compounds zur Herst. von Druckpasten für den Pigment-Textildruck. *B.:* BASF.

Lupulinsäuren s. Humulon u. Lupulon.

Lupulon (β-Lupulinsäure, β-Hopfenbittersäure).

R = CH₂—CH(CH₃)₂	: Lupulon
R = CH(CH₃)₂	: Colupulon
R = CH(CH₃)—CH₂—CH₃	: Adlupulon
R = CH₂—CH₂—CH(CH₃)₂	: Prälupulon
R = CH₂—CH₃	: Postlupulon

$C_{26}H_{38}O_4$, M_R 414,59, Prismen, Schmp. 93 °C, luftempfindlich, lösl. in Methanol, Ethanol, Petrolether, das Natrium-Salz von L. ist wasserlöslich. Das nicht bitter schmeckende L. u. die anderen β-Lupulinsäuren aus Hopfen sind bei den beim Bierbrauen üblichen pH-Werten der Maische nicht wasserlösl. u. isomerisieren während des Kochvorgangs nicht. Sie werden deshalb mit den Pflanzenresten wieder entfernt. Bei längerer Lagerung des Hopfens werden L. u. seine Derivate (s. Formel) zu den sog. β-Weichharzen oxidiert, die in der Maische lösl. sind u. einen angenehm bitteren Geschmack erzeugen [1]. L. wirkt gegen Gram-pos. Bakterien. – *E* = *F* lupulone – *I* luppolone – *S* lupulona
Lit.: [1] Eur. Brew. Conv. Proc. Congr. **15**, 141–152 (1975). *allg.:* Angew. Chem. **106**, 1521 (1994) ▪ Beilstein E IV **7**, 2866 ▪ Dtsch. Apoth. Ztg. **126**, 2033–2037, 2347 f. (1986) ▪ Int. Rev. Biochem. **14**, 51 (1977) ▪ J. Chromatogr. **387**, 473–480 (1987) ▪ Karrer, Nr. 542, 543 ▪ Monatsschr. Brauwiss. **39**, 259–262 (1986); **41**, 252–255 (1988) ▪ Pollock, Brewing Science, S. 279–323, London: Academic Press 1981 ▪ Ullmann (5.) **A 3**, 426 f. ▪ s. a. Humulon u. Bitterstoffe. – *[CAS 468-28-0]*

Luquasorb®. Quellfähige *Polymere auf der Basis von Poly-natriumacrylat. Die Produkte sind als Superabsorber bekannt u. können ein Vielfaches ihres Eigengew. an Wasser od. wäss. Flüssigkeiten absorbieren. Sie quellen dann zu einem wasserunlösl. Gel auf. Die Produkte werden vorwiegend im Hygienebereich, insbes. in Babywindeln, zur Absorption von Urin u. a. Körperflüssigkeiten eingesetzt. Auch bei techn. Anw. kann mit L. Wasser gebunden werden. *B.:* BASF.

Luran® S, Luran® S/C. Ein mit Acrylester-Elastomer schlagzäh modifiziertes SAN (ASA), das auch als ASA + PC-Blend angeboten wird. Die Produkte finden wegen ihrer Witterungsstabilität u. des günstigen Wärmealterungsverhaltens Verw. für Automobilaußenteile, Gartengeräte, Surfbretter u. den Sanitärbereich. *B.:* BASF.

Luret® (Rp). Tabl. mit dem *Diuretikum *Azosemid zur Diurese bei Ödemen. *B.:* Sanofi-Winthrop

Lurgi. Kurzbez. für die Lurgi AG, 60295 Frankfurt a. M., die als weltweit agierender Technologie-orientierter Anlagenbau-Konzern die Planung, Lieferung u. den Bau von Industrieanlagen u. Teilanlagen durchführt. Die Holdingges. besteht aus fünf strateg. Geschäftsbereichen. *Daten* (1995/96): ca. 6000 Beschäftigte, ca. 2,8 Mrd. DM Umsatz. *Produktion:* Anlagen für Metallurgie, Öl, Gas, Chemie, Umwelt, Energie, Polymere u. Synthesefasern.

Lurgi-Ruhrchemie-Verfahren s. Fischer-Tropsch-Synthese.

Luria, Salvador E. (1912–1991), Prof. für Mikrobiologie, Massachusetts Inst. of Technology, Boston. *Arbeitsgebiete:* Genetik, Phänomene der Bakterienzelle, Vererbungsmechanismen bei Bakteriophagen; 1969 erhielt er zusammen mit *Delbrück u. *Hershey den Nobelpreis für Physiologie od. Medizin für die Entdeckung des Vermehrungsmechanismus u. der genet. Struktur von Viren.
Lit.: Lexikon der Naturwissenschaftler, S. 279.

Luron®. Sortiment Eiweiß-artiger Appretur- u. Bindemittel sowie Pigmentpasten mit Eiweiß-ähnlichem Bindemittel für die Lederzurichtung. *B.:* BASF.

Lusakit s. Staurolith.

Lutan®. *Gerbstoffe auf der Basis bas. Aluminiumsalze zur Herst. von Pelzfellen u. zur Kombination mit Chrom-Gerbstoffen. *B.:* BASF.

Lutein [(3R,3′R,6′R)-β,ε-Carotin-3,3′-diol]. $C_{40}H_{56}O_2$, M_R 568,88, gelbe, metall. glänzende od. granatrote Prismen od. Täfelchen. Schmp. 96 °C, unlösl. in Wasser, lösl. in Fett-Lsm. u. Fetten.

R = H : Lutein
R = Palmitoyl : Helenien

Vork.: Alfalfagras, Brennesselblätter, Algen, Luzerne, Palmöl, Eidotter u. a.; L. gehört zu den neben *Carotin u. *Chlorophyll in grünen Pflanzen verbreitetsten Blattfarbstoffen, die bes. im Herbst in Erscheinung treten, vgl. Laubfärbung. Außer in den grünen Pflanzen-

teilen ist L. auch in zahlreichen gelben Blütenblättern u. -pollen, in Früchten u. vielen niederen Pflanzen enthalten. Der gelbe Farbstoff des Eidotters enthält zu 2/3 L. neben 1/3 isomerem *Zeaxanthin. Trotz der nahen Verwandtschaft zum β-Carotin zeigt L. keine Provitamin-A-Aktivität, vgl. Vitamin A. In Form seines Dipalmitats *Helenien ist L. jedoch in der Netzhaut des Auges zu finden, wo es die Hell-Dunkel-Adaptation fördert. Zum qual. Nachw. von L., z. B. als Hinweis auf das Vorhandensein von Hühnerei in Teigwaren, extrahiert man mit Ether. Eine durch L. hervorgerufene Gelbfärbung wird durch Zusatz von wäss. HNO_2-Lsg. zum Verschwinden gebracht (*Weylsche Reaktion*). L. ist als Farbstoff für Lebensmittel (E 161 b) zugelassen. *Geschichte:* *Berzelius (1837) nannte den Farbstoff Xanthophyll [von *Xanth(o)... u. *Phyll(o)...]. Dieser erwies sich später als ident. mit dem von *Willstätter u. Escher 1912 aus Eidotter isolierten L. [von *Lute(o)...], dessen Konstitution 1930 P. *Karrer aufklärte. Heute wird der Name Xanthophylle nur noch als Gruppenname für oxygenierte *Carotinoide (Hydroxy-Verb., Epoxide, einige Oxo-Verb.) verwendet. – *E* lutein – *F* lutéine – *I* luteina – *S* luteína
Lit.: Ann. N. Y. Acad. Sci. **691**, 246 (1993) (Pharmakologie) ▪ Aebi et al., S. 134 f. ▪ Beilstein E IV **6**, 7017 ▪ Helv. Chim. Acta **57**, 631–656 (1974); **63**, 1451–1455 (1980) ▪ Karrer, Nr. 1844 ▪ Schweppe, S. 169 ▪ s. a. Carotinoide. *– [HS 3203 00; CAS 127-40-2]*

Luteinisierendes Hormon s. Lutropin.

Lutensol®. Nichtion. *Tenside für die Wasch- u. Reinigungsmittel- u. chem.-techn. Ind. auf der Basis ethoxylierter Fettalkohole, Alkylphenole od. Fettamine sowie Alkylpolyglucoside. *B.:* BASF.

Lute(o)... Von latein.: luteus = (gold)gelb abgeleitetes Präfix, das als Bestandteil von Namen von Verb. im allg. auf deren gelbe Farbe hinweist (*Beisp.:* *Lutein, *Luteolin). – *E = I = S* lute(o)... – *F* luté(o)...

Luteolin (3′,4′5,7-Tetrahydroxyflavon C. I. 75590, Natural Yellow 2). Formel s. Flavone. $C_{15}H_{10}O_6$, M_R 286,24. Feine gelbe, seidenglänzende Krist., Schmp. 329 °C, in Wasser schwer, in Alkalien mit tiefgelber Farbe löslich. Das bitter schmeckende L. wirkt krampflösend.
Vork.: In Blättern, Blüten u. Stengeln des Färberwau (Färberreseda, Gelbkraut, *Reseda luteola*), in den Blüten des gelben Fingerhuts (*Digitalis lutea*; daher auch die Bez. Digitoflavon für L.) u. a. Blüten. Mit Abkochungen od. Extrakten vom Wau färbte man früher in großem Umfang tonerdegebeizte Wolle u. Seide gelb: L. war einmal der wichtigste Gelbfarbstoff. Heute ist der Wau durch synthet. Farbstoffe völlig verdrängt. – *E* luteolin – *F* lutéoline – *I = S* luteolina
Lit.: Agric. Biol. Chem. **43**, 2417 (1979) ▪ Beilstein E V **18/5**, 296 ▪ Chem. Br. **102**, 3009 (1969) ▪ Hager (5.) **6**, 933 f. ▪ Karrer, Nr. 1470 ▪ Kirk-Othmer (3.) **8**, 358 f. ▪ Schweppe, S. 322 ▪ s. a. Flavonoide. *– [CAS 491-70-3]*

Luteolinidin s. Anthocyanidine.

Luteosalze. Veraltete Bez. für *Cobaltammine mit dem Hexaammincobalt(3+)-Ion.

Luteotropes Hormon, Luteotropin s. Prolactin.

Lutetium. Chem. Symbol Lu (früher Cassiopeium, Cp). Ordnungszahl 71, Atomgew. 174,97. Natürliche Isotope (Häufigkeit in Klammern) 175 (97,40%) u. 176 (2,60%, ein radioaktiver β-Strahler mit der HWZ 30 Mrd. a); L. bildet außerdem noch künstliche Isotope mit HWZ zwischen 0,7 s. u. 3,6 a. Das 3-wertige L. ist das letzte Element der *Seltenerdmetall- od. *Lanthanoiden-Gruppe; sein Anteil an der obersten, 16 km dicken Erdkruste beträgt $8{,}0 \cdot 10^{-5}\%$, womit L. häufiger ist als die Elemente Quecksilber, Bismut u. Silber. L. kommt in *Xenotim, *Gadolinit u. a. *Seltenen Erden vor; D. 9,842, Schmp. 1652 °C, Sdp. 3327 °C, seine Verb. sind farblos. Es findet außer in Cer-Mischmetall keine prakt. Verwendung. Lu^{3+} mit vollständig besetzter 4 f-Unterschale bildet diamagnet. Organyl-Komplexe, z. B. $[Lu(CH_3)_6]^{3-}$, die sich sehr gut mittels NMR-Spektroskopie untersuchen lassen; ^{176}Lu ist für die kosm. Altersbestimmung nützlich.
Geschichte: L. wurde 1907 von *Urbain u. fast gleichzeitig u. unabhängig von *Auer von Welsbach entdeckt. Urbain nannte es L. (nach Lutetia = alter Name für Paris), von Welsbach bezeichnete es als Cassiopeium. Die IUPAC empfahl 1949, die Bez. L. allg. einzuführen. – *E* lutetium – *F* lutétium – *I* lutezio – *S* lutecio
Lit.: Gmelin, Syst.-Nr. 39, Seltene Erden, 1938 ▪ Naturwiss. Rundsch. **33**, 298 f. (1980) ▪ s. a. Lanthanoide u. Seltenerdmetalle. *– [HS 2805 30; CAS 7439-94-3]*

Lutexal®. Verdickungsmittel auf der Basis von Acrylat bzw. Maleinsäure-Mischpolymerisat für den Pigment-Textildruck. *B.:* BASF.

Lutidine (Dimethylpyridine).

C_7H_9N, M_R 107,15. *2,3-L.:* D. 0,932, Sdp. 163–164 °C; – *2,4-L.:* D. 0,931, Sdp. 159 °C, gelbliche Flüssigkeit, Lsm. in der Papierchromatographie; – *2,5-L.:* D. 0,930, Schmp. –16 °C, Sdp. 157 °C; – *2,6-L.:* D. 0,923, Schmp. –6 °C, Sdp. 146 °C, ölige, pfefferminzartig riechende Flüssigkeit; – *3,4-L.:* D. 0,928, Sdp. 164 °C; – *3,5-L.:* D. 0,942, Sdp. 172 °C. Alle Isomeren sind hautreizend, in Wasser, Alkohol, Ether u. Aceton lösl.; wassergefährdende Stoffe, WGK 2 (Selbsteinst.). Die L. finden Verw. in organ. Synth. sowie zur Herst. von Pharmazeutika. – *E = F* lutidines – *I* lutidine – *S* lutidinas
Lit.: Beilstein E V **20/6**, 15–60 ▪ Merck-Index (12.), Nr. 5643 ▪ Ullmann (5.) **A 22**, 400 f. *– [HS 2933 39; CAS 583-61-9 (2.3-L.); 108-47-4 (2,4-L.); 589-93-5 (2,5-L.); 108-48-5 (2,6-L.); 583-58-4 (3,4-L.); 591-22-0 (3,5-L.)]*

Lutofan®. Carboxy-Gruppen-haltiges VC-Copolymerisat in Lsg. als Bindemittel für Lack-, Beton- u. Markierungsfarben sowie für heißsiegelbare Beschichtungen. *B.:* BASF.

Lutonal®. Verseifungsbeständige Weichharze auf Basis von Polyvinylethern zur Verbesserung der Flexibilität u. Haftung von Lacken, Druckfarben u. Klebstoffen. *B.:* BASF.

Lutradur®, Lutrasil®. Spinnvliesstoffe (vgl. Vliesstoffe) als hochfeste u. textile Werkstoffe für Teppich-, Möbel-, Kfz-, Dachbahnen-, Hygiene-, Medizin- u. a. Spezial-Anwendungen. *B.:* Freudenberg.

Lutrol®. Marke der BASF für Polyethylenglykole, die in pharmazeut. Reinheit je nach Molmasse als Lsm., Lösungsvermittler, Weichmacher, Gel- u. Suppositorium-Grundmasse, Tabl.-Schmiermittel, Fixateur etc. eingesetzt werden. *B.:* BASF.

Lutropin (luteinisierendes Hormon = LH, Zwischenzellen- od. Interstitialzellen-stimulierendes Hormon = ICSH, Gelbkörperreifungshormon, Gonadotropin B, Prolan B). *Gonadotropes Hormon aus dem *Hypophysen-Vorderlappen, das beim männlichen Geschlecht die Sekretion der *Androgene stimuliert; im weiblichen Organismus reguliert L. zusammen mit *Follitropin den normalen Ablauf der Ovulation u. die Ausbildung des Corpus luteum (Gelbkörpers). Die Sekretion des L. wird ihrerseits durch *Gonadoliberin, *Estrogene u. *Progesteron gesteuert. Intrazellulär entfaltet L. seine Wirkung durch *Adenosin-3′,5′-monophosphat als *second messenger. Chem. ist L. ein *Glykoprotein (M_R 28 500) mit ca. 16% Kohlenhydrat-Anteil, das aus 2 Untereinheiten aufgebaut ist. Die α-Kette aus 92 Aminosäure-Resten ist ident. mit derjenigen der anderen gonadotropen Hormone (Follitropin, *Chorio(n)gonadotrop(h)in u. des *Thyrotropins, während die β-Kette aus 115 Aminosäure-Resten hormonspezif., aber der des Choriongonadotropins sehr ähnlich ist. – *E* lutropin – *F* lutropine – *I = S* lutropina – *[HS 2937 10]*

Lutter (Wacholderlutter, Kornlutter, Rauhbrand). Durch einfache Dest. hergestellte Fuselöl-haltige Flüssigkeit mit geringem Ethanol-Gehalt.

Luvased®. Schlaf-Dragées mit Baldrian- u. Hopfen-Extrakt, Tropfen enthalten zusätzlich Melissen- u. Passionsblumen-Extrakt. *B.:* Brenner-Efeka/LAW.

Luviform®. Copolymerisat aus Maleinsäure u. Vinylmethylether; CTFA-Name: PVM/MA Copolymer; Stabilisierungs- u. Bindemittel für Zahnpasten, Prothesenhaltemittel, Shampoos usw. *B.:* BASF.

Luvimer®. Filmbildner für stark festigende Haarfestigungspräp. auf der Basis eines Terpolymers aus *t*-Butylacrylat, Ethylacrylat u. Methacrylsäure (CTFA-Name: Acrylates Copolymer). *B.:* BASF.

Luviquat®. Konditionier- u. Festigungsmittel für die Haarpflege (Haarfülle, Geschmeidigkeit, verbesserte Naßkämmbarkeit, verhindert elektrostat. Aufladung). Die Basis ist ein Copolymerisat aus Vinylimidazoliummethochlorid (QVI) u. Vinylpyrrolidon (VP) mit unterschiedlicher Kationenaktivität (CTFA-Name: Polyquarternium 16). *B.:* BASF.

Luviset®. Polymere auf der Basis von Crotonsäure/Vinylacetat bzw. Crotonsäure/Vinylacetat/Vinylpropionat für die Herst. von Haarfestigungspräp. u. für techn. Zwecke. *B.:* BASF.

Luviskol®. Marke der BASF für Schutzkolloide, Verdickungs- u. Bindemittel auf der Basis von Polyvinylpyrrolidon bzw. Vinylpyrrolidon-Vinylacetat-Copolymeren u. Vinylcaprolactam für kosmet. u. techn. Zwecke. *B.:* BASF.

Luvocom®. Thermoplast. Konstruktionswerkstoffe: Elektr. leitfähig, kohlenfaserverstärkt, gleitmittelmodifiziert, hochtemperaturbeständig. *B.:* Lehmann & Voss.

Luvomag®. Marke für aktive *Magnesiumoxid-Pasten für *Polychloropren; hochaktive Kombination, die aus einem feinstteiligen Magnesiumoxid besteht, das homogen u. optimal in einem nicht auswandernden Emulsionsweichmacher verteilt ist. *B.:* Lehmann & Voss.

Luwax®. Umfangreiches Sortiment von Polyolefinwachsen, oxidierten Polyethylenwachsen, Montanwachsen, Esterwachsen, partiell verseiften Esterwachsen u. Polyvinyletherwachsen zur Herst. chem.-techn. Produkte, z. B. von Druckfarben, Kunststoffen, Lacken, Papieren, Textilhilfsmitteln, Formtrenn- u. Gleitmitteln, Imprägnier- u. Hydrophobiermitteln sowie für Polituren u. Oberflächenpflegemittel. *B.:* BASF.

Lux (Kurzz. lx). Einheit der Beleuchtungsstärke als Quotient aus Lichtstrom (in *Lumen) u. Fläche: 1 lx = 1 lm/m². – *E = F = I = S* lux

Luxmeter. Photometer zur Messung der Beleuchtungsstärke. Aufbau u. Eigenschaften s. *Lit.* – *E* lux meter – *F* luxmètre – *I* luxmetro – *S* luxómetro
Lit.: Kohlrausch, Praktische Physik 2, S. 199 f., Stuttgart: Teubner 1996.

Luxullianit. *Glimmer-freier rosa- bis fleischfarbiger *Granit aus Cornwall/England, der von schwarzen, radialstrahligen *Turmalin-„Sonnen" durchsetzt ist; seine *Feldspäte sind Alkali-Feldspäte. – *E = F = I* luxullianite – *S* luxulianita
Lit.: Ramdohr-Strunz, S. 711 ■ Wimmenauer, Petrographie der magmatischen u. metamorphen Gesteine, S. 336, Stuttgart: Enke 1985. – *[HS 2516 11, 2516 12]*

Luzerne. Weitverbreitete, zu den Schmetterlingsblütlern (Fabaceae = Papilionaceae) gehörende Futterpflanze, die als Blaue od. Echte L. (*Medicago sativa* L., Alfalfa, Schneckenklee) u. Gelbe, Dtsch. od. Schwed. L. (*M. falcata* L., Sichelklee) u. als Bastard-L. vorkommt. Aufgrund der Symbiose mit *Knöllchenbakterien sind die L. ebenso wie andere *Hülsenfrüchte zur *Stickstoff-Fixierung befähigt; sie sind *Kalkpflanzen. L. enthalten relativ viel Eiweiß (2,8 – 7,3%), weshalb man sie zur Gewinnung von sog. *LPC* (leaf protein concentrate) heranziehen kann, das sogar für die menschliche Ernährung geeignet ist. Außerdem enthalten L. Saponine u. pflanzliche *Estrogene[1]. – *E* lucerne, alfalfa – *F* luzerne – *I* erba medica – *S* alfalfa
Lit.: [1] Endeavour **35**, 110 – 113 (1976).
allg.: Hager (4.) **5**, 732 ff. – *[HS 1214 90]*

Luzonit s. Enargit.

L$_v$. Kurzz. für *Leuchtdichte.

LWC. Abk. für *light weight coated.

Lwoff, André Michel (1902 – 1994), Prof. für Mikrobiologie, Univ. u. Inst. Pasteur, Paris. *Arbeitsgebiete:* Virologie, Bakteriophagen, Beziehungen zwischen Zelle u. Virus, Lysogenie bei Bakterien, Genetik, Molekularbiologie, Schnupfen-, persistene Allergien-,

Rhinitis- u. Nasalpolyposis-Therapie; 1965 Nobel-preis für Medizin od. Physiologie (zusammen mit *Jacob u. *Monod) für die Entdeckungen auf dem Gebiet der genet. Kontrolle der Synth. von Enzymen u. Viren. *Lit.:* Lexikon der Naturwissenschaftler, S. 279 ▪ Nachmansohn, S. 276.

lx. Kurzz. für *Lux.

LX s. Lipoxine.

Lyasen (von *Lyo…). In der *IUBMB-Klassifikation Vertreter der 4. Hauptgruppe der *Enzyme, die auf nicht hydrolyt. Weise Atom-Gruppierungen aus Substraten abspalten bzw. die inverse Reaktion katalysieren. *Beisp.:* *Decarboxylasen (Carboxylyasen, EC 4.1.1), *Aldolasen (Aldehydlyasen, EC 4.1.2), *Dehydratasen (Hydrolyasen, EC 4.2.1). – *E* = *F* lyases – *I* liasi – *S* liasas

Lychnose s. Tetrasaccharide.

Lycomarasmin.

$C_9H_{15}N_3O_7$, M_R 277,23. Feine Nadeln od. mikroskop. Pulver, Schmp. 227–229 °C (Zers.). Von verschiedenen *Fusarium*-Arten, z. B. *F. oxysporum* u. *F. lycopersici* gebildetes Pflanzengift, das sich aus Asparaginsäure, Glycin u. Pyruvat aufbaut. L. wirkt als *Welkstoff u. gilt bes. als Verursacher der Tomatenwelke. Die freie Tetracarbonsäure, L.-Säure (Aspergillomarasmin B), ein natürliches Abbauprodukt, wirkt ebenfalls phytotox. u. wird auch von anderen Pilzen wie *Aspergillus flavus, Colletotrichum gloeosporioides, Paecilomyces* sp. u. *Pyrenophora teres* gebildet. Daneben sind Aspergillomarasmin A u. B potente Hemmstoffe des Endothelin-konvertierenden Enzyms. – *E* = *F* lycomarasmine – *I* = *S* licomarasmina
Lit.: Beilstein E IV **4**, 3025 ▪ Biosci. Biotech. Biochem. **57**, 1944 (1993) ▪ Can. J. Chem. **51**, 3943 (1973) ▪ Experientia **32**, 608 (1976) ▪ Turner **1**, 334; **2**, 423 f. – [CAS 7611-43-0 (L.); 3262-58-6 (L.-Säure)]

Lycopersicin s. Tomatin.

Lycopersin s. Lycopin.

Lycopin (ψ,ψ-Carotin).

$C_{40}H_{56}$, M_R 536,88, dunkelrote Nadeln, Schmp. 175 °C, lösl. in Chloroform. *Tetraterpen (vgl. Carotinoide) aus der Tomate (*Solanum lycopersicum*, 1 kg Tomaten enthält ca. 20 mg L.), Hagebutte u. a. Früchten, wo es neben seinen Isomeren α-, β- u. γ-*Carotin u. dem 1,2-Epoxid sowie dem 5,6-Epoxid vorkommt. L. ist auch in Pfifferlingen (*Cantharellus cibarius*), Butter, Serum u. Leber enthalten. L. ist als Kosmetik- u. Lebensmittelfarbstoff (E 160 d) zugelassen [1]. Mit konz. Schwefelsäure, Antimontrichlorid u. Trichloressigsäure gibt L. tiefblaue Färbungen. Das 7,7′,8,8′,11,11′,12, 12′,15,15′-Decahydro-Derivat heißt *Lycopersin* ($C_{40}H_{66}$, M_R 546,96). – *E* lycopene – *F* lycopène – *I* licopene – *S* licopeno, licopina

Lit.: [1] Blaue Liste, C 233, S. 121 (Aufl. 1993).
allg.: Aebi et al., S. 136 f. ▪ Beilstein E IV **1**, 1166 f. ▪ Czygan, Pigments in Plants, S. 37 f., 41, 45, 106, 406 f., Stuttgart: Fischer 1980 ▪ Helv. Chim. Acta **67**, 964 (1984) ▪ Karrer, Nr. 1818 ▪ Tetrahedron Lett. **28**, 5751 (1987) ▪ Turner I, 268 ▪ s. a. Carotinoide. – [HS 2901 29; CAS 502-65-8 (L.); 51599-09-8 (1,2-Epoxid); 51599-10-1 (5,6-Epoxid)]

Lycopodium (Bärlappsporen). Sehr leichtes, blaßgelbes, geruchloses u. geschmackfreies Pulver, das aus den Sporen verschiedener Bärlapparten (*Lycopodium* spp., Lycopodiaceae, zur Abteilung Farnpflanzen gehörig) besteht. L. zerfließt sehr leicht, schwimmt auf dem Wasser, mit dem Pulver eingepuderte Gegenstände werden beim Eintauchen in Wasser nicht benetzt.
Verw.: Früher gegen Wundlauf, das Bärlappkraut volksmedizin. als *Diuretikum (Wirkung nicht belegt); zur Herst. von Theaterblitzen u. Feuerwerken (enthält bis zu 50% eines leicht brennenden, fetten Öls), als Formtrennmittel, in Mischung mit Karmin zum Nachw. von Fingerabdrücken, aufgrund des konstanten Durchmessers der L.-Sporen (29–32 μm) als innerer Größenstandard bei der Mikroskopie. L. enthält ca. 0,2% Lycopodium-Alkaloide, s. dort. – *E* lycopodium – *F* poudre de lycopode – *I* licopodio – *S* polvos de licopodio
Lit.: DAB 7 u. Komm. ▪ Hager (4.) **5**, 601–608 ▪ Wichtl (3.), S. 360 f.

Lycopodium-Alkaloide. Alkaloide aus Bärlapp-Gewächsen (Lycopodiaceae, s. a. Lycopodium), die auch mit dem Sammelbegriff „*Clavatin*" bezeichnet werden. Es handelt sich um giftige *Chinolizidin- bzw. *Chinolin-Alkaloide, die antipyret. wirken. Haupt-Alkaloid ist *Lycopodin* (Schmp. 116 °C), das in allen Arten vorkommt. Eine Auswahl weiterer Alkaloide, die sich von Lycopodin nur hinsichtlich ihrer Substituenten unterscheiden, findet sich in der Tabelle.

Tab.: Lycopodium-Alkaloide.

	Summenformel	M_R	CAS
Lycopodin (1)	$C_{16}H_{25}NO$	247,38	466-61-5
Lycodolin (2)	$C_{16}H_{25}NO_2$	263,38	6900-92-1
Lycoclavin (3)	$C_{18}H_{29}NO_3$	307,43	6900-91-0
Lycofawcin (4)	$C_{18}H_{29}NO_4$	323,43	3175-90-4
Fawcettiin (5)	$C_{18}H_{29}NO_3$	307,43	6899-87-2
Flabelliformin (6)	$C_{16}H_{25}NO_2$	263,38	7096-84-6

	R^1	R^2	R^3	R^4	R^5	
	H	H	H	=O	H	(1)
	H	OH	H	=O	H	(2)
	H	H	OH	OCOCH₃	H	(3)
	OH	OH	H	OCOCH₃	H	(4)
	OH	H	H	OCOCH₃	H	(5)
	H	H	H	=O	OH	(6)

Durch andersartige Überbrückung, Ringöffnung u. Neuknüpfung sowie Ausbildung von Doppelbindungen entstehen weitere Alkaloide von vielfältiger Struktur. *Beisp.* hierfür ist *Huperzin. L. zeigen verschiedene Wirkungen u. werden in der Homöopathie bei chron. Ekzemen, Krampfadergeschwüren, Harnverhaltung, Hämorrhoiden, Schließmuskellähmung u. Rachenkatarrh verwendet. L. sind giftig: Die Vergiftungssymptome sind ähnlich wie bei *Curare. 0,2 g des

Keulen-Bärlapp (*Lycopodium clavatum*) sind für Frösche tödlich, vgl. a. Huperzin aus *Huperzia selago* (Tannenbärlapp) u. Lycopodium. – *E* lycopodium alkaloids – *F* alcaloïdes du lycopode – *I* alcaloidi del licopodio – *S* alcaloides del licopodio

Lit.: Alkaloids (London) **10**, 205–210 (1981); **11**, 199–202 (1981); **13**, 277–280 (1983) ▪ Beilstein E V **21/4**, 462 (Fawcettiin, Lycoclavin), **21/5**, 508 (Lycofawcin), **21/7**, 482 (Lycopodin), **21/12**, 176, 178 (Flabelliformin, Lycodolin) ▪ Manske **26**, 241–298; **45**, 233–266. – *Biosynth.*: Can. J. Chem. **53**, 41 (1975) ▪ Mann, Secondary Metabolism, S. 182 f., Oxford: Clarendon Press 1980. – *Synth.*: Alkaloids: Chem. Biol. Perspect. **3**, 185–240 (1985) ▪ ApSimon **3**, 489–515, 554 ▪ J. Am. Chem. Soc. **107**, 4341 (1985); **115**, 2992 (1993) ▪ Nat. Prod. Rep. **8**, 455 (1992) ▪ Pelletier **3**, 185–240. – *[HS 2939 90]*

Lycorenin, Lycorin s. Amaryllidaceen-Alkaloide.

Lycra®. 1960 entwickelte *PUR (*Elastan*, in den USA: *Spandex)-Faser aus segmentiertem Polyurethan zur Verw. in elast. Kleidungsstücken. *B.*: Du Pont.

Lyddit. 1888 in England entwickelter *Explosivstoff aus *Pikrinsäure, bei dem die Stoßempfindlichkeit durch Vaseline-Zusatz herabgesetzt ist. Der im 1. Weltkrieg bes. auf engl. Seite vielfach eingesetzte Sprengstoff erhielt seinen Namen von Lydd (Kent), wo er produziert wurde; heute nur noch von histor. Interesse. – *E = F = I* lyddite – *S* lidita

Lit.: Meyer, Explosivstoffe, 6. Aufl., S. 239 f., Weinheim: Verl. Chemie 1985 ▪ Ullmann (4.) **21**, 660 ▪ Winnacker-Küchler (4.) **7**, 373.

Lydit s. Kieselschiefer.

Lygal®. Mittel gegen Seborrhöe u. a. Erkrankungen der Kopfhaut. *L. Kopfsalbe* enthält *Salicylsäure; *L. Kopftinktur* (Rp) *Prednisolon, *Salicylsäure, *Dexpanthenol u. *Benzalkoniumchlorid. *B.*: Desitin.

Lymabios. Organismen, die nährstoffreiche Abwässer od. *Klärschlämme bewohnen, z. B. bestimmte *Bakterien, *Cyanobakterien, *Pilze, *Einzeller (Protozoen wie Amöben u. Ciliaten), Würmer (Tubificiden u. a.) u. Insektenlarven (manche Chironomiden); Teile des L. kommen in polysaproben Gewässern (s. Saprobiensystem) vor. Die Bakterien u. Pilze verursachen die typ. Fäulnisprozesse. – *E* lymabios – *I* limabi – *S* limabios

Lit.: Schaefer u. Tischler, Ökologie (2.), S. 155, Stuttgart: Fischer 1983.

Lyman-Serie s. Atombau, S. 291.

Lymphe (latein.: lympha = klares Wasser). Farblose bis gelbliche gerinnungsfähige Körperflüssigkeit, die aus der die Zellen umgebenden interstitiellen Flüssigkeit besteht. Die von den Kapillaren aufgrund des Blutdrucks in das Gewebe abgegebene Flüssigkeit wird durch ein Syst. von Lymphgefäßen gesammelt u. in das Blutgefäßsyst. zurückgeleitet. Das Lymphsyst. besteht aus einem engmaschigen Netz von Lymphkapillaren, die sich zu größer werdenden Lymphgefäßen vereinigen. Diese passieren zwischengeschaltete Lymphknoten aus Bindegewebe u. *Lymphocyten, die als Filter arbeiten u. Fremdpartikel zurückhalten können. In 24 h werden so etwa 2 Liter L. über das Lymphsyst. in das Blut transportiert.

Die L. besteht etwa aus 95% Wasser, 2–4% Eiweiß u. wenig Fett, ihre Zusammensetzung schwankt allerdings in Abhängigkeit von der Funktion der Organe u. Gewebe. Im Magen-Darm-Trakt transportiert die L. u. a. absorbierte Nährstoffe, v. a. Fette. Diese Darmlymphe (Chylus) enthält dann 2,5–6% Fett. – *E* lymph – *F* lymphe – *I = S* linfa

Lit.: Physiol. Rev. **70**, 987–1028 (1990).

Lymphocyte function-associated antigen s. Zell-Adhäsionsmoleküle.

Lymphocyten. Zu den *Leukocyten zählende Blutzellen, die wesentliche Funktionen im Rahmen der zellgebundenen Immunreaktion haben. Sie entstehen im Knochenmark aus undifferenzierten Stammzellen u. reifen in bestimmten Organen zu verschiedenen Zelltypen heran. So werden L., die sich unter dem Einfluß des sog. Bursa-Äquivalentes (ein noch nicht näher identifiziertes Äquivalent der Bursa fabricii der Vögel) differenzieren, zu *B-Zellen*, diejenigen, die vom Thymus geprägt werden zu den *T-Zellen*. Sie übernehmen jeweils unterschiedliche Abwehrfunktionen. Die B-L. befinden sich vorwiegend in den lymphat. Organen wie Lymphknoten u. Milz u. reifen zu den sog. *Plasmazellen* heran. Diese sind nach Stimulation durch Kontakt mit einem *Antigen in der Lage, spezif. Immunglobuline zu bilden (s. a. Immunologie u. Antikörper). T-L., die sich außer in den lymphat. Organen auch in anderen Geweben u. im Blut aufhalten, werden durch den Kontakt mit einem Antigen über einen membranständigen *Rezeptor aktiviert. In dem durch *Interleukine vermittelten Zusammenspiel mit Makrophagen (s. a. Leukocyten) ist eine Gruppe von T-L., die sog. *Killerzellen* (cytotox. T-L.), in der Lage, Zellen, insbes. Krebszellen od. transplantiertes Gewebe, abzutöten. Eine andere Gruppe von T-L., die *Helferzellen*, wird von den B-L. zu ihrer Tätigkeit benötigt. Eine dritte Art von T-L. reguliert die Immunreaktion durch Bindung u. Inaktivierung von Antikörpern, sie werden daher *Suppressorzellen* genannt. L., die keinen Reifungsprozeß in bestimmten Organen durchlaufen, werden als natürliche Killerzellen (natural killer-cells, NKC) bezeichnet u. binden direkt an die zu zerstörenden Zielzellen.

Im peripheren Blut haben die L. einen Anteil von 25–33% der Leukocyten. 10–30% sind B-L., 60–70% T-L.; unterschieden werden die lichtmikroskop. gleich aussehenden Zellen durch immunolog. Methoden. Es befindet sich nur ein kleiner Anteil der gesamten L. des Organismus (weniger als 5%) in der Blutzirkulation, der überwiegende Teil befindet sich in den lymphat. Organen. L. sind in der Lage, sowohl vom Blut in das Gewebe als auch den umgekehrten Weg zu wandern, was eine Ausbreitung des immunolog. Abwehrsyst. über den gesamten Organismus gewährleistet. – *E = F* lymphocytes – *I* linfociti – *S* linfocitos

Lit.: Begemann u. Rastetter, Atlas der Klinischen Hämatologie, Heidelberg: Springer 1992 ▪ Roitt et al., Kurzes Lehrbuch der Immunologie, Stuttgart: Thieme 1995.

Lymphokin-aktivierte Killerzellen (LAK-Zellen). Durch relativ hohe Konz. an *Interleukin 2 (IL-2) in Zellkultur aktivierte *Lymphocyten (u. a. *natürliche Killerzellen ohne Antigen-Rezeptor) mit erhöhter cytotox. Aktivität gegen eine Reihe von Tumorzellen. LAK-Zellen werden in Verbindung mit IL-2 zur *Im-

muntherapie bestimmter Melanome u. Nierenzell-Karzinome [1] verwendet. – *E* lymphokine-activated killer cells – *F* cellules tueuses activées par lymphokine – *I* cellule killer attivate da linfochina – *S* células asesinas activadas por linfoquina
Lit.: [1] Immunol. Today **11**, 113 ff. (1990).

Lymphokine. Von Dumonde 1970 geprägte Bez. für *Cytokine, die von *Lymphocyten sezerniert werden. Die L. spielen im *Immunsystem als Mediatoren zellvermittelter *Immunität bei der *Immunantwort u. als *Chemotaxis-Faktoren bei *Entzündungen eine wichtige Rolle. Zu den L. gehören z. B. der *Makrophagen-Wanderungs-Hemmfaktor, der Monocyten (*Makrophagen) in ihrer Wanderung hemmt, die *Kolonie-stimulierenden Faktoren, die Wachstums-Faktoren für Makrophagen u. Granulocyten darstellen, *Tumornekrose-Faktor α u. *Lymphotoxin, die *in vitro* zur Cytolyse von Krebs-Zellen führen, *Interferon γ, das u. a. ebenfalls Makrophagen aktiviert, sowie die *Interleukine mit ihren verschiedenen Wirkungen. – *E* = *F* lymphokines – *I* linfochine – *S* linfoquinas

Lymphome. Auf *Lymphocyten zurückgehende bösartige Zellvermehrungen (v. a. solide Tumore), die z. B. zur Hodgkinschen Krankheit od. zum Burkitt-Lymphom führen. Ein Großteil der L. sind maligne transformierte B-Lymphocyten. – *E* lymphomas – *F* lymphomes – *I* linfomi – *S* linfomas
Lit.: Janeway et al., Immunologie, Heidelberg: Spektrum Akadem. Verl. 1995 ■ Trent, Molekulare Medizin, S. 225–228, 238–247, Heidelberg: Spektrum Akadem. Verl. 1994 ■ Wierenik, Leukemias and Lymphomas, New York: Livingstone 1985.

Lymphotoxin (LT). Durch aktivierte T-*Lymphocyten gebildeter Mediator-Stoff (ein *Lymphokin), das tox. Wirkung auf Tumorzellen besitzt. Menschliches L. tritt in den Formen α u. β auf. LT-α ist ein sezerniertes lösl. *Glykoprotein (M_R 25 000) aus 171 Aminosäure-Resten (AR), während LT-β als Membran-durchspannendes Glykoprotein (M_R 33 000), dessen extrazelluläre Domäne (174 AR) freigesetzt werden kann, auf der Zelloberfläche gebunden ist. LT-α bildet homotrimere Komplexe (α_3); LT-α u. -β bilden Heterotrimere der Stöchiometrie $\alpha_2\beta$ u. $\alpha\beta_2$. Während das auch *Tumornekrose-Faktor β (TNF-β) genannte LT-α, das an dieselben *Rezeptoren wie TNF-α bindet, für die TNF-α-ähnlichen Wirkungen verantwortlich ist, bietet LT-β einen Membranverankerungspunkt für LT-α u. wirkt wahrscheinlich als Modulator der *Immunantwort, indem es an das TNF-Rezeptor-2-verwandte Protein bindet. LT-α u. -β weisen *Homologie zueinander auf sowie zum TNF-α u. einigen anderen *Cytokinen od. Oberflächenmol., die an der Induktion von *Apoptose od. Lymphocyten-Aktivierung beteiligt sind. LT-α ist erforderlich für die Entwicklung der peripheren lymphoiden Organe [1]. – *E* lymphotoxin – *F* lymphotoxine – *I* linfotossina – *S* linfotoxina
Lit.: [1] Nature (London) **382**, 462–466 (1996); Science **264**, 703–710 (1994); **271**, 1289 ff. (1996).

Lynen, Feodor (1911–1979), Prof. für Biochemie, Univ. München, Max-Planck-Inst. für Biochemie, Martinsried. *Arbeitsgebiete:* Stoffwechselchemie der Zelle, Isolierung der „aktivierten Essigsäure", Coen-

zym A, Fettsäure-Cyclus, Biogenese der Isoprenoide, Isopentenylpyrophosphat, Rolle des Biotins bei der biolog. Carboxylierung. Nobelpreis für Medizin od. Physiologie 1964 zusammen mit K. E. *Bloch.
Lit.: Chem. Labor Betr. **40**, Nr. 8, 424 (1989) ■ Lexikon der Naturwissenschaftler, S. 280 ■ Nachr. Chem. Tech. Lab. **12**, 449 (1964) ■ Naturwiss. Rundsch. **33**, 213–232 (1980) ■ Neufeldt, S. 233, 238, 247, 258 ■ Pötsch, S. 286 ■ Rev. Physiol. Biochem. Pharmacol. **90**, 1–11 (1981) ■ Umschau **79**, 542 (1979).

Lynen-Cyclus. Bez. für den von *Lynen aufgeklärten Cyclus der *Fettsäure-Biosynthese.

Lynestrenol (Rp).

Internat. Freiname für das *Gestagen 19-Nor-17α-pregn-4-en-20-in-17β-ol, $C_{20}H_{28}O$, M_R 284,44, Schmp. 158–160 °C, $[\alpha]_D$ –13° ($CHCl_3$), in Wasser prakt. unlöslich. Die Lagerung muß dichtverschlossen u. lichtgeschützt erfolgen. L. ist von Organon (Exlutona®, Orgametril®) im Handel. – *E* lynestrenol – *F* lynestrénol – *I* linestrenolo – *S* linestrenol
Lit.: Beilstein E IV **6**, 4396 ■ DAB **1996** u. Komm. ■ Hager (5.) **8**, 774 f. – *[HS 297 92; CAS 52-76-6]*

Lyo... (von griech.: lýein = lösen). Wortbestandteil (meist Vorsilbe) von Begriffen, die sich auf Lösen, Lösung usw. beziehen (Lyogele, Lyophilisation). Derselbe Wortstamm (griech.: lýsis = Auflösung) findet sich auch bei ...*lyse* u. ...*lytisch* im Sinne von Auflösung, Zerstörung (lysierende Substanzen, Lysosomen, Bakteriolyse, Psycholytika), aber auch im Sinne von aufspalten, zerlegen, trennen (Analyse, Dialyse, Katalyse, Hydro-, Photo-, Elektro-, Radiolyse, Spasmolytika). – *E* = *F* lyo... – *I* = *S* lio...

Lyogele s. Hydrogele, Gele u. Kolloidchemie.

Lyogen® (Rp). Dragees, Tabl., Tropfen, Ampullen mit *Fluphenazin-Hydrochlorid, gegen psychot. Störungen; die Depot-Form enthält das Decanoat-Salz. *B.:* Promonta Lundbeck

Lyophil. Von *Lyo... u. ...*phil abgeleiteter Begriff aus der *Kolloidchemie, der ausdrückt, daß die Neigung eines dispergierten Teilchens zur Wechselwirkung mit dem flüssigen Dispersionsmittel größer ist als zur Wechselwirkung mit gleichartigen Teilchen; Sonderfälle: *hydrophil u. *lipophil. L. Trocknung s. Gefriertrocknung. – *E* lyophilic – *F* lyophile – *I* liofilo – *S* liófilo

Lyophilisation s. Gefriertrocknung.

Lyophob. Von *Lyo... u. *...phob abgeleiteter Begriff aus der *Kolloidchemie, der ausdrückt, daß die Neigung eines dispergierten Teilchens zur Wechselwirkung mit gleichartigen Teilchen größer ist als zur Wechselwirkung mit dem Dispersionsmittel; Sonderfälle: *hydrophob u. *lipophob. – *E* lyophobic – *F* lyophobe – *I* liofobo – *S* liófobo

Lyophyllin (2,*N*,*N*-Trimethyl-2-oxydiazencarboxamid). $C_4H_9N_3O_2$, M_R 131,13, Krist., Schmp. 27–28 °C, Azoxy-Verb. aus dem Pilz Weißer Rasling (*Lyophyl-*

(Stereochemie unbekannt)

lum connatum). – *E* lyophyllin – *F* lyophylline – *I* liofillina – *S* liofilina

Lit.: Angew. Chem. **96**, 71 f. (1984) ▪ s. a. Calvatsäure, Cycasin u. Connatin. – *[CAS 88245-13-0]*

Lyosole s. Kolloidchemie.

Lyotrop. Von *Lyo... u. *...trop abgeleitetes Adjektiv, das eine irgendwie geartete Ausrichtung von Teilchen in einem Lsm. ausdrückt, z. B. bei *flüssigen Kristallen. – *E* lyotropic – *F* lyotrope – *I* liotropo – *S* liótropo

Lyotrope Phasen s. flüssige Kristalle.

Lyotrope Polymere. Bez. für *flüssigkristalline Polymere, die flüssigkrist. Phasen in Lsg. ausbilden. *Lit.:* Elias (5.) **1**, 778 ▪ s. a. flüssigkristalline Polymere.

Lyotrope Reihen s. Hofmeistersche Reihen.

Lyovac Cosmogen® (Rp). Ampullen mit dem *Cytostatikum *Dactinomycin. *B.:* MSD.

Lyphocheck. Oberbegriff für lyophilisierte humane Kontrollsera u. -urine für *Radioimmunoassays in der klin. Labordiagnostik.

Lypressin (Rp).

Cys—Tyr—Phe—Gln—Asn—Cys—Pro—Lys—Gly—NH₂

Internat. Freiname für das antidiuret. wirksame Peptidhormon [8-L-Lysin]-vasopressin, das sich von *Vasopressin durch Ersatz des Arg durch Lys ableitet, $C_{46}H_{65}N_{13}O_{12}S_2$, M_R 1056,22, in Wasser löslich. Es ist gegen Diabetes insipidus von Novartis (Vasopressin-Sandoz®) im Handel. – *E* lypressin – *F* lypressine – *I* lipressina – *S* lipresina

Lit.: ASP ▪ DAB **1996** u. Komm. ▪ Hager (5.) **8**, 776 ff. ▪ s. a. Vasopressin. – *[HS 293799; CAS 50-57-7]*

Lys. Neben K Symbol für die Aminosäure *L-Lysin in Peptid-Formeln.

Lysalbinsäure. Kolloid, erhalten durch Einwirkung von Ätzkalien auf Eiweißstoffe (meist Ovalbumin, seltener Serumalbumin od. Casein). Das Natrium-Salz ist eine spröde, gelbliche, wasserlösl. Masse u. dient als Schutzkolloid bei der Herst. von kolloidalen Gold-, Silber- od. Quecksilber-Lösungen. – *E* lysalbinic acid – *F* acide lysalbinique – *I* acido lisalbinico – *S* ácido lisalbínico

Lit.: Merck-Index (12.), Nr. 5662. – *[CAS 9006-58-0]*

...lyse. Endung mit der Bedeutung Auflösung, s. Lyo...

Lysergid. Internat. Freiname für *Lysergsäurediethylamid.

Lysergsäure.

R = OH   : Lysergsäure
R = N(C₂H₅)₂ : Lysergsäure-diethylamid

$C_{16}H_{16}N_2O_2$, M_R 268,32, Blättchen, Schmp. 240 °C (wasserfrei, Zers.), $[\alpha]_D$ +40° (Pyridin), mäßig lösl. in Pyridin, wenig lösl. in Wasser u. organ. Lsm., lösl. in saurer u. alkal. Lösung. L. u. sein C-8-Epimer *Iso-L.* (Schmp. 218 °C, $[\alpha]_D$ +281°) bilden in Form verschiedener Amide einen großen Teil der *Ergot-Alkaloide, z. B. *Lysergylvalin, Isoerginin*, das Amid der Iso-L., die α-Hydroxyethylamide beider Säuren, Ergotamin usw. [vgl. a. das synthet. Rauschmittel Lysergsäurediethylamid (LSD)]. L. kommt im Mutterkorn, im *Ipomoea-Harz u. in weiteren Windengewächsen vor. Zur pharmakolog. Wirkung der L.-Derivate natürlichen u. synthet. Ursprungs s. Ergot-Alkaloide u. Lysergsäurediethylamid (LSD). – *E* lysergic acid – *F* acide lysergique – *I* acido lisergico – *S* ácido lisérgico

Lit.: ApSimon **3**, 301–307 ▪ Beilstein E V **25/5**, 125 f. ▪ Chem. Pharm. Bull. **34**, 442 (1986) (Synth.) ▪ Chem. Unserer Zeit **13**, 149 (1979) ▪ Hager (5.) **3**, 750; **4**, 911 ff.; **8**, 61 ▪ Hofmann u. Schultes, Pflanzen der Götter, S. 105–162, Bern: Hallwag 1980 ▪ Merck-Index (12.), Nr. 5664 ▪ R. D. K. (3.), 390, 710, 911 ▪ Sax (8.), Nr. DJO 000, LJF 000-LJM 000 ▪ Schmidbauer et al., Handbuch der Rauschdrogen, S. 213–253, München: Nymphenburger 1988 ▪ Tetrahedron Lett. **29**, 3117 (1988) ▪ Zechmeister **9**, 114–175; **20**, 17–21. – *[HS 293963; CAS 82-58-6 (L.); 478-95-5 (Iso-L.)]*

Lysergsäurediethylamid (LSD, Lysergid, Formel s. Abb. bei Lysergsäure), $C_{20}H_{25}N_3O$, M_R 323,44, $[\alpha]_D^{20}$ +17° (Pyridin). Farblose, spitze Prismen, Schmp. 80–85 °C. Von *Stoll u. Albert *Hofmann 1943 durch Abwandlung von Ergobasin (s. Ergot-Alkaloide) erhaltene Verbindung. Die *Halluzinogen-Wirkung, die auch Hofmann frühzeitig bekannt war, wurde zunächst nur zur Erzeugung von Modellpsychosen in der Psychiatrie ausgenutzt[1]. Erst ab den 60er Jahren wurde LSD als *Rauschgift in breiteren Schichten mißbraucht. Es ist im Betäubungsmittelgesetz als nicht verkehrs- u. verschreibungsfähige Substanz gelistet. Es wird illegal (in den USA z. B. unter der Bez. „acid") gehandelt. Die zur Erzeugung eines Rauschzustandes erforderliche Dosis liegt bei 30–100 µg oral u. damit ca. 100–200mal niedriger als bei Psilocin u. *Psilocybin u. ca. 5000–10000mal niedriger als bei *Meskalin. Angesichts der Kleinheit dieser Dosen sind für kriminaltechn. u. forens. Zwecke bes. empfindliche Nachw.-Meth. erforderlich (z. B. *Radioimmunoassay). Die Wirkung eines LSD-Rausches (ein „trip" dauert etwa 4–8 h) scheint allg. mit einer Intensivierung sinnlicher – bevorzugt visueller – Wahrnehmung bei gleichzeitiger Verzerrung verbunden zu sein. Über den Wirkungsmechanismus des LSD weiß man heute, daß es präsynapt. die Freisetzung des Neurotransmitters Serotonin kompetitiv hemmt u. auch mit Dopamin-Rezeptoren in Wechselwirkung tritt. Außer individuellen Nachteilen beim Gebrauch (Mißbrauch) von LSD ist eine *Teratogen-Wirkung nicht ausgeschlossen. In zahlreichen *in vitro*-Versuchen wurden Chromosomenschäden nach LSD-Einwirkung an menschlichen, tier. u. pflanzlichen Zellen nachgewiesen. Aus diesen Gründen kann LSD therapeut. keine Anw. finden. – *E* lysergic diethylamide – *F* diéthylamide de l'acide lysergique – *I* dietilammenide dell' acido D-(+)-lisergico, LSD – *S* dietilamida del ácido lisérgico

Lit.: [1] Continia Neurol. **12**, 146–177 (1952).
allg.: Arnold et al., Suchtkrankheiten. Diagnose, Therapie u. analytischer Nachweis, Berlin: Springer 1988 ■ Beilstein E V **25/5**, 130f. ■ Chem. Unserer Zeit **13**, 147–156 (1979) ■ Chem. Ztg. **98**, 1–23 (1974) ■ Hofmann, Die Geschichte des LSD-25, Wiss. Mitt. Sandoz, Nr. 2, S. 117–124, Triangel: Sandoz 1955 ■ Kirk-Othmer **16**, 642–646 ■ s. a. Halluzinogene u. Rauschgifte. – *[HS 293963; CAS 50-37-3]*

Lysimeter. Bez. für ein Gerät zur Messung des Wasserhaushalts von Pflanzen u. Böden durch Bestimmung des Niederschlags u. der Verdunstung von Boden ± Pflanzen. – *E* lysimeter – *F* lysimètre, case lysimétrique – *I* lisimetro – *S* lisímetro

Lit.: Gisi et al., Bodenökologie, Stuttgart: Thieme 1997 ■ Schlichting, Einführung in die Bodenkunde, Hamburg: Parey 1986.

L-Lysin [Symbol Lys od. K; (*S*)-2,6-Diaminohexansäure].

$$H_2N-(CH_2)_4-\overset{\overset{\displaystyle NH_2}{|}}{\underset{\underset{\displaystyle H}{|}}{C}}-COOH$$

$C_6H_{14}N_2O_2$, M_R 146,19. *Aminosäure, farblose Nadeln od. hexagonale Plättchen, Zers. bei 224 °C, $[\alpha]_D^{20}+25,9°$ (6 m HCl), in Wasser sehr leicht, in Alkohol kaum lösl., prakt. unlösl. in Ether. L. kommt als Protein-Bestandteil in vielen tier. (z.B. reichlich in *Fischmehl), weniger aber in pflanzlichen *Proteinen vor; so ist z.B. Getreide-Protein (u. damit Brot) arm an Lysin. Durch höheren L.-Gehalt bemerkenswert sind *Buchweizen u. bes. die *Histone (bis 27%). Für den Menschen u. viele Tiere gehört L. zu den *essentiellen *Aminosäuren (Tagesbedarf des Erwachsenen ca. 1,6 g). Es fördert das Knochenwachstum u. die Verknöcherung u. regt die Zellteilung u. Nucleosid-Synth. an. Daß hitzebehandelte Lebensmittel (z.B. Trockenhefe) an freiem L. verarmen, geht auf dessen Neigung zum Eingehen von *Maillard-Reaktionen mit Zuckern (*Glykation) od. von Isopeptid-Bindungen zurück.

L. entsteht in Pflanzen u. Mikroorganismen durch Decarboxylierung von *meso*-2,6-Diaminopimelinsäure od. aus 2-Oxoadipinsäure in mehrstufiger Reaktion; der Abbau in der Leber erfolgt auf genau umgekehrtem Weg. Bakteriell kann aus L. durch Decarboxylierung Cadaverin (s. 1,5-Pentandiamin; ein *biogenes Amin) gebildet werden.

Mit seinen zwei Amino-Gruppen kann L. nicht nur Peptid-, sondern auch *Isopeptid-Bindungen eingehen; z.B. in *Collagenen u. *Elastin (vgl. a. Desmosin); oft ist es im aktiven Zentrum von Enzymen anzutreffen, wo es Cofaktoren (z.B. *Biotin, *Liponsäure, *Pyridoxal-5'-phosphat) u. Substrate (z.B. in *Aldolase) kovalent bindet.

Die Bestimmung des von Drechsel (1889) erstmals aus *Eiweiß-Hydrolysaten isolierten L. erfolgt durch Chromatographie u./od. mikrobiologisch.

Verw.: L. ist als Nahrungsmittelzusatz [1] bes. bei diätet. Lebensmitteln (in chem. definierten Diäten) u. in medizin. Infusionslsg. in Gebrauch. Es wird gegen *Herpes-simplex*-Infektionen benutzt u. könnte möglicherweise auch bei Herzgefäß-Erkrankungen u. Osteoporose zum Einsatz kommen [2]. In größerem Umfang findet L. als Futtermittelzusatz Verwendung. Die benötigten L.-Mengen werden vorzugsweise auf mi-

krobiellem Wege [3] od. enzymat. aus DL-α-Amino-ε-caprolactam gewonnen. – *E* = *F* L-lysine – *I* = *S* L-lisina

Lit.: [1] J. Am. College Nutrit. **12**, 486–500 (1993). [2] J. Am. College Nutrit. **16**, 7–21 (1997). [3] FEMS Microbiol. Lett. **143**, 103–114 (1996).
allg.: Beilstein E IV **4**, 2717 ff. – *[HS 292241; CAS 56-87-1]*

Lysin-acetylsalicylat [DL-Lysin-mono(2-acetoxybenzoat); Rp zur parenteralen Anw.].

$$\begin{array}{c}COOH\\O-CO-CH_3\end{array} \quad \bullet \quad H_2N-(CH_2)_4-\overset{\displaystyle}{\underset{\underset{\displaystyle NH_2}{|}}{CH}}-COOH$$

$C_{15}H_{22}N_2O_6$, M_R 326,35, farblose Krist., Schmp. 154–156 °C, lösl. in Wasser, wenig lösl. in Ethanol, unlösl. in Methanol, Aceton, Ether. L. ist ein aufgrund seiner Wasserlöslichkeit injizierbares *Salicylsäure-Derivat, es ist von Bayer (Aspisol®) als nichtsteroidales *Antiphlogistikum u. *Analgetikum sowie als *Thrombocyten-Aggregationshemmer im Handel. – *E* lysine acetylsalicylate – *F* acétylsalicylate de lysine – *I* acetilsalicilato di lisina – *S* acetilsalicilato de lisina

Lit.: Merck-Index (12.), Nr. 5668. – *[CAS 62952-06-1]*

Lysinoalanin. [LAL, N^6-(DL-2-Amino-2-carboxyethyl)-L-lysin].

$$HOOC-\underset{\underset{\displaystyle NH_2}{}}{\overset{\overset{\displaystyle NH_2}{}}{\underset{DL}{\,}}}-\underset{}{\overset{\overset{\displaystyle H}{|}}{N}}-\underset{\underset{\displaystyle NH_2}{|}}{\overset{\displaystyle L}{\,}}-COOH$$

$C_9H_{19}N_3O_4$, M_R 233,27. Unerwünschtes Folgeprodukt bei der Erhitzung von Protein-reichen Lebensmitteln. Die Bildung des LAL zählt zu den Quervernetzungen, da es zu einer Brückenbildung zwischen zwei (od. zwei Abschnitten der) Protein-Ketten kommt. Im ersten Schritt wird durch β-*Eliminierung aus Cystin od. Phosphoserin Dehydroalanin gebildet, das dann mit Lysin unter Ausbildung einer LAL-Quervernetzung reagiert. Die Einwirkung von Alkalien u. Wärmebehandlung katalysieren die Bildung von LAL. LAL wird bes. in Casein-haltigen Lebensmitteln gebildet, da *Casein einen bes. hohen Phosphoserin-Gehalt aufweist [1]. Die Bestimmung des LAL in Lebensmitteln erfolgt mit Hilfe chromatograph. Verf., wobei die Bestimmung im Rahmen der Aminosäure-Analyse bes. große Bedeutung hat [2,3].

Untersuchungen zur Wirkung von LAL auf den Organismus ergaben, daß hohe Gaben LAL (mehr als 100 ppm freies LAL im Futter) in den Nieren von Ratten histopatholog. Veränderungen hervorrufen. LAL ist außerdem ein Komplexbildner für Metalle u. beeinträchtigt die Resorption von Spurenelementen wie z.B. Zink u. Kupfer [4,5]. Die LAL-Quervernetzung ist weitgehend irreversibel, wodurch die Verwertung des Lysin-Anteils ganz od. zum großen Teil blockiert wird. Außerdem wird die in Lebensmitteln ohnehin nur in geringen Mengen vorhandene Schwefel-haltige Aminosäure Cystin zerstört u. die Verdaulichkeit des Nahrungs-Proteins verringert. Ein niedriger LAL-Gehalt in Lebensmitteln (<500 ppm) ist daher auch aus ernährungsphysiolog. Sicht pos. zu beurteilen. – *E* = *F* lysinoalanine – *I* = *S* lisinoalanina

Lit.: [1] Z. Lebensm. Unters. Forsch. **172**, 440–445 (1981). [2] Z. Lebensm. Unters. Forsch. **173**, 101–106 (1981). [3] Agric. Biol. Chem. **51**, 2889–2894 (1987). [4] J. Biol. Chem. **257**, 13896 ff. (1982). [5] J. Agric. Food Chem. **37**, 123–127 (1989).

allg.: Ernähr. Umsch. **31**, 147–150 (1984) ▪ GIT Supplement **2**, 25–30 (1989) ▪ J. Agric. Food Chem. **32**, 955–964 (1984) ▪ Milchwissenschaft **35**, 734 ff. (1980) ▪ Nutr. Abstr. Rev. **53**, 67–80 (1983). – *[CAS 18810-04-3]*

[8-L-Lysin]-vasopressin s. Lypressin.

Lysogener Verlauf s. Phagen, Viren.

Lysokephaline s. Lysolecithine.

Lysolecithine (Lysophosphatidylcholine). Aus Lecithin durch *Phospholipase-A-katalysierte Hydrolyse eines Fettsäure-Restes der *Lecithine gebildete oberflächenaktive Substanzen, die rote Blutkörperchen zu lysieren vermögen (daher Name). Auf analoge Weise entstehen andere *Lysophosphatide* (Ester der Lysophosphatidsäuren), z.B. aus *Kephalinen die *Lysokephaline* (Lysophophatidylethanolamine u. Lysophosphatidylserine). Die genannten *Lysophospholipide* können durch Lysophospholipasen (z.B. EC 3.1.1.5) desacyliert od. durch Acyltransferasen (EC 2.3.1.23) wieder zu den entsprechenden Phospholipiden aufgebaut werden; durch Acylmutasen (EC 5.4.1.1) werden sie isomerisiert. Neben den L. kennt man auch *Lysolecithin-Analoga*, die anstatt der Ester- eine Ether-Bindung haben u. als Immunstimulantien in der Tumortherapie diskutiert werden. – *E* lysolecithins – *F* lysolécithines – *I* lisolecitine – *S* lisolecitinas

Lysophosphatidasen s. Phospholipasen.

Lysophosphatidsäuren.

$$
\begin{array}{l}
\quad\quad\ \overset{O}{\overset{\|}{CH_2-O-C-R}} \\
HO-\overset{|}{\underset{|}{C}}-H \quad\quad \overset{O}{\overset{\|}{\ }} \\
\quad CH_2-O-\overset{\|}{\underset{|}{P}}-OH \\
\quad\quad\quad\quad\quad OH
\end{array}
\qquad R = Alkyl\ (C_{13},C_{15},C_{17})
$$

Schon länger als biosynthet. Vorläufer der *Phospholipide bekannte Klasse von Mol., die in jüngerer Zeit auch als interzelluläre Signalmol. identifiziert wurden, die z.B. von *Thrombocyten aus Phosphatidsäuren (s. Phospholipide) freigesetzt werden, ins Serum abgegeben werden, dort an *Serumalbumin gebunden werden können u. über spezielle Zelloberflächen-*Rezeptoren auf verschiedene Zielzellen einwirken. Thrombocyten selbst werden dadurch zur Aggregation veranlaßt, Fibroblasten, Keratinocyten, Gefäß-Muskel- u. -Endothelzellen dagegen zum Wachstum. Zellspannung u. Fibronectin-Bindung werden erhöht. Insgesamt scheinen die L. bei Wundheilung u. Gewebsregeneration eine Rolle zu spielen. Die L.-Rezeptoren signalisieren ihre Erregung über *G-Proteine ins Zellinnere. – *E* lysophosphatidic acids – *F* acides lysophosphatidiques – *I* acidi lisofosfatidici – *S* ácidos lisofosfatidídicos

Lit.: Durieux, Lysophosphatidate Signaling. Cellular Effects and Molecular Mechanisms, Berlin: Springer 1995 ▪ J. Cell Biol. **270**, 12949–12952 (1995) ▪ Trends Pharmacol. Sci. **14**, 249–254 (1993).

Lysophosphatidylcholine s. Lysolecithine.

Lysophospholipasen s. Phospholipasen.

Lysophospholipide s. Lysolecithine u. Phospholipide.

Lysosomen. Von de *Duve entdeckte cytoplasmat. Zellorganellen, die seither in vielen tier. Geweben (Leber, Darm, Nervengewebe etc.) nachgewiesen wurden.

Bes. L.-reich sind die zur Phagocytose befähigten *Monocyten (Makrophagen), die im immunolog. Geschehen bei *Entzündungen eine wichtige Rolle spielen. Elektronenmikroskop. erscheinen die L. als stark polymorphe u. größenvariable, kugelig-sackförmige Gebilde der ungefähren Größe 0,4 µm, die im Gegensatz zu den doppelt umhüllten *Mitochondrien von nur *einer* Elementarmembran umgeben sind. Die L. entstehen wahrscheinlich im *Golgi-Apparat, vielleicht auch im *endoplasmatischen Retikulum als *prim. Lysosomen.*

Biochem. sind sie durch ihren niedrigen pH-Wert (5–6) u. hohen Gehalt an hydrolyt. wirksamen Enzymen (daher der Name) charakterisiert wie z.B. Glykosid-Hydrolasen, Esterasen, Proteasen (bes. Kathepsine), Phosphatasen, Collagenase etc.; z.B. gilt die saure Phosphatase (EC 3.1.3.2) als typ. Leit-Enzym für den biochem. u. elektronenmikroskop.-cytochem. Nachw. von Lysosomen. Bei dieser Enzymausstattung gelten die L. heute als wichtige Organellen der intrazellulären *Verdauung von Fremdstoffen, Zelltrümmern usw., die durch *Endocytose einverleibt wurden. Mit den endocytot. Vesikeln (*Endosomen) verschmelzen die prim. L. zu den *sek. Lysosomen.* Die L. werden auch verantwortlich gemacht für den Abbau geschädigter Zellorganellen u. die *Autolyse absterbender Zellen. Auch cytoplasmat. Proteine können zum Abbau in die L. eingeschleust werden [1]. Bei erblichen Defekten bestimmter lysosomaler Enzyme kommt es durch Speicherung nicht abbaubarer Mol.-Bruchstücke in den L. zu schweren Stoffwechselkrankheiten [2]; *Beisp.*: Mucopolysaccharidosen u. Sphingolipidosen. In Pflanzen fehlen L. – funktionell entsprechende Organellen sind die Vakuolen [3]. – *E* = *F* lysosomes – *I* lisosomi – *S* lisosomas

Lit.: [1] Science **273**, 501 ff. (1996). [2] Biochim. Biophys. Acta **1270**, 103–136 (1995). [3] Protoplasma **197**, 1–25 (1997). *allg.*: Experientia **48**, 130–157 (1992).

Lysostaphin (Peptidoglykan-Endopeptidase, EC 3.4.99.17). Aus *Staphylokokken (*Staphylococcus staphylolyticus*) isolierte Protease, die eine spezif. lysierende Wirkung (Hydrolyse des *Mureins) gegen eine Vielzahl von Staphylokokkenstämmen (z.B. *S. aureus*) aufweist. – *E* lysostaphin – *F* lysostaphine – *I* = *S* lisostafina – *[CAS 9011-93-2]*

Lysozyme (Peptidoglykan-*N*-Acetylmuramoylhydrolasen, EC 3.2.1.17). Bez. für *Hydrolasen (genauer: *Mucopolysaccharidasen*), deren erster Vertreter 1922 von *Fleming im Hühner-Eiweiß entdeckt wurde. Heute hat man L. in fast allen tier. Körperflüssigkeiten u. in vielen Pflanzen nachgewiesen; bes. hohe Aktivität zeigen L.-Präp. aus Hühner-Eiweiß, Tränenflüssigkeit, Speichel, Schleimhäuten u. menschlichen Leukocyten. L. aus Hühner-Eiweiß ist ein einkettiges Polypeptid (M_R 14388) aus 129 Aminosäure-Resten (AR), das durch 4 Disulfid- u. zahlreiche Wasserstoff-Brücken zu einem *globulären Protein gefaltet ist. Es ist das erste Enzym, dessen Raumstruktur so weitgehend aufgeklärt werden konnte, daß ein Verständnis der Enzymwirkung auf mol. Ebene möglich wurde. Heute studiert man an L. den Mechanismus der Protein-Faltung [1]. Andersartige Strukturen haben L. aus

Bakteriophagen mit M_R 18 720 u. 164 AR (Phagen-T_2- u. T_4-L.) bzw. M_R 17 873 u. 157 AR (λ-Phagen-*Endolysin*).
L. spaltet die $\beta(1{\rightarrow}4)$-Bindungen zwischen *N*-Acetyl-D-muraminsäure u. *N*-Acetyl-D-glucosamin-Resten, weshalb L. auch *Murami(ni)dase* genannt wird. Natürliche Substrate der L. sind bestimmte, die Zellwände vieler Bakterienarten aufbauende *Murein-Bestandteile, die von L. abgebaut werden (Bakteriolyse). Einige L. besitzen eine ausgeprägte *Chitinase*-Aktivität, da *Chitin strukturverwandt mit dem Murein-Substrat ist. Die physiolog. Bedeutung der L. für den Organismus ist in der Abwehr von Bakterien zu sehen, u. zwar sowohl durch direkten Angriff als auch, indem es den Phagen das Eindringen ermöglicht. Bei bestimmten Mutationen des menschlichen L. kommt es zu Protein-Ablagerungen (Amyloidose) in den Eingeweiden[2]. L. wird in kommerziellen Mengen aus dem Eiklar (enthält 3,5–5%, s. Eier) gewonnen u. dient – ggf. zusammen mit Antibiotika – zur Behandlung von Wundinfektionen. – $E = F$ lysozymes – I lisozimi – S lisozimas
Lit.: [1]FASEB J. **10**, 35–41 (1996); Trends Biochem. Sci. **19**, 31–37 (1994). [2]Nature (London) **362**, 553–557 (1993); **385**, 773 ff., 787–793 (1997). – *[HS 3507 90; CAS 9001-63-2]*

Lysthenon® (Rp). Ampullen mit dem *Muskelrelaxans *Suxamethoniumchlorid. *B.:* Nycomed.

Lysylbradykinin s. Kallidin.

Lysyl-Oxidase s. Elastin.

…lytisch s. Lyo…

Lyxit s. Arabit.

lyxo… Kursiv gesetzte Bez. für *Lyxose-artige Konfiguration von 3 Stereozentren, s. Schema bei Aldopentosen u. Kohlenhydrate. – $E = F$ lyxo- – I lisso- – S lixo-

Lyxoflavin s. Riboflavin, Vitamine (B_2).

D-Lyxose.

α-D-Pyranose-Form

$C_5H_{10}O_5$, M_R 150,13. Süß schmeckende, hygroskop., monokline Prismen, D. 1,545, Schmp. 107 °C, leicht lösl. in Wasser, wenig in Alkohol. Die techn. unbedeutende *Aldopentose L. fällt bei der Cellulose-Gewinnung in den Sulfit-Ablaugen an. Ihr Name ist durch Umstellung der ersten 3 Buchstaben von *Xylose gebildet. – $E = F$ D-lyxose – I D-lixosio – S D-lixosa
Lit.: Adv. Carbohydr. Chem. Biochem. **34**, 179 (1976); **42**, 15 (1984) ▪ ApSimon **6**, 204 f. ▪ Beilstein E IV **1**, 4230 ff. ▪ J. Org. Chem. **26**, 2658 (1971) ▪ Karrer, Nr. 586 ▪ Meth. Carbohydr. Chem. **1**, 77, 79 (1962) ▪ Merck-Index (12.), Nr. 5673. – *[HS 2940 00; CAS 1114-34-7]*

Formelregister für Band 3

Das folgende Formelregister enthält alle im vorliegenden Band 3 behandelten anorgan., Metall-organ. u. organ. Verbindungen. Zur Einordnung wird das *Hill'sche System* angewandt, d. h., mit Ausnahme der Kohlenstoff-Verb. wird in den *Bruttoformeln aller Verb. die alphabet. Folge der Elementsymbole streng eingehalten. Innerhalb der Elementsymbole, die jeweils wie 1 Buchstabe behandelt werden, wird dann nach Atomzahlindices numer. aufsteigend geordnet. Dies hat allerdings zur Folge, daß z. B. die Di-, Tri- u. Tetrahalogenide eines Elements im allg. *nicht* zusammensortiert auftreten. So ergibt sich z. B. für die im Chemie Lexikon erwähnten Chlor-Verb. von Calcium, Cobalt, Eisen, Iod, Natrium, Schwefel, Silber, Silicium u. Zinn die Folge: $AgCl$, $CaCl_2$, CII, $ClNa$, Cl_2Co, Cl_2Fe, Cl_2S, Cl_2S_2, Cl_2Sn, Cl_3Fe, Cl_3I, Cl_4S, Cl_4Si, Cl_4Sn, Cl_6Si_2 etc. Das evtl. enthaltene Kristallwasser od. Hydratwasser bleibt bei der Aufstellung der Bruttoformel unberücksichtigt. Die Bruttoformeln der Carbonate u. Hydrogencarbonate finden sich unter denen der Kohlenstoff-Verbindungen. Im allg. wurden in das Formelregister *nicht aufgenommen*: Verb. mit nichtstöchiometr. Zusammensetzung wie $Na_{0,3}(Mg_{2,7}Li_{0,3})[Si_4O_{10}(OH)_2]$, Mischkrist. u.

Mineralien mit variabler Zusammensetzung wie $Zn_5[(OH)_3/CO_3]_2$ u. dgl. Die mit Eigennamen belegten Isotope ^2H u. ^3H werden alphabet. unter den Symbolen D u. T geführt (z. B. D_2O).

Eine abweichende Behandlung erfahren alle Verb., die C-Atome enthalten. Hier wird *in jedem Fall* das Elementsymbol C vorangestellt. Diesem folgen – aber nur bei *Wasserstoff-freien C-Verb.* – die übrigen Elementsymbole (die der *Heteroatome) in alphabet. Reihung. Daraus ergibt sich z. B. für einige Carbonate, Carbonyl-Verb., Cyanide, Cyanate, Fulminate, Tetrachlormethan u. Phosgen die Folge: $CAgNO$, CAg_2O_3, $CBaO_3$, CCl_2O, CCl_4, CKN, $CNNaO$, CO_3Zn, $C_2HgN_2O_2$, C_4NiO_4, C_5FeO_5. Bei *Wasserstoff-haltigen Verb.* des Kohlenstoffs folgt dem Symbol C zunächst dasjenige des Wasserstoffs u. erst hiernach werden die übrigen Elementsymbole von A–Z angeführt. Die Namen der Verb. mit gleicher Bruttoformel sind alphabet. geordnet.

Es ist zu beachten, daß Bruttoformeln von Verb., die kein eigenes Stichwort im Lexikon sind, im Register unter dem Stichwort erscheinen, in dem sie besprochen werden.

$C_9H_{16}ClN_3O_2$=Lomustin
$C_9H_{16}N_2O$=Loline
$C_9H_{17}ClN_3O_3PS$=Isazophos
$C_9H_{18}O_2$=Isononansäure
$C_9H_{19}N$=Isomethepten
$C_9H_{19}N_3O_4$=Lysinoalanin
$C_9H_{20}N_2O_4S$=HEPES
$C_9H_{20}O$=Isononanol
$C_9H_{23}NO_7P_2$=Ibandronsäure

$C_{10}H_5Cl_7$=Heptachlor
$C_{10}H_6N_4O_2$=Isoalloxazin
$C_{10}H_6O_3$=Juglon, Lawson
$C_{10}H_6O_5$=Hydroxy-1,4-naphthochinone
$C_{10}H_6O_6$=Hydroxy-1,4-naphthochinone
$C_{10}H_7NO_3$=Kynurensäure
$C_{10}H_8O_3$=Hymecromon
$C_{10}H_9NO_2$=3-Indolylessigsäure
$C_{10}H_9N_5O$=Kinetin
$C_{10}H_{10}O_2$=Isosafrol
$C_{10}H_{10}O_4$=Kaffeesäure
$C_{10}H_{11}IO_4$=Iodosylbenzoldiacetat
$C_{10}H_{11}N$=Lascivol
$C_{10}H_{12}N_2O_3$=L-Kynurenin
$C_{10}H_{12}N_4O_5$=Inosin
$C_{10}H_{12}O_2$=Himbeeraroma, Isoeugenol
$C_{10}H_{12}O_3$=4-Hydroxybenzoesäureester
$C_{10}H_{13}N_4O_8P$=Inosin-5'-monophosphat
$C_{10}H_{14}CuO_4$=Kupfer(II)-acetylacetonat
$C_{10}H_{14}O_2$=Iridoide
$C_{10}H_{15}NO$=Hordenin
$C_{10}H_{15}N_2Na_3O_7$=HEDTA
$C_{10}H_{16}$=Limonen
$C_{10}H_{16}N_2O_2$=Loline
$C_{10}H_{16}O$=Ipsdienol
$C_{10}H_{16}O_2$=Iridomyrmecin, Jasminlacton, Lineatin
$C_{10}H_{16}O_3$=Königinnensubstanz
$C_{10}H_{17}Cl$=Isobornylchlorid
$C_{10}H_{17}NO_6$=Linamarin
$C_{10}H_{17}N_3O_5$=Linatin
$C_{10}H_{18}N_2O_7$=HEDTA
$C_{10}H_{18}O$=Ipsdienol, Isoborneole, Lavandin(öl), Linalool
$C_{10}H_{18}O_3$=Königinnensubstanz
$C_{10}H_{19}NO$=Lupinen-Alkaloide
$C_{10}H_{19}NOS_2$=Hirsutin
$C_{10}H_{20}O_2$=Hydroxycitronellal
$C_{10}H_{21}N$=Levopropylhexedrin
$C_{10}H_{22}O$=Isodecanol
$C_{10}H_{23}N_3O_3$=Hypusin

$C_{11}H_6ClN_3O_6$=Lodoxamid
$C_{11}H_8N_2O_3S_2$=Luciferine
$C_{11}H_8O_3$=3-Hydroxy-2-naphthoesäure, Lawson
$C_{11}H_9Br_2N_5O$=Imidazol-Alkaloide
$C_{11}H_9I_3N_2O_4$=Iotalaminsäure
$C_{11}H_{10}O_4$=Limettöl
$C_{11}H_{12}Cl_2N_2O$=Lofexidin
$C_{11}H_{12}I_3N_3O_2$=Iopansäure
$C_{11}H_{12}N_2S$=Levamisol
$C_{11}H_{13}NO_3$=Hydrastinin
$C_{11}H_{14}O_3$=4-Hydroxybenzoesäureester
$C_{11}H_{15}NO_2$=Isoprocarb
$C_{11}H_{16}O$=(Z)-Jasmon
$C_{11}H_{17}NO_3$=Isoprenalin
$C_{11}H_{18}N_2O_2$=Loline
$C_{11}H_{20}O_2$=4-Hydroxyundecansäurelacton

$C_{12}H_8N_2O_4$=Iodinin
$C_{12}H_9F_3N_2O_2$=Leflunomid
$C_{12}H_9NO_2$=Indophenol

$C_{12}H_{10}$=Heptalen
$C_{12}H_{10}N_2$=Harman, Harmane
$C_{12}H_{10}N_4O_2$=Lumichrom
$C_{12}H_{11}I_3N_2O_4$=Iodamid
$C_{12}H_{11}I_3N_2O_4$=Ioxitalaminsäure
$C_{12}H_{11}N_3$=Indamin
$C_{12}H_{12}N_2$=Hydrazobenzol
$C_{12}H_{13}I_3N_2O_2$=Iopodinsäure
$C_{12}H_{13}I_3N_2O_3$=Iocetaminsäure
$C_{12}H_{13}N_3O_2$=Isocarboxazid
$C_{12}H_{15}N_3$=Indanazolin
$C_{12}H_{16}N_2O_3$=Hexobarbital
$C_{12}H_{16}N_4O_3$=Iprazochrom
$C_{12}H_{17}NO$=Insektenabwehrmittel
$C_{12}H_{17}N_3O_4S$=Imipenem
$C_{12}H_{18}$=Hexamethylbenzol
$C_{12}H_{18}N_2O$=Isoproturon
$C_{12}H_{18}N_2O_5$=Hypoglycin
$C_{12}H_{18}O_2$=4-Hexylresorcin
$C_{12}H_{18}O_3$=Jasmonsäure
$C_{12}H_{18}O_4$=1,6-Hexandiol
$C_{12}H_{18}O_4S_2$=Isoprothiolan
$C_{12}H_{20}O_2$=Loline
$C_{12}H_{20}N_4O_2$=Hexazinon
$C_{12}H_{20}O_2$=Isobornylacetat, Lavandin(öl), Linalool
$C_{12}H_{22}O_{10}S_4$=Lentinsäure
$C_{12}H_{22}O_{11}$=Lactose, Lactulose, Laminarin
$C_{12}H_{22}O_{12}$=Lactobionsäure
$C_{12}H_{23}NO$=12-Laurinlactam
$C_{12}H_{24}O_2$=Laurinsäure
$C_{12}H_{24}O_6$=Krone
$C_{12}H_{24}O_{11}$=Isomaltit, Lactitol
$C_{12}H_{30}Br_2N_2$=Hexamethoniumbromid

$C_{13}H_6Cl_6O_2$=Hexachlorophen
$C_{13}H_{10}ClN_3O_4S_2$=Lornoxicam
$C_{13}H_{10}O_4$=Hispidin, Khellin
$C_{13}H_{10}O_5$=Hispidin, Khellin
$C_{13}H_{12}I_3N_3O_5$=Ioglicinsäure
$C_{13}H_{12}N_2O$=Harmin
$C_{13}H_{12}N_4O_2$=Lumiflavin
$C_{13}H_{13}Cl_2N_3O_2$=Iprodion
$C_{13}H_{14}N_2O$=Harmalin
$C_{13}H_{15}ClN_6O_7S$=Halosulfuron
$C_{13}H_{15}N_3O_3$=Imazapyr
$C_{13}H_{16}ClNO$=Ketamin
$C_{13}H_{16}NO_4PS$=Isoxathion
$C_{13}H_{17}NO_2$=Lophophorin
$C_{13}H_{18}N_2O_2$=Lenacil
$C_{13}H_{18}N_2O_3$=Heptabarbital
$C_{13}H_{18}N_6O_3$=Lupinsäure
$C_{13}H_{18}O_2$=Ibuprofen
$C_{13}H_{20}N_2O_3$=Hydroxyprocain
$C_{13}H_{20}O$=Jonone
$C_{13}H_{20}O_3$=Jasminabsolue
$C_{13}H_{21}NO_3$=Isoetarin

$C_{14}H_8O_4$=Hystazarin
$C_{14}H_9Cl_2F_3N_2O$=Halocarban
$C_{14}H_{12}N_2O_2$=Infractine
$C_{14}H_{12}O_3$=Hydroxybenzophenone
$C_{14}H_{12}O_5$=Khellin
$C_{14}H_{13}ClN_6O_5S$=Imazosulfuron
$C_{14}H_{14}Cl_2N_2O$=Imazalil
$C_{14}H_{14}O_2P_2S_4$=Lawesson-Reagenz
$C_{14}H_{14}O_3$=Kawain
$C_{14}H_{16}N_2O_6$=Indicaxanthin
$C_{14}H_{17}Cl_2N_3O$=Hexaconazol
$C_{14}H_{17}NO_6$=Indican
$C_{14}H_{20}N_4O$=Imolamin
$C_{14}H_{20}N_4O_3$=Hexamethylentetramin
$C_{14}H_{21}N_3O_3$=Karbutilat
$C_{14}H_{22}N_2O$=Lidocain
$C_{14}H_{22}O$=Irone
$C_{14}H_{24}O_2$=Japonilur
$C_{14}H_{25}N_3O_9$=Kasugamycin

$C_{15}H_{10}Cl_2N_2O_2$=Lorazepam
$C_{15}H_{10}O_2$=Isoflavone
$C_{15}H_{10}O_4$=Isoflavone
$C_{15}H_{10}O_5$=Islandicin, Isoflavone
$C_{15}H_{10}O_6$=Islandicin, Isoflavone, Kaempferol, Luteolin
$C_{15}H_{13}NO_3$=Ketorolac
$C_{15}H_{14}N_2O_2$=Infractine
$C_{15}H_{14}O$=Lactaroviolin
$C_{15}H_{14}O_3$=Lapachol
$C_{15}H_{14}O_4$=Lapachol
$C_{15}H_{16}O_5$=Lactucin
$C_{15}H_{18}I_3NO_5$=Iopronsäure
$C_{15}H_{18}N_2O$=Huperzin
$C_{15}H_{18}O_3$=Lagopodine
$C_{15}H_{18}O_4$=Helenalin, Lagopodine
$C_{15}H_{18}O_5$=Lagopodine
$C_{15}H_{19}NO$=Ipomoea-Alkaloide
$C_{15}H_{19}N_3O_3$=Imazethapyr
$C_{15}H_{20}O_2$=Helenin, Isovelleral
$C_{15}H_{20}O_3$=Helicobasidin, Hypnophilin, Illudine, Juvabion
$C_{15}H_{20}O_4$=Helicobasidin, Hirsutsäure, Illudine, Lactucin
$C_{15}H_{21}N_5O_3$=Hexamethylentetramin
$C_{15}H_{22}N_2O_6$=Lysin-acetylsalicylat
$C_{15}H_{22}O_2$=Helminthosporal
$C_{15}H_{22}O_3$=Ipomeanin
$C_{15}H_{22}O_4$=Ipomeanin
$C_{15}H_{23}N_3O_4$=Isopropalin
$C_{15}H_{23}N_5O_4$=Kyotorphin
$C_{15}H_{24}$=Hirsuten, Humulen, Ishwaran, Kaskarillarinde, Longifolen
$C_{15}H_{24}NO_4PS$=Isofenphos
$C_{15}H_{24}N_2O$=Lupinen-Alkaloide
$C_{15}H_{24}N_2O_2$=Lupinen-Alkaloide
$C_{15}H_{24}N_2O_3$=Hydroxytracain
$C_{15}H_{24}O$=Ishwaran
$C_{15}H_{24}O_2$=Luciferine
$C_{15}H_{24}O_3$=Illudol, Juvabion
$C_{15}H_{24}O_{10}$=Harpagosid
$C_{15}H_{25}NO$=Histrionicotoxine
$C_{15}H_{25}NO_5$=Heliotropium-Alkaloide
$C_{15}H_{26}O$=Ledol

$C_{16}H_8Cl_2F_6N_2O_3$=Hexaflumuron
$C_{16}H_8N_2Na_2O_8S_2$=Indigocarmin
$C_{16}H_{10}N_2O_2$=Indigo, Indigorot
$C_{16}H_{10}O_7$=Laccainsäure
$C_{16}H_{10}O_8$=Kermes
$C_{16}H_{12}Cl_2N_2O_2$=Lormetazepam
$C_{16}H_{12}O_5$=Isoflavone
$C_{16}H_{12}O_6$=Hämatoxylin, Isoflavone
$C_{16}H_{13}I_3N_2O_3$=Iobenzaminsäure
$C_{16}H_{14}F_3N_3O_2S$=Lansoprazol
$C_{16}H_{14}O_3$=Ketoprofen
$C_{16}H_{14}O_4$=Imperatorin, Kardamomen
$C_{16}H_{14}O_6$=Hämatoxylin, Hesperetin
$C_{16}H_{14}O_7$=Lecanorsäure
$C_{16}H_{16}ClN_3O_3S$=Indapamid
$C_{16}H_{16}ClN_3O_4$=Loracarbef
$C_{16}H_{16}N_2O_4$=Lysergsäure
$C_{16}H_{17}NO_3$=Illudine
$C_{16}H_{18}N_2O_3$=Isopilosin
$C_{16}H_{19}N_3O_2$=Imidazol-Alkaloide
$C_{16}H_{19}N_3S$=Isothipendyl
$C_{16}H_{20}N_2O$=Huperzin
$C_{16}H_{20}N_2O_3$=Imazamethabenzmethyl
$C_{16}H_{21}NO_3$=Homatropin
$C_{16}H_{22}BrNO_3$=Homatropin
$C_{16}H_{24}N_2O_5$=Isoaminil
$C_{16}H_{25}NO$=Lycopodium-Alkaloide
$C_{16}H_{25}NO_2$=Lycopodium-Alkaloide

$C_{16}H_{26}O_3$=Juvabion
$C_{16}H_{27}NO_5$=Heliotropium-Alkaloide
$C_{16}H_{28}O_2$=Hydnocarpussäure
$C_{16}H_{32}O_3$=Jalapinolsäure
$C_{16}H_{33}Br$=Hexadecylbromid
$C_{16}H_{33}Cl$=Hexadecylchlorid
$C_{16}H_{34}$=2,2,4,4,6,8,8-Heptamethylnonan, Hexadecan
$C_{16}H_{34}O$=1-Hexadecanol

$C_{17}H_8Cl_2F_8N_2O_2$=Lufenuron
$C_{17}H_{11}N_5$=Letrozol
$C_{17}H_{13}ClN_2O$=Infractine
$C_{17}H_{13}ClN_2O_2$=Lonazolac
$C_{17}H_{13}Cl_3N_4S$=Imibenconazol
$C_{17}H_{14}O_6$=Involutin
$C_{17}H_{16}Cl_2N_2O_4$=Isoxapyrifop
$C_{17}H_{17}N_3O_3$=Imazaquin
$C_{17}H_{19}F_2N_3O_3$=Lomefloxacin
$C_{17}H_{19}NO_3$=Hydromorphon
$C_{17}H_{21}ClN_2O_2S$=Hexythiazox
$C_{17}H_{22}I_3N_3O_8$=Iomeprol, Iopamidol
$C_{17}H_{23}NO$=Levorphanol
$C_{17}H_{23}NO_3$=Hyoscyamin
$C_{17}H_{24}BrNO_3$=Homatropin
$C_{17}H_{25}NO$=Histrionicotoxine
$C_{17}H_{25}NO_3$=Lasubin, Levobunolol
$C_{17}H_{26}O_4$=Ingweröl
$C_{17}H_{26}O_{10}$=Loganin
$C_{17}H_{28}N_2O_2$=Leucinocain
$C_{17}H_{28}N_2O_7$=Lascivol
$C_{17}H_{30}ClN$=Laurylpyridiniumchlorid
$C_{17}H_{36}$=Heptadecan

$C_{18}H_{10}Cl_2O_2S_2$=Indanthren-Farbstoffe
$C_{18}H_{10}I_6N_2O_7$=Ioglycaminsäure
$C_{18}H_{12}O_9$=Leprocyben-Farbstoffe
$C_{18}H_{14}Cl_4N_2O$=Isoconazol
$C_{18}H_{16}O_8$=Iridin
$C_{18}H_{18}O_4$=Lignane
$C_{18}H_{19}NO_4$=Kresoxim
$C_{18}H_{20}FN_3O_4$=Levofloxacin
$C_{18}H_{21}NO_3$=Hydrocodon
$C_{18}H_{22}O_2$=Hexestrol
$C_{18}H_{23}NO_3$=Isoxsuprin
$C_{18}H_{24}ClN_3O$=Ipconazol
$C_{18}H_{24}I_3N_3O_8$=Iopromid
$C_{18}H_{24}I_3N_3O_9$=Ioversol
$C_{18}H_{24}N_2O_4$=Isoxaben
$C_{18}H_{25}NO$=Levomethorphan
$C_{18}H_{25}NO_2$=Lobelia-Alkaloide
$C_{18}H_{25}N_5O_2$=Imidazol-Alkaloide
$C_{18}H_{26}ClN_3O$=Hydroxychloroquin
$C_{18}H_{27}ClN_4O_4$=Loline
$C_{18}H_{27}NO_3$=Lobelia-Alkaloide
$C_{18}H_{29}NO_2$=Lobelia-Alkaloide
$C_{18}H_{29}NO_3$=Lycopodium-Alkaloide
$C_{18}H_{29}NO_4$=Lycopodium-Alkaloide
$C_{18}H_{30}O_2$=Hydnocarpussäure, Linolensäure
$C_{18}H_{30}O_3$=Juvenilhormone
$C_{18}H_{32}O_2$=Linolsäure
$C_{18}H_{32}O_{16}$=Kestosen
$C_{18}H_{33}KO_2$=Kaliumoleat
$C_{18}H_{34}N_2O_6S$=Lincomycin
$C_{18}H_{35}KO_2$=Kaliumstearat
$C_{18}H_{36}N_2O_6$=Kryptanden
$C_{18}H_{36}N_4O_{11}$=Kanamycine
$C_{18}H_{36}O_3$=12-Hydroxystearinsäure
$C_{18}H_{37}N_5O_9$=Kanamycine
$C_{18}H_{37}N_5O_{10}$=Kanamycine
$C_{18}H_{40}Br_2N_4O_4$=Hexacarbacholinbromid

ClHO=Hypochlorige Säure
ClH$_4$NO=Hydroxylamin-Hydro-
  chlorid
ClH$_5$N$_2$=Hydraziniumchloride
ClI=Iodchloride
ClK=Kaliumchlorid
ClKO=Kaliumhypochlorit
ClKO$_3$=Kaliumchlorat
ClKO$_4$=Kaliumperchlorat
ClLi=Lithiumchlorid
ClLiO$_4$=Lithiumperchlorat
Cl$_2$Cu=Kupferchloride
Cl$_2$H$_6$N$_2$=Hydraziniumchloride
Cl$_3$CoH$_{18}$N$_6$=Hexaammincobalt-
  (III)-chlorid
Cl$_3$I=Iodchloride
Cl$_3$In=Indium-Verbindungen
Cl$_3$Ir=Iridium-Verbindungen
Cl$_3$La=Lanthan-Verbindungen
Cl$_6$H$_2$Ir=Iridium-Verbindungen
Cl$_6$H$_8$IrN$_2$=Iridium-Verbindungen
Cl$_6$H$_{12}$IrN$_3$=Iridium-Verbindun-
  gen
Cl$_6$K$_2$Pt=Kaliumhexachloroplati-
  nat(IV)

CoK$_3$N$_6$O$_{12}$=Kaliumhexanitroco-
  baltat(III)

CrK$_2$O$_4$=Kaliumchromat
CrK$_3$O$_8$=Kaliumchromat
CrNa$_2$O$_6$Si$_2$=Kosmochlor
CrO$_4$Pb=Krokoit
Cr$_2$K$_2$O$_7$=Kaliumdichromat

Cu=Kupfer
CuF$_2$=Kupfer(II)-fluorid
CuFeS$_2$=Kupferkies
CuH$_2$O$_2$=Kupfer(II)-hydroxid
CuI=Kupferiodide
CuI$_2$=Kupferiodide
CuN$_2$O$_6$=Kupfer(II)-nitrat
CuO=Kupferoxide
CuO$_4$S=Kupfer(II)-sulfat
CuS=Kupfersulfide

Cu$_2$O=Kupferoxide
Cu$_2$S=Kupfersulfide

FK=Kaliumfluoride
FLi=Lithiumfluorid
F$_2$HK=Kaliumfluoride
F$_2$Kr=Krypton
F$_5$I=Iodfluoride
F$_6$K$_2$Si=Kaliumhexafluorosilicat
F$_6$K$_2$Zr=Kaliumhexafluorozirco-
  nat
F$_7$I=Iodfluoride

FeHO$_2$=Lepidokrokit
FeO$_3$Ti=Ilmenit
FePb$_4$S$_{14}$Sb$_6$=Jamesonit
Fe$_2$O$_3$=Hämatit

HI=Iodwasserstoff
HIO$_3$=Iodsäure
HKO=Kaliumhydroxid
HKO$_3$S=Kaliumhydrogensulfit
HKO$_4$S=Kaliumhydrogensulfat
HKO$_5$S=Kaliumhydrogenperoxo-
  monosulfat
HK$_2$O$_4$P=Kaliumphosphate
HLi=Lithiumhydrid
HLiO=Lithiumhydroxid
H$_2$KO$_4$P=Kaliumphosphate
H$_2$LiN=Lithiumamid
H$_2$N$_2$O$_2$=Hyposalpetrige Säure
H$_3$LaO$_3$=Lanthan-Verbindungen
H$_3$NO=Hydroxylamin
H$_3$NO$_4$S=Hydroxylamin-O-sul-
  fonsäure
H$_4$K$_2$O$_6$Os=Kaliumosmat(VI)
H$_4$N$_2$=Hydrazin
H$_4$O$_4$Si=Kieselsäuren
H$_6$KO$_6$Sb=Kaliumhexahydroxo-
  antimonat(V)
H$_6$K$_2$O$_6$Sn=Kaliumhexahydro-
  xostannat(IV)
H$_6$N$_2$O=Hydrazinhydrat
H$_6$N$_2$O$_4$S=Hydraziniumsulfate
H$_6$O$_7$Si$_2$=Kieselsäuren

H$_8$N$_2$O$_6$S=Hydroxylaminsulfat
H$_{10}$N$_4$O$_4$S=Hydraziniumsulfate

He=Helium

Hf=Hafnium
HfO$_2$=Hafnium-Verbindungen

HgS$_8$Sb$_4$=Livingstonit

Ho=Holmium

I=Iod
IK=Kaliumiodid
IKO$_3$=Kaliumiodat
IKO$_4$=Kaliumperiodat
ILi=Lithiumiodid
IN$_3$=Iodazid
I$_2$O$_4$=Iodoxide
I$_2$O$_5$=Iodoxide
I$_2$O$_7$=Iodoxide

In=Indium
InP=Indiumphosphid
InSb=Indiumantimonid
InSe=Indiumselenid
In$_2$O$_3$=Indium-Verbindungen
In$_2$O$_{12}$S$_3$=Indium-Verbindungen

Ir=Iridium
IrO$_2$=Iridium-Verbindungen
Ir$_2$O$_3$=Iridium-Verbindungen

K=Kalium
KMnO$_4$=Kaliumpermanganat
KNO$_2$=Kaliumnitrit
KNO$_3$=Kalisalpeter, Kaliumnitrat
KO$_2$=Kaliumoxide
KO$_3$=Kaliumoxide
KO$_4$Re=Kaliumperrhenat
K$_2$MgO$_8$S$_2$=Leonit
K$_2$Mg$_2$O$_{12}$S$_3$=Langbeinit
K$_2$O=Kaliumoxide
K$_2$O$_2$=Kaliumoxide
K$_2$O$_3$=Kaliumoxide

K$_2$O$_3$S=Kaliumsulfit
K$_2$O$_3$Te=Kaliumtellurit
K$_2$O$_4$S=Kaliumsulfat
K$_2$O$_5$S$_2$=Kaliumdisulfit
K$_2$O$_6$S$_4$=Kaliumtetrathionat
K$_2$O$_7$S$_2$=Kaliumdisulfat
K$_2$O$_8$S$_2$=Kaliumperoxodisulfat
K$_2$S=Kaliumsulfide
K$_3$O$_4$P=Kaliumphosphate
K$_4$O$_7$P$_2$=Kaliumphosphate

Kr=Krypton

Ku=Kurtschatovium

La=Lanthan
LaN$_3$O$_9$=Lanthan-Verbindungen
La$_2$O$_3$=Lanthan-Verbindungen
La$_2$O$_{12}$S$_3$=Lanthan-Verbindungen

Li=Lithium
LiNO$_3$=Lithiumnitrat
Li$_2$O=Lithiumoxide
Li$_2$O$_2$=Lithiumoxide
Li$_2$O$_4$S=Lithiumsulfat

Lr=Lawrencium

Lu=Lutetium

MgO$_4$S=Kieserit

Na$_2$O$_9$Si$_3$Zr=Katapleit

OS$_2$Sb$_2$=Kermesit
O$_2$Sn=Kassiterit
O$_4$PSc=Kolbeckit
O$_8$P$_2$Zn$_3$=Hopeit

Rf=Kurtschatovium

RuS$_2$=Laurit

Uno=Hahnium
Unp=Hahnium

Lang Kurt

Verzeichnis der Abkürzungen

 E Explosions-gefährlich

 O Brand-fördernd

 F Leichtent-zündlich

F+ Hochent-zündlich

C Ätzend

[α]	spezifische Drehung		gasf.	gasförmig
a	Jahr		geb.	geboren
a.	auch, andere(n, m)		GefStoffV	Gefahrstoffverordnung
	in Zusammensetzungen		gegr.	gegründet
	wie: s.a., u.a.		Ges.	Gesellschaft
Abb.	Abbildung		gesätt.	gesättigt
Abk.	Abkürzung		Geschw.	Geschwindigkeit
abs.	absolut		Gew.	Gewicht
ADI	acceptable daily intake		ggf.	gegebenenfalls
	= annehmbare tägliche		Ggw.	Gegenwart
	Aufnahme		h	Stunde
allg.	allgemein		H.	Härte nach Mohs
Anw.	Anwendung		Hdb.	Handbuch, Handbook
Aufl.	Auflage		Herst.	Herstellung
B.	Bezugsquelle		Hrsg.	Herausgeber
BAT	Biologischer Arbeitsstoff		*HS*	Harmonisiertes System
	Toleranzwert		HWZ	Halbwertszeit
Bd.	Band, Bände		*I*	italienische Bezeichnung
Beisp.	Beispiel		i.m.	intramuskulär
bes.	besonders, besondere(r, s)		Ind.	Industrie
Bez.	Bezeichnung		Inst.	Institut(ion)
Btm	Betäubungsmittel		i.p.	intraperitoneal
CAS	Chemical Abstracts Service-Nr.		i.Tr.	in der Trockenmasse
ChemG	Chemikaliengesetz		IZ	Iod-Zahl
d	Tag		i.v.	intravenös
D.	Dichte		Jh.	Jahrhundert
Darst.	Darstellung		KBwS	Klassifizierung durch
Dest.	Destillation			Kommission zur Bewertung
dest.	destilliert			wassergefährdender Stoffe beim
dgl.	dergleichen			BMU
Diss.	Dissertation		Koeff.	Koeffizient
E	englische Bezeichnung		Konz.	Konzentration
EC	Enzyme Commission		konz.	konzentriert
ehem.	ehemals, ehemalig		Krist.	Kristallisation, Kristall
Erg.	Ergänzung		krist.	kristallisiert, kristallin
et al.	et alii = und andere		Kurzz.	Kurzzeichen
F	französische Bezeichnung		LD	letale Dosis
f., ff.	die nächst folgende Seite,		Leg.	Legierung
	die folgenden Seiten		Lit.	Literatur
FP.	Flammpunkt		lösl.	löslich
G	Gefahrenklasse		Lsg.	Lösung